ISBN 978-0-260-93521-2
PIBN 10990389

FB &c Ltd, Dalton House, 60 Windsor Avenue, London, SW19 2RR.
Company number 08720141. Registered in England and Wales.

For support please visit www.forgottenbooks.com

Christian Gottlob Kayser's

Vollständiges

Bücher-Lexicon

enthaltend

die vom Jahre 1750 bis Ende des Jahres 1886

im deutschen Buchhandel erschienenen Bücher.

Vierundzwanzigster Band

oder

des IX. Supplementbandes zweite Hälfte.

1883—1886.

Mit Nachträgen und Berichtigungen zu den früheren Bänden.

Bearbeitet

von

Richardt Haupt.

L—Z.

Leipzig.

T. O. Weigel.

1887.

L.

L, les trois, du Dante. Nouvel essai d'un commentaire sur le chant I de la Divine Comédie. 3. éd. 8. (16 S.). Klausenburg 886. (Demjén.) n. 1. —

Lasche, S., Harn-Analyse f. practische Aerzte. Mit 21 Holzschn. gr. 8. (VIII, 166 S.) Leipzig 885. F. C. W. Vogel. n. 3. —

Laacke, Karl Chr. Fr., das Kantor-, Küster- u. Organistenamt in seinen Rechtsverhältnissen. Ein Handbuch, f. den prakt. Gebrauch bearb. gr. 8. (VIII, 298 S.) Gotha 885. Behrend. n. 4. 50

— das Kirchen- u. Pfarrwesen der evangelischen Kirche Preußens in seinen Rechtsverhältnissen. Ein Handbuch f. Behörden, Geistliche u. Juristen. gr. 8. (XVI, 426 S.) Ebend. 884. n. 6. 50

— Dr. Martin Luthers kleiner Katechismus m. Bezeichnung der Betonung u. Gliederung, nebst Gebeten, Einmal Eins u. Lern-Tabellen. Für die Hand der Kinder in Schule u. Haus. Ausg. A. 4. Aufl. 16. (48 S.) Berlin 885. (H. R. Mecklenburg.) n. — 5

— die Schulaufsicht in ihrer rechtlichen Stellung. Sammlung der gesetzl. Bestimmgn., behördl. Verordngn. u. gerichtl. Entscheidgn. zum Schulaufsichtsgesetz vom 11. März 1872. 2. Aufl. (In ca. 10 Lfgn.) 1—4. Lfg. gr. 8. (S. 1—256.) Prenzlau 886. Biller. à — 60

Laan, A. K. van der, zur Jubelfeier der evangelischen Kirche. Eine Festgabe f. jung u. alt. 2 Thle. 8. Aurich 883. (Leipzig, Bredt.) n.n. — 50

1. Die christliche Kirche vor der Reformation. — Dr. Mart. Luther, e. Lebensbild. (III, 36 S. m. Holzschn.-Portr.) n.n. — 30
2. Zwingli u. Calvin, die Begründer der reformierten Kirche. (24 S.) n. — 20

— das Kartenzeichnen nach der Normallinien-Methode. Eine Anleitg. f. Lehrer u. Seminaristen. Mit 24 lith. Kartenskizzen. 4. (8 S.) Hannover 886. Meyer. n. — 80

— Raumlehre, s.: Wiese, B.

Laas, E., einige Bemerkungen zur Transcendentalphilosophie, s.: Abhandlungen, Strassburger, zur Philosophie.

— zur Frauenfrage, s.: Zeit- u. Streitfragen, deutsche.

— Idealismus u. Positivismus. Eine krit. Auseinandersetzg. 3. Thl. A. u. d. T.: Idealistische u. positivistische Erkenntnistheorie. gr. 8. (IV, 704 S.) Berlin 884. Weidmann. n. 16. — (cplt.: n. 31. —)

— der deutsche Unterricht auf höheren Lehranstalten. Ein kritisch-organisator. Versuch. 2. Aufl., besorgt v. J. Imelmann. gr. 8. (XII, 412 S.) Ebend. 886. n. 8. —

Laban, Ferd., dialogische Belustigungen. Die Hinterlassenschaft e. Einsiedlers. gr. 8. (VII, 87 S.) Pressburg 883. Stampfel. n. 2. —

Laband, P., das Staatsrecht d. Deutschen Reiches, s.: Handbuch d. öffentlichen Rechts in Monographien.

Labes, Eug., Palmenblätter. Ein Beitrag zum Friedrich Franz-Denkmal. gr. 8. (16 S.) Rostock 883. (Stiller.) — 50; Velinpap. — 60

Labiche, E., der Kernpunkt, s.: Universal-Bibliothek.

Labler, W., Liederhain f. österreichische Volksschulen, s.: Schober, J.

La Bruyère's Werke, s.: Collection Spemann.

— die Charaktere od. die Sitten im Zeitalter Ludwigs XIV. Aus dem Franz. v. Karl Eitner. 8. (415 S.) Leipzig 886. Bibliograph. Institut. geb. n. 1. —

Labus, Leo, die im Handels- u. Börsen-Verkehr zu beobachtenden Vorschriften der preußischen u. der Reichs-Stempel-Gesetzgebung. 2. Aufl. 12. (III, 104 S.) Breslau 885. Kern's Verl. geb. n. 1. 80

— das preußische Stempel-Gesetz vom 7. März 1822, erläutert durch hierzu ergangene Deklarationen, landesherrl. u. ministerielle Erlasse, sowie durch Entscheidgn. der höchsten Gerichtshöfe. Mit e. Anh. enth. das Gesetz, betr. die Stempelabgaben v. gewissen, bei dem Grundbuchamte anzubring. Anträgen. Vom 5. Mai 1872. Für den prakt. Gebrauch bearb. 2. Aufl. 8. (IV, 156 S.) Ebend. 884. cart. n. 3. —

— dasselbe. 3. Aufl. gr. 8. (IV, 258 S.) Ebend. 886. geb. n. 4. 50

Lachaud, G., die schöne Frau Bodinard u. andere Geschichten, s.: Maupassant, G. de.

Lachenmayer, Farbenfibel. Kurzgefaßte Anleitg. zur Mischg., Zusammenstellg. u. Behandlg. der Farben m. Rücksicht auf deren Verwendg. bei der Toilette u. der Zimmerausstattg. gr. 8. (25 S. m. 1 Chromolith.) Reutlingen 883. Kocher. n. 1. —

Lacher, Carl, Wohnräume aus Steiermark. Drei vollständ. Holztäfelgn. aus den J. 1568, 1596 u. 1607. Fol. (7 Lichtdr.-Taf. m. 1 Bl. Text.) Graz 886. Goll. In Mappe. n. 10. —

Lacher, H., die Schul-Ueberbürdungsfrage, s.: Zeit- u. Streitfragen, deutsche.

Lachmann, Geo., üb. die Bahn d. Planeten Eurynome (79) aus den bisher beobachteten Oppositionen. gr. 8. (54 S.) Breslau 884. (Köhler.) n. 1. —

Lachmund, A., die Entwicklungslehre. Zwei Vorträge. gr. 8. (71 S.) Leipzig 886. Findel. n. 1. —

Lachner, Carl, Geschichte der Holzbaukunst in Deutschland. Ein Versuch. 1. Tl. A. u. d. T.: Der norddeutsche Holzbau, in seiner histor. Entwickelg. dargestellt. Mit 4 farb. Taf. u. 182 Textillustr. hoch 4. (VIII, 132 S.) Leipzig 885. Seemann. n. 10. —

Lachner, V., Composition, s.: Scheffel, J. V. v., Festgedicht zum Jubiläum der Universität Heidelberg.

Lack, Ad., Schreib-Lese-Fibel [Vorstufe d. Lesebuchs]. 2 Tle. Neue Orthogr. gr. 8. (Mit Holzschn.) Frankfurt a/M., Jaeger. n. — 90; geb. n.n. 1. 10

1. 4. Aufl. (IV, 32 S.) 884. n. — 40; geb. n.n. — 50. — 2. 4. Aufl. (III, 76 S.) 885. n. — 50; geb. n.n. — 60

Lackemann, C., die Elemente der Geometrie. Ein Lehr- u. Übungsbuch f. den geometr. Unterricht an höheren Bürgerschulen u. verwandten Anstalten. 2 Tle. gr. 8. (Mit Fig.) Breslau 884. F. Hirt. n. 1. 60

1. Planimetrie. (106 S.) n. 1. —. — 2. Trigonometrie u. Stereometrie. (55 S.) n. — 60

Lackemann, Wilh., Euler's interpolirte Producte. gr. 8. (43 S.) Göttingen 882. (Vandenhoeck & Ruprecht.) n. 1. 20

Lackner u. **Lettau**, Bemerkungen u. Winke f. den Lehrer zur Behandlung der biblischen Geschichte, s.: Preuß, A. E.

Lackner, Otto, zur Steuer der Wahrheit. Zurückweisung e. Parteischrift f. den zweijährigen Unterstützungswohnsitz. gr. 8. (IV, 10 S.) Berlin 884. Janke. n. — 50

Christian Gottlob Kayser's
Vollständiges
Bücher-Lexicon

enthaltend

die vom Jahre 1750 bis Ende des Jahres 1886

im deutschen Buchhandel erschienenen Bücher.

Vierundzwanzigster Band

oder

des IX. Supplementbandes zweite Hälfte.

1883—1886.

Mit Nachträgen und Berichtigungen zu den früheren Bänden.

Bearbeitet

von

Richardt Haupt.

L—Z.

Leipzig.

T. O. Weigel.

1887.

L.

L, les trois, du Dante. Nouvel essai d'un commentaire sur le chant I de la Divine Comédie. 3. éd. 8. (16 S.). Klausenburg 886. (Demjén.) n. 1. —

Laache, S., Harn-Analyse f. practische Aerzte. Mit 21 Holzschn. gr. 8. (VIII, 166 S.) Leipzig 885. F. C. W. Vogel. n. 3. —

Laacke, Karl Chr. Fr., das Kantor-, Küster- u. Organistenamt in seinen Rechtsverhältnissen. Ein Handbuch, f. den prakt. Gebrauch bearb. gr. 8. (VIII, 298 S.) Gotha 885. Behrend. n. 4. 50

— das Kirchen- u. Pfarrwesen der evangelischen Kirche Preußens in seinen Rechtsverhältnissen. Ein Handbuch f. Behörden, Geistliche u. Juristen. gr. 8. (XVI, 426 S.) Ebend. 884. n. 6. 50

— Dr. Martin Luthers kleiner Katechismus m. Bezeichnung der Betonung u. Gliederung, nebst Gebeten, Einmal Eins u. Lern-Tabellen. Für die Hand der Kinder in Schule u. Haus. Ausg. A. 4. Aufl. 16. (48 S.) Berlin 885. (H. R. Mecklenburg.) n. — 5

— die Schulaufsicht in ihrer rechtlichen Stellung. Sammlung der gesetzl. Bestimmgn., behördl. Verordngn. u. gerichtl. Entscheidgn. zum Schulaufsichtsgesetz vom 11. März 1872. 2. Aufl. (In ca. 10 Lfgn.) 1—4. Lfg. gr. 8. (S. 1—256.) Prenzlau 886. Biller. à — 60

Laan, A. K. van der, zur Jubelfeier der evangelischen Kirche. Eine Festgabe f. jung u. alt. 2 Thle. 8. Aurich 883. (Leipzig, Bredt.) n.n. — 50

1. Die geistliche Kirche vor der Reformation. — Dr. Mart. Luther, e. Lebensbild. (III, 36 S. m. Holzschn.-Portr.) n.n. — 30
2. Zwingli u. Calvin, die Begründer der reformierten Kirche. (24 S.) n. — 20

— das Kartenzeichnen nach der Normallinien-Methode. Eine Anleitg. f. Lehrer u. Seminaristen. Mit 24 lith. Kartenskizzen. 4. (8 S.) Hannover 886. Meyer. n. — 80

— Raumlehre, s.: Wiese, B.

Laas, E., einige Bemerkungen zur Transcendentalphilosophie, s.: Abhandlungen, Strassburger, zur Philosophie.

— zur Frauenfrage, s.: Zeit- u. Streitfragen, deutsche.

— Idealismus u. Positivismus. Eine krit. Auseinandersetzg. 3. Thl. A. u. d. T.: Idealistische u. positivistische Erkenntnistheorie. gr. 8. (IV, 704 S.) Berlin 884. Weidmann. n. 16. — (cplt.: n. 31. —)

— der deutsche Unterricht auf höheren Lehranstalten. Ein kritisch-organisator. Versuch. 2. Aufl., besorgt v. J. Imelmann. gr. 8. (XII, 412 S.) Ebend. 886. n. 8. —

Laban, Ferd., dialogische Belustigungen. Die Hinterlassenschaft e. Einsiedlers. gr. 8. (VII, 87 S.) Pressburg 883. Stampfel. n. 2. —

Laband, P., das Staatsrecht d. Deutschen Reiches, s.: Handbuch d. öffentlichen Rechts in Monographien.

Labes, Eug., Palmenblätter. Ein Beitrag zum Friedrich Franz-Denkmal. gr. 8. (16 S.) Rostock 883. (Stiller.) — 50; Velinpap. — 60

Labiche, E., der Kernpunkt, s.: Universal-Bibliothek.

Labler, W., Liederhain f. österreichische Volksschulen, s.: Schober, J.

La Bruyère's Werke, s.: Collection Spemann.

— die Charaktere od. die Sitten im Zeitalter Ludwigs XIV. Aus dem Franz. v. Karl Eitner. 8. (415 S.) Leipzig 886. Bibliograph. Institut. geb. n. 1. —

Labus, Leo, die im Handels- u. Börsen-Verkehr zu beobachtenden Vorschriften der preußischen u. der Reichs-Stempel-Gesetzgebung. 2. Aufl. 12. (III, 104 S.) Breslau 885. Kern's Verl. geb. n. 1. 80

— das preußische Stempel-Gesetz vom 7. März 1822, erläutert durch hierzu ergangene Deklarationen, landesherrl. u. ministerielle Erlasse, sowie durch Entscheidgn. der höchsten Gerichtshöfe. Mit e. Anh. enth. das Gesetz, betr. die Stempelabgaben v. gewissen, bei dem Grundbuchamte anzubring. Anträgen. Vom 5. Mai 1872. Für den prakt. Gebrauch bearb. 2. Aufl. 8. (IV, 156 S.) Ebend. 884. cart. n. 3. —

— dasselbe. 3. Aufl. gr. 8. (IV, 258 S.) Ebend. 886. geb. n. 4. 50

Lachaud, G., die schöne Frau Bodinard u. andere Geschichten, s.: Maupassant, G. de.

Lachenmayer, Farbenfibel. Kurzgefaßte Anleitg. zur Mischg., Zusammenstellg. u. Behandlg. der Farben m. Rücksicht auf deren Verwendg. bei der Toilette u. der Zimmerausstattg. gr. 8. (25 S. m. 1 Chromolith.) Reutlingen 883. Kocher. n. 1. —

Lacher, Carl, Wohnräume aus Steiermark. Drei vollständ. Holztäfelgn. aus den J. 1568, 1596 u. 1607. Fol. (7 Lichtdr.-Taf. m. 1 Bl. Text.) Graz 886. Goll. In Mappe. n. 10. —

Lacher, H., die Schul-Ueberbürdungsfrage, s.: Zeit- u. Streitfragen, deutsche.

Lachmann, Geo., üb. die Bahn d. Planeten Eurynome (79) aus den bisher beobachteten Oppositionen. gr. 8. (54 S.) Breslau 884. (Köhler.) n. 1. —

Lachmund, A., die Entwicklungslehre. Zwei Vorträge. gr. 8. (71 S.) Leipzig 886. Findel. n. 1. —

Lachner, Carl, Geschichte der Holzbaukunst in Deutschland. Ein Versuch. 1. Tl. A. u. d. T.: Der norddeutsche Holzbau, in seiner histor. Entwickelg. dargestellt. Mit 4 farb. Taf. u. 182 Textillustr. hoch 4. (VIII, 132 S.) Leipzig 885. Seemann. n. 10. —

Lachner, V., Composition, s.: Scheffel, J. V. v., Festgedicht zum Jubiläum der Universität Heidelberg.

Lack, Ad., Schreib-Lese-Fibel [Vorstufe d. Lesebuchs]. 2 Tle. Neue Orthogr. gr. 8. (Mit Holzschn.) Frankfurt a/M., Jaeger. n. — 90; geb. n.n. 1. 10

1. 4. Aufl. (IV, 32 S.) 884. n. — 40; geb. n.n. — 50. — 2. 2. Aufl. (III, 76 S.) 885. n. — 50; geb. n.n. — 60

Lackemann, C., die Elemente der Geometrie. Ein Lehr- u. Übungsbuch f. den geometr. Unterricht an höheren Bürgerschulen u. verwandten Anstalten. 2 Tle. gr. 8. (Mit Fig.) Breslau 884. F. Hirt. n. 1. 60

1. Planimetrie. (106 S.) n. 1. —. — 2. Trigonometrie u. Stereometrie. (55 S.) n. — 60

Lackemann, Wilh., Euler's interpolirte Producte. gr. 8. (43 S.) Göttingen 882. (Vandenhoeck & Ruprecht.) n. 1. 20

Lackner u. **Lettau**, Bemerkungen u. Winke f. den Lehrer zur Behandlung der biblischen Geschichte, s.: Preuß, A. E.

Lackner, Otto, zur Steuer der Wahrheit. Zurückweisung e. Parteischrift f. den zweijährigen Unterstützungswohnsitz. gr. 8. (IV, 10 S.) Berlin 884. Janke. n. — 50

Lackowitz, W., Bilder aus dem Vogelleben Norddeutschlands u. seiner Nachbarländer. Nach Skizzen v. Paul M. Röper bearb. Mit zahlreichen (eingedr.) Holzschn.-Illustr. nach Zeichngn. v. Rösener, Schwann u. Tieffenbach. 26 Lfgn Lex.-8. (VIII, 621 S.) Berlin 883. Ebhardt à n. — 50 (cplt.: geb. n. 16. —)

— dasselbe. A. u. d. T.: Unsere Vögel. Nach Skizzen v. Paul M. Röper bearb. Mit 204 Orig.-Holzschn.-Illustr. v. Rösener, Schwann, Tieffenbach u. A. Kolor. Ausg. Mit 26 Taf. nach Aquarellen v. Tieffenbach. 26 Lfgn. Lex.-8. (VIII, 621 S.) Ebend. 885. à n. — 60 (cplt cart.: n. 16. 60; in Halbfrz. geb. n. 20. 60)

— Flora v. Berlin u. der Prov. Brandenburg. Anleitung, die in der Umgebg. v. Berlin u. bis zu den Grenzen der Prov. Brandenburg wild wachs. u. häufiger kultivierten Pflanzen auf e. leichte u. sichere Weise durch eigene Untersuchg. zu bestimmen. 6. Aufl. 12. (XXIV, 253 S.) Berlin 886. Friedberg & Mode. geb. n. 2. 25

— Mozart, } s.: Ebhardt's
— wilde Szenen aus allen Zonen, } Jugendbibliothek.

Lacordaire, ausgewählte Gedanken. Aus seinen Werken gesammelt u. unter der Leitg. d. B. Chocarne hrsg. Nach dem Franz. übers. v. Emma Zulehner Edle v. Rheinwart. 2 Bde. 16. (368 u. 397 S.) Brünn 885. 86. Päpstl. Buchdruckerei der Benediktiner v. Raigern. n. 2. 20

Lacroma, Paul Maria, Formosa. Roman. 8. (185 S.) Leipzig 885. Wartig's Verl. n. 3. —; geb. n. 4. —

— Stürme. Roman. 3 Bde. 8. (160, 196 u. 176 S.) Wien 883. C. A. Müller. n. 7. 20

Ladage, Emil, meine Konversion u. ihre Folgen. Ein Beitrag zur Geschichte der religiösen Freiheit u. Duldg. im neuen Deutschen Reiche. 8. (68 S.) Paderborn 885. Bonifacius-Druckerei. — 45

Ladden, Emma, Feenhände. Eine Erzählg. f. die reifere weibl. Jugend. gr. 8. (158 S. m. 4 Chromolith.) Stuttgart 884. Hänselmann. geb. n. 3. —

— Flitter u. Gold. Ein Roman f. Mütter u. Töchter. 3. Aufl. 8. (VI, 343 S.) Stuttgart 884. Kröner. n. 3. —; geb. n. 4. —

— auf eigenen Füßen. Erzählungen f. Deutschlands Töchter. Mit e. Anh.: „Berufsarten f. die Töchter gebildeter Stände". 3. Aufl. 8. (VIII, 284 S.) Ebend. 884. n. 3. —; geb. n. 4. —

— ein Jahr in Märchen. Mit 12 (chromolith.) Bildern nach Aquarellen v. Heinr. Braun. 4. (183 S.) München 885. Stroefer. geb. n. 4. 50

— aus der Schule d. Lebens. Erzählungen f. Deutschlands Frauen u. Töchter. 8. (VII, 253 S.) Stuttgart 886. Kröner. n. 3. —; geb. n. 4. —

— aus sonnigen Tagen. Novellen. 8. (275 S.) Leipzig 885. Schulze & Co. n. 4. —

— wild erblüht. Eine Geschichte f. junge Mädchen. 2. Aufl. 8. (416 S.) Stuttgart 885. Bonz & Co. 3. 60; geb. n. 4. 80

— tausend Wochen. Eine Geschichte f. junge Mädchen. 8. (279 S.) Ebend. 884. n. 3. —; geb. n. 4. —

Ladebeck, Herm., Schwimmschule. Lehrbuch der Schwimmkunst f. Anfänger u. Geübte. Ausführliche Anleitg. zum Selbsterlernen derselben. Zahlreiche Schwimmkünste u. Sprünge. Vermeidung der Fehler beim Schwimmen 2c. Mit 31 Abbildgn. 3. Aufl. gr. 8. (XVI, 78 S.) Leipzig 885. Bruckner. n. 2. —

Ladenbauer, Willibald, der historische Unterricht als Grundlage e. religiösen Weltanschauung. gr. 8. (53 S.) Budweis 885. (Wien, Pichler's Wwe. & Sohn.) n. 1. —

Ladenburg, Alb., die kosmischen Consequenzen der Spectralanalyse. Rede. gr. 8. (24 S.) Kiel 884. (Universitäts-Buchh.) n. 1. —

— s.: Handwörterbuch der Chemie.

Ladendorff, A., üb. die Gründung v. Volkssanatorien f. Phthisiker, s.: Sonderabdrücke der Deutschen Medizinal-Zeitung.

Ladewig, P., s.: Regesta episcoporum Constantiensium.

Ladurner, Alois, Gedichte. 12. (IV, 76 S.) Meran 884. Plant. n. 1. 20

Laffert, Osc., u. Paul de **Wit**, internationales Hand- u. Adressbuch f. die gesammte Musikinstrumentenbranche, enth. die Adressen sämmtl. Fabrikanten u. Händler v. fert. Instrumenten, Lieferanten v. Rohmaterialien u. Bestandtheilen, sowie m. der Branche verwandten Berufsgenossen. gr. 8. (IV, 200 S. m. Holzschn.-Porträts.) Leipzig 883. Exped. der Zeitschrift f. Instrumentenbau. geb. 15. —

Lafont, die Gefangenen der Czaarin, s.: Bayard.

La Fontaine, A. de, mosaïque française ou extraits des prosateurs et des poëtes français à l'usage des Allemands. Avec des nombreuses notes explicatives et un vocabulaire. 5. éd. avec la nouvelle orthographie en français et en allemand. 8. (VIII, 278 S.) Berlin 884. Langenscheidt. n. 2. —; geb. 2. 50

Lafontaine, Jean de, Fabeln. Unterhaltendes Bilderbuch f. artige Kinder, enth. 6 bewegl. (chromolith.) Tableaux. qu. 4. (6 Bl. Text.) Fürth 885. Schaller & Kirn. geb. 2. —; m. Goldpressg. 2. 50

— dasselbe, s.: Universalbibliothek.

— fables. Erklärt v. E. O. Lubarsch. 4. Tl. Buch X—XII nebst Philémon et Baucis. 8. (200 S.) Berlin 883. Weidmann. 2. 25 (1—4.: 6. 75)

— 80 fables, s.: Bibliothèque instructive des écoles secondaires.

Laforest, Frz. Thiard de, Spalato u. seine Alterthümer. Mit 10 vom Verf. nach der Natur aufgenommenen Photogr. gr. 8. (41 S.) Spalato 878. (Wien, Frick.) geb. n. 12. —

La Frémoire's Sammlung v. Lehrsätzen u. Aufgaben der Elementar-Geometrie [Planimetrie u. Stereometrie]. Aus dem Franz. übers. v. C. F. Kauffmann. Nach dem Tode d. Uebersetzers durchgesehen u. hrsg. v. C. G. Reuschle. Mit ca. 400 Abbildgn. (2. Aufl.) Neue Ausg. gr. 8. (XXIV, 287 S.) Stuttgart 884. A. Koch. n. 2. —

Lagarde, Paul de, Aegyptiaca, P. de L. studio et sumptibus edita. Lex.-8. (VIII, 296 S.) Göttingen 883. (Dieterich's Sort.) n.n. 20. —

— s.: Catenae in evangelia aegyptiacae, quae supersunt.

— Erinnerungen an Friedrich Rückert. Lipman Zunz u. seine Verehrer. gr. 8. (82 S.) Göttingen 886. Dieterich's Sort. n.n. 1 50

— Gedichte. 8. (64 S.) Göttingen 885. Dieterich's Verl. n. 1. 20

— librorum veteris testamenti canonicorum pars I, graece edita. Lex.-8. (XVI, 541 S.) Göttingen 883. Dieterich's Sort. n.n. 20. —

— die revidierte Lutherbibel d. Halleschen Waisenhauses, besprochen. Lex.-8. (40 S.) Göttingen 885. Dieterich's Verl. n. 1. —

— Mittheilungen. gr. 8. (384 S.) Göttingen 884. Dieterich's Sort. n.n. 10. —

— Neu-Griechisches aus Klein-Asien. gr. 4. (68 S.) Göttingen 886. Dieterich's Verl. n. 3. —

— probe e. neuen ausgabe der lateinischen übersezungen d. alten testaments. Lex.-8. (48 S.) Göttingen 885. Dieterich's Sort. n.n. 2. —

— Programm f. die konservative Partei Preußens. gr. 8. (64 S.) Göttingen 884. Dieterich's Verl. n. 1. —

— deutsche Schriften, Gesammtausg letzter Hand. Lex.-8. (536 S.) Ebend. 886. n. 10. —

— persische Studien. gr. 4. (76 u. 140 S.) Ebend. 884. n. 8. —

— die lateinischen übersezungen d. Ignatius, hrsg. gr. 4. (VIII, 156 S.) Ebend. 882. n. 6. —

Lage, die materielle, d. Arbeiterstandes in Oesterreich. 1—3. Abth. gr. 8. Wien 884. Kirsch. à n. 1. —
1. Textil- u. Bekleidungs-Industrie. 2. Aufl. (84 S.) — 2. (96 S.) — 3. (102 S.)

— die, d. bäuerlichen Grundbesitzes in Deutschland. Verhandlungen der 12. Versammlg. d. deutschen Landwirthschaftsraths. Auf Grund der Sitzungsprotokolle u. der stenograph. Aufzeichngn. erstattet v. Mueller. gr. 8. (III, 430 S.) Berlin 884. Parey. n. 4. —

Lage, die gegenwärtige, der Grundbuchgesetzgebung f. Elsaß-Lothringen u. der Bericht der Spezialkommission d. Landes-Ausschusses. [Beilageheft zur Jurist. Ztschr. f. d. Reichsland Elsaß-Lothringen, X. Bd.] gr. 8. (47 S.) Mannheim 885. Bensheimer's Verl. n. — 75

— die, der katholischen Kirche im Grossherzogth. Hessen. gr. 8. (88 S.) Mainz 885. Kirchheim. — 75

Lage, B. v. der, das höhere Mädchenschulwesen Frankreichs seit der Republik, s.: Zeit- u. Streit-Fragen.

— 18 Reigen f. Mädchenklassen. gr. 8. (V, 36 S.) Berlin 883. H. W. Müller. n.n. — 50

Lager, der selige Pater Fourier. Ein Beitrag zur Geschichte Lothringens im 17. Jahrh. 8. (IV, 224 S.) Regensburg 884. Verlags-Anstalt. 2. —

Laeger, Otto, de veterum epicorum studio in Archilochi, Simonidis, Solonis, Hipponactis reliquiis conspicuo. gr. 8. (75 S.) Halis Sax. 885. (Leipzig, Fock.) n. 1. 20

Lagerström, Angelika v., deutsche Frauen. Biographische Skizzen u. Charakterschildergn. 2. Aufl. 8. (III, 323 S.) Leipzig 883. Laudien. geb. m. Goldschn. 4. —

Lagez, G. de, el perfecto Español. Der perfekte Spanier. gr. 16. (178 S.) Berlin 885. Berliner Verlagsanstalt (O. Cray). — 75

Lagrange, E., Tante Veronika, s.: Novellenkranz.

Lahm, G., Zusammenstellung der in Westfalen beobachteten Flechten unter Berücksicht. der Rheinprovinz. gr. 8. (IV, 163 S.) Münster 885. Coppenrath. n. 2. —

Lahmeyer, C., die Reform d. Knappschaftswesens im Anschluß an die sociale Gesetzgebung. gr. 8. (18 S.) Essen 884. Bädeker. n. — 60

Lahm, W., Handbüchlein f. Kinder in Volksschulen, s.: Krüger, A.

— Lehre der Honig-Verwerthung. Anweisung zur Fabrikation v. Meth, Wein, Champagner, Liqueur, Syrup, Essig, moussir. Limonade, Alkohol 2c., zur Herstellg. feiner Backwerke m. Honig, wie Nürnberger u. italien. Lebkuchen, Konfitüren, Honig- u. Pfefferkuchen 2c., u. zum Einmachen der Früchte in Honig. Nebst Anleitg. zum Gebrauch d. Honigs in der Gesundheitspflege u. e. Anh.: Das Wachs u. seine Verwerthg. 8. (VIII, 125 S.) Oranienburg 884. Freyhoff. n. 2. —

— Volksschul-Lesebuch, s.: Wolter, A.

Lahnek, M., Aennchens Badereise nach Frankenhausen. Eine Kindergeschichte in Reimen. Mit (12 chromolith.) Bildern v. Freundinnen u. Freunden der Kinderheilanstalt zu Frankenhausen in Thüringen. 4. (35 S.) Halle 883. Fricke's Verl. geb. n. 3. —

Lahousen, Edler v. Vivremont, Wilh., die Verwendung der Cavallerie im Gefechte, abgeleitet aus dem Wesen u. den Eigenschaften der Waffe. gr. 8. (34 S.) Wien 885. Seidel & Sohn. n. 1. —

Laehr, Heinr., Gedenktage der Psychiatrie aller Länder. gr. 8. (XVI, 65 S.) Berlin 885. G. Reimer. n. 2. —

Lahrssen, Frdr., die Bibel od. die heiligen Schriften Alten u. Neuen Testamentes im Auszuge. Auf Grund der deutschen Uebersetzg. Dr. Mart. Luthers f. Schule u. Haus bearb. gr. 8. (IV, 408 u. IV, 249 S.) Oldenburg 883. Bültmann & Gerriets. n. 4. —

Lahs, Vorträge u. Abhandlungen zur Tokologie u. Gynäkologie. Mit 4 lith. Taf. gr. 8. (III, 98 S.) Marburg 884. (Elwert's Verl.) n. 3. —

Lahusen, Leitfaden f. See-Badereisende m. besond. Rücksicht auf Westerland-Sylt. 16. (66 S.) Tondern 885. Dröhse. n. — 80

Lahusen, D., Bremen u. seine Sonderstellung. gr. 8. (56 S.) Bremen 883. Kühtmann & Co. n. 1. 50

— die Correction der Unterweser u. die Bremische Handelskammer. Drei Fragen, aufgeworfen u. beantwortet. 8. (31 S.) Ebend. 883. n. 1. —

— das Differenzgeschäft, s.: Sammlung v. Vorträgen.

Lahusen, F., Antritts-Predigt, s.: Einführung u. Antritts-Predigt.

Lahusen, J., die Inoceramenschichten an dem Olenek u. der Lena, s.: Mémoires de l'académie impériale des sciences de St.-Pétersbourg.

Laib, Lokal-Gütertarif f. Stuttgart. gr. 8. (48 S.) Stuttgart 883. (Metzler's Verl.) n.n. 2. —

Laicus, Ph., der Alte vom Berge, s.: Familienfreund.

— der rothe Dieter, s.: Novellenkranz.

— der letzte Häuptling v. Killarney. Eine histor. Erzählg. 8. (533 S.) Mainz 884. Kirchheim. 4. 80

— Irma. Schicksale einer Verlassenen. Orig.-Erzählg. 2 Bde. 8. (314 u. 336 S.) Ebend. 883. 6. —

— Montecchi u. Capuleti,
— auf dunklen Pfaden zu lichten Höhn,
— die Sensenträger d. Todes, } s.: Familienfreund.

— die Waise. 8. (352 S.) Mainz 886. Kirchheim. 4. —

Laienpredigten. Lose Blätter der Lebensweisheit. 8. (VIII, 336 S.) Halle 884. Hendel. 3. —; geb. n. 4. —

Lainez, Jac., disputationes Tridentinae, ad manuscriptorum fidem ed. et commentariis historicis instruxit Hartm. Grisar. 2 tomi. gr. 8. (106, 512 u. 85, 568 S) Innsbruck 886. F. Rauch. n. 12. —

Laing, Frederick A., and Th. **Welscher**, analyses of classic english plays for the use of students of english litterature. 8. (III, 112 S.) Stuttgart 883. Neff. n. — 75; geb. n. 1. —

Laino, E. G., das Leben Jesu auf Grundlage d. vornehmsten Gebots. 3 Thle. in 5 Bdn. 3. Aufl. gr. 8. (XII, 124; III, 127; IV, 183; IV, 267 u. IV, 232 S.) Leipzig 881—83. Böhme. n. 10. —

Laker, Carl, Beobachtungen an den geformten Bestandtheilen d. Blutes. [Mit 1 Taf.] Lex.-8. (20 S.) Wien 886. (Gerold's Sohn.) n. — 60

— die ersten Gerinnungserscheinungen d. Säugethierblutes unter dem Mikroskope. Lex.-8. (12 S.) Ebend. 884. n.n. — 25

— Studien üb. die Blutscheibchen u. den angeblichen Zerfall der weissen Blutkörperchen bei der Blutgerinnung. [Mit 1 (lith. u. color.) Taf.] Lex.-8. (30 S.) Ebend. 882. n.n. — 90

Lalin, Esaias, de praepositionum usu apud Aeschylum. gr. 4. (57 S) Upsaliae 885. (Leipzig, Simmel & Co.) n. 2. —

Lallemand, Charles, Schwarzwälder Volkstrachten. 16 Orig.-Aufnahmen. Lith. u. color. Neue Ausg. Imp.-4. Strassburg 885. Schmidt. n. 5. —

Lama, Charles de, bibliothèque des écrivains de la congrégation de Saint Maur ordre de Saint-Benoit en France. 8. (VI, 262 S.) Munich 882. (Freiburg i/Br., Herder.) n. 4. —

La Mara, Musikerbriefe aus fünf Jahrhunderten. Nach den Urhandschriften erstmalig hrsg. 2 Bde. Mit den Namenszügen der Künstler. 8. (XIV, 354 u. X, 392 S.) Leipzig 886. Breitkopf & Härtel. n. 7. —; geb. n. 9. —

— musikalische Studienköpfe. 1. u. 3. Bd. 8. (Mit je 1 Lichtdr.-Portr.) Leipzig 884. Schmidt & Günther. à n. 3. 50; geb. à n. 4. 50

1. Romantiker. 6. Aufl. (VII, 420 S.) — 3. Jüngstvergangenheit u. Gegenwart. 5. Aufl. (VII, 338 S.)

Lamartine, A. de, captivité, procès et mort de Louis XVI, s.: Schulbibliothek, französische u. englische.

— voyage en Orient, s.: Bibliothèque française. — Prosateurs français.

Lamb, Charles, tales from Shakspeare designed for the use of young people. Mit Anmerkgn. u. teilweiser Accentuierg. hrsg. v. Dav. Bendan. 2 Tle. gr. 8. (VIII, 173 u III, 157 S.) Berlin 883. Friedberg & Mode. à n. 1. 20; Wörterbuch dazu (III, 40 S.) n. — 50; cplt. m. Wörterbuch in 1 Bd. n. 2. 60

— dasselbe. Erklärt v. L. Riechelmann. 1. u. 2. Tl. 2. Aufl., bearb. v. Gust. Löcking. 8. (VII, 168 u. IV, 157 S.) Berlin 884, 85. Weidmann. à 1. 50

— u. Marie **Lamb**, Erzählungen aus Shakespeare. Wortgetreu nach H. R. Mecklenburg's Grundsätzen aus dem Engl. übers. v. R. T. 1—3. Hft. 32. (169 S.) Berlin 885. 86. H. R. Mecklenburg. à n. — 25

Lamb, Horace, Einleitung in die Hydrodynamik. Uebers. u. bearb. v. Rich. Reiff. gr. 8. (XII, 332 S.) Freiburg i/Br. 884. Mohr. n. 7. —

Lambeck, H., Psalm CIV im Urtext m. seiner Uebertragung in elf Sprachen als Specimen e. Psalter-Polyglotte. gr. 4. (IV, 72 S.) Köthen 883. Schettler's Erben. n. 3. —

Lamber, Juliette [Madame E. Adam], e. Heidin u. andere Novellen. Autoris. Uebersetzg. aus dem Franz. v. M. Bruckmüller. 8. (VIII, 308 S.) Breslau 886. Schottländer. n. 4. 50; geb. n. 5. 50

Lambert, A., u. E. **Stahl,** das Möbel. Ein Musterbuch stilvoller Möbel aus allen Ländern in histor. Folge, aufgenommen u. hrsg. (In 16 Lfgn.) 1. Lfg. Fol. (6 Taf. m. 1 Bl. deutschem u. französ. Text.) Stuttgart 886. J. Hoffmann. n. 2. —

— — Privat- u. Gemeindebauten. II. Serie. Eine Sammlg. ausgeführter ländl. u. städt. Wohngebäude, Gesellschafts-, Schul- u. Rath-Häuser, Kirchen, Armen- u. Kranken-Häuser, Pavillons, Stallgn., Gewächs-, Garten- u. Geflügel-Häuser, Veranden, Friedhöfe, Turnhallen, Feuerwehr-Magazine, Arbeiter-Wohngn. Kleinere Fabrikanlagen wie Färbereien, Brauereien, Schlacht-Häuser, Seifensiedereien, Gerbereien etc. Unter Mitwirkg. namhafter Fachgenossen hrsg. 1. u. 2. Lfg. Fol. (à 6 autogr. Taf. m. 1 Bl. Text.) Stuttgart 886. Wittwer. à n. 3. —

Lambert, André, Madonna di San Biagio près Montepulciano batie par Antonio di San Gallo de 1518 à 1528. Levé et dessiné par A. L. gr. Fol. (7 Lichtdr.-Taf. m. 1 Bl. Text.) Stuttgart 884. Wittwer. In Mappe. n. 9. —

— et Alfred **Rychner,** l'architecture en Suisse aux différentes époques. Fragments, recueillis et publiés. Fol. (57 Lichtdr.-Taf. m. 1 Bl. Text.) Basel 884. Georg. In Mappe. n.n. 60. —

Lambruschini, Joh. Bapt., der Führer zum Himmel. Aus dem Gebetbuch auf's Neue aus dem Ital. übers. u. bearb. von A. v. Bendel. Neue Ausg. Nr. 10. Mit Farbentitel u. 1 Stahlst. 24. (XX, 447 S.) Freiburg i/Br. 885. Herder. — 80

Lamezan, Jos. v., die Hauptmomente d. Lebens. 6 Kanzelvorträge auf die 6 Aloysian. Sonntage m. Lobrede auf den hl. Aloysius v. Gonzaga aus der Gesellschaft Jesu. 2. Aufl. gr. 8. (III, 129 S.) Freiburg i/Br. 883. Herder. n. 1. 20

Lamm, Carl Mor., das Rechtsmittel der Beschwerde im Strafprozeß. gr. 8. (63 S.) Leipzig 883. Roßberg. n. 1. 20

Lammasch, Heinr., das Recht der Auslieferung wegen politischer Verbrechen. gr. 8. (III, 109 S.) Wien 884. Manz. n. 2. 40

Laemmel, Mart., Entwickelungs-Geschichte d. Menschen. 8. (6 Lichtdr.-Taf.) Leipzig 885. Dorn & Merfeld. In Leinw.-Mappe. n. 3. —

Lammer, Guido E., sind die Kulturvölker noch Nationen? Eine zeitgemäße Frage. gr. 8. (40 S.) Wien 884. Rosner. n. — 80

Laemmer, Hugo, Institutionen d. katholischen Kirchenrechts. gr. 8. (XV, 553 S.) Freiburg i/Br. 886. Herder. n. 7. —

Laemmerhirt, Otto, Normal-Obstsortiment, zum allgemeinen Anbau im Königr. Sachsen zu empfehlen u. f. die verschiedenen Boden- u. klimat. Verhältnisse gesondert zusammengestellt v. e. hierzu berufenen Kommission. Bearb. v. O. L. Lex.-8. (14 S.) Dresden 884. (Leipzig, H. Voigt.) n. — 50

— die Obstverwertung in ihrem ganzen Umfange. Anleitung zur vollkommensten Ausnutzg. der Obsternten f. Wirtschaft u. Handel. Unter Mitwirkg. v. Emil Holzapfel f. die Praxis u. zum Gebrauch an Gartenbauschulen bearb. Mit 35 Abbildgn. gr. 8. (VII, 195 S.) Berlin 885. Parey. cart. n. 4. —

— u. Herrm. **Degenkolb,** Beiträge zur Beförderung der Kern- u. Steinobst-Kultur unter den Landwirthen. Mit 33 Abbildgn. gr. 8. (VIII, 52 S.) Dresden 886. G. Schönfeld's Verl. n. — 60

Laemmerhirt, Rich., George Peele. Untersuchungen üb. sein Leben u. seine Werke. gr. 8. (68 S.) Rostock 882. (Lübeck, Dittmer.) n. 1. 50

Lammers, A., Armen-Beschäftigung,
— Branntwein- und Kaffee-Schenken,
— öffentliche Kinder-Fürsorge,
s.: Zeitfragen, volkswirthschaftliche.

— der Liberalismus u. die innere Mission. gr. 8. (41 S.) Bremen 883. Roussell. n. 1. —

— die Mässigkeitsgesetzgebung in ihrer Wirksamkeit, s.: Beiträge, wissenschaftliche, zum Kampf gegen den Alkoholismus.

— Umwandlung der Schenken,
— die Unternehmung im Sparkassen-Geschäft,
s.: Zeit- u. Streit-Fragen, deutsche.

Lammers, B., Geschichte d. Ortes Peterswaldau am Eulengebirge im Kreise Reichenbach in Schlesien. gr. 8. (IV, 151 S. m. 8 Steintaf. u. 1 genealog. Tab.) Reichenbach i/Schl. 884. (Höfer.) cart. n.n. 2. 25

Lammers, H., rheinisch-westfälische Kinderharfe. Liederbüchlein f. evangel. Schulen, Sonntagsschulen u. Kindergottesdienste. Für den Bereich d. evangel. Gesangbuchs der Synoden Jülich, Cleve, Berg u. Grafsch. Mark zusammengestellt. 2. Aufl. 12. (121 S.) Essen 886. Bädeker. n. — 30; geb. n. — 40

Lammers, Mathilde, Hausbackenes. 8. (VII, 248 S.) Bremen 886. Roussell. n. 2. —; geb. n. 3. —

— deutsche Lehrerinnen im Auslande, s.: Zeit- u. Streit-Fragen, deutsche.

— Volks-Kaffeehäuser. Rathschläge f. ihre Einrichtg. u. Bewirthschaftg. Nach engl. Quellen bearb. gr. 8. (36 S.) Bremen 883. Roussell. n. 1. —

Lammert, E., Übungsbuch f. den Unterricht im Lateinischen. Kurs. der Quinta. gr. 8. (IV, 169 S.) Leipzig 885. Fues. geb. n.n. 1. 30

— dasselbe. Kursus der Sexta. 2. Aufl. gr. 8. (XI, 147 S.) Ebend. 884. cart. n. 1. 20

— Vokabularium zu dem Übungsbuche f. den Unterricht im Lateinischen. Kursus der Quinta. gr. 8. (22 S.) Ebend. 886. n.n. — 25

— dasselbe. Kursus der Sexta. gr. 8. (20 S.) Ebend. 886. n.n. — 25

Lamont, J. v., astronomisch-geodätische Bestimmungen, ausgeführt an einigen Hauptpunkten d. bayerischen Dreiecksnetzes,
— Verzeichniss v. 3571 telescopischen Sternen zwischen +9° u. +15° Declination,
s.: Annalen der Münchener Sternwarte.

Lamothe, A. de, die Sensenträger d. Todes, s.: Laicus, Ph.

Lamp, Johs., neue Berechnung der Parallaxe v. 61 Cygni aus den Beobachtungen v. Schweizer in Moskau 1863—1866. gr. 8. (59 S.) Kiel 883. (v. Maack.) n. 1. 20

Lampadius, W. A., Felix Mendelssohn Bartholdy. Ein Gesammtbild seines Lebens u. Wirkens. Mit dem Portr. u. e. facsm. Briefe Felix Mendelssohn Bartholdy's. gr. 8. (XVI, 379 S.) Leipzig 886. Leuckart. n. 4. —

Lampe, E., geometrische u. mechanische Aufgaben zur numerischen Auflösung von Gleichungen höherer Grade. 4. (24 S.) Berlin 885. Gaertner. n. 1. —

Lampe, F. C. H., Gedichte. 12. (280 S.) Altona, Pa. 881. (Philadelphia, Schäfer & Koradi.) n. 3. —

Lampel, Ant., üb. Drehschwingungen e. Kugel m. Luftwiderstand. Lex.-8. (23 S.) Wien 886. (Gerold's Sohn.) n. — 45

Lampel, F., das Infanterie-Exerzieren. Nach dem Reglement übersichtlich zusammengestellt. Mit 16 Taf. Abbildgn. 8. (VII, 45 S.) Berlin 885. Mittler & Sohn. n. 1. 40

— der Infanterie-Felddienst. Ein Handbuch f. den Kompagniechef bei der Ausbildg., im Manöver u. im Felde, sowie f. Offiziere, Unteroffiziere u. Offiziersaspiranten d. aktiven u. beurlaubten Standes. Mit Skizzen u. 2 Fig.-Taf. im Text. 8. (VIII, 100 S.) Ebend. 886. n. 1. 60

Lampel, Jos., die Einleitung zu Jans Enenkels Fürstenbuch. Ein Beitrag zur Kritik österreich. Geschichts-

quellen u. zur Geschichte der Babenberger. gr. 8. (55 S.) Wien 883. Hölder. n. 1. 80

Lampel, Leop., deutsches Lesebuch f. die 1—4. Classe österreichischer Mittelschulen. gr. 8. Wien, Hölder. geb. n.n. 10. 64

1. 4. Aufl. (XVI, 288 S.) 886. n.n. 2. 48. — 2. 2. Aufl. (XIX, 308 S.) 885. n.n. 2. 60. — 3. 2. Aufl. (XV, 329 S.) 886. n. 2. 72. — 4. (XI, 344 S.) 884. n. 2. 84

— dasselbe, Anh., enth.: Lesestücke aus der antiken u. german. Götter- u. Heldensage. gr. 8. (IV, 120 S.) Ebend. 885. n. — 52

— deutsches Lesebuch f. die oberen Classen österreichischer Gymnasien. 1. Thl. [f. die 5. Classe]. gr. 8. (XXII, 367 S.) Ebend. 885. geb. n. 3. 20

Lampert, Frdr., der Würm-See od. Starnberger See. Ein Führer an demselben in Bild u. Wort. Mit 108 xylogr. Ansicht. d. Gebirges v. der Roseninsel aus gesehen u. e. lithogr. illumin. Karte. 7. Aufl. 12. (VIII, 72 S.) München 883. Stahl. n. 1. —

Lampert, K., die Seewalzen, s.: Semper, C., Reisen im Archipel der Philippinen.

Lamprecht's Alexander, s.: Handbibliothek, germanistische.

Lamprecht, F., Übungsbuch zum Übersetzen ins Französische im Anschluß an Lückings Grammatik f. den Schulgebrauch. gr. 8. (VIII, 138 S.) Berlin 884. Weidmann. n. 1. 60

Lamprecht, Fritz, bei guter Laune. Eine Sammlg. v. 67 kom. Vorträgen, Duetts, Couplets, Liedern u. Deklamationen der neuesten Zeit v. verschiedenen Verfassern. 6. Aufl. 8. (VIII, 172 S.) Quedlinburg 886. Ernst. n. 1. —

Lamprecht, K., deutsches Städteleben am Schluß d. Mittelalters, s.: Sammlung v. Vorträgen.

— deutsches Wirtschaftsleben im Mittelalter. Untersuchungen üb. die Entwicklg. der materiellen Kultur d. platten Landes auf Grund der Quellen zunächst d. Mosellandes. 3 Tle. in 4 Bdn. Lex.-8. (XVI, XI, 1640; X, 784 u. XII, 608 S. m. 6 eingedr. Holzschn. u. 18 Karten.) Leipzig 886. A. Dürr. n. 80. —

Lancken, B. v. der, Christa. Roman. 8. (261 S.) Berlin 886. Janke. n. 4. —

Land, e. deutsches, in Gefahr! Zustände u. Vorgänge in Liv-, Est- u. Kurland. gr. 8. (30 S.) Berlin 886. Deubner. n.n. — 50

— das heilige. Organ d. Vereines vom heil. Grabe. 27—30. Jahrg. 1883—1886. à 6 Hfte. (à 2—2½ B.) gr. 8. Köln, (Bachem). à Jahrg. n.n. 6. —

— das luxemburger. Organ f. vaterländ. Geschichte, Kunst u. Litteratur. Red.: N. van Werveke. 5. Jahrg. 1886. 52 Nrn. (B.) Lex.-8. Luxemburg, Brück. n. 10. —

— u. **Volk**, unser deutsches. Vaterländische Bilder aus Natur, Geschichte, Industrie u. Volksleben d. Deutschen Reiches. 2. Aufl. Unter Red. von G. A. v. Klöden u. Rich. Oberländer. 7., 8., 10. u. 11. Bd. gr. 8. Leipzig, Spamer. n. 22. —; geb. n. 28. — (1—11.: n. 55. 50; geb. 62. 50)

7. Bilder aus dem sächsischen Berglande, der Oberlausitz u. den Ebenen an der Elbe, Elster u. Saale. Hrsg. v. Heinr. Gebauer. Mit 135 Text-Illustr., 5 Tonbildern u. 1 (chromolith.) Karte. (IX, 532 S.) 883. n. 6. —; geb. n. 7. 50
8. Bilder aus dem Gebirge u. Berglande v. Schlesien u. den Ebenen in Posen von der Oder bis zur Weichsel. Hrsg. v. Karl Burmann. Mit 95 Text-Illustr., e. Tonbild u. e. (chromolith.) Karte. (X, 470 S.) 884. n. 5. —; geb. n. 6. 50
10. Bilder v. den deutschen Nordseeküsten u. aus dem westlichen Tiefland. Hrsg. v. F. W. Otto Lehmann. Mit 130 Text-Illustr., 3 Tonbildern u. 2 Karten. (VIII, 484 S.) 885. n. 5. 50; geb. n. 7. —
11. Bilder aus den deutschen Küstenländern der Ostsee. Bearb. v. Johs. Biernatzki, L. Ernst, G. A. Lincke, Carl Blasendorff u. Bernh. Ohlert. Mit 128 Text-Illustr., 2 Tonbildern u. 3 Karten. (VIII, 518 S.) 886. n. 5. 50; geb. n. 7. —

Landau, L., gynäkologischer Spezialismus, s.: Sonderabdrücke der Deutschen Medizinal-Zeitung.

— die Wanderleber u. der Hängebauch der Frauen. Mit 23 Holzschn. gr. 8. (VI, 170 S.) Berlin 884. Hirschwald. n. 5. —

Landau, Marcus, die Quellen d. Dekameron. 2. Aufl. gr. 8. (XVIII, 345 S. m. 2 Tab.) Stuttgart 884. Scheible n. 6. —

— Rom, Wien, Neapel während d. spanischen Erbfolgekrieges. Ein Beitrag zur Geschichte d. Kampfes zwischen Papstthum u. Kaiserthum. gr. 8. (XX, 480 S.) Leipzig 885. Friedrich. n. 10. —

Landau, Thdr., die Zungenkrebsoperationen der Göttinger chirurgischen Klinik, vom Octbr. 1875 bis zum Juni 1885. gr. 8. (40 S.) Göttingen 885. (Vandenhoeck & Ruprecht.) n. 1. 20

Landauer, Aimée, échos poétiques. 12. (105 S.) Wien 884. (Gerold's Sohn.) n. 5. —

— les premiers vers. Avec un lettre autographe de Victor Hugo. 12. (131 S.) Ebend. 884. n. 5. —

Landbote, der. Wochenschrift f. prakt. Landwirthe. Organ d. landwirthschaftl. Provinzial-Vereins f. die Mark Brandenburg u. die Niederlausitz, d. Frankfurter Fischerei-Vereins &c. Hrsg. von Frhr. v. Canstein. 4—6. Jahrg. 1883—1886. à 52 Nrn. (ca. 1½ B.) Nebst Mittheilungen d. Vereins zur Förderg. der Moorkultur im Deutschen Reiche. In zwanglosen Nrn. (½ B.) gr. 4. Prenzlau, Mieck. n. à Jahrg. 7. —

— ostdeutscher. Organ f. die Interessen d. ländl. Grundbesitzes u. f. den ostdeutschen Bauernverein. 1. Jahrg. 1884. Juli—Decbr. 6 Nrn. (B.) 8. Breslau, (Dülfer). n. — 60

— dasselbe. 2. u. 3. Jahrg. 1885 u. 1886. à 12 Nrn. (B.) 8. Ebend. n. 1. 20

— Trierischer. Ein Wochenblatt f. Land u. Volkswirthschaft. Hrsg. v. J. H. Kartels u. H. J. Thielen. 11—13. Jahrg. 1884—1886. à 52 Nrn. (B.) Trier, Lintz. à Jahrg. n. 5. —

Landel, württembergische Regenten-Tafel, nebst e. kurzen Abriß der württemberg. Geschichte. Imp.-Fol. Stuttgart 886. (Lindemann's Sort.) In Mappe. n. 1. —

Landenberger, Alb., Johann Valentin Andreae, e. schwäb. Gottesgelehrter d. 17. Jahrh. Geschichtliche Erzählg. 8. (VI, 98 S.) Barmen 886. Klein. n. 1. 60

— Eberhard im Bart, s.: Für die Feste u. Freunde d. Gustav-Adolf-Vereins.

— Lebensschicksale e. Mark, s.: Familien-Bibliothek für's deutsche Volk.

— pädagogische Studien. 8. (V, 304 S.) Ludwigsburg 886. Neubert. n. 2. 80

— aus den Tagen d. Reformators Brenz, s.: Familien-Bibliothek fürs deutsche Volk.

— Hans von Ungnad u. die erste Bibel- u. Missionsanstalt der evangel. Kirche Deutschlands zu Urach, } s.: Für die Feste u. Freunde d. Gustav-Adolf-Vereins.

Landenberger, Ghold., die Zunahme d. Wärme m. der Tiefe ist e. Wirkung der Schwerkraft. gr. 8. (28 S.) Stuttgart 883. Cotta. n. 1. 20

Länder, die, Oesterreich-Ungarns in Wort u. Bild. Hrsg. v. Frdr. Umlauft. 9—12. Bd. 8. Wien, Graeser. à n. 1. 40; geb. à n. 2. 50

9. Das Herzogth. Schlesien. Geschildert v. Ant. Peter. Mit zahlreichen Abbildgn. u. 1 Titelbilde in Tondr. (188 S.) 884.
10. Das Königr. Galizien u. Lodomerien u. das Herzogth. Bukowina. Geschildert v. Jul. Jandaurek. Mit zahlreichen Abbildgn. u. 3 Vollbildern in Tondr. (202 S.) 884.
11. Krain, Küstenland u. Dalmatien. Geschildert v. Frz. Swida. Mit zahlreichen Abbildgn. u. 2 Vollbildern in Tondr. (168 S.) 882.
12. Das Königr. Ungarn. Geschildert v. J. H. Schwicker. Mit zahlreichen Abbildgn. in Holzschn. (172 S.) 886.

Landerer, A., die Gewebsspannung in ihrem Einfluss auf die örtliche Blut- u. Lymphbewegung. Ein Beitrag zur Lehre vom Kreislauf u. seinen Störgn. gr. 8. (IV, 108 S.) Leipzig 884. F. C. W. Vogel. n. 2. 80

— zur Lehre v. der Entzündung, s.: Sammlung klinischer Vorträge.

Christian Gottlob Kayser's
Vollständiges
Bücher-Lexicon

enthaltend

die vom Jahre 1750 bis Ende des Jahres 1886

im deutschen Buchhandel erschienenen Bücher.

Vierundzwanzigster Band

oder

des IX. Supplementbandes zweite Hälfte.

1883—1886.

Mit Nachträgen und Berichtigungen zu den früheren Bänden.

Bearbeitet

von

Richardt Haupt.

L—Z.

Leipzig.

T. O. Weigel.

1887.

L.

L, les trois, du Dante. Nouvel essai d'un commentaire sur le chant I de la Divine Comédie. 3. éd. 8. (16 S.). Klausenburg 886. (Demjén.) n. 1. —

Laache, S., Harn-Analyse f. practische Aerzte. Mit 21 Holzschn. gr. 8. (VIII, 166 S.) Leipzig 885. F. C. W. Vogel. n. 3. —

Laacke, Karl Chr. Fr., das Kantor-, Küster- u. Organistenamt in seinen Rechtsverhältnissen. Ein Handbuch, f. den prakt. Gebrauch bearb. gr. 8. (VIII, 298 S.) Gotha 885. Behrend. n. 4. 50

— das Kirchen- u. Pfarrwesen der evangelischen Kirche Preußens in seinen Rechtsverhältnissen. Ein Handbuch f. Behörden, Geistliche u. Juristen. gr. 8. (XVI, 426 S.) Ebend. 884. n. 6. 50

— Dr. Martin Luthers kleiner Katechismus m. Bezeichnung der Betonung u. Gliederung, nebst Gebeten, Einmal Eins u. Lern-Tabellen. Für die Hand der Kinder in Schule u. Haus. Ausg. A. 4. Aufl. 16. (48 S.) Berlin 885. (H. R. Mecklenburg.) n. — 5

— die Schulaufsicht in ihrer rechtlichen Stellung. Sammlung der gesetzl. Bestimmgn., behördl. Verordngn. u. gerichtl. Entscheidgn. zum Schulaufsichtsgesetz vom 11. März 1872. 2. Aufl. (In ca. 10 Lfgn.) 1—4. Lfg. gr. 8. (S. 1—256.) Prenzlau 886. Biller. à — 60

Laan, A. K. van der, zur Jubelfeier der evangelischen Kirche. Eine Festgabe f. jung u. alt. 2 Thle. 8. Aurich 883. (Leipzig, Bredt.) n n. — 50

1. Die christliche Kirche vor der Reformation. — Dr. Mart. Luther, e. Lebensbild. (III, 36 S. m. Holzschn.-Portr.) n.n. — 30
2. Zwingli u. Calvin, die Begründer der reformierten Kirche. (24 S.) n. — 20

— das Kartenzeichnen nach der Normallinien-Methode. Eine Anleitg. f. Lehrer u. Seminaristen. Mit 24 lith. Kartenskizzen. 4. (8 S.) Hannover 886. Meyer. n. — 80

— Raumlehre, s.: Wiese, B.

Laas, E., einige Bemerkungen zur Transcendentalphilosophie, s.: Abhandlungen, Strassburger, zur Philosophie.

— zur Frauenfrage, s.: Zeit- u. Streitfragen, deutsche.

— Idealismus u. Positivismus. Eine krit. Auseinandersetzg. 3. Thl. A. u. d. T.: Idealistische u. positivistische Erkenntnistheorie. gr. 8. (IV, 704 S.) Berlin 884. Weidmann. n. 16. — (cplt.: n. 31. —)

— der deutsche Unterricht auf höheren Lehranstalten. Ein kritisch-organisator. Versuch. 2. Aufl., besorgt v. J. Imelmann. gr. 8. (XII, 412 S.) Ebend. 886. n. 8. —

Laban, Ferd., dialogische Belustigungen. Die Hinterlassenschaft e. Einsiedlers. gr. 8. (VII, 87 S.) Pressburg 883. Stampfel. n. 2. —

Laband, P., das Staatsrecht d. Deutschen Reiches, s.: Handbuch d. öffentlichen Rechts in Monographien.

Labes, Eug., Palmenblätter. Ein Beitrag zum Friedrich Franz-Denkmal. gr. 8. (16 S.) Rostock 883. (Stiller.) — 50; Velinpap. — 60

Labiche, E., der Kernpunkt, s.: Universal-Bibliothek.

Labler, W., Liederhain f. österreichische Volksschulen, s.: Schober, J.

La Bruyère's Werke, s.: Collection Spemann.

— die Charaktere od. die Sitten im Zeitalter Ludwigs XIV. Aus dem Franz. v. Karl Eitner. 8. (415 S.) Leipzig 886. Bibliograph. Institut. geb. n. 1. —

Labus, Leo, die im Handels- u. Börsen-Verkehr zu beobachtenden Vorschriften der preußischen u. der Reichs-Stempel-Gesetzgebung. 2. Aufl. 12. (III, 104 S.) Breslau 885. Kern's Verl. geb. n. 1. 80

— das preußische Stempel-Gesetz vom 7. März 1822, erläutert durch hierzu ergangene Deklarationen, landesherrl. u. ministerielle Erlasse, sowie durch Entscheidgn. der höchsten Gerichtshöfe. Mit e. Anh. enth. das Gesetz, betr. die Stempelabgaben v. gewissen, bei dem Grundbuchamte anzubring. Anträgen. Vom 5. Mai 1872. Für den prakt. Gebrauch bearb. 2. Aufl. 8. (IV, 156 S.) Ebend. 884. cart. n. 3. —

— dasselbe. 3. Aufl. gr. 8. (IV, 258 S.) Ebend. 886. geb. n. 4. 50

Lachand, G., die schöne Frau Bodinard u. andere Geschichten, s.: Maupassant, G. de.

Lachenmayer, Farbenfibel. Kurzgefaßte Anleitg. zur Mischg., Zusammenstellg. u. Behandlg. der Farben m. Rücksicht auf deren Verwendg. bei der Toilette u. der Zimmerausstattg. gr. 8. (25 S. m. 1 Chromolith.) Reutlingen 883. Kocher. n. 1. —

Lacher, Carl, Wohnräume aus Steiermark. Drei vollständ. Holztäfelgn. aus den J. 1568, 1596 u. 1607. Fol. (7 Lichtdr.-Taf. m. 1 Bl. Text.) Graz 886. Goll. In Mappe. n. 10. —

Lacher, H., die Schul-Ueberbürdungsfrage, s.: Zeit- u. Streitfragen, deutsche.

Lachmann, Geo., üb. die Bahn d. Planeten Eurynome (79) aus den bisher beobachteten Oppositionen. gr. 8. (54 S.) Breslau 884. (Köhler.) n. 1. —

Lachmund, A., die Entwicklungslehre. Zwei Vorträge. gr. 8. (71 S.) Leipzig 886. Findel. n. 1. —

Lachner, Carl, Geschichte der Holzbaukunst in Deutschland. Ein Versuch. 1. Tl. A. u. d. T.: Der norddeutsche Holzbau, in seiner histor. Entwickelg. dargestellt. Mit 4 farb. Taf. u. 182 Textillustr. hoch 4. (VIII, 132 S.) Leipzig 885. Seemann. n. 10. —

Lachner, V., Composition, s.: Scheffel, J. V. v., Festgedicht zum Jubiläum der Universität Heidelberg.

Lack, Ad., Schreib-Lese-Fibel [Vorstufe d. Lesebuchs]. 2 Tle. Neue Orthogr. gr. 8. (Mit Holzschn.) Frankfurt a/M., Jaeger. n. — 90; geb. n.n. 1. 10

1. 4. Aufl. (IV, 32 S.) 884. n. — 40; geb. n.n. — 50. — 2. 4. Aufl. (III, 76 S.) 885. n. — 50; geb. n.n. — 60

Lackemann, C., die Elemente der Geometrie. Ein Lehr- u. Übungsbuch f. den geometr. Unterricht an höheren Bürgerschulen u. verwandten Anstalten. 2 Tle. gr. 8. (Mit Fig.) Breslau 884. F. Hirt. n. 1. 60

1. Planimetrie. (106 S.) n. 1. —. — 2. Trigonometrie u. Stereometrie. (55 S.) n. — 60

Lackemann, Wilh., Euler's interpolirte Producte. gr. 8. (43 S.) Göttingen 882. (Vandenhoeck & Ruprecht.) n. 1. 20

Lackner u. **Lettau**, Bemerkungen u. Winke f. den Lehrer zur Behandlung der biblischen Geschichte, s.: Preuß, A. E.

Lackner, Otto, zur Steuer der Wahrheit. Zurückweisung e. Parteischrift f. den zweijährigen Unterstützungswohnsitz. gr. 8. (IV, 10 S.) Berlin 884. Janke. n. — 50

Lackowitz, W., Bilder aus dem Vogelleben Norddeutschlands u. seiner Nachbarländer. Nach Skizzen v. Paul M. Röper bearb. Mit zahlreichen (eingedr.) Holzschn.-Illustr. nach Zeichngn. v. Rösener, Schwann u. Tieffenbach. 26 Lfgn Lex.-8. (VIII, 621 S.) Berlin 883. Ebhardt à n. — 50 (cplt.: geb. n. 15. —)

— dasselbe. A. u. d. T.: Unsere Vögel. Nach Skizzen v. Paul M. Röper bearb. Mit 204 Orig.-Holzschn.-Illustr. v. Rösener, Schwann, Tieffenbach u. A. Kolor. Ausg. Mit 26 Taf. nach Aquarellen v. Tieffenbach. 26 Lfgn. Lex.-8. (VIII, 621 S.) Ebend. 885. à n. — 60 (cplt cart.: n. 15. 60; in Halbfrz. geb. n. 20. 60)

— Flora v. Berlin u. der Prov. Brandenburg. Anleitung, die in der Umgebg. v. Berlin u. bis zu den Grenzen der Prov. Brandenburg wild wachs. u. häufiger kultivierten Pflanzen auf e. leichte u. sichere Weise durch eigene Untersuchg. zu bestimmen. 6. Aufl. 12. (XXIV, 253 S.) Berlin 886. Friedberg & Mode. geb. n. 2. 25

— Mozart, } s.: Ebhardt's
— wilde Szenen aus allen Zonen, } Jugendbibliothek.

Lacordaire, ausgewählte Gedanken. Aus seinen Werken gesammelt u. unter der Leitg. d. B. Chocarne hrsg. Nach dem Franz. übers. v. Emma Zulehner Edle v. Rheinwart. 2 Bde. 16. (368 u. 397 S.) Brünn 885. 86. Päpstl. Buchdruckerei der Benediktiner v. Raigern. n. 2. 20

Lacroma, Paul Maria, Formosa. Roman. 8. (185 S.) Leipzig 885. Wartig's Verl. n. 3. —; geb. n. 4. —

— Stürme. Roman. 3 Bde. 8. (160, 196 u. 176 S.) Wien 883. C. A. Müller. n. 7. 20

Ladage, Emil, meine Konversion u. ihre Folgen. Ein Beitrag zur Geschichte der religiösen Freiheit u. Duldg. im neuen Deutschen Reiche. 8. (68 S.) Paderborn 885. Bonifacius-Druckerei. — 45

Ladde, Emma, Feenhände. Eine Erzählg. f. die reifere weibl. Jugend. gr. 8. (158 S. m. 4 Chromolith.) Stuttgart 884. Hänselmann. geb. n. 3. —

— Flitter u. Gold. Ein Roman f. Mütter u. Töchter. 3. Aufl. 8. (VI, 343 S.) Stuttgart 884. Kröner. n. 3. —; geb. n. 4. —

— auf eigenen Füßen. Erzählungen f. Deutschlands Töchter. Mit e. Anh.: „Berufsarten f. die Töchter gebildeter Stände". 3. Aufl. 8. (VIII, 284 S.) Ebend. 884. n. 3. —; geb. n. 4. —

— ein Jahr in Märchen. Mit 12 (chromolith.) Bildern nach Aquarellen v. Heinr. Braun. 4. (183 S.) München 885. Stroefer. geb. n. 4. 50

— aus der Schule d. Lebens. Erzählungen f. Deutschlands Frauen u. Töchter. 8. (VII, 253 S.) Stuttgart 886. Kröner. n. 3. —; geb. n. 4. —

— aus sonnigen Tagen. Novellen. 8. (275 S) Leipzig 886. Schulze & Co. n. 4. —

— wild erblüht. Eine Geschichte f. junge Mädchen. 2. Aufl. 8. (416 S.) Stuttgart 886. Bonz & Co. 3. 60; geb. n. 4. 80

— tausend Wochen. Eine Geschichte f. junge Mädchen. 8. (279 S.) Ebend. 884. n. 3. —; geb. n. 4. —

Ladebeck, Herm., Schwimmschule. Lehrbuch der Schwimmkunst f. Anfänger u. Geübte. Ausführliche Anleitg. zum Selbsterlernen derselben. Zahlreiche Schwimmkünste u. Sprünge. Vermeidung der Fehler beim Schwimmen etc. Mit 81 Abbildgn. 3. Aufl. gr. 8. (XVI, 78 S.) Leipzig 885. Bruckner. n. 2. —

Ladenbauer, Willibald, der historische Unterricht als Grundlage e. religiösen Weltanschauung. gr. 8. (53 S.) Budweis 885. (Wien, Pichler's Wwe. & Sohn.) n. 1. —

Ladenburg, Alb., die kosmischen Consequenzen der Spectralanalyse. Rede. gr. 8. (24 S.) Kiel 884. (Universitäts-Buchh.) n. 1. —

— s.: Handwörterbuch der Chemie.

Ladendorff, A., üb. die Gründung v. Volksanatorien f. Phthisiker, s.: Sonderabdrücke der Deutschen Medizinal-Zeitung.

Ladewig, P., s.: Regesta episcoporun Constantiensium.

Laburner, Alois, Gedichte. 12. (IV, 76 S.) Meran 884. Plant. n. 1. 20

Laffert, Osc., u. Paul de **Wit**, internationales Hand- u. Adressbuch f. die gesammte Musikinstrumentenbranche, enth. die Adressen sämmtl. Fabrikanten u. Händler v. fert. Instrumenten, Lieferanten v. Rohmaterialien u. Bestandtheilen, sowie m. der Branche verwandten Berufsgenossen. gr. 8. (IV, 200 S. m. Holzschn.-Porträts.) Leipzig 883. Exped. der Zeitschrift f. Instrumentenbau. geb. 15. —

Lafont, die Gefangenen der Czaarin, s.: Bayard.

La Fontaine, A. de, mosaïque française ou extraits des prosateurs et des poëtes français à l'usage des Allemands. Avec des nombreuses notes explicatives et un vocabulaire. 5. éd. avec la nouvelle orthographie en français et en allemand. 8. (VIII, 278 S.) Berlin 884. Langenscheidt. n. 2. —; geb. 2. 50

Lafontaine, Jean de, Fabeln. Unterhaltendes Bilderbuch f. artige Kinder, enth. 6 bewegl. (chromolith.) Tableaux. qu. 4. (6 Bl. Text.) Fürth 885. Schaller & Kirn. geb. 2. —; m. Goldpressg. 2. 50

— dasselbe, s.: Universalbibliothek.

— fables. Erklärt v. E. O. Lubarsch 4. Tl. Buch X—XII nebst Philémon et Baucis. 8. (200 S.) Berlin 883. Weidmann. 2. 25 (1—4.: 6. 75)

— 80 fables, s.: Bibliothèque instructive des écoles secondaires.

Laforest, Frz. Thiard de, Spalato u. seine Alterthümer. Mit 10 vom Verf. nach der Natur aufgenommenen Photogr. gr. 8. (41 S.) Spalato 878. (Wien, Frick.) geb. n. 12. —

La Frémoire's Sammlung v. Lehrsätzen u Aufgaben der Elementar-Geometrie [Planimetrie u. Stereometrie]. Aus dem Franz. übers. v. C. F. Kauffmann. Nach dem Tode d. Uebersetzers durchgesehen u. hrsg. v. C. G. Reuschle. Mit ca. 400 Abbildgn. (2. Aufl.) Neue Ausg. gr. 8. (XXIV, 287 S.) Stuttgart 884. A. Koch. n. 2. —

Lagarde, Paul de, Aegyptiaca, P. de L. studio et sumptibus edita. Lex.-8. (VIII, 296 S.) Göttingen 883. (Dieterich's Sort.) n.n. 20. —

— s.: Catenae in evangelia aegyptiacae, quae supersunt.

— Erinnerungen an Friedrich Rückert. Lipman Zunz u. seine Verehrer. gr. 8. (82 S.) Göttingen 886. Dieterich's Sort. n.n. 1. 50

— Gedichte. 8. (64 S.) Göttingen 885. Dieterich's Verl. n. 1. 20

— librorum veteris testamenti canonicorum pars I, graece edita. Lex.-8. (XVI, 541 S.) Göttingen 883. Dieterich's Sort. n.n. 20. —

— die revidierte Lutherbibel d. Halleschen Waisenhauses, besprochen. Lex.-8. (40 S.) Göttingen 885. Dieterich's Verl. n. 1. —

— Mittheilungen. gr. 8. (384 S.) Göttingen 884. Dieterich's Sort. n n. 10. —

— Neu-Griechisches aus Klein-Asien. gr. 4. (68 S.) Göttingen 886. Dieterich's Verl. n. 3. —

— probe e. neuen ausgabe der lateinischen übersezungen d. alten testaments. Lex.-8. (48 S.) Göttingen 885. Dieterich's Sort. n.n. 2. —

— Programm f. die konservative Partei Preußens. gr. 8. (64 S.) Göttingen 884. Dieterich's Verl. n. 1. —

— deutsche Schriften, Gesammtausg letzter Hand. Lex.-8. (536 S) Ebend. 886. n. 10. —

— persische Studien. gr. 4. (76 u. 140 S.) Ebend. 884. n. 8. —

— die lateinischen übersezungen d. Ignatius, hrsg. gr. 4. (VIII, 156 S.) Ebend. 882. n. 6. —

Lage, die materielle, d. Arbeiterstandes in Oesterreich. 1—3. Abth. gr. 8. Wien 884. Kirsch. à n. 1. —
1. Textil- u. Bekleidungs-Industrie. 2. Aufl. (84 S.) — 2. (96 S.) — 3. (108 S.)

— die, d. bäuerlichen Grundbesitzes in Deutschland. Verhandlungen der 12. Versammlg. d. deutschen Landwirthschaftsraths. Auf Grund der Sitzungsprotokolle u. der stenograph. Aufzeichngn. erstattet v. Mueller. gr. 8. (III, 430 S.) Berlin 884. Parey. n. 4. —

Lage, die gegenwärtige, der Grundbuchgesetzgebung f. Elsaß-Lothringen u. der Bericht der Spezialkommission d. Landes-Ausschusses. [Beilageheft zur Jurist. Ztschr. f. d. Reichsland Elsaß-Lothringen, X. Bd.] gr. 8. (47 S.) Mannheim 885. Bensheimer's Verl. n. — 75

— die, der katholischen Kirche im Grossherzogth. Hessen. gr. 8. (88 S.) Mainz 885. Kirchheim. — 75

Lage, B. v. der, das höhere Mädchenschulwesen Frankreichs seit der Republik, s.: Zeit- u. Streit-Fragen.

— 18 Reigen f. Mädchenklassen. gr. 8. (V, 36 S.) Berlin 883. H. W. Müller. n.n. — 50

Lager, der selige Pater Fourier. Ein Beitrag zur Geschichte Lothringens im 17. Jahrh. 8. (IV, 224 S.) Regensburg 884. Verlags-Anstalt. 2. —

Laeger, Otto, de veterum epicorum studio in Archilochi, Simonidis, Solonis, Hipponactis reliquiis conspicuo. gr. 8. (75 S.) Halis Sax. 885. (Leipzig, Fock.) n. 1. 20

Lagerström, Angelika v., deutsche Frauen. Biographische Skizzen u. Charakterschildergn. 2. Aufl. 8. (III, 323 S.) Leipzig 883. Laudien. geb. m. Goldschn. 4. —

Lagez, G. de, el perfecto Español. Der perfekte Spanier. gr. 16. (178 S.) Berlin 885. Berliner Verlagsanstalt (O. Cray). — 75

Lagrange, E., Tante Veronika, s.: Novellenkranz.

Lahm, G., Zusammenstellung der in Westfalen beobachteten Flechten unter Berücksicht. der Rheinprovinz. gr. 8. (IV, 163 S.) Münster 885. Coppenrath. n. 2. —

Lahmeyer, C., die Reform d. Knappschaftswesens im Anschluß an die sociale Gesetzgebung. gr. 8. (18 S.) Essen 884. Bädeker. n. — 60

Lahn, W., Handbüchlein f. Kinder in Volksschulen, s.: Krüger, A.

— Lehre der Honig-Verwerthung. Anweisung zur Fabrikation v. Meth, Wein, Champagner, Liqueur, Syrup, Essig, moussir. Limonade, Alkohol etc., zur Herstellg. feiner Backwerke m. Honig, wie Nürnberger u. italien. Lebkuchen, Konfitüren, Honig- u. Pfefferkuchen etc., u. zum Einmachen der Früchte in Honig. Nebst Anleitg. zum Gebrauch d. Honigs in der Gesundheitspflege u. e. Anh.: Das Wachs u. seine Verwerthg. 8. (VIII, 125 S.) Oranienburg 884. Freyhoff. n. 2. —

— Volksschul-Lesebuch, s.: Wolter, A.

Lahnek, M., Aennchens Badereise nach Frankenhausen. Eine Kindergeschichte in Reimen. Mit (12 chromolith.) Bildern v. Freundinnen u. Freunden der Kinderheilanstalt zu Frankenhausen in Thüringen. 4. (35 S.) Halle 883. Fricke's Verl. geb. n. 3. —

Lahousen, Edler v. Vivremont, Wilh., die Verwendung der Cavallerie im Gefechte, abgeleitet aus dem Wesen u. den Eigenschaften der Waffe. gr. 8. (84 S.) Wien 885. Seidel & Sohn. n. 1. —

Laehr, Heinr., Gedenktage der Psychiatrie aller Länder. gr. 8. (XVI, 65 S.) Berlin 885. G. Reimer. n. 2. —

Lahrßen, Frdr., die Bibel od. die heiligen Schriften Alten u. Neuen Testamentes im Auszuge. Auf Grund der deutschen Uebersetzg. Dr. Mart. Luthers f. Schule u. Haus bearb. gr. 8. (IV, 408 u. IV, 249 S.) Oldenburg 883. Bültmann & Gerriets. n. 4. —

Lahs, Vorträge u. Abhandlungen zur Tokologie u. Gynäkologie. Mit 4 lith. Taf. gr. 8. (III, 98 S.) Marburg 884. (Elwert's Verl.) n. 3. —

Lahusen, Leitfaden f. See-Badereisende m. besond. Rücksicht auf Westerland-Sylt. 16. (66 S.) Tondern 885. Dröhse. n. — 80

Lahusen, D., Bremen u. seine Sonderstellung. gr. 8. (56 S.) Bremen 883. Kühtmann & Co. n. 1. 50

— die Correction der Unterweser u. die Bremische Handelskammer. Drei Fragen, aufgeworfen u. beantwortet. 8. (31 S.) Ebend. 883. n. 1. —

— das Differenzgeschäft, s.: Sammlung v. Vorträgen.

Lahusen, F., Antritts-Predigt, s.: Einführung u. Antritts-Predigt.

Lahusen, J., die Inoceramenschichten an dem Olenek u. der Lena, s.: Mémoires de l'académie impériale des sciences de St.-Pétersbourg.

Laib, Lokal-Gütertarif f. Stuttgart. gr. 8. (43 S.) Stuttgart 883. (Metzler's Verl.) n.n. 2. —

Laicus, Ph., der Alte vom Berge, s.: Familienfreund.

— der rothe Dieter, s.: Novellenkranz.

— der letzte Häuptling v. Killarney. Eine histor. Erzählg. 8. (533 S.) Mainz 884. Kirchheim. 4. 80

— Irma. Schicksale einer Verlassenen. Orig.-Erzählg. 2 Bde. 8. (314 u. 336 S.) Ebend. 883. 6. —

— Montecchi u. Capuleti, } s.: Familienfreund.
— auf dunklen Pfaden zu lichten Höhn, } s.: Familienfreund.
— die Sensenträger d. Todes, } s.: Familienfreund.

— die Waise. 8. (352 S.) Mainz 886. Kirchheim. 4. —

Laienpredigten. Lose Blätter der Lebensweisheit. 8. (VIII, 336 S.) Halle 884. Hendel. 3. —; geb. n. 4. —

Lainez, Jac., disputationes Tridentinae, ad manuscriptorum fidem ed. et commentariis historicis instruxit Hartm. Grisar. 2 tomi. gr. 8. (106, 512 u. 85, 568 S.) Innsbruck 886. F. Rauch. n. 12. —

Laing, Frederick A., and Th. **Weischer,** analyses of classic english plays for the use of students of english litterature. 8. (III, 112 S.) Stuttgart 883. Neff. n. — 75; geb. n. 1. —

Laino, E. G., das Leben Jesu auf Grundlage d. vornehmsten Gebots. 3 Thle. in 5 Bdn. 3. Aufl. gr. 8. (XII, 124; III, 127; IV, 183; IV, 267 u. IV, 232 S.) Leipzig 881—83. Böhme. n. 10. —

Laker, Carl, Beobachtungen an den geformten Bestandtheilen d. Blutes. [Mit 1 Taf.] Lex.-8. (20 S.) Wien 886. (Gerold's Sohn.) n. — 60

— die ersten Gerinnungserscheinungen d. Säugethierblutes unter dem Mikroskope. Lex.-8. (12 S.) Ebend. 884. n.n. — 25

— Studien üb. die Blutscheibchen u. den angeblichen Zerfall der weissen Blutkörperchen bei der Blutgerinnung. [Mit 1 (lith. u. color.) Taf.] Lex.-8. (30 S.) Ebend. 882. n.n. — 90

Lalin, Esaias, de praepositionum usu apud Aeschylum. gr. 4. (57 S.) Upsaliae 885. (Leipzig, Simmel & Co.) n. 2. —

Lallemand, Charles, Schwarzwälder Volkstrachten. 16 Orig.-Aufnahmen. Lith. u. color. Neue Ausg. Imp.-4. Strassburg 885. Schmidt. n. 5. —

Lama, Charles de, bibliothèque des écrivains de la congrégation de Saint Maur ordre de Saint-Benoit en France. 8. (VI, 262 S.) Munich 882. (Freiburg i/Br., Herder.) n. 4. —

La Mara, Musikerbriefe aus fünf Jahrhunderten. Nach den Urhandschriften erstmalig hrsg. 2 Bde. Mit den Namenszügen der Künstler. 8. (XIV, 354 u. X, 392 S.) Leipzig 886. Breitkopf & Härtel. n. 7. —; geb. n. 9. —

— musikalische Studienköpfe. 1. u. 3. Bd. 8. (Mit je 1 Lichtdr.-Portr.) Leipzig 884. Schmidt & Günther. à n. 3. 50; geb. à n. 4. 50

1. Romantiker. 6. Aufl. (VII, 420 S.) — 3. Jüngstvergangenheit u. Gegenwart. 5. Aufl. (VII, 338 S.)

Lamartine, A. de, captivité, procès et mort de Louis XVI, s.: Schulbibliothek, französische u. englische.

— voyage en Orient, s.: Bibliothèque française. — Prosateurs français.

Lamb, Charles, tales from Shakspeare designed for the use of young people. Mit Anmerkgn. u. teilweiser Accentuierg. hrsg. v. Dav. Bendan. 2 Tle. gr. 8. (VIII, 173 u. III, 157 S.) Berlin 883. Friedberg & Mode. à n. 1. 20; Wörterbuch dazu (III, 40 S.) n. — 50; cplt. m. Wörterbuch in 1 Bd. n. 2. 60

— dasselbe. Erklärt v. L. Riechelmann. 1. u. 2. Tl. 2. Aufl., bearb. v. Gust. Lücking. 8. (VII, 168 u. IV, 157 S.) Berlin 884. 85. Weidmann. à 1. 50

— u. Marie **Lamb**, Erzählungen aus Shakespeare. Wortgetreu nach H. R. Mecklenburg's Grundsätzen aus dem Engl. übers. v. R. T. 1—3. Hft. 32. (169 S.) Berlin 885. 86. H. R. Mecklenburg. à n. — 25

Lamb, Horace, Einleitung in die Hydrodynamik. Uebers. u. bearb. v. Rich. Reiff. gr. 8. (XII, 332 S.) Freiburg i/Br. 884. Mohr. n. 7. —

Lambeck, H., Psalm CIV im Urtext m. seiner Uebertragung in elf Sprachen als Specimen e. Psalter-Polyglotte. gr. 4. (IV, 72 S.) Köthen 883. Schettler's Erben. n. 3. —

Lamber, Juliette [Madame E. Adam], e. Heidin u. andere Novellen. Autoris. Uebersetzg. aus dem Franz. v. M. Bruckmüller. 8. (VIII, 308 S.) Breslau 886. Schottländer. n. 4. 50; geb. n. 5. 50

Lambert, A., u. E. **Stahl,** das Möbel. Ein Musterbuch stilvoller Möbel aus allen Ländern in histor. Folge, aufgenommen u. hrsg. (In 16 Lfgn.) 1. Lfg. Fol. (6 Taf. m. 1 Bl. deutschem u. französ. Text.) Stuttgart 886. J. Hoffmann. n. 2. —

— — Privat- u. Gemeindebauten. II. Serie. Eine Sammlg. ausgeführter ländl. u. städt. Wohngebäude, Gesellschafts-, Schul- u. Rath-Häuser, Kirchen, Armen- u. Kranken-Häuser, Pavillons, Stallgn., Gewächs-, Garten- u. Geflügel-Häuser, Veranden, Friedhöfe, Turnhallen, Feuerwehr-Magazine, Arbeiter-Wohngn. Kleinere Fabrikanlagen wie Färbereien, Brauereien, Schlacht-Häuser, Seifensiedereien, Gerbereien etc. Unter Mitwirkg. namhafter Fachgenossen hrsg. 1. u. 2. Lfg. Fol. (à 6 autogr. Taf. m. 1 Bl. Text.) Stuttgart 886. Wittwer. à n. 3. —

Lambert, André, Madonna di San Biagio près Montepulciano batie par Antonio di San Gallo de 1518 à 1528. Levé et dessiné par A. L. gr. Fol. (7 Lichtdr.-Taf. m. 1 Bl. Text.) Stuttgart 884. Wittwer. In Mappe. n. 9. —

— et Alfred **Rychner,** l'architecture en Suisse aux différentes époques. Fragments, recueillis et publiés. Fol. (57 Lichtdr.-Taf. m. 1 Bl. Text.) Basel 884. Georg. In Mappe. n.n. 60. —

Lambruschini, Joh. Bapt., der Führer zum Himmel. Aus dem Gebetbuch auf's Neue aus dem Ital. übers. u. bearb. von A. v. Bendel. Neue Ausg. Nr. 10. Mit Farbentitel u. 1 Stahlst. 24. (XX, 447 S.) Freiburg i/Br. 885. Herder. — 80

Lamezan, Jos. v., die Hauptmomente d. Lebens. 6 Kanzelvorträge auf die 6 Aloysian. Sonntage m. Lobrede auf den hl. Aloysius v. Gonzaga aus der Gesellschaft Jesu. 2. Aufl. gr. 8. (III, 129 S.) Freiburg i/Br. 883. Herder. n. 1. 20

Lamm, Carl Mor., das Rechtsmittel der Beschwerde im Strafprozeß. gr. 8. (63 S.) Leipzig 883. Roßberg. n. 1. 20

Lammasch, Heinr., das Recht der Auslieferung wegen politischer Verbrechen. gr. 8. (III, 109 S.) Wien 884. Manz. n. 2. 40

Laemmel, Mart., Entwickelungs-Geschichte d. Menschen. 8. (6 Lichtdr.-Taf.) Leipzig 885. Dorn & Merfeld. In Leinw.-Mappe. n. 3. —

Lammer, Guido E., sind die Kulturvölker noch Nationen? Eine zeitgemäße Frage. gr. 8. (40 S.) Wien 884. Rosner. n. — 80

Laemmer, Hugo, Institutionen d. katholischen Kirchenrechts. gr. 8. (XV, 553 S.) Freiburg i/Br. 886. Herder. n. 7. —

Laemmerhirt, Otto, Normal-Obstsortiment, zum allgemeinen Anbau im Königr. Sachsen zu empfehlen u. f. die verschiedenen Boden- u. klimat. Verhältnisse gesondert zusammengestellt v. e. hierzu berufenen Kommission. Bearb. v. O. L. Lex.-8. (14 S.) Dresden 884. (Leipzig, H. Voigt.) n. — 50

— die Obstverwertung in ihrem ganzen Umfange. Anleitung zur vollkommensten Ausnutzg. der Obsternten f. Wirtschaft u. Handel. Unter Mitwirkg. v. Emil Holzapfel f. die Praxis u. zum Gebrauch an Gartenbauschulen bearb. Mit 35 Abbildgn. gr. 8. (VII, 195 S.) Berlin 885. Parey. cart. n. 4. —

— u. Herrm. **Degenkolb,** Beiträge zur Beförderung der Kern- u. Steinobst-Kultur unter den Landwirthen. Mit 33 Abbildgn. gr. 8. (VIII, 52 S.) Dresden 886. G. Schönfeld's Verl. n. — 60

Laemmerhirt, Rich., George Peele. Untersuchungen üb. sein Leben u. seine Werke. gr. 8. (68 S.) Rostock 882. (Lübeck, Dittmer.) n. 1. 50

Lammers, A., Armen-Beschäftigung, — Branntwein- und Kaffee-Schenken, — öffentliche Kinder-Fürsorge, } s.: Zeitfragen, volkswirthschaftliche.

— der Liberalismus u. die innere Mission. gr. 8. (41 S.) Bremen 883. Rousell. n. 1. —

— die Mässigkeitsgesetzgebung in ihrer Wirksamkeit, s.: Beiträge, wissenschaftliche, zum Kampf gegen den Alkoholismus.

— Umwandlung der Schenken, — die Unternehmung im Sparkassen-Geschäft, } s.: Zeit- u. Streit-Fragen, deutsche.

Lammers, B., Geschichte d. Ortes Peterswaldau am Eulengebirge im Kreise Reichenbach in Schlesien. gr. 8. (IV, 151 S. m. 8 Steintaf. u. 1 genealog. Tab.) Reichenbach i/Schl. 884. (Höfer.) cart. n.n. 2. 25

Lammers, H., rheinisch-westfälische Kinderharfe. Liederbüchlein f. evangel. Schulen, Sonntagsschulen u. Kindergottesdienste. Für den Bereich d. evangel. Gesangbuchs der Synoden Jülich, Cleve, Berg u. Grafsch. Mark zusammengestellt. 2. Aufl. 12. (121 S.) Essen 886. Bädeker. n. — 30; geb. n. — 40

Lammers, Mathilde, Hausbackenes. 8. (VII, 248 S.) Bremen 886. Roussell. n. 2. —; geb. n. 3. —

— deutsche Lehrerinnen im Auslande, s.: Zeit- u. Streit-Fragen, deutsche.

— Volks-Kaffeehäuser. Rathschläge f. ihre Einrichtg. u. Bewirthschaftg. Nach engl. Quellen bearb. gr. 8. (36 S.) Bremen 883. Roussell. n. 1. —

Lammert, E., Übungsbuch f. den Unterricht im Lateinischen. Kurs. der Quinta. gr. 8. (IV, 169 S.) Leipzig 885. Fues. geb. n.n. 1. 30

— dasselbe. Kursus der Sexta. 2. Aufl. gr. 8. (XI, 147 S.) Ebend. 884. cart. n. 1. 20

— Vokabularium zu dem Übungsbuche f. den Unterricht im Lateinischen. Kursus der Quinta. gr. 8. (22 S.) Ebend. 886. n.n. — 25

— dasselbe. Kursus der Sexta. gr. 8. (20 S.) Ebend. 886. n.n. — 25

Lamont, J. v., astronomisch-geodätische Bestimmungen, ausgeführt an einigen Hauptpunkten d. bayerischen Dreiecksnetzes, — Verzeichniss v. 3571 telescopischen Sternen zwischen +9° u. +15° Declination, } s.: Annalen der Münchener Sternwarte.

Lamothe, A. de, die Sensenträger d. Todes, s.: Laicus, Ph.

Lamp, Johs., neue Berechnung der Parallaxe v. 61 Cygni aus den Beobachtungen v. Schweizer in Moskau 1863—1866. gr. 8. (59 S.) Kiel 883. (v. Maack.) n. 1. 20

Lampadius, W. A., Felix Mendelssohn Bartholdy. Ein Gesammtbild seines Lebens u. Wirkens. Mit dem Portr. u. e. fcsm. Briefe Felix Mendelssohn Bartholdy's. gr. 8. (XVI, 379 S.) Leipzig 886. Leuckart. n. 4. —

Lampe, E., geometrische u. mechanische Aufgaben zur numerischen Auflösung von Gleichungen höherer Grade. 4. (24 S.) Berlin 885. Gaertner. n. 1. —

Lampe, F. C. H., Gedichte. 12. (280 S.) Altona, Pa. 881. (Philadelphia, Schäfer & Koradi.) n. 3. —

Lampel, Ant., üb. Drehschwingungen e. Kugel m. Luftwiderstand. Lex.-8. (23 S.) Wien 886. (Gerold's Sohn.) n. — 45

Lampel, F., das Infanterie-Exerzieren. Nach dem Reglement übersichtlich zusammengestellt. Mit 16 Taf. Abbildgn. 8. (VII, 45 S.) Berlin 885. Mittler & Sohn. n. 1. 40

— der Infanterie-Felddienst. Ein Handbuch f. den Kompagniechef bei der Ausbildg., im Manöver u. im Felde, sowie f. Offiziere, Unteroffiziere u. Offiziersaspiranten d. aktiven u. beurlaubten Standes. Mit Skizzen u. 2 Fig.-Taf. im Text. 8. (VIII, 100 S.) Ebend. 886. n. 1. 60

Lampel, Jos., die Einleitung zu Jans Enenkels Fürstenbuch. Ein Beitrag zur Kritik österreich. Geschichts-

quellen u. zur Geschichte der Babenberger. gr. 8. (55 S.) Wien 883. Hölder. n. 1. 80

Lampel, Leop., deutsches Lesebuch f. die 1—4. Classe österreichischer Mittelschulen. gr. 8. Wien, Hölder. geb. n.n. 10. 64

1. 4. Aufl. (XVI, 288 S.) 886. n.n. 2. 48. — 2. 2. Aufl. (XIX, 308 S.) 885. n.n. 2. 60. — 3. 2. Aufl. (XV, 329 S.) 886. n. 2. 72. — 4. (XI, 344 S.) 884. n. 2. 84

— dasselbe, Anh., enth.: Lesestücke aus der antiken u. german. Götter- u. Heldensage. gr. 8. (IV, 120 S.) Ebend. 885. n. — 52

— deutsches Lesebuch f. die oberen Classen österreichischer Gymnasien. 1. Thl. [f. die 5. Classe]. gr. 8. (XXII, 367 S.) Ebend. 885. geb. n. 3. 20

Lampert, Frdr., der Würm-See od. Starnberger See. Ein Führer an demselben in Bild u. Wort. Mit 108 xylogr. Ansicht. d. Gebirges v. der Roseninsel aus gesehen u. e. lithogr. illumin. Karte. 7. Aufl. 12. (VIII, 72 S.) München 883. Stahl. n. 1. —

Lampert, K., die Seewalzen, s.: Semper, C., Reisen im Archipel der Philippinen.

Lamprecht's Alexander, s.: Handbibliothek, germanistische.

Lamprecht, F., Übungsbuch zum Übersetzen ins Französische im Anschluß an Lückings Grammatik f. den Schulgebrauch. gr. 8. (VIII, 138 S.) Berlin 884. Weidmann. n. 1. 60

Lamprecht, Fritz, bei guter Laune. Eine Sammlg. v. 67 kom. Vorträgen, Duetts, Couplets, Liedern u. Deklamationen der neuesten Zeit v. verschiedenen Verfassern. 6. Aufl. 8. (VIII, 172 S.) Quedlinburg 886. Ernst. n. 1. —

Lamprecht, K., deutsches Städteleben am Schluß d. Mittelalters, s.: Sammlung v. Vorträgen.

— deutsches Wirtschaftsleben im Mittelalter. Untersuchungen üb. die Entwicklg. der materiellen Kultur d. platten Landes auf Grund der Quellen zunächst d. Mosellandes. 3 Tle. in 4 Bdn. Lex.-8. (XVI, XI, 1640; X, 784 u. XII, 608 S. m. 6 eingedr. Holzschn. u. 18 Karten.) Leipzig 886. A. Dürr. n. 80. —

Lancken, B. v. der, Christa. Roman. 8. (261 S.) Berlin 886. Janke. n. 4. —

Land, e. deutsches, in Gefahr! Zustände u. Vorgänge in Liv-, Est- u. Kurland. gr. 8. (30 S.) Berlin 886. Deubner. n.n. — 50

— das heilige. Organ d. Vereines vom heil. Grabe. 27—30. Jahrg. 1883—1886. à 6 Hfte. (à 2—2½ B.) gr. 8. Köln, (Bachem). à Jahrg. n.n. 6. —

— das luxemburger. Organ f. vaterländ. Geschichte, Kunst u. Litteratur. Red.: N. van Werveke. 5. Jahrg. 1886. 52 Nrn. (B.) Lex.-8. Luxemburg, Brück. n. 10. —

— u. Volk, unser deutsches. Vaterländische Bilder aus Natur, Geschichte, Industrie u. Volksleben d. Deutschen Reiches. 2. Aufl. Unter Red. von G. A. v. Klöden u. Rich. Oberländer. 7., 8., 10. u. 11. Bd. gr. 8. Leipzig, Spamer. n. 22. —; geb. n. 28. — (1—11.: n. 55. 50; geb. 62. 50)

7. Bilder aus dem sächsischen Berglande, der Oberlausitz u. den Ebenen an der Elbe, Elster u. Saale. Hrsg. v. Heinr. Gebauer. Mit 135 Text-Illustr., 5 Tonbildern u. 1 (chromolith.) Karte. (IX, 532 S.) 883. n. 6. —; geb. n. 7. 50
8. Bilder aus dem Gebirge u. Berglande v. Schlesien u. den Ebenen in Posen von der Oder bis zur Weichsel. Hrsg. v. Karl Burmann. Mit 95 Text-Illustr., e. Tonbild u. e. (chromolith.) Karte. (X, 470 S.) 884. n. 5. —; geb. n. 6. 50
10. Bilder v. den deutschen Nordseeküsten u. aus dem westlichen Tiefland. Hrsg. v. F. W. Otto Lehmann. Mit 130 Text-Illustr., 3 Tonbildern u. 2 Karten. (VIII, 484 S.) 885. n. 5. 50; geb. n. 7. —
11. Bilder aus den deutschen Küstenländern der Ostsee. Bearb. v. Johs. Biernatzki, L. Ernst, G. A. Lincke, Carl Blasendorff u. Bernh. Ohlert. Mit 128 Text-Illustr., 2 Tonbildern u. 3 Karten. (VIII, 518 S.) 886. n. 5. 50; geb. n. 7. —

Landau, L., gynäkologischer Spezialismus, s.: Sonderabdrücke der Deutschen Medizinal-Zeitung.

— die Wanderleber u. der Hängebauch der Frauen. Mit 23 Holzschn. gr. 8. (VI, 170 S.) Berlin 884. Hirschwald. n. 5. —

Landau, Marcus, die Quellen d. Dekameron. 2. Aufl. gr. 8. (XVIII, 345 S. m. 2 Tab.) Stuttgart 884. Scheible n. 6. —

— Rom, Wien, Neapel während d. spanischen Erbfolgekrieges. Ein Beitrag zur Geschichte d. Kampfes zwischen Papstthum u. Kaiserthum. gr. 8. (XX, 480 S.) Leipzig 885. Friedrich. n. 10. —

Landau, Thdr., die Zungenkrebsoperationen der Göttinger chirurgischen Klinik, vom Octbr. 1875 bis zum Juni 1885. gr. 8. (40 S.) Göttingen 885. (Vandenhoeck & Ruprecht.) n. 1. 20

Landauer, Aimée, échos poétiques. 12. (105 S.) Wien 884. (Gerold's Sohn.) n. 5. —

— les premiers vers. Avec un lettre autographe de Victor Hugo. 12. (131 S.) Ebend. 884. n. 5. —

Landbote, der. Wochenschrift f. prakt. Landwirthe. Organ d. landwirthschaftl. Provinzial-Vereins f. die Mark Brandenburg u. die Niederlausitz, d. Frankfurter Fischerei-Vereins ꝛc. Hrsg. von Frhr. v. Canstein. 4—6. Jahrg. 1883—1886. à 52 Nrn. (ca. 1½ B.) Nebst Mittheilungen d. Vereins zur Förderg. der Moorkultur im Deutschen Reiche. In zwanglosen Nrn. (½ B.) gr. 4. Prenzlau, Mieck. n. à Jahrg. 7. —

— ostdeutscher. Organ f. die Interessen d. ländl. Grundbesitzes u. f. den ostdeutschen Bauernverein. 1. Jahrg. 1884. Juli—Decbr. 6 Nrn. (B.) 8. Breslau, (Dülfer). n. — 60

— dasselbe. 2. u. 3. Jahrg. 1885 u. 1886. à 12 Nrn. (B.) 8. Ebend. n. 1. 20

— Trierischer. Ein Wochenblatt f. Land u. Volkswirthschaft. Hrsg v. J. H. Kartels u. H. J. Thielen. 11—13. Jahrg. 1884—1886. à 52 Nrn. (B.) Trier, Lintz. à Jahrg. n. 5. —

Landel, württembergische Regenten-Tafel, nebst e. kurzen Abriß der württemberg. Geschichte. Imp.-Fol. Stuttgart 886. (Lindemann's Sort.) In Mappe. n. 1. —

Landenberger, Alb., Johann Valentin Andreae, e. schwäb. Gottesgelehrter d. 17. Jahrh. Geschichtliche Erzählg. 8. (VI, 98 S.) Barmen 886. Klein. n. 1. 60

— Eberhard im Bart, s.: Für die Feste u. Freunde d. Gustav-Adolf-Vereins.

— Lebensschicksale e. Mark, s.: Familien-Bibliothek für's deutsche Volk.

— pädagogische Studien. 8. (V, 304 S.) Ludwigsburg 886. Neubert. n. 2. 80

— aus den Tagen d. Reformators Brenz, s.: Familien-Bibliothek fürs deutsche Volk.

— Hans von Ungnad u. die erste Bibel- u. Missionsanstalt der evangel. Kirche Deutschlands zu Urach, } s.: Für die Feste u. Freunde d. Gustav-Adolf-Vereins.

Landenberger, Ghold., die Zunahme d. Wärme m. der Tiefe ist e. Wirkung der Schwerkraft. gr. 8. (28 S.) Stuttgart 883. Cotta. n. 1. 20

Länder, die, Oesterreich-Ungarns in Wort u. Bild. Hrsg. v. Frdr. Umlauft. 9—12. Bd. 8. Wien, Graeser. à n. 1. 40; geb. à n. 2. 50

9. Das Herzogth. Schlesien. Geschildert v. Ant. Peter. Mit zahlreichen Abbildgn. u. 1 Titelbilde in Tondr. (188 S.) 884.
10. Das Königr. Galizien u. Lodomerien u. das Herzogth. Bukowina. Geschildert v. Jul. Jandaurek. Mit zahlreichen Abbildgn. u. 3 Vollbildern in Tondr. (202 S.) 884.
11. Krain, Küstenland u. Dalmatien. Geschildert v. Frz. Swida. Mit zahlreichen Abbildgn. u. 2 Vollbildern in Tondr. (168 S.) 882.
12. Das Königr. Ungarn. Geschildert v. J. H. Schwicker. Mit zahlreichen Abbildgn. in Holzschn. (172 S.) 886.

Landerer, A., die Gewebsspannung in ihrem Einfluss auf die örtliche Blut- u. Lymphbewegung. Ein Beitrag zur Lehre vom Kreislauf u. seinen Störgn. gr. 8. (IV, 108 S.) Leipzig 884. F. C. W. Vogel. n. 2. 80

— zur Lehre v. der Entzündung, s.: Sammlung klinischer Vorträge.

Lambeck, H., Psalm CIV im Urtext m. seiner Uebertragung in elf Sprachen als Specimen e. Psalter-Polyglotte. gr. 4. (IV, 72 S.) Köthen 883. Schettler's Erben. n. 3. —

Lamber, Juliette [Madame E. Adam], e. Heidin u. andere Novellen. Autoris. Uebersetzg. aus dem Franz. v. M. Bruckmüller. 8. (VIII, 308 S.) Breslau 886. Schottländer. n. 4. 50; geb. n. 5. 50

Lambert, A., u. E. **Stahl,** das Möbel. Ein Musterbuch stilvoller Möbel aus allen Ländern in histor. Folge, aufgenommen u. hrsg. (In 16 Lfgn.) 1. Lfg. Fol. (6 Taf. m. 1 Bl. deutschem u. französ. Text.) Stuttgart 886. J. Hoffmann. n. 2. —

— — Privat- u. Gemeindebauten. II. Serie. Eine Sammlg. ausgeführter ländl. u. städt. Wohngebäude, Gesellschafts-, Schul- u. Rath-Häuser, Kirchen, Armen- u. Kranken-Häuser, Pavillons, Stallgn., Gewächs-, Garten- u. Geflügel-Häuser, Veranden, Friedhöfe, Turnhallen, Feuerwehr-Magazine, Arbeiter-Wohngn. Kleinere Fabrikanlagen wie Färbereien, Brauereien, Schlacht-Häuser, Seifensiedereien, Gerbereien etc. Unter Mitwirkg. namhafter Fachgenossen hrsg. 1. u. 2. Lfg. Fol. (à 6 autogr. Taf. m. 1 Bl. Text.) Stuttgart 886. Wittwer. à n. 3. —

Lambert, André, Madonna di San Biagio près Montepulciano batie par Antonio di San Gallo de 1518 à 1528. Levé et dessiné par A. L. gr. Fol. (7 Lichtdr.-Taf. m. 1 Bl. Text.) Stuttgart 884. Wittwer. In Mappe. n. 9. —

— et Alfred **Rychner,** l'architecture en Suisse aux différentes époques. Fragments, recueillis et publiés. Fol. (57 Lichtdr.-Taf. m. 1 Bl. Text.) Basel 884. Georg. In Mappe. n.n. 60. —

Lambruschini, Joh. Bapt., der Führer zum Himmel. Aus dem Gebetbuch auf's Neue aus dem Ital. übers. u. bearb. von A. v. Bendel. Neue Ausg. Nr. 10. Mit Farbentitel u. 1 Stahlst. 24. (XX, 447 S.) Freiburg i/Br. 885. Herder. — 80

Lamezan, Jos. v., die Hauptmomente d. Lebens. 6 Kanzelvorträge auf die 6 Aloysian. Sonntage m. Lobrede auf den hl. Aloysius v. Gonzaga aus der Gesellschaft Jesu. 2. Aufl. gr. 8. (III, 129 S.) Freiburg i/Br. 883. Herder. n. 1. 20

Lamm, Carl Mor., das Rechtsmittel der Beschwerde im Strafprozeß. gr. 8. (63 S.) Leipzig 883. Roßberg. n. 1. 20

Lammasch, Heinr., das Recht der Auslieferung wegen politischer Verbrechen. gr. 8. (III, 109 S.) Wien 884. Manz. n. 2. 40

Laemmel, Mart., Entwickelungs-Geschichte d. Menschen. 8. (6 Lichtdr.-Taf.) Leipzig 885. Dorn & Merfeld. In Leinw.-Mappe. n. 3. —

Lammer, Guido E., sind die Kulturvölker noch Nationen? Eine zeitgemäße Frage. gr. 8. (40 S.) Wien 884. Rosner. n. — 80

Laemmer, Hugo, Institutionen d. katholischen Kirchenrechts. gr. 8. (XV, 553 S.) Freiburg i/Br. 886. Herder. n. 7. —

Laemmerhirt, Otto, Normal-Obstsortiment, zum allgemeinen Anbau im Königr. Sachsen zu empfehlen u. f. die verschiedenen Boden- u. klimat. Verhältnisse gesondert zusammengestellt v. e. hierzu berufenen Kommission. Bearb. v. O. L. Lex.-8. (14 S.) Dresden 884. (Leipzig, H. Voigt.) n. — 50

— die Obstverwertung in ihrem ganzen Umfange. Anleitung zur vollkommensten Ausnutzg. der Obsternten f. Wirtschaft u. Handel. Unter Mitwirkg. v. Emil Holzapfel f. die Praxis u. zum Gebrauch an Gartenbauschulen bearb. Mit 35 Abbildgn. gr. 8. (VII, 195 S.) Berlin 885. Parey. cart. n. 4. —

— u. Herrm. **Degenkolb,** Beiträge zur Beförderung der Kern- u. Steinobst-Kultur unter den Landwirthen. Mit 33 Abbildgn. gr. 8. (VIII, 52 S.) Dresden 886. G. Schönfeld's Verl. n. — 60

Laemmerhirt, Rich., George Peele. Untersuchungen üb. sein Leben u. seine Werke. gr. 8. (68 S.) Rostock 882. (Lübeck, Dittmer.) n. 1. 50

Lammers, A., Armen-Beschäftigung, — Branntwein- und Kaffee-Schenken, — öffentliche Kinder-Fürsorge, } s.: Zeitfragen, volkswirthschaftliche.

— der Liberalismus u. die innere Mission. gr. 8. (41 S.) Bremen 883. Roussell. n. 1. —

— die Mässigkeitsgesetzgebung in ihrer Wirksamkeit, s.: Beiträge, wissenschaftliche, zum Kampf gegen den Alkoholismus.

— Umwandlung der Schenken, — die Unternehmung im Sparkassen-Geschäft, } s.: Zeit- u. Streit-Fragen, deutsche.

Lammers, B., Geschichte d. Ortes Peterswaldau am Eulengebirge im Kreise Reichenbach in Schlesien. gr. 8. (IV, 151 S. m. 8 Steintaf. u. 1 genealog. Tab.) Reichenbach i/Schl. 884. (Höfer.) cart. n.n. 2. 25

Lammers, H., rheinisch-westfälische Kinderharfe. Liederbüchlein f. evangel. Schulen, Sonntagsschulen u. Kindergottesdienste. Für den Bereich d. evangel. Gesangbuchs der Synoden Jülich, Cleve, Berg u. Graffch. Mark zusammengestellt. 2. Aufl. 12. (121 S.) Essen 886. Bädeker. n. — 30; geb. n. — 40

Lammers, Mathilde, Hausbackenes. 8. (VII, 248 S.) Bremen 886. Rousell. n. 2. —; geb. n. 3. —

— deutsche Lehrerinnen im Auslande, s.: Zeit- u. Streit-Fragen, deutsche.

— Volks-Kaffeehäuser. Rathschläge f. ihre Einrichtg. u. Bewirthschaftg. Nach engl. Quellen bearb. gr. 8. (36 S.) Bremen 883. Roussell. n. 1. —

Lammert, E., Übungsbuch f. den Unterricht im Lateinischen. Kurs. der Quinta. gr. 8. (IV, 169 S.) Leipzig 885. Fues. geb. n.n. 1. 30

— dasselbe. Kursus der Sexta. 2. Aufl. gr. 8. (XI, 147 S.) Ebend. 884. cart. n. 1. 20

— Vokabularium zu dem Übungsbuche f. den Unterricht im Lateinischen. Kursus der Quinta. gr. 8. (22 S.) Ebend. 886. n.n. — 25

— dasselbe. Kursus der Sexta. gr. 8. (20 S.) Ebend. 886. n.n. — 25

Lamont, J. v., astronomisch-geodätische Bestimmungen, ausgeführt an einigen Hauptpunkten d. bayerischen Dreiecksnetzes, — Verzeichniss v. 3571 telescopischen Sternen zwischen +9° u. +15° Declination, } s.: Annalen der Münchener Sternwarte.

Lamothe, A. de, die Sensenträger d. Todes, s.: Laicus, Ph.

Lamp, Johs., neue Berechnung der Parallaxe v. 61 Cygni aus den Beobachtungen v. Schweizer in Moskau 1863—1866. gr. 8. (59 S.) Kiel 883. (v. Maack.) n. 1. 20

Lampadius, W. A., Felix Mendelssohn Bartholdy. Ein Gesammtbild seines Lebens u. Wirkens. Mit dem Portr. u. e. fesm. Briefe Felix Mendelssohn Bartholdy's. gr. 8. (XVI, 379 S.) Leipzig 886. Leuckart. n. 4. —

Lampe, E., geometrische u. mechanische Aufgaben zur numerischen Auflösung von Gleichungen höherer Gra e. 4. (24 S.) Berlin 885. Gaertner. n. 1. —

Lampe, F. C. H., Gedichte. 12. (280 S.) Altona, Pa. 881. (Philadelphia, Schäfer & Koradi.) n. 3. —

Lampel, Ant., üb. Drehschwingungen e. Kugel m. Luftwiderstand. Lex.-8. (23 S.) Wien 886. (Gerold's Sohn.) n. — 45

Lampel, F., das Infanterie-Exerzieren. Nach dem Reglement übersichtlich zusammengestellt. Mit 16 Taf. Abbildgn. 8. (VII, 45 S.) Berlin 885. Mittler & Sohn. n. 1. 40

— der Infanterie-Feldbienst. Ein Handbuch f. den Kompagniechef bei der Ausbildg., im Manöver u. im Felde, sowie f. Offiziere, Unteroffiziere u. Offiziersaspiranten d. aktiven u. beurlaubten Standes. Mit Skizzen u. 2 Fig.-Taf. im Text. 8. (VIII, 100 S.) Ebend. 886. n. 1. 60

Lampel, Jos., die Einleitung zu Jans Enenkels Fürstenbuch. Ein Beitrag zur Kritik österreich. Geschichts-

quellen u. zur Geschichte der Babenberger. gr. 8. (55 S.) Wien 883. Hölder. n. 1. 80

Lampel, Leop., deutsches Lesebuch f. die 1—4. Classe österreichischer Mittelschulen. gr. 8. Wien, Hölder. geb. n.n. 10. 64

1. 4. Aufl. (XVI, 288 S.) 886. n.n. 2. 48. — 2. 3. Aufl. (XIX, 308 S.) 885. n.n. 2. 60. — 3. 3. Aufl. (XV, 329 S.) 886. n. 2. 72. — 4. (XI, 344 S.) 884. n. 2. 84

— dasselbe, Anh., enth.: Lesestücke aus der antiken u. german. Götter- u. Heldensage. gr. 8. (IV, 120 S.) Ebend. 885. n. — 52

— deutsches Lesebuch f. die oberen Classen österreichischer Gymnasien. 1. Thl. [f. die 5. Classe]. gr. 8. (XXII, 367 S.) Ebend. 885. geb. n. 3. 20

Lampert, Frdr., der Würm-See od. Starnberger See. Ein Führer an demselben in Bild u. Wort. Mit 108 xylogr. Ansicht. d. Gebirges v. der Roseninsel aus gesehen u. e. lithogr. illumin. Karte. 7. Aufl. 12. (VIII, 72 S.) München 883. Stahl. n. 1. —

Lampert, K., die Seewalzen, s.: Semper, C., Reisen im Archipel der Philippinen.

Lamprecht's Alexander, s.: Handbibliothek, germanistische.

Lamprecht, F., Übungsbuch zum Übersetzen ins Französische im Anschluß an Lückings Grammatik f. den Schulgebrauch. gr. 8. (VIII, 138 S.) Berlin 884. Weidmann. n. 1. 60

Lamprecht, Fritz, bei guter Laune. Eine Sammlg. v. 67 kom. Vorträgen, Duetts, Couplets, Liedern u. Deklamationen der neuesten Zeit v. verschiedenen Verfassern. 6. Aufl. 8. (VIII, 172 S.) Quedlinburg 886. Ernst. n. 1. —

Lamprecht, K., deutsches Städteleben am Schluß d. Mittelalters, s.: Sammlung v. Vorträgen.

— deutsches Wirtschaftsleben im Mittelalter. Untersuchungen üb. die Entwicklg. der materiellen Kultur d. platten Landes auf Grund der Quellen zunächst d. Mosellandes. 3 Tle. in 4 Bdn. Lex.-8. (XVI, XI, 1640; X, 784 u. XII, 608 S. m. 6 eingedr. Holzschn. u. 18 Karten.) Leipzig 886. A. Dürr. n. 80. —

Lancken, B. v. der, Christa. Roman. 8. (261 S.) Berlin 886. Janke. n. 4. —

Land, e. deutsches, in Gefahr! Zustände u. Vorgänge in Liv-, Est- u. Kurland. gr. 8. (30 S.) Berlin 886. Deubner. n.n. — 50

— das heilige. Organ d. Vereines vom heil. Grabe. 27—30. Jahrg. 1883—1886. à 6 Hfte. (à 2—2½ B.) gr. 8. Köln, (Bachem). à Jahrg. n.n. 6. —

— das luxemburger. Organ f. vaterländ. Geschichte, Kunst u. Litteratur. Red.: N. van Werveke. 5. Jahrg. 1886. 52 Nrn. (B.) Lex.-8. Luxemburg, Brück. n. 10. —

— u. **Volk,** unser deutsches. Vaterländische Bilder aus Natur, Geschichte, Industrie u. Volksleben d. Deutschen Reiches. 2. Aufl. Unter Red. von G. A. v. Klöden u. Rich. Oberländer. 7., 8., 10. u. 11. Bd. gr. 8. Leipzig, Spamer. n. 22. —; geb. n. 28. — (1—11.: n. 55. 50; geb. 62. 50)

7. Bilder aus dem sächsischen Berglande, der Oberlausitz u. den Ebenen an der Elbe, Elster u. Saale. Hrsg. v. Heinr. Gebauer. Mit 135 Text-Illustr., 5 Tonbildern u. 1 (chromolith.) Karte. (IX, 532 S.) 883. n. 6. —; geb. n. 7. 50
8. Bilder aus dem Gebirge u. Berglande v. Schlesien u. den Ebenen in Posen von der Oder bis zur Weichsel. Hrsg. v. Karl Burmann. Mit 95 Text-Illustr., e. Tonbild u. e. (chromolith.) Karte. (X, 470 S.) 884. n. 5. —; geb. n. 6. 50
10. Bilder v. den deutschen Nordseeküsten u. aus dem westlichen Tiefland. Hrsg. v. F. W. Otto Lehmann. Mit 130 Text-Illustr., 3 Tonbildern u. 2 Karten. (VIII, 484 S.) 885. n. 5. 50; geb. n. 7. —
11. Bilder aus den deutschen Küstenländern der Ostsee. Bearb. v. Johs. Biernatzki, L. Ernst, G. A. Lincke, Carl Blasendorff u. Bernh. Ohlert. Mit 128 Text-Illustr., 2 Tonbildern u. 3 Karten. (VIII, 518 S.) 886. n. 5. 50; geb. n. 7. —

Landau, L., gynäkologischer Spezialismus, s.: Sonderabdrücke der Deutschen Medizinal-Zeitung.

— die Wanderleber u. der Hängebauch der Frauen. Mit 23 Holzschn. gr. 8. (VI, 170 S.) Berlin 884. Hirschwald. n. 5. —

Landau, Marcus, die Quellen d. Dekameron. 2. Aufl. gr. 8. (XVIII, 345 S. m. 2 Tab.) Stuttgart 884. Scheible n. 6. —

— Rom, Wien, Neapel während d. spanischen Erbfolgekrieges. Ein Beitrag zur Geschichte d. Kampfes zwischen Papstthum u. Kaiserthum. gr. 8. (XX, 480 S.) Leipzig 885. Friedrich. n. 10. —

Landau, Thdr., die Zungenkrebsoperationen der Göttinger chirurgischen Klinik, vom Octbr. 1875 bis zum Juni 1885. gr. 8. (40 S.) Göttingen 885. (Vandenhoeck & Ruprecht.) n. 1. 20

Landauer, Aimée, échos poétiques. 12. (105 S.) Wien 884. (Gerold's Sohn.) n. 5. —

— les premiers vers. Avec un lettre autographe de Victor Hugo. 12. (131 S.) Ebend. 884. n. 5. —

Landbote, der. Wochenschrift f. prakt. Landwirthe. Organ d. landwirthschaftl. Provinzial-Vereins f. die Mark Brandenburg u. die Niederlausitz, d. Frankfurter Fischerei-Vereins etc. Hrsg. von Frhr. v. Canstein. 4—6. Jahrg. 1883—1886. à 52 Nrn. (ca. 1½ B.) Nebst Mittheilungen d. Vereins zur Förderg. der Moorkultur im Deutschen Reiche. In zwanglosen Nrn. (½ B.) gr. 4. Prenzlau, Mieck. n. à Jahrg. 7. —

— ostdeutscher. Organ f. die Interessen d. ländl. Grundbesitzes u. f. den ostdeutschen Bauernverein. 1. Jahrg. 1884. Juli—Decbr. 6 Nrn. (B.) 8. Breslau, (Dülfer). n. — 60

— dasselbe. 2. u. 3. Jahrg. 1885 u. 1886. à 12 Nrn. (B.) 8. Ebend. n. 1. 20

— Trierischer. Ein Wochenblatt f. Land u. Volkswirthschaft. Hrsg. v. J. H. Kartels u. H. J. Thielen. 11—13. Jahrg. 1884—1886. à 52 Nrn. (B.) Trier, Lintz. à Jahrg. n. 5. —

Landel, württembergische Regenten-Tafel, nebst e. kurzen Abriß der württemberg. Geschichte. Imp.-Fol. Stuttgart 886. (Lindemann's Sort.) In Mappe. n. 1. —

Landenberger, Alb., Johann Valentin Andreae, e. schwäb. Gottesgelehrter d. 17. Jahrh. Geschichtliche Erzählg. 8. (VI, 98 S.) Barmen 886. Klein. n. 1. 60

— Eberhard im Bart, s.: Für die Feste u. Freunde d. Gustav-Adolf-Vereins.

— Lebensschicksale e. Mark, s.: Familien-Bibliothek für's deutsche Volk.

— pädagogische Studien. 8. (V, 304 S.) Ludwigsburg 886. Neubert. n. 2. 80

— aus den Tagen d. Reformators Brenz, s.: Familien-Bibliothek fürs deutsche Volk.

— Hans von Ungnad u. die erste Bibel- u. Missionsanstalt der evangel. Kirche Deutschlands zu Urach, } s.: Für die Feste u. Freunde d. Gustav-Adolf-Vereins.

Landenberger, Ghold., die Zunahme d. Wärme m. der Tiefe ist e. Wirkung der Schwerkraft. gr. 8. (28 S.) Stuttgart 883. Cotta. n. 1. 20

Länder, die, Oesterreich-Ungarns in Wort u. Bild. Hrsg. v. Frdr. Umlauft. 9—12. Bd. 8. Wien, Graeser. à n. 1. 40; geb. à n. 2. 50

9. Das Herzogth. Schlesien. Geschildert v. Ant. Peter. Mit zahlreichen Abbildgn. u. 1 Titelbilde in Tondr. (188 S.) 884.
10. Das Königr. Galizien u. Lodomerien u. das Herzogth. Bukowina. Geschildert v. Jul. Jandaurek. Mit zahlreichen Abbildgn. u. 3 Vollbildern in Tondr. (202 S.) 884.
11. Krain, Küstenland u. Dalmatien. Geschildert v. Frz. Swida. Mit zahlreichen Abbildgn. u. 2 Vollbildern in Tondr. (168 S.) 882.
12. Das Königr. Ungarn. Geschildert v. J. H. Schwicker. Mit zahlreichen Abbildgn. in Holzschn. (172 S.) 886.

Landerer, A., die Gewebsspannung in ihrem Einfluss auf die örtliche Blut- u. Lymphbewegung. Ein Beitrag zur Lehre vom Kreislauf u. seinen Störgn. gr. 8. (IV, 108 S.) Leipzig 884. F. C. W. Vogel. n. 2. 80

— zur Lehre v. der Entzündung, s.: Sammlung klinischer Vorträge.

Landerer, Gust., u. X. **Lutz,** die Privat-Irrenanstalt „Christophsbad" in Göppingen. 2. Bericht üb. deren Bestand u. Wirksamkeit in den J. 1877 bis 1882. gr. 8. (VIII, 109 S.) Stuttgart 883. Metzler's Verl. n. 2. —

Landesausstellung, die schweiz., in Zürich 1883. Mit Ansichten (in Holzschn.) u. (lith.) Plan der Ausstellg. 8. (38 S.) Zürich 883. Schmidt. n. — 40

Landesen, Osc. v., üb. die epileptogene Zone beim Menschen. gr. 8. (53 S.) Dorpat 884. (Karow.) n. 1. —

Landesfarben u. **Handelsflaggen** aller grösseren Staaten der Erde. 3. Aufl. Chromolith. qu. Fol. Frankfurt a/M. 884. Wilcke. n. — 60

Landesfeuerlöschordnung, die, vom 7. Juni 1885 f. das Königr. Württemberg. Mit der Vollziehungsverfügg. vom 24. Novbr. 1885, nebst den f. Feuerwehren wichtigsten Verordngn. u. Verfüggn. 12. (III, 83 S.) Biberach 886. Dorn. cart. n. 1. —

— dasselbe u. Verfügung d. Ministeriums d. Innern betr. die Vollziehung der Landesfeuerlöschordnung vom 24. Novbr. 1885. Mit e. alphabet. Sachregister 12. (IV, 87 S.) Stuttgart 886. Kohlhammer. In Leinw. cart. n. — 70

Landes-Fischerei-Ordnung, bayerische. Bekanntmachung vom 4. Oktbr 1884. 8. (10 S.) Würzburg 884. Stahel. — 20

Landes-Gemälde-Galerie in Budapest, vormals Esterházy-Gallerie. Text. Italienische u. span. Meister von Hugo v. Tschudi. Deutsche, niederländ. u. französ. Meister von Karl v. Pulzky. Publicirt unter Mitwirkg. d. Landes-Vereins f. bild. Künste in Ungarn. Kleine Ausg. Fol. (XIII, 51 u. 47 S. m. Randbordüren, Initialen, Schlussvignetten, eingedr. Zinkogr. u. 59 Taf. in Stahlst., Radirg., Heliograv. u. Zinkogr.) Wien 883. Gesellschaft f. vervielfältigende Kunst. n. 70. —; geb. n. 80. —

Landesgesetz, das niederösterr., vom 20. Jänner 1883, betr. Maßregeln zur Hebung der Fischerei in den Binnengewässern u. die hiezu erflossene Durchführungsvorschrift vom 5. März 1884. Mit alphabet. Register u. e. Tabelle üb. die Schonzeiten u. Maße der Fische u. Krebse. 8. (III, 23 S.) Wien 885. Manz. n. — 40

Landesgesetz- u. Verordnungsblatt f. das Herzogth. Kärnten. Jahrg. 1885 u. 1886. gr. 4. (Nr. 1—3. ³/₄ B.) Klagenfurt, (v. Kleinmayr). à Jahrg. n. 4. —

— — für das Erzherzogth. Oesterreich unter der Enns. Jahrg. 1886. gr. 8. (1. Stück: 2 S.) Wien, Hof- u. Staatsdruckerei. n. 4. —

Landesgesetze, mährische. Taschen-Ausg. Nr. 1—9. 8. Brünn 883. 84. Winkler. n. 10. 20

1. Das Gemeinde-Gesetz f. die Markgrafsch. Mähren vom 15. März 1864, m. allen bis Juni 1883 erschienenen abänd. u. ergänz. Gesetzen u. Verordngn., m. Beifügg. d. Reichs-Gemeinde-Gesetzes vom 5. März 1862, d. Gesetzes vom 3. Dezbr. 1863 betr. die Regelg. der Heimatverhältnisse u. der älteren Vorschriften das Heimatrecht betr. u. e. alphabet. Registers. (IV, 85 S.) n. 1. —
2. Gesetze u. Verordnungen, betr. die öffentlichen nichtärarischen Straßen u. Wege, giltig f. die Markgrafsch. Mähren, m. allen bis Juni 1883 erschienenen ergänz. u. abänd. Gesetzen u. Verordngn., nebst e. alphabet. Register. (IV, 152 S.) n. 1. 80
3. Bau-Ordnung. Grundzüge f. die Einführung v. behördlich autorisirten Privat-Technikern. — Feuerpolizei- u. Feuerwehr-Ordnung. Satzungen d. Verbandes der allgemeinen Unterstützungscassa der freiwill. Feuerwehren in Mähren. — Gesetz, betr. die Beitragsleistg. der Feuerversicherungs-Gesellschaften zu den Kosten der Feuerwehren u. zur Unterstützg. verunglückter Feuerwehrmänner. Mit e. alphabet. Register. (IV, 80 S.) n. 1. —
4. Gesetz üb. Benützung, Leitung u. Abwehr der Gewässer. Verordnungen, betr. die Einrichtg. u. Führg. d. Wasserbuches m. der Wasserkarten- u. Urkunden-Sammlg., dann die Form der Stammaße u. die bei deren Aufstellg. zu beobacht. Vorschriften. Mit e. alphabet. Register. (IV, 60 S. m. 1 Taf.) n. 1. —
5. Landes-Schulgesetze f. die Markgrafsch. Mähren, enth. die Gesetze, betr. die Schulaufsicht, die Regelung der Errichtung, der Erhaltung u. d. Besuches der öffentlichen Volksschulen, die Regelung der Rechtsverhältnisse d. Lehrerstandes an den öffentlichen Volksschulen, die Aufhebung d. Normalschulfonds-Beitrages u. die Einführung e. Schulbeitrages aus Verlassenschaften u. die Befreiung der Lehrer u. ihrer Angehörigen v. der Zahlung der Landes- u. Grundentlastungs-Zuschläge, sowie der Bezirks- u. Gemeinde-Umlagen; ferner den Erlaß, betr. die Besorgung d. Religionsunterrichtes, die Verordnung, betr. die Beschaffenheit der Schulgebäude u. ihrer Theile, endlich den Erlaß, betr. die Maßnahmen gegen die Weiterverbreitung ansteckender Krankheiten in den Schulen, nebst e. alphabet. Register. (IV, 79 S.) n. 1. —
6. Gesetze u. Verordnungen betr. die Contributionsfonde u. die aus denselben gegründeten Vorschußkassen, die Bestreitg. der Kosten der Herstellg. u. Erhaltg. der Kirchen- u. Pfründengebäude, dann die Beschaffg. der Kirchen-Paramente, Einrichtg. u. Erfordernisse, dann die Erleichterg. der Militär-Einquartierungslast, endlich die Instruction zur Durchführg. der Verpachtg. der Vorspannsleistg., so wie wegen Leistg. d. Natural-Vorspann, dann üb. die Behandlg. d. Vorspanngeschäftes, nebst e. alphabet. Register. (IV, 73 S.) 883. n. 1. —
7. Gesetze u. Verordnungen, betr. die Landescultur, enth.: die Gesetze, betr. den Schutz der f. die Bodencultur nützl. Vögel u. der anderen gemeinnütz. Thiere, den Schutz der Bodencultur gegen Verheergn. durch Raupen, Maikäfer u. andere schädl. Insekten, den Schutz d. Feldgutes, die Hebg. der Rindviehzucht u. die Rindvieh-Versicherg., die Schong. d. Wildes, die Einführg. der Jagdkarten u. die Maßregeln zur Hebg. der Fischerei in den Binnengewässern; dann die Verordngn., betr. die Einfuhr v. Reben u. Rebenbestandtheilen, die Subventionen f. Wartg., Ernährg. u. Aufzucht junger Hengste, u. die Grundzüge f. die Prämiirg. der Pferde aus Staatsmitteln, nebst e. alphabet. Register. (IV, 86 S.) 883. n. 1. —
8. Gesetze u. Verordnungen, betr. die Zusammensetzung u. Geschäftsführung d. Landessanitätsrathes f. Mähren, dann die Amtsbezirke u. Amtssitze der landesfürstl. Sanitätsorgane f. Mähren, die Vieh- u. Fleischbeschau, die Errichtg. v. Friedhöfen, die Durchführg. der Desinfection, die Pferdefleischausschrotg., die Durchführg. der im Wirkungskreise der Gemeinden gelegenen Sanitätsangelegenheiten, dann betr. das Schubwesen, die Hintanhaltg. d. Bettel- u. Vagabundenwesens, die Polizeisperrstunde u. die Eintheilg. Mährens in israelit. Matrikenbezirke, endlich die Dienstboten-Ordng., nebst e. alphabet. Register. (V, 108 S.) 883. n. 1. 40
9. Verfassungsgesetze, enth. das Grundgesetz üb. die Reichsvertretung, die Reichsrats-Wahlordnung, das Gesetz üb. die Unverletzlichkeit u. Unverantwortlichkeit der Mitglieder der Landtage, dann die Landes-Ordnung u. Landtags-Wahlordnung f. die Markgrafsch. Mähren, nebst e. alphabet. Register. (IV, 68 S.) n. 1. —

Landesgesetze, die, d. Erzherzogth. Oesterreich unter der Enns. Systematisch zusammengestellt u. m. alphabet. u. chronolog. Register versehen. 8. (XVII, 681 S.) Wien 884. Manz. n. 5. —

— des Herzogth. Steiermark. 2. Bdchn. Dienstboten-Ordng. 2. Aufl. 8. (27 S.) Graz 885. Leuschner & Lubensky. n. — 20

— Erlässe, Kundmachungen u. Verordnungen vom J. 1857 bis 1884, welche f. die Markgrafsch. Mähren giltig sind u. m. welchen sich die Gendarmen ad § 24 der Dienst-Instruction vertraut zu machen haben. 3. Aufl. gr. 8. (279 S.) Brünn 885. Winkler. geb. n. 2. 80

— u. **Verordnungen,** vom J. 1836 bis 1883, welche f. das Erzherzogth. Oesterreich unter der Enns giltig sind, u. m. welchen sich die Gendarmen ad § 24 der Dienst-Instruction vertraut zu machen haben. gr. 8. (295 S.) Wien 883. Hof- u. Staatsdruckerei. cart. n. 2. 80

— — dasselbe, vom J. 1884 u. 1885. gr. 8. (42 S.) Ebend. 886. n. — 20

Landeskalender, badischer, m. lehrreichen Erzählungen, lust. Schwänken u. vielen Bildern f. d. J. 1887. 4. (65 S.) Tauberbischofsheim, Lang. n. — 20

— deutscher, m. lehrreichen Erzählungen, lust. Schwänken u. vielen Bildern f. d. J. 1886. 4. (57 S.) Ebend. n. — 20

— Nassauischer allgemeiner, auf d. J 1886. 4. (59 S.) Wiesbaden, Bechtold & Co. — 25

Landeskultur-Rentenanstalt, die. Gesetz vom 21. Apr. 1884. 8. (8 S.) Würzburg 884. Stahel. — 20

Landes-Kultur-Zeitung. Fachblatt f. die gesammte Kulturtechnik u. alle Hülfswissenschaften. Hrsg.: Müller-Köpen. 1. Jahrg. 1886. 52 Nrn. (B. m. Illustr.) gr. 4. Berlin, Müller-Köpen. n. 10. —

Landeskunde d. Herzogt. Gotha. Für Schule u. Haus. Bearb. u. hrsg. v. mehreren Lehrern d. Herzogt. Gotha gr. 8. (VI, 169 S.) Gotha 884. Thienemann. n. 3. 60

Landes- u. Volkskunde, pommersche. Unter Benutzg. der Beschreibg. Pommerns f. Volksschulen v. J. W. M Henning bearb. u. hrsg. v. mehreren prakt. Schulmännern. Mit e. (lith. u. color.) Karte der Provinz v. F. Riewe. 8. Aufl. [5. Aufl. der Neubearbeitg.] 8. (48 S.) Cöslin 883. Hendeß. — 30

Landes-Ordnung u. **Landtags-Wahlordnung,** die; die Gemeinde-Ordnung u. Gemeinde-Wahlordnung f. das Erzherzogth. Oesterreich unter der Enns, nebst dem Gemeinde-Statute f. die k. k. Haupt- u. Residenzstadt Wien. 3. Aufl. 8. (IV, 135 S.) Wien 884. Manz. n. 1. —

— — für das Herzogth. Steiermark. Mit den Abändergn. durch die Gesetze vom 13. Jänner 1869 u. 6. Mai 1884. 8. (26 S.) Graz 884. Leykam. n. — 40

Landesstempel, der preußische, nach dem Gesetze vom 7. März 1822 u. den dasselbe ergänzenden Bestimmungen unter Berücksicht. der ergangenen Verwaltungs- u. gerichtlichen Entscheidungen m. Tabellen. Sep.-Ausg. der Beilage zum „Bureau-Blatt f. gerichtliche Beamte". 2. bis auf die neueste Zeit ergänzte u. verm. Aufl. gr. 8. (III, 152 S.) Berlin 886. Nauck & Co. n. 2. 40

Landes-Triangulation, die königl. preussische. Polar-Coordinaten, geograph. Coordinaten u. Höhen sämmtl. v. der trigonometr. Abtheilg. der Landes-Aufnahme bestimmten Punkte. 6., 7. u. 11. Thl. Hrsg. v. der trigonometr. Abthlg. der Landes-Aufnahme. gr. 4. Berlin, (Mittler & Sohn). cart. à n.n. 10. —

6. Reg.-Bez. Stralsund u. der westlich vom 32. Längengrad gelegene Theil vom Reg.-Bez. Stettin. Mit 8 Beilagen. (V, 173 S. m. 1 Karte.) 884.
7. Reg.-Bez. Oppeln. Mit 9 Beilagen. (IX, 411 S.) 885.
11. Reg.-Bez. Bromberg u. der südlich vom 53. Breitengrad gelegene Theil d. Reg.-Bez. Marienwerder. Mit 9 Beilagen. (V, 244 S.) 886.

Landes-Vermessung, grossherzogl. mecklenburgische. 4 Thle. Ausgeführt durch die grossherzogl. mecklenb. Landesvermessungs-Commission unter der wissenschaftl. Leitg. v. F. Paschen. Hrsg. im Auftrage u. auf Kosten d. grossherzogl. Ministeriums d. Innern v. Köhler, Bruhns, Foerster. gr. 4. (XII, 251; XI, 79; IV, 80 u. III, 106 S. m. 5 Steintaf.) Schwerin 882. (Stiller.) cart. n.n. 20. —

— dasselbe. Verzeichniss v. geographischen Positionen, rechtwinkeligen Coordinaten u. Höhen. gr. 4. (XI, 79; IV, 15 u. 11 S. m. 3 Steintaf.) Ebend. 882. cart. n. 4. —

Landgemeinde-Ordnung f. die Prov. Westfalen vom 19. März 1856 m. den durch die Kreisordnung vom 31. Juli 1886 bedingten Abänderungen. gr. 8. (29 S.) Bielefeld 886. Helmich. n. — 50

Landgestüt, das hannoversche, zu Celle, die Grundlage der hannov. Landespferdezucht. 12. (64 S.) Celle 883. Literar. Anstalt. n. 1. —

cfr.: Verzeichniss der Beschäler.

Landgraf, Gust, die Vita Alexandri Magni d. Archipresbyters Leo [Historia de preliis]. Nach der Bamberger u. ältesten Münchener Handschrift zum erstenmal hrsg. gr. 8. (140 S.) Erlangen 885. Deichert. n. 3. —

Landgraf, J., s.: Maier-Rothschild.

Landgüterordnung f. die Prov. Schlesien. Vom 24. Apr. 1884. [Ges.-Samml. S. 121.] (Deutsch u. polnisch.) 8. (11 S.) Oppeln 886. Franck. n. — 40

Land-Kalender f. das Großherzogth. Hessen auf d. J. 1886. 4. (40 S. m. Illustr.) Darmstadt, (Jonghaus). n. — 20; durchsch. n.n. — 25

Landmann, der. Populäre Wochenschrift f. Landwirthe. Red.: Paul Jancke. Hrsg. v. prakt. Oekonomen. 3. Jahrg. 1884. 24 Nrn. (B.) Fol. Colberg, Post. n. 4 —

Landmann, Rob., bayerisches Gesetz vom 1. März 1884, betr. den Betrieb d. Hufbeschlaggewerbes, nebst Verordnung üb. die Prüfg. der Hufschmiede. Mit Einleitg. u. Anmerkgn. hrsg. 16. (III, 35 S.) Nördlingen 884. Beck. cart. n. — 50

— die Gewerbeordnung f. das Deutsche Reich nach der Fassung vom 1. Juli 1883, unter Berücksicht. der Materialien der Gesetzgebg., der Entscheidgn. der deutschen Gerichtshöfe u. der Litteratur erläutert u. m. den Vollzugsvorschriften hrsg. gr. 8. (XI, 616 S.) Ebend. 884. n. 7. 50

— das Unfallversicherungsgesetz vom 6. Juli 1884, nebst den Gesetzen vom 28. Mai 1885 üb. die Ausdehng. der Unfall- u. Krankenversicherg., u. vom 15. März 1886, betr. die Fürsorge f. Beamte u. Personen d. Soldatenstandes in Folge v. Betriebsunfällen. Mit den Vollzugsvorschriften hrsg. u. erläutert. gr. 8. (X, 515 S.) Ebend. 886. n. 5. 50

Landmann, Th., die Entwickelung Preußens. Leitfaden f. den Unterricht in der preuß. Geschichte, speciell f. höhere Mädchen-, Mittel- u. Bürgerschulen Ost- u. Westpreußens. 8. (31 S.) Königsberg 884. Gräfe. cart. n. — 40

Landmann, Th., praktischer Lehrgang d. kaufmännischen Englisch zum Gebrauch in Handelsschulen u. Privatzirkeln. 8. (VIII, 148 S.) Hamburg 883. Mohr. cart. n. 1. 60

— die Quintessenz der Physik. Leitfaden f. den physikalischen Unterricht in den oberen Klassen von höheren Mädchenschulen, Seminaren u. Mittelschulen. gr. 8. (VIII, 77 S.) Schwetz 885. Moeser. n. — 80; geb. n. 1. 10

— die drei Reiche der Natur. Leitfaden f. den naturbeschreib. Unterricht an höheren Mädchen- u. Mittelschulen. gr. 8. (VII, 192 S.) Königsberg 884. Gräfe. n. 1. 60

— Schatzkästlein der deutschen Litteratur. Leitfaden f. den Unterricht in der deutschen Litteratur in höheren Mädchenschulen u. Lehrerinnen-Seminaren. 8. (VIII, 96 S.) Wittenberg 885. Herrosé Verl. n. — 80

Landmann's, d., Winterabende. 30—37. Bdchn. 8. Stuttgart 884—86. Ulmer. cart. n. 6. 60

30. Der Wald u. dessen Bewirtschaftung. Von Heinr. Fischbach. Mit 27 in den Text gedr. Holzschn. (VIII, 187 S.) n. 1. 20
31. Einkehr u. Umschau. Belehrendes u. Anregendes f. die Bauernstube. Von Fritz Möhrlin. Mit 6 in den Text gedr. Holzschn. (III, 132 S.) n. 1. —
32. Das Schwein, seine Zucht, Haltung, Mastung u. Pflege. Von Junghanns u. Schmid. Mit 32 Holzschn. (IV, 155 S.) n. 1. 20
33. Die Fischzucht m. e. Anh. üb. Krebszucht v. E. Wiedersheim. Mit 25 in den Text gedr. Holzschn. (VIII, 90 S.) n. 1. —
34. Aus dem Tagebuche e. Landwirtschaftslehrers. Belehrungen üb. Ackerbau, Wiesenpflege, Obstbaumzucht u. Haustierhaltung. Von Karl Römer. (195 S.) n. 1. 20
35. Der Pfennig in der Landwirtschaft. Ein Beitrag zur Lösg. der landwirtschaftl. Notstandsfragen. Von Fritz Möhrlin. (VIII, 132 S.) n. 1. —
36. Die Selbsthilfe d. Landwirts. Belehrungen üb. landwirtschaftl. Unterrichts-, Vereins-, Genossenschafts- u. Versicherungswesen v. Karl Römer. (112 S.)
37. Wohlstandsquellen u. Wohlstandsgefahren. Eine Umschau im landwirtschaftl. Haushalt m. besond. Berücksicht. kleinbäuerl. Verhältnisse. Von Chr. Weigand. (IV, 106 S.)

Landmesser u. **Feldmesser**, die, in Preussen, ihre Ausbildg., Prüfg. u. Bestallg., nebst den allgemeinen Vorschriften üb. Vermessungsarbeiten. 8. (148 S.) Berlin 884. v. Decker. cart. n. 4. —

Landmesser, W. F., praktische Anleitung zur einfachen Buchführung f. Gewerbtreibende, s.: Köpp, G.

— Lehrgang der ebenen Trigonometrie m. ausführlich berechneten Zahlenbeispielen, zum Gebrauche in Schullehrer-Seminarien, Realschulen u. zum Selbststudium. Mit 1 Taf. lith. Fig. gr. 8. (54 S.) Bensheim a/B. 886. Lehrmittelanstalt Ehrhard & Co. n. 1. —

— Rechenpraktik od. das abgekürzte Rechnen zum Gebrauche in Schulen u. im Geschäftsverkehr. 2. Aufl. gr. 8. (VII, 155 S.) Weinheim 883. Ackermann. n. 1. 80

Landois, H., Frans Essink, sien Liäwen u. Driewen äs aolt Mönstersk Kind. Komischer Roman in 2 Abtlgn. 5. Aufl. in Münster'schem Dialekte. Leipzig, Lenz. n. 3. —

1. Humoristischer Teil: Bi Liäwtieden. (XIV, 188 S.) 883. n. 1. 40
2. Satyrischer Teil: Nao sienen Dand. Mit 12 Illustr. (VI, 154 S.) 886. n. 1. 60; geb. n. 2. 40

— dasselbe. I. Humoristischer Tl.: Bi Liäwtieden. Mit 11 Illustr. nach Orig.-Skizzen d. Verf. v. G. Sundblad. 6., verm. u. verb. Aufl. in Münster'schem Dialekte, m. dem Bildnisse d. Verf. 8. (XVI, 242 S.) Ebend. 886. n. 2. 80; geb. n. 3. 80

— Lehrbuch f. den Unterricht in der Naturbeschreibung, } s.: Kraß, M.
— Lehrbuch f. den Unterricht in d. Zoologie, } s.: Kraß, M.

— Lehrbuch der Zoologie, s.: Altum, B.

— der Mensch u. die drei Reiche der Natur, s.: Kraß, M.

Landois, H., Westfalens Tierleben in Wort u. Bild. Hrsg. v. der zoolog. Sektion f. Westfalen u. Lippe unter Leitg. ihres Vorsitzenden H. L. Mit zahlreichen Vollbildern u. Holzschn. Lex.-8. (VIII, 412 S.) Paderborn 884. F. Schöningh. n. 12. —; geb. n. 13. 50

— dasselbe. (2. Tl.) Die Vögel in Wort u. Bild. Hrsg. v. der zoolog. Sektion f. Westfalen u. Lippe unter Leitung ihres Vorsitzenden H. L. Mit 1 Titelbild, 13 Vollbildern nach Orig.-Zeichngn. in Holzschn. u. zahlreichen Text-Illustr. (6 Lfgn.) Lex.-8. (364 S.) Ebend. 886. n. 10. 50; geb. n. 12. —

Landois, L, Lehrbuch der Physiologie d. Menschen einschliesslich der Histologie u. mikroskopischen Anatomie. Mit besond. Berücksicht. der prakt. Medicin. 3. Aufl. Mit 234 Holzschn. 2. Hälfte. gr. 8. (XVIII u. S. 481—1036.) Wien 883. Urban & Schwarzenberg. n. 10. — (cplt.: n. 20. —)

— dasselbe. 4. Aufl. Mit 275 Holzschn. gr. 8. (XVIII, 1042 S.) Ebend. 885. n. 20. —; geb. n. 22. —

— dasselbe. 5. Aufl. Mit zahlreichen Holzschn. gr. 8. (XVI, 1048 S.) Ebend. 886. n. 21. —

Landolt, H., Lehrbuch der physikalischen u. theoretischen Chemie, s.: Horstmann, A.

— u. Rich. **Börnstein**, physikalisch-chemische Tabellen. Lex.-8. (XII, 249 S.) Berlin 888. Springer. geb. n. 12. —

Landrentenbank, die, im Königr. Sachsen. Festschrift zur Feier d. am 1. Jan. 1884 zu begeh. Jubiläums des 50jähr. Bestehens dieser Anstalt. gr. 8. (66 S.) Dresden 883. (Warnatz & Lehmann.) n.n. 1. —

Landsberg, Ernst, die Glosse d. Accursius u. ihre Lehre vom Eigenthum. Rechts- u. dogmengeschichtl. Untersuchg. gr. 8. (XXI, 348 S.) Leipzig 883. Brockhaus. n. 9. —

— Iniuria u. Beleidigung. Eine Untersuchg. üb. die heut. Anwendbarkeit der Actio iniuriarum aestimatoria. gr. 8. (III, 117 S.) Bonn 886. Cohen & Sohn. n. 2. 40

Landsberg-Velen u. Gemen, Graf Frdr. v., Geschichte der Herrschaft Gemen, ihrer Herren u. deren Geschlechter. Nach den Urkunden d. Gemen'schen Archivs u. anderen Quellen bearb. 1. Abth. 1. Hft. gr. 8. (432 S.) Münster 884. Regensberg. n. 3. —

Landsberg, Jos., volksthümliche Philosophie. Vorlesungen zur Belehrg. u. Unterhaltg. 5—8. Hft. gr. 8. Berlin 883. 84. (Ißleib.) n. 2. 25

5. Der Gottes-Begriff. (S. 121—152.) n. — 50
6. Eine vergnügte Stunde. (S. 153—187.) n. — 75
7. 8. Die Schönheit. Die Gesundheit. (S. 189—252.) n. 1. —

Landsberg, Max, üb. Imide zweibasischer Säuren. gr. 8. (58 S.) Königsberg 882. (Beyer.) n. 1. —

Landsberg, Th., das Eigengewicht der eisernen Dachbinder. Imp.-4. (19 S. m. Fig.) Berlin 885. Ernst & Korn. n. 1. 50

— die Statik der Hochbau-Constructionen, s.: Handbuch der Architektur.

Landsberg, W., Predigt bei dem in der Synagoge zu Kaiserslautern am 22. Juni 1886 stattgefundenen Trauergottesdienste f. den hochsel. König Ludwig II. 8. (8 S.) Kaiserslautern 886. Crusius. n. — 20

Landsberger, Jul., der Psalter, im Auszuge metrisch bearb. 12. (73 S.) Berlin 886. (W. Peiser Verl.) geb. n. 1. —

Landsperg, Herrade de, hortus deliciarum. Reproduction héliographique d'une série de miniatures, calquées sur l'original de ce manuscrit du douzième siècle. Texte explicatif par A. Straub. Éd. par la société pour la conservation des monuments historiques d'Alsace. Livr. 4. gr. Fol. (10 Lichtdr.-Taf. m. 2 Bl. Text.) Strassburg 884. Trübner. 15. — (1—4.: n. 55. 50)

Landsteiner, Karl, der Bürgermeister v. Wien. Dramatische Dichtg. 8. (120 S.) Wien 883. Hölder. n 2. 40

Landsturm, der, s.: Zeit- u. Streitfragen, schweizerische militärische.

Landtagsverhandlungen u. Landtagsbeschlüsse, die böhmischen, vom J. 1526 an bis auf die Neuzeit. Hrsg. vom königl. böhm. Landesarchive. III. u. IV. gr. 4. Prag, (Valečka). n. 26. — (I—IV.: n. 52. —)

III. 1558—1573 (800 S.) 884. n. 14. —
IV. 1574—1576. (III, 598 S.) 886. n. 12. —

Landwehr, Frdr., Martin Luther. Ein Lebensbild f. die Jugend u. das Volk zur 400jähr. Geburtstagsfeier unseres großen Reformators. 6. Aufl. Mit 4 Abbildgn. 16. (31 S.) Stendal 883. Franzen & Große. — 10

Landwehr, H., Forschungen zur älteren attischen Geschichte, s.: Philologus.

Landwehr-Bezirks-Commando, das. Ein Hülfsbuch f. das Personal der Landwehr-Bataillone u. sämmtl. Offiziere u. Mannschaften d. Beurlaubtenstandes, nebst Anleitg. zur Anfertigg. sämmtl. schriftl. einschläg. Arbeiten von v. B. 2. Aufl. Unter Berücksicht. der neuesten Bestimmgn. umgearb. von v. Runkel. gr. 8. (XVI, 368 S.) Hannover 886. Helwing's Verl. n. 7. —

Landwirth, der. Vereins-Kalender f. das Großherzogth. Baden auf d. J. 1887. 4. (98 S. m. Illustr.) Karlsruhe, Braun. n. — 35

— Schlesische landwirthschaftl. Zeitg. Hrsg. v. Korn, red. v. W. Christiani. 19. Jahrg. 1883. 104 Nrn. (à 1—$1^1/_2$ B.) Fol. Breslau, Korn. n. 18. —

— dasselbe. 20—22. Jahrg. 1884—1886. à 104 Nrn. (à 1—$1^1/_2$ B.) Ebend. à Jahrg. n. 16. —

— der deutsche. Illustrirte landwirthschaftl. Zeitg. Red.: O. Engelbrecht. 2 Jahrg. 1886. 52 Nrn. (2 B.) Fol. Westend. (Berlin, George & Fiedler) n. 4. —

— der norddeutsche. Illustrirte Wochenschrift f. die Interessen der Landwirthschaft u. verwandten Gebiete. Unter Mitwirkg. v. H. Backhaus, J. W. Berndes, J. Brümmer xc. red. v. Wilh. Biernatzki-Kiel. 8. Jahrg. 1883. 1. u. 2. Quartal. 26 Nrn. (à 1—$1^1/_2$ B.) gr. 8. Kiel, (Hamburg, Döring.) n. 4. 80

— dasselbe. 1883. 3. u. 4. Quartal. 26 Nrn. gr. 4. Ebend. n. 1. —

— dasselbe. 9. u. 10. Jahrg. 1884 u. 1885. à 52 Nrn. (B.) gr. 8. Kiel, Biernatzki. à Jahrg. n. 2. —
Erscheint nicht mehr.

— der praktische. Zeitschrift f. rationelle Wirthschaft in Feld u. Haus, f. Ackerbau, Viehzucht etc. Offertenblatt f. Zuckerfabriken, Cichorienfabriken, Stärkefabriken u. Brennereien. Verbandsorgan d. landw. Vereins „Agronomia", Halberstadt. Red. i. V.: P. Rulf. 3. Jahrg. 1884. 24 Nrn. ($1^1/_2$ B.) gr. 4. Magdeburg, Expedition. n.n. 6. —

— der praktische. Illustrirte landwirthschaftl. Zeitg. f. Jedermann. Hrsg.: Hugo H. Hitschmann. Red.: Adf. Lill. 20—23. Jahrg. 1883—1886. à 52 Nrn. (à $^3/_4$—1 B. m. Holzschn.) Lex.-8. Wien, (Gerold's Sohn). à Jahrg. n. 8. —

Landwirthschaft, die, im Reg.-Bez. Oberbayern. Denkschrift. 4. (VIII, 549 S. m. 1 Tab. u. 3 Karten.) München 885. (Lindauer.) n.n. 5. —

— u. **Industrie**. Zeitschrift f. den prakt. Land- u. Forstwirth. Hrsg. v. Aug. Wiencke. 15. u. 16. Jahrg. 1883 u. 1884. à 12 Hfte. (2 B. m. Holzschn.) gr. 4. Berlin, (Lorentz). à Jahrg. n. 6. —

Landwirthschafts-Kalender. 1887. 21. Jahrg. Neue Folge. Begründet v. A. Graf zur Lippe-Weißenfeld. Hrsg. v. K. Graf zur Lippe-Weißenfeld u. R. Rieger. gr. 16. (XVI, 183 u. 225 S.) Wismar, Hinstorff's Verl. geb. in Leinw. Mit $^1/_2$ Seite pro Tag f. Notizen n. 1. 50; m. 1 Seite pro Tag f. Notizen [durchschossen] n. 2. —; in Ldr. m. $^1/_2$ Seite pro Tag f. Notizen n. 2. —; m. 1 Seite pro Tag f. Notizen n. 2. 50

— erzgebirgischer, auf d. J. 1887. 33. Jahrg. 4. (33 S.) Schneeberg, Goedsche. n. — 20

— Fromme's oesterreich.-ungarischer, f. d. J. 1887. 13. Jahrg. Red. v. Guido Krafft. 16. (VIII, 157 u. 192 S.) Wien, Fromme. geb. in Leinw. n. 3. 20; in Ldr. n. 4. 20

Landwirthschafts-Lexikon, illustriertes. Unter Mitwirkg. v. F. Engel, W. Funk, Th. Frhr. v. d. Goltz xc. hrsg. v. Guido Krafft. Mit Holzschn. 2—20. (Schluß-)Lfg. Lex.-8. (S. 65—592.) Berlin 883. Parey. à n. 1. —

Lanfrey, P., campagne de 1806—1807 et de 1809, s.: Schulbibliothek, französische u. englische.

— expédition d'Egypte et campagne de Syrie, s.: Prosateurs français.

Lanfrey, P., Geschichte Napoleon's I. Aus dem Franz. von C. v. Glümer. Eingeleitet v. Adf. Stahr. Beendet durch C. v. Kalckstein. 2. Ausg. in 7 Bdn. 1—6. Bd. à 2 Hälften. gr. 8. (1. Bd. VI, 382, 2. Bd. 395, 3. Bd. 399, 4. Bd. 462, 5. Bd. 396 u. 6. Bd 441 S.) Minden 884. 85. Bruns. à Halbb n. 1. 50

— histoire de Napoléon Ier. Rupture avec la Prusse. Entrevue de Tilsit. 1806—1807. Erklärt v. Frdr. Ramsler. Mit 2 Karten v. H. Kiepert. 2. Aufl. gr. 8. (X, 173 S.) Berlin 885. Weidmann. 1. 80

Lang u. **Lustig** in komischen Bildern, m. Versen f. Groß u. Klein. 8. (6 Chromolith. zum Aufklappen m. 6 Bl. Text.) Fürth 883. Schaller & Kirn. cart. 1. 30

Lang's badischer Geschäfts-Kalender f. 1886 m. Geschäfts-Anweisung f. Staats- u. Gemeindebeamte. 9. Jahr. 16. (XVI, 327 S.) Tauberbischofsheim, Lang. geb. n. 1. 30; durchsch. n. 1. 50

Lang, A., die Polycladen [Seeplanarien], s.: Fauna u. Flora d. Golfes v. Neapel u. der angrenzenden Meeres-Abschnitte.

Lang, Carl, Gesetz üb. den Erlaß polizeilicher Strafverfügungen wegen Uebertretungen vom 23. Apr. 1883. Nebst der Ausführungs-Anweisg. der Herren Minister d. Innern u. der Justiz vom 8. Juni 1883, sowie den Erläutergn. aus den Motiven, dem Commissionsbericht u. den in Geltg. gebliebenen Bestimmgn. 12. (VI, 70 S.) Düsseldorf 883. Schwann. n. — 75; geb. n. 1. —

— Polizei-Verordnungen f. den Reg.-Bez. Wiesbaden. 1. Nachtrag. 8. (II, 54 S.) Rüdesheim 883. (Wiesbaden, Moritz & Münzel.) n.n. 1. — (Hauptwerk u. 1. Nachtrag: n.n. 3. 40)

Lang, Carl, das Klima v. München nach 67jährigen Beobachtungen. Mit 3 (lith.) Taf. gr. 4. (XLII, 33 S.) München 883. Th. Ackermann's Verl. n. 3. —

Lang, Ed., Vorlesungen üb. Pathologie u. Therapie der Syphilis. Mit Holzschn. gr. 8. (XVI, 436 S.) Wiesbaden 884. 85. Bergmann. n. 16. —

Lang, Fr., die Einsiedelei u. die Steinbrüche bei Solothurn. Ein Beitrag zur Heimatkunde. [Neujahrsblatt der Solothurnischen Töpfergesellschaft f. d. J. 1885.] gr. 4. (35 S. m. Holzschn.) Solothurn 885. (Jent.) n. 1. 66

Lang, G., Daniel in der Löwengrube, s.: Theater-Mappe.

Lang, G. C., die Medicin, die Aerzte u. die Patienten. Ein Führer in den Fragen der Freigebg. der medizin. Praxis u. Aufhebg. d. Impfzwanges. 8. (76 S.) Schaffhausen 883. Rothermel. n. 1. —

Lang, Geo., Metz u. seine Umgebung. Führer f. Fremde u. Einheimische. 2. Aufl. 12. (VIII, 72 S. m. 2 Holzschntaf. u. 1 chromolith. Plan.) Metz 884. Lang. n. 1. —

Lang, Geo., Theorie u. Technik d. Zeichnens. Mit besond. Berücksicht. der Hilfswissenschaften d. Freihandzeichnens f. Lehrer u. Lernende an allgemein bild. Unterrichtsanstalten, sowie zum Selbstunterrichte. Mit Holzschn. [In 2 Tln.] 1. Tl. gr. 8. (XII, 139 S.) Erlangen 884. Deichert. n. 1. 20

Lang, H., Handbuch d. im Königr. Württemberg geltenden Sachenrechts. Suppl. 1. Hft. gr. 8. (67 S.) Ellwangen 884. Heß. n. 1. 50 (Hauptwerk u. Suppl. 1.: n. 25. 50)

Lang, H., Schwungräder u. Centrifugalpendel-Regulatoren, s.: Laskus, A.

Lang, Herm., im Akkord. Eine Erzählg. 8. (57 S.) Augsburg 883. Preyß. — 50

Lang, Jul., Gedichte. 8. (IV, 110 S.) Zürich 883. Schmidt. n. 2. —

Lang, L., allerlei Geschichten f. große u. kleine Leute. 2. Aufl. Mit 29 Bildern. 8. (145 S.) Dülmen 886. Laumann. cart. n. — 80

Láng, Mich., Leitfaden zum Unterricht der ungarischen Sprache f. Lehrer an Volksschulen nichtungarischer Unterrichtssprache [im Sinne des am 29. Juni 1879, Zahl 17284, erschienenen k. ung. ministeriellen Lehrplanes]. 1. Thl. gr. 8. (XI, 93 S.) Hermannstadt 886. Schmiedicke. cart. n. 1. 60

Lang, Paul, Erbauungsbuch. Tägliche Morgen- u. Abend-Andachten f. das evangel. Christenhaus im Anschluß an das Kirchenjahr. (In 9 Lfgn.) 1—3. Lfg. gr. 8. (272 S.) Tübingen 885. 86. Osiander. à — 60

Lang, Paul, der Bildhauer v. Kos. Eine Geschichte aus dem Alterthum. 8. (160 S.) Stuttgart 884. Bonz & Co. n. 2. —; geb. n. 3. —

— Bündner u. Schwaben. Eine Geschichte aus Schillers Jugendzeit. 8. (XII, 296 S) Ebend. 886. n. 2. 50; geb. n. 3. 50

— Mechthildis v. Hohenburg Eine Geschichte aus der Hohenstaufenzeit. 8. 465 S.) Ebend. 884. n. 3. 80; geb. n. 4. 80

— im Nonnenämtlein. Eine Geschichte aus dem 15. Jahrh. 8. (170 S.) Ebend. 883. n. 1. 80; geb. n. 2. 50

— Regiswindis. Eine Heiligen-Geschichte aus der Karolinger-Zeit, illustrirt v. Thdr. Schmidt. 8. (212 S.) Ebend. 885. n. 6. —; geb. n. 7. 50

— Schiller u. Schwaben, s.: Neujahrblätter, württembergische.

Lang, Vict., die Fabrikation v Kunstbutter, Sparbutter u. Butterine. 2. Aufl. Mit 14 Abbildgn. 8. (IV, 136 S.) Wien 885. Hartleben. n. 1. 80

Lang, Vict. v., Bestimmung der Tonhöhe e. Stimmgabel m. dem Hipp'schen Chronoskop. [Mit 1 Holzschn.] Lex.-8. (10 S) Wien 886. (Gerold's Sohn.) n.n. — 25

— die Capillarwage. [Mit 4 Holzschn.] Lex.-8. (13 S.) Ebend. 883. n.n. — 30

— Messung der elektromotorischen Kraft d. elektrischen Lichtbogens. [Mit 2 Holzschn.] Lex.-8. Ebend. 885. n. — 20

Lang, Wilh., von u. aus Schwaben. Geschichte, Biographie, Litteratur. 1—3. Hft. gr. 8. (VI, 128; 137 u. VII, 130 S.) Stuttgart 885. 86. Kohlhammer. à n. 1. 50

Langauer, Frz., der Schulgarten. Anleitung zur Errichtg., Pflege u. pädagog. Verwerthg. desselben. Mit 6 Plänen u. 7 Textfig. gr. 8. (V, 88 S.) Wien 885. Faesy. n. 1. 60

Langbein's, A. F. E., Schwänke. Neue Ausg. 8. (192 S.) Leipzig 883. Unflad. n. 2. 40

— Schwänke. 19. Aufl. 12. (144 S.) Leipzig 886. Schumann. n. — 60

Langbein, Geo., vollständiges Handbuch der galvanischen Metall-Niederschläge [Galvanostegie u. Galvanoplastik] m. Berücksicht. der Contaktgalvanisirungen, Eintaucheverfahren, d. Färbens d. Metalle, sowie der Schleif- u. Polirmethoden. Mit 66 Abbildgn. gr. 8. (XIV, 294 S.) Leipzig 886. (Klinkhardt.) n. 5. —

Lange, Visitationsansprachen an die Gemeinden, Einführungsreden u. Ansprachen an die Diöcesan-Geistlichen, geh. in der Diöcese Berlin-Cöln-Land. gr. 8. (VIII, 239 S.) Berlin 885. Mayer & Müller. n. 3. —; geb. n. 3. 75

Lange, Alfr., durch Sie! Stenographisches Lustspiel in 1 Akt. 4. Aufl. 8. (15 S.) Leipzig 883. (Robolsky.) n. — 40

Lange, Aug., Handbuch d. gesammten Verkehrswesens d. Deutschen Reiches. Verzeichniss sämmtl. Verkehrswege u. Verkehrsanstalten, sowie sämmtl. Eisenbahn-, Post-, Telegraphen- u. Schifffahrts-Stationen, Zoll- u. Steuerstellen, sowie Gerichtssitze. Unter genauer Angabe der postal. Bezeichng., Einwohnerzahl, Landes- u. Verwaltungsbezirks-Zugehörigkeit etc. Mit e. nach den Taxquadraten der Post eingeteilten (lith.) Kurskarte behufs Zonenberechng. von u. nach jedem Ort m. Postanstalt. Nach den neuesten amtl. Quellen zusammengestellt. 4. Aufl. [Abgeschlossen am 8. Aug. 1886.] Lex.-8. (VIII, 378 S.) Gräfenhainichen 886. Schulze & Co. cart. n. 8. —

Lange, Aug., der vocalische Lautstand in der französischen Sprache d. 16. Jahrh., nach den Zeugnissen der alten Grammatiker u. den Grundsätzen der neueren Phonetik dargestellt. gr. 8. (III, 46 S.) Elbing 883. Meissner. n. 1. 50

Lange, Aug. Rob., de substantivis femininis graecis secundae declinationis capita tria. gr. 8. (76 S.) Leipzig 885. (Fock.) n. 1. —

Lange, Axel, prunklose Lieder. 8. (104 S.) Berlin 884. Parrisius. n. 1. 80; geb. n. 2. 50

— plattdütscher Pulterabend. Irnsthafte un spaßige

Rimels in Meckelbörger [Fritz Reuter] Plattdütsch för Pulterabend, sülwern un gollen Hochtid. 8. (VIII, 168 S.) Mülheim 884. Bagel. 1. 50

Lange, C. Fr. Rud., der Abbau der Steinkohlenflötze. 8. (47 S. m. 16 Chromolith.) Saarbrücken 884. (Klingebeil.) n.n. 3. —

— das Grubenhaushalts-, Kassen- u. Rechnungswesen der königl. preußischen Bergbehörden, sowie die Organisation u. der Geschäftsgang der königl. Ober-Rechnungs-Kammer. gr. 8. (VII, 243 S.) Freiberg 885. Craz & Gerlach. n. 4. —

Lange, Carl, Gedächtnispredigt am 300jährigen Geburtstage d. Dichters u. Pfarrers Johann Heermann v. Köben, daselbst geb. am 11. Oktbr. 1885. gr. 8. (12 S.) Breslau 886. Dülfer. n. — 20

— Dr. Martin Luther u. Graf E. v. Erbach. Schauspiel in 4 Aufzügen [nach Armin Stein's Erzählg.]. 8. (IV, 135 S.) Göttingen 883. Vandenhoeck & Ruprecht's Verl. n. 2 —

Lange, E., Reichsgesetz betr. die Unfall- u. Kranken-Versicherung der in landwirthschaftlichen u. forstwirthschaftlichen Betrieben beschäftigten Personen vom 5. Mai 1886. Mit Erläutergn. u. ausführl. Sachregister f. den Gebrauch d. prakt. Landwirts hrsg. 8. (XVIII, 134 S.) Berlin 886. Parey. cart. n. 1. 50

Lange, Ernst, üb. Goethe's Farbenlehre vom Standpunkte der Wissenschaftstheorie u. Aesthetik. gr. 8. (36 S.) Berlin 882. (Göttingen, Vandenhoeck & Ruprecht.) n. 1. —

Lange, Fr., üb. den Betrieb auf den Canälen in Nord-America. Vortrag. gr. 8. (18 S.) Berlin 885. Ernst & Korn. n. 1. 20

Lange, Frz., Home sweet home. Gedichte. 8. (VIII, 185 S.) Dresden 886. Minden. n. 3. —; geb. n. 4. —

Lange, Frdr., harte Köpfe. Eine Geschichte. 8. (347 S.) Leipzig 885. Friedrich. n. 5. —; geb. n. 6. —

Lange, G., Uebersicht der verschiedenen Benennungen der deutschen Truppentheile seit den ältesten Zeiten resp. Reorganisation bis zum 1. Juli 1886. Ein Beitrag zur Geschichte d. deutschen Heeres. Nach Akten-Material bearb. Lex.-8. (IV, 85 S.) Berlin 886. Meidinger. n. 2. 50

Lange, H., der Aether als Träger gewisser Naturerscheinungen. gr. 4. (32 S.) Berlin 883. Gaertner. n. 1. —

Lange's, H., Volksschul-Atlas üb. alle Teile der Erde. 36 Blätter in Farbendr. Ausg. m. Specialkarte zur Heimatskunde. Bearbeitung v. 1884 m. Berücksicht. der neuen Orthographie. 4. Braunschweig 885. Westermann. n. 1. —

Lange, H. C., notgedrungene offene Abwehr in Anlaß der offenen Antwort d. Hrn. Rekt. Saggau in Altona vom 15. Juni 1883 auf mein an denselben gerichtetes Sendschreiben vom 7. Apr. 1883. gr. 8. (28 S.) Segeberg 883. Barez. n. — 50

— offenes Sendschreiben an den Hrn. Rekt. Saggau in Altona, betr. seinen Vortrag üb. die Methodik d. bibl. Geschichtsunterrichts in der 16. allgemeinen schleswig-holstein. Lehrerversammlg. in Altona vom 2—4. Aug. 1882. gr. 8. (19 S.) Ebend. 883. n. — 40

Lange, Helene, Leitfaden f. den Unterricht in der Geschichte der französischen Litteratur in höheren Mädchenschulen u. Lehrerinnen-Seminaren. 8. (138 S.) Berlin 885. Oehmigke's Verl. n. 1. 10; geb. n. 1. 25

— Schillers philosophische Gedichte. Sechs Vorträge, geh. in Berlin im Winter 1885/86. 8. (188 S.) Ebend. 887. n. 1. 60; geb. m. Goldschn. n. 2. 50

Lange, Henry, Südbrasilien. Die Provinzen Sao Pedro do Rio Grande do Sul, Santa Catharina u. Paraná m. Rücksicht auf die deutsche Kolonisation. 2. Aufl. Mit 17 Illustr. in Holzschn., 9 Lichtdr.-Bildern u. 3 lith. Karten. gr. 8. (XII, 254 S.) Leipzig 885. Frohberg. n. 8. —

Lange, J., die Berührungskreise e. ebenen Dreiecks u. deren Berührungskreise. Mit 3 (lith.) Taf. gr. 4. (19 S.) Berlin 884. Gaertner. n. 1. —

Lange, J. P., gegen die Erklärung d. Organs f. positive Union zu Gunsten e. bedingten Anerkennung des Missionirens der Methodisten in der evangelischen Kirche Deutschlands. gr. 8. (34 S.) Bonn 883. Cohen & Sohn. n. — 50

Lange, J. P., das Evangelium nach Markus, s.: Bibelwerk, theologisch-homiletisches.

— die biblische Lehre v. der Erwählung. Zur Apologie der Geistesaristokratie. gr. 8. (48 S.) Bonn 883. Cohen & Sohn. n. — 80

— Sendschreiben an den Hrn. Pfarrer Jul. Thikötter in Bremen in Betreff seiner Darstellung der Theologie Albrecht Ritschl's. gr. 8. (V, 22 S.) Ebend. 884. n. — 50

Lange, Jul., üb. die Entwicklung der Oelbehälter in den Früchten der Umbelliferen. Mit 1 Taf. gr. 4. (18 S.) Königsberg 884. (Berlin, Friedländer & Sohn.) n. 1. —

Lange, Karl, üb. Apperzeption. Eine psychologisch-pädagog. Monographie. 2., verb. u. verm. Aufl. gr. 8. (IV, 137 S.) Plauen 887. Neupert. n. 1. 80

— Tuiskon Ziller. Blätter der Erinnerg. Mit dem (Holzschn.-)Bildnisse Ziller's. gr. 8. (39 S.) Leipzig 884. Matthes. n. 1. —

Lange, Konr., Haus u. Halle. Studien zur Geschichte d. antiken Wohnhauses u. der Basilika. Mit 9 lith. Taf. u. 10 Abbildgn. im Text. Lex.-8. (XII, 377 S.) Leipzig 885. Veit & Co. n. 14. —

Lange, Ludw., de XXIV annorum cyclo intercalari commentatio. gr. 4. (23 S.) Leipzig 884. (Hinrichs' Sort.) n. 1. 20

— die Bedeutung der Gegensätze in den Ansichten üb. die Sprache f. die geschichtliche Entwickelung der Sprachwissenschaft. Akademische Festrede. 4. (22 S.) Gießen 865. (Ebend.) n. — 80

— codicis scholiorum Sophocleorum Lobkowiciani collationis a. L. L. confectae specimina II—V. 4. (16, 16, 16 u. 15 S.) Giessae 867, 68, 69, 70. Ebend. à n. — 60

— commentationis de legibus Porciis libertatis civium vindicibus particulae II. 4. (28 u. 36 S.) Ebend. 862 et 63. à n. 1. —

— de consecratione capitis et bonorum disputatio. 4 (28 S.) Ebend. 867. n. 1. —

— de legibus Aelia et Fufia. 4. (48 S.) Leipzig 861. Hinrichs' Sort. n. 1. 40

— de locis nonnullis Sophocleis emendandis. 4. (30 S.) Ebend. 860. n. 1. —

— observationum ad Ciceronis orationem Milonianam specimen I. 4. (25 S.) Ebend. 864. n. — 80

— de pristina libelli de republica Atheniensium forma restituenda commentatio. Pars I. gr. 4. (32 S.) Ebend. 882. n. 1. 20

— de sacrosanctae potestatis tribuniciae natura eiusque origine commentatio. gr. 4. (43 S.) Ebend. 883. n. 1. 60

— kleine Schriften aus dem Gebiete der classischen Alterthumswissenschaft. 1. Bd. Mit (Lichtdr.-) Portr. u. Lebensabriss d. Verf. gr. 8. (XL, 429 S.) Göttingen 887. Vandenhoeck & Ruprecht's Verl. n. 10. —

Lange, Ludw., Nekrolog, s.: Neumann, K. J.

Lange, Ludw., die geschichtliche Entwickelung d. Bewegungsbegriffes u. ihr voraussichtliches Endergebniss. Ein Beitrag zur histor. Kritik der mechan. Principien. gr. 8. (X, 141 S.) Leipzig 886. Engelmann. n. 3. —

Lange, Max, die Athmung des Frosches in ihrer Beziehung zu den Ernährungsverhältnissen der medulla oblongata. gr. 8. (29 S.) Königsberg 882. (Beyer.) n. — 80

Lange, Otto, Grundriß der Geschichte der deutschen Litteratur f. höhere Bildungs-Anstalten. 11. Aufl., rev. v. Ludw. Berthold. gr. 8. (VIII, 128 S.) Berlin 886. Gaertner. n. 1. —

— Leitfaden zur allgemeinen Geschichte f. höhere Bildungs-Anstalten. 1. Unterrichtsstufe. [Der biograph. Unterricht.] 17. Aufl., durchgesehen u. verb. v. Rud. Foß. gr. 8. (90 S.) Ebend. 886. n. — 75

— deutscher Lesestoff f. Schulen. Planmäßige Zusammenstellg. deutscher Lesestücke von der Elementar-Lesestufe bis zum Abschluß d. Leseunterrichts. 2. u. 4. Stufe. gr. 8. Ebend. 886. n. 3. —

2. Deutsches Elementar-Lesebuch f. Schulen. 2. Abtlg. 5. Aufl. rev. v. Ludw. Berthold. (VIII, 156 S.) n. 1. —

4. Deutsches Lesebuch f. die Oberstufe d. Leseunterrichts in höheren Lehranstalten. 1. Tl. 10. Aufl., rev. v. Ludw. Berthold. (XII, 324 S.) n. 2. —

Lange, Otto, deutsche Poetik. Formenlehre der deutschen Dichtkunst. Ein Leitfaden f. Oberklassen höherer Bildungsanstalten, wie zum Selbstunterricht. Neu bearb. v. Rich. Jonas. 5. Aufl. gr. 8. (VI, 124 S.) Berlin 885. Gaertner. cart. n. 1. 60

— kleine deutsche Sprachlehre. 39. Aufl., rev. v Ludw. Berthold. 8. (40 S.) Ebend. 887. n. — 25

Lange, R., altjapanische Frühlingslieder, aus der Sammlg. Kokinwakashu übers. u. erläutert. gr. 8. (XXII, 112 S) Berlin 884. Weidmann. n. 3. —

Lange, Rud., Winke f. Gesanglehrer in Volksschulen. 7. Aufl. 8. (VIII, 96 S.) Berlin 885. Springer. n. 1. —

Lange, S. G., freundschaftliche Lieder, s.: Pyra, I. J.

Lange, Th., Hauptsätze der Planimetrie u. Trigonometrie zum Gebrauche an höheren Bürgerschulen. gr. 8. (IV, 80 S.) Berlin 884. Guttentag. n. 1. 25

Lange, Thdr. Herm., vom Goldenen Horn zum Goldenen Thore. Essays u. Skizzen aus 4 Erdtheilen. 1. Bd. Orientalische Stereoskopen. Reise-Erinnergn. aus dem Morgenlande. 1. Lfg. gr. 8. (32 S.) Dresden 884. Madelli. — 60

Lange, Thom., Meer u. Au. Erzählung. Aus dem Dän. v. Aug. W. Peters. 2 Thle. in 1 Bd. 2. Aufl. 8. (200 u. 184 S.) Norden 885. Fischer Nachf. n. 5. —

— der letzte Wikinger. Erzählung. Nach dem Dän. v. A. Michelsen. 8. (182 S.) Leipzig 884. Fr. Richter. n. 3. 60; geb. n. 5. —

Lange, W., u. W. **Warnecke,** Choral-Melodien f. Knaben- u. Mädchenschulen. 2. Aufl. gr. 8. (IV, 47 S.) Celle 886. André. n. — 50

Lange, Wilh., die Wirkung d. rechtsgeschäftlichen Zwanges nach gemeinem Recht. gr. 8. (55 S.) Leipzig 886. Roßberg. n. 1. 60

Langelütke, Auguste, u. Johanna **Doerenberger,** Leitfaden f. den Handarbeit-Unterricht in Volksschulen. gr. 8. (16 S. m. 2 Steintaf.) Düsseldorf 883. F. Bagel. 1. 20

Langen, Heinr., der Heiland. 12. (147 S.) Paderborn 885. F. Schöningh. n. 1. 60; geb. n. 2. 60

Langen, Jos., Geschichte der römischen Kirche von Leo I. bis Nikolaus I. Quellenmässig dargestellt. gr. 8. (XI, 858 S.) Bonn 885. Cohen & Sohn. n. 15. —

Langen, P., plautinische Studien. gr. 8. (VII, 400 S.) Berlin 886. Calvary & Co. n. 13. —

Langenbeck, Wilh., Geschichte der Reformation d. Stiftes Halberstadt. gr. 8. (VII, 129 S.) Göttingen 886. Vandenhoeck & Ruprecht's Verl. n. 2. 60

Langendorff, O., Studien üb. Rhythmik u. Automatie d. Froschherzens, s.: Archiv f. Anatomie u. Physiologie.

Langenhan, A., die Versteinerungen d. Lias am grossen Seeberge bei Gotha. Nach der Natur gezeichnet u autogr., sowie m. e. Profile der Ablagerungs-Verhältnisse versehen. gr. 4. (3 S.) Breslau 883. (Gotha, Conrad.) 1. 50

Langenscheidt, G, Französisch f. Kaufleute, } s.: Toussaint, Ch.
— Lehrbuch der französischen Sprache f. Schulen, } s.: Toussaint, Ch.

— brieflicher Sprach- u. Sprech-Unterricht, Englisch, s.: Dalen, C. van.

— dasselbe, Französisch, s: Toussaint, Ch.

Langenscheidt, Paul, die Jugenddramen d. Pierre Corneille. Ein Beitrag zur Würdigg. d. Dichters. gr. 8. (79 S.) Berlin 885. Langenscheidt. n. 1. 50

Langer, Adam, Glatzer Feldblumen. Gedichte. 12. (208 S.) Glatz 883. (Hirschberg.) n. 1. 25; geb. n. 2. 50

— aus Heimat u. Fremde. Gedichte. 2. Aufl. der „Glatzer Feldblumen". 8. (110 S.) Breslau 885. Leuckart's Sort. n. 2. —; geb. m. Goldschn. n. 3. —

Langer, Carl v., Anatomie der äusseren Formen d. menschlichen Körpers. Mit 120 Holzschn. gr. 8. (XII, 296 S.) Wien 884. Töplitz & Deuticke. n. 9. —

Langer, Carl v., Lehrbuch der systematischen u. topographischen Anatomie. 3. Aufl. gr. 8. (XVI, 680 S.) Wien 885. Braumüller. n. 14. —

— der Sinus cavernosus der harten Hirnhaut. Mit 2 (chromolith.) Taf. Lex.-8. (15 S.) Wien 885. (Gerold's Sohn.) n. 1. 20

— kurze Uebersicht üb. das menschliche Skelet in Berücksicht. der Proportionen u. d. Wachsthums, s.: Langl, J., das menschliche Skelet, Wandtafel.

— über den Ursprung der inneren Jugularvene. Mit 1 (lith.) Taf. Lex.-8. (10 S.) Wien 884. (Gerold's Sohn.) n. — 60

Langer, Carl, u. Vict. **Meyer,** pyrochemische Untersuchungen mitgetheilt v. letzterem. Mit 17 Holzst. gr. 8. (VIII, 73 S.) Braunschweig 885. Vieweg & Sohn. n. 4. —

Langer, Edm., e. Centifolie der Königin d. Rosenkranzes. Erwägungen üb. den Rosenkranz, seine Theile u. seine Geheimnisse. 16. (IV, 204 S.) Prag 884. Cyrillo-Method'sche Buchh. n. 1. —

Langer, Ernst, das Nothhorn od. die Injurien-Klage. Komische dörfl. Scene in 1 Akt. 4. Aufl. 8. (12 S.) Schweidnitz 885. Brieger & Gilbers. n. — 50

Langer's, **Ernst Theodor,** Biographie, s.: Zimmermann, P.

Langer, J., das Buch Job in neuer u. treuer Uebersetzung nach der Vulgata, m. fortwähr. Berücksicht. d. Urtextes. gr. 8. (XVI, 213 S.) Luxemburg 885. Brück. 2. 50

Langerhans, Paul, Handbuch f. Madeira. Mit e. Karte der Insel u. e. Plan der Stadt Funchal. 8. (VIII, 206 S.) Berlin 884. Hirschwald. geb. n. 8. —

Langermann u. Erlencamp, Frhr. v., u. **Liehr,** Dienst-Instruktion f. die Mannschaften der Jäger- u. Schützen-Bataillone. Mit 1 lith. Beilage, 1 Croquir- u. 1 Ordenstaf. gr. 8. (VI, 132 S.) Berlin 885. Mittler & Sohn. n.n. — 65

Langethal, Chr. Ed., das Leben Heinrich Langethals. gr. 8. (71 S.) Wien 883. Pichler's Wwe. & Sohn. n. 1. —

Langethal, L. E., Flora v. Deutschland, s.: Schlechtendal, D. F. L. v.

Langfeld, Adf., die Lehre vom Retentionsrecht nach gemeinem Recht. gr. 8. (VI, 167 S.) Rostock 886. Werther n. 2. 80

Langgaard, A., medicinisches Recept-Taschenbuch, s.: Liebreich, O.

Langguth, Adf., Goethes Pädagogik, historisch-kritisch dargestellt. 8. (VIII, 330 S.) Halle 886. Niemeyer. n. 6. —

Langhans, E., die Aufgabe der Kirche gegenüber den socialen, sittlichen u. religiösen Nothständen d. Volkslebens. Referat. gr. 8. (79 S.) Bern 888. Huber & Co. n. 1. —

— das christliche Jahr in Schrift u. Lied, nach der Ordnung der christl. Glaubens- u. Sittenlehre zusammengestellt. gr. 8. (XVI, 340 S.) Bern 879. R. F. Haller-Goldschach. n. 3. 20; Einbd. n.n. 1. 20

— die Nothstände d. Volkslebens u. die christl. Liebe, } s.: Volksschriften, Berner.
— weine nicht! } s.: Volksschriften, Berner.

Langhans, Gust., Beiträge zur Kenntniss der Psilomelane. gr. 8. (52 S.) Jena 885. (Neuenhahn.) 1. 50

Langhans, Wilh., die Geschichte der Musik d. 17., 18. u. 19. Jahrhunderts. In chronolog. Anschlusse an die Musikgeschichte v. A. W. Ambros. 4—17. (Schluss-)Lfg. gr. 8. (1. Bd. VIII, S. 209—490 u. 2. Bd. IV, 560 S.) Leipzig 883—86. Leuckart. à n. 1. —

— das musikalische Urtheil u. seine Ausbildung durch die Erziehung. 2. Aufl. 8. (V, 67 S.) Berlin 886. Oppenheim. n. 1. 20

Langhanß, A., Marci 2, 1—12: Die Heilung d. Gichtbrüchigen. Ein Krankenbüchlein. gr. 8. (IV, 59 S.) Erlangen 888. Deichert. n. — 50

Langheim, Rud., Heimatskunde d. Herzogt. Braunschweig. gr. 8. (24 S.) Osterwieck 884. Zickfeldt. n. — 15

— die deutschen Ströme. Zur Wiederholg. f. Schüler in

Fragen u. Antworten bearb. gr. 8. (20 S.) Osterwieck 884. Zickfeldt. n. — 10

Langheim, Rud., Vaterlandskunde d. Kaiserr. Deutschland. Wiederholungs-Buch f. Schulkinder in Fragen u. Antworten. 8. (X, 213 S.) Langensalza 886. Schulbuchh. n. — 85

Langheinz, C., u. G. Schwab II., praktische Winke üb. Ausrüstung, Verpflegung u. das Wandern im Hochgebirge. 2. Aufl. gr. 8. (17 S.) Darmstadt 886. (Zernin.) n. — 30

Langheld, Er., Predigt üb. Jeremias 31, 15 u. 16, geh. bei dem Trauergottesdienste in Anlaß d. Verlustes S. M. Kreuzer-Korvette „Augusta" in der Marine-Garnison-Kirche zu Kiel am 11. Octbr. 1885. gr. 8. (16 S.) Kiel 885. Lipsius & Tischer. n. — 50

— Rede auf das deutsche Kriegsheer vom J. 1870/71, geh. auf dem Commers d. 1. Provinzial-Verbandsfestes der Kampfgenossenvereine v. 1870/71 in Schleswig-Holstein, zu Kiel am 22. Juni 1884. gr. 8. (15 S.) Ebend. 884. n. — 30

Langhoff, F., Lehrbuch der Chemie. Mit Holzschn. 4. Aufl. gr. 8. (X, 335 S.) Leipzig 883. Felix. n. 3. —; geb. n. 3. 50

Laengin, Geo., zur Bismarck-Feier. 3 Lieder nach bekannten Melodien, nebst e. kurzen Lebensbeschreibg. d. Fürsten Bismarck. gr. 8. (8 S.) Karlsruhe 885. Macklot. n. — 10

Langl, J., Bilder zur Geschichte f. Gymnasien, Realschulen u. verwandte Lehranstalten. Nach dessen Orig.-Bildern in Oelfarbendr. u. Sepia-Manier ausgeführt. 2. Suppl. zur 1. Aufl. qu. gr. Fol. (4 Bl.) Wien 883. Hölzel. n. 20. —; auf Deckel gespannt n. 24. —

Palmyra, Kathedrale v. York, Klosterkirche zu Etschmiadzin, Wassilij Blagenoi.

— dasselbe. Suppl. III zur 1. Aufl. qu. gr. Fol. (5 Bl.) Ebend. 884. n. 25. —; auf Deckel gespannt n. 30. —; einzelne Blätter à n. 6. —; auf Deckel gespannt à n. 7. —

Kathedrale v. Rheims, Dom v. Burgos, Rathhaus zu Brüssel, Kreml in Moskau, Dom zu Speyer.

— dasselbe. 2. Aufl. 3—15. (Schluss-)Lfg. qu. gr. Fol. (à 4 Bl. m. 10 S. Text.) Ebend. 883—85. n. 238. —; auf Deckel-Carton gespannt n. 291. — (cplt.: 264. —; aufgespannt 335. —)

3—14. Lfg. à 18. —; auf Deckel-Carton gespannt à n. 22. —. — 15. Lfg. 22. —; auf Deckel-Carton gespannt 27. —

— dasselbe. Ein Cyklus der hervorragendsten Bauwerke aller Culturepochen in Lichtdr. nach den Orig.-Oelbildern. Mit erklär. Texte. 10 Lfgn. Lex.-8. (à 6 Bl. m. 6 Bl. Text.) Ebend. 884. à n. 2. —; einzelne Bilder à n. — 40 (2 Bde. cart. à n. 10. —; in 1 Bd. cart. n. 20. —; geb. n. 25. —)

Französische Ausg. u. d. T.: „Tableaux d'histoire universelle" zu gleichem Preise.

— griechische Götter- u. Heldengestalten. Nach antiken Bildwerken gezeichnet u. erläutert. Mit kunstgeschichtl. Einleitg. von Carl v. Lützow. (In 17 Lfgn.) 1—13. Lfg. Fol. (S. 1—112 m. eingedr. Illustr. u. je 3 Lichtdr.-Taf.) Wien 885. 86. Hölder. à n. 2. 50

— das menschliche Skelet. Wandtafel. 2 chromolith. Blatt. Imp.-Fol. Mit Text: Kurze Uebersicht üb. das menschliche Skelet in Berücksicht. der Proportionen u. d. Wachsthums von Carl v. Langer. Imp.-4. (12 S. m. eingedr. Holzschn. u. 1 Taf.) Ebend. 886. In Mappe. n. 8. 60; auf Leinw. n. 10. —; Text ap. n. 2. —

Langsdorff, Karl v., die neuesten Erfahrungen auf dem Gebiete der Städte-Reinigung m. besond. Berücksicht. der landwirthschaftlichen Verwerthung der städtischen Fäkalien. Vortrag. gr. 8. (34 S.) Dresden 884. G. Schönfeld's Verl. n. — 60

— die Verwerthung d. städtischen Fäkalien, s.: Heiden, E.

Langsdorff, Wilh., Gang- u. Schichten-Studien aus dem westlichen Oberharz. Nebst e. geolog. Karte d. nördl. Westharzes in Farbendr. gr. 8. (XI, 47 S.) Clausthal 885. Uppenborn. n. 6. 50

— über den Zusammenhang der Gangsysteme v. Clausthal u. St. Andreasberg. Nebst e. geolog. Uebersichtskarte d. Westharzes u. e. Détailkarte in Farbendr. gr. 8. (IV, 60 S.) Ebend. 884. n. 4. —

Langstein, Hugo, die Neurasthenie [Nervenschwäche] u. ihre Behandlung in Teplitz-Schönau. 8. (VII, 64 S.) Wien 886. Braumüller. n. 1. 20

Langthaler, Joh., Wegweiser bei Anlegung od. Ergänzung v. Kinder-, Jugend- u. Volksbibliotheken. 1. u. 2. Bdchn. 8. Linz, Haslinger. n. 1. 75

1. (84 S.) 884. — 75. — 2. (95 S.) 886. n. 1. —

Langwerth v. Simmern, H. Frhr. v., die deutschhannoversche Partei u. die braunschweigische Frage. gr. 8. (III, 89 S.) Celle 885. Hannover, Schulbuchh. n. 1. —

— die deutsch-hannoversche Partei u. das Rechtsprincip. Ein Wort der Abwehr u. Erwiderg. auf die Schrift d. Hrn. Kammerrath v. d. Decken-Preten. 8. (31 S.) Hannover 882. Brandes. n. — 30

— von 1790 bis 1797. Der Revolutionskrieg im Lichte unserer Zeit. gr. 8. (XII, 180 S.) Ebend. 882. n. 1. 60

Lankenau, H. v., Ophelia. Ein Roman aus der vornehmen russ. Gesellschaft. 8. (407 S.) Wiesbaden 883. Feller & Gecks. n. 5. —

Lankmayr, Ferd., Handbuch der österreichischen Geschütz-Systeme, m. e. Anh. üb. die in Deutschland, Rußland, Frankreich, Italien u. England eingeführten Feld- u. Gebirgs-Geschütze. Für Offiziere aller Waffen. [Mit 9 (lith.) Taf.] gr. 8. (143 S.) Wien 886. (Seidel & Sohn.) n. 5. —

— Waffenlehre f. die k. k. Militär-Akademien u. d. k. k. Artillerie-Cadetten-Schule. 1., 2. u. 5. Hft. gr. 8. Ebend. n. 5. 50

1. Blanke Waffen u. explosive Präparate. 5. Aufl. Mit 2 Taf. (VI, 74 S.) 885. n. 1. 50
2. Mit 4 Taf. 5. Aufl. (VIII, 91 S.) 885. n. 2. —
5. Geschütze. 3. Aufl. Mit 9 Taf. (XIII, 122 S.) 885. n. 2. —

Lansdell, Henry, Russisch-Central-Asien nebst Kuldscha, Buchara, Chiwa u. Merw. Deutsche autoris. Ausg., bearb. durch H. v. Wobeser. Mit vielen Illustr. im Text, 4 doppelseit. Tonbildern, Karte u. Photogr. d. Verf., sowie e. einzeln käufl., wissenschaftl. Anh., enth. Fauna u. Flora v. Russisch-Turkestan u. Bibliographie. 3 Bde. gr. 8. (980 S.) Leipzig 885. Hirt & Sohn. n. 20. —; in 2 Bde. geb. n. 25. —

— dasselbe. Wissenschaftlicher Anhang. gr. 8. Ebend. 885. n. 3. 50

Fauna u. Flora v. Russisch-Turkestan; Bibliographie v. Russisch-Central-Asien. (188 S.)

Lanzendörfer, J., das Wichtigste aus der Weltgeschichte f. deutsche Volksschulen, nach dem Lehrplan f. die Schulen Mittelfrankens bearb. 8. (33 S.) Nürnberg 886. (Korn.) n.n. — 25

Lanzer, Osc., Lehrbuch zum Unterrichte im freiwilligen Sanitäts-Hilfsdienste auf dem Kriegsschauplatze. Zum Gebrauche f. die Sanitäts-Abtheilgn. der österr. Militär-Veteranen- u. Kriegercorps. Mit e. Skizze u. 131 Illustr. 8. (190 S.) Wien 885. (Anger.) 3. 60

Laplace, P. S. de, philosophischer Versuch üb. die Wahrscheinlichkeiten. Nach der 6. Aufl. d. Originales übers. v. Norbert Schwaiger. gr. 8. (X, 198 S.) Leipzig 886. Duncker & Humblot. n. 4. 40

Larcher zu Eißegg, Ed. R. v., Erörterungen üb. das gesetzliche Pfandrecht d. Vermiethers u. Verpächters. gr. 8. (105 S.) Innsbruck 885. Wagner. n. 1. 80

Lardelli, Giovanni, italienische Chrestomathie. La lingua parlata. Raccolta di letture italiane moderne ad uso degli studiosi corredate di cenni biografici sugli autori, di note spiegative e di vocabolario italiano-tedesco. 2. ed. gr. 8. (VII, 241 S.) Davos 886. Richter. n. 3. —

— italienische Phraseologie. Manualetto degli italicismi, proverbi e modi proverbiali più frequenti con relativi temi italiani e tedeschi ad uso delle scuole e per lo studio privato. gr. 8. (III, 70 S.) Ebend. 885. n. 1. —

— Übungsstücke zum Übersetzen aus dem Deutschen in das Italienische. 2. Ausg. 8. (VII, 98 S.) Heidelberg 886. J. Groos. n. 1. —

Larfeld, Guil., sylloge inscriptionum boeoticarum dialectum popularem exhibentium. Composuit, adnotavit, apparatu critico instruxit G. L. Praemittitur de dialecti boeoticae mutationibus dissertatio. gr. 8. (XXXVI, 232 S.) Berlin 883. G. Reimer. n. 10. —

Largiadèr, Ant. Ph., Bilder zur Geschichte der Erziehung u. d. Unterrichts. Mit besond. Berücksicht. der Geschichte der Volksschule. gr. 8. (622 S.) Zürich 883. Schultheß. n. 2. 80

— von der leiblichen u. geistigen Entwickelung d. Menschen. Für den Gebrauch an Lehrer- u. Lehrerinnen-Seminarien, sowie f. den Selbstunterricht. gr. 8. (101 S.) Ebend. 884. n. 1. 20

— allgemeine Erziehungslehre. Für den Gebrauch an Lehrer- u. Lehrerinnen-Seminarien, sowie f. den Selbstunterricht. gr. 8. (82 S.) Ebend. 884. n. 1. —

— praktische Geometrie. Anleitung zum Feldmessen, Höhenmessen u. Nivellieren. 4. Aufl. Mit Holzschn. u. 2 lith. Taf. gr. 8. (128 S.) Ebend. 883. n. 2. —

— Handbuch der Pädagogik. Für den Gebrauch an Lehrer- u. Lehrerinnen-Seminarien, sowie f. den Selbstunterricht leichtfaßlich u. übersichtlich dargestellt. 2—10. (Schluß-)Lfg. gr. 8. (1. Thl. S. 65—222, 2. Thl. 104, 3. Thl. 82 u. 4. Thl. 408 S.) Ebend. 883—85. n. 9. 30 (cplt.: n. 10. 10)

— Unterrichtslehre [Volksschulkunde]. Für den Gebrauch an Lehrer- u. Lehrerinnen-Seminarien, sowie f. den Selbstunterricht. gr. 8. (408 S.) Ebend. 885. n. 4. 60

— Ulrich Zwingli. Zur Feier d. 400jähr. Geburtstages d. Reformators. gr. 8. (34 S.) Straßburg 884. Schmidt. n. — 50

Larisch, Frdr. Alex. Graf, Frhr. v. **Eigot** u. **Karwin**, Betrachtungen üb. die Urzustände Schlesiens, f. Laien geschrieben. 8. (VIII, 119 S.) Leobschütz 886. (Kothe.) n. 1. 60

La Roche, E., das Münster vor u. nach dem Erdbeben, s.: Beiträge zur Geschichte d. Basler Münsters.

Laroche, J., die Comparation in der griechischen Sprache. gr. 8. (25 u. 24 S.) Wien 885. (Pichler's Wwe & Sohn.) n. — 90

Larra, M. de, Lustspiele, s.: Sammlung beliebter spanischer Lust- u. Schauspiele.

L'Arronge, Adph., dramatische Werke. 7. u. 8. Bd. 8. Berlin 886. Lassar. à n. 4. —
7. Die Sorglosen. Lustspiel in 3 Akten. (168 S.)
8. Der Weg zum Herzen. Lustspiel in 4 Akten. (163 S.)

— Kläffer, s.: Kühling's, A., Volks-Schaubühne.

— Papa hat's erlaubt, s.: Moser, G. v.

— u. G. v. **Moser**, der Registrator auf Reisen, s.: Bloch's, E., Volks-Theater.

Lasaulx, A. v., Einführung in die Gesteinslehre. Ein Leitfaden f. den akadem. Unterricht u. zum Selbststudium. 8. (VIII, 215 S.) Breslau 886. Trewendt. geb. n. 3. —

— Irland u. Sicilien, } s.: Sammlung
— wie das Siebengebirge entstand, } v. Vorträgen.

Lasius, G., Bericht üb. Gruppe 19 der schweizerischen Landesausstellung Zürich 1883; Hochbau u. Einrichtung d. Hauses. gr. 8. (13 S.) Zürich 884. Orell Füssli & Co. Verl. n. — 50

Lasius, O., das friesische Bauernhaus in seiner Entwicklung während der letzten vier Jahrhunderte, s.: Quellen u. Forschungen zur Sprach- u. Culturgeschichte der germanischen Völker.

Lasker, Ed., die Zukunft d. deutschen Reiches. 5. Aufl. Mit Portr. u. biograph. Skizze Ed. Lasker's †. 8. (26 S.) Leipzig 884. Schloemp. n. — 50

Lasker, Eduard. Seine Biographie u. letzte öffentl. Rede. Ferner drei Gedenkblätter v. Heinr. Rickert, Alb. Hänel, Rud. Gneist, Mitgliedern d. Reichstags, u. Nekrolog v. Karl Baumbach, Mitglied d. Reichstags. Mit Porträt. gr. 8. (32 S.) Stuttgart 884. Levy & Müller. n. — 50

Laskus, A., u. H. **Lang**, Schwungräder u. Centrifugalpendel-Regulatoren. Deren Theorie u. Berechng. Mit 2 Taf. 2. Aufl. gr. 8. (92 S.) Leipzig 884. Baumgärtner. n. 2. —

Laspée, Aug. de, Grundregeln der malerischen Perspektive u. die Anwendungen derselben, m. besond. Berücksicht. d. perspektivisch gesehenen Bildfläche, sowie der darauf dargestellten Gegenstände. Leicht faßlich dargestellt. Mit 80 Fig. auf 15 (lith., z. Thl. farb.) Taf. gr. 8. (VII, 43 S.) Wiesbaden 883. Bischkopff. n. 3. —

Lassalle, Ferd., Briefe an Hans v. Bülow. [1862—1864.] 4. Aufl. 8. (76 S.) Dresden 885. Minden. n. 1. —

Lassalle's, Ferd., Biographie, s.: Aaberg, A. — Plener, E. v.

Lassen, Johs., üb. Lungenabscess u. dessen operative Behandlung. gr. 8. (26 S.) Kiel 886. (Lipsius & Tischer.) n. 1. —

Lasserre, Heinr., unsere liebe Frau v. Lourdes. Frei aus dem Franz. übers. v. M. Hoffmann. 5. Aufl. Mit e. Titelbilde. 12. (XVI, 475 S.) Freiburg i/Br. 886. Herder. 3 —; geb. n. 3. 60

— die Wunder v. Lourdes. Autoris. Uebersetzg. 8. (XXIV, 431 S.) Mainz 884. Kirchheim. 3. —

Lasset euch Gewissen machen üb. Leihen auf Zinsen, das ist Wucher. Ein Gespräch zwischen zwei Lutheranern. Das Leihen auf Zinsen, auf Grund der heil. Schrift u. nach den Zeugnissen der ältesten u. berühmtesten Kirchenlehrer, namentlich nach den Zeugnissen von Dr. Martin Luther u. Dr. Martin Chemnitz, zur Lehre u. Warng. f. das christl. Volk beleuchtet. 8. (54 S.) St. Louis, Mo. 884. (Dresden, H. J. Naumann.) n. — 55

— uns ihn lieben, denn er hat uns zuerst geliebt. 4 Kreuze in Silberbronze m. Blumen. Chromolith. 32. Leipzig 883. (Baldamus Sep.-Cto.) n. — 60

Lasson, A., die Entwickelung d. religiösen Bewusstseins der Menschheit nach E. v. Hartmann, } s.: Vorträge, philosophische.
— J. H. v. Kirchmann als Philosoph, }
— der Satz vom Widerspruch, }

Laßwitz, Kurd, die Lehre Kants v. der Idealität d. Raumes u. der Zeit, im Zusammenhange m. seiner Kritik d. Erkennens allgemeinverständlich dargestellt. gr. 8. (XV, 246 S.) Berlin 883. Weidmann. n. 6. —

Last, E., die realistische u. die idealistische Weltanschauung, entwickelt an Kants Idealität v. Zeit u. Raum. Mit dem Portr. der Verf. in Lichtdr. 8. (XXIII, 259 S.) Leipzig 884. Th. Grieben. n. 5. —; geb. n.n. 6. 50

Laster, das, in Paris. Enthüllungen d. „Cri de peuple" üb. moderne französ. Sittenzustände. Seitenstück zu den Enthüllgn. der „Pall Mall Gazette". Einzige autoris. Uebersetzg. v. Fr. Th. 8. (80 S.) Zürich 886. Verlags-Magazin. n. 1. —

Laszczynski, Wl., praktische Betrachtungen üb. die Mérinos précoces du Soissonnais. gr. 8. (12 S.) Berlin 885. Parey. n. 1. —

László, Ed. Desiderius, chemische u. mechanische Analyse ungarländischer Thone m. Rücksicht auf ihre industrielle Verwendbarkeit. Im Auftrage der kön. ung. naturwissenschaftl. Gesellschaft ausgeführt. (Ungarisch u. Deutsch.) gr. 8. (VI, 84 S.) Budapest 886. (Kilián.) n. 1. 50

Latacz, C., der praktische Turnlehrer, s.: Grittner, H.

Latendorf, F., s.: Aus Theodor Körners Nachlaß.

— Lessing's Name u. der öffentliche Mißbrauch desselben im neuen deutschen Reich. Ein urkundl. Nachweis in Verbindg. m. der Beseitigg. zahlreicher seit e. Menschenalter wiederkehr. Fehler u. Irrthümer üb. Sprüche der Reformationszeit. 8. (62 S.) München 886. Heinrichs. n. 1. 20

— acht Lutherfragen aus alter u. neuer Zeit, nebst Beiträgen zu ihrer Lösung. gr. 8. (24 S.) Rostock 883. Hinstorff's Verl. n. — 60

— hundert Sprüche Luthers zum alten Testament in hochdeutscher, niederdeutscher u. niederländ. Fassung. Aus den Orig.-Drucken ausgewählt u. m. erläut. Zusätzen begleitet. gr. 4. (26 S.) Ebend. 883. n. 1. 20

— aus der Zeit f. die Zeit. Vaterländische Dichtgn. aus Mecklenburg. 8. (VIII, 40 S.) Ebend. 883. n. — 75

Laterna magica. Vierteljahrsschrift f. alle Zweige der Projections-Kunst. Hrsg. v. Ed. Liesegang. 5—8. Bd. à 4 Hfte. (B) gr. 8. Düsseldorf 883—86. Liesegang. à Jahrg. n. 3. —

Laterne, die. Funken aus dem deutschen Reichstag. In zwanglosen Hftn. 1. Hft. gr. 8. (24 S.) Leipzig 885. (Klötzsch.) — 20

Laetitia. Sammlung v. vierstimm. gemischten Chören f. deutsche Caecilienvereine, höhere Lehranstalten etc., hrsg. von Waldmann v. der Au. 2. Aufl. 8. (164 S.) Regensburg 886. Seiling. 1. 20; geb. 1. 50

Latomia. Neue Zeitschrift f. Freimaurerei. Hrsg. v. B. Cramer. 6—9. Jahrg. 1883—1886. à 24 Nrn. (B.) gr. 4. Leipzig, C. Hesse. à Jahrg. n. 6. —

Latschka, Adam, Geschichte d. niederösterreichischen Marktes Berchtoldsdorf. Mit Abbildgn. gr. 8. (VI, 343 S.) Wien 884. (Kirsch.) geb. n. 5. 60

Latschenberger, J., kurze Anleitung zur qualitativen chemischen Mineralanalyse. gr. 8. (VII, 99 S.) Freiburg i/Br. 883. Mohr. n. 1. 80; cart. n. 2. —

Lattmann, J., Anmerkungen f. die Präparation u. f. den Unterricht, s.: Cornelii Nepotis liber de excellentibus ducibus exterarum gentium.

— über die Einfügung der induktiven Unterrichtsmethode in den lateinischen Elementarunterricht. Zugleich als Vorrede zu der Nebenausg. d. latein. Elementarbuchs f. Sexta. gr. 8. (24 S.) Göttingen 886. Vandenhoeck & Ruprecht's Verl. n. — 40

— lateinisches Elementarbuch f. Sexta. Nebenausg. zur 5. Aufl. gr. 8. (120 S.) Ebend. 886. n. 1. —; geb. n. 1. 30

— griechische Grammatik, s.: Müller, H. D.

— die Grundsätze f. die Gestaltung der lateinischen Schulgrammatik. 4. (42 S.) Clausthal 885. (Göttingen, Vandenhoeck & Ruprecht's Verl.) n. 1. —

— Grundzüge der deutschen Grammatik, nebst Regeln der Interpunktion, der Orthographie u. e. orthograph. Wörterverzeichnis. 6. Aufl. gr. 8. (VII, 96 S.) Ebend. 886. n. 1. —; geb. n. 1. 30

— griechisches Lesebuch m. Anmerkgn. u. e. Verzeichnis der bei der Lectüre zu beacht. syntakt. Regeln f. Unter-Tertia, nebst Vorübgn. zur Lectüre d. Homer f. Ober-Tertia. 4. umgearb. Aufl. gr. 8. (IV, 108 S.) Ebend. 885. n. 1. 20; geb. n 1. 40

— lateinisches Lesebuch f. Quinta m. erklärenden Noten u. e. Lexikon. 7. Aufl. Mit 2 Karten v. Hellas u. Rom. gr. 8. (94 S.) Ebend. 884. n. 1. —

— lateinisches Uebungsbuch m. Formenlehre u. Satzlehre f. Quinta. 6. verm. Aufl. gr. 8. (128 S.) Ebend. 884. n. 1. 20

— dasselbe f. Quarta. 6. verb. Aufl. gr. 8. (VIII, 80 S) Ebend. 885. n. 1. —; geb. n. 1. 30

— u. H. D. **Müller,** lateinische Formenlehre u. Hauptregeln der Syntax in systematischer Ordnung f. alle Klassen d. Gymnasiums. gr. 8. (IV, 264 S.) Ebend. 884. n. 2. —

— — kurzgefaßte lateinische Grammatik. 5. Aufl. gr. 8. (VIII, 354 S.) Ebend. 884. n. 3. 20

— — griechisches Übungsbuch f. Unter-Tertia. 3. umgearb. Aufl. gr. 8. (IV, 60 S.) Ebend. 885. n. — 80; geb. n. 1. —

Lattner, K., die Anlage u. Errichtung v. Wohnhäusern f. je e. Arbeiterfamilie, s.: Sevin, H.

Latyschev, B., s.: Inscriptiones antiquae orae septentrionalis Ponti Euxini graecae et latinae.

Latzel, Rob., die Myriopoden der österreichisch-ungarischen Monarchie. Mit Bestimmungs-Tabellen aller bisher aufgestellten Myriopoden-Gattgn. u. zahlreichen, die morpholog. Verhältnisse dieser Thiere illustrir. Abbildgn. Hrsg. m. Unterstützg. der hohen kais. Akademie der Wissenschaften in Wien. 2. Hälfte: Die Symphylen, Pauropoden u. Diplopoden, nebst Bemerkgn. üb. exot. u. fossile Myriopoden-Genera u. e. Verzeichnis der gesammten Myriopoden-Literatur. [Mit 16 lith. Taf.] gr. 8. (XII, 413 S.) Wien 884. Hölder. n. 16. — (cplt.: n. 24. —)

Lau, kurzer Abriß der Geschichte d. 2. Hannoverschen Infanterie-Regiments Nr. 77. Nach den Akten u. Kriegstagebüchern f. die Unteroffiziere u. Mannschaften zusammengestellt. Mit 1 (lith.) Bildniß u. 7 (lith. u. phototyp.) Terrainskizzen. gr. 8. (IV, 41 S.) Berlin 883. Mittler & Sohn.) n. 1. 50

Lau, F. W., moderne Zuschnittlehre. Ein nützl. Handbuch f. junge u. alte Schneider. Auf Grund prakt. Erfahrg. f. den Selbstunterricht bearb. u. hrsg. 4. (20 S. m. 52 autogr. Taf.) Cottbus 883. (Dresden, Merkel.) 3. 50

Laube, Gust. C., e. Beitrag zur Kenntniss der Fische d. böhmischen Turon's. [Mit 1 (lith.) Doppeltaf. u. 2 Zinkogr. im Text.] Imp.-4. (14 S.) Wien 885. (Gerold's Sohn.) n. 1. 80

— geologische Excursionen im Thermalgebiet d. nordwestlichen Böhmens, Teplitz, Carlsbad, Eger-Franzensbad, Marienbad. Mit 2 Taf. in Farbendr., geolog. Profile darstellend. 8. (XVI, 170 S.) Leipzig 884. Veit & Co. n. 3. 60; geb. n. 4. 20

Laube's, Heinr., dramatische Werke. Volks-Ausg. 1., 2., 10. u. 11. Bd. 8. Leipzig, Weber. à n. 1. —

1. Die Karlsschüler. Schauspiel in 5 Acten. 3. Aufl. (138 S.) 884.
2. Graf Essex. Trauerspiel in 5 Acten. 4. Aufl. (148 S.) 885.
10. Böse Zungen. Schauspiel in 5 Acten. 2. Aufl. (107 S.) 886.
11. Demetrius. Historisches Trauerspiel in 5 Akten. Mit Benutzg. d. Schiller'schen Fragments bis zur Verwandlg. im 2. Acte. 2. Aufl. (124 S.) 885.

— Franz Grillparzers Lebensgeschichte. Mit dem Portr. d. Dichters in Stahlst. gr. 8. (VIII, 177 S.) Stuttgart 884. Cotta. n. 4. —; geb. n. 5. —

— die kleine Prinzessin. Blond muß sie sein. Novellen. (258 S. m. rad. Portr.) Breslau 883. Schottländer. n. 3. —; geb. n. 4. —

— Ruben. Ein moderner Roman. 8. (III, 230 S.) Leipzig 885. Haessel. n. 3. —; geb. n. 4. —

— der Schatten Wilhelm. Eine geschichtl. Erzählg. 2. Aufl. 8. (288 S.) Ebend. 883. n. 3. —; geb. n. 4. —

Laubenheimer, Aug., Grundzüge der organischen Chemie. 3. u. 4. (Schluss-)Lfg. gr. 8. (X, u. S. 401—874.) Heidelberg 882—84. C. Winter. n. 10. — (cplt: n. 20. —)

Lauber, Ed., praktisches Handbuch d. Zeugdrucks. Unter Mitwirkg. v. J. Bendetson, A. Grabowski, W. Haussmann, B. Masłowski, A. Steinheil u. M. Kohn. Mit Abbildgn. u. Zeugproben. 1—6. Lfg. gr. 8. (1. Bd. 154 S. u. 2. Bd. S. 1—220 m. Steintaf. u. 13 Taf.-Proben.) Zawiercie 883—86. (Leipzig, G. Weigel.) n.n. 22. 50

— dasselbe. 1. Bd. 3. Aufl. gr. 8. (127 S.) Ebend. 886. n. 6. —

Laubfrosch, der Herriedener. Ein lust. Volkskalender u. Wetterprophet f. d. J. 1887. 20. Jahrg. Mit vielen Bildern. 4. (64 S.) Würzburg, Stahel. n. — 30

Laubhütte, die. Israelitisches Familienblatt. Hrsg. v. S. Meyer. 1. u. 2. Jahrg. 1884 u. 1885. à 24 Nrn. gr. 8. (Nr. 1. 40 S.) Regensburg, Bauhof. à Jahrg. n. 6. 40

— dasselbe. 3. Jahrg. 1886. 52 Nrn. (B.) gr. 4. Ebend. n. 8. —

Laubinger, Adf., üb. die schiefe Lage des Grundbesitzes, Handwerks u. Gewerbes gegenüber dem mobilen Capital u. Mittel zu ihrer Aufbesserung. Vortrag. 2. Aufl. gr. 8. (24 S.) Hannover 882. Meyer. n. — 40

— gleiches Recht f. Alle od. die Aufhebg. der ungleichen Besteuerg. d. Grundbesitzes, Handwerks u. Gewerbes dem mobilen Capital gegenüber. Zusammengesetzte Vorträge. gr. 8. (39 S.) Berlin 883. F. Luckhardt. n. — 50

Lauche, W., deutsche Dendrologie. Systematische Uebersicht, Beschreibg., Kulturanweisg. u. Verwendg. der in Deutschland ohne od. m. Decke anhalt. Bäume u. Sträucher. Mit 283 Holzschn. nach Zeichngn. d. Verf. 2. Ausg. gr. 8. (XIII, 727 S.) Berlin 883. Parey. n. 12. —

— 1. Ergänzungsband zu Lucas u. Oberdieck's illustrirtem Handbuch der Obstkunde. Mit 367 Durchschnittszeichnungen. gr. 8. (XVI, 734 S.) Ebend. 883. n. 10. —

— deutsche Pomologie. Chromolith. Abbildg., Beschreibg. u. Kulturanweisg. der empfehlenswerthesten Sorten Aepfel, Birnen, Kirschen, Pflaumen, Apricosen, Pfirsiche u. Weintrauben. Nach den Ermittelgn. d. deutschen Pomologen-Vereins hrsg. Aepfel. 2. Folge. gr. 8. (50 Chromolith. m. 51 Bl. Text.) Ebend. 883. cart. n. 25. —

— dasselbe. Birnen. 2. Folge. gr. 8. (50 Chromolith. m. 51 Bl. Text.) Ebend. 884. n. 25. — (Hauptwerk u. 2. Folge, 2 Bde.: n. 150. —)

Lauck, K., das Vereinigungs-Verfahren der L.-R.-S. 2181 bis 2195. 16. (IV, 60 S.) Lörrach 885. Gutsch. cart. n. — 40

Lauck, K., die Gewährleistung beim Viehhandel nach dem Währschaftsgesetz vom 23. Febr. 1859 u. dem badischen Landrecht, nebst den einschläg. Vorschriften der Prozeß-Ordng. 16. (VI, 71 S.) Lörrach 885. Gutsch. cart. n. — 50

Lauckhard, C. F., 1001 Nacht. Für die Jugend bearb. Nach d. Verf. Tode vollendet u. hrsg. v. Frdr. Hofmann. Mit 70 in den Text gedr. Holzschn. u. 4 Buntdr.-Bildern nach Zeichngn. v. W. Friedrich, E. Ilau, E. Doepler d. J. u. Geo. Urlaub. 6. Aufl. 8. (VIII, 349 S.) Leipzig 886. Abel. cart. n. 3. —

— der erste u. älteste Robinson. Robinson Crusoë d. Älteren Reisen, wunderbare Abenteuer u. Erlebnisse. Begleitet v. e. Geschichte der Robinsonaden, sowie e. Lebensskizze d. Daniel de Foë, Verfasser d. „ältesten Robinson". 8. Aufl., besorgt v. Frz. Otto. Mit 90 Text-Abbildgn., nebst 4 Buntbildern nach Zeichngn. v. F. H. Nicholson u. a. 8. (VIII, 242 S.) Leipzig 883. Spamer. n. 2. 50; cart. n. 3. —

— die Welt in Bildern. Orbis pictus. Bilderbuch zur Anschaug. u. Belehrg. 5. Aufl. Mit üb. 1800 color. (lith.) Abbildgn. 3 Abthlgn. 4. (148, 149 u. 204 S.) Leipzig 883. Abel. cart. à n. 4. 50; in 1 Bd. geb. n. 15. —

Laudate. Katholisches Andachtsbuch zum Gebrauche bei dem öffentlichen Gottesdienste. Hrsg. auf Anordng. d. hochw. Hrn. Bischofs Pancratius v. Augsburg. (Feine Taschen-Ausg.) 12. (580 S. m. Farbentitel u. 1 Stahlst.) Augsburg 886. Schmid's Verl. n. 1. 40; geb. n n. 2. 15; n.n. 2. 30; n.n. 2. 85 u. n.n. 3. 50

Laudien, H., Kinder-Glückwünsche zu Familienfesten [Geburtstag, Weihnachten, Neujahr, Polterabend]. 8. (100 S.) Mülheim 886. Bagel. — 60

— deutsche Polterabende. 1. u. 2. Bdchn. 8. Ebend. 885. à 1. 20

1. Polterabend-Aufführungen, heitere u. ernste Dichtungen, Aufzüge u. Scenen in Kostüm f. e. od. mehrere Personen, lebende Bilder rc. (IV, 138 S.) — 2. Aufführungen, Scenen u. Dichtungen f. silberne u. goldene Hochzeiten, sowie Prologe, lebende Bilder, Vorträge u. Gesänge f. verschiedene Festlichkeiten. (VI, 123 S.)

Lauė, üb. die Einwirkg. d. Gesetzes vom 18. Juli 1884 auf die Statuten der bereits vor jenem Gesetze bestandenen Actiengesellschaften. Gutachten. 8. (36 S.) Berlin 885. (Puttkammer & Mühlbrecht.) n.n 1. 50

Laue, Max, Diktatstoff f. Volks- u. Bürgerschulen. 8. (III, 108 S.) Langensalza 884. Schulbuchh. — 90

— Heimatskunde od. der erste geographische Unterricht. 8. (II, 16 S.) Ebend. 885. n. — 25

— deutsche Sprachlehre in konzentrischen Kreisen f. Volksschulen. Ein Handbuch f. Lehrer u. Wiederholungsbuch f. Schüler. 8. (III, 64 S.) Ebend. 885. — 50

— 270 Stilübungen f. Mittel- u. Oberklassen der Volksschule. 8. (IV, 200 S.) Ebend. 884. 1. 50

— Stilübungen f. Mittel- u. Oberklassen der Volksschule. 2. Aufl. 8. (IV, 240 S.) Ebend. 885. n. 1. 75

Laue, Max, Ferreto v. Vicenza, seine Dichtungen u. sein Geschichtswerk. Ein Beitrag zur Vorgeschichte d. Humanismus. Im Anh.: Die Gesta Florentinorum u. ihre Benutzer. gr. 8. (78 S.) Halle 884. Niemeyer. n. 2. —

Lauer, K. A., Kunigunde v. Wolfenbüttel, s.: Wallner's Thespiskarren.

Lauer, M., Entwickelung u. Gestaltung d. belgischen Volksschulwesens seit 1842. gr. 8. (VII, 194 S.) Gera 885. Th. Hofmann. n. 3. —

— Entwickelung u. Gestaltung d. niederländischen Volksschulwesens seit 1857. gr. 8. (IV, 320 S.) Ebend. 885. n. 4. —

Laufbahnen, die, in der deutschen Kriegs-Marine. Ein Compendium der wesentlichsten auf den Eintritt, u. den Dienst in der Marine bezügl. Vorschriften. Auf Grund der neuen Bestimmgn. vom 24. März 1885 nach amtl. Quellen zusammengestellt. gr. 8: (VIII, 167 S.) Berlin 885. v. Decker. n 2. —

Laufer, E., die Werderschen Weinberge, s.: Abhandlungen zur geologischen Specialkarte v. Preussen u. den Thüringischen Staaten.

Lauffer, Emil, u. Nik. **Wuich**, elementare Schießtheorie. Mit 101 Fig. gr. 8. (196 S.) Wien 884. Seidel & Sohn. n. 4. —

Laufs, Carl, am Hochzeitsmorgen, s.: Theater-Mappe.

— ein Jugendideal. Eine Liebesgeschichte im Style d. 19. Jahrh. 8. (76 S.) Berlin 885. Eckstein Nachf. n. 1 —

Laun, F., Gespensterbuch, s. Apel, A.

Launhardt, Wilh., mathematische Begründung der Volkswirthschaftslehre. Mit 16 Holzschn. gr. 8. (VIII, 216 S.) Leipzig 885. Engelmann. n. 6. —

— Theorie d. Trassirens. 1. Hft. Die kommerzielle Trassirg. 2. Aufl. Mit 19 Holzschn. gr. 8. (IV, 112 S.) Hannover 887. Schmorl & v. Seefeld. n. 3. —

— das Wesen d. Geldes u. die Währungsfrage. gr. 8. (VII, 75 S.) Leipzig 885. Engelmann. n. 1. 60

Launitz, Ed. v. der, Wandtafeln zur Veranschaulichung antiken Lebens u. antiker Kunst. Fortgesetzt v. A. Trendelenburg. Taf. XXIII. XXV—XXVII. Lith. Imp.-Fol. Mit Text. gr. 8. (23 S.) Kassel 884. Fischer. n. 22. — (I—XXIII. XXV—XXVII.: n. 240. 50)

XXIII. Olympia, nach den Resultaten der deutschen Ausgrabgn. dargestellt v. Rich. Bohn. n. 16. —. — XXV. Homer. n. 2. —. — XXVI. Thukydides. n. 2. —. — XXVII. Cicero. n. 2. —

Laurent, das Geheimniß der Schönheitspflege. 8. (25 S.) Leipzig 884. Verlags-Magazin. n. — 60

Laurenti, P., der Monat März, v. der christl. Familie dem heil. Joseph geweiht. Uebers. aus dem Ital. 16. (160 S.) Mainz 883. Kirchheim. — 75

Laurentz, Hugo, Beitrag zum forensisch-chemischen Nachweis d. Hydrochinon u. Arbutin im Thierkörper. Inaugural-Dissertation. gr. 8. (63 S.) Dorpat 886. (Karow.) n. 1. —

Laurin, e. tirolisches Heldenmärchen aus dem Anfange d. 13. Jahrh., hrsg. v. Karl Müllenhoff. 2. Aufl. 8. (III, 76 S.) Berlin 886. Weidmann. n. 1. —

Lausch, Adf., u. Carl Graf **Stubick**, Eisenbahn-Schema f. Oesterreich-Ungarn. 13. Jahrg. gr. 8. (X, 567 S.) Wien 886. (C. Helf's Sort.) n.n. 5. —

Lausch, Ernst, buntes Allerlei. Ein Blüten- u. Aehrenkranz kleiner Geschichten, Betrachtgn. u. Gedichtchen, f. Kinder von 8—14 Jahren. Mit 6 Bildern in Farbendr. 4 (24 S.) Leipzig 883. Oehmigke. cart. — 75

— das Buch der schönsten Kinder- u. Volksmärchen, Sagen u. Schwänke. 16. Aufl. Mit 75 in den Text gedr. Abbildgn. u. 6 Buntdr.-Bildern. Nach Zeichngn. v. L. Bechstein, H. Effenberger, W. Heine rc. gr. 8. (VI, 272 S.) Leipzig 886. Spamer. n. 2. —; cart. n. 2. 50

— heitere Ferientage. Spaziergänge in Flur u. Wald, durch Berg u. Thal. Unterhaltendes u. lehrreiches Lesebüchlein üb. die Natur f. Knaben u. Mädchen. 4. verm. u. verb. Aufl. Mit 75 in den Text gedr. Abbildgn., e. Ton- u. 1 Titelbilde. gr. 8. (VIII, 128 S.) Ebend. 887. n. 1. 50; cart. n. 2. —

— kurze Geschichten f. kleine Leute. Ein Sträußlein anmut. Erzählgn. u. Gedichtchen zur Bildg. d. Verstandes u. Gemütes. Für brave Kinder im Alter von 4 bis 9 Jahren. 7. Aufl. Ausg. f. Knaben. 4. (IV, 64 S. m. 4 Chromolith.) Leipzig 885. Oehmigke. geb. n. 2. 50

— dasselbe. Ausg f. Mädchen. 2. Aufl. 4. (IV, 67 S. m. 4 Chromolith.) Ebend. 884. geb. n. 2. 50

— die vier Jahreszeiten. In Schildergn. aus dem Natur- u. Menschenleben, f. Kinder von 8—14 Jahren. Mit 6 Bildern in Farbendr. 4. (24 S.) Leipzig 883. Oehmigke. cart. — 75

— Ilmenau u. seine Umgebung, s.: Reisebücher, Thüringer.

— die Kinderstube. III. Erstes A-B-C-, Lese- u. Denkbuch f. brave Kinder, die leicht lesen lernen wollen. Ein Führer f. Mütter u. Erzieher beim ersten Unterricht. 4. Aufl. Mit üb. 300 Text-Abbildgn. u. 2 Buntbildern. gr. 8. (VIII, 100 S.) Leipzig 886. Spamer. n. 1. 50; cart. n. 2. —

— die Lutherfeier in der Volksschule. Zum 400jähr. Geburtstage d. Reformators am 10. Novbr. 1883. Mit e. Ansprache v. Rietschel. Ausg. A. Für Lehrer. 8. (24 S.) Wittenberg 883. Herrosé Verl. n. — 25; Ausg. B. f. Schüler. (16 S.) n. — 15

— der kleine Nußknacker. Ein illustr. Rätselbuch in

2 Sammlgn., enth. 1350 Kinder- u. Volksrätsel, Scherzfragen, Rebusse, Spielliedchen, Verschen u. Gebete. Für gute Kinder hrsg. Reich illustriert v. C. Gerths. 8. Bremen 886. Heinsius. cart. à 2. —; in 1 Bd cart. 4. —

1. 10. Aufl. (V, 156 S.) — 2. 4. Aufl. (VI, 160 S.) .

Lausch, Ernst, Sammlung beliebter Kinderspiele im Freien u. im Zimmer, zu Schul- u. Kinder-Festen besonders geeignet, sowie zum Gebrauch im Kindergarten u. zur häusl. Belustigg. 5. Aufl. Stark verm. unter Rücksichtnahme auf die Bestimmgn. d. kgl. preuß. Kultusministeriums. 8. (VIII, 95 S.) Leipzig 884. Oehmigke. n. 1. —

— Schulfeier od. Jugendgottesdienst zum 400jährigen Geburtstage Johannes Bugenhagens [genannt Dr. Pommer] am Johannistage [24. Juni] 1885. 8. (16 S.) Wittenberg 885. Herrosé's Verl. n. — 20

— 134 Spiele im Freien [Bewegungsspiele] f. die Jugend [Knaben u. Mädchen]. Zum Gebrauch auf dem Turnplatze, bei Kinder- u. Volksfesten, Spaziergängen ꝛc. Zur Unterstützg. e. geordneten Körperpflege u. harmon. Erziehg. Auf Grund der Bestimmg. d. königl. preuß. Kultus- u. Unterrichts-Ministeriums vom 27. Octbr. 1882 zusammengestellt, bearb. u. hrsg. 2. Aufl. 8. (XVI, 91 S.) Ebend. 883. cart. n. 1. —

— u. Frz. **Otto**, neues Fabelbuch. Ein goldnes A B C der guten Sitten in ausgewählten Fabeln, Sprüchen u. Sprichwörtern f. die Kinderstube. In 3. gänzlich umgearb. u. verm. Aufl. hrsg. Mit 82 Text-Abbildgn., nach Zeichngn. v. F. Flinzer, Alb. Richter, O. Rostosky u. Fr. Waibler, nebst e. Titelbilde. gr. 8. (XII, 186 S.) Leipzig 884. Spamer. n. 2. — ; cart. n. 2. 50

Lautenbacher, Karl, humoristische Gedichte in altbairischer Mundart, wie solche in verschiedenen Gegenden u. Schichten der Bevölkerg. Ober- u. zunächst Nieder-Bayerns gang u. gebe ist. 12. (VIII, 134 S.) Landshut 883. Attenkofer. cart. n. 1. 20

Lautenhammer, Joh., Lehrbuch der englischen Sprache. Theoretisch-prakt. Lehrgang. 1. Tl.: Aussprache. 2. Aufl. gr. 8. (VII, 156 S.) München 886. Kellerer. n. 1. 50

— stenographisches Lese- u. Uebungsbuch. 3 Tle. 8. (III, 100 autogr. S) Ebend. 885. 86. à n. — 40

Lauter, W., Jubiläums-Büchlein enth. Unterricht u. Gebete zur würd. Feier d. außerordentl. hl. Jubiläums 1886. 16. (32 S.) Biberach 886. Dorn. — 15

Lauter, W. H., u. H. **Ritter**, Façoneisen u. deren praktische Verwendung. Hrsg. v. der Luxemburger Bergwerks- u. Saarbrücker Eisenhütten-Actien-Gesellschaft Burbacher Hütte bei Saarbrücken. 8. (57 S. m. Fig.) Frankfurt a/M. 884. Klimsch' Druckerei. geb. n. 2. —

Lauterburg, Walter, die Eidesdelikte. Historisch-krit. Studie m. besond. Beziehg. auf das Strafrecht der Schweiz. Berner Inauguraldissertation. gr. 8. (196 S) Bern 886. (Schmid, Francke & Co.) n. 3. —

Lautz, Th., Zeichen-Schule, s.: Brenner, G.

— das konstruktive Zeichnen f. Handwerkerfortbildungsschulen. Geometrisches Zeichnen, Projektionslehre, Schattenkonstruktion u. Perspektive. Im Auftrage d. Centralvorstandes d. Gewerbevereins f. Nassau hrsg. Mit 12 lith. Fig.-Taf. gr. 8. (XII, 50 S.) Wiesbaden 883. Limbarth. n. 2. 50; cart. n. 3. 20

Lauw, Louisa, vierzehn Jahre m. Adelina Patti. Erinnerungen. Mit den (Lichtdr.-)Portraits v. Adelina Patti u. Marquis de Caux. 8. (159 S.) Wien 884. Konegen. n. 3. —

Laurmann, Rich., die Diakonisse. Ein Wort zur Ermunterg. f. unsere Töchter im Sinne d. Rufs: „Freiwillige vor!" 2. Aufl. 8. (23 S.) Stuttgart 886. Buchh. der Evangel. Gesellschaft. n. — 8

— Doktor Martin Luther. Ein Lebensbild. 3. Aufl. 8. (64 S. m. Holzschn.-Portr.) Ebend. 883. n. — 20

— die Innere Mission in der Gegenwart. Bericht f. die XXII. Jahres-Versammlg. der Südwestdeutschen Conferenz f. innere Mission zu Worms am 14. Juli 1886. 8. (22 S.) Karlsruhe 886. Evangel. Schriftenverein f. Baden. n. — 20

La Valette St. George, Adph. Frhr. v., de Isopodibus commentatio anatomica. gr. 4. (14 S. m. 2 Steintaf.) Bonn 883. Cohen & Sohn. n. 2. —

Lavater's, J. C., Weisheit auf jeden Tag d. Jahres. Ein christl. Vergißmeinnicht, ausgewählt aus seinen Schriften. Mit Lavater's Bild in Stahlst. Neue Aufl. 32. (192 S.) Reutlingen 884. Kurtz. geb. m. Goldschn. 1. 20

— Worte d. Herzens. 5. Aufl. 12. (IV, 108 S.) Halle 884. Gesenius. geb. n. 1. 50; m. Goldschn. n. 2. —

— s.: National-Bibliothek.

Lavaters, Joh. Kasp., Leben u. Wirken, s.: Muncker, F.

Laveleye, Emil v., die socialen Parteien der Gegenwart. Nach der 2. Aufl. d. Originals u. m. Autoris. d. Verf. unter Mitwirkg. v. K. Th. Eheberg ins Deutsche übertr. v. Reinh. Eheberg. gr. 8. (IV, 397 S.) Tübingen 884. Laupp. n. 4. —

— das Wesen d. Geldes. Uebers. von Otto v. Bar. 2. bill. Aufl. gr. 8. (37 S.) Berlin 883. Walther & Apolant. — 50

— dasselbe, s.: Schriften d. deutschen Vereins f. internationale Doppelwährung.

Laven, Herm., Wiederholungs-Büchlein f. Erstkommunikanten. 12. (IV, 144 S.) Trier 885. Paulinus-Druckerei. n. 1. —

Lavergne-Peguilhen, v., die Verwendbarkeit d. Luftballons in der Kriegführung, s.: Beiheft zum Militär-Wochenblatt.

Laverrenz, C., die Medaillen u. Gedächtniszeichen der deutschen Hochschulen. Ein Beitrag zur Geschichte aller seit dem XIV. Jahrh. in Deutschland errichteten Universitäten. 1. Tl. Mit 8 Ansichten u. 16 Taf. Medaillenabbildgn. (in Lichtdr). gr. 8. (XII, 493 S.) Berlin 885. Laverrenz. n. 20. —

Laverrenz, V., e. Jahr im bunten Rock, s.: Eckstein's humoristische Bibliothek.

— nach Süden. Winter-Kreuzzüge an der Riviera u. in der Schweiz. Landschafts- u. Lebensbilder. 8. (III, 148 S.) Berlin 884. Laverrenz. n. 2. —

— dasselbe. 2. Aufl. 8. (X, 153 S.) Ebend. 886. n. 1. 50

Laves, A., kritische Beiträge zu Xenophons Hellenika. gr. 4. (21 S.) Berlin 884 (Posen, Jolowicz.) n. 1. 20

— geographischer Leitfaden f. die unteren u. mittleren Klassen der Gymnasien u. Realschulen. 5. Aufl. gr. 8. (62 S.) Posen 884. Heine. n. — 60

Lawson, Lizzie, Schlauköpfchen. Alte u. neue Sinnsprüche. Mit Illustr. v. L. L. zum Coloriren u. Reimen, frei übers. aus dem Engl. u. ergänzt v. Helene Binder. 4. (59 S. m. z. Th. color. Illustr.) München 882. Stroefer. geb. n. 3. 50

Lay, Felix, Ornamente südslavischer nationaler Haus- u. Kunst-Industrie. 18—20. Lfg. gr. 4. (à 10 Chromolith. m. 2 Bl. Text.) Agram 883. (Wien, Halm & Goldmann.) à 30. —

Lázár, L. Paul, Geräthe u. Maschinen zur Boden- u. Pflanzenkultur. Ihre Theorie, Construction, Gebrauch u. Prüfg. Mit 165 Textfig. u. 16 Taf. gr. 8. (X, 246 S.) Leipzig 885. Baumgärtner. n. 8. —

Lazarus, M., ideale Fragen, in Reden u. Vorträgen behandelt. 3. Aufl. gr. 8. (VII, 414 S.) Leipzig 885. C. F. Winter. n. 6. —

— das Leben der Seele in Monographien üb. seine Erscheinungen u. Gesetze. 3. Aufl. 1. u. 2. Bd. gr. 8. (XV, 415 u. XVI, 411 S.) Berlin 883. 85. Dümmler's Verl. à n. 7. 50; geb. à n. 9. —

— Rede auf Miß Georgina Archer [† 21. Novbr. 1882], bei ihrer Gedenkfeier in der Singakademie am 17. Decbr. 1882 geh. gr. 8. (24 S.) Ebend. 883. n. — 60

— über die Reize d. Spiels. gr. 8. (XVI, 177 S.) Ebend. 883. n. 3. —; geb. n. 4. —

— Schiller u. die Schillerstiftung. Zwei Reden. gr. 8. (62 S.) Leipzig 885. Friedrich. n. 1. —

Leaf, a, from my hortus siccus. A mother's record; a child's triennium. 8. (158 S. m. 1 Chromolith.) München 883. (Th. Ackermann's Verl.) n. 3. —

Lean, Mrs. F., s.: Marryat, F.

Leander, Rich., Gedichte. 3. Aufl. 8. (VIII, 214 S.) Leipzig 885. Breitkopf & Härtel. n. 4. —; geb. n. 5. —

— kleine Geschichten. Lex.-8. (50 S.) Ebend. 884. geb. n. 2. 40

— Träumereien an französischen Kaminen. Märchen. 16. Aufl. 12. (X, 189 S.) Ebend. 886. geb. n. 3. —

Leben d. Wilhelm Dörrfuß, Kunstmüllers in Ettlingen. Von ihm selbst erzählt. 8. (55 S. m. autotyp. Portr.) Karlsruhe 886. (Reiff.) n. — 50

— das, der gottsel. Anna Katharina Emmerich, Augustinerin im ehemal. Kloster Agnetenberg zu Dülmen in Westfalen. 2. Aufl. Mit e. Bildnisse der sel. Begnadigten. 8. (IV, 124 S.) Dülmen 885. Laumann. n. — 75

— das, u. die Schriften der gottsel. Euphemia v. Baden, Ursulinerin zu Luzern u. zu Freiburg i/B. Hrsg. v. den Ursulinerinnen in Brig. 1. Thl. 2. u. 3. Abth. u. 2. Thl. 8. Luzern, (Räber). 3. 75 (cplt.: 5. 25)

I, 2. 83 Unterweisungen aus der 2. Hälfte ihres ersten Aufenthaltes in Luzern 1695—1699. (164 S.) 885. 1. 50
3. 50 Unterweisungen aus der Zeit ihres ersten Aufenthaltes in Freiburg. 1699—1706. (107 S.) — 90
II. Vorbild, Mittel u. Uebung der Vollkommenheit. (137 S.) 886. 1. 35

— ausgezeichneter Katholiken der drei letzten Jahrhunderte. Hrsg. unter Mitwirkg. anderer v. Alb. Werfer. 6. Bdchn. 8. Regensburg 886. Verlags-Anstalt. 1. —
Lebensgeschichte d. Bartholomäus Holzhauser, Weltpriester. Von Alb. Werfer. 2. Aufl. (208 S.)

— das klösterlich-geistliche, in der Welt oder der 3. Orden der Buße d. hl. seraph. Vaters Franziskus v. Assisi. 4. Aufl., nach der Constitution Papst Leo XIII. Mit 1 Titelbild (in Stahlst.). 16. (IV, 431 S.) Freiburg i/Br. 885. Herder. 1. 50

— des hl. Alphons Maria v. Liguori, Bischof v. St. Agatha der Gothen, Stifter der Congregation d. allerheil. Erlösers u. Lehrer der Kirche. Von e. Priester der genannten Congregation. Aus dem Holl. übertr. v. e. Priester derselben Congregation. 8. (160 S.) Paderborn 886. Bonifacius-Druckerei. — 75

— stilles. Nora. Zwei Novellen v. Frauenhand. Hrsg. v. Jul. Sturm. 3. Aufl. 16. (107 S.) Leipzig 885. Amelang. geb. m. Goldschn. 2. 25

— u. **Ende**, das, d. unglücklichen Königs Ludwig II. v. Bayern. Nach authent. Quellen bearb. Hierzu 2 Vollbilder: Portrait Ludwig II. u. Dr. Gudden. ·7. Aufl. gr. 8. (16 S.) Leipzig 886. Milde. — 15

— u. **Sterben**, e. Missionarstochter aus Borneo [nebst deren Bildnis]. 8. (31 S. m. 3 Holzschn.) Barmen 885. (Wiemann) — 15

— u. **Wirken** d. hochsel. Hrn. Bischofs v. Metz Paul Georg Maria Du Pont des Loges. Gewidmet dem hochwürdigsten Hrn. Bischof Fleck u. seinem hochwürdig. Domkapitel v. der Redaction u. den Mitarbeitern d. Kath. Volksblattes. 8. (30 S.) Metz 886. Gebr. Even. n. — 25

Lebens-Balsam, geistlicher, f. Kinder Gottes, m. 366 Bibeltexten u. geistreichen Liedern auf alle Tage im Jahr, nebst e. Anh. v. Lob- u. Dankopfern, u. Beicht- u. Communion-Gebeten. Hrsg. v. e. Freunde der Versöhng. u. der Wahrheit. 11. Aufl. 12. (VI, 460 S.) Ducherow 884. (Leipzig, Buchh. d. Vereinshauses.) geb. n. 1. 10

Lebensbaum zur Erquickung u. Stärkung gen Zion pilgernder Seelen. 1884. 49. Jahr. 12. (72 S.) Berlin 886. Hauptverein f. christl. Erbauungsschriften. — 30

Lebensbild der ehrwürdigen Mutter Magdalena Sophia Barat, Stifterin der Gesellschaft d. heiligsten Herzens Jesu. Hrsg. v. G. B. Mit e. (Lichtdr.-)Portr. 8. (XV, 228 S.) Münster 887. F. Schöningh. n. 1. 80

Lebensbilder aus der christlichen Gemeinde. 5. Hft. 8. (32 S.) Barmen 882. (Wiemann.) — 15

Lebensgeschichte d. Paulus To Sari auf Java. 8. (24 S.) Barmen 884. Wiemann. — 15

Lebenslauf, kurzer, d. weil. ehrw. Pastor Joh. Friedr. Bünger, treuverdienten Pastors der evang.-luther. Immanuels-Gemeinde zu St. Louis, Mo., nebst bei seinem feierl. Begräbniß geh. Reden. 8. (109 S.) St. Louis, Mo. 882. (Dresden, H. J. Naumann.) n. 1. 80

Lebensregel, christliche. 3 Blätter in feinem Farbendr. nach Zeichngn. v. E. Sch. Fol. Barmen 886. Hyll & Klein. 3. —; einzelne Blätter à n. 1. —

Lebens-Regeln, die, um e. frohes u. glückliches Leben zu führen. 16. (16 S.) Leipzig 886. Vieweg. — 15

Lebens-Versicherungs-Gesellschaften, die deutschen, im Jahre 1884. gr. 8. (40 S. m. 6 Tab.) Berlin 885. (Kühl.) n. 1. 50

Lebrecht, Emil, wie dienst Du? Ein Wort zu Nutz u. Frommen unserer Dienstboten. 2. Aufl. 8. (156 S.) Stuttgart 885. (Buchh. d. Evang. Gesellschaft.) n — 40; cart. n. — 60

Lebl, M., die Champignonszucht. 2. Aufl. Mit Abbildgn. 8. (VIII, 76 S.) Berlin 884. Parey. n. 1. 50

Lebon, A., das Staatsrecht der französischen Republik, s.: Handbuch d. öffentlichen Rechts der Gegenwart.

Lebrecht, d. Mönches Aegydius, verbessertes großes egyptisches Traumbuch. Mit 90 Bildern. 15. Aufl. 8. (122 S.) Leipzig 886. Brauns. — 75

Lebst du, od. bist du todt? Eine Frage an Jedermann. 9. Aufl. 8. (32 S.) Barmen 883. (Wiemann.) — 15

Lecciones, cien, de historia sagrada. Obrita destinada para la enseñanza primaria. 8. (VIII, 152 S. m. Holzschn. Einsiedeln 886. Benziger. cart. n.n. — 50

Lecher, Bruno, das Verfachbuch in Tirol u. Vorarlberg, nebst allen auf dasselbe bezügl. Gesetzen u. Verordngn. gr. 8. (VII, 176 S.) Innsbruck 885. Wagner. n. 2. —

Lechler, Ghard. Vict., Urkundenfunde zur Geschichte d. christlichen Altertums. gr. 8. (III, 30 S) Leipzig 886. Edelmann. n. 2. —

— das apostolische u. nachapostolische Zeitalter m. Rücksicht auf Unterschied u. Einheit in Leben u. Lehre. 3. Aufl. gr. 8. (XVI, 635 S.) Karlsruhe 885. Reuther. n. 9. —

Lechler, Karl, Abschieds-Predigt, geh. am Sonntag Reminiscere 9. März 1884 in der St.-Kilians-Kirche zu Heilbronn. gr. 8. (11 S.) Heilbronn 884. Henninger. n. — 20

— Beicht- u. Abendmahls-Büchlein. 2. Aufl. 8. (IV, 40 S.) Heilbronn 884. Scheurlen's Verl. cart. n. — 20

— das Gotteshaus, im Lichte der deutschen Reformation betrachtet. gr. 8. (III, 92 S.) Heilbronn 883. Henninger. n. 1. 20

— die Taufpatenschaft. Ein Mittel zur geistl. u. sittl. Hebg. der deutschen Jugend. Synodalvortrag. 8. (54 S.) Ebend. 886. n. 1. —

— Worte herzlicher Ermahnung an unsere Söhne u. Töchter. Zum Andenken an die Konfirmation u. erste Abendmahls-Feier. 14. Aufl. 8. (24 S.) Heilbronn 885. Scheurlen's Verl. n. — 20

Lechner, Karl, das große Sterben in Deutschland in den J. 1348 bis 1351 u. die folgenden Pestepidemien bis zum Schlusse d. 14. Jahrh. gr. 8. (XI, 162 S.) Innsbruck 884. Wagner. n. 3. 60

Lecieiewski, Johs., der Lautwerth der Nasalvocale im Altpolnischen. Eine grammat. Studie. Lex.-8. (165 S.) Wien 886. (Gerold's Sohn.) n. 2. 50

Leck, Hans, deutsche Sprachinseln in Wälschtirol. Landschaftliche u. geschichtl. Schildergn. 8. (69 S. m. 1 photolith. Karte.) Stuttgart 884. Aue's Verl. n. 1. —

Lecky, Will. Edward Hartpole, Geschichte Englands im 18. Jahrh. Mit Genehmigg. d. Verf. nach dem engl. Original übers. v. Ferd. Löwe. 4. Bd. gr. 8. (XIV, 597 S.) Leipzig 883. C. F. Winter. n. 7. — (1—4.: n. 31. —)

— Geschichte d. Geistes der Aufklärung in Europa, seiner Entstehung u. seines Einflusses. Volks-Ausg., nach der 4. Aufl. d. engl. Originals übers. v. Imman. Heinr. Ritter. 2. Ausg. gr. 8. (XVI, 456 S.) Heidelberg 885. Weiß' Verl. n. 6. —

Leclerc, L., quatre recits de deux légendes, s.: Bibliothèque française.

Le Conte, J., die Lehre vom Sehen, s.: Bibliothek, internationale wissenschaftliche.

Lecture amusante et instructive. Ein neues Unterhaltungsblatt als Mittel zur gründl. Erlerng. der französ. Sprache. Mit (eingedr. Holzschn.) Illustr. Unter Mitwirkg. namhafter Fachmänner red. v. Henri Simon.

2—4. Bd. à 2 Serien à 6 Hfte. gr. 8. (1. Serie. 1. Hft. 36 S.) Leipzig 883. 84. Literar. Museum. pro Serie n. 2. —; einzelne Hfte. à n. — 35

Ledderhose, G., Beiträge zur Kenntniss d. Verhaltens v. Blutergüssen in serösen Höhlen unter besond. Berücksicht. der peritonealen Bluttransfusion. gr. 8. (108 S.) Strassburg 885. Trübner. n. 2. 50

Ledderhose, Karl Frdr., Erinnerungen an Dr. Aloys Henhöfer. 2. verb. u. verm. Aufl. Mit dem Bildniß u. Facsim. Henhöfer's. 8. (IV, 90 S.) Heidelberg 885. C. Winter. n. 1. 20

— Jesus allein. Predigten, geh. in St. Georgen, Brombach u. Neckarau. gr. 8. (104 S.) Karlsruhe 884. Reiff. n. — 80

— das Leben d. Philipp Melanchthon. Ein Büchlein f. das Volk. 3. Aufl. Hrsg. v. der Wupperthaler Traktat-Gesellschaft. 8. (95 S. m. Portr.) Barmen 883. (Wiemann.) n. — 35

— D. Martin Luther, nach seinem äußern u. innern Leben dargestellt. Zum 400jähr. Geburtstage Luthers. 4. Aufl. 8. (IV, 431 S.) Karlsruhe 883. Reiff. n. 2. —

— Friedrich Myconius, e. Zeuge aus der Reformationszeit. 8. (27 S.) Barmen 882. (Wiemann.) — 12

Ledebur, A., Handbuch der Eisenhüttenkunde. Für den Gebrauch in der Praxis wie zur Benutzg. beim Unterrichte bearb. 3 Abthlgn. Mit zahlreichen Abbildgn. gr. 8. (XVI, 1012 S.) Leipzig 883. 84. Felix. n. 40 —

— Leitfaden f. Eisenhütten-Laboratorien. 2., durch e. Nachtrag verm. Ausg. Mit Holzst. gr. 8. (VI, 88 S.) Braunschweig 885. Vieweg & Sohn. n. 2. —

Ledebur, Karl Frhr. v., König Friedrich I. v. Preußen. Beiträge zur Geschichte seines Hofes, sowie der Wissenschaften, Künste u. Staatsverwaltg. jener Zeit. 2. Bd. gr. 8. (316 S.) Schwerin 884. (Schmale.) n. 7. — (1. u. 2.: n. 17. —)

Leder, Paul, Blitzschäden u. ihre Verhütung. gr. 8. (16 S.) Hirschberg 886. Richter. n. — 50

Lederer, Marie, Erlebnisse e. Krampus. Von ihm selbst erzählt. Eine Weihnachtsgeschichte aus Wien. 4. (III, 26 S.) Wien 885. (Bermann & Altmann.) cart. n. 1. 40

Lederer, Ph., Lehrbuch zum Selbstunterricht im babylonischen Talmud. Ausgewählte Musterstücke aus dem Talmud m. möglichst sinn- u. wortgetreuer Uebersetzg. d. Textes u. d. Commentars Raschi, m. sprachl. u. sachl. Erläutergn. u. m. e. Einleitg. in den babylon. Talmud versehen. Nach Materien geordnet u. bearb. 1. u. 2. Hft. gr. 8. (96 u. 104 S.) Preßburg 881 u. 887. (Frankfurt a/M., Kauffmann.) à n. 2. —

Lederer, S., e. neue Handschrift v. Arrians Anabasis. gr. 8. (18 S.) Wien 885. (Pichler's Wwe. & Sohn.) n. — 40

Leder-Interessent, der. Zeitschrift f. Gerberei, Lederhandel u. Lederindustrie. [Berichte üb. Leder, Häute u. Felle.] Organ d. Verbandes der Leder-Industriellen f. Ost- u. West-Preußen. 2. Jahrg. 1885. 24 Nrn. (2 B.) Fol. Berlin, Streisand. n. 4. —

Lederle, Jos., das Harmonium, seine Geschichte, Construktion, Disposition u. Benützung, nebst 5 lith. Fig.-Taf., f. die HH. Geistlichen u. weltl. Kirchenvorsteher, Kirchenbaubeamten, Concertdirektoren u. Organisten verf. 8. (IV, 68 S.) Freiburg i/Br. 884. (Stuttgart, Metzler's Sort.) n.n. 1. 80

Ledl, Max., Blumen-Märchen f. die heranwachsende Jugend. gr. 8. (90 S.) Dresden 884. Meinhold & Söhne. 1. 50; geb. 3. —

Leeb, H., die Einnahme v. Ulm 1702. Ein Beitrag zur Geschichte d. bayr. Anteils am span. Erbfolgekriege, nach bisher noch unbenutzten Quellen bearb. Mit e. Plan u. e. Entfernungsskizze. 2. Aufl. gr. 8. (VIII, 68 S.) Ulm 885. Wagner. n. 1. —

Leeder, E., Schul-Atlas zur biblischen Geschichte. 6 (lith. u. color.) Karten. Nebst beschreib. Text. 40. Aufl. gr. 8. (24 S.) Essen 884. Bädeker. n. 1. —

Leeder, F., der Schneeberg in Nieder-Oesterreich, s.: Touristen-Führer.

Leese-Löwe, Adb., scharfe u. Platz-Patronen. Heitere u. ernste Bilder aus Kriegs- u. Friedenszeiten. 2. Aufl. gr. 8. (V, 98 S.) Berlin 883. Hoffschläger. n. 1. —

Leese-Löwe, Adb., Pulverdampf. Ernste u. heitere Bilder aus Kriegs- u. Friedenszeiten. gr. 8. (III, 101 S.) Rathenow 886. Babenzien. n. 1. —

Leeuwen jr. u. **M. B. Mendes da Costa,** der Dialekt der homerischen Gedichte. Für Gymnasien u. angeh. Philologen bearb. Aus dem Holl. übers. v. E. Mehler. gr. 8. (VIII, 158 S.) Leipzig 886. Teubner. n. 2. 40

Lefèbvre, Vikt., Abendstunden. Lehrreiche Erzählgn. Vom Unterrichtsministerium d. Königr. Belgien preisgekrönt. Aus dem Fläm. übers. v. Frdr. Knop. 8. (128 S. m. 2 Chromolith.) Düsseldorf 884. A. Bagel. cart. — 75

Lefflad, Mich., Regesten der Bischöfe v. Eichstätt. 3. Abth. 1. Fasc., von 1297—1305. gr. 4. (36 S.) Eichstätt 881. (Stillkrauth.) n. 2. — (I—III, 2.: n. 11. 60)

Lefler, F., Kindheit in den vier Jahreszeiten. Studien. 4 Chromolith. gr. 4. Leipzig 886. (Baldamus Sep.-Cto.) n. 4. —

Lefmann, S., Geschichte d. alten Indiens, s.: Geschichte, allgemeine, in Einzeldarstellungen.

Legendre, Adrien-Marie, Zahlentheorie. Nach der 3. Aufl. ins Deutsche übertr. v. H. Maser. 1. u. 2. Bd. Lex.-8. (XVIII, 442 u. XII, 453 S.) Leipzig 886. Teubner. à n. 11. 60

Legerlotz, G., etymologische Studien: Δοῦλος u. seine nähere u. fernere Verwandtschaft, s.: Festschrift zu der Feier der Einweihung d. neuen Gymnasiums zu Salzwedel.

— aus guten Stunden. Dichtungen u. Nachdichtgn. 2. Aufl. gr. 8. (XVI, 289 S.) Salzwedel 886. Klingenstein. n. 4. —; geb. n. 6. —

— metrische Uebersetzungen, s.: Festschrift zu der Feier der Einweihung d. neuen Gymnasiums zu Salzwedel.

Legler, G. H., Bericht an den hohen Staatsrath d. Kantons Tessin üb. das Project e. Wasserableitung aus dem Luganersee f. Bewässerung der obern Lombardei u. die Senkung der Hochwasserstände d. Sees. Mit 4 (lith.) Plänen u. Beilagen. gr. 8. (88 S.) Glarus 883. (Baeschlin.) cart. n. 6. —

Legorju, Julie, der Handarbeits-Unterricht als Klassen-Unterricht. Leitfaden zur Erteilg. e. gründl. Handarbeits-Unterrichts in Schulen. 4. Aufl. gr. 8. (XIX, 223 S. m. 1 Tab. u. 16 Taf.) Kassel 882. Kay. n. 4. —

— Hülfsbüchlein bei dem Handarbeits-Unterricht. Für die Hand der Schülerinnen der Volksschulen u. der Mittelstufen der höheren Mädchenschulen. 1. u. 2. Hft. 8. Ebend. n. 1. 10

1. (47 S. m. eingedr. Holzschn.) 884. n. — 60. — 2. (42 S. m. eingedr. Holzschn.) 886. n. — 50

Legouvé, bataille des dames, — les contes de la reine de Navarre, — les doigts de fée, s.: Scribe.

Lehen, v., der Weg zum inneren Frieden. Unserer Lieben Frau vom Frieden geweiht. Nach der 4. Aufl. aus dem Franz. übers. v. J. Brucker. 10. Aufl. 8. (XXIV, 448 S.) Freiburg i/Br. 886. Herder. 2. 25; geb. n. 3. —

Lehfeld, Adb., Übungsstoff f. den Unterricht in der Umgangssprache in Taubstummenschulen. Eine Sammlg. v. Aufgaben zur Übg. im mündl. u. schriftl. Gedankenausdruck. Zum Schulgebrauch f. Lehrer u. Schüler bearb. 1. u. 2. Hft. gr. 8. Wien 885. Pichler's Wwe. & Sohn. n. 1. 22

1. Für das 1. u. 2. Schulj. (V, 40 S.) n. — 54. — 2. Für das 3. u. 4. Schulj. (59 S.) n. — 68

Lehfeldt, P., s.: Bau- u. Kunstdenkmäler, die, der Rheinprovinz.

Lehmann, die alte. Plaudereien e. alten Danzigerin. In Danziger Mundart. 16. (22 S.) Danzig 886. Th. Bertling. cart. — 50

Lehmann's allgemeiner Wohnungs-Anzeiger, nebst Handels- u. Gewerbe-Adreßbuch f. die k. k. Reichshaupt- u. Residenzstadt Wien u. Umgebung. 1886. 28. Jahrg. Mit 5 Theater-Plänen u. 2 Plänen der Musikvereins-Säle. Lex.-8. (XLVIII, 1704 S.) Wien 886. (Hölder.) cart. n.n. 18. —

Lehmann's Bäder-Kursbuch, enth. Special-Fahrpläne

v. Berlin nach sämmtl. Bade- u. Kurorten Europas hin u. zurück, m. Angabe der Fahrzeiten, der Aufenthaltspunkte, der Billetpreise, der Schlafwagentouren etc., sowie balneolog. u. lokale Mittheilgn. v. Bädern u. Kurorten. 2. Aufl. 8. (VIII, 162 S.) Berlin 883. F. & P. Lehmann. — 50

Lehmann's grüne Hefte. 1. Bd. 1—7. Hft. gr. 8. Leipzig 886. Fr. Richter. n. 3. 80

1. Vortheile u. Gefahren, welche der Mission aus der Kolonialpolitik erwachsen. Vortrag v. Paul Tschackert. (14 S.) n. — 30
2. Sonntagsfeier u. Sonntagsunfug. Ein sozial- u. handelspolit. Beitrag zur „Enquete" v. Emil Richter. [Verf. der Germanicus-Broschüren] (III, 43 S.) n. — 50
3. Diesseits u. Jenseits im Lichte d. Wortes Gottes. Eine Betrachtg. üb. Ev. Luk. 16, v. 19—31 v. E. Gründler. (28 S.) n. — 50
4. Die Kirche Jesu Christi. Ihr Wesen fordert ihre Selbständigkeit. Ein Mahnruf an die evangel. Kirche v. Rud. Asmis. (107 S.) n. 1. —
5. Die pessimistische Weltanschauung d. Dr. Ed. v. Hartmann als Wegweiser zur christl. Wahrheit. Von Frz. Jacobowski. (52 S.) n. — 60
6. Kirchenverfassung der evangelischen Deutschen. Synodale Gedankenfrucht aus e. Beitrag üb. den anzustreb. gemeinsamen Bußtag. Von Vikt. Böttcher. (23 S.) n. — 30
7. Die Handelsbilanz vom national- u. sozialpolitischen Standpunkte. Von Emil Richter [Verf. der Germanicus-Broschüren]. (56 S.) n. — 60

Lehmann's großes Kochbuch. Ein Handbuch f. Küche u. Hausstand, nebst mehreren Anhängen. Mit Abbildgn. 20. Aufl. gr. 8. (XV, 405 S. m. 1 Tab.) Leipzig 886. Fock. geb. n. 3. 50

Lehmann, aus Vergangenheit u. Gegenwart. Jüdische Erzählgn. 5. Thl. 8. (367 S.) Frankfurt a/M. 884. Kauffmann. n. 2. — (1—5.: n. 10. 50)

Lehmann's Jourfix, s.: Kühling's, A., Album f. Liebhaber-Bühnen.

Lehmann, unbeweglich in Christo! Predigt, zur Erinnerg. an den Liederdichter Joachim Neander geh. [Aus: „Pastoralbibliothek".] gr. 8. (14 S.) Gotha 885. Schloeßmann. n. — 40

Lehmann, Ad., zoologischer Atlas f. den Schulgebrauch in 36 Wandtafeln, enth. Typen aus dem gesammten Thierreiche. Nach Aquarellen v. H. Leutemann, Emil Schmidt u. Frdr. Specht. Suppl. 4 chromolith. Taf. Imp.-Fol. Leipzig 884. (Heitmann.) à Taf. n. 1. 40; m. Leinw.-Rand u. Oesen à n.n. 1. 60

Lehmann, Aug., s.: Dahms, J. F. Lehrgang der Stenotachygraphie.

— Steno-Tachygraphie. Leitfaden, das neue Geschwindschrift-System durch Selbstunterricht, sowie in Lehrkursen u. Schulen, zum Correspondenz u. parlamentarischen Gebrauch in 5 Stunden zu beherrschen. 13. Aufl. gr. 8. (24 S., wovon 8 autogr.) Berlin 886. (Bohne.) n. 1. —

Lehmann, C. A., quaestiones Tullianae. ars I. De Ciceronis epistulis. gr. 8. (VIII, 136 S.)p Prag 886. Tempsky. — Leipzig, Freytag. n. 3. —

Lehmann's Chrph., Blumengarten, frisch ausgejätet, aufgeharkt u. umzäunt v. e. Liebhaber alter deutscher Sprache u. Weisheit. Volks-Ausg. 16. (VIII, 191 S.) Berlin 883. C. Duncker. n. 1. —

Lehmann, E., suche Felsengrund! Zeitpredigt üb. Matth. 7, 24—29. gr. 8. (20 S.) Gotha 882. Schloeßmann. — 30

— laß dein Brot üb. das Wasser fahren! Missionsfest-Predigt. gr. 8. (18 S.) Ebend. 882. — 30

— die Mission, die Trösterin der Heidenwelt. Predigt üb. 2. Corinther 1, 3, 4. geh. am Missionsfeste zu Dresden den 10. Sept. 1884. gr. 8. (15 S.) Dresden 884. (Leipzig, Buchh. d. Vereinshauses.) n. — 20

— der Pastor u. die Adiaphora. Leitende Grundsätze f. die Behandlg. der Mitteldinge. gr. 8. (36 S.) Gotha 883. Schloeßmann. n. — 60

— Siehe, wir leben! Pastoralkonferenz-Predigt, üb. 2. Kor. 6, 9 geh. gr. 8. (18 S.) Ebend. 884. — 30

Lehmann, E. G., gesammelte Vorträge üb. innere Mission u. sociale Fragen, geh. im ev.-luth. Vereinshause zu Leipzig. (In 20 Lfgn.) 1. Lfg. 8. (48 S.) Leipzig 883. Hinrichs' Verl. n. — 50

— die Werke der Liebe. Vorträge üb. das Arbeitsgebiet der inneren Mission in der Gegenwart. 2. Aufl. gr. 8. (VIII, 380 S.) Ebend. 883. n. 4. 50; geb. n. 5. 50

Lehmann, Emil, aus alten Acten. Bilder aus der Entstehungsgeschichte der Israelit. Religionsgemeinde zu Dresden. gr. 8. (XVI, 77 S.) Dresden 886. Tittmann. n. 1. —

— die Juden jetzt u. einst. Ein Beitrag zur Lösg. der „Judenfrage". 8. (37 S.) Dresden 886. Pierson. n. — 15

— der polnische Resident Berend Lehmann, der Stammvater der israelitischen Religionsgemeinde zu Dresden. Von seinem Ur-Ur-Urenkel. gr. 8. (75 S.) Ebend. 885. 1. 50

Lehmann, F. W. O., Bilder v. den deutschen Nordseeküsten u. aus dem westlichen Tiefland, s.: Land u. Volk, unser deutsches.

Lehmann, F. W. Paul, Herder in seiner Bedeutung f. die Geographie. gr. 4. (18 S.) Berlin 883. Gaertner. n. 1. —

— die Südkarpathen zwischen Retjezat u. Königstein. Hierzu 1 (lith.) Karte. gr. 8. (64 S.) Berlin 885. D. Reimer. n. 1. 50

Lehmann, F. X., Einführung in die Mollusken-Fauna d. Grossherzogt. Baden. 8. (IV, 143 S. m. 45 eingedr. Fig.) Karlsruhe 884. Braun. n. 2. 80

— die Litteratur f. vaterländische Naturkunde im Grossherzogt. Baden. 8. (44 S.) Ebend. 886. n. 1. —

Lehmann, Frz., üb. die Einwirkung v. Salpetersäure auf Diäthyl—m—amidobenzoësäure. gr. 8. (37 S.) Göttingen 884. (Vandenhoeck & Ruprecht.) n. — 80

Lehmann, Frdr., systematische Bearbeitung der Pyrenomycetengattung Lophiostoma [Fr.] Ces. & DNtrs., m. Berücksicht. der verwandten Gattgn. Glyphium, [N. i. c.], Lophium, Fr., u. Mytilinidion, Duby. Mit 6 Taf. [Aus: „Nova Acta d. ks. Leop.-Carol. deutschen Akad. d. Naturforscher".] gr. 4. (108 S.) Halle 886. (Leipzig, Engelmann.) n. 8. —

Lehmann, Gust., die Schutzlosigkeit der immateriellen Lebensgüter beim Schadenersatz. gr. 8. (45 S.) Dresden 884. v. Zahn & Jaensch. n. 1. —

Lehmann, Hans, Brünne u. Helm im angelsächsischen Beowulfliede. Ein Beitrag zur germanischen Alterthumskunde. gr. 8. (31 S. m. 2 autogr. Taf.) Leipzig 885. Lorentz. n. 2. 50

Lehmann, Hans, Lebens-Weisheit u. Wahrheit. In den Worten der Denker u. Dichter gesammelt. 16. (IV, 152 S.) Leipzig 886. Strübig. n. 1. 50; geb. n. 2. —

Lehmann, Heimbert, der Bedeutungswandel im Französischen gr. 8. (VII, 130 S.) Erlangen 884. Deichert. n. 2. —

Lehmann, Heinr. Otto, Lehrbuch d. deutschen Wechselrechts. Mit Berücksicht. d. österreich. u. d. Schweizer Rechts. Mit e. Tabelle: Schematische Uebersicht der Wechseltheorien. gr. 8. (XII, 602 S.) Stuttgart 886. Enke. n. 9. —; geb. n. 10. —

Lehmann, J., Untersuchungen üb. die Entstehung der altkrystallinischen Schiefergesteine m. besond. Bezugnahme auf das sächsische Granulitgebirge, Erzgebirge, Fichtelgebirge u. bairisch-böhmische Grenzgebirge. Mit 5 lith. Taf. u. e. Atlas (28 Taf. m. 159 photogr. Abbildgn.). gr. 4. (XII, 278 S.) Bonn 884. (Hochgürtel.) Subscr.-Pr. n.n. 60. —; Ladenpr. n.n. 75. —

Lehmann, J. G., Grundzüge zur methodischen Behandlung d. Gesangunterrichtes in der Volksschule. Eine Handreichg. f. Seminaristen u. Lehrer. 4. Aufl. gr. 8. (40 S.) Langensalza 884. Beyer & Söhne. n. — 50

Lehmann, Ign., u. Ernst **Lehmann,** Elementarbuch der französischen Sprache nach der Anschauungs-Methode u. nach e. ganz neuen Plane, m. (eingedr.) Bildern in 3 Stufen bearb. 1. Stufe. 2. Aufl. gr. 8. (VIII, 180 S.) Mannheim 884. Bensheimer's Verl. n. 2. —

— — Lehr- u. Lesebuch der französischen Sprache nach der Anschauungs-Methode u nach e. ganz neuen Plane m. Bildern, in 6 Stufen bearb. 1. Stufe u. 2. Stufe,

1. Abtlg. gr. 8. Mannheim 886. Bensheimer's Verl. n. 5. 75; Einbd. n.n. — 70

I. 12. Aufl. (XVI, 203 S.) n. 2. 75; Einbd. n.n. — 30
II. 1. Die Anschauung im Bilde. 3. Aufl. (XII, 295 S.) n. 3. —; Einbd. n.n. — 40

Lehmann, Jos., deutsche Schulgrammatik. Für Lehrer- u. Lehrerinnenbildungsanstalten u. zum Selbstunterrichte. 5. Aufl. gr. 8. (XIV, 274 S.) Prag 883. Dominicus. n. 1. 80; geb. n. 2. 50

Lehmann, Jul., e. Fall v. Stauungspapille bei Gehirntumor m. Sectionsbefund, nebst Bemerkgn. üb. die Entstehg. der Stauungspapille. gr. 8. (36 S.) Strassburg 886. (Wiesbaden, Bergmann.) n.n. 1. 25

Lehmann, Karl, Lehrer-Sängerhalle. Männer-Chöre f. Lehrer u. Lehrerbildungs-Anstalten. 8. (VIII, 268 S.) München 884. Exped. d. k. Zentral-Schulbücher-Verlages. geb. n.n. 2. 50

Lehmann, Karl, der Königsfriede der Nordgermanen. gr. 8. (VIII, 286 S.) Berlin 886. Guttentag. n. 8 —

— u. Hans **Schnorr v. Carolsfeld**, die Njálssage insbesondere in ihren juristischen Bestandtheilen. Ein krit. Beitrag zur altnord. Rechts- u. Literaturgeschichte. gr. 8. (VII, 234 S.) Berlin 883. R. L. Prager. n. 6. —

Lehmann, M., Preussen u. die katholische Kirche seit 1640, s.: Publicationen aus den k. preussischen Staatsarchiven.

Lehmann, M., vom Bettelknaben zum Edelmann. Eine Erzählg. aus dem Elsaß. Für die reifere Jugend u. das Volk. Mit 1 Lichtdr.-Bild. 8. (168 S.) Straubing 886. Volks- u. Jugendschriften-Verlag. cart. 1. 20

— Elvira. Eine Erzählg. aus der Zeit der Vertreibg. der Mauren aus Spanien. Für die reifere Jugend u. das Volk. Mit 1 Lichtdr.-Bild. 8. (176 S.) Ebend. 886. cart. 1. 20

— der Kohlenbauer. Eine Erzählg. aus dem schwäb. Bauernleben. Mit e. Titelbilde. 8. (212 S.) Regensburg 883. Verlags-Anstalt. 1. 80

— der Korsar od. Gottes Wege sind wunderbar. Eine Erzählg. f. die reifere Jugend u. das Volk. 2., verb. Aufl. Mit e. kolor. Titelkpfr. 8. (174 S.) Straubing 886. Volks- u. Jugendschriften-Verlag. cart. 1. 20

— Osman u. Miriam. Eine Erzählg. aus den kaukas. Bergen. Für die reifere Jugend u. das Volk. Mit 1 Lichtdr.-Bild. 8. (166 S.) Ebend. 886. cart. 1. 20

— in der Sennhütte. Lehrreiche u. unterhalt. Erzählgn. f. die Jugend. Mit e. (autotyp.) Titelbilde. 8. (157 S.) Regensburg 884. Verlags-Anstalt. 1. —

— versöhnt. Eine Erzählung aus den steierischen Bergen. Der reiferen Jugend u. dem Volke zur Belehrg. u. Unterhaltg. dargeboten. Mit 1 Stahlst. 8. (163 S.) Straubing 886. Volks- u. Jugendschriften-Verlag. cart. 1. 20

Lehmann, Max, Scharnhorst. 1. Thl. Bis zum Tilsiter Frieden. Mit 1 Bildnisse u. 3 Karten. gr. 8. (XVI, 543 S.) Leipzig 886. Hirzel. n. 10. —

Lehmann, O., der Neger Rache. Eine Erzählg. f. Alt u. Jung. 8. (64 S.) Hamburg 884. Kramer. — 25

— die schönsten Sagen d. Rheins, s.: Bibliothek interessanter Erzählungen.

Lehmann, O., physikalische Technik, speciell Anleitung zur Selbstanfertigung physikalischer Apparate. Mit 882 Holzschn. im Text u. 17 Taf. gr. 8. (XII, 419 S.) Leipzig 885. Engelmann. n. 8. —

Lehmann, P., die Erde u. der Mond, s.: Wissen, das, der Gegenwart.

— die veränderlichen Tafeln d. astronomischen u. chronologischen Theiles d. königl. preussischen Normalkalenders, s.: Foerster, W.

— Tafeln zur Berechnung der Mondphasen u. der Sonnen-Finsternisse. Hrsg. vom königl. preuss. statist. Bureau. gr. 8. (78 S.) Berlin 882. Verlag d. k. statist. Bureau. n. 3. —

Lehmann, Rich.', Vorlesungen üb. Hülfsmittel u. Methode d. geographischen Unterrichts. 1—3. Hft. gr. 8. (192 S.) Halle 885. 86. Tausch & Grosse. à n. 1. —

Lehmann-Filhés, Rud., die Bestimmung v. Meteorhaufen, nebst verwandten Aufgaben. Hrsg. m. Unterstützg. der königl. preuss. Akademie der Wissenschaften. Mit 1 (lith.) Taf. gr. 4. (63 S.) Berlin 883. G. Reimer. cart. n. 5. —

Lehmkuhl, Augustin, compendium theologiae moralis. gr. 8. (XXIV, 602 S.) Freiburg i/Br. 886. Herder. n. 7. —

— theologia moralis. 2 voll. Nova ed. ab auctore recognita. gr. 8. Ebend. 885. 86. à n. 9. —; geb. à n. 11. 40

1. Continens theologiam moralem generalem et ex speciali theologia morali tractatus de virtutibus et officiis vitae christianae. Ed. II. (XIX, 791 S.)
2. Continens theologiae moralis specialis partem II. seu tractatus de subsidiis vitae christianae cum duplici appendice. Ed. III. (XVI, 856 S.)

— dasselbe. Appendix ad I. et II. editionem, exhibens additiones et mutationes in II. et III. ed. factas. gr. 8. (16 S.) Ebend. 886. n. — 25

Lehner, F. A. v., die Marienverehrung in den ersten Jahrhunderten. Mit 8 Doppeltaf. in Steindr. 2. Aufl. Lex.-8. (XXV, 343 S.) Stuttgart 886. Cotta. n 6. —

— Verzeichniss der Gemälde d. fürstl. Hohenzollern'schen Museums zu Sigmaringen. 2. Aufl. gr. 8. (83 S.) Sigmaringen 883. (Tappen.) n. — 90

Lehner, Sigm., die Imitationen. Eine Anleitg. zur Nachahmg. v. Natur- u. Kunstproducten. Mit 10 Abbildgn. 8. (IV, 251 S.) Wien 883. Hartleben. 3. 25

— die Kitte u. Klebemittel. Ausführliche Anleitg. zur Darstellg. aller Arten v. Kitten u. Klebemitteln f. Glas, Porzellan, Metalle, Leder, Eisen, Stein, Holz, Wasserleitungs- u. Dampfröhren, sowie der Oel-, Harz-, Kautschuk-, Guttapercha, Caseïn-, Leim-, Wasserglas-, Glycerin-, Kalk-, Gyps-, Eisen-, Zink-Kitte, d. Marine-Leims, der Zahnkitte, Zeiodeliths u. der zu speciellen Zwecken dien. Kitte u. Klebemittel. 3. Aufl. 8. (X, 136 S.) Ebend. 887. n. 1. 80

— die Tinten-Fabrikation u. die Herstellung der Hektographen u. Hektographirtinten; die Fabrikation der Tusche, der Tintenstifte, der Stempeldruckfarben, sowie d. Waschblaues. 3. Aufl. Mit erläut. Abbildgn. 8. (VIII, 253 S.) Ebend. 885. n. 3. —

Lehnerdt, Max., de locis Plutarchi ad artem spectantibus. gr. 8. (46 S.) Königsberg 883. (Gräfe & Unzer.) n. 1. —

Lehnert, B., kritische Beleuchtung d. Reit- u. Pferdedressur-Systems d. E. Frhrn. v. Troschke, früheren Direktors der preuß. Militär-Reit-Schule zu Hannover, in der Anwendg. auf die Kampagne-Reiterei. 1. Thl. [Reit-System.] gr. 8. (VIII, 64 S.) Rastatt 883. (Wiesensteig, Schmid.) 1. 50

Lehnert, Ernst, landwirtschaftliche Taxations-Lehre gr. 8. (VIII, 240 S.) Stuttgart 885. Ulmer. n. 3. —

— der Wechsel. Fragen, wie sie im tägl. Geschäftsverkehr an Jeden gestellt werden, sammt den dazu gehör. Antworten. 2. Aufl. gr. 8. (IV, 72 S.) Freising 885. (Wölfle.) n. 1. —

Lehnert, Jos. Ritter v., Beiträge zur Geschichte der k. k. Flagge. Vortrag. Mit 3 Taf. gr. 8. (23 S.) Wien 886. (Gerold & Co.) n. 1. 20

— eine Weltumsegelung, s.: Hölder's geographische Jugend- u. Volks-Bibliothek.

Lehnhardt, Erich, die antisemitische Bewegung in Deutschland, besonders in Berlin, nach Voraussetzgn., Wesen, Berechtigg. u. Folgen dargelegt. Ein Beitrag zur Lösg. der Judenfrage. gr. 8. (104 S.) Zürich 884. Verlags-Magazin. n. 1. 80

Lehnsmann, E. H., die Kunst u. der Sozialismus, s.: Zeitfragen, soziale.

Lehr, G., die hydroelektrischen Bäder, ihre physiolog. u. therapeut. Wirkg. Nach eigenen Beobachtgn. dargestellt. Mit 21 Holzschn. gr. 8. (VIII, 102 S.) Wiesbaden 885. Bergmann. n. 2. 70

Lehr, Jul., Beiträge zur Statistik der Preise, insbesondere d. Geldes u. d. Holzes. Mit 16 graph. Darstellgn. gr. 8. (132 S.) Frankfurt a/M. 885. Sauerländer. n. 2. 50

— die deutschen Holzzölle u. deren Erhöhung. gr. 8. (IV, 106 S.) Ebend. 883. n. 2. —

Lehranstalten, die land- u. forstwirthschaftlichen, Oesterreichs nach dem Stande zu Ende März 1882. Veröffentlicht vom k. k. Ackerbau-Ministerium. gr. 4. (11 S.) Wien 882. (Hof- u. Staatsdruckerei.) n. — 40

— dasselbe nach dem Stande zu Ende März 1883. gr. 8. (15 S.) Wien 883. Hölder. n. — 40

— dasselbe nach dem Stande zu Ende März 1884. gr. 8. (19 S.) Ebend. 885. n. — 40

— dasselbe nach dem Stande zu Ende März 1885. gr. 8. (19 S.) Ebend. 885. n. — 40

Lehrbuch der allgemeinen Geschichte f. d. k. k. Militär-Realschulen u. k. k. Cadeten-Schulen. Verf. im Auftrage d. k. k. Reichs-Kriegs-Ministeriums. 3. Thl. 1. u. 2. Abth. Geschichte der Neuzeit. Mit 3 Karten u. 14 Porträts. gr. 8. (IV, 193 u. VIII, 237 S.) Wien 883. 85. Seidel & Sohn. geb. à n. 2. 40

— der katholischen Religion zunächst f. die Gymnasien in Bayern. gr. 8. (XII, 399 S.) München 886. Expcd. d. kgl. Zentral-Schulbücher-Verl. n. 2. 50; geb. n. 2. 90

Lehr- u. Lesebuch, f. Schüler an gewerblichen Vorbereitungs- u. Fortbildungsschulen. Hrsg. im Auftrage der Gewerbeschullehrer-Versammlg. in Wien v. e. hierzu gewählten Comité. 7. [Ster.-] Aufl. Mit Abbildgn. gr. 8. (206 S.) Wien 884. Graeser. cart. n. — 80

Lehrbücher der Modenwelt. Hrsg. v. Frieda Lipperheide. [Die Anfertigung der Damen-Garderobe. Die Anfertigung der Kinder-Garderobe. Die Anfertigung der Leibwäsche f. Damen. Die Anfertigung der Leibwäsche f. Herren. Die Anfertigung der Leibwäsche f. Kinder. Die Anfertigung der Bett- u. Tischwäsche. Die Wasch- u. Plättkunst.] 1—24. Lfg. hoch 4. (à 2 Bog. m. Illustr.) Berlin 885. 86. Lipperheide. à — 60

— des deutschen Rechts. In Verbindg. m. mehreren Gelehrten hrsg. v. Max Seidel. 1. Bd. gr. 8. Nördlingen 887. Beck. n. 10. —; geb. n.n. 12. —

Lehrbuch d. deutschen Civilprozessrechts v. Jul. Wilh. Planck. 1. Bd. Allgemeiner Thl. (X, 547 S.)

Lehr- u. Gebetbüchlein f. fromme Kinder. Zunächst f. die ersten Schuljahre m. Einschluß der ersten heil. Beicht. Hrsg. v. e. Priester der Erzdiöcese Salzburg. Mit e. Titelbild. 32. (VIII, 196 S.) Freiburg i/Br. 885. Herder. n. — 30; geb. n.n. — 40 u. n.n. — 45

Lehre der zwölf Apostel, nach der Ausgabe d. Metropoliten Philotheos Bryennios m. Beifügg. d. Urtextes, nebst Einleitg. u. Noten ins Deutsche übertr. v. Aug. Wünsche. 3. Abdr. gr. 8. (34 S.) Leipzig 884. O. Schulze. n. 1. —

— die, der Bearbeitung sämmtlicher Herren-Kleidungsstücke. Ein techn. Hülfsbuch f. Prinzipale, Gehülfen u. Lehrlinge zur allseit. Orientirg. 3. bedeutend verm. Aufl. m. planotyp. Abbildgn. u. e. Anh. üb. die Fleckenreinigungskunst in Kleiderzeugen aller Art, sowie üb. die Anproben u. Abändergn. der Kleidungsstücke. 8. (107 S.) Dresden 886. Exped. der Europ. Modenzeitg. n. — 50

— die, vom Kreuze. Aus dem Franz. übers. 5. Aufl. Mit 12 Stahlst. 16. (32 S.) Freiburg i/Br. 886. Herder. — 75; geb. n. — 90, n. 1. — u. n. 1. 50

— die, vom Kreuze Christi. Hrsg. v. e. Verein christl. Männer. Mit 10 Stahlst. 10. Aufl. 16. (42 S.) Reutlingen 886. Fleischhauer & Spohn. geb. m. Goldschn. n. 1. 20

— die, v. den Testamenten nach badischen Rechten, Gesetzen u. Verordnungen zunächst f. Bürger, u. solche Staats- u. Gemeinde-Beamten, welche nicht Juristen sind. Mit Mustern zur Benützg. bei Errichtg. v. eigenhänd., geheimen u. öffentl. Testamenten bearb. v. e. Fachmanne. 8. (48 S.) Heidelberg 884. Bangel & Schmitt. n. — 60

Lehre u. Wehre. Theologisches u. kirchlich-zeitgeschichtl. Monatsblatt. Hrsg. v. der deutschen ev.-luth. Synode v. Missouri, Ohio u. a. St. Red. vom Lehrer-Collegium d. Seminars zu St. Louis. 29—31. Jahrg. 1883—1885. à 12 Hfte. (2 B.) gr. 8. St. Louis, Mo. (Dresden, H. J. Naumann.) à Jahrg. n. 10. —

— — dasselbe. 32. Jahrg. 1886. 12 Hfte. (2 B.) gr. 8. Ebend. n. 7. —

— — dasselbe, s.: Register.

Lehrer-Bibliothek, deutsche. Zeitschrift f. Erleichterg. der Amtsarbeit u. beruf. Fortbildg. der Lehrer. Unter Mitwirkg. namhafter Schulmänner. 1. Jahrg. 1884. 12 Hfte. 12. (1. Hft. 21 S.) Rathenow, (Haase). à Hft. n. — 60

Lehrerbote, der. Organ d. Vereines der Lehrer u. Schulfreunde in Znaim. Red.: Frz. Böhm. 15. Jahrg. 1884. 24 Nrn. (à 1—$1^1/_2$ B.) gr. 4. Znaim 884. (Fournier & Haberler.) 4. —

— dasselbe. 17. Jahrg. 1886. 24 Nrn. ($1^1/_2$ B.) gr. 4. Ebend. n. 4. 50

Lehrerin, die, in Schule u. Haus. Centralorgan f. die Interessen der Lehrerinnen u. Erzieherinnen im In- u. Auslande. Zugleich Organ der „Allgemeinen deutschen Krankenunterstützungskasse der Lehrerinnen u. Erzieherinnen". Unter Mitwirkg. v. Frl. H. Adelmann, Frau Bach, Const. Bernecker etc. hrsg. v. Marie Loeper-Housselle. 1—3. Jahrg. Oktbr. 1884—Septbr. 1887. à 24 Hfte. (2 B.) gr. 8. Gera, Th. Hofmann. à Jahrg. n. 5. —

Lehrerinnen-Kalender, deutscher, f. d. J. 1887. Hrsg. v. F. Rommel. Mit dem Portr. v. Marie Loeper-Housselle. 16. (175 S.) Gera, Th. Hofmann. geb. n. 1. —

Lehrerkalender, allgemeiner deutscher, zum Gebrauch f. mehrere Jahre. Von A. Hentschel u. K. Linke. 8. Ausg. 16. (217 S.) Leipzig, Peter. geb. n. 1. —

— deutscher, f. d. J. 1886. 16. (216 S.) Langensalza, Beyer & Söhne. geb. 1. 20

— neuer deutscher, f. d. J. 1886 u. das 1. Quartal 1887. Hrsg. v. Heinr. Heskamp. 8. Jahrg. 16. (246 S.) Aachen, Barth. geb. n. 1. —; f. die Abonnenten der Rhein.-westfäl. Schulzeitg. n. — 80

— hessischer, auf d. J. 1886. 4. Jahrg. Mit Bild v. Ernst Ludwig, Landgrafen v. Hessen. 2 Thle. gr. 16. (XVIII, 256 u. 21 S.) Gießen, Roth. geb. u. geh. n. 1. 20

— hessischer, f. 1886. 16. (86 S.) Kassel, Baier & Co. geb. n. 1. —

— katholischer, auf d. J. 1887, m. Erweiterg. auf die Schuljahre 1885/86 u. 1886/87. Mit dem Portr. d. Lehrerfreundes Ant. Schmid. 8. Jahrg. gr. 16. (VIII, 176 S.) Donauwörth, Auer. geb. n.n. 1. —

— des deutschen Landes-Lehrervereins in Böhmen f. d. Schulj. 1886—87. 5. Jahrg. Im Auftrage d. Central-Ausschusses red. v. M. Mautner. Ausg. f. Bürgerschulen. 16. (218 S.) Reichenberg, (Fritsche). geb. n. 1. 70

— dasselbe. Ausg. f. Volksschulen. 16. (216 S.) Ebend. geb. n. 1. 70

— neuer, f. 1887. Hrsg. v. einigen Lehrern. 16. (215 S.) Hildburghausen, Gadow & Sohn. geb. n. — 80

— schweizerischer, auf d. J. 1886. 14. Jahrg. Hrsg. v. Ant. Phil. Largiadèr. 16. (206 S.) Frauenfeld, Huber. geb. n. 1. 60

— u. **Schematismus** d. sämmtlichen Lehrpersonales der Volksschulen in Kärnten. Schulj. 1886. Hrsg. v. Chrn. Kreuzer. 16. (157 S.) Klagenfurt, (v. Kleinmayr). geb. n. 2. 70

Lehrer-Prüfungs- u. Informations-Arbeiten unter Benutzung der besten pädagogischen Lehrbücher. In zwanglosen Heften. 1—10. Hft. gr. 8. Minden 884—86. Hufeland. n. 7. 30; als 1. Bd. geb. n. 8. 20

1. Nach welchen Grundsätzen ist der Unterricht in der Muttersprache zu erteilen, daß er sowohl die Verstandsthätigkeit d. Schülers wecke u. fördere, als auch auf die Gemütsbildung desselben heilsamen Einfluß ausübe? Bearb. v. Rud. Matz. (48 S.) n. — 80
2. Ueber die Spiele der Kinder. Welche Bewegungsspiele im Freien sind leicht ausführbar u. den Kindern interessant? Bearb. v. Rud. Matz. (36 S.) n. — 60
3. Ueber die Behandlung d. Kirchenliedes in der Mittelschule. Bearb. v. B. Wehmeier. (48 S.) n. — 80
4. 1. Der Wandel d. Lehrers in seiner Bedeutung f. die Verwaltung d. Schulamtes v. Gitschmann. 2. Die Schule hat die Aufgabe, auch die

Denkart u. Gesinnung der Jugend zu bilden v. H. Schwochow. (46 S.) n. — 80

5. Die sittliche Bedeutung d. naturgeschichtlichen Unterrichts f. die heranwachsende Jugend v. G. Bergemann. (25 S.) Die Phantasie. Ihr Wesen, ihre Wichtigkeit u. ihre Ausbildg. in der Volksschule v. Ewald Otto. (S. 26—39.) n. — 60

6. Analyse d. Gedankenganges in Pestalozzis: „Abendstunde e. Einsiedlers", bearb. v. Th. Focken. Mit zeitgemäß mustergült. Abdr. der „Abendstunde" selbst. (56 S.) n. — 80

7. Begriff u. Wesen der Apperception u. ihre Wichtigkeit f. den unterrichtenden Lehrer, bearb. v. Th. Focken. (51 S.) n. — 80

8. Der Geschichtsunterricht im Dienste der Erziehung. Nach den Grundsätzen der Herbart'schen Schule dargestellt v. C. Ziegler. (42 S.) n. — 60

9. Das deutsche Märchen u. seine Bedeutung f. den Unterricht. Nach den Grundsätzen der Herbart'schen Schule dargestellt v. Odo Twiehausen. (31 S.) n. — 60

10. Rousseaus Pädagogik u. die Nachwirkungen derselben bis auf die Neuzeit. Dargestellt v. Odo Twiehausen. (66 S.) n. — 90

Lehrer-Zeitung, bayerische. Eigentum d. bayer. Volksschullehrer-Vereins. Hrsg.: Frdr. Wilh. Pfeiffer. 11. u. 12. Jahrg. 1883 u. 1884. à 52 Nrn. (à 1—1½ B.) gr. 4. Fürth, (Kühl). à Jahrg. n. 5. —

— allgemeine deutsche. Zugleich Organ der Allg. deutschen Lehrerversammlgn. u. d. deutschen Lehrer-Pensionsverbandes. Red.: Mor. Kleinert. 35—38. Jahrg. 1883—1886. à 52 Nrn. (à 1—1½ B.) Mit Beilage: Anzeiger f. die neueste pädagog. Litteratur. Hrsg. v. H. E. Stötzner. 12—15. Jahrg. 1883—1886. à 12 Nrn. (½ B.) gr. 4. Leipzig, Klinkhardt. à Jahrg. n. 8. —

— katholische. Central-Organ f. das Königr. Preußen. Hrsg. v. R. Schneeweiß unter Mitwirkg. prakt. Schulmänner. 1. Jahrg. 1886. 104 Nrn. (à 1—1½ B.) gr. 4. Breslau, (Zimmer). n. 6. 60

— pfälzische. Organ d. pfälz. Kreislehrervereins. Red.: D. Börtzler. Jahrg. 1885. 52 Nrn. (¾ B.) gr. 4. Kaiserslautern, (Tascher). n. 2. 50

— schweizerische. Organ d. schweizer. Lehrervereins. 28—30. Jahrg. 1883—1885. à 52 Nrn. (B.) gr. 4. Frauenfeld, Huber. à Jahrg. n. 5. 20

— für Westfalen u. die Rheinprovinz. Red.: Gust. Bruns. 1. Jahrg. 1884. 1. Quartal. 7 Nrn. (B.) Fol. Minden, Bruns. n. 1. —

— dasselbe. 1. Jahrg. 1884. 2—4. Quartal. 39 Nrn. (B.) Fol. Ebend. n. 3. —

— dasselbe. Hrsg. v. H. Anders. 2. u. 3. Jahrg. 1885 u. 1886. à 24 Nrn. (B.) hoch 4. Bielefeld, Helmich. à Jahrg. n. 4. —

— westpreußische. Im Auftrage u. unter Mitwirkg. d. Elbinger Lehrervereins hrsg. v. A. C. Kutsch. 2. Jahrg. 1883. 52 Nrn. (B.) gr. 4. Elbing, Ostdeutsche Verlags-Anstalt. n. 2. —

Lehrgang der Debattenschrift nach dem Arends'schen Stenographen-System v. e. alten Praktiker der Arends'schen Schule. gr. 8. (42 autogr. S.) Leipzig 885. Robolsky. n.n. 2. —

— für den elementaren Zeichenunterricht. Hrsg. vom Verein zur Förderg. d. Zeichenunterrichts in Hannover. 1. Tl. gr. 8. (16 S. m. 3 Steintaf.) Hannover 885. Norddeutsche Verlagsanstalt. n. — 60

— dasselbe. 18 (lith.) Wandtaf. zum 1. Tl. gr. Fol. Ebend. 886. n.n. 3. 25; auf 9 Taf. gezogen n.n. 8. —

— dasselbe. 2. Tl. 30 (lith.) Wandtafeln dazu. gr. Fol. Ebend. 886. n. 5. 40; auf 15 Taf. gezogen n.n. 13. —

Lehrjahre, meine, als Landwirt. Von *** [genannt Max Ruhlitz]. 8. (86 S.) Kiel 885. Biernatzki. n. 1. —

Lehr- u. Lernmittel-Magazin, erstes österreichisch-ungarisches. Hrsg. v. den Begründern der permanenten Lehrmittel-Ausstellg. in Graz: G. Nickel, Fr. Kmetitsch u. J. Lochbihler. 2—4. Jahrg. Octbr. 1883—Septbr. 1886. à 12 Nrn. (B. m. Holzschn.) gr. 4. Graz, Cieslar. à Jahrg. n. 2. 40

Lehrplan, revidirter, f. die unteren Bürgerschulen zu Braunschweig. gr. 8. (47 S.) Braunschweig 885. (Ramdohr.) n. — 60

— für den Handarbeits-Unterricht in den Volksschulen. Aufgestellt zu Altenessen in den am 28. April, 24. Mai u. 12. Juni 1882 abgeh. Conferenzen der Lehrerinnen. Zur Einführg. genehmigt durch Verf. der königl. Regierg. zu Düsseldorf vom 15. Juli 1882. II. A. 6196. Hrsg. vom Essen-Werden-Mülheimer Lehrer-Verein. 16. (10 S.) Essen 883. (Bädeker.) n. — 10

— der k. k. Militär-Erziehungs- u. Bildungs-Anstalten. Nachdruck-Aufl. gr. 8. (V, 151 S.) Wien 885. Hof- u. Staatsdruckerei. n. 2. —

— des evangelischen Religionsunterrichts in den Volksschulen. 8. (48 S.) Karlsruhe 884. Reiff. n. — 30

— für zwei- u. vierklassige Schulen in dem Inspektionsbezirke Döbeln. 1883. 8. (62 S. m. 1 Steintaf.) Döbeln 883. (Schmidt.) n. 1. —

— für das königl. Schullehrer-Seminar zu Erfurt. gr. 8. (IV, 130 S. m. 1 Tab.) Erfurt 884. (Neumann.) n.n. 2. —

— für Sonntags-Schulen auf die J. 1883—1887. Hrsg. vom Erziehungs-Vereine in Elberfeld. 3. Aufl. gr. 8. (19 S.) Elberfeld 883. Buchh. d. Erziehungsvereins. n.n — 25

— für den Turn-Unterricht der Elementar-Knaben- u. Mittelschulen zu Potsdam. 2. Aufl. gr. 8. (44 S.) Potsdam 883. Link. n. — 75

— für die Volksschulen v. Königsberg i. Pr., auf Grund der Allgemeinen Bestimmgn. vom 15. Oktbr. 1872, betr. das Volksschulwesen, aufgestellt. gr. 8. (77 S.) Königsberg 886. (Gräfe & Unzer.) n.n. 1. —

— für die Volksschulen Niederbayerns. (Neueste Aufl.) 8. (96 S.) Landshut 884. Thomann. n. — 50

— spezieller, f. die vierklassigen katholischen Volksschulen d. Stadtkreises Aachen. Nebst e. Anh.: Verteilung der Pensen f. die dreiklass. Schule. Zur Einführg. genehmigt durch Verfügg. der Königl. Regierg. zu Aachen vom 5. März 1884. gr. 8. (IV, 100 S.) Aachen 884. Barth. n. 1. 50

Lehrpläne f. ein- bis fünfclassige Volksschulen, kundgemacht m. Erlaß d. k. k. steiermärk. Landesschulrathes vom 16. Octbr. 1884, Z. 5167 [auf Grund d. Reichsgesetzes vom 2. Mai 1883 u. der Verordng. d. h. k. k. Ministeriums f. Cultus u. Unterricht vom 8. Juni 1883, Z. 10618.] Sep.-Abdr. 8. (120 S.) Graz 885. Leuschner & Lubensky. n. — 90

Lehrproben u. **Lehrgänge** aus der Praxis der Gymnasien u. Realschulen. Zur Förderg. der Interessen d. erzieh. Unterrichts unter Mitwirkg. bewährter Schulmänner hrsg. v. O. Frick u. G. Richter. In zwanglosen Heften. 1—8. Hft. gr. 8. (124, 120, 116, 116, 116; IV, 120; IV, 124 u. IV, 120 S.) Halle 884—86. Buchh. d. Waisenhauses. à n. 2. —

Lehrs, K., de Aristarchi studiis homericis. Ed. III. gr. 8. (V, 506 S.) Leipzig 882. Hirzel. n. 9. —

Lehrs, Max, der Meister m. den Bandrollen. Ein Beitrag zur Geschichte d. ältesten Kupferstiches in Deutschland. Mit 7 Taf. in Lichtdr. gr. 4. (III, 36 S.) Dresden 886. W. Hofmann. 24. —

— Carl Schlüter. Ein Lebensbild. Mit Abbildgn. (eingedr. Holzschn. u. 1 Lichtdr.-Taf.). hoch 4. (10 S.) Leipzig 885. (Dresden, Engelhaupt.) 1. 50

Lehrtexte f. die österreichischen gewerblichen Fortbildungsschulen. Leitfäden f. den Unterricht, zugleich Handbücher f. Gewerbetreibende. Auf Veranlassg. u. m. Unterstützg. d. k. k. Ministeriums f. Cultus u. Unterricht hrsg. I—III. gr. 8. Wien 885. Graeser. cart. n. 2. 8

I. Die gewerblichen Geschäfts-Aufsätze. Im Anh.: Lesestücke u. Geschäftsnotizen. Hrsg. v. Ernst Ruprecht. 2. Aufl. (IV, 210 S.) n. — 72

II. Das gewerbliche Rechnen. Hrsg. v. Adf. H. Klauser. Mit 24 in den Text gedr. Holzschn. (IV, 144 S.) n. — 72

III. Die gewerbliche Buchführung u. das Wichtigste aus der Wechselkunde. Hrsg. v. Joh. Gruber. (IV, 132 S.) n. — 64

Leibarzt, der, od. 500 der besten Hausarzneimittel gegen

145 Krankheiten der Menschen. 17. Aufl. 8. (VIII, 192 S.) Quedlinburg 884. Ernst. 1. 50

Leib-Husaren-Regiment Nr. 2, das zweite, von 1741—1886. Geschichte d. Regiments, zur Feier d. 25jähr. Chef-Jubiläums Ihrer kaiserl. u. königl. Hoh. der Frau Kronprinzessin d. Deutschen Reiches u. v. Preußen, Victoria, den Unteroffizieren u. Mannschaften im Auszuge erzählt v. e. ehemal. Leibhusaren. Mit den Bildern Sr. Maj. d. Kaisers u. Königs u. J. k. u. k. Hoh. der Frau Kronprinzessin d. Deutschen Reiches u. v. Preußen in der Regiments-Uniform, sowie 2 Uniform-Skizzen. 8. (80 S.) Berlin 886. Liebel. n. 1. 20; geb. n. 2. —

Leibniz, G. W., Werke, gemäß seinem handschriftlichen Nachlasse in der königl. Bibliothek zu Hannover. Hrsg v. Onno Klopp. 1. Reihe. Historisch-polit. u. staatswissenschaftl. Schriften. 11. Bd. gr. 8. (XXXVIII, 239 S.) Hannover 884. Klindworth. n. 8. — (1. Reihe cplt.: n. 98. —)

Einzelne Bde. werden nicht abgegeben.

— philosophische Schriften. Hrsg. v. C. J. Gerhardt. 6. Bd. Lex.-8. (VIII, 629 S.) Berlin 885. Weidmann. n. 20. — (1., 2., 4—6.: n. 86. —)

— kleinere philosophische Schriften, s.: Universal-Bibliothek.

— nova methodus pro maximis et minimis itemque tangentibus, quae nec fractat nec irrationales quantitates moratur, et singulare pro illis calculi genus, s.: Giesel, F.

— Rechtsphilosophisches aus seinen ungedruckten Schriften, s.: Mollat, G.

— Theodicee, s.: Universal-Bibliothek.

Leichenschau, die, u. die Zeit der Beerdigung. Oberpolizeiliche Vorschriften vom 20. Nov. 1885, nebst Auszug aus dem Polizei- u. Reichs-Straf-Gesetzbuch, der R.-Straf-Prozeßordng., sowie den einschläg. Bekanntmachgn. 8. (20 S.) Würzburg 886. Stahel. — 20

Leicher, Carl, Orometrie d. Harzgebirges. Mit 5 lith. Taf. gr. 8. (52 S.) Halle 886. Tausch & Grosse. n. 2. 40

Leiden, das, u. die Auferstehung Jesu Christi. Passionsspiel m. Gesang u. leb. Bildern v. e. Priester d. Bisth. Mainz. 8. (75 S.) Mainz 884. Kirchheim. n. — 80

— u. **Sterben**, das, unseres Herrn u. Heilandes Jesu Christi, in den 14 Stationen d. hl. Kreuzweges. Von e. Priester d. Bist. Straßburg. 6. Aufl. 16. (24 S.) Mülhausen i/E. 885. Busleb's Sort. n. — 12

Leidenroth, F. B., indicis grammatici ad scholia Veneta A exceptis locis Herodiani specimen. gr. 8. (65 S.) Berlin 884. Calvary & Co. n. 3. —

Leidensgeschichte, die, Jesu Christi. 14 Kreuzweg-Stationen in Farbendr. 16. Leipzig 884. Grossmann. 1. —; in Verbindg. m. Pathenbrief 2. —

Leiffholdt, Frdr., etymologische Figuren im Romanischen, nebst e. Anh.: Wiederholungen betr. Steigerg. u. Erweiterg. e. Begriffs. gr. 8. (VII, 96 S.) Erlangen 884. Deichert. n. 1. 80

Leih-Bibliothekar, der. Organ f. Leihbibliotheken, Bücher- u. Zeitschriften-Lesezirkel. Red.: C. Wahl. Jahrg. 1886. 24 Nrn. (B.) gr. 8. Leipzig, Lincke. n.n. 4. —

Leikes, Fr. Thomas Maria, Handbüchlein d. lebendigen Rosenkranzes. 9. Aufl. 16. (IV, 175 S.) Dülmen 886. Laumann. n. — 50; geb. n. — 75

— Leitstern der Rosenkranz-Erzbruderschaft. Nach den Entscheidgn. der heil. röm. Congregationen u. anderer authent. Quellen zusammengestellt. 2. Aufl. 16. (78 S.) Ebend. 882. n. — 40

— rosa aurea. De sacratissimo b. Mariae V. rosario eiusque venerabili confraternitate deque rosario tum perpetuo tum vivente. gr. 8. (X, 560 S.) Ebend. 886. n. 7. 50; geb. n. 9. —

Leimbach, Ghelf., Beiträge zur geographischen Verbreitung der europäischen Orchideen. gr. 4. (16 S.) Sondershausen 881. (Leipzig, Fock.) n. 1. 20

— die Cerambyciden d. Harzes. Ein kleiner Beitrag zur geograph. Verbreitg. der Käfer. 4. (16 S.) Ebend. 886. n. 1. —

Leimbach, Karl L., ausgewählte deutsche Dichtungen, f. Lehrer u. Freunde der Litteratur erläutert. 6. Bd. 3 Lfgn. u. 7. Bd. 1. u. 2. Lfg. gr. 8. Kassel 884. 86. Kay. à n. 1. 50 (I—VII, 2.: n. 25. 50)

VI. Die deutschen Dichter der Neuzeit u. Gegenwart. Biographieen, Charakteristiken u. Auswahl ihrer Dichtgn. 2. Bd. 3 Lfgn. u. 3. Bd. 1. u. 2. Lfg. (IV, 486 S., u. S. 1—320.)

— dasselbe. 4. Tl. 2. Abtlgn. Ausgewählte Dichtgn. Schillers. 3. Aufl. gr. 8. (VII, 492 S.) Ebend. 885. n. 4. 50

— dasselbe. 5. Bd. [1. Suppl.-Bd.] A. u. d. T.: Die deutschen Dichter der Neuzeit u. Gegenwart. Biographien, Charakteristiken u. Auswahl ihrer Dichtgn. 1. Bd. gr. 8. (VIII, 478 S.) Ebend. 884. n. 4. 50 (I—V.: n. 18. —)

— Hilfsbuch f. den evangelischen Religionsunterricht in höheren Schulen. 1. Tl. Für die mittleren u. unteren Klassen der Gymnasien u. Realschulen. gr. 8. (VIII, 52 S.) Hannover 883. Meyer. n. — 80 (cplt.: n. 3. 80)

— Leitfaden f. den evangelischen Religionsunterricht in höheren Lehranstalten. gr. 8. (VIII, 260 S.) Ebend. 885. n. 1. 80; Einbd. n.n. — 20

— dasselbe. Anh. enth.: Die allgemeinen Bekenntnisse der Kirche u. die Lehrartikel der Augsburgischen Konfession in deutscher Übertragg. gr. 8. (16 S.) Ebend. 885. n. — 10

— kleine Poetik f. Schule u. Haus. 2. Aufl., nach Ernst Kleinpauls dreibänd. Poetik neu bearb. 8. (IV, 144 S.) Bremen 886. Heinsius. 1. 20

— ausgewählte Schulreden. 8. (VIII, 142 S.) Goslar 886. Koch. n. 1. 50

Leimdörfer, Dav., der Prediger Salomon od. das Gotteswort auf der Höhe. Ein Denkmal f. den Vater der jüd. Kanzelrede, Dr. Gotthold Salomon, weil. Prediger am israelit. Tempel zu Hamburg. gr. 8. (12 S.) Hamburg 885. Rudolphi. n. — 50

Leineweber, Heinr., praktische Anleitung zur Behandlung d. Lesebuches f. die Oberklassen der Volksschule. 2. Aufl., besorgt v. J. H. Aistermann. 1—3. Bd. gr. 8. Paderborn 884. 85. F. Schöningh. n. 4. 50

1. (XI, 268 S.) n. 1. 60. — 2. Erläuterungen der deutschen Gedichte d. Lesebuches. (VI, 243 S.) n. 1. 50. — 3. Geistliche Lieder, Volkslieder, Volkstümliche Lieder u. Vaterlandslieder. (VII, 208 S.) n. 1. 40

— das Lesebuch f. die Mittelklassen der Volksschule. Seine Behandlg. u. Verwertg. zu Sprach-, Rede- u. Stilübgn. Praktisch dargelegt. 2. Aufl. gr. 8. (XVII, 413 S.) Ebend. 886. n. 3. 20

— die Natur im Spiegel der Dichtung. Eine poet. Festgabe f. kleine u. große Kinder, zugleich e. Hilfsmittel f. alle Lehrer u. Lehrerinnen, welche den Unterricht in der Naturgeschichte zu e. geist- u. gemütbildenden zu gestalten wünschen. 8. (XV, 226 S.) Ebend. 883. n. 1. 50; cart. n. 1. 80

— Schülerbuch Ein Hilfsmittel f. den Unterricht in der deutschen Satz-, Wort- u. Rechtschreibelehre, nebst vielen Mustern f. geschäftl. Aufsätze, Briefe rc. Für Volks- u. Bürgerschulen in 3 konzentr. Kreisen u. im Anschluß an das Lesebuch bearb. u. hrsg. 3 Stufen. 2. Aufl. 8. Trier 884. Stephanus. n. 1. 5

1. (44 S.) n. — 25. — 2. (49 S.) n. — 30. — 3. (113 S.) n. — 50

— Übungsstoff zur Befestigung in der deutschen Rechtschreibung. Nebst vielen Übungsaufgaben u. prakt. Winken zur erfolgreichen u. bild. Behandlg. d. orthograph. Unterrichts in der Elementarschule. 3. Aufl. gr. 8. (113 S.) Ebend. 886. cart. n. 1. —

Leineweber, Karl, üb. Elimination subcutan applicirter Arzneimittel durch die Magenschleimhaut. gr. 8. (31 S.) Duderstadt 883. (Göttingen, Vandenhoeck & Ruprecht.) n. — 80

Leinkauf, Joh., kurzgefaßte katholische Glaubens- u. Sittenlehre zum Gebrauche in der ersten Classe der Mittelschulen. 9. Aufl. gr. 8. (III, 128 S.) Wien 887. Kirsch. n. 1. —

Leinwand-Bilderbuch, neues. 2 Sorten. 8. (à 12 Chromolith. m. Text.) Wesel 885. Düms. geb. à n. — 50

Leipold, K. W., ausgewählte Deklamationen u. Lieder ernsten u. komischen Inhalts. Gesammelt u. hrsg. 3. u. 4. Bdchn. 3. Aufl. 8. (à 96 S.) Frankfurt a/M. 884. Fucke-Metz. n. — 50

Leipoldt, Frz., Calculations-Tabelle f. Stichlöhne per

aune v. den Ausgabepreisen 23—60 Cts. Fol. (216 S.) Rorschach 885. (St. Gallen, Kreutzmann.) n.n. 30.—

Leipzig, das alte. Blatt 37—42. gr. 4. (Photogr.) Leipzig 883. Otto Roth. Subscr.-Pr. n. 9.—; einzelne Blätter à 1. 75; Cabinet-Ausg. 8. n. 6.—; einzelne Blätter à n. 1. 20; Visite. 16. à n. — 60

— u. die **Leipziger**. Harmlose Plaudereien. 1. Stündchen. 2. Aufl. 8. (III, 68 S.) Leipzig 883. Licht & Meyer. n. 1.—

— dasselbe. 2. Stündchen. 8. (53 S.) Ebend. 884. n. 1.—

Leisching, Ed., der klimatische Curort Arco in Südtirol. 3. Aufl. Mit 1 Photolith. u. 1 Plane v. Arco u. Umgebg. 8. (30 S.) Arco 886. Georgi. n. 1.—

Leischner, C. F., die natürliche Zauberkunst aller Zeiten u. Nationen in e. vollständigen Sammlung der überraschendsten, bewunderungswürdigsten u. belehrendsten Kunststücke aus der Physik, Chemie, Optik, Mechanik, Mathematik u. Experimentierkunst nach Philadelphia, Bosco, Petorelli, Comte, Döbler, Becker u. A. 11. Aufl. Mit 63 Abbildgn. 8. (XVI, 230 S.) Weimar 886. B. F. Voigt. 2. 25

Leisering, A. G. T., Atlas der Anatomie d Pferdes u. der übrigen Hausthiere f. Thierärzte u. Studierende der Veterinärkunde, landwirthschaftl. Lehranstalten u. Pferdeliebhaber überhaupt. Mit erläut. Texte. 2. Aufl. (In 9 Lfgn.) 1—5. Lfg. Fol. (94 S. m. 30 Steintaf.) Leipzig 885. 86. Teubner. In Mappe. à n. 5.—

— u. H. M. **Hartmann**, der Fuß d. Pferdes in Rücksicht auf Bau, Verrichtungen u. Hufbeschlag. Gemeinschaftlich in Wort u. Bild dargestellt. 6. Aufl., in ihrem zweiten, den Hufbeschlag betr. Thl. umgearb. v. A. Lungwitz. Mit 211 Holzschn. v. H. Bürkner. gr. 8. (X, 859 S.) Dresden 886. G. Schönfeld's Verl. n. 6.—

— u. C. **Mueller,** Handbuch der vergleichenden Anatomie der Haus-Säugethiere. 6. Aufl. d. E. F. Gurlt'schen Handbuchs der Anatomie. Mit 248 Holzschn. gr. 8. (X, 926 S.) Berlin 885. Hirschwald. n. 20.—

Leisering, Herm., das 1. u. 2. Buch der Oden d. Horaz in freier Nachbildung. 4. (31 S.) Berlin 885. Gaertner. n. 1.—

Leisner, Otto, üb. öffentliche Schulprüfungen, Censuren u. Versetzung. gr. 8. (IV, 86 S.) Leipzig 885. Wartig's Verl. n. 1. 20

Leisrink, H., der Jodoform-Torfmoos-Verband, s.: Sonderabdrücke der Deutschen Medizinal-Zeitung.

— die moderne Radikal-Operation der Unterleibsbrüche. Eine statist. Arbeit. gr. 8. (X, 115 S.) Hamburg 883. Voss. n. 7.—

— W. H. **Mielck** u. S. **Korach,** der Torfmoos-Verband. Mit 3 (eingedr.) Abbildgn. 8. (V, 42 S.) Ebend. 884. — 60

Leist, Arth., Georgien. Natur, Sitten u. Bewohner. Mit 9 Illustr. nach Orig.-Aufnahmen. gr. 8. (131 S.) Leipzig 885. Friedrich. n. 3.—

— litterarische Skizzen, s.: Bibliothek, armenische.

Leist, B. W., graeco-italische Rechtsgeschichte. gr. 8. (XVIII, 769 S.) Jena 884. Fischer. n. 16.—

Leist, Frdr., Bamberg. Ein Führer durch die Stadt u. ihre Umgebg. f. Fremde u. Einheimische. 2. Aufl. m. Nachträgen bis zum J. 1884. 8. (V, 109 S. m. 1 Stahlst. u. 1 lith. Karte.) Bamberg 884. Buchner. n. 1. 50

Leist, Frdr., die Urkunde. Ihre Behandlg. u. Bearbeitg. f. Edition u. Interpretation. Zur Anleitg. bei Archivbenützg. gr. 8. (VIII, 143 S.) Stuttgart 884. Cotta. n. 5.—

Leist, Gerh. Alex., der attische Eigentumsstreit im System der Diadikasien. gr. 8. (VIII, 61 S.) Jena 886. Fischer. n. 1. 60

Leistner, Carl v., d' liab'n Berg'! Oberbayerische Dialekt-Dichtgn. 8. (III, 180 S.) Nürnberg 884. Büching. n. 2. 40; cart. n. 3.—; geb. n. 4.—

— dasselbe. 2. Aufl. 8. (III, 180 S.) Ebend. 886. n. 1. 80; cart. n. 2.—; geb. n. 2. 40

Leistner, Ernst, christliche Kernsprüche für Kirche u. Haus. Gesammelt v. E. L. Bevorwortet v. B. Rogge. 8. (XX, 275 S.) Leipzig 883. Licht & Meyer. n. 3.—; geb. m. Goldschn. n. 6.—

— dasselbe. 2. Aufl. 8. (XX, 275 S.) Leipzig 886. Siegismund & Volkening. n. 2.—; geb. m. Goldschn. n. 3.—

Leitenberger, Otto, Hansl am Wege. 8. (V, 116 S.) Wien 884. Engel. n. 1. 70

— die Schwalben u. andere Erzählungen f. kleine Mädchen von 6—8 Jahren. Mit 4 Farbendr.-Bildern. Lex.-8. (121 S.) Stuttgart 883. G. Weise. geb. n. 4. 50

Leiter, Frdr. S., die Steuer der Presse. Ein Beitrag zur Geschichte d. Zeitungswesens. gr. 8. (VIII, 172 S.) Neutitschein 886. Hosch. n. 2.—

Leiter, Jos., Catalog chirurgischer Instrumente, Bandagen, orthopädischer Maschinen, künstlicher Extremitäten, v. Apparaten f. Galvanokaustik, Elektrotherapie u. Elektroendosopie. 4. Neuaufl. Mit 1100 auf 39 Taf. u. in den Text gedr. Orig.-Abbildgn. hoch 4. (III, 145 S.) Wien 883. (Braumüller.) n. 6.—

Leitfaden f. das Aquarium (der Zoologischen Station zu Neapel). Atlas. gr. 8. (47 Taf.) Neapel 883. (Leipzig, Engelmann.) n. 3.— (Text u. Atlas: n. 4. 60)

— dasselbe. [Text.] 2. Aufl. gr. 8. (VIII, 53 S.) Ebend. 884. n. 1. 60

— bei der Instruction der Rekruten der Cavallerie. Bearb. nach den neuesten Bestimmgn. v. e. kgl. preuß. Cavallerie-Offizier. 16. (IV, 122 S.) Hannover 884. Helwing's Verl. n.n. — 50

— zur Dienst-Instruction. Bearb. u. hrsg. auf Veranlassg. d. kaiserl. Kommandos der I. Matrosen-Division. 12. (192 S.) Kiel 885. Universitäts-Buchh. n. — 60

— beim theoretischen Unterricht der Ersatz-Reservisten der Fuß-Artillerie. Nach P. G. bearb. v. C. N. Mit 56 Abbildgn. im Texte. 8. (IV, 106 S.) Berlin 885. Liebel. n.n. — 25

— für den theoretischen Unterricht d. übungspflichtigen Ersatz-Reservisten der Infanterie. 2. Aufl. Auszug aus Köhlers Leitfaden f. den theoret. Unterricht d. Infanteristen. 12. (86 S. m. Illustr.) Straßburg 883. Schultz & Co. cart. — 40

— für den Unterricht der Infanterie im Feld-Pionier-Dienst. Mit 102 in den Text gedr. Holzschn. 4. Aufl. 12. (90 S.) Berlin 886. Bath. cart. n. — 40

— der Geographie f. landwirtschaftliche Schulen. Nach Kozenn-Jarz, Leitfaden der Geographie bearb. Lex.-8. (IV, 88 S. m. Fig. u. 2 Taf.) Wien 885. Hölzel. n. 2.—

— der preußisch-brandenburgischen Geschichte in Verbindung m. der deutschen. Hrsg. v. e. Vereine v. Lehrern. 28. Aufl. 8. (32 S.) Potsdam 885. Rentel's Verl. n. — 15

— für den Unterricht in der Heeresorganisation auf den königl. Kriegsschulen. Auf Veranlassg. der General-Inspektion d. Militär-Erziehungs- u. Bildungswesens ausgearb. 2. Aufl. 4. (IV, 61 S. m. 2 Tab.) Berlin 886. Mittler & Sohn. n. 1. 60

— kurzgefasster, zur Anwendung der specifischen Heilmittel der elektrovegetabilischen Homöopathie. 8. (36 S. m. 1 Steintaf.) Frankfurt a/M. 885. Detloff. n.n. — 50

— für die Unterweisung der Heizer u. Oberheizer der kaiserl. Marine. Neuer Abdr. 8. (IV, 235 S.) Berlin 886. Mittler & Sohn. n. 1. 50

— für den Liebhaber der Kanarienvögel, Nachtigallen, Braunellen, Schwarzplättchen, Meisen, Zaunkönige, Goldhähnchen, Pirole, Steinröthel, Karmingimpel, der Zebrafinken u. a. Prachtfinken, der Weber x., auch der Brieftauben u. der Zierhühner. 3. ill. Aufl. 8. (96 S.) München 885. F. Arnold. n. — 50

— beim theoretischen Unterricht d. Kanoniers der Fuß-Artillerie. Von P. G. Mit besond. Berücksicht. der Küsten-Artillerie bearb. v. C. N. 6. Aufl. Mit 75 Abbildgn. im Text u. auf 3 Taf. 16. (VIII, 260 S.) Berlin 885. Liebel. n. — 60

— kurzer, f. den Unterricht 6—10jähriger Kinder in der römisch-kathol. Glaubens- u. Sittenlehre. Verf. v. e. kathol. Priester der Diöcese Breslau. 2. Aufl. 8. (144 S.) Pilchowitz 885. (Leobschütz, Kothe.) geb. n. — 60

— für den Unterricht in der Kunstgeschichte, der Baukunst, Bildnerei, Malerei u. Musik, f. höhere Lehranstalten u. zum Selbstunterricht bearb. nach den besten Hilfsmitteln (v. J. Kuß). 6. Aufl. Mit 134 Illustr. gr. 8. (XVIII, 240 S.) Stuttgart 885. Ebner & Seubert. n. 3.—; cart. n. 3. 50

Leitfaden der Litteraturkunde. Ein Anhang zu Karl Thdr. Schneiders Lesebüchern. gr. 8. (43 S.) Rendsburg 885. Schneider's Verl. n.n. — 80

— für den Unterricht der Mannschaften der kaiserl. Marine. 2. Thl. Geographische Instruktion. 16. (56 S.) Berlin 886. Mittler & Sohn. n. — 40 (1. u. 2.: n. 1. 20)

Der 1. Tl. bildet: Unterrichtsbuch, kleines, der Seemannskunde.

— methodischer, zum Gebrauch f. den Lehrer beim theoretischen Unterricht. Von W. v. E. 1—3. Bdchn. Mit Abbildgn. im Text. 8. Berlin 883. 84. Liebel. n. 3. 40

1. Das Infanteriegewehr M/71. (104 S.) n. 1. 20
2. Die Lehre vom Schießen. (81 S.) n. 1. —
3. Der Marschsicherheits- u. Vorposten-Dienst. (96 S.) n. 1. 20

— für den Unterricht in der Dienstkenntniß bei den Pionier-Bataillonen. 4. Aufl. gr. 8. (VI, 144 S.) Berlin 884. Bath. n.n. — 60

— für den christlichen Religionsunterricht in der Volksschule. 1. u. 2. Tl. gr. 8. Jena 883. 84. Mauke. n. 1. 20

1. (IV, 32 S.) n. — 50. — 2. (47 S.) n. — 70

— kurzer, der russischen Sprache, nebst Gesprächsammlg. u. Vocabular. 8. (86 S.) Leipzig 883. Bädeker. cart. n. 1. —

— für den Unterricht in der Terrainlehre, im militärischen Planzeichnen u. im militärischen Aufnehmen an den königl. Kriegsschulen. Auf Veranlassg. der General-Inspektion d. Militär-Erziehungs- u. Bildungs-Wesens ausgearb. 5. Aufl. Mit 15 Taf. in Steindr. u. 32 Abbildgn. im Text. 4. (VII, 102 S.) Berlin 886. Mittler & Sohn. n. 3. 20

— für die Unterweisung der Maschinistenapplikanten der kaiserl. Marine. Neuer Abdr. 8. (VIII, 274 S.) Ebend. 885. n. 1. 80

Leitgeb, Hub., üb. Bau u. Entwicklung der Sporenhäute u. deren Verhalten bei der Keimung. Mit 3 (lith.) Taf. gr. 8. (III, 112 S.) Graz 884. Leuschner & Lubensky. n. 6. —

— Reizbarkeit u. Empfindung im Pflanzenreiche. Vortrag. gr. 8. (24 S.) Ebend. 884. n. — 80

Leitgeb, Jos., Prigglitz, St. Christof u. Umgebung: Gloggnitz, Klamm, Kranichberg, Neunkirchen, Payerbach, Pitten, Pottschach, Reichenau, Seebenstein, Stixenstein, Stuppach, Thernberg u. Wartenstein. Die Türken-Invasion zu Prigglitz vor 200 Jahren. Die Hochgallerie-Promenade. Die Wildensteiner auf blauer Erde. Geistergeschichten. Zur Local-Chronik. Eine Monographie. gr. 8. (VIII, 140 S.) Wien 883. (Huber & Lahme.) n. 2. —

Leithäuser, Gustaf, Hans Holbein der Jüngere in seinem Verhältnisse zur Antike u. zum Humanismus. gr. 8. (31 S.) Hamburg 886. (Herold.) n.n. 2. 50

Leitmaier, Vict., der serbische Civilprocess, nebst Concursordnung u. e. Anh. üb. den Rechtshilfevertrag zwischen Oesterreich-Ungarn u. dem Königr. Serbien vom 6. Mai 1881. gr. 8. (XX, 292 S.) Wien 885. Manz. n. 5. —

— der serbische Strafprocess in Vergleichung m. der österreichischen Strafprocessordnung u. der Strafprocessordnung d. Deutschen Reiches. gr. 8. (XII, 172 S.) Ebend. 884. n. 3. —

Leitschuh, Frz. Frdr., der Kunstsinn d. Horaz. gr. 8. (47 S.) Leipzig 885. Hucke. n. 1. —

— die Familie Preisler u. Markus Tuscher, s.: Beiträge zur Kunstgeschichte.

Leitschuh, Frdr., Beiträge zur Geschichte d. Hexenwesens in Franken. gr. 8. (82 S.) Bamberg 883. Hübscher. n. 1. 20

Leitsterne, neue, auf der Bahn d. Heils. 1. u. 5. Bd. 8. Regensburg, Verlags-Anstalt. 5. 25

1. Alles f. Jesus, od. die leichten Wege zur Liebe Gottes. Ein Betrachtungsbuch f. fromme Christen u. die es werden wollen. Von Superior Frederick William Faber. Mit Genehmigung des Verfassers nach der 7. Aufl. in's Deutsche übertr. v. Carl B. Reiching. 7 Aufl. Mit 1 Stahlst. (465 S.) 886. 3. —
5. Das heiligste Altarsakrament, od. die Werke u. Wege Gottes. Von Frederick William Faber. Mit Genehmigg. d. Verf. nach der 2. Aufl. in's Deutsche übertr. v. Carl B. Reiching. 3. Aufl. (645 S.) 885. 2. 25

Leixner, Alois v., Lehrbuch der kaufmännischen Buchführung [italienische u. französische Doppik]. Mit besond. Rücksicht auf den Selbstunterricht nach eigener Methode bearb. 2 Bde. [I. Lehrbuch. — II. Aufgaben-Block.] gr. 4. (187 u. 204 S.) Wien 884. Perles. cart. n. 8. —

Leixner, Otto v., Andachtsbuch e. Weltmannes. Zwei Bücher Betrachtgn. 8. (VII, 239 S.) Berlin 884. Dolfuß. n. 3. 50; geb. n. 4. 50

— Anleitung, in 60 Minuten Kunstkenner zu werden. 3. Aufl. 8. (47 S.) Berlin 886. Brachvogel & Boas. n. — 60

— das Apostelchen. Eine stille Geschichte. 8. (292 S.) Berlin 886. Janke. n. 5. —

— Blitz u. Stern. Novellen. 2. Aufl. 8. (VII, 168 S.) Ebend. 886. 1. 50

— Dämmerungen. Eine Dichtung. 8. (116 S.) Stuttgart 886. Bonz & Co. n. 2. —; geb. n. 3. —

— Herbstfäden. Scherz u. Ernst. 8. (VIII, 316 S.) Berlin 886. Janke. n. 5. —

— Randbemerkungen e. Einsiedlers. Ernst, Scherz u. Satire. 8. (313 S.) Ebend. 885. n. 5. —

Lektüre, gewählte, f. Schule u. Haus. Hrsg. v. A. Hentschel u. K. Linke. Nr. 7—12. gr. 16. Leipzig 883. Peter. à n. — 30

7. Maria Stuart. Ein Trauerspiel von Frdr. v. Schiller. (104 S.)
8. Wallenstein. Ein dramat. Gedicht von Frdr. v. Schiller. 1. Tl. Wallensteins Lager. Die Piccolomini. (104 S.)
9. Dasselbe. 2. Tl. Wallensteins Tod. (120 S.)
10. Nathan der Weise. Ein dramat. Gedicht in 5 Aufzügen v. Gotth. Ephr. Lessing. (112 S.)
11. Die Braut v. Messina od. die feindlichen Brüder. Ein Trauerspiel m. Chören von Frdr. v. Schiller. (86 S.)
12. Gedichte von Frdr. v. Schiller. (112 S.)

Le Maire, Karl, Leitfaden der Kirchengeschichte f. katholische Lehranstalten. 4. Aufl. 8. (138 S.) Regensburg 884. Verlags-Anstalt. n. 1. 20

Leman, Eug., Selbsthilfe zur Erhaltung der Zähne bis ins höchste Greisenalter als Schutz gegen schädliche Geheimmittel u. Kurpfuscherei nach den neuesten Forschungen. Mit 25 Holzschn. 8. (VII, 37 S.) Leipzig 885. Hoffmann & Ohnstein. n. 1. —

— künstliche Zähne. Rath u. Aufklärg. f. diejenigen, welche künstl. Zähne bedürftig sind. 8. (III, 22 S.) Ebend. 885. n. — 50

Lembeke, E. R., mechanische Webstühle. Anleitung zur Kenntniss, Wahl, Aufstellg. u. Behandlg. dieser Maschinen. Handbuch f. Webschüler, Werkführer, Ingenieure, Webfabrikanten u. techn. Lehranstalten. Mit e. Atlas v. 12 (autogr.) Taf. gr. 8. (VII, 171 S.) Braunschweig 886. Vieweg & Sohn. n. 10. —

Lemcke, E., Volksschul-Lesebuch, s.: Wolter, A.

Lemcke, Heinr., Canada, das Land u. seine Leute. Ein Führer u. geograph. Handbuch, enth. Schildergn. üb. Canada unter besond. Berücksicht. seiner wirthschaftl. Verhältnisse, sowie der Ansiedlg. u. der Kolonisation. Mit zahlreichen Illustr. u. 1 Karte. gr. 8. (VIII, 208 S.) Leipzig 887. Mayer. n. 5. —; geb. n. 6. —

— der Niedergang der Landwirthschaft in den Vereinigten Staaten Nordamerikas. gr. 8. (7 S.) Kiel 884. Biernatzki. — 15

— Souvenir an den Atlantischen Ocean. Zur Belehrg. u. Unterhaltg. f. Reisende nach Amerika. gr. 8. (V, 149 S. m. 1 Chromolith.) Berlin 883. Eckstein Nachf. 6. 50; geb. m. Goldschn. 8. —

— Wisconsin, s.: Über's Meer!

Lemcke, Paul, die Thüringischen Musikfeste u. die Erfurter Napoleonsfeste. Ein Blatt deutscher Musikgeschichte. Vortrag. gr. 8. (27 S.) Magdeburg 886. (Frankenhausen, Werneburg.) n. — 60

Lemke, E., Volksthümliches in Ostpreußen. 1. Thl. gr. 8. (XVI, 190 S.) Mohrungen 884. Harich. n. 2. 50

Lemling, Jos., die Photographie im Dienste der Industrie. 2 Bdchn. gr. 8. (IV, 87 u. IV, 95 S.) Neuwied 884. 86. Heuser's Verl. à n. 2. —

Lemm, Dan., Johannes, der Wüstenprediger. Mit Vorwort v. Otto Funke. 8. (XVII, 385 S.) Bremen 884. Müller. n. 4. —; geb. n.n. 5. —; m. Goldschn. n.n. 5. 20

Lemm, Jos., Hoffnungsblicke od. tägliche Mahnung an das Kommen d. HErrn. Ein Handbüchlein, solchen Seelen, welche gern in steter Bereitschaft stehen möchten, ihren Heiland zu empfangen, dargeboten. 8. (272 S.) Basel 886. Spittler. n. 1. —; cart. n. 1. 20; geb. n. 1. 60

Lemm, Osc. v., Bruchstücke der Sahidischen Bibelübersetzung. Nach Handschriften der kaiserl. öffentl. Bibliothek zu St. Petersburg hrsg. hoch 4. (XXIII, 31 autogr. S.) Leipzig 885. Hinrichs' Verl. n. 8. —

— ägyptische Lesestücke zum Gebrauch bei Vorlesungen u. zum Privatstudium m. Schrifttafel u. Glossar. I. Thl. Schrifttafel u. Lesestücke. 1. u. 2. Hft. gr. 4. (VII u. S. 1—128.) Ebend. 883. à n. 8. —

Lemme, Ludw., der Herr ladet dich! Predigt. 8. (20 S.) Bonn 885. Schergens. n. — 30

— die Macht d. Gebets m. besond. Beziehung auf Krankenheilung. 12. (118 S.) Barmen 887. Klein. n. 1. 25

— über die Pflege der Einbildungskraft. Vortrag. gr. 8. (31 S.) Breslau 884. Köhler. n. — 50

— die Sünde wider den heiligen Geist. Eine Abhandlg. zur Glaubenslehre. gr. 8. (VI, 115 S.) Ebend. 883. n. 1. 80

Lemmer, F., essbare Pilze u. Schwämme. Mit 2 Taf. in Farbendr. hoch 4. (16 S.) Frankfurt a/M. 883. Wilcke. n. 1. 40

Lemmermayer, F., der Alchymist, s.: Bibliothek f. Ost u. West.

— die deutsche Lyrik der Gegenwart, s.: Volksbibliothek f. Kunst u. Wissenschaft.

Lenardson, R., chemische Untersuchungen der rothen Manaca. gr. 8. (37 S.) Dorpat 884. (Karow.) n. 1. —

Lenau's, Nic., sämmtliche Werke in 1 Bde. Hrsg. v. G. Emil Barthel. 2., durch e. Biographie d. Dichters verm. Aufl. 12. (CCVIII, 740 S.) Leipzig 883. Ph. Reclam jun. 1. 25; geb. n. 1. 75

— dasselbe, s.: Bibliothek, Cotta'sche, der Weltlitteratur.

— Werke. 5 Thle. 12. (XVI, 415; III, 135; 108, 151 u. 216 S.) Berlin 883. Dümmler's Verl. In 2 Bde. geb. n. 4. 80

— dasselbe. Illustrirte Pracht-Ausg. Hrsg. v. Heinr. Laube. 32 Lfgn. (2 Bde.) Lex.-8. (VI, 385 u. 328 S. m. eingedr. Holzschn. u. Holzschn.-Portr.) Wien 884—86. Bensinger. à n. — 50 (cplt. geb.: n. 22. —)

— die Albigenser. Freie Dichtgn. 12. (125 S.) Berlin 884. Dümmler's Verl. n. — 60; geb. n. 1. —

— Faust. Ein Gedicht. 12. (108 S.) Ebend. 884. n. — 60; geb. n. 1. —

— Gedichte. Die vom Dichter zuerst veröffentlichte Sammlung. 12. (VIII, 200 S.) Ebend. 884. n. — 60; geb. n. 1. —

— dasselbe. Vollständige Sammlg. 12. (XVI, 415 u. 135 S.) Ebend. 884. n. 2. —; geb. n. 2. 50

— dasselbe. 8. (IV, 292 S.) Halle 886. Hendel. geb. m. Goldschn. 1. 50

— dasselbe, s.: Bibliothek der Gesamt-Litteratur d. In- u. Auslandes. — Meisterwerke unserer Dichter.

— ausgewählte Gedichte, s.: Meyer's Volksbücher.

— Don Juan, s.: Universal-Bibliothek.

— Savonarola. 12. (151 S.) Berlin 884. Dümmler's Verl. n. — 60; geb. n. 1. —

Lenau, Nik., zur Biographie desselben, s.: Frankl, L. A.

Lencastre, F. de, nouvelle méthode pratique et facile pour apprendre la langue portugaise, composée d'après les principes de F. Ahn. 3 cours. 8. Leipzig 883. Brockhaus. n. 3. 20; traduction des thèmes français, 1. et 2. cours (28 S) n. — 60
1. 3. (VI, 87 u. 68 S.) à n. 1. —. — 2. (IV, 161 S.) n. 1. 20

Lendenfeld, R. v., der Tasman-Gletscher u. seine Umrandung, s.: Petermann's, A., Mittheilungen aus J. Perthes' geograph. Anstalt.

Lender, die Gase u. ihre Bedeutung f. den menschlichen Organismus m. spectroscopischen Untersuchungen. 1. Thl. gr. 8. (XXIV, 316 S.) Berlin 885. Fischer's medicin. Buchh. n. 6. —

Lenel, Otto, das Edictum perpetuum. Ein Versuch zu dessen Wiederherstellg. Mit dem f. die Savigny-Stiftg. ausgeschriebenen Preise gekrönt. Lex.-8. (XXIV, 455 S.) Leipzig 883. B. Tauchnitz. n. 16. —

— Grundriss zu Vorlesungen üb. Pandekten [ausser Erbrecht]. gr. 8. (50 S.) Marburg 885. Elwert's Verl. n.n. 1. 50

Lengauer, J., Aufgabe zu Stegmann's Grundlehren der ebenen Geometrie. gr. 8. (112 S. m. Fig.) Kempten 885. Kösel. n. 1. 20

Lengerke's, v., verbesserter landwirthschaftlicher Hülfs- u. Schreib-Kalender, s.: Menzel.

Lengerken, Aug. v., die Bildung der Haftballen an den Ranken einiger Arten der Gattung Ampelopsis. 4. (24 S.) Göttingen 885. (Vandenhoeck & Ruprecht.) n. 1. 20

Lenhossék, Jos. Edler v., die Ausgrabungen zu Szeged-Öthalom in Ungarn, namentlich die in den dort. urmagyar., altröm. u. kelt. Gräbern aufgefundenen Skelete, darunter e. sphenocephaler u. katarrhiner hyperchamaecephaler Schädel, ferner e. 3. u. 4. künstlich verbildeter makrocephaler Schädel aus O-Szöny u. Pancsova in Ungarn. Mit 8 phototyp. Taf. u. 1 lith. Situationsplane in Farbendr.; ferner 3 zinkogr. Taf. u. 2 zinkogr., sowie 8 xylogr. Fig. im Texte. 2. Aufl. gr. 4. (XI, 251 S.) Wien 886. Braumüller. cart. n. 20. —

Lening, Fritz, bree Wiehnachten. 'ne Geschichte in märkische Mundart. 8. (V, 448 S.) Stuttgart 885. Cotta. n. 5. —; geb. n. 6. —

Lenk, Heinr., die Saga v. Hrafnkell Freysgoði. Eine isländ. Geschichte aus dem 10. Jahrh. n. Chr. Aus dem altisländ. Urtexte zum erstenmale ins Deutsche übersetzt u. m. ausführl. Erläutergn., nebst e. kurzen Einführg. in die isländ. Sagaliteratur versehen. gr. 8. (XIII, 132 S.) Wien 883. Konegen. n. 2. 80

Lennig, Adam Frz., Betrachtungen üb. das bittere Leiden Jesu Christi. 3. Aufl. 8. (XII, 471 S.) Mainz 884. Kirchheim. 3. —

Lenstroem, N., Syntax der russischen Sprache f. die mittleren Lehranstalten d. Dörptschen Lehrbezirks. 2. Aufl. gr. 8. (VIII, 80 S.) Libau 883. Puhze. cart. n. 2. —

— dasselbe. 3. Aufl. gr. 8. (VIII, 80 S.) Ebend. 885. cart. n. 2. 40

— russisch-deutsches u. deutsch-russisches Wörterbuch. I. Russisch-deutscher Thl. m. 2 Beigaben: „Ueber russ. Schrift, Aussprache u. Orthographie“ u. „Ueber d. russ. Verbum“. gr. 8. (XII, 704 u. 24 S.) Sonderhausen 886. Eupel. n. 6. —

Lenthe, E. L. v., zur Statistik d. Calenberg-Grubenhagen-Hildesheimschen ritterschaftlichen Credit-Instituts. gr. 8. (3 S. m. 2 Tab.) Hannover 884. Brandes. n. 1. —

Lentin, C. F., Geheimnisse d. Pferdehandels, s.: Mortir, Abr.

Lentner, Ferd., das internationale Colonialrecht im 19. Jahrh. Einschließlich der Congo- u. Carolinenacte dargestellt. gr. 8. (144 S.) Wien 886. Manz. n. 3. —

— Grundriß d. Staatsrechtes der österreichisch-ungarischen Monarchie. Als Lehrbehelf zu den Vorträgen an den k. k. Militär-Fachbildungsanstalten verf. gr. 8. (V, 255 S.) Wien 885. Seidel & Sohn. n. 4. —

— das Recht der Photographie nach dem Gewerbe-, Preß- u. Nachdrucksgesetze. gr. 8. (95 S.) Wien 886. Manz. n. 1. 80

Lentze, Tabellen f. die Erhebung der Branntwein-Steuer vom Maischraum u. zwar A. Nach dem Satze v. 30 Pf. f. 22,9 Liter bis 381,674,3 Liter. B. Nach dem Satze v. 25 Pf. f. 22,9 Liter bis 32,953,1 Liter. Mit Genehmigg. d. königl. preuß. Finanzministeriums aufgestellt. gr. 4. (II, 34 S.) Rügenwalde 885. (Minden, Schneider.) n. 1. 50

Lentzner, Karl, üb. das Sonett u. seine Gestaltung in der englischen Dichtung bis Milton. gr. 8. (IV, 81 S.) Halle 886. Niemeyer. n. 2. —

Lenz, Harald Othmar, gemeinnützige Naturgeschichte. 6. Aufl., bearb. v. O. Burbach. 1. Bd.: Die Säugethiere. Mit 12 (chromolith.) Taf. Abbildgn. gr. 8. (VI, 717 S.) Gotha 884. Thienemann. n. 7. 20; geb. n. 8. 40

— dasselbe. 5. Bd. 2. Tl. gr. 8. Ebend. 885. n. 2. 80
Das Mineralreich 5. gänzlich umgearb. Aufl., bearb. v. Otto Wünsche. 2. Tl.: Spezielle Mineralogie. (III, 348 S.)

Lenz, Herm., Soldatenliederbuch. Unter Benützg. d. vom königl. preuß. Kriegsministerium ausgegebenen Soldatenliederbuches f. die königl. bayer. Armee überarb. u. hrsg. Partitur. qu. 16. (IV, 436 S.) Berlin 883. Mittler & Sohn. n. 1. 50; 4 Stimmen dazu (à XIV, 216 S.) à n. — 80

— dasselbe. Einstimmige Gesänge. qu. 16. (XVI, 264 S.) Ebend. 883. n. 1. —

Lenz, J., war's recht? Ein Beitrag zur Beurtheilg. der Schrift Prof. Dr. Volck's: „In wie weit ist der h. Schrift Irrthumslosigkeit zuzuschreiben?" u. der Schrift Past. R. v. Nolckens: „Zur Inspirationstheorie". gr. 8. (23 S.) Reval 885. (Kluge & Ströhm.) n. — 80

Lenz, J. M. R., dramatischer Nachlaß. Zum ersten Male hrsg. u. eingeleitet v. Karl Weinhold. gr. 8. (VII, 365 S. m. 1 Silhouette-Portr.) Frankfurt a/M. 884. Literar. Anstalt. n. 7. —

Lenz, Max, Janssen's Geschichte d. deutschen Volkes. Ein Beitrag zur Kritik ultramontaner Geschichtschreibg. gr. 8. (56 S.) München 883. Oldenbourg. n. 1. 50

— Martin Luther. Festschrift der Stadt Berlin zum 10. Novbr. 1883. 2. Aufl. gr. 8. (III, 224 S.) Berlin 883. Gaertner. n. 3. —; geb. n. 4. —

— der Rechenschaftsbericht Philipps d. Grossmüthigen üb. den Donaufeldzug 1546 u. seine Quellen. gr. 4. (50 S.) Marburg 886. Elwert's Verl. n. 2. —

Lenz, Osk., Timbuktu. Reise durch Marokko, die Sahara u. den Sudan. 2 Bde. Mit 57 Abbildgn. u. 9 Karten. gr. 8. (XVI, 430 u. X, 408 S.) Leipzig 884. Brockhaus. n. 24. —; geb. n. 27. 50

Lenz, Ph., Soldaten-Freud' u. Leid. Neue Militär-Humoresken. 2. Aufl. 8. (88 S.) Leipzig 885. Siegismund & Volkening. 1. —; cart. 1. 20

— das Trinkgeld, s.: Bibliothek, stenographische.

Lenz, R., études électrométrologiques. I. Des résistances du mercure épuré de différentes manières. gr. 8. (64 S.) St.-Pétersbourg 883. (Berlin, Friedländer & Sohn.) n. — 80

— über das galvanische Leitungsvermögen alcoholischer Lösungen, s.: Mémoires de l'académie impériale des sciences de St. Pétersbourg.

Lenz, Rhold., Lyrisches aus dem Nachlaß, aufgefunden v. Karl Ludwig. Mit Silhouetten v. Lenz u. Goethe. 8. (XV, 140 S.) Berlin 884. Kamlah. n. 1. 80

Lenze, Karl, Lehrbuch der deutschen Volks-Stenographie. Für den Schul- u. Selbst-Unterricht bearb. Mit e. Anh.: „Überblick üb. die Neuorthographie" v. F. W. Frikke. 2. Aufl. gr. 8. (24 S.) Leipzig 884. (Robolsky.) n. 1. —

— die Weltsprache u. ihre Bedeutung f. den Völker-Verkehr. Ein Mahnruf an alle Gebildeten. gr. 8. (32 S.) Leipzig 886. Gloeckner. n. 1. —

Lenzen di Sebregondi, M., trüber Morgen, goldner Tag, } s.: Bachem's Roman-Sammlung.
— Novelle, }
— Rau v. Rettelhorst, }

Lenzner, das Wuttke'sche System der Pulsions-Centralluftheizung u. Ventilation vermittels d. selbstthätigen Luftventils im Vergleich zu den andern Centralheizungs- u. Ventilationsarten, besonders der Centralluftheizg. durch Aspiration. gr. 8. (22 S.) Danzig 884. Kafemann. n. 1. —

— die Ventilations-Anlagen in dem Garnison-Lazareth zu Pasewalk, s.: Wuttke, O.

Leo. Sonntagsblatt f. das kathol. Volk. Red.: Jos. Rebbert. 6—9. Jahrg. 1883—1886. à 52 Nrn. (B.) 4. Paderborn, Bonifacius-Druckerei. à Jahrg. n. 2. —

Leonis X., pontificis maximi, regesta, gloriosis auspiciis Leonis D. P. pp. XIII. feliciter regnantis e tabularii Vaticani manuscriptis voluminibus aliisque monumentis adjuvantibus tum eidem archivio addictis tum aliis eruditis viris collegit et ed. Jos. Hergenroether. (In 12 fascc.) Fasc. 1—4. gr. 4. (X, 520 S.) Freiburg i/Br. 884—86. Herder. à n. 7. 20

Leonis XIII, Pont. Max., carmina. gr. 8. (161 S.) Roma 885. (Regensburg, Pustet.) 6. —

— über die Freimaurerei. Encyclica vom 20. Apr. 1884, in latein. Urtexte u. deutscher Uebersetzg. hrsg. v. F. Dasbach. 2. Aufl. gr. 8. (55 S.) Trier 885. Paulinus-Druckerei. — 40; der latein. Text ap. (24 S.) n. — 20; der deutsche Text ap. (31 S.) — 20

Leo XIII., Papst, u. die Freimaurer. 8. (31 S.) Münster 884. F. Schöningh. — 15

Leo, E., e. Tenor aus Kyritz, s.: Liebhaber-Bühne, neue.

Leo, Emil, was findet der Auswanderer in Amerika? Wahrheitsgetreue Schildergn. nach eigenen Erfahrgn. 8. (45 S.) Essen 883. Erdmann. n. — 60

Leo, Herm., der heil. Fridolin. gr. 8. (XI, 284 S.) Freiburg i/Br. 886. Herder. n. 2. —

Leo, Wilh., Anleitungen u. Recepte f. die Buchbinder-Werkstätte, zusammengestellt unter Mitwirkg. v. bewährten Fachmännern u. Specialisten. 5. Aufl. gr. 8. (IV, 63 S.) Stuttgart 885. (Hugendubel.) n. 1. 60

Leogast, Frdr., Martin Luther u. seine Zeit. Ein Blatt der deutschen Geschichte. 8. (VIII, 153 S.) Regensburg 883. Verlags-Anstalt. n. 1. 60

Leo-Kalender f. das katholische Deutschland auf d. J. 1887. 9. Jahrg. 8. (159 S. m. Illustr.) Osnabrück, Wehberg. n. — 50

— [früher Pius-Kalender] f. Stadt u. Land. 1885. 11. Jahrg. Mit Holzschn. 16. (216 S.) Köln, Bachem. n. — 50

Leonard, Ludger, die klösterliche Tagesordnung. Anleitung f. Laienbrüder u. Laienschwestern, die tägl. Uebungen ihres hl. Standes im rechten Geiste zu verrichten. Mit e. Auswahl v. Gebeten. 16. (VI, 312 S. m. 1 Chromolith.) Regensburg 884. Pustet. n. 1. 20

Leonardo da Porto Maurizio, der heilige Kreuzweg. Nach dem Ital. 20. Aufl. 16. (36 S.) Oppeln 883. Moeser. n. — 15

Leonhard, Gust., Grundzüge der Geognosie u. Geologie. 4. verm. u. verb. Aufl. Nach d. Verf. Tode besorgt durch Rud. Hoernes. (In 3 Lfgn.) 1. Lfg. gr. 8. (IV, 192 S. m. 60 Holzschn.) Leipzig 885. C. F. Winter. n. 3. —

Leonhard, Rud., der Irrthum bei nichtigen Verträgen nach römischem Rechte. Ein Beitrag zur Vereinfachg. der Vertragslehre. 2. (Schluß-)Thl.: Die Ausführg. der Lehre. gr. 8. (III u. S. 287—606.) Berlin 883. Dümmler's Verl. n. 4. — (cplt.: n. 8. —)

Leonhardi, G., s.: Casualpredigten.

— am heiligen Herde, s.: Wiener, W.

— der Gang zum Altar u. vom Altar in's Leben. Eine Mitgabe f. Konfirmanden u. konfirmierte Jünglinge wie Jungfrauen. 3. Aufl. 12. (IV, 244 S.) Leipzig 886. Bredt. geb. m. Goldschn. n. 3. —

— zu Jesu Füßen. Sonn- u. Festtags-Predigten f. die Gemeinde d. Herrn. 2. Aufl. 8. (IV, 284 S.) Leipzig 883. Böhme. geb. n. 2. 40; fein geb. n. 3. —

— das Leben der Mutter in Gebet u. Lied. Den deutschen Frauen u. Müttern gewidmet. 8. (199 S.) Leipzig 885. Fr. Richter. geb. m. Goldschn. n. 4. —

Leonhardi, P., Konstantinopel u. Umgebung, s.: Wanderbilder, europäische.

Leonhardt, Carl, vergleichende Botanik f. Schulen. 2 Tle. Mit 24 kolor. Kpfrtaf. gr. 8. (XXI, 256 S.) Jena 884. Mauke. n. 5. —

— vergleichende Zoologie f. Schulen. Mit Berücksicht. der formalen Stufen bearb. 2. Aufl. Mit 208 Holzschn. gr. 8. (XVI, 295 S.) Ebend. 887. n. 2. 50

Leonhardt, E. R., die internationale elektrische Ausstellung Wien 1883. Unter besond. Berücksicht. der Organisation, sowie der baul. u. maschinellen Anlagen. Mit 1 color. Orientirungsplane, 4 Taf. u. üb. 100 Text-Illustr. gr. 8. (VI, 176 S.) Freiberg 884. Craz & Gerlach. n. 5. —

— u. J. **Melan,** öffentliche Neubauten in Budapest. Aus Anlass der Studienreise im Jänner 1885 d. österr.

Ingenieur- u. Architekten-Vereins beschrieben. Mit 8 Taf. u. 53 Textfig. gr. 4. (IV, 45 S.) Budapest 885. Gebr. Révai. n. 8. —

Leonhardt, Gust., die Verwaltung der Oesterreichisch-ungarischen Bank 1878—1885. Mit 66 Tabellen u. 1 Uebersichtskarte. gr. 4. (VII, 315 S.) Wien 886. Hölder. n. 8. —

— der Warrant als Bankpapier. Studie üb. die Stellg. d. Warrants in dem Geschäftsverkehre der Zettelbanken. Dem Generalrathe der Oesterreichisch-ungar. Bank vorgelegt. gr. 8. (135 S.) Ebend. 886. n. 2. —

Leonhardt, Gust., das Turnen der Feuerwehren. Ein Handbuch zum Betriebe entsprech. Turnübgn. f. Berufs- u. freiwill. Feuerwehren. 8. (III, 72 S.) Leipzig 886. Strauch. n. — 60

Leonhardt, H., die Erhöhung der nationalen Wehrkraft durch die Einführung militärischer Exercitien in die Schulen. 8. (31 S.) Berlin 883. Adf. Klein. — 75

Leonhart, E., Gertrud, s.: Bachem's Novellen-Sammlung.

Leoni, A., das Staatsrecht der Reichslande Elsaß-Lothringen, s.: Handbuch d. öffentlichen Rechts der Gegenwart in Monographien.

Leopardi's, Giac., Dichtungen. Deutsch v. Gust. Brandes. Mit e. Einleitg. üb. das Leben u. Wirken des Dichters. Neue Ausg. 8. (X, 317 S.) Halle 883. Gesenius. n. 2. —

— Gedichte. Aus dem Ital. in den Versmaßen d. Originals v. Rob. Hamerling. 8. (144 S.) Leipzig 886. Bibliograph. Institut. geb. n. 1. —

Leopold, C. H., allgemeiner deutscher Knobel-Comment. Ein Anhang zu jedem Bier-Comment. Enth.: 285 Würfeltouren. Zum Gebrauch f. Jedermann. 10. Aufl. Theoretisch u. praktisch dargestellt. 16. (80 S.) Berlin 883. (Peiser's Sort.) n. — 50

Leopold, G., Lehrbuch der Hebammenkunst, s.: Credé, C.

Leopoldina. Amtliches Organ der kaiserl. Leopoldinisch-Carolinischen deutschen Akademie der Naturforscher. Hrsg. unter Mitwirkg. der Sektionsvorstände v. C. H. Knoblauch. 19—22. Hft. à 15 Nrn. (à ½—1 B.) gr. 4. Halle a/S. 883—86. (Leipzig, Engelmann.) à Jahrg. n. 8. —

Lepa, Rud., die Lehre vom Selbsteintritte d. Kommissionärs in Einkaufs- u. Verkaufsaufträge nach dem deutschen Handelsgesetzbuch. gr. 8. (X, 288 S.) Stuttgart 883. Enke. n. 7. —

Le Paige, C., üb. die Hesse'sche Fläche der Flächen 3. Ordnung. Lex.-8. (6 S.) Wien 885. (Gerold's Sohn.) n. — 20

Le Palacios, s.: Guide, nouveau, de conversations modernes.

Le Pas, A., Urteilssprüche d. heiligen Petrus. Aus der 3. französ. Aufl. übers. v. Groß. 8. (298 S.) Aachen 884. Jacobi & Co. n. 2. —

Lepère, die Kultur d. Pfirsichbaumes am Spaliere. Für Gärtner, Gartenbesitzer u. Freunde d. Pfirsichbaumes. 2. umgearb. Aufl. v. J. Hartwig. Mit 29 in den Text eingedr. Abbildgn. gr. 8. (VIII, 86 S.) Weimar 886. B. F. Voigt. 1. 80

Lépine, R., die Fortschritte der Nierenpathologie. Deutsch bearb. v. W. Havelburg. Mit einleit. Vorwort v. H. Senator. gr. 8. (XII, 176 S.) Berlin 884. Hirschwald. n. 5. —

— die acute lobäre Pneumonie. Uebers. v. Karl Bettelheim. gr. 8. (IV, 194 S.) Wien 883. Toeplitz & Deuticke. n. 5. —

Lepke, Jos., Schreib- u. Lese-Fibel, als Vorstufe zu dem deutschen Lesebuche f. kathol. Volksschulen. Mit 64 Abbildgn. nach Zeichngn. namhafter Künstler. Unter gleichzeit. Berücksicht. der Bedürfnisse utraquist. Schulen f. leichtes Erlernen d. Lesens u. Verstehens der deutschen Sprache. 5. [Ster.-]Aufl. 8. (XI, 100 S.) Breslau 885. F. Hirt. n. — 40; Einbd. n.n. — 12

Leporello-Album v. Norderney. gr. 16. (25 Photogr.-Imitationen auf 12 chromolith. Taf.) Leipzig 885. (Norden, Braams.) geb. 1. 50

Lepsius, G. Rich., das Mainzer Becken, geologisch beschrieben. Mit e. geolog. (chromolith.) Karte. gr. 4. (VIII, 181 S.) Darmstadt 883. Bergsträsser. cart. n. 12. —

Lepsius, G. Rich., die oberrheinische Tiefebene u. ihre Randgebirge, s.: Forschungen zur deutschen Landes- u. Volkskunde.

Lepsius, K. R., Gedächtnissrede auf ihn, s.: Dillmann, A.

— Lebensbild, s.: Ebers, G.

Lepsius, R., die Längenmasse der Alten. gr. 8. (III, 110 S.) Berlin 884. Hertz. n. 3. —

— s.: Wandgemälde der Abtheilung der ägyptischen Alterthümer in den königl. Museen zu Berlin.

Lepsius', Rich., Lebensbild, s.: Ebers, G.

Lercari, X., Jesus mein Alles. Der eucharist. Monat. Aus dem Lat. übers. v. Jak. Ecker. 2. Aufl. 12. (VIII, 64 S. m. 1 Holzschn.) Freiburg i/Br. 885. Herder. — 60; geb. n. 1. 20

Lerch, Karl, der Ofen der Zukunft. Volkswirthschaftliche Studie u. Abhandlg. üb. die in der österr.-ungar. Monarchie k. k. ausschl. priv. Construction v. Thon-Regulir-Füllöfen m. combinirter Luftheizg. System Lerch & Seidl in Graz. Unbedingte Ersparg. v. mehr als 50, bei Beheizg. mehrerer Zimmer m. 1 Ofen bis 80 Procent an Brennmaterial. Einfachste u. billigste Methode f. e. allgemeine Einführg. dieser „localen" Luftheizgn. m. Zimmeröfen aus Thon. gr. 8. (32 S.) Wien 886. Spielhagen & Schurich. n. — 60

Lerch, Paul, üb. Johs. Bochenecks Canon wider A. Froriep in Tübingen. 8. (14 S.) Berlin 886. Polytechn. Buchh. n. — 50

Lerchberg, Gust., der Mord d. Grafen Hartmann v. Kyburg auf Schloß Thun. Historisch-romant. Erzählg. aus dem 14. Jahrh. 8. (292 S.) Bern 885. Wyß. n. 2. 40

Lerchenfeld, Max Frhr. v., die bairische Verfassung u. die Karlsbader Beschlüsse. gr. 8. (III, 174 S.) Nördlingen 883. Beck. n. 3. —

Lerchner, A., Eigensinn, s.: Liebhaber-Bühne, neue.

Lerini, Vict., auf Leben u. Tod. Erzählung f. das Volk u. die reifere Jugend. 8. (64 S.) Hamburg 884. Kramer. — 25

Lermontow, Dichtungen, s.: Puschkin.

— ausgewählte Gedichte, s.: Collection Manassewitsch.

Lernbüchlein f. den Religions-Unterricht. Zusammengestellt nach dem durch die königl. Regierg. zu Arnsberg im J. 1883 genehmigten Lehrplan f. die evangel. Volksschulen zu Schwelm. 8. (33 S.) Schwelm 884. Boswinkel. n.n. — 25

Lernstoff der deutschen Litteraturgeschichte. 8. (29 S.) Bremen 883. Rühle & Schlenker. cart. n. — 60

Lerond, Heinr., Herappel u. Rosselthal. Skizzen aus der Rosselgegend. 8. (IV, 116 S.) Forbach 885. Hupfer. n. 2. —

Leroy-Beaulieu, Anatole, das Reich der Zaren u. die Russen. Autoris. deutsche, m. Schlussbemerkgn. verseh. Ausg. v. L. Pezold. 2 Bde. 2. Aufl. gr. 8. Sondershausen 887. Eupel. à n. 10. —; geb. à n. 12. —

1. Russland u. die Russen. (XIII, 497 S.)
2. Die inneren Zustände Russlands. (VIII, 512 S.)

Leroy, C. F. A., die darstellende Geometrie. Mit e. Atlas v. 62 lith. Taf. Deutsch m. Anmerkgn. v. E. F. Kauffmann. 3. Aufl. Neue Ausg. gr. 4. (XVIII, 266 S.) Stuttgart 883. A. Koch. n. 10. —

— dasselbe. Anh. dazu, s.: Kauffmann, E. F., Theorie u. graphische Darstellung der ebenen u. sphärischen Epicycloiden.

— Holzverbindungen. [Aus: „Stereotomie (Lehre vom Körperschnitte)".] Mit e. Atlas v. 10 (lith.) Taf. in gr. Fol. [Taf. 65—74 d. ganzen Werkes]. Deutsch bearb. v. E. F. Kauffmann. Neue Ausg. gr. 4. (V, 58 S.) Stuttgart 883. A. Koch. n. 1. 80

— Steinschnitt. Mit e. Atlas v. 32 (lith.) Taf. in gr. Fol. [Taf. 33—64 d. ganzen Werkes.] Deutsch bearb. v. E. F. Kauffmann. Neue Ausg. gr. 4. (V, 136 S.) Ebend. 883. n. 3. 50

— die Stereotomie [Lehre vom Körperschnitte], enth.: die Anwendgn. der darstell. Geometrie auf die Schattenlehre, Linearperspective, Gnomonik, den Steinschnitt u. die Holzverbindgn., m. e. Atlas v. 74

(lith.) Taf. in gr. Fol. Deutsch bearb. v. E. F. Kauffmann. Neue Ausg. gr. 4. (X, 382 S.) Stuttgart 883. A. Koch. n. 10. —

Leroy-Beaulieu, Paul, das Sinken der Preise u. die Welthandelskrisis. Angebliche Ursachen u. vorgeschlagene Heilmittel. Uebers. durch C. v. Kalckstein. gr. 8. (48 S.) Berlin 886. Simion. — 30

Lersch, B. M., Aachen, Burtscheid u. Umgebung. Neuester Führer f. Kurgäste u. Touristen. 4. Aufl. Mit Holzschn., Stadtplan u. Karte der Umgebg. 8. (X, 174 S.) Aachen 885. Barth. n. 1. 20; geb. n. 1. 50

— kleiner Führer f. Aachen u. Burtscheid. 2. Aufl. Mit Holzschn. u. Stadtplan. 8. (96 S.) Ebend. 885. n. — 60

— a guide to Aix-la-Chapelle, Burtscheid and the environs for visitors and tourists. Translated into english by Ellen Jebb. With wood-cut illustrations, a plan of the towns and a map of the environs. 12. (IV, 117 S.) Ebend. 884. n. 1. 20; geb. n. 1. 50

— Notizen üb. Kometenerscheinungen in früheren Jahrhunderten. Lex.-8. (35 S.) Wien 884. (Gerold's Sohn.) n. — 60

— über die symmetrischen Verhältnisse d. Planeten-Systems, als neue vollständig umgearb. Aufl. zweier 1879 u. 80 erschienenen Abhandlgn. gr. 8. (III, 59 S.) Köln 885. Mayer. n. 1. 60

Lesage, der hinkende Teufel, s.: Meyer's Volksbücher.

Leschivo, A., Don Juan d'Austria. Schauspiel in 5 Aufzügen. 2. Aufl. 8. (104 S.) Wiesbaden 886. Bergmann. n. 2. —

— Julius v. Braunschweig. Historisches Schauspiel in 5 Aufzügen. gr. 8. (89 S.) Leipzig 884. Klinkhardt. n. 2. —

Lesebibliothek, stenographische. Beiblatt zum Correspondenzblatte d. kgl. stenograph. Instituts. Red.: Heinr. Krieg. Jahrg. 1883—1886. à 12 Nrn. (1/2 B.) gr. 8. Dresden, (G. Dietze. — Huhle). à Jahrg. n. 2. —

— dasselbe, s.: Blätter, Münchener, f. Stenographie.

Lesebuch f. das 2. Schuljahr. Bearb. v. den Verfassern der Schuljahre. 2. Aufl. gr. 8. (III, 88 S.) Dresden 884. Bleyl & Kaemmerer. n. — 60

— bremisches. Hrsg. v. der Konferenz bremischer Landschullehrer. 4 Tle. gr. 8. Bremen 885. Mühle & Schlenker. geb. n. 5. 60
   1. 2. Schulj. (154 S.) 884. n. 1. 20. — 2. 3. u. 4. Schulj. (290 S.) n. 1. 40. — 3. 5. u. 6. Schulj. (290 S.) n. 1. 40. — 4. 7. u. 8. Schulj. (355 S.) n. 1. 60

— für Bürgerschulen. Hrsg. vom Lehrerverein der Stadt Hannover. 1. u. 2. Tl. gr. 8. Hannover 884. Hahn. n. 1. 60
   1. 6. Aufl. (VIII, 240 S.) n. — 60. — 2. 4. Aufl. (VIII, 392 S.) n. 1. —

— deutsches, bearb. v. e. Verein prakt. Schulmänner. 1. Tl.: Fibel. 2. Aufl. gr. 8. (108 S. m. Holzschn.) Gießen 884. Roth. n. — 40; geb. n. — 50

— deutsches, f. Bürgerschulen. In 8 Tln. Hrsg. v. den Rektoren zu Frankfurt a/M. 7. u. 8. Tl., bearb. v. G. Chun u. W. Liermann. In Ausgaben f. evangel. Schulen; f. kathol. Schulen v. B. Widmann u. f. simultane Schulen. gr. 8. Frankfurt a/M. 883. Auffarth. geb. n. 4. 60 (cplt.: n.n. 14. —)
   7. [7. Schuljahr.] (XII, 276 S.) n. 2. 20. — 8. [8. Schuljahr.] (XII, 308 S.) n. 2. 40

— dasselbe. Ausg. B. In 5 Tln. 4. u. 5. Tl. gr. 8. Ebend. geb. n. 4. 40
   4. [5. u. 6. Schuljahr.] Bearb. v. G. Chun, W. Liermann u. G. Veith. (XII, 276 S.) 882. n. 2. —. — 5. [7. u. 8. Schuljahr.] Bearb. v. G. Chun u. W. Liermann. (XIV, 370 S.) 883. n. 2. 40

— dasselbe, in 4 Tln. f. die Schulen d. Großherzogt. Hessen. Ausg. A. Fibel. [1. Schulj.] Unter Mitwirkg. v. J. M. Schäfer, K. Backes u. F. J. Fritz hrsg. v. G. Chun u. W. Liermann. gr. 8. (IV, 96 S. m. Holzschn.) Ebend. 884. geb. n.n. — 50

— dasselbe. 4 Tle. gr. 8. Ebend. 884. geb. n.n. 4. 45
   1. [2. Schulj.] (VIII, 112 S.) n.n. — 60. — 2. [3. u. 4. Schulj.] (XII, 212 S.) n.n. 1. 10. — 3. [5. u. 6. Schulj.] (XII, 244 S.) n.n. 1. 25. — 4. [7. u. 8. Schulj.] (XIII, 338 S.) n.n. 1. 50

— dasselbe. Ausg. B in 3 Tln. Fibel. [1. Schulj.] gr. 8. (IV, 96 S.) Ebend. 884. geb. n.n. — 50

Lesebuch, deutsches, f. Bürgerschulen. Ausg. C in 2 Tln. Fibel. [1. u. 2. Schulj.] gr. 8. (IV, 140 S.) Frankfurt a/M. 884. Auffarth. geb. n.n. — 85

— dasselbe. 2 Tle. gr. 8. Ebend. 884. geb. n.n. 3. 10
   1. [3. u. 4. Schulj.] (XII, 212 S.) n.n. 1. 10. — 2. [5, 6., 7. u. 8. Schulj.] (XVI, 464 S.) n.n. 2. —

— deutsches, f. höhere Lehranstalten. Hrsg. v. L. Bellermann, J. Imelmann, F. Jonas u. B. Suphan. 1—4. Tl. gr. 8. Berlin, Weidmann. geb. n. 7. 40
   1. Sexta. 2. Aufl. (VIII, 251 S.) 883. n. 1. 80. — 2. Quinta. 2. Aufl. (IV, 280 S.) 885. n. 2. —. — 3. Quarta. 2. Aufl. (IV, 330 S.) 886. n. 1. 80. — 4. Unter-Tertia. (IV, 270 S.) 884. n. 1. 80

— dasselbe. Vorschule. Oberstufe: 1. Klasse. gr. 8. (VIII, 204 S.) Ebend. 886. geb. n. 1. 60

— dasselbe. Vorschule. Unterstufe: 2. Klasse. gr. 8. (VIII, 172 S.) Ebend. 885. geb. n. 1. 40

— deutsches, f. Mittel- u. Oberklassen der Volksschulen. Hrsg. v. mehreren öffentl. Lehrern. Ausg. f. kathol. Schulen. 3. Aufl. 8. (VIII, 432 S.) m. eingedr. Holzschn.) Nürnberg 882. Korn. n.n. 1. 50; Einbd. n.n. — 30

— dasselbe, f. die Unterklasse. 8. (VIII, 192 S.) Ebend. 886. n. — 55; Einbd. n.n. — 16

— deutsches, f. die Unterklasse der bayerischen Volksschulen. Nach den bayer. Kreislehrplänen bearb. 1. u. 2. Abtlg. 2. u. 3. Schulj. 8. (122 u. 144 S. m. Holzschn.) München 886. Exped. d. k. Zentral-Schulbücher-Verlages. n.n. — 60; Einbd. in 1 Bd. n. — 34; Ausg. f. kathol. Schulen zu gleichen Preisen.

— deutsches, f. Realschulen u. verwandte Anstalten. Hrsg. v. den Lehrern der deutschen Sprache an der königl. Realschule I. Ordng. zu Döbeln. 3—5. Tl. gr. 8. Leipzig 883. 84. Teubner. n. 8. 40 (1—5.: n. 11. 70)
   3. Quarta. (VIII, 342 S.) n. 2. —. — 4. Tertia. (VIII, 496 S.) n. 2. 80. — 5. Sekunda. A. u. d. T.: Handbuch zur Einführg. in die deutsche Litteratur, m. Proben aus Poesie u. Prosa ausgestattet u. hrsg. v. C. Hentschel, G. Hey, R. Meyer u. O. Lyon. (XII, 656 S.) n. 3. 60

— deutsches, f. Stadt- u. Landschulen in 4 Tln. Im Auftrage der städt. Schuldeputation zu Breslau bearb. 1. u. 2. Tl., 3. Tl. 2 Abtlgn. u. 4. Tl. gr. 8. Breslau, Korn. n. 3. 90
   1. Handfibel f. den ersten Leseunterricht nach der Schreiblesemethode. Unter Mitwirkg. e. Lehrerkommission bearb. v. Fr. Dietrich. 6. Aufl. (IV, 92 S.) 882. n. — 40
   2. Lesebuch f. die Unterstufe. Im Anschlusse an die „Handfibel" unter Mitwirkg. e. Lehrerkommission bearb. v. Fr. Dietrich. 7. Aufl. (VIII, 136 S.) 885. n. — 50
   3. Lesebuch f. die Mittelstufe. Im Anschlusse an die Unterstufe bearb. v. e. Lehrerkommission. 1. Abtlg. [f. II. B.] 3. Aufl. (VIII, 200 S.) 881. n. 75; 2. Abtlg. 4. Aufl. (VIII, 200 S.) 885. n. — 75
   4. Lesebuch f. die Oberstufe. Zugleich f. Mittelschulen u. die entsprech. Klassen höherer Bürger- u. Mädchen-Schulen. Von Heinr. Thiel. 3. Aufl. (XV, 354 S.) 885. n. 1. 50

— deutsches, f. die Volksschule. 1. Stufe. Nach Maßgabe der allgemeinen Bestimmgn. vom 15. Octbr. 1872 bearb. u. hrsg. vom hess. Lehrerverein. 3. Aufl. gr. 8. (VIII, 184 S. m. Holzschn.) Kassel 883. (Baier & Co.) n. — 65; geb. n. — 95

— dasselbe. B. II. u. C. II. gr. 8. Ebend. 884 à n. 1. 15; geb. à n. 1. 50
   B. II. Oberstufe f. Landschulen. 3. Aufl. (VIII, 344 S.) — C. II. Mittelstufe f. Stadtschulen. (VIII, 328 S.)

— deutsches, f. Volksschulen. 2 Tle. 8. Köln 886. Du Mont-Schauberg. n.n. 1. 60; geb. n.n. 1. 95
   1. Mittelstufe. 28. u. 29. Aufl. (VIII, 284 S.) n.n. — 60; geb. n.n. — 75. — 2. Oberstufe. 14. u. 15. Aufl. (XII, 561 S.) n.n. 1. —; geb. n.n. 1. 20

— deutsches, f. die II. Klasse der Volksschulen. Verf. v. Ant. Falvay, Aug. Luttenberger, Alex. Péterfy u. Ludw. Scholtz. gr. 8. (VIII, 200 S.) Budapest 883. Kókai. geb. n. 1. —

— deutsches, f. evangelische Volksschulen. Ober-Stufe. 4. Aufl. gr. 8. (440 S.) Gütersloh 883. Bertelsmann. geb. n.n. 1. 60

Lesebuch, deutsches, f. Volks- u. Bürgerschulen. Vorstufe. Hrsg. vom Vorstande der Lehrer-Witwen- u. Waisenkasse f. den Bezirk der Landdrostei Lüneburg. 7. Aufl. (164 S.) Hannover 884. Hahn. n. — 50

— dasselbe. Ausg. A. Hauptstufe. 8. Aufl. gr. 8. (VIII, 412 S.) Ebend. 884. n. 1. 20

— für evangelische Volksschulen. 2 Tle. Neue Ausg. gr. 8. Stuttgart 884. Deutsche Verlags-Anstalt. n. 2. 20; 2 Einbde. n.n. — 65

1. Für die Mittelstufe. (176 S.) — 60; Einbd. n.n. — 25. — 2. Für die Oberstufe. (VIII, 456 S.) n. 1. 60; Einbd. n.n. — 40

— für Fortbildungsschulen. Hrsg. v. prakt. Schulmännern. gr. 8. (VII, 144 S.) Dresden 883. Huhle. cart. n. — 70

— hessisches, hrsg. v. hess. Schulmännern. 1. u. 2. Tl. gr. 8. (Mit Holzschn.) Gießen 883. Roth. n. 1. —; geb. n.n. 1. 25

1. Fibel. 2. Aufl. (108 S.) n. — 40; geb. n. — 50. — 2. [2. Schuljahr.] (VIII, 144 S.) n. — 60; geb. n.n. — 75

— dasselbe. Ausg. A. 5—7 Tl. gr. 8. Ebend. 885. 86. n. 3. 80; Einbd. n.n. 1. —

5. [5. Schulj.] (VII, 248 S. m. Holzschn.) n. 1. —; Einbd. n.n. — 30

6. [6. Schulj.] (VIII, 272 S.) n. 1. —; Einbd. n.n. — 30

7. [7. u. 8. Schulj.] (X, 464 S.) 886. n. 1. 80; Einbd. n.n. — 40

— dasselbe. Ausg. B f. drei- u. vielklass. Schulen. 3. u. 4. Tl. Mittelstufe [5—6. Schulj.]. gr. 8. (VIII, 260 S. m. Holzschn.) Ebend. 885. n. 2. 60; Einbd. n.n. — 70

3. Mittelstufe. [5. u. 6. Schulj.] (VIII, 260 S.) n. 1. —; Einbd. n.n. — 30

4. Oberstufe [7. u. 8. Schulj.] (XI, 480 S. m. Holzschn.) n. 1. 60; Einbd. n.n. — 40

— dasselbe. Ausg. C. f. 1- u. 2klass. Schulen. Lesebuch f. Oberklassen [5—8. Schulj.] gr. 8. (XII, 500 S. m. Holzschn.) Ebend. 886. n 1. 60; Einbd. n.n. — 40

— für die deutschen katholischen Schulen in Nordamerika. Hrsg. unter Mitwirkg. prakt. kathol. Lehrer. Mit Abbildgn. 8. (84 S.) St. Louis, Mo. 885. Freiburg i/Br., Herder. n. — 30; Einbd. n.n. — 10

— für die Mittelklassen der Elementarschulen in Elsaß-Lothringen. Ausg. f. kathol. Schulen. 7. Aufl. gr. 8. (VIII, 200 S.) Straßburg 886. Schmidt. n. — 60; geb. n.n. — 80

— für Mittel-Classen ev.-luth. Schulen. Hrsg. v. der deutschen ev.-luth. Synode v. Missouri, Ohio u. a. Staaten. 6. Aufl. 8. (VI, 266 S.) St. Louis, Mo. 882. (Dresden, H. J. Naumann.) n. 2. —

— für die Mittelklassen katholischer Volksschulen. Für die Provinzen Brandenburg, Ost- u Westpreußen, Pommern, Posen u. Schleswig-Holstein bearb. Ausg. d. im Auftrage d. königl. Provinzial-Schulkollegiums zu Münster hrsg. Lesebuchs. gr. 8. (VIII, 168 S.) Dortmund 883. W. Crüwell's Verl. geb. n.n. — 60

— für die mittleren Klassen höherer Lehranstalten. Eine Sammlg. v. Lesestücken aus deutschen Dichtern und Schriftstellern der neueren und neuesten Zeit. gr. 8. (XVI, 512 S.) Freiburg i/Br. 885. Herder. n. 3. —; geb. n. 5. —

— für Oberklassen evangelischer Elementarschulen. gr. 8. (XII, 464 S.) Straßburg 885. Schultz & Co. Verl. n. 1. 20; Ausg. f. Elsaß-Lothringen geb. n.n. — 95

— für die Oberklassen katholischer Elementarschulen. 5. Aufl. gr. 8. (XII, 448 S.) Ebend. 886. n. 1. 20; Ausg. f. Elsaß-Lothringen geb. n.n. — 95

— dasselbe. Ausg. f. Simultanschulen. gr. 8. (XII, 427 S.) Ebend. 884. geb. n.n. — 95

— für die Oberklassen katholischer Volksschulen. Für die Provinzen Brandenburg, Ost- u. Westpreußen, Pommern, Posen u. Schleswig-Holstein bearb. Ausgabe d. im Auftrage d. königl. Provinzial-Schulkollegiums zu Münster hrsg. Lesebuchs. gr. 8. (VIII, 483 S.) Dortmund 883. W. Crüwell. geb. n.n. 1. 25

— dasselbe. Für die Prov. Hessen bearb. 3. Aufl. gr. 8. (VIII, 484 S.) Ebend. 883. geb. n.n. 1. 25

— für die Primarschulen d. Kantons Basel-Stadt. 2—4. Schulj. 8. Basel 884. 85. Detloff. geb. n.n. 2. 80

2. 2. Aufl. (VIII, 168 S.) n.n. — 80. — 3. (VIII, 214 S.) n.n. 1. —. — 4. (VIII, 232 S.) n.n. 1. —

— für die Sekundarschulen d. Kantons Basel-Stadt. 1. Tl. [5. Schulj.] 8. (IV, 236 S.) Ebend. 885. geb. n n. 1. 10

— zum kurzgefassten Lehrbuch [Preisschrift] der Gabelsbergerschen Stenographie. Nach den Beschlüssen der stenograph. Kommission zu Dresden hrsg. vom königl. sächs. stenograph. Institute. Durchgesehen u. umgearb. durch Heyde u. Rätzsch. 59. Aufl. 8. (IV, 96 S.) Dresden 886. G. Dietze. n. 2. —

Lesebuch f. Unter-Classen ev.-luth. Schulen. Hrsg. v. der Deutschen Ev.-Luth. Synode v. Missouri, Ohio u. a. St. 7. Aufl. 8. (VI, 92 S. m. eingedr. Holzschn.) St. Louis, Mo. 884. (Dresden, H. J. Naumann.) geb. n. 1. 10

— vaterländisches. 3 Tle. gr. 8. Weimar 884. Böhlau. n.n. 2. 50

1. Hrsg. v. Herm. Francke. Für die Unterstufe. Mit 32 Bildern, nach Zeichngn. v. B. Woltze, in Holz geschn. v. K. Oertel. 19. Aufl. (IV, 116 S.) n. — 50. — 2. Hrsg. v. Herm. Francke. Für die Mittelstufe. 12. Aufl. (192 S.) n.n. — 60. — 3. Für die Oberstufe. Hrsg. v. Ant. Bräunlich. Neu bearb. v. Herm. Francke. Mit 1 Karte v. Thüringen. 13. Aufl. (VIII, 424 S.) n n. 1. 40

— dasselbe, f. die Oberklassen gegliederter Volksschulen. In amtl. Auftrage bearb. u. hrsg. 2 Abtlgn. gr. 8. Ebend. 886. n n. 2. 30

1. Für das 5. u. 6. Schulj. (VIII, 311 S.) n.n. 1. 10. — 2. Für das 7. u. 8. Schulj. (VIII, 328 S.) n.n. 1. 20

— dasselbe, f. katholische Schulen. In amtl. Auftrage bearb. u. hrsg. 3 Tle. gr. 8. Ebend. 885. n.n. 2. 70

1. Für die Unterstufe. Mit 32 Bildern, nach Zeichngn. v. B. Woltze, in Holz geschn. v. K. Oertel. (IV, 124 S.) 884. n.n. — 50. — 2. Für die Mittelstufe. (198 S.) n.n. — 65. 3. Für die Oberstufe. Mit 1 (chromolith.) Karte v. Thüringen. (VIII, 428 S.) 884. n n. 1. 55

— für Volksschulen. In 2 Tln. Bearb. v. H. Schlepper, K. Dorenwell, J. Henckel u. W. Vollmer. Mit Bildern v. namhaften Künstlern. 2 Tle. 3. Aufl. gr. 8. Hannover 886. Meyer. n.n. 2. 70; geb. n.n. 3. 35

1. Unterstufe. (VIII, 120 S.) n. 1. 50; geb. n.n. 1. 75. — 2. Mittel- u. Oberstufe. (XVI, 412 S.) n. 1. 20; geb. n.n. 1. 60

— für mehrklassige Volks- u. Bürgerschulen. 3 Tle. Bearb. v. H. Schlepper, K. Dorenwell, J. Henckel u. W. Vollmer. Mit Bildern v. namhaften Künstlern. gr. 8. Hannover 886. Helwing's Verl. n.n. 2. 50; geb. n.n. 3. 45

1. Unterstufe. 4. Aufl. (VIII, 120 S.) n.n. — 50; geb. n.n. — 75. 2. Mittelstufe. 4. Aufl. (VIII, 200 S.) n.n. — 75; geb. n.n. 1. 5. — 3. Oberstufe. 5. Aufl. (XVI, 432 S.) n.n. 1. 25; geb. n.n. 1. 65

Lese-Fibel, nach der analytisch-synthetischen Methode. 1. Tl. 3. Aufl. 8. (52 S. m. Fig.) Crefeld 885. Brocker. geb. n.n. — 40

Lesehalle, deutsche. Wochenschrift f. alle Stände. Hrsg. unter Mitwirkg. hervorrag. Schriftsteller u. Journalisten v. Mor. Zitter. 1. Jahrg. 1884—85. 52 Nrn. (B.) gr. 4. Hermannstadt 885. (Schmiedicke.) n. 12. —

Erscheint nicht mehr.

— stenographische. Hrsg. vom Stolzeschen Stenografenverein zu Berlin. Red.: O. Morgenstern. Jahrg. 1883—1885. à 12 Nrn. (½ B.) gr. 8. Berlin, Cronbach. à Jahrg. n. 2. —

Leser, E., Untersuchungen üb. ischaemische Muskellähmungen u. Muskelcontracturen, s.: Sammlung klinischer Vorträge.

Lese- u. Schreibschüler, der, f. die Unterklasse der Volksschule. Mit genauer Berücksicht. der f. preuß. Schulen durch Ministerial-Verordng. vom 21. Jan. 1880 vorgeschriebenen Orthographie. 17. Aufl. 8. (16 u. 46 S.) Siegen 884. Montanus. geb. n. — 50

Lesestoffe, die, in Ed. Bocks Volksschullesebüchern. Übersicht der gesamten litterar. u. realist. Lesestoffe, sowie der zugehör. Abbildgn. in den 3 Ausgaben v. Ed. Bocks deutschem Lesebuche. Für Lehrer, Leiter u. Inspektoren der Volksschule. gr. 8. (78 S.) Breslau 885. F. Hirt. gratis.

Lesestübchen, 7 Erzählgn. f. die reifere Jugend. Von M. v. Lindemann, J. Staacke, R. Roth, E. Gail u. A. 2 Thle. in 1 Bde. Mit 1 bunten u. 2 schwarzen Bildern. 8. (130 u. 123 S.) Dresden 883. Meinhold & Söhne. geb. n. 1. —

Lesestücke f. Fortbildungsschulen. Zusammengestellt v. den Lehrerkollegien der beiden städt. Fortbildungsschulen f. Knaben zu Leipzig. 1. Hft.: Untere Abteilg. 4. Aufl. gr. 8. (79 S.) Leipzig 884. M. Hesse. n. — 50

— zur Heimatskunde der Prov. Hannover. Anhang zum Lesebuch f. mehrklass. Volks- u. Bürgerschulen v.

Schlepper, Dorenwell, Henckel u. Vollmer. 2. verb. Aufl. gr. 8. (63 S.) Hannover 883. Helwing's Verl. n. — 30

Lesewandtafeln. 30 Steintaf. Imp.-Fol. Frankfurt a/M. 884. Auffarth. n.n. 12. —

Lesimple, guide pratique pour le Rhin, la Bergstrasse, l'Odenwald et le Taunus. Avec un panorama du Rhin. 8. (VI, 76 S.) Leipzig 885. Lesimple. n. 1. 50

— legends of the Rhine with historical notes. Translated from the german by Miss B. Wight. 8. (VIII, 104 S. m. 4 Stahlst.) Ebend. 883. geb. n. 2. —

— Reisebücher. Cöln. Führer durch die Stadt nebst e. Ausflug nach Bonn u. in's Siebengebirge. Mit Sagen, Legenden u. Geschichte. 8. (38 S. m. 3 lith. Plänen.) Ebend. 885. n. — 50

Lesimple, Aug., Erlebnisse u. Erinnerungen aus dem Musiker-Leben 1. Bdchn. 8. (VII, 78 S.) Dresden 886. Minden. n. 1. —

— Richard Wagner. Erinnerungen. 12. (42 S.) Ebend. 884. n. 1. —

Leske's Schreib- u. Geschäfts-Kalender f. d. J. 1886. 75. Jahrg. 12. (347 S.) Darmstadt, (Zernin). cart. n. 1. 25

Leske, Marie, illustrirtes Spielbuch f. Mädchen. 10. Aufl. Mit üb. 600 Text-Abbildgn, 5 Buntdr.-Bildern, e. Schnittmusterbogen in Mappe, sowie e. Titelbilde. gr. 8. (VIII, 416 S.) Leipzig 886. Spamer. n. 4. —; cart. n. 4. 50

Leskien, Aug., der Ablaut der Wurzelsilben im Litauischen. Lex.-8. (192 S.) Leipzig 884. Hirzel. n. 7. —

— Handbuch der altbulgarischen [altkirchenslavischen] Sprache. Grammatik, Texte. Glossar. 2. Aufl. gr. 8. (XVI, 332 S.) Weimar 886. Böhlau. n. 7. 50

— Untersuchungen üb. Quantität u. Betonung in den slavischen Sprachen. I. Die Quantität im Serbischen. Lex.-8. (152 S.) Leipzig 885. Hirzel. n. 5. —

Leslie, E., Hänschens erste Stelle, s.: Sammlung v. Kinderschriften.

Lesser, Adf., Atlas der gerichtlichen Medicin. 1. Abth.: Vergiftungen. 1—3. Lfg. à 6 (lith.) u. color. Taf. m. erläut. Text. Fol. (IV, 78 S.) Berlin 883. 84. Hirschwald. n. 90. —

Lesser, Edm., Lehrbuch der Haut- u. Geschlechtskrankheiten f. Studirende u. Aerzte. 2 Thle. 2. Aufl. gr. 8. Leipzig 886. F. C. W. Vogel. à n. 6. —
1. Hautkrankheiten. Mit 23 Abbildgn. im Text u. 6 Taf. (XII, 326 S.)
2. Geschlechts-Krankheiten. Mit 5 Abbildgn. im Text u. 4 Taf. (VII, 318 S.)

Lesser, Friederike, geb. Dufresne, der Führer der Jungfrau u. Frau im häuslichen u. geselligen Leben. Nebst e. f. alle Special-Verhältnisse d. weibl. Lebens bestimmten Briefsteller u. e. Anh.: Aphorismen üb. weibl Leben u. Streben. 6. Aufl., rev. v. Edm. Wallner. 8. (VI, 216 S.) Erfurt 884. Bartholomäus. n. 1. 75; geb. n. 2. 75

Lesser, L. v., fünf Jahre poliklinischer Thätigkeit [1877 — 1882]. gr. 8 (VIII, 125 S.) Leipzig 883. F. C. W. Vogel. n. 3. —

Lesser, R., Wegweiser v. der alten zur neuen Heimat, s. Ueber's Meer.

Lesshaft, P., [illegible] divers types musculaires et de la façon différente dont s'exprime la force active des muscles, s.: Mémoires de l'académie impériale des sciences de St.-Pétersbourg.

Lessing's Jugendfreunde, s.: National-Litteratur, deutsche.

Lessing, Carl Frdr., Handzeichnungen. Reproductionen in Facsm.-Druck. 3 Lfgn. gr. Fol. (à 10 Bl.) Berlin 883. Nicolai's Verl. à n. 15. — (cplt. in Mappe: n. 48. —)

Lessing's, Ghold. Ephr., sämtliche Schriften. Hrsg. v. Karl Lachmann. 3. Aufl., besorgt durch Frz. Muncker. 1. u. 2. Bd. gr. 8. (XXIX, 411 u. IX, 450 S.) Stuttgart 886. Göschen. à n. 4. 50

— dasselbe, s.: Bibliothek, Cotta'sche, der Weltlitteratur.

— Werke. 2—7. Bd. 8. (392, 307, 400, 347, 358 u. 378 S.) Berlin 883. 84. Friedberg & Mode's Sep.-Cto. geb. à n. 1. 50

— dasselbe. Neu hrsg. v. Frz. Bornmüller. 5 Bde. od. 20 Lfgn. 1—10. Lfg. 8. (561; XXXII, 537; XVI, 527; XII, 522 u. XXXVI, 694 S.) Leipzig 884. Bibliograph. Institut. à Lfg. n. — 50

Lessing's, Ghold. Ephr., Werke. In 6 Bdn. Neu durchgesehen v. Frz. Muncker. Mit Einleitgn. v. Karl Goedeke. 8. (VI, 362; XII, 329; VIII, 399; VI, 342; VIII, 347 u. VIII, 330 S.) Stuttgart 887. Göschen. n. 4. 50; auch in 18 Lfgn. à n. — 25

— dasselbe. Illustrirte Pracht-Ausg. Hrsg. v. Heinr. Laube. 47—59. (Schluß-)Lfg. Lex.-8. (3. Bd. S. 145—260; 4. Bd. S. 97—248 u. 5. Bd. S. 185—279 m. eingedr. Holzschn.) Wien 883. Bensinger. à n. — 50 (cplt. in 5 Bde. geb. n. 58. —)

— dasselbe, s.: National-Litteratur, deutsche.

— gesammelte Werke in 3 Bdn. Mit e. litterar-historisch-biograph. Einleitg. v. Max Koch. 3 Bde. 8. (XLIV, 800; IV, 822 u. VI, 840 S. m. Holzschn.-Bild.) Stuttgart 886. Cotta. n. 5. —

— antiquarische u. epigrammatische Abhandlungen, Schulausg. m. Anmerkgn. v. Werther. 12. (VI, 157 S.) Stuttgart 884. Goeschen. cart. n. — 80

— litterarische u. dramaturgische Abhandlungen. Schulausg. m. Anmerkgn. v. Werther. 12. (VIII, 162 S.) Ebend. 884. cart. n. — 60

— Minna v. Barnhelm od. das Soldatenglück. Ein Lustspiel in 5 Aufzügen. Schulausg. m. Anmerkgn. v. A. Bieling. 8. (XIV, 138 S.) Stuttgart 885. Cotta. cart. n. — 80

— dasselbe. Mit ausführl. Erläutergn. in katechet. Form f. den Schulgebrauch u. das Privatstudium v. A. Funke. 2. Aufl. 8. (164 S.) Paderborn 885. F. Schöningh. n. 1. 20

— dasselbe. (Schul-Ausg.) 9. Aufl. 12. (IV, 131 S.) Stuttgart 886. Göschen. cart. n. — 80

— dasselbe, s.: Bibliothek der Gesamt-Litteratur d. In- u. Auslandes. — Classiker, deutsche, f. den Schulgebrauch. — Meyer's Volksbücher. — Schulausgaben klassischer Werke. — Unterhaltungs-Bibliothek, Gabelsberger, stenographische.

— Mina de Barnelm. Vofapled in suzugs lul Pelovepolöl fa Fieveger, Y. (In der Volapük-Weltsprache.) (81 S.) Breslau 885. Aderholz. n. 1. 50

— Briefe. Hrsg. u. m. Anmerkgn. begleitet v. Carl Chr. Redlich. 2 Thle. 12. (LV, 863 u. VIII, 1048 S.) Berlin 884. Dümmler's Verl. n. 5. —; geb. n. 7. 50; Nachträge u. Berichtigungen (VIII, 64 S.) 886. n. 1. —

— s.: Briefwechsel zwischen L. u. seiner Frau.

— Damon, die alte Jungfer, } s.: Museum.
— Hamburgische Dramaturgie, }

— die Erziehung d. Menschengeschlechtes u. Anderes, s.: Volksbibliothek f. Kunst u. Wissenschaft.

— Fabeln Drei Bücher. Nebst Abhandlgn. m. dieser Dichtungsart verwandten Inhalts. (Schulausg. m. Einleitg. v. Karl Goedeke.) 12. (XIV, 125 S.) Stuttgart 885. Goeschen. cart. n. — 80

— dasselbe. Deutscher Text m. interlinearer russ. Uebersetzg. f. Lehrer, Schulen u. Selbstunterricht bearb. v. S. Mindaloff. gr. 8. (65 S.) Leipzig 884. Voß' Sort. n. 1. 50

— dasselbe, s.: Sammlung v. Übungen zum Übersetzen ins Französische.

— der Freigeist; der Schatz, s.: Museum.

— Emilia Galotti. Mit Erläutergn. hrsg. v. H. Deiter. 8. (94 S.) Paderborn 886. F. Schöningh. n. — 80

— dasselbe, s.: Bibliothek der Gesamt-Litteratur d. In- u. Auslandes. — Büchersammlung, Gabelsberger Stenographische. — Classiker f. den Schulgebrauch. — Meyers Volksbücher. — Schulausgaben classischer Werke.

— Laokoon, f. den Schulgebrauch bearb. u. m. Erläutergn. versehen v. J. Buschmann. 3. verb. Aufl. Mit 1 Holzschn. 8. (158 S.) Paderborn 886. F. Schöningh. n. 1. 20

— dasselbe, s.: Classiker, deutsche, f. den Schulgebrauch. — Meyer's Volksbücher. — Museum. — Schulausgaben classischer Werke.

— Meisterdramen. [Emilia Galotti, Minna v. Barnhelm, Nathan der Weise]. 8. (69, 80 u. 122 S.) Halle 886. Hendel. geb. m. Goldschn. 1. 30

Lessing, Gthold. Ephr., Nathan der Weise. Ein dramat. Gedicht in 5 Aufzügen. Schulausg. m. Anmerkgn. v. H. Deiter. 12. (VIII, 196 S.) Stuttgart 886. Cotta. cart. n. — 80

— dasselbe, s.: Bibliothek der Gesamt-Litteratur d. In- u. Auslandes. — Classiker, deutsche, s. den Schulgebrauch — Lektüre, ausgewählte, s. Schule u. Haus. — Meyer's Volksbücher. — Schulausgaben klassischer Werke.

— poetische Meisterwerke. Ausgewählt u. m. erläut. Anmerkgn. versehen f. die deutsche Jugend u. unser Volk v. A. Hentschel u. K. Linke. 12. (VII, 339 S. m. Portr.) Leipzig 884. Peter. n. 1. 20; geb. n. 2. 40

— poetische Schriften. Gedichte. Fabeln Dramen. 2 Tle. in 1 Bde. 8. (VII, 362 u. XII, 329 S.) Stuttgart 886. Göschen. n. 1. 80; geb. n. 2. 80

— poetische u. dramatische Werke, s.: Wallroth's Klassiker-Bibliothek.

— Miß Sara Sampson, s.: Repertoire d. herzogl. Meiningen'schen Hof-Theaters. — Schulausgaben classischer Werke.

Lessing's, Leben, s.: Göring, H.

— Geschichte seines Lebens u. seiner Schriften, s.: Schmidt, E.

— Schuljahre, s.: Schumann, J. Ch. G.

Lessing, J., was ist ein altes Kunstwerk werth? } s.: Zeitfragen, volkswirthschaftliche.
— der Modeteufel, }

Lessing, Karl Gotthelf, s.: Wolff, E.

Lessing, Otto, ausgeführte Bauornamente der Neuzeit. Sammlung hervorrag. Ornamentausführgn. der bedeutendsten Architekten u. Bildhauer in Deutschland u. Oesterreich. 4. u. 5. (Schluss-) Lfg. Fol. (à 20 Lichtdr.-Taf.) Berlin 884. Wasmuth. In Mappe. à n. 20. —

— Bau-Ornamente der Neuzeit. 2. Bd. 1. u. 2. Lfg. Fol. (à 20 Lichtdr.-Taf.) Ebend. 886. In Mappe. à n. 20. —

Lessing-Gedenkbuch. 2. Aufl. 16. (403 S.) Dresden 883. Pierson. geb. m. Goldschn. n. 3. —

Lehmann, Dan., Wanderbuch e. Schwermüthigen. Neu hrsg. v. Herm. Conradi. 8. (403 S.) Berlin 885. (Ramlah.) n. 3. —

L'Estocq, M. v., hessische Landes- u. Städte-Wappen. Mit 8 Taf. in Farbendr. Beitrag zur hess. Wappenkunde. 4. (17 S.) Kassel 884. Freyschmidt. n. 8. —

Lethaea geognostica od. Beschreibung u. Abbildung der f. die Gebirgs-Formationen bezeichnendsten Versteinerungen. Hrsg. v. e. Vereinigg. v. Paläontologen. 1. Thl. Lethaea palaeozoica v. Ferd. Roemer. Textbd. 2. Lfg. Mit 65 Holzschn. Lex.-8. (S. 325—544.) Stuttgart 883. Schweizerbart. n. 12. — (Atlas nebst Textbd. 1. u. 2. Lfg.: n. 56. —)

Letnew, P., an e. Haar. Roman. Nach dem Russ. v. Wilh. Goldschmidt. 8. (200 S.) München 886. Heinrichs. n. 3. —

— fremde Schuld. Roman. Nach dem Russ. v. Wilh. Goldschmidt. 8. (308 S.) Ebend. 886. n. 4. —

Lettau, F., Bemerkungen u. Winke, f. den Lehrer zur Behandlung der biblischen Geschichte, s.: Lackner. — Preuß, A. E.

Lettau, H., Frage- u. Aufgabenheft zur Raumlehre, verbunden m. Zeichnen u. Rechnen. Ausg. A. f. ein- u. zweiklass. Elementarschulen. 5. Aufl. Mit 10 Taf. Zeichenvorlagen. 8. (31 S.) Leipzig 886. Peter. n. — 20

— dasselbe. Ausg. B. f. mehrklass. Elementarschulen. 4. Aufl. Mit 10 Taf. Zeichenvorlagen. 8. (35 S.) Ebend. 886. n. — 20

— kleine Geographie f. Elementarschulen. 8. verb. Aufl. gr. 8. (48 S. m. 22 chromolith. Karten.) Ebend. 885. n. — 40

— Heimatskarte nebst kleiner Heimatskunde. Nr. 1—12. gr. 8. (à 8 S.) Ebend. 886. à n. — 12

1. Ostpreußen. — 2. Westpreußen. — 3. Pommern. — 4. Brandenburg. — 5. Prov. Sachsen u. Herzogt. Anhalt. — 6. Posen. — 7. Schlesien. — 8. Schleswig-Holstein. — 9. Hannover u. das Herzogt. Braunschweig. — 10. Westfalen m. den Fürstentümern Lippe, Lippe-Schaumburg u. Waldeck. — 11. Hessen-Nassau. — 12. Die Rheinprovinz u. Hohenzollern.

Lettau, H., kurze Heimatskunde der Prov. Westpreußen, nebst e. Anh., enth. e. kurzgefaßten geograph. Lernstoff f. die Hand der Schüler bearb. Mit 4 Karten im Text. 3. Aufl. gr. 8. (32 S.) Leipzig 886. Peter. n.n. — 25

— Naturgeschichte. Ein Wiederholungs- u. Übungsbuch. 4. verb. Aufl. Mit 378 Abbildgn. im Text. gr. 8. (158 S.) Ebend. 886. n. — 80; geb. n. 1. —

— kleine Naturgeschichte. Ein Wiederholungs- u. Übungsbüchlein f. einfache Elementarschulen. Mit 200 Abbildgn. 6. Aufl. 8. (48 S.) Ebend. 885. n. — 30

— kleine Naturlehre. Ein Wiederholungs- u. Übungsbüchlein f. Elementarschulen. Mit 41 Abbildgn. 6. Aufl. 8. (33 S.) Ebend. 885. n. — 20

— die Raumlehre verbunden m. Zeichnen u. Rechnen, bearb. f. ein- u. mehrklass. Elementarschulen in Stadt u. Land. 5. verb. Aufl. Mit 10 Taf. Zeichenvorlagen u. vielen in den Text gedr. Fig. gr. 8. (125 S.) Ebend. 885. n. 1. —

— Realienbuch, nebst e. Anh. f. Deutsch u. Raumlehre, f. Elementarschulen. In Verbindg. m. e. sächs. Schulmanne hrsg. Mit 21 kol. Karten u. vielen Abbildgn. im Text. Ausg. f. Sachsen u. Thüringen. gr. 8. (96 S.) Ebend. 883. n. — 50; cart. n.n. — 60

— dasselbe. Ausg. f. einfache evangel. Elementarschulen. 14. verm. Aufl. gr. 8. (96 S.) Ebend. 886. n. — 50; cart. n.n. — 60

— dasselbe. Ausg. f. Simultanschulen. gr. 8. (96 S.) Ebend. 886. n. — 50; geb. n.n. — 60

— dasselbe. Ausg. m. Heimatskunde u. Heimatskarte. Nr. 1—12. (à 96 u. 8 S.) Ebend. 886. à n. — 56; cart à n.n. — 66

1. Ostpreußen. — 2. Westpreußen. — 3. Pommern. — 4. Brandenburg. — 5. Prov. Sachsen. — 6. Posen. — 7. Schlesien. — 8. Schleswig-Holstein. — 9. Hannover. — 10. Westfalen. — 11. Hessen-Nassau. — 12. Rheinprovinz.

— das Volkslied als Gesangstoff in der Elementarschule, s.: Sammlung pädagogischer Aufsätze.

— u. H. Sermond, Realienbuch, nebst e. Anh. f. Deutsch u. Raumlehre, f. katholische Elementarschulen. 5. Aufl. Mit 21 kol. Karten u. vielen Abbildgn. im Text. gr. 8. (66 S.) Leipzig 886. Peter. n. — 50; cart. n.n. — 60

Lettau, O., algebraische Aufgaben. 6. Aufl. 8. (VIII, 306 S.) Langensalza 884. Schulbuchh. 2. 70

Lettau, R., der Rechenunterricht. Eine method. Anweisg. in schulmäß. Behandlg. d. gesamten Rechenstoffes m. zahlreichen Übungsaufgaben f. Seminaristen u. Volksschullehrer. gr. 8. (151 S.) Leipzig 886. Peter. n. 1. 60; geb. n. 2. —

Letteris, M., die sämmtlichen Festgebete der Israeliten. Uebers. u. m. Anmerkgn. erklärt. Ausg. in 5 Bdn. 20. Aufl. gr. 8. (383, 514, 432, 444 u. 311 S.) Prag 885. Brandeis. geb. in Halbleinw. m. Goldschn. n. 8. —; in Leinw. n. 9. —

— Machsor. Die sämmtl. Festgebete der Israeliten f. die Neujahrstage u. das Versöhnungsfest. Uebers. u. m. Anmerkgn. erklärt. 12. Aufl. 2 Bde. gr. 8. (576 u. 623 S.) Ebend. 883. geb. m. Goldschn. n. 4. 20

— Tephilath Jeschurim. Vollständiges Gebetbuch. 9. verm. u. verb. Aufl. 8. (328 S.) Ebend. 886. geb. — 60

Lettow-Vorbeck, v., kriegsgeschichtliche Beispiele. Im Anschluß an den in den königl. Kriegsschulen eingeführten Leitfaden der Taktik. Mit 53 Karten u. Planskizzen. 2. Aufl. gr. 8. (XVI, 274 S.) Berlin 884. v. Decker. n. 7. —

— die Bekleidungs-Wirthschaft der Truppen. Eine Anleitg. f. die Thätigkeit d. etatsmäß. Stabsoffiziers. gr. 8. (VII, 76 S.) Ebend. 883. n. 1. 25

— Leitfaden f. den Unterricht in der Taktik an den königl. Kriegsschulen. Auf Veranlassg. der General-Inspektion d. Militär-Erziehungs- u. Bildungswesens ausgearb. 5. Aufl. Mit 54 Abbildgn. 4. (VI, 128 S.) Berlin 886. Mittler & Sohn. n. 3. 20

Letture, italiane per le classi inferiori delle scuole medie. Parte 1—4. gr. 8. Wien, Hölder. n. 5. 80

1. 2. ed. (144 S.) 886. n. 1. 8. — 2. 2. ed. (236 S.) 886. n. 1. 52. — 3. (258 S.) 883. n. 1. 68. — 4. (238 S.) 883. n. 1. 52

Letzerich, Ludw., experimentelle Untersuchungen üb. die Ätiologie d. Typhus abdominalis m. besond. Berücksicht. der Trink- u. Gebrauchswässer. Mit 1 (photolith.) Taf. gr. 8. (IV, 44 S.) Leipzig 883. F. C. W. Vogel. n. 2. —

Leu-Steding, Günther, Liebe in der Küche. Schwank in 1 Act. 8 (24 S.) Hamburg 883. Kramer. — 60

Leube, Wilh., üb. die Bedeutung der Chemie in der Medicin. Nach e. beim Antritt d. Prorectorats der Universität Erlangen am 3. Novbr. geh. Rede. gr. 8. (56 S.) Berlin 884. Hirschwald. n. 1. —

— über die Behandlung der Uraemie. Mit 10 (eingedr.) Holzschn. gr. 8. (26 S.) Wiesbaden 883. Bergmann. n. 1. —

— über Hämoglobinurie. gr. 8. (3 S.) Würzburg 886. Stahel. n. — 20

Leuchs, Adressbuch aller Länder der Erde der Kaufleute, Fabrikanten, Gewerbtreibenden, Gutsbesitzer etc. 1—3. 5. 6. 6a. 7. 7a. 8. 8a. 9—12. 15—17. 19. 23. 25. u. 25a. Bd. gr. 8. Nürnberg, Leuchs & Co. 316. —

1. Bayern. 12. Ausg. f. 1886—1889. (894 u. 506 S.) 886. geb. 20. —
2. Baden. 9. Ausg. f. 1886—1889. (576 S.) 886. geb. 15. —
3. Württemberg u. Hohenzollern. 9. Ausg. f. 1886—1889. (632 S.) 886. geb. 15. —
5. Königr. Sachsen, Altenburg, Coburg-Gotha, Meiningen etc. 8. Ausg. f. 1883—1886. (696 u. 540 S.) 883. 18. —
6. Hannover, Oldenburg, Braunschweig, Mecklenburg etc. 9. Ausg. f. 1884—1887. (624 S.) 885. 18. —
6a. Hamburg, Bremen, Lübeck. Ausg. f. 1886—1889. (472 S.) 886. geb. 18. —
7. Rheinpreussen, Luxemburg u. Birkenfeld. 9. Ausg. f. 1885—1888. (1060 S.) 885. 20. —
7a. Westfalen, Detmold. 9. Ausg. f. 1884—1886. (400 S.) 885. 12. —
8. Stadt Berlin u. Umgebung. 7. Ausg. f. 1882—1886. (570 S.) 884. 12. —
8a. Prov. Brandenburg. 7. Ausg. f. 1882—1886. (282 S.) 884. 12. —
9. Schlesien u. Posen. 6. Ausg. f. 1885—1888. (556 S.) 885. 12. —
10. Preussisch Sachsen u. Anhalt. 9. Ausg. f. 1884—1887. (427 u. 154 S.) 885. 15. —
11. Ost- u. Westpreussen. 7. Ausg. f. 1885—1888. (363 S.) 885. 12. —
12. Pommern. 7. Ausg. f. 1885—1888. (262 S.) 885. 12. —
15. Ober- u Niederösterreich m. Salzburg. 6. Ausg. f. 1883—1886. (216 S.) 884. 10. —
16. Tyrol, Vorarlberg, Fürstenth. Lichtenstein, Triest, Görz u. Gradisca, Istrien u. Dalmatien. 7. Ausg. f. 1883—1886. (244 S.) 884. 10. —
17. Steiermark, Kärnten u. Krain. 7. Ausg. f. 1884—1886. (194 S.) 884. 10. —
19. Böhmen, Mähren, österr. Schlesien, Galizien u. Bukowina. 7. Ausg. f. 1884—1886. (912 S.) 884. 18. —
23. Dänemark, Schweden u. Norwegen. 6. Ausg. f. 1883—1886. (456 S.) 883. geb. 12. —
25. Frankreich [Paris]. 4. Ausg. f. 1886—1889. (419 S.) 886. geb. 20. —
25a. Frankreich [Départements]. 4. Ausg. f. 1886—1889. (1554 S.) 886. geb. 25. —

Leuchtenberger, Glieb., Dispositionen zu deutschen Aufsätzen u. Vorträgen f. die oberen Klassen höherer Lehranstalten. 1. u. 2. Bdchn. gr. 8. Berlin 883. Gaertner. à n. 2. —

1. 3. Aufl. (164 S.) — 2. 2. Aufl. (152 S.)

— dispositive Inhaltsübersicht der drei Olynthischen Reden d. Demosthenes. 2. Aufl. 8. (18 S.) Ebend. 884. cart. n. — 50

Leuckart, Rud., die Anatomie der Biene. Wandtafel. 4 Blatt in Farbendr. Imp.-Fol. Mit erläut. Text. Für Bienenzüchter u. Zoologen bearb. gr. 8. (26 S.) Kassel 885. Fischer. n. 6. —; auf Leinw. m. Stäben n.n. 9. —

— Bericht üb. die wissenschaftlichen Leistungen in der Naturgeschichte der niederen Thiere während der J. 1876—1879. 2. Thl. gr. 8. (III u. S. 331—848.) Berlin 883. Nicolai's Verl. n. 20. — (cplt.: n. 32. —)

— die Parasiten d. Menschen u. die v. ihnen herrührenden Krankheiten. Ein Hand- u. Lehrbuch f. Naturforscher u. Aerzte. 2. Aufl. 1. Bd. 3. Lfg. Mit zahlreichen Holzschn. gr. 8. (1. Abth. XXXI u. S. 857—1000 u. 2. Abth. S. 1—96.) Leipzig 886. C. F. Winter. n. 6. — (1—3.: n. 22. —)

— u. H. **Nitsche**, zoologische Wandtafeln zum Gebrauche an Universitäten u. Schulen. 7—16. Lfg. Taf. XVIII—XXXIX. à 4 Blatt. Lith. u. color. Imp.-Fol. Mit deutschem, französ. u. engl. Text. gr. 4. (98 S.) Kassel 883—86. Fischer. n. 66. —; f. Aufziehen auf Leinw. m. Rollen à Taf. n.n. 3. — (1—46.: n. 100. 50)

7. n. 9. —. — 8. n. 6. —. — 9. n. 9. —. — 10—16. à n. 6. —

Leudesdorf, Max, Heilkunde f. Schiffsofficiere, m. Gebrauchsanweisg. der Medicinkiste. 2. Aufl. Mit 6 (lith.) Taf. Abbildgn. u. e. (lith. u. color.) Weltkarte. gr. 8. (IV, 156 S.) Hamburg 883. Hoffmann & Campe Verl. geb. n. 4. 50

Leue, Gust., quo tempore et quo consilio oratio, quae inscribitur *περὶ τῶν πρὸς Ἀλέξανδρον συνθηκῶν*, composita sit. gr. 8. (52 S.) Halis Sax 885. (Berlin, Mayer & Müller.) n. 1. 20

Leuenberg, Eug., der Gesangs-Komiker. Ausgewählte Couplets, Duette, Soloscenen m. Melodien u. Pianoforte-Begleitg. Musik v. O. Fuchs. 18—20. Bd. 8. (à ca. 79 S.) Leipzig 884—86. C. A. Koch. à n. 1. —

cfr.: Gesangs-Komiker, der.

— Berliner Humor! Neue kom. Orig.-Vorträge, Humoresken m. u. ohne Gesang, Deklamationen, Couplets ꝛc. 8. (IV, 156 S.) Berlin 884. Cronbach. 1. 50

— Professor Spickmann, s.: Album f. Solo-Scenen.

Leumann, E., das Aupapâtika Sutrâ, s.: Abhandlungen f. die Kunde d. Morgenlandes.

Leunenschloss, E, Zins-Tabellen f. die Bank- u Geschäftswelt, s.: Toepke, E.

Leunis, Johs., analytischer Leitfaden f. den ersten wissenschaftlichen Unterricht in der Naturgeschichte 1. u. 2. Hft. gr. 8. Hannover 886. Hahn. n. 3. 80

1. Zoologie. 8. Aufl., durchaus neu bearb. v. Hub. Ludwig. Mit 374 Holzschn. (VIII, 299 S.) n. 2. —
2. Botanik. 9. verm. Aufl., neu bearb. v. A. B. Frank. Mit 481 Holzschn. (XVI, 264 S.) n. 1. 80

— Schul-Naturgeschichte. Eine analyt. Darstellg. der drei Naturreiche, zum Selbstbestimmen der Naturkörper, m. vorzügl. Berücksicht. der nützl. u. schädl. Naturkörper. Deutschlands. Zum Gebrauche f. höhere Lehranstalten. 2. Tl. Botanik. 10. verm. Aufl., neu bearb. v. A. B. Frank. Mit 737 Holzschn. gr. 8. (XXIII, 536 S. m. 1 lith. Karte.) Ebend. 884. n. 4. —

— Synopsis der drei Naturreiche. Ein Handbuch für höhere Lehranstalten u. f. Alle, welche sich wissenschaftlich m. Naturgeschichte beschäftigen u. sich zugleich auf die zweckmäßigste Weise das Selbstbestimmen der Naturkörper erleichtern wollen. Mit vorzügl. Berücksicht. aller nützl. u. schädl. Naturkörper Deutschlands, so wie der wichtigsten vorweltl. Thiere u. Pflanzen. 1. Thl. Zoologie. 3. Aufl. v. Hub. Ludwig. 2 Bde. gr. 8. (XV, 1038 u. XV, 1231 S.) Ebend. 883—86. n. 34. —

— dasselbe. 2. Thl. Botanik. 3. Aufl. v A. B. Frank. 1. Bd. 2. Abth. u. 2. u. 3. Bd gr. 8. Ebend. n. 28. — (3 Bde. cplt.: n. 36. —)

I. Allgemeiner Thl. 2. Abth. (XV, u. S. 545—944.) 883. n. 6. —
II. Specielle Botanik. Phanerogamen. Mit 641 Holzschn. (XXIII, 1002 S.) 885. n. 12. —
III. Specielle Botanik. Kryptogamen. Mit 176 Holzschn. (XIX, 675 u. Autorenregister 117 S.) 886. n. 10. —

Leuschner, soll § 14 der Kirchen-Gemeinde- u. Synodal-Ordnung gemäß den Beschlüssen der Provinzial-Synoden geändert werden? Eine Lebensfrage f. unsere evangel. Kirche. gr. 8. (19 S.) Halle 885. Strien. — 30

Leute, kleine. 4. (8 Chromolith. m. Text.) Stuttgart 886. G. Weise. n. — 50; unzerreißbar. geb. 1. 50

— kleiner, große Freude. 6 Nrn. gr. 8. (à 12 Chromolith. m. eingedr. Text.) Lahr 884. Schauenburg. cart. à — 30

Leutemann, Heinr., unzerreißbares Bilderbuch. Mit 20 (chromolith.) Bildern. qu. 4. (8 Bl. Text.) Stuttgart 885. Loewe. 3. 50

— die Hausthiere. Mit 8 (chromolith.) Bildern. qu. 4. (8 S. Text.) Ebend. 884. cart. 1. 20

— dasselbe, Ausg. auf Leinw. m. Lackanstrich. qu. 4. (8 S. Text.) Ebend. 884. cart 1. 80

— unzerreißbares Thierbilderbuch. 8 (chromolith.) Bilder (Hausthiere). qu. 4. (Text auf der Rückseite.) Ebend. 884. geb. 2. 50

— dasselbe. qu. 4. (20 zusammenhäng. Chromolith. auf Carton zum Aufstellen.) Ebend. 886. 2. 70

— unsere Tiere in Hof u. Haus. Wie leben sie, wie seh'n sie aus? Orig.-Zeichngn. Mit Text v. Herm. Pilz. Neue color. Ausg. 4. Aufl. hoch 4. (12 color. Holzschntaf. m. eingedr. Text.) Görlitz 885. Foerster's Verl. geb. n. 2. —

— kleiner Tiergarten. 12 Farbendr.-Bilder nach Orig.-

Aquarellen. Mit Text in Fabeln u. luft. Reimen. qu. 4. (12 S.) Stuttgart 885. Loewe. geb. 1. 80; als Lackbilderbuch 2. 70

Leuthold, G. E., das königl. sächsische Baupolizeirecht. Gesetz, das wegen polizeil. Beaufsichtigg. der Baue zu beobacht. Verfahren betr., vom 6. Juli 1863, m. den Baupolizeiordngn. vom 27. Febr. 1869 u. den übrigen einschlag. Gesetzen u. Verordnungen. Unter besonderer Berücksicht. der metr. Maßverhältnisse u. der Vorschriften f. Industriebauten zusammengestellt u. erläutert. 4. Aufl. 8. (VI, 298 S.) Leipzig 885. Roßberg. n. 2. 50; Einbd. n.n. — 30

— das Staatsrecht d. Königr. Sachsen, s.: Handbuch d. öffentlichen Rechts der Gegenwart.

Leuthold, Heinr., Gedichte. 3. Aufl. Mit (Lichtdr.=)Portr. u. Lebensabriß d. Dichters. 8. (XVI, 348 S.) Frauenfeld 884. Huber. n. 5. —; geb. n. 7. —

Leutz, Ferd., Lehrbuch der Erziehung u. d. Unterrichts f. Lehrer u. Lehrerinnen. II. u. III. Tl. gr. 8. Tauberbischofsheim, Lang. n. 7. — (1—3.: n. 9. 50)
2. Die Unterrichtslehre. (VIII, 383 S.) 885. n. 4. —
3. Die Geschichte der Pädagogik. (VI, 251 S.) 883. 3. —

Leutz, Ludw., die gothischen Wandgemälde in der Burgkapelle zu Zwingenberg am Neckar. Ein Beitrag zur vaterländ. Kunstgeschichte. gr. 8. (40 S. m. 8 autogr. Taf.) Karlsruhe 886. Bielefeld's Verl. n. 1. 80

Lever, Charles, the confessions of Harry Lorrequer. 8. (383 S.) Leipzig 886. Gressner & Schramm. geb. n. 3. —

Leverkühn, C. G. C., Gesetze, Verordnungen u. Ausschreiben in Schulsachen f. den Bezirk d. königl. Konsistoriums zu Hannover, nebst Zugaben u. e. das jüd. Schulwesen betr. Anh. 2. Bd. 1877—1885. gr. 8. (XVII, 1008 S.) Hannover 885. Helwing's Verl. n. 20. — (I. u. II.: n. 29. 20)

Levin, M., Iberia. Bilder aus der spanisch=jüd. Geschichte. 12. (95 S.) Berlin 885. Dümmler's Verl. n. 2. —

— Moses Montefiore. Rede. 8. (18 S. m. 2 Portr.) Berlin 885. Stuhr. n. — 50

Levin, Thdr., Repertorium der bei der königl. Kunst-Akademie zu Düsseldorf aufbewahrten Sammlungen. gr. 8. (X, 393 S.) Düsseldorf 883. (de Haen.) n.n. 2. 50

Levinstein, Ed., die Morphiumsucht. Eine Monographie nach eigenen Beobachtgn. 3., nach dem Tode d. Verf. hrsg. Aufl. gr. 8. (IX, 242 S. m. dem Lichtdr.-Portr. u. Fcsm. d. Verf.) Berlin 883. Hirschwald. n. 5. —

Leviseur, Frdr., Beitrag zur Kenntniss d. Pemphigus. gr. 8. (35 S. m. 3 lith. Curventaf.) Göttingen 884. (Vandenhoeck & Ruprecht.) n. 1. 40

Levitschnigg, Heinr. Ritter v., der Schachmatador. Ein Leitfaden zum Selbstunterricht im Schachspiele. 3. verb. Aufl., vollständig umgearb. u. m. e. Einführg. in die Problemcomposition versehen v. J. Minckwitz. Mit Schachpartien berühmter Meister u. e. Auswahl vorzügl. Schachprobleme. 12. (183 S.) Wien 886. Hartleben. geb. n. 2. —

Levy, Ernst, neue Entwürfe zu Teppich-Gärten u. Blumen-Parterre's, sowie deren Anlage u. Bepflanzg. 4. umgearb. u. erweit. Aufl., hrsg. v. Ed. Brinckmeier. Mit 8 Taf. in Farbendr., enth. 63 Fig. Lex.-8. (38 S.) Leipzig 886. H. Voigt. n. 2. 50; geb. n. 4. —

Levy, J., neuhebräisches u. chaldäisches Wörterbuch üb. die Talmudim u. Midraschim. Nebst Beiträgen v. H. L. Fleischer. 16—20. Lfg. Lex.-8. (3. Bd. S. 561—736 u. 4. Bd. S. 1—446.) Leipzig 883—86. Brockhaus. n. 34. — (1—20.: n. 124. —)

Levy, J. A., der Contocorrent-Vertrag. Autoris. deutsche Ausg. Mit besond. Berücksicht. der neueren deutschen Theorie u. Praxis hrsg. v. J. Riesser. 4. u. 5. (Schluss-)Lfg. gr. 8. (S. 193—266.) Freiburg i/Br. 884. Mohr. à n. 1. —

— Lehre vom Conto-Corrent. Aus dem Holl. übers. u. m. Berücksicht. d. neueren deutschen Rechts hrsg. v. J. Riesser. Vom Verf. autoris. deutsche

Uebersetzg. 3. Lfg. gr. 8. (S. 129—192.) Freiburg i/Br. 883. Mohr. n. 1. — (1—3.: n. 3. —)

Levy, M., Civilprozeßordnung u. Gerichtsverfassungsgesetz für das Deutsche Reich, nebst den Einführungsgesetzen, m. Kommentar in Anmerkgn., — Handausgabe der Civilprozeßordnung u. d. Gerichtsverfassungsgesetzes, s.: Wilmowski, G. v.

Levy's, M. A., biblische Geschichte, nach dem Worte der heil. Schrift der israelit. Jugend erzählt. 8., v. neuem durchgeseh. u. verb. Aufl., hrsg. v. B. Badt. 8. (XVI, 240 S.) Breslau 885. Koebner. geb. n. 1. 50

Lewald, Fanny, im Abendroth. Kaleidoskopische Erzählg. in 16 Briefen. 8. (VII, 181 S.) Dresden 885. Minden. n. 3. —

— Benedict. Roman. 2. Aufl. 8. (254 S.) Berlin 883. Janke. 1. 50

— der Seehof. 3. Aufl. 8. (205 S.) Ebend. 884. 1. 50

— Stella. Roman. 3 Bde. 8. (III, 238; 236 u. 215 S.) Ebend. 883. n. 12. —

— Stella, s.: Collection of German authors.

— vom Sund zum Posilip! Briefe aus den J. 1879 bis 1881. 8. (VIII, 320 S.) Berlin 883. Janke. n. 2. —

Lewandowski, R., üb. die Anwendung der Galvanokaustik in der praktischen Heilkunde, s.: Klinik, Wiener.

— die Elektro-Technik in der praktischen Heilkunde, s.: Bibliothek, elektro-technische.

Lewes, G. H., Goethes Leben u. Werke. Autoris. Uebersetzg. v. Jul. Frese. 15. Aufl. Durchgesehen v. Ludw. Geiger. 2 Tle. in 1 Bd. gr. 8. (XXIV, 288 u. XII, 380 S.) Stuttgart 886. Krabbe. n. 5. —; geb. in Leinw. n. 6. —; in Halbfrz. n. 7. —

Lewicki, A., e. Blick in die Politik König Sigmunds gegen Polen in Bezug auf die Hussitenkriege [seit dem Käsmarker Frieden] Lex.-8. (84 S.) Wien 886. (Gerold's Sohn.) n. 1. 20

Lewin, Adf., der Judenspiegel d. Dr. Justus, ins Licht der Wahrheit gerückt. gr. 8. (89 S.) Magdeburg 884. (Leipzig, Friese.) 1. 20

— vom Schilfmeer zum Sinai. 3 Predigten. gr. 8. (23 S.) Ebend. 884. n. — 50

Lewin, Geo., Studien u. Experimente üb. die Function d. Hypoglosuss im Anschluss an mehrere Fälle v. syphilitischer Glossoplegie. gr. 8. (57 S. m. eingedr. Fig.) Berlin 883. Hirschwald. n. 1. 60

Lewin, H., Lehrplan f. evangelische Präparanden=Anstalten [im Anschluß an den „Organisations= u. Lehrplan f. die königl. evangel. Präparanden = Anstalt zu R." veröffentlicht im Centralblatt f. die Unterrichts=Verwaltg., Oktbr.=Hft. 1878]. gr. 8. (16 S.) Leipzig 886. Siegismund & Volkening. n. — 50

Lewin, Herm., die Kanarien=Hecke. Genaue Beschreibg. der Kanarien= u. Bastardzucht. Aufzucht der Jungen, Behandlg. der Krankheiten. [Vogelapotheke.] 12. (39 S. m. 2 Fig.) Hameln 884. Fuendeling. — 60

Lewin, L., die Arzneimittel u. ihre Dosirung. Zum Gebrauche f. Vorlesgn. u. die ärztliche Praxis bearb. 8. (47 S.) Berlin 884. Grosser. n. — 75

— über Piper methysticum [Kawa]. Untersuchungen. Mit 1 lith. Taf. gr. 8. (V, 60 S.) Berlin 886. Hirschwald. n. 1. 60

— Lehrbuch der Toxikologie f. Aerzte, Studirende u. Apotheker. Mit 8 Holzschn. u. 1 Taf. gr. 8. (VII, 456 S.) Wien 885. Urban & Schwarzenberg. n. 9. —

— über das Resorptionsvermögen der Haut, insbesondere f. Bleiverbindungen. Vortrag, geh. auf dem balneolog. Kongress zu Berlin am 17. März 1883. gr. 8. (8 S.) Berlin 883. Grosser. n. — 50

Lewin, M., Lehrbuch der biblischen Geschichte u. Literatur. 2. Aufl. 8. (IV, 209 S.) Nürnberg 886. Korn. n. 1. 60

Lewinger, M., drei Predigten f. den 1. u. 7. Tag d. Passah=Festes u. den 1. Tag d. Wochenfestes. gr. 8. (38 S.) Bremen 886. (Roussell.) n. 1. —

Lewinsky, Jos., aus dem Guckkasten. Heitere Bilder aus

Musik- u. Theaterwelt. 2. Aufl. 8. (155 S.) Leipzig 886. Unflad. n. 1. 50

Lewis, Will., die neuen Konnossementsklauseln u. die Stellung der Gesetzgebung denselben gegenüber, erörtert. gr. 8. (43 S.) Leipzig 885. Duncker & Humblot. n. 1. —

— das deutsche Seerecht. Ein Kommentar zum 5. Buch d. allgemeinen deutschen Handels-Gesetzbuchs u. zu den dasselbe ergänz. Gesetzen. 2. Aufl. 2 Bde. gr. 8. (X, 422 u. XVIII, 528 S.) Ebend. 883. 84. n. 18. —

— **Reatz** u. **Schroeder,** das Seerecht. gr. 8. (VI, 476 S.) Leipzig 884. Fues. n. 12. —

Lewisohn, L. M., hebräische Lesefibel nach Denzel's, Hientzsch's, Diesterweg's u. A. Grundsätzen der Lautir-Methode. 12. Aufl. 8. (VI, 32 S.) Fulda 884. Rehrkorn. n. — 30

Lewy, Heinr., de civili condicione mulierum graecarum. gr. 8. (69 S.) Breslau 885. (Köhler.) n. 1. —

— altes Stadtrecht v. Gortyn auf Kreta. Nach der v. Halbherr u. Fabricius aufgefundenen Inschrift. Text, Übersetzg. u. Anmerkgn., nebst e. Wörterverzeichnis. gr. 4. (32 S.) Berlin 885. Gaertner. n. 2. 50

Lex Ripuaria et lex Francorum Chamavorum. Ex monumentis Germaniae historicis recusae. Ed. Rud. Sohm. gr. 8. (146 S.) Hannover 883. Hahn. n. 2. 40

Lexer, Matthias, mittelhochdeutsches Taschenwörterbuch. 3. Aufl. 8. (VII, 413 S.) Leipzig 885. Hirzel. n. 5. —; geb. n. 6. —

Lexicon Homericum. Composuerunt C. Capelle, A. Eberhard, E. Eberhard etc. Ed. H. Ebeling. Vol. I fasc. 15—21. Lex.-8. (S. 801—1184.) Leipzig 884. 85. Teubner. à n. 2. —

Lexikon, biographisches, der hervorragenden Aerzte aller Zeiten u. Völker. Unter Mitwirkg. v. A. Anagnostakis, E. Albert, Arndt etc. u. unter Special-Red. v. A. Wernich hrsg. v. A. Hirsch. 1—42. Lfg. gr. 8. (1. Bd. 577, 2. Bd. III, 702, 3. Bd. 718, 4. Bd. 718 S. u. 5. Bd. S. 1—144.) Wien 884—86. Urban & Schwarzenberg. à n. 1. 50

— der Handelscorrespondenz in neun Sprachen. Deutsch, Holländisch, Englisch, Schwedisch, Französisch, Italienisch, Spanisch, Portugiesisch, Russisch. Mit Beifügg. e. vollständ. u. ausführl. Phraseologie zur unmittelbaren Verwendg. f. die Korrespondenz unter Berücksicht. der Bedürfnisse auch der in fremden Sprachen weniger Geübten. Nebst Anh.: „Wörterbuch der Waren-, geograph., Zahlen-, Münz-, Masse- u. Gewichtsnamen, techn. u. im Eisenbahn- wie im allgemeinen Handelsverkehr gebräuchl. Ausdrücke, Briefanfänge u. Briefschlüsse; Telegramme, Formulare etc. Bearb. v. A. Antonoff, G. Bienemann, J. Boss jr., M. W. Brasch, G. Cattaneo, Rud. Ehrenberg, L. F. Huber, C. Lobenhofer, M. Scheck. 9—45 (Schluss-)Lfg. gr. 8. (à 3 B.) Stuttgart 883. 84. Maier. à — 60 (cplt.: n. 27. —)

— kurzgefaßtes, d. allgemeinen Wissens. 8. (442 S.) Leipzig 884. Schneider. n. 2. 70; geb. n. 3. 50

— ausführliches, der griechischen u. römischen Mythologie, im Verein m. Th. Birt, O. Crusius, R. Engelmann etc., unter Mitred. v. Th. Schreiber hrsg. v. W. H. Roscher. Mit zahlreichen Abbildgn. (In 17—20 Lfgn.) 1—10. Lfg. Lex.-8. (Sp. 1—760.) Leipzig 884—86. Teubner. à n. 2. —

Ley, C., immerwährender Kalender f. die Obstbaumzucht; e. Anleitg. f. den Landmann, was in jedem Monate d. Jahres in der Obstbaumzucht zu thun ist, u. wie es gethan werden muß. 2. Aufl. 8. (39 S. m. 1 Taf.) Bonn 886. (Schergens.) n. — 35

Ley, Konr. Alb., die Kölnische Kirchengeschichte, im Anschlusse an die Geschichte der Kölnischen Bischöfe u. Erzbischöfe übersichtlich dargestellt. 2. u. 3. (Schluß-)Abtg. gr. 8. (XVI u. S. 297—767.) Köln 882. 83. Ahn. à n. 4. —

Leybold, Ludw., das Rathhaus der Stadt Augsburg, erbaut 1615 bis 1620 v. Elias Holl. Mit kurzem histor. Text v. Adf. Buff. (In 10 Lfgn.) 1—3. Lfg. Fol. (à 10 Photolith.) Berlin 886. Claesen & Co. In Mappe à n. 9. —

Leyde, Ludw., de Apollonii Sophistae lexico homerico. gr. 8. (33 S.) Leipzig 885. (Fock.) n. — 80

Leyden, E., Eröffnungsrede, geh. in der 1. Sitzg. d. Vereins f. innere Medicin d. Winterhalbjahres am 18. Octbr. 1886. gr. 8. (10 S.) Berlin 886. G. Reimer. — 80

— die Herzkrankheiten in Folge v. Ueberanstrengung. Mit 1 lith. Taf. gr. 8. (62 S.) Berlin 886. Hirschwald. n. 2. 40

— Tabes dorsalis. gr. 8. (63 S. m. Holzschn.) Wien 883. Urban & Schwarzenberg. n. 2. —

Leydig, Frz., üb. die einheimischen Schlangen. Zoologische u. anatom. Bemerkgn. Mit 2 (lith.) Taf. gr. 4. (55 S.) Frankfurt a/M. 883. (Diesterweg.) n. 5. —

— Untersuchungen zur Anatomie u. Histologie der Thiere. Mit 8 (lith.) Taf. gr. 8. (V, 174 S.) Bonn 883. Strauss. cart. n. 20. —

— Zelle u. Gewebe Neue Beiträge zur Histologie d. Thierkörpers. Mit 6 (lith.) Taf. gr. 8. (VI, 219 S.) Ebend. 885. cart. n. 20. —

Leyen, Alfr. v. der, die nordamerikanischen Eisenbahnen in ihren wirthschaftlichen u. politischen Beziehungen. Gesammelte Aufsätze. gr. 8. (V, 402 S.) Leipzig 885. Veit & Co. n. 7. —; geb. n. 8. 40

Leyfert, Siegm., der heimatkundliche Unterricht m. besond. Rücksicht auf die Einführung in das Kartenverständnis. gr. 8. (VIII, 96 S) Wien 885. Pichler's Wwe & Sohn. n. 1. 20

Leyser, E., die Bierbrauerei m. besond. Berücksicht. der Dickmaischbrauerei. 8. Aufl. v. Heiß, Bierbrauerei. Mit üb. 100 in den Text eingedr. Holzschn. u. 6 Taf. (In 6—7 Lfgn.) 1—4. Lfg. gr. 8. (S. 1—320.) Stuttgart 886 Waag. à n. 2. —

— Brauer-Blatt. Umschau üb. die neuesten Vorkommnisse auf dem Gebiete der Bierbrauerei. Unter Mitwirkg. hervorrag. Fachmänner hrsg. v. E. Leyser. 1. Jahrg. 1886. 52 Nrn. (1½ B.) Lex.-8. Ebend n. 5. —

Leyser, J., die Neustadter Hochschule. [Collegium Casimirianum.] Eine Festgabe zur 5. Säcularfeier der Ruperto-Carola. gr. 8. (41 S. m. 4 Stahlst. u. 1 Holzschn.-Bild.) Neustadt a/d. Haardt 886. Gottschick-Witter. n. 1.50

Leythäuser-Melano, Max, der Pomposaner. Große Oper in 4 Akten. Text u. Musik v. M. L. gr. 16. (32 S.) Würzburg 885. Stuber's Verl. n. — 50

— Prager Trilogie. Ein Bühnenwerk in Wort u. Ton. [I. Schwesterstreit. II. Die Erhebung u. hussit. Todtenfeier. III. Auf den Lipanischen Feldern u. die Erlösg.] gr. 8. (148 S.) Würzburg 885. Kreßner. n. 1. 20

— eine Prager Trilogie in Wort u. Ton. 1. Thl.: „Alzbeta u. Kassandra“ m. dem Vorspiel: „Der Astrolog“. gr. 8. (VIII, 89 S.) Prag 883. (Valečka.) n. 1. 60

Lezius, Jos., de Plutarchi in Galba et Othone fontibus. gr. 8. (182 S.) Dorpat 884. (Schnakenburg.) 1. 50.

Lhomond, urbis Romae viri illustres a Romulo ad Augustum. Überarb. u. m. e. Wörterbuch versehen v. C. Holzer. 9. Aufl., hrsg. v. E. C. Holzer. Mit 2 Karten: Imperium Romanum u. Italia; e. Plan d. alten Rom u. 10 Bildnissen. 8. (XV, 310 S.) Stuttgart 885. Neff. n. 1. 80; geb. n.n. 2 10

Lhotzky, Heinr., die Annalen Asurnazirpals [844—860 v. Chr.], nach der Ausgabe d. Londoner Inschriftenwerkes umschrieben, übers. u. erklärt. gr. 8. (33 S.) München 885. (Leipzig, Fock.) n. 2. —

Liard, L., die neuere englische Logik. Autoris. Übersetzg. v. J. Imelmann. 2. Aufl. gr. 8. (VII, 153 S.) Leipzig 883. Denicke. n. 2. —

Libansky, J., die Ausbildung der Blinden in der österreichisch-ungarischen Monarchie, s.: Erziehung, Unterricht, Schulwesen.

Liber Ezechielis. Textum masoreticum accuratissime expressit, e fontibus masorae variae illustravit, notis criticis confirmavit S. Baer. Cum praefatione Franc. Delitzsch et glossario ezechielico-babylonico Frieder. Delitzsch. gr. 8. (XVIII, 134 S.) Leipzig 884. B Tauchnitz. 1. 20

— Genesis sine punctis exscriptus. Curaverunt Ferd.

Muehlau et Aemil. Kautzsch. Ed. II. gr. 8. (78 S.) Leipzig 885. Barth. n. 1. 80

Liberal, od. Orthodox? Die Frage der Gegenwart. gr. 8. (15 S.) Straßburg 883. (Bomhoff.) n. — 20

Library, English. Nr 18—20. 16. Zürich 883. 84. Rudolphi & Klemm. cart. à n. — 40
- 18. The maid's tragedy by Beaumont and Fletcher. London 1611. (104 S.)
- 19. Enoch Arden and Aylmer's field by Alfr. Tennyson. (64 S.)
- 20. Endicott by Henry Wadsworth Longfellow. (66 S)

— English, or selection on the best modern writings with notes and questions to be answered by the pupil. 1—5., 14—26. Bd. Neu rev. u. m. Anmerkgn. versehen v. Heinr. Löwe. 16. Leipzig 883—86. Baumgärtner. cart. 9. 30
- 1. 2. Ornaments discovered. A story. 3. Aufl. (242 S.) — 90
- 3. Ten tales. By a Hoist. 2. Aufl. (164 S.) — 60
- 4. My Father's fireside tales. By T. S. Arthur. 2. Aufl. (126 S.) — 60
- 5. Four of my uncle's fireside tales. By Ben Hook. 2. Aufl. (88 S.) — 60
- 14. Brother Ben and I, a story of humble life. The extorted promise. Two stories taken from „Chances and changes, stories of the past and present. By Beatrice Alsager Jourdan". Hrsg. v. C. Th. Lion. (144 S.) n. — 60
- 15. An english girl in France, eighty years ago. Taken from „Chances and changes, stories of the past and present. By Beatrice Alsager Jourdan". Hrsg. v. C. Th. Lion. (140 S.) n. — 60
- 16. 17. The Coleworth ghost. Tom's troubles. Two stories taken from „Stories of school life" by Ascott R. Hope. Mit Anmerkgn. u. Fragen zum Schul- u Privatgebrauche hrsg. v. C. Th. Lion. (286 S.) — 90
- 18. 19. My schoolboy friends. A story of Whitminster grammar school. By Ascott R. Hope. In Auszügen m. Anmerkgn. u. Fragen zum Schulgebrauch hrsg. v. C. Th. Lion. (227 S.) — 90
- 20. A flat iron for a farthing or some passages in the life of an only son. By Juliana Horatia Ewing. In Auszügen m. Anmerkgn. u. Fragen zum Schulgebrauch hrsg. v. C. Th. Lion. (114 S.) — 60
- 21. The story of John Heywood. A historical tale of the time of Harry VIII. By Charles Bruce. In Auszügen m. Anmerkgn. u. Fragen zum Schulgebrauch hrsg. v. C. Th. Lion. (115 S.) — 60
- 22. 23. The standard bearer. A story of the fourth century. By Ellen Palmer. The last fight in the Colisaeum taken from „a book of golden deeds" by the author of „the heir of Redclyffe". In Auszügen m. Anmerkgn. u. Fragen zum Schulgebrauch hrsg. v. C. Th. Lion. (230 S.) — 90
- 24—26. Quentin Durward by Sir Walter Scott, Bart. In Auszügen m. Anmerkgn. zum Schul- u. Privatgebrauch hrsg. v. C. Th. Lion. 2 Tle. (234 u. 118 S.) 1. 50

Libri judiciales, antiquissimi, terrae Cracouiensis. Pars I et II. Editionem curavit Boleslaus Ulanowski. gr. 4. Krakau, (Friedlein). n. 38. —
- I. Ab an. 1374—1390. (XXIII, 361 u. 26 S. m. 6 Fcsm.-Taf.) 884. n. 14. —
- II. Ab an. 1394—1400. (II u. S. 363—982 u. 27—42 m. 6 Fcsm.-Taf.) 886. n. 24. —

Librorum veteris testamenti canonicorum pars I, graece edita, s.: Lagarde, P. de.

Licht, das elektrische, in seiner Anwendung auf die Kriegsheilkunde. gr. 8. (VI, 44 S.) Wien 884. (Huber & Lahme.) n. 1. —

— von Oben. Lebenserinnerungen einer früh Verwaisten v. C. J. [C. Jacobshagen]. 9. Aufl. 8. (VIII, 250 S.) Hannover 887. Feesche. n. 2. 40; cart. n. 2. 80; geb. n.n. 3. 40

Licht auf den täglichen Pfad. Ein Erbauungsbuch in Textworten der heil. Schrift f. alle Tage im Jahr nach Dr. M. Luthers Uebersetzg. Die Abendstunde. (Nach dem Engl.) Januar—Decbr. 12 Hfte. 12. (IV, 734 S.) Berlin 886. Deutsche Evangel. Buch- u. Tractat-Gesellschaft. à n. — 15; cplt.: n. 2. 50; Einbd. m. Goldschn. n.n. — 80

Licht, Hugo, Architektur der Gegenwart. (In 8 Lfgn.) 1. Lfg. Fol. (25 lith., chromolith. u. Lichtdr.-Taf.) Berlin 886. Wasmuth. In Mappe. n. 25. —

Lichtblau, W., Sammlung geometrischer Konstruktions-Aufgaben, s.: Wiese, W.

Lichtenberg, s.: National-Litteratur, deutsche.

Lichtenberger, H. J., s.: Terrasse, die Brühl'sche.

Lichtenow, Wilh., Gedichte. 12. (68 S.) Landsberg a/W. 883. Schaeffer & Co. n. 2. 25; geb. m. Goldschn. 3. —

Lichtenstein, Geschichte d. königl. preußischen Leib-Grenadier-Regiments [1. Brandenburgischen] Nr. 8. 1859—1882. Mit 1 (Lichtdr.-)Portr., 5 Skizzen u. 11 lith. Plänen. gr. 8. (VIII, 544 S.) Berlin 883. Mittler & Sohn. n. 12. —

Lichtenstein, A., das himmlische Vaterhaus. Vortrag. gr. 8. (29 S.) Barmen 883. Klein. n. — 75

Lichtenstein, Edm., wilde Ranken. Gedichte. 12. (VII, 89 S.) Cottbus 886. Differt. n.n. 1. 80; geb. m. Goldschn. n. 2. 50

Lichtenstein, J., neues praktisches Lehrbuch der doppelten Buchführung, nebst der Lehre v. den verschiedenen Arten d. Conto-Corrents u. e. leichteren Darstellg. d. Bücherschlusses. 3. Aufl. Neu bearb. v. C. A. Segers. gr. 8. (VIII, 208 S.) Leipzig 883. Laudien. n. 2. —

Lichtenstern. Ein Kranz v. Liedern zur 50jähr. Jubelfeier der Anstalt. 1886. 8. (84 S. m. Illustr.) Stuttgart 886. (J. F. Steinkopf.) n. — 50

Lichtenstern, Reisner Frhr. v., Anleitung zum Unterricht der Rekruten im Schießen. Studie üb. die einschläg. Paragraphen der Schießinstruktion. gr. 8. (III, 58 S.) München 885. Oldenbourg. n. 1. —

Lida's Puppe. Lebensgeschichte einer Puppe, v. ihr selbst aufgezeichnet f. alle kleinen Mädchen, welche gern m. Puppen spielen. Mit 4 Farbendr.-Bildern nach Aquarellen v. C. Offterdinger. 3. Aufl. gr. 8. (106 S.) Stuttgart 885. Thienemann. geb. n. 3. —

Lie, J., lebenslänglich verurtheilt, s.: Universal-Bibliothek.

— Rutland. Eine Erzählg. v. der See. Aus dem Dän. v. O. Gleiss. 8. (132 S.) Gütersloh. 885. Bertelsmann. n. 1. 20

Lie, Sophus, Bestimmung aller Raumcurven, deren Krümmungsradius, Torsionsradius u. Bogenlänge durch eine beliebige Relation verknüpft sind. gr. 8. (6 S.) Christiania 882. (Dybwad.) n. — 30

— über gewöhnliche lineare Differentialgleichungen. gr. 8. (4 S.) Ebend. 885. — 35

— Untersuchungen üb. Differentialgleichungen. I. u. II. gr. 8. (12 u. 6 S.) Ebend. 882. à n. — 30

Lieb, A., Sammlung ausgeführter Aufsätze. Mit e. Anh. v. Dispositionen zu Lesestücken u. Diktierstoffen. Für den Schulgebrauch bearb. 8. (VIII, 88 S.) Nürnberg 886. Korn. n. — 80

— J. A. Seyfferth, H. Tillmann, Rechenschule. Aufgaben zum mündl. u. schriftl. Rechnen. Ausg. A. In 7 Hftn. 8. (48, 48, 48, 56, 56, 56 u. 64 S.) Ebend. 886. à n. — 20

— — — dasselbe. Ausg. B. In 4 Hftn. 8 (32, 48, 56 u. 64 S.) Ebend. 886. à n. — 20

Liebau, Gust., der einjährig-freiwillige Dienst u. der Vorbereitungsdienst in der Reichs- u. Staatsverwaltung. Zusammengestellt u. m. umfass. Erläutergn. versehen. 2. Ausg. gr. 8. (XI, 216 S.) Berlin 885. C. Heymann's Verl. n. 3. —

Liebau, Gust., „Ueber allen Gipfeln ist Ruh!" Ein Gedenkblatt zur Erinnerg. an Goethe's Aufenthalt in Ilmenau. 8. (48 S. m. Holzschn.) Ilmenau 884. Schröter. n. — 75; billige Ausg. n. — 50

Liebaut, die Regenerations-Kur, nach 40jähr. Erfahrgn. u. Erfolgen in Hospitälern, Kliniken etc. festgestellt. 14. Aufl. 8. (55 S.) Brüssel 884. (Stuttgart, Ullrich.) n.n. — 50

Liebe, deutsche. Aus den Papieren e. Fremdlings. Hrsg. u. m. e. Vorwort begleitet v. Max Müller. 7. Aufl. 8. (VI, 155 S.) Leipzig 885. Brockhaus. n. 3. —; geb. m. Goldschn. n. 4. —

— die, d. Herrn! 4 kleine Blumenkarten m. Sprüchen. Chromolith. 32. Berlin 883. Hübner. — 25

— die, höret nimmer auf. 6 Kreuze m. Blumen u. Farren. 6 Kreuze aus Blumen. Chromolith. 32. Leipzig 883. (Baldamus Sep.-Cto.) n. 1. 20

Liebe, Geo., die kommunale Bedeutung der Kirchspiele in den deutschen Städten. Ein Beitrag zur Verfassungsgeschichte d. deutschen Mittelalters. gr. 8. (55 S.) Berlin 885. W. Weber. n. 1. —

Liebe, K. Th., Uebersicht üb. den Schichtenaufbau Ostthüringens, s., Abhandlungen zur geologischen Specialkarte v. Preussen u. den Thüringischen Staaten.

— Winke, betr. das Aufhängen der Nistkästen f. Vögel. gr. 8. (14 S.) Gera 883. Issleib & Rietschel. n. — 20

Liebe, Otto, Übersetzungsaufgaben zur Einübung der französischen Grammatik. gr. 8. (VIII, 92 S.) Leipzig 883. Teubner. n. 1. 20

Liebenam, W., Beiträge zur Verwaltungsgeschichte d. römischen Kaiserreichs. I. Die Laufbahn der Procuratoren bis auf die Zeit Diocletians. gr. 8. (V, 160 S.) Jena 886. Passarge. n. 2. 50

Liebenau, A. v., Charakterbilder aus Luzern's Vergangenheit. Petermann Feer, der Held v. Dornach. Kaspar Pfyffer, der Stifter d. Wesemlinklosters, Hans Schürpf, der Streiter v. Yverdon. Drei edle Eidgenossen aus dem 15. u. 16. Jahrh. Nach geschichtl. Quellen. gr. 8. (254 S.) Luzern 884. Prell. n. 2. 80; geb. n. 4. —

— an's Frauenherz. Worte der Liebe u. Freundschaft f. die kathol. Frau. 8. (VIII, 360 S.) Dülmen 885. Laumann. 4. —; geb. 6. —

— Maienblumen. 31 Erwäggn. u. Gebete f. den Maienmonat. 2. Aufl. 16. (144 S.) Ebend. 884. n. — 40

Liebenau, Thdr. v., die Schlacht bei Sempach. Gedenkbuch zur 5. Säcularfeier. Im Auftrage d. h. Regierungsrathes d. Kantons Luzern verf. Mit 10 Illustr. gr. 8. (468 S. m. 1 Karte.) Luzern 886. Prell. n. 12. —

Liebenberg, Adf. Ritter v., Bericht an das hohe k. k. Ackerbauministerium üb. die allgemeine nordische Samenausstellung u. den Samencongress in Sundswall im nördlichen Schweden im J. 1882. gr. 8. (31 S.) Wien 883. (Gerold & Co.) n. — 60

Lieber's, Frz., Biographie, s.: Barry, Th. S.

— Vortrag üb. sein Leben u. seine Werke, s.: Holls, F. W.

Lieber, H., u. F. v. **Lühmann,** geometrische Konstruktions-Aufgaben. 7. Aufl. Mit e. (lith.) Fig.-Taf. gr. 8. (XII, 202 S.) Berlin 885. Simion. n. 2. 70; geb. n. 3. —

— — Leitfaden der Elementar-Mathematik. 1—3. Tl. gr. 8. Ebend. n. 4. —

1. Planimetrie. Mit 6 Fig.-Taf. 5. Aufl. (III, 99 S.) 886. n. 1. 50
2. Arithmetik. 3. Aufl. (III, 229 S.) 885. n. 1. 25
3. Ebene Trigonometrie, Stereometrie, sphärische Trigonometrie. Mit 2 Fig.-Taf. 3. Aufl. (III, 84 S.) 885. n. 1. 25

Liebering, Wilh., Beschreibung d. Bergreviers Coblenz I. Bearb. im Auftrage d. königl. Oberbergamts zu Bonn. gr. 8. (IV, 113 S.) Bonn 883. Marcus. n 3. —

Liebermann, Leo, die chemische Praxis auf dem Gebiete der Gesundheitspflege u. gerichtlichen Medicin f. Aerzte, Medicinalbeamte u. Physikatscanditaten, sowie zum Gebrauche in Laboratorien. 2. Aufl. Mit 25 Holzschn. gr. 8. (XII, 291 S.) Stuttgart 883. Enke. n. 6. —

Liebermeister, C., üb. Hysterie u. deren Behandlung, s.: Sammlung klinischer Vorträge.

— Typhus abdominalis; Pest; Gelbfieber, s.: Handbuch der speciellen Pathologie u. Therapie.

— Vorlesungen üb. specielle Pathologie u. Therapie. 1. u. 2. Bd. gr. 8. Leipzig, F. C. W. Vogel. n. 16. —

1. Infectionskrankheiten. Mit 8 Abbildgn. (X, 303 S.) 885. n. 6. —
2. Krankheiten d. Nervensystems. Mit 4 Abbildgn. (VIII, 455 S.) 886. n. 10. —

Liebert, üb. Verfolgung. Ein Vortrag, geh. in der Militär. Gesellschaft zu Berlin am 9. März 1882. gr. 8. (31 S.) Berlin 884. Mittler & Sohn. n. — 60

— dasselbe, s.: Beiheft zum Militär-Wochenblatt.

Liebert, P. Narcissus, katholisches Gebetbuch. In stenograph. Schrift autogr. 32. (VII, 248 S.) Augsburg 885. Kranzfelder. n. 1. 60; geb. in Leinw. n. 2. 40; m. Goldschn. n. 2. 60: in Chagrin n. 3. —; in Kalbldr. n. 3. —; m. Goldschn. n. 3. 20

Liebes-Boten. 4 Chromolith. 16. Leipzig 883. (Baldamus Sep.-Cto.) n. — 80

Liebesbriefsteller, der glückliche, f. Liebende beiderlei Geschlechts. Gesammelt v. Reinhold Liebetreu. 12. (128 S.) Bremen 885. Haake. n. 1. —

Liebesdienste, die neun, u. die Ehrenwache d. göttlichen Herzens Jesu. Unterricht u. Gebete. (2. Aufl.) 16. (48 S.) Dülmen 884 Laumann. n. — 15

Liebeslegenden. Von Amalie Crescenzia. 8. (248 S.) Wien 885. Konegen. n. 4. —

Liebesopfer, marianisches. Ein vollständ. Gebetbuch besonders f. Verehrer Mariä u. m. Rücksicht auf die Congregation der Marienkinder v. der unbefleckten Empfängniß Mariä. Von e. Ordensperson. 2. Aufl. 8. (IV, 596 S. m. 1 Stahlst.) Dülmen 885. Laumann. 1. 50

Liebes- u. Freundschaftswünsche, neueste. Eine Sammlg. der schönsten Dichterworte, Denk- u. Sinnsprüche f. Gedenkbücher u. Albumblätter. 16. (64 S.) Mülheim 884. Bagel. n. — 50

Liebfrauen-Kalender, österreichischer, f. d. J. 1885. 5. Jahrg. 4. (50 S. m. Illustr. u. 1 Holzschntaf.) Wien, Woerl. — 60

— Würzburger, Maria zum Lob u. uns zum Heil f. d. J. 1887. 4. (54 S. m. Illustr. u. 1 Holzschntaf.) Würzburg, Etlinger. n. — 35

Liebhaber-Bibliothek alter Illustratoren in Facsimile-Reproduction. 5—11. Bdchen. gr. 8. München, Hirth. 45. — (1—11.: n. 65. 50; geb. n. 90. 30)

5. Virgil Solis Wappenbüchlein. Nürnberg bei Virgil Solis 1555. 2. Aufl. (50 Blatt) 886. n. 5. —; geb. n. 7. 50
6. Wittemberger Heilligthumsbuch, illustrirt v. Lucas Cranach d. Aelt. Wittemberg in Kursachsen 1509. (92 S.) 883. n. 15. —
7. Jost Amman's Stände u. Handwerker, m. Versen v. Hans Sachs. Frankfurt a/M. bei S. Feyerabend 1568. (116 Bl.) 884. n. 10. —
8. Albr. Dürer's kleine Passion: Nürnberg bei Albrecht Dürer 1510. (38 Bl. m. 2 S. Text.) 884. n. 3. —; geb. n. 5. 50
9. Hans Holbein's d. J. Bilder zum alten Testament. Historiaruum Veteris Instrumedti icones ad vivum expressae. Lyon, Trechsel, Fratres, 1538. Mit e. Appendix. (103 S.) 884. n. 4. —; geb. n. 6. 50
10. Hans Holbein's Todtentanz. Lyon, Trechsel fratres, 1538. (108 S.) 885. n. 5. —; geb. n. 8. —
11. Hans Burgkmair's Leben u. Leiden Christi. Augsburg bei Grimm & Wyrsung 1520. (38 Bl. m. 1 Bl. Text.) 886. n. 3. —; geb. n. 6. —

Liebhaber-Bühne, neue. Nr. 4—6, 12—36. gr. 8. Landsberg a/W. 884—86. Bolger & Klein. à n. 1. —

4. Im Warte-Salon. Dramatischer Scherz in 1 Akt v. Fritz Bolger. 2. Aufl. (9 S.)
5. Beim Täßchen Kaffee. Dramatischer Scherz in 1 Akt v. Fritz Bolger. 2. Aufl. (15 S.)
6. Ein gefangener Dichter. Lustspiel in 1 Akt v. Fritz Bolger. 2. Aufl. (20 S.)
12. Ein Raubmörder od. Onkel Bräsig's Abenteuer. Schwank in 1 Akt frei nach Fritz Reuter's Schurr-Murr v. Fritz Bolger. (16 S.)
13. Blauer Montag. Posse m. Gesang in 1 Akt [nach Angely's „Fest der Handwerker"], als Herren-Specialität eingerichtet v. Ed. Werner. (16 S.)
14. Sonntags-Jäger. Posse m. Gesang in 1 Akt v. Fritz Bolger. (16 S.)

15. Pechmüller od. der Schauspieler in der Klemme. Posse in 1 Akt [nach e. älteren Stoffe] v. Emil Hildebrand. (17 S.)
16. Ein unverheiratheter Ehemann. Schwank in 1 Akt. Frei nach dem Franz. v. G. Bendix. (16 S.)
17. List üb. List. Schwank m. Gesang in 1 Akt nach e. Stoffe v. Angely, als Herren-Spezialität eingerichtet v. W. Rosen. (18 S.)
18. Ein deutscher Reichsfechtmeister. Schwank in 1 Akt [m. theilweiser Benutzung e. älteren Stoffes] v. Fritz Bolger. (16 S.)
19. Buchholz. Schwank in 1 Akt frei nach dem Franz. v. W. Rosen. (14 S.)
20. Robert u. Bertram od. die lustigen Vagabunden. Schwank in 1 Akt v. Nobody. (16 S.)
21. Der Schunkel-Walzer. Posse m. Gesang in 1 Akt v. G. Jacobsen. Musik vom Capellmeistr. Max Ratzki. (16 S.)
22. Vom Congo od. e. schwarzer Staatsbürger. Posse in 1 Akt v. Emil Hildebrand. (16 S.)
23. Im lustigen Alt-England od. Shakespeare u. seine Muse. Charakterbild in 1 Akt v. Fritz Bolger. (18 S.)
24. Das Ehepaar aus der alten Zeit. Posse m. Gesang in 1 Akt v. L. Angely. (18 S.)
25. Paris in Pommern od. Heymann Levi aus Meseritz. Schwank m. Gesang in 1 Akt v. L. Angely. Musik von C. Heyer. Neue Ausg. (24 S.)
26. Auf der Erholungsreise. Posse in 1 Akt v. Adf. Schirmer. (20 S.)
27. Punkt drei Uhr. Schwank in 1 Akt, frei nach dem Franz. v. Adf. Schirmer. Seitenstück zu Angely's „List u. Phlegma". (20 S.)
28. Papagena. Posse in 1 Akt [m. Benutzg. e. älteren Stoffes] v. Adf. Schirmer. (20 S.)
29. Ein Tenor aus Kyritz. Schwank in 1 Akt v. Ernst Leo. (15 S.)
30. Eigensinn od. Gott sei Dank, der Tisch ist gedeckt! Lustspiel in 1 Akt, frei nach dem Franz. v. A. Lerchner. (14 S.)
31. Bei'm Herrn Commissarius. Posse in 1 Akt v. Carl Techmer. (15 S.)
32. Ein fideles Gefängniß. Schwank in 1 Akt v. M. Görner. (15 S.)
33. Ein Fuchs im Taubenschlag. Schwank in 1 Akt v. Gust. Höppner. (16 S.)
34. Theodora. Orig.-Posse m. Gesang v. Gust. Höppner. (15 S.)
35. Maiglöckchen. Lustspiel in 1 Akt v. Walth. Gericke. (15 S.)
36. Don Cesar. Schwank in 1 Akt v. Walther Gericke. (20 S.)

Liebhaber-Theater. Kleine Lustspiele, Genrebilder, Possen, Schwänke u. Scenen f. mehrere Personen zur Aufführg. in Dilettanten- u. Bürgerkreisen, sowie bei Familien- u. Vereinsfestlichkeiten. 1—16. Bdchn. 8. (à 63 S.) Mülheim 883–86. Bagel. à n. — 60

1. Schwere Wahl. Lustspiel in 1 Akt.
2. Überlistet. Posse. — Der erste Jahrestag der Hochzeit. Scherz.
3. Onkel Sandor. Schwank. — Das erste Mittagessen. Schwank.
4. Nur kein Glückspiel. — Der Abend vor dem Polterabend.
5. Jodokus Krümel od. Burg Schreckenstein. Schwank.
6. Unkel Bräsig in dusend Ängsten. Genrebild m. Gesang in mecklenb. Mundart. — Versuchsweise. Lustspiel.
7. Eine fixe Idee. Lustspiel. — Im Arrest. Posse. Von B. Schumann.
8. Beim Herrn Lieutenant. Schwank. — Ein heimlicher Sünder. Genrebild. Von B. Schumann.
9. Seine Betty. Schwank. — Wenn ich reich wäre. Charakterbild. Von B. Schumann.
10. Nerolin. Schwank. — Aller Welt Freund. Lustspiel. Von B. Schumann.
11. Ein kleiner Irrtum. Posse. — Mensch, ärgere dich nicht. Schwank. Von B. Schumann.
12. Ein alter Franzose. Genrebild in 1 Akt v. Sigm. Egger. — Ein Pasquill. Lustspiel in 1 Akt v. B. Schumann.
13. Der Störenfried. Schwank in 1 Aufzuge v. Sigm. Egger. — Der erste Patient. Schwank in 1 Aufzuge v. Sigm. Egger. (64 S.)
14. Amor als Briefbote. Schwank in 1 Aufzuge v. Sigm. Egger. — Zwei Freier. Lustspiel in 1 Akt v. Sigm. Egger. (64 S.)
15. Die Brautschau. Schwank in 1 Akt v. B. Schumann. — Ein gefälliger Mensch. Schwank in 1 Akt v. B. Schumann. (63 S.)
16. Die Verlobung am Sedanfeste. Schwank in 1 Aufzuge v. Otto Koch. — Die Zwillingsbrüder. Schwank in 1 Aufzuge v. Otto Koch. (63 S.)

Liebich, Bruno, die Casuslehre der indischen Grammatiker, verglichen m. dem Gebrauch der Casus im Aitareya-Brāhmana. Ein Beitrag zur Syntax der Sanskrit-Sprache. 1. Tl. gr. 8. (80 S.) Göttingen 885. (Vandenhoeck & Ruprecht.) n. 1. —

Liebich, Const., der Somnambule, der im Schlafe geistigbellsehende Prediger, od. d. Arbeiters u. Käthners in Groß-Golle bei Jannowitz August Schüler Lebenslauf, Zustand u. Predigten. Stenographirt, erläutert u. zusammengestellt. gr. 8. (64 S.) Berlin 883. (Thormann & Goetsch.) n. — 50

Liebig, C., die Destillation auf kaltem Wege od. praktische Anleitung, die verschiedensten einfachen u. doppelten Branntweine u. Liqueure auf die billigste, bequemste u. beste Weise zu bereiten. 8. (XVI, 144 S) Berlin 885. S. Mode's Verl. 1. 50

Liebig, G. v., Reichenhall, sein Klima u. seine Heilmittel. 5. Aufl. Mit e. Karte. 8. (VIII, 195 S.) Reichenhall 883. Bühler. n. 3. —

Liebig's, Just., Annalen der Chemie. Hrsg. v. H. Kopp, A. W. Hoffmann, A. Kekulé, E. Erlenmeyer, J. Volhard. 217—236. Bd. gr. 8. à Hft. ca. 152 S.) Leipzig 883—86. C. F. Winter. pro 4 Bde. n. 24. —

— dasselbe. General-Register zu den Bdn. 165—220 [1873—1883]. Bearb. v. Frdr. Carl. gr. 8. (VI, 822 S.) Ebend. 885. n. 20. —

Liebig, Just. v., f.: Briefwechsel zwischen J. v. L. u. Theodor Reuning üb. landwirthschaftliche Fragen.

Liebl, Hans, Beiträge zu den Persius-Scholien. gr. 8. (54 S.) Straubing 883. (Attenkofer.) n. 1. 50

Lieblein, J., gammel-aegyptisk-religion, populaert fremstillet. 3 dele. gr. 8. (V, 162; III, 171 u. III, 148 S.) Kristiania 883—85. (Leipzig, Hinrichs' Verl.) n. 8. —

— Egyptian religion. gr. 8. (46 S.) Ebend. 884. n. 1. 50

Lieblinge, meine. Ein unzerreißbares Bilderbuch f. die kleine Kinderwelt. 12 heitere Tierscenen in bunter Reihe auf starkem Karton. 4. Aufl. gr. 4. Eßlingen 885. Schreiber. geb. n. 2. 50

Lieblings-Märchen, unsere. 2 Hfte. 4. (à 6 Chromolith. m. 8 S. Text.) Stuttgart 886. G. Weise à — 75; in 1 Bd. geb. 2. —; unzerreißbar, 2 Bde., geb. à 2. —

Lieblingsthiere, unsere. 6 Bilder in Farbendr. m. (eingedr.) Versen v. Klara Reichner. Leinwand-Bilderbuch. gr. 4. Stuttgart 884. G. Weise. geb. 1. 80

Liebmann, J., die Pflicht d. Arztes zur Bewahrung anvertrauter Geheimnisse. gr. 8. (III, 52 S.) Frankfurt a/M. 886. Baer & Co. n. 1. 20

Liebmann, R., methodischer Lehrgang d. ersten hebräischen Sprachunterrichts. 1. Tl. Lese-Fibel [f. die 2 ersten Schuljahre]. 2. Aufl. gr. 8. (V, 40 S.) Frankfurt a/M. 883. Kauffmann. cart. n. — 60

Liebmann, O., das Staatsrecht d. Fürstenth. Reuß älterer Linie, f.: Handbuch d. öffentlichen Rechts der Gegenwart.

Liebmann, Otto, die Klimax der Theorien. Eine Untersuchg. aus dem Bereich der allgemeinen Wissenschaftslehre. gr. 8. (VII, 118 S.) Straßburg 884. Trübner. n. 2. 50

Liebmann, Otto, über philosophische Tradition. Eine akadem. Antrittsrede. gr. 8. (32 S.) Straßburg 883. Trübner. n. 1. —

Liebold, B., Holzarchitectur. [Holzbau.] Taschenbuch f. Bauhandwerker. 2. Thl. 2. Aufl. Enth. ca. 500 Fig. (VII, 175 lith. S.) Holzminden 885. Müller. n. 6. —; geb. n. 6. 60

— Ziegelrohbau. [Taschenbuch f. Bauhandwerker I.] Sammlung v. Façaden- u. Giebelausbildgn., Sockel-, Band-, Gurt- u. Hauptgesimsen, Details, Fries- u. Flächenornamenten, Fenster- u. Thüreinfassgn., Wandflächen-Ausbildgn., gewöhnl. u. Dampf-Schornsteinen, Umfriediggn. etc. v. ausgeführten Bauwerken u. d. m. 2. Aufl. Enth. 440 Fig. 8. (160 Steintaf. m. 4 S. Text.) Ebend. 883. n. 6. 60

Liebrecht, Maria, Jugendgabe. Erzählungen f. die Kinderwelt. 5 Hfte. 12. (à 32 S.) Basel 886. Spittler. à n. — 20

— in Seilen der Liebe od. e. Geschichte vom Verlieren u. Wiederfinden. Für jung u. alt erzählt. 12. (96 S.) Ebend. 886. n. — 50

— Traudchen. Eine Kindergeschichte. 12. (37 S.) Ebend. 886. n. — 20

— vereint zum Lob d. Meisters. Eine Erzählg. Mit 2 Bildern. 12. (100 S.) Ebend. 886. n. — 70

— zwei Waisenkinder. Eine Erzählg. 12. (53 S.) Ebend. 885. — 30

Liebreich, Osc., u. Alex. **Langgaard,** medicinisches Recept-Taschenbuch m. Nachtrag. 8. (IV, 992 S.) Berlin 884. 85. Kassel, Fischer. n. 10. 80

Liebreich, Rich., Atlas der Ophthalmoscopie. Darstellung d. Augengrundes im gesunden u. krankhaften Zustande, enth. 12 Taf. m. 59 Fig. in Farbendr. Nach der Natur gemalt u. erläutert. 3. Aufl. Fol. (VIII, 31 S.) Berlin 885. Hirschwald. cart. n. 32. —

Liebsch, Geo., Syntax der wendischen Sprache in der Oberlausitz. gr. 8. (XV, 240 S.) Bautzen 884. (Leipzig, Pech.) n. 4. —

Liebusch, Geo., Sagen u. Bilder aus Muskau u. dem Park. 2. Aufl., unverändert hrsg. v. E. Petzold. 8. (V, 82 S.) Dresden 885. v. Zahn & Jaensch. n. 1. 50

Lied, das neue, vom Doctor Eisenbart, od. die Kunst, e. gesundes u. frohes Leben zu führen. 2. Aufl. gr. 8. (4 S.) Leipzig 883. Ellissen. n. — 20

Lieder, ausgewählte, zusammengestellt u. hrsg. vom Göttinger Lehrervereine. 1. Hft. f. die Unter- u. Mittelklassen. 3. Aufl. 8. (44 S.) Göttingen 885. Spielmeyer. n. — 40

— dasselbe. Textausg. 4. Aufl. 16. (118 S.) Ebend. 886. n.n. — 25

— zum Bismarck-Fest. 8. (6 S.) Essen 885. Silbermann. f. 20 Explre. 2. —

— Bonner, v. M. W. Hrsg. v. Conr. Küster. 12. (64 S.) Berlin 885. S. Schwartz. n. 1. 50

— 50 ausgewählte, f. Burschenschafter-Commerse. gr. 16. (61 S.) Elberfeld 886. Bädeker. — 25

— 55, f. fröhliche Deutsche. gr. 16. (64 S.) Ebend. 886. — 25

— der alten Edda. Deutsch durch die Brüder Grimm. Neu hrsg. v. Jul. Hoffory. 8. (XV, 95 S.) Berlin 885. G. Reimer. n. 1. 50; geb. n. 2. —

— zur Ehre d. Erretters. 2., verm. Aufl. der Lieder d. blauen Kreuzes. 8. (IV, 112 S.) Bern 886. Leipzig, Buchh. d. Vereinshauses. geb. n.n. — 60

— neue fidele. Sammlung lust. Volks-, Gesellschafts- u. Bummel-Lieder. 16. (48 S.) Oberhausen 884. Spaarmann. n. — 20

— 40 geistliche, m. kurzer Lebensbeschreibg. d. Dichter u. Inhaltsangabe der Lieder. 4. verm. Aufl. 8. (41 S.) Ruhrort 886. (Andreae & Co.) geb. n.n. — 30

— für gemeinschaftlichen Gesang im frohen Kreise. 16. (104 S.) Essen 886. Bädeker. n. — 25

— 26, f. die deutsche Jugend. 16. (23 S.) Mülheim a/Rh. 883. Kamphoff. n.n. — 25

— für die österreichische Jugend. Sammlung v. Liedern f. Volks- u. Bürgerschulen. [In 4 Hftn.] Hrsg. vom Lehrerverein „Volksschule". 1—3. Hft. 8. Wien 886. Graeser.) n. — 64

1. 11. Aufl. (24 S.) n. — 20. — 2. 16. Aufl. (24 S.) n. — 20. — 3. 10. Aufl. (40 S.) n. — 24

Lieder f. den Jungfrauen-Bund. 6. Aufl. 12. (VIII, 88 S.) Augsburg 886. Schmid's Verl. n. — 30

— die ersten, d. blauen Kreuzes. 12. (71 S.) Basel 883. Spittler. n. — 40

— der Liebe. Gedichte f. Verliebte u. Verlobte. 16. (96 S.) Chemnitz 884. Hager. — 40

— der Liebe. Ein Strauß der schönsten Lieder f. lieb. Herzen 16. (48 S.) Oberhausen 884. Spaarmann. n. — 20

— lustige, f. Trink- u. Festgelage, Verlobungen, Hochzeiten, Vereinsfeste u. Karnevals-Gesellschaften. Nach bekannten Melodien. 16. (112 S. m. 1 Holzschn.) Mülheim 883. Bagel. — 30

— für Missions-Feste. gr. 8. (4 S.) Cassel 886. Röttger. f. 1000 Explre. n.n. 10. —

— 130 ein- u. mehrstimmige, f. den Schulgebrauch. 8. (100 S.) Gütersloh 885. Bertelsmann. n.n. — 25

— zu Turnfahrten d. königl. Gymnasiums zu Rinteln. 16. (96 S.) Rinteln 883. Bösendahl. geb. n. — 80

— unsere. Den evangel. Jünglingsvereinen im Königr. Sachsen gewidmet. 8. (III, 192 S.) Dresden 886. (Leipzig, Buchh. d. Vereinshauses.) cart. n. — 60

— für die evangelischen Volksschulen Württembergs. 2 Hfte. Neu bearb. 1886. 8. Stuttgart 886. Metzler's Verl. n.n. — 16

1. Für die Unterklassen [f. Kinder von 7 bis 10 Jahren.] (16 S.) n.n. — 7. — 2. Für die Oberklassen [f. Kinder von 10 bis 14 Jahren]. (40 S.) n.n. — 9.

Lieder- u. Gebetsanhang zur Erläuterung d. kleinen Katechismus Luthers. 8. (64 S.) Neustrelitz 885. Barnewitz. n. — 10

Liederbuch d. Vereins der Aerzte d. Osterlandes. 12. (V, 74 S. m. Illustr.) Altenburg 883. Blücher. n. — 60

— für Berg- u. Hüttenleute. Hrsg. vom berg- u. hüttenmänn. Verein zu Berlin. 4. Aufl. 12. (XVI, 96 S. m. 1 Titelbild.) Halle 883. Pfeffer. cart. n. 1. —

— für die sächsische Bruder- u. Schwesterschaft. 16. (40 S.) Hermannstadt 883. Michaelis. cart. n. — 16

— der 2. Bürgerschule in Reichenbach i. V. 8. (26 S.) Reichenbach i/V. 884. Erbguth. n. — 15

— für die Deutschen in Oesterreich. Hrsg. vom Deutschen Club in Wien. 3. unveränd. Aufl. 16. (VI, 390 S.) Wien 884. (Pichler's Wwe. & Sohn.) geb. n. 2. 70

— des deutschen Volkes. Hrsg. v. Carl Hase, Fel. Dahn u. Carl Reinecke. Neue Aufl. 8. (XII, 446 S.) Leipzig 883. Breitkopf & Härtel. n. 3. —; geb. n. 4. —

— neues deutsches, zum Gebrauche f. Schulen. Eine Sammlg. v. 96 zwei- u. dreistimm. Liedern m. Vorübgn. Hrsg. v. der Osterwiecker Diöcesan-Lehrer-Conferenz-Gesellschaft. Ausg. A. 96 Schullieder. 2. verb. Aufl. 12. (VII, 158 S.) Osterwieck 885. Zickfeld. cart. n. — 50

— dasselbe. Ausg. B. 96 Schullieder nebst 20 kirchl. Chören. 2. Aufl. 8. (VII, 158 u. 71 S.) Ebend. 885. cart. n. — 75

— neues deutsches. Eine ausgewählte Sammlg. der beliebtesten u. bekanntesten Volks-, Gesellschafts-, Tafel- u. vaterländ. Lieder. Mit Angabe der Dichter u. Komponisten. 16. (256 S.) Oberhausen 886. Spaarmann. cart. — 60

— für fröhliche Fälscher. Nebst etlichen weisen Sprüchen, Regeln u. Glossen. Hrsg. vom Vorstand d. allgemeinen Vereins zur Verfälschg. v. Lebensmitteln, Waaren etc. 16. (XVI, 64 S.) Berlin 878. Springer. n. 1. 50

— für den allgemeinen Gesang. (Auszug aus dem Lahrer Kommersbuch.) 16. (VI, 106 S.) Stuttgart 884. (Metzler's Sort.) geb. n. 1. 35

— dasselbe. 2. Aufl. 12. (VI, 112 S.) Stuttgart 886. Metzler's Verl. geb. n. — 75

— für Gymnasiasten, zusammengestellt v. Lehrern d. Gymnasiums zu Jena. 32. (IX, 233 S.) Jena 884. Doebereiner. cart. n. — 75

— für Gymnasiasten. 7. Aufl. 16. (VIII, 96 S.) Heiligenstadt 886. Delion. n. — 40; cart. n. — 50

— illustrirtes, f. frohe u. heitere Kreise. 11. Aufl. [Mit neuen Orig.-Illustr.] 16. (264 S.) Thorn 884. E. Lambeck. cart. — 60

— für die kaufmännischen Congregationen u. die kath. kaufmänn. Vereine Deutschlands. 16. (XII, 291 S.) Breslau 883. Goerlich. cart. — 80

— für deutsche Kegelbrüder. Mit dem (Lichtdr.-)Portr.

u. e. Vorwort v. Herm. Brügner, Vorsitzenden d. „Verbandes deutscher Kegelclubs". 16. (214 S.) Hannover 886. Frerk. geb. n. 1. —; m. Biernägeln n. 1. 20

Liederbuch für die evangelischen Männer- u. Jünglingsvereine Anhalts. Textausg. 12. (106 S.) Cöthen 886. Schettler's Erben. n.n. — 20

— dasselbe. Notenausg. 12. (224 S.) Ebend. 886. geb. n.n. 1. —

— neuestes. Ein Blumenstrauß f. Sänger u. Sangesfreunde. Eine Sammlg. der schönsten u. beliebtesten Volks-, Soldaten-, Jäger-, Liebes-, Turner- u. Gesellschaftslieder aus alter u. neuester Zeit. 18. Aufl. 16. (160 S.) Reutlingen 884. Bardtenschlager. cart. — 50

— niederdeutsches. Alte u. neue plattdeutsche Lieder u. Reime m. Singweisen. Hrsg. v. Mitgliedern d. Vereins f. niederdeutsche Sprachforschg. 8. (VIII, 115 S.) Hamburg 884. Voß. cart. n. 1. 50

— zunächst f. die Schulen d. osnabrückschen Landes. 1. Hft. 10. Aufl. u. 2. Hft. 8. (76 u. 116 S.) Osnabrück 885. 84. Rackhorst. à n.n. — 30

— für patriotische Vereine. 16. (VIII, 116 S.) Eberswalde 884. Rust. geb. n. 1. 35

— patriotisches. 32. (64 S.) Leipzig 885. Milde. — 10; geb. — 20

— für Radfahrer. Hrsg. vom Bicycle-Club Ellwangen [Württemberg]. 3. Aufl. 16. (XVI, 214 S.) Ellwangen 887. (Heß.) geb. n. 1. 20

— für die deutsche Reichs-Armee. Von C. v. W. 4. Aufl. 16. (180 S.) Potsdam 883. Döring. n. — 40

— für deutsche Studenten. 2. Aufl. 8. (VI, 150 S.) Heidelberg 886. C. Winter. In Ldrtuch. geb. n.n. 1. —

— für die turnende Jugend. Hrsg. v. dem Vorstand der Berliner Turnerschaft. 6. Aufl. 16. (141 S. m. 1 Holzschn.) Berlin 885. (R. Schmidt.) cart. n.n. — 25

— für deutsche Turner. Hrsg. v. Braunschweiger Männer-Turnverein, in letzter Redaction vom Berliner Turnrath. 56. Aufl. Mit dem Bildniß Jahn's. 16. (XVI, 219 S.) Braunschweig 885. Westermann. geb. n. — 60

— für jugendliche Turner. Zum Gebrauche in u. außer der Schule hrsg. vom Berliner Turnrat. Mit dem (Holzschn.-) Bildnis Jahns. 16. (XI, 148 S.) Ebend. 886. geb. n. — 25

— Hrsg. vom deutschen Turnverein Reichenberg. 8. Aufl. 16. (XI, 295 S.) Reichenberg 885. Fritsche. cart. n. 1. 20

— vegetarisches. Hrsg. vom Vorstand d. „Deutschen Vereins f. harmon. Lebensweise [Vegetarier-Vereins]". 16. (62 S.) Berlin 884. (Bohne.) n n. — 30

— für gesellige Vereine. 7. Aufl. 16. (88 S. m. Holzschn.-Portr. Kolping's.) Essen 884. (Fredebeul & Koenen.) geb. n. — 40

— für kath. kaufm. Vereinigungen. 2. Aufl 16. (VIII, 216 S.) Ebend. 885. geb. n. — 80

— für das deutsche Volk. Textausg. 12. (106 S.) Cöthen 886. Schettler's Erben. n.n. — 20

— dasselbe. Notenausg. 12. (224 S) Ebend. 886. geb. n.n. 1. —

— für die Volksschule, hrsg. v. prakt. Schulmännern d. Kreises Essen. 3. Tl.: Für die Oberstufe. Ausg. in Ziffern f. evangel. Schulen. 8. (IV, 84 S.) Essen 882. Bädeker. n. — 50

— dasselbe. Begleitwort. Methodik d. Gesangunterrichtes a. nach Ziffern, b. nach Noten, nebst Anleitg. zur Ausführg. v. Turnreigen. 8. (154 S.) Ebend. 883. n. 1. 50

— für Volksschulen. Zusammengestellt nach den Vorschlägen e. Kommission aus der Lehrerschaft der Inspektionsbezirke Dresden-Land. 3 Hfte. 8. Meißen 883. Schlimpert. n. — 80

1. 1—3. Schulj. (52 S.) n. — 25. — 2. 4—6. Schulj. (53 S.) n. — 25. — 3. 7. u. 8. Schulj. (67 S.) n. — 30.

— für preußische Volksschulen. Zusammengestellt v. e. prakt. Schulmanne. 7. Aufl. 8. (48 S.) Leipzig 885. Leipner. n. — 20

— für sächsische Volksschulen. Zusammengestellt v. e. prakt. Schulmanne. 11. Aufl. 8. (48 S.) Ebend. 885. n. — 20

Liederfibel, kleine. 5. verb. m. Bildern verseh. Aufl. 8. (68 S.) Hildburghausen 886. Gadow & Sohn. cart. n. — 25

Liedergeschichten. Segensspuren der Kernlieder unserer

Kirche. Mit Angabe der Entstehg. der Lieder u. Singweisen, Mittheilgn. üb das Leben der Dichter, rc. Bearb. v. W. W. 2. Bd., die Liedergeschichte von Speratus bis Herberger behandelnd. Mit 30 (eingedr.) Bildern u. Initialen. 12. (210 S.) Reading, Pa. 883. Pilger-Buchh. geb. n. 2. —

Liederhalle, deutsche. Allgemeine Gesangszeitg., hrsg. v. Bernh. Vogel. Mit vielen musikal. Beilagen. 1. Jahrg. 1885/86. 52 Nrn. (B.) gr. 4. Leipzig 885. M. Hesse. n. 8. —

Liederheft f. preußische Schulen. 85 einstimm. Schullieder, hrsg. gemäß der Verfügg. d. kön. Provinzial-Schulkollegiums zu Schleswig vom 24. Juli 1883. 8. (IV, 76 S.) Rendsburg 883. Schneider. n. — 40; cart. n.n. — 50

Liederheimat. Liederbuch f. Schulen, hrsg. vom hannov. Lehrer-Verein. 1—3. Hft. 8. Hannover 884. 85. Hahn. n.n. 1. 15

1. 8. Aufl. (64 S.) n.n. — 25. — 2. 7. Aufl. (96 S.) n. — 40. 3. 4. Aufl. (132 S.) n. — 50

Liederkranz. 82 ein- u. mehrstimm. Lieder f. die Schule. 8. (58 S.) Aachen 884. A. Jacobi & Co. n. — 20

— 75 zweistimm. Volkslieder f. Schule u. Haus. Zusammengestellt im Auftrage d. Bezirkslehrervereins Auerbach v e. Commission. 8. (62 S.) Meißen 884. Schlimpert. n.n. — 25

— für gottesfürchtige Brautleute. 3. Aufl. 12. (8 S.) Nürnberg 883. Raw. — 5

— neuer deutscher, f. Schulen. Auswahl ein-, zwei- u. dreistimm. Lieder, hrsg v. e. Vereine v. Lehrern. 2 Tle. 18 u. 14. Aufl. 8. (192 S.) Potsdam 885. Rentel's Verl. à n. — 25; auch in 6 Hftn. à — 10

— neuester, f. fröhliche Sänger u. Sangesfreunde. Ein Sammlg. der beliebtesten Volks-, Vaterlands-, Soldaten-Turner-, Trink- u. Gesellschaftslieder aus alter n. neuester Zeit. 8. (48 S.) Reutlingen 883. Bardtenschlager. — 15

— Regensburger. Sammlung ausgewählter vierstimm. Lieder. Partitur. 10. Aufl. Auf's neue sorgfältig durchgesehen v. Ludw Liebe. qu. gr. 4. (VI, 241 S.) Regensburg 885. Coppenrath. n. 6. 40

— dasselbe. 3. Bd. Sammlung ausgewählter Lieder f. Männerchor. Hrsg. v. Ludw. Liebe u. Jos. Renner. Partitur. qu. 4. (IX, 282 S) Ebend. 886. n. 6. 40; Einbd. in Leinw. n.n. 1. 20; in Halbfrz. n.n. 1. 50 (1—3.: n. 19. 20)

— dasselbe. 4 Stimmen. qu. gr. 16. (XII, 404; XII, 404; XII, 416 u. XII, 408 S.) Ebend. 886. n. 5. 40; einzeln à n. 1. 40; Einbd. in Halbleinw. à n.n. — 30; in Leinw. à n.n. — 45

— dasselbe. Neue Folge. Lieder-Album f. Männergesang-Vereine. Eine Sammlg. v. 125 ausgewählten Chorgesängen u. Soloquartetten. Mit 75 Orig.-Beiträgen beliebter Liederkomponisten der Gegenwart. Hrsg. v. Karl Seitz. 4. Aufl. 4 Stimmen. qu. gr. 16. (à VIII, 390 S.) Ebend. 886. n. 4. —

Liedersammlung f. Schule u. Haus. 2. Aufl. 8. (IV, 51 S.) Reichenberg 885. Schöpfer Verl. n. — 30

Liederschatz, deutscher, f. gesellige Kreise. Reichhaltige Sammlg. der neuesten, besten u. beliebtesten Volks-, Gesellschafts- u. vaterländ. Lieder. Mit Angabe der Dichter u. Komponisten. 16. (416 S. m. Holzschn.-Illustr.) Oberhausen 886. Spaarmann. cart. 1. —

— für unsere Jugend. Zum Gebrauch in Volks- u. höheren Schulen gesammelt u. hrsg. v. e. Kommission Cösliner Lehrer. 3 Hfte. 8. Cöslin 885. 86. Hendeß. n. — 80

1. 2. Aufl. (60 S.) n. — 20. — 2. 2. Aufl. (86 S.) n. — 30. — 3. 2. Aufl. (88 S.) n. — 30

— für Schule u. Haus. Hrsg vom Vorstande der Lehrer-Witwen- u. Waisenkasse f. den Bezirk der Landdrostei Lüneburg. (Ohne Noten) 27. Aufl. 8. (40 S.) Hannover 886. Hahn. n. — 20; Anh. dazu (m. Noten) 8. Aufl. (32 S.) 883. n. — 20

— dasselbe. Ausg. B. 3 Hfte. 8. Ebend. 884. 85. n.n. 1. 10

1. Unterstufe. (45 S.) n.n. — 25
2. Mittelstufe. (64 S.) n. — 35
3. Oberstufe. (95 S.) n. — 50

Liederstrauß, e. deutscher. Eine Festgabe zum 70. Geburtstage d. Fürsten Bismarck, allen deutschen Patrioten dargebracht von Wilhelm v. der Mulde. 8. (III, 63 S.) Zwickau 885. Werner. — 75

Liederstrauß, ein zweiter deutscher. Eine patriot. Dichtg. f Schule u. Haus von Wilhelm v. der Mulde. 8. (52 S.) Zwickau 886. Werner. n. — 60

— Wiener. Praktische Gesangslehre u. Liedersammlg. f. Bürgerschulen. Bearb. auf Grund der Normallehrpläne f. Bürgerschulen vom 1. Apr. 1884. Hrsg. v. Adf. Kunka, Jos. Ludwig, Karl Platzer, Jos. Steigl, Ed. Siegert u. Joh. Tomaschewitz. gr. 8. (III, 144 S.) Prag 885. Tempsky. n. 1. —

Liedloff, Curtius, de tempestatis, necyomanteae, inferorum descriptionibus, quae apud poetas romanos primi p. Ch. saeculi leguntur. gr. 8. (28 S.) Leipzig 884. (Gräfe.) n. 1. —

Liedtke, H., Patentbericht, s.: Hauenschild, H., Litteraturbericht f. die Thonwaren-, Kalk- u. Gyps-Industrie.

Liefde, J. de, d. Christen Einnahme u. Ausgabe. Einige Seiten aus dem Tagebuche e. Geistlichen. 13. Aufl. 8. (62 S.) Basel 886. Spittler. — 15

Liehmer, L., das Ausziehen der Quadrat- u. Cubikwurzeln. Vollständige auf die Anschaug. gegründete Anleitg. Mit e. großen Anzahl berechneter Beispiele u. anderweit. Aufgaben m. Berücksicht. der desfalls. prakt. Rechenfälle. Für Schulen u. zum Selbstunterrichte. 2, durch Wiederholungsfragen u. Uebungsaufgaben verm. Aufl. gr. 8. (VI, 39 S) Sigmaringen 886. Tappen. n. — 60

Liehr, Dienst-Instruktion f. die Mannschaften der Jäger- u. Schützen-Bataillone, s.: Langermann u. Erlencamp, Frhr. v.

— das Forstversorgungswesen in Verbindung m. dem Militärdienst im preuß. Jägerkorps unter Mitberücksicht. der f. die höhere Forstkarriere maßgebenden generellen Bestimmungen. Mit Genehmigg. der königl. Inspektion der Jäger u. Schützen bearb. gr. 8. (VIII, 213 S.) Berlin 884. Mittler & Sohn. n. 3. —; cart. n. 3. 25

— Schieß-Buch f. die Jägerbataillone. 12. (40 S. m. Fig.) Ebend. 884. n. — 20

Liekefett, Fr., deutsche Fibel. Nach der Schreiblese-Methode bearb. Ausg. A. [In 2 Tln. m. Anwendg. d. reinen Schreiblesens.] 1. u. 2. Schuljahr. 8. (à 64 S.) Hildesheim 884. Borgmeyer. cart. à n. — 40

— dasselbe. Ausg. B. [In 1 Tle. m. Anwendg. d. reinen Schreiblesens.] 8. (80 S.) Ebend. 884. cart. n. — 45

— dasselbe. Begleitwort zu beiden Ausgaben. 8. (16 S.) Ebend. 884. n. — 10

— anschaulich ausführliches Realienbuch, enth. Geschichte, Geographie, Naturgeschichte u. Naturlehre. Für katholische Schulen bearb. 3 Tle. in 1 Bd. gr. 8. (256 S.) Braunschweig 885. Wollermann. geb. n. 1. —; Einzelpr. n. 1. 40

1. Geschichte. (70 S.) cart. n. — 40
2. Geographie. (S. 71—131.) cart. n. — 40
3. Naturgeschichte u. Naturlehre. (S. 132—256.) cart. n. — 60

Lielegg, Andr., erster Unterricht aus der Chemie an Mittelschulen. Ausg. f. Realschulen. 3. Aufl. Mit 23 Holzschn. gr. 8. (X, 260 S.) Wien 883. Hölder. n. 2. 56

Liénard's Werke. 1. Thl. Spécimen der Decoration u. Ornamentik im XIX. Jahrh. Ein Motivenwerk f. Architekten, Holz- u. Steinbildhauer, Modelleure, Graveure, Ciseleure, Kunstschlosser, Musterzeichner, Lithographen, Decorationsmaler, Glasmaler u. Glasätzer. 125 (lith.) Taf. 2. Aufl. (In 5 Lfgn.) 1. Lfg. Fol. (25 Taf.) Berlin 886. Claesen & Co. In Mappe. n. 20. —

— Musterblätter f. das Ornamenten-Zeichnen. gr. Fol. (8 Steintaf.) Ebend. 886. In Mappe. n. 16. —

Lienbacher, Geo., Agrarschrift f. Rechtsschutz u. Wohlfahrt d. Bauernstandes. gr. 8. (47 S.) Wien 884. Woerl. n. — 35

Lienemann, Osk., Eigentümlichkeiten d. Englischen der Vereinigten Staaten, nebst wenig bekannten Americanismen. 4. (52 S.) Leipzig 886. Fock. n. 2. —

Liepmann, Hugo Carl, die Leucipp-Democritschen Atome unter besond. Berücksicht. der Frage nach dem Ursprung derselben. gr. 8. (69 S.) Leipzig 886. Fock. n. 1. 50

Lier, E., Turnbüchlein f. Lehrer an einklassigen Volksschulen. Nach method. Grundsätzen bearb. Mit in den Text gedr. Abbildgn. 2. Aufl. 8. (28 S.) Langensalza 884. Schulbuchh. cart. n. — 35

— Turnspiele f. Deutschlands Jugend. Zum Gebrauch f. Volks- u. Bürgerschulen, sowie f. höhere Lehranstalten. Nach Maßgabe der vom Minister der geistl. ꝛc. Angelegenheiten erlassenen Cirkularverfügg. vom 27. Oktbr. 1882, betr. die Turnspiele. Ausgewählt u hrsg. 2. Aufl. Mit Abbildgn. 8. (VIII, 96 S.) Ebend. 885. cart. 1. 20

— Deutschlands Vögel. Ihr Nutzen u. Schaden. Ein Büchlein f. Deutschlands Lehrer, Land- u. Forstwirte, sowie f. Schul- u. Volksbibliotheken. Mit 73 Abbildgn. Im Interesse d. Vogelschutzes hrsg. gr. 8. (IV, 100 S.) Ebend 884. n. 1. —

Liermann, Wilh., s.: Lesebuch, deutsches, f. die Schulen d. Großherzogt. Hessen.

— Übungsbuch f. den Unterricht in der deutschen Sprache, Grammatik u. Stil. Im Anschluß an das deutsche Lesebuch, hrsg. v. den Rektoren zu Frankfurt a. M., f. achtklass. Bürger- u Volksschulen in 7 konzentr. Kreisen bearb. 4. u. 5. Hft. 5. u. 6. Schuljahr. gr. 8. (à 64 S.) Frankfurt a/M. 883. 84. Auffahrt. cart. à n n. — 40 (1—5.: n n. 1. 85)

Liernur, Charles T., rationale Städteentwässerung Eine crit. Beleuchtg. sämmtl. Systeme. gr. 8. (IX, 303 S.) Berlin 883. v. Decker. n. 6. —

Liersch, üb. Armenkrankenpflege im Allgemeinen u. im Reg.-Bez. Frankfurt a/O. im Besondern. 8. (III, 44 S.) Cottbus 884. Differt. — 75

Liersch, Wilh., am Brunnen in der Wüste. Ansprachen, bei Schwester-Festen geh. 8. (59 S.) Hamburg 884. Jenichen. n. 1. —

Liertz, L., der preußische Schiedsmann, sein Amt u. seine Thätigkeit. 8. (35 S.) Düsseldorf 885. Schwann. n. — 50

Liese, Ad., allgemeine Bestimmungen üb. das preußische Volksschul-, Präparanden- u. Seminar-Wesen vom 15. Oktbr. 1872, nebst Prüfungs-Ordng. f. Lehrerinnen u. Schulvorsteherinnen vom 24. Apr. 1874 u. dem Schulaufsichtsgesetze vom 11. März 1872, m. den bis 1884 erlassenen, erläut. u. ergänz. Ministerial- u. Regierungs-Bestimmgn., m. Anmerkgn. u. Erläutergn. 8. verm. Aufl. 8. (134 S.) Neuwied 885. Heuser's Verl. cart. n. 1. 10

— ein Dienstjahr in der einklassigen Volksschule. gr. 8. (III, 102 S.) Ebend. 886. 1. 20

— das preußische Lehrer-Pensionsgesetz vom 6. Juli 1885. Mit erläut. Anmerkgn. versehen. 2. Aufl. 8. (23 S.) Ebend. 885. n. — 40

— Schul-Verordnungen d. Reg.-Bez. Koblenz. 4. (V, 157 S) Simmern 884. Ebend. n. 3. —

Liesegang, Erich, die Sondergemeinden Kölns. Beitrag zu e. Rechts- u. Verfassungsgeschichte der Stadt. gr. 8. (140 S.) Bonn 885. Cohen & Sohn. n. 3. —

Liesegang, Paul E., der photographische Apparat u. dessen Anwendung zur Aufnahme v. Portraits, Ansichten, Reproductionen. 8. Aufl. d. betr. Abschnittes im Handbuch der Photographie. Mit 113 Abbildgn. 8. (IV, 195 S.) Düsseldorf 884. Liesegang. n. 2. 50

— die Bromsilber-Gelatine. Ihre Bereitg. u. Anwendg. zu photograph. Aufnahmen, zu Abdrücken u. zu Vergrössergn. 3. Aufl. Mit Holzschn. gr. 8. (IV, 120 S.) Ebend. 883. n. 3. —

— dasselbe. 5. Aufl. Mit 28 Abbildgn. gr. 8. (IV, 156 S.) Ebend. 885. n. 2. 50

— die Collodion-Verfahren. 8. Aufl. d. betreff. Abschnittes im Handbuch der Photographie. Mit 37 Abbildgn. 8. (IV, 218 S.) Ebend. 884. n. 2. 50

— über Erlangung brillanter Negative u. schöner Abdrücke, m. Gelatine-Trockenplatten, Collodion, Eiweis-Papier u. Chlorsilber-Collodion. 8. Aufl. (28 S.) Ebend. 885. n. — 50

— Handbuch d. praktischen Photographen. 8. verm. Aufl. der deutschen Ausg., zugleich 14. Aufl. der in deutscher, engl., französ., holländ., italien. u. russ. Sprache erschienenen Ausgaben. Mit 239 Abbildgn.

gr. 8. (XII, 195; IV, 218; IV, 156; IV, 182; IV, 150 u. Anh. 25 S.) Düsseldorf 884. Liesegang. geb. n. 14. —

Liesegang, Paul E, der Kohle-Druck u. dessen Anwendung beim Vergrösserungs-Verfahren. 8. durchgeseh. Aufl. der deutschen Ausg.; zugleich 11. Aufl. der in verschiedenen Sprachen erschienenen Ausgaben [deutsch, englisch, französisch]. Mit 25 Holzschn. gr. 8. (IV, 150 S.) Düsseldorf 884. Liesegang. n. 2. 50

— die modernen Lichtpaus-Verfahren zur Herstellung exacter Copien nach Zeichnungen, Schriften, Stichen etc. m. Hilfe lichtempfindlicher Papiere. 2. Aufl. Mit Probedrucken u. Abbildgn. gr. 8. (VIII, 85 S.) Ebend. 883. n. 2. —

— notes photographiques. Le procédé au charbon. Système d'impression inaltérable. 4. éd. 8. (V, 59 S.) Ebend. 886. n. 1. 60

— der Silber-Druck u. das Vergrössern photographischer Aufnahmen. 8. Aufl. d. betreff. Abschnittes im Handbuch der Photographie. Mit 26 Abbildgn. 8. (IV, 182 S.) Ebend. 884. n. 2. 50

Liesenberg, C., die deutsche Auswanderung, ihre Organisation u. ihre colonisatorischen Ziele. Vortrag. Lex.-8. (35 S.) Berlin 883. Burmester & Stempell. n. — 75

Liess, Emil, Thüringer Waldblumen. Drei Novellen. 8. (VIII, 208 S.) Zürich 886. Rudolphi & Klemm. n. 3. 60

Liessem, Herm Jos., Hermann van dem Busche. Sein Leben u. seine Schriften. 1. Tl. 3 Abtlgn. Nebst e. Beilage: Die quodlibetischen Disputationen an der Universität Köln. 4. (70 S.) Köln 886 Bachem. n. 2. 50

Liessem, J. J., u. A. **Liessem,** kleine Heimatskunde f. die Volksschulen der Rheinprovinz. 8. (31 S.) Aachen 888. Barth. n. — 15

Lietzow, Paul, Handbuch der Filatelie od. Postwertzeichenkunde. 3. u. 4. Tl. gr. 8. Berlin, Behr's Sort. n 3. 90 (cplt.: n. 6. 65)

3. Vollständiges Verzeichnis aller seit Oktbr. 1879 ausgegebenen Postmarken u. deren genaue Beschreibg., unter Berücksicht. aller ihrer Verschiedenheiten [Farben, Sinnbilder, Wasserzeichen, Zähng., Umrandg.], m. beigesetzten Verkaufspreisen. (IV, 100 S.) 885. n. 1. 50
4. Vollständiges Verzeichnis aller seit Oktbr. 1881 ausgegebenen Briefumschläge, Streifbänder, Postkarten u. dergl. u. deren genaue Beschreibung. (IX, 104 S.) 886. n. 2. 40

— Seltenheiten u. deren Preise. Preis-Verzeichnis der seltensten Postmarken aller Länder. gr. 8. (31 S.) Ebend. 884. n. — 50

— dasselbe. 2. veränd. Aufl. 8. (59 S.) Ebend. 887. n. — 70

Liez, N., histoire des seigneuries de Colpach et d'Ell. gr. 8. (53 S.) Luxemburg 886. (Brück.) n. 1. 25

Lignitz, v. Elsner, Vorschläge f. Leistungsprüfungen v. Schweisshunden, ausgearb. im Auftrage e. vom Verein „Nimrod"-Schlesien zur Prüfg. dieser Frage gewählten Comités, sowie gutgeheissen u. angenommen v. diesem Comité u. v. dem Vorstande d. Vereins „Nimrod"-Schlesien. gr. 8. (32 S. m. 1 Taf.) Blasewitz-Dresden 883. Wolff. n.n. 1. 50

Ligowski, W., Taschenbuch der Mechanik. [Phoronomie, Statik u. Dynamik.] Zum Gebrauche f. den Unterricht u. als Hülfsbuch f. die Anwendgn der Mechanik. Mit vielen Holzschn. 2. Aufl. 8. (IX, 135 S.) Berlin 884. Ernst & Korn. cart. n. 2. 50

Liguori, Alph. Maria v., sämmtliche Werke. Neu aus dem Ital. übers. u. hrsg. v. e. Priester der Congregation d. allerheiligsten Erlösers. 2. Abth. Dogmatische Werke. 1—6. Bd. 2. Aufl. 8. Regensburg 884—86. Manz. n. 19. 50

1. Das hl. Concilium von Trient in seinen Entscheidungen gegen die Neuerer d. 16. Jahrh. Eine ausführl. Erläuterg. dieser Beschlüsse. [Neue Ausg.] (516 S.) n. 2. 75
2. Die göttliche Vorsehung in ihrem wunderbaren Walten bei Erlösung d. Menschen durch Jesus Christus, nebst 9 theolog. Abhandlgn. üb. die letzten Dinge. 2. Aufl. (XV, 392 S.) n. 2, 40
3. Die Wahrheit d. Glaubens. (XVI, 733 S.) n. 4. —
4. Kleinere dogmat. Werke. (XX, 466 u. Gen.-Reg. zur 2. Abth. 126 S.) n. 4. 25
5. 6. Triumph der heiligen Kirche üb. alle Irrlehren od. Geschichte u. Widerlegung der Häresien. 2 Thle. (XVI, 697 u. XI, 507 S.) n. 6. —

Liguori, Alph. Maria v., tägliche Andacht zum heil. Josef od. Besuchgn. d. glorreichen Bräutigams der allerseligsten Jungfrau, entnommen den Werken d. hl. Kirchenlehrers. Aus dem Franz. v. P. Macherl. 16. (108 S. m. 1 Holzschn.) Graz 886. Styria. geb. n. — 70

— Anleitung zum vertraulichen Verkehr m. Gott. Aus dem Ital. übers. v. Ph. Brameyer. 2. Aufl. 16. (64 S.) Dülmen 883. Laumann. n. — 20

— Besuchungen d. allerheiligsten Altarsakramentes. Neu hrsg. u. m. den gewöhnl. Andachtsübgn. verm. v. e. Priester der Congregation d. allerheiligsten Erlösers. Ausg. m. grosser Schrift. Neue Aufl. Mit 1 Titelbilde (in Holzschn.). 12. (336 S.) Regensburg 881. Verlags-Anstalt. 1. —

— dasselbe. 15. Aufl. Min.-Ausg. Mit e. Titelbilde. 16. (326 S.) Ebend. 886. — 55

— dasselbe, u. Begrüssungen der allersel. Jungfrau Maria f. jeden Tag d. Monats. Nebst den gewöhnl. Andachtsübgn. Ausg. Nr. 2 in grossem Druck. 24. (318 S. m. 1 Steintaf.) Einsiedeln 883. Benziger. — 50

— dasselbe. Nebst Andachtsübgn. zum Herzen Jesu f. jeden Tag der Woche, sowie Mess-, Beicht-, Kommunion- u. anderen Gebeten. 6. Aufl. gr. 16. (290 S.) Aachen 886. Cremer. n. — 75; geb. n. 1. —; n. 2. — u. n. 2. 40

— vollständiges Betrachtungs- u. Gebetbuch. Aus dem Ital. neu übers. u. hrsg. v. M. A. Hugues. Rechtmässige Orig.-Ausg. 12. Aufl. 12. (608 S. m. Farbendr.-Titel u. 1 Stahlst.) Aachen 882. Mainz, Kirchheim. 2. —; geb. m. Goldschn. n. 3. 20

— die wahre Braut Jesu Christi od. die durch Uebung der klösterl. Tugenden geheiligte Ordensperson. Für Ordensleute beiderlei Geschlechts. Aus dem Ital. übers. v. M. A. Hugues. 7. Aufl. 12. (744 S. m. 1 Stahlst.) Regensburg 886. Pustet. 3. —; geb. in Halbldr. n. 3 60; in Ldr. m. Goldschn. n. 5. —

— der vollkommene Christ, od. Anleitg. zur christl. Vollkommenheit. Neue durchgeseh. Aufl. 12. (624 S.) Paderborn 884. Bonifacius-Druckerei. 1. 80

— die Herrlichkeiten Mariens. Für das deutsche Volk umgearb. u. m. Andachts-Uebgn. verm. v. Ant. Merk. Verbessert hrsg. v. J. B. Kempf. 16. (598 S. m. 3 Stahlst. u. eingedr. Illustr.) Einsiedeln 884. Benziger. 1. 45

— die heilige Messe u. das Officium. Ermahnungen u. Gebete f. Priester. Aus dem Ital. übers. v. e. Priester der Erzdiöcese Köln. 12. (V, 119 S.) Köln 884. Theissing. geb. n. 1. 25

— pratica di amar Gesù Cristo. Opera utile a puelle anime che desiderano di accertare la salute eterna e di camminare per la strada della perfezione, aggiuntevi le preghiere per la s. messa e altre pie pratiche. Ed. illustrata e per cura del N. B. diligentemente corretta. 24. (388 S. m. 5 Bildern.) Einsiedeln 883. Benziger. — 60

— Schule der christlichen Vollkommenheit f. Welt- u. Ordensleute. Aus den Werken neu übers. u. zusammengestellt v. Paulus Leick. gr. 8. (XVI, 730 S. m. 1 Stahlst.) Regensburg 886. Pustet. n. 4. 60

— Uebung der Liebe zu Jesus Christus. Für Seelen, welche ihr ewiges Heil sichern u. nach Vollkommenheit streben wollen. 16. (IV, 336 S.) Mainz 882. Kirchheim. n. 1. —; geb. n. 2. —

— Vorbereitung zum Tode od. Betrachtungen üb. die ewigen Wahrheiten. Nach der italien. Ausg. verb. v. Pet. Macherl. 12. (VII, 488 S.) Graz 885. Styria. n. 2. —; geb. n. 3. —

Likowski, Ed, Geschichte d. allmäligen Verfalls der unirten ruthenischen Kirche im XVIII. u. XIX. Jahrh. unter polnischem u. russischem Scepter, nach den Quellen bearb. Prämiirt durch die poln. historisch-literar. Gesellschaft in Paris. In's Deutsche übertr. v. Apollinaris Tloczyński. 1. Bd. Das XVIII. Jahrh. gr. 8. (XV, 304 S.) Posen 885. (Jolowicz.) n. 5. —

Lilek, Aemilian, die Beziehungen der Habsburger u. Hohenzollern im XIII. Jahrh. gr. 8. (46 S.) Graz 883. (Leuschner & Lubensky.) n. 1. —

Lilie, C., conjunctivischer Bedingungssatz bei indicativischem Hauptsatz im Lateinischen. gr. 4. (17 S.) Berlin 884. Gaertner. n. 1. —

Lilie, E. A., Morgen-Segen od. Morgen-Andachten aus Gottes Wort u. aus dem Liederschatz unserer Kirche. gr. 8. (743 S.) Altona 885. Harder. n. 5. —; geb. n.n. 6. 50

Lilienberg, J., Beiträge zur Histologie u. Histogenese d. Knochengewebes, s.: Mémoires de l'académie impériale des sciences de St. Pétersbourg.

Liliencron, A. v., die Fahne d. 61. Regiments, s.: Familien-Bibliothek für's deutsche Volk.

— Margarita. Eine Erzählg. aus dem Schwarzwald. 8. (147 S.) Breslau 886 Dülfer. n. 2. —; geb. n. 3. —

— Sonnenschein u. Sturm. Erzählung aus der Zeit v. Schills Erhebg. 8. (III, 191 S.) Gotha 886. F. A. Perthes. n. 2. 40; geb. n. 3. 40

Liliencron, Detlev Frhr. v., Adjutantenritte u. andere Gedichte. 8. (159 S.) Leipzig 883. Friedrich. n. 2. —; geb. n. 3. —

— Arbeit adelt. Genrebild in 2 Akten. 8. (44 S.) Ebend. 887. n. 2. —

— Knut der Herr. Drama in 5 Akten. 8. (III, 80 S.) Ebend. 885. n. 2. —

— eine Sommerschlacht. 8. (351 S.) Ebend. 886. n. 6. —

— der Trifels u. Palermo. Trauerspiel in 4 Akten. 8. (III, 79 S.) Ebend. 886. n. 2. —

Lilienfein, A., Vorlagen zum gärtnerischen Planzeichnen f. Lehranstalten, sowie zum Selbstunterricht. 17., teils in Farbendr. ausgeführte Taf. Fol. Mit Text. Lex.-8. (4 S.) Stuttgart 886. Ulmer. In Mappe. n. 5. —

Liliengarten, himmlischer. Katholisches Gebet- u. Andachtsbuch f. christl. Jungfrauen. Sammlung der schönsten u. vorzüglichsten, zumeist aus den Schriften der Heiligen entnommenen Gebete. 12. (XVI, 480 S. m. 1 Stahlst.) Dülmen 886. Laumann. n 1. 50

Lilienthal, Rhold. v., Untersuchungen zur allgemeinen Theorie der krummen Oberflächen u. geradlinigen Strahlensysteme. gr. 8. (VIII, 111 S.) Bonn 886. Weber. n. 4. —

Lill, Frz., 39 Recepte zur Herstellung der feinsten Wurstsorten u. Charcuterie. 8. (IV, 191 S.) Mannheim 886. Bensheimer's Verl. Verklebt. n. 15. —

Lilla, F., Abenteuer im Busch; der Bündelmann — der Fährmann v. Devil-Bayon — Prairie-Justiz; die Goldmine am Colorado — das Schiffermädchen v. Caudebec — durch eigene Schuld; der Eisgang — s.: Volks-Erzählungen, kleine.

— der Squatter in Arkansas, s.: Unterhaltungs-Bibliothek.

— die Strandräuber v. Hörnum, } s.: Volkserzählungen, kleine.
— die Totenbraut v. Falun, }

Lilli u. Käthchen. Ein Buch f. Kinder von 5—8 Jahren. Nach dem Russ. gr. 8. (175 S. m. farb. Titel.) Cannstatt 885. Stehn. geb. n. 3. 50

Lillo, Rob., Knospen. Gedichte. 8. (99 S.) Stuttgart 886. (Wien, Frick.) n. 2. —

Lilly, F., die Ventilation der Viehstallungen. Dem landwirthschaftl. Central-Vereine f. das Herzogth. Braunschweig gewidmet. Mit zahlreichen Abbildgn. gr. 8. (68 S.) Braunschweig 884. (J. H. Meyer.) n. 1. —

Limbach, W., Bruderschafts-Büchlein zu Ehren Unserer Lieben Frau v. der immerwährenden Hülfe. 9. Aufl. 16. (80 S.) Dülmen 886. Laumann. n. — 25; geb. n. — 45

Limbeck, Rud. v., zur Kenntniss d. Baues der Insektenmuskeln. [Mit 1 (lith.) Taf. u. 2 Holzschn.] Lex.-8. (28 S.) Wien 885. (Gerold's Sohn.) n.n. — 90

Limberg, der Amtsvorsteher. Handbuch bei Verwaltg. der Orts- u. Landes-Polizei u. systemat. Zusammenstellg. der neuen Organisationsgesetze f. die innere Verwaltg. 2. Nachtrag zur 2. Aufl., enth. die seit 1881 bis Ende 1884 auf dem Gebiete der allgemeinen Landes- u. Polizei-Verwaltg. erschienenen Gesetze, Verordngn., Entscheidgn. rc. Dazu General-Sachregister zum Hauptwerk nebst Nachträgen. gr. 8. (IV, u. S. 175 - 265.) Königsberg Nm. 885. Striese. n. 1. 20
(Hauptwerk m. 1. u. 2. Nachtrag: n. 15. 60)

Limbourg, Max., de distinctione essentiae ab existentia theses quatuor. Disputatio scholastica, quam ad auditorum suorum usum emisit M. L. gr. 8. (71 S.) Regensburg 883. Pustet. n. — 60

Limburg, A. v., d. wilden Jägers Erbe. Roman. 2 Bde. 8. (268 u. 236 S.) Berlin 884. Janke. n. 8. —

Limpricht, K. G., die Laubmoose, s.: Rabenhorst's, L., Krytogamen-Flora v. Deutschland, Oesterreich u. der Schweiz

Limpurg, F. v., die Lotosblume. Novelle. 12. (105 S.) Berlin 886. Goldschmidt. n. — 50

Linck, G., geognostisch-petrographische Beschreibung d. Grauwackengebietes v. Weiler bei Weissenburg, s.: Abhandlungen zur geologischen Specialkarte v. Elsass-Lothringen.

Lincke, Arth. Alex., Skizze der altägyptischen Literatur m. besond. Berücksicht. der Culturgeschichte. Vortrag. gr. 8. (IV, 92 S.) Leipzig 883. R. Lincke. n. 3. —

Lincke, Ernst Mart., de elocutione Isaei. gr. 8. (61 S.) Leipzig 884. (Fock.) n. 1. 20

Lincke, F., die Baumaschinen, s.: Handbuch der Ingenieurwissenschaften.

Lincke, G. A., Bilder aus den deutschen Küstenländern der Ostsee, s.: Land u. Volk, unser deutsches.

Lincke, Kurt, die Accente im Oxforder u. im Cambridger Psalter, sowie in anderen altfranzösischen Handschriften. Eine paläographisch-philolog. Untersuchg. gr. 8. (42 S.) Erlangen 886. Deichert. n. — 80

Lincke, R., praktische Anweisung zur Erteilung d. Religionsunterrichtes, s.: Beiträge zur Methodik d. Unterrichtes in der Volksschule.

— Aufgaben zur Raumberechnung, einfachen häuslichen u. gewerblichen Buchhaltung. 3 Hfte. 8. Jena 884. Mauke. n. 1. 5

1. Aufgaben zur Raumberechnung. I. Über Quadrat- u. Kubikwurzel. II. Raumberechngn. (III, 21 S. m. eingedr. Fig.) n. — 30
2. Häusliche Buchführung. Lehrstoff u. Ausführg. Für Mädchenschulen. (S. 22—43.) n. — 35
3. Einfache gewerbliche Buchführung. [3 Lehrgänge.] Für Fortbildungsschulen. (S. 45—91.) n. — 40

— Rechenbuch f. Volksschulen. (Lehrer-Ausg.) 3 Tle. 2. Aufl. gr. 8. (VI, 102, 188 u. VI, 214 S.) Ebend. 884. n. 7. 60

— dasselbe. (Schüler-Ausg.) 1. u. 2. Tl. u. 3. Tl. A. u. B. gr. 8. Ebend. 884. n 1. 65

1. Aufgaben f. die Unterstufe. [2. Schulj.] 3. Aufl. (28 S.) n. — 30
2. Aufgaben f. die Mittelstufe. [3—5. Schulj.] 4., durchaus umgearb. Aufl. (78 S.) n. — 45
3. Aufgaben f. die Oberstufe. [6—8. Schulj.]
A. Die Rechngn. m. gemeinen u. Decimalbrüchen. 3. Aufl. (45 S.) n. — 45
B. Schlußrechnung u. deren Anwendungen. 3 Aufl. (48 S.) n. — 45

Linckelmann II., Karl, die Unfallversicherung, nach den deutschen Reichsgesetzen übersichtlich dargestellt. gr. 8. (72 S.) Hannover 886. Norddeutsche Verlagsanstalt. n. 1. 20

Lind, Karl, üb. mittelalterliche Grabdenkmale. Eine Studie. 3 Abschnitte. gr. 8. (Mit eingedr. Fig. u. Taf.) Wien, (Kubasta & Voigt). à 1. 50
1. (44 S.) 881. — 2. (54 S.) 882. — 3. (57 S.) 883.

Lindau, Anna, Märchen. Mit Illustr. v. Wold. Friedrich, Arth. Langhammer, Fanny Römer rc. gr. 8. (144 S.) Berlin 885. Grote. geb. n. 3. —

Lindau, Carl, der Kouplet-sänger, } s.: Wallner's, E. Universum d. Witzes.
— das Portefeuille d. Komikers, }

— der beste Ton. Regeln d. Anstandes u. Anleitg., durch e. anständ. u. gesittetes Benehmen sich im gesellschaftl. Leben angenehm u. beliebt zu machen. Ein Sitten- u. Höflichkeitsspiegel f. junge Leute. 8. Aufl. 8. (IV, 117 S.) Erfurt 885. Bartholomäus. n. 1. —; geb. n. 1. 80

Lindau, F., Rechen-Aufgaben f. das bürgerliche Leben zum Gebrauche in den Oberklassen der Mittelschulen u. verwandter Anstalten. Einfache u. zusammengesetzte Regeldetri, Verhältnisse, Prozent-, Zins-, Rabatt-, Tara-, Termin-, Gesellschafts-, Mischungs-, Münz-, Kurs- u.

Wechselrechnung. gr. 8. (77 S.) Bernburg 885. Bacmeister. n. — 75; Auflösungen (22 S.) n. — 60

Lindau, F., Rechen-Aufgaben f. den Unterricht in der Arithmetik zum Gebrauche in den Oberklassen der Mittelschulen u. verwandter Anstalten. Die 4 Spezies m. allgemeinen u. algebr. Zahlen, Quadrat- u. Kubikwurzel-Gleichgn. 1. u. 2. Grades. 8. (32 S.) Bernburg 886. Bacmeister. n. — 50; Auflösgn. (8 S.) n. — 30

Lindau, M. B., Lucas Cranach. Ein Lebensbild aus dem Zeitalter der Reformation. Mit e. (Fcsm.) Bildnis d. Lucas Cranach. gr. 8. (X, 402 S.) Leipzig 883. Veit & Co. n. 8. —

— Geschichte der königl. Haupt- u. Residenzstadt Dresden von der ältesten Zeit bis zur Gegenwart. 2. Aufl. Mit mehreren color. Abbildgn., zahlreichen Illustr. in Lichtdr., Karten u. Plänen. 21 Lfgn. gr. 8. (VII, 1050 S.) Dresden 884. 85. v. Grumbkow. à 1. — (cplt. geb.: n. 24. —)

Lindau, Max, allgemeiner Briefsteller f. Geschäft u. Familie. 5. Aufl. 8. (IX, 311 S) Oberhausen 884. Spaarmann. geb. 1. 50

Lindau, Paul, Berlin. Romane. I. Der Zug nach dem Westen. Roman. 2 Bde. 8. (V, 396 S.) Stuttgart 886. Spemann. n. 6. —; geb. in 1 Bd. n. 7. —

— Herr u. Frau Bewer. Novelle. 7. Aufl. Mit e. Briefe v. Emil Augier an den Verf. 8. (VIII, 247 S.) Breslau 883. Schottländer. n. 2. 50; geb. n. 3. 50

— Bayreuther Briefe vom reinen Thoren. „Parsifal" v. Rich. Wagner. 5. Aufl. 8. (60 S.) Ebend. 883. n. 1. —

— die Ermordung d. Advocaten Bernays, s.: Bücherei, deutsche.

— im Fluge. Gelegentliche Aufzeichngn. 2. Aufl. gr. 8. (III, 243 S.) Leipzig 886. Dürselen. n. 4. 50; geb. n. 5. 50

— aus der Hauptstadt. Briefe an die Köln. Zeitg. 5. Aufl. 8. (IV, 409 S.) Dresden 884. Steffens. n. 3. —; geb. n. 4. —

— Helene Jung, s.: Engelhorn's allgemeine Roman-Bibliothek.

— Mayo. Erzählung. 8. (262 S.) Breslau 884. Schottländer. 4. 50; geb. n. 5. 50

— aus der Neuen Welt. Briefe aus dem Osten u. Westen der Vereinigten Staaten. gr. 8. (VIII, 385 S.) Berlin 885. Salomon. n. 5. —

— der Zankapfel, s.: Bloch's, E., Theater-Correspondenz.

Lindau, Rud., auf der Fahrt. Kurze Erzählgn. 8. (V, 254 S.) Berlin 886. F. & P. Lehmann. n. 3. 50; geb. n. 5. —

— der Gast. Roman. 8. (256 S.) Breslau 883. Schottländer. n. 3. —; geb. n. 4. —

Lindberg, C. H., deutsch-schwedisches Elementar- u. Extemporalien-Buch. Fortsetzung zu dem deutsch-schwed. Gesprächbuch. 12. (82 S.) Hamburg 886. J. F. Richter. n. 1. —

– deutsch-schwedisches Gesprächbuch m. e. kleinen Grammatik. 12. (143 S.) Ebend 886. n. 1. 50

Linde, A. v. d., die Nassauer Brunnenlitteratur der königl. Landesbibliothek zu Wiesbaden, beschrieben. gr. 8. (VI, 102 S.) Wiesbaden 883. Bergmann. n. 6. —

— Geschichte der Erfindung der Buchdruckkunst. (In 3 Bdn.) 1. u 2. Bd. gr. 4. (VI, LVII, u. S. 1—672 m. Fig. u. Taf.) Berlin 886. Asher & Co. n. 55. —

— Quellenforschungen zur Geschichte der Erfindung der Typographie. Das Breviarium Moguntinum. Eine Studie. gr. 8. (V, 82 S.) Wiesbaden 884. Feller & Gecks. n.n. 5. —

Linde, Aug., Gudrun. Dramatisches Gedicht in 5 Akten. 8. (XI, 151 S.) Moskau 887. (Industrie- u. Handelsgesellschaft M. B. Wolff.) n. 4. —

Linde, O., Anleitung zum Taxiren der Recepte nach der königl. preussischen Arznei-Taxe. Mit 111 Muster-Recepten. Für angeh. Pharmaceuten bearb. 8. (VIII, 112 S.) Neudamm 883. Neumann. 2. —; Einbd. n.n. — 50

Linde, Rich., de diversis recensionibus Apollonii Rhodii Argonauticon. Commentatio philologica. gr. 8. (51 S.) Hannover 885. (Schulze.) 1. 50

Linde, S., zur Controverse üb. die Ursache der Kleemüdigkeit, s.: Berichte aus dem physiologischen Laboratorium u. der Versuchsanstalt d. landwirthschaftlichen Instituts der Universität Halle.

Lindeman, Marie v., die rathende Freundin. Mitgabe f. junge Mädchen beim Eintritt ins Leben. 8. (XI, 160 S.) Köln 886. Bachem. geb. m. Goldschn. n. 4. —

Lindemann, die Verwaltungsgesetze f. die Prov. Westfalen. Zusammengestellt u. erläutert. 3 Abthlgn. gr. 8. Dortmund 886. Köppen. n. 7. 50

1. Die auf die Kommunalbesteuerung bezüglichen Gesetze, wie sie in den älteren Provinzen d. deutschen Staates in Geltung sind. (VI, 74 S.) n. 1. 50
2. Das Gesetz üb. die allgemeine Landesverwaltung u. das Zuständigkeitsgesetz, nebst den dazu gehörigen Regulativen. (V, 260 S.) n. 3. —
3. Die Provinzial-, Kreis-, Städte- u. Landgemeindeordnung f. die Prov. Westfalen. (VIII, 248 S.) n. 3. —

Lindemann, A., der Zentral-Vieh- u. Schlachthof zu Berlin, s.: Blankenstein, H.

Lindemann, E., Helligkeitsmessungen der Bessel'schen Plejadensterne, s.: Mémoires de l'académie impériale des sciences de St.-Pétersbourg.

Lindemann, Fr., Jubelfest-Büchlein in Fragen u. Antworten f. die liebe Schuljugend. 16. (20 S.) Pittsburgh, Pa. 883. (Dresden, H. J. Naumann.) n. — 20

Lindemann, J. C. W., evangelisch-lutherische Katechismus-Milch. 75 kurze Katechesen üb. Dr. Mart. Luthers Kleinen Katechismus, nach der Erklärg. Joh. Konr. Dietrichs. Aus dem Nachlasse. gr. 8. (VI, 376 S. m. Holzschn.-Portr.) St. Louis, Mo. 885. (Dresden, H. J. Naumann.) geb. n. 10. —

Lindemann, R., deutscher Liederhain, s.: Kienholz, C.

Lindemann, Rich., Beiträge zur Charakteristik K. A. Böttigers u. seiner Stellung zu J. G. v. Herder. Anhangsweise sind bisher ungedruckte Briefe Caroline Herders an Böttiger beigegeben worden. gr. 8. (IV, 148 S.) Görlitz 883. Förster's Verl. n. 2. —

— Hilfslinien f. das Kartenzeichnen im geographischen Unterrichte. 12. (3 S. m. 26 color. Taf.) Dresden 886. Huhle. n. — 50

Lindemann, Wilh., f. die Pilgerreise. Ein illustr. Album v. religiösen Dichtgn., gesammelt v. W. L. Neue Ausg., m. Bildern hervorrag. Künstler. gr. 4. (VIII, 264 S.) Freiburg i/B. 887. Herder. geb. m. Goldschn. 12. —

Lindemuth, H., Handbuch d. Obstbaues auf wissenschaftlicher u. praktischer Grundlage. Mit 138 Holzschn. gr. 8. (VIII, 392 S.) Berlin 883. Parey. n. 7. —

Linden, Ernst, der Prairie-Vogel. Eine Erzählg. aus den Wildnissen d. westl. Amerika. Nach Murray f. die Jugend bearb. Mit (4) Farbdr.-Illustr. gr. 8. (222 S.) Reutlingen 884. Enßlin & Laiblin. cart. 3. —

— Till Eulenspiegel, s.: Volks- u. Jugend-Erzählungen.

Linden, Frdr. Otto zur, Melchior Hofmann, e. Prophet der Wiedertäufer. Mit 9 Beilagen. Lex.-8. (XXII, 477 S.) Haarlem 885. (Leipzig, Harrassowitz.) n. 6. —

Linden, Heinr., 7 kurze Fastenpredigten üb. das bittere Leiden Jesu Christi. 8. (V, 64 S.) Aachen 886. A. Jacobi & Co. n. — 75

Linden, J., vor der Ballpause, s.: Schwab, F.

Lindenberg, P., Berlin, s.: Städtebilder u. Landschaften aus aller Welt.

— Berlin, s.: Universal-Bibliothek.

— Berliner Blut. Heitere u. ernste Bilder. 2. Aufl. 8. (143 S.) Berlin 884. Eckstein Nachf. n. 1. 20

— Federzüge. Heitere u. ernste Geschichten. 2. Aufl. 8. (152 S.) Leipzig 886. Unflad. n. 1. 50

— Potsdam, s.: Städtebilder u. Landschaften aus aller Welt.

— schutzlos u. schuldlos. Eine Novelle aus unseren Tagen. 8. (144 S.) Berlin 884. Parrisius. n. 1. 50

— aus der Zeit f. die Zeit. Bunte Skizzen aus dem Leben bekannter u. unbekannter Tagesgrößen. 2. Aufl. 8. (III, 85 S.) Stuttgart 883. Bonz & Co. n. — 50

Lindenhout, J. van't, nur e. Bauernlümmel. Eine holländ. Dorfgeschichte. Autoris. Uebersetzg. aus dem Holl.

v. J. C. Mit e. farb. Titelbilde. gr. 8. (IX, 146 S.) Basel 884. Schneider. n. 1. 60; geb. n. 2. 40

Lindenmeyer, wie ernähren wir unsere Kinder kräftig, gesund u. billig. Praktische Anleitg. zur Ernährg. d. Kindes in gesunden u. kranken Tagen, nach dem neuesten Stand der Ernährungs-Wissenschaften u. prakt. Erfahrgn. zusammengestellt. 8. (17 S.) Stuttgart 884. Hohl. — 30

Lindenmeyer, Jul., christliche Glaubenslehre zum Selbstunterricht u. f. Schulen. Nach dem Leitfaden J T. Becks in freiem Auszuge bearb. 2., verb. Aufl. gr. 8. (43 S.) Gütersloh 884. Bertelsmann. n. — 60

Lindenschmit, L., Handbuch der deutschen Alterthumskunde. Übersicht der Denkmale u. Gräberfunde frühgeschichtl. u. vorgeschichtl. Zeit. [In 3 Thln.] 1. Thl. Die Alterthümer der meroving. Zeit. Mit Holzst. 2. Lfg. gr. 8. (S. 322—456.) Braunschweig 886. Vieweg & Sohn. n. 12. — (1. u. 2. Lfg.: n. 24. —)

Linder, Glieb., Sulcerana badensia. Gesammelt u. hrsg. gr. 8. (39 S.) Heidelberg 886. C. Winter. n. 2. —

Linderer, Ed., hurrah! hier ist Polterabend! Ein Sträußchen v. Polterabend-Dichtgn. ernsten u. laun. Inhalts. Nebst Dichtgn. zu silbernen u. goldenen Hochzeiten u. Toasten. 20. Aufl. 8. (128 S.) Berlin 886. S. Mode's Verl. n. 1. —

— der Komiker. Komische Vorträge u. Couplets. 1—3. Bd. 8. (IV, 110; 115 u. 128 S.) Ebend. 885. à n. 1. —

— im Reich der Komik! Neue humorist. Orig.-Vorträge, Soloscenen, Couplets &c. Nebst e. Auswahl humorist. Beiträge. 1—4. Thl. [Declamatorische Abend-Unterhaltgn. 3—6. Bd.] 8. (à IV, 124 S.) Ebend. 885. à n. 1. —
1. 2. 9. Aufl. — 3. 4. 7. Aufl.

Linderer, R., die Angströhre, s.: Album f. Liebhaber-Bühnen.

— der schönste Mann im Regiment, } s.: Bloch's, E., Thea-
— unsere Marine, } ter-Correspondent.

— Nord u. Süd, s.: Bloch's, E., Dilettanten-Bühne.

— das Portefeuille d. Komikers, s.: Wallner, E., Universum d. Witzes.

— Puff u. Muff, } s.: Kühling's Album f.
— Schnase auf Freiersfüßen, } Liebhaber-Bühnen.

— Zankteufelchen, s.: Blochs's, E., Theater-Correspondenz.

Lindner, die Pensions-Institute f. die Beamten u. deren Wittwen u. Waisen bei den 6 großen Eisenbahn-Gesellschaften u. bei der Staats-Eisenbahn-Verwaltung in Frankreich dargestellt. Nebst e. Anh., enth. die derzeit in Kraft steh. Pensions-Kassen- &c. Reglements u. statist. Nachweisgn. gr. 8. (VII, 122 S.) Berlin 883. Puttkammer & Mühlbrecht. n. 2. —

Lindner, Alb, der Reformator. Dramatische Dichtg. in 3 Tln. 2., veränd. Aufl. 8. (112 S.) Leipzig 883. Weber. n. 2. —

Lindner, Aug., die Schriftsteller u. die um Wissenschaft u. Kunst verdienten Mitglieder d. Benediktiner-Ordens im heutigen Königr. Bayern vom J. 1750 bis zur Gegenwart. Nachträge zum 1. u. 2. Bde. gr. 8. (91 S.) Regensburg 884. (Schrobenhausen, Hueber.) 2. — (Hauptwerk u. Nachträge: n. 11. —)

Lindner, E., die Leipziger Canal-Entwürfe. 8. (30 S.) Leipzig 883. (Fr. Hünerbein.) n. — 20

Lindner, Gust. Ad., allgemeine Erziehungslehre. Lehrtext zum Gebrauche an den Bildungs-Anstalten f. Lehrer u. Lehrerinnen. 6. Aufl. gr. 8. (VIII, 168 S.) Wien 886. Pichler's Wwe. & Sohn. n. 2. —

— encyklopädisches Handbuch der Erziehungskunde m. besond. Berücksicht. d. Volksschulwesens. Alphabetisch geordnete Darstellg. d. Wissenswürdigsten aus der allgemeinen Pädagogik u. Didaktik, der allgemeinen u. speciellen Methodik &c. Mit ca. 100 Portraits, Diagrammen, Tabellen, Karten u. dergl. 13—22. (Schluß-) Hft. gr. 8. (V u. S. 577—1039.) Ebend. 883. à n. — 60

— dasselbe. 3. unveränd. Aufl. gr. 8. (V, 1039 S.) Ebend. 884. n. 13. 20; geb. n. 15. 20

— Lehrbuch der formalen Logik. Für höhere Bildungsanstalten. 6. Aufl. gr. 8. (VIII, 158 S.) Wien 885. Gerold's Sohn. n. 2. 60

— Lehrbuch der empirischen Psychologie als inductiver Wissenschaft. Für den Gebrauch an höheren Lehranstalten u. zum Selbstunterrichte. 8. Aufl. gr. 8. (VIII, 248 S.) Wien 885. Gerold's Sohn. n. 2. 80; geb. n. 3. 20

Lindner, Gust. Ad., manuale di psicologia empirica quale scienza induttiva, pubblicato per uso degli istituti superiori d'istruzione. Prima versione italiana fatta col consenso dell' autore sulla VII. ed. originale tedesca da Giuseppe Maschka. gr. 8. (VI, 278 S.) Innsbruck 886. Wagner. n. 3. 20

— pedagogia generale. Libro di testo ad uso delle scuole magistrali maschili e femminili. Versione italiana autorizzata dall' autore di Vittorio Cav. Castiglioni. 2. ed. gr. 8. (VIII, 148 S.) Wien 886. Pichler's Wwe. & Sohn. n. 2. —

— allgemeine Unterrichtslehre. Lehrtext zum Gebrauche an den Bildungs-Anstalten f. Lehrer u. Lehrerinnen. 6. Aufl. gr. 8. (VI, 111 S. m. 1 Tab.) Ebend. 885. n. 1. 20

Lindner, J., praktisches Rechenhandbuch zum Selbstunterrichte f. Geschäftsleute, Landwirte, Unterofficiere &c., sowie zum Gebrauche f. Fortbildungs- u. Sonntagsschulen. 8. (V, 116 S.) Straubing 886. Attenkofer. cart. n. 1. 20

Lindner, M., das deutsch-afrikanische Gebiet, s.: Colonialgebiete, die deutschen.

Lindner, Max, die Elektricität im Dienste v. Gewerbe u. Industrie. gr. 4. (29 S. m. 8 Taf.) Leipzig 883. Knapp. n. 5. —

Lindner, Mor., die Asche der Millionen. Vor, während u. nach der Krise vom J. 1873. gr. 8. (112 S.) Wien 883. Frick. n. 3. —

Lindstedt, A., Beitrag zur Integration der Differentialgleichungen der Störungstheorie, s.: Mémoires de l'académie impériale des sciences de St.-Petersbourg.

Ling, E., zu jung, }
— Liebes-Orakel, } s.: Berthold, L.
— der Rechte, }
— der Tante Rath, }

Lingard, J., life of Mary Stuart, s.: Bibliothek gediegener u. lehrreicher Werke der englischen Litteratur.

Linge, Alb., Liedergarten. Eine Sammlg. ein-, zwei- u. dreistimm. Lieder f. Schulen nach dem Stimmenumfange der Kinder in 4 Stufen geordnet. 2 Hfte. gr. 8. (56 u. 88 S.) Leipzig 886. Wunderlich. à n. — 30

— kleiner Liedergarten. Eine Sammlg. ein- u. zweistimm. Lieder f. Schulen, nach dem Stimmenumfange der Kinder in 4 Stufen geordnet. Ausg. f. einfache Volksschulen, enth. 110 Lieder. gr. 8. (64 S.) Ebend. 886. n. — 30

Lingen, E., an der friesischen Küste, } s.: Bachem's Novel-
— nur Pavia, } len-Sammlung.

— Roswitha. Der letzte der Paläologen. Novellen. 8. (309 S.) Münster. 886. F. Schöningh. n. 3. —; geb. n. 4. —

— vergieb u. vergieß. Preisgekrönte Novelle. 2. Aufl. 8. (330 S.) Köln 884. Bachem. 4. —; geb. n. 5. 50

Lingg, Trauerrede auf das Hinscheiden d. Königs Ludwig II. v. Bayern, geh. im Dom zu Bamberg den 21. Juni 1886. gr. 8. (7 S.) Bamberg 886. (Schmidt.) n. — 20

Lingg, Herm., Clytia. Eine Scene aus Pompeji. 8. (32 S.) München 883. Th. Ackermann's Verl. n. — 80

— Högni's letzte Heerfahrt. Nordische Scene nach e. Sage der Edda. 8. (43 S.) München 884. Callwey. n. — 80

— Lyrisches. Neue Gedichte. 8. (X, 265 S.) Teschen 885 Prochaska. n. 3. 50; Einbd. n.n. — 50

— Skalden-Klänge, s.: Ballestrem, E. Gräfin.

— von Wald u. See. Fünf Novellen. 8. (348 S.) Berlin 883. Janke. n. 2. —

Lingk, Baron v., die Entstehung u. Organisation der preußischen Kriegervereine von 1842, speciell d. Breslauer Kriegesvereins von 1845—1885, zu dessen 40jähr. Bestehen gewidmet u. geschrieben. 8. (73 S.) Breslau 885. Köhler. n. — 75

Linguet's Denkwürdigkeiten üb. die Bastille, s.: Universal-Bibliothek.

Link, Adf., Christi Person u. Werk im Hirten d. Hermas,

untersucht. gr. 8. (61 S.) Marburg 886. Elwert's Verl. n. 1. 20

Link, Carl, Cotillon. Leichtfasslich beschrieben. 12. (81 S.) Prag 886. Storch Sohn. geb. n.n. 1. 40; m. Goldschn. n.n. 2. —

— Quadrille française u. Quadrille à la cour. Leichtfassliche Erklärg. dieser modernen Gesellschaftstänze, nebst e. Anleitg. zum Arrangieren e. variirten Finales bei der Quadrille française u. den wichtigsten Regeln d. Anstandes u. d. guten Tones f. den Ballsaal. 16. (101 S.) Ebend. 883. cart. n. 1. 20; geb. n.n. 2. —

Link, Thdr., Hilfsbuch f. den evangelischen Religionsunterricht in den oberen Klassen höherer Schulen. gr. 8. (156 S.) Breslau 885. F. Hirt. n. 1. 50

Linke, Johs., wann wurde das Lutherlied Ein feste Burg ist unser Gott verfasst? Historisch-krit. Untersuchg. gr. 8. (V, 192 S.) Leipzig 886. Buchh. d. Vereinshauses. n. 3. —

— Megalandri D. Martini Lutheri canticum canticorum ex Psalmo XLVI depromptum una cum Psalmi ipsius quadrilingui exemplo germanice, ebraice, graece, latine e codicibus tam impressis quam manu scriptis ed. J. L. 8. (64 S.) Altenburg 883. Pierer. n. 1. —

— Megalandri D. Martini Lutheri diem natalem quadringentesimum pie celebrantibus gymnasiis Fridericiano Altenburgensi, Christianeo Eisenbergensi, Joanneo Zittauiensi, d. d. d. J. L. gr. 8. (4 S.) Altenburg 883. Schnuphase. n.n. — 15

— abgefallene Perlen, aus Dr. Karl Braune's Werken gesammelt. 2 Bdchn. 8. (112 S.) Ebend. 884. à n. 1. 50

— Predigt üb. den Selbstmord, geh. am Sonntag Jubilate 1883 zu St. Bartholomäi. 8. (27 S.) Ebend. 883. n.n. — 25

— specimen hymnologicum de fontibus hymnorum latinorum festum dedicationis ecclesiae celebrantium. gr. 8. (24 S.) Leipzig 885. Liebisch. n. 1. —

— Te Deum laudamus. Die latein. Hymnen der alten Kirche, verdeutscht. 1. Bd. A. u. d. T.: Die Hymnen d. Hilarius u. Ambrosius, verdeutscht. 16. (XXVI, 168 S.) Bielefeld 884. Velhagen & Klasing. n. 3. —; in Liebhaber-Halbfrz geb. n n. 6. —

Linke, Osk., ergo bibamus! Humoristisches Intermezzo. 8. (XII, 207 S.) Minden 886. Bruns. geb. n. 4. 50

— Jesus Christus. Eine Dichtg. 2. Aufl. 12. (V, 177 S.) Norden 883. Fischer Nachf. n. 3. —

— Leukothea. Ein Roman aus Alt-Hellas. 3 Bde. 8. (268, 244 u. 247 S.) Berlin 884. Janke. n. 12. —

— Liebeszauber. Ein Schönheitsroman aus der Zeit d. Perikles. 8. (VII, 156 S.) Minden 886. Bruns. n. 4. —

— aus dem Paradiese. Berliner Idyllen. 8. (59 S.) Ebend. 885. n. 1. 50

— 66 Präludien. Geist u. Leben. Aus meinem Skizzenbuche. 8. (VI, 224 S.) Berlin 884. Janke. n. 1. —

— die Versuchung d. heiligen Antonius. 8. (XI, 298 S.) Minden 885. Bruns. n. 3. —

Linn, Luther als deutscher Dichter, s.: Vorträge, 5, geh. zur Vorbereitung der Lutherfeier in Görlitz.

Linnartz, W., das Auge d. Taubstummen. gr. 8. (28 S.) Aachen 886. M. Jacobi. n. 1. —

Linnarz, Rob., Auswahl v. Volksliedern f. deutsche Schulen, s.: Bösche, K.

— Methodik d. Gesang-Unterrichts f. deutsche Schulen. 8. (34 S.) Leipzig 884. Dürr'sche Buchh. n. — 40

— Polyhymnia, s.: Bösche, K.

Linnemann, Ed., üb. die Absorptionserscheinungen in Zirkonen. [Aus dem chem. Laboratorium der k. k. deutschen Universität zu Prag.] Lex.-8. (6 S.) Wien 885. (Gerold's Sohn.) n. — 20

— Austrium, e. neues metallisches Element. [Aus dem chem. Laboratorium der k. k. deutschen Universität zu Prag.] Lex.-8. (3 S.) Ebend. 886. — 15

— über e. neues Leuchtgas-Sauerstoffgebläse u. das Zirkonlicht. [Mit 1 Taf.] [Aus dem chem. Laboratorium d. k. k. deutschen Universität zu Prag.] Lex.-8. (10 S.) Ebend. 886. n. — 40

Linnig, Frz., der deutsche Aufsatz in Lehre u. Beispiel f. die mittleren u. oberen Klassen höherer Lehranstalten. 5. Aufl. gr. 8. (XVI, 353 S.) Paderborn 886. F. Schöningh. n. 3. —

— deutsches Lesebuch. 1. u. 2. Tl. Mit besond. Rücksicht auf mündl. u. schriftl. Übgn. gr. 8. Ebend. n. 6. —
1. Für untere Klassen höherer Lehranstalten. 7. Aufl. (VIII, 447 S.) 885. n. 2. 50
2. Für die mittleren Klassen höherer Lehranstalten incl. Obersecunda. 4. Aufl. (XVI, 596 S.) 883. n. 3. 50

— deutsche Mythen-Märchen Beitrag zur Erklärg. der Grimmschen Kinder- u. Hausmärchen. gr. 8. (XII, 213 S.) Ebend. 883. n. 3. —

— Walther v. Aquitanien. Heldengedicht in 12 Gesängen m. Beiträgen zur Heldensage u. Mythologie. 2. Aufl. 8. (XVI, 130 S.) Ebend. 884. n. 1. 20

Linprun, Caroline v., Blumen u. Blüten. Eine Gabe f. Kranke u. Trostesbedürftige. 16. (VII, 152 S.) Augsburg 883. Kranzfelder. n. 2. —; geb. n. 3. —

Linsenbarth, Gust., grosse Auswahl v. gothischen Blättern od. Krappen an Fialen, Wimpergen, Baldachinen, Consolen, Grabdenkmälern etc. 64 Ansichten, f. Bildhauer, Modelleure, Steinmetzen, Zink- u. Eisengiesser etc. gesammelt u. gezeichnet. qu. 8. (32 Steintaf. m. 1 Bl. Text.) Weimar 880. (Hemmleb) n. 2. —

— eine Auswahl Wandbegräbnisse. 44 (lith.) Taf.: 36 Taf. Totalansichten u. 8 Taf Details. Für Bildhauer, Architekten u. Steinmetzen gesammelt u. gezeichnet. qu. 4. (1 Bl. Text) Ebend. 886. n. 6. —

Linsenmayer, Ant., Geschichte der Predigt in Deutschland von Karl dem Großen bis zum Ausgange d. 14. Jahrh. gr. 8. (VIII, 490 S.) München 886. Stahl sen. n. 5. 80

Linß', W., Handbuch f. die evangelische Kirche d. Großherzogth. Hessen, neu bearb. v. W. Habicht. 8. (III, 152 S.) Darmstadt 884. Würtz. n. 2. 20

— die Trunksucht, ihre soziale Bedeutung u. ihre Bekämpfung durch den deutschen Verein gegen den Mißbrauch geistiger Getränke. Referat, erstattet am 6. März 1885. 8. (IV, 39 S.) Ebend. 885. n. — 50

Linstow, v., s.: Bericht üb. die wissenschaftlichen Leistungen in der Naturgeschichte der niederen Thiere.

Linton, E. L., the girl of the period and other social essays, — Ione, } s.: Collection of British authors.

Linz, A., klimatische Verhältnisse v. Marburg auf Grund 15jähriger Beobachtungen an der meteorologischen Station daselbst, s.: Schriften der Gesellschaft zur Beförderung der gesammten Naturwissenschaften zu Marburg.

Lion, C. Th, Elementar-Grammatik der italienischen Sprache zum Schul- u. Privatgebrauch. gr. 8. (VIII, 66 S.) Leipzig 886. Teubner. cart. n. 1. 20

Lion, J. C., zur Geschichte d. Allgemeinen Turnvereins zu Leipzig. Vortrag. 8. (16 S.) Hof 885. Lion. — 30

— das Turnen in der Volksschule, das Jugendspiel u. der Handfertigkeitsunterricht. Durchgeseh. Sonderabdr. aus dem „Leitfaden f. den Unterricht in der Erziehungs- u. Unterrichtslehre" v. Schütze. gr. 8. (16 S.) Ebend. 885. — 30

— Werkzeichnungen v. Turngeräten f. Turnanstalten jeder Art. 60 (lith.) Taf. m. Erläutergn. 3. Aufl. Fol. (IV, 54 S.) Ebend. 883. In Mappe. n. 10. —; 3 Probetaf. daraus — 75

— u. L. Paritz, 16 Leiter- u. Stuhl-Pyramiden f. Turner. qu. 8. (16 Chromolith.) Ebend. 885. n. 1. 20

Lion-Claufius, Marta, Käthchens Konfirmationsjahr. Eine Erzählg. f. heranwachs. Mädchen. gr. 8. (197 S.) Langensalza 885. Beyer & Söhne. geb. m. Goldschn. 3. —

— Streiflichter. Novelletten. 8. (255 S.) Rostock 885. Hinstorff's Verl. n. 2. 50

Lion, Rud., kurzer Abriss der Geschichte d. bayerischen Turnerbundes. 1861—1885. Zur Feier seines 25jähr. Bestehens hrsg. 8. (42 S.) Hof 886. Lion. n. — 60

— Verordnungen u. amtliche Bekanntmachungen, das Turnwesen in Bayern betr. 2. Aufl. (V, 113 S.) Ebend. 884. n. 1. 20

Lionheart-Zoeller, C., verhängnisvolles Erbe, s.: Eisenbahn-Unterhaltungen.

— namenlos, s.: Roman-Bibliothek der Deutschen Illustrirten Zeitung.

Lioy, Diodato, die Philosophie d. Rechts. Nach der 2. Aufl. d. Originals m. Genehmigg. d. Verf. übers. v. Matteo di Martino. gr. 8. (XX, 552 S.) Berlin 885. R. L. Prager. n. 10. – ; geb. n. 12. —

Lipiner, Siegfr., Merlin. Operndichtung in 3 Akten. Musik v. Carl Goldmark. Textbuch. 8. (51 S.) Leipzig 886. Schuberth & Co. — 60

Lipmanson, s.: Guide, new, to modern conversation.

— s.: Guide, nouveau, de conversations modernes.

— s.: Sprachführer, neuer.

Lipp, Wilh., die Gräberfelder v. Keszthely. Mit 360 Illustr. u. 3 Taf. Lex.-8. (VIII, 121 S.) Budapest 885. Kilian. n. 4. —

Lippe, Ernst Graf zur, Hans Joachim v. Zieten. Eine Lebensgeschichte. Mit 1 (Lichtdr.-)Bilde. 2. Aufl. 8. (III, 84 S.) Berlin 885. Eisenschmidt. n. 1. 20; geb. n.n. 1. 60

Lippe, K., die Gesetzsammlung d. Judenspiegels, zusammengestellt u. gefälscht v. Aron Briman, pseudodoctor Justus. Beleuchtet u. berichtigt. gr. 8. (XIV, 288 S.) Jassy 885. (Wien, Lippe.) n. 2. 50

— die Menschenliebe, die Zivilisation u. die Gerechtigkeit, vom Standpunkte der jüngsten Vorgänge in Tißa-Eßlar aus betrachtet. gr. 8. (24 S) Preßburg 883. (Ebend.) n. — 40

— der Talmudjude vor dem katholisch-protestantisch-orthodoxen Dreirichter-Kollegium Rohling-Stöcker-Pobedonoscew. gr. 8. (41 S.) Ebend. 884. n.n. — 60

Lipperheide, F., Muster altitalienischer Leinenstickerei, } s.: Musterbücher weiblicher Handarbeit.
— u. A. Dorn, die Webe-Arbeit m. Hand-Apparat, }

Lippert, J., kleine Schulgrammatik der deutschen Sprache. 8. (VII, 72 S.) Freiburg i/Br. 883. Herder. n. — 60

Lippert, Jos., Ernst u Scherz im Gewande der Dichtung. Neue, verm. Aufl. 8. (VII, 231 S.) Bensheim 886. Lehrmittelanstalt Ehrhard & Co. n. 1. 50

Lippert, Jul., der Antisemitismus, s.: Sammlung gemeinnütziger Vorträge.

— deutsche Festbräuche. Dem Volke kulturgeschichtlich erklärt. Hrsg. vom Deutschen Vereine zur Verbreitg. gemeinnütz. Kenntnisse in Prag. gr. 8. (VII, 221 S.) Prag 884. Deutscher Verein. cart. 3. –

— Germanen u. Slaven, s.: Sammlung gemeinnütziger Vorträge.

— die Geschichte der Familie. gr. 8. (VII, 260 S.) Stuttgart 884. Enke. n. 6. —

— allgemeine Geschichte d. Priesterthums. 2 Bde. gr. 8. (XVI, 551 u. XVI, 734 S.) Gera 883. Th. Hofmann. n. 14. —

— die Kulturgeschichte in einzelnen Hauptstücken, s: Wissen, das, der Gegenwart.

— Kulturgeschichte der Menschheit in ihrem organischen Aufbau. [2 Bde. in ca. 20 Lfgn.] 1—11. Lfg. gr. 8. (1. Bd. VIII, 643 S. u. 2. Bd. S. 1—640.) Stuttgart 886. Enke. à n. 1. —

— Schulze-Delitzsch. Vortrag. gr. 8. (13 S.) Landsberg a/W. 884. Schaeffer & Co. — 25

Lippert, P. W., natürliche Fliege-Systeme, deren wissenschaftl. Enträthselg. u. prakt. Ausbau. 6 Vorträge. Mit Abbildgn. 8. (130 S.) Wien 884. Manz. n. 3. 20

— natürliche Fliege-Systeme, neue Aufl., contra Ballon-Systeme berlin-pariser Auflage. 8. (VI, 64 S. m. Illustr.) Ebend. 885. n. 2. —

Lippert, R, Beigabe zu der deutschen Sprachschule in Übungsbüchern. Für die Hand d. Lehrers. Ausg. A. [Verteilung d. Stoffes nach Wochenpensen nebst sachlich geordnetem Stoffverzeichnis der vier Sprachschulhefte.] 8. (18 S.) Freiburg i/Br. 884. Herder. n. — 25

Lippert, Wold., König Rudolf v. Frankreich. gr. 8. (126 S.) Leipzig 886. Fock. n. 2. –

Lippich, F., üb. polaristrobometrische Methoden, insbesondere üb. Halbschattenapparate. [Mit 1 (lith.) Taf.] Lex.-8. (38 S.) Wien 885. (Gerold's Sohn.) n. — 80

Lippmann, Frdr., der italienische Holzschnitt im XV. Jahrh. Fol. (112 S. m. eingedr. Fig. u. Taf.) Berlin 885. Grote. n. 16. —

Lippmann, J, die Gänseliesel in der modernen Litteratur u. Nataly v. Eschstruth, die jüngste Berühmtheit der „Deutschen illustrirten Zeitung". 8. (53 S.) Hagen 886. Risel & Co. n. — 50

— Karrikaturen Humoresken. 8. (93 S.) Würzburg 883. Kreßner. — 75

— nur f. Natur! Humoresken. 8. (113 S.) Ebend. 883. — 75

Lippold, der Hofjude. Ein Schauspiel in 5 Aufzügen. 8. (64 S.) Berlin 884. M. Schulze. n. — 50

Lipps, Frdr., Ernst u. Scherz f. Aug u. Herz. Mit (eingedr.) Text v. J. Trojan. gr. 4. (24 Chromolith.) Stuttgart 884. G. Weise. geb. n. 4. 50

— „Kinderlust". Ein Jugendalbum m. Reimen. 12 Bl. feine Farbdr-Bilder m. Versen nach Aquarellen v. F. L. gr. 4. Stuttgart 885. Hänselmann. geb. n. 3. 50

— Prinzessin Wunderhold. 12 Monatsbilder aus dem Kinderleben v. J. Trojan. Illustr. v. F. L. Lichtdr. v. A. Naumann & Schröder in Leipzig. 2. Aufl. gr. 4. (28 S.) Stuttgart 885. G. Weise. geb. n 10. —

Lipps, Thdr., Grundthatsachen d. Seelenlebens. gr. 8. (VIII, 709 S.) Bonn 883. Cohen & Sohn. n. 15. —

— psychologische Studien. gr. 8. (III, 161 S) Heidelberg 885. Weiss' Verl. n. 3. 20

Lipschitz, Rud., Untersuchungen üb. die Summen v. Quadraten. gr. 8. (III, 147 S.) Bonn 886. Cohen & Sohn. n. 5. —

Lipsius, Rich. Adb., die apokryphen Apostelgeschichten u. Apostellegenden. Ein Beitrag zur altchristl. Literaturgeschichte. 2. Bd. 2 Hälfte. gr. 8. (431 S.) Braunschweig 884. Schwetschke & Sohn. n. 11. — (I. u. II, 2.: n. 26. –)

Die 1. Hälfte erscheint später.

— Philosophie u Religion. Neue Beiträge zur wissenschaftl. Grundlegg. der Dogmatik. gr. 8. (IV, 319 S.) Leipzig 885. Barth. n. 5. —

— die Pilatus-Acten, kritisch untersucht. Neue verm. Ausg. Lex.-8. (IV, 45 S.) Kiel 886. C. F. Haeseler. n. 2. —

Lisco, Heinr., die Geschichtsphilosophie Schellings 1792—1809. gr. 8 (63 S.) Jena 884. (Deistung.) n. – 80

Lissauer, Hugo, die Bedeutung d. Krankenkassen-Gesetzes f. den Kaufmannsstand. Vortrag. gr. 8. (25 S.) Berlin 885. F. & P. Lehmann. n. — 50

Lissner, Joh. A., Skizze e. Theorie der Elektromotoren u. Elektromaschinen. gr. 8. (III, 58 S.) Wien 883. (Spielhagen & Schurich.) n. 1. 60

List, Adph., Untersuchungen üb. die in u. auf dem Körper d. gesunden Schafes vorkommenden niederen Pilze. Mit 4 (Lichtdr.-)Taf. gr. 4. (62 S. u. 4 Bl. Erklärgn.) Leipzig 885. List & Francke. n. 6. —

List, Edm., die Schwefelsäure im Weine Vortrag. gr. 8. (15 S) Würzburg 883. Stuber's Verl. n. — 70

— Süssweine. Vortrag. 8. (20 S.) Hamburg 884. Voss. n. — 50

— s.: Vorträge aus dem Gebiete der Nahrungsmittel-Chemie.

List, Frdr., das nationale System der politischen Oekonomie. 7. Aufl. Mit e. histor. u. krit. Einleitg. v. K. Th. Eheberg. gr. 8. (XIV, 249 u. XL, 352 S.) Stuttgart 883. Cotta. n. 10. —

List, Joh., Leoben u. dessen nächste Umgebung. Historische u. topograph. Notizen. 8. (VIII, 103 S.) Loeben 885. Schaufler. n. 1. 20

List, Joh., u. Hans Mühlfleith, Vertheilung d. Lehrstoffes der Elementarclasse auf Wochen u. Halbstunden. gr. 8. (114 S.) Wien 885. Pichler's Wwe. & Sohn. n. 1. 60

List, Jos. Heinr., üb. Becherzellen im Blasenepithel d. Frosches. Mit 2 lith. Taf. Lex.-8. (26 S.) Wien 884. (Gerold's Sohn.) n. 1. 40

— das Cloakenepithel v. Scyllium canicula. [Mit 1 (lith.) Taf.] Lex.-8. (12 S.) Ebend. 884. n.n. — 70

List, Jos. Heinr., die Rudimentzellentheorie u. die Frage der Regeneration geschichteter Pflasterepithelien. Lex.-8. (5 S.) Wien 886. (Gerold's Sohn.) n. — 20

— Untersuchungen üb. das Cloakenepithel der Plagiostomen. 1. u. 2. Thl. Lex.-8. Ebend. 886. n. 5. 90

1. Das Cloakenepithel der Rochen. Mit 4 (chromolith.) Taf. (36 S.) n. 3. 50

2. Das Cloakenepithel der Haie. Mit 4 (lith. u. chromolith.) Taf. (27 S.) n. 2. 40

— über e. Wirbel-Synostose bei Salamandra maculosa Laur. [Mit 1 (lith.) Taf.] (3 S.) Ebend. 884. n. — 40

Liste, amtliche, der Schiffe der deutschen Kriegs- u. Handels-Marine m. ihren Unterscheidungs-Signalen, als Anh. zum internationalen Signalbuch. Abgeschlossen im Dezbr 1885. Hrsg. im Reichsamt d. Innern. gr. 8. (111 S.) Berlin 886. G. Reimer. cart. n. 1. —

Liszt, Frz., gesammelte Schriften. Hrsg. v. L. Ramann. 6. Bd. gr. 8. Leipzig 883. Breitkopf & Härtel. n. 9. —; geb. n. 10. 50 (1—6.: n. 48. —)

Die Zigeuner u. ihre Musik in Ungarn. In das Deutsche übertr. v. L. Ramann. (XII, 396 S.)

Liszt, Frz. v., Lehrbuch d. deutschen Strafrechts. 2. Aufl. gr. 8. (XXIV, 663 S.) Berlin 884. Guttentag. n 10. —; geb. n. 12. —

— die Reform d. juristischen Studiums in Preußen. Rede, geh. bei Antritt d. Rektorates an der Universität Marburg am 17. Oktbr. 1886. gr. 8. (56 S.) Ebend. 886. n. 1. —

Litanei zum hl. Joseph. 16. (4 S.) Kempten 885. Kösel n.n. — 5; 12 Explre. n. — 50

Literatur, die, der letzten sechs Jahre [1877—1882] aus dem Gesammt-Gebiete d. Bau- u. Ingenieurwesens, m. Einschluss d. Kunstgewerbes, in deutscher, französ. u. engl. Sprache. Nebst e. Nachtrag, enth. die Erscheingn. auf dem Gebiete der Elektrotechnik vom J. 1883. gr. 8. (III, 316 S.) Wien 884. Gerold & Co. n.n. 5. —

Literaturbericht, evangelischer. 1. Jahrg. 1884. 4 Nrn. (2 B.) gr. 8. Frankfurt a/M. n. — 80

Literaturblatt zur Berg- u. Hüttenmännischen Zeitung, hrsg. v. B. Kerl u. F. Wimmer. Jahrg. 1886. 12 Nrn. gr. 4. (Nr. 1. 6 S.) Leipzig, Felix. n. 2. —

Litfaß', Ernst, neues Declamatorium. Eine Sammlg. wirkungsvoller, ernster u. humorist. Gedichte zu öffentl. u. Privat-Vorträgen, red. v. Carl Toepfer sen. 2. Bd.: Gedichte heiteren u. humorist. Inhalts. 4. Aufl. 8. (VII, 232 S.) Hamburg 884. Gaßmann's Verl. n. 2. —

Lithographia. Organ f. Lithographie u. verwandte Fächer. Hrsg. v. A. Isermann. 23—26. Jahrg. 1883—1886. à 48 Nrn. (à 1/2—1 B.) gr. 4. Hamburg Isermann. à Jahrg. n. 9. —

Littauer, Hugo, in's Schwarze. Epigrammatisches Allerlei. 12. (VII, 85 S) Berlin 885. Isaleib. n. 2. —

Litteratur, die landeskundliche, f. Nordthüringen, den Harz u. den provinzialsächs. wie anhalt. Theil an der norddeutschen Tiefebene. Hrsg. vom Verein f. Erdkunde zu Halle. gr. 8. (174 S.) Halle 883. Tausch & Grosse. n. 3. —

Litteraturbericht f. Kirche, Schule u. das christliche Haus. Hrsg. v. Geo. Buchwald. 2. Jahrg. 1885. 6 Hfte. (2 B.) gr. 8. Frankfurt a/M., Drescher. n. 1. —

Erscheint nicht mehr.

— theologischer. Red. v. P. Eger. 6—9. Jahrg. 1883—1886. à 12 Hfte. (1 1/2 B.) gr. 8. Gütersloh, Bertelsmann. à Jahrg. n. 1. 50

Litteraturblatt, deutsches, begründet v. Wilh. Herbst, fortgeführt v. Heinr. Keck. 6. Jahrg. April 1883 — März 1884. 52 Nrn. (1/2 B.) gr. 4. Gotha, F. A. Perthes. n. 8. —

— dasselbe. 7—9. Jahrg. April 1884 — März 1887. à 52 Nrn. (1/2 B.) gr. 4. Ebend. à Jahrg. n. 6. —

— für katholische Erzieher. Hrsg. vom kathol. Pädagogium. Red.: L. Auer. 14—17. Jahrg. 1883—1886. à 12 Nrn. (à 1—2 B.) gr. 4. Donauwörth, Auer. à Jahrg. 2. —

— für germanische u. romanische Philologie. Unter Mitwirkg. v. Karl Bartsch hrsg. v. Otto Behaghel u. Fritz Neumann. 4—7. Jahrg. 1883—1886. à 12 Nrn. gr. 8. (Nr. 1. 3 B.) Heilbronn, Henninger. à Jahrg. n. 10. —

Litteraturblatt, jüdisches, s.: Wochenschrift, israelitische.

— numismatisches. Hrsg.: M. Bahrfeldt. 4—7. Jahrg. 1883—1886. à 4—5 Nrn. (à 1/2—3/4 B.) gr. 8. Stade, (Hannover, Meyer). à Jahrg. n.n. 1. 50; m. dem numismatisch-sphragist. Anzeiger n n. 3. —

— für orientalische Philologie, unter Mitwirkg. v. Johs. Klatt hrsg. v. Ernst Kuhn. 1. u. 2. Jahrg. Octbr. 1883 — Septbr. 1885. à 12 Hfte. (à 2—3 B.) gr. 8. Leipzig, O. Schulze. à Jahrg. n. 15. —

— dasselbe. 3. Bd. 4 Hfte. gr. 8. (1. Hft. 96 S.) Ebend. 886. n. 15. —

— illustriertes, f. Pädagogik, Jugendschriften, Belletristik u. verwandte Gebiete. Monats-Beilage zur „Pädagog. Zeitschrift“ v. G. Noack. 1. Jahrg. 1886. 12 Nrn. (B.) gr. 4. Leipzig, Urban. n. 1. 20

— monatliches, f. Pastoren, Lehrer u. das christliche Volk. Unter Mitwirkg. vieler Pastoren u. Schulmänner. 2. Jahrg. Juli 1884 — Juni 1885. 12 Nrn. (2 B.) gr. 8. Reading, Pa., Pilger-Buchhandlung. n. 2 —

— theologisches. Red.: C. E. Luthardt. Jahrg. 1883 u. 1884. à 52 Nrn. (1/2 B.) gr. 4. Leipzig, Dörffling & Franke. à Jahrg. n. 4. —

— dasselbe. Jahrg. 1885 u. 1886. à 52 Nrn. (1/2 B.) gr. 4 Ebend. à Jahrg. n.n. 5. —

Litteraturdenkmale, deutsche, d. 18. Jahrh., in Neudrucken hrsg. v. Bernh. Seuffert. Nr. 8—25. 8. Heilbronn, Henninger. n. 33. 40

8. Frankfurter gelehrte Anzeigen vom J. 1772. 2. Hälfte, nebst Einleitg. u. Personenregister. (III, S. 353—700 u. CXXIX S.) 883. n. 3. 80 (cplt.: n. 6. 60)
9. Karl v. Burgund. Ein Trauerspiel [nach Aeschylus] v. J. J. Bodmer. (XII, 26 S) 883. n. — 50
10. Versuch einiger Gedichte von F. v. Hagedorn. (X, 99 S.) 883. n. — 90
11. Der Messias. 1., 2. u. 3. Gesang. Von F. G. Klopstock. (XXXI, 84 S.) 883. n. — 90
12. Vier kritische Gedichte v. J. J. Bodmer. (XLVII, 110 S.) 883. n. 1. 20
13. Die Kindermörderin. Ein Trauerspiel v. H. L. Wagner. Nebst Scenen aus den Bearbeitgn. K. G. Lessings u Wagners. (X, 116 S.) 883. n. 1. —; geb. n. 1. 50
14. Ephemerides u. Volkslieder v. Goethe. (XX, 47 S.) 883. n. — 60; geb. n. 1. 10
15. Gustav Wasa v. C. Brentano. (XIV, 136 S.) 883. n. 1. 20; geb. n. 1. 70
16. De la littérature allemande v. Friedrich dem Grossen. (XXX, 37 S.) 883. n. — 60; geb. n. 1. 10
17. A. W. Schlegel's Vorlesungen üb. schöne Litteratur u. Kunst. 1. Tl. [1801—1802.] Die Kunstlehre. (LXXII, 370 S.) 883. n. 3. 50; geb. n. 4. —
18. Dasselbe. 2. Tl. [1802—1803.] Geschichte der klass. Litteratur. (XXXII, 396 S.) 884. n. 3. 50; geb. n. 4. —
19. Dasselbe. 3. Tl. [1803—1804.] Geschichte der romant. Litteratur. [Nebst Personenregister zu den 3 Tln.] (XXXIX, 252 S.) 884. n. 2. 50; geb. n. 3. —
20. Gedanken üb. die Nachahmung der griechischen Werke in der Malerei u. Bildhauerkunst v. J. J. Winckelmann. 1. Ausg. 1755 m. Oesers Vignetten. (X, 44 S.) 885. n. — 70
21. Die guten Frauen v. Goethe. Mit Nachbildgn. der Orig.-Kpfr. (XI, 27 S) 885. n. — 70
22. Freundschaftliche Lieder v. I. J. Pyra u. S. G. Lange. (L, 167 S.) 885. n. 1. 80; geb. n. 2. 30
23. Anton Reiser. Ein psycholog. Roman v. K. Ph. Moritz. (XXXVIII, 443 S.) 886. n. 3. 80; geb. n. 4. 30

24. Ueber meine theatralische Laufbahn v. A. W. Iffland. (CVI, 130 S.) 886. n. 2. —; geb. n. 2. 50

25. Kleine Schriften zur Kunst v. Heinr. Meyer. (CLXIX, 258 S.) 886. n. 4. 20; geb. n. 4. 70

Litteratur-Kalender, deutscher, auf d. J. 1886, hrsg. v. Jos. Kürschner. 8. Jahrg. 16. (VIII, 702 Sp. u. S. m. 1 Stahlst.) Stuttgart, Spemann. geb. n.n. 5. —

Litteraturzeitung, deutsche. Hrsg. v. Max Roediger. 4—7. Jahrg. 1883—1886. à 52 Nrn. (à 2½ - 3 B.) hoch 4. Berlin, Weidmann. à Jahrg. n. 28. —

— allgemeine österreichische. Literarisches Centralorgan f. die österr.-ungar. Monarchie. Hrsg u. Chefred.: J. Singer. 2. Jahrg. April 1886—März 1887. 36 Nrn. (à 2—4 B.) gr. 4. Wien, (Anger). n. 12. —

— theologische. Hrsg. v. Ad. Harnack u. E. Schürer. 8—11. Jahrg. 1883 - 1886. à 26 Nrn. (1½ B.) gr. 4. Leipzig, Hinrichs' Verl. à Jahrg. n. 16. —

Litthauer, F., allgemeines deutsches Handelsgesetzbuch, nebst Einführungs- u. Ergänzungsgesetzen, unter Ausschluß d. Seerechts. Text-Ausg. m. Anmerkgn., den v. dem Reichsgericht u. dem früheren Reichs-Oberhandelsgericht angenommenen Rechtsgrundsätzen u. Sachregister. 6. Aufl. 16. (VIII, 589 S.) Berlin 886. Guttentag. cart. n. 2. —

Littmann, O., üb. das Verhältniss v. Längsdilatation u. Querkontraktion elastischer Metallcylinder. gr. 8. (48 S. m. 1 autogr. Taf.) Breslau 885. (Köhler.) n. 1. —

Littrow, Atlas d. gestirnten Himmels f. Freunde der Astronomie. 4. vielfach umgearb. u. verm. Aufl., hrsg. v. Edm. Weiß. qu. gr. 4. (19 lith. Karten.) Mit Text. gr. 8. (IV, 91 S.) Berlin 886. Dümmler's Verl. n. 4. —

— Wunder d. Himmels od. gemeinfaßl. Darstellg. d. Weltsystemes. 7. Aufl. Nach den neuesten Fortschritten der Wissenschaft bearb. v. Edm. Weiß. Mit gegen 150 Bilder- u. Karten-Beilagen u. Illustr. 5—35. (Schluß-) Lfg. gr. 8. (XXIII u. S. 169—1278.) Ebend. 883 - 85. à n. — 50 (cplt.: n. 17. —; m. Atlas. 4. Aufl. n. 21. —)

Littrow, Heinr., die Semmeringfahrt. Reisebild in gemüthl. Reimen. 12. (89 S.) Wien 883. Künast. n. 1. 40; geb. n. 1. 80

— von Wien an die Adria nach Triest u. Fiume. Reisebilder in gemüthl. Reimen. 4. Aufl. 16. (IV, 317 S. m. Steintaf.) Ebend. 883. n. 3. —; geb. n. 4. —

Liturgie, historische, zu Luthers Geburtstagsfeier am 10. Novbr. 1883. Nach Reinthaler f. Schule u. Haus zusammengestellt v. e. prakt. Schulmann. gr. 8. (16 S.) Schwerin 883. Saatmann. n. — 10; Velinpap. n. — 20

Liturgy and hymns for the use of the christian churches on the Gold Coast, speaking the Asante and Fante language called Tshi [Chwee, Twi]. A new and improved ed. 8. (VII, 32 u. 319 S.) Basel 883. Missionsbuchh. geb. n. 3. —

Litzinger, H. J., Entstehung u. Zweckbeziehung d. Lucasevangeliums u. der Apostelgeschichte. gr. 8. (128 S.) Essen 883. Halbeisen. n. 1. 20

Litzmann, B., s.: Hagedorn, A. M. v., Briefe an ihren jüngeren Sohn Christian Ludwig.

— Christian Ludwig Liscow in seiner literarischen Laufbahn. gr. 8. (XII, 155 S.) Hamburg 883. Voss. n. 4. 50

Litzmann, Carl Conr. Thdr., Erkenntniss u. Behandlung der Frauenkrankheiten im Allgemeinen. Vier Vorträge. gr. 8. (V, 82 S.) Berlin 886. Hirschwald. n. 2. —

— die Geburt bei engem Becken. Nach eigenen Beobachtgn. u. Untersuchgn. gr. 8. (XI, 728 S.) Leipzig 884. Breitkopf & Härtel. n. 14. —; geb. n.n. 16. —

Livi Andronici et Cn. **Naevi** fabularum reliquiae. Emendavit et adnotavit Lucianus Mueller. gr. 8. (72 S.) Berlin 885. Calvary & Co. n. 2. —

Livii, Titi, ab urbe condita liber I. Für den Schulgebrauch erklärt v. Max Heynacher. Ausg. A. Kommentar unterm Text. gr. 8. (101 S.) Gotha 885. F. A. Perthes. n. 1. —; Ausg. B. Text u. Kommentar getrennt in 2 Hftn. (55 u. 44 S.) n. 1. —

— dasselbe, liber II. Für den Schulgebrauch erklärt v. Thdr. Klett. Ausg. A. Kommentar unterm Text. gr. 8. (III, 99 S.) Gotha 883. F. A. Perthes. n. 1. —; Ausg. B. Text u. Kommentar getrennt in 2 Hftn. (III, 59 u. 38 S.) n. 1. —

Livii, Titi, ab urbe condita liber II. Für den Schulgebrauch erklärt v. Frz. Luterbacher. gr. 8. (126 S.) Leipzig 885. Teubner. 1. 20

— dasselbe, liber III. Für den Schulgebrauch erklärt v. Frz. Luterbacher. gr. 8. (126 S.) Ebend. 885. n. 1. —

— dasselbe, liber IV. Für den Schulgebrauch erklärt v. Frz. Luterbacher. gr. 8. (116 S.) Ebend. 886. 1. 20

— dasselbe, liber XXI. Für den Schulgebrauch erklärt v. Karl Tücking. 3. verb. Aufl. gr. 8. (118 S.) Paderborn 884. F. Schöningh. n. 1. 20

— dasselbe, liber XXII. Für den Schulgebrauch erklärt v. Frz. Luterbacher. Ausg. A m. untergesetzten Anmerkgn. gr. 8. (117 S.) Gotha 883. F. A. Perthes. 1. 20; Ausg. B m. besond. Anmerkungenheft (56 u. 55 S.) 1. 20

— dasselbe, liber XXIII. Für den Schulgebrauch erklärt v. Glob. Egelhaaf. Ausg. A. m. untergesetzten Anmerkgn. gr. 8. (92 S.) Ebend. 884. 1. 20; Ausg. B. m. besond. Anmerkungen-Hft. (48 u. 39 S.) 1. 20

— dasselbe. Für den Schulgebrauch erklärt v. Ed. Wölfflin. 3. Aufl., besorgt v. Frz. Luterbacher. gr. 8. (IV, 136 S.) Leipzig 884. Teubner. 1. 20

— dasselbe, liber XXVIII. Für den Schulgebrauch erklärt v. F. Friedersdorff. gr. 8. (VII, 127 S.) Ebend. 883. 1. 20

— ab urbe condita libri, recognovit H. J. Mueller. Pars III, libros V et VI continens. gr. 8. (VIII, 80 S) Berlin 883. Weidmann. — 75

— dasselbe. Pars V, libros XXIII et XXIV continens. gr. 8. (X, 80 S.) Ebend. 883. — 75

— dasselbe. Erklärt v. W. Weissenborn. 1. Bd. 1. Hft. Buch I. 8. Aufl. v. H. J. Müller. gr. 8. (VIII, 271 S.) Ebend. 885. 2. 40

— dasselbe. 3. Bd. 1. Hft. Buch VI - VIII. 5. Aufl., besorgt v. H. J. Müller. gr. 8. (304 S.) Ebend. 886. 2. 40

— dasselbe. 4. Bd. 3. Hft. Buch XXIII. 7. Aufl. v. H. J. Müller. gr. 8. (III, 119 S.) Ebend. 883. 1. 20

— dasselbe. 7. Bd. 1. u. 2. Hft. Buch XXXI—XXXII. 3. Aufl., besorgt v. H. J. Müller. gr. 8. (190 u. IV, 202 S.) Ebend. 883. 3. 30

— dasselbe. Ed. Ant. Zingerle. Pars III et IV. Lib. XXI—XXX. 8. (IV, 247 u. XXIV, 238 S.) Prag 883. 85. Tempsky. — Leipzig, Freytag. à n. 1. 20
Partes I. II erscheinen später.

— dasselbe, libri I. II. XXI. XXII. Adjunctae sunt partes selectae ex libris III. IV. VI. Scholarum in usum ed. Ant Zingerle. Accedunt tabulae geographicae et indices. 8. (X, 265 S.) Ebend. 886. n. 1. 40; Einbd. n.n. — 25

— römische Geschichte. Deutsch v. Fr. Dor. Gerlach. 1. 2. 4. 16. 20—23. 30. 31. 33. 35. 36. Lfg. 8. Berlin, Langenscheidt. à n. — 35
1. Buch 1. Kap. 1—36. 5. Aufl. (1. Bd. 48 S.) 885. — 2. 4. Aufl. (1. Bd. S. 49—90.) 883. — 4. 4. Aufl. (1. Bd. S. 139—186.) 885. — 16. 3. Aufl. (2. Bd. S. 265—312.) 885. — 20. 21. 4. Aufl. (2. Bd. S. 479—576.) 885. — 22. 23. 4. Aufl. (3. Bd. S. 1—96.) 883. 85. — 30. 31. 33. 2. Aufl. (3. Bd. S. 393—460 u. 515—562.) 885. — 35. 36. 2. Aufl. (4. Bd. S. 1—98.) 885.

— römischer Geschichte v. der Erbauung der Stadt anhebendes 2. Buch. 3. u. 4. (Schluß-) Hft. Wortgetreu aus dem Lat. in's Deutsche übers. nach H. R. Mecklenburg's Grundsätzen v. Herm. Dill. 32. (S. 129—264.) Berlin 883. H. R. Mecklenburg. à n. — 25

— dasselbe. 3. Buch, 1—4. Hft. 32. (à 64 S.) Ebend. 884—86. à n. — 25

— dasselbe. 23. Buch. 3 Hfte. 32. (152 S.) Ebend. 884. 85. à n. — 25

— dasselbe, s.: Prosaiker, römische, in neuen Uebersetzungen.

— dasselbe, s.: Universal-Bibliothek.

— ausgewählte Stücke aus der 3. Dekade. Mit Anmerkgn. f. den Schulgebrauch v. W. Jordan. 3. Aufl. 8. (XIV, 187 S.) Stuttgart 883. Neff. n. 1. 50

Livland u. **Irland.** Ein Briefwechsel. 8. (160 S.) Leipzig 883. Duncker & Humblot. n. 3. —

Livonius, O., Colonialfragen. gr. 8. (IV, 68 S.) Berlin 885. Wilhelmi. n. 1. 50

Livrede, lecture pour les écoles primaires du canton de Fribourg. Degré inférieur. 8. (128 S. m. eingedr. Holzschn.) Einsiedeln 885. Benziger. cart. n.n. — 40

— le, illustré des patiences. 60 jeux de patience avec figures indiquant la place des cartes. 2. éd. 8. (X, 114 S.) Breslau 883. Kern's Verl. geb. n. 5. —

Liznar, J., Anleitung zur Messung u. Berechnung der Elemente d. Erdmagnetismus. gr. 8. (79 S. m. Fig.) Wien 883. (Gerold's Sohn.) n. 2. —

— über den täglichen u. jährlichen Gang sowie üb. die Störungsperioden der magnetischen Declination zu Wien. [Mit 3 (lith.) Taf.] Lex.-8. (22 S.) Ebend. 885. n. — 80

— über den Stand d. Normalbarometers d. meteorologischen Institutes in Wien gegenüber den Normalbarometern der anderen meteorologischen Centralstellen Europa's. Lex.-8. (23 S.) Ebend. 886. n.n. — 50

— zur Theorie d. Lamont'schen Variations-Apparates f. Horizontal-Intensität. [Mit 1 (eingedr.) Holzschn.] Lex.-8. (8 S.) Ebend. 883. n. — 20

Lloyd, germanischer. Deutsche Gesellschaft zur Classificirg. v. Schiffen. Internationales Register. 1883—1886. Lex.-8. (à ca. LXXII, 255 u. 296 S., nebst 1. Nachtrag: 17 Bl.) Berlin 883—86. (Mitscher & Röstell.) geb. à n. 40. —

Lloyd, H., brieflicher Sprach- u. Sprech-Unterricht, Englisch, s.: Dalen, C. van.

Lob göttlicher Führung. 4 Blumenkarten m. Bibelsprüchen. 16 Leipzig 883. Böhme. — 60

— Gottes aus dem Munde der Unschuld. Andachtsbüchlein f. die liebe Jugend. 2. Aufl. 24. (160 S. m. eingedr. Holzschn.) Dülmen 883. Laumann. geb. n — 30

— u. **Ehre** sei dem allerheiligsten Sakrament. Ein Gebet- u. Betrachtungsbüchlein f. die Mitglieder der Corporis-Christi Bruderschaft. 16. (112 S. m. 1 Stahlst.) Würzburg 885. Bucher. — 30

Lobe den Herrn! 4 Spruchkarten m. Blumen. Chromolith. 32. Berlin 883. Hübner. — 60

Lobe, J. C., Katechismus der Musik. 23. Aufl. 8. (144 S.) Leipzig 886. Weber. geb. n. 1. 50

— Lehrbuch der musikalischen Komposition. 1. Bd. Von den ersten Elementen der Harmonielehre an bis zur vollständ. Komposition d. Streichquartetts u. aller Arten v. Klavierwerken. 5. Aufl., neu bearb. v. Herm. Kretzschmar. gr. 8. (XV, 372 S.) Leipzig 884. Breitkopf & Härtel. n. 8. —; geb. n. 9. 50

— manuel général de musique par demandes et par réponses à l'usage des professeurs, des élèves et des amateurs. Adaptation française d'après la 23. éd. par Gustave Sandré. 8. (VI, 161 S.) Ebend. 886. geb. n. 2. —

Löbe, Ernst, Handbuch d. königl. sächsischen Etat-Kassen u. Rechnungswesens m. Einschluß der Staatshaushaltskontrole. gr. 8. (X, 802 S.) Leipzig 884. Veit & Co. n. 16. —; Einbd. n.n. 1. 25

Löbe, J., u. E. **Löbe,** Geschichte der Kirchen u. Schulen d. Herzogth. Sachsen-Altenburg, auf Grund der Kirchen-Galerie bearb. (In ca. 30 Lfgn.) 1—12. Lfg. Lex.-8. (1. Bd. IV, 642 S.) Altenburg 884—86. Bonde's. Verl. à n. 1. —

Löbe, M., Sammlung v. Aufgaben aus der Arithmetik. Für Gymnasien, Realschulen u. höhere Bürgerschulen. 1. u. 2. Hft. 3. Aufl. gr. 8. (78 u. 88 S.) Leipzig 886. Brandstetter. cart. à n. — 80

— altdeutsche Sinnsprüche in Reimen, gesammelt v. M. L. 16. (III, 164 S.) Halle 883. Niemeyer. n. 1. 50; geb. n. 2. 25

— Wahlsprüche, Devisen u. Sinnsprüche deutscher Fürstengeschlechter d. XVI. u. XVII. Jahrh. Lex.-8. (XVI, 267 S.) Leipzig 883. Barth. n. 10. —; auf Velinpap. geb. n. 16. —

Löbe, Will., Handbuch der rationellen Landwirthschaft f. praktische Landwirthe u. Oekonomie-Verwalter. 5. gänzlich umgearb. Aufl. Neue wohlfeilere Ausg. Mit 150 Abbildgn. landwirthschaftl. Maschinen u. Geräthe u. dem Portr. von Justus v. Liebig. gr. 8. (XII, 775 S.) Weimar 883. B. F. Voigt. 6. —

— dasselbe. 6. neu bearb. Aufl. Mit 202 Abbildgn. der bewährtesten Maschinen u. Geräte u. den Porträts v. Albrecht Thaer u. Justus v. Liebig. gr. 8. (VIII, 703 S.) Ebend. 884. 10. 50; geb. 12. —

— illustrirtes Haushaltungs-Lexicon, s.: Wilhelmi, L.

Lobeck, B., Stephanus u. Luther. Nachklang der Wittenberger Jubiläumsfeier in e. Landkirche. Predigt üb. Apostelgeschichte Cap. 6, 8—15. 8. (8 S.) Merseburg 883. Stollberg. — 15

Loebel, M., Meister Potier, s.: Tyrolt, R.

Loebell, das preußische Enteignungsgesetz vom 11. Juni 1874, erläutert. gr. 8. (IV, 233 S.) Leipzig 884. Veit & Co. n. 5. —

Loebell, A. v., kurzer Abriß der preußischen Geschichte u. Lebensbeschreibung d. Kaisers Wilhelm, nach den Direktiven der königl. Inspektion f. die 4. Compagnie der Unteroffizier-Schule Biebrich zusammengestellt. 5. Aufl. 8. (48 S.) Berlin 886. Mittler & Sohn. n.n. — 25

Lober, G., Orthographie in Beispielen, s.: Kobmann, G.

— Übungsstoff f. den Unterricht im Deutschen, s.: Knab, K.

Löber, Rich., die beste aller Welten. Ein Wort gegen phantast. Glückseligkeit u. Unzufriedenheit. gr. 8. (XI, 130 S.) Gotha 886. Schloeßmann. n. 2. —; geb. n. 2. 50

Lobet den Herrn! Gebet- u. Andachtsbuch f. kathol. Christen. Von e. Priester der Diöcese Basel. In stenograph. Schrift [System Stolze] übertr. v A. Widmer. 16. (208 S. m. 1 Lichtdr.) Einsiedeln 884. Benziger. 1. 20

Loebisch, W. F., die neueren Arzneimittel in ihrer Anwendg. u. Wirkg. dargestellt. 2. gänzlich umgearb. u. wesentlich verm. Aufl. gr. 8 (VIII, 266 S.) Wien 883. Urban & Schwarzenberg. n. 6. —

Löbker, Karl, chirurgische Operationslehre. Ein Leitfaden f. die Operationsübgn. an der Leiche. Mit Berücksicht. der chirurg. Anatomie f. Studirende u. Aerzte bearb. Mit 264 Holzschn. gr. 8. (VIII, 488 S.) Wien 885. Urban & Schwarzenberg. n. 9. —; geb. n. 11. —

Löbner, Arth., Bemerkungen zur Frage der freiwilligen Bildung v. Berufsgenossenschaften auf Grund d. Unfallversicherungsgesetzes vom 6. Juli 1884. 8. (18 S.) Dresden 884. v. Zahn & Jaensch Verl. n. — 40

Löbner, Heinr., Emanuel Geibel. Eine litterar. Studie. 8. (37 S.) Brandenburg 884. Lunitz. n. 1. —

Lob-, Bitt- u. Dankopfer, seraphisches, e. Lehr- u. Gebetbuch f. alle kathol. Christen, insbesondere f. die Mitglieder d. dritten Ordens d. hl. Franziskus Seraphikus. 7. Aufl. Nach der neuen Regelverfassg. Sr. Heiligkeit Pabst Leo XIII. 16. (IV, 383 S.) Regensburg 884. Pustet. n. — 50; geb. in Leinw. n. — 80; in Ldr. m. Goldschn. n. 1. 20

Lobstein, F., tägliche Weckstimmen od. e. Schriftstelle kurz beleuchtet auf alle Tage im Jahre. 6. Aufl. gr. 8. (IV, 407 S.) Basel 887. Detloff. 2. 40; Einbd. in Leinw. n.n. — 50; m. Goldschn. n.n. 1. —

Locella, G., Taschenbuch der Handelskorrespondenz in italienischer u. deutscher Sprache, s.: Taschenbuch der Handelskorrespondenz.

Locher, F., s.: Baumaterialien, die, der Schweiz an der Landesausstellung 1883.

Locher's, Frz., allgemeine Erdkunde, od. neuestes Handbuch zur Beförderg. u. Belebg. d. geograph. Sinnes u. Wissens f. Schule u. Haus. Statistisch, historisch, ethnographisch u. komparativ verf. Neu bearb. v. Ferd. Zöhrer. 3. Aufl. gr. 8. (XII, 867 S.) Regensburg 886. Verlags-Anstalt. 9. —

Locher, Frdr., zwanglose Blätter. Die verhängnißvolle Schnupftabaksdose. 4—7. Prise. 8. Stuttgart 882. Schröter & Müller. à — 30

4. 5. Justiz-Reform. (30 S.) — 6. 7. Die Brodfrage. I. Das Burgerrecht. [Des „Wetterleuchten". 3. Thl.] (31 S.)

Locher, Frdr., Wetterleuchten. Der Staatssozialismus u. seine Consequenzen. 3. u. 4. Thl. gr. 8. Stuttgart 883. Schröter & Müller. n. 2. 60 (cplt.: n. 4. 60)

3. Die Brodfrage. I. Das Bürgerrecht. (32 S.) n. — 60. II. Proliferation. III. Innungen u. Innungskassen. (75 S.) n. 1. —

4. Reorganisation d. Rechtsgangs. (48 S.) n. 1. —

Locher, Seb., die Herren v. Reuneck. Urkundlicher Nachweis ihrer Glieder u. Besitzgn. gr. 8. (300 S.) Sigmaringen 884. (Stuttgart, Gerschel.) n. 4. —

Löcherer, G., das Auge u. das Sehen. Die Pflege d. Auges u. die Erhaltg. der Sehkraft. Nach Carter's Eyesight. Mit 56 Holzschn.-Illustr. u. 5 Farbe- u. Lesetaf. gr. 8. (VI, 210 S.) Berlin 884. Dümmler's Verl. n. 6. —

Löcherer, Jos., vollständiger Inbegriff der Gnaden u. Abläße der ehrwürdigen Erzbruderschaft Maria v. Trost od. der schwarzledernen Gürtel der heil. Mutter Monika, d. heil. Vaters Augustin u. d. heil. Nicolaus v. Tolentin. 9. Aufl. Mit 1 Stahlst. 12. (VIII, 254 S.) Regensburg 882. Verlags-Anstalt. n. — 80

— die reichen Vortheile, Gnaden u. Abläße der Erzbruderschaft d. heil. Rosenkranzes. Die Abläße sind auf das genaueste aus dem f. ewige Zeiten bestätigten Summario Innocentii XI. u. aus den Breven der neueren Päpste, sowie aus e. v. der heil. röm. Ablaßkongregation unterm 18. Sept. 1862 approbirten Ablaßverzeichnisse gezogen, somit auf das allerzuverlässigste. 7. Aufl. Mit 1 Kpfrst. 8. (107 S.) Ebend. 885. n.n. — 25

Lochmann, Wilh., 25 pädagogische Themata m. ausführlichen Dispositionen zu deutschen Aufsätzen u. zu Vorträgen f. Lehrerseminarien u. Volksschullehrer. gr. 8. (V, 72 S.) Kreuzburg o/S. 883. Praetorius. n. 1. 20

Lochner-Mittner, C., s.: Bericht üb. Gruppe 22 der schweizerischen Landesausstellung Zürich 1883: Maschinen-Industrie.

Lochner, L., v. der christlichen Kirchenzucht. Matth. 18, 15—17. 2 Predigten, geh. am 24. u. 25. Sonntag nach Trinitatis 1882 vor der evang.-luther. Dreieinigkeitsgemeinde zu Chicago, Ill. 8. (32 S.) St. Louis, Mo. 883. (Dresden, H. J. Naumann.) n. — 30

Löchner, A. L., deutsches Liederbuch f. Knabenschulen. Mittlere Stufe. 57 meist zweistimm. Lieder. 13. Aufl. 8. (36 S.) Leipzig 886. Klinkhardt. n. — 20

— dasselbe. Obere Stufe. 63 meist dreistimm. Lieder. Gesammelt, bearb. u. hrsg. 13. Aufl. 8. (64 S.) Ebend. 885. n. — 30

— dasselbe, f. Mädchenschulen. Mittlere Stufe. 58 meist zweistimm. Lieder. 19. Aufl. 8. (36 S.) Ebend. 885. n. — 20

— dasselbe. Obere Stufe. 64 meist dreistimm. Lieder. 12. Aufl. 8. (64 S.) Ebend. 886. n. — 30

Locke's, John, Gedanken üb. Erziehung. Eingeleitet, übers. u. erläutert von E. v. Sallwürk. gr. 8. (LXXII, 235 S.) Langensalza 883. Beyer & Söhne. n. 2. 50

— Leitung d. Verstandes, s.: Bibliothek, philosophische.

Locke, Rich., üb. die Begriffsbestimmung der Lüge im eigentlichen Sinne. Eine ethisch-theolog. Studie. 8. (IV, 50 S.) Frankfurt a/M. 886. Drescher. n. — 90

— die Quintessenz der Theologie Schleiermachers. Eine kurz gefaßte krit. Untersuchg., vom christl.-theist. Standpunkte aus dargestellt. gr. 8. (II, 48 S.) Ebend. 885. n. — 80

— über den Stand der Sittlichkeit im engeren Sinne innerhalb unseres christlichen Volkslebens. Vortrag, geh. bei der Diöcesanversammlg. zu Kamenz am 13. Oktbr. 1885. 8. (16 S.) Ebend. 886. n. — 30

Löcker, Jul., die jod- u. bromhältige Schwefelquelle zu Goisern im Salzkammergut. Ihre Entdeckg., Lage, chemische Zusammensetzg. u. therapeut. Verwendg. Mit e. (phototyp.) Ansicht v. Goisern u. e. (chromolith.) Karte d. Salzkammergutes. 8. (V, 21 S.) Wien 884. Braumüller. n. — 80

Loden, A., der Lustfeuerwerker. 9. Aufl. Mit Holzschn. u. 2 Taf. Abbildgn. 8. (VIII, 157 S.) Quedlinburg 885. Ernst. 1. 50

Loe, Adf., üb. den Glycerinäther. gr. 8. (37 S.) Göttingen 882. (Vandenhoeck & Ruprecht.) n. 1. —

Loeillot de Mars, Abriß der Geschichte d. 8. Brandenb. Infanterie-Regiments Nr. 64 [Prinz Friedrich Karl v. Preußen], f. Unteroffiziere u. Soldaten erzählt. 3. verb. Aufl. 8. (48 S.) Angermünde 883. Windolff. n. — 50

Loën, A. Frhr. v., Kampf um Liebe. Zwei Erzählgn. 8. (264 S.) Breslau 884. Schottländer. n. 5. —

Loesen, Max v., Geschichte d. königl. 3. Thüringischen Infanterie-Regiments Nr. 71. Mit 4 (lith.) Plänen aus dem Feldzuge 1866. gr. 8. (XI, 331 S.) Berlin 883. Mittler & Sohn. n.n. 6. 50

Löffl ad, Johs., üb. das wissenschaftliche Studium der Geistlichen in der Gegenwart. Referat auf der Ermländ. evangel. Kreissynode. gr. 8. (16 S.) Königsberg 883. (Bacle.) n. — 50

Loeffler, A., der menschliche Körper. Für die Volksschule bearb. Mit e. Abbildg. d. menschl. Skeletts. gr. 8. (15 S.) Minden 886. Bruns. n. — 25

Löffler, C., methodische Behandlung der ersten 29 Normalwörter in Verbindung m. den ersten Anschauungs-, Sprech-, Lautier- u. Schreibübungen nach der naturgemäßen Lautiermethode. gr. 8. (V, 42 S.) Osterwieck 884. Zickfeldt. n. — 50

— deutsche Normal-Fibel, nach der Wortlautier- u. Schreiblesemethode u. dem einfachsten, naturgemäßesten Unterrichtsgange bearb. gr. 8. (VII, 64 S., wovon 8 auf schwarzem Pergamentpap.) Ebend. 884. cart. n.n. — 50

Loeffler, Emil v., Geschichte d. königl. württembergischen Pionierbataillons Nr. 13. gr. 8. (VII, 514 S.) Ulm 883. Wagner. n. 10. —

— dasselbe. 2. Aufl. gr. 8. (VII, 514 S.) Ebend. 885. n. 5. —

— Geschichte der Festung Ulm. Mit 29 Holzschn. u. 3 lith. Plänen. 2. Aufl. 4 Lfgn. gr. 8. (VIII, 592 S.) Ebend. 883. à n. 1. —

Löffler, Frdr. Berth., das preussische Physikatsexamen. Gerichtlich-medicin. Leitfaden f. Examinanden, Physiker u. Juristen. 5. Aufl. gr. 8. (XII, 467 S.) Berlin 883. Th. Ch. F. Enslin. n. 9. —

Löffler, Friedr. Luise, neues Stuttgarter Kochbuch od. bewährte u. vollständ. Anweisg. zur schmackhaften Zubereitg. aller Arten von Speisen, Backwerk, Gefrorenem, Eingemachtem ꝛc. 17. Aufl. gr. 8. (504 S.) Stuttgart 882. J. F. Steinkopf. 2. 40; geb. n. 3. —

Löffler's, Henriette, großes illustrirtes Kochbuch f. einfachen Tisch u. die feine Küche. 10. Aufl. Umgearb. u. verm. m. vielen Recepten nach eigener Erfahrg. v. Thdr. Bechtel. Illustr. m. mehreren hundert Holzschn. nach Zeichngn. von B. v. Breitschwert, Jul. Schnorr u. G. Heyberger. gr. 8. (XII, 724 S.) Ulm 882. Ebner. geb. n. 5. 80; auch in 12 Hftn. à — 40

— kleines illustrirtes praktisches Kochbüchlein f. die Puppenküche. Eine nützl. Gabe f. junge Mädchen. 4. Aufl. 16. (96 S. m. Holzschn.) Ebend. 882. cart. — 50

Löffler, J., thèmes de la grammaire de Eugène Borel. Traduits par J. L. 6. éd., soigneusement revue et corrigée d'après la 17. éd. de la grammaire par Th. Landmann. 8. (95 S.) Braunsberg 886. Huye. n. 1. 80

Löffler, Phpp., zur Jubelfeier der Marianischen Congregationen. 5. Decbr. 1584—5. Decbr. 1884. gr. 8. (68 S.) Freiburg i/B. 884. Herder. n. — 60

Logau, s.: National-Litteratur, deutsche

Logau redivivus, s.: Epigramme.

Loge, die, der Freimaurer v. Aman Amantus. 2. Aufl. 8. (VIII, 64 S.) Wien 885. Kirsch. n. 1. 20

Loegel, O., die Bischofswahlen zu Münster, Osnabrück, Paderborn seit dem Interregnum bis zum Tode Urbans VI., s.: Beiträge, Münsterische, zur Geschichtsforschung.

Logemann, F., Rechenbuch, s.: Friedrichs, H.

Lohaus, Herm., die Resultate der Hydrocelenbehandlung nach Punktion u. Jodinjection an der chirurgischen Klinik zu Göttingen. gr. 8. (42 S.) Herford 886. (Göttingen, Vandenhoeck & Ruprecht.) n. 1. —

Lohberg, Paul, Anwendung v. Poisson's Theorie der magnetischen Induktion auf rotirende Eisenkörper. Lex.-8. (70 S.) Schmalkalden 884. Lohberg. n. 4. —; als Inauguraldissertation n. 3. —

Lohde, Clarissa, auf dem Throne. Roman. 2 Bde. 2. Aufl.

8. (240 u. 208 S.) Stuttgart 887. Metzler's Verl. n. 4. —; geb. n. 5. —

Löhe, Wilh., Agende f. christl. Gemeinden d. lutherischen Bekenntnisses. 3. Aufl., besorgt v. J. Deinzer. 2 Tle. in 1 Bd. 4. (XIII, 226 u. III, 132 S.) Nördlingen 884. Beck. n. 10. —; geb. m. Goldschn. n.n. 15. —

— drei Bücher v. der Kirche. Den Freunden der luther. Kirche zur Ueberlegg. u. Besprechg dargeboten. 3. Abdr. gr. 8. (VII, 183 S.) Gütersloh 883. Bertelsmann. n. 1. 75

— Samenkörner d. Gebetes. Ein Taschenbüchlein f. evangel. Christen. 33. Aufl. 16. (XVIII, 526 S.) Nördlingen 884. Beck. geb. n. 1. —

Löhe's, **Wilh.**, Leben. Aus seinem schriftl. Nachlaß zusammengestellt. 3 Bd. 1. Hälfte. gr. 8. (144 S.) Gütersloh 886. Bertelsmann. n. 2. — (I—III, 1.: n. 13. 60)

Loheck, Rob., vom Frühling zum Herbste. Lieder. 16. (254 S.) Stuttgart 884. Greiner & Pfeiffer. n. 2. —

Lohengrin. Central-Organ deutscher Vereine. Hrsg. v. Furch & Hartmann. 1. Jahrg. Novbr. u. Decbr. 1884. 8 Nrn. (2 B.) Fol. Berlin. (Leipzig, Licht & Meyer.) n. 1. —

Löher, Frz. v., Beiträge zur Geschichte u. Völkerkunde. 1. u. 2. Bd. gr. 8. (VIII, 491 u. VII, 492 S.) Frankfurt a/M. 885. 86. Literar. Anstalt. à n. 8. 60; geb. à n.n. 9. 60

— das neue Italien, s.: Zeit- u. Streitfragen, deutsche.

Löhle, M., der Naturgeschichtsunterricht an Volks-, Bürger- u. Mittelschulen. Methodisches Handbuch f. den Lehrer. Mit zahlreichen Aufgaben zu Naturbeobachtgn., zum Zeichnen, sowie zur mündl. u. schriftl. Lösg. Mit 39 Holzschn. gr. 8. (VIII, 159 S.) Gera 886. Th. Hofmann. n. 1. 40

Löhlein, Thdr., u. Karl **Holdermann**, Lehrbuch der allgemeinen Weltgeschichte m. besond. Berücksicht. der Kunst- u. Kulturgeschichte, f. die Oberklassen höherer Lehranstalten bearb. Mit 109 Bildern u. 12 histor. Karten in Farbendr. gr. 8. (XIV, 354 S.) Leipzig 887. Freytag. n. 3. —; Einbd. n.n. — 40

Lohmann, A., Schreib-Lese-Fibel, s.: Fricke, A.

Lohmann, Bernh., Luther u. die Soldaten. 2. Aufl. 12. (48 S.) Stuttgart 883. Buchh. der Evangel. Gesellschaft. n. — 20

Lohmann, G., auf u. über dem Strome der Zeit. Predigten. 2. Aufl. 8. (IV, 190 S.) Neuwied 884. Heuser's Verl. n. 2. 40

— Denkschrift, dem Bau der neuen Kirche der evangel. Gemeinde Neuwied in amtl Auftrage gewidmet. gr. 8. (14 S.) Ebend. 884. n. — 25

Lohmann, H., Sammlung ausgewählter Schriften f. kathol. Christen. 16. (270 S.) Gülpen 882. (Aachen, A. Jacobi & Co.) n. — 60

Lohmann, Joh. Bapt., Betrachtungen auf alle Tage d. Jahres f. Priester u. Laien. 3. Aufl. d. Handbuches der wahren Frömmigkeit v. Bruno Vercruysse. 2 Bde. 8. (728 u. 938 S.) Paderborn 884. Junfermann. n. 8. —

— das Leben unseres Herrn u. Heilandes Jesus Christus. Nach den 4 Evangelien zusammengestellt. 8. (VI, 239 S.) Ebend. 885. n. 2. 40

Lohmann, Pet., dramatische Werke. 4. Bd.: Gesangsdramen u. Aufsätze zum Gesangsdrama. 3. Aufl. 8. (XIV, 345 S.) Leipzig 886. Weber. n. 4. —

— das Ideal der Oper. Neue Ausg. der Abhandlg. „üb. dramatische Dichtung m. Musik". 8. (60 S.) Leipzig 886. Matthes. n. 1. —

— Pantheon deutscher Dichter. 12. Aufl. Mit (chromolith.) Titelbild v. E. Härtel u. 6 Illustr. nach Orig.-Zeichngn. v. G. Sundblad. 8. (VII, 435 S.) Ebend. 885. geb. m. Goldschn. 5. —

Lohmann, Th., Kirchengesetze der evangelisch-lutherischen Kirche der Prov. Hannover, nebst den zu deren Ausführg. erlassenen Verordngn., Bekanntmachgn. u. Ausschreiben. 2. Bd. 1865 bis 1886, bearb. u. hrsg. v. Gerh. Uhlhorn u. Heinr. Frz. Chalybaeus. gr. 8. XII, 368 S.) Hannover 886. Meyer. n. 6. — (1. u. 2.: n 8. 50)

Löhmann, Heinr., Beiträge zur Kenntniss der chronischen Hirnabscesse. gr. 8. (29 S. m. 1 Taf.) Kiel 886. (Lipsius & Tischer.) n. 1. 20

Löhmann, J. H., Antworten u. Andeutungen zur Algebra. 8. (88 S.) Flensburg 884. Westphalen. n. 1. 40

— kleine Ausg. A d. 4. Rechenhefts, m. Berücksicht. der Bedürfnisse f. Mädchen, nebst 2. Kurs. der Raumrechng. 4. Aufl. 8. (IV, 120 S. m. eingedr. Holzschn) Ebend. 886. n. — 80

— das neue Choralbuch v. den Organisten Fromm u. Stange u. unsere Gemeinden. Vortrag. gr. 8. (13 S.) Ebend. 884. n. — 30

— Raumlehre f. Volks- u. Mittelschulen in 3 Kursen. 2. Kurs. 2. Aufl. 8. (56 S. m. eingedr. Fig.) Ebend. 884. n. — 50

— Rechenheft. 1—3. Hft. u. 4. Hft. 1. Abtlg. u. 5. Hft. 8. Ebend. 883—86. cart. n. 3. 65

1. 17. Aufl. (IV, 48 S.) n. — 40. — 2. 12. Aufl. (IV, 56 S.) n. — 40. — 3. Nebst 1. Kurs. der Raumrechnung. 11. Aufl. (64 S.) n. — 45. — 4. 1. Abtlg. [große Ausg.], nebst 2. Kurs. der Raumrechnung. 5. Aufl. (IV, 80 S.) n. — 60. 5. Algebra. (VII, 199 S.) n. 1. 80

Lohmeyer, Jul., junges Blut. Gesammelte Jugenderzählungen. Mit 6 Bildern in Farbendr. nach Aquarellen v. Wold. Friedrich. 8. (252 S.) Stuttgart 883. Kröner. geb. 4. 50

— Gedichte e. Optimisten. 8. (X, 230 S.) Leipzig 885. Liebeskind. n. 3. —; Einbd. in Leinw. n.n. 1. —

— Jugendwege u. Irrfahrten. Erzählungen f. die reifere Jugend. Mit 6 Bildern in Farbendr. nach Aquarellen v. Eug. Klimsch. 8. (284 S.) Stuttgart 886. Kröner. geb. n. 4. 50

— lachende Kinder. Reimscherze u. Scherzreime zu heiteren (eingedr. Holzschn.-)Bildern v. Fed. Flinzer, Eug. Klimsch, Osc. Pletsch 2c. Lex.-8. (VIII, 108 S.) Leipzig 882. A. Dürr. geb. n. 4. —

— lustige Kobold-Geschichten f. die Kinderwelt. Mit 12 Aquarellen v. Carl Gehrts. gr. 4. (24 Bl.) Glogau 885. Flemming. geb. 5. —

— Kunterbunt. Ein lust. Bilderbuch f. die Jugend. Mit 12 Aquarellen v. Fed. Flinzer, Wold. Friedrich, C. Gehrts, J. Kleinmichel, Eug. Klimsch u. G. Süs. gr. 4. (III, 28 S.) Ebend. 883. geb. 6. —

— Kater Murr's Tagebuch, illustrirt v. F. Flinzer. gr. 4. (48 Chromolith. m. eingedr. Texte.) Leipzig 885. Meißner & Buch. geb. n. 5. —

— Robinson Crusoe's Leben u. Schicksale. Mit 48 Taf. in Farbendr. nach Aquarellen v. Carl Marr. gr. 4. (Mit eingedr. Text.) Ebend. 885. geb. n. 4. 50

— Sonnenscheinchen. Ein Wald- u. Gnomenmärchen. Mit 8 Aquarellen v. Carl Gehrts. In Farbendruck ausgeführt v. Aug. Kürth in Leipzig. 2. Ausg. gr. 4. (42 S.) Berlin 886. A. Duncker. geb. n. 6. —

— bunter Strauß, s.: Schmidt's, F., deutsche Jugend-Bibliothek.

— u. Fed. **Flinzer**, König Nobel, e. heiteres Bilderbuch. gr. 4. (46 S. m. 36 eingedr. Chromolith.) Breslau 886. Wiskott. geb. 6. —

— u. Carl **Röhling**, Fragemäulchen. Ein Bilderbuch. gr. 4. (48 Chromolith. m. eingedr. Text.) Leipzig 885. Meißner & Buch. geb. n. 5. —

— u. Frida **Schanz**, unser Hausglück. Mit Bildern v. Wold. Friedrich. gr. 4. (48 Chromolith. m. eingedr. Text.) Ebend. 885. geb. n. 6. —

— u. Johs. **Trojan**, Kinderhumor, illustr. v. Jul. Kleinmichel. gr. 4. (48 Chromolith. m. eingedr. Text.) Ebend. 885. geb. n. 4. 50

Lohmeyer, K., u. A. **Thomas**, Hilfsbuch f. den Unterricht in der brandenburgisch-preußischen Geschichte f. höhere Lehranstalten u. Mittelschulen. gr. 8. (V, 108 S. m. 1 Stammtaf.) Halle 886. Buchh. d. Waisenhauses. n. 1. —

— — Hilfsbuch f. den Unterricht in der deutschen Geschichte bis zum westfälischen Frieden. gr. 8. (IV, 98 S.) Ebend. 886. n. 1. —

Löhn-Siegel, Anna, aus der alten Coulissenwelt. Mein Engagement am Leipziger u. Magdeburger Stadttheater in den J. 1847 u. 1848. gr. 8. (IX, 461 S.) Leipzig 883. Friedrich. n. 6. —

— vom Oldenburger Hoftheater zum Dresdner. Letzte Theatertagebuchblätter. 8. (VI, 268 S.) Oldenburg 885. Schulze. n. 3. —; geb. n. 4. —

Loehner, J, die Musik als human-erziehliches Bildungsmittel. Ein Beitrag zu den Reformbestrebgn. unserer Zeit auf dem Gebiet der musikal. Unterrichtslehre. gr. 8. (V, 54 S.) Leipzig 886. Breitkopf & Härtel. n. 1. 20

Löhner, R., Beiträge zu Alphart's Tod. gr. 8. (24 S.) Kremsier 885. (Wien, Pichler's Wwe. & Sohn.) n. — 50

Löhnert, Carl, graphisches ABC-Buch f. Impffreunde. gr. 8. (27 S. m. 3 Taf.) Chemnitz 876. (Leipzig, Knapp.) n. 1. 20

Lohnstein, H., üb. das Verhältnis der Fixa d. Harns zum Körpergewicht, s.: Sonderabdrücke der Deutschen Medizinal-Zeitung.

Lohn-Tabelle. gr. Fol. Strehlen 886. Gemeinhardt. In Leinw.-Couvert. n. 1. —

Lohn-Tabellen f. alle Gewerbtreibende von 1 Pfennig bis 99 Pfennig aufwärts f. 1/4 Stunde bis incl. 99 Stunden berechnet. Ein Hülfsbuch f. Bauunternehmer, Bauherren, Maurer- u. Zimmermeister ꝛc., überhaupt f. alle Diejenigen, welche Tagelohn nach Stunden auszahlen. 8. (III, 34 S.) Prenzlau 883. Vincent. n. — 60

Lohr, Wilh., Tabea, stehe auf! Predigt üb. Apostelgeschichte 9, 36—43. 12. (20 S.) Cassel, Röttger. n. — 20

Löhr, das nächste Ziel der Weltgeschichte. Eine Stimme am 400jähr. Geburtstage Luthers. gr. 8. (63 S.) Leipzig 883. Löhr's Selbstverl. n. — 80

Löhr, J., üb. Pflege der Phantasie in der Volksschule, s.: Sammlung pädagog. Aufsätze.

Löhr, J. A. C., kleine Erzählungen. Zum Vorlesen u. zur Leseübg. f. kleine Kinder. Mit 8 farb. Bildern nach Aquarellen von L. v. Kramer. 3. Aufl. gr. 8. (IV, 184 S.) Stuttgart 883. Thienemann. cart. n. 4. —

— kleine Plaudereien f. Kinder, welche sich im Lesen üben wollen. Wieder hrsg. v. A. F. C. Vilmar. 1—3. Bdchn. 12. (Mit je 4 Chromolith.) Marburg, Elwert's Verl. cart. à n. 1. 50

1. 4. Aufl. (VIII, 190 S.) 886. — 2. 3. Aufl. (IV, 149 S.) 883. — 3. 3. Aufl. (IV, 238 S.) 885.

Lohren, A., Kolonialgeld, e. Beitrag zur Beurteilg. der Währungsfrage. gr. 8. (46 S.) Köln 886. Du Mont-Schauberg. n. — 80

— eine Kritik d. Bimetallismus. Korreferat üb. die Währungsfrage, in der freien wirthschaftl. Vereinigg. d. Reichstags erstattet. Hrsg. v. Hans Kleser. Lex.-8. (19 S.) Ebend. 885. n. — 40

Loehrke, Th., 12 Psalmen, in Lektionen f. die Schule bearb. gr. 8. (86 S.) Berlin 885. Gaertner. n. 1. —

Lohrum, Kasp. Jos., die Arbeit betet. gr. 8. (16 S.) Mainz 885. Frey. — 50

— die sakramentalen Wirkungen der heiligen Eucharistie. gr. 8. (VII, 53 S.) Mainz 886. Kirchheim. 1. —

Lohse, Louis, die Einführung d. neuen Landeschoralbuchs. Vortrag. gr. 8. (19 S.) Plauen 883. Hohmann. n. — 20

— der Gesangunterricht in der Seminarschule zu Plauen. 5. Aufl. Ausg. m. Vorwort f. Lehrer. hoch 4. (XI, 28 S. m. 1 color. Steintaf.) Ebend. 883. n. — 70; Ausg. f. Schüler (28 S. m. 1 color. Steintaf.) n. — 60

— Luther als Dichter u. Tonkünstler Vortrag, geh. am 2. Novbr. 1883. gr. 8. (22 S.) Ebend. 884. n. — 20

Lohse, Mor., Predigten u Reden zum Gedächtniß bedeutsamer Ereignisse, geh. in den beiden Kirchen zu Adorf. gr. 8. (39 S.) Adorf, (Dölling.) n. — 50

Lohse, O., Abbildungen v. Sonnenflecken, nebst Bemerkgn. üb. astronom. Zeichngn. u. deren Vervielfältigg., s.: Publicationen d. astrophysikalischen Observatoriums zu Potsdam.

Lohwag, Ernst, Ausgrabung d. Paradieses. Roman. 2 Bde. 8. (354 S.) Leipzig 884. Friedrich. n. 6. —

Loi d'empire du 15 juin 1883 sur l'assurance des ouvriers contre la maladie. Traduction de la loi du 15 juin 1883, de l'ordonnance du 14 mars 1884 et des instructions ministérielles, accompagnée d'une introduction, d'un commentaire, de notes explicatives et d'une table alphabétique servant de questionnaire sur les différentes parties de la loi par C. Bodenheimer. 1. partie. 8. (120 S.) Strassburg 884. Schmidt. cart. n. 2. —

Loimann, Gust., Franzensbad in Böhmen u. seine Heilmittel. Führer f. Curgäste u. Aerzte. Mit 1 Karte. 8. (50 S.) Wien 885. Braumüller. n. 1. —

Loir, A., Ornamente, s.: Meister, alte.

Loiset's, Baptist, praktischer Unterricht in Kunstdarstellungen m. Pferden, oder Anleitg, den Pferden all' die Kunstfertigkeiten zu lehren, wie man sie bei den Kunstreitern ausführen sieht. Mit e. Selbstbiographie u. Reflexionen üb. Reitkunst u. Kunstreiter neu hrsg. 8. (VIII, 147 S.) Stuttgart 884. Schickhardt & Ebner. n. 2. 40; geb. n. 2. 80

Lokal-Fahrplan, Aachener, der Eisenbahnen- u. Strassenbahnen [gültig ab 1. Juni 1886], nebst Kalendarium pro 1886. 128. (34 S.) Aachen 886. Schweizer. n. — 15

Lokroy u. **Badon,** e. Duell unter Richelien, s.: Universal-Bibliothek.

Löll, L., der Getreide-Schutzzoll e. Nothwendigkeit f. Deutschland. Mit 2 Tab. Durchschnittspreise, sowie Ein- u. Ausfuhr enth. gr. 8. (38 S.) Würzburg 885. Stuber's Verl. n. — 80

— die Goldwährung. Eine f. jeden unterrichteten Geschäftsmann verständl. Belehrg. üb. den Werth, das Geld, die Goldwährg. u. deren Folgen f. Landwirthschaft u. Kleingewerbe. gr. 8. (IV, 96 S.) Würzburg 885. (Hertz.) n. 1. 20

— Leitfaden f. den Unterricht in der Landwirtschaft an den mittleren u. niederen landwirtschaftlichen Lehranstalten. 3. verb. Aufl. gr. 8. (XXIV, 253 S.) Würzburg 884. Stuber's Verl. n. 3. —

— eine Währungs-Rede d. Reichstagsabgeordneten Hrn. L. Bamberger im Lichte der Thatsachen. Eine Ergänzung der beiden Schriften: Die Goldwährung v. L. Löll. Die Nachtheile der Goldwährung von Frhr. v. Thüngen-Roßbach. gr. 8. (97 S.) Worms 886. Reiß. n. 1. —

Lolling, Gerh., üb. Bewegungen elektrischer Theilchen nach dem Weber'schen Grundgesetz der Elektrodynamik. Mit 4 (lith.) Taf. gr. 4. (64 S.) Halle 882. (Leipzig, Engelmann.) n. 6. —

Lolling, Heiko, Berechnung u. Construction der wichtigsten Maschinenelemente auf Grund der neueren Festigkeitsversuche u. Festigkeitslehre, an pract. Beispielen erörtert u als Hülfsbuch f. den ausführ. Constructeur, sowie f. den Unterricht an techn. Lehranstalten elementar bearb. u. hrsg. (In 3 Thln.) 1. u. 2. Thl. [Nebst (5) autogr. Skizzenbl. u. e. Atlas m. (16) photolith. Constructionsblättern.] gr. 4. (IV, 78 S.) Leipzig 886. (Wien, Spielhagen & Schurich.) à n. 6. —

Lommel, E., die Beugungserscheinungen e. kreisrunden Oeffnung u. e. kreisrunden Schirmchens theoretisch u experimentell bearbeitet. Mit 6 lith. Taf. gr. 4. (65 S.) München 884. (Franz' Verl.) n.n. 4. 50

— die Beugungserscheinungen geradlinig begrenzter Schirme gr. 4. (136 S. m. 8 Steintaf.) Ebend. 886. n.n. 4. 50

Lomnicki, A. M., catalogus coleopterorum Haliciae. gr. 8. (43 S.) Lemberg 884. (Milikowski.) n. 2. —

Lomnitz, Alexis, Flocken. Gedichte. 2. Aufl. gr. 16. (VII, 224 S.) Breslau 884. Preuss & Jünger. geb. m. Goldschn. n. 4. 50

Lomnitz, Hugo v., Solidarität d. Madonna- u. Astarte-Cultus. Neue krit. Grundlage der vergleich. Mythologie. Zum 19. Centenarium der Geburt Unserer Lieben Frau — die VIII. September 1884. Mit 4 lith. Taf. 8. (164 S) Klausenburg 885. (Demjén.) n. 5. —

Loenartz, Pet. Jos., die Restitutionspflicht d. Besitzers fremden Gutes. Eine theologisch-jurist. Abhandlg. gr. 8. (XII, 295 S.) Trier 885. Paulinus-Druckerei. n. 2. 30

Long, R., Instruction üb. den zweckmäßigen Gebrauch d. zusammengesetzten Mikroskops. gr. 8. (35 S.) Berlin 886. Th. Ch. F. Enslin. n. 1. —

— die Trichine. Eine Anleitg. zur Fleischschau. Mit 20 Abbildgn. 8. (31 S.) Ebend. 886. n. 1. —

Longfellow, Henry Wadsworth, sämmtliche poetische Werke in 2 Bdn. Uebers. v. Herm. Simon. 12. (587 u. 521 S.) Leipzig 883. Ph. Reclam jun. n. 3. —; geb. n. 4. 20

— the courtship of Miles Standish, s.: Rauch's English readings.

Longfellow, Henry Wadsworth, Endicott, s.: Library, English.

— Evangeline. A tale of Acadie. Erklärt v. Otto E. A. Dickmann. 3. Aufl. gr. 8. (88 S.) Berlin 885. Weidmann. —90

— dasselbe, s. Authors, English.

— dasselbe, s.: Rauch's English readings.

Longos, Daphnis n. Chloe, s.: Collection Spemann.

Lonicer, G., Predigten zur Feier u. Nachfeier der General-Kirchen-Visitation in Quaritz, geh. am 4. u. 11. Oktbr. 1885. gr. 8. (20 S.) Quaritz. (Breslau, Maruschke & Berendt.) n. — 20

Loening, Edgar, Lehrbuch d. deutschen Verwaltungsrechts. gr. 8. (XVI, 859 S.) Leipzig 884. Breitkopf & Härtel. n. 16. —; geb. n. 17. 50

Loening, Rich., Grundriß zu Vorlesungen üb. deutsches Strafrecht. gr. 8. (IX, 147 S.) Frankfurt a/M. 885. Literar. Anstalt, Rütten & Loening. n. 2. 50

Lonyay, Graf M., Denkrede auf ihn, s.: Tréfort, A.

Looff, Fr. Wilh., allgemeines Fremdwörterbuch, enth. die Verdeutschg. u. Erklärg. der in der deutschen Schrift- u. Umgangssprache, sowie in den einzelnen Künsten u. Wissenschaften vorkomm. fremden od. nicht allgemein bekannten deutschen Wörter u. Ausdrücke m. Bezeichng. der Abstammg., Aussprache u. Betong. 3. Aufl. gr. 8. (VI, 878 S.) Langensalza 883. Beyer & Söhne. 8. —; geb. 10. —

Loos, Th., die Nominalflexion im Provenzalischen, s.: Ausgaben u. Abhandlungen aus dem Gebiete der romanischen Philologie.

Looshorn, Joh., die Geschichte d. Bisth. Bamberg. Nach den Quellen bearb. 1. Bd. Gründung u. 1. Jahrh d. Bisth. Bamberg. Oder: Die Heiligen Kaiser Heinrich u. Kunigunda. Mit e. autotyp. gleichzeit. Bilde d. Königs Heinrich. gr. 8. (VIII, 544 S.) München 886. (Zipperer.) n. 11. —

Looß, Emil, Beispiele zur Satzlehre aus deutschen Dichtern. Ausgewählt u. zusammengestellt. 8. (24 S.) Langensalza 885. Schulbuchh. n. — 25

— geometrisches Rechnen, } s. Klemich, O.
— kaufmännisches Rechnen, }

Loeper, A., Acker, Wischen un Beih. Ein Bok v. Landwirthschaft för Jeremann. gr. 8. (VI, 186 S.) Berlin 886. Parey. geb. n. 3. —

Loeper, G. v., zu Goethe's Gedichten. Mit Rücksicht auf die „historisch-kritische" Ausgabe, welche als Theil der Stuttgarter „Deutschen National-Litteratur" erschienen ist. gr. 8. (52 S.) Berlin 886. Dümmler's Verl. n. 1. 20

Lopez, G. de, habla Vmd. el Castellaño? Der ächte kleine Spanier, die Kunst, die span. Sprache in 8 Tagen ohne Lehrer richtig lesen, schreiben u. sprechen zu lernen. Mit beigefügter Aussprache. 5. Aufl. 16. (160 S.) Hamburg 884. Berendsohn. — 60

Lopot, Joh., welche Gelegenheit bietet sich dem Lehrer der classischen Sprachen dar, auf den Schüler erziehend einzuwirken? gr. 8. (34 S.) Weidenau 873. (Wien, Pichler's Wwe & Sohn.) n. — 60

Lora's, Frau, Wegweiser in Deutschlands Küche u. Haus f. junge Mädchen aller Stände. 16. (121 S.) Leipzig 886. Peterson. cart. n. 1. 50

Lorbach, L., Bonn u. seine Umgebung, s.: Wanderbilder, europäische.

Lorbacher, A., Anleitung zum methodischen Studium der Homöopathie. Für junge Aerzte, welche in dieselbe eindringen u. sich ernstlich damit beschäftigen wollen. Vorbereitungs-Cursus zum Examen zur Erlangg. d. Selbstdispensirrechtes homöopath. Arzneien im Königr. Preussen. gr. 8. (104 S.) Leipzig 883. Schwabe. n. 2. —

Lorbeerbaum, der. Eine altmod. Liebesgeschichte v. der Verf. v. John Halifax Gentleman. Deutsch v. Else Erdmann. 8. (166 S.) Leipzig 885. Hinrichs' Verl. 1. 80; geb. n. 2. 40

Lorber, Frz., e. Beitrag zur Bestimmung der Constanten d. Polarplanimeters. [Mit 1 Holzschn.]. Lex.-8. (12 S.) Wien 882. (Gerold's Sohn.) n.n. — 25

Lorch, J., 28 Bilder aus der deutschen u. brandenburgisch-preußischen Geschichte. Für die Mittelstufe der Volksschule dargestellt. 8. (42 S.) Dillenburg 883. Seel. n. — 25

— die deutsche Geschichte bis 1648, f. die 2. Klasse der preuß. evangel. Lehrerseminare, sowie f. die Tertia evangel. Gymnasien u. Realschulen dargestellt. gr. 8. (VIII, 165 S.) Leipzig 884. Dürr'sche Buchh. n. 1. 80

Lorck, Carl B., Geschichte d. Vereins der Buchhändler zu Leipzig während der ersten 50 Jahre seines Bestehens 1833—1882. Festschrift, im Auftrage der Deputation d. Vereins verf. gr. 8. (XI, 206 S.) Leipzig 883. (Holtze.) n.n. 2. —

— Handbuch der Geschichte der Buchdruckerkunst. 2. Tl. Wiedererwachen u. neue Blüte der Kunst 1751—1882. gr. 8. (XIV, 493 S.) Leipzig 883. Weber. n. 8. —; geb. n. 10. — (cplt.: n. 14. —; geb. n. 17. 50)

— die Herstellung v. Druckwerken. Praktische Winke f. Autoren u. Buchhändler. 4. Aufl. gr. 8. (VIII, 195 S.) Ebend. 883. geb. n.n. 5. —

Lorens, Carl, noch zweimal fünfzig „Neue" à la „Klapphorn". 8. (30 S.) Wien 885. Reibl. n. — 60

— 100 Verse à la Klapphorn. 8. (32 S.) Ebend. 885. n. — 60

Lorentz, B., die Taube im Altertume. gr. 4. (43 S.) Leipzig 886. Fock. n. 1. 50

Lorentzen, Carl, Dieryck Volkertszoon Coornhert, der Vorläufer der Remonstranten, e. Vorkämpfer der Gewissensfreiheit. Versuch e. Biographie. gr. 8. (III, 89 S.) Jena 886. (Pohle.) n. 1. 20

Lorenz, Adf., üb. Darmwandbrüche. gr. 8. (72 S.) Wien 883. Urban & Schwarzenberg. n. 2. —

— die erste Hülfe bei plötzlichen Unglücksfällen, kurz gefaßt zu Vorträgen f. Offiziere u. Unteroffiziere u. zum Selbstunterricht f. Leute jeden Standes. 12. (31 S.) Berlin 885. Mittler & Sohn. n.n. — 30

— die Lehre vom erworbenen Plattfusse. Neue Untersuchgn. Mit 8 lith. Taf. gr. 8. (IV, 197 S.) Stuttgart 883. Enke. n. 7. —

— über die operative Orthopädie d. Klumpfusses, s.: Klinik, Wiener.

— Pathologie u. Therapie der seitl. Rückgrat-Verkrümmungen [Scoliosis]. Mit 9 lith. u. 11 Lichtdr.-Taf. gr. 8. (VI, 196 S. m. 20 Bl. Erklärgn.) Wien 886. Hölder. n. 10. —

Lorenz, Alfr., der Bau d. Wohnhauses in sanitärer Richtung. gr. 8. (V, 100 S.) Reichenberg 883. (Jannasch.) n. 1. 60

— über Städtereinigung, speciell Abfuhr u. Verwertung der Fäcalstoffe, im Allgemeinen u. m. Rücksicht auf die Verhältnisse der Stadt Brünn. gr. 8. (23 S.) Brünn 884. Winkler. n. — 60

— Straßenbahnen m. Dampfbetrieb, Dampftramway, im Allgemeinen u. m. Rücksicht auf die Linie: Brünn—Znaim. 8. (23 S.) Ebend. 884. n. — 50

Lorenz, C., Stralsund. (Lith.) Plan der Stadt, nebst e. Führer f. Fremde. 8. (18 S.) Stralsund 883. (Bremer.) n.n. 1. —

Lorenz, Carl, Führer durch das naturwissenschaftliche Berlin. Mit 3 Grundrissen u. 3 Plänen. 8. (XI, 233 S.) Berlin 886. Fischer's medicin. Buchh. geb. n. 2. —

Lorenz, Ch., Aufgaben f. den Rechenunterricht, s.: Pann, H.

Lorenz, Chr., Tabelle zur Verwandlung d. rect. Spiritus v. Gewicht auf Literprocente in laufender Zahl von ½ kg bis 800 kg, 900, 1000, 2000, 3000 kg. gr. 16. (31 S.) Güstrow 884. Opitz & Co. n. — 50

Lorenz, Chrn. Glob, die Stadt Grimma im Königr. Sachsen, historisch beschrieben. 3 Abthlgn. in 4 Hftn. Ausg. A. m. 25 Kpfrtaf u. 1 Stadtplan. gr. 8. (1644 S.) Grimma 856-71, Gensel. n. 32. 80; in 2 Halbfrzbdn. n. 36. 80; Ausg. B. Neue Ausg. m. 16 Kpfrtaf. u. Plan n. 24. —; in 2 Halbfrzbdn. n. 27. 50; Ausg. C. Neue Ausg. ohne Kpfrtaf., m. Plan n. 12. —; in 2 Halbfrzbdn. n. 14. 50

Lorenz, H., meine Romreise. 8. (IV, 515 S.) Zweibrücken 886. Schuler. n. 3. 50

Lorenz, Hans, der Kurort Groß-Ullersdorf in Mähren, seine Bade-, Trink- u. Molkenkuranstalt, in histor., topograph., chem. u. therapeut. Hinsicht dargestellt. 8. (IV, 60 S.) Groß-Ullersdorf 886. (Brünn, Knauthe.) n. — 70

Lorenz, Herm., die Jahrbücher v. Hersfeld, nach ihren Ableitgn. u. Quellen untersucht u. wiederhergestellt. gr. 8. (VI, 105 S.) Leipzig 885. Fock. n. 1. 50

Lorenz-Liburnau, J. R. Ritter v., Anleitung zum Kartenlesen. Mit 58 Abbildgn. im Text u. auf 2 Taf. Lex.-8. (18 S.) Wien 885. Hölzel. n. 1. —

— die geologischen Verhältnisse v. Grund u. Boden. Für die Bedürfnisse der Land- u. Forstwirthe dargestellt. Mit 228 Holzschn. gr. 8. (VII, 328 S.) Berlin 883. Parey. n. 8. —

Lorenz, Jul., 48 Choräle, nach dem Landes-Choralbuche zu Schulzwecken zweistimmig bearb., hrsg. u. m. e. Gottesdienst-Ordng. als Anh. versehen. gr. 8. (16 lith. S.) Löbau i/S. 884. Walde. n. — 15

Lorenz, Otto, Andachtsbuch aus Luthers Haus-Postille. gr. 8. (VIII, 409 S. m. Luther's Holzschn.-Portr.) Breslau 885. Woywod. n. 4. —; geb. n.n. 5. 25; in 5 Lfgn. à n. — 80

— das Lehrsystem im Römerbrief. gr. 8. (187 S.) Ebend. 884. n. 3. 60

— der Römerbrief. Uebersetzung u. erklär. Umschreibg. gr. 8. (97 S.) Ebend. 884. n. 1. 50

— aus der Vergangenheit der evangelischen Kirchengemeinde Brieg. Ergänzung u. Fortsetzg. der „Geschichte der evangel. Kirche in Brieg" v. W. H. Müller. 1. u. 2. Lfg. gr. 8. (69 S.) Brieg 885 u. 86. Bänder. à n.n. — 30

Lorenz, Ottokar, Deutschlands Geschichtsquellen im Mittelalter seit der Mitte d. 13. Jahrh. 1. Bd. 3. in Verbindg. m. Arth. Goldmann umgearb. Aufl. gr. 8. (X, 348 S.) Berlin 886. Hertz. n. 7. —; geb. n.n. 8. 50

— die Geschichtswissenschaft in Hauptrichtungen u. Aufgaben, kritisch erörtert. gr. 8. (VIII, 314 S.) Ebend. 886. n. 7. —

— u. Wilh. **Scherer,** Geschichte d. Elsaßes. 3. Aufl. Mit e. Bildnisse Jac. Sturms v. William Unger. gr. 8. (X, 574 S.) Berlin 886. Weidmann. geb. n. 7. —

Lorenz, Ottomar, zum Luther-Jubelfest! Jubilaea praeterita et Jubilaeum praesens. 8. (30 S.) Erfurt 883. (Villaret.) n. — 60

— Heinrich v. Melk, der Juvenal der Ritterzeit. gr. 8. (78 S.) Halle 886. Niemeyer. n. 2. —

Lorenz, Raim., St. Veit a. d. Glan u. Umgebung. Eine Schilderg. d. unteren Glanthales als Reisehandbuch f. Besucher desselben. Mit 1 Kärtchen. 8. (55 S.) St. Veit a./d. Glan 883. (Klagenfurt, Heyn.) n. — 60

Lorey, Tuisko, Ertragstafeln f. die Weißtanne. Nach den Aufnahmen der königl. württemberg. forstl. Versuchsstation bearb. Mit 6 lith. Taf. gr. 8. (VII, 103 S.) Frankfurt a/M. 884. Sauerländer. n. 2. 50

— Ertragsuntersuchungen in Fichtenbeständen, s.: Forst- u. Jagdzeitung, allgemeine, Supplemente.

Löri, Ed., die durch anderweitige Erkrankungen bedingten Veränderungen d. Rachens, d. Kehlkopfs u. d. Luftröhre. gr. 8. (VIII, 239 S.) Stuttgart 885. Enke. n. 6. —

Lorichius, R., wie iunge fursten vnd grosser herrnn kinder rechtschaffen instituirt vnd vnterwisen. . mögen werden, s.: Sammlung selten gewordener pädagogischer Schriften früherer Zeiten.

Lorinser, Frz., Anleitung zur Gewissenserforschung f. die katholische Jugend. 15. Aufl. 8. (20 S.) Oppeln 883. Moeser. — 15

— das Buch der Natur. Entwurf e. kosmolog. Theodicee. Neue Ausg. 26—40. Lfg. gr. 8. (5. Bd. S. 673—818; 6. Bd. XII, 640 u. 7. Bd. XVI, 640 S.) Regensburg 882. Verlags-Anstalt. à n. 1. 50

— die Lehre v. der Verwaltung d. heil. Bußsacramentes. Ein Handbuch der prakt. Moral. 2. Aufl. gr. 8. (VIII, 431 S.) Breslau 883. Aderholz. 4. 50

Lorinser, Frdr. Wilh., die wichtigsten eßbaren, verdächtigen u. giftigen Schwämme m. naturgetreuen Abbildgn. derselben auf 12 Taf. in Farbendr. (qu. gr. 4. in Mappe), zusammengestellt im Auftrage d. k. k. niederösterreich. Landes-Sanitätsrathes. 3. Aufl. gr. 8. (IX, 88 S.) Wien 883. Hölzel. n. 6. —; Text ap. n. 1. 20; Prachtausg. auf Carton m. Text n. 15. —; Text ap. n. 1. 50

Lorinser, Gust., botanisches Excursionsbuch f. die deutsch-österreichischen Länder u. das angrenzende Gebiet. Nach der analyt. Methode bearb. 5. Aufl. Durchgesehen u. ergänzt v. Friedr. Wilh. Lorinser. 12. (CXVI, 565 S.) Wien 883. Gerold's Sohn. n. 6. —

Loriol, P. de, eocäne Echinoideen aus Aegypten u. der libyschen Wüste, s.: Rohlfs, G., Expedition zur Erforschung der libyschen Wüste.

— études sur la faune de couches du Gault de Cosne [Nièvre]. gr. 4. (118 S. m. 13 Steintaf.) Genève 882. (Basel, Georg. — Berlin, Friedländer & Sohn.) n.n. 12. —

— premier supplement à l'échinologie helvétique. gr. 4. (25 S. m. 3 Steintaf.) Ebend. 885. n.n. 6. 40

— et Hans **Schardt,** étude paléontologique et stratigraphique des couches à Mytilus des Alpes Vaudoises. 2 parties. Avec 18 planches (lith.). gr. 4. (140 S.) Ebend. 884. n.n. 12. —

Lorm, Hieron., vor dem Attentat. Roman. 8 (252 S.) Dresden 884. Minden. n. 3, 50; geb. n.n. 4. 50

— Gedichte. 4. Aufl. [Ausg. in 1 Bd.] 8. (368 S.) Ebend. 886. n. 4. —; geb. n.n. 5. —

— der fahrende Geselle. Roman. 8. (269 S.) Leipzig 884. Elischer. n. 5. —; geb. n. 6. 50

— Natur u. Geist im Verhältniß zu den Culturepochen. 8. (VI, 201 S.) Teschen 884. Prochaska. n. 3. 50; Einbd. n.n. 1. —

— der Naturgenuß. Ein Beitrag zur Glückseligkeitslehre. 8. (VIII, 176 S.) Ebend. 883. n. 2. 50

— die schöne Wienerin. Roman. 8. (404 S.) Jena 886. Costenoble. n. 6. —

Loersch, Hugo, der Ingelheimer Oberhof. gr. 8. (VI, CCXII, 560 S. m. 1 chromolith. Karte.) Bonn 885. Marcus. n. 15. —

Lorscheid, J., kurzer Grundriß der Mineralogie. Mit 79 in den Text gedr. Fig. u. e. Abbildg. der Grundformen der 6 Krystallsysteme. gr. 8. (VI, 34 S.) Freiburg i/Br. 884. Herder. n. — 40

— Lehrbuch der anorganischen Chemie nach den neuesten Ansichten der Wissenschaft. Mit 171 in den Text gedr. Abbildgn. u. 1 Spektraltaf. in Farbendr. 10., unveränd. Aufl. m. e. kurzen Grundriß der Mineralogie. gr. 8. (VIII, 354 u. VI, 34 S. m. 3 Tab.) Ebend. 884. n. 4. —

Lortsch, Alfr., fern v. der Heimat. Australischer Roman. 3 Bde. 8. (256, 197 u. 230 S.) Berlin 886. Janke. n. 10. —

Lortzing, M., aus der Mappe e. amerikanischen Offiziers, s.: Klaußmann, A. O., Militär-Humoresken.

— dasselbe, s.: Was Ihr wollt-Bibliothek.

Lösch, L. v., die schlesische Landgüterordnung vom 24. Apr. 1884, nebst Formularen zu letztwill. Erklärgn. Erläutert. gr 8. (42 S.) Breslau 885. Korn. n. — 40

Lorsch, Frz., genau alphabetische Zusammenstellung der nach den Sätzen der Specialtarife abzufertigenden Sendungen. 12. (88 S.) Güstrow 886. (Opitz & Co.) n. 1. —

Loesch's, W., Speditions-Adressbuch f. den Weltverkehr. Adress-Buch der bewährtesten Speditions- u. Commissions-Häuser, sowie der Schifffahrts- u. Transport-Agenturen in fast allen grösseren Orten der Welt, nebst e. Anh.: Prospect u. Mitglieder-Verzeichniss der deutschen Möbeltransport-Gesellschaft. 1. Jahrg. 1884/85. gr. 8. (VIII, 134 S.) München 885. (Berlin, S. Fischer.) cart. n n. 5. —

Loeschcke, G., die Enneakrunosepisode bei Pausanias. Ein Beitrag zur Topographie u. Geschichte Athens. 4. (26 S.) Dorpat 883. (Schnakenburg.) n. 1. —

— die östliche Giebelgruppe am Zeustempel zu Olympia. gr. 4. (15 S.) Ebend. 1. —

— Vermutungen zur griechischen Kunstgeschichte u. zur Topographie Athens. gr. 4. (24 S.) Ebend. 884. 1. 20

Loesche, Geo., Ernst Moritz Arndt, der deutsche Reichsherold, s.: Biographieen zu der Sammlung klassischer deutscher Dichtungen.

— Luther-Lieder. Zur 4. Säkularfeier d. Reformators. 2. Aufl. gr. 8. (34 S.) Halle 883. Strien. n. — 50

Loesche, Geo., Florenzer Predigten. 8. (88 S.) Halle 884. Strien. n. 1. —

Loesche, W., e. Weihnachtsabend der Heimatlosen, — ein Weihnachtssegen, } s.: Schillingsbücher.

Löschhorn, Hans, Rede auf Jacob Grimm, zu seiner Säcularfeier 1885 in der Gesellschaft f deutsche Philologie zu Berlin geh. gr. 8. (31 S.) Berlin 885. (W. Weber.) n. — 50

Löschhorn, Karl, Mittheilungen üb. die Pianofortenlitteratur f. den praktischen Gebrauch. gr. 8. (8 S.) Magdeburg 881. E. Baensch. n. — 15

Löschke, Karl Jul., zu Herzensfreude u. Seelenfrieden. Klänge deutscher Dichter aus der neueren u. neuesten Zeit. 3. Aufl., durch Dichtgn. aus der neuesten Zeit erweitert u. m. vielen Illustr. versehen. 12. (XIII, 596 S.) Leipzig 885. Knaur. geb. m. Goldschn. n. 6. —

Loschmidt, J., Schwingungszahlen e. elastischen Hohlkugel. Lex.-8. (13 S.) Wien 886. (Gerold's Sohn.) n.n. — 30

Löschner, der Curort Giesshübl-Buchstein in Böhmen m. besond. Berücksicht. d. Nutzens u. Gebrauches seiner versendeten Mineralwässer. [Mattoni's Giesshübler Sauerbrunnen.] 10. Aufl. Mit der Ansicht d. Curortes (Holzschn.) u. e. (lith.) Karte der Eisenbahnverbindgn. gr. 8. (III, 101 S.) Wien 883. Braumüller. n. 1. 60

Löser, Carl, üb. die Berichtigung in Presssachen. gr. 8. (10 S.) Wien 885. Perles. n. — 60

Löser, J., praktisches Rechenbuch für deutsche Schulen. Nach der Münz-, Maß- u. Gewichtsordngn. d. deutschen Reiches in stufenweiser Fortschreitg. bearb. 5 Hfte. 8. Weinheim 884. Ackermann. n. 1. 45

1. 28. Aufl. (60 S.) n. — 30. — 2. 44. Aufl. (40 S.) n. — 25. — 3. 52. Aufl. (36 S.) n. — 20. — 4. 46. Aufl. (88 S.) n. — 35. — 5. 50. Aufl. (88 S.) n. — 35

— dasselbe. Ausg. B. f. einfache Volksschulen. 2—4. Hft. 8. Ebend. 884. n. — 90

2. 10. verb. Aufl. (36 S.) n. — 20. — 3. 4. 6. verb. Aufl. (78 u. 66 S.) à n. — 35

Das 1. Hft. ist für beide Ausgaben das gleiche.

— Rechenbuch f. Gewerbeschulen u. höhere Lehranstalten, sowie zum Selbstunterricht u. zur Fortbildg. im Geschäftsrechnen. gr. 8. (VIII, 124 S.) Ebend. 886. n. 1. —

— u. H. Zeeb, landwirtschaftliches Rechenbuch, nebst Elemente der Geometrie u. Anleitg. zum Nivellieren, sowie Erläutergn. u. Aufgaben aus der Physik u. Mechanik. Für Fortbildungs- u. Landwirtschafts-Schulen, wie auch zum Selbstunterricht bearb. 3. Aufl. Mit 134 in den Text gedr. Holzschn. gr. 8. (XVI, 346 S.) Stuttgart 885. Ulmer. n. 3. 20; Resultate (82 S. m. 6 eingedr. Holzschn.) n. 1. 20

Loserth, J., Grundriss der allgemeinen Geschichte f. Obergymnasien, Oberrealschulen u. Handelsakademien. 1. u. 2. Thl. gr. 8. Wien, Graeser. geb. 5. 4

1. Das Alterthum. 3. Aufl. (III, 248 S.) 885. n. 2. 64. — 2. Das Mittelalter. 2. Aufl. (VIII, 206 S.) 886 n. 2. 40

— Hus u. Wiclif. Zur Genesis der husit. Lehre. gr. 8. (X, 314 S.) Prag 884. Tempsky. — Leipzig, Freytag. n. 5. —

— Leitfaden der allgemeinen Geschichte f. die unteren u. mittleren Classen der Gymnasien, Realschulen u. verwandter Lehranstalten. 3 Tle. 2. umgearb. Aufl. gr. 8. Wien 885. Graeser. cart. à n. 1. —

1. Das Alterthum. (VIII, 112 S.) — 2. Das Mittelalter. (III, 77 S.) — 3. Die Neuzeit. (VIII, 111 S.)

— dasselbe. Bearb. v. Fr. Teutsch. 1. Tl. Das Altertum. gr. 8. (III, 104 S.) Ebend. 884. cart. n. 1. —

— das Necrolog d. Minoritenklosters in Olmütz, mitgetheilt. Lex.-8. (24 S.) Wien 884. (Gerold's Sohn.) n. — 40

— der Sturz d. Hauses Slawnik. Ein Beitrag zur Geschichte der Ausbildg. d. böhm. Herzogthums. Lex.-8. (36 S.) Ebend. 883. n. — 60

Loset Deppis! Von Dr. Barth [Wilh. König v. Bern]. 8. (40 S.) Bern 886. (Jenni.) n. — 50

Loske, A., Heimatkunde der Grafsch. Glatz f. Schule u. Haus. 3. Aufl. 8. (79 S. m. Holzschn.) Habelschwerdt 885. (Franke.) n. — 40

Loskiel, G H., Etwas für's Herz auf dem Wege zur Ewigkeit. 10. Aufl., nebst e. kurzen Lebensabriß d. Verf., bearb. v. W. Fr. Oehler. gr. 8. (XII, 371 S.) Basel 884. Schneider. n. 3. —; geb. n. 4. —

Lossen, M., Briefe v. Andr. Masius u. seinen Freunden 1538 bis 1573, s.: Publikationen der Gesellschaft f. rhein. Geschichtskunde.

Lossius, K. F., Gumal u. Lina, s.: Universal-Bibliothek f. die Jugend.

Lösung, die, der Arbeiterfrage durch Reichs-Fürsorge unter Berücksicht. der Arbeitseinstellungen. Von v. R. 12. (48 S.) Berlin 886. C. Heymann's Verl n. — 60

— die friedliche, der braunschweig-hannoverschen u. der deutschen Frage. 8. (24 S.) Hannover 885. Weichelt. n. — 50

Losungen u. Lehrtexte, die täglichen, der Brüder-Gemeine f. d. J. 1886. 12. (228 S.) Gnadau 885. Unitäts-Buchh. n. —50; cart. n. 70; geb. n. 1. —; geb. u. durchsch. n. 1. 80; Velinpap. — 75; geb. n. 1. 20; m. Goldschn. n. 1. 80

Lothar, V., Kadettenliebe. 5. Aufl. 8. (54 S.) Leipzig 887. Baldamus. — 50

— der Marine-Onkel. 5. Aufl. 8. (103 S.) Ebend. 887. — 60

Lotheissen, Ferd., Geschichte der französischen Literatur im XVII. Jahrh. 4. Bd. gr. 8. (III, 390 S.) Wien 884. Gerold's Sohn. n. 9. — (cplt.: n. 36. —)

— Königin Margarethe v. Navarra. Ein Cultur- u. Literaturbild aus der Zeit der französ. Reformation. gr. 8. (III, 405 S.) Berlin 885. Allgemeiner Verein f. deutsche Literatur. n. 5. —; geb. n. 6. —

— zur Sittengeschichte Frankreichs. Bilder u. Historien. 8. (VII, 327 S.) Leipzig 885. Elischer. n. 5. —; geb. n. 6. 50

Lother u. Maller, s.: Stecher, Ch., deutsche Dichtung f. die christliche Familie u. Schule.

Loti, Pierre, die Ehe d. Lieutenant Grant. Autoris. Uebersetzg. aus dem Franz. 8. (III, 210 S.) Hagen 886. Riesel & Co. n. 2. 40

Lotos. Jahrbuch f. Naturwissenschaft. Im Auftrage d. Vereines „Lotos" hrsg. v. Ph. Knoll. Neue Folge. 3. u. 4. Bd. Der ganzen Reihe 31. u. 32. Bd. Mit mehreren (eingedr.) Holzst. u. 1 lith. Beilage. gr. 8. (III, 120 S.) Prag 883. Tempsky. — Leipzig, Freytag. n. 3. —

— dasselbe. Neue Folge. 5. Bd. Der ganzen Reihe 33. Bd. Mit Holzst. gr. 8. (XIII, 126 S.) Ebend. 884. n. 3. —

— dasselbe. Neue Folge. 6. u. 7. Bd. Der ganzen Reihe 34. u. 35. Bd. Mit Holst. gr. 8. (XIV, 220 u. 268 S.) Ebend. 885. 86. à n. 6. —

Loetscher, H., Schweizer Kur-Almanach 1886. Die Kurorte, Bäder u. Heilquellen der Schweiz. Reise-Handbuch f. Aerzte u. Kurgäste, sowie f. alle Besucher der Schweiz. Mit 1 Bäderkarte der Schweiz, sowie 120 Ansichten, Panoramen u. Spezialkarten. 2. Aufl. 8. (IV, XXVIII, 351 S.) Zürich 886. Preuss. geb. n. 2. 50

Lotter, J. M., Katechismus der Bienenzucht. 4. Aufl. 8. (VIII, 156 S. m. 1 Steintaf.) Nürnberg 885. Korn. n. 1. —

Lotterie-Kalender, neuer österreichisch-ungarischer, f. d. J. 1885, sammt Lotterie-Rathgeber. 21. Jahrg. Hrsg. v. Alois Fiala. 8. (XXXII, 32 S.) Wien, (Edm. Schmid). n. 1. 60

Lottich, R. A., Kinderträume. Bunte Märchen f. klein u. groß. Mit 9 Vollbildern u. 11 Textbildern, nach Eug. Klimsch in Holz geschn. v. H. Günther. gr. 4. (V, 77 S.) Leipzig 886. Amelang. geb. 4. 50

Lotz, Ernst, Auslassung, Wiederholung u. Stellvertretung im Altfranzösischen. gr. 8. (41 S.) Marburg 885. (Jena, Pohle.) — 75

Lotz, Wilh, quaestiones de historia sabbati. gr. 8. (IV, 108 S.) Leipzig 883. Hinrichs' Verl. n.n. 6. —

Lotze, Herm., Grundzüge der Aesthetik. Dictate aus den Vorlesgn. gr. 8. (113 S.) Leipzig 884. Hirzel. n. 2. —

— Grundzüge der Logik u. Encyklopädie der Philosophie. Diktate aus den Vorlesgn. 2. Aufl. gr. 8. (118 S.) Ebend. 885. n. 2. —

Lotze, Herm., Grundzüge der Metaphysik. Dictate aus den Vorlesgn. gr. 8. (III, 94 S.) Leipzig 883. Hirzel. n. 1. 70

— Grundzüge der Naturphilosophie. Dictate aus den Vorlesgn gr. 8. (III, 112 S.) Ebend. 882. n. 1. 80

— Grundzüge der praktischen Philosophie. Dictate aus den Vorlesgn. 2. Aufl. gr. 8. (95 S.) Ebend. 884. n. 1. 70

— Grundzüge der Psychologie. Diktate aus den Vorlesgn. 3. Aufl. gr. 8. (95 S.) Ebend. 884. n. 1. 70

— Grundzüge der Religionsphilosophie. Diktate aus Vorlesgn. 2. Aufl. gr. 8. (95 S.) Ebend. 884. n. 1. 70

— Mikrokosmus. Ideen zur Naturgeschichte u. Geschichte der Menschheit. Versuch e. Anthropologie. 1. u. 2. Bd. 4. Aufl. gr. 8. Ebend. à n. 7. —
1. [1. Der Leib. 2. Die Seele. 3. Das Leben.] (XX, 453 S.) 884.
2. [4. Der Mensch. 5. Der Geist. 6. Der Welt Lauf.] (VI, 466 S.) 885.

— kleine Schriften. 1. u. 2. Bd. gr. 8. Ebend. 885. 86 n. 14. —
1. (XVIII, 397 S.) n. 6. —. — 2. (XVIII, 530 S.) n. 8. —

— System der Philosophie. 2. Thl. A. u. d. T.: Metaphysik. Drei Bücher der Ontologie, Kosmologie. u. Psychologie. 2. Aufl. gr. 8. (V, 604 S.) Ebend. 884. n. 9. —

Lou, Henri, im Kampf um Gott. 8. (317 S.) Leipzig 885. Friedrich. n. 5. —; geb. n. 6. —

Louis, J., idiotismes dialogués. Guide de conversation française à l'usage des collèges, des écoles et de leçons particulières. 5. éd. nouvelle revue et augmentée par M. C. Wahl. Tome I et II. gr. 8. (IX, 118 u. V, 130 S.) Dessau 884. 85. Baumann. à n. 1. 30; cart. à n. 1 50

Louvier, A. F., das 1. u. 2. Jahr französischen Unterrichts. Ein Beitrag zum naturgemäßen Erlernen fremder Sprachen. 5., nach der neuen Rechtschreibg. veränd. Aufl. Ster.-Ausg. gr. 8. (VIII, 48 S.) Hamburg 884. Grüning. geb. n. 2. 20
1. (VIII, 48 S.) n. 1. —. — 2. (VII, 89 S.) n. 1. 20

Louvier, Ferd. Aug., Sphinx locuta est. Goethe's Faust u. die Resultate e. rationellen Methode der Forschg. 2 Bde. u. Nachträge. gr. 8. (VI, 443; 491 u. III, 60 S.) Berlin 887. George & Fiedler. n. 12. 50

Loew, Ant., 1859—1884. Das erste Viertel-Jahrhundert d. Rothen Kreuzes in Oesterreich. Denkschrift, nach authent. Quellen verf. gr. 8. (63 S. m. 1 Tab.) Wien 885. Hölder. n. 1. 60

Loew, Arth., u. Rob. **Stern,** Wiener Arbitrage u. Paritäten-Berechnungen. 8. (VIII, 123 S.) Wien 886. Hölder. geb. n. 3. —

Löw, E., Aufgaben zum Rechnen m. Dezimalbrüchen, unter Mitwirkg. v. F. Müller u. C. Ohrtmann zusammengestellt. 4. Aufl. gr. 8. (VIII, 93 S.) Berlin 885. Weidmann. n. 1. 20

Löw, Frz., Beitrag zur Kenntniss der Coniopterygiden. [Mit 1 (lith.) Taf.] (17 S.) Wien 885. (Gerold's Sohn.) n.n. — 50

Loew, Herm., Verkehrs-Lexikon Oesterreich-Ungarns u. der occupirten Provinzen. Unentbehrlicher Orientirungs-, Distanz-Bemessungs- u. Taxirungs-Behelf f. Geschäftsleute, Beamte u. Private, vorzüglich f. Reisende, Spediteure, Ex- u. Importeure in Wien, Prag, Pest, allen Orten Oesterreichs-Ungarns u. d. Auslandes. gr. 8. (XI, 199 S. m. 1 Post-Taxfeld-Karte.) Wien 886. Perles. n. 5. —

Löw, R., 36 Festchoräle f. Advent, Weihnacht, Passion, Ostern, Himmelfahrt u. Pfingsten. In ihrem ursprüngl. Rhythmus u. m. Berücksicht. der alten Tonsätze aus dem 16. bis 18. Jahrh. f. vierstimm. Männerchor bearb. gr 8. (42 S.) Basel 884. Missionsbuchh. n. — 80

Loew, Rich., der Code Civil m. den durch die Reichs- u. Landes-Gesetzgebung geschaffenen Abänderungen u. Zusätzen, f. die Pfalz bearb. gr. 8. (XXII, 509 S.) Kaiserslautern 883. Kayser. n.n. 11. 50

Loew, Wilh., u. Alex. **Ludwig,** officielle Festschrift zum XV. mittelrheinischen Turnfeste in Wiesbaden am 16., 17., 18. Aug. 1883. 8. (64 S. m. 1 Steintaf. u. 1 Plan.) Wiesbaden 884. (Moritz & Münzel.) — 60

Loewe's unzerreißbares Anschauungs-Bilderbuch. Mit 250 fein kolor. Abbildgn. oder 16 Bildertaf. auf Pappe. (7. Aufl.) Fol. Stuttgart 886. Loewe. geb. 4. —

Loewe's kleine Künstler. 48 (lith.) Vorlegeblätter. 5. Aufl. 8. Stuttgart 883. Loewe. n. 1. —

— Märchenbücher. 2. Serie. 11. u. 12. Bdchn. 4. (à 4 S. m. 6 Chromolith.) Ebend. 883. cart. à — 75
11. Genovefa. — 12. Schneeweißchen u. Rosenrot.

Löwe, E., die Strafprozeßordnung f. das Deutsche Reich nebst dem Gerichtsverfassungsgesetz u. den das Strafverfahren betr. Bestimmgn. der übrigen Reichsgesetze. Mit Kommentar. 4. Aufl. gr. 8. (XXIV, 870 S.) Berlin 884. Guttentag. n. 18. —; Einbd. n.n. 2. —

Loewe, F., zur Frage der Betriebssicherheit der Eisenbahngeleise, speciell der wirklicheu Anstrengung der Fahrschienen. Mit 2 (lith.) Fig.-Taf. gr. 4. (26 S.) Wiesbaden 883. Kreidel. n. 2. —

— über Normal-Profile v. Eisenbahn-Schienen. gr. 4. (14 S. m. Fig.) München 884. Th. Ackermann's Verl. n. — 60

— der Schienenweg der Eisenbahnen, s.: Bibliothek d. Eisenbahnwesens.

— Stahlschienen-Profile im Querschwellen-Oberbau. Mit 1 lith. Taf Imp.-4. (16 Sp.) München 883. Th. Ackermann's Verl. n. — 60

Löwe, Feodor, den Brüdern. Freimaurerische Dichtgn. 3. verm. Aufl. 16. (167 S.) Stuttgart 887. Wittwer's Verl. n. 2. 40; geb. m. Goldschn. n.n. 3. 40

— zwischen den drei Säulen. Freimaurerische Arbeiten. 8. (VII, 342 S.) Ebend. 884. n. 5. —; geb. n. 6. —

Loewe, G., exempla scripturae visigoticae, s.: Ewald, P.

— s.: Glossae nominum.

Löwe, Gust., Nekrolog f. ihn, s.: Goetz, G.

Loewe, Heinr., Lehrgang der französischen Sprache. 1. Tl. Lehr-, Sprach- u. Lesestoff zu e. naturgemäßen Unterricht in den beiden ersten Jahren [Quinta u. Quarta]. 8. (XIII, 258 S.] Berlin 885. Friedberg & Mode. n. 1. 80; Einbd. n.n. — 30

— deutsch-englische Phraseologie in systematischer Ordnung, nebst e. systematical vocabulary. Ein Seitenstück zur deutsch-französ. Phraseologie v. Bernh. Schmitz. Unter Mitwirkg. v. Bernh. Schmitz hrsg. 2. Aufl. gr. 8. (XV, 180 S.) Berlin 884. Langenscheidt. n. 2. —; geb. n. 2. 50

Löwe, Ludw., Beiträge zur Anatomie u. zur Entwickelungsgeschichte d. Nervensystems der Säugethiere u. d. Menschen. 2. Bd. Die Histologie u. Histogenese d. Nervensystems, nebst e. Anh.: Die Schädelwirbeltheorie. 1. Lfg. Fol. (50 S. m. 5 Lichtdr.-Taf. u. 5 Bl. Erklärgn.) Leipzig 883. Denicke. n. 40. — (I. u. II., 1.: n. 140. —)

— Beiträge zur Anatomie der Nase u. Mundhöhle. Mit 7 Taf. in Lichtdr. 2. Aufl. Imp.-4. (IV, 21 S. m. 7 Bl. Taf.-Erklärg.) Leipzig 883. Fues. cart. n. 12. —

— die Diphteritis; die Halskrankheiten; die ansteckenden Krankheiten; die Krankheiten der Nase; die Krankheiten d. Ohres; die Schwindsucht; die Wundbehandlung, s.: Hausbibliothek, medicinische.

— die Krankheiten d. Ohres u. der Nase. 1. Thl. A. u. d. T.: Lehrbuch der Ohrenheilkunde. gr. 8. (XI, 370 S.) Berlin 884. Dümmler's Verl. n. 7. —

Löwe, M., methodisch geordnete Aufgaben zum kaufmännischen Rechnen m. ausgeführten Beispielen. Für Real-, Gewerbe-, Handels- u. höhere Bürgerschulen. 3 Tle. gr. 8. Leipzig, Klinkhardt. à n. — 80
1. 4. Aufl. (VIII, 88 S.) 886. — 2. 3. Aufl. (77 S.) 885. — 3. 2. Aufl. (IV, 92 S.) 883.

— dasselbe. Resultate zum I—III. Tl. 2. verb. Aufl. gr. 8. (36 S.) Ebend. 883. n. 1. —

— u. F. **Unger,** Aufgaben f. das Zahlenrechnen vorzugsweise f. Realschulen u. ähnliche Lehranstalten. Hft. A. u. B. gr. 8. Ebend. 884. à n. — 60
A. Die 4 Species m. ganzen Zahlen. Für Sexta. (IV, 56 S.)
B. Die 4 Species m. Brüchen. Für Quinta. (IV, 48 S.)

— — dasselbe. Heft A. u. B. Resultate. gr. 8. (19 S.) Ebend. 884. n. — 60

Löwe, O., üb. die regulären u. Poinsot'schen Körper u. ihre Inhaltsbestimmung vermittelst Determinanten. gr. 8. (28 S. m. 1 Steintaf.) München 883. Rieger. n. 1. —

Loewe, Thdr., die Geschichte d. wackeren Leonhardt Labesam. 8. (177 S.) Dresden 884. Minden. n. 3. —; geb. n. 4. —

— dasselbe. 2. Aufl. 8. (177 S.) Ebend. 887. n. 2. —; geb. n.n. 3. —

— ein Königstraum. Schauspiel in 5 Aufzügen. 8. (124 S.) Ebend. 886. n. 2. —

Löwen, Eug, Brauch u. Liebe. Plauderei in e. Aufzuge. gr. 8. (24 S.) Berlin 883. (Steinitz.) n. — 60

— die Unschuld siegt! Lustspiel in 1 Aufzuge. gr. 8. (24 S.) Ebend. 883. n. — 60

Löwenberg, J., die Entdeckungs- u. Forschungsreisen in den beiden Polarzonen, s.: Wissen, das, der Gegenwart.

— Geschichte der geographischen Entdeckungsreisen. 2. Bd. Die neuere Zeit von Magellan bis zum Ausgang d. 18. Jahrh. Mit üb. 100 Abbildgn. u. 1 Karte. gr. 8. (XII, 438 S. m. 1 Tab.) Leipzig 885. Spamer. n. 7. 50; geb. n. 9. —; (1. u. 2.: n. 15. —; geb. n. 18. —)

Löwenberg, Jac., üb. Otway's u. Schiller's Don Carlos. Dissertation. gr. 8. (126 S.) Lippstadt 886. (Heidelberg, Burow.) n. 1. —

Loewenfeld, Herm., der Entwurf d. neuen Actiengesetzes, in seinen Grundzügen betrachtet. gr. 8. (VII, 74 S.) Berlin 884. Bahr. n. 1. 60

Löwenfeld, L., üb. multiple Neuritis. Klinische Mittheilgn. gr. 8. (75 S) München 885. J. A. Finsterlin. n. 1. 50

— über den gegenwärtigen Stand der Therapie der chronischen Rückenmarkskrankheiten. Vortrag. gr. 8. (50 S.) Ebend. 884. n. 1. 20

— Studien üb. Aetiologie u. Pathogenese der spontanen Hirnblutungen. Mit 3 Taf. gr. 8. (VIII, 166 S.) Wiesbaden 886. Bergmann. n. 6. —

— Untersuchungen zur Elektrotherapie d. Rückenmarks. gr. 8. (V, 74 S.) München 883. J. A. Finsterlin. n. 2. —

Löwenfeld, Raph., Lukasz Gornicki. Sein Leben u. seine Werke. Ein Beitrag zur Geschichte d. Humanismus in Polen. gr. 8. (IX, 228 S.) Breslau 884. Koebner. n. 4. 50

Loewenfeld, S., epistolae pontificum romanorum ineditae. Ed. S. L. gr. 8. (VII, 288 S.) Leipzig 885. Veit & Co. n. 8. —

Loewenfeld, W., die Rechtsverfolgung im internationalen Verkehr, s: Reuling, W.

Löwenstein, Alfr., die Verbrechenskonkurenz nach dem Reichsstrafgesetzbuch m. besond. Berücksicht. der Konkurrenz zwischen Münzfälschung einerseits, Betrug u. Urkundenfälschung andererseits. gr. 8. (68 S.) Stuttgart 883. Enke. n. 2. 40

Löwenstein, Rud., Kindergarten. Mit zahlreichen Illustr. v. Th. Hosemann, W. Claudius, Flinzer, Bürkner u. A. 4. Aufl. gr. 4. (III, 128 S.) Berlin 886. Hofmann & Co. cart. n. 3. —

Loewenthal, Jul., Kraut u. Rüben nach Belieben, darunter wohl auch etwas Kohl. Allerlei Verse, ernst u. heiter, Potpourris, Räthsel u. s. w., bunt durcheinander ohne Wahl, gedichtet v. J. L. gr. 16. (100 S.) Königsberg 885. (A. P Schmidt.) n. 1. -

Loewenthal, Wilh., Grundzüge e. Hygiene d. Unterrichts. gr. 8. (VIII, 152 S.) Wiesbaden 887. Bergmann. n. 2. 40

Löwig, Carl, Arsenikvergiftung u. Mumifikation. Gerichtlich-chem. Abhandlg. gr. 8. (65 S.) Breslau 887. Trewendt. n. 1. —

Löwinsohn, S., englisches Lesebuch f. Navigations- u. Handelsschulen, sowie zum Selbstunterricht. 8. (IV, 128 S.) Leipzig 884. Gerhard. n. 1. —

Löwis, Osk. v., die Reptilien Kur-, Liv- u. Estlands. Ein Handbüchlein f. alle Naturfreunde in Stadt u. Land. 8. (XV, 62 S.) Riga 884. Kymmel. n. 2. —

Löwit, M., Beiträge zu der Lehre v. der Blutgerinnung. 1. u. 2. Mittheilg. Lex.-8. Wien 884. (Gerold's Sohn.) n. 1. 60

1. Ueber das coagulative Vermögen der Blutplättchen. (38 S.) n. — 60
2. Ueber die Bedeutung der Blutplättchen. [Mit 1 (lith.) Taf.] (53 S.) n. 1. —

Löwit, M., über die Bildung rother u. weisser Blutkörperchen. [Mit 2 (lith.) Taf.] Lex.-8. (46 S.) Wien 883. (Gerold's Sohn.) n. 1. 20

— über Neubildung u. Zerfall weisser Blutkörperchen. Ein Beitrag zur Lehre v. der Leukämie. [Mit 4 (lith.) Taf. u. 1 Holzschn.] Lex.-8. (120 S.) Ebend. 885. n. 2. 80

Löwl, Ferd., die Granat-Kerne d. Kaiserwaldes bei Marienbad. Ein Problem der Gebirgskunde. Mit 18 Holzschn. u. 2 lith. Taf. Lex.-8. (48 S.) Prag 885. Dominicus. n. 2. 70

— über Thalbildung. gr. 8. (VI, 136 S.) Ebend. 884. n. 3. —

— die Ursache der secularen Verschiebungen der Strandlinie. Vortrag. gr. 8. (15 S.) Ebend. 886. n. — 50

Löwner, Heinr., populäre Aufsätze aus dem classischen Alterthum. 2. Aufl. gr. 8. (43 S.) Prag 886. Dominicus. n. 1. —

Löwy, D., der Talmudjude v. Rohling in der Schwurgerichtsverhandlung vom 28. Oktbr. 1882. Zur Abwehr u. Verständigg. gr. 8. (40 S.) Wien 882. Lippe. — 50

Loewy, Eman., Inschriften griechischer Bildhauer, m. Facsimiles hrsg. gr. 4. (XL, 410 S.) Leipzig 885. Teubner. n. 20. —

— Untersuchungen zur griechischen Künstlergeschichte, s.: Abhandlungen d. archäologisch-epigraphischen Seminares der Universität Wien.

Loewy, Thdr., common sensibles. Die Gemein-Ideen d. Gesichts- u. Tastsinnes nach Locke u. Berkeley u. Experimenten an operirten Blindgeborenen. gr. 8. (71 S.) Leipzig 884. Th. Grieben. n. 2. —

Loy, Arth. v., Graf u. Gräfin v. Ortenegg. Roman in 2 Tln. gr. 8. (298 S.) Wiesbaden 885. Bechtold & Co. n. 5. —; geb. n. 6. —

— Berliner Novellen aus der Gesellschaft. 8. (269 S.) Berlin 883. Kogge & Fritze. n. 4 —; geb. n. 5. —

Loys, Lord Berresford, s.: Collection of British authors.

Lubarsch, Otto, welche Berücksichtigung verlangen die Verdauungs- u. Harnorgane Laparotomirter in der Nachbehandlung? gr. 8. (56 S. m. 1 Tab. u. 8 graph. Steintaf.) Strassburg 884. Trübner. n. 2. —

— die chemische Prüfung d. komprimierten Pyroxylins. Ein Beitrag zur Analyse der Sprengkörper. 4. (23 S.) Berlin 885. Gaertner. n. 1. —

— zoologische Wandtafeln. Unter besond. Berücksicht. der anatom. Merkmale f. den Gebrauch an höheren Schulen gezeichnet u. erläutert. 1. Lfg. Taf. 1 u. 4. Lith. u. color. Imp.-Fol. Mit Text. 8. (7 S.) Kassel 883. Fischer. n. 2. 40

1. Teile d. menschlichen Skeletts. — 4. Handtiere, Insektenfresser, Raubtiere.

Lübben, A., u. C. H. F. **Walther,** mittelniederdeutsches Handwörterbuch, s.: Wörterbücher, hrsg. vom Verein f. niederdeutsche Sprachforschung.

Lübben, K. H., Beiträge zur Kenntniss der Rhön in medizinischer Hinsicht. gr. 8. (107 S. m. 3 Steintaf.) Weimar 881. (Gotha, Conrad.) n. 2. —

Lübbert, Ant., biologische Spaltpilzuntersuchung. Der Staphylococcus pyogenes aureus u. der Osteomyelitiscoccus. Mit 2 Taf. gr. 8. (VI, 103 S.) Würzburg 886. Stahel. n. 3. 50

Luebbert, Ed., commentatio de Pindari carminibus dramaticis tragicis eorumque cum epiniciis cognatione. gr. 4. (23 S.) Bonn 884. Cohen & Sohn. n. 1. —

— commentatio de Pindaro Clisthenis Sicyonii institutorum censore. gr. 4. (18 S.) Ebend. 884. n. 1. --

— commentatio de poesis Pindaricae in archa et sphragide componendis arte. 4. 26 S.) Ebend 885. n. 1. —

— commentatio de Pindari poetae et Hieronis regis amicitiae primordiis et progressu. gr. 4. (28 S.) Ebend. 886. n. 1. —

— commentatio de priscae cuiusdam epiniciorum formae apud Pindarum vestigiis. gr. 4. (22 S.) Ebend. 885. n. 1. —

— diatriba in Pindari locum de Aegidis et sacris Carneis. gr. 4. (18 S.) Ebend. 883. n. 1. —

Luebbert, Ed., diatriba in Pindari locum de Adrasti regno Sicyonio. gr. 4. (22 S.) Bonn 884. Cohen & Sohn. n. 1. —

— meletemata de Pindaro nomorum Terpandri imitatore. gr. 4. (23 S.) Ebend. 885. n. 1. —

— prolegomena in Pindari carmen Pythium nonum. gr. 4. (22 S.) Ebend. 883. n. 1. —

— prolusio in Pindari locum de ludis Pythiis Sicyoniis. gr. 4. (22 S.) Ebend. 883. n. 1. —

bbeck, J., Ameisen, Bienen u. Wespen, s.: Bibliothek, internationale wissenschaftliche.

beck u. **Ratekau** im Novbr. 1806. Gedenkblatt in Aufzeichngn. v. Augenzeugen. gr. 8. (64 S.) Lübeck 884. Gläser. n. 1. —

, Hans, Maximilian v. Mexiko. Trauerspiel in Akten. gr. 8. (142 S.) Leipzig 883. Mutze. n. 1. 50

Aug., Anleitung zur Anfertigung v. Geschäftsaufsätzen. Zum Gebrauch f. Schüler in Volks-, Mittel- u. Fortbildungsschulen. 11. Aufl. v. H. Huth. 8. (IV, 64 S.) Leipzig 884. Brandstetter. cart. n. — 60

— Auswahl charakteristischer Dichtungen u. Prosastücke zur Einführung in die deutsche Litteratur. Ein Lehr- u. Lesebuch f. höhere Schulanstalten u. zum Selbstunterricht. 2. Tl. VII. Zeitraum. Von 1770 bis zu Goethes Tode. Erläutert in: Lüben u. Nackes Einführg. in die deutsche Litteratur. II. Tl. 6. Aufl. Aus den Quellen verb. v. H. Huth. gr. 8. (VI, 352 S) Ebend. 883. n. 1. 60

— Ergebnisse d. grammatischen Unterrichts in mehrklassigen Bürgerschulen. Nach method. Grundsätzen geordnet u. bearb. 12. verm. u. verb. Aufl. v. H. Huth. 8. (IV, 88 S.) Ebend. 884. cart. n. — 60

— Naturgeschichte. Nach unterrichtl. Grundsätzen. Neu bearb. v. L. Halenbeck. 1. Tl. Tierkunde. 16., verb. u. m. zahlreichen Abbildgn. verseh. Aufl. 8. (112 S.) Halle 886. Anton. n. — 60

— u. Karl **Nacke,** Einführung in die deutsche Litteratur, vermittelt durch Erläutergn. v. Musterstücken aus den Werken der vorzüglichsten Schriftsteller. Für den Schul- u. Selbstunterricht. Zugleich als Kommentar zu dem Lesebuche f. Bürgerschulen v. denselben Herausgebern u. zu der Auswahl charakterist. Dichtgn. u. Prosastücke v. A. Lüben. 9. verm. u. verb. Aufl. v. H. Huth. 3 Tle. Leipzig 882. 83. Brandstetter. 17. —

1. (XII, 648 S.) 5. 10. — 2. (VIII, 752 S.) 6. 90. — 3. (XIV, 670 S.) 5. —

Wilh., der heilige Cajetan v. Tiene, der Heilige der göttlichen Vorsehung. Ein Lebensbild aus dem 16. Jahrh. Mit dem (Stahlst.-) Bildnisse d. Heiligen. gr. 8. (VIII, 304 S.) Regensburg 883. Verlags-Anstalt. 4. —

— der ehrwürdige Diener Gottes P. Claudius de la Colombière, der große Verehrer d. heiligsten Herzens Jesu u. Beichtvater der sel. Marg. Alacoque. Mit 2 Portraits u. e. Facsm.-Beilage. 8. (VIII, 240 S.) Einsiedeln 884. Benziger. 2. 20

uber, A., Digenis Akritas. Nach dem byzantin. Epos wiedererzählt. gr. 8. (23 S.) Salzburg 885. (Leipzig, Harrassowitz.) n. 1. —

— Erotas. Neugriechische Liebesdistichen, übersetzt. 8. (VIII, 68 S.) Salzburg 883. Kerber. n. 1. 20; geb. m. Goldschn. n. 2. 50

— die Vögel in den historischen Liedern der Neugriechen. Eine Skizze. gr. 8. (21 S.) Salzburg 882. (Leipzig, Harrassowitz.) n. 1. —

uebke, Herm., observationes criticae in historiam veteris Graecorum commoediae. I. De commoediae licentia legibus coercita. II. De Aristophanis cum aequalibus poetis comicis amicitia et simultate. gr. 8. (59 S.) Berlin 883. Mayer & Müller. n. 1. 20

Wilh., bunte Blätter aus Schwaben. 1866 bis 1884. gr. 8. (VIII, 417 S.) Stuttgart 885. Spemann. n. 6. —

— essai d'histoire de l'art. Traduit par Ch. Ad. Koëlla d'après la 9. éd. originale. Ouvrage illustré de plus de 600 gravures sur bois. 1—14. livr. gr. 8. (1 Bd. 423 S. u. 2. Bd. S. 1—240.) Stuttgart 885. 86. Ebner & Seubert. à n. — 80

Lübke, Wilh., Geschichte der Architektur von den ältesten Zeiten bis auf die Gegenwart dargestellt. 6. Aufl. 2 Bde. Lex.-8. (XII, 674 u. XII, 572 S.) Leipzig 884. 86. Seemann. n. 26. —; geb. in Calico n. 30. — ; in Halbfrz. n. 32. —

— Geschichte der Renaissance in Frankreich. 2. verb. u. verm. Aufl. Mit 168 Illustr. in Holzschn. Lex.-8. (XIX, 448 S.) Stuttgart 885. Ebner & Seubert. n. 14. —; geb. n. 17. —

— Kunstwerke u. Künstler. 3. Sammlg. vermischter Aufsätze. Mit 69 Illustr. Lex.-8. (VIII, 587 S.) Breslau 886. Schottländer. n. 10. —; geb. n.n. 12. —

— zur französischen Renaissance, s.: Bücherei, deutsche.

— s.: Wandtafeln zur Kunstgeschichte.

Lübker, Frdr., Goethe u. Schiller in ihrem Verhältnis zum Christentum. 8. (36 S.) Hamburg 885. Agentur d. Rauhen Hauses. n. — 40

Lublimer, Hugo [Hugo Bürger], Berlin im Kaiserreich. I. u. II. 8. Berlin 886. Schottländer. n. 9. —; geb. n. 11. —

I. Die Gläubiger d. Glücks. Roman. 6. Aufl. (377 S.) n. 5. —; geb. n. 6. —

II. Die Frau v. neunzehn Jahren. Roman. (290 S.) n. 4. —; geb. n. 5. —

Lublinski, W., das sogenannte Ekzem d. Naseneinganges, s.: Sonderabdrücke der Deutschen Medizinal-Zeitung.

Lübsen, H. B., ausführliches Lehrbuch der Analysis, zum Selbstunterricht m. Rücksicht auf die Zwecke d. prakt. Lebens bearb. 8. Aufl. gr. 8. (IV, 203 S. m. Fig.) Leipzig 885. Brandstetter. n. 3. 60

— ausführliches Lehrbuch der Elementar-Geometrie. Ebene u. körperl. Geometrie. Zum Selbstunterricht m. Rücksicht auf die Zwecke d. prakt. Lebens bearb. 25. Aufl. m. 193 Fig. im Text. gr. 8. (IV, 179 S.) Ebend. 882. n. 3. —

— ausführliches Lehrbuch der analytischen od. höhern Geometrie zum Selbstunterricht. Mit Rücksicht auf das Notwendigste u. Wichtigste bearb. Mit 124 Fig. im Text. 12., verb. Aufl. gr. 8. (IV, 214 S.) Ebend. 885. n. 4. —

— ausführliches Lehrbuch der ebenen u. sphärischen Trigonometrie. Zum Selbstunterricht m. Rücksicht auf die Zwecke d. prakt. Lebens bearb. Mit 58 Fig. im Text. 14. Aufl. gr. 8. (IV, 115 S.) Ebend. 884. n. 2. 40

Lübstorf, W., u. J. **Peters,** Leitfaden f. den Unterricht in der Mineralogie, Botanik, Anthropologie u. Zoologie in 4 Kursen. 1—3. Kurs. [Mit Abbildgn.] gr. 8. Parchim 884. 85. Wehdemann. n. 2. 60

1. (III, 54 S.) n. — 60. — 2. (IV, 130 S.) n. 1. —. — 3. (IV, 159 S.) n. 1. —

Lucae, Aug., zur Entstehung u. Behandlung der subjectiven Gehörsempfindungen. gr. 8 (53 S.) Berlin 884. O. Enslin. n. 1. 20

Lucae, Joh. Chrn. Gust., die Statik u. Mechanik der Quadrupeden, an dem Skelet u. den Muskeln e. Lemur u. e. Choloepus erläutert. Mit 24 (lith.) Taf. gr. 4. (92 S.) Frankfurt a/M. 883. Diesterweg. n. 18. —

— die Sutura transversa squamae occipitis. Eine vergleichend anatom. Studie. Mit 4 (lith.) Taf. gr. 4. (12 S. m. 1 Bl. Taf.-Erklärgn.) Ebend. 883. n. 2. 50

Lucae, Rich., J. A. **Becker** u. E. **Giesenberg,** das Opernhaus zu Frankfurt a/M. Hrsg. v. E. Giesenberg. Mit 13 Kpfrtaf. Fol. (15 S.) Berlin 883. Ernst & Korn. cart. n. 24. —

Lucanus, Carl, Beiträge zur Pathologie u. Therapie d. Ulcus corneae serpens. gr. 8. (33 S.) Marburg 882. (Wiesbaden, Bergmann.) n. 1. —

Lucas, Ed., kurze Anleitung zur Obstkultur. Ein Leitfaden bei Vorträgen üb. Obstbau an Seminarien, pomolog. u. Gartenbau-Instituten, landwirthschaftl. Lehranstalten u. Fortbildungsschulen, wie auch zum Selbstunterricht. 6. Aufl. Bearb. v Fr. Lucas. Mit 4 lith. Taf. Abbildgn. u. 24 Holzschn. gr. 8. (VIII, 122 S.) Stuttgart 883. Ulmer. n. 1. 60; geb. n. 1. 85

— vollständiges Handbuch der Obstkultur. 2. Aufl., neu bearb. u. wesentlich verm. v. Fr. Lucas. Mit 307 in den Text gedr. Abbildgn. gr. 8. (VIII, 462 S.) Stuttgart 887. Ulmer. cart. n. 6. —

Lucas, Ed., die Lehre vom Baumschnitt, f. die deutschen Gärten bearb. unter Mitwirkg. v. Fr. Lucas. 5. Aufl. v. Fritz Lucas. Mit 4 lith. Taf. u. 188 Holzschn. gr. 8. (VIII, 332 S.) Stuttgart 884. Ulmer. n. 6. —

— u. Frdr. **Medicus**, die Lehre vom Obstbaum, auf einfache Gesetze zurückgeführt. Ein Leitfaden f. Vorträge üb. Obstkultur u. zum Selbstunterricht. 7., unter Mitwirkg. v. Frdr. Lucas vielfach überarb. u. verm. Aufl. Mit zahlreichen eingedr. Holzschn. gr. 8. (XVI, 450 S.) Stuttgart 886. Metzler's Verl. cart. n. 4. 40

— u. **Oberdieck's** illustrirtes Handbuch der Obstkunde, 1. Ergänzungsband dazu, s.: Lauche.

Lucas, Herm., die subjektive Verschuldung im heutigen deutschen Strafrechte. Mit besond. Berücksicht. der Praxis dargestellt. gr. 8. (VIII, 152 S.) Berlin 883. v. Decker. n. 3. —

Lucas', S., Taschenfahrpläne f. Mittel-, Nord- u. Westdeutschland, Belgien, Holland, Frankreich. Sommer-Fahrplan 1883. 12. (202 S. m. 1 Eisenbahnkarte. Elberfeld 883. Lucas. — 35

Lucca, S., zur Orientirung in Marienbad. Ein Rathgeber u. Wegweiser f. Curgäste. 11. Aufl., m. dem neuesten Situationsplane, e. Karte der Umgebg. Marienbad u. e. Rundsicht v. der „Kaiserhöhe". 12. (160 S.) Marienbad 883. Gschihay. geb. n. 2. 40

Luchs, H., Breslau. Ein Führer durch die Stadt f. Einheimische u. Fremde. Mit e. farb. lith. Plane der Stadt u. e. Beschreibg. d. Museums f. bild. Künste u. d. Altertums-Museums. 9. Aufl. 8. (47 S.) Breslau 884. Trewendt. n. 1. —

Lucian's Werke. Deutsch v. Thdr. Fischer. 2. Aufl. 2—5. Lfg. 8. (1. Bd. S. 49—240.) Berlin 885. Langenscheidt. à n. — 35

— ausgewählte Schriften. Für den Schulgebrauch erklärt v. Karl Jacobitz. 2. Bdchn.: Die Totengespräche. Ausgewählte Göttergespräche. Der Hahn. 2. Aufl. gr. 8. (150 S.) Leipzig 883. Teubner. 1. 20

Luciani, Luigi, u. Giuseppe **Seppilli**, die Functions-Localisation auf der Grosshirnrinde, an Thierexperimenten u. klin. Fällen nachgewiesen. Mit 53 Fig. im Text u. 1 Taf. Autoris. deutsche u. verm. Ausg. v. M. O. Fraenkel. gr. 8. (VII, 414 S.) Leipzig 886. Felix. n. 12. —

Lucianus. Recognovit Jul. Sommerbrodt. Vol. I. pars 1. gr. 8. (VIII, 271 S.) Berlin 886. Weidmann 3. —

Luciferi Calaritani opuscula, s.: Corpus scriptorum ecclesiasticorum latinorum.

Lucius, E., die Kräftigung d. Missionssinnes in der Gemeinde. Referat. gr. 8. (38 S.) Straßburg 885. Schmidt. n. — 60

Lucius, Heinr., Heldensang v. 1813. 2—8. (Schluß-)Lfg. gr. 8. (S. 49—360.) Leipzig 884. Lucius. à n. — 75

Lück, Steph., Sammlung ausgezeichneter Compositionen f. die Kirche. 2. verb. u. verm. Aufl., hrsg. v. Mich. Hermesdorff. 4 Bde. Lex.-8. (1. Bd. X, 191 u. 2. Bd. IV, 231 S.) Leipzig 883. Braun's Verl. n. 12. —; einzeln à Bd. n. 4. —

Eine französ. Ausgabe ist zum Preise von n. 15 frs., eine englische zum Preise von n. 12 sh. erschienen.

Lucke, C., die berechtigten Forderungen der deutschen Landwirthschaft. gr. 8. (34 S.) Frankfurt a/M. 885. (Jaeger.) n. 1. —

Lücke, H., Canova u. Thorwaldsen, s.: Kunst u. Künstler d. 19. Jahrh.

Lücking, Gust., französische Grammatik f. den Schulgebrauch. gr. 8. (X, 286 S.) Berlin 883. Weidmann. n. 2. —

Luckner, Fr., Glückswechsel. Eine Erzählg. f. die Jugend. [Aus: „Jugend-Bibliothek v. Gust. Nieritz".] (Neue Ausg.) 8. (87 S. m. 1 Chromolith.) Düsseldorf 884. F. Bagel. cart. 1. —

Luckner, Mathilde Gräfin, Ich u. Nicht-Ich. 8. (306 S.) Leipzig 886. Peterson. n. 4. —

Lüdecke, E., Handbuch der allgemeinen u. speciellen Arzneiverordnungslehre, s.: Ewald, C. A.

Lüdecking, Heinr., flowers of poetry. A selection of english poems, chiefly modern. 3. ed. Illustrated and enlarged. 12. (352 S. m. Holzschntaf.) Leipzig 884. Amelang. geb. m. Goldschn. 5. —

Lüdecking, Heinr., englisches Lesebuch. 2. Tl. Für obere Klassen. 5. Aufl. gr. 8. (VIII, 318 S.) Leipzig 883. Amelang. n. 2. 70

— französisches Lesebuch. 2 Tle. Mit e. vollständ. Wörterbuche. gr. 8. Ebend. 883. n. 4. 75

1. Für untere u. mittlere Klassen. 17. Aufl. (XIII, 240 S.) n. 1. 75

2. Für obere Klassen. 8. Aufl. (VIII, 347 S.) n. 3. —

Lüdemann, E., Luther u. das Papstthum, s.: Katholicismus, der römische, beleuchtet in Vorträgen.

Lüdemann, Gust., Rechnen-Handbuch für jüngere Postbeamte od. die Prüfg. im postal. Rechnen. Ein Hülfsbuch f. jüngere Postbeamte, sowie f. Militairanwärter u. Schüler rc., die in das Postfach eintreten wollen. 4. verm. Aufl. gr. 8. (VII, 86 S.) Berlin 884. F. Luckhardt. n. 1. 50

— deutscher Reichs-Post-Katechismus od. Post-Examinator. 9. verb. u. verm. Aufl. gr. 8. (VIII, 405 S.) Ebend. 886. Luckhardt. n. 4. —; geb. n. 5. —

Lüdemann, H., die neuere Entwicklung der protestantischen Theologie. Eine Orientirg. f. Nichttheologen. Vortrag. gr. 8. (38 S.) Bremen 885. Roussell. n. — 50

Lüdemann, J., kleines praktisches Briefmarken-Album. gr. 8. (72 S.) Duderstadt 886. Haensch. cart. — 50

Lüder, Heinr. Albr., Carlo Goldoni in seinem Verhältnis zu Molière. Ein Beitrag zur Geschichte der dramat. Litteratur Italiens im 18. Jahrh. gr. 8. (44 S.) Oppeln 883. Franck. 1. 50

Lüders, Auguste, Anleitung zur Aquarell-, Gouache- u. Chromo-Malerei. Fingerzeige f. Anfänger. 8. (32 S.) Leipzig 885. Zehl. n. — 60

— Anleitung zur Porzellanmalerei. Zum Selbstunterricht f. Anfänger u. Mindergeübte 8. (37 S.) Ebend. 885. n. — 60

Lüders, K., Timbuktu, s.: Universal-Bibliothek, geographische.

Lüdicke, Chr. H., deutsches Liederbuch. Eine Sammlg. der besten Volkslieder f. deutsche Schulen. Mit Orig.-Kompositionen v. Frz. Abt, Karl Appel, Ernst Hauer rc. Ausg. in 2 Tln. 2. Tl., 190 Lieder u. Gesänge f. die Mittel- u. Oberstufe. 2. Aufl. 8. (128 S.) Leipzig 886. Sigismund & Volkening. n. — 30; cart. n. — 40

— Liederwald. Lieder f. deutsche Schulen. Mit Orig.-Kompositionen v. Frz. Abt, K. Appel, H. K. Breidenstein rc. Ausg. in 4 Tln. gr. 8. Ebend. 883—86. n. 1. —; cart. n. 1. 40

1. 120 Lieder u. Gesänge f. die Unterstufe. 3. [Ster.-]Aufl. (64 S.) n. — 20; cart. n. — 30

2. 120 Lieder u. Gesänge f. d. Mittelstufe. 4. [Ster.-]Aufl. (80 S.) n. — 25; cart. n. — 35

3. 155 Lieder u. Gesänge f. die Oberstufe. 5. [Ster.-]Aufl. (132 S.) n. — 30; cart. n. — 40

4. 83 Lieder f. Oberklassen der Volksschulen u. f. höhere Lehranstalten. 3. [Ster.-]Aufl. (96 S.) n. — 25; cart. n. — 35

— u. F. A. **Schulz**, deutsche Liederhalle. Neue zwei-, drei- u. vierstimm. Lieder u. Hymnen u. alte Volksweisen m. neuen Texten rc. Insbesondere f. Oberklassen der Volksschulen. 8. (II, 128 S.) Braunschweig 883. Wollermann. n. — 60

Lüdinghausen gen. **Wolff**, Otto Frhr. v., Geschichte d. königl. preußischen 2. Garde-Regiments zu Fuß. 1813—1882. Auf Befehl d. Regiments-Kommandeurs Oberst v. Wißmann verf. Mit dem Bildniß Sr. Maj. d. Königs, (18) Illustr. (in Lichtdr., Holzschn. u. Farbendr.), (10 lith.) Karten u. Plänen. gr. 8. (XIV, 614 S.) Berlin 882. Mittler & Sohn. n.n. 16. —

Ludloff, K., die Ursachen d. Wohlstandes u. der Verarmung der Völker. gr. 8. (39 S.) Milwaukee Wis., 882. Caspar. n. 1. —

Ludlow, J., the mystery of Jessy Page an other tales, — the story of Dorothy Grape, and other tales, — Helen Whitney's wedding, and other tales. } s.: Collection of British authors.

Ludolff, M., Felicitas. Roman. 2 Bde. 8. (IV, 563 S.) Bonn 883. Hauptmann. n. 4. —

— verschollen! Roman. 2 Bde. 8. (215 u. 204 S.) Ebend. 884. n. 4. —

Ludolff, W., in gefährlicher Gesellschaft. Doppelroman. 2. Bd. A. u. d. T.: Die Tochter des Spieler. 2. Aufl. 8. (IV, 387 S.) Bonn 885. Hauptmann. n. 2. —

Ludolph, W., Leuchtfeuer u. Schallsignale der Erde 1884, nach den neuesten Quellen bearb. 13. Jahrg. 4. Aufl. gr. 8. (XX, 279 S.) Bremerhaven 884. v. Vangerow. geb. n. 6. —

— Leuchtfeuer u. Schallsignale der Ost- u. Nordsee. 13. Jahrg. 4. Aufl. gr. 8. (VIII, 67 S.) Ebend. 884. n. 2. 40

Luderff, Frz., Hans Waldman. A tragedy in 5 acts. 12. (VIII, 239 S.) Münster 886. Regensberg. n. 2. 50

Ludwich, Arth., Aristarchs homerische Textkritik, nach den Fragmenten d. Didymos dargestellt u. beurtheilt. Nebst Beilagen. 2 Thle. gr. 8. (VIII, 635 u. VI, 774 S.) Leipzig 884. 85. Teubner. n. 28. —

Ludwig II., König. Ein Rückblick auf den 13. Juni 1886. Von e. Mitglied der bayer. Abgeordnetenkammer. 2. durchgeseh. Aufl. 8. (IV, 42 S.) Nördlingen 886. Beck. cart. n. - 60

— Rasches Ende e. Fürstenlebens. Gedanken üb. die Ereignisse d. 13. Juni 1886 von M. v. M. 8. (16 S.) München 886. Wilhelm. — 20

— Sein Leben, Wirken u. Ende. Ein Gedenkblatt f. das treue bayer. Volk. 8. (13 S.) Regensburg 886. Verlagsbureau. n. — 10

— das Ministerium Lutz u. seine Gegner. Ein Wort zur Verständigg. u. zum Frieden. Von e. Freund d. Vaterlandes u. der Wahrheit. gr. 8. (36 S.) München 886. Kellerer. n. — 20

Ludwig, A., s.: Rigveda, der.

— über das verhältnis d. mythischen elements zu der historischen Grundlage d. Mahâbhârata. gr. 4. (18 S.) Prag 884. (Calve.) n. — 48

Ludwig, Carl, der neue Hamlet. Poesie u. Prosa aus den Papieren e. verstorbenen Pessimisten. 8. (XV, 196 S.) Zürich 885. Verlags-Magazin. n. 3. —

Ludwig, D. A., Pfarrer Johann Melchior Ludwig. Eine Darstellg. seiner Lebensgeschichte v. seinem Sohne. Mit (Lichtdr.-)Bildniß. 8. (221 S.) Basel 884. Missionsbuchh. n. 1. 20; geb. n.n. 1. 80

Ludwig, E., u. Otto **Horn**, Muster-Vorlagen u. Motive zur Decoration v. Buchdecken u. Rücken. Hrsg. v. Horn & Patzelt in Gera. 1—8. Lfg. gr. 4. (30 lith. u. chromolith. Taf. m. Text S. 1—32.) Gera 884. Griesbach's Verl. à 1. 50

Ludwig, Ed., der Goldbauer. Eine spann. Dorfgeschichte aus dem bayer. Hochgebirge. Dem Volke erzählt. 8. (64 S.) Reutlingen 883. Bardtenschlager. — 25

— am Rande d. Abgrundes. Eine Indianergeschichte. 8. (64 S.) Ebend. 883. — 25; feine Ausg. — 30

Ludwig, Ernst, medicinische Chemie in Anwendung auf gerichtliche, sanitätspolizeiliche u. hygienische Untersuchungen, sowie auf Prüfung der Arzneipräparate. Mit 24 Holzschn. u. 1 Farbendr.-Taf. gr. 8. (VIII, 416 S.) Wien 885. Urban & Schwarzenberg. n. 10. —; geb. n. 12. —

Ludwig, F., der hl. Johannes Chrysostomus in seinem Verhältniß zum byzantinischen Hof. gr. 8. (IV, 175 S.) Braunsberg 883. Huye. n. 2. 50

Ludwig, G., Tertullian's Ethik in durchaus objektiver Darstellung. gr. 8. (XV, 206 S.) Leipzig 885. Böhme. n. 2. 80

Ludwig, Heinr., Lionardo da Vinci, das Buch v. der Malerei. Neues Material aus den Orig.-Manuscripten, gesichtet u. dem Cod. Vatic. 1270 eingeordnet. gr. 8. (XII, 288 S.) Stuttgart 885. Kohlhammer. n. 6. —

Ludwig, Herm., Johann Georg Kastner, e. elsäss. Tondichter, Theoretiker u. Musikforscher. Sein Werden u. Wirken. 2 Thle. in 3 Bdn. Mit Illustr. u. Facsms. gr. 8. (XIX, 422; VIII, 472 u. VII, 424 S.) Leipzig 886. Breitkopf & Härtel. n. 40. —; geb. m. Goldschn. n. 52. —

Ludwig, Hub., die Wirbeltiere Deutschlands in übersichtlicher Darstellung. Mit 64 Holzschn. 8. (VIII, 200 S.) Hannover 884. Hahn. geb. n. 3. 60

Ludwig, J. M., Pontresina u. seine Umgebung. Mit 1 Karte. 7. [4. deutsche] Aufl. 12. (VII, 146 S.) Samaden 886. (Chur, Rich.) cart. n.n. 3. 20

Ludwig, Jac., die reformirte Gemeinde in Fredericia. Ein Beitrag zur Geschichte der französisch-reformirten Kolonien im heut. Dänemark. 8. (137 S.) Bremen 886. Müller. n. 1. 80

Ludwig, Julie, mein Großoheim u. andere Erzählungen, s.: Collection Spemann.

— Schloß Heimburg, s.: Universal-Bibliothek f. die Jugend.

— aus goldner Zeit. Erzählungen f. die Jugend. Mit 6 Bildern in Farbendr. nach Auguste Ludwig. 8. (272 S.) Stuttgart 884. Kröner. geb. 4. 50

Ludwig, Karl, 70 der schönsten Weihnachts-Lieder u. Kindergebete. Ausgewählt f. Schule u. Haus. Mit 2 Holzschn. 2. Aufl. 12. (48 S.) Neuwied 882. Heuser's Verl. — 60

Ludwig, M., die Civilehe. Eine Belehrg. f. kathol. Braut- u. Eheleute. 8. (47 S.) Mainz 885. Frey. n. — 40

Ludwig, Ottilie, aus dem Waldleben. Bilder aus dem Leben im Forsthause. 1. u. 2. Thl. 8. (VIII, 360 u. 319 S.) Halle 884. Hendel. à 3 —; geb. à n. 4. —

Ludwig's, Otto, gesammelte Werke. (Neue Ausg.) Mit e. Einleitg. v. Gust. Freytag. 4 Bde. 8. (XXIV, 288; 272, 348 u. 214 S.) Berlin 883. Janke. n. 6. —; geb. n. 8. —

Ludwig, R., Chronik d. Realgymnasiums am Zwinger zu Breslau vom J. 1816 bis 1886. gr. 8. (81 S.) Breslau 886. (Scholtz.) n. — 75

Ludwig, Rich., das Entwerfen einfacher Bauobjekte im Gebiete d. Eisenbahn-Ingenieurwesens. 1. Bd.: Wegbrücken [Wegüberführgn.] in Stein, Eisen u. Holz-Beschreibung, Konstruktion u. statische Berechng. der Wegbrücken, m. besond. Rücksicht auf ausgeführte Bauwerke. Für angeh. Ingenieure, Baugewerken, Strassen- u. Eisenbahnbautechniker, Bahnbeamte, sowie zum Gebrauch im Konstruktionsbüreau. Mit 28 (lith.) Taf. in 4., wovon 25 Taf. m. ausgeführten Bauwerken. gr. 4. (VII, 54 S.) Weimar 884. B. F. Voigt. 6. —

Ludwig, Thdr., de enuntiatorum interrogativorum apud Aristophanem usu. gr. 8. (69 S.) Königsberg 882. (Beyer.) n. 1. 20

Ludwig Ferdinand, königl. Prinz v. Bayern, zur Anatomie der Zunge. Eine vergleichend-anatom. Studie. Mit 51 doppelten u. 2 einfachen Taf. in lith. Farbendr. gr. 4. (X, 108 S.) München 884. Literarisch-artist. Anstalt. n. 60. —

Ludwig Salvator, Erzherzog, Los Angeles in Südcalifornien. Eine Blume aus dem goldenen Lande. Mit Illustr. u. Karten. 2. verb. Aufl. 12. (XII, 240 S.) Würzburg 885. Woerl's Sep.-Cto. n. 4. —; cart. n. 4. 50; geb. n. 5. —

— um die Welt ohne zu wollen. Mit 100 Illustr. 4. Aufl. (In 6 Lfgn.) 1. u. 2. Lfg. 12. (XII u. S. 1—128) Ebend. 886. à n. — 50

— dasselbe, s.: Woerl's Reisebibliothek.

Ludwigs, Ferd., die Bitte der Königin. Biblisches Schauspiel. Mit Gesangchören u. Klavier- od. Harmoniumbegleitg., komponiert v. Fr. Koenen. 12. (V, 47 S.) Düsseldorf 888. Schwann. n. — 80; Chöre u. Soli. gr. 4. (13 S.) n. 1. —

— Clodwig. Historisches Schauspiel. Mit Gesangchören u. Klavierbegleitg., komponiert v. Fr. Koenen. 12. u. hoch 4. (IV, 80 u. Musikbeilage 12 S.) Düren 885. Hamel. n. 2. 20; Text ap. n. 1. —; Musikbeilage ap. n. 1. 20

— das Heiligtum v. Antiochien. Dramatisches Gedicht. Mit Männerchören, Soli u. Klavierbegleitg., componiert v. F. Koenen. Ohne Frauenrolle. 12. (IV, 108 S.) Düsseldorf 883. Schwann. n. 1. 20; Musikbeilage n. 1. 50

Ludwigs, H. M., das 3. allgemeine Jubiläum im Pontifikate d. Papstes Leo XIII. Ein Wort der Belehrg. üb. den Jubiläums-Ablaß, nebst e. Gebets-Anh. gr. 16. (36 S.) Köln 886. Theissing. n. — 10

Lueg, Sev., biblische Real-Concordanz. Eine Zusammenstellg. der in den heil. Schriften zerstreut vorkomm. Texte, Beispiele u. Gleichnisse üb. die Glaubens- u.

Sittenlehren, sowie der Stellen üb. bibl. Personen, Orte u. dergl. unter alphabetisch geordnete Titel m. den nöth. sachgemäßen Ab= u. Unterabtheilgn. 2. Aufl. durch Frz. Jos. Heim. Neue Ausg. 2 Bde. gr. 8. (VIII, 552 u. IV, 576 S.) Regensburg 886. Verlags=Anstalt. n. 12. 60

Lueginsland, G., großstädtischer Mädchenschacher. Ein trostloses Sittenbild unserer Zeit. An der Hand e. Münchener Kuppeleiprozesses [der am 8./10. Juli 1886 vor dem Landgerichte München I verhandelt wurde] geschildert u. gebührend beleuchtet. gr. 8. (16 S.) München 886. M. Ernst. — 10

Lüer sen., Otto, die Diphtheritis, ihre Erscheinung, Entstehung, Verbreitung u. Bekämpfung, speciell erläutert. 2. Aufl. m. Anmerkgn. gr. 8. (12 S.) Hirschberg 883. (Kuh.) n. — 50

— der Milzbrand. Entstehung u. Bekämpfung desselben, speciell erläutert. Mit Nachtrag. gr. 8. (15 S.) Ebend. 883. n. — 50

Lufft, Aug., das Schänzel bei Edenkoben in der bayerischen Pfalz od. die Entscheidung d. Feldzuges am Mittelrhein im J. 1794. Mit 1 (lith.) Plan. gr. 8. (VIII, 72 S.) Karlsruhe 885. Braun. n. 1. 80

Luftreisen v. J. Glaisher, C. Flammarion, W. v. Fonvielle u. G. Tissandier. Mit e. Anh. üb. Ballonfahrten während u. nach der Belagerg. v. Paris. Frei aus dem Franz. Eingeführt durch Herm. Masius. Mit zahlreichen Illustr. 2. Aufl. gr. 8. (VIII, 349 S.) Leipzig 884. Brandstetter. geb. n. 8. —

Lugano, Sylvio [W. Riedel=Ahrens], die Königin der Nacht. Roman. 2 Bde. 2. Aufl. 8. (421 S.) Leipzig 884. Friedrich. n. 8. —

— Rolandsholm. Roman. 2 Bde. 8. (à 248 S.) Berlin 887. Janke. n. 9. —

— Schiffbruch. Erzählung. 8. (336 S.) Ebend. 885. n. 5. —

Lügen, die conventionellen, der Kulturmenschheit, die Tagespresse u Max Nordaus kritische Abwehr. 2. Aufl. 8. (39 S.) Leipzig 884. Elischer. gratis.

Luger, Fr., Christus unser Leben. Predigten. 5. Sammlg. gr. 8. Göttingen 886. Vandenhoeck & Ruprecht's Verl. n. 4. —; geb. n 4. 80 (1—5.: n. 14. —)

Und nun, Kindlein, bleibet bei Ihm! — 1. Joh. 2, 28. — Predigten aus den letzten Jahren der Amtsführung. (VIII, 317 S.)

Lueger, Otto, Theorie der Bewegung d. Grundwassers in den Alluvionen der Flussgebiete. Mit 21 Holzschn. gr. 8. (VII, 67 S.) Stuttgart 883. Neff. n. 2. —

Luhmann, E., die Fabrikation der Dachpappe u. der Anstrichmasse f. Pappdächer in Verbindung m. der Theerdestillation, nebst Anfertigg. aller Arten v. Pappbedachgn. u. Asphaltirgn. Mit 47 Abbildgn. 8. (IV, 238 S.) Wien 883. Hartleben. 3. 25

— die Kohlensäure. Eine ausführl. Darstellg. der Eigenschaften, d. Vorkommens, der Herstellg. u. der techn. Verwendg. dieser Substanz. Mit 47 Abbildgn. 8. (IV, 240 S.) Ebend. 885. n. 4. —

Lühmann, F. v., geometrische Konstruktions=Aufgaben, }
— Leitfaden der Elementar=Arithmetik, } s.: Lieber, H.

Lühr, Karl, die neue Gottesdienstordnung in Schleswig=Holstein u. Hannover. Ein Beitrag zur liturg. Neuordng. d. protestant. Gottesdienstes überhaupt. 8. (72 S.) Garding 885. Lühr & Dircks. n. — 90

— Schlußakten aus meiner Disciplinaruntersuchung. Hrsg. u. allen Gesinnungsgenossen, die tapfer f. mich eingestanden, in herzl. Dank gewidmet. gr. 8. (IV, 64 S.) Ebend 884. n. 1. —

— die vier menschlichen Temperamente. Predigten. 8. (IV, 49 S.) Gotha 886. Windaus. n. — 80

Lührs, Fr., katechetische Dispositionen über Dr. Martin Luthers kl. Katechismus m. Erklärg. 2. u. 3. Hft. 2. Aufl. 8. Hannover, (Feesche). n.n. 1. 50

2. Das 2. Hauptstück. (74 S.) 884. n.n. 1. —
3. Das 3. Hauptstück. (38 S.) 885. n.n. — 50

Luigi, G., Stimmungsbilder aus dem Leben e. Einjährig=Freiwilligen. 2. Aufl. 8. (VI, 50 S.) Chemnitz 884. Kattentidt. n. — 60; geb. 1. 20

Luis de Valdivia, arte, vocabulario y confesionario de la lengua de Chile. Publicados de nuevo por Julio Platzmann. Edicion facsimilar. 8. (261 S.) Leipzig 887. Teubner. n. 18. —

Lukas v. Leyden, das Leiden Christi. 14 Blätter, in Kpfr. gestochen v. J. Müller. gr. 8. (4 S. Text) Regensburg 883. Verlags-Anstalt. n 2. 80

Lukas, Frz., Beiträge zur Kenntniss der absoluten Festigkeit v. Pflanzengeweben. 2. Thl. [Arbeiten d. pflanzen-physiolog. Institutes der k. k. deutschen Universität in Prag. XI.] Lex.-8. (25 S) Wien 883. (Gerold's Sohn.) n.n. — 50 (1. u. 2.: n.n 1. 10)

Lukas, G., zur Organisation d Turnunterrichtes. Lex.-8. (16 S.) Wien 885. (Pichler's Wwe. & Sohn.) n. — 30

— der Turnunterricht an den Realschulen Österreichs. Methodische Ausführgn. d. Lehrplanes. 1. Hft. Rundlauf. gr. 8. (31 S. m. eingedr. Fig.) Wien 884. Hölder. n. 1. —

Lukaszewski, Xav. F. A. E., u. Aug. **Mosbach**, polnisch=deutsches u. deutsch=polnisches Taschen=Wörterbuch, zum Schul= u. Handgebrauch nach den besten Hülfsquellen bearb. Vollständig umgearb. v. Aug. Mosbach. 12. (VIII, 1190 u. 910 Sp.) Berlin 885. Behr's Verl. 4. 50

Luke, Adb., Sammlg. trigonometrischer Aufgaben, nebst e. Anleitg. zur Lösg. derselben. Aufgaben f. Obersekunda. 1. u. 2. Hft. gr. 8. Halle 883. Schmidt. à n. 2. 40

1. Goniometrische Aufgaben. (V, 142 S.) — 2. Das rechtwinklige u. das gleichschenklige Dreieck. (V, 137 S. m. 1 Steintaf.)

Lülmann, C., üb. den Begriff amor dei intellectualis bei Spinoza. gr. 8. (46 S.) Jena 884. Pohle. n. — 80

Lümkemann, Paul, Turennes letzter Feldzug 1675. gr. 8. (76 S.) Halle 883. Niemeyer. n. 1. 80

Lummert, Aug., die Orthographie der ersten Folioausgabe der Shakspere'schen Dramen. gr. 8. (X, 64 S.) Halle 883. Niemeyer. n. 1. 60

Lund, Gust., die Bauchrednerkunst. Mit dessen Portr. u. einigen erklär. Zeichngn. gr. 16. (24 S.) Leipzig 885. C. A. Koch. — 50

Lundberg, E., der Rechtsverständige nach den neuen Reichs=Justizgesetzen. Praktisches Handbuch zur eigenen Belehrg. u. selbstständ. Bearbeitg. gerichtl. Angelegenheiten. Zusammengestellt unter Zugrundelegg. der am 1. Oktbr. 1879 in Kraft getretenen Justizgesetze. 6. Aufl. 8. (XII, 386 S.) Leipzig 885. Pfau. n. 3. —; cart. n. 3. 50; geb. n. 4. 20

Lundehn, A., Lectures faciles et instructives, s.: Bibliothèque française.

Lundström, Axel N., pflanzenbiologische Studien. I. Die Anpassgn. der Pflanzen an Regen u. Thau. Mit 4 (lith.) Taf. gr. 4. (IV, 67 S.) Upsala 884. Lundequist. n. 9. —

Lunge, G., Bericht üb. Gruppe 15 der schweizerischen Landesausstellung Zürich 1883: Chemische Industrie. gr. 8. (218 S.) Zürich 884. Orell Füssli & Co. Verl. n. 2. 50

— Taschenbuch f. die Soda-, Pottasche- u. Ammoniak-Fabrikation. 12. (XII, 194 S.) Berlin 883. Springer. geb. n. 6. —

— das Verbot der Phosphorzündhölzchen in der Schweiz u. dessen Wiederaufhebung. gr. 8. (68 S.) Zürich 883. Schmidt. n. 1. 20

Lungwitz, A., der Lehrmeister im Hufbeschlag. Ein Leitfaden f. die Praxis u. die Prüfg. Mit 134 Holzschn. 2. verb. Aufl., m. e. Anh., enth. die gegenwärtig im Deutschen Reiche gelt., die Ausübg. d. Hufbeschlaggewerbes betr. gesetzl. Bestimmgn. 8. (VIII, 154 S.) Dresden 886. G. Schönfeld's Verl. geb. n. 2. —

— Wandtafeln zur Beurtheilung der natürlichen Pferde-Stellungen. gr. Fol. (26 Steintaf.) Ebend. 886. n. 30. —

Lungwitz, Glob. Osk., die Heimatskunde u. deren Pflege m. besond. Berücksicht. Leipzigs u. deren Umgebung. gr. 4. (26 S. m. 1 chromolith. Karte.) Leipzig 883. (Hinrichs' Verl.) n. 1. —

Lüning, H., u. J. **Sartori**, deutsches Lesebuch f. die unteren u. mittleren Klassen höherer Schulen [Gymnasien, In=

bustrieschulen ꝛc.]. 2. Tl. 2. Aufl. v. K. Schnorf. gr. 8. (IX, 288 S.) Zürich 884. Schultheß. n. 2. 80

Lüning, Th., Hülfstafeln zur schnellen Berechnung v. Deviations-Tabellen f. den Regelkompass eiserner Schiffe, s.: Jessen, F.

Lüpke, J. C. G., Haus-Thier-Arzt f. homöopathische u. allopathische Behandlung. 2—7. (Schluß-)Lfg. gr. 8. (1. Thl. S. 49—215 u. 2. Thl. XVIII, 168 S.) Aschersleben 881. Minden, Köhler. à n. — 40

Luppe, Gust., u. Jul. **Ottens,** Elementarbuch der französischen Sprache f. Oberrealschulen, Realschulen u. verwandte Anstalten. Mit Berücksicht. v. K. Keller, Elementarbuch der französ. Sprache, 12. Aufl., bearb. 1. u. 2. Tl. gr. 8. Zürich 885. 86. Orell Füßli & Co. Verl. cart. n. 3. 30

1. Das 1. Schuljahr. (VII, 157 S.) n. 1. 50
2. Das 2. Schuljahr. (V, 183 S.) n. 1. 80

Lupus, B., die Stadt Syrakus im Alterthum. Eine historisch-topograph. Skizze. Nebst 1 Karte. 4. (26 S.) Strassburg 885. Heitz. n. 1. 20

Lürmann, Fritz W., das Friedrich Siemens'sche neue Heizverfahren m. freier Flammen-Entfaltung. Mit 1 Taf. Zeichngn. gr. 8. (16 S.) Düsseldorf 885. A. Bagel. n 1. 20

Lüroth, J., üb. die kanonischen Perioden der Abel'schen Integrale. gr. 4. (38 S. m. Fig.) München 885. (Franz' Verl.) n.n. 1. 20

Luerssen, Ch., die Farnpflanzen, s.: Rabenhorst's, L., Kryptogamen-Flora v. Deutschland, Oesterreich u. der Schweiz.

— Grundzüge der Botanik. Repetitorium f. Studirende der Naturwissenschaft u. Medicin u. Lehrbuch f. polytechn, land- u. forstwirthschaftl. Lehranstalten. 4., verm. u. verb. Aufl. Mit 367 grösstentheils vom Verf. auf Holz gezeichneten Abbildgn. gr. 8. (VIII, 578 S.) Leipzig 885. Haessel. n. 7. —; geb. n. 8. —

— die Pflanzen der Pharmacopoea germanica botanisch erläutert. Mit zahlreichen Abbildgn. gr. 8. (IV, 664 S.) Ebend. 883. n. 10. —

Luscher, Herm., Verzeichniss der Gefässpflanzen v. Zofingen u. Umgebung u. den angrenz. Theilen der Kantone Bern, Luzern, Solothurn u. Baselland. gr. 8. (103 S.) Aarau 886. Sauerländer. n. 1. 60

Luscher, P., General-Uebersicht der Ziehungs-Resultate der königl. sächsischen Landes-Lotterie, enth. sämmtl. Loos-Nummern, auf welche seit der ersten im J. 1831 eingerichteten bis zu der im J. 1883 vollendeten 104. Lotterie die Gewinne v. 3000 Mark u. darüber gefallen sind, unter gleichzeit. Angabe der Höhe der betreff. Gewinne. gr. 4. (33 S.) Leipzig 884. (Ehrlich.) n. 2. —

Luschka, Hub. v., die Brustorgane d. Menschen in ihrer Lage. Mit 6, v. L. Voltz nach der Natur gezeichneten (lith., z. Thl. farb.) Taf. Neue Ausg. gr. Fol. (22 S. m. 6 Bl. Erklärgn.) Tübingen 883. Laupp. In Mappe. n. 18. —

Lussy, Mathis, die Kunst d. musikalischen Vortrags. Anleitung zur ausdrucksvollen Betong. u. Tempoführg. in der Vocal- u. Instrumentalmusik. Nach der 5. französ. u. 1. engl. Ausg. v. Lussy's „Traité de l'Expression musicale" m. Autoris. d. Verf. übers. u. bearb. v. Felix Vogt. gr. 8. (XV, 255 S.) Leipzig 886. Leuckart. n. 4. —

Lust u. Leid der Kinderzeit. 8. (8 Chromolith.) Reutlingen 884. Enßlin & Laiblin. cart. — 40; unzerreißbar geb. n. — 60

— u. **Scherz.** qu. 4. (6 Chromolith. m. eingedr. Text.) Stuttgart 885. G. Weise. — 40; unzerreißbar, geb. 1. 50

Lustgarten, Sigm., die Syphilisbacillen. 2. Aufl. Mit 4 lith. Taf. gr. 8. (24 S.) Wien 885. Braumüller. n. 2. —

Lustig in Ehren. Anleitung u. Stoff zu guter Unterhaltg. Gesammelt vom Onkel Ludwig. 3. Lfg. 12. (VIII, 165 S.) Donauwörth 885. Auer. 1. 50

— dasselbe. 1. Lfg. 3. Aufl. 12. (VIII, 176 S. m. Illustr.) Ebend. 885. 1. 50

Lustig, Karlsbad u. Teplitz-Schönau, balneotherapeutisch dargestellt f. Trink- u. Badecurbedürftige. 2. Aufl. 8. (IV, 185 S.) Wien 886. (Braumüller.) n. 1. 20

Lustig, A., Bilder üs em Elsass. Gedichte uf Milhüserditsch. gr. 8. (108 S.) Mülhausen i/E. 883. (Petry.) n. 1. 60

Lustig, Alessandro, Beiträge zur Kenntniss der Entwickelung der Geschmacksknospen. [Aus dem physiol. Institute zu Innsbruck.] Lex.-8. (17 S.) Wien 884. (Gerold's Sohn.) n. — 40

— die Degeneration d. Epithels der Riechschleimhaut d. Kaninchens nach Zerstörung der Riechlappen desselben. [Aus dem physiol. Institute zu Innsbruck.] Mit 1 (lith.) Taf. Lex.-8. (14 S.) Ebend. 884. n.n. — 50

— zur Kenntniss d. Faserverlaufes im menschlichen Rückenmarke. [Ausgeführt unter der Leitg. v. Sigm. Exner in Wien.] Lex.-8. (18 S.) Ebend. 883. n.n. — 40

Lustig, Siegfr., zur Kenntniss d. Carvacrols [Oxycymols] u. seiner Derivate. gr. 8. (31 S.) Breslau 885. (Köhler.) n. 1. —

Lütgen, B., deutsche u. französische Gespräche m. französischer u. deutscher Interlinear-Uebersetzung, zum Gebrauche beider Nationen. 7. Aufl. 8. (V, 146 S.) Leipzig 884. Brockhaus. n. 1. 20

Luthardt, Chr. Ernst, die Arbeit der christlichen Barmherzigkeit, welche man Innere Mission nennt. Predigt. gr. 8. (16 S.) Leipzig 885. Dörffling & Franke. n. — 40

— das Evangelium nach Johannes, s.: Kommentar, kurzgefaßter, zu den heiligen Schriften Alten u. Neuen Testamentes, sowie zu den Apokryphen.

— vom jüngsten Gericht. Predigt, am 24. Sonntag n. Trin. 1885 üb. Ev. Matth. 25, 31—46 in der Universitätskirche zu Leipzig geh. gr. 8. (15 S.) Leipzig 885. Dörffling & Franke. n. — 40

— Kompendium der Dogmatik. 7. verb. u. verm. Aufl. gr. 8. (VIII, 394 S.) Ebend. 886. n. 7. —

— die Lehre v. den letzten Dingen, in Abhandlgn. u. Schriftauslegunggn. dargestellt. 3. Aufl. gr. 8. (VIII, 250 S.) Ebend. 885. n. 3. 60

— Licht u. Leben. Predigten, zumeist in der Universitätskirche zu Leipzig geh. 9. Sammlg. gr. 8. (VII, 144 S.) Ebend. 885. n. 2. 50

— Luther nach seiner ethischen Bedeutung. Vortrag. gr. 8. (20 S.) Ebend. 883. n. — 40

— Melanchthons Arbeiten im Gebiete der Moral. gr. 4. (62 S.) Ebend. 884. n. 1. 50

— die Missionspflicht unserer Kirche. Festpredigt, am 200jähr. Geburtstage Bartholomäus Ziegenbalgs, den 24. Juni 1883 zu Pulsnitz, geh. gr. 8. (12 S.) Ebend. 883. — 30

— die Stunden der Erquickung im irdischen Leben. Predigt üb. Ev. Matth. 17, 1—9. gr. 8. (15 S.) Ebend. 885. n. — 40

— Tabelle zur evangelischen Synopse. gr. 4. (4 S.) Ebend. 884. — 30

— apologetische Vorträge üb. die Grundwahrheiten d. Christenthums, im Winter 1864 zu Leipzig geh. 10. Aufl. gr. 8. (XVI, 370 S.) Ebend. 883. n. 6. —

Luthe, Werner, Begriff u. Aufgabe der Methaphysik [σοφία] d. Aristoteles. gr. 8. (15 S.) Düsseldorf 884. (Leipzig, Teubner.) n. — 80

Lüthen, B., kurzer Beichtunterricht m. Beichtandacht f. das liebe Volk. 4. Aufl. 16. (32 S.) Donauwörth 886. Auer. n.n. — 6

Luther als Bibelleser. Aus e. Vortrag. 8. (16 S.) Gernsbach 883. Christl. Kolportage-Verein. n. — 4

Luther, E., s.: Beobachtungen astronomische, auf der königl. Universitäts-Sternwarte zu Königsberg.

Luther, G., die Construction u. Einrichtung der Speicher, speciell der Getreide-Magazine, in ihren neuesten Vervollkommnungen dargestellt. Mit 116 Holzschn., 12 Lichtdr.-Taf. u. 14 lith. Plänen. gr. 8. (VII, 182 S.) Braunschweig 886. J. H. Meyer. cart. n. 8. —

Luthers, Mart., sämmtliche Werke. 24—26. Bd. 8. Frankfurt a/M. 883—85. Calw, Vereinsbuchhandlung. n. 3. —

2. Abth. Reformations-historische u. polemische deutsche Schriften. Nach den ältesten Ausgaben kritisch aufs Neue bearb. v. Ernst Ludw. Enders. 1—3. B. 2. Aufl. (XIV, 407; VII, 448 u. VII, 426 S.)

Der 21—23. Bd. ist noch nicht in 2. Aufl. erschienen.

Luther's Mart., Werke. Kritische Gesammtausg. 1—3. Bd. Lex.-8. Weimar, Böhlau. n. 53. —; Einbd. à n.n. 5. —

1. (XXIV, 710 S.) 883. n. 18. —. — 2. (XVI, 758 S.) 884. n. 19. —. — 3. (XV, 652 S.) 885. n. 16. —

— sämmtliche Schriften, hrsg. v. Joh. Geo. Walch. X., XII. u. XIII. Bd. 4. St. Louis, Mo. (Dresden, H. J. Naumann.) n. 44. 50 (1., 2., 10—13.: n. 82. 50)

X. Catechetische Schriften u. Predigten. (IX, 2326 Sp.) 885. n. 16. 50

XII. Der Kirchen-Postille Epistel-Theil, nebst, vermischten Predigten. (XXIII, 2283 Sp.) 883. n. 12. 50

XIII. 1. Die Haus-Postille nach Veit Dietrich. (XXVII, 1343 Sp.) 885. n. 7. —

XIII. 2. Die Haus-Postille nach Geo. Rörer. (XI, u. Sp. 1344—2873.) 884. n. 8. 50

— Schri ten, in Auswahl hrsg. v. Johs. Delius. 2. Aufl. 8. (VII, 336 S. m. 1 Holzschn.-Portr.) Gotha 883. F. A. Perthes. geb. n. 2. 20

— opera quae extant omnia et latina et germanica, tam e codicibus manu scriptis quam ex editionibus principibus edd., cum editionibus repetitis contulerunt, apparatu historico et ritico instruxerunt I. K. Irmischer, Chr. S. T. Elsperger, J. G. Plochmann, H. Schmid, H. Schmidt, E. L Enders, I. Linke. Exegetica opera latina. Tom. XXIV—XXVIII. Ed. I. Linke. 8. Calw, Vereinsbuchh. à n. 4. —; geb. à. n. 4. 80

24. Continens commentarios in Oseam prophetam tres. [Quorum primus e codice manu scripto nuperrime reperto, secundus ex editione principe nunquam repetita, hic primum usui plublico traditur.] (VII, 536 S.) 884.

25. Continens commentarios in Ioelem, Amos et Abdiam prophetas, [quorum sex e codicibus manu scriptis nuperrime repertis hic primum usui publico traduntur.] (VII, 527 S.) 884.

26. Commentarii in Jonam et Micheam prophetas [quorum IV e codicibus manu scriptis nuperrime repertis hic primum usui publico traduntur]. (V, 446 S.) 886.

27. Commentarii in Nahum, Abacuc, Sophoniam, Aggeum, prophetas et partem Zachariae [quorum IX e codicibus manu scriptis nuperrime repertis hic primum usui plublico traduntur]. (V, 431 S) 886.

28. Commentarii in Zachariam et Malachiam prophetas [quorum II e codicibus manu scriptis nuperrime repertis hic primum usui publico traduntur.] (V, 323 S.) 886.

— an den christlichen Adel deutscher Nation v. d. christlichen Standes Besserung. Wittenberg 1520. Zum Lutherjubiläum d. J. 1883 dem deutschen Volke in verkürzter u. verdeutschter Gestalt auf's neue vorgelegt v. Emil Zittel gr. 8. (52 S.) Karlsruhe 883. Braun. n. — 50

— dasselbe. Reproduction d. Wittenberger Orig.-Drucks v. 1520. Zum Luther-Jubiläum 1883. 4. (99 S.) Potsdam 883. Rentel's Verl. n. 6. —; in Holzbd. n. 7. 50

— dasselbe, s.: Schriften d. Vereins f. Reformationsgeschichte.

— Auslegung d. Vater Unser. Zur Lutherfeier neu hrsg. Mit e. Vorwort v. B. Riggenbach. 12. IVII, 160 S.) Basel 883. Riehm. n. — 80; geb. n. 1. 20

— dasselbe. Ausg. zur 400jähr. Lutherfeier nach e. Urdruck vom J. 1518. Hrsg. v. L. Wünsch. 12. (III, 88 S.) Stuttgart 883. Metzler's Verl. n. — 80

— Betbüchlein, aus seinen eigenen geist-, trost- u. lebensvollen Worten gezogen. 2. Aufl. 8. (VIII, 136 S.) Calw 886. Vereinsbuchh. n.n. — 50; geb. n. 1. —

— Brief an sein Söhnlein Hänsigen. Mit (eingedr.) Holzschn. nach Orig.-Zeichngn. v. Ludw. Richter. 30. Aufl. 8. (8 S.) Leipzig 883. A. Dürr. — 15

— Briefwechsel. Bearb. u. m. Erläutergn. versehen v. Ernst Ludw. Enders. 1. Bd. Briefe vom J. 1507 bis März 1519. 8. (XIV, 491 S.) Frankfurt a/M. 884. Calw, Vereinsbuchhandlung. n. 3. —; geb. n. 3. 60; Velin-Ausg. n. 6. —; geb. n. 9. 60

— Dichtungen, s.: Dichter, deutsche, d. 16. Jahrh.

— Disputation üb. den Ablaß. Deutsch u. lateinisch. 8. (15 S.) Calw 883. Vereinsbuchh. n. — 10

— Evangelien-Predigten, aus der Haus- u. Kirchenpostille, auf alle Sonn- u. Festtage im Kirchenjahr ausgewählt v. Gust. Schlosser. Eine Gabe zum 400jähr. Jubiläum der Geburt Luther's. 2. Aufl. gr. 8. (III, 851 S. m. Holzschn.-Portr.) Ebend. 883. geb. n. 2. —

— von der Freiheit e. Christenmenschen, nebst 2 andern Reformationsschriften aus dem J. 1520, } s.: Universal-Bibliothek.

— wider Hans Wurst, }

— historischer Hauskalender, auf's neue hrsg. im J. 1883 v. Wilh. Ulrich. gr. 8. (24 S.) Langensalza 883. Beyer & Söhne. n. — 60

Luther's, Mart., Katechismus m. Bibelsprüchen, nebst den Evangelien u. Episteln. 15. Aufl. 8. (160 S.) Breslau 883. Korn. n. — 40

— kleiner Katechismus. 16. (30 S.) Bielefeld 886. Helmich. n. — 5

— dasselbe m. Bibelsprüchen, Liederversen, Fragestücken u. Gebeten, sowie e. Anh nützl. Tabellen. 4. Aufl. (32 S.) Danzig 886. Axt. — 10

— dasselbe. 8. (14 S.) Flensburg 886 Westphalen. cart. n.n. — 10

— dasselbe. 2. Aufl. 8. (16 S.) Herborn 886. Buchh. d. Nassauischen Colportagevereins. n. — 7

— dasselbe. Nebst pass. Bibelsprüchen. 3. Aufl. 16. (33 S.) Klagenfurt 885. Heyn. n. — 6

— dasselbe m. biblischen Sprüchen, geschichtlichen u. Lehr-Abschnitten der heil. Schrift u. Gesängen. [Barleber Spruchbuch.] 21. Aufl. gr. 8. (64 S.) Magdeburg 885. Heinrichshofen's Verl. geb. n. — 30

— dasselbe, nebst Spruchbuch u. e. Anh. v. Gebeten. Zum Gebrauch in den Elementarschulen zusammengestellt. 2. Aufl. 8. (55 S.) Mühlhausen i/Th. 883. Heinrichshofen. geb. n. — 35; Ausg. f. Oesterreich n. — 35

— dasselbe, erläutert zum Gebrauch beim Schul- u. Confirmanden-Unterricht. 25. ster. Aufl. 8. (159 S.) Neustrelitz 888. Barnewitz. n. — 40; Einbd. n.n. — 50

— dasselbe nebst Sprüchen u. einigen tabellar. Uebersichten f. den Rechenunterricht. 14. Aufl. 8. (27 S.) Rathenow 886. Babenzien. — 15

— dasselbe, durch Frage u. Antwort erläutert u. m. angeführten Sprüchen heil. Schrift bekräftigt. Nach dem Dresdener Katechismus. 11. Aufl. 16. (172 S.) Torgau 884. Jacob. geb. n. — 40

— dasselbe, nebst Sammlg. v. Bibelsprüchen u Gebeten. Hrsg. vom Elb-Pinnauer Lehrerverein. 3. Aufl. 8. (48 S.) Uetersen 884. (Koopmann.) cart. n.n. — 30

— dasselbe. Mit 35 (lith.) Bildern nach Orig.-Zeichngn. 16. (64 S.) Wandsbeck 873. Seitz. geb. n. 1. —

— dasselbe, erläutert durch Sprüche der heil. Schrift u. Beispiele der bibl. Geschichte. 9. Aufl. 8. (80 S.) Wismar 887. Hinstorff's Verl. geb. n. — 40

— römisch-katholischer Katechismus. Eine Festgabe f. d. Jubelj. 1883. 16. (48 S) Würzburg 883. Bucher. n. — 20

— dasselbe. Neue m. e. Lebensbeschreibg. Luthers verm. Aufl. 16. (67 S.) Ebend. 883. n. — 20

— Lehren v. Schlüsselamt, Kirchenzucht u. Bann in seinen eigenen Worten. Der lieben Christenheit dargeboten zur Erbaug., Stärkg., Tröstg. v. Chr. W. Vollert. gr. 8. (XVIII, 366 S.) Greiz 883. Bredt Nachf. n. 3. 80

— geistliche Lieder. [Nach den Orig.-Texten.] Mit (eingedr. Holzschn.-)Bildern geschmückt v. Gust. König. Als Jubelgabe zum 400jähr. Lutherfeste. Lex.-8. (56 S.) Reading, Pa. 883. Pilger-Buchh. geb. n. 3. —

— dasselbe, m. e. Einleitg. u. kurzen geschichtlich-litterar. Erläutergn. hrsg. v. Alb. Fischer. Mit e. Bildnis Luthers nach e. nicht mehr vorhandenen Gemälde Lukas Cranachs, den Randzeichngn. Gust. Königs u. phototyp. Nachbildgn. aus zwei Liederdrucken vom J. 1524. gr. 4. (XXX, 76 S.) Gütersloh 883. Bertelsmann. geb. m. Goldschn. n. 12. —

— dasselbe, s.: Danneil.

— dasselbe, s.: Gerok, K., die Wittemberger Nachtigall.

— Schrift: Ob man vor dem Sterben fliehen möge. Aufs Neue hrsg. v. Ernst Haack. 8. (29 S.) Schwerin 884. Schmale. n. — 50

— ungedruckte Predigten aus den J. 1528 bis 1546. Andr. Poachs handschriftl. Sammlg. Aus dem Originale zum ersten Male hrsg. v. Geo. Buchwald. (In 4 Bdn.) 1. Bd. 1. Hälfte u. 3. Bd. 1. Hälfte. gr. 8. Leipzig, Grunow. n. 11. —

1. Predigten aus den J. 1528, 1529 u. 1530. 1. Hälfte. (VII, LI, 176 S.) 884. n. 5. —

3. Predigten aus den J. 1537 u. 1538. 1. Hälfte. (272 S.) 885. n. 6. —

— ungedruckte Predigten, im J. 1530 auf der Coburg geh. Nebst den letzten Wittenberger Predigten vor der Abreise u. der ersten nach der Rückkehr. Aus Andr.

Poachs handschriftl. Sammlg. v. Predigten Luthers zum 1. Male hrsg. v. Geo. Buchwald. gr. 8. (VI, 41 S.) Zwickau 884. Gebr. Thost. n. 1. —

Luther, Mart., an die Radherrn aller stedte deutsches landes: Das sie Christliche schulen auffrichten vnd hallten sollen. Wittemberg. 1524. Jubel-Ausg. in Facsimile-Typendr. 4. (40 S.) Zschopau 883. Raschke. n. 1. 50

— drei große Reformationsschriften vom J. 1520: „An den christlichen Adel deutscher Nation v. d. christlichen Standes Besserung", „Von der babylonischen Gefangenschaft der Kirche" u. „Von der Freiheit e. Christenmenschen" v. Ludw. Lemme. 2. Aufl. gr. 8. (VIII, 322 S.) Gotha 884. F. A. Perthes. n. 2. 40

— gesegneten Andenkens, 95 Sätze vom Ablaß, welche er am Allerheiligen-Abend an die Schloßkirche zu Wittenberg anschlagen lassen. — Schreiben an Markgraf Albrecht, Kurfürst u. Erzbischof zu Mainz u. Magdeburg, am Allerheiligen-Abend 1517. — Sermon vom Ablaß u. Gnade, geh. zu Wittenberg im Novbr. 1517. 8. (32 S.) Gütersloh 883. Bertelsmann. n. — 25

— scholas ineditas de libro judicum habitas, e codice m. s. bibliothecae Zviccaviensis primum ed. Geo. Buchwald. gr. 8. (X, 80 S.) Frankfurt a/M. 884. Drescher. n. 3. —

— pädagogische Schriften, s.: Klassiker, pädagogische.

— Septemberbibel, s.: Drucke, deutsche, älterer Zeit in Nachbildungen.

— ein schöner, tröstlicher Sermon üb. das Evangelium Joh. 20, 11—18 v. Maria Magdalena. Gepredigt zu Wittenberg Anno 1531. 8. (16 S.) Stuttgart 884. Buchh. der Evangel. Gesellschaft. n. — 10

— biblisches Spruch- u. Schatzkästlein. 4 Thle. Neueste, nach Schinmeier u. A. verm. u. vollständigste Ausg. Hrsg. v. e. Vereine evangel. Männer. Mit Luther's Bildniß. Neue Aufl. qu. 8. (629 S.) Ducherow 884. (Leipzig, Buchh. d. Vereinshauses.) geb. n. 1. 75

— 95 Thesen. gr. 8. (8 S.) Waldenburg i/Schl. 883. Georgi. n. — 10

— Trostschriften. Hrsg. v. Johs. Delius. 8. (VII, 319 S.) Gotha 884. F. A. Perthes. geb. n. 2. 40

— dasselbe. In Auswahl zusammengestellt u., mit einleit. Bemerkgn. versehen, allen Trostbedürftigen aufs neue dargereicht v. Paul Rich. Pasig. gr. 8. (107 S.) Oschatz 883. Oldecop's Erben. 1. 20

— Vademecum aus seinen Schriften, s.: Krüger, G., u. J. Delius.

— kurze Vermahnung an die Eheleute, wie sie sich im Ehestande verhalten sollen. 8. (8 S.) Barmen 883. (Wiemann.) — 6

— Vorreden zur heiligen Schrift. Zum 400jähr. Ehrengedächtnis d. deutschen Reformators neu hrsg. auf Veranstaltg. der preuß. Hauptbibelgesellschaft. gr. 8. (XVIII, 185 S.) Berlin 883. Haupt-Verein f. christl. Erbauungsschriften. 1. 20

— Weisheit auf jeden Tag d. Jahres. Ein christl. Vergißmeinnicht, ausgewählt aus seinen Schriften. Mit Luthers Bild in Stahlst. 2. Aufl. 32. (256 S. m. Pap. durchsch.) Reutlingen 884. Kurz. geb. m. Goldschn. 1. 20

— von der Winkelmesse u. Pfaffenweihe, s.: Neudrucke deutscher Litteraturwerke d. XVI. u. XVII. Jahrh.

Luther, Martin, als deutscher Classiker in e. Auswahl seiner kleineren Schriften. 3. Bd. Mit e. Zeittafel d. Lebens u. der Schriften Luthers, nebst Sachregister zu Bd. 1 bis 3. gr. 8. (XXVIII, 440 S.) Homburg v/d. H. 883. Heyder & Zimmer. n. 4. —; geb. n. 5. — (1—3.: n. 12. —; geb. n. 15. —)

— Kurze Darstellg. seines Lebens u. Wirkens. Zum Behufe der Schulfeier am 10. Novbr. 1883 dargeboten vom großherzogl. Oberkonsistorium. gr. 8. (23 S.) Darmstadt 883. (Würtz.) n. — 10

— Festnummer der Illustrirten Zeitung zur 400jährigen Jubelfeier. Volks-Ausg. Fol. (32 S. m. Holzschn.) Leipzig 883. Weber. 1. 20

— als Freund der Jugend. Eigene Aussprüche desselben üb. Pflege u. Pflichten d. jungen Geschlechts. Eine Jubiläumsgabe f. Schule u. Haus v. e. Jugendfreund. 8. (14 S.) Elmshorn 883. (Groth.) — 20

Luther, Martin, u. seine Kampfgenossen. Für Jedermann. 8. (IV, 112 S.) Lahr 883. Schauenburg. — 40

— als Lehrer d. deutschen Volkes in e. Auswahl seiner Schriften. Mit e. Zeittafel d. Lebens u. der aufgenommenen Schriften Luthers hrsg. v. Heinr. Zimmer. 2. Ausg. (Sep.-Ausg. v. Luther als Classiker, 3. Bd.) gr. 8. (VIII, 436 S.) Homburg v/d. H. 884. Heyder & Zimmer. n. 4 —

— gegen Luther. Ein Beitrag zur Beleuchtg. d. „Reformators" v. Wittenberg. 4. Aufl. 12. (40 S.) Paderborn 883. Bonifacius-Druckerei. — 15

— oder kurze Reformations-Geschichte. Zunächst f. die liebe evang. Schuljugend, dann dem lieben Bürger u. Landmann. (Von Redenbacher.) Nr. 2. a. der kleineren Schriften zur Beförderg. d. christl. Glaubens u. Lebens. 16. Aufl. 12. (24 S.) Nürnberg 885. Raw. n. — 15

— wie er e. Reformator ward u. war. 12. (47 S. m. Holzschn.) Ducherow 883. (Leipzig, Buchh. d. Vereinshauses.) n. — 15

— im Urteile e. Zeitgenossen. Genauer Abdruck d. Capitels D. Martinus Lutherus aus Sebastian Francks Chronica, Zeytbuch u. Geschichtbibel, ost. v. 1531, besorgt durch Xanthippus. gr. 8. (55 S.) Rom 883. Loescher & Co. n. 2. —

Luther's Leben, s.: Burk, C.

— dasselbe, f. die Jugend erzählt. Übersetzung v. Auguste Daniel. Mit Luthers (Holzschn.-)Bildnis. 8. (221 S.) Gotha 884. F. A. Perthes. geb. n. 2. 40

— Leben u. Schriften, s.: Köstlin, J.

— Leben u. Wirken, s.: Dorneth, J. v.

Luther, Rob., genealogia Lutherorum rediviva od. Nachrichten üb. die Familie Luther in Ehstland u. Rußland ergänzt u. m. Anmerkgn. versehen v. Carl Rußwurm. gr. 8. (108 S.) Reval 883. (Kluge.) n. 2. —

Luther-Album. (10) Naturgetreue Kabinets-Photographien v. Luther u. den Lutherstätten in Eisleben, Mansfeld u. Wittenberg, (in 4.) nebst Beschreibung. 8. (16 S.) Mansfeld 883. Hohenstein. geb. n.n. 15. —

— in Bild u. Lied. Eine Jubiläumsschrift f. unsere Jugend. 20 Zeichngn. (in Tondr.) nach Gust. König. 12. (22 Bl.) Stuttgart 883. Buchh. der Evangel. Gesellschaft. cart. n. 1. —; geb. n. 1. 20

— Eisleber. 8. (4 Steintaf.) Eisleben 883. Mähnert. n. 1. —

Lutheraner, der. Hrsg. v. der deutschen evangelisch-luther. Synode v. Missouri, Ohio u. a. St. Zeitweilig red. v. dem Lehrer-Kollegium d. theolog. Seminars in St. Louis. 39. Jahrg. 1883. 24 Nrn. (à 1—2 B.) Fol. St. Louis Mo. (Dresden, H. J. Naumann.) n. 7. —

— dasselbe. 40. u. 41. Jahrg. 1884 u. 1885. à 24 Nrn. (à 1—2 B.) Fol. Ebend. à Jahrg. n. 6. 50

— dasselbe. 42. Jahrg. 1886. 24 Nrn. (à 1—2 B.) Fol. Ebend. n. 4. —

Lutherbuch. I. Ib. Ic. II. III. V. VIII. XIb. XIc. XII. 8. Halle 883. Petersen. n. 1. 70

I. 1. Dr. Martin Luthers allererste Predigt, welche er zu Leipzig auf dem Schlosse Pleißenburg am Peters-Paulsfeste den 29. Juni 1519 üb. das Evangelium Matth. geh. 2. Kurzer Bericht üb. die Disputation m. Eck vom 4—17. Juli u. wie Luther e. Prediger geworden. 3. Die wittenbergische Nachtigall v. Hans Sachs. (15 S.) n. — 20

Ib. XIc. Dr. Luther, e. zehnfacher Meister, e. deutscher Musiker u. erster ev. Kirchenliederdichter, m. seinem Aufruf f. die h. Musika u. seinen Kernsprüchen üb. dieselbe. (16 S.) n. — 30

Ic. Perlen aus M. Luthers Schriften. (16 S.) n. — 10

II. Dr. Martin Luthers letzte Predigt, sein Testament, letzter Brief u. seine Gebete in der Todesstunde, Grabschriften, auch die f. Christi Grab. Trostgebet im letzten Stündlein u. a. (15 S.) n. — 20

III. Dr. Martin Luthers Leben in Liedern nach Johs. Falk neu gedruckt. (24 S.) n. — 20

V. Dr. Luther als Anwalt der Singvögel. Ein Gespräch m. Frau Käthe, den Kindern, dem Hauslehr. Wolf u. Dr. Jonas. (19 S.) n. — 20

VIII. Gespräch Luthers m. seinen Freunden üb. Glauben u. Werke, aus den Verhandlgn. d. Wormser Reichstags: d. Kaisers u. der Stände Urtheilsspruch. (16 S.) n. — 20

XIb. Dr. Martin Luther u. die deutschen Studenten. (16 S.) n. — 20

XII. Luthers Fabeln. (16 S.) n. — 10

Lutherbüchlein. 8. Aufl. 12. (60 S. m. 1 Portr.) Barmen 883. Klein. n. — 30

Luther-Catalog, anlässlich der 400jährigen Jubiläumsfeier am 10. Novbr. 1883 hrsg. 8. (15 S.) Frankenberg i/S. 883. Stange. — 10

Lutherfeier, die, in Bern. Predigten u. Ansprachen, geh. in den Stadtkirchen u. der Spitalkapelle Sonntag den 11. Novbr. 1883. gr. 8. (III, 99 S.) Bern 883. Nydegger & Baumgart. n. 1. —

— die, in Hof am 10. u. 11. Novbr. 1883. Predigten, Reden u. Ansprachen. gr. 8. (III, 44 S.) Hof 883. Lion. n. — 40

— katholische. Drei Gespräche kathol. Freunde. Hrsg. v. Vincenz Germanus. gr. 8. (24 S.) Reutlingen 883. Kocher. n. — 50

— die, in Stuttgart 1883. 12. (88 S.) Stuttgart 883. J. F. Steinkopf. n. — 50

Lutherfest-Almanach, Erfurter. Hrsg. v. Ottomar Lorenz. gr. 8. (V, 295 S.) Erfurt 883. Otto'sche Buchh. n. 4. 80

Luther-Festspieltage, die Erfurter, vom 9. bis 16. Mai 1886. Zur Erinnerg. f. Einheimische u. Fremde. gr. 8. (26 S. m. 2 Holzschn.) Erfurt 886. Bartholomäus. n. — 50

Lutherfesttage, die, der evang. Landeskirche A. B. in Siebenbürgen in Hermannstadt am 10. u. 11. Novbr. 1883. gr. 8. (56 S.) Hermannstadt 883. (Michaelis.) n. — 60

Luther-Fest-Zeitung, illustrirte Eislebener, zum 400jährigen Geburtstage Martin Luther's. (Phototyp.) Kunstbeilage: Historischer Festzug am 10. Novbr. 1883: Die Einholg. Luther's in Eisleben durch die Grafen v. Mansfeld 1546. Fol. (16 S. m. Holzschn.) Eisleben 883. Winkler's Verl. 1. —

Luther-Lied. Ein' feste Burg ist unser Gott *rc.* 20—40. Tausend. 8. (1 S.) Kaiserslautern 883. A. Gotthold's Verl. pro 100 Exemplare n. — 80

Luther-Lieder u. Sprüche. Der singende Luther im Kranze seiner dichtenden u. bildenden Zeitgenossen. Eine Jubelgabe zu Dr. Mart. Luthers 400jähr. Geburtstage, eingeleitet v. Emil Frommel. Mit Randzeichngn. u. Handrissen v. Albr. Dürer u. Luc. Cranach. 4. (XXVIII, 187 S.) Berlin 883. H. J. Meidinger. geb. in Leinw. m. Goldschn. n. 12. —; in Maroquin n. 15. —

Luther-Litteratur, die, 1883. Katalog e. Ausstellg., auf Veranlassg. d. Comité f. die Volks-Lutherfeier in Hamburg veranstaltet v. der Herold'schen Buchh. im Gewerbe-Museum am Steinthor. gr. 8. (IV, 52 S.) Hamburg 883. Herold. n.n. — 60

Luther-Sprüche. Zur Feier d. 400jähr. Geburtstags D. Martin Luthers f. Jung u. Alt ausgewählt. 4. (9 S.) Altenburg 883. (Schnuphase.) n. — 30

— bei Gelegenheit der 400jähr. Jubelfeier gesammelt. gr. 8. (15 S.) Bonn 883. Schergens. n. — 20

Lutherstab aus Gottes Wort zur Pilgerfahrt durch alle Tage d. Jahres. 2. Aufl. 16. (366 S.) Ducherow 884. (Leipzig, Buchh. d. Vereinshauses.) geb. n.n. — 90

Lutherstätten, drei, [Geburtshaus, Sterbehaus, Lutherkanzel] u. das Lutherdenkmal in Eisleben. Mit Abbildgn. 8. (15 S.) Eisleben 886. (Mähnert.) n. — 40

— illustrirte. Red.: Gust. Gerstel. Fol. (30 S. m. Holzschn.) Erfurt 883. Bartholomäus. — 50

Luthertag, der, in Wittenberg am 12., 13. u. 14. Septbr. 1883. Predigten, Reden u. Ansprachen, hrsg. auf Veranlassg. d. Präsidium d. Luther-Fest-Comité's. gr. 8. (148 S.) Wittenberg 883. Herrosé Verl. n. — 80

Luther-Tage, die, in Herborn. Festpredigten v. Maurer u. Fischer, sowie Festrede d. Direktors d. theolog. Seminars, Sachsse. 8. (35 S.) Herborn 883. Buchh. d. Nassauischen Colportagevereins. n. — 25

Luther-Vorträge, geh. zu Breslau aus Anlaß d. 400jähr. Lutherjubiläums, in Druck gegeben v. dem Breslauer Luther-Comité. gr. 8. (IV, 164 S. m. 1 Holzschn.) Breslau 883. Korn. n. 1. 20; geb. n. 2. 20; m. Goldschn. n. 2. 50

Luther-Worte f. Prediger. 8. (12 S.) Kaiserslautern 883. A. Gotthold's Verl. n. — 50

Lüthi, E., Bern's Politik in der Reformation v. Genf u. Waadt. gr. 4. (31 S.) Bern 885. Fiala. n. 1. 60

Lüthke, die Zahnpflege im Kindesalter, s.: Dunzelt.

Luthmer, Ferd., malerische Innenräume moderner Wohnungen. In Aufnahmen nach der Natur. Hrsg. u. m. erklär. Aufsätzen begleitet. 1. u. 2. Serie. à 5 Lfgn. gr. Fol. (à 4 S. m. 5 Photogr.) Frankfurt a/M. 884—86. Keller. à Lfg. n. 5. —

— der Schatz d. Frhrn. Karl v. Rothschild. Meisterwerke alter Goldschmiedekunst aus dem 14—18. Jahrh. Photographisch aufgenommen v. Wehe-Wehl. In Lichtdr. ausgeführt v. Römmler & Jonas. 1. Serie. 7—10. (Schluss-)Lfg. Fol. (20 Bl. m. 23 Bl. Text.) Ebend. 883. à 7. 50

— dasselbe. 11 - 13. Lfg. (2. Serie. I—III. Lfg.) Fol. (à 5 Bl. m. 5 Bl. Text.) Ebend. 883—85. à 7. 50

— Werkbuch d. Tapezierers. Eine prakt. Darstellg. aller in diesem Gewerbe vorkomm. Arbeiten u. Materialien, f. Fachleute, Schulen u. Liebhaber unter Mitwirkg. v. G. Clauer u. andern bewährten Fachmännern hrsg. Mit gegen 800 Illustr. u. zahlreichen Beilagen. (In ca. 10 Lfgn.) 1. Lfg. Lex.-8. (24 S. m. 1 Taf.) Stuttgart 884. Spemann. n. 1. —

Lütken, O., die Nordsee-Escadre u. das Seegefecht bei Helgoland am 9. Mai 1864. Autoris. deutsche Uebersetzg. Hrsg. v. d. Redaction der „Mittheilgn. aus dem Gebiete d. Seewesens“. gr. 8. (64 S. m. Illustr. u. 1 Taf.) Pola 886. (Wien, Gerold's Sohn.) n. 2. 40

Lütkens, J., Luther's Kirchenideal. Vortrag, am 10. Novbr. 1884 im Saale der Schwarzhäupter geh. Für den Druck erweitert. Lex.-8. (37 S.) Riga 884. (Kymmel.) n. 1. —

— Riga's Lutherfeier. Fest-Rede am 27. Octbr. / 8. Novbr. 1883 im Saale d. Gewerbevereins geh. gr. 8. (26 S.) Ebend. 883. n. — 60

Lutoslawski, W., das Gesetz der Beschleunigung der Esterbildung. Beitrag zur chem. Dynamik. gr. 4. (12 S.) Halle 885. (Hofstetter.) n. 1. 20

Lutsch, Hans, Verzeichniss der Kunstdenkmäler der Prov. Schlesien. I. Die Stadt Breslau. In amtl. Auftrage bearb. gr. 8. (XIII, 260 S.) Breslau 886. Korn. n. 4. —

Lutschaunig, Victor, die Theorie d. Schiffes. Mit 84 Holzschn. 2. Aufl. gr. 8. (X, 165 S.) Triest 884. (Schimpff.) geb. n. 8. —

Luttenberger, A., s.: Lesebuch, deutsches, f. die II. Klasse der Volksschulen.

Lüttgert, G., Bemerkungen zu Cicero's Schrift de Natura Deorum als Schullektüre. 2. Abdr. gr. 8. (42 S.) Lingen 885. van Acken. n. 1. —

Lüttig, Emil, die Bewegung e. starren gleichmässig m. Masse belegten Geraden auf Cylinderflächen, speciell auf e. parabol. Cylinder, unter dem Einfluss der Schwere u. v. Anfangsstössen. gr. 8. (39 S.) Jena 883. (Neuenhahn.) n. 2. —

Lutwitzi, J., Präparationen f. den gesammten Anschauungs-Unterricht der I. u. II. Klasse, nach den Bestimmgn. der pfälz. Lehrordng. m. Rücksicht auf die 5 normalen Lehrstufen neu bearb. 2. Aufl. gr. 8. (58 S.) Kaiserslautern 885. Tascher. n. — 90

Lutz, A., üb. Ankylostoma duodenale u. Ankylostomiasis, s.: Sammlung klinischer Vorträge.

— zur Morphologie d. Mikroorganismus der Lepra, s.: Studien, dermatologische.

Lutz, Ernst, Schnoka. Gedichte in unterfränk. Mundart. 16. (VII, 136 S.) Würzburg 883. Stuber's Verl. n. 1. —

— Walter. Eine Geschichte aus dem 13. Jahrh. 12. (163 S.) Würzburg 884. Stahel. n. 2. —

Lutz, J., kurzgefaßte Abhandlung üb. rationelle Bodenentwässerung. 2. Aufl. 8. (23 S.) Aarau 883. Christen. n. — 50

Lutz, Joh. Evang. G., d. HErrn Wort bleibt ewig. Ein Beitrag zur Begründg. der histor. Wahrheit der heil. Schriften d. Neuen Testaments. 3. Aufl. gr. 8. (VII, 99 S.) Augsburg 883. Preyß. n. 1. 20

Lutz, Joh. Heinr., Aufgaben zur Übung im schriftlichen Gedankenausdrucke. Als Handbüchlein f. Schüler bearb. 1—3. Hft. 8. Ansbach 886. Seybold n. 1. —

1. Mittelklasse. 14. Aufl. (64 S.) n. — 30

2. Oberklasse. 9. Aufl. (82 S.) n. — 30

3. Briefe u. Geschäftsaufsätze f. männliche u. weibliche Fortbildungsschulen. 5. Aufl. (78 S.) n. — 40

Lutz, K. G., landwirtschaftlich nützliche u. schädliche Insekten. Nebst e. Anh.: Anleitung zur Anfertigg. v. Insektensammlgn. Mit 4 Taf. kolor. Abbildgn. u. 25 Holzschn. gr. 8. (VI, 64 S.) Stuttgart 885. Ulmer. cart. n. 2. 20

— das Sapokarbol, e. Radikalmittel zur Vertilgung der Blutlaus u. anderer schädlichen Insekten. Mit den v. der kgl. württemb. Zentralstelle f. die Landwirtschaft zur Veröffentlichg. übergebenen Gutachten. 8. (24 S.) Stuttgart 886. C. Hoffmann's Verl. — 40

— das Süßwasser-Aquarium u. das Leben im Süßwasser. Mit gegen 200 fein kolor. Abbildgn. u. 40 in den Text gedr. Holzschn. gr. 8. (VIII, 171 S.) Stuttgart 886. Hänselmann. geb. n 4. —

Lutz, Kosmas, der Bau der bayerischen Eisenbahnen rechts d. Rheines, bearb. m. Benutzg. amtl. Quellen. Mit e. (lith.) Übersichtskarte. Lex.-8. (X, 502 S.) München 883. Oldenbourg. geb. n. 7. 50

Lutz, X., die Privat-Irrenanstalt „Christophsbad" in Göppingen, s.: Landerer, G.

Lutze, Ernst Arth., Veilchen. Eine Anthologie. 10 Lfgn. 8. (318 S.) Hamburg 886. Scharbius. à n. — 60; cplt.: geb. n. 7. —

Lützel, J. Heinr., Chorlieder f. Gymnasien u. Realschulen. 3. Aufl. 8. (VIII, 216 S.) Kaiserslautern 885. Tascher. cart. n. 1. 60

— Gesanglehre f. Volksschulen u. höhere Lehranstalten. 4. Aufl. 8. (IV, 91 S.) Ebend. 885. cart. n. — 75

— der Liebe Lust u. Leid. Alte u. neue Volkslieder, zweistimmig gesetzt u. hrsg. 16. (82 S.) Lahr 884. Schauenburg. cart. n. — 50

— Liederkranz. Sammlung ein- u. mehrstimm. Lieder f. Schule u. Leben. 1., 4. u. 5. Hft. 8. Ebend. 884. 85. n. 1. 85

1. Für Unterklassen. 1. u. 2. Schulj. 11. Aufl. (32 S.) 884. n. — 25
4. Lieder f. höhere Töchterschulen, Mädchen-Institute u. Lehrerinnen-Seminare. 6. Aufl. (128 S.) n. — 80
5. Lieder f. Latein-, Real- u. höhere Bürgerschulen. 6. Aufl. (136 S.) cart. n. — 80

Lutzelbourg, le vieux, par la Baronne B. 8. (70 S.) Baden-Baden 883. Sommermeyer. n. 1. 20

Lützow, Frhr. v., die 5. Infanterie-Division im Feldzuge v. 1866, s.: Beiheft zum Militär-Wochenblatt.

Lützow's, Adf., Freikorps in den J. 1813 u. 1814 von K. v. L. gegenüber der in die preuß. Jahrbücher, hrsg. v. Heinr v. Treitschke, aufgenommenen Darstellung v. A. Koberstein. gr. 8. (86 S.) Berlin 884. Hertz. n. 1. 50

Lützow, Carl v., die Kunstschätze Italiens, in geographisch-histor. Übersicht geschildert. Mit Radirgn. v. L. H. Fischer, E. Forberg, P. Halm etc. u. zahlreichen Textillustr. (in Holzschn.). 3—30. (Schluss-) Lfg. Fol. (XVIII, u. S. 29—520 m. je 2 Radirgn.) Stuttgart 883. 84. Engelhorn. à n 3. — (cplt. geb. m. Goldschn: n. 100. —)

— Hans Makart. Ein Beitrag zu seiner Charakteristik. Mit Illustr. u. Kunstbeilagen. hoch 4. (23 S.) Leipzig 886. Seemann. n. 2. —

Lux, A. E., geographischer Handweiser. Systematische Zusammenstellg. der wichtigsten Zahlen u. Daten aus der Geographie. 3. Aufl. gr. 8. (VIII, 55 S.) Stuttgart 885. Levy & Müller. n. 1. 50

Lux, Frdr., üb elektrische Beleuchtung. Vortrag. gr. 8. (59 S.) Mainz 885. Diemer. n. 1. 20

Luz, Geo., Grundzüge zur Einleitung in die deutsche Literatur u. ihre Geschichte. gr. 8. (106 S.) Mannheim 883. Bensheimer. n. — 60

— Lehrbuch der praktischen Methodik f. Schulamtszöglinge, Schullehrer u. Schulaufseher. 3. Aufl. 1. Bd. 6. (Schluß-)Hft. gr. 8. (III u. S. 449—552.) Basel 883. Schweighauser. n. — 80

— dasselbe. 2. Bd. gr. 8. (III, 551 S.) Ebend. 884. n. 5. 60 (cplt.: n. 10. 40)

Luz, Geo., der Tod d. Leibes u. das Fortleben der Seele Ein Blick über's Grab. 8. (IV, 111 S.) Gotha 884. Behrend. n. 1. 20

Luz, Joh. Heinr. v., die Intestaterbfolge nach den Provinzialrechten d. ehemaligen Fürstenth. Ansbach. 3. Aufl. Hrsg. v. Berolzheimer. gr. 8. (VI, 103 S.) Ansbach 879. Brügel & Sohn. n. 3. —

Lydtin, A., üb. die Perlsucht, s.: Vorträge f. Thierärzte.

— Reisenotizen üb. Ungarn's Pferdezucht. gr. 8. (III, 56 S.) Carlsruhe 874. (Berlin, Parey.) n.n. — 75

— u. **M. Schottelius**, der Rothlauf der Schweine, seine Entstehung u. Verhütung [Schutzimpfung nach Pasteur]. Nach amtl. Ermittelgn. im Grossherzogth. Baden im Auftrage d. grossherzogl. Ministeriums d. Innern bearb. Mit 23 Taf. gr. 8. (XIII, 254 S.) Wiesbaden 885. Bergmann. n. 12. —

Lykurgos' Rede gegen Leokrates, erklärt v. Adph. Nicolai. 2. Aufl. gr. 8. (83 S.) Berlin 885. Weidmann. — 75

— dasselbe, s.: Prosaiker, griechische, in neuen Uebersetzungen.

Lynden, Else v., e. Moll-Akkord. Eine Waldgeschichte. 12. (58 S.) Schwerin 883. (Schmiedekampf.) geb. m. Goldschn. 1. 80

Lyncker's, W., Werke. I. Bd.: Vermischte Schriften. II. Bd.: Das Theater in Kassel. Nach dem unvollendeten Mscr. bearb. u. fortgeführt v. Th. Köhler. 2. Ausg. 8. (562 S.) Kassel 886. Klaunig. In 1 Bd. geb. n. 3. —

Lyon, D. G., Keilschrifttexte Sargon's, Königs v. Assyrien, s.: Bibliothek, assyriologische.

Lyon, Otto, Handbuch der deutschen Sprache f. höhere Schulen. Mit Übungsaufgaben. 2 Tle. gr. 8. Leipzig 885. Teubner. n. 4. 40

1. Sexta bis Tertia. (VIII, 268 S). n. 2. 40
2. Für obere Klassen. (VIII, 242 S.) n. 2. —

Lyra, die. Wiener allgemeine Zeitschrift f. die literar. u. musikal. Welt. Mit den Beilagen: Sängerhalle, Lieder-Album u. Literatur-Zeitung. Hrsg. u. red. v. Ant. Aug. Naaff. 7. Jahrg. Octbr. 1883—Septbr. 1884. 24 Nrn. (2 B.) gr. 4. Wien. (Leipzig, Kittler). n. 14. —

— dasselbe. 8. u. 9. Jahrg. Octbr. 1884—Septbr. 1886. à 24 Nrn. (2 B.) gr. 4. Ebend. à Jahrg. n. 10. —

— Passionis. Lieder vom Leiden d. Herrn. Mit e. Vorwort v. A. Sarasin, V. D. M. 3. Aufl. 16. (VIII, 140 S.) Basel 883. Schneider. cart. n. 1. 40; geb. n. 2. 40

Lyragé, J. J., Taschenwörterbuch der französischen u. deutschen Sprache. 4. Aufl. 16. (IV, 294 S.) Reutlingen 883. Fleischhauer & Spohn. geb. 1. 80

— dasselbe. 5. Aufl. 16. (IV, 294 S.) Ebend. 886. geb. 1. 20

Lysias, ausgewählte Reden. Für den Schulgebrauch erklärt v. W. Kocks Ausg. A. Kommentar unterm Text. gr. 8. (IV, 104 S.) Gotha 885. F. A. Perthes. 1. 50; Ausgabe B Text u. Kommentar getrennt in 2 Hftn. (IV, 50 u 52 S.) 1. 50

— dasselbe. Erklärt v. Rud. Rauchenstein. 1. u. 2. Bdchn. 9. Aufl., besorgt v. Karl Fuhr. gr. 8. (XIII, 165 S.) Berlin, Weidmann. 2. 70

1. (XIII, 165 S.) 883. 1. 50. — 2. (III, 131 S.) 886. 1. 20

— dasselbe. Verdeutscht v. Ant. Westermann. 2. Lfg. 2. Aufl. 8. (S. 33—79.) Berlin 886. Langenscheidt. n. — 35

— dasselbe. Übers. v. Wilh. Binder. 3—5. (Schluß-)Lfg. 8. (27 u. 84 S.) Ebend. 885. 86. à n. — 35

— erhaltene Reden, s.: Prosaiker, griechische, in neuen Uebersetzungen.

Lytton, Lord, the last days of Pompeii. 8. (384 S.) Leipzig 886. Gressner & Schramm. geb. n. 3. —

— Rienzi, the last of the Roman tribunes. 8. (382 S.) Ebend. 886. geb. n. 3. —

M.

Maack, Ferd., Präliminarien zum Versuch e. Philosophie d. Gemüths. Ein Beitrag zur Erkenntnißtheorie. gr. 8. (VIII, 110 S.) Leipzig 885. Mutze. n. 3. —

Maack, Thdr., der sicherste Schutz gegen die Reblaus. Mit Abbildgn. 8. (III, 52 S.) Hamburg 885. O. Meißner's Verl. 1. 50

Maar, A., illustrirtes Muster-Enten-Buch. Enth. das Gesammte der Zucht u. Pflege der domesticirten u. der zur Domestikation geeigneten wilden Entenarten. Mit ca. 40 Pracht-Farbendr.-Taf., direkt nach der Natur aufgenommen v. Chr. Förster, u. vielen Orig.-Text-Abbildgn. (In ca. 20 Lfgn.) 1. u. 2. Lfg. gr. 4. (S. 1–32.) Hamburg 887. J. F. Richter. à n. 1. 20

Maas, üb. die Darmresection u. circuläre Darmnaht bei eingeklemmten brandigen Brüchen. gr. 8. (5 S.) Würzburg 885. Stahel. — 30

— einzige, wirklich erfolgreiche, auf 32jährige Erfahrung begründete Behandlung d. Schreiberkrampfes. Populär dargestellt. Mit 144 autogr. Schriftformen. gr. 8. (24 S.) Berlin 883. (Woznitzka). n. 1. —

— über e. ungewöhlichen Fall v. Unterleibsgeschwulst. [Mit Demonstration.] gr. 8. (3 S.) Würzburg 886. Stahel. n. — 20

— neueste, bei Ihren k. Hoheiten den Prinzen Wilhelm u. Heinrich v. Preussen in Anwendung gebrachte Methode f. den Unterricht im Schnell- u. Schönschreiben. 6. Aufl. Mit e. Sortiment Federn, Federhalter u. 4 Linienblättern. gr. 4. (IV, 15 S. m. 48 Steintaf.) Berlin 884. Expedition der Prof. Maas'schen Unterrichtsmittel (Nagel & Co.). In Leinw.-Carton n. 12. —

— über die Methoden, Fremdkörper aus der Blase zu entfernen. gr. 8. (5 S.) Würzburg 885. Stahel. — 30

Maas, J., Liederbuch, s.: Fricke, H.

Maas, Osc., die „Schweninger-Kur". Diätetische u. Entfettungs-Kuren v. Oertel in München. Wesen u. Ursachen der Fettsucht. Gemeinverständlich dargestellt. 17. Aufl. gr. 8. (48 S.) Berlin 886. H. Steinitz. n. 1. 50

— dasselbe. Suppl. Die Terrainkuren. Eine neue Methode f. die Behandlg. v. Circulationsstörgn. insbesondere bei Fettsucht, Herz-, Lungenkrankheiten u. A. Ursachen u. Wesen dieser Krankheiten. Gemeinverständlich dargestellt. 5. Tausend. gr. 8. (54 S.) Ebend. 886. n. 1. 50

Maasburg, M. Frhr. v., die Galeerenstrafe in den deutschen u. böhmischen Erbländern Oesterreichs. Ein Beitrag zur Geschichte der heim. Strafrechtspflege. gr. 8. (15 S.) Wien 885. Manz. n. — 80

— die Organisirung der böhmischen Halsgerichte im J. 1765. gr. 8. (IV, 124 S.) Prag 884. Bellmann. n. 3. —

— die Proceß-Ordnung f. Böhmen vom 23. Jan. 1753. Hrsg. u. m. Anmerkgn. versehen. gr. 8. (VI, 77 S.) Wien 886. Manz. n. 1. 80

Maaß, B., Auslegung d. kleinen Katechismus Luthers zum Gebrauche f. Lehrer, Seminaristen u. Präparanden. gr. 8. (184 S.) Breslau 886. F. Hirt. n. 2. —

— die Psychologie in ihrer Anwendung auf die Schulpraxis. 3., verb. Aufl. gr. 8. (84 S.) Ebend. 884. n. — 80

Maass, E., analecta Eratosthenica, s.: Untersuchungen, philologische.

Maaß, G., der Einfluß der Religion auf das Recht u. den Staat. gr. 8. (IV, 307 S.) Gütersloh 886. Bertelsmann. n. 5. —

— christliche Philosophie. Erklärung der Welt aus e. Principe. gr. 8. (101 S.) Jena 883. Pohle. n. 2. —

Maass, M., was soll m. Elsass-Lothringen werden?, s.: Fragen, zeitbewegende.

Maaß, Wilh., Geographie v. Esth-, Liv- u. Kurland. Ein Leitfaden nebst Begleitwort zu der Schulwandkarte. 8. (51 S.) Riga 885. Jonck & Poliewsky. cart. n. — 80

Maassen, Frdr., Pseudoisidor-Studien. I. u. II. Lex.-8. Wien 885. (Gerold's Sohn.) n. 1. 70

I. Die Textesrecension der ächten Bestandtheile der Sammlung. (44 S.) n. — 70

II. Die Hispana der Handschrift v. Autun u. ihre Beziehungen zum Pseudoisidor. (62 S.) n. 1. —

Maaßen, G. H. Ch., Dekanat Hersel, s.: Geschichte der Pfarreien der Erzdiöcese Köln.

Maaßen, Jul., das Bau-Recht f. das rheinische Rechtsgebiet, namentlich f. die Stadt Köln. Insbesondere: die Bau-Ordng. f. Köln vom 14. Jan. 1885 u. die stadtköln. Ortsstatuten üb. Canäle, Wasserleitg., Anlegg. v. Straßen. gr. 8. (IV, 84 S.) Köln 885. Rommerskirchen. n. 1. 80

Macaulay, Thom. Babington, kritische u. geschichtliche Abhandlungen [Essays] der „Edinburgh Review." I. Lord Clive. Wortgetreu nach H. R. Mecklenburg's Grundsätzen aus dem Engl. übers. v. R. T. 1. Hft. 32. (32 S.) Berlin 885. H. R. Mecklenburg. n. — 25

— kritische u. historische Aufsätze, s.: Universal-Bibliothek.

— Lord Clive. Student's Tauchnitz edition. Mit deutschen Erklärgn. v. R. Thum. gr. 8. (VII, 178 S.) Leipzig 886. B. Tauchnitz. n. 1. 40; cart. n. 1. 50

— dasselbe, s.: Schulbibliothek, französische u. englische.

— Lord Clive u. Warren Hastings. Die Gründer d. indo-brit. Reiches. Zwei Essays. Erklärt v. K. Böddeker. 2. Aufl. 2 Bde. gr. 8. Berlin 884. Weidmann. 3. 30

1. Lord Clive. (VII, 136 S. m. 1 lith. u. color. Karte.) 1. 50

2. Warren Hastings. (VI, 182 S. m. 1 lith. u. color. Karte.) 1. 80

— Empörung, Niederlage u. Tod d. Herzogs v. Monmouth. 5. Abschn. aus der „Geschichte Englands". Wortgetreu nach H. R. Mecklenburg's Grundsätzen aus dem Engl. übers. v. R. T. 1–3. Hft. 32. (160 S.) Berlin 886. H. R. Mecklenburg. à n. — 25

— England before the restoration. (History of England. Chapter I.) Students' Tauchnitz edition. Mit deutschen Erklärgn. v. W. Ihne. gr. 8. (XII, 90 S.) Leipzig 886. B. Tauchnitz. n. — 70; cart. n. — 80

— England under Charles II. (History of England. Chapter II.) Mit deutschen Erklärgn. hrsg. v. W. Ihne. gr. 8. (XII, 149 S.) Ebend. 886. n. 1. —; cart. n. 1. 10

— Essays. [Lord Clive, and letters and diary of Madame d'Arblay.] With explanatory notes by J. Morris. 3. ed. Edited by the express sanction of the author and publisher. gr. 8. (143 S.) Bremen 884. Heinsius. n. 1. —

— ausgewählte Essays zur Geschichte der englischen Litteratur. Erklärt v. Karl Bindel. 3. Bdchn.: Life and writings of Addison. gr. 8. (V, 170 S.) Berlin 885. Weidmann. 1. 50 (1–3.: 4. 20)

— die Geschichte Englands von der Thronbesteigung Jacob's II. ab. 1. Bd. Wortgetreu nach H. R. Mecklenburg's Grundsätzen aus dem Engl. übers. v. R. T. 1–4. Hft. 32. (S. 1–224.) Berlin 885. 86. H. R. Mecklenburg. à n. — 25

— Warren Hastings. gr. 16. (191 S.) Leipzig 886. Gressner & Schramm. n. — 80

— dasselbe, s.: Schulbibliothek, französische u. englische.

— History of England. 48 charakterist. Abschnitte aus dem I. Bde., m. Anmerkgn. versehen v. Karl Deutschbein. gr. 8. (VIII, 102 S. m. 1 Karte.) Cöthen 886. Schulze. n. 1. 40

— lays of ancient Rome. With selections from the Essays. 8. (382 S.) Leipzig 886. Gressner & Schramm. geb. n. 3. —

— Milton, s.: Rauch's English readings.

— the Duke of Monmouth, s.: Schulbibliothek, französische u. englische.

— a selection from the works, s.: Collection of British and American authors.

— state of England in 1685, s.: Schulbibliothek, französische u. englische.

Macaulay's, Lord, Leben u. Briefe. Hrsg. v. seinem Neffen G. O. Trevelyan. Autoris. deutsche Ausg. Aus dem Engl. v. C. Böttger. Mit Portr. 2. Aufl. 6–10. (Schluß-)Hft. gr. 8. (2. Bd. VIII, 504 S.) Jena 883. Costenoble. à n. 1. —

Mc Carthy, J., a history of the four Georges, — a short history of our own times, } s.: Collection of British authors.

— maid of Athens, s.: Asher's collection of English authors.

Mc Cay, Leroy W., Beitrag zur Kenntniss der Kobalt-, Nickel- u. Eisenkiese. gr. 8. (46 S.) Freiberg 883. (Craz & Gerlach.) n. 1. —

Mac Donald, G., the princess and Curdie, s.: Collection of British authors.

Macduff, J. R., der Regenbogen in den Wolken od. Worte d. Trostes f. Stunden der Trübsal. Frei nach dem Engl. v. F. Leoni. Mit e. Vorwort v. G. Seesemann. 8. (V, 102 S.) Stuttgart 886. Greiner & Pfeiffer. geb. m. Silberschn. n. 2. —

Mach, E., zur Analyse der Tonempfindungen. Lex.-8. (7 S.) Wien 885. (Gerold's Sohn.) n. — 20

— Beiträge zur Analyse der Empfindungen. 1. Abth. Mit 36 Abbildgn. gr. 8. (VI, 168 S.) Jena 886. Fischer. n. 4. —

— der relative Bildungswert der philologischen u. der mathematisch-naturwissenschaftlichen Unterrichtsfächer der höheren Schulen. Vortrag. gr. 8. (29 S.) Prag 886. Tempsky. — Leipzig, Freytag. n. — 40

— die Gährung u. die Technologie d. Weines, s.: Schwackhöfer, F., Lehrbuch der landwirthschaftlich-chemischen Technologie.

— Handbuch d. Weinbaues u. der Kellerwirthschaft, s.: Babo, Frhr. A. v.

— die Mechanik in ihrer Entwickelung historisch-kritisch dargestellt, s.: Bibliothek, internationale wissenschaftliche.

— über Umbildung u. Anpassung im naturwissenschaftlichen Denken. Rede. gr. 8. (16 S.) Wien 884. Hartleben. — 60

— Versuche u. Bemerkungen üb. das Blitzableitersystem d. Hrn. Melsens. [Mit 3 Holzschn.] Lex.-8. (8 S.) Wien 883. (Gerold's Sohn.) n. — 20

— u. J. Arbes, einige Versuche üb. totale Reflexion u. anomale Dispersion. [Mit 17 Holzschn.] Lex.-8. (11 S.) Ebend. 885. n.n. — 30

— u. J. Wentzel, e. Beitrag zur Mechanik der Explosionen. [Mit 11 Holzschn.] Lex.-8. (14 S.) Ebend. 885. n. — 40

Mach, Frz. J., Geschichte der Offenbarung d. alten Bundes. Zum Unterrichtsgebrauche an Mittelschulen u. verwandten Lehranstalten. Mit (2 lith.) Karten. gr. 8. (VIII, 125 S.) Regensburg 883. Verlags-Anstalt. n. 1. 85

— Geschichte der Offenbarung d. neuen Bundes. Zum Unterrichtsgebrauche an Mittelschulen u. verwandten Lehranstalten. Mit 2 (lith.) Karten. gr. 8. (VIII, 140 S.) Ebend. 883. n. 1. 85

— apologetisches Lehrbuch der katholischen Religion f. Realschulen u. verwandte Lehranstalten. gr. 8. (VIII, 95 S.) Ebend. 883. n. 1. 20

— Lehrbuch der katholischen Religion f. die 1. u. 2. Classe der Realschulen u. verwandte Lehranstalten. gr. 8. (XII, 181 S.) Ebend. 884. n. 1. 70

— die Nothwendigkeit der Offenbarung Gottes, nachgewiesen aus Geschichte u. Vernunft. gr. 8. (VIII, 339 S.) Mainz 883. Kirchheim. 4. 20

Mach, T. v., technisches Wörterbuch f. Telegraphie u. Post. Deutsch-französisch u. französisch-deutsch. gr. 8. (IV, 395 S.) Berlin 884. Springer. n. 3. —; geb. n. 3. 80

Machanek, Ign., Engelsbergiana. Gedenkblätter aus alter u. neuer Zeit; dem Wiener akadem. Gesangverein als Fest-Beitrag zur Jubelfeier seines 25jähr. Bestehens m. deutschem Gruß u. Handschlag gewidmet. gr. 8. (VIII, 128 S.) Wien 883. Rosner. n. 2. —

— Hemiorama vom Unterberge der Pernitz [1341 m.]. Hrsg. vom österr. Touristen-Club in Wien. Lith. qu. schmal-Fol. Wien 886. (Bretzner & Co.) n. — 60

Machari's, Waldbruder, gesammelte Schriften, hrsg. v. Alfr. Brennwald. 1—3. Thl. gr. 8. Thalweil, Brennwald. n. 2. 50

1. Schatzkästlein. Sittengeschichten, Märchen u. Fabeln. Leitfaden f. Geistliche u. Lehrer zum Unterricht der Jugend u. f. Erwachsene aller Stände, gesammelt vom Waldbruder Machari. (IV, 140 S.) 884. n. 1. —
2. Ehespiegel. Bilder aus dem Eheleben zu Nutz u. Frommen aller Eheleute u. f. solche, die in den Ehestand treten wollen. (32 S.) 885. n. — 50
3. Stoß u. Stich. (70 S.) 885. n. 1. —

Machats, J. B., französische Sprachlehre in e. ganz neuen sehr faßlichen Darstellung m. besond. Rücksicht f. Anfänger. 46. Aufl. 4 Lfgn. gr. 8. (463 S.) Wien 884. Lechner's Verl. 3. 70; geb. n. 4. —

Machatschek, Ed., Geschichte der Bischöfe d. Hochstiftes Meissen in chronologischer Reihenfolge. Zugleich e. Beitrag zur Culturgeschichte der Mark Meissen u. d. Herzog- u. Kurfürstenth. Sachsens. Nach dem „Codex diplomaticus Saxoniae regiae", anderen glaubwürd. Quellen u. bewährten Geschichtswerken. gr. 8. (V, 846 S.) Dresden 884. Meinhold & Söhne. n. 10. —

Mache, Ign., üb. die Sichtbarkeit der Doppelsterne. gr. 8. (8 S.) Halle 886. Schmidt. n. — 40

Macherl, P., Alpenblumen aus Steiermark. 16. (VIII, 107 S.) Graz 885. Moser. geb. n. 1. 50

Machnig, Jul., de oraculo Dodonaeo capita V. gr. 8. (39 S.) Breslau 885. (Köhler.) n. 1. —

Machts, Ferd., praktische landwirthschaftliche Buchhaltung f. den Groß- u. Klein-Grundbesitz. Leichtfaßlich dargestellt. 2. Aufl. gr. 8. (III, 138 S.) Wien 886. Hartleben. n. 2. —

Machule, Paul, die lautlichen Verhältnisse u. die verbale Flexion d. Schonischen Land- u. Kirchenrechtes. gr. 8. (54 S.) Halle 885. (Niemeyer.) n. 1. 20

Mack, L., die Lehre vom Dreikant, im Sinne der reinen Geometrie, nach heurist. Methode entwickelt. Mit e. (lith.) Fig.-Taf. Neue wohlfeilere Ausg. gr. 8. (XV, 237 S.) Stuttgart 884. A. Koch. n. 1. 60

Mackay, John Henry, arma parata fero! Ein soziales Gedicht. 8. (14 S.) Zürich 887. Verlags-Magazin. n. — 40

— Dichtungen. 8. (205 S.) München 886. Heinrichs. n. 3. 60; geb. n. 4. 60

— Anna Hermsdorff. Trauerspiel in 3 Aufzügen. gr. 8. (62 S.) Minden 886. Bruns. n. 1. 50

— Kinder d. Hochlands. Eine Dichtg. aus Schottlands Bergen. 12. (VII, 77 S.) Leipzig 885. Friedrich. n. 2. —; geb. n. 3. —

— im Thüringer Wald. Eine Wanderfahrt in Liedern. 8. (32 S.) Dresden 886. Pierson. n. — 60

Mackay, W. P., „Gnade u. Wahrheit". Unter 12 Gesichtspunkten. Nach der neuesten Auflage d. engl. Originals. 2. Aufl. 8. (252 S.) Basel 884. Spittler. n. 1. —

Macke, Rhold., Einiges aus der Geschichte u. Sage v. Ploen. Ein Vortrag. 4. (18 S.) Ploen 883. (Hahn.) n. — 40

Mackensen, gemeinsame Waffenthaten der Leib-Husaren- u. Zieten-Husaren. Vortrag. 8. (32 S.) Berlin 883. Liebel. n. — 30

— die Zusammengehörigkeit der beiden Leibhusaren-Regimenter der preußischen Armee. Vortrag. 8. (32 S.) Ebend. 883. n. — 30

Mackensen, E., u. R. Richard, Tunnelbau. Mit 16 lith. Taf. u. 38 Holzschn. [Handbuch der Ingenieurwissenschaften. 1. Aufl. 1. Bd., Cap. VIII.] Lex.-8. (XIII—XVI u. S. 859—1099 m. 3 S. Taf.-Erklärgn.) Leipzig 880. Engelmann. n. 13. —; Einbd. n.n. 2. 50

Mackenzie, Henry, the man of feeling. gr. 16. (191 S.) Leipzig 886. Gressner & Schramm. n. — 80

Mackenzie, Morell, die Krankheiten d. Halses u. der Nase. Deutsch unter Mitwirkg. d. Verf. hrsg. u. m. zahlreichen Zusätzen versehen v. Felix Semon. 2. Bd. Die Krankheiten d. Oesophagus, der Nase u. d. Nasenrachenraumes. Mit 93 Holzschn. gr. 8. (XII, 838 S.) Berlin 884. Hirschwald. n. 18. —(1. u. 2.: n. 36. —)

Maclaren, Alex., drei Predigten. Autoris. Uebersetzg. v. Helene le Goullon. 8. (64 S.) Hagen 883. Risel & Co. n. 1. 20

Mac Lean, George Edwin, Aelfric's anglo-saxon version of Alcuini interrogationes Sigeuulfi presbyteri in Genesin. Now first edited from all the manuscripts, with an introduction upon the mss. and authorship. gr. 8. (113 S.) Halle 883. (Leipzig, Stauffer.) n. 1. 50

Madách, Emerich, die Tragödie d. Menschen. Dramatische Dichtg. Nach Ed. Paulay's Bühnenbearbeitg. übers. v. Alex. Fischer. 2. Aufl. gr. 8. (192 S.) Leipzig 886. Friedrich. n. 4. —

Mädchen, die gefallenen, u. die Sittenpolizei vom Standpunkte d. praktischen Lebens. 4. Aufl. gr. 8. (II, 59 S.) Berlin 886. Issleib. n. 1. 20

Mädchen-Erziehung, die. Mängel u. Umgestaltg. der heut. Erziehungsweise. gr. 8. (26 S.) Mainz 885. Diemer. n. — 60

Mädchen-Kalender, Fromme's österreichischer, f. d. Schulj. 1886/87. Red. v. Gabriele Hillardt. 16. (144 u. 111 S.) Wien, Fromme. geb. in Halbleinw. 1. —; in Leinw. 1. 60

Mädchenschule, die. Ein Organ f. die gesammten Interessen der weibl. Erziehg. Unter Mitwirkg. v. Jos. Ambros, Ferd. Bachmann, W. Buchner x. Red.: F. M. Wendt. 7. Jahrg. 1883. 24 Nrn. (à 1½—2 B.) gr. 8. Wien, Pichler's Wwe. & Sohn. n. 6. —
Erscheint nicht mehr.

Mädchenschulen, die höheren, u. deren künftige Gestaltung. Wünsche u. Vorschläge v. e. hannov. Lehrer. 8. (20 S.) Hannover 886. Meyer. n. — 40

Mädchen-Zeitung. Organ der Sonntags-Vereine f. junge Mädchen. Hrsg. v. Frau Sophie Loesche. 15—18. Jahrg. 1883—1886. à 12 Nrn. (½ B.) gr. 8. Berlin 883. (Deutsche evangel. Buch- u. Tractatgesellsch.) à Jahrg. n. 1. —

Maddalena, das Waldenser-Mädchen, u. ihre Familie. Ein kirchengeschichtl. Lebensbild. 8. (VIII, 326 S.) Basel 884. Schneider. n. 3. 20; geb. n.n. 4. 20

Madelung, O. W., s.: Beiträge mecklenburgischer Aerzte zur Lehre v. der Echinococcen-Krankheit.

Maeder, D., der Wald in seiner kulturhistorischen u. naturgeschichtlichen Bedeutung. 8. (96 S.) Davos 886. Richter. n. 2. —

Madeyski, Stanisl. Poray Ritter v., die deutsche Staatssprache od. Oesterreich e. deutscher Staat. gr. 8. (179 S.) Wien 884. (Hölder.) n. 3. 60

Mädler, J. H. v., der Wunderbau d. Weltalls od. populäre Astronomie. 8. verm. u. dem gegenwärt. Standpunkte der Wissenschaft entsprechend umgearb. Aufl. Mit 24 astronom. Taf. u. Tab., Abbildgn. u. Sternkarten. gr. 8. (XII, 664 u. 77 S.) Strassburg 884. 85. Schultz & Co. Verl. 12. —

Madvig, Jo Nic., adversariorum criticorum ad scriptores graecos et latinos vol. III., novas emendationes graecas et latinas continens. gr. 8. (280 S.) Hauniae 884. Leipzig, T. O. Weigel. n.n. 5. — (I—III.: n.n. 34. 20)

— Syntax der griechischen Sprache, besonders der attischen Sprachform, f. Schulen u. f. jüngere Philologen. 2. Aufl. gr. 8. (X, 301 S.) Braunschweig 884. Vieweg & Sohn. n. 5. —

Maffei, S., Merope, s.: Biblioteca italiana.

Magasin illustré. Journal littéraire suisse. Publication amusante et instructive pour les différentes classes de la société. Avec 24 gravures sur acier et un grand nombre d'illustrations (xylograph.). 22. vol. Année 1883. 12 livrs. (4 B.) gr. 4. Basel 883. Krüsi. à Livr. n. — 50
Erscheint nicht mehr.

Magazin, deutsch-amerikanisches. Vierteljahrsschrift f. Geschichte, Literatur, Wissenschaft, Kunst, Schule u. Volksleben der Deutschen in Amerika. Unter Mitwirkg. deutsch-amerikan. Geschichts- u. Literaturfreunde hrsg. v. H. A. Rattermann. 1. Bd. 1. Hft. gr. 8. (164 S. m. 1 Steintaf.) Cincinnati, O. 886. (New York, International News-Company.) n. 3. —

— für ev.-lutherische Homiletik. Hrsg. v. der deutschen ev.-luth. Synode v. Missouri, Ohio u. a. St. Red. vom Lehrercollegium d. Seminars zu St. Louis. 7—9. Jahrg. 1883—1885. à 12 Hfte. (2 B.) gr. 8. St. Louis, Mo., (Dresden, H. J. Naumann). à Jahrg. n. 10. —

— dasselbe. 10. Jahrg. 1886. 12 Hfte. (2 B.) gr. 8. Ebend. n. 7. —

— für die Wissenschaft d. Judenthums. Hrsg. v. A. Berliner u. D. Hoffmann. 10—13. Jahrg. 1883—1886. à 4 Hfte. gr. 8. (à Hft. 60 S.) Berlin, Benzian. à Jahrg. n. 12. —

— neues lausitzisches. Im Auftrage der oberlausitz. Gesellschaft der Wissenschaften hrsg. v. Schönwälder. 58. Bd. 2. Hft. gr. 8. (IV, u. S. 241—467.) Görlitz 882. (Remer.) n. 2. 50

— dasselbe. 59—61. Bd. à 2 Hfte. gr. 8. (à ca. 400 S.) Ebend. 883—85. à Hft. n. 2. 50

— dasselbe. 62. Bd. 1. Hft. gr. 8. (154 S.) Ebend. 886. n. 2. 50

Magazin für Lehr- u. Lernmittel aller Länder. Unter Mitwirkg. v. Schulmännern hrsg. v. Conr. Schröder. Mit der Gratisbeilage: Schulpraxis. 7—10. Jahrg. 1883—1886. à 24 Nrn. (2 B.) gr. 4. Leipzig, Dietz & Zieger. à Jahrg. n. 4. —

— hrsg. v. der lettisch-literärischen Gesellschaft. 17. Bd. 2. Stück. 8. (341 S.) Mitau 885. (Besthorn.) n. 6. —

— für die Literatur d. In- u. Auslandes. Organ d. Allgemeinen Deutschen Schriftstellerverbandes. Gegründet im J. 1832 v. Jos. Lehmann. Red.: Ed. Engel, Herm. Friedrichs u. K. Bleibtreu. 52—55. Jahrg. 1883—1886. à 52 Nrn. (2 B.) gr. 4. Leipzig, Friedrich. à Jahrg. n. 16. —

— für Pädagogik. Vormals Süddeutsches kathol. Schulwochenblatt. Unter Mitwirkg. v. Schulmännern geistl. u. weltl. Standes hrsg. v. B. Kaiser, Jos. Ant. Keller u. F. Schneider. 46—49. Jahrg. 1883—1886. à 52 Nrn. (à ¼—1 B.) u. 4 Hfte. (4 B.) Lex.-8. Spaichingen, Kupferschmid. à Jahrg. n. 6. —

— für das deutsche Recht der Gegenwart. Unter Mitwirkg. von v. Bar, Erythropel, Francke etc. hrsg. v. Bödiker. 2. Bd. 3. Hft. gr. 8. (IV u. S. 271—378.) Hannover 883. Helwing's Verl. n. 2. — (2. Bd. cplt: n. 6. 60)

— dasselbe. 3—6. Bd. à 3 Hfte. gr. 8. (à ca. 111 S.) Ebend. 883—86. à Bd. n. 6. 60

— für Stenographie. Organ d. Stolz'schen Stenographen Vereins zu Berlin. Red.: Max Bäckler. 4. u. 5. Jahrg. 1883 u. 1884. à 24 Nrn. (½ B.) Mit der Unterhaltungs-Beilage: Stenographische Lesehalle. 12 Nrn. (½ B.) gr. 8. Berlin, Cronbach. à Jahrg. n. 3. —

— dasselbe. 6. Jahrg. 1885. 24 Nrn. (à ½—1 B.) Mit der Unterhaltungs-Beilage: Stenographische Lesehalle. 12 Nrn. (½ B.) gr. 8. Ebend. n. 4. —

Magdeburg. Festschrift f. die Mitglieder u. Theilnehmer der 57. Versammlg. deutscher Naturforscher u. Aerzte. Hrsg. v. Rosenthal. Mit mehreren Situationsplänen, Karten u. Abbildgn. gr. 8. (XII, 320 S.) Magdeburg 884. (Faber.) geb. 7. 50

Magerwirth, Jul., Glockentöne. Geistliche Dichtgn. 12. (XI, 136 S.) Frankfurt a/M. 883. Gebr. Knauer. geb. m. Goldschn. n. 5. —

Magisterbuch (f. die evangelische Geistlichkeit in Württemberg). 25. Folge. Hrsg. v. K. Helfferich. 1884. gr. 8. (VIII, 191 S.) Tübingen 884. Osiander. cart. n. 2. —

Magnin, J. P., u. A. Dillmann, praktischer Lehrgang zur Erlernung der französischen Sprache f. Bürger-, Real- u. Töchterschulen. 1. u. 2. Abtlg. gr. 8. Wiesbaden, Bischkopff. n. 2. 20
1. Regelmäßige Formenlehre. 6. Aufl. (VI, 182 S.) 884. n. 1. —. — 2. Unregelmäßige Formenlehre. 4. Aufl. (IV, 190 S.) 883. n. 1. 20

Magnus, A., die Nasendouche, ihre Anwendung u. ihre Gefahren. 2. Aufl. gr. 8. (14 S.) Königsberg 885. Hartung. n. — 30

Magnus, Frdr., Erläuterungen zu deutschen Lesebüchern. Ein Handbuch f. Lehrer u. Seminaristen. 1. Tl. 8. Hannover 884. Meyer. n. 2. —
Ein Frühlingsgang durch den deutschen Dichterhain. [1280—1880.] Erläuterungen zu 80 lyr. Gedichten zum Gebrauch beim Unterricht in Volks- u. Mittelschulen nach psychologisch-method. Grundsätzen u. im Rahmen der Entwicklg. unserer National-Litteratur bearb. (IV, 165 S.)

— das Turnen in der Volksschule f. Knaben u. Mädchen. Zwei ausführl. Stoffverteilungspläne im Anschluß an den „Neuen Leitfaden" u. auf Grund amtl. Auftrages f. Lehrer u. Vorturner bearb. 8. (64 S.) Berlin 886. Oehmigke's Verl. n. — 60

Magnus, Hugo, 1. Bericht der augenärztlichen Klinik in Breslau. gr. 8. (8 S) Breslau 885. (Wiesbaden, Bergmann.) n.n. — 20

— die Blindheit, ihre Entstehung u. ihre Verhütung. gr. 8. (XVI, 337 S. m. 1 Taf.) Breslau 883. Kern's Verl. n. 6. —

— die Blindheit u. ihre Verhütung, s.: Sonderabdrücke der Deutschen Medizinal-Zeitung.

— die Jugend-Blindheit. Klinisch-statist. Studien üb. die in den ersten 20 Lebensjahren auftret. Blindheitsformen. Mit 12 Farben-Taf. u. 10 Abbildgn. im

Text. gr. 8. (X, 148 S.) Wiesbaden 886. Bergmann. n. 6. 40

Magnus, Hugo, die Sprache der Augen. Vortrag. gr. 8. (III, 50 S.) Wiesbaden 885. Bergmann. n n. 1. 30

— über ethnologische Untersuchungen d. Farbensinnes, s.: Sammlung gemeinverständlicher wissenschaftlicher Vorträge.

— die Verhütung der Blennorrhoea neonatorum u. der sich daraus entwickelnden Blindheit. Vortrag. gr. 8. (20 S.) Breslau 884. Wiesbaden, Bergmann. n. — 60

Magnus, K. H. L., der praktische Lehrer. Übungen in der Handfertigkeit f. den Unterricht in Physik, Raumlehre, Rechnen u. Zeichnen, unter Mitarbeit v. K. Sumpf bearb. gr. 8. (XII, 151 S. m. 317 Fig.) Hildesheim 886. Lax. n. 2. 50

— 24 Wandtafeln zur Veranschaulichung, Einübung u. Wiederholung der Elemente d. Rechnens im Zahlenkreise von 1—100. Für Unterricht u. Selbstbeschäftigg. der Kinder hrsg. Imp.-Fol. Nebst: Begleitwort. Zugleich e. Wort zur Methodik d. Rechnens in jenem Zahlenkreise. gr. 8. (16 S.) Hannover 883. Helwing's Verl. n. 6. 25; Wandtafeln ap. n. 6. —; Begleitwort ap. n.n. — 25

Maguire, Bertha, Blumen u. Blätter. Studien. 2 Lfgn. gr. 4. (à 6 Chromolith.) Leipzig 884. (Baldamus Sep.-Cto.) à n. 6 — ; einzelne Blätter à n. 1. 50

Maguire, Helena, Thier-Studien. 1. u. 2. Lfg. gr. 4. (à 6 Chromolith.) Leipzig 886. (Baldamus Sep.-Cto.) à n. 6. —

1. Hundeköpfe. — 2. Hausthiere.

Mahl-Schedl v. Alpenburg, Frz. Jos. Ritter, Vorschriften üb. Unterrichts-Stiftungen u. Stipendien. Nach amtl. Quellen gesammelt. Lex.-8. (IV, 114 S.) Wien 885. (Manz.) n.n. 2. 60

Mahler, Ed., astronomische Untersuchung üb. die in der Bibel erwähnte ägyptische Finsterniss. Lex.-8. (15 S. m. 1 lith. Karte.) Wien 885. (Gerold's Sohn.) n.n. — 50

— astronomische Untersuchungen üb. in hebräischen Schriften erwähnte Finsternisse. 1. u. 2. Thl. Lex.-8. Ebend. 885. n. 1. —

1. Die bibl. Finsternisse. Ein Beitrag zur bibl. Chronologie. (29 S.) n. — 60
2. Die prophet. Finsternisse. (20 S.) n. — 40

— biblische Chronologie u. Zeitrechnung der Hebräer. gr. 8. (XIV, 204 S.) Wien 887. Konegen. n. 7.—

— die centralen Sonnenfinsternisse d. XX. Jahrh. Imp.-4. (40 S.) Wien 885. Gerold's Sohn. n. 2. —

— Untersuchung e. im Buche „Nahum“ auf den Untergang Ninive's bezogenen Finterniss. [Zusatz zur Abhandlg.: „Astronomische Untersuchgn. üb. in hebr. Schriften erwähnte Finsternisse. II. Thl.“] [Mit 2 Karten.] Lex.-8. (15 S.) Ebend. 886. n. — 80

Mahlitz, Rich., das Reichsgesetz, betr. die Krankenversicherung der Arbeiter vom 15. Juni 1883. Text-Ausg. m. Anmerkgn., unter besond. Berücksicht. der Ausführg. d. Gesetzes in der Freien u. Hansestadt Hamburg. 12. (VIII, 72 S.) Hamburg 884. O. Meißner's Verl. n. 1. 20

Mahlmann, Aug., das Vater-Unser. 4. (9 Steintaf.) Leipzig 885. Schlag. In Leinw.-Mappe. n. 9. —

Maehly, Jak., zur Kritik lateinischer Texte. — Zur Frage nach e. mittelhochdeutschen Schriftsprache v. Otto Behaghel. gr. 4. (60 S.) Basel 886. (Jenke.) n. 1. 60

— über vergleichende Mythologie, s.: Sammlung v. Vorträgen.

— Satura. gr. 4. (38 S.) Basel 886. Jenke. n. 1. 60

Mahn, A., Commentar zu Girartz de Rossilho. 1. Lfg. 8. (32 S.) Berlin 886. Dümmler's Verl. n. 1. —

— Grammatik u. Wörterbuch der altprovenzalischen Sprache. 1. Abth.: Lautlehre u. Wortbiegungslehre. gr. 8. (VIII, 315 S.) Köthen 885. Schettler's Verl. n. 6. —

— die epische Poesie der Provenzalen. 1. Bd. Einleitung Girartz de Rossilho. 1—3. Lfg. 8. (I—XXXII u. S. 1—112.) Berlin 883—86. (Dümmler's Verl.) à n. 1. 50

— etymologische Untersuchungen üb. geographische Namen. 9. Lfg. 8. (8. S. 129—144.) Ebend. 884. n. — 60 (1—9 : n. 4. 60)

Mahn, Ed., Warnemünde. Fremdenführer speziell f. Badegäste. Mit color. Plan u. vollständ. Adreßbuch. 16. (102 S. m. 7 lith. Ansichten.) Rostock 886. Hinstorff's Verl cart. n. 1. —

Mahr, H., die Lithionquelle zu Bad Assmannshausen am Rhein m. besond. Berücksicht. der daselbst zur Behandlung kommenden Krankheiten. gr. 8. (46 S.) Wiesbaden 883. (Jurany & Henzel.) n.n. — 75

Mähr, Fidel, Lehrerfehler — Schülerfehler. gr. 8. (IV, 34 S.) Wien 885. Pichler's Wwe. & Sohn. n. — 60

— Schülerfehler — Lebensfehler u. ihre Heilung. 3. Aufl. gr 8. (45 S.) Ebend. 885. n — 60

Mahraun, Luther als Pädagoge. Vortrag. gr. 8. (9 S.) Hamburg 883. Seelig & Ohmann. — 30

Mahraun, Hans, Gesetz betr. die Befugnisse der Strombau-Verwaltung gegenüber den Uferbesitzern an öffentlichen Flüssen vom 20. Aug. 1883. Mit Anmerkgn. versehen. 8. (38 S.) Berlin 886. C. Heymann's Verl. n. 1. —

Mahrenholtz, Adf., die praktisch-chemischen Übungen an Landwirtschaftsschulen. Zum Gebrauch bei den analyt. Arbeiten im Laboratorium zusammengestellt. gr. 8. (56 S.) Liegnitz 886. (Reisner.) n. — 90

Mahrenholtz, Rich., Molière. Einführung in das Leben u. die Werke d. Dichters. Kleinere Ausg. v. d. Verf.: „Molière's Leben u. Werke“. gr. 8. (VII, 266 S.) Heilbronn 883. Henninger. n. 4. —

— Voltaire's Leben u. Werke. 1. u. 2. Tl. gr. 8. Oppeln 885. Franck. à n. 5. —

1. Voltaire in seinem Vaterlande [1697—1750]. (VIII, 255 S.)
2. Voltaire im Auslande [1750—1788]. (206 S.)

— Voltaire im Urteile der Zeitgenossen. gr. 8. (V, 95 S.) Oppeln 883. Franck. n. 3 —

Mai-Andacht, d. i.: Die Verehrung der allerseligsten Himmelskönigin u. jungfräulichen Mutter Maria im Maimonate, f. Kirche u. Haus eingerichtet. Hrsg. v. e kathol. Priester. 11. Aufl. Ausg. Nr. 1. in grobem Druck. 8. (160 S.) Dülmen 884. Laumann. n. — 40; Nr. 2. 38. Aufl. (80 S.) 885. n. — 25

— die, in Betrachtungen üb. das Leben Mariä. Für Kirche u. Haus. (Von e. Priester der Erzdiöcese Freiburg. 6. Aufl., m. e. Farbentitel. 16. (VII, 401 S. m. 1 Stahlst.) Freiburg i/Br. 885. Herder. 1. 50

Maiden, a, all forlorn, s.: Collection of British authors.

Maienfisch, E., die Kaltwasserbehandlung zu Hause u. in der Anstalt. Mit e. Anh.: Electrotherapie. Eine gemeinverständl. Abhandlg. 3. Aufl. gr. 8. (70 S.) Basel 886. Schwabe. n. 1. 30

— Nervosität u. Nervenschwäche. Eine gemeinverständl. Abhandlg. f. Gebildete aller Stände. 3. Aufl. gr. 8. (41 S.) Ebend. 886. n. 1. —

— die Wasserkur, das Verhalten bei derselben u. Krankheiten, f. die sich e. solche eignet. Eine gemeinverständl. Abhandlg. 8. (72 S) Ebend. 886. n. 1. 30

Maier-Rothschild. Handbuch der gesamten Handelswissenschaften f. ältere u. jüngere Kaufleute, sowie f. Fabrikanten, Gewerbetreibende, Verkehrsbeamte, Anwälte u. Richter. Bearb. v. M. Haushofer, J. Landgraf, H. Gießler u. L. F. Huber. 3. Aufl. 2. Abdr. 2 Bde. gr. 8. (XIV, 658 u. XI, 700 S.) Stuttgart 885. Maier. n. 10. —; 2 Einbde. n.n. 1. 80

Maier's Handelslexikon. Handlexikon d. ganzen kaufmänn. Wissens v. M. Haushofer, Feichtinger, J. Landgraf u. A. 3. Aufl. Mit Nachträgen u. Ergänzgn. (In 21 Lfgn.) 1. Lfg. gr. 8. (64 S.) Stuttgart 883. Maier. — 50

Maier, bist du e. Geistlicher? Eine Pastoralfrage üb. Predigt u. Seelsorge. 1. u. 2. Tl. 8. Gotha 884. Schloeßmann. n. 4. 20

1. 2. Aufl. (VII, 149 S.) n. 1. 80
2. (III, 227 S.) n. 2. 40

Maier, v., Confirmanden-Unterricht f. die israelitische Jugend. 3. Ausg. 8. (16 S.) Stuttgart 885. Levi. geb. n.n. — 30

Maier, Ant., das musikalische A-B-C f. den Männer-Chorgesang. Ein kurzer, leichtfaßl. Leitfaden zur Erwerbg. derjenigen musikal. Kenntnisse, die jedem brauchbaren Sänger eigen sein müssen. Op. 34. 12. (20 S.) Nürnberg 886. Büching. n. — 25

Maier, C., stenographische Lese- u. Schreib-Uebungen zum kurzgefaßten Lehrbuche der Gabelsberger'schen Stenographie [Preisschrift]. 3. Aufl. 8. (III, 38 S.) Würzburg 885. Stuber's Verl. n. — 80

Majer, Carl Frdr., General-Bericht üb. die Sanitäts-Verwaltung im Königr. Bayern. Im Auftrage d. k. b. Staatsministeriums d. Innern aus amtl. Quellen bearb. XIV—XVI. Bd. (Neue Folge 3—5. Bd.), die J. 1880, 1881 u. 1882 umfassend. Mit 22 Tab. gr. 8. (à ca. VII, 239 S.) München 883—86. Literar.-artist. Anstalt. à n. 6. —

Maier, J. G., Sammlung v. Kopfrechnungs-Aufgaben aus dem Gebiete der Elementar-Arithmetik zum Gebrauch in Schulen, Lehrerbildungsanstalten u. beim Selbstunterricht. 2 Tle. 8. (120 u. 96 S.) Stuttgart 884. Gundert. à n. 1. 20

— 328 Wiederholungsfragen aus dem Gebiete der Elementar-Arithmetik. 8. (55 S.) Ebend. 885. n. — 80

Maier, Pauline, leichtfaßliches Lehrbuch zum gründlichen Unterricht im Musterzeichnen u. Anfertigen der Damen- u. Kinderkleider. In 2 Abthlgn., m. 2 Titelbildern u. 40 Taf. m. Zeichngn. 4. Aufl. gr. 8. (XVI, 99 u. Maßnotizbuch 92 S.) Reutlingen 879. (Nördlingen, Reischle.) cart. n. 6. 80

Maier-Streib, S., praktische Anleitung f. den Hausgebrauch, Bettfedern zu waschen, entfetten, bleichen, desinfizieren u. geruchlos zuzubereiten. 8. (21 S.) Schw.-Hall 885. (German.) n. 1. 35

Maier, Wilh., Gedenkblätter u. Culturbilder aus der Geschichte v. Altötting. Großentheils nach archival. Quellen bearb. gr. 8. (IV, 286 S.) Augsburg 885. Litterar. Institut v. Dr. M. Huttler. n. 3. —

— der Staatssozialismus u. die persönliche Freiheit. Eine Beleuchtg. der modernen Rechtsbegriffe. gr. 8. (XV, 383 S.) Amberg 884. Habbel. n. 4. —

Mailänder, J. G., einfache Buchführung f. Fortbildungs- u. Frauenarbeitsschulen. gr. 8. (40 S.) Schw.-Hall 884. Staib. n. — 55

— Lesebuch f. Klasse I. der Elementaranstalten u. höheren Mädchenschulen. Enth. die Fibel f. evangel. Volksschulen [in Württemberg amtl. eingeführt] u. e. Anh. weiterer Lesestücke. 8. (156 S.) Stuttgart 886. Deutsche Verlags-Anstalt. n. — 55; geb. n.n. — 80

— deutsches Lesebuch f. höhere Mädchenschulen. 4 Bde. gr. 8. Stuttgart 886. Krabbe. n 8. —; geb. n.n. 9. 40
1. Für das 2. u. 3. Schulj. (X, 238 S.) n. 1. 20; geb. n.n. 1. 50
2. Für das 4. u. 5. Schulj. (X, 338 S.) n. 1. 80; geb. n.n. 2. 10
3. Für das 6. u. 7. resp. 8. Schulj. (VIII, 376 S.) n. 2. —; geb. n.n. 2. 40
4. Für das 8. u. 9. resp. 10. Schulj. (VIII, 487 S.) n. 3. —; geb. n.n. 3. 40

— Lese- u. Sprachbuch f. Klasse II der Elementarschulen. gr. 8. (X, 215 S.) Ebend. 886. n. 1. 20; Einbd. n.n. — 30

— Muster der im Gewerbsleben vorkommenden Geschäftsaufsätze u. Geschäftsbriefe. Für die Schüler u. Schülerinnen v. Volks-, Mittel-, Fortbildungs- u. Frauenarbeitsschulen. Mit vielen Aufgaben. 2. Aufl. gr. 4. (52 S) Schwäb.-Hall 885. German. n. — 90

Majláth, Coloman Jos. Graf, die Tragödie der Familie Majláth. gr. 8. (60 S.) München 883. (Merhoff.) n. 1. —

Mailáth, Geo. v., Denkrede auf ihn, s.: Szécsen, A. Graf.

Maillard, A., neue Methode, die französische Sprache leicht u. praktisch zu erlernen. 1. Tl. 8. (VIII, 75 S.) Dresden 886. G. Schönfeld's Verl. cart. n. 1. —

Maillard, Gustave, invertébrés du Purbeckien du Jura. Monographie. gr. 4. (159 S. m. 3 Steintaf. u. 1 lith. Karte.) Genève 884. (Basel, Georg. — Berlin, Friedländer & Sohn.) n.n. 11. —; Supplement (24 S. u. 1 Steintaf.) 886. n.n. 3. 20

Mainländer, Phpp., die Philosophie der Erlösung. 2. Bd. Zwölf philosoph. Essays. 2—5. Lfg. gr. 8. (VIII, u. S. 129—658.) Frankfurt a/M. 883—86. Koenitzer. à n. 2. 40

Majoliken u. **Faiencen,** italienische. I. Thl. Moderne Vasen. 45 (Lichtdr.-)Taf. 1. Serie. Fol. (15 Taf.) Berlin 886. Claesen & Co. In Mappe. n. 36. —

— — dasselbe. II. Thl. Decorative Faience-Schüsseln. 20 (Lichtdr.-)Taf. 2 Serien. Fol. (à 10 Taf.) Ebend. 886. In Mappe. à n. 24. —

Maionica, Heinr., Epigraphisches aus Aquileja. gr. 8. (31 S.) Wien 885. (Pichler's Wwe. & Sohn.) n. — 70

Maipredigten v. Frater Hilarius (Ed. Jentsch). 6. Aufl. Eingeleitet v. Ludw. Steub. 8. (XVI, 108 S.) Oldenburg 885. Schulze. n. 1. 50; geb. n. 2. 25

Mair, Frz., deutsches Lesebuch f. die Bürgerschulen Österreichs. 3 Thle. Unter Mitwirkg. mehrerer Schulmänner hrsg. gr. 8. Wien 885. 86. Graeser. geb. à n.n. 1. 20
1. 18. [Ster.-]Aufl. (271 S.) — 2. 13. [Ster.-]Aufl. (264 S.) — 3. 10. [Ster.-]Aufl. (289 S.)

— deutsches Lesebuch f. die allgemeinen Volksschulen Österreichs. 4 Tle. Unter Mitwirkg. mehrerer Schulmänner hrsg. gr. 8. Ebend. 885. 86. geb. n.n. 3. 52
1. 24. Aufl. (128 S.) n.n. — 60. — 2. 20. Aufl. (144 S.) n.n. — 72. — 3. 21. Aufl. (224 S.) n.n. 1. —. — 4. 21. Aufl. (287 S.) n.n. 1. 20

— Lesebuch f. die Volks- u. Bürgerschulen Österreichs. 7 Thle. Unter Mitwirkg. mehrerer Schulmänner hrsg. gr. 8. Ebend. 883. geb. n.n. 8. 12
1. 19. [Ster.-]Aufl. (128 S.) n.n. — 64. — 2. 17. [Ster.-] Aufl. (144 S.) n.n. — 80. — 3. 16. [Ster.-]Aufl. (224 S.) n.n. 1. 8. — 4. 16. [Ster.-]Aufl. (287 S.) n.n. 1. 40. — 5. 13. [Ster.-]Aufl. (271 S.) n.n. 1. 40. — 6. 9. [Ster.-] Aufl. (264 S.) n.n. 1. 40 — 7. 7. [Ster.-]Aufl. (269 S.) n.n. 1. 40

— Liederbuch f. österreichische Bürgerschulen, enth. ein- u. mehrstimm. Lieder, nebst dem Wichtigsten aus der Theorie d. Gesanges. 3 Hfte. 8. Wien 885. Pichler's Wwe. & Sohn. n. — 78
1. 3. Aufl. (44 S.) n. — 24. — 2. 2. Aufl. (44 S.) n. — 24. — 3. 2. Aufl. (48 S.) n. — 30

— Liederstrauß. Ein- u. zweistimm. Lieder, nebst dem Wichtigsten aus der Gesanglehre, f. österreich. Volks- u. Bürgerschulen. 4 Hfte., davon das 3. in 2 Abthlgn. 8. Ebend. 885. n. 1. 6
1. 16. Aufl. (32 S.) n. — 20. — 2. 23. Aufl. (40 S.) n. — 20. — 3a. 14. Aufl. (32 S.) n. — 18. — 3b. 12. Aufl. (32 S.) n. — 18. — 4. 7. Aufl. (64 S.) n. — 30

— praktische Singlehre f. österreichische Volks- u. Bürgerschulen. 3 Hfte. gr. 8. Ebend. 885. n. — 78
1. 22. Aufl. (36 S.) n. — 24. — 2. 18. Aufl. (40 S.) n. — 30. — 3. 17. Aufl. (32 S.) n. — 24

Mair, G., das Land der Skythen bei Herodot. Eine geograph. Untersuchg. 2. Thl. gr. 8. (67 S. m. 1 lith Karte.) Saaz 885. (Wien, Pichler's Wwe. & Sohn.) n. 1. 60

Mair, J., das Apothekerwesen u. der Verkehr m. Arzneimitteln u. Giften im Königr. Bayern. Eine vollständ. Sammlg. aller gesetzl. u. verordnungsmäß. Bestimmgn., Entschliessgn., Anordngn. u. oberstrichterl. Erkenntnisse üb. das Apothekerwesen u. den Verkehr m. Arzneimitteln u. Giften. Ergänzungshft. 1878—85. gr. 8. (80 S.) Würzburg 886. Stahel. n. 1. 80 (Hauptwerk u. Ergänzungshft.: n. 3. 20)

— Handbuch d. ärztlichen Dienstes bei den Gerichten u. Verwaltungsbehörden. 2. Aufl. 2. Bd. Ergänzungen aus den J. 1878—1885. gr. 8. (IV, 350 S.) Ebend. 885. n. 6. 80 (1 u. 2.: n. 12. 40)

Maisch, G., s.: Hausschatz, schwäbischer.

Maiss, E., die Entwickelung der Lehre v. der Dispersion d. Lichtes. gr. 8. (41 S. m. eingedr. Fig.) Wien 885. (Pichler's Wwe. & Sohn.) n. — 90

Maistre, Xavier de, Prascovie ou la jeune Sibérienne. Hrsg. m. Vocabulaire, Répétiteur u. Questionnaire v. J. W. Körbitz. 2. Aufl., rev. v. Gust. Jacquin. 8. (IV, 104 S.) Dresden 885. Ehlermann. n. — 80

— dasselbe, s.: Bibliothèque française.

Mâitrâyanî Samhitâ, hrsg. von Leop. v. Schroeder. 2—4. Buch. Gedr. auf Kosten der deutschen morgenländ. Gesellschaft. gr. 8. (X, 169, IV, 192 u. IV, 312 S.) Leipzig 883. 86. (Brockhaus' Sort.) n. 24. — (cplt.: n. 36. —)

Majunke, Paul, der „geweihte Degen Daun's“ od. wie man in Deutschland Religionskriege gemacht hat. Eine histor. Untersuchg. 12. (39 S.) Paderborn 883. F. Schöningh. n. — 80

Majunke, Paul, der „geweihte Degen Dauns" od. wie man in Deutschland Religionskriege gemacht hat. Eine histor. Untersuchg. 2., m. e. Nachtrag verseh. Aufl. gr. 16. (47 S.) Paderborn 885. F. Schöningh. n. — 40

— Geschichte d. Culturkampfes in Preußen-Deutschland. gr. 8. (X, 572 S.) Ebend. 886. n. 6. 75

Makart's, Hans, Werke in Heliogravure. (In ca. 40 Hftn.) 1. Hft. Fol. (2 Bl. m. 4 Bl. Text.) Wien 886. Angerer. 2. 50; einzelne Hfte. à 4. —

— Festzug der Stadt Wien am 27. Apr. 1879, als Huldigung zur silbernen Hochzeit d. Kaiserpaares, naturgetreu chromolith. dargestellt v. E. Stablin. 2. Aufl. 25 Lfgn. qu. gr. Fol. (à 2 Chromolith.) Wien 885. 86. Perles. à n. 2. —

Makart-Album. 3—10. (Schluß-)Lfg. Fol. (31 Holzschntaf. m. 30 Sp. Text.) Wien 883. Bondy. à n. 1. — (cplt. geb. m. Goldschn.: 18. —)

— dasselbe. 2. verm. u. verb. Aufl. (In 15 Lfgn.) 1—13. Lfg. Fol. (à 4 Holzschntaf. m. Text Sp. 1—52.) Ebend. 884. 85. à n. 1. —

Maki, Rioschiro, üb. den Einfluss d. Camphers, Coffeins u. Alkohols auf das Herz. gr. 8. (59 S.) Strassburg 884. (Schultz & Co. Sort.) 1. 50

Makower, H., das Gesetz, betr. die Kommanditgesellschaften auf Aktien u. die Aktiengesellschaften vom 18. Juli 1884. Nachtrag zur 9. Aufl. d. Kommentars zum Handelsgesetzbuche. gr. 8. (III, 118 S.) Berlin 884. Guttentag. n. 1. 50

— das allgemeine deutsche Handelsgesetzbuch. Mit Kommentar hrsg. 9., verm. u. verb. Aufl. Lex.-8. (XXIV, 1047 S.) Ebend. 884. n. 15. —; Einbd. n.n. 2. —

Makowski, M., systematisch geordnete Turn- u. Kinderspiele u. Kinderkomödien. Gesammelt u. ergänzt. 8. (III, 64 S.) Münster 883. F. Schöningh. n. — 50

Makowsky, Alex., die erloschenen Vulkane Nord-Mährens u. Oest.-Schlesiens, geschildert. Mit e. Ansicht u. e. Uebersichtskarte. gr. 8. (33 S.) Brünn 883. (Winiker.) n. 1. 60

— u. Ant. **Rzehak,** die geologischen Verhältnisse der Umgebung v. Brünn als Erläuterung zu der geologischen Karte. gr. 8. (III, 154 S. m. Fig.) Ebend. 884. n. 2. 40

Malachowski, v., üb. die Entwickelung der leitenden Gedanken zur ersten Campagne Bonapartes. Ein Vortrag. gr. 8. (36 S.) Berlin 884. Mittler & Sohn. n. — 75

Malapert-Neufville, Rob. Frhr. v., bakteriologische Untersuchung der wichtigsten Quellen der städt. Wasserleitung Wiesbadens, sowie e. Anzahl Mineralquellen zu Schlangenbad, Schwalbach, Soden i. T. u. Bad Weilbach. Ein Beitrag zur bakteriolog. Untersuchg. natürl. Gewässer. Mit 32 Holzschn. gr. 8. (51 S.) Wiesbaden 886. Kreidel. n. 1. 40

Malbuch. 1. u. 2. Hft. 4. (à 12 zur Hälfte color. Taf.) Eßlingen 886. Schreiber. cart. à n. 1. —

Malczewski, Ant., Marja. Powieść ukraińska. Wydanie nowe. 16. (88 S.) Leipzig 885. Brockhaus. n. 1. —; geb. m. Goldschn. n. 1. 80

Maldfinewitz, Stanisl., Behandlung der Tollwuth m. der Wurzel v. Spiraea Ulmaria nach Vorschrift v. St. M. [Mit 1 Abbildg.] 8. (16 S.) Riga 886. Stieda. n. — 50

Maleček, Jos., die katholische Apologetik f. Mittelschulen. gr. 8. (109 S.) Prag 883. Dominicus. n. 1. 20

Maler, die, der Gegenwart. 1—14. Lfg. Fol. (70 Holzschntaf. m. 46 Sp. Text.) Wien 883. 84. Bondy. à n. 1. —

Maler-Journal, deutsches. Plafonds, Vestibule, Treppenhäuser rc. Für den prakt. Gebrauch der Zimmer- u. Decorationsmaler, Lackirer rc. unter Mitwirkg. v. H. Ende, A. Gnauth, C. Graff rc. hrsg. v. Fr. Thiersch u. L. Lesker. 7—10. Bd. à 4 Hfte. Fol. (à Hft. 4 S. m. 4 lith. u. chromolith. Taf. u. 5 lith. Schablonentaf. in Imp.-Fol.) Stuttgart 883—86. Spemann. à Hft. n. 6. —

Maler-Kalender, deutscher. Taschenbuch f. Zimmer- u. Dekorationsmaler, Anstreicher, Lackirer, Vergolder, Glaser rc. auf d. J. 1887. 8. Jahrg. Hrsg. v. Aug. König. 2 Thle. gr. 16. (152 u. 52 S. m. 1 Tab.) Stuttgart, Spemann. geb. u. geh. n.n. 3. —

Maler-Vorlagen. Vorbilder f. die Praxis. Zusammengestellt aus der illustr. Fachzeitschrift „Die Mappe" v. Fr. Rauert. 1—14. Serie. gr. 4. Leipzig 885. (Scholtze.) n. 41. 90

1. (63 Taf.) n. 6. —. — 2. (59 Taf.) n. 6. —. — 3. (51 Taf.) n. 5. —. — 4. (45 Taf.) n. 4. 40. — 5. (41 Taf.) n. 4. —. — 6. (39 Taf.) n. 4. —. — 7. (37 Taf.) n. 3. —. — 8. (27 Taf.) n. 2. 40. — 9. (20 Taf.) n. 2. —. — 10. (17 Taf.) n. 1. 60. — 11. (15 Taf.) n. 1. 20. — 12. (10 Taf.) n. 1. —. — 13. (9 Taf.) n. — 80. — 14. (5 Taf.) n. — 50

Malet, L., Colonel Enderby's wife, s.: Collection of British authors.

Malfatti, Hans, üb. die Ausnützung einiger Nahrungsmittel im Darmcanal d. Menschen. [Aus dem Laboratorium f. angewandte medicin. Chemie der Universität in Innsbruck.] Lex.-8. (28 S.) Wien 885. (Gerold's Sohn) n.n. — 50

Malliske, Amand, die katholische Glaubens- u. Sittenlehre. Für die mittleren Klassen der Gymnasien u. Realgymnasien, nebst e. Abriß der Kirchengeschichte. 8. (XIII, 286 S.) Freiburg i/Br. 885. Herder. n. 2. 50

Mallachow, Carl, das Chamäleon. Lustspiel in 4 Akten. 8. (86 S.) Posen 885. (Türk.) n. 1. 60

— u. O. **Elsner,** gute Zeugnisse, s.: Universal-Bibliothek.

Mallery, Garrick, Forschungen u. Anregungen üb. die Zeichensprache der Indianer Nord-Amerikas. Uebers. v. Agnes Brauer. Mit Anmerkgn. v. Wilh. Keil. gr. 8. (88 S.) Halle 882. Buchh. d. Waisenhauses. n. 1. 60

Mallet, Frdr., quaestiones Propertianae. gr. 8. (68 S.) Göttingen 882. Akadem. Buchh. n. 1. 20

Mallet, Frdr., Altes u. Neues. 1. Bd. Altes u. Neues. 5. Aufl. gr. 8. (VIII, 347 S. m. lith. Portr.) Bremen 884. Müller. n. 4. 80

Mallner, Wilh., Los-Tabelle f. d. J. 1886, berechnet zu den Coursen vom 28. Septbr. 1885. qu. gr. Fol. Wien 885. Szelinski. n. — 50

Mally, Adam, das Leben d. heil. Fulgentius, Bischofs v. Ruspe, v. seinem Schüler, u. der fortgesetzte Kulturkampf der Vandalen bis zu ihrem Untergange. Aus dem Lat. Mit Vorrede, Einleitg., Erklärgn., Anhang u. e. Verzeichnisse der Schriften d. Heiligen. 8. (XII, 120 S.) Wien 885. Mayer & Co. n. 1. 40

Malm, J. J., die oberpahlsche Freundschaft. Deutsch-ehstn. Gedicht. 5. Orig.-Aufl. gr. 8. (26 S.) Reval 885. Wassermann. — 45

Malmer, Mart., zwei Pilger im Osten. Schauspiel in 5 Acten. 8. (IV, 128 S.) Wien 886. Graeser. n. 2. —; cart. n. 2. 40; geb. n.n. 2. 80

Malmesbury, Earl of, memoirs of an ex-minister, s.: Collection of British authors.

Malortie, C. E. v., Beiträge zur Geschichte d. Braunschweig-Lüneburgischen Hauses u. Hofes. 7. Hft. gr. 8. (III, 187 S.) Hannover 884. Hahn. n. 4. — (1—7.: n. 21. 40)

— das Menu. 2 Thle. 2. Ausg. Mit 18 (lith.) Taf. Abbildgn. gr. 8. (284 u. 352 S.) Hannover 881. Klindworth. geb. n. 14. —

Malortie, Karl Baron v., mexikanische Skizzen. Erinnerungen an Kaiser Max. gr. 8. (61 S.) Leipzig 882. Greßner & Schramm. n. 1. —

Malot, H., im Banne der Versuchung, s.: Universal-Bibliothek.

— Lieutenant Bonnet, s.: Engelhorn's allgemeine Roman-Bibliothek.

— Cara. Roman. Aus dem Franz. 8. (457 S.) Basel 883. Bernheim. n. 4. —

— dasselbe, s.: Universal-Bibliothek.

— sans famille, s.: Bibliothèque française.

Malotka, Jos., Beiträge zur Geschichte Preussens im 15. Jahrh. Inaugural-Dissertation. gr. 8. (56 S.) Königsberg 882. (Beyer.) n. 1. 20

Malß, Carl, Volkstheater in Frankfurter Mundart. 3. Aufl. 8. (VIII, 304 S.) Frankfurt a/M. 884. Sauerländer. n. 2. —

Maltitz, E. v., Lebensgeschichte d. königl. preußischen General-Feldmarschalls Grafen Friedrich Heinrich Ernst v. Wrangel. Zur Erinnerg. an dessen 100jähr. Geburtstag am 13. Apr. 1884. Nach Familien-Papieren u. authent. Quellen bearb. gr. 8. (III, 136 S.) Berlin 884. Baensch. n. 2. —

Maly, Frz., Vortheile der künstlichen Brut u. Aufzucht d. Geflügels im Allgemeinen, sowie d. v. mir angewendeten Verfahrens insbesondere. gr. 8. (30 S.) Wien 882. (Gerold's Sohn.) n. — 60

Maly-Motta, G., italienische Grammatik für öffentlichen u. Privat-Unterricht. 2 Kurse. 8. München, Lindauer. n. 5. 30
1. Formenlehre. (VI, 192 S.) 883. n. 2. 50
2. Syntax, Stilistik u. Poesie [in italien. Sprache]. (XIV, 234 S.) 884. n. 2. 80

Maly, Rich., u. Rud. **Andreasch**, Studien üb. Caffeïn u. Theobromin. (V. Abhandlg.) Lex.-8. (19 S.) Wien 883. (Gerold's Sohn.) n. — 40 (I—III. u. V.: n. 1. 15)
Die IV. Abhandlung ist als Sep.-Abdr. nicht in den Buchhandel gelangt.

Malzahn's illustrirte humoristische Criminal-Bibliothek. Sammlung ausgewählter Gerichts-Verhandlgn. 1—3. Hft. 8. (96 S. m. je 1 Illustr.) Berlin 883. 84. Malzahn. à — 25

Malzaufschlag, der, im Kgr. Bayern. Gesetz vom 16. Mai 1868 u. 31. Oktbr. 1879, nebst allen übrigen hierauf bezügl. Gesetzen, Verordngn., Bekanntmachgn. 2c., sowie e. ausführl. Sachregister. 4. Aufl. 8. (VII, 147 S.) Würzburg 883. Stahel. 1. 80; cart. 2. —

Mampell, Frdr. Jak., die Heidenmauer auf dem Odilienberg im Elsass. Ein Beitrag zur Veranschaulichg. altgerman. u. gall. Sitten u. Verhältnisse am Oberrhein. 8. (109 S.) Strassburg 886. (Heitz.) n. 2. —

Mamroth, F., s.: Egon.

Man, J. G. de, die frei in der reinen Erde u. im süssen Wasser lebenden Nematoden der niederländischen Fauna. Eine systematisch-faunist. Monographie. Mit 34 lith. Taf. Imp.-4. (VIII, 206 S.) Leiden 884. Brill. cart. n.n. 40. —

— anatomische Untersuchungen üb. freilebende Nordsee-Nematoden. Mit 13 lith. Taf. Fol. (VII, 82 S.) Leipzig 886. Frohberg. cart. n. 28. —

Manassewitsch, B., russisch-deutsche u. deutsch-russische Handels-Korrespondenz, s.: Alexejew, P.

— die Kunst die russische Sprache durch Selbstunterricht schnell u. leicht zu erlernen, s.: Kunst, die, der Polyglottie.

Mancherlei gegen den Branntwein. Central-Enthaltsamkeits-Bericht f. Schlesien. Red.: Vetter. 37—40. Jahrg. 1883—1886. à 10 Nrn. (¼ B.) 8. Diesdorf. (Breslau, Dülfer.) à Jahrg. n. — 70

— für Jung u. Alt. Ein Buch f. Schule u. Haus. Eine Sammlg. v. Lesestücken aus deutschen Dichtern u. Schriftstellern der neueren u. neuesten Zeit m. besond. Berücksicht. der reiferen Jugend höherer Bildg. gr. 8. (XVI, 512 S.) Freiburg i/Br. 884. Herder. n. 3. —

Manchot, Carl Herm., Martin Crugot, der ältere Dichter der unüberwindlichen Flotte Schiller's. Urkundlich nachgewiesen. Mit 1 Bildnisse. gr. 8. (61 S.) Bremen 886. Roussel. n. 1. —

— was bedeutet unsere Kirchensteuer? Predigt, geh. am 14. Novbr. 1886. gr. 8. (16 S.) Hamburg 886. Seippel. n. — 50

— Martin Luther, e. deutscher Christ. Vortrag. gr. 8. (24 S.) Hamburg 883. Seelig & Ohmann. — 30

— Wahlpredigt, am Donnerstag, den 27. Juli 1882, u. Antrittspredigt, bei seiner Einführg. in das Amt d. Pastors am St. Gertrud am Dienstag, den 27. Febr. 1883, in der Kirche zu St. Georg geh. gr. 8. (33 S.) Hamburg 883. Seippel. n. — 50

Mancini, G. P., vom Fenster aus, s.: Collection Spemann.

Mandat u. Privilegium, auch Freiheiten der großen u. weltberühmten Ritterschaften de Podagra im Zipperleins-Land, welche auf der nassen Straße od. Feucht-Schule m. Tapferkeit zu Tag u. Nacht erworben, u. v. vielen Wohlmeynend ertheilet u. bekräfftiget worden. Krankenhausen. In Verlegung Stephan Krickenmachers sel. Erben. 8. (16 S.) München 884. Leipzig, Unflad. n. — 50

Mandel, E., Professor Häckels natürliche Entstehung d. Menschen [Anthropogenie], kritisch beleuchtet. Ein Beitrag zur Kenntnis d. Christentums gegen die moderne materialist. Weltanschaug. 8. (344 S.) Regensburg 883. Verlags-Anstalt. n. 4. —

Mandel, Jules, üb. Tödtung der Schlachtthiere nach israelitischem Ritus u. üb. Aenderungen, welche diesfalls passend einzuführen wären. 12. (20 S.) Wien 883. (Hölder.) n. — 40

Mandelstern, S., Thamar. Roman aus dem bibl. Alterthum. 2 Bde. 8. (238 u. 196 S.) Leipzig 885. Friedrich. n. 8. —; geb. n. 9. —

Mandl, Jul., der Pohlke'sche Lehrsatz der Axonometrie u. e. Verallgemeinerung desselben. [Mit 1 Taf.] Lex.-8. (6 S.) Wien 886. (Gerold's Sohn.) n. — 60

Mandl, Max, üb. e. Classe v. algebraisch auflösbaren Gleichungen 5., 6. u. 7. Grades. [Mit 2 Holzschn.] Lex.-8. (11 S.) Wien 886. (Gerold's Sohn.) n.n. — 25

Mandowski, O., hundert Stellen aus dem Corpus juris [Digesten] m. ausführlicher Interpretation. Für Studierende hrsg. gr. 8. (IV, 144 S.) Breslau 885. Koebner. n. 2. —

Mandry, Gust., der civilrechtliche Inhalt der Reichsgesetze. Systematisch zusammengestellt u. verarb. 3. Aufl. gr. 8. (XVI, 548 S.) Freiburg i/Br. 885. Mohr. n. 11. —; Einbd. n.n. 2. —

Manecke's, U. F. C., topographisch-historische Beschreibung der Städte, Aemter u. adeligen Gerichte d. Herzogth. Lauenburg, d. Fürstenth. Ratzeburg u. d. Landes Hadeln. Hrsg. u. m. e. Anh. nebst Zusätzen versehen v. Dührsen. Mit e. in Lichtdr. ausgeführten Ansicht d. alten Schlosses Lauenburg. gr. 8. (XIV, 396 S.) Mölln 884. (Ratzeburg, Schmidt.) n. 4. —

Manega, Rud., die Anlage v. Arbeiterwohnungen vom wirtschaftlichen, sanitären u. technischen Standpunkte, m. e. Sammlg. v. Plänen der besten Arbeiterhäuser Englands, Frankreichs u. Deutschlands. 2. Aufl. Mit e. Atlas v. 16 (lith.) Taf. (in qu. Fol.), enth. 129 Fig. gr. 8. (XVI, 170 S.) Weimar 883. B. F. Voigt. 7. 50

Mang, Adf., Grundzüge der Chemie, Mineralogie u. Geologie f. Mittelschulen, sowie zum Selbstunterricht, unter möglichster Berücksicht. d. prakt. Lebens methodisch bearb. 2. Aufl. Mit 63 in den Text gedr. Abbildgn. gr. 8. (VI, 106 S.) Weinheim 884. Ackermann. n. 1. —

— Grundzüge der Lehre vom Bau u. den Lebensverrichtungen d. menschlichen Körpers, sowie insbesondere der Gesundheitspflege f. Mittel- u. höhere Schulen, sowie zum Selbstunterricht. Mit 3 Anhängen: Über die erste Hilfe bei Verunglückten; üb. das Verhalten bei Infektionskrankheiten; üb. Krankenpflege. Unter hervorrag, möglichster Berücksicht. d. prakt. Lebens u. der neuesten hygiein. Forschgn. methodisch bearb. Mit 21 in den Text gedr. instruktiven Abbildgn. 2. Aufl. gr. 8. (VI, 102 S.) Ebend. 884. n. 1. —

— key to the portable Tellurion-Lunarion. For analytic-synthetic instruction in astronomical geography, and for showing the method of teaching with the aid of a Tellurion. For school and family use. 3. ed., with 1 table of illustrations. gr. 8. (48 S.) Ebend. 884. n. 2. —

— key to the portable Universal-Apparatus and portable Tellurion-Lunarion for analytic-synthetic instruction in astronomical geography. For school and family use. 3. ed., with 2 tables of illustrations. gr. 8. (IV, 39 u. 48 S.) Ebend. 884. n. 4. —

— das zerlegbare Tellurium-Lunarium als Grundlage e. aufbauenden, zerlegend-entwickelnden Unterrichts in der astronomischen Geographie. Für Schule u. Familie konstruiert u. hrsg. Erläuterungen. 2. Aufl. Mit e. (lith.) Fig.-Taf. 8. (41 S) Ebend. 883. n. 1. 60

— zerlegbarer Universal-Apparat als Grundlage e. aufbauenden, zerlegend-entwickelnden Unterrichts in der astronomischen Geographie. Für Schule u. Familie konstruiert u. hrsg. Erläuterungen. 2. Aufl. Mit e. (lith.) Fig.-Taf. 8. (36 S.) Ebend. 883. n. 1. 60

Mangelsdorf, J., deutscher Multiplicator, umfangreichster u. zuverläss. Rechnenhelfer f. die Behörden der Civil- u. Militair-Verwaltg. d. Deutschen Reichs, sowie f. den gesammten Kaufmanns-, Handels- u. Gewerbe-Stand

Deutschlands, verwendbar zu allen auf Multiplication benannter Zahlen beruh. Berechngn., bei dem Ein- u. Verkauf v. Waaren, Zinsrechngn. rc., umfassend die Einheitssätze von 1 Pf. bis 1000 Mk., u. zwar bis 10 Mk. von Pf. zu Pf. steigend. gr. 4. (188 S.) Berlin 882. (Liebel.) cart. n. 4. —

Manger, H., Dr. Martin Luther. Ein kurzes Lebensbild, dem deutschen evangel. Volke u. seiner Schule dargereicht. gr. 8. (24 S. m. Holzschn.-Portr.) Gardelegen 883. Manger. n. — 15

— die Wiederherstellung u. Belebung der kirchlichen Catechisationen m. der confirmirten Jugend. Vortrag, geh. auf der Kreissynode zu Salzwedel am 21. Septbr. 1882. gr. 8. (17 S.) Ebend. 883. — 20

Manger, J., Hülfsbuch zur Anfertigung v. Bau-Anschlägen u. Feststellung v. Bau-Rechnungen. 4. Aufl. Zeitgemäss umgearb. v. R. Neumann. 2. Abth. Vorschriften zur Anfertigg. der Bauanschläge. Kostenanschläge. Mit 8 Taf. gr. 8. (VI, 194 S.) Berlin 884. Ernst & Korn. n. 6. — (1. u. 2.: n. 14. —)

Manglovič, Svetozar, serbische Frauenlieder. Ausgewählt u. im Versmaße d. Orig. ins Deutsche übertragen. 16. (IV, 43 S.) Eisenstadt 882. (Wien, Gilhofer.) n. 1. 20

Mangner, Ed., Spielplätze u. Erziehungsvereine Praktische Winke zur Förderg. harmon. Jugenderziehg. nach dem Vorbilde der Leipziger Schrebervereine. Mit dem (Holzschn.-)Portr. Dr. D. G. M. Schrebers. gr. 8. (67 S.) Leipzig 884. F. Fleischer. n. 1. —

Mangold, Heinr., der Kurort Füred am Plattensee [Balaton-Füred] in historischer, physikalisch-chemischer, medizinischer, ökonomischer u. sozialer Beziehung. Für Ärzte u. Kurbedürftige skizzirt. 4. Aufl. 8. (VI, 102 S.) Wien 885. Braumüller. n. 1. 60

Mangold, Paul v., das Gesetz üb. die Presse vom 7. Mai 1874. Mit Anmerkgn. hrsg. 8. (VI, 62 S.) Leipzig 886. Roßberg. cart. n. 1. 30

— das im Königr. Sachsen neben den Strafgesetzbüchern geltende Reichs- u. Landesstrafrecht. Für den Handgebrauch zusammengestellt. 1. u. 2. Bd. Mit Sachregister. 8. (XX, 774 u. VIII, 894 S.) Ebend. 886 n. 12. —; Einbd. à n.n. — 80

— das deutsche Zoll- u. Steuerstrafrecht. Für den Handgebrauch zusammengestellt. Mit Sachregister. 8. (VI, 220 S.) Ebend. 886. n. 2. — ; Einbd. n.n. — 80

Mangold, W., u. D. Coste, Lese- u. Lehrbuch der französischen Sprache f. die untere Stufe höherer Lehranstalten. gr. 8. (IV, 218 S.) Berlin 886. Springer. n. 1. 40

Mangold, Wilh., de ev. sec. Matth. c. VI, v. 13b. ἀλλὰ ῥῦσαι ἡμᾶς ἀπὸ τοῦ πονηροῦ commentatio exegetica. gr. 4. (16 S.) Bonn 886. Strauss. n. 1. —

— Humanität u. Christenthum. Rede. gr. 8. (23 S.) Bonn 876. Marcus. n. — 60

— der Römerbrief u. seine geschichtlichen Voraussetzungen. Neu untersucht. gr. 8. (XIII, 368 S.) Marburg 884. Elwert's Verl. n. 7. 20

— wider Strauß. Auch e. Bekenntniß. Rede zur akadem. Feier d. Geburtsfestes Sr. Maj. d. Kaisers u. Königs Wilhelm I., geh. am 22. März 1877. gr. 8. (19 S.) Bonn 877. Marcus. n. — 50

Manheimer, Emile, du Cap au Zambèze. Notes de voyage dans l'Afrique du Sud. gr. 4. (XV, 195 S. mit Titel u. 1 Karte in Lichtdr.) Genève 884. (Baden-Baden, Marx.) n. 10. —; Ausg. m. 14 Photogr. u. 1 Karte n. 24. —

Manifestation en l'honneur de M. le professeur Th. Schwann. Liège, 23 juin 1878. Liber memorialis publié par la commission organisatrice. gr. 8. (III, 236 S. m. photogr. Portr.) Düsseldorf 879. (Schwann.) cart. n. 5. —

Manitius, M., zu Aldhelm u. Baeda. Lex.-8. (102 S.) Wien 886. (Gerold's Sohn.) n. 1. 60

Maniu, V., zur Geschichtsforschung üb. die Romänen. Historisch-krit. u. ethnolog. Studien. Deutsch v. P. Brosteanu. 2. Aufl. gr. 8. (IV, 169 S.) Leipzig 885. Pfau. n. 2. —

Mankel, W., Laut- u. Flexionslehre der Mundart d. Münsterthales im Elsass. 8. (V, 54 S.) Strassburg 886. Trübner. n. 1. 80

Mann, der junge, im Umgange m. dem weiblichen Geschlechte, od. die Kunst, jungen Damen zu gefallen, u. auf diese Weise recht bald e. m. den besten Eigenschaften versehene Braut zu bekommen. 3. Aufl. 16. (82 S.) Wien 885. Daberkow. n. — 32

Mann, El., a short sketch of english literature from Chaucer to the present time, compiled from english sources. 8. (V, 204 S.) Bonn 883. Weber. geb. n. 3. —

Mann, Frdr., kleine Geographie f. die Hand der Kinder in Volksschulen bearb. 26. Aufl. gr. 8. (76 S. m. eingedr. Holzschn.) Langensalza 886. Beyer & Söhne. n. — 35

Mann, Frdr., Abhandlungen aus dem Gebiete der Mathematik. gr. 8. (V, 43 S.) Würzburg 883. Stahel. n. 1. 20

— naturwissenschaftlich-pädagogische Aphorismen. Neue, vervollständ. Bearbeitg. Lex.-8. (56 S) Würzburg 884. Stuber's Verl. n. 1. —

— Grundzüge e. Undulationstheorie der Wärme. Durch Anwendg. elementarer Mittel dargestellt. Neue Bearbeitg. gr. 8. (44 S.) Würzburg 885. Stahel. n. 1. —

Mann, H., aus dem Dienstbotenleben. Allerlei zur Belehrg., Mahng. u. Aufmunterg. f. Dienstboten. 8. (128 S.) Bremen 883. Verl. d. Tractathauses. geb. n. 1. 40

Mann, Jos., die Microlepidopteren-Fauna der Erzherzogthümer Österreich ob. u. unter der Enns u. Salzburgs. Beiträge zur Kenntniss u. Verzeichniss der bisher in diesem Gebiete beobachteten Arten. gr. 8. (62 S.) Wien 886. Hölder. n. 1. 60

Mann, L., der Atomaufbau in den chemischen Verbindungen u. sein Einfluß auf die Erscheinungen. Mit e. Taf. gr. 8. (VII, 90 S.) Berlin 884. F. Luckhardt. n. 2. —

— die Atomgestalt der chemischen Grundstoffe. Mit e. (lith.) Taf. gr. 8. (43 S.) Ebend. 883. n. 1. 60

— die Entstehungen der Epidemien, besonders der Pest u. Cholera. 8. (20 S.) Ebend. 883. n. — 80

— das Wesen der Electricität u. die Aetiologie der Pest u. der Cholera. gr. 8. (58 S.) Berlin 885. Heinicke. n. 1. 60

Mann, O., Anthologie aus römischen Dichtern, f. die obersten Klassen der Realgymnasien u. ähnlicher Anstalten zusammengestellt. 8. (VIII, 124 S.) Leipzig 883. Teubner. — 60

Mann, P., das Participium praeteriti im Altprovenzalischen, s.: Ausgaben u. Abhandlungen aus dem Gebiete der romanischen Philologie.

Mann, R., das Gemeinde-Rechnungswesen in Württemberg, in Lösungen prakt., zu Prüfungsaufgaben verwendeter Rechnungsfälle dargestellt. Lex.-8. (III, 159 S.) Stuttgart 886. Kohlhammer. n. 2. 40

Manna puerorum in sortem domini vocatorum. Ein vollständ. Gebetbuch zunächst f. Studierende an Seminarien. 12. (XX, 592 S. m. 1 Stahlst.) Graz 886. Styria. geb. in Ldr. m. Goldschn. n. 4. 80; m. Rothschn. n. 4. 30

Manneberg, Isid., üb. die Stenose u. Obliteration der Aorta in der Gegend der Insertion d. Ductus arteriosus Botalli. gr. 8. (50 S.) Breslau 884. (Köhler.) n. 1. —

Männerchöre zum Gebrauch der evangelischen Missionsanstalt in Basel. Unter Leitg. v. Ernst Hauschild gesammelt v. einigen Zöglingen der Anstalt. 4. Aufl. qu. 4. (331 S.) Basel 886. Missionsbuchh. n. 3. 60

Mannes, das Wasserwerk der Stadt Weimar, s.: Hermann.

Mannfeld, B., durch's deutsche Land. Malerische Stätten aus Deutschland, dem Elsaß u. Oesterreich. In Orig.-Radirgn. Nebst begleit. Text v. Aemil Fendler u. A. 2. Aufl. 1. u. 2. Serie. Fol. (à 30 Bl. m. 30 Bl. Text.) Leipzig 886. Barsdorf. geb. m. Goldschn. à n. 18. —

— dasselbe. Auswahl aus beiden Serien. Fol. (25 Bl. m. 25 Bl. Text.) Ebend. 886. In Mappe. 15. —

— vom Rhein. 15 Orig.-Radirgn. Fol. (1 Bl. Text.) Bonn 885. Strauß. Epreuve auf ächtem Japanpap. in Cartonpassepartouts, ohne jede Unterschrift m. Bleistiftautograph v. Mannfeld, in Mappe 100. —; Drucke vor der Schrift m. der fcsm. Unterschrift

Mannfeld's, auf chines. Pap. in Mappe 60. —; einzelne Blätter à 4. 50; Drucke m. der Schrift auf chines. Pap., in Mappe 36. —

Mannfried, Rich., Freud u. Leid. Alltägliches im Gewande der Dichtg. 16. (70 S.) Würzburg 886. Kreßner. n. 1. —

— Zeitklänge aus Franken. gr. 16. (34 S.) Ebend. 885. n. — 50; geb. n. 1. —

Mannhardt, H. G., drei geistliche Reden, geh. bei der erwachsenen Jugend am Palmsonntag 1881. 82. 83. gr. 8. (34 S.) Danzig 883. (Bertling.) n. — 60

Mannhardt, W., mythologische Forschungen, s.: Quellen u. Forschungen zur Sprach- u. Culturgeschichte der germanischen Völker.

Mannhardt, Wilh., Gedichte. Mit e. Lebensskizze d. Dichters. 8. (XXXI, 152 S.) Danzig 881. Saunier. n. 2. —; geb. n. 3. —

Manning, Heinr. Ed., die katholische Kirche u. die moderne Gesellschaft. Uebers. m. Genehmigg. d. Verf. v. e. trier. Priester. gr. 8. (31 S.) Trier 883. Paulinus-Druckerei. n. — 40

— das ewige Priesterthum. Autoris. Uebersetzg. v. E. W. Schmitz. 8. (VII, 256 S.) Mainz 884. Kirchheim. 2. —

Mannl, Oswald, die Sprache der ehemaligen Herrschaft Theusing. Als Beitrag zu e. Wörterbuche der fränk Mundart in Böhmen gr. 8. (32 S.) Pilsen 886. Maasch. n. — 50

Manno, Karl, e. süßer Knabe. Eine unart. Geschichte. 8. (324 S.) Berlin 885. Janke. n. 5. —

— dasselbe. 2. Aufl. 8. (272 S.) Ebend. 886. n. 2. —

Manns, Hub., die schönste Familie auf Erden. gr. 16. (90 S.) Aachen 886. Cremer. n. — 20

— Gebete, um christlich zu leben u. selig zu sterben. gr. 16. (7 S.) Ebend. 886. n. — 4

— 14 Gebete, um durch das bittere Leiden unseres Heilands Hilfe zu erlangen in jeder Noth, u. besonders die ewige Seligkeit. gr. 16. (32 S.) Ebend. 886. n. — 10

— Gold od. Koth. gr. 16. (112 S.) Ebend. 886. n.n. — 25

— Vergib uns unsere Schuld, wie auch wir vergeben unseren Schuldigern. 12. (153 S.) Ebend. 886. n. — 40

Manns, P., die Lehre d. Aristoteles v. der tragischen Katharsis u. Hamartia, erklärt. gr. 8. (86 S.) Karlsruhe 883. Reuther. n 1. 80

Mannsberg, Paul, aus dem Nachlasse e. Kraft-Genies. Eine krit. Studie. 8. (76 S.) Berlin 885. Kamlah. n. — 80

Mannschafts-Unterricht, der, der deutschen Infanterie. Von F. H. 8. (XI, 148 S.) Hannover 886. Helwing's Verl. n.n. — 50

Mannspersen, die illustrirte. Humor, Satire u. — Wahrheit. Mit 17 Holzschn. Von e. illustrirten Frauenzimmer. 4. Aufl. 12. (136 S.) Reutlingen 885. Bardtenschlager. 1. —

Manöver-Notiz-Buch f. den Kompagnie-Chef der Infanterie. 5. Jahrg. 1882. 16. (85 S.) Potsdam 883. Döring. geb. n. 2. 50

Mansfeld, Arnold, die Reise der Familie Eggers nach Poppenbüttel. 12. (78 S.) Hamburg 886. Schardius. — 30

Mansfeld, J., der Mainzer Carnevalszug. qu. gr. 8. (18 Taf.) Mainz 886. (v. Zabern.) n. 1. —

Mansi, J. D., s.: Consiliorum, sacrorum, nova et amplissima collectio.

Mansion, P., Elemente der Theorie der Determinanten. Mit vielen Übungsaufgaben. 2. Aufl. gr. 8. (XXIV, 55 S.) Leipzig 886. Teubner. n. 1. 20

Maentz, J., Sagen u. Geschichten, f. den vorbereitenden Unterricht in der Geschichte zusammengestellt. 2. Aufl. gr. 8. (VI, 110 S.) Leipzig 886. Bredow. n. 1. —; Einbd. n.n. — 15

Manstein, Sergius v., Handbuch der russischen Sprache. Grammatische Übersicht, Text m. phonet. Transscription, Glossar. Zugleich e. prakt. Hülfsbuch zu jeder russ. Grammatik. Mit 1 lith. Schrifttaf. 8. (LXXIV, 242 S.) Leipzig 884. Brockhaus. n. 4. 50

Mantegazza, Paul, Indien. Aus dem Ital. v. H. Meister. gr. 8. (VIII, 368 S.) Jena 885. Costenoble. n. 8. —

— die Physiologie der Liebe. Einzige vom Verf. autoris. deutsche Ausg. Aus dem Ital. v. Eb. Engel. 2. Aufl. 8. (XII, 374 S.) Ebend. 886. n. 4. —; geb. n. 6. —

— anthropologisch-kulturhistorische Studien üb. die Geschlechtsverhältnisse d. Menschen. Aus dem Ital. Einzig autoris. deutsche Ausg. gr. 8. (IX, 380 S.) Ebend. 886. n. 7. —

Mantel, G., Ausbildung d. einzelnen Infanteristen im Schul- u. gefechtsmäßigen Schießen. Theoretisch-prakt. Unterrichtsgang nach den Grundsätzen u. Regeln der neuen Schieß-Instruktion f. die Infanterie zum unmittelbaren Gebrauche f. den Schießlehrer u. Abrichter. [Mit 41 Fig. bezw. Scheibenbildern.] 8. (VIII, 37 S.) Augsburg 885. Rieger. n. 1. —

— Frei-, Gewehr- u. Anschlag-Uebungen, in sechs Gruppen m. Unterabteilungen zusammengestellt. 8. (31 S.) Ebend. 885. n. — 25

— kleines Schießbuch f. die 1—3. Schießklasse. 16. (16, 16 u. 18 S. m. je 6 Steintaf.) Berlin 885. Mittler & Sohn. à n.n. — 10; Lederpappen-Enveloppe n.n. — 2

— dasselbe. Besondere Schießklasse. 16. (16 S. m. 6 Steintaf.) Ebend. 885. n.n. — 12

— dasselbe. Ersatzreserve. [I., II. u. III. Uebungsperiode.] 16. (20 S. m. 6 Steintaf.) Ebend. 885. n.n. — 12

Manteuffel, Erna v., Album altdeutscher Leinenstickerei. 5 Hfte. qu. gr. 8. (à 11 Steintaf. m. 4 S. Text.) Harburg 883. Elkan. à 1. —; cplt. in Leinw.-Mappe 7. —
1. Kreuzstich. — 2. Holbein-Technik. — 3. Wiener Kreuzstich. — 4. Italienischer Kreuzstich. — 5. Flechtenstich.

— Himmelsschlüssel, s.: Jugend-Bibliothek, christliche.

— Monogramm-Album. 600 stilvoll verschlungene Buchstaben f. Plattstichstickerei in verschiedenen Größen. Nebst vielen Verziergn. 5—7. Hft. gr. 4. (à 10 photolith. Taf.) Harburg 883. Elkan. In Mappe. à 3. —

Manteuffel, Ursula Zöge v., Mark Albrecht. Roman. 2 Bde. 8. (288 u. 240 S.) Leipzig 883. Böhme. n. 7. —; geb. n. 9. —

— dasselbe. 2 Thle in 1 Bd. 2. Aufl. 8. (180 u. 152 S.) Ebend. 886. n. 3. 75; geb. n. 4. 75

— Désirées Geheimnis. Novelle aus dem Badeleben. 8. (147 S.) Ebend. 886. n. 1. 80; geb. n. 2. 70

— Violette Fouquet. Roman. 3 Bde. 8. (238, 234 u. 268 S.) Berlin 885. Janke. n. 12. —

— Lora. Roman. 8. (299 S.) Leipzig 885. Böhme. n. 4. —

— Graf Lorenz. Roman. 3 Bde. 8. (226, 240 u. 259 S.) Berlin 884. Janke. n. 10. —

— dasselbe. 2. Aufl. 8. (276 S.) Ebend. 886. n. 2. —

— das Majorat. Roman. 2 Bde. gr. 8. (214 u. 256 S.) Ebend. 884. n. 9. —

— dasselbe. 2. Aufl. 8. (275 S.) Ebend. 885. n. 2. —

— il Romano. Roman. 2 Thle. in 1 Bd. 2. durchgeseh. u. veränd. Aufl. 8. (147 u. 207 S.) Leipzig 886. Böhme. n. 4. —; geb. n. 5. —

— Seraphine. Eine Erzählg. 2. durchgeseh. u. veränd. Aufl. 2 Bde. 8. (253 u. 419 S.) Ebend. 886. n. 6. 75; geb. n. 8. 50

Manteuffel, Werner v. Zoege, experimentelle Studien üb. Geräusche bei Gefässverletzungen. gr. 8. (54 S.) Dorpat 886. (Karow.) n. 1. —

Manuale chorale. Volksausg. Die gebräuchlichsten Gesänge aus den v. der S. Rit. Congregatio edirten Choralbüchern zusammengestellt, u. in Violinschlüssel m. weissen Noten übertragen. 12. (XIX. 380 S.) Regensburg 886. Pustet. n. 1. —; Einbd. in Leinw. n.n. — 50

— precum in usum juventutis studiosae et congregationum B. M. V. et in honorem Virginis immaculatae editum, quod officium parvum B. M. V., officium defunctorum nec non exercitia pietatis in conventibus et in privata devotione persolvenda complectitur. Ed. II. 16. (IV, 244 S. m. 1 Stahlst.) Dülmen 885. Laumann. n. 1. —; geb. n. 1. 50

— precum in usum theologorum. 12. (XI, 554 S.) Freiburg i/Br. 886. Herder. n. 3. —

— sacrum ad usum sacerdotum dioecesis Brixinensis

concinnatum jussu et auctoritate episcopi Simonis. 8. (X, 424 S.) Brixen 886. Weger. n. 3. —

Manuel, G., tarif des douanes de France applicable aux produits des états qui ont droit, à teneur de leurs traités avec la France, au traitement de la nation la plus favorisée. Dressé d'après l'édition officielle des tarifs des douanes de France. gr. 8. (71 S.) Bern 883. Wyss. cart. n. 1. 20

— Zolltarif v. Frankreich, anwendbar gegenüber denjenigen Staaten, welche, vermöge ihrer Verträge mit Frankreich, Anspruch haben auf Gleichstellung m. der meistbegünstigten Nation. Nach der amtl. Ausg. der Zolltarife v. Frankreich bearb. gr. 8. (71 S.) Ebend. 883. n. 1. —; cart. n. 1. 20

Manuscript, das. Central-Organ zur Förderg. der gemeinsamen Interessen zwischen Verlagsbuchhändlern, Schriftstellern u. Redacteuren. Red. v Gust. Wolf. 1. u. 2. Jahrg. Juli 1884 — Juni 1886. à 24 Nrn. (à 1—2 B.) gr. 4. Leipzig, G. Wolf. à Jahrg. 12. —

Manz, C., der Grundbesitz in der Prov. Hannover, s.: Danger, L.

Manz, Wilh., üb. die Augen der Freiburger Schuljugend. Ein Vortrag. gr. 8. (36 S.) Freiburg i/Br. 883. Mohr. n. 1. 20

Manzer, R., Sagen aus dem Böhmerlande, s.: Volks- u. Jugend-Bibliothek.

Manzoni's, A., Werke, s.: Collection Spemann.

— Adelchi, s.: Biblioteca italiana.

— die Verlobten. Eine mailänd. Geschichte aus dem 17. Jahrh. Aufgenommen u. umgearb. Nebst e. Anh.: Geschichte der Schandsäule, u. e. litterarhist. Einleitg. üb. A. Manzoni v. Ludw. Clarus. Nach der neuesten Aufl. aus dem Ital. übers. 3. Aufl. 2 Bde. 8. (566 u. 518 S.) Regensburg 884. Verlags-Anstalt. 7. —

Mappe, die. Illustrirte Fachzeitschrift f. dekorative Gewerbe. Hrsg. u. red. v. E. A. Grünenwald u. Fr. Nauert. 4. u. 5. Jahrg. 1884 u. 1885. à 24 Nrn. (2 B. m. eingedr. Holzschn. u. Steintaf.) Fol. Leipzig, Scholtze. à Jahrg. 9. 60; in Mappe n. 12. —

— dasselbe. 6. Jahrg. 1886. 12 Hfte. (2 B. m. eingedr. Holzschn. u. Steintaf.) Fol. Dresden. Ebend. 12 —

— Berliner bunte, hrsg. v. Eug. Düsterhoff. 8. (III, 103 S.) Berlin 885. (Kamlah.) n. 2. —

— Münchener bunte. Hrsg. v. Max Bernstein. Orig.-Beiträge Münchener Künstler u. Schriftsteller. gr. 4. (VII, 96 S. m. autotyp. u. Holzschn.-Illustr.) München 884. Verlagsanstalt f. Kunst u. Wissenschaft. cart. n. 7. 50

— dasselbe. (2. Jahrg. 1885.) gr. 4. (IV, 99 S. m. eingedr. Illustr. u. Taf.) Ebend. 885. geb. m. Goldschn. n. 10. —

Maquet, Curt, das Heidelberger Tonnensystem m. Zeichnungen, Tabellen u. sonstigen f. die Praxis wissenswerthen Notizen. gr. 8. (40 S.) Heidelberg 884. Weiss' Verl. n. 1. —

Mar, Paul, Heidelberg. Eine Jubiläums-Erinnerg. 8. (32 S.) Heidelberg 886. Weiß' Verl. n. — 60

Marat, J., Waldeinsamkeit, s.: Scheffel, J. V. v.

Marbach, J. G., arithmetisches Exempelbuch f. Volksschulen. Ein Hülfsmittel f. den Unterricht im schriftl. Rechnen. 4 Hfte 8. Schleusingen, Glaser. n. 1. 35

1. 38. Aufl. (48 S.) 881. n. — 25. — 2. 36. Aufl. (56 S.) 881. n. — 25. — 3. 26. Aufl. (64 S.) 882. n. — 35. — 4. 19. Aufl. (84 S.) 881. n. — 50

— dasselbe. Resultate. 4 Hfte. 8. (16, 15, 24 u. 20 S.) Ebend. 883. à n. — 30

— Rechenfibel. Vorübungen zum arithmet. Exempelbuch. 5. Aufl. 8. (36 S.) Ebend. 882. n. — 20

Marbach, Oswald, Licht u. Leben. Gedichte. 8. (VII, 399 S.) Leipzig 883. Zechel. n. 5. —

Marbod, Cora, die beiden Dorotheen. Roman. Volks-Ausg. 3 Tle. in 1 Bd. 8. (125, 128 u. 132 S.) Rohrerberg b/Coblenz 886. v. Busse. n. 2. —

— die Halbschwestern. Roman. 8. (320 S.) Ebend. 886. n. 5. —

Marc Anton, Christus u. die Apostel, s.: Rafael.

Marcell Jellinek, Erwin, Othello. Studie. Lex.-8. (49 S.) Wien 886. Künast. n. 1. 60

Marc-Fournier, Bajazzo u. Familie, s.: d'Ennery.

March, Rich., Graf Henri v. Montfort, der Gebrandmarkte, od. die Brüderschaft v. St. Paul. Romantische Erzählg. 3 Bde. gr. 8. (488, 590 u. 520 S. m. je 1 Chromolith.) Neusalza 883—85. Oeser. 10. —

Marchal, B., der Blumenstrauß der christlichen Jungfrau. 3., abermals verb. Aufl. der deutschen Bearbeitg. 16. (VI, 375 S. m. 1 Farbendr.) Regensburg 885. Pustet. 1. 50; geb. in Leinw. m. Goldschn. n. 2. 30

Märchen, deutsche. 1. u. 2. Bd. 4. Dresden 883. Meinhold & Söhne. geb. à 3. —

1. Schneewittchen. Aschenbrödel. Dornröschen. Rothkäppchen. Mit 24 Illustr. in Farbendr. nach Orig.-Aquarellen v. Hosemann, Thomas, Anemüller u. Gareis. (32 S.)
2. Hans u. Gretel. Die Wunderglocke. Hans im Glück. Frau Holle. Mit 24 Illustr. in Farbendr. nach Orig.-Aquarellen v. Hosemann, Claudius u. Sonderland. (32 S.)

— der Tante Emmy. Neue Folge. Illustriert v. J. Kiener. Mit dem Portr. der Tante Emmy in Lichtdr. gr. 8. (VIII, 198 S.) Donauwörth 883. Auer. geb. n. 3. 60

— für die lieben Kinder in sorgfältiger Auswahl v. Gebr. Grimm, Andersen, Bechstein 2c. Mit (5) Farbendr.-Illustr., gezeichnet u. lith. v. W. Schäfer. 2. Aufl. gr. 8. (220 S.) Berlin 883. Drewitz. geb. 4. 50

— aus 1001 Nacht. Eine Auswahl f. die Jugend. Mit 6 Farbendr.-Bildern nach Orig.-Aquarellen v. C. Offterdinger. 6. Aufl. gr. 8. (III, 240 S.) Stuttgart 883. Loewe. geb. 3. —

— neue, f. große u. kleine Kinder. Erzählt v. der Tante Emmy. 2. Aufl. Mit 2 Farbendr.-Bildern u. 40 Text-Illustr. gr. 8. (XVI, 256 S.) Donauwörth 886. Auer. cart. n. 3. —

— sechs schöne. 1. u. 2. Bdchn. kl. 4. (14 u. 16 S. m. je 6 Chromolith.) Stuttgart 886. Loewe. cart. à — 60

— die schönsten. Nr. 1—4. gr. 4. (à 8 S. m 4 Chromolith.) Reutlingen 884. 85. Enßlin & Laiblin. cart. à 1. 20

1. Dornröschen. Hänsel u. Grethel. Der gestiefelte Kater. Rothkäppchen.
2. Schneewittchen. Aschenputtel. Der Wolf u. die 7 jungen Gaißlein. Brüderchen u. Schwesterchen.
3. Hans im Glück. Der Blaubart. Die verzauberte Prinzessin. Daumensdick.
4. Schneeweißchen. Der Arme u. der Reiche. Die 7 Raben. Das Schlaraffenland. (8 S. m. 4 Chromolith.)

— die schönsten, aus 1001 Nacht f. den Familientisch. In das Deutsche übertr. v. Alex. König. Auserwählt, neu bearb. u. hrsg. v. C. Michael. 3. verb. Aufl. Pracht-Ausg. Mit 40 Text-Illustr. v. Erdmann Wagner, nebst buntem Titelbilde v. Herm. Vogel. gr. 8. (VI, 362 S.) Leipzig 883. Spamer. n. 5. —; cart. n. 6. —

— dasselbe, s.: Volksbibliothek f. Kunst u. Wissenschaft.

Märchenbuch. Eine Auswahl der schönsten Märchen f. die Jugend. Mit 12 Farbendr.-Bildern nach Orig.-Aquarellen v. C. Offterdinger u. H. Leutemann. 10. Aufl. gr. 4. (III, 120 S.) Stuttgart 886. Loewe. geb. 3. —

— goldenes, f. brave Kinder. gr. 4. (32 S. m. eingedr. Holzschn. u. 16 Chromolith.) Reutlingen 885. Enßlin & Laiblin. cart. 4. —

— neues. Enth. die schönsten deutschen Märchen. Mit 16 Farbendr.-Bildern v. J. B. Sonderland. 8. (96 S.) Wesel 884. Düms. geb. — 60

— das schönste, f. Kinder. Eine Auswahl aus Deutschlands Märchenschatz. 6. Aufl. 12. (125 S. m. color. Steintaf.) Reutlingen 883. Neugebauer. geb. — 90

— unzerreißbares, f. die ganz Kleinen. Mit 12 Farbdr.-Bildern v. C. Offterdinger. gr. 4. (4 S.) Stuttgart 884. Loewe. geb. 3. 50

Märchen-, Geschichten- u. Liederbuch, das schönste. Auslese aus Rob. Reinick'schen Dichtgn. f. die Jugend. Mit vielen Bildern. 8. (112 S.) Reutlingen 886. Enßlin & Laiblin. geb. 1. 20

Märchenkranz f. die liebe Jugend. Mit (3) hübschen Bildern. 8. (128 S.) Mülheim 886. Bagel. cart. 1. —

Märchenlust f. Knaben u. Mädchen. Mit (3) hübschen Bildern. 8. (127 S.) Mülheim 886. Bagel. cart. 1. —

Märchenmodell, das. Ein Modellmärchen f. Kinder der Zeit v. Ulysses. Illustr. v. Jul. Schlattmann u. Frz. Jüttner. 8. (64 S.) Berlin 886. M. Schulze. n. 1. —

Märchenschatz. 12 der schönsten Märchen f. die lieben Kinder. Mit 12 Farbdr.-Bildern nach Aquarellen v.

C. Offterdinger. kl. 4. (30 S.) Stuttgart 886. Loewe geb. 1. 25

Märchenschatz, deutscher. Enth.: Der gestiefelte Kater. Die sieben Raben. Tischchen, deck' dich. Mit 18 Illustr. in Farbendr. nach Orig.-Aquarellen v. A. Stichardt u. Th. Hosemann. gr. 8. (27 S.) Dresden 884. Meinhold & Söhne. geb. n. 2. —

Märchentheater, neues. Neu erzählt v. Otto v. Leixner. Nach Aquarellen v. C. Offterdinger. Nr. 1. u. 2. 4. Stuttgart 883. Engelhorn. geb. à n. 2. 50
1. Aschenputtel. (7 S. m. 11 Chromolith.) — 2. Dornröschen. (7 S. m. 12 Chromolith.)

Marchesetti, Carlo de, la pesca lungo le coste orientali dell' Adria. Pubblicazioni dell' i. r. governo marittimo in occasione della mostra Austro-Ungarico a Trieste. gr. 8. (IV, 229 S.) Triest 882. (Schimpff.) n. 4. —

— die österreichische Seefischerei, nach dem Werke: Die Fischerei an der östl Küste d. adriat. Meeres. Im Auftrage der k. k. Seebehörde in Triest übers. v. Arth. Breycha. gr. 8. (81 S.) Ebend. 884. n. 1. 80

Marchet, Gust., die rechtliche Stellung der land- u. forstwirthschaftlichen Privatbeamten in Oesterreich. [Archiv f. Landwirthschaft, hrsg. v. Hugo H. Hitschmann, IV.] gr. 8. (73 S.) Wien 884 (Gerold's Sohn.) n. 1. 60

— Studien üb die Entwickelung der Verwaltungslehre in Deutschland von der 2. Hälfte d. 17. bis zum Ende d. 18. Jahrh. gr. 8. (VIII, 487 S.) München 885. Oldenbourg. n. 9. —

Marcinowski, F., die gesetzlichen Bestimmungen betr. die Pensionirung der unmittelbaren Staatsbeamten, so wie der Lehrer u. Beamten an den höheren Unterrichtsanstalten u. die Fürsorge der Wittwen u. Waisen in Preußen, nebst den Ergänzungs- u. Ausführungs-Vorschriften, so wie e. Tabelle zur Berechng. der Pension, bezw. d. Wittwen- u. Waisengeldes u. e. Nachtrage enth. die nach dem Abschluß der 1. Aufl. erlassenen Gesetze u. Verwaltungsvorschriften f. den prakt. Handgebrauch zusammengestellt. 2. Aufl. gr. 8. (XII, 154 S.) Berlin 884. v. Decker. 1. 50

— Ergänzungshefte zum Kommentar der deutschen Reichs-Gewerbeordnung. 3. Aufl. 1884. 1. u. 2. Hft. gr. 8. Berlin 884. G. Reimer. cart. n. 4. —
1. Das Reichsgesetz vom 14. Mai 1879 betr. den Verkehr m. Nahrungsmitteln, Genußmitteln u. Gebrauchsgegenständen m. Erläuterungen u. Ergänzungen. (VIII, 55 S.) n. 1. 50
2. Das Reichsgesetz üb. die eingeschriebenen Hülfskassen vom 7. Apr. 1876 in der durch das Reichsgesetz vom 1. Juni 1884 geänderten Fassung m. Erläuterungen. Anhang: Die seit Emanation d. Reichsgesetzes vom 1. Juli 1883 zur Ergänzg. u. Erläuterg. der deutschen Gewerbeordng. ergangenen Gesetze, Verordngn., Verwaltungsverfüggn. u. Rechtssprüche. (114 S.) n. 2. 50

— die deutsche Gewerbe-Ordnung f. die Praxis in der Preußischen Monarchie m. Kommentar u. e. Anh., enth. die Gesetze zum Schutze d. Urheberrechts gewerbl. Leistgn. u. die preuß. Gewerbesteuergesetze. 3. Aufl. [Fassung d. Reichsgesetzes vom 1. Juli 1883.] gr. 8. (XXII, 636 S.) Ebend. 884. n. 10. —; geb. n. 11. —

Marck, v., die Staatsanwaltschaft bei den Land- u. Amtsgerichten in Preußen. Eine fortlauf. Darstellg. der gesammten Thätigkeit der Staatsanwaltschaft nach Reichs- u. Landesrecht, m. allen einschläg. Bestimmgn. im Wortlaut u. m. Verfügungsentwürfen; als Lehrbuch f. die Referendarien, als Handbuch f. die Rechtsanwälte u. als Nachschlagebuch f. die Staatsanwälte bearb. gr. 8. (VII, 631 S.) Berlin 884. v. Decker. u. 12. —

Maercker, die Nachlaßbehandlung, das Erbrecht u. die Vormundschaftsordnung, nebst den auf diese Materien bezügl. gesetzl. Bestimmgn. f. das preuß. Rechtsgebiet. 11. Aufl. gr. 8. (XVI, 362 S.) Berlin 886. v. Decker. geb. n. 5. —

Maercker, F. A., Schatz-Kästlein der Braut. Eine Verlobungsgabe. 4. (III, 136 S. m. 1 Stahlst.) Berlin 885. Dümmler's Verl. geb. m. Goldschn. n. 8. —

Maercker, M., experimentelle Beiträge zur Frage der Trocknung der Diffusionsrückstände der Zuckerfabriken. gr. 8. (24 S.) Berlin 884. Parey. n. 1. —

— über den Futterwerth der getrockneten Diffusionsrückstände gr. 8. (87 S. m. 1 Tab.) Ebend. 883. n. 1. —

— Handbuch der Spiritusfabrikation. 4. Aufl. Mit 234 in den Text gedruckten Abbildgn. gr. 8. (XVI, 815 S.) Berlin 886. Parey. n. 20. —; geb. n. 22. 50

Maercker, M., s.: Vorträge üb. Kalidüngung u. Steigerung der Erträge.

Marcks, die Hochwald-Bahn auf der Grundlage der preußischen Staats-Eisenbahn-Politik. Als e. Beispiel f. statist., wirthschaftl. u. techn. Tracirg. v. Meliorations-Bahnen skizzirt. Mit 2 (autogr.) Karten. 8. (99 S.) Trier 883. Lintz. n. 2. —

Marcks, Erich, de alis, quales in exercitu romano tempore liberae rei publicae fuerint. gr. 8. (44 S.) Leipzig 886. Teubner. n. 1. 20

— die Ueberlieferung d. Bundesgenossenkrieges 91—89 v. Chr. gr. 8. (VIII, 92 S.) Marburg 884. Elwert's Verl. n. 2. —

Mareks, Joh. Frdr., symbola critica ad epistolographos graecos. gr. 8. (54 S.) Bonn 883. (Behrendt.) n 1. 20

Marcour, E., wer hat Magdeburg zerstört, s.: Broschüren, Frankfurter zeitgemäße.

Marcus, der Kurort Pyrmont. gr. 8. (72 S.) Berlin 883. Fischer's med. Buchh. n. 1. —; cart. n. 1. 20

Marcus, Sigism., die Deformitäten der knöchernen Nase. Ein Beitrag zu ihrer operativen Beseitigg. gr. 8. (30 S. m. 1 Steintaf.) Jena 884. (Pohle.) n. 1. —

Marcus, V., die Seehäfen im heutigen Weltverkehr, s.: Zeitfragen, volkswirthschaftliche.

Marcuse, Adph., üb. die physische Beschaffenheit der Cometen. gr. 4. (V, 75 S.) Berlin 884. (Friedländer & Sohn.) n.n 5. —

Marcuse, Ernst, Begriff u. Arten der Verträge üb. unbewegliche Sachen im Sinne d. deutschen Handelsgesetzbuches Artikel 275. gr. 8. (74 S.) Berlin 884. (Mayer & Müller.) n. 1. 80

Marcuse, H., Wucher-Gesetz, s.: Universal-Bibliothek, juristische.

Marcuse, Max, zur Geschichte d. J. 1744. gr. 4. (23 S.) Berlin 885. Gaertner. n. 1. —

Marcusen, Alex., nachgelassene Gedichte, Skizzen vom Genfersee u. Novellen. 8. (163 S.) Bern 885. (Schmid, Francke & Co.) n. 2. 40

Marcusen, Woldemar, die Lehre v. der Hereditas jacens in ihrem Zusammenhange m. der alten Usucapio pro herede. 8. (IV, 158 S.) Bern 883. Nydegger & Baumgart. n. 2. 50

Mardner, C., St. Agnes. Ein Festspiel f. erwachsene Mädchen in 5 Akten. 8. (59 S.) Mainz 885. Kirchheim. n. — 80

Mardner, W., Lehrgang der französischen Sprache, s.: Ducotterd, X.

— kleine deutsche Litteraturgeschichte m. Proben aus den Werken der besprochenen Dichter. gr. 8. (III, 203 S.) Mainz 884. Kirchheim. n. 1. 60

Maréchal, E., histoire romaine In Auszügen. Mit erklär. Anmerkgn. zum Schulgebrauch hrsg. v. C. Th. Lion. Neue Ausg. in 2 Tln. 8. (IV, 461 S.) Leipzig 886. Baumgärtner. geb. à 1. 50

Marelle, Charles, manuel de lecture, de style et de conversation, contenant un choix de modèles intéressants adaptés aux exercices de grammaire, prononciation, modulation, thème et version, histoire comparée de la littérature française etc. à l'usage des écoles et des familles. 2. éd. refondue sur un nouveau plan. 1. et 2. degré A et B. gr. 8. (X, 80; 96 u. 134 S.) Frankfurt a/M. 886. Gestewitz. n. 4. —

Marenholtz-Bülow, B. v., theoretisches u. praktisches Handbuch der Fröbelschen Erziehungslehre. 2 Tle. Lex.-8. Kassel 886. Wigand. n. 14. —
I. Die Theorie der Fröbelschen Erziehungslehre. (VII, 164 S.) n. 4. —
II. Die Praxis der Fröbelschen Erziehungslehre. Mit 115 lith. Taf. (IV, 187 S.) n. 10. —

Marenzeller, Emil v., südjapanische Anneliden. II. Ampharetea, Terebellacea, Sabellacea, Serpulacea. [Mit 4 (lith.) Taf.] Imp.-4. (28 S.) Wien 884. (Gerold's Sohn.) n. 3. 20 (I. u. II.: n. 7. 80)

— zur Kenntniss der adriatischen Anneliden. 3. Beitrag. [Terebellen (Amphitritea Mgrn.).] Mit 2 (lith.) Taf. Lex.-8. (64 S.) Ebend. 884. n 1. 50 (I—III.: n. 5. —)

Marr, Elisabeth, ein Erinnerungsblatt an das musikalische Kunstgetriebe der fünfziger Jahre in Weimar unter Franz Liszt. gr. 8. (16 S.) München 884. Merhoff. — 30

Marr, Karl, Gfr. Rode, Rud. Hemmleb, Liederbuch f. Schule u. Haus. Mit e. Vorwort v. Frdr. Polack. 8. (IV, 192 S.) Gera 885. Th. Hofmann. n. — 60; Einbd. n.n. — 14

— — — dasselbe. Ausg. f. kathol. Schulen. 8. (IV, 199 S.) Ebend. 885. n. — 60; Einbd. n.n. — 14

Marr, Wilh., zur Klärung der Colonialfrage. 16. (40 S.) Barmbeck 885. (Hamburg, Fenkhausen.) — 30

— Lessing contra Sem. Allen „Rabbinern" der Juden- u. Christenheit, allen Toleranz-Duselheimern aller Parteien, allen „Pharisäern u. Schriftgelehrten", tolerantest gewidmet. gr. 8. (44 S.) Berlin 885. M. Schulze. n. 1. —

Marriot, E., das ewige Gesetz, s.: Was Ihr wollt-Bibliothek.

— dasselbe, s.: Wolzogen, E. v., die Miether d. Herrn Thaddäus.

— der geistliche Tod, s.: Bibliothek f. Ost u. West.

— mit der Tonsur. Geistliche Novellen. 8. (263 S.) Berlin 886. F. & P. Lehmann. n. 4. —

Marryat, the children of the new forest, s.: Authors, English.

— the three cutters. Mit erklär. Anmerkgn. hrsg. v. Reginald Miller. 2. Aufl. gr. 8. (III, 59 S.) Leipzig 883. Renger. — 80

— dasselbe, s.: Authors, English.

— dasselbe, s.: Rauch's English readings.

— dasselbe, s.: Schüler-Bibliothek, englische.

— Japhet, der seinen Vater sucht, s.: Universal-Bibliothek.

— Masterman Ready, s.: Sammlung gediegener u. interessanter Werke der englischen Litteratur.

— the settlers of Canada, s.: Authors, English.

Marryat, F., facing the footlights,
— the ghost of Charlotte Cray and other stories,
— the heart of Jane Warner,
— the heir presumptive,
— under the lilies and roses,
— the master passion,
— a moment of madness and other stories,
— peeress and player,
} s.: Collection of British authors.

Marschall, E. Frhr. v., zur Geschichte der kgl. Realschule Bamberg. Festschrift. gr. 8. (41 S.) Bamberg 883. (Hübscher.) n. — 40

— die Bamberger Hof-Musik unter den drei letzten Fürstbischöfen. Festschrift. gr. 8. (68 S.) Ebend. 885. n. 1. —

Marschall, F., der Coupon, s.: Gunz, E. v.

Marschall, G. R., Grundriß der deutschen Sprach- u. Rechtschreiblehre, s.: Gutmann, K. A.

— deutsches Lesebuch f. höhere Lehranstalten. 2. u. 3. Bd. gr. 8. Nürnberg, Korn. n.n. 5. 60 (1—3.: n.n. 7. 60)

2. Für die mittleren [bezw. oberen] Klassen. 3. Aufl. (XII, 504 S.) 887. n.n. 3. —; Einbd. n.n. — 50
3. Für die oberen Klassen. 2 Hälften in 1 Bd. (VII, 176 u. VI, 219 S.) 884. n.n. 2. 60

— deutsches Lesebuch, s.: Bauer, L.

— dasselbe, s.: Krieger, F.

— u. Karl A. Gutmann, deutsches Sprachbuch. [Sprach- u. Rechtschreiblehre.] 2. Abtlg. Für die mittleren u. oberen Klassen höherer Lehranstalten. 5., durchgeseh. u. nach der amtl. Schreibweise richtiggestellte Aufl. 8. (288 S.) München 883. Exped. d. k. Zentral-Schulbücher-Verlages. geb. n.n. 1. 90

Marsch-Dienst, Aufklärungs- u. Sicherheits-Dienst nach der „neuen Felddienst-Ordnung". Nachtrag zu den Dienst-Unterrichtsbüchern der Infanterie. 8. (24 S.) Berlin 886. Liebel. — 15

Marsch-Sicherungen. Zur Benutzg. f. die Instruktion der Unteroffiziere u. älteren Soldaten der Infanterie. Von M. A. 12. (15 S.) Rathenow 886. Babenzien. n. — 20

Marshall, Emma, die Botschaft der Lilien. Eine Erzählg. f. Jung u. Alt. Aus dem Engl. übers. v. A. Hornung. Mit 4 Bildern. 12. (60 S.) Herborn 886. Buchh. d. Nassauischen Colportage-Vereins. n. — 20

Marshall, E., in the east country with Sir Thomas Browne,
— dayspring,
} s.: Collection of British authors.

— die Erbin v. Ashton Court. Eine Erzählg. f. die Frauenwelt. Deutsche autoris. Ausg. v. Marie Morgenstern. 8. (VII, 280 S.) Itzehoe 883. Nusser. n. 2. 80; geb. n. 3. 60

— Errungen. Eine Erzählg. aus dem Quäkerleben. Deutsch v. Marie Morgenstern. 8. (III, 371 S.) Leipzig 886. Hinrichs' Verl. 3. 60; geb. n. 4. 40

— ausgewählte Erzählungen. 4—6. Bd. 8. Stuttgart, J. F. Steinkopf. n. 8. —; geb. n. 11. — (1—6.: n. 15. 80; geb. n. 21. 80)

4. Eine Lilie unter Dornen. Erzählung. Autoris. deutsche Uebertragg. (244 S.) 883. n. 2. 50; geb. n. 3. 50
5. Tagesanbruch. Eine Geschichte aus den Tagen d. Reformators u. Märtyrers William Tyndale. Autoris. deutsche Uebertragg. (286 S.) 884. n. 3. —; geb. n. 4. —
6. Christabel Kingscote od. geduldig in Hoffnung. Autoris. deutsche Uebertragg. (240 S.) 886. n. 2. 50; geb. n. 3. 50

— von Herzen treu. Eine Familiengeschichte. Deutsch v. Marie Morgenstern. 8. (III, 355 S.) Leipzig 885. Hinrichs' Verl. 3. 60; geb. n. 4. 40

— life's aftermath,
— No. XIII; or the story of the lost Vestal,
} s.: Collection of British authors.

— Rex and Regina, s.: Series for the young.

— the Rochemonts, s.: Asher's collection of English authors.

— Rubine u. Perle, s.: Sammlung v. Kinderschriften.

Marshall, Will., Agilardiella radiata, e. neue Tetractinellidenform m. radiärem Bau. Mit 1 (chromolith.) Taf. gr. 4. (15 S.) Berlin 884. (G. Reimer) cart. n. 1. 50

— die Entdeckungsgeschichte der Süsswasser-Polypen. Antrittsvorlesung. gr. 8. (31 S.) Leipzig 885. Quandt & Händel. n. 1. 25

Marsop, Paul, der Einheitsgedanke in der deutschen Musik. Eine kritisch-aesthet. Studie. 8. (54 S.) Berlin 885. Th. Barth. n. 1. —

— unsere Illusionen! Offene Briefe an Hrn. Gottlieb Zwinkerlein, Vorsitzenden d. Richard-Wagner-Vereins zu Klein-Brktztlwitz. 8. (48 S.) München 886. Aibl. n. 1. —

— neudeutsche Kapellmeister-Musik. Eine zeitgemässe Betrachtg. 8. (20 S.) Berlin 885. Th. Barth. n. — 50

Marten, Realienbuch, s.: Hüttmann.

— Turnspiele, s.: Kohlrausch.

— Weltkunde, s.: Hüttmann.

Martens, Predigt üb. den barmherzigen Samariter Luc. 10, 23—37, geh. zu Westerland auf Sylt, am 3. Septbr. 1882. gr. 8. (15 S.) Altona 883. (Harder.) n. — 30

— von der Wiege bis zur Bahre. Zehn Predigten. gr. 8. (IV, 135 S.) Itzehoe 886. Nusser. n. 1. 50

Martens, Alwin, üb. das deutsche Turnen. Aufsätze u. Vorträge, geh. der Leipziger Vorturnerschaft. Mit e. biograph. Skizze d. verstorbenen Verf., hrsg. v. Guido Reusche. 2. Aufl. 8. (XVI, 112 S.) Leipzig 884. Strauch. n. 1. 50

Martens, Ed. v., s.: Bericht üb. die wissenschaftlichen Leistungen im Gebiete der Entomologie.

— s.: Bericht üb. die wissenschaftlichen Leistungen in der Naturgeschichte der niederen Thiere.

— conchologische Mittheilungen, als Fortsetzg. der Novitates conchologicae hrsg. 2. Bd. 3—6. Hft. gr. 8. (IV u. S. 129—213 m. 12 Steintaf.) Kassel 883. 86. Fischer. à n. 2. —; color. à n. 4. —

— über centralasiatische Mollusken, s.: Mémoires de l'académie impériale des sciences de St.-Pétersbourg.

— die Weich- u. Schaltiere, gemeinfaßlich dargestellt. Mit 205 (eingedr.) Abbildgn. 8. (IV, 327 S.) Prag 883. Tempsky. — Leipzig, Freytag. n. 5. —; geb. n. 6. —

Martens, Frdr. v., Völkerrecht. Das internationale Recht der civilisirten Nationen, systematisch dargestellt. Deutsche Ausg. v. Carl Bergbohm. 2 Bde. gr. 8. (XVIII, 480 u. XIV, 604 S.) Berlin 883. 86. Weidmann. n. 20. —

Titelbilde v. Th. Rybkowski: „Der Guslar". 12. (268 S.) Wien 888. Hölder. n. 3. 60

Markós, S., der perfecte Russe. Eine Anleitg., in 14 Tagen Russisch richtig lesen, schreiben u. sprechen zu lernen. Mit vollständig beigedruckter Aussprache. 16. (132 S.) Berlin 885. Berliner Verlagsanstalt. n. 1. —

Marktanner-Turneretscher, Glieb., ausgewählte Blüthen-Diagramme der europäischen Flora. Mit 192 Diagrammen auf 16 photolith. Taf. gr. 8. (IV, 75 S.) Wien 885. Hölder. n. 4. —

— zur Kenntniss d. anatomischen Baues unserer Loranthaceen. [Aus dem botan. Laboratorium der techn. Hochschule in Graz.] [Mit 1 (lith.) Taf.] Lex.-8. (12 S.) Wien 885. (Gerold's Sohn.) n.n. — 70

Markthallen-Zeitung, Berliner. Organ f. den gesammten Markthallen- u. Nahrungsmittel-Verkehr. Red.: J. Sandmann. 1. Jahrg. 1886. 52 Nrn. (1½ B.) Fol. Berlin, Verlag der Berliner Markthallen-Zeitung. n. 4. —

Markull, G., Westpreußen unter Friedrich dem Großen. Erinnerungsblätter, dem 100jähr. Todestage [17. Aug. 1786] d. Königs gewidmet. 8. (81 S.) Danzig 886. Saunier. n. — 60

Markus, Ed., die Bewässerungen in den Departements Bouches du Rhône u. Vaucluse [Süd-Frankreich]. Hrsg. vom k. k. Ackerbau-Ministerium. Mit 70 Textfig. u. 18 Taf. gr. 8. (VI, 314 S.) Wien 886. Frick. n. 12. —

Markus, Jordan Kaj., Oberplan. Plana de monte Vitkonis, Horni plana, Plan. Historische, topograph. u. biograph. Schildergn. gr. 8. (IV, 143 S.) Wien 883. Graeser. n. 2. —

Markwardt, G., Anleitung zur Einziehung der Forderungen. Ein sicherer Rathgeber im neuen Prozeßverfahren, nebst e. Anh., betr. Gesetz üb. die Abänderg. v. Bestimmgn. d. Gerichtskosten-Gesetzes u. der Gebühren-Ordng. f. Gerichtsvollzieher. Vom 29. Juni 1881. (Titel-Ausg.) 8. (32, 40, 28, 31 u. 4 S.) Landsberg a/W. 883. Volger & Klein. n. 1. —

Markwart, Otto, Wilibald Pirckheimer als Geschichtsschreiber. gr. 8. (X, 173 S.) Zürich 886. Meyer & Zeller. n.n. 3. 50

Marlitt, E., Amtmanns Magd, s.: Romanbibliothek der Gartenlaube.

— die Frau m. den Karfunkelsteinen. Roman. 2 Bde. 2. Aufl. 8. (311 u. 199 S.) Leipzig 886. Keil's Nachf. 7. 50; geb. 8. 50

— die zweite Frau. Roman in 2 Bdn. 7. Aufl. 8. (284 u. 272 S.) Ebend. 884. 7. 50

— dasselbe, s.: Romanbibliothek der Gartenlaube.

— das Geheimniß der alten Mamsell. Roman. 2 Bde. 12. Aufl. 8. (238 u. 259 S.) Leipzig 886. Keil's Nachf. 6. —; in 1 Bd. geb. 7. —

— dasselbe,
— die Reichsgräfin Gisela, } s.: Romanbibliothek der Gartenlaube.

— Goldelse. Roman. 18. Aufl. 8. (399 S.) Leipzig 885. Keil's Nachf. 3. —

— dasselbe, s.: Romanbibliothek der Gartenlaube.

— das Haideprinzeßchen. Roman in 2 Bdn. 6. Aufl. 8. (356 u. 311 S.) Leipzig 884. Keil's Nachf. 9. —

— dasselbe,
— im Haus d. Commerzienrathes, } s.: Romanbibliothek der Gartenlaube.

— im Schillingshof. Roman in 2 Bdn. 3. Aufl. 8. (388 u. 344 S.) Leipzig 886. Keil's Nachf. 9. —; in 1 Bd. geb. 10. 25

— Thüringer Erzählungen. 6. Aufl. 8. (242 S.) Ebend. 886. 4. 50; geb. 5. 40

Marlo, Karl, Untersuchungen üb. die Organisation der Arbeit od. System der Weltökonomie. 2. Aufl. 4 Bde. gr. 8. Tübingen 884—86. Laupp. n. 43. —

1. Historische Einleitg. in die Oekonomie. (XVI, 436 S.) n. 9. —
2. Geschichte u. Kritik der ökonom. Systeme. (IX, 680 S.) n. 12. —
3. Allgemeine Grundsätze der Volkswirthschaft. (XV, 782 S.) n. 14. —
4. Allgemeiner prakt. Theil der Volkswirthschaft. (VII, 417 S.) n. 8. —

Marlowe's Werke, s.: Sprach- u. Literaturdenkmale, englische, d. 16., 17. u. 18. Jahrh.

Marly, C., buntes Allerlei zur Belehrung u. Unterhaltung der Jugend. Unter Mitwirkg. mehrerer Jugendfreunde hrsg. Mit 8 Farbendr.-Bildern u. 8 Holzschn. gr. 8. (111 S.) Mainz 886. Kirchheim. geb. 2. 70

— aus dem Pensionat-Leben. Zur Erheiterg. u. Unterhaltg. f. junge Mädchen. Mit 1 Farbendr.-Bild u. 1 Stahlst. gr. 8. (100 S.) Ebend. 886. geb. 2. 25

Marly, Hans, Kleider-Album. Erdacht u. m. Dichterworten, Sprüchen u. Reimen versehen. gr. 4. (VIII, 80 S. m. 7 Bl. gummirten Papiers.) Duderstadt 886. Haensch. geb. n. 6. —

Marmé, Wilh., Lehrbuch der Pharmacognosie d Pflanzen- u. Thierreichs. Im Anschluss an die 2. Ausg. der Pharmacopoea germanica f. Studierende der Pharmacie, Apotheker u. Medicinalbeamte bearb. gr. 8. (XVI, 684 S.) Leipzig 886. Veit & Co. n. 14. —

Marmon, an account of the minster of Freiburg in Baden. Partly adapted from the German by Berta Bulkeley-Jones and Harriette Blakeley. 8. (XVI, 128 S. m. 1 Lichtdr.) Freiburg i/Br. 886. Herder. n. 1. 20

— kurze Kanzelvorträge auf die Sonn- u. Festtage d. Jahres, nebst Gelegenheitsreden. Mit e. Anh.: Abschrift e. Predigt d. h. Martyrers Fidelis v. Sigmaringen, welche noch im Manuscripte bei den Pfarrakten in Sigmaringen enthalten ist. Neue Ausg. 2 Bde. gr. 8. (360 u. 304 S.) Regensburg 886. Verlags-Anstalt. 5. 50

Marnix' Herrn v. Sanct-Aldegonde, Philipp van, Lebensbild, s.: Alberdingk Thijm, P. P. M.

Maroni, Paul, die gesetzliche Prostitution in ihren Beziehungen zu den Geboten d. Christentums u. zum positiven Recht. Ein zeitgemäße Studie. 8. (40 S.) Hildesheim 884. Borgmeyer. n. — 50

Marpmann, G., die Spaltpilze. Grundzüge der Spaltpilz- od. Bakterienkunde. Nebst 25 Holzschn. gr. 8. (V, 193 S.) Halle 884. Buchh. d. Waisenhauses. n. 3. —

Marquardsen, H., Politik, s.: Handbuch d. öffentlichen Rechts der Gegenwart.

Marquardt, Ant., Kant u. Crusius. Ein Beitrag zum richt. Verständniss der crusian. Philosophie. gr. 8. (58 S.) Kiel 885. Lipsius & Tischer. n. 1. 60

Marquardt, Fr., was singt unserer Zeit die Wittenberger Nachtigall? oder: Luther u. das evangel. Chorwesen, insbesondere die Currende. Festschrift. gr. 8. (20 S.) Berlin 883. (Hugo Rother.) n. — 30

Marquardt, Hans, zum Pentathlon der Hellenen. Mit 2 (lith.) Abbildgn. d. Gesamtkampfes. gr. 4. (22 S.) Güstrow 886. (Opitz & Co.) n. 1. 80

Marquardt, Joach., u. Thdr. **Mommsen**, Handbuch der römischen Alterthümer. 5—7. Bd. gr. 8. Leipzig, Hirzel. n. 41. —

5. Römische Staatsverwaltung v. Joach. Marquardt. 2. Bd. Mit 1 lith. Taf. u. 13 Holzschn. 2. Aufl. Besorgt v. H. Dessau u. A. v. Domaszewski. (XVI, 621 S.) 884. n. 12. —
6. Römische Staatsverwaltung v. Joach. Marquardt. 3. Bd. 2. Aufl. Besorgt v. Geo. Wissowa. (XII, 598 S.) 885. n. 11. —
7. Das Privatleben der Römer v. Joach. Marquardt. 2 Thle. Mit 2 lith. Taf. u. 35 Holzschn. 2. Aufl., besorgt v. A. Mau. (XIV, XII, 887 S.) 886. n. 18. —

Marquardt, L., neuester deutscher Briefsteller. 11. Aufl. 8. (VIII, 183 S.) Berlin 882. Burmester & Stempell. n. 1. —

Marquardt, Ludw., Friedrich II. der Große. Zum 100jähr. Gedächtnis seines Todes. Ein Büchlein fürs deutsche Volk. gr. 8. (198 S. m. Illustr.) Bromberg 886. (Mittler.) cart. n. 1. 60

— das deutsche Volk in seiner geschichtlichen u. kulturgeschichtlichen Entwickelung. Für Haus u. Schule. (In 15 Lfgn.) 1—6. Lfg. gr. 8. (S. 1—480.) Bromberg 883. 84. (Berlin, Parrisius.) à n. — 80

Marquardt, P., Abenteuer auf Palawan,
— Fort Buffalo,
— Lorana, die indische Fürstentochter,
— Seeabenteuer, } s.: Volks-Erzählungen, kleine.

deren Beobachtg., Erhaltg. u. Pflege im freien u. gefangenen Zustande; Konservation, Präparation u. Aufstellg. in Sammlgn. Nach den neuesten Erfahrgn. bearb. 1. Tl. gr. 8. Weimar 886. B. F. Voigt. 6. —
Taxidermie od. die Lehre vom Präparieren, Konservieren u. Ausstopfen der Tiere u. ihrer Teile; vom Naturaliensammeln auf Reisen u. dem Naturalienhandel. 3. verb. Aufl., rev. v. Leop. u. Paul Martin unter Mitwirkg v. Hodek. Mit Ph. L. Martins [Lichtdr.-] Bildnis u. e. Atlas, enth. 10 Taf. nach Zeichngn. v. L. Martin. (XVI, 185 S.)

Martin, Phpp. Leop., das Vogelhaus u. seine Bewohner od. die heutigen Aufgaben in der Pflege u. Züchtg. gefangener, wie der d. Schutzes bedürft. freien Vögel. 4. Aufl. gr. 8. (X, 148 S.) Weimar 883. B. F. Voigt. 3. —

Martin, W., Handbuch der Landwirtschaft, s: Zeeb, H.

— die Hauptlehren der neueren Landwirtschaft. Ein Leitfaden zum Unterricht an mittleren u. niederen landwirtschaftl. Schulen, sowie zum Selbststudium. 5., verm. Aufl., bearb v. Ernst Lehnert. gr. 8. (XII, 340 S) Stuttgart 887. Ulmer. n. 3. 60; geb. n. 3. 85

Martinek, Heinr, die deutsche u. italienische Fach-Rechnung [doppelte Buchhaltung]. Lehrbuch zur schnellen u. pract. Erlerng derselben. gr. 8. (111 S.) Wien 885. Vetter. n. 2. —

Martinez, C., der Dämon d. Südens. Historischer Roman. 3 Bde 8. (197, 202 u. 205 S.) Leipzig 883. (O. Wigand.) n. 6. —

Martini, amtliches Gutachten betr. die Ueberschwemmungsgefahr d. Hafens u. der kaiserl. Werft zu Danzig als Entgegnung auf die Denkschrift der Stadt Danzig zum Projecte der Weichsel-Regulirung. Nebst Anh., enth. drei ältere techn. Gutachten. gr. 8. (48 S.) Danzig 883. Kafemann. — 75

Martini u. **Chemnitz,** systematisches Conchylien-Cabinet. In Verbindg. m Philippi, L. Pfeiffer, Dunker etc. neu hrsg. u. vervollständigt v. H. C. Küster, nach dessen Tode fortgesetzt v. W. Kobelt u. H. C. Weinkauff. 319—341. Lfg. gr. 4. (713 S. m. 102 color. Steintaf.) Nürnberg 883—86. Bauer & Raspe. à n. 9. —

— — dasselbe 103—112. Sect. gr. 4. Ebend 883—86. à n. 27. —
103. Physa u. Planorbis I. (94 S. m. 17 color. Steintaf.)
104. Sigaretus u. Haliotis. (66 S. m. 16 color. Steintaf.)
105. Haliotis. II. (64 S. m. 18 color. Steintaf.)
106. Haliotis. Buccinum. Lithophaga. (Schluss.) 96 S. m. 17 color. Steintaf.)
107. Mactra. II. (S. 53—124 m. 18 color. Steintaf.)
108. Planorbis. II. (S. 95—182 m. 16 color. Steintaf.)
109. Planorbis. III. (S. 183—310 m. 17 color. Steintaf.)
110. Planorbis. IV u. Rissoina II. (S. 311—430 m. 5 color. Steintaf. u. S. 81—205 m. 11 color. Steintaf.)
111. Cancellaria. I. (56 S. m. 15 color. Steintaf.)
112. Pleurotoma. II. (S. 73—184 m. 18 color. Steintaf.)

Martini, Herm., Ventilations-Heizung m. Central-Selbstregulirung. Concessionslose Niederdruck-Dampfheizung Patent System Martini. gr. 4. (12 S. m. Fig) Chemnitz 885. (Bülz.) n. 1. 20

Martinikirche, die, in Breslau u. das v. Rechenberg-sche Altarwerk in Klitschdorf [Kr. Bunzlau]. Festschrift zu dem 25jähr. Jubiläum schles. Altertümer, am Festtage den 12. Jan. gr. 4. (35 S. m. 4 Taf.) Breslau 883. (Trewendt.) n. 3. —

Martiny, Benno, die Zucht-Stammbücher aller Länder. Eine Untersuchg. ihrer Eigenarten zwecks Beantwortg. der Frage: Wie sind Zuchtstammbücher einzurichten? gr. 8. (XV, 414 S. m. Tab. u. Formularen.) Bremen 883. Heinsius. n. 15. —

— u. Wilh. Biernatzki, was heißt Viehzüchten u. was sollen die Viehzuchtvereine? Ein Wort f. deutsche Züchter u. Zuchtvereine. 12. (21 S.) Kiel 883. Verlagsanstalt d. „Norddeutschen Landwirth". n. — 40

Martius, Carl Frdr. Phpp. v., et Aug. Wilh. **Eichler,** Flora Brasiliensis. Enumeratio plantarum in Brasilia hactenus detectarum, quas suis aliorumque botanicorum studiis descriptas et methodo naturali digestas, partim icone illustratas edd. Fasc. 89—97. gr. 8. Fol. Monachii. (Leipzig, F. Fleischer.) n. 358. — (1—97.: n. 3138. 5)
89. (206 Sp. m. 48 Steintaf.) 883. n. 52. —. — 90. (98 Sp. m. 16 Steintaf.) 883. n. 21. —. — 91. (86 Sp. m. 18 Steintaf.) 883. n. 20. —. — 92. (68 Sp. m. 5 Steintaf.) 884. n. 8. —. — 93. (306 Sp. m. 64 Steintaf.) 884. n. 72. —. — 94. (306 Sp. m. 60 Steintaf.) 885. n. 68. —. — 95. (202 Sp. m. 57 Steintaf.) 885. n. 60. —. — 96. (114 Sp. m. 24 Steintaf.) 886. n. 27. —. — 97. (120 Sp. m. 27 Steintaf.) 886. n. 30. —

Martius, F., die Methoden zur Erforschung d. Faserverlaufs im Centralnervensystem, s: Sammlung klinischer Vorträge.

Martius, Mor., Arpucko, der weiße Häuptling der Osagen, od. das Geheimnis d. Farmers Eine Erzählg. aus dem Indianerleben. Ster.-Ausg. 8. (63 S.) Reutlingen 884. Enßlin & Laiblin. — 25

— der Halbmond vor Wien. Geschichtliche Erzählg. aus der Belagerg. Wien's durch die Türken im J. 1683. Ster.-Ausg. 8. (64 S.) Ebend 884. — 20

— an der Indianergrenze. Eine Geschichte aus dem vormal Indianergebiete Michigan's, frei nach Cooper. Neue Ster.-Ausg. 8 (61 S.) Ebend. 886. n. — 20

— auf der Kriegsfährte od. das Fort am Champlain-See. Eine Indianergeschichte vom Hudson aus der Zeit d. nordamerikanischen Freiheitskrieges. 8. (62 S.) Ebend. 885. — 20

— Leben u. Wirken d. großen Reformators Dr. Martin Luther. Dem Volke erzählt. Ster.-Ausg. 8. (47 S.) Ebend. 883. — 15

— die Mormonen-Karawane od. der Kampf an der Felspyramide. Eine Indianergeschichte. Ster.-Ausg 8. (62 S.) Ebend. 884. — 20

— Oceola, der Häuptling der Seminolen-Indianer. Eine Erzählg. aus dem Verteidigungskampfe der Indianer Florida's gegen die Nordamerikaner. Frei nach Mayne Reid. 8. (64 S.) Ebend. 884. — 20

— Satan Gold od. in den Schluchten der Sierra-Nevada. Eine Erzählg. aus Kalifornien [frei nach Hendrick Conscience]. Neue Ster.-Ausg. 8. (64 S.) Ebend. 886. n — 20

— bei den Schwarzfüßen od. im Lager d. grauen Bären. Eine Indianer- u. Jagdgeschichte. Ster.-Ausg. 8. (62 S.) Ebend. 884. — 25

— Treuherz, der Trapper, od. die Wege d. Herrn sind wunderbar. Eine Erzählg. aus Mexiko u. dem Indianergebiet in Arkansas. Frei nach Aimard. Ster.-Ausg. 8. (64 S.) Ebend. 884. — 25

Martius, Wilh., die speziellen Aufgaben der inneren Mission in dem neuerwachten Kampfe gegen die Trunksucht. gr. 8. (52 S.) Magdeburg 884. Baensch jun. n. — 80

— der Kampf gegen den Alkoholmißbrauch. Mit besond. Berücksicht. d. „Deutschen Vereins gegen den Mißbrauch geistiger Getränke" dargestellt. gr. 8. (VIII, 348 S.) Halle 884. Strien. n. 5. —

— die zweite deutsche Mäßigkeitsbewegung, s.: Zeitfragen d. christlichen Volkslebens.

Martschinck, Frdr. Ernst, Kaiser Heinrich I. in Deutschland. Gedicht in 12 Gesängen. 8. (370 S.) Zittau 884. (Pahl.) 3. —

Martus, H. C. E., mathematische Aufgaben zum Gebrauche in den obersten Klassen höherer Lehranstalten. Aus den bei Entlassungsprüfgn. an preuß. Gymnasien u. Realgymnasien gestellten Aufgaben ausgewählt u. m. Hinzufügg. der Resultate [II. Tl.] zu e. Übungsbuche vereint. 1. Tl.: Aufgaben. 6. Aufl. gr. 8. (XVI, 210 S.) Leipzig 884. C. A. Koch. n. 3. 60; 2. Thl. Resultate. 5. Aufl. (283 S.) 883. n. 4. 20

Marty, J., kleine schweizer Geschichte in Wort u. Bild f. Primarschulen. Auszug aus der Illustrirten schweizer Geschichte. 8. (102 S. m. eingedr. Holzschn. u. farb. Titel.) Einsiedeln 884. Benziger. cart. n.n. — 50

— histoire illustrée de la Suisse pour les écoles et les familles. Traduction française par Schneuwly. 8. (266 S. m. Holzschn. u. Farbentitel.) Ebend. 884. cart. n.n. 1. 20; geb. n.n. 1. 60

— storia illustrata della Svizzera ad uso delle scuole e delle famiglie. Voltata in italiano dall' orginale tedesco per Martino Pedrazzini. 8. (253 S.) Ebend. 885. cart. n.n. 1. 20

Marvin, Charles, die russische Annexion v. Merw. Ihre Bedeutg. u. nächsten Folgen. Deutsche autoris. Uebersetzg., nebst e. kurzen Einleitg. üb. die centralasiat. Frage von M. v Lahdow. Entfernung der russ. Vorposten v. Herat 140 engl. Meilen. Entfer-

Martens, Geo. v., u. Carl Alb. **Kemmler,** Flora v. Württemberg u. Hohenzollern. 3. Aufl., aufs neue durchgesehen v. Carl Alb. Kemmler. 2 Thle. 8. (CXXV, 296 u. 412 S.) Heilbronn 882. Henninger. n. 10. 50; geb. n. 12. —

Martens, K., deutsches Sprachbuch. Methodisch geordnete Beispiele, Lehrsätze u. Übungsaufgaben f. Grammatik u. Orthographie in konzentr. Kreisen. (In 5 Hftn.) 1—3. Hft. 8. (40 S.) Goslar 885. Koch. cart. n. 1. 70
1. (40 S.) n. — 35. — 2. (72 S.) n. — 50. — 3. (129 S.) n. — 85

Maertens, H., der optische Maassstab od. die Theorie u. Praxis d. ästhet. Sehens in den bild. Künsten. Auf Grund der Lehre der physiolog. Optik f. die Ateliers u. Kunstschulen der Architekten, Bildhauer etc. 2. Aufl. Mit 73 Holzschn. u. 1 lith. Taf. Imp.-4. (XIII, 434 S.) Berlin 884. Wasmuth. geb. n. 15. —

Martens, P. Ch., der Geschäfts-Stenograph. Eine Handreichg. f. Stenographen in Kontor u. Bureau, nebst Stolze'schen Special-Kürzgn. Mit (8) autogr. Taf. 8. (15 S.) Hamburg 886. Martens. n. — 50

Martens, W., alphabetisch-etymologisches Vokabular zu den Lebensbeschreibungen d. Cornelius Nepos. gr. 8. (IV, 63 S.) Gotha 886. F. A. Perthes. n. — 80

Martens, Wilh., die Besetzung d. päpstlichen Stuhles unter den Kaisern Heinrich III. u. Heinrich IV. gr. 8. (VII, 340 S.) Freiburg i/Br. 886. Mohr. n. 6. 60

— Skizze zu e. praktischen Aesthetik der Baukunst u. der ihr dienenden Schwesterkünste, in e. neuen Systeme zusammengestellt. gr. 8. (63 S.) Ebend. 885. n. 2. —

Märtens, W., A. F. **Meyer** u. J. **Schäfel,** deutsches Schulliederbuch f. Stadt u. Land. Ausg. m. Noten. 3. Aufl. 8. (90 S.) Celle 884. Literar. Anstalt. n. — 60; Ausg. ohne Noten. 6. Aufl. (32 S.) 886. n. — 15

Martensen, H., die christliche Dogmatik. Vom Verf. selbst veranstaltete deutsche Ausg. 3. Abdr. gr. 8. (X, 460 S.) Leipzig 886. Hinrichs' Verl. n. 4. 50; geb. n. 5. 50

— die christliche Ethik. Allgemeiner Thl. Deutsche vom Verf. veranstaltete Ausg. 4. Aufl. gr. 8. (X, 601 S.) Karlsruhe 883. Reuther. n. 9. —

— dasselbe. [2., spezieller Thl.] Deutsche vom Verf. veranstaltete Ausg. 3. Aufl. (In 10 Lfgn.) 1. Lfg. gr. 8. (1. Bd. S. 1—112.) Ebend. 886. n. 1. —

— aus meinem Leben. Mittheilungen. 3 Abthlgn. Aus dem Dän. v. A. Michelsen. 8. (VII, 267; VII, 176 u. III, 260 S.) Ebend. 883. 84. n. 8. 50

Martersteig, Max, aus Hessens Vorzeit. Festspiel m. leb. Bildern zum 50jähr. Jubiläum d. Vereins f. hess. Geschichte u. Landeskunde. Die leb. Bilder entworfen u. gestellt v. Louis Katzenstein. gr. 8. (36 S.) Kassel 884. Freyschmidt. n. 1. —

— Werner v. Kuonefalk. Dichtung. 8. (IV, 142 S. m. Illustr.) Leipzig 886. Liebeskind. n. 3. —

Marthaler, K., die Sonntagsfrage. Synodalproposition, geh. vor der Synode der zürcher. Geistlichkeit auf dem Rathhause in Zürich den 6. Novbr. 1883. gr. 8. (42 S.) Zürich 883. Schultheß. n. — 60

Martial's Buch der Schauspiele. Mit Anmerkgn. v. Ludw. Friedlaender. gr. 4. (22 S.) Königsberg 884. Hartung. n. 2. —

— epigrammaton libri. Mit erklär. Anmerkungen v. Ludw. Friedlaender. 2 Bde. gr. 8. (523 u. 546 S.) Leipzig 886. Hirzel. n. 18. —

— dasselbe. Recognovit Walther Gilbert. 8. (XXXIV, 407 S.) Leipzig 886. Teubner. 2. 40

Martig, E., Geschichte d. Lehrerseminars in Münchenbuchsee [Kanton Bern]. Zur Feier d. 50jähr. Bestehens der Anstalt. gr. 8. (VII, 175 S.) Bern 883. (Schmid, Francke & Co.) n. 1. 80

Martignoli, Leitfaden der Elektro-Homöopathie. Vade-Mecum od. neues u. leichtes Mittel, sich in jeder Krankheit selbst zu heilen. Nach dem Franz. Einzig autoris. Uebersetzg. 8. (63 S. m. 1 Steintaf.) Regensburg 883. Verlags-Anstalt. — 75

Martin v. Bracara's Schrift de correctione rusticorum, s.: Caspari, C. P.

Martin, Aloys, das Civil-Medicinalwesen im Königr. Bayern. Vollständige Sammlg. aller hierauf bezügl. u. zur Zeit gült. Reichs- u. Landes-Gesetze, Verordngn., Entschließgn, sowie der dazu gehör. Instructionen u. oberstrichterl. Erkenntnisse. 1. Bd. gr. 8. (IV, 844 S.) München 884. Th. Ackermann. n. 16. —

— dasselbe. 7—10. Lfg. gr. 8. (2. Bd. S. 1—640.) Ebend. 885. à n. 2. 40

Martin, Aug., Pathologie u. Therapie der Frauen-Krankheiten. Nach den in den Feriencursen geh. Vorträgen bearb. Mit 164 Holzschn. gr. 8. (XII, 419 S.) Wien 885. Urban & Schwarzenberg. n. 10. —; geb. n. 12. —

Martin, B. R., Karl Christian Friedrich Krause's Leben, Lehre u. Bedeutung. Mit Krause's (Lichtdr.-) Bildniss nach Hähnel's Büste. Neue (Titel-) Ausg. gr. 8. (IV, 236.) München 885. Heinrichs. n. 2. —

Martin, C., die Krankheiten im südlichen Chile. Mit 1 Karte v. Süd-Chile. gr. 8. (VI, 85 S.) Berlin 885. Hirschwald. n. 2. 80

Martin, Conr., Kanzelvorträge. Gesammelt u. hrsg. v. Chrn. Stamm. 3—6. Bd. gr. 8. (627 S.) Paderborn, Bonifacius-Druckerei. 18. 60 (1—6.: 31. 10)
3. Fest- u. Gelegenheitsreden. (627 S.) 883. 6. —
4. Festreden. (III, 385 S.) 884. 3. 60
5. Gelegenheitsreden. (441 S.) 885. 4. 20
6. Fastenpredigten. (546 S.) 886. 4. 80

Martin, F., Schulgrammatik der deutschen Sprache. 2. Aufl. gr. 8. (VIII, 128 S.) Breslau 883. F. Hirt. n. 1. 25; geb. n. 1. 50

Martin's, F., Naturgeschichte f. die Jugend. Von C. F. A. Kolb. 10. Aufl. Mit 821 Abbildgn. (32 color. Steintaf.) 8. (XII, 634 S.) Stuttgart 884. Schmidt & Spring. geb. 4. 50

Martin, H. R., die christliche Kirche u. der preußische Staat. Ein Beitrag zur Würdigg. dieses Verhältnisses aus meinem Amtsleben. gr. 8. (88 S.) Kassel 886. Klaunig. n. 1. —

Martin, Heinr., Stammbuchverse f. Jung u. Alt u. Groß u. Klein. [Aus: „Sonnenblumen u. Nachtschatten".] 1. Bdchn. 16. (64 S.) Dresden 886. Jaenicke. n. — 50

Martin, J. B., erziehet zur Wahrheit! Ein Mahnruf an Eltern u. Erzieher in 7 religiös-pädagog. Vorträgen üb. Wahrheit u. Lüge, Eid u. Meineid. gr. 8. (III, 41 S.) Würzburg 883. Bucher. n. — 40

Martin, Jodok, Einer, der e. Anderer ist. Posse in 1 Aufzug. 8. (16 S.) Wien 885. Neidl. n. — 40

— gemeinsame Trennung. Schwank in 1 Akt. 8. (16 S.) Ebend. 885. n. — 40

Martin, K., Dewin u. Hammersee. Eine heimathl. Sage in Versen. 12. (67 S.) Prag 886. Dominicus. n. 1. 60; geb. m. Goldschn. n. 2. 60

Martin, K., Bericht üb. e. Reise ins Gebiet d. oberen Surinam. gr. 8. (76 S. m. 4 Steintaf.) Haag 886. Nijhoff. n. 3. —

Martin, Louis, rapport sur le groupe 12 de l'exposition nationale suisse à Zürich 1883: Orfèvrerie et bijouterie. gr. 8. (11 S.) Zürich 884. Orell Füssli & Co. Verl. n. — 50

Martin, Paul, Dr. Martin Luthers Leben, Thaten u. Meinungen, dem deutschen Volke erzählt. 1—39. Hft. gr. 8. (1. Bd. V, 772; 2. Bd. IV, 746 S. u. 3. Bd. S. 1—472 m. Chromolith.) Neusalza 884—86. Oeser. à — 10 (Ausg. in 3 Bdn. à 3. 50; geb. à 4. 50; Ausg. auf besserem Pap. à Bd. 4. 50; geb. à 6. —)

Martin, Phpp. Leop., das Leben der Hauskatze u. ihrer Verwandten. Eine Schilderg. ihrer Abstammg. u. Geschichte, ihrer Rassen u. Varietäten; Lebensweise, Nutzen u. Schaden, Krankheiten, Pflege u. Erziehg. etc. Mit (eingedr.) Illustr. 2. Aufl. gr. 8. (XII, 122 S.) Weimar 883. B. F. Voigt. n. 1. —

— illustrirte Naturgeschichte der Thiere. Mit zahlreichen (Holzschn.-)Illustr. v. F. Specht, R. Friese, E. Schmidt ꝛc. 41—61. (Schluß-)Hft. gr. 8. (1. Bd. 2. Abth. XVIII u. S. 176—632 u. 2. Bd. 2. Abth. XXXVI S. 273—645.) Leipzig 883. Brockhaus. à — 30 (cplt.: 18. —; geb. n. 24. —)

— die Praxis der Naturgeschichte. Ein vollständ. Lehrbuch üb. das Sammeln leb. u. toter Naturkörper;

deren Beobachtg., Erhaltg. u. Pflege im freien u. gefangenen Zustande; Konservation, Präparation u. Aufstellg. in Sammlgn. Nach den neuesten Erfahrgn. bearb. 1. Tl. gr. 8. Weimar 886. B. F. Voigt. 6. —
Taxidermie od. die Lehre vom Präparieren, Konservieren u. Ausstopfen der Tiere u. ihrer Teile; vom Naturaliensammeln auf Reisen u. dem Naturalienhandel. 3. verb. Aufl., rev. v. Leop. u. Paul Martin unter Mitwirkg v. Hodek. Mit Ph. L. Martins [Lichtdr.-] Bildnis u. e. Atlas, enth. 10 Taf. nach Zeichngn. v. L. Martin. (XVI, 185 S.)

Martin, Phpp. Leop., das Vogelhaus u. seine Bewohner od. die heutigen Aufgaben in der Pflege u. Züchtg. gefangener, wie der d. Schutzes bedürft. freien Vögel. 4. Aufl. gr. 8. (X, 148 S.) Weimar 883. B. F. Voigt. 3. —

Martin, W., Handbuch der Landwirtschaft, s: Zeeb, H.
— die Hauptlehren der neueren Landwirtschaft. Ein Leitfaden zum Unterricht an mittleren u. niederen landwirtschaftl. Schulen, sowie zum Selbststudium. 5., verm. Aufl., bearb v. Ernst Lehnert. gr. 8. (XII, 340 S.) Stuttgart 887. Ulmer. n. 3. 60; geb. n. 3. 85

Martinek, Heinr, die deutsche u. italienische Fach-Rechnung [doppelte Buchhaltung]. Lehrbuch zur schnellen u. pract. Erlerng derselben. gr. 8. (111 S.) Wien 885. Wetter. n. 2. —

Martinez, C., der Dämon d. Südens. Historischer Roman. 3 Bde 8. (197, 202 u. 205 S.) Leipzig 883. (O. Wigand.) n. 6. —

Martini, amtliches Gutachten betr. die Ueberschwemmungsgefahr d. Hafens u. der kaiserl. Werft zu Danzig als Entgegnung auf die Denkschrift der Stadt Danzig zum Projecte der Weichsel-Regulirung. Nebst Anh., enth. drei ältere techn. Gutachten. gr. 8. (48 S.) Danzig 883. Kafemann. — 75

Martini u. **Chemnitz,** systematisches Conchylien-Cabinet. In Verbindg. m Philippi, L. Pfeiffer, Dunker etc. neu hrsg u. vervollständigt v. H. C. Küster, nach dessen Tode fortgesetzt v. W. Kobelt u. H. C. Weinkauff. 319—341. Lfg. gr. 4. (718 S. m. 102 color. Steintaf.) Nürnberg 883—86. Bauer & Raspe. à n. 9. —
— — dasselbe 103—112. Sect. gr. 4. Ebend 883—86. à n. 27. —
103. Physa u. Planorbis I. (94 S. m. 17 color. Steintaf.)
104. Sigaretus u. Haliotis. (66 S. m. 16 color. Steintaf.)
105. Haliotis. II. (64 S. m. 18 color. Steintaf.)
106. Haliotis. Buccinum. Lithophaga. (Schluss.) 96 S. m. 17 color. Steintaf.)
107. Mactra. II. (S. 53—124 m. 18 color. Steintaf.)
108. Planorbis. II. (S. 95—182 m. 16 color. Steintaf.)
109. Planorbis. III. (S. 183—310 m. 17 color. Steintaf.)
110. Planorbis. IV u. Rissoina II. (S. 311—430 m. 5 color. Steintaf. u. S. 81—205 m. 11 color. Steintaf.)
111. Cancellaria. I. (56 S. m. 15 color. Steintaf.)
112. Pleurotoma. II. (S. 73—184 m. 18 color. Steintaf.)

Martini, Herm., Ventilations-Heizung m. Central-Selbstregulirung. Concessionslose Niederdruck-Dampfheizung Patent System Martini. gr. 4. (12 S. m. Fig) Chemnitz 885. (Bülz.) n. 1. 20

Martinikirche, die, in Breslau u. das v. Rechenberg-sche Altarwerk in Klitschdorf [Kr. Bunzlau]. Festschrift zu dem 25jähr. Jubiläum schles. Altertümer, am Festtage den 12. Jan. gr. 4. (35 S. m. 4 Taf.) Breslau 883. (Trewendt.) n. 3. —

Martiny, Benno, die Zucht-Stammbücher aller Länder. Eine Untersuchg. ihrer Eigenarten zwecks Beantwortg. der Frage: Wie sind Zuchtstammbücher einzurichten? gr. 8. (XV, 414 S. m. Tab. u. Formularen.) Bremen 883. Heinsius. n. 15. —
— u. Wilh. Biernatzki, was heißt Viehzüchten u. was sollen die Viehzuchtvereine? Ein Wort f. deutsche Züchter u. Zuchtvereine. 12. (21 S.) Kiel 883. Verlagsanstalt d. „Norddeutschen Landwirth“. n. — 40

Martius, Carl Frdr. Phpp. v., et Aug. Wilh. **Eichler,** Flora Brasiliensis. Enumeratio plantarum in Brasilia hactenus detectarum, quas suis aliorumque botanicorum studiis descriptas et methodo naturali digestas, partim icone illustratas edd. Fasc. 89—97. gr. 8. Fol. Monachii. (Leipzig, F. Fleischer.) n. 358. — (1—97.: n. 3138. 5)
89. (208 Sp. m. 43 Steintaf.) 883. n. 52. —. — 90. (98 Sp. m. 16 Steintaf.) 883. n. 21. —. — 91. (86 Sp. m. 18 Steintaf.) 883. n. 20. —. — 92. (48 Sp. m. 5 Steintaf.) 884. n. 8. —. — 93. (306 Sp. m. 64 Steintaf.) 884. n. 72. —. — 94. (306 Sp. m. 60 Steintaf.) 885. n. 68. —. — 95. (202 Sp. m. 57 Steintaf.) 885. n. 60. —. — 96. (114 Sp. m. 24 Steintaf.) 886. n. 27. —. — 97. (120 Sp. m. 27 Steintaf.) 886. n. 30. —

Martius, F., die Methoden zur Erforschung d. Faserverlaufs im Centralnervensystem, s: Sammlung klinischer Vorträge.

Martius, Mor., Arpudo, der weiße Häuptling der Osagen, od. das Geheimnis d Farmers Eine Erzählg. aus dem Indianerleben. Ster.-Ausg. 8. (63 S.) Reutlingen 884. Enßlin & Laiblin. — 25
— der Halbmond vor Wien. Geschichtliche Erzählg. aus der Belagerg. Wien's durch die Türken im J. 1683. Ster.-Ausg. 8. (64 S.) Ebend 884. — 20
— an der Indianergrenze. Eine Geschichte aus dem vormal Indianergebiete Michigan's, frei nach Cooper. Neue Ster.-Ausg. 8. (61 S.) Ebend. 886. n. — 20
— auf der Kriegsfährte od. das Fort am Champlain-See. Eine Indianergeschichte vom Hudson aus der Zeit d. nordamerikanischen Freiheitskrieges. 8. (62 S.) Ebend. 885. — 20
— Leben u. Wirken d. großen Reformators Dr. Martin Luther. Dem Volke erzählt. Ster.-Ausg. 8. (47 S.) Ebend. 883. — 15
— die Mormonen-Karawane od. der Kampf an der Felspyramide. Eine Indianergeschichte. Ster.-Ausg 8. (62 S.) Ebend. 884. — 20
— Oceola, der Häuptling der Seminolen-Indianer. Eine Erzählg. aus dem Verteidigungskampfe der Indianer Florida's gegen die Nordamerikaner. Frei nach Mayne Reid. 8. (64 S.) Ebend. 884. — 20
— Satan Gold od. in den Schluchten der Sierra-Nevada. Eine Erzählg. aus Kalifornien [frei nach Hendrick Conscience]. Neue Ster.-Ausg. 8. (64 S.) Ebend. 886. n — 20
— bei den Schwarzfüßen od. im Lager d. grauen Bären. Eine Indianer- u. Jagdgeschichte. Ster.-Ausg. 8. (62 S.) Ebend. 884. — 25
— Treuherz, der Trapper, od. die Wege d. Herrn sind wunderbar. Eine Erzählg. aus Mexiko u. dem Indianergebiet in Arkansas. Frei nach Aimard. Ster.-Ausg. 8. (64 S.) Ebend. 884. — 25

Martius, Wilh., die speziellen Aufgaben der inneren Mission in dem neuerwachten Kampfe gegen die Trunksucht. gr. 8. (52 S.) Magdeburg 884. Baensch jun. n. — 80
— der Kampf gegen den Alkoholmißbrauch. Mit besond. Berücksicht. d. „Deutschen Vereins gegen den Mißbrauch geistiger Getränke“ dargestellt. gr. 8. (VIII, 348 S.) Halle 884. Strien. n. 5. —
— die zweite deutsche Mäßigkeitsbewegung, s.: Zeitfragen d. christlichen Volkslebens.

Martschinck, Frdr. Ernst, Kaiser Heinrich I. in Deutschland. Gedicht in 12 Gesängen. 8. (370 S.) Zittau 884. (Pahl.) 3. —

Martus, H. C. E., mathematische Aufgaben zum Gebrauche in den obersten Klassen höherer Lehranstalten. Aus den bei Entlassungsprüfgn. an preuß. Gymnasien u. Realgymnasien gestellten Aufgaben ausgewählt u. m. Hinzufügg. der Resultate [II. Tl.] zu e. Übungsbuche vereint. 1. Tl.: Aufgaben. 6. Aufl. gr. 8. (XVI, 210 S.) Leipzig 884. C. A. Koch. n. 3. 60; 2. Thl. Resultate. 5. Aufl. (283 S.) 883. n. 4. 20

Marty, J., kleine schweizer Geschichte in Wort u. Bild f. Primarschulen. Auszug aus der Illustrirten schweizer Geschichte. 8. (102 S. m. eingedr. Holzschn. u. farb. Titel.) Einsiedeln 884. Benziger. cart. n.n. — 50
— histoire illustrée de la Suisse pour les écoles et les familles. Traduction française par Schneuwly. 8. (266 S. m. Holzschn. u. Farbentitel.) Ebend. 884. cart. n.n. 1. 20; geb. n.n. 1. 60
— storia illustrata della Svizzera ad uso delle scuole e delle famiglie. Voltata in italiano dall' orginale tedesco per Martino Pedrazzini. 8. (253 S.) Ebend. 885. cart. n.n. 1. 20

Marvin, Charles, die russische Annexion v. Merw. Ihre Bedeutg. u. nächsten Folgen. Deutsche autoris. Uebersetzg., nebst e kurzen Einleitg. üb. die central-asiat. Frage von M. v Lahdow. Entfernung der russ. Vorposten v. Herat 140 engl. Meilen. Entfernung der engl. Vorposten v. Herat 514 engl. Meilen. Wer hält also den „Schlüssel v. Indien"? 8. (32 S. m. 1 lith Karte.) Odessa 885. Verl. d russ. Merkur. n. 2. —

Marx, Constructions-Elemente, s.: Handbuch der Architektur.

Marx' Präparationen zum Alten Testament, s.: Freund.

Marx, Adf. Bernh., Ludwig van Beethoven. Leben u. Schaffen. Mit chronolog. Verzeichniss der Werke u. autogr Beilagen. 4. Aufl., m. Berücksicht. der neuesten Forschgn. durchgesehen u. verm. v. Gust. Behncke. 2 Bde. gr. 8. (XXIV, 407 u. VIII, 510 S.) Berlin 884. Janke. n. 15. —

— allgemeine Musiklehre. Ein Hülfsbuch f. Lehrer u. Lernende in jedem Zweige musikal. Unterweisg. 10. Aufl gr. 8. (XI, 436 S.) Leipzig 884. Breitkopf & Härtel. n. 8. —; geb. n. 9. 50

Marx, Ant., Hülfsbüchlein f. die Aussprache der lateinischen Vokale in positionslangen Silben. Mit e Vorwort v. Frz. Bücheler. Wissenschaftliche Begründg. der Quantitätsbezeichngn. in den latein. Schulbüchern v. Herm. Perthes. gr. 8. (XII, 80 S.) Berlin 883. Weidmann. n. 2. 40

— de S. Propertii vita et librorum ordine temporibusque. gr. 8. (84 S.) Leipzig 884. (Fock.) n. 1. 50

Marx, F., Heimatskunde d. Kreises Mittelfranken. 2. Aufl. 8. (20 S.) Fürth 885. Eßmann. n. — 10; m. Karten. — 20

Marx, F., Leitfaden f. den Turnunterricht in den Volksschulen. 4. verb. Aufl. Mit 65 in den Text gedr. Holzschn. gr. 8. (VIII, 172 S.) Bensheim 887. Lehrmittelanstalt J. Ehrhardt u. Co. n. 1. 60

Marx, Frdr., studia Luciliana. gr. 8. (100 S.) Bonn 882. (Behrendt.) n. 2. —

Marx, Fritz, die Buchführung u. deren Wichtigkeit im Maler- u. Anstreichergewerbe. gr. 8. (16 S.) Köln 885. (Leipzig, Scholtze.) n. 1. 50

— praktisches Recepten-Taschenbuch zum Gebrauche f. Anstreicher, Lackirer, Vergolder, Decorateure, Holz-, Marmor- u. Schildermaler, sowie alle angrenz. Gewerbetreibende. Wichtig u. unentbehrlich f. jeden tücht. Gehülfen u. Geschäftstreibenden. Enth. e. Anzahl Recepte, Vorschriften, Mittheilgn., prakt. Winke u. Geheimnisse. gr. 8. (47 S. m. 1 Bl. Zeichngn) Ebend. 885. n. 3. —

Marx, G., jüdisches Fremdenrecht, antisemitische Polemik u. jüdische Apologetik, s.: Schriften d. Institutum Judaicum in Berlin.

— die Tötung Ungläubiger nach talmudisch-rabbinischem Recht, s.: Schriften d. Institutum Judaicum in Leipzig.

Marx, Gust. Herm., traditio rabbinorum veterrima de librorum veteris testamenti ordine atque origine illustrata. gr. 8 (60 S.) Frankfurt a/M. 884. Drescher. n. 1. 60

Marx, Karl, das Elend der Philosophie. Antwort auf Proudhons „Philosophie d. Elends". Deutsch v. E. Bernstein u. K. Kautsky. Mit Vorwort u. Noten v. Frdr. Engels. 8. (XXXVII, 209 S.) Stuttgart 885. Dietz. n. 3. 50

— das Kapital. Kritik der polit. Oekonomie. 1. u. 2. Bd. gr. 8. Hamburg, O. Meissner. n. 17. —

1. Buch I.: Der Produktionsprocess d. Kapitals. 3. Aufl. (XXXIII, 808 S.) 883. n. 9. —
2. Buch II.: Der Cirkulationsprocess d. Kapitals. Hrsg. v. Frdr. Engels. (XXIV, 526 S.) 885. n. 8. —

Marx, Karl, Studie üb. ihn, s.: Groß, G.

Marx, S., die Wanderlager. Eine volkswirthschaftl. Studie. gr. 8. (48 S) Bonn 886. Hanstein. n. — 50

Marx, Walfried, Lehrbuch der darstellenden Geometrie. 1. Abschnitt. Die Methode der rechtwinkl. Projektionen u. ihre Anwendg. zur graph. Bestimmg. v. Punkten, Geraden, Ebenen u. der v. ihnen begrenzten Körper, sowie zur Lösg. v. Aufgaben üb. die gegenseit. Lage dieser Objekte. 3. Aufl. d. I. Bds. v. F. A. Klingenberg's Lehrbuch der darstell. Geometrie. Mit 11 lith. Taf. gr. 8. (XVI, 311 S.) Nürnberg 884. Korn. n. 4. —

Marxen, Gust., das deutsche Wahlsystem vom Standpunkte der Verfassung. gr. 8. (76 S.) Leipzig 882. O. Wigand. n. 1. —

Marxsen, Thdr., e. seltener Fall v. Anomalie der Tricuspidalis. [Aus dem patholog. Institute zu Kiel.] gr. 8. (12 S. m. 1 Steintaf.) Kiel 886. (Lipsius & Tischer.) n. 1. 20

Maryan, M., die Schattenseiten e. reichen Mitgift, s.: Familienfreund.

Marx, Ulr. R., elementare Maschinenlehre f. den Unterricht in Fachschulen, sowie zum Selbststudium f. Kaufleute, Fabrikanten, selbstständ. Gewerbetreibende 2c. Mit 76 Abbildgn. im Text. gr. 8. (VIII, 65 S.) Berlin 883. Verlag der Eisen-Zeitung. n. 1. 75

Marzell, zur Schulhygiene, s: Rohmeder.

Märzroth, L., die Eisenbahn Wien-Aspang u. ihre Gebirgs-Umgebung, s.: Touristen-Führer.

Märzroth, M., Alt-Wien. Bilder u. Geschichten. 8. (III, 186 S.) Leipzig 885. Friedrich. n. 2. —

— bitt' gar schö' — Singa lass'n! Gedichte in Salzburger Mundart. 2. Aufl. 12. (IV, 76 S.) Salzburg 883. Dieter. n. 1. 60

— Ernst u. Scherz, s.: National-Bibliothek, deutsch-österreichische.

— Weltlust. Historietten, Schwänke u. Lieder e. heitern Vaganten. 12. (164 S.) Leipzig 883. Liebeskind. n. 2. 40

Märzveilchen. Gedichte v. J. K. 16. (231 S.) Augsburg 883. Kranzfelder. n. 1. 50

Masarik, Jos., böhm. Schulgrammatik. Für deutsche Mittelschulen u. Lehrerbildungsanstalten. 4. Aufl. gr. 8. (VIII, 311 S.) Prag 886. Tempsky. n. 2. 40; Einbd. n.n. — 40

Masaryk, Thom. Garrigue, Dav. Hume's Skepsis u. die Wahrscheinlichkeitsrechnung. Ein Beitrag zur Geschichte der Logik u. Philosophie. gr. 8. (16 S.) Wien 884. Konegen. n. — 80

— Versuch e. concreten Logik. [Classification u. Organisation der Wissenschaften.] gr. 8. (XVI, 318 S.) Ebend. 887. n. 7 —

Masberg, J., französische Grammatik f. sechsklassige Schulen. gr. 8. (X, 297 S.) Stuttgart 883. Spemann. n. 2. 80

— kurzgefaßte französische Syntax. [II. Tl. der französ. Grammatik f. sechsklass. Schulen.] gr. 8. (VIII, 70 S.) Ebend. 886. n. — 90

— Übungsbuch zur französischen Syntax. gr. 8. (VIII, 150 S.) Ebend. 885. n. 1. 50

Mascart, E., Handbuch der statischen Elektricität. Deutsche Bearbeitg. v. Ign. G. Wallentin. Mit in den Text eingedr. Holzschn. (In 2 Bdn. à 2 Abthlgn.) 1. Bd. gr. 8. (XI, 930 S.) Wien 883. 85. Pichler's Wwe. & Sohn. n. 23. —

— dasselbe. 2. Bd. 1. Abth. gr. 8. (391 S.) Ebend. 886. n. 9. —

— u. J. **Joubert,** Lehrbuch der Elektricität u. d. Magnetismus. Autoris. deutsche Uebersetzg. v. Leop. Levy. (In 2 Bdn.) 1. Bd. Mit 127 in den Text gedr. Abbildgn. gr. 8. (XVIII, 592 S.) Berlin 886. Springer. n. 14. —

Maschek, Frdr., e. neuer Maecenas. Humoristische Novelle. 8. (300 S.) Leipzig 885. Mutze. n. 3. —

— ein bezähmter Wagnerianer. Humoristische Novelle. 8. (205 S.) Ebend. 883. n. 4. —; geb. n. 5. —

Mascher, H. A., die preußisch-deutsche Polizei. Polizeigesetzbuch f. den prakt. Gebr. systematisch zusammengestellt. A. u. d. T.: Die Polizei-Verwaltg. d. preuß. Staates in Verbindg. m. der d. Deutschen Reiches. 5. Aufl. (Neue Ausg.) gr. 8. (LI, 252 u. 844 S.) Berlin 885. R. L. Prager. n. 13. 50; geb. 15. —

— die Polizei-Verwaltung d. Preußischen Staates. Handbuch f. den prakt. Gebrauch systematisch zusammengestellt. 5. Aufl. gr. 8. (LI, 844 S.) Ebend. 884. n. 13. 50; geb. n. 15. —

Maschinenbauer, der. Illustrirte Zeitschrift f. mechan. Technik. Organ f. Fabrikanten, Gewerbtreibende u. Techniker. Hrsg. u. Red.: Th. Schwartze, R. Werther u. E. Novák. 18—21. Jahrg. 1883—1886. à 26 Hfte. (2 B. m. eingedr. Illustr.) gr. 4. Leipzig, Verlag d. Maschinenbauer. à Hft. n. — 50

Maschinenbauer- u. Schlosser-Kalender pro 1886. Hrsg. v. Carl Pataky etc. Mit vielfach verm. Text.

Reich illustrirt. gr. 16. (IV, 112 u. 152 S.) Berlin 885. Patakv. geb. in Leinw. n. 2. —; in Ldr. n. 2. 50

Maschinen-Constructeur, der practische. Zeitschrift f. Maschinen- u. Mühlenbauer, Ingenieure u. Fabrikanten. Unter Mitwirkg. bewährter Ingenieure u. anderer Fachmänner d. In- u. Auslandes hrsg. v. Wilh. Heinr. Uhland. 16—19. Jahrg. 1883—1886. à 24 Hfte. (à 2—3 B. m. eingedr. Holzschn. u. autogr. Taf.) gr. 4. Leipzig, Baumgärtner. à Jahrg. n. 32. —

Maſing, E., Charles Dickens. Vortrag. 12. (61 S.) St. Petersburg 885. Ricker. n. 1. —

Masing, E., Elemente der pharmaceutischen Chemie. Ein Leitfaden f. den Unterricht. gr. 8. (164 S.) Dorpat 885. (St. Petersburg, Ricker.) n. 3. 60

Masing, F., Lautgesetz u. Analogie in der Methode der vergleichenden Sprachwissenschaft. gr. 8. (54 S.) St. Petersburg 883. (Kranz.) n. 1. 80

Masius, A., Briefe, s.: Publikationen der Gesellschaft f. rhein. Geschichtskunde.

Maſius, Herm., deutſches Leſebuch f. höhere Unterrichts-Anſtalten. 1. u. 2. Tl. Für untere Klaſſen. 10. Aufl. gr. 8. (XVIII, 638 S.) Halle, Buchh. d. Waiſenhauſes. n. 5. 50

1. Für untere Klaſſen. 10. Aufl. (XVIII, 638 S.) 884. n. 2. 50
2. Für mittlere Klaſſen. 8. Aufl. (XIV, 574 S.) 885. n. 3. —

Maška, Karl J., der diluviale Mensch in Mähren. Ein Beitrag zur Urgeschichte Mährens. Mit 51 Abbildgn. im Texte. gr. 8. (109 S.) Neutitschein 886. (Hosch.) n. 2. 40

Massarellos, Fr. G. de, das Bad Levico in Süd-Tirol u. seine berühmten kupfer-, eisen- u. arsenikhaltigen Mineralquellen. Ein Wegweiser f. Leidende u. Freunde alpiner Naturschönheiten. 2. Aufl. Mit Illustr. 8. (48 S.) München 885. Th. Ackermann's Verl. n. 1. 20

Maſſaruti, Felix, das durchbohrte Herz Jeſu an das Herz der Ordensperſon. 33 Betrachtgn. zur Erneuerg. d. Geiſtes der Vollkommenheit. Aus dem Ital. der 2. verb. Ausg. v. Frz. Schmid. 16. (332 S.) Brixen 886. Weger. n. 1. 20

Maßbuch d. Schuhmachermeiſters. Mit e. Inſeraten-Anh., enth. Bezugsquellen f. Schuhmacher. 12. (164 S.) Neudamm 886. Neumann. geb. n.n. — 75

Massei, Ferd., üb. das primäre Erysipel d. Kehlkopfs. Uebers. v. Vinc. Meyer. gr. 8. (62 S.) Berlin 886. Hirschwald. n. 1. 60

Maſſenbach [Pinne], Geo. Frhr. v., praktiſche Anleitung zur Rimpau'ſchen Moordammcultur. Mit 11 Abbildgn. gr. 8. (30 S.) Berlin 883. Parey. n. 1. —

Maſſenbach, Frhr. G. v., ſ.: Aus dem Leben ꝛc.

Maſſenet, J., Manon, ſ.: Meilhac, H., u. Ph. Gille.

Mäßigkeitsfreund. Hrsg. u. red. v. E. Gebhardt. 1. u. 2. Jahrg. 1885 u. 1886. à 12 Nrn. (¹/₂ B.) gr. 4. Bremen, Verl. d. Tractathauſes. à Jahrg. n. — 60

Fortſetzung von: Freiheits-Poſaune, die.

Maſſow, A., der religiöſe Unterrichtsſtoff in der Volksſchule, ſ.: Nürnberg, L.

Maſſl, F. Xav., chriſtliche Tugendſchule od. Unterweiſungen in den chriſtlichen Tugenden. Kanzel-Vorträge an Monatſonntagen. Ein Beitrag zum Damme gegen die hohe Fluth der Entſittlichg. unſerer Zeit. 1. Bd. Die 3 göttl. Tugenden: Glaube, Hoffng., Liebe. 2. Aufl. 8. (XVI, 420 S.) Regensburg 883. Puſtet. 3. —

Maßnahmen, forſt- u. waſſerpolizeiliche. gr. 8. (10 S.) Klagenfurt 886. (v. Kleinmayr.) n.n. — 30

Maß- u. Gewichts-Ordnung, die, d. Deutſchen Reiches m. den zugehörigen Verordnungen, Bekanntmachungen u. Inſtruktionen. Neue amtl. Ausg. f. das Königr. Württemberg, veranſtaltet durch die königl. württemberg. Zentralſtelle f. Gewerbe u. Handel. gr. 8. (VII, 628 S. m. eingedr. Fig. u. 2 Taf.) Stuttgart 886. Kohlhammer. n. 4. 50; geb. n. 5. 20

— — daſſelbe. Ausg. f. die Faßaichanſtalten. gr. 8. (V, 157 S.) Ebend. 886. n. 1. 20; geb. n. 1. 50

Maſſow, C. v., Bericht aus der Praxis üb. die Einrichtung v. Unterſtützungs-Stationen f. bedürftige Wandersleute. 2. Aufl. gr. 8. (16 S.) Uelzen 884. Starcke. n.n. — 25

— über die Naturalverpflegungs-Stationen, deren Fortſchritte im Deutſchen Reich u. üb. ihre Wirkung, insbeſondere üb. die Mängel, welche ſich bei ihnen herausgeſtellt haben u. wie dieſelben zu heben. Ueber e. gleichmäß. Verfahren gegen die armen Wanderer an Sonn- u. Feſttagen. Ausarbeitung e. in der 2. Verſammlg. der Mitglieder d. Centralvorſtandes deutſcher Arbeiter-Kolonien zu Berlin am 18. Febr. 1885 erſtatteten Referats. 3. Aufl. gr. 8. (46 S.) Bielefeld 886. Schriften-Niederlage Bethel n. — 60

Masters, Maxwell T., Pflanzen-Teratologie. Eine Aufzählg. der hauptsächlichsten Abweichgn. vom gewöhnl. Bau der Pflanzen. Für die deutsche Uebersetzg. vom Verf. rev. u. m. vielen Nachträgen versehen. Ins Deutsche übertr. v. Udo Dammer. Mit zahlreichen Abbildgn. in Holzschn. v. E. M. Williams u. 1 lith. Taf. gr. 8. (XVI, 610 S.) Leipzig 886. Haessel. n. 16. —

Mataja, Vict., der Unternehmergewinn. Ein Beitrag zur Lehre v. der Gütervertheilg. in der Volkswirthschaft. gr. 8. (III, 215 S.) Wien 884. Hölder. n. 5. 60

Materialien zur Kenntniss der livländischen Agrarverhältnisse m. besond. Berücksicht. der Knechts- u. Tagelöhner-Bevölkerung. Veröffentlicht v. dem livländ. Landraths-Collegium. Lex.-8. (VI, 244 S.) Riga 885. (Jonck & Poliewsky.) n.n. 5. —

— zur neueren Geschichte, hrsg. v. G. Droysen. Nr. 4—6. 8. Halle 885. Niemeyer. n. 3. 60

4. Gedruckte Relationen üb. die Schlacht bei Nördlingen 1634. (69 S.) 1. 20
5. 6. Thomas Carve's Itinerarium. Eine Quellenschrift zur Geschichte d. 30jähr. Krieges. (III, 149 S.) 2. 40

— zur Kenntniss d. evangelisch-lutherischen Landvolksschulwesens in Livland. Veröffentlicht v. dem livländ. Landraths-Collegium. Lex.-8. (XXI, 162 S. m. Tab.) Riga 884. (Jonck & Poliewsky.) n.n. 5. —

— für das neuenglische Seminar. Hrsg. v. Ernst Regel. Nr. 1. 3. 6. u. 8. gr. 8. Halle, Niemeyer. à n. 1. 20

1. Thackeray's lectures on the English humourists of the 18. century. Mit bibliograph. Material, litterar. Einleitg. u. sachl. Anmerkgn. f. Studierende hrsg. v. Ernst Regel. I. Swift. (IV, 79 S.)
3. Dasselbe. III. Steele. (84 S.)
6. Dasselbe. VI. Sterne u. Goldsmith. (100 S.)
8. Byron's Prisoner of Chillon u. Siege of Corinth. Mit bibliograph. Material, litterar. Einleitg. u. sachl. Anmerkgn. f. Studierende hrsg. v. J. G. C. Schuler. (VII, 94 S.)

— zum Überſetzen ins Franzöſiſche. Hrsg. v. A. Wiemann. 2. Bdchn. Geſchichte Frankreichs von 1589—1774. 16. (108 S.) Gotha 884. Schloeßmann. cart. n. — 60 (1. u. 2.: n. 1. 20)

— für den Unterricht in der Geographie nach der konstruktiven Methode. [16 (chromolith.) Skizzen u. 16 (lith.) Netze.] Methodisch zusammengestellt u. hrsg. vom Bezirks-Lehrerverein München. gr. 4. (1 Bl. Text.) München 885. (Kellerer.) n.n. 1. 20

Materu, A., ausführlicher Lehrplan nebſt ſpecieller Penſenverteilung f. die einklaſſige, zweiklaſſige u. Halbtagsſchule. Auf Grund der miniſteriellen „Allgemeinen Beſtimmungen vom 15. Oktbr. 1872“ u. unter beſond. Berückſicht. der Landſchulen bearb. gr. 8. (119 S.) Breslau 886. F. Hirt. n. 1. 50

Materna, H., der politische Bezirk Starnberg, s.: Nitsche, F.

Materne's erſter Religionsunterricht f. Kinder evangeliſcher Chriſten. Mit Abbildgn. Nach d. Verf. Tode neu bearb. v. Poſtler. Ausg. A: für den Lehrer. 4. Aufl. gr. 8. (IV, 148 S.) Leipzig 884. Reichardt. n. 1. 60; Ausg. B: für die Kinder. 4. Aufl. (IV, 108 S.) n. — 60; cart. — 90

Materne, A., Anleitung zur leichteren Erlernung der Kaſſen-, Buch- u. Regiſterführung der preußiſchen Haupt-Zoll- u. Haupt-Steuerämter, ſowie der denſelben untergeordneten Hebeſtellen. Ein Repertorium in Frage u. Antwort. Für Steuer-Supernumerare u. Anwärter. In 2 Aufl. bearb. v. Alb. Schneider. gr. 8. (56 S.) Breslau 885. Korn. n. 1. —

Materne, A., die Kassen-, Buch- u. Registerführung der preußischen Haupt-Zoll- u. Haupt-Steuerämter, sowie der denselben untergeordneten Hebestellen. Zum prakt. Gebrauch f. Kassen-Revisoren, Hauptamts-Rendanten, Hauptamts-Kontroleure, -Assistenten, Steuer- u. Zoll-Einnehmer, verbunden m. e. Anleitg. zur leichteren Erlerng. der gedachten Buchführgn. f. Steuer-Supernumerare u. Anwärter. 2. Aufl., nach Maßgabe der neuen amtl. Anweisgn. vollständig umgearb. v. Alb. Schneider. gr. 8. (VIII, 614 S) Breslau 885. Korn. n. 8. —

— Steuer-Examinatorium. 1. Thl., enth. das Brausteuergesetz u. die Gesetze üb. Erhebung der Salz-, Tabak- u. Rübenzuckersteuer, sowie das Gesetz üb. die Steuerfreiheit d. Branntweins zu gewerbl. Zwecken. 3. Aufl., bearb. v. E. Heukeshoven. 8. (VIII, 145 S) Gera 886. Reisewitz Verl. n. 1. 50

— Zoll-Examinatorium. Enth. das Vereinszollgesetz m. dem Zolltarif u. dem amtl. Waarenverzeichniß, das Gesetz, betr. die Statistik d. Waarenverkehrs, das Begleitschein-, Eisenbahn- u. Post-Regulativ, die Niederlage-Regulative, das Kredit-Reglement, die Dienst-Anweisg. f. Ober-Grenz-Kontroleure u. Grenz-Aufseher, sowie das Gesetz üb. den Waffengebrauch der Grenz-Aufsichts-Beamten u. a. m. In 2. verm. u. verb. Aufl. bearb. v. E. Heukeshoven. 8. (XIII, 240 S.) Breslau 883. Korn. n. 2. 50

Mathé, Bertha, geb Hüffell, Lebenswege. Geschichte zweier Pensionsfreundinnen. Für erwachsene Töchter erzählt. 8. (326 S.) Karlsruhe 886. Reuther. n. 3. 25; geb. n. 4. —

Mathers, Helene [Mrs. Henry Reeves], Eyre's acquittal, s.: Collection of British authors.

— the fashion of this world. A story. 12. (159 S.) Leipzig 886. B. Tauchnitz. n. — 80

— found out, }
— murder or manslaughter, } s.: Collection of British authors.
— Sams sweetheart, }

Mathes v. Bilabruck, Carl Ritter, üb. das Gefecht. Reglements-Studie. gr. 8. (76 S.) Wien 884. Seidel & Sohn. n. 1. 60

— die Schiessversuche bei Bruck an der Leitha. Hiezu 1 Taf. gr. 8. (41 S.) Ebend. 886. n. — 70

Mathesius, Joh., Dr. Martin Luthers Leben. Neue, nach den Orig.-Drucken rev., m. e. vollständ. Register verseh. Ausg. Festgabe f. d. Jubelj. 1883. 4. (XVI, 367 S.) St. Louis, Mo. 883. (Dresden, H. J. Naumann.) n. 4. —

Mathey, F., coupes géologiques des tunnels du Doubs. Mit 3 (lith u. color.) Taf. gr. 4. (21 S) Zürich 883. (Basel, Georg.) n.n. 3. 20

Mathis, C., die preußischen Grundbuchgesetze m. Anmerkungen. Handbuch zum prakt. Gebrauch. gr. 8. (XVI, 310 S.) Berlin 884. Vahlen. cart. n. 5. —

Mathys, U., Bestimmung der Umtriebszeit u. d. Haubarkeitsalters der Bestände f. Betriebsregelung. gr. 8. (24 S.) Davos 886. Richter. n. 1. —

Mating-Sammler, Textbuch zu den Schwind'schen Fresken d. Landgrafensaales der Wartburg. 4. (18 S.) Rochlitz 886. (Pretzsch.) — 60

Matsen, Gust., Wander-, Wein- u. Liebeslieder. 12. (VIII, 98 S.) Hamburg 883. Hoffmann & Campe Verl. n. 2. —; geb. n 3. 20

Mattei, Graf Caesare, elektro-homöopathische Arzneiwissenschaft od. neue auf Erfahrung begründete Heilkunde. Einzig autoris. deutsche Uebersetzg. Mit 2 Portraits. gr. 8. (XXIII, 536 S. m. 1 Steintaf.) Regensburg 884. (Verlags-Anstalt.) n.n. 6. —

— Elektro-Homöopathie. Grundsätze e. neuen Wissenschaft. Vom Verf. autoris. deutsche Ausg. 4. Aufl. 8. (287 S. m. 1 Steintaf.) Ebend. 884. n. 4. 40

— s.: Heil-Methode, elektro-homöopathische.

Mattenheimer, Albin, Tegernseer Skizzen. (3. Ausg.) qu. 12 (20 color. Taf.) München 886. Mangelsdorf. In Mappe. n. 6. —

Matterstock, üb. den Syphilisbacillus. gr. 8. (3 S.) Würzburg 886. Stahel. n. — 20

Matthaei, Adf., üb. den Zusammenhang im 3. Artikel d. apostolischen Symbols. gr. 4. (14 S.) Hamburg 884. (Nolte.) n.n. 1. —

Matthaei, Frdr., die wirthschaftlichen Hülfsquellen Russlands u. deren Bedeutung f. die Gegenwart u. die Zukunft. 2—10. (Schluss-)Lfg. gr. 8. (1. Bd. VIII u. S. 65—423 m. 2 Tab. u. 2. Bd. VIII, 531 S.) Dresden 883. 84. Baensch. à n. 1. — (cplt.: n. 18. —; geb. n. 20. —)

Matthaei, R., chronologische Uebersicht der Weltgeschichte. Zum Schulgebrauch. 3. Aufl. gr. 8. (26 S.) Grünberg 885. Weiß' Nachf. Verl. n.n. — 30

Matthesius, Joh., Dr. Martin Luthers Leben. In 17 Predigten dargestellt. 2. Aufl. gr. 8. (VI, 362 S. m. Holzschn.-Portr.) Berlin 883. (Wiegandt & Grieben.) n. 1. —

Matthews, F. E., I. Ueber die Verbindungen der Blausäure m. den Halogenwasserstoffsäuren. II. Ueber Condensationen einiger Aldehyde m. Acetessigäther u. substituirten Acetessigäthern. gr. 8. (42 S.) Bonn 882. (Göttingen, Vandenhoeck & Ruprecht.) n. 1. 20

Matthias, A., der kleine Engländer od. die Kunst, die engl. Sprache in kurzer Zeit verstehen, lesen, schreiben u. sprechen zu lernen. 16. (IV, 178 S.) Berlin 884. Friedberg & Mode. 1. 25; geb. 1. 50

— Handbuch der englischen Umgangssprache od. prakt. Anleitg., sich im Engl. richtig u. geläufig auszudrücken. 2. Aufl. 12. (IV, 291 S.) Ebend. 884. 2. —; geb. 2. 50

— Handbuch der italienischen Umgangssprache od. prakt. Anleitg., sich im Ital. richtig u. geläufig auszudrücken. 12 (VI, 262 u. 65 S.) Ebend. 884. 2. 50; geb. 3. —

Matthias, Adf., Kommentar zu Xenophons Anabasis. Im Anschluß an die Schulgrammatiken von v. Bamberg u. Koch u. d. Verf. Wortkunde bearb. 3 Hfte. gr. 8. Berlin 883. 84. Springer. cart. n. 3. 80

1. Kommentar zu Buch I. (VII, 63 S.) n. 1. —
2. Kommentar zu Buch II. III. IV. (V, 86 S.) n. 1. 40
3. Kommentar zu Buch V. VI. VII. (III, 84 S.) n. 1. 40

— griechische Wortkunde, im Anschluß an Xenophons Anabasis f. Gymnasien entworfen. 2. Aufl. gr. 8. (X, 94 S.) Ebend. 886. n. 1. 20

Matthias, Carl, die mecklenburger Frage in der 1. Hälfte d. 18. Jahrh. u. das Dekret d. Kaisers Karls VI. vom 11. Mai 1728. 8. (57 S.) Halle 886. (Posen, Jolowicz.) n. 1. —

Matthias, F., Canäle in Norddeutschland. Ein neuer Entwurf. Mit (autogr.) Uebersichtskarte u. Längenprofilen. gr. 8. (28 S.) Münster 884. Brunn's Buchdr. n. 3. —

Matthias, Frz., quaestionum Blandinianarum capita III. gr. 8. (72 S.) Halis Sax. 882. (Berlin, Mayer & Müller.) n. 1. 20

Matthias, J., das Naturzeichnen. Eine kurze Anleitung zum Selbstunterrichte f. Töchter. Mit 51 Abbildgn. (auf 16 Steintaf.). gr. 8. (55 S) Leipzig 883. Haessel. geb. n. 3. —

— die Regel vom goldenen Schnitt im Kunstgewerbe. Ein Handbuch f. Werkstatt, Schule u. Haus. Mit 212 Abbildgn. u. Konstruktionen auf 19 Taf. gr. 8. (VIII, 102 S.) Ebend. 886. n. 8. —; geb. n. 10. —

Matthiessen, Ludw., Schlüssel zur Sammlung v. Beispielen u. Aufgaben aus der allgemeinen Arithmetik u. Algebra v. E. Heis. Praktischer Leitfaden f. Lehrer u. Studierende. 3. Aufl. 2 Bde. gr. 8. (XVI, 610 u. VI, 546 S. m. 6 Steintaf.) Köln 886. Du Mont-Schauburg. n. 15. —

Matthieu, Eug., das Glaubensbekenntniss der französisch-reformirten Kirche [Confessio Gallicana] vom J. 1559. Zur 200jähr. Gedächtnissfeier d. Edicts v. Potsdam in deutscher Uebersetzg. hrsg. gr. 8. (25 S.) Angermünde 885. Windolff. — 30

Mattiat, D., die Raumlehre in der Volksschule. Als Leitfaden f. Lehrer u. Wiederholungsbuch f. Schüler hrsg. Beantwortet v. A. Görth. 3. Aufl. Mit 144 Holzschn. 8. (VIII, 87 S.) Gera 885. Th. Hofmann. cart. n. — 75

Mattner, Const., Trauungsreden. Gesammelt u. hrsg. gr. 8. (V, 314 S.) Breslau 883. Goerlich. 3. —

Matuschka v. Toppolczan, Frz. Graf, die Dachschiefer v. Berleburg. gr. 8. (35 S.) Göttingen 886. (Vandenhoeck & Ruprecht.) n. 1. —

Matz, Herm., der protestantische Geist e. Geist der Furchtlosigkeit. Festpredigt, geh. am XV. deutschen Protestantentage in der Nicolaikirche zu Hamburg am 27. Mai. gr. 8. (16 S.) Berlin 885. Haack. — 30

Matz, R., nach welchen Grundsätzen ist der Unterricht in der Muttersprache zu erteilen, s.: Lehrer-Prüfungs-Arbeiten.

— Rätselbuch. Enth. 760 der verschiedenartigsten Rätsel. Nebst e. Anh.: Rösselsprünge, Quadrat- u. Diamanträtsel. Zum Gebrauche in Schule u. Haus gesammelt u. geordnet. 12. (IX, 165 S.) Leipzig 883. Laudien. cart. n. 1. 20

— über die Spiele der Kinder, s.: Lehrer-Prüfungs-Arbeiten.

Matzat, Heinr., römische Chronologie. 1. u. 2. Bd. gr. 8. Berlin, Weidmann. à n. 8. —
1. Grundlegende Untersuchungen. (XII, 354 S.) 883.
2. Römische Zeittafeln von 506 bis 219 v. Chr., nebst zwei Nachträgen zum 1. Bde. (VIII, 424 S.) 884.

— Erdkunde. Ein Hilfsbuch f. den geograph. Unterricht. 2. Aufl. Mit 28 Fig. im Text. 8. (VIII, 312 S.) Berlin 886. Parey. cart. n.n. 2. —

— Methodik d. geographischen Unterrichts. Mit 36 lith. Taf. gr. 8. (X, 382 S.) Ebend. 885. n. 8. —

Mätzner, Ed., englische Grammatik. 3. Aufl. 2. u. 3. Thl. Die Lehre v. der Wort- u. Satzfügg. gr. 8. (VIII, 541 u. XX, 652 S.) Berlin 882. 85. Weidmann. n. 25. —

— französische Grammatik m. besond. Berücksicht. d. Lateinischen. 3. Aufl. gr. 8. (XXIV, 676 S.) Ebend. 884. 85. n. 10. —

— s.: Sprachproben, altenglische.

Maubach-Ernesti, Hugo, per aspera ad astra! Dichtungen e. Sechzehnjährigen. 8. (82 S.) Berlin 883. Ißleib. n. 2. 50

Mauer, A., geographische Bilder. Darstellung d. Wichtigsten u. Interessantesten aus der Länder- u. Völkerkunde. Nach den besten Quellen bearb. u. hrsg. f. Lehrer u. Lernende. 1. u. 2. Bd. gr. 8. Langensalza 886. Schulbuchh. 7. 5; geb. 9. 5
1. 13. Aufl. (VIII, 576 S.) — 2. (VI, 496 S.)

Mauer's, Aug., Wiener Kochbuch. Red. v. Adf. C. Schättinger. (In ca. 22 Lfgn.) 1—4. Lfg. gr. 8. (128 S. m. Holzschn.) Wien 883. Cerny. à — 50

Mauerhof, Emil, üb. Hamlet, nebst e. Nachtrage als Vorwort. 2. Aufl. gr. 8. (XXXVII, 178 S.) Leipzig 884. T. O. Weigel. n. 3. —

— zur Idee d. Faust. 8. (III, 191 S.) Leipzig 884. O. Wigand. 3. —

— Messalina. Trauerspiel in 5 Akten, nebst e. Briefe an e. interessantes Kind. 2. Aufl. 8. (9 u. 122 S.) Leipzig 884. T. O. Weigel. n. 1. —

Mauersberger, C. T., Mnemosyne. Die Kunst, das Merken zu erleichtern, pädagogisch u. historisch begründet u. angewendet auf Geschichte, Geographie, Rechnen etc. gr. 8. (292 S.) Leipzig 885. Klinkhardt. n. 5. —

Mauk, Herm., e. neues Mutterkorn-Extract. Extractum secalis cornuti Denzel. gr. 8. (19 S.) Tübingen 884. (Fues.) n. — 40

Maul, Alfr., Anleitung f. den Turnunterricht an Knabenschulen. 1. Tl. Ziel u. Betrieb d. Turnens. 3. Aufl. gr. 8. (VII, 277 S.) Karlsruhe 883. Braun. n. 3. 60

— die Turnübungen der Mädchen. 2. Tl. Die Übgn. im Gehen, Laufen u. Hüpfen auf den drei unteren Turnstufen, in Verbindg. m. Ordnungsübgn. u. m. Übgn. im Stehen. gr. 8. (XII, 240 S.) Ebend. 885. n. 3. 40
(1. u. 2.: n. 4. 60)

Maupassant, Guy de, u. Georges Lachaud, die schöne Frau Bodinard u. andere Geschichten. Aus dem Franz. übers. v. Willib. König. 8. (VII, 130 S.) Berlin 885. Freund & Jeckel. n. 2. —; geb. n. 3. —

Maurel, Antonin, die Ablässe, ihr Wesen u. Gebrauch. Ein Handbuch f. Geistliche u. Laien, welche üb. die Ablässe u. die m. Ablässen bereicherten Gebete, Andachtsübgn., Andachtsgegenstände, Bruderschaften u. frommen Vereine Belehrg. wünschen. Nach dem Franz. bearb. v. Jos. Schneider. 8. Aufl. 8. (XX, 788 S.) Paderborn 884. F. Schöningh. n. 6. —

Maurenbrecher, Wilh., Geschichte u. Politik. Akademische Antrittsrede, geh. zu Leipzig 25. Oktbr. 1884. gr. 8. (27 S.) Leipzig 884. Brockhaus. n. — 60

Maurenbrecher, Wilh., Staat u. Kirche im protestantischen Deutschland. Vortrag. gr. 8. (27 S.) Leipzig 886. Hinrichs' Verl. n. — 60

Maurer, Predigt, s.: Luther-Tage, die, in Herborn.

Maurer, A., das Börsen-Raubritterthum in Verbindg. m. dem Antisemitenthum unserer Zeit. Die Mittel f. ihre Besiegg. Ein wohlgemeinter u. rechtzeit. Mahnruf an das deutsche Judenthum. 3. Aufl. gr. 8. (28 S) Weinheim 882. Ackermann. n. — 40

Maurer, Carl, de aris Graecorum pluribus deis in commune positis. gr. 8. (VI, 138 S) Darmstadt 885. Zernin. n. 2. —

Maurer, Ch. F., Völker- u. Staatengeschichte in neuen u. alten Darstellungen. 1. Bd.: Die Hellenen. gr. 8. (X, 588 S.) Leipzig 884. Weber. n. 6. —; geb. n. 8. —

Maurer, F., die Fauna der Kalke v. Waldgirmes bei Giessen, s.: Abhandlungen der grossherzogl. hessischen geologischen Landesanstalt zu Darmstadt.

Maurer, H., der Brief Pauli an die Colosser, in 31 Betrachtgn. f. die Gemeinde ausgelegt. 8. (IV, 204 S.) Herborn 883. Buchh. d. Nassauischen Colportage Vereins. n. 1. 50; geb. n. 2. —

— zum 300jährigen Gedächtnis der Stiftung der hohen Schule Johannea zu Herborn. Ein kurzer Ueberblick der Geschichte der Anstalt. gr. 8. (20 S.) Ebend. 884. n. — 25

— der Leidensweg d. Christen. Predigt üb. 1. Petri 5, 6—11. 2. Aufl. 8. (16 S) Ebend. 885. n. — 10

Maurer, J. C., Herzog Otto, s.: National-Bibliothek, deutsch-österreichische.

Maurer, J. H., praktischer Führer durch die Allgemeine deutsche Ausstellung auf dem Gebiete der Hygiene u. d. Rettungswesens. Nebst Wegweiser durch die Sehenswürdigkeiten Berlins, Notizen f. den Fremden-Verkehr u. Mitteilgn. renommierter Geschäftshäuser. 2. Aufl. 8. (64 S. m. Holzschn. u. 1 Plan.) Berlin 883. Maurer-Greiner. — 50

— illustrirter Katalog Berliner renommirter Geschäftshäuser. 5. Jahrg. Mit belletrist. Beilagen. gr. 8. (80 S.) Ebend. 884. 1. 50

Maurer, Markus, Pabst Calixt II. 1. Thl. Vorgeschichte. Inaugural-Dissertation. gr. 8. (IV, 82 S.) München 886. Kaiser. n. 1. 60

Maurer, Thdr., noch einmal Julius Cäsars Brücke üb. den Rhein. Vademecum f. Hern. Aug. Rheinhard, in Stuttgart. gr. 8. (12 S. m. 1 eingedr. Holzschn.) Mainz 884. Diemer. n. — 40

— dasselbe. Zugleich wider Cliquen-Recensententum. 2. Nachtrag zu seinen Cruces philologicae. gr. 8. (24 S.) Ebend. 884. n. — 60

— zum Falle Deecke. Offenes Schreiben e. deutschen Gymnasiallehrers an den General-Feldmarschall Frhr. v. Manteuffel, kaiserl. Statthalter in Elsaß-Lothringen. Dazu: Zwei weitere Beiträge zur Frage der deutschen Nationalerziehg.: Sedanrede, Adversus Scholasticos, Streitsätze zur Gymnasialreform. gr. 8. (28 S.) Ebend. 884. n. — 80

— der 16. October 1881 zu Mainz od. zur Frage: Wie machen wir das Socialistengesetz entbehrlich? Selbsterlebtes. gr. 8. (28 S.) Ebend. 884. n. — 50

— deutsches Wort zur Ueberbürdungs-Frage. Offenes Schreiben e. hess. Pädagogen an Hrn. Prof. Gymn.-Dir. Herm. Schiller. gr. 8. (49 S.) Ebend. 883. n. 1. —

Maurice, Abel, das Kind der Vorsehung. Aus dem Franz. übers. v. Heinr. Werner. Mit 1 Titelbilde. 8. (276 S.) Regensburg 883. Verlags-Anstalt. 2. —

Maurice, Alphonse, der Schatz. Komische Oper in 1 Akt v. W. Schwebersky u. W. Merkel. Musik v. A. M. Textbuch. 12. (22 S.) Leipzig 886. M. Hesse. n. — 20

Maurice, Frederick, Leben v. Frederick Denison Maurice. Nach dem Wortlaut seiner eigenen Briefe erzählt v. seinem Sohne. Autoris. deutsche Bearbeitg. v. Maria Sell. gr. 8. (VIII, 551 S.) Darmstadt 885. Bergsträßer. n. 8. —; geb. n. 9. —

Mauron, A., petite grammaire ou éléments de la langue anglaise, avec de nombreux exercices de traduction, de lecture et de conversation, plus, la prononciation figurée de tous les mots anglais. 2. éd. gr. 8. (X, 212 S.) Heidelberg 886. J. Groos. geb. n. 2. —

Mauron, A., et Th. **Gaspey,** grammaire anglaise. Corrigé des thèmes. Nouvelle éd. par A. Mauron. gr. 8. (IV, 66 S.) Heidelberg 883. J. Groos. n. 1. 60

Maus, Frdr. Wilh., Peire Cardenals Strophenbau in seinem Verhältniss zu dem anderer Trobadors. gr. 8. (41 S.) Marburg 882. (Berlin, Mayer & Müller.) n. 1. 20

— dasselbe, s.: Ausgaben u. Abhandlungen aus dem Gebiete der romanischen Philologie.

Mauss, Frz., die Charakteristik der in der altfranzösischen Chanson de geste „Gui de Bourgogne" auftretenden Personen, nebst Bemerkgn. üb. Abfassungszeit u. Quellen d. Gedichtes. gr. 8. (103 S.) Münster 883. (Leipzig, Fock.) n. 1. 60

Mauthner, Fritz, der neue Ahasver. Roman aus Jung-Berlin. Der wohlf. Ausg. 2. Aufl. 8. (302 u. 332 S.) Dresden 886. Minden. n. 3. 50

— Aturen-Briefe. Mitgetheilt v. F. M. 2. Aufl. 8. (V, 216 S.) Ebend. 885. n. 2. —

— Berlin W. 3 Romane I. Quartett. 2. Aufl. 8. (VIII, 434 S.) Ebend. 886. n. 5. —; geb. n.n. 6. —

— Credo. Gesammelte Aufsätze. 8. (XII, 304 S.) Berlin 886. Heine. n. 4. —

— der letzte Deutsche v. Blatna. Erzählung. 3. Aufl. 8. (VIII, 296 S.) Dresden 887. Minden. n. 3. —; geb. n.n. 4. —

— Dilettanten-Spiegel. Travestie nach Horazens Ars poetica. 2. Aufl. 8. (X, 102 S.) Ebend. 884. n. 1. 50

— dasselbe. 3. Aufl. 16. (XVI, 88 S.) Ebend. 885. n. 1. —

— vom armen Franischko. Kleine Abenteuer e. Kesselflickers. 7. Aufl. 8. (VIII, 103 S.) Ebend. 886. n. 2. —; geb. n. 2. 75

— nach berühmten Mustern. Parodistische Studien. Neue Folge. 15. Aufl. 8. (95 S.) Leipzig 883. Garte. n. 1. 50

— Gräfin Salamanca, s.: Volksbücher, Kärntner.

— die Sonntage der Baronin. Novellen. 3. Aufl. 8. (344 S.) Dresden 884. Minden. n. 3. 50; geb. n. 4. 50

— Xantippe. 2. Aufl. 8. (263 S.) Ebend. 884. n. 3.50; geb. n. 4. 50

Mauthner, J., u. W. **Suida,** zur Gewinnung v. Indol aus Derivaten d. Orthotoluidins. [Aus dem Laboratorium f. angewandte medicin. Chemie in Wien.] Lex.-8. (11 S.) Wien 886. (Gerold's Sohn.) n.n. — 25

Mauthner, Ludw., Vorträge aus dem Gesammtgebiete der Augenheilkunde f. Studierende u. Aerzte. 12. u. 13. Hft. [2. Bd. 4. u. 5. Hft.] gr. 8. Wiesbaden, Bergmann. n. 4. 40 (1—13.: n. 29. 20)

12. Die ursächlichen Momente der Augenmuskellähmungen: Die Nuclearlähmung. (IV u. S. 293—384.) 885. n. 2. 40
13. Die ursächlichen Momente der Augenmuskellähmungen: Die nicht nuclearen Lähmungen. [Cortical- u. Fascicularlähmung. Basallähmung. Orbitale u. periphere Lähmg.] (S. 385—472.) 886. n. 2. —

Mautner, E., Battaglia bei Padua, s.: Wanderbilder, europäische.

— Battaglia near Padua, s.: Europe, illustrated.

— Battaglia près Padoue, s.: l'Europe illustrée.

Mautner, J., u. S. **Kohn,** biblische Geschichte u. Religionslehre f. die israelitische Jugend an Volks- u. Bürgerschulen. 4 Hfte. gr. 8. Wien 884. Pichler's Wwe. & Sohn. n. 2. 26

1. (VI, 86 S.) n. — 72. — 2. (52 S.) n. — 40. — 3. (60 S.) n. — 50. — 4. Lesestücke aus der heil. Schrift. (80 S.) n. — 64

Max, Ferd., goldenes Schatzkästlein f. kleine Kinder. Ein Bilderbuch f. die Kinderstube. Mit 24 feinsten Farbendr.-Bildern. 4. (46 S.) Eßlingen 884. Schreiber. geb. n. 5. —

Maximal-Dosen starkwirkender Arzneimittel, welche der Arzt beim Verschreiben zum innerlichen Gebrauch f. Erwachsene nicht überschreiten darf, es sei denn, dass er e. Ausrufungszeichen [!] hinzufügt. [Nach der Pharmacopoea germanica, ed. II. 1882.] Tabelle. Fol. Berlin 883. Springer. n. — 25

Maxwell, James Clerk, die Elektrizität in elementarer Behandlung. Hrsg. v. Will. Garnett. Ins Deutsche übertr. v. L. Graetz. Mit Holzst. gr. 8. (XVI, 224 S.) Braunschweig 883. Vieweg & Sohn. n. 4. 50

— Lehrbuch der Electricität u. d. Magnetismus. Autoris. deutsche Uebersetzg. v. B. Weinstein. [In 2 Bdn.] 2. Bd. Mit Holzschn. u. 7 Taf. gr. 8. (XIV, 624 S.) Berlin 883. Springer. n. 14. — (cplt.: n. 26. —)

May, Andr., der Zögling v. San Marco. Trauerspiel in 5 Aufzügen. 8. (III, 109 S.) München 883. Th. Ackermann's Verl. n. 1. 60

May, Carl, im fernen Westen. Erzählung aus dem Indianerleben f. die Jugend. Mit 4 Bildern in Farbendr. 2. Aufl. gr. 8. (172 S.) Nürnberg 885. Neugebauer. geb. 2. —

— die Wüstenräuber, s.: Bachem's Roman-Sammlung.

May, G., die Weltliteratur der Elektricität u. d. Magnetismus, s.: Bibliothek, elektro-technische.

Maey, Heinr., Bericht üb. Gruppe 23 der schweizerischen Landesausstellung Zürich 1883: Metall-Industrie. gr. 8. (51 S.) Zürich 884. Orell Füssli & Co. Verl. n. 1. —

— Betrachtungen üb. die Lokomotiven der Jetztzeit f. Eisenbahnen m. Normalspur. gr. 8. (VII, 217 S.) Wiesbaden 884. Kreidel. n. 4. —

May, K., Fürst u. Leiermann, s.: Volksbibliothek d. Lahrer Hinkenden Boten.

May, L. v., Gesetz üb. den Malzaufschlag, s.: Gesetzgebung, die, d. Königr. Bayern seit Maximilian II. m. Erläuterungen.

May, Maria Theresia, e. Räthsel. Pädagogische Novelle. 12. (224 S.) Wien 885. Pichler's Wwe. & Sohn. 1. 20

May, Sophie, unsere Ellen. Roman. Aus dem Amerikan. übers. v. A. S. 2 Bde. 8. (258 u. 279 S.) Breslau 883. Schottländer. n. 6. —; geb. n. 8. —

May, B., der Handarbeits-Unterricht f. die männliche Jugend u. der Slöjdunterricht in der Schule vom Standpunkte der Pädagogik, s.: Urban, J.

Mayaux, B., die Universität d. Volkes. Die Fortbildungsschule od. Kurse f. Erwachsene [cours d'adultes], vom geist., sittl., wirtschaftl. u. sozialen Gesichtspunkte betrachtet. Aus dem Franz. übers. gr. 8. (42 S.) Straßburg 884. Schmidt. n. — 75

Maybaum, Siegm., die Entwickelung d. israelitischen Prophetenthums. gr. 8. (VIII, 162 S.) Berlin 883. Dümmler's Verl. n. 4. —

— geistliche Rede, geh. an der Bahre Laskers, s.: Frankl, P. F.

Maydl, Carl, üb. den Darmkrebs. Mit 1 lith. Taf. gr. 8. (III, 130 S.) Wien 883. Braumüller. n. 4. —

Maydorn, Bernh., die Beziehungen der Päpste zu Schlesien im 13. Jahrh. gr. 8. (58 S.) Breslau 882. (Köhler.) n. 1. —

Mayenberg, J., die wichtigsten Begriffe u. Regeln aus der Arithmetik. gr. 8. (15 S.) Hof 884. (Lion.) n. — 30

— die wichtigsten Begriffe u. Sätze der Arithmetik u. Algebra. 8. (55 S.) Ebend. 885. n. — 60

Mayenberg, Jos., Führer durch den bayrischen Wald. 5. Aufl. Mit 1 Karte. 12. (IV, 248 S.) Passau 886. Waldbauer. cart. n. 2. —

— u. A. **Müller,** kleiner Wegweiser durch das Fichtelgebirge. Eine Zusammenstellung der lohnendsten Touren. 2. Aufl. 8. (14 S.) Hof 886. Lion. — 30; m. Spezialkarte d. Fichtelgebirges n. — 80

Mayer, A., centrale Fixation. Ein Protest gegen die Willkür im perspectiv. Projicieren. gr. 8. (11 S. m. 1 Taf.) Wien 885. (Pichler's Wwe. & Sohn.) n. — 60

Mayer, Adf., Düngung u. Fütterung in chromographischer Darstellung. 2. Ausg. gr. 8. (12 S. m. 7 Chromolith.) Heidelberg 884. C. Winter. n. 1. 60

— die Kunstbutter, ihre Fabrikation, ihr Gebrauchswerth, nebst Mitteln, ihren Vertrieb in seine Grenzen zurückzuweisen. Mit 7 Holzschn. gr. 8. (IV, 64 S.) Ebend. 884. n. 1. 20

— Lehrbuch der Agrikulturchemie in 40 Vorlesungen, zum Gebrauch an Universitäten u. höheren landwirthschaftl. Lehranstalten, sowie zum Selbststudium. In 2 Thln., nebst Anh.: Lehrbuch der Gährungschemie. Mit Holzschn. u. 2 lith. Taf. 3. Aufl. 5 Abthlgn. gr. 8. (1. Bd. X, 414; 2. Bd. IV, 332 u. Anh. VIII, 220 S.) Ebend. 886. n. 20. —; geb. n. 23 60; ohne Anh. n. 18. —

Mayer, Adf., die Quellen der wirthschaftlichen Arbeit in der Natur. Ein Vortrag. 2. Ausg. gr. 8. (53 S.) Heidelberg 884. C. Winter. n. — 80

Mayer, Ant., statistische Beschreibung d. Erzbisth. München-Freising. Aus amtl. Quellen zu bearbeiten unternommen v. A. M, fortgesetzt v. Gg. Westermayer. 29—32. (Schluß-)Lfg. Lex.-8. (3. Bd. VII u. S. 321—891 u. Register 119 S.) Regensburg 883. Verlags-Anstalt. n. 8. 60 (cplt.: n. 32. 80)

Mayer, Ant., Wiens Buchdrucker-Geschichte 1482—1882. Hrsg. v. den Buchdruckern Wiens. 1. Bd. 1482—1682. gr. 4. (XVI, 404 S. m. Buntdr.-Titel u. in den Text gedr. Holzschn.) Wien 883. Frick. n. 24. —

Mayer, Chrn., erster Unterricht im christlichen Glauben f. die untersten Klassen der evangelischen Volksschule. Im Auftrag d. königl. protestant. Oberkonsistoriums verf. Mit 26 Abbildgn. gr. 8. (VIII, 71 S.) Ansbach 882. (Brügel & Sohn.) geb. n. — 40

Mayer, Chrn., Leitfaden f. den ersten geschichtlichen Unterricht an Mittelschulen. 3. Abtlg.: Die neue Zeit. 8. (VI, 165 S.) München 883. Expcd. d. k. Zentral-Schulbücher-Verlages. geb. n.n. 1. — (cplt.: n.n. 2. 20)

Mayer, Ernst, zur Entstehung der Lex Ribuariorum. Eine rechtsgeschichtl. Untersuchg. gr. 8. (VII, 182 S.) München 886. Rieger. n. 5. —

— die Kirchen-Hoheitsrechte d. Königs v. Bayern. Von der jurist. Fakultät der Universität München gekrönte Preisschrift. gr. 8. (IX, 304 S.) Ebend. 884. n. — 7

Mayer, Eugenie, die Blumensprache, od. Deutung der Blumen, Blüten u. Blätter in Versen u. Sprüchen f. Liebende u. Freunde. 16. (60 S.) Köln 886. Püttmann. — 30

Mayer, Frz. Mart., die östlichen Alpenländer im Investiturstreite. gr. 8. (III, 252 S.) Innsbruck 883. Wagner. n. 4. 80

— der innerösterreichische Bauernkrieg d. J. 1515. Nach älteren u. neuen Quellen dargestellt. Lex.-8. (82 S.) Wien 883. (Gerold's Sohn.) n. 1. 20

— über die Correspondenzbücher d. Bischofs Sixtus v. Freising 1474—1495. Lex.-8. (91 S.) Ebend. 886. n. 1. 40

— Geographie der österreichisch-ungarischen Monarchie f. die 4. Classe der Mittelschulen. Mit 21 Text-Abbildungen u. 7 Karten in Farbendr. gr. 8. (VIII, 94 S.) Prag 885. Tempsky. n. 1. 20; Einbd. n.n. — 30

Mayer, G., üb. die Behandlung der Diphtheritis d. Rachens. gr. 8. (12 S.) Aachen 883. Mayer. n. — 50

— sur le traitement de la diphthérie des amygdales et du pharynx [angine couenneuse]. Traduit de l'allemand par Roselt. gr. 8. (11 S.) Ebend. 884. n. — 60

Mayer, Geo. Wilh. Heinr., Bemerkungen zu 28 protestantischen Kirchenliedern u. 13 Psalmen. Für prot. Präparanden- u. Mittelschulen bearb. 8. (VI, 92 S.) Edenkoben 882. (Neustadt a/d. H., Otto.) cart n. — 90

Mayer, Glob., Heraklit v. Ephesus u. Arthur Schopenhauer. Eine historisch-philosoph. Parallele. gr. 8. (47 S.) Heidelberg 886. C. Winter. n. 1. —

Mayer, H., das württembergische Familien-, Erb- u. Vormundschaftsrecht, in seinen Grundzügen dargestellt. gr. 8. (VIII, 420 S.) Stuttgart 886. Kohlhammer. n. 5. —; geb. n. 6. —

— die Grundzüge der Konkursordnung. Als Mscr. gedr. gr. 8. (16 S.) Ebend. 885. n. — 30

Mayer, J., Sternkarte nebst beweglichem Horizont. Apparat zum Studium d. gestirnten Himmels. Lith. Imp.-4. Nebst Text: Astrognosie od. Anleitung zur Kenntnis der Gestirne, nebst e. gemeinfassl. Darstellg. der wichtigsten Vorbegriffe der Sternkunde. Mit 3 lith. Taf. gr. 8. (VI, 42 S.) Schaffhausen 885. Rothermel. n. 4. —

Mayer, J. G., Liedersammlung f. katholische Volksschulen. . Hft. Enth. 45 zwei- u. dreistimm. Gesänge f. die Oberstufe. 7. Aufl. 8. (48 S.) Schw. Gmünd 886. Schmid. n. — 12

Mayer, Jacques, üb. den Werth u. die Resultate der verschiedenen Entfettungsmethoden. gr. 8. (43 S.) Berlin 886. G. Reimer. n. — 80

Mayer, Jos., das gnadenreiche Jesukind in der Kirche S. Maria de Victoria zu Prag. Historischer Bericht m. e. Anh. v. Gebeten u. Liedern zu Ehren d. göttl. Kindes. gr. 16. (IV, 332 S. m. 1 Farbendr.) Prag 884. Cyrillo-Method'sche Buchh. cart. n. 1. 8

Mayer, Jos., Sammlung v. arithmetischen Aufgaben m. den notwendigsten Definitionen u. Gesetzen f. Mittelschulen. 10. Aufl. der Paul Huther'schen Aufgabensammlg. gr. 8. (IV, 320 S.) Regensburg 886. Pustet. n. 2. —

Mayer, Jos. Val., vom Erkennen. gr. 8. (VI, 180 S.) Freiburg i/Br. 885. Stoll & Bader. n. 2. 50

Mayer, K., Lutherbüchlein f. Schule u. Haus. Mit Illustr. 12. (64 S.) Karlsruhe 883. Reiff. n. — 30

Mayer-Eymar, K., paläontolog. Beilage, s.: Beiträge zur geologischen Karte der Schweiz.

Mayer, Karl Aug., Novellenkranz. 8. (294 S.) Breslau 886. Schottländer. n 4. 50; geb. n. 5. 50

Mayer, Karl Ed., Kinderlehrbuch. Sammlung bibl. Abschnitte zum Gebrauch in Kinderlehren u. Jugendgottesdiensten. 4. Aufl. 8. (74 S.) St. Gallen 885. Scheitlin & Zollikofer. cart. n. — 65

— Predigten. 8. (VI, 272 S.) St. Gallen 885. Hausknecht. n. 2. —; geb. m. Goldschn. n. 3. —

Mayer, L., die Reihengräber-Funde, s.: Katalog, beschreibender, der königl. Staats-Sammlung vaterländischer Kunst- u. Alterthums-Denkmale.

Mayer, Manfred, Geschichte der Burggrafen v. Regensburg. gr. 8. (III, 84 S.) München 883. Rieger. n. 3. —

Mayer, Max, de Euripidis mythopoeia capita II. gr. 8. (83 S.) Berlin 883. Mayer & Müller. n. 1. 50

Mayer, Max, zur Kasuistik der multiplen Sklerose. [Aus der Krankenabtheilg. d. unter der Leitg. d. Hrn. Berger stehenden Breslauer Armenhauses.] gr. 8. (31 S.) Breslau 884. (Köhler.) n. 1. —

Mayer, Moses, die Constituirung Israels zum Volke. gr. 8. (23 S.) Frankfurt a/M. 886. (Würzburg, Goldstein.) n. — 80

Mayer-Bikus, Ottilie, Pater Franz. Sein Ehrenwort. 2 Novellen. 8. (243 S.) Breslau 885. Schottländer. n. 3. —; geb. n. 4. —

Mayer, Otto, Theorie d. französischen Verwaltungsrechts. gr. 8. (XVI, 533 S.) Strassburg 886. Trübner. n. 10. —

Mayer, P., die Caprelliden, s.: Fauna u. Flora des Golfes v. Neapel u. der angrenzenden Meeres-Abschnitte.

Mayer, Phpp., Studien zu Homer, Sophokles, Euripid[illegible] Racine u. Goethe. Hrsg. v. Eug. Frohwein. Ne[illegible] Ausg. gr. 8. (VIII, 412 S.) Gera 885. Kanitz' V[illegible] n. 1. [illegible]

Mayer, Rud., der Führer dur[illegible]n Schw[illegible] wald u. den Kaiserstuhl fü[illegible] Touris[illegible] Mit 4 (lith.) Orientirungska[illegible] 16 [illegible] 141 S.) Freiburg i/Br. 883. [illegible] n. 2. 80

Mayer, Sal., der Entwurf [illegible] f. Ungarn. Eine Codificatio[illegible] Wien 886. Manz. [illegible] n. 2. 80

— Handbuch d. österreichische[illegible] 4. Bd. A. u. d. T.: Commen[illegible] proceß-Ordng. vom 23. Mai [illegible] Thl. gr. 8. Ebend. 884. [illegible]
3. (III, 662 S.) n. 12. —. — [illegible]

— zur Reform d. ungarisch[illegible] Eine Codificationsstudie. Der E[illegible] Strafprocess-Ordng., kritisch bes[illegible] desselben in seinen wesentli[illegible] 8. (IV, 163 S.) Ebend. 885. n. 5. —

— Streiflichter auf den ge[illegible] Strafprozess nach dem Stande der wes[illegible] europäischen Gesetzgebungen. gr. 8. (IV, [illegible] B.) [illegible]g 886. Tauchnitz. 6. —

Mayer, Sigm., üb. die blutleeren [illegible] Schwanze der Batrachierlarven. [Mit 3 [illegible] Lex.-8. (35 S.) Wien 885. (Gerold's Sohn.) n. 2. 60

— Studien zur Histologie u. [illegible] d. Blutge-

fässsystems. 2. [vorläuf.] Mitteilg. Lex.-8. (11 S.) Wien 886. (Gerold's Sohn.) n.n. — 25
Die 1. Mittheilg erschien im Anzeiger der kais. Akademie der Wissenschaften Jahrg. 1882, Nr. 17, jedoch nicht als Separat-Abdruck.

Mayer, Sigm., die Aufhebung der Gewerbefreiheit. Streit- u. Fehdeschrift gegen die Wiederherstellg. der Zunft in Oesterreich. gr. 8. (VI, 66 S.) Wien 883. Bermann & Altmann. n. — 80

Mayer, Val., Thomas Hobbes. Darstellung u. Kritik seiner philosoph., staatsrechtl. u. kirchenpolit. Lehren. Vom Standpunkte der modernen Weltanschauug. gr. 8. (V, 290 S.) Freiburg i/Br. 884. Stoll & Bader. n. 4. —

Mayerhofer, J., lustsame Geschichte d. Münchener Hofbräuhauses, d. braunen sowohl als d. weissen, benebst merkwürd. Nachrichten u. Zeitgn. vom Bierwesen überhaupt, wie dasselbe in Bayern im Allgemeinen u. in München im Besondern gepflegt u. gehandhabt worden in den früheren Jahrhunderten, getreulich vorgestellt. 2. Aufl. 8. (VII, 39 S. m. Initialen, Kopf- u. Zierleisten.) München 884. Franz' Verl. n. 1. —

— Geschichte d. königl. Lustschlosses Schleissheim. Nebst Erläutergn. zu dem Kupferwerke v. G. F. Seidel. hoch 4. (XV, 59 S. m. 3 Lichtdr.-Taf.) Leipzig 885. Seemann. n. 6. —

— harmlose Humoresken. 8. (VI, 58 S. m. Illustr.) Kempten 886. Kösel. n. — 80

— mei' Pfoarra. Gedicht in niederbayer. Mundart. 8. (VI, 31 S. m. Illustr.) Augsburg 883. Literar. Institut v. Dr. M. Huttler. — 75

Mayerhöfer, Ant., die Brücken im alten Rom. Ein Beitrag zur röm. Topographie. Mit e. Karte. gr. 8. (III, 96 S.) Erlangen 883. Deichert. n. 2. —

— dasselbe, nebst e. Anh. üb. den Trümmer- u. Inschriftenfund bei Ponte Sisto v. J. 1878. Mit 1 (lith.) Karte. 2. Aufl gr. 8. (XX, 117 S.) Ebend. 884. n. 3. —

Mayevski, N., üb. die Lösung der Probleme d. direkten u. indirekten Schiessens. Mit Genehmigg. d. Verf. übers. v. Klussmann. Mit 3 Fig.-Taf. u. e. Anh.: 1. Krupp'sche Tabellen zur Berechng. der horizontalen Endgeschwindigkeiten u. der Flugzeiten der Langgeschosse. 2. Ballistische Formeln v. Mayevski nach Siacci f. Elevationen unter 15°. Krupp. gr. 8. (IV, 127 S.) Berlin 886. Mittler & Sohn. n.n. 4. 50

Mayntzer, P., die Lösung der Impffrage im Geiste e. rationellen, physiologischen Therapie. Eine Petition an den hohen deutschen Reichstag. gr. 8. (X, 76 S.) Coblenz 884. Schuth. n. 2. —

Mayr, Ambros, der schwäbische Dichterbund. Ludwig Uhland. Justinus Kerner. Gustav Schwab. Karl Mayer. Eduard Mörike. Gustav Pfizer. Studien. 8. (XI, 224 S.) Innsbruck 886. Wagner. n. 2. 80

— Eduard Mörike. Eine literarisch-ästhet. Untersuchg. 8. (19 S.) Wien 885. (Pichler's Wwe. & Sohn.) n. — 50

…r, Gust., Feigeninsecten. gr. 8. (110 S. m. 3 Steintaf.) Wien 885. (Hölder. — Leipzig, Brockhaus' Sort.) n. 2. 50

…eisinger, K., Wolf Dietrich v. Raittenau, Erzbischof v. Salzburg 1587—1612. gr. 8. (VII, 196 S.) …n 886. Rieger. n. 5. —

…haeus, Tabellen zum Bestimmen der Familien u. Gattungen der Cicadinen v. Centraleuropa, …e der aus diesem Gebiete bekannten Arten. …) Innsbruck 884. Wagner. n. — 80

…rm., Curort Römerbad. Das steir. Gastein. …, 111 S.) Wien 885. Braumüller. n. 1. 40

…Heidelberg, gefeiert v. Dichtern u. …fünf Jahrhunderten. Festgabe zum Jubi…Universität. 8. (XVI, 145 S.) Heidel…el & Schmitt. n. 3. —; geb. n. 3. 50

…Verzeichnis der vormals Gräflich v. …, jetzt städtischen Kunst- u. Alter…g zur Geschichte Heidelbergs u. der …ichsbau d. Heidelberger Schlosses. 2. …gabe zum 500jähr. Jubiläum der Uni…rg 1886. 8. (X, 128 S.) Heidelberg n. — 80

Mays, K., üb. die Nervatur d. Musculus rectus abdominis d. Frosches. Mit 1 (lith.) Taf. Lex.-8. (25 S.) Heidelberg 886. C. Winter. n. 1. 60

— Notiz üb. e. bequeme Bereitungsweise d. neutralen Lackmuspapiers. gr. 8. (4 S.) Ebend. 885. n. — 20

Mayssenhölder, C. G., neues Conjugations-Heft zum Gebrauch der Schüler beim französischen Sprachunterricht. 4. (IV, 60 S.) Stuttgart 885. (Metzler's Sort.) cart. n.n. — 60

Maywald, Aug., in memoriam. 8. (V, 178 S.) Bonn 884. Strauß. n. 3. —

Mazal, Carl, die Reclame im Dienste der Versicherung. Vortrag. gr. 8. (26 S.) Wien 883. (Gerold & Co.) n. — 80

— das Versicherungswesen u. seine Bedeutung. gr. 8. (12 S.) Wien 886. Selbstverlag d. Verf. n. — 20

Mazzes for Lachhüngerige. [Jüdische Schwänke.] Frisch 'erausgebacken vün Isidor Humoreles. 8. (40 S.) Wien 885. Neidl. n. — 40

Mecke, Johanne, Kindergarten-Geschichten. 8. (VII, 96 S.) Kassel 886. Wigand. n. 1. 50

Meckel, J., die Elemente der Taktik. 2. Aufl. Mit Holzschn. im Text u. 2 (lith.) Kartenbeilagen. gr. 8. (XII, 314 S.) Berlin 883. Mittler & Sohn. n. 6. 60

— Taktik. 1. Thl. A. u. d. T.: Allgemeine Lehre v. der Truppenführung im Felde. 2. Aufl. Mit Abbildgn. im Text, e. Steindr.-Taf. u. e. (chromolith.) Gefechtsplan. gr. 8. (XII, 281 S. m. 1 Tab.) Ebend. 883. n. 6. —

Medem, Rud., das deutsche Reichsstrafrecht, f. die Aufgaben der Strafzumessungslehre, der Kriminalstatistik u. der Revision d. Strafgesetzbuchs systematisch geordnet. gr. 8. (XVIII, 162 S.) Berlin 885. v. Decker. n. 5. —

Meder, H. R., Lern- u. Lehrbuch der russischen Sprache f. Elementarschulen. 7. Aufl. gr. 8. (130 S.) Reval 885. Kluge. cart. n. 1. 50

Medici's, Lorenzo de', Lebensbild, s.: Reumont, A. v.

Medicinal-Kalender. Taschenbuch f. Civilärzte. Hrsg. v. L. Wittelshöfer. 29. Jahrg. 1887. gr. 16. (160 u. 189 S.) Wien, Perles. geb. n. 3. —

— deutscher, hrsg. v. Carl Martius. 12. Jahrg. 1885. 2 Tle. gr. 16. (VIII, 324 u. III, 121 S.) Erlangen, Besold. geb. in Leinw. u. geh. n. 3. 20; in Ldr. u. geh. n. 4. —

— neuer, f. Oesterreich auf d. J. 1887. Hrsg. v. Heinr. Adler. Mit e. Beilagsheft. gr. 16. (208, 159 u. 80 S., m. Tabellen zur Bestimmg. der Sehschärfe.) Wien, Löwit. geb. u. geh. n. 2. —

— Fromme's oesterreichischer, m. Recept-Taschenbuch f. d. J. 1887. 42. Jahrg. Hrsg. v. Jos. Nader, fortgeführt v. Thdr. Wiethe. Mit dem (photogr.) Portr. d. Prof. Dr. Alb. R. v. Mosetig-Moorhof. 16. (XII, 212 u. 192 S.) Wien, Fromme. geb. in Leinw. n. 3. 20; in Ldr. n. 4. 20; Patent-Brieftaschen-Ausg. n. 4. 40

— für Oesterreich-Ungarn 1886. Hrsg. v. Chrn. Ludw. Praetorius. 16. (400 S.) Wien, (Bretzner & Co.). geb. n. 3. —

— für den Preussischen Staat auf d. J. 1887. Mit Genehmigg. S. Exc. d. Hrn. Ministers der geistl., Unterrichts- u. Medicinal-Angelegenheiten u. m. Benutzg. der Ministerial-Acten. 3 Thle. [Der 1. u. 2. Thl. bearb. v. A. Wernich.] 12. (VII, 366; XLIX, 530 u. IV, 476 S.) Berlin, Hirschwald geb. u. geh. n. 4. 50; m. 1. Thl. durchsch. n. 5. —

— für Russland. 1886. 16. (248 u. 62 S.) Riga, Kymmel's Verl. geb. n. 4. —

— schweizerischer, 1886. 8. Jahrg. Hrsg. v. A. Baader. 2 Thle. gr. 16. (IV, 486 u. 148 S.) Basel, Schwabe. n. 3. 20; geb. n.n. 4. 40

— Wiener, u. Recept-Taschenbuch f. praktische Aerzte. 8. Jahrg. 1885. 16. (X, 269 u. 224 S.) Wien, Urban & Schwarzenberg. geb. n. 3. 20

— u. **Recept-Taschenbuch** f. die Aerzte d. Deutschen Reiches. 9. Jahrg. 1887. 16. (X, 231 u. 224 S.) Wien. (Frankfurt a/M., Alt.) geb. n. 3. —

Medicinaltaxen, die, welche in der Prov. Schleswig-Holstein gesetzliche Geltung haben. Abdr. aus der chronolog. Sammlg., der königl preuss. Gesetzsammlg. u. dem Amtsblatt der königl. Regierg. in Schleswig. gr. 8. (39 S.) Kiel 886. Haeseler's Sort. cart. n 1. 80

Medicinal-Zeitung, deutsche. Centralblatt f. die Gesammtinteressen der medicin. Praxis. Hrsg. v. Jul. Grosser. 4. Jahrg. 1883. 52 Nrn. (à 1—1½ B.) gr. 4. Berlin 883. Grosser n. 12. —

— dasselbe. 5—7. Jahrg. 1884—1886. à 104 Nrn. (à 1—1½ B.) gr. 4. Ebend. à Jahrg. n. 20. —

Medicus, F., die Lehre vom Obstbau, s.: Lucas, E.

Medicus, Ludw., kurze Anleitung zur Massanalyse. Im Anschlusse an die „kurze Anleitg. zur qualitativen Analyse" m. specieller Berücksicht. der Vorschriften der Pharmakopöe bearb. gr. 8. (VII, 132 S.) Tübingen 883. Laupp. n. 2. —

— dasselbe. 2. Aufl. gr. 8. (VII, 135 S.) Ebend. 884. n. 2. 40

— Einleitung in die chemische Analyse. 1. u. 2. Hft. gr. 8. Ebend. 886. 87. n. 4. 80

1. Kurze Anleitg. zur qualitativen Analyse. Zum Gebrauche beim Unterricht in chem. Laboratorien. 3. Aufl. (VIII, 139 S.) n. 2. —
2. Kurze Anleitung zur Gewichtsanalyse. Uebungsbeispiele zum Gebrauche beim Unterricht in chemischen Laboratorien. (VIII, 165 S.) n. 2. 80

— Mittheilungen aus dem Laboratorium der Untersuchungs-Anstalt. gr. 8. (6 S.) Würzburg 885. Stahel. — 40

Medicus, W., nos champignons comestibles. Guide populaire pour distinguer les champignons mangeables les plus connus et manière de les apprêter. Avec 23 illustr. dessinées d'après nature et bien coloriées. (5 Steintaf. 8. (VIII, 34 S) Kaiserslautern 884. A. Gotthold's Verl. n. 1. —

— unsere eßbaren Schwämme. Populärer Leitfaden zum Erkennen u. Benützen der bekanntesten Speisepilze. Mit 23 naturgetreuen feincolor. Abbildgn. (5 Steintaf.) 5. Aufl. 8. (VIII, 26 S.) Ebend 883. n. — 60; geb. n. 1. —

— dasselbe. 1 Chromolith. m. Text an den Seiten. gr. Fol. Ebend. 883. n. 1. 50; auf Leinw. m. Stäben n. 3. —

Meding, Osk. [Greg. Samarow], 89 Jahre in Glaube, Kampf u. Sieg. Ein Menschen- u. Heldenbild unseres deutschen Kaisers. Mit Illustr. nach den v. d. Kaisers u. Königs Majestät Allergnädigst zur Benützg. verstatteten Aquarellen als Festgabe f. das deutsche Volk hrsg. v. Carl Hallberger. hoch 4. (155 S.) Stuttgart 886. Deutsche Verlags-Anstalt. n. 2. —; Einbd. n. n. 1. —

— Memoiren zur Zeitgeschichte. 3. (Schluß-) Abth. Im Exil. 8. (XV, 502 S.) Leipzig 884. Brockhaus. 8. —; geb n. 9. — (cplt.: 20. —; geb. n. 23. —)

Meenen, J. B., das Keil-, Pfeil- u Spitzpfeil-Fundament od. die Umwälzung im Fundamentalbau. gr. 8. (28 S.) Bremen 886. (Hollmann.) n. n. — 75

Meer, Aug., Charakterbilder aus dem Clerus Schlesiens. 1832—1881. 8. (XII, 324 S.) Breslau 884. Aderholz. n. 4. —

— Geschichte d. Ursulinerinnenklosters zu Liebenthal. 8. (112 S.) Ebend. 883. n. 1. 25

— Geschichte d. Ursulinerinnenklosters zu Schweidnitz. 8. (72 S.) Ebend. 884. n. 1. —

— Robert Herzog, Fürstbischof v. Breslau. gr. 8. (32 S. m. Lichtdr.-Portr) Würzburg 883. Woerl. — 50

— zum 200jährigen Jubiläum der Ursulinerinnen in Schlesien. Ein Gedenkblatt. 8. (24 S.) Breslau 883. Aderholz. n n. — 30

— Jubiläums-Büchlein d. Bisth. Breslau u. seines Delegatur-Bezirkes f. das außergewöhnliche Jubiläum im J. 1886. Nach dem Hirtenbriefe d. hochw. Hrn. Fürstbischof Robert hrsg. 16. (48 S.) Ebend. 886. — 15

Meerheimb, Rich. v., Anno Domini? Zukunfts-Vision auf der Teutoburg. gr. 8. (14 S.) Berlin 886. Parrisius. n. n. — 50

— Monodramen-Welt. Material f. den rhetorisch-declamator. Vortrag. 3. Aufl. der Monodramen neuer Form. gr. 8. (XVI, 326 S.) Ebend. 886. n. 3. —; geb. n. 4. 50

Meffert, Frz., Elementarbuch der englischen Sprache f. Anfänger. 2. Aufl. gr. 8. (VI, 212 S.) Leipzig 884. Teubner. n. 2. —

Meggendorfer's, Loth., Affentheater. qu. gr. 4. (12 zusammenhäng. color. Steintaf. auf Carton.) München 884. Braun & Schneider. n. 2. 80

— gute Bekannte, in Bildern u. Reimen f die Kinderwelt. 25 kolor. Bildertaf. 7. Aufl. Fol. (1 Bl. u. eingedr. Text.) Stuttgart 885 Nitzschke. geb. 5. —

— buntes Bilderbuch f. die ganz Kleinen. Mit Zeichngn. v. L. M. 4. (18 color. Steintaf. auf Carton.) Ebend. 886. geb. 3. —

— im Circus. Ein Bilderbuch. qu. gr. 4. (12 zusammenhäng. color. Steintaf. auf Carton.) München 885. Braun & Schneider. n. 2. 80

— der lange Heinrich. Ein Bilderbuch. Text v. Frz. Bonn. gr 4. (28 S. m. eingedr. color. Bildern.) Ebend. 886. n. 3. —

— für brave Kinder. Ein Ziehbilderbuch. gr. 4. (8 color. Steintaf. m. 9 Bl. Text.) Ebend. 884. geb. n. 5 —

— aus der Kinderstube. Ein Bilderbuch f. brave Mädchen. Mit Versen v Jul. Beck. hoch 4. (12 Chromolith.) Eßlingen 886. Schreiber. geb. n. 3. 50

— für die ganz Kleinen. Unzerreißbares Anschauungs-Bilderbuch f. kleine Knaben u. Mädchen. 26 kolor. Taf. m. gegen 500 Fig. Fol. Stuttgart 885. Nitzschke. geb. 6. —

— auf dem Lande. Ein Bilderbuch. qu. gr 4. (12 zusammenhäng Steintaf. auf Carton.) München 885. Braun & Schneider. n. 2. 80

— immer lustig. Ein Ziehbilderbuch. gr. 4. (8 color. Taf. m. 9 Bl Text) Ebend. 886. geb. n. 5. —

— große Menagerie. qu. gr. 4. (12 zusammenhäng. color. Steintaf. auf Carton.) Ebend. 884. n. 2. 80

— bestrafte Neugierde. Ein lehrreiches Bilderbuch f. Jung u. Alt. qu 4. (20 S. m. eingedr. farb. Steintaf.) Ebend. 885. cart. n. 1. 80

— nimm mich mit! Ein lehrreiches Bilderbuch. qu. schmal gr. 8. (202 Chromolith.) Ebend. 885. geb. n 3. 50

— der gelehrige Paperl u. der kluge Schipferl, sowie andere lustige Geschichten f. Kinder. Mit Versen v. Frz Bonn. qu. gr. 4. (32 lith. u. color. S m. eingedr. Text.) Ebend. 883. geb. n. 4. 50

— im Sommer. Ein Bilderbuch. qu. gr. 4. (12 color., an einander häng. Steintaf.) Ebend. 883. cart. n. 2. 80

— neue Thierbilder. Ein Ziehbilderbuch. gr. 4. (8 Chromolith. m. 9 Bl. Text.) Ebend. 883. geb. n. 5 —

— der Viehmarkt. Ein Bilderbuch f. brave Knaben. Text v. Jul. Beck. hoch 4. (12 Chromolith) Eßlingen 886. Schreiber. geb n. 3. 50

— die Wichtelmännchen. Ein lust. Bilderbuch f. Groß u. Klein. qu. gr. 4. (31 color. Steintaf. m. eingedr. u. 1 S. Text.) München 883.. un & Schneider. cart. n. 3. 50

— im Winter. Ein Bilderb u. gr. 4. (12 color., an einander häng. Steintaf. edr. Text.) Ebend. 883. cart. n. 2. 80

— die große Wurst. Ein Bi qu. Fol. (6 zusammenhäng. color. Steintaf. uf Carton zum Aufstellen.) Ebend. 886. n. 2. 80

— zum Zeitvertreib. Ein ch f. Kinder. Fol. (8 color. Steintaf. m. Ebend. 885. geb. n. 5. —

Mehl, H., deutsches Lesebuch n, s.: J cobi, A.

— die schönsten Parabeln u. Abendlandes. Gesammelt u. u. buntem Titelbilde v. Kon 204 S.) Leipzig 884. Spam

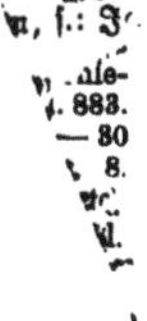

Mehlem, Phpp., die geistlichen zum Privatgebrauche f. Pri 8. (X, 255 S.) Münster 88

Mehler, F. G., Hauptsätze der Gebrauche an Gymnasien u. gr. 8. (VIII, 212 S. m. G. Reimer.

Mehlhausen, üb. künstliche E abdrücke der Deutschen

Mehlhorn, Paul, die Bibel, ihr Inhalt u. geschichtlicher Boden. Ein Leitfaden f. höhere Lehranstalten. 2. Aufl. 8. (VIII, 75 S.) Leipzig 885. Barth. cart. n. 1. —

— Grundriss der protestantischen Religionslehre. gr. 8. (VIII, 48 S.) Ebend. 883. cart. n. — 80

— dasselbe. 2. umgearb. Aufl. gr. 8. (VI, 55 S.) Ebend. 887. cart. n. 1. —

— Leitfaden zur Kirchengeschichte f. höhere Lehranstalten. 2. verb. Aufl. gr. 8. (VII, 71 S.) Ebend. 885. cart. n. 1. —

Mehlis, C., Grabhügel u. Verschanzungen bei Thalmässing in Mittelfranken. Mit 2 v. Göringer ausgeführten Taf. gr. 4. (26 S.) Nürnberg 884. (Schrag.) n. 2. —

— die Heidelsburg bei Waldfischbach u. ihre Denkmäler. Mit 3 Taf. u. mehreren Textzeichngn. Lex.-8. (27 S.) Ebend. 884. n. 2. —

— Studien zur ältesten Geschichte der Rheinlande. 6—9. Abth. Hrsg. vom histor. Vereine der Pfalz. gr. 8. Leipzig, Duncker & Humblot. n. 14. — (1—9.: n. 27. 20)

6. Mit 2 (lith.) Taf. (IV, 64 S.) 883. n. 2. 40
7. Mit 1 (lith.) Taf. u. 10 Zeichngn. (V, 42 S.) 883. n. 1. 60
8. Mit der archäolog. Karte der Pfalz u. dem Neckargebiete. (III, 70 S.) 885. n. 6. —
9. Das Grabfeld v. Obrigheim. Mit 5 Taf. (31 S.) 886. n. 4. —

Mehliß, Herm., kurzer Auszug aus den katechetischen Entwürfen üb. den kleinen Katechismus Luthers [nach Anleitg. d. Erckschen Spruchbuches] f. die Schüler. 5. Aufl. 8. (36 S.) Hannover 886. Meyer. n. — 20

— Volksschulkunde. 2. u. 3. Tl. 2. Aufl. d. „Vollständigen u. ausführlichen Lehrplans". gr. 8. (VII, 108 S.) Ebend. 883. n. 5. 40 (1—3.: n. 7. —)

2. Die Erziehung in der Volksschule. (VII, 108 S.) n. 1. 40
3. Der Unterricht in der Volksschule. A. Die einklass. Volksschule. (XII, 348 S.) n. 4. —

Mehner, Herm., die Arbeiterfreundlichkeit auf Irrwegen. gr. 8. (25 S.) Wien 885. (Pichler's Wwe. & Sohn.) n. — 60

Mehring, G. v., die Grundformen der Sophistik. Zur Verständigg. üb. das Bedürfniß d. Philosophirens. gr. 8. (III, 133 S.) Heidelberg 884. C. Winter. n. 2. —

Mehringer, die Nothwendigkeit der Verstaatlichung der Kaiser-Ferdinands-Nordbahn vom volkswirthschaftlichen u. politisch-militärischen Standpunkte. Ein Wort an den österreich. Reichsrath. gr. 8. (12 S.) Wien 883. (Vetter.) n. — 40

Meier, Einweisungsrede, geh. am Sonntage Estomihi im Betsaale zu Pieschen, Antrittspredigt, geh. an demselben Tage ebenda v. Planitz, Abschiedspredigt, geh. am Sonntage Sexagesimä in Kaditz v. demselben. 8. (31 S.) Dresden 884. (J. Naumann.) n. — 30

Meier, E., Lehrplan f. den Anschauungs-Unterricht. gr. 8. (IV, 82 S.) Frankenberg 883. Rossberg. n. 1. —

— Lehrplan f. den Unterricht im Aufsatzschreiben. gr. 8. (IV, 67 S.) Ebend. 885. n. 1. —

— Lehrplan f. den Unterricht in der Formenlehre. gr. 8. (IV, 55 S.) Ebend. 886. n. 1. —

— Lehrplan f. den Unterricht im Lesen. gr. 8. (IV, 86 S.) Ebend. 884. n. 1. —

— Lehrplan f. den Unterricht in der Naturlehre. gr. 8. (IV, 63 S.) Ebend. 885. n. 1. —

— Lehrplan f. den Unterricht im Rechnen. gr. 8. (IV, 85 S.) Ebend. 886. n. 1. —

— Lehrplan f. den Unterricht im Rechtschreiben u. in der Sprachlehre. gr. 8. (VII, 93 S.) Ebend. 886. n. 1. —

Me

[...]erplan f. den Unterricht im Singen. gr. 8. (IV, [...]) Ebend. 886. n. 1. —

[...]rplan f. den Unterricht im Zeichnen. In Verg. m. H. Geih. gr. 8. (IV, 88 S. m. 16 Steintaf.) [...]d. 884. n. 1. 50

[...]urlehre f. Volks- u. Fortbildungsschulen. 1. u. [...]g. 2. Aufl. 8. (IV, 39 u. IV, 54 S.) Ebend. à n. — 30

[...]t, morgenländische Anthologie. Klassische Dichtgn. [...]nes., ind., pers u. hebr. Literatur. Uebers. v. [...] (256 S.) Leipzig 886. Bibliograph. Institut. n. 1. —

Meier, Ernst Jul., Luther, der deutsche Paulus. Predigt. gr. 8. (20 S.) Leipzig 883. Teubner. — 30

— die Predigt d. Lutherdenkmals. Predigt. gr. 8. (18 S.) Dresden 885. J. Naumann. n. — 30

— das heilige Vaterunser, das große Missionsgebet. Predigt, am Missionsfest zu Tharandt geh. 2. Aufl. gr. 8. (18 S.) Ebend. 884. n.n. — 25

— dein Wort ist meines Fußes Leuchte. Predigten. gr. 8. (VII, 211 S.) Leipzig 886. Teubner. n. 2. 80; geb. n. 3. 30

Meier, Gabr., die sieben freien Künste im Mittelalter. gr. 4. (30 S.) Einsiedeln 886. Benziger. n. 2. —

Meier, J. A., Anna vom Engel od. Folgen v. unrecht thun. Eine Erzählg. f. die gesamte edle Lesewelt, namentlich die reifere Jugend. 3. Aufl. Mit 1 Stahlst. 8. (123 S.) Straubing 885. Volks- u. Jugendschriften-Verlag. cart. 1. —

— Begegnisse e. jungen Tierquälers od. der Gerechte erbarmt sich auch seines Tieres. Eine Erzählg. f. die Jugend u. Jugendfreunde. 3. Aufl. Mit 1 Stahlst. 8. (119 S.) Ebend. 885. cart. — 90

— Bruder Joseph od. ehrlich währt am längsten. Der Goldfasan 2 Erzählgn. f. die reifere Jugend. 3. verb. Aufl. Mit 1 Stahlst. 8. (136 S.) Ebend. 883. cart. 1. —

— das Mutterherz od. bleibe im Lande u. nähre dich redlich. Eine Erzählg. f. die Jugend u. Jugendfreunde. 3. Aufl. Mit 1 Stahlst. 8. (127 S.) Ebend. 884. cart. 1. —

Meier, Ludw., Schulbotanik f. Hannover. Flora der in den Regierungsbezirken Hannover, Hildesheim, Lüneburg, sowie in den angrenz. Landesteilen v. Braunschweig, Lippe, Nordhessen, Westfalen im Freien wachs. Pflanzen, nebst e. kurzen Abriß der allgemeinen Botanik. Mit 26 Abbildgn. 8. (LVI, 187 S.) Hannover 886. Hahn. n. 2. 40

Meier, M. H. E., u. G. F. **Schömann,** der attische Process, s.: Calvary's philologische u. archaeologische Bibliothek.

Meier, O., der römische Kellner, s.: Bücherei, deutsche.

Meier, Otto, Biographisches. Gesammelte Aufsätze. 8. (VIII, 399 S.) Freiburg i/Br 886. Mohr. n. 10. —

— Einleitung in das deutsche Staatsrecht. 2. Aufl. gr. 8. (VIII, 353 S.) Ebend. 884. n. 8. —

— Febronius. Weihbischof Johann Nicolaus v. Hontheim u. sein Widerruf. Mit Benutzg. handschriftl. Quellen dargestellt. 2. Ausg. gr. 8. (XI, 326 S.) Ebend. 885. n. 6. —

— zur Geschichte der röm.-deutschen Frage. 3. Thl. 2. Abth.: Ausgang der hannov. u. oberrhein. Verhandlg. 1822—1830. gr. 8. (VIII u. S. 231—445.) Ebend. 885. n. 6. — (cplt.: n. 24. —)

Meifart, Theophilus, de futuri exacti usu Plautino gr. 8. (28 S.) Jena 885. (Neuenhahn.) n. 1. —

Meigen, W., die deutschen Pflanzennamen. gr. 8. (27 S.) Wesel 882. (Kühler.) n. — 60

Meilhac, Henry, u. Phpp **Gille,** Manon. Oper in 4 Akten u. 6 Bildern. Text. Musik v. J. Massenet. Deutsch v. Ferd. Gumbert. 8. (80 S.) Berlin 886. Fürstner. 1. 50

— u. Ludovic **Halévy,** Carmen. Oper in 4 Acten, nach e. Novelle d. Prosper Merimée. Musik v. Georges Bizet. Für das k. k. Hofoperntheater in Wien. 8. (76 S.) Wien 883. Künast. n. — 70

Meili, F., Rechtsgutachten u. Gesetzesvorschlag betr. die Schuldexekution u. den Konkurs gegen Gemeinden, ausgearb. im Auftrage d. schweiz. Justiz- u. Polizeidepartements. gr. 4. (VII, 260 S.) Bern 885. (Schmid, Francke & Co.) n. 3. —

— das Telephonrecht. Eine rechtsvergleich. Abhandlg. gr. 8. (XI, 327 S.) Leipzig 885. Duncker & Humblot. n. 7. 20

Meinardus, C. C., Aprilscherze, e. Humoreske. 8. (94 S.) Jever 884. Mettcker & Söhne. n. 1. —

Meinardus, Ludw., Versikel nach Worten der Heiligen Schrift auf die Feste der evangelischen Kirche f. e. Chor v. 3 gleichart. Stimmen. 44. Werk. gr. 8. (46 S.) Gütersloh 886. Bertelsmann. n. 1. 20

Meincke, Rud. Alfr., Antrittspredigt, bei seiner Ordination u. Einführg. in das Pastorat zu St. Nicolai in Hamburg am 30 Septbr. 1886 geh. gr. 8. (16 S.) Hamburg 886. O. Meißner's Verl. — 30

Meine, J., u. J. **Jacobs,** Heimatkunde d. Großherzogt. Oldenburg. [Mit e. (chromolith.) Karte.] Als Vorbereitg. f. den Unterricht in der Geographie f. Schüler bearb. gr. 8. (38 S.) Oldenburg 884. Bültmann & Gerriets. geb. n. — 60; Karte ap. — 15

Meinecke, Frdr., das Stralendorff'sche Gutachten u. der Jülicher Erbfolgestreit. gr. 8. (61 S.) Potsdam 886. (Berlin, W. Weber.) n. 1. 20

Meinecke, J. H. v. Kirchmann als Philosoph, s.: Vorträge, philosophische.

Meinert, C. A., üb. Massen-Ernährung. Mit besond. Berücksicht. d. v. Bär, Paul Jeserich u. v. dem Verf. in Plötzensee angestellten Ernährungsversuche. gr. 8. (VII, 122 S.) Berlin 885. Stuhr. cart. n. 6. —

— wie nährt man sich gut u. billig? Ein Beitrag zur Ernährungsfrage. Preisgekrönt durch den Verein „Concordia". Mit 2 bunten Taf. u. mehreren Abbildgn. 3. Aufl. gr. 8. (III, 100 S.) Mainz 886. (Berlin, Mittler & Sohn.) n. — 50

Meingast, Adb., pädagogische Randglossen. gr. 8. (52 S.) Wien 885. Manz. n. — 80

— über das Wesen d. griechischen Accentes u. seine Bezeichnung. 2 Tle. gr. 8. (25 u. 26 S.) Klagenfurt 880. (Wien, Pichler's Wwe. & Sohn.) n. 2. —

Meinhardt, Adb., vier Novellen. [Alt-Heidelberg. Georg Hansen. Die Mönche v. Fontana. Der Falke] 8. (V, 367 S.) Braunschweig 887. Westermann. n. 5. —; Einbd. n.n. 1. —

— Reisenovellen. [Schloß Polia. Der Bildhauer v. Cauterets. Frau Antje. Regatta.] 8. (VII, 278 S.) Berlin 885. Gebr. Paetel. n. 5. —; geb. n.n. 6. 50

Meinhardt, Karl, Schutz- u. Heilmittel gegen Rückgrats-Verkrümmungen der Kinder. Ein Mahnruf an Eltern u. Lehrer. 12. (20 S.) Klagenfurt 886. v. Kleinmayr. n. — 20

— das Turnen als Schutz- u. Heilmittel. Ein Beitrag zur körperl. Erziehg. Zweckmäßige, ohne Geräthe auszuführ. orthopäd. Turnübgn. f. Kinder, zum bequemen Hausgebrauche zusammengestellt. 12. (36 S.) Ebend. 884. n. — 20

Meinhold's Führer durch Dresden zu seinen Kunstschätzen, Umgebungen u. in die Sächsisch-Böhmische Schweiz. Mit vielen Illustr., sowie e. Plane v. Dresden, e. Karte: die Sächs.-Böhm. Schweiz u. 2 Routenkärtchen. 20. Aufl. Neu bearb. v. Th. Schäfer. 8. (XII, 271 S.) Dresden 886. Meinhold & Söhne. 1. 50

— Wandbilder f. den Unterricht in der Zoologie. 1 Serie. 6 Lfgn. à 5 Blatt. Imp.-Fol. (à 5 Chromolith.) Ebend. 883—85. à n. 4. —; einzelne Blätter à n 1. 20

1. Pferd, Hirsch, Tiger, Adler, Storch.
2. Bär, Hund, Kuh, Hase, Schaf.
3. Orang-Utan, Känguruh, Trampeltier, Schwan, Riesenschildkröte.
4. Elefant, Flattermaki, Strauss, Krokodill, Karpfen u. Hecht.
5. Pottwal, Uhu, Papagei, Ringelnatter u. Kreuzotter, Sägehai.
6. Fuchs, Nashorn, Walross, Fasan, grosser Ameisenfresser.

Meinhold, C., Eben-Ezer. Predigten üb. die Evangelien d. Kirchenjahrs. gr. 8. (VIII, 680 S.) Anklam 885. (Leipzig, Buchh. d. Vereinshauses.) n. 3. 60

Meinhold, W., der Grenadier als General-Superintendent, s.: Groschen-Bibliothek.

— Maria Schweidler, die Bernsteinhexe, s.: Universal-Bibliothek.

Meinke, E., was nennen wir schön? Die Prinzipien der Ästhetik, dargestellt. 8. (33 S.) Posen 883. (Heine.) n. — 60

Meinong, Alexius, Hume-Studien. II. Zur Relationstheorie. Lex.-8. (182 S.) Wien 882. (Gerold's Sohn.) n. 2. 80 (I. u. II.: n. 4. —)

— über philosophische Wissenschaft u. ihre Propädeutik. gr. 8. (XII, 182 S.) Wien 885. Hölder. n. 3. 60

Meinzer, Alb., Geographiebüchlein f. die Hand der Schüler. 1—3. Hft. 8. Karlsruhe, Reiff. à n. — 20

1. [4. Schulj.] Deutschland. 3. Aufl. (40 S.) 885.
2. Die außerdeutschen Länder Europas. (33 S.) 884.
3. [6. Schulj.] Die fremden Erdteile. 2. Aufl. (36 S.) 885.

Meinzer, Alb., Stuber'sche Fibel f. deutsche Schulen. gr. 8. (124 S.) Würzburg 883. Stuber's Verl. n. — 60; geb. n.n. — 75

Meirhofer, Jos., die Burghalde bei Kempten. Geschichtliche Darstellg. der denkwürdigsten Schicksale dieser ehemal. Römerburg von den Tagen ihrer Erbaug. zur Zeit der Geburt Christi bis zu ihrer völl. Zerstörg. im J. 1705. Historische Skizze. Mit e. Lichtdr.-Bild. gr. 8. (24 S.) Kempten 883. Dannheimer. — 75

Meiring, M., kleine lateinische Grammatik. Für Gymnasien, Progymnasien, Realgymnasien u. Real-Progymnasien. 8., verb. Aufl. bearb. v. J. Fisch. Mit angehängtem Vokabularium zur Wortableitg. Kap. 68—71 u. zu den Hauptregeln der Syntax bis Kap. 91. gr. 8. (IV, 288 S.) Bonn 885. Cohen & Sohn. n. 2. 20

— Übungsbuch zur lateinischen Grammatik f. die unteren Klassen der Gymnasien, Progymnasien, Real-Gymnasien u. Real-Progymnasien. 1. u. 2. Abtlg. Bearb. v. J. Fisch. gr. 8. Ebend. n. 2. 40

1. Sexta. 7. Aufl. (IV, 112 S.) 885. n. 1. —
2. Quinta. 5. Aufl. (III, 148 S.) 883. n. 1. 40

— Übungsbuch zum Übersetzen aus dem Deutschen ins Lateinische f. die mittlern Klassen der Gymnasien, Progymnasien, Real-Gymnasien u. Real-Progymnasien. Mit Rücksicht auf seine latein. Lehrbücher: 1) Schulgrammatik [Siberti-Meiring], 2) Kleine Grammatik, 3) Grammatik f. die mittlern u. obern Klassen. hrsg. 1. Abtlg. [Quarta.] 8. Aufl., bearb. v. J. Fisch. gr. 8. (III, 156 S.) Ebend. 885. n. 1. 40

— lateinisches Vokabularium f. den Unterricht an Gymnasien, Progymnasien, Real-Gymnasien u. Real-Progymnasien. Alphabetisch, etymologisch u. sachlich zusammengestellt. 6., verb Aufl., bearb. v. J. Fisch. gr. 8. (IV, 97 S.) Ebend. 884. n. 1. 20

Meischeider, F., Dr. Martin Luthers Leben u. Wirken. In kurzen Umrissen dargestellt. 8. (64 S. m. Portr.) Neuhaldensleben 883. Eyraud. n. — 50

Meisel, Ferd., geometrische Optik, e. mathemat. Behandlg. der einfachsten Erscheingn. auf dem Gebiete der Lehre vom Licht. Mit 5 Fig.-Taf. gr. 8. (VI, 171 S.) Halle 886. Schmidt. n. 6. —

Meiser & Mertig, Anleitung zum experimentellen Studium der Physik. 1. Thl.: Galvanische Elektricität. gr. 8. (39 S.) Dresden 886. (Leipzig, Baldamus.) n. 1. 50

Meisner, J., Goethe als Jurist. gr. 8. (54 S.) Berlin 885. Kortkampf. n. 1. 20

Meisner, Marie, durch Blut u. Thränen, s.: Volksbibliothek, christliche.

— heimgebracht, | s.: Trewendt's Jugendbibliothek.
— Kleinbürgerlich, |

— durch Klippen, s.: Familien-Bibliothek fürs deutsche Volk.

— der Mann der That. 8. (144 S.) Hamburg 884. Agentur d. Rauhen Hauses. n. 1. —; geb. n. 1. 60

— der Sonne entgegen, s.: Volksbibliothek, christliche.

— erst wägen, dann wagen, s.: Trewendt's Jugendbibliothek.

Meissen-Falkenstein, zur Kenntnis der menschlichen Phthise, | s.: Sonderabdrücke aus der Deutschen Medicinal-Zeitung.
— über Lungenschwindsucht u. deren Behandlung, |

Meissl, E., u. F. **Böcker,** üb. die Bestandtheile der Bohnen v. Soja hispida. Lex.-8. (20 S.) Wien 883. (Gerold's Sohn.) n. — 40

— u. F. **Strohmer,** üb. die Bildung v. Fett aus Kohlehydraten im Thierkörper. Lex.-8. (14 S.) Ebend. 883. n.n. — 80

Meißner, Alfr., Dichtungen. 4 Bde. Wohlf. Ausg. 8. (Mit Ornamenten u. Zierleisten.) Berlin 884. Paet[illegible] à n. 3. —; geb. à n. 5. [illegible]

1. Ziska. Gesänge. 12. Aufl. (XII, 197 S.)
2. 3. Gedichte. 2 Bde. 12. Aufl. (201 u. 195 S.)
4. Werinber. König Sadal. Herbstblumen. (146 S.)

— Geschichte meines Lebens. 2 Bde. 3. Aufl. 8. (VI, 291 u. VIII, 351 S.) Teschen 884. Prochaska. à n. [illegible] Einbd. à [illegible]

— dasselbe. 2 Bde Billige Ausg. 8. (VIII, 2[illegible] [illegible] 351 S.) Ebend. 885. cart. [illegible] n. 1. [illegible]

— Mosaik. Eine Nachlese zu den gesammelten sämmt-

2 Bde. 8. (VII, 278 u. 244 S.) Berlin 886. Gebr. Paetel. n. 9. —; in 1 Bd. geb. n.n. 10. 50

Meißner, Alfr., die Tage d. Teufels, s.: National-Bibliothek, deutsch-österreichische.

Meissner, Carolus, de iambico apud Terentium septenario. gr. 8. (39 S.) Bernburg 884. (Leipzig, Teubner) n. 1. 60

— lateinische Phraseologie. Für den Schulgebrauch bearb. 5. Aufl. gr. 8. (X, 209 S.) Ebend. 886. n. 1. 60

— kurzgefaßte lateinische Schulgrammatik. gr. 8. (IV, 277 S.) Ebend. 886. geb. n. 2. 40

— dasselbe, nebst e. Antibarbarus. Für den Schulgebrauch bearb. 3. Aufl. gr. 8. (VI, 83 S.) Ebend. 886. cart. n. 1. —

Meissner, F., französische u. englische Handelskorrespondenz, s.: Robolsky, H.

Meissner, F., üb. Instinctbewegungen u. Instincte. gr. 8. (25 S.) Wien 885. (Pichler's Wwe. & Sohn.) n. — 60

Meissner, G., die Kraftübertragung auf weite Entfernungen u. die Construction der Triebwerke u. Regulatoren f. Constructeure, Fabrikanten u. Industrielle. 2—8. Lfg. gr. 8. (1. Bd. S. 65—496 m. 32 Steintaf.) Jena 883. 84. Costenoble à n. 3. —

Meißner, H., James Cook od. dreimal um die Erde. Ein Lebensbild f. die reifere Jugend. Mit 3 Karten nach Zeichngn. d. Verf., 6 Farbdr.-Bildern u. zahlreichen Text-Illustr. v. Fritz Bergen. gr. 8. (IV, 286 S.) Stuttgart 886. Kröner. geb. n. 5. 50

Meißner, Heinr., Knabbeln, backt un präsenteert. 8. (VII, 88 S.) Dülmen 884. Laumann. n. — 60

Meißner, Herm., das Pensionsrecht der preußischen unmittelbaren Staatsbeamten u. die Fürsorge f. deren Wittwen u. Waisen einschließlich d. Rechtes der Wartegeld-Empfänger. gr. 8. (XI, 251 S.) Berlin 883. Schettler's Erben. n. 5. —; geb. n. 6. —

— die neuesten Vorschriften üb. Anlage, Betrieb u. Beaufsichtigung der Dampfkessel in Preussen. Nach Reichs- u. Landesrecht zusammengestellt. 2. Aufl. 8. (X, 164 u. 24 S.) Leipzig 885. Scholtze. n. 4. —

Meissner, J., die englischen Comödianten zur Zeit Shakespeares in Oesterreich, s.: Beiträge zur Geschichte der deutschen Literatur u. d. geistigen Lebens in Oesterreich.

Meissner, R., Bertold Steinmar v. Klingnau u. seine Lieder, s.: Beiträge, Göttinger, zur deutschen Philologie.

Meister, alte. I—XIII. gr. 4. Berlin 886. Claesen & Co. In Mappe. n. 187. —

I. Die zwölf Monate v. Audran. 12 Photogr. n. 12. —

II. Vorlagen f. Gold- u. Silberarbeiter, Graveure u. Ciseleure v. P. Bourdon. 8 Photogr. n. 8. —

III. Friese v. Cassiano dal Pozzo. 9 Photogr. n. 9. —

IV. Panneaux v. A. Collaert. 10 Photogr. n. 10. —

V. VI. Ornamente v. A. Loir. 2 Thle. à 6 Photogr. à n. 6. —

VII. Attribute v. P. G. Berthault. 18 Photogr. n. 15. —

VIII. Die fünf Sinne v. F. Clein. 6 Photogr. n. 6. —

IX. Panneaux. Verzierungen aus dem XVIII. Jahrh. v. F. de Cuvilliés. 12 Photogr. n. 12. —

X. Vier Panneaux [die Schaukelnde, der Mai, die Jagd, das Bacchusfest] v. Antoine Watteau. 4 Photogr. n. 6. —

XI. Ikonographie. 200 allegor. Darstellgn. v. H. Gravelot u. C. N. Cochin. Ein Motivenwerk f. Maler, Zeichner, Bildhauer, Modelleure, Ciseleure u. andere Künstler. 200 Photogr. n. 70. —

XII. Plafonds. Photographische Reproduction d. Kupferstich-Werkes v. Jean Cotelle. (22 Taf.) n.n. 21. —

. Plafonds in reicher Ausführung v. G. Charmeton. 6 Photogr. n. 6. —

Repetitorium d. Pandektenrechts m. vollständ. Einschaltung der bezüglichen reichsgesetzlichen Bestimmungen. 12. (III, 160 S.) Göttingen 885. Vandenhoeck & Ruprecht's Verl. cart. n. 1. 60

Meister, Repetitorium d. europäischen Völkerrechts. [Jurist. Repetitorium 2. Bdchn.] 8. (52 S.) Göttingen 886. Vandenhoeck & Ruprecht's Verl. cart. n. — 80

Meister, F., See- u. Strandgeschichten, s.: Was Ihr wollt-Bibliothek.

Meister, G. A., Rendjeh Deibchen aus Middelschtadt in Sacksen uff der „Litzelhehe" bei Frankenberg. Mit 4 Ansichten in Autotypie-Druck. 12. (9 S.) Frankenberg i/S. 883. Roßberg. n. — 25

— Rendjeh Deibchen aus Middelschtadt in Sacksen in den neien Frankenberger Anlagen. 1. Deil. [Ä Scherz.] Mit 3 Lichtdr.-Ansichten. 12 (13 S.) Ebend. 883. n. — 30

Meister, J., Fest-Spiel zur 400jähr. Luther-Feier, f. mehrklass. evangel. Schulen verf. gr. 8. (23 S.) Rötha 883. (Leipzig, Schneider.) n. — 60

Meister, Karl Severin, das katholische deutsche Kirchenlied in seinen Singweisen von den frühesten Zeiten bis gegen Ende d. 17 Jahrh. 2. Bd. Auf Grund älterer Handschriften u. gedruckter Quellen bearb. v. Wilh. Bäumker. gr. 8. (IX, 411 S.) Freiburg i/Br. 883. Herder. n. 8. — (cplt.: n. 20. —)

Meister, Osk., österreichische Garnisons-Erinnerungen. 8. (VII, 166 S.) Hannover 886. Helwing's Verl. n. 1. 60

Meister, Rich., zur griechischen Dialektologie. I. Bemerkungen zur dorischen Accentuation. II Die Excerpte περὶ διαλέκτων namentlich in Bezug auf die Abschnitte περὶ Δωρίδος. 4. (16 S.) Göttingen 883. Vandenhoeck & Ruprecht's Verl. n. — 80

— die boeotischen Inschriften, — Wortregister zum 1. Bde., } s.: Sammlung der griechischen Dialekt-Inschriften.

Meister, Rob., evangelisches Schul-Choralbuch. Eine Auswahl der gebräuchlichsten u. bekanntesten Kirchenmelodien nach der in der Prov. Hessen-Nassau übl. Lesart m. Hinzufügg. der ursprüngl. Notation. 8. (52 S.) Kassel 885. Hühn. cart. — 75

Meister, U., s.: Baumaterialien, die, der Schweiz an der Landesausstellung 1883.

— die Stadtwaldungen v. Zürich. Ihre Geschichte, Einrichtg. u. Zuwachsverhältnisse, nebst Ertragstafeln f. die Rothbuche. Mit 2 Bestandeskarten in Farbendr., 5 lith. Taf. u. einigen Holzschn. hoch 4. (VIII, 225 S.) Zürich 883. Orell Füssli & Co. n. 10. —

Meisterhans, K., Grammatik der attischen Inschriften. gr. 8. (IX, 119 S.) Berlin 885. Weidmann. n. 4. —

Meisterstücke der Kunsttischlerei zumeist aus dem XVII. u. XVIII. Jahrh. Barock- u. Rococo-Möbel. 30 (Lichtdr.-)Taf. 3 Lfgn. Fol. (à 10 Taf.) Berlin 886. Claesen & Co. In Mappe. à n. 15. — (cplt. in Mappe: n. 50. —)

Meisterwerke, die, der Galerie zu Cassel. 39 Radirgn. v. William Unger. 2. Aufl. Mit erläut. Text v. O. Eisenmann. (Wohlf. Ausg.) Ausg. I. auf chines. Papier. gr. 4. (IV, 30 S. m. 4 eingedr. Holzschn.) Leipzig 886. Seemann. geb. n. 25. —; Ausg. II auf weissem Pap. n. 20. —

— unserer Dichter. Neue Auswahl f. Volk u. Schule m. kurzen Erläutergn. Begonnen v. Frz. Hülskamp. Fortgesetzt v. J. Scheuffgen. 22—38. Bdchn. 16. Münster 882—86 Aschendorff. à n. — 20; cart. n 5. 5

22. 23. Frdr. v. Schiller's Wallenstein. (262 S.) cart. n. — 60

24. W. v. Goethe's Reineke Fuchs. (136 S.) cart. n. — 30

25. W. v. Goethe's Götz v. Berlichingen. (110 S.) cart. n. — 30

26. Shakespeare's Julius Cäsar. (94 S.) cart. n. — 30

27. Shakespeare's Coriolanus. (118 S.) cart. n. — 30

28. 29. Goethe's ausgewählte Gedichte. (104 S.) cart. n. — 55

30. Körner's Zriny. (96 S.) cart. n. — 30

31. 32. Lenau's Gedichte. (256 S.) cart. n. — 60

33—35. Märchen f. Söhne u. Töchter gebildeter

Stände v. Wilh. Hauff. (VIII, 432 S) cart. n. — 90

36—38. Die Jobsiade. Ein kom. Heldengedicht in 3 Tln. v. K. A. Kortum. (VI, 376 S.) cart. n — 90

Meisterwerke der Dresdner Galerie, m. Gedichten v. Ernst Maurer. Lichtdr.-Reproductionen nach Orig.-Zeichngn. v. Wilh Hoffmann. Imp.-4. (25 Bl. m. 26 Bl. Text.) Leipzig 883. Heßling. geb. m. Goldschn. 27. —; kleine Ausg. Lex.-8. 12. —

— heraldische, v. der internationalen Ausstellung f. Heraldik zu Berlin im J. 1882. In Lichtdr. dargestellt m. erklär. Text v. Ad. M. Hildebrandt. 9. u. 10. (Schluss-)Lfg. Fol. (à 10 Bl. m. 2 Bl. Text.) Berlin 883. Nicolai's Verl. à n. 12. —

— der Holzschneidekunst aus dem Gebiete der Architektur, Skulptur u. Malerei. 49—76. Lfg. [5—8. Bd. à 12 Lfgn.] Fol. (à ca. 8 S. m. je 8 Holzschntaf.) Leipzig 883—86. Weber. à 1. — (à Bd. cplt. geb. m. Goldschn. n. 18. —)

— dasselbe. 1. Bd. 4. Aufl. Fol. (96 Holzschntaf. m. Text VI, 52 S.) Ebend. 883. geb. n 18. —

— der bildenden Kunst in Phototypen nach Orig.-Stichen, verfertigt u. hrsg. v. Carl Divald. Mit erläut. Text v. Joh. [Wagner] Szendrei. (In 3 Bdn. à 12 Hfte.) 1. Bd. 1—3. Hft. Fol. (à 5 Bl. m. 9 S. Text.) Eperies 883. Divald. à 3. —

— der christlichen Kunst. Fol. (21 Holzschntaf. auf Kpfrdr.-Pap.) Leipzig 886. Weber. 2. —

Meitzen, Aug., die Frage d. Kanalbaues in Preußen. Mit e. (chromo-)lith. Karte. gr. 8. (VII, 71 S.) Leipzig 885. Duncker & Humblot. n. 2. —

— Geschichte, Theorie u. Technik der Statistik. Mit (3 lith.) Taf. gr. 8. (IX, 214 S.) Berlin 886. Hertz. n. 4. 60

Meitzen, Ernst, Hohenzollernlied. Rhapsodische Dichtg. aus großer Zeit. Lex.-8. (IV, 71 S.) Stuttgart 886. Greiner & Pfeiffer. n. 2. —

Meixner, C., die Maskerade im Dachstübchen, s.: Bloch's, E., Theater-Correspondenz.

Meixner, H., 40 biblische Geschichten f. die Unterstufe der Volksschule m. thunlichster Berücksicht. d. bibl. Wortlautes, nebst e. Anh. v. Bibelsprüchen, Katechismustexten, geistl. Liedversen u. Gebeten. 8. (40 S.) Potsdam 886. Rentel's Verl. n. — 20

Meixner, J., sein Wilhelm od. ausgeglichen. Lustspiel in 1 Aufzuge. gr. 8. (26 S.) Königsberg 886. Hübner & Matz. n. — 60

— u. J. **Marion,** verdächtige Gäste, s.: Theater-Repertoir, Wiener.

Meixner, Maria Elisabetha, geb. Niedererderin, das neue, große, geprüfte u. bewährte Linzer Kochbuch in 10 Abschnitten. Enthält: 1854 Kochregeln f. Fleisch- u. Fasttage, sehr deutlich u. faßlich beschrieben. 21. Aufl. gr. 8. (XVI, 426 S.) Linz 874. (Winter.) n. 4. —

Melan, J., öffentliche Neubauten in Budapest, s.: Leonhardt, E. R.

Melanchthon, Phpp., die Historie vom Leben u. Geschichten d. ehrwürd. Herrn D. Martin Luthers der unverfälschten u. wahren Theologie Lehrer. Treulich u. wahrhaftiglich beschrieben. 8. (30 S.) Gütersloh 883. Bertelsmann. n. — 25

— der Ordinanden Examen, darin die Summa christlicher Lehre begriffen. 8. (VIII, 95 S.) Leipzig 886. F. Richter. n. 1. 20

Mélanges asiatiques, tirés du bulletin de l'académie impériale des sciences de St.-Pétersbourg. Tome IX. Livr. 1. Lex.-8. (86 S.) St. Pétersbourg 883. Leipzig, Voss' Sort. n. 1. —

— biologiques, tirés du bulletin de l'académie impériale des sciences de St.-Pétersbourg. Tome XI. Livr. 5 et 6 et dernière. Lex.-8. (IV u. S. 481—876 m. 5 Taf.) Ebend. 883. n. 4. 70 (Tome XI. cplt.: n. 10. 20)

— dasselbe. Tome XII. Livr. 1—4. Lex.-8. (S. 1—575 m. 1 Kpfrtaf.) Ebend. 884. 86. n. 5. 30

— gréco-romains tirés du Bulletin de l'académie impériale des sciences de St.-Pétersbourg. Tome V. Livr. 1 et 2. Lex.-8. (252 S.) Ebend. 884. 85. n. 2. 30

Mélanges mathématiques et astronomiques, tirés du bulletin de l'académie impériale des sciences de St.-Pétersbourg. Tome VI. Livr. 1—4. Lex.-8. (S. 1—588 m. 2 Taf.) St. Pétersbourg 883—86. Leipzig, Voss' Sort. n. 5. 60

— physiques et chimiques tirés du bulletin de l'académie impériale des sciences de St.-Pétersbourg. Tome XI. Livr. 4 et 5. Lex.-8. (VI u. S. 487—790 m. 2 Steintaf.) Ebend. 882 83. n. 3. 50 (Tom. XI. cplt.: n. 10. 60)

— dasselbe. Tome XII. Livr. 1—4. Lex.-8. (S. 1—474 m. 3 Steintaf.) Ebend. 884—86. n. 4. 60

Melas, Heinr., französische u. magyarische Dichtungen in metrischer Uebersetzung. 8. (VIII, 244 S.) Wien 885. (Graeser.) n. 3. —; Einbd. m. Goldschn. n.n. 2. —

Melbeeck, W., Tabellen zur rationellen Anwendung der eisernen I-Träger u. anderer Profileisen, m. Beispielen aus dem Hochbau, nebst Zeichngn hierzu, Diagrammen, Hüttenkarte u. Frachtsätzen, unter gefäll. Mithülfe der Directionen einiger Eisen-Hüttenwerke. 2. Aufl. hoch 4. (VI, 124 S.) Frankfurt a/M. 884. Melbeeck's Selbstverl. n. 4. 50; geb. n. 5. 50

Französ. Ausg. zu gleichem Preise.

Melber, J., üb. die Quellen u. den Wert der Strategemensammlung Polyäns. Ein Beitrag zur griech. Historiographie. gr. 8. (270 S.) Leipzig 885. Teubner. n. 6. —

Melchers, Karl, die geschichtliche Entwicklung d. Geldwesens u. der gegenwärtige Währungsstreit. 2. Aufl. gr. 8. (V, 105 S.) Varel 886. Bültmann & Gerriets Nachf. n. 1. 20

Melchers, Paulus, das Gebet d. Herrn. 12. (119 S.) Köln 883 Bachem. n. — 35; geb. n. — 45

— Kreuzweg-Andacht. 16. (16 S.) Freiburg i/Br. 877. Herder. n. — 10

— das Leben der allerseligsten Jungfrau u. Gottesmutter Maria. Mit Titelbild in Stahlst. (2. Aufl.) 12. (VII, 190 S.) Köln 884. Bachem. n. — 60; geb. n. — 75

Melchers, Dr. **Paulus,** Erzbischof v. Köln. Zur Erinnerg. Mit Portr. d. Jubilar-Erzbischofs. gr. 8. (20 S.) Köln 885. Bachem. — 30

Melde, F., Akustik, s.: Bibliothek, internationale wissenschaftliche.

Melena, E., s.: Elpis Melena.

Melesville, Valerie, s.: Scribe.

— u. **Duveyrier,** die schöne Müllerin, s.: Universal-Bibliothek.

Meli, Gio, Grundriß der italienischen Grammatik f. Schul- u. Privatgebrauch. 8. (IV, 157 S.) Leipzig 883. Brockhaus. n. 1. 25

— Grundriß der italienischen Syntax. Zugleich 2. Thl. v. d. Verf.: Grundriß der italien. Grammatik. 8. (IV, 68 S.) Ebend. 887. n. — 80

— Lieder. Aus dem Sicilian. v. Ferd. Gregorovius. Mit e. geschichtl. Skizze der poet. Nationalliteratur Siciliens. 2. Aufl. 8. (XLIV, 250 S.) Ebend. 886. n. 4. —; geb. n. 5. —

Melitz, Leo, Geschichte d. Stadt-Theaters in Stralsund 1834 - 1884. Eine Festschrift zur Feier d. 50jähr. Bestehens d. neuen Schauspielhauses. gr. 8. (32 S.) Stralsund 884. Bremer. n.n. 2. —

Mell, Alex., Einrichtung u. Bewirtschaftung d. Schulgartens. Praktische Anleitung. Mit 31 Holzschn. im Text u. 2 Gartenplänen. gr. 8. (VI, 112 S.) Berlin 885. Parey. cart. n. 1. 50

Mell, Carl, Vorlage-Blätter f. Decorations- u. Schriftenmaler, gewerbliche Fach- u. Fortbildungsschulen. Reichverzierte Initialen im Charakter der italien. Frührenaissance, gesammelt, ergänzt u. hrsg. 26 Taf. Photolith. aus der k. k. Staatsgewerbeschule zu Salzburg unter Leitg. v. A. Czurda. Publication d. k. k. österr. Museums f. Kunst u. Industrie. Fol. (3 Bl. Text.) Wien 885. Hölzel. n. 12. —; in Mappe n. 13. —

Meisner, S., die Gouvernante. Erzählung. 8. (339 S.) Wiesbaden 884. Rodrian. n. 5. —; geb. n. 6. —

Melori, C., die fremde, vorzugsweise italienische, Nomenklatur in der deutschen Musik. Von e. musikal. Autorität durchgesehen u. gebilligt. 12. (100 S.) Mit... 884. Merhoff. n. 1. —; cart. n. 1. 25

— alphabetische Separatzusammenstellung sämmtlicher unregelmässigen Zeitwörter der italienischen Sprache m. Hindeutung auf die unregelmässigen Formen, nebst den v. denselben abgeleiteten Haupt- u. Beiwörtern. Dazu e. Anh. etlicher echt latein., in die italien. Sprache übergegangenen, doch jetzt meist veralteten Zeitwörter. 8. (VIII, 128 S.) München 883. Franz' Verl. n. 1. 50

Melsheimer, Marcellus, mittelrheinische Flora, das Rheinthal u. die angrenz. Gebirge von Coblenz bis Bonn umfassend. 8. (VIII, 164 S.) Neuwied 884. Heuser's Verl. n. 2. 25

Meltzer, H. A., Lehrbuch der Naturheilkunde f. Jedermann u. insbesondere f. Familienväter u. Mütter, nach den ersten Autoritäten u. langjähr. eigenen Erfahrgn. zusammengestellt. 5. Aufl. 8. (VII, 216 S. m. Bild.) Leipzig 886. Matthes. cart. n. 4. —

Meltzer, Mor., Verzeichniß der Stipendien u. Beneficien, welche ausschließlich od. doch event. f. Studirende an der Universität Leipzig fundirt sind. 2. Aufl. 8. (VII, 163 S.) Leipzig 885. Roßberg. n.n. 1. 40

Meltzer, Otto, die Kreuzschule zu Dresden bis zur Einführung der Reformation [1539]. gr. 8. (IV, 60 S.) Dresden 886. (Tittmann) n. 1. —

Meltzer, Otto, de belli punici secundi primordiis adversariorum capita IV. gr. 4. (30 S.) Berlin 885. Weidmann. n. 1. 20

Meltzer, Rob., das Evangelium v. Christo. Abschieds-Predigt üb. 1. Corinth. Cap. 15, V. 1—4. 8. (15 S.) Berlin 884. Deutsche evangel. Buch- u. Traktat-Gesellschaft. n. — 20

Meltzing, C., Geschworenen-Führer f. Strafrecht u. Strafprozeß nach der Rechtsprechung d. Reichsgerichts. 12. (VIII, 234 S.) Leipzig 885. Zechel. cart. 1. 50

— Schöffen-Führer f. Strafrecht u. Strafprozeß nach der Rechtsprechung d. Reichsgerichts. 12. (X, 248 S.) Ebend. 885. cart. 1. 50

Melusine. Ballet in 2 Akten u. 3 Abteilgn. nach dem Bilder-Cyclus M. v. Schwind's v. *. Musik v. Frz. Doppler. In Scene gesetzt v. Carl Telle. 8. (25 S. m. 11 eingedr. Lichtdr.) Wien 882. Künast. n.n. 1. —; Ausg. ohne Lichtdr. n. — 40

Melz, K., orthographische Übungen in 3 Stufen. Für die Hand der Schüler bearb. gr. 8. Schwerin 884. (Schmale.) n.n. 1. 40; geb. n.n. 1. 90

1. (III, 40 S.) n.n. — 30; geb. n.n. — 45. — 2. (III, 67 S.) n.n. — 50; geb. n.n. — 65. — 3. (IV, 83 S.) n.n. — 60; geb. n.n. — 80

Melzer, A. L., die deutschen Kolonien, der Congo-Staat, Australien u. Amerika als Ziele der Auswanderung u. Kolonisation. Ein Ratgeber f. Auswanderer, Reisende u. Zeitungsleser. 8. (118 S.) Berlin 885. Föllen. n. 1. —

— deutsch-englisch-französisches Lexikon der Ausfuhr-Industrie u. d. Handels, im Verein m. bewährten Fachgenossen bearb. gr. 8. (XI, 127; 168 u. 89 S.) Ebend. 885. n. 8. —

Melzer, E., Repetitorium [Regelheft] der wichtigsten Regeln der französischen Sprache [anschließend an die Schulgrammatik v. C. Plötz]. 1. Thl.: Plötz, Lect. 1—23. 16. (27 S.) Breslau 885. (Leipzig, Gracklauer.) n. — 60

Melzer, Ernst, erkenntnistheoretische Erörterungen üb. die Systeme v. Ulrici u. Günther. gr. 8. (V, 54 S.) Neisse 886. Graveur's Verl. n. — 75

— Goethes philosophische Entwickelung. Ein Beitrag zur Geschichte der Philosophie unserer Dichterheroen. gr. 8. (73 S.) Ebend. 884. n. 1. —

— Lessings philosophische Grundanschauung. Eine historisch-philosoph. Abhandl. gr. 8. (30 S.) Ebend. 883. n. — 50

Melzer, Wilh., üb. Entstehung, Plan u. Gebrauch der Schreiblesemaschine. gr. 8. (8 S.) Breslau 875. Korn. n. — 20

Breslauer Normal-Alphabete der deutschen Kurrent- u. lateinischen Kursivschrift. Im Auftrage der städt. Schuldeputation zu Breslau u. unter Mitwirkg. e. Lehrerkommission entworfen. 4. Aufl. qu. 4. (4 Steintaf. m. 1 S. Text.) Ebend. 883. n. — 50

Melzer, Wilh., Schreibhefte m. Vorschriften. Nr. 1—21. 4. Breslau 883. Korn. à n. — 10

1—16. Mit Vorschriften. qu. 4. (à 24 S.) — 17—21. Ohne Vorschriften. 4. (à 32 S.)

Melzn, Hanns, die Nibelungen. (Drama) 8. (104 S.) Leipzig 886. (Haendel.) n.n. 2. —

Memminger, A., die Offiziere als Volksausbeuter. Eine Streitschrift üb. den Offiziers-Konsumverein. gr. 8. (16 S.) München 883. Merhoff. — 30

— Zürn u. Spieß. Eine Festschrift zur Enthüllg. d. Zürndenkmals am 18. Juli 1886. 8. (24 S.) Würzburg 886. Memminger's Buchdr. — 25

Mémoire du département fédéral suisse des chemins de fer sur la construction du chemin de fer du St.-Gotthard. 1. livr. Fol. (60 S. m. Tab.) Bern 886. (Zürich, Orell Füssli & Co. Verl.) n. 6. —

Memoiren der königl. preußischen Prinzessin Friederike Sophie Wilhelmine, Markgräfin v. Bayreuth, Schwester Friedrichs d. Großen. Vom J. 1709—1742. 2 Bde. Mit 6 Illustr. 4. Aufl. 8. (240 u. 267 S.) Leipzig 885. Barsdorf. 4. —; geb. 5. —

— einer Idealistin. 3 Bde. 3. Aufl. 8. (XVIII, 312; 256 u. 235 S.) Leipzig 885. Unflad. n. 9. —; geb. n. 10. —

— eines Livländers. I. A. u. d. T.: Erzählungen meines Großvaters. 8. (196 S.) Leipzig 883. Duncker & Humblot. n. 4. —

— einer arabischen Prinzessin. 2 Bde. 4. Aufl. 8. (V, 196 u. 190 S. m. Lichtdr.-Portr.) Berlin 886. F. Luckhardt. n. 10. —; geb. n.n. 13. —

Mémoires de l'académie impériale des sciences de St. Pétersbourg. VII. série. Tome XXX. Nr. 9—11. Tome XXXI—XXXIII et Tome XXXIV. Nr. 1—7. Imp.-4. St.-Pétersbourg 882—86. Leipzig, Voss' Sort. n. 126. 65

XXX. 9. Ueber das galvanische Leitungsvermögen alcoholischer Lösungen. Von R. Lenz. (64 S.) n. 1. 70

10. Studien üb. die Süsswasser-Schwämme d. russischen Reiches v. W. Dybowski. Mit 3 lith. Taf. (26 S.) n. 1. 70

11. Ueber centralasiatische Mollusken. Von E. v. Martens. Mit 5 (lith., z. Thl. color.) Taf. (65 S.) n. 4. 70

XXXI. 1. Zur Theorie der Talbot'schen Linien. Von Herm. Struve. (13 S.) n. — 50

2. Resultate aus den in Pulkowa angestellten Vergleichungen v. Procyon m. benachbarten Sternen. Von Ludw. Struve. (48 S.) n. 1. 50

3. Recherches sur la constante G, et sur les intégrales Eulériennes. Par E. Catalan. (51 S.) n. 1. 50

4. Beitrag zur Integration der Differentialgleichungen der Störungstheorie. Von Ant. Lindstedt. (19 S.) n. — 70

5. Miscellanea silurica III. I. Nachtrag zur Monographie der russischen silurischen Leperditien. II. Die Crustaceenfauna der Eurypterenschichten v. Rootziküll auf Oesel. Von Fr. Schmidt. Mit 9 (lith.) Taf. (88 S. m. 9 Bl. Erklärgn.) n. 6. 70

6. Studien üb. die fossilen Reptilien Russlands. Von W. Kiprijanow. 3. Thl. Gruppe Thaumatosauria N. Aus der Kreide-Formation u. dem Moskauer Jura. Mit 21 (lith.) Taf. (57 S.) n. 7. 50

7. Dasselbe. 4. Thl. Ordnung Crocodilina Oppel. Indeterminirte fossile Reptilien. Mit 7 (lith.) Taf. (29 S.) n. 3. —

8. Die kreisförmige Nutation u. das Winden der Stengel. Von J. Baranetzki. (73 S. m. eingedr. Fig.) n. 2. —

9. L'aberration des étoiles fixes. Par Magnus Nyrén. (47 S.) n. 1. 30

10. Ueber die Wechselwirkung zweier Magnete m. Berücksicht. ihrer Querdimensionen v. O. Chwolson. (20 S.) n. 1. —

11. Sur la généralisation des fonctions de Jacques Bernoulli. Par B. Imschenetzky. (58 S.) n. 1. 70
12. Die Beobachtung der electrischen Ströme der Erde in kürzern Linien v. H. Wild. (24 S. m. 1 Steintaf.) n. 1. —
13. Die Pflanzenreste der Steinkohlenformation am östlichen Abhange d. Ural-Gebirges. Von J. Schmalhausen. (20 S. m. 4 Kpfrtaf.) n. 2. 30
14. Untersuchungen üb. das 2. Spectrum d. Wasserstoffs v. B. Hasselberg. 2. Abhandlg. (30 S. m. 2 metallogr. Taf.) n. 1. 70
15. Allgemeine Jupiterstörungen d. Enke'schen Cometen f. den Bahntheil zwischen 152° 21' 7", 62 u. 170° wahrer Anomalie. Von Thdr. Wittram. (48 S.) n. 1. 30
16. Russische Caledonit- u. Linarit-Krystalle. Von P. W. Jeremejew. (22 S.) n. — 80

XXXII. 1. Die fossilen Pteropoden am Ostabhange d. Urals. Von A. Karpinsky. Mit 1 (lith.) Taf. (20 S.) n. — 80
2. Bestimmung d. Werthes der Siemens'schen Widerstands-Einheit in absolutem electromagnetischen Maasse. Von H. Wild. [Mit 5 (lith.) Taf.] (122 S.) n. 4. 70
3. Untersuchungen üb. die Entdeckung d. Enke'schen Cometen 1871—1881 v. O. Backlund. (50 S.) n. 1. 50
4. Zur Entwickelung der Störungsfunctionen v. O. Backlund. (33 S.) n. 1. —
5. Die Fluss-Thäler d. mittleren Russlands. Von S. Nikitin. (24 S.) n. — 80
6. Helligkeitsmessungen der Bessel'schen Plejadensterne. Von Ed. Lindemann. (29 S.) n. — 80
7. Studien üb. Blut. Von H. Struve. (34 S.) n. 1. —
8. Neuaufgefundene hebräische Bibelhandschriften. Bericht an die kaiserl. Akademie der Wissenschaften zu St. Petersburg. Von A. Harkavy. Mit 5 Lichtdr.-Taf. (48 S.) n. 3. 70
9. Ueber den histologischen Bau u. die Vertheilung der nervösen Endorgane auf den Fühlern der Myriopoden. Von Basil Sazepin. Mit 3 (lith.) Taf. (20 S.) n. 1. 70
10. Studien üb. Krystalle u. Krystallite. Von A. Famintzin. Mit 3 (lith.) Taf. (26 S.) n. 2. 20
11. Theoretische Untersuchungen üb. die intermediären Bahnen der Cometen in der Nähe e. störenden Körpers. Von H. Gylden. (23 S.) n. — 80
12. Des divers types musculaires et de la façon différente dont s'exprime la force active des muscles. [Matériaux d'une anatomie générale du système musculaire.] Par P. Lesshaft. (41 S.) n. 1. 30
13. Beiträge zur Craniologie der grossrussischen Bevölkerung der nördlichen u. mittleren Gouvernements d. europäischen Russlands v. A. Tarenetzky. (81 S.) n. 2. 30
14. Ueber den Tubercularia persicine, Ditm. genannten Pilz. Von Chrph. Gobi. (25 S. m. 1 Chromolith.) n. 1. 50
15. Zur Spectroskopie d. Stickstoffs. I. Untersuchungen üb. das Bandenspectrum. Von B. Hasselberg. (50 S. m. 5 Steintaf.) n. 3. 33
16. Ueber den Verfasser u. die Quellen d. [pseudo-Photianischen] Nomokanon in XIV Titeln. Von E. Zachariä v. Lingenthal. (41 S.) n. 1. 20
17. Die thermodynamischen Beziehungen, antithetisch entwickelt von Arth. v. Oettingen. (70 S.) n. 2. —
18. Hydrologische Untersuchungen. XLIV. Die Thermalwasser Kamtschatka's v. Carl Schmid. (29 S. m. 1 lith. u. color. Karte.) n. 1. 50

XXXIII. 1. Revision der ostbaltischen silurischen Trilobiten. Von Fr. Schmidt. 2. Abth. Acidaspiden u. Lichiden. (127 S. m. 6 Steintaf. u. 6 Bl. Erklärgn.) n. 6. 70
2. Beiträge zur Histologie u. Histogenese d. Knochengewebes. Von J. Lilienberg. (11 S. m. 1 Steintaf.) n. 1. —
3. Recherches sur l'orbite intermédiaire de la comète de Faye dans la proximité de Jupiter en 1841. Par Alexandre Shdanow. (24 S.) n. — 80
4. Studien üb. das Ei, hauptsächlich bei Knochenfischen. Von Ph. Owsiannikow. (54 S. m. 3 Taf.) n. 3. —
5. Termins-Beobachtungen der erdmagnetischen Elemente u. Erdströme im Observatorium zu Pawlowsk vom Septbr. 1882 bis Aug. 1883. Von H. Wild. Mit 14 Taf. (49 u. 141 S.) n. 7. —
6. Arktische Triasfaunen. Beiträge zur paläontolog. Charakteristik der arktisch-pacif. Triasprovinz, unter Mitwirkg. v. Alex Zittner u. Frdr. Teller von Edm. Mojsisovics v. Mojsvár. Mit 20 lith. Taf. (III, 159 S. m. 20 Bl. Erklärgn.) n. 11. —
7. Die Inoceramenschichten an dem Olenek u. der Lena. Von J. Lahusen. Mit 2 Taf. (13 S.) n. 2. —
8. Revision der ostbaltischen silurischen Trilobiten. Von Fr. Schmidt. Abth. III. Illaeniden von Gerh. Holm. Mit 12 Taf. (VI, 173 S. m. 12 Bl. Erklärgn.) n. 10. —

XXXIV. 1. Materialien zur Kenntniss der Fauna der devonischen Ablagerungen Sibiriens. Von Alex. Stuckenberg. Mit 4 Taf. (19 S.) n. 1. 30
2. Untersuchung der Repsold'schen Theilung d. Pulkowaer Verticalkreises, nebst Auseinandersetzung der angewandten Untersuchungsmethode. Von Magnus Nyrén. (37 S.) n. 1. —
3. Ueber die Absorptionscoefficienten der Kohlensäure in den zu diesem Gase indifferenten Salzlösungen. Von J. Setschenow. Mit 1 (lith.) Taf. (24 S.) n. 1. 20
4. Syrische Grabinschriften aus Semirjetschie, hrsg. u. erklärt v. D. Chwolson. (30 S. m. 1 Lichtdr.-Taf.) n. 2. —
5. Über die allgemeine Beugungsfigur in Fernröhren. Von Herm. Struve. (15 S.) n. — 70
6. Über die Schichtenfolge in den Carbonablagerungen im südlichen Theil d. Moskauer Kohlenbeckens. Von A. Struve. Mit 1 Karte. (107 S.) n. 3. 80
7. Bestimmung der Inductionscoefficienten v. Stahlmagneten. Von H. Wild. (32 S.) n. 1. —

Mémoires de la société de médecine de Strassbourg. Tome XIX—XXII. gr. 8. (à ca. XII, 195 S.) Strassbourg 883—85. Schultz & Co. Verl. à n. 4. —
— de deux voyages et séjours en Alsace 1674—76 & 1681 avec un itinéraire descriptif de Paris à Basle et les vues d'Altkirch et de Belfort dessinées par l'auteur LDLSDL'HP. Publié pour la première fois d'après le manuscrit original par LBJCM. gr. 8. (264 S.) Mülhausen i/E. 886. (Bufleb's Sort.) n.n. 7. 50

Memoirs of Mary, Queen of England [1689—1693] together with her letters and those of Kings James II. and William III. to the Electress, Sophie of Hanover, edited by R. Doebner. gr. 8. (XII, 115 S.) Leipzig 886. Veit & Co. n. 3. —

Memorabilia Alexandri Magni et aliorum virorum illustrium, Phaedri fabulae selectae. Zum Schulgebrauche hrsg. v. K. Schmidt u. O. Gehlen. 4. verb. Aufl. gr. 8. (VII, 212 S.) Wien 882. Hölder. n.n. 2. —

Memorabilien. Zeitschrift f. rationelle prakt. Aerzte. In Verbindg. m. B. Beck, Boettger, G. Fronmüller sen. etc. hrsg. u. red. v. Frdr. Betz. 28—31. Jahrg. [Neue Folge 3—6. Jahrg.] 1883—1886. à 9 Hfte. (4 B.) gr. 8. Heilbronn, (Scheurlen's Verl.). à Jahrg. n. 9. —

Memorirstoff aus der vaterländischen Geschichte f. katholische Volksschulen. Von e. prakt. Schulmanne. 2. Aufl. 8. (37 S.) Düren 886. Solinus. n. — 25

Menagerie, kleine. Ein Bilderbuch f. die lieben Kleinen. Mit luft. Versen u. 6 feinen Farbdr.-Bildern. qu.-4.

(6 S. Text.) Stuttgart 886. Loewe. cart. n. — 50; auf Leinw. n. 1. —

Menard, C. F. W., der Zeichenunterricht in der Volksschule. Ein theoretisch-prakt. Handbuch f. Seminaristen u. Lehrer. 1. u. 2. Tl. 4. Neuwied, (Heuser's Verl.). In Mappe. n. 10. 50
1. Das Elementarzeichnen od. das Zeichnen im Linien- u. Punktnetz. [Mit 24 lith. u. 2 chromolith. Taf.] (85 S.) 883. n. 5. —
2. Das geometr. Ornament [Freihandzeichnen]. Mit 18 lith. u. 5 chromolith. Taf. (74 S.) 884. n. 5. 50

Mencke, kriegschirurgische Hülfe unter freiem Himmel. Eine Skizze, den Vereinen vom rothen Kreuz gewidmet. Mit 3 Holzschn.-Taf. gr. 8. (28 S.) Berlin 884. Th. Ch. F. Enslin. n. 1. —

Mencke, F., die Prärienblume. Eine belehr. Erzählg. 8. (64 S.) Hamburg 884. Kramer. — 25

Mende, Albin, Liederbuch f Studierende an österreichischen Mittelschulen, Lehrerbildungsanstalten, Militärbildungsschulen u. anderen verwandten Anstalten. gr. 8. (XI, 105 S.) Prag 886. Rohlíček & Sievers. n. 1. 50

Mendel, H. v., die landwirthschaftlichen Ankaufs- u. Verkaufsgenossenschaften, ihr Wesen u. ihre Einrichtung. Für die Praxis bearb. 8. (IV, 156 S.) Berlin 886. Parey. geb. n. 2. 50

— die Rindvieh-, Schaf- u. Schweinezucht im Großherzogt. Oldenburg. Verf. im Auftrage der oldenburg. Landwirthschafts-Gesellschaft. 8. (III, 88 S.) Bremen 883. Heinsius. n. 1. 50

Mendel, Herm., deutsches Taschen-Liederbuch, enth. 510 Volks-, Vaterlands-, Turner-, Schützen-, Studenten-, Trink- u. Gesellschaftslieder, Operngesänge, geistl. u. Concertlieder. Nebst Angabe der Tonarten, sowie der Dichter u. Componisten u. e. biograph. Verzeichnisse derselben. 55. Aufl. 16. (XXIV, 464 S.) Berlin 885. S. Mode's Verl. geb. n. 1. —

Mendelssohn, die Familie, s.: Hensel, S.

Mendelssohn-Bartholdy's, F., Biographie, s.: Lampadius, W. A.

Mendelssohn, M. Untersuchungen üb. die Muskelzuckung bei Erkrankungen d. Nerven- u. Muskel-Systems. gr. 8. (89 S.) Dorpat 884. (Schnakenburg.) 1. 30

Mendes da Costa, M. B., der Dialekt der homerischen Gedichte, s.: Leeuwen jr., J. van.

Mendl, Vikt. Paul, Frauengunst u Frauenhaß. Augenblicksstudie. 16. (48 S.) Leipzig 884. Bergmann. cart. n. 1. —

Menge, A., die Flora d. Bernsteins u. ihre Beziehungen zur Flora der Tertiärformation u. der Gegenwart, s.: Göppert, H. R.

Menge, Herm., Materialien zur Repetition der lateinischen Grammatik, im genauen Anschlusse an die Grammatik v. Ellendt-Seyffert zusammengestellt. gr. 8. (IV, 198 u. 167 S.) Wolfenbüttel 885. Zwißler. n. 4. —

— Repetitorium der griechischen Syntax, f. d. obersten Gymnasialklassen u. namentlich zum Selbststudium bearb. 3. verb. Aufl. gr. 8. (IV, 215 S.) Ebend. 886. n. 4. —

— Repetitorium der lateinischen Syntax u. Stilistik, e. Lernbuch f. Studierende u. vorgeschrittene Schüler, zugleich e. prakt. Repetitorium f. Lehrer. 5. Aufl. 2 Hälften in 1 Bd. Lex.-8. (VIII, 117 u. 389 S.) Ebend. 885. n. 7. —

— lateinische Schulgrammatik. 2 Tle. gr. 8. Ebend. 886. n. 2. 50; in 1 Bd. geb. n. 2. 50
1. Formenlehre. (IV, 110 S.) n. 1. —. — 2. Syntax. (161 S.) n. 1. 50

Menge, Rud., Einführg. in die antike Kunst. Ein method Leitfaden f. höhere Lehranstalten u. zum Selbstunterricht. 2. Aufl. Mit 34 Bildertaf. in Fol. (in gr. 4 geb.). gr. 8. (XIII, 256 S.) Leipzig 886. Seemann. n. 5. —; geb. n. 6. 50; Atlas ap. n. 2. 50; geb. n. 3. 50; Text ap. n. 2. 50; geb. n. 3. —

— et Siegm. **Preuss,** lexicon Caesarianum. Fasc. 1 et 2. Lex.-8. (356 Sp.) Leipzig 885. 86. Teubner. à n. 1. 60

Menger, Ant., das Recht auf den vollen Arbeitsertrag in geschichtlicher Darstellung. gr. 8. (X, 171 S.) Stuttgart 886. Cotta. n. 3. —

Menger, Carl, die Irrthümer d. Historismus in der deutschen Nationalökonomie. gr. 8. (X, 87 S.) Wien 884. Hölder. n. 2. 40

— Untersuchungen üb. die Methode der Socialwissenschaften, u. der politischen Oekonomie insbesondere. gr. 8. (XXXII, 291 S.) Leipzig 883. Duncker & Humblot. n. 7. —

Menger, Jos., Lehrbuch der darstellenden Geometrie f. Oberrealschulen. Mit 228 Orig.-Holzschn. gr. 8. (VII, 337 S.) Wien 883. Hölder. n. 3. 60

Menger, Rud., Gräfin Loreley. Roman. 8. (243 S.) Berlin 885. Behrend. n. 2. —

Menges, H., Schul-Lesebuch, s.: Wetzel, F.

Menghin, Alois, aus dem deutschen Südtirol. Mythen, Sagen, Legenden u. Schwänke, Sitten u. Gebräuche, Meingn., Sprüche, Redensarten etc. d. Volkes an der deutschen Sprachgrenze. gr. 16. (171 S.) Meran 884. Plant. n. 1. 60

Menken, Gfr., üb. Glück u. Sieg der Gottlosen. Eine Flugschrift aus dem J. 1795. Neu hrsg. von Paul v. Gersdorf. 8. (51 S.) Augsburg 886. Preyß. — 50

Menne, H., kurze deutsche Sprachlehre f. Elementarschulen. 5. Aufl. 8. (38 S.) Münster 883. F. Schöningh. n. — 20

Menne, X., Kreuzweg-Büchlein. Unterweisung üb. den hl. Kreuzweg, nebst 6 Kreuzweg-Andachten. 2. Aufl. 12. (96 S.) Paderborn 883. Bonifacius-Druckerei. — 30

Mennel, Joh Nep., Instruktion od. Unterweisung f. die katholischen Meßner. Unter Mitwirkg. v. Alb. Fortunat u. Andr. Wachter hrsg. 12. (VIII, 253 S.) Leutkirch 885. Roth. n. 2. 20; geb. n.n. 2. 50

Mennell, Arth., s.: Buchholtzens in Paris.

— Buchholtzens in der Schweiz. Kuriose Reiseerlebnisse e. Berliner Familie. 18. Aufl. gr. 8. (VIII, 212 S.) Leipzig 886. Unflad. n. 3. —; geb. n. 4. 50

— Buchholtz u. Knebbchen auf dem Skatcongreß. 11. Aufl. 8. (IV, 171 S.) Ebend. 887. 1. 50

— Pariser Luft. 2. Aufl. 8. (VIII, 320 S.) Ebend. 885. n. 3. —

Menrad, Jos., de contractionis et synizeseos usu homerico. gr. 8. (V, 216 S.) München 886. Buchholz & Werner. n. 3 —

Mensch, der. Von der Hrsg. d. „Album e. Frau". Neue Ausg. 8. (VIII, 408 S.) Halle 883. Gesenius n. 3. —

Mensch. Ella, Richard Wagners Frauengestalten. 2. Aufl. gr 8. (45 S.) Stuttgart 886. Levy & Müller. n. 1. —

Menschenthum. Sonntagsblatt f. Freidenker. Organ d. „Deutschen Freidenker-Bundes". Hrsg. v. Aug. Specht. 12—15. Jahrg. 1883—1886. à 52 Nrn. (1/2 B.) gr. 4. Gotha, Stollberg. à Jahrg. 3. —

Menschutkin, N., analytische Chemie f. den Gebrauch im Laboratorium u. f. das Selbststudium. Deutsche Ausg., unter Mitwirkg. d. Verf. übers. v. O. Bach. 2. Aufl. 8. (XII, 463 S.) Leipzig 886. Quandt & Händel. n. 7. —

Mentor, der. Notiz-Kalender f. Schüler f. d. J. 1885. 15. Jahrg. 16. (128 u. 80 S.) Altenburg, Pierer. cart. — 60; geb. n. 1. —

— dasselbe f. Schülerinnen. 15. Jahrg. 16. (128 u. 80 S.) Ebend. cart. — 60; geb. n. 1. —

— der österreichisch-ungarische. Kalender f. Schülerinnen an Bürger-, Mittel- u. Fachschulen u. Präparandien in Oesterreich-Ungarn. Für das Studienj. 1885. 11. Jahrg. 16. (IV, 192 S. m. 1 Portr.) Wien, Perles. cart. n. 1. —; geb. n. 1. 60

— dasselbe. Studenten-Kalender f. Mittel-, Bürger- u. Fachschulen, sowie Präparandien in Oesterreich-Ungarn. Für das Studienj. 1887. Mit Benützg. amtl. Quellen. 15. Jahrg. 16. (III, 112 u. 132 S.) Ebend. cart. n. — 50; geb. n. — 80

Mentzel u. v. Lengerke's verbesserter landwirthschaftlicher Hülfs- u. Schreib-Kalender auf d. J. 1887. 40. Jahrg. Hrsg. v. Hugo Thiel u. Emil v. Wolff. 2 Thle. (Ausg. m. 1/2 Seite weiss Pap. pro Tag.) gr. 16. (VIII, 338 u. 405 S.) Berlin, Parey. geb. in Leinw. u. geh n. 2. 50; in Ldr. n. 3. —; Ausg. m. 1 Seite weiss Pap. pro Tag (VIII, 520 u. 392 S.) geb. in Leinw. u. geh. n. 3. —; in Ldr. n. 4. —

Mentzel, Conr. M., die Bilanz. Jahrbuch f. Banken, Sparkassen, Eisenbahn- u. Verkehrsanstalten, Versicherungs-Anstalten, Industrie-Unternehmgn. u. Genossenschaften in Oesterreich-Ungarn pro 1885. 3. Jahrg. gr. 8. (LV, 1044 S.) Wien 885. (Perles.) geb. n. 8. —

Mentzel, E., Feldnelken. Hessische Dorfgeschichten. 8. (341 S.) Frankfurt a/M. 885. Sauerländer. n. 4. —; geb. n. 5. —

— Geschichte der Schauspielkunst in Frankfurt a/M. von ihren Anfängen bis zur Eröffnung d. städtischen Komödienhauses, s.: Archiv f. Frankfurts Geschichte u. Kunst.

Menz, J., commercieller Bericht üb. e. Reise nach Central-Amerika, s.: Mittheilungen der Handels- u. Gewerbekammer in Brünn.

Menzel, Adf., das Anfechtungsrecht der Gläubiger nach österreichischem Rechte. gr. 8. (XXI, 346 S.) Wien 886. Hölder. n. 8. —

Menzel, Adolf. Das Werk A. M.'s. Vom Künstler autoris. Ausg. Mit Text v. Max Jordan u. Rob. Dohme. (In ca. 30 Lfgn.) 1. Lfg. gr. Fol. (8 S. m. eingedr. Illustr. u. 4 Taf. in Heliogravüre.) München 886. Verlagsanstalt f. Kunst u. Wissenschaft. n. 20. —

Mentzel, C., Übungsstücke zum Übersetzen aus dem Deutschen ins Lateinische. 2 Tle. 3. Aufl. gr. 8. Hannover 883. Hahn. n. 2. 70

1. Mittlere Klassen. (IV, 127 S.) n. 1. 20. — 2. Obere Klassen. (III, 160 S.) n. 1. 50

Menzel, C. A., der Bau der Eiskeller sowohl in wie üb. der Erde u. das Aufbewahren d. Eises in denselben, nebst e. Anh.: Die Fabrikation d. Kunsteises. Ein Ratgeber f. Baumeister, Landwirte, Konditoren, Fabrikanten, Brauereibesitzer, Gastwirte etc. 5. Aufl., gänzlich umgearb. u. bedeutend verm. v. E. Nowák. gr. 8. (116 S. m. 6 Taf.) Karlsruhe 883. Bielefeld's Verl. n. 5. —

— die Baumaterialien d. Maurers. 2. Aufl. m. 41 Textfig. Lex.-8. (76 S.) Ebend. 883. n. 1. 50

— das Dach nach seiner Bedeutung, Anordnung u. Ausführung, sowie nach seinem Material u. seiner Konstruktion. 2. Aufl., neubearb. v. R. Klette. Mit 433 Abbildgn. gr. 8. (IV, 328 S.) Halle 884. Knapp. n. 6. —

— der Steinbau [der praktische Maurer]. Handbuch f. Architekten, Bauhandwerker u. Bauschüler. 8. Aufl. [m. Zugrundelegg. der neuen Orthographie], bearb. v. F. Heinzerling. 2. Tl. gr. 8. (IX u. S. 212—534 m. Illustr.) Karlsruhe 883—85. Bielefeld's Verl. 5. — (cplt.: n. 10. —)

Menzel, G., Versuch e. Erklärung v. Epheser 5, 31. gr. 8. (III, 32 S.) Leipzig 884. Mertens. n. 1. —

Menzel, Hugo, üb. die in der Breslauer Frauenklinik im Studienjahre 1882/83 operirten 22 Urinfisteln. gr. 8. (31 S.) Leipzig 883. (Breslau, Köhler.) n. 1. —

Menzel, J., Aufgaben f. das schriftl. Rechnen. 5 [Schüler-] Hfte. Bearb. v. K. Steinert. 8. Berlin 885. Stubenrauch. n. 1. 15

1. 20. Aufl. (16 S.) n. — 15. — 2. 57. Aufl. (24 S.) n. — 25. 3. 49. Aufl. (28 S.) n. — 25. — 4. 31. Aufl. (28 S.) n. — 20. 5. 12. Aufl. (36 S.) n. — 30

— Hülfsbüchlein f. die schriftliche Beschäftigung der Rechenschüler. [Rechenfibel.] 73. Aufl. gr. 8. (16 S.) Ebend. 885. n. — 20

— Rechenbuch. Hft. A—D. [Für die Schüler.] 2. Aufl. gr. 8. Ebend. 885. n. — 85

A—C. (à 16 S.) à n. — 20. — D. (28 S.) n. — 25

— dasselbe Hft. B—D. [Für den Lehrer.] gr. 8. (16, 16 u. 24 S.) Ebend. 885. à n. — 50

— Schul-Lesebuch, s.: Wetzel, F.

Menzel, K., s.: Codex diplomaticus Nassoicus.

— Geschichte v. Nassau, s.: Schliephake, F. W. Th.

Menzel, Paul Otto Jos., die Unschädlichmachung der städtischen Kloakenauswürfe durch den Erdboden. Versuche, die in den J. 1881—1884 an der land- u. forstwirtschaftl. Akademie Petrowsky bei Moskau vom Anatol Anekcandrowitsch Fadejeff ausgeführt wurden. Aus dem Russ. übers. u. m. einigen Bemerkgn. sowie Zeichngn versehen. gr. 8. (IV, 137 S.) Leipzig 886. Scholtze. n. 4. 50

Menzel, Wolfg., nachgelassene Novellen. Hrsg. v. dessen Sohn Konr. Menzel. 1. Bd. 8. Thalweil 885. Brennwald n. 1. 25

Eine Idylle aus der Dauphinée. Der Schiffsbrand. Der Wald v. Beaumont. (178 S.)

Mephius, C. F., s. Kopf u. Herz. 16. (64 S.) Stuttgart 883. Metzler's Verl. geb. n. 1. 40

Merbach, Hans, das Meer in der Dichtung der Angelsachsen. gr. 8. (58 S.) Breslau 884. (Köhler.) n. 1. —

Merbot, Rhold., ästhetische Studien zur angelsächsischen Poesie. gr. 8. (III, 51 S.) Breslau 883. Koebner. n. 1. 50

Mercanton, H., allgemeiner Bericht üb. Acker- u. Pflanzenbau, s: Bericht üb. Gruppe 26 der schweizerischen Landesausstellung Zürich 1883.

Mercator, B., nur e. Kind aus Israel. Eine alttestamentl. Erzählg f. jung u. alt. 8. (XI, 119 S.) Gotha 883. F. A. Perthes. n. 2. —

— in e. großen Königs Armen. 8. (VII, 236 S.) Ebend. 885. n. 3. —

Mercator, Jul., der Kampf um die Krone. Praktische Anleitg. zur vollkommenen Tugend inmitten der Welt. 16. (VIII, 420 S.) Dülmen 884. Laumann. n. 1. —; geb. n. 1. 50

Mercier, Ernest, rapport sur le groupe 7 de l'exposition nationale suisse à Zurich 1883: Industrie du cuir. gr. 8. (16 S.) Zürich 884. Orell Füssli & Co. Verl. n. — 50

Merck's, Klem., Warenlexikon f. Handel, Industrie u. Gewerbe. 3. Aufl. 2. Abdr. Nebst e. Nachtrag. (In 15 Lfgn.) 1. Lfg. gr. 8. (VIII, 48 S.) Leipzig 886. Gloeckner. n. — 50

Merck, Willy, üb. Cocain. gr. 8. (37 S.) Kiel 886. (Lipsius & Tischer.) n. 1. —

Mercur. Zeitschrift zur Hebg. d. Ausfuhr-Handels. Red.: Jul. Aug. Jenckel u. J. H. A. Hagemann. 2—4. Jahrg. 1883—1885. 3 Ausgaben (deutsch, englisch u. spanisch). à 12 Nrn. (à 2—2½ B. m. Illustr.) Fol. Hamburg, J. F. Richter. à Jahrg. n. 15. —; Jede Ausgabe einzeln n. 6. —

Erscheint nicht mehr.

Mercy-Argenteau, bevollmächt. Minister in den österr. Niederlanden Graf, Briefe an den k. k. ausserordentlichen Gesandten zu London Grafen Louis Starhemberg [vom 26. Decbr. 1791 bis 15. Aug. 1794]. Orig.-Documente aus dem schriftl. Nachlasse d. Letzteren, gesammelt u. geordnet, nebst Erläutergn. v. dessen Enkel A. Graf Thürheim. gr 8. (XX, 288 S. m. 1 Fcsm.) Innsbruck 884. Wagner. n. 7. 60

Merensky, A., bereitet dem HErrn den Weg! Jesaia 40, 3—5. Bericht am 5. Jahresfest der Deutschen Evangel. Buch- u. Tractat-Gesellschaft. gr. 8. (7 S.) Berlin 884. Deutsche evangel. Buch- u. Tractat-Gesellschaft. n. — 10

— wie erzieht man am besten den Neger zur Plantagen-Arbeit? Preisgekrönt v. der Deutsch-Ostafrikan. Gesellschaft. gr. 8. (39 S.) Berlin 886. Walther & Apolant. n. 50

Merges, Nic., Lehrbuch der Wurst- u. Fleischwaren-Fabrikation m. Berücksicht. d. Groß- u. Kleinbetriebes, sowie f. den Haushaltungsbedarf u. f. Anfänger. 2. Aufl. 8. (VII, 159 S.) Köln 885. Büttmann. n. 1. 50

Mergner, Frdr., Choralbuch, zunächst zu dem Gesangbuche der ev.-luth. Kirche in Bayern, f. den Hausgebrauch bearb. qu. gr. 4. (III, 103 S.) Erlangen 883. Deichert. n. 2. 40

— Predigt vom Meineide. gr. 8. (8 S.) Ebend. 883. n. — 10

Merguet, H., Lexikon zu den Schriften Cäsars u. seiner Fortsetzer m. Angabe sämtlicher Stellen. Lex.-8. (IV, 1242 S.) Jena 884—86. Fischer. n. 55. —

— Lexikon zu den Reden d. Cicero m. Angabe sämmtlicher Stellen. 4. Bd. 30 Lfgn. Lex.-8. (II, 1065 S.) Ebend. 883. 84. à n. 2. — (4 Bde. cplt.: n. 180. —)

Merian, M., eigentliche Abbildung der Veste vnnd Universitet Gießen. 1650. qu. Fol. (2 S. Text m. 1 Facsim.-Holzschn.) Gießen 886. Roth. — 75

Mérimée, P., Colomba, s.: Meyer's Volksbücher.

— Columba — Carmen, s.: Collection Spemann.

— ausgewählte Novellen. Aus dem Franz. v. Adf. Laun. 8. (241 S.) Leipzig 886. Bibliograph. Institut. geb. n. 1. —

— dasselbe, s.: Meyer's Volksbücher.

Mering, J., das chlorsaure Kali, seine physiologischen, toxischen u. therapeutischen Wirkungen. gr. 8. (III, 142 S.) Berlin 885. Hirschwald. n. 3. —

Merk, Gust., allgemeine Musik- u. Harmonielehre. Ein Lehr- u. Lernbuch f. Seminare, Präparanden- u. Musikanstalten, sowie zum Selbstunterricht. 8. (IV, 130 S.) Quedlinburg 883. Vieweg. n. 1. 20; cart. 1. 50
Merk, Ludw., üb. die Anordnung der Kerntheilungsfiguren im Centralnervensystem u. der Retina bei Natterembryonen. [Mit 1 (lith.) Taf.] [Aus dem Institute f. Histologie u. Embryologie in Graz.] Lex.-8. (20 S.) Wien 885. (Gerold's Sohn.) n. — 80
— über die Schleimabsonderung an der Oberhaut der Forellenembryonen. [Mit 2 Taf.] Lex.-8. (28 S.) Ebend. 886. n n. — 90
Merkblätter für's Haus. Allerlei Nützliches f. Haus u. Herd. Mit 10 Illustr. in Farbendr. gr. 8. (VIII, 168 S.) Leipzig 885. Zehl. geb. m. Goldschn. n. 6. —
Merkbüchlein f. Frauen u. Jungfrauen. 8. (74 Bl., wovon 24 in Buntdr.) München 883. Obpacher. geb. m. Goldschn. 20. —
Merke, H., die erste öffentliche Desinfections-Anstalt der Stadt Berlin, s.: Guttmann, P.
Merkel, A., juristische Encyclopädie. 8. (XII, 380 S.) Berlin 885. Guttentag. n. 4. 50; geb. n. 5. —
Merkel, E., Handelskunde, Bank- u. Börsenwesen, — das Handelsrecht, } f.: Handbibliothek der gesamten Handelswissenschaften.
Merkel, Fr., Anleitung zur Muskelpräparation im Königsberger Präparirsaal. [Als Mscr. gedr.] gr. 8. (28 S.) Königsberg 884. Gräfe & Unzer. n.n. — 60
— Handbuch der topographischen Anatomie zum Gebrauch f. Aerzte. Mit Holzst. 1. Bd. 1. Lfg. gr. 8. (176 S. m. 1 Tab.) Braunschweig 885. Vieweg & Sohn. n. 10. —
— die Speichelröhren. Rectoratsprogramm. Mit 2 (lith. u. chromolith.) Taf. gr. 8. (28 S.) Leipzig 883. F. C. W. Vogel. n. 2. —
Merkel, H. G., Adreßbuch v. Dresden, enth. sämmtl. Adressen v. Fabrikanten, Kaufleuten u. die wichtigsten Adressen d. Handwerkerstandes, sowie der Beamten u. Künstler, nach Branchen alphabetisch geordnet u. zusammengestellt. gr. 8. (III, 92 S.) Dresden 884. Merkel. n. 1. —
— Adreßbuch v. Europa, enth. Adressen v. Fabrikanten, Kaufleuten, Beamten, Künstlern, Handwerkern, Privatpersonen &c., nach Ländern, Provinzen u. Branchen alphabetisch geordnet u. zusammengestellt. 6—55. Lfg. gr. 8. (1. Bd. S. 241—476; 2. Bd. 472; 3. Bd. 538; 4. Bd. 708 S. u. 5. Bd. S. 1—432.) Ebend. 883—86. Subscr.-Pr. à — 60; Einzelpr. à 1. —
— dasselbe. 1. Bd. 4 Abthlgn. gr. 8. Ebend. 883. 10. —; 1. Bd. cplt. Subscr.-Pr. 6. —
1. Herzogthum Anhalt. (60 S.) 1. 50
2. Großherzogth. Baden. (S. 61—227.) 3. —
3. Königr. Bayern. (S. 227—432.) 4. 50
4. Herzogth. Braunschweig. (S. 433—476.) 1. —
— Adreßbuch vom Königr. Sachsen, enth. Adressen v. Fabrikanten, Kaufleuten, Beamten, Künstlern, Handwerkern &c., nach Ortschaften u. Branchen alphabetisch geordnet u. zusammengestellt. Special-Abth. aus dem Adreßbuche v. Europa. gr. 8. (III, 538 S.) Ebend. 884. n. 8. —
Merkel, Johs., Abhandlungen aus dem Gebiete d. römischen Rechts. 2. Hft. Ueber die Geschichte der klass. Appellation. gr. 8. (V, 176 S.) Halle 883. Niemeyer. n. 4. 50 (1. u. 2.: n. 6. 10)
Merkelbach, F. W., Halleluja! Sammlung geistl. Lieder f. vierstimm. Männergesang zu allen kirchl. Festen u. Gelegenheiten, nebst e. Liturgie, in leicht ausführbarer Weise bearb. gr. 8. (II, 31 S.) Gütersloh 886. Bertelsmann. n. — 60
Merkendorf, G. v., s.: Skatspieler, der lustige, in der Westentasche.
Merklinghaus, P., Verwaltungsgesetze f. die Prov. Hessen-Nassau. Mit Regulativen, Instruktionen &c., Auszügen aus Ministerial-Erlassen u. Entscheidgn. d. Oberverwaltungsgerichts, sowie e. Sachregister. gr. 8. (VI, 349 S.) Wiesbaden 886. Limbarth. geb. n. 5. —
Merkmal, das verlorene, d. Winkelbegriffes e. Folge der fortschreitenden Bewegung auf dem Gebiete der geometrischen Formenlehre nach wesentlichen Ideen u. neuen Gesichtspunkten. gr. 8. (23 S.) Teschen 883. (Kotula.) n. — 60
Merkur. Offizielles Organ d. Vereins schweizer. Geschäftsreisender. 2. Jahrg. 1883. 26 Nrn. (½ B.) gr. 4. Zürich, Orell Füßli & Co. Verl. n. 4. —
— dasselbe. 3. Jahrg. 1884. 24 Nrn. (½ B.) gr. 4. Ebend. n. 3. —
— dasselbe. 4. u. 5. Jahrg. 1885 u. 1886. à 52 Nrn. (B.) gr. 4. Ebend. à Jahrg. n. 5. —
— Taschenkalender f. Kaufleute. Hrsg. v. Alf. Brennwald. 1884. gr. 16. (VIII, 199 u. 90 S. m. 1 Eisenbahnkarte.) Zürich, Schmidt. geb. n. 2. 50
— litterarischer. Mittheilungen aus dem geist. Leben der Gegenwart u. Nachrichten f. Bücherfreunde üb. erschienene Neuigkeiten d. In- u. Auslandes. Hrsg. unter Red. v. Karl Siegen. 4. u. 5. Jahrg. Oktbr. 1883—Septbr. 1885. à 24 Nrn. (B.) gr. 8. Berlin, Neugebauer. à Jahrg. 3. —
— dasselbe. Red.: Th. Ebner. 7. Jahrg. Oktbr. 1886—Septbr. 1887. 36 Nrn. (1½ B.) hoch 4. Weimar, Weißbach. n. 4. —
Merling, A., elektrotechnische Bibliothek. 1. u. 2. Bd. gr. 8. Braunschweig 884. Vieweg & Sohn. n. 24. —
1. Die elektrische Beleuchtung in systematischer Behandlung. Construction u. Betriebsverhältnisse der Lichtmaschinen, elektr. Lampen u. Kerzen. Für Ingenieure, Architekten, Industrielle u. das gebildete Publikum. 2., auf die neuesten Einrichtgn. vervollständ. Aufl. Mit in den Text eingedr. Holzst. (XII, 630 S.) n. 14. —
2. Die elektrischen Uhren in allgemein verständlicher Darstellung der Construction u. Betriebsverhältnisse, Anordng. der Uhrenkreise, Batterien u. Leitg. Für Uhrmacher, Elektrotechniker, Mechaniker, Ingenieure u. das gebildete Publikum. Mit in den Text eingedr. Holzst. (IX, 323 S.) n. 10. —
Merlo, J. J., Köln im J. 1531. Das Lobgedicht Johann Haselbergs auf die Stadt Köln. Mit e. Nachbildg. d. Prospekts der Stadt Köln v. Ant. Woensam v. Worms. gr. 8. (39 S.) Köln 886. Boisserée. n. 2. —
— Anton Woensam v. Worms, Maler u. Xylograph zu Köln. Sein Leben u. seine Werke. Nachträge. Mit 2 Holzschn. gr. 8. (56 S.) Leipzig 884. Barth. n. 2. 80 (Hauptwerk u. Nachträge: n. 6. 80)
Merrick, Chas., üb. die Einwirkung v. Jodallyl auf Anhydrobenzoyldiamidobenzol. gr. 8. (34 S.) Göttingen 882. (Vandenhoeck & Ruprecht.) n. — 80
Mersch, Karl, drei Erzählungen. [Noblesse oblige. Der Porträtmaler. Eine wahre Geschichte.] gr. 8. (V, 59 S.) Luxemburg 883. Brück. 1. 50
Merseburg, A., Rechenbuch f. Volksschulen, s.: Francke, H.
Mertens, E., Bericht üb. Gruppe 29 der schweizerischen Landesausstellung Zürich 1883: Der Gartenbau. gr. 8. (35 S.) Zürich 884. Orell Füssli & Co. Verl. n. 1. —
Mertens, F., e. einfache Bestimmung d. Potentials e. homogenen Ellipsoids. Lex.-8. (4 S.) Wien 885. (Gerold's Sohn.) — 15
— über die bestimmenden Eigenschaften der Resultante v. *n*-Formen m. *n*-Veränderlichen. Lex.-8. (40 S.) Ebend. 886. n. — 60
— über e. Formel der Determinantentheorie. Lex.-8. (15 S.) Ebend. 885. n.n. — 30
— die Gleichung d. Strahlencomplexes, welcher aus allen die Kanten d. gemeinschaftlichen Poltetraëders zweier Flächen II. Ordnung schneidenden Geraden besteht. Lex.-8. (8 S.) Ebend. 885. n. — 20
— über die Invarianten dreier ternären quadratischen Formen. Lex.-8. (16 S.) Ebend. 886. n. — 35
— zur Theorie der elliptischen Functionen. Lex.-8. (7 S.) Ebend. 885. n. — 20
Mertens, F., Antworten, s.: Kleinpaul, E., Aufgaben zum praktischen Rechnen.
— Vorstufe zu den Ernst Kleinpaul'schen Aufgaben zum praktischen Rechnen. Für die Vorschulen der Gymnasien u. Realgymnasien, sowie f. die Unterklassen der mehrstuf. Bürger- u. Töchterschulen. gr. 8. (VIII, 76 S.) Bremen 886. Heinsius. n. — 50; cart. n. — 65
Mertens, Herm., neuestes Städte-Lexicon, enth. sämmtl. Verkehrsorte v. Europa, sowie die bedeutenderen aussereurop. Handelsplätze etc. 4. wesentlich verm. Aufl., vollständig umgearb. v. Ferd. Hartung. Neue

Ausg. m. Nachträgen bis 1885. gr. 8. (536 S.) Leipzig 885. Hinrichs' Verl. n. 5. —; geb. n. 5. 60; Nachträge ap. (S. 464—536.) n. 1. —

Mertens, Ludw. v., Falad. Kleine Bilder aus der Zeit der Völkerwanderung. 8. (235 S.) Wien 886. Konegen. n. 3. —

Mertens, Osc., Beitrag zur Lösung der Lagerhaus- u. Warrantbelehnungsfrage f. Riga, s.: Hennings, C.

— das Zufuhrgebiet Rigas f. Getreide, Mehl u. Grütze. gr. 8. (V, 136 S. m. 1 chromolith. Karte.) Riga 883. (Bruhns.) n. 4. —

— dasselbe. 1. Fortsetzg. Die J. 1882—1884. Lex.-8. (VIII, 75 S. m. 1 Karte.) Ebend. 886. n. 3. —

Mertens, Wilh., e. Bekehrte. Lustspiel m. Gesang in 3 Aufzügen aus der stenogr. Praxis. 8. (24 S.) Berlin 885. Hohn. n. — 50

Mertig, Anleitung zum experimentellen Studium der Physik, s.: Meiser.

Mertins, Osc., Robert Greene u. the play of George-a-Greene, the pinner of Wakefield. gr. 8. (38 S.) Breslau 885. (Köhler.) n. 1. —

Mertschinsky, A., Ruf. Wer Ohren hat zu hören, der höre! 8. (16 S.) Dresden 883. (Knecht.) n. — 20

Mertz, Mich., Beitrag zur Feststellung der Lage u. der jetzigen Beschaffenheit der Römermauer zu Köln. 4. (28 S. m. 2 Taf. in Aubeldr.) Köln 883. (Neubner.) n. 2. —

Mertz, Paul, 12 Fälle v. Neubildungen der Vulva. [Aus der königl. Universitäts-Frauenklinik zu Breslau.] gr. 8. (42 S.) Breslau 885. (Köhler.) n. 1. —

Mervell,-E., Anna v. Cleve od. die Gürtelmagd der Königin. Drama in 5 Aufzügen. 8. (82 S.) Schaffhausen 881. Rothermel. n. 1. 50

— Otto der Große. Drama in 5 Aufzügen. 8. (105 S.) Ebend. 381. n. 1. 50

— Taube u. Habicht. Roman. 8. (217 S.) Ebend. 883. n. 4. —; geb. n. 5. 20; m. Goldschn. n. 5. 60

Merwart, Karl, Madame Ackermann. Eine literarhistor. Skizze. gr. 8. (16 S.) Wien 882. (Hölder.) n. — 50

Merz, A., unter den Bambarrasnegern. Erzählg. f. Volk u. Jugend. Mit 1 Stahlst. (Autotypie.) 8. (247 S.) Regensburg 884. Verlags-Anstalt. 1. 80

Merz, F., die Reinigung v. Wasserleitungsröhren. gr. 4. (5 S. m. eingedr. Fig.) Karlsruhe 883. (Bielefeld's Hofb.) n. 1. —

Merz, H., stilistische Arbeiten, aus dem Inhalte d. I. Teiles d. Lesebuches f. die Oberklassen kathol. Volksschulen [Dortmund bei Crüwell], in Form v. Ausarbeitgn., Plänen u. Aufgaben gebracht. 3. u. 4. (Schluß-)Lief.: Enth. die Lesestücke v. Nr. 75—Schluß. 8. (VII u. S. 159—301.) Neuwied 883. 84. Heuser's Verl. à n. 1. —

— u. J. Schuth, kleiner Liederschatz f. Volksschulen. Nach den Bestimmgn. königl. Regierg. hrsg. 4. Aufl. 12. (IV, 64 S.) Ebend. 884. n.n. — 25

Merz, Heinr., christliche Frauenbilder I. u. II. 5. Aufl. 8. Stuttgart, J. F. Steinkopf. à n. 4. —; geb à n. 5. —
I. Vom Anfang der Kirche bis in die Reformationszeit. (VI, 444 S.) 885.
II. Aus der neueren Zeit. (472 S.) 886.

— der evangelische Kirchhof u. sein Schmuck. 2. Aufl. gr. 8. (16 S. m. Fig.) Ebend. 885. n. — 40

Merz, Joh. Thdr., Leibniz. Aus dem Engl. 8. (IV, 222 S.) Heidelberg 886. Weiß' Verl. n. 3. —; geb. n.n. 4. 50

Merz, Johs., die Bildwerke an der Erzthüre d. Augsburger Doms. Mit 2 Taf. gr. 8. (52 S.) Stuttgart 885. J. F. Steinkopf. n. 1. 60

Merz, Jul., Göthe von 1770—1773 od. seine Beziehungen zu Friederike v. Sesenheim u. Werther's Lotte. Neuer Abdr. gr. 8. (IV, 24 S.) Nürnberg 885. Bauer & Raspe. n. — 50

Merz, Max., die Patience. Gründliche Anleitg., dieselbe in den verschiedensten Formen nach gegebenen Beispielen zu legen. 8. (IV, 63 S.) Berlin 886. Cronbach. geb. n. 1. 50

Merzenich, J., der Umbau der Gemälde-Galerie in dem alten Museum in Berlin. Mit 2 Kpfrtaf. Imp.-4. (14 S.) Berlin 886. Ernst & Korn. n. 4. —

Meschayeff, V., üb. die Anpassungen zum Aufrechthalten der Pflanzen u. die Wasserversorgung bei der Transpiration. gr. 8. (26 S.) Moskau 883. (Deubner.) n. — 80

Meschler, M., die Andacht zum göttlichen Herzen. 12. (IV, 185 S.) Freiburg i/Br. 886. Herder. 1. 50

— Novene zu Unserer Lieben Frau v. Lourdes. 6. Aufl. Mit 1 Titelbild. 12. (VI, 224 S.) Ebend. 886. 1. 50; geb. n. 1. 80

Meschtscherski, Fürst W., Einer von unsern Bismarcks. Satirischer Roman. Aus dem Russ. v. G. Keuchel. 2. Aufl. 8. (375 S.) Berlin 886. Deubner. n. 4. —

— die Frauen der Petersburger Gesellschaft. Roman. Mit Autoris. d. Verf. aus dem Russ. in's Deutsche übertr. v. J. Clark. 2. u. 3. Abth. 8. Breslau 887. Schottländer. à n. 4. 50; geb. à n. 5. 50 (1—3.: n. 21. —; geb. n. 26. —)
2. Fürstin Lisa u. Gri-Gri. (329 S.)
3. Mißverständnisse. 2. Folge v. „Die Frauen der Petersburger Gesellschaft". Roman. (328 S.)

— dasselbe. 1. Abth. 3 Bde. 3. Aufl. 8. (298, 298 u. 315 S.) Ebend. 887. n. 12. —; geb. n. 15. —

— Olga Nikolajewna's Tagebuch. Erlebnisse e. Dame der hohen russ. Aristokratie. Deutsche Ausg. v. F. Leoni. 8. (382 S.) Berlin 886. Deubner. n. 4. —

— die Realisten der großen Welt. Mit Autoris. d. Verf. aus dem Russ. in's Deutsche übertragen v. F. Leoni. 8. (IV, 281 S.) Ebend. 885. n. 5. —; geb. n. 6. —

Meschwitz, Frdr. Wilh., praktische Erfahrungen im Bereiche d. Kultur- u. Forstverbesserungswesens. gr. 8. (VIII, 67 S.) Dresden 882. (Höckner.) n. 1. 50

Mess-Adressbuch f. Leipzig, Frankfurt a/M., Frankfurt a/O., Braunschweig etc. 57. Aufl. 1886. Michaelismess-Aufl. 8. (384 S.) Leipzig, Serbe. cart. n. 2. —

Messager boiteux, le véritable, de Berne et Vevey. 1887. 180. année. 4. (66 S. m. Illustr.) Vevey. (Bern, Jenni.) n. — 40

— le bon, pour l'an de grâce 1887. 58. année. 4. (60 S. m. Abbildgn.) Lausanne. Ebend. n.n. — 30

— la, de Chrischona. Extrait de la correspondance des ouvriers de la mission des Pèlerins. Réd.: C. H. Rappard. Année 1883 et 1884. à 4 nrs. ($^1/_2$ B.) gr. 4. Basel, Spittler. à Jahrg. n.n. — 40

— la, du monde païn. Feuille de missions pour les enfants. Réd.: L. Nagel. 22. et 23. année 1885 et 1886. à 12 nrs. (B.) Basel, Missionsbuchh. à Jahrg. n. 1. —

Meß- u. Gebetbuch in großem Druck. Auswahl aus dem „Missale", dem „Vesperale" u. dem „Chor- u. Meßbuch" v. Wilh. Karl Reischl. 12. (IV, 352 S.) München 885. Stahl. n. 1. 60

Messer, F., Handwörterbuch der russischen u. deutschen Sprache, s.: Booch, F.

Messerer, Otto, experimentelle Untersuchungen über Schädelbrüche. Mit 8 (lith.) Taf. gr. 8. (36 S.) München 884. Rieger. n. 3. —

Messerer, Th., d. Achmüllers Recht, s.: Bachem's Novellen-Sammlung.

— Alpenrosen. Zwei Erzählgn. aus dem Hochland. Mit 1 Bilde. Neue Ster.-Ausg. 8. (107 S.) Reutlingen 886. Enßlin & Laiblin. cart. n. — 50

— bei dem Alten auf dem Sulzberg. Eine Erzählg. aus den bayr. Bergen. Ster.-Ausg. 8. (64 S.) Ebend. 886. n. — 20

— humoristische Bilder aus Alt-Bayern. Ster.-Ausg. 8. (61 S.) Ebend. 886. n. — 20

— Krieg u. Frieden, s.: Universal-Bibliothek f. die Jugend.

— nur keinen Preußen! Ein Bild aus Süddeutschland. Neue Ster.-Ausg. 8. (46 S.) Reutlingen 885. Enßlin & Laiblin. — 15

— die Schneidemühle an der Klamm. Ein Bild aus den bayr. Bergen. Neue Ster.-Ausg. 8. (68 S.) Ebend. 886. n. — 20

— der Schützenkönig. Ein Bild aus dem bayr. Hochland. Neue Ster.-Ausg. 8. (61 S.) Ebend. 886. n. — 20

— in Treue fest, s.: Bachem's Roman-Sammlung.

— die beiden Vettern, } s.: Bachem's Novellen-Sammlung.
— die Waisen, }

Messerschmidt's, Frz. Xav., Leben u. Werke, s.: Ilg, A.

Messerschmidt, Johs., praktische Behandlung der biblischen Geschichte in Unterklassen. Ausgewählte Geschichten d. Alten u. Neuen Testamentes. 2. Aufl. gr. 8. (VIII, 341 S.) Frankenberg i/S. 884. Roßberg. n. 2. 50

— Katechesen u. Entwürfe f. den Religionsunterricht in Unterklassen. 1. u. 2. Hft. gr. 8. Meißen 884. Schlimpert. à n. — 90

1. Wesen, Eigenschaften u. Werke Gottes; Pflichten gegen Gott. (88 S.)
2. Pflichten gegen den Nächsten, gegen die Tiere u. gegen die leblose Schöpfung. (84 S.)

— biblische Lebensbilder od. ausgewählte bibl. Erzählungen f. die Kinder der Unter- u. Mittelklassen. Nebst Anh.: die Hauptstücke d. luther. Katechismus enth. 19. Aufl. Nach der neuen Rechtschreibg. umgearb. u. m. den Sprüchen d. „Memorierstoffes f. die evangel. Volksschulen Sachsens" versehen v. Johs. Messerschmidt. 8. (IV, 180 S.) Frankenberg 885. Roßberg. — 60

Messerschmitt, A., die Calculation der Eisenconstruktionen, insbesondere der Brücken, Dampf- u. Lokomotivkessel, wie der Gerüstbauten, u. der Ingenieur in seinem Betriebe, nebst Bestimmg. aller einschläg. Accordgedinge, erläutert durch vielfache Beispiele u. Zeichngn. v. Gerüstbauten. Mit Holzschn. u. (6 autogr.) Taf. 8. (178 S.) Essen 884. Bädeker. geb. n. 4. 75

— die Calculation in der Eisen-Giesserei u. bei Form-Maschinen-Betrieb, sowie Accordverträge u. Bestimmg. aller Accord-Gedinge der Formstücke wie der Modelltischlerei, erläutert durch vielfache Beispiele u. Skizzen, nebst Einführg. in alles Wissenswerthe der Giesserei-Technik, Anhang üb. die Inoxydation d. Gusseisens u. die gebräuchlichsten Giesserei-Schmelzöfen u. den Formmaschinenbetrieb, nebst Zeichngn. 2. Aufl. Mit Holzschn. u. Taf. 8. (283 S.) Ebend. 886. geb. n. 7. —

Meßgesänge u. Kirchenlieder. Nebst e. Anh. v. Marienliedern f. den Monat Mai. 15. Aufl. 16. (144 S.) Wien 886. Mayer & Co. n. — 25

Meßen, H., Übungssätze zur Einführg. in die französische Handelskorrespondenz, f.: Witzel, K.

Messinger, L. J., stigmographisches Schulzeichnen. 2. Hft.: Geradlinige Uebgn. 2 Cm. Punktweite. 4. Aufl. qu. gr. 4. (16 Bl.) Frankfurt a/M. 886. Jaeger's Verl. n. n. — 50

Messinstrumente, die Cerebotani'schen. 3. Aufl. gr. 8. (18 S. m. Holzschn.) Berlin 882. (Springer.) n. — 80

Meßmer, J. J., im Strom der Zeit od. Kapital u. Arbeit. Bilder aus dem Arbeiterleben der Gegenwart. 8. (324 S.) Cincinnati 883. (Philadelphia, Schäfer & Koradi.) geb. n. 5. —

Messner, Fritz, wie schützt man sich vor Infectionskrankheiten? Mit besond. Berücksicht. v. Diphtherie — Flecktyphus — Scharlach — Lungenschwindsucht — Masern — Cholera — Wechselfieber — Blattern etc. gr. 8. (63 S.) Berlin 886. Steinitz. n. 1. 50

— die chronische Stuhlverstopfung [Hartleibigkeit] m. besond. Berücksicht. d. Hämorrhoidalleidens u. deren Heilung. Gemeinverständlich dargestellt. 2. Aufl. gr. 8. (37 S.) Berlin 886. Zimmer. n. 1. —

Meßner, Jos., Prachatitz. Ein Städtebild. Mit besond. Berücksicht. der noch erhaltenen Baudenkmäler. gr. 8. (VII, 143 S. m. Illustr.) Prachatitz 885. (Budweis, Hansen.) n. 2. —

Meßner, Max, Michael Servet. Historisches Drama in 5 Akten. gr. 8. (127 S.) Berlin 884. (Leipzig, Uhlig.) n. 2. —

Messwarb, Wilh., üb. Acetanhydroisodiamidotoluol [Aethenylisotoluylendiamin]. gr. 8. (31 S.) Göttingen 885. (Vandenhoeck & Ruprecht.) n. — 80

Mestorf, J., vorgeschichtliche Alterthümer aus Schleswig-Holstein. Zum Gedächtniss d. 50jähr. Bestehens d. Museums vaterländ. Alterthümer in Kiel hrsg. 765 Fig. auf 62 Taf. in Photolith. nach Handzeichngn. v. Walter Prell. Lex.-8. (35 S.) Hamburg 885. O. Meissner's Verl. geb. n. 10. —

Meta, Osc., der Steindrucker an der Schnellpresse, nebst e. Abhandlg. üb. die Farben in der Chromolithographie. 8. (IV, 59 S.) Wien 884. Heim. n. 2. —

Metallarbeiter, der. Hrsg.: Carl Pataky. 9—12. Jahrg. 1883—1886. à 52 Nrn. (à 1—1½ B. m. Holzschn.) Imp.-4. Berlin, Pataky. à Jahrg. n. 14. —

— ungarischer. Nebst Beiblatt: Centralblatt f. die deutsche Metall-Industrie. 2. Jahrg. 1883. 52 Nrn. (3 B.) Fol. Berlin, Gust. Hofmann. n. 8. —

Metall-Industrie-Kalender pro 1886. Hrsg. v. Carl Pataky etc. 7. Jahrg. Mit vielfach verm. Text. Reich illustrirt. gr. 16. (VIII, 112 u. 178 S.) Berlin, Pataky. geb. in Leinw. n. 2. —; in Ldr. n. 2. 50

Metamorphosen, die, d. Trigeminus. Comedia medicopractica in e. Paroxismus f. Aerzte, Apotheker u. Naturforscher beider Hemisphären v. Supinator Longus. 2. Aufl. 8. (64 S.) Berlin 883. T. C. F. Enslin. n. 1. —

Meter, e. halbes Hundert, „Maisses". [Jüdische Schwänke u. Anekdoten.] Verschliffen v. Abraham, Isak & Jakobsohn. 8. (39 S.) Wien 885. Neidl. n. — 40

Metger, C. H., die Statuten d. Verbandes der Flensburger Schmiedegesellen aus dem 15—17. Jahrh. gr. 4. (28 S.) Berlin 883. (Mayer & Müller.) n 1. —

Metger, Johs., die Schachschule. Leichtfasslicher Lehrgang zur raschen u. gründl. Erlerng. d. Schachspiels. 8. (VIII, 104 S. m. Diagrammen.) Leipzig 886. Veit & Co. n. 1. 20; geb. n. 1. 60

Methfessel, Ernst, Liedersammlung f. gemischten Chor. 1. Thl. 5. Aufl. gr. 8. (VIII, 274 S.) Schaffhausen 886. Stötzner. 1. 80

Metrik, Abf., Vorträge f. Künstler. 8. (36 S.) Wien 884. Meystrik. n. — 60

Metschnikoff, Ed., medusologische Mittheilungen. Mit 2 (chromolith.) Taf. gr. 8. (30 S.) Wien 886. Hölder. n. 4. 80

Metschnikoff, Elias, embryologische Studien an Medusen. Ein Beitrag zur Genealogie der Primitiv-Organe. Mit 9 Holzschn. u. e. Atlas, enth. 12 lith. Taf. (m. 12 Bl. Erklärgn., in Imp.-4.). gr. 8. (VI, 159 S.) Wien 886. Hölder. n. 20. —

— Untersuchungen üb. die intracellulare Verdauung bei wirbellosen Thieren. Mit 2 (lith.) Taf. gr. 8. (28 S.) Ebend. 883. n. 4. 80

Mettel, Ludw., biblische Geschichte f. die vereinigte protestantisch-evangelisch-christliche Kirche der Pfalz. 2 Hälften. Katechetisch bearb. gr. 8. Kaiserslautern 883. A. Gotthold's Verl. à n. 1. 50

1. Geschichten d. alten Testaments. (III, 117 S.)
2. Geschichten d. neuen Testaments. (S. 119—263.)

Metten, die, an den drei letzten Abenden der hl. Charwoche nach dem römischen Brevier lateinisch u. deutsch. 12. (164 S.) Rottenburg a/N. 883. Bader. geb. n. — 80

Mettenheimer, C., üb. die hygienische Bedeutung der Ostsee m. besond. Berücksicht. der Kinderheilstätten an den Seeküsten. Vortrag. 8. (64 S.) Schwerin 883. (Berlin, Hirschwald.) n. — 60

— das Seebad Groß-Müritz an der Ostsee u. das Friedrich-Franz-Hospiz [Kinderasyl] daselbst, f.: Annalen f. die medizinisch-hygienischen Interessen der Ostseebäder u. besonders der Kinderhospize an der Ostsee.

— Leben u. Wirken d. weil. Geh. Med.-Raths Dr. F. W. Beneke, Professors der Medicin in Marburg &c. Biographische Skizze. 8. (40 S.) Oldenburg 885. Schulze. n. — 60

— über Luft- u. Badecuren an unsern deutschen Seeküsten u. üb. die Versuche, dieselben unbemittelten kranken Kindern d. Binnenlandes zugänglich zu machen. Vortrag. gr. 8. (40 S.) Frankfurt a/M. 886. Jügel's Verl. n. 1. —

Mettenleiter, Bernh., die Behandlung der Orgel. 3. sehr verm. Aufl. 8. (168 S.) Regensburg 886. Pustet. geb. n. 1. 20

— das Harmonium-Spiel in stufenweiser, gründlicher Anordnung zum Selbstunterricht, verf. u. allen Freunden tiefernster Musik gewidmet. 1. Tl. Op. 30. 3. Aufl. gr. 8. (VIII, 136 S.) Kempten 885. Kösel. n. 3. —; geb. n. 3. 40

Mettenleiter, Bernh., deutsche Lieder f. Geist u. Herz. 1. u. 2: Hft. 8. Kempten 883. Kösel. n. 2. 10
  1. Dreistimmige Gesänge [Chor od. Soli] zu ausgewählten Dichtungen v. F. W. Weber u. F. A. Muth f. 2 Sopran-Stimmen u. 1 Alt-Stimme od. 2 Tenor-Stimmen u. 1 Baß-Stimme. Op. 35. (87 S.) n. — 65
  2. Vierstimmige Gesänge zu auserlesenen deutschen Dichtungen f. Männer-Stimmen in einfacher, praktisch eingerichteter Partitur-Ausg. Op. 37. (216 S.) n. 1. 45

— lithurgische Volksgesänge zum allgem. Gebrauch f. das kath. Volk, m. deutscher Uebersetzg. 3—6. Heft. 16. Ebend. à n. — 25
  3. 6. Aufl. [2. Ster.-Aufl.] (32 S.) 886.
  4. Gesänge f. die verschiedenen Festzeiten d. Kirchenjahres. (46 S.) 884.
  5. Der Ritus beim Begräbnisse Erwachsener. Die hl. Messe an den Hochfesten [nach dem Graduale romanum]. Parce Domine. (34 S.) 884.
  6. Gesänge zum Kompletorium. (31 S.) 884.

Mettenleiter, Dom., die sonntäglichen Episteln d. katholischen Kirchenjahres, durch Erzählgn. erläutert. 2. Aufl. Mit 1 Stahlst. 8. (XII, 260 S.) Regensburg 883. Verlags-Anstalt. 1. 50

— die sonntäglichen Evangelien d. katholischen Kirchenjahres, durch Erzählgn erläutert. 2. Aufl. Mit 1 Stahlst. 8. (416 S) Ebend 883. 2. 10

— Frühlingsblumen od. Unterhaltgn. üb. das menschl. Leben in seinen wichtigsten Verhältnissen. 2. Aufl. Mit 1 Stahlst. 8. (VIII, 256 S.) Ebend. 883. 1. 20

— die Zelle in der Welt. Ein Lehr- u. Gebetbuch f. kathol. Christen überhaupt u. f. die Mitglieder d. 3. Ordens insbesondere. Aus mehreren kirchlich approbirten Werken zusammengestellt. 8., sehr verm. u. verb. Aufl., m. der Verordng. Sr. Heil. d. Papstes Leo XIII. üb. die Regel d. weltl. 3. Ordens d. h. Franziskus. Mit 1 Titelkpfr. 8 (XV, 987 S.) Ebend. 883. 2. 50

Metter, H., Leitfaden zur Vorbereitung f. das Examen zum Subalternbeamten im Staatseisenbahndienst. Zum Selbstunterricht bearb. Nachtrag. 8. (15 S.) Stralsund 885. (Bremer.) n.n. — 25 (Hauptwerk m. Nachtrag: n.n. 2. 25)

— dasselbe. 3. verb. Aufl. 8. (V, 164 S.) Ebend. 886. n.n. 2. —

— die Stempelverpflichtung in der preußischen Staats-Eisenbahn-Verwaltung. Nach den neuesten Bestimmgn. in gedrängter Darstellg. bearb. 8. (16 S.) Ebend. 886. n.n. — 25

Metternich-Winneburg, R. Fürst, s.: Oesterreichs Theilnahme an den Befreiungskriegen.

Mettig, Const., zur Geschichte der Rigaschen Gewerbe im 13. u. 14. Jahrh. gr. 8. (VI, 101 S.) Riga 883. Kymmel. n. 3. —

Metz, Adf., üb. Wesen u. Wirkung der Tragödie. Eine Untersuchg. 8. (79 S.) Berlin 886. C. Duncker. n. 1. —

Metz, Alex. Edler v., Fecht-Buch f. die Prim-Auslage. Hrsg. im J. 1863: nach genauer Durchsicht neu aufgelegt im J. 1883. 8. (112 S. m. 2 Steintaf.) Wien 883. (Seidel & Sohn.) n. 3. 20

Metzel, J., weibliche Nadelarbeiten, s.: Krause, F. W. D., Methodik d. Unterrichtes in den Lehrgegenständen der Volksschule.

Metzger, Emil, officieller Bericht üb. den vulkanischen Ausbruch v. Krakatau am 26., 27. u. 28. Aug. 1883. Aus dem Holl. übers. gr. 8. (16 S.) Halle 884. Schmidt. n. — 60

Metzger, G. J., praktischer Lehrgang der Handelskorrespondenz in deutscher u. englischer Sprache. 2 Tle. gr. 8. (XV, 182 u. XV, 164 S.) Stuttgart 886. Maier. à n. 2. —; geb. à n. 2. 60

Metzger, Sigm., Pyridin, Chinolin u. deren Derivate. Gekrönte Preisschrift. gr. 8. (V, 91 S.) Braunschweig 885. Vieweg & Sohn. n. 4. —

Metzner, Alf., Handkatalog f. den österreichischen Volks- u. Bürgerschullehrer (f. 100 Schüler). 4. Aufl. 12. (148 S.) Wien 885. Pichler's Wwe. & Sohn. geb. n. 1. 60

Metzner, Jos., Dichter-Spenden, gesammelt. 8. (III, 160 S.) Bamberg 883. Züberlein. n. 1. 50

— Geschichte d. Ernestinums u. Ottonianums zu Bamberg. Als Fortsetzg. der Geschichte d. Ernestin. Klerikalseminars v. L. Schmitt bearb. gr. 8. (97 S.) Bamberg 885. (Schmidt.) n. 1. —

Metzner, Jos., Ernst v. Mengersdorf, Fürstbischof v. Bamberg. Die Weihbischöfe Jakob Feucht u. Johann Ertlin. Biographische Skizzen. gr. 8. (VIII, 71 S.) Bamberg 886. (Schmidt.) n. 1. —

— Friedrich Nausea aus Waischenfeld, Bischof v. Wien. gr. 8. (108 S.) Regensburg 884. Verlags-Anstalt. n. 1. 40

Meuli, Joh., die Veränderungen v. Puls u. Temperatur bei elevirten Gliedern. Mit 3 (lith.) Taf. gr. 8. (44 S.) Leipzig 882. (Chur, Hitz.) n. 1. 80

Meurer, Carl, üb. Krankheiten der Circulationsorgane bei Glaukom. gr. 8. (43 S.) Würzburg 884. (Wiesbaden, Bergmann.) n.n. 2. —

Meurer, Chrn., der Begriff u. Eigenthümer der heiligen Sachen, zugleich e. Revision der Lehre v. den jurist. Personen u. dem Eigenthümer d. Kirchenguts. 2 Bde. gr. 8. Düsseldorf 885. F. Bagel. n. 16. —
  1. Die Rechtsgebiets-, Begriffs- u. allgemeine Eigenthumslehre. (IX, 347 S.) n. 7. —
  2. Die specielle Eigenthumslehre. (VIII, 455 S.) n. 9. —

— das Verhältniss der Schiller'schen zur Kant'schen Ethik. 2. Ausg. gr. 8. (55 S.) Leipzig 886. Fock. n. 1. —

Meurer, H., griechisches Lesebuch m. Vokabular. 2. Tl.: Für Ober-Tertia. gr. 8. (III, 164 S.) Leipzig 883. Teubner. n. 1. 50 (1. u. 2.: n. 3. 10)

— lateinisches Lesebuch m. Vokabular. 1—3. Tl. gr. 8. Weimar 885. Böhlau. n. 3. 60
  1. Für Sexta. 4. Aufl. (IV, 128 S.) n. 1. —
  2. Für Quinta. 3. Aufl. (III, 215 S.) n. 1. 60
  3. Für Quarta. (III, 136 S.) n. 1. —

Meurer, Jul., Führer durch die Dolomiten. 4. Aufl. 8. (VII, 228 S m. 2 chromolith. Karten.) Augsburg 885. Amthor. geb. n. 4. —

— illustrirter Führer durch Ost-Tirol m. dem Pinzgau u. den Dolomiten. Mit 6 Lichtdr.-Bildern, 83 Holzschn.-Illustr., 8 Kärtchen, 1 Plan, 3 Panoramen u. 1 Distanzkarte. 8. (XX, 371 S.) Wien 886. Hartleben. geb. n. 5. 40

— illustrirter Führer durch West-Tirol u. Vorarlberg. Umfassend das österreich. Gebiet westl. v. der Linie: Scharnitz-Pass — Zirl — Innsbruck — Brenner-Pass — Bozen — Ala. Mit 6 Lichtdr.-Bildern, 56 Holzschn.-Illustr. u. 6 Karten. 8. (XVI, 288 S.) Ebend. 885. geb. n. 5. 40

— illustrirter Special-Führer durch die Ortler-Alpen. Mit 35 Illustr., 4 Lichtdr.-Bildern u. 3 Karten. 8. (XIV, 287 S.) Ebend. 884. geb. n. 5. 40

Meurer, Karl, französisches Lesebuch. 1. u. 2. Tl. gr. 8. Leipzig, Fues. cart. n. 3. 90
  1. Für Quarta u. Untertertia der Gymnasien, Progymnasien, Realgymnasien u. Realprogymnasien. Mit e. Wörterbuch. (X, 134 S.) 883. n. 1. 10
  2. Insbesondere f. Sekunda u. Prima der Gymnasien, Realgymnasien u. ähnl. Schulen. Mit biographisch-litteraturgeschichtl. Einleitgn. u. e. Anh.: Coup d'oeil sur la littérature française depuis le siècle de Louis XIV. (XVI, 384 S.) 884. n. 2. 80

— engl. Synonymik f. Schulen. Mit Beispielen, etymolog. Angaben u. Berücksicht. d. Französischen. Nebst e. engl., deutschen u. französ. Wortregister. 2. Aufl. gr. 8. (VIII, 136 S.) Köln 885. Roemke & Co. n. 1. 50

— französische Synonymik. Mit Beispielen, etymolog. Angaben u. zwei Wortregistern. Für die oberen Klassen höherer Schulen bearb. 3. Aufl. gr. 8. (VIII, 177 S.) Ebend. 885. n. 2. —

— englisches Vokabularium u. Einführung in die Konversation. Mit kurzen Aussprachebezeichngn., zahlreichen sachl., grammat. u. synonym. Anmerkgn. u. m. Berücksicht. d. Französischen. Ausg. A. Für die mittleren u. oberen Klassen höherer Lehranstalten u. f. den Selbstunterricht. gr. 8. (VIII, 160 S.) Köln 883. Warnitz & Co. n. 2. —

Meurer, Thdr., Brautkranz. 8. (VIII, 126 S.) Leipzig 884. Fues. n. 2. —; geb. n.n. 2. 75

Meusel, Ed., die Quellkraft der Rhodanate u. die Quellung als Ursache fermentartiger Reaktionen. gr. 8. (36 S.) Gera 883. Reisewitz. n. 1. 50

Meusel, H., lexicon Caesarianum. Fasc. I—VII. Lex.-8. (1344 Sp.) Berlin 884—86. W. Weber. à n. 2. 40

Meuß, Ed., Lebensbild d. evangelischen Pfarrhauses vornehmlich in Deutschland. Ein Beitrag zur Kulturgeschichte u. Pastoraltheologie. 2. Aufl. v. „Leben u. Frucht d. evangel. Pfarrhauses". gr. 8. (X, 431 S.) Bielefeld 884. Velhagen & Klasing. n. 4. —; geb. n. 5. —

Meuss, Heinr., de ἀπαγωγῆς actione apud Athenienses. gr. 8. (34 S.) Breslau 884. (Köhler.) n. 1. —

Meuterei, e. kleine, s.: Erzählungen aus Heimat u. Ferne.

Mevert, Ernst, e. Jahr zu Pferde. Reisen in Paraguay. 2. Aufl. gr. 8. (151 S.) Wandsbeck 883. Mencke & Co. n. 4. 50

— die letzten Merowinger. Sittenroman aus jüngster Vergangenheit. 3 Bde. 8. (239, 226 u. 215 S.) Ebend. 883. n. 12. —

— Reisebriefe aus Paraguay. [Aus: „Export".] gr. 8. (18 S.) Ebend. 883. n. — 75

Mewes, W., lateinisches Lesebuch,
— Übungsbuch zum Übersetzen aus dem Deutschen in das Lateinische, } s.: Geyer, P.

Mewis, A., Preis-Tabellen f. alle Getreide-Sorten von 1 Pfund bis 2000 Pfund. Ein Hülfsbuch f. Landwirthe u. Getreidehändler. 4. Aufl. 12. (III, 74 S.) Prenzlau 884. Vincent. n. 1. —

Mey, G., vollständige Katechesen f. die untere Klasse der katholischen Volksschule. Zugleich e. Beitrag zur Katechetik. 6. Aufl. gr. 8. (XLVIII, 407 S.) Freiburg i/Br. 886. Herder. n. 3. —

— libretto da messa per i devoti fanciulli. Tradotto dal tedesco dal Francesco Chiminello. Con vignette di Lodovico Glötzle. Ed. 2. 16. (111 S.) Ebend. 886. n. — 60; geb. in Halbleinw. n. — 80; in Leinw. n. 1. —

— Meß-Andacht f. fromme Kinder. Auszug aus dem „Meßbüchlein". Mit Bildern v. Ludwig Glötzle. 3. Aufl. 16. (42 S.) Ebend. 886. n. — 20; geb. n.n. — 25

— Meßbüchlein f. fromme Kinder. Mit Bildern v. Ludw. Glötzle. 10. Aufl. 16. (108 S.) Ebend. 885. n. — 40; geb. in Halbleinw. n.n. — 50; in Leinw. m. Goldschn. n.n. 1. 20

Mey, M. E., u. Rud. **Thum,** neue französische Grammatik f. den Kaufmann u. f. Gewerbtreibende. Zum Gebrauch in Handels- u. Gewerbschulen, sowie zum Selbstunterricht. Alle Beispiele u. Uebungssätze sind der Geschäftssprache entnommen, so dass die Grammatik zugleich in die Handelskorrespondenz einführt. 5. Aufl. gr. 8. (VIII, 261 S.) Leipzig 886. Gloeckner. n. 2. 25; geb. n. 2. 75

Meybrinck, E., die Auffassung der Antike bei Jaques Milet, Guido de Columna u. Benoit de Ste-More, s.: Ausgaben u. Abhandlungen aus dem Gebiete der romanischen Philologie.

Meye, Heinr., die Steinbildwerke v. Copán u. Quiriguá. Aufgenommen v. H. M., historisch erläutert u. beschrieben v. Jul. Schmidt. gr. Fol. (20 Lichtdr.-Taf. m. 26 Bl. Text u. 1 lith. Plan.) Berlin 883. Asher & Co. In Mappe. n.n. 50. —

Meyer's Hand-Lexikon d. allgemeinen Wissens, m. technolog. u. wissenschaftl. Abbildgn. (Holzschntaf.) u. vielen (lith. u. chromolith.) Karten der Astronomie, Geographie, Geognosie, Statistik u. Geschichte. 3. Aufl. 16—40. [Schluss-]Lfg. 8. (S. 801—2128.) Leipzig 883. Bibliograph. Institut. à — 30 (cpl.: 12. —; geb. 15. —)

— dasselbe. 3. Aufl. Rev. Neudr. 2 Hälften. 8. (VI, 2125 S. m. Tab.) Ebend. 885. geb. in Halbfrz. n. 15. —

— Konversations-Lexikon. 4. Jahres-Suppl. 1882—1883. 16 Hfte. Lex.-8. (XII, 1040 S. m. Holzschn. u. chromolith. Karten.) Ebend. 883. à — 50

— dasselbe. 5. Jahres-Suppl. 1883—1884. [Mit Generalregister.] 16 Hfte. Lex.-8. (XII, 1042 S. m. Holzschn. u. 8 chromolith. Karten.) Ebend. 884. à n. — 50

— dasselbe. 4., gänzlich umgearb. Aufl. Mit 3000 Abbildgn. im Texte, 550 Illustr.-Taf., Karten u. Plänen, davon 80 Aquarelldrucke. (In 256 Lfgn.) 1—88. Lfg. gr. 8. (1. Bd. 1024, 2. Bd. 1020, 3. Bd. 1028, 4. Bd. 1024, 5. Bd. 1024 S. u. 6. Bd. S. 1—512.) Ebend. 885. 86. à — 50

Meyer's Reisebücher. Deutsche Alpen. 2 Tle. 2. Aufl. 12. Leipzig 886. Bibliograph. Institut. geb. à n. 3. 50

1. Bayerisches Hochland, Algäu, Vorarlberg, Nordtirol, Brennerbahn, Ötzthaler-, Stubaier- u. Ortlergruppe, Bozen, Meran, Vintschgau, Südtirol: Brenta-, Presanella- u. Adamellogruppe, Gardasee. Mit 17 Karten, 3 Plänen u. 12 Panoramen. (XII, 312 S.)
2. Salzburg-Berchtesgaden, Salzkammergut, Giselabahn, Hohe Tauern, Unterinnthal, Zillerthal, Brennerbahn, Pusterthal u. Dolomite, Bozen. Mit 16 Karten, 3 Plänen u. 7 Panoramen. (XII, 319 S.)

— dasselbe. Der Harz. 8. Aufl. Mit 6 Karten, 10 Reiseplänchen u. e. grossen Spezialkarte vom Harz. 12. (X, 216 S.) Ebend. 884. cart. n. 2. —

— dasselbe. Italien in 60 Tagen v. Th. Gsell-Fels. 2. Aufl. Mit Nachträgen bis 1883. Mit 6 Karten, 18 Plänen u. Grundrissen. 12. (XIV, 346 S.) Ebend. 883. geb. n. 9. —

— dasselbe. 3. Aufl. 2 Bde. 12. (XII, 459 u. VI, 465 S. m. 14 Karten, 25 Plänen u. Grundrissen. Ebend. 885. geb. n. 10. —

— dasselbe. Mittel-Italien v. Th. Gsell-Fels. 4. Aufl. Mit 6 Karten, 21 Plänen u. Grundrissen, 4 Ansichten in Stahlst. u. 30 Ansichten in Holzschn. 8. (X, 1122 Sp. u. S.) Ebend. 886. geb. n. 10. —

— dasselbe. Ober-Italien v. Th. Gsell-Fels. 4. Aufl. Mit 6 Karten, 29 Plänen u. Grundrissen, 15 Ansichten in Stahlst., 1 Panorama u. 45 Ansichten in Holzschn. 8. (XII, 1140 Sp. u. S.) Ebend. 884. geb. n. 10. —

— dasselbe. Rheinlande v. Ferd. Hey'l. 5. Aufl. Mit 16 Karten, 12 Plänen, dem Panorama vom Niederwald u. dem Rheinpanorama v. Mainz bis Koblenz. 12. (XII, 332 S.) Ebend. 884. geb. n. 3. 50

— dasselbe. Rom u. die Campagna v. Th. Gsell-Fels. 3. Aufl. Mit 4 Karten, 49 Plänen u. Grundrissen, 18 Ansichten u. 1 Panorama in Stahlst. u. 47 Ansichten in Holzschn. 8. (XII, 1255 Sp.) Ebend. 883. geb. n. 14. —

— dasselbe. Schwarzwald, Odenwald, Bergstrasse, Heidelberg u. Strassburg. 3. Aufl. Bericht. Abdr. Mit 10 Karten, 5 Plänen u. 1 Routennetz. 12. (VIII, 202 S.) Ebend. 886. cart. n. 2. —

— dasselbe. Schweiz. 11. Aufl. Mit 21 Karten, 8 Plänen u. 26 Panoramen. 12. (XII, 364 S.) Ebend. 886. geb. n. 5. —

— dasselbe. Süd-Deutschland, Nordtirol, Arlbergbahn, Giselabahn, Salzburg-Berchtesgaden, Salzkammergut, Wien, Prag u. die böhm. Bäder. 4. Aufl. Mit 21 Karten, 24 Plänen u. Grundrissen u. 8 Panoramen. 12. (XII, 372 S.) Ebend. 886. geb. n. 5. —

— dasselbe. Süd-Frankreich nebst den Kurorten der Riviera di Ponente, Corsica u. Algier v. Th. Gsell-Fels. 2. Aufl. Neu durchgesehen bis 1883. Mit 21 Karten, 24 Stadtplänen, 17 Ansichten u. 5 Panoramen. 8. (XIV, 841 Sp.) Ebend. 883. geb. n. 10. —

— dasselbe. Thüringen v. Anding u. Radefeld. 8. Aufl. Bearb. unter Mitwirkg. d. Thüringerwald-Vereins. Mit 12 Karten. 12. (X, 242 S.) Ebend. 885. cart. n. 2. —

— Volksbücher. Nr. 1—142. 16. Ebend. 886. à n. — 10

1. Minna v. Barnhelm od. das Soldatenglück. Ein Lustspiel in 5 Aufzügen v. G. E. Lessing. (89 S.)
2. 3. Faust. Eine Tragödie v. Goethe. 1. Tl. (130 S.)
4. 5. Wilhelm Tell. Schauspiel in 5 Aufzügen v. Schiller. (103 S.)
6. 7. Das Käthchen v. Heilbronn od. die Feuerprobe. Ein großes histor. Ritterschauspiel von H. v. Kleist. (91 S.)
8. Der Tartüff od. der Betrüger. Character-Komödie in 5 Aufzügen v. Molière. Übers. v. Adf. Laun. (65 S.)
9. 10. Hamlet. Ein Trauerspiel in 5 Akten v. Shakespeare. (124 S.)
11. Antigone. Eine Tragödie v. Sophokles. Übers. v. H. Viehoff. (41 S.)
12—14. Ausgewählte Gedichte v. N. Lenau. (164 S.)

15. Das Fräulein v. Scuderi. Erzählung aus dem Zeitalter Ludwig XIV. v. E. T. H. Hoffmann. (65 S.)
16. Hermann u. Dorothea v. Goethe. (58 S.)
17. 18. Die Räuber. Ein Schauspiel in 5 Akten v. Schiller. (122 S.)
19. 20. Michael Kohlhaas. Eine Erzählung von Heinr. v. Kleist. Hrsg. v. H. Kurz. (93 S.)
21. 22. Der Geisterseher. Aus den Papieren d. Grafen v. O**. Von Schiller. (110 S.)
23. 24. Die Leiden d. jungen Werther v. Goethe. (109 S.)
25—27. Laokoon od. üb. die Grenzen der Malerei u. Poesie. Von G. E. Lessing. Hrsg. v. Frz. Bornmüller. (188 S.)
28—33. Flegeljahre. Eine Biographie v. Jean Paul. (447 S.)
34—38. Lichtenstein. Eine romant. Sage v. Wilh. Hauff. (339 S.)
39. Emilia Galotti. Ein Trauerspiel in 5 Aufzügen v. G. E. Lessing. Hrsg. v. Frz. Bornmüller. (72 S.)
40. 41. Romeo u. Julie. Ein Trauerspiel in 5 Aufzügen v. Shakespeare. Übers. v. W. Jordan. (88 S.)
42. 43. Zriny. Ein Trauerspiel in 5 Aufzügen v. Th. Körner. (84 S.)
44. 45. Don Karlos, Infant v. Spanien. Ein dramat. Gedicht in 5 Akten v. Schiller. Hrsg. v. H. Kurz. (191 S.)
46. Meister Martin d. Küfner u. seine Gesellen. Eine Erzählg. v. E. T. A. Hoffmann. Hrsg. v. H. Kurz. (59 S.)
47. Der Teufelssumpf. Eine Erzählg. v. George Sand. Übers. v. A. Cornelius. (72 S.)
48. 49. Götz v. Berlichingen m. der eisernen Hand. Ein Schauspiel in 5 Akten v. Goethe. Hrsg. v. Heinr. Kurz. (99 S.)
50. Der Kaufmann v. Venedig. Ein Schauspiel in 5 Aufzügen v. Shakespeare. Übers. v. Karl Simrock. (76 S.)
51. 52. Paul u. Virginie. Eine Erzählg. v. Bernardin de Saint-Pierre. Übers. v. Karl Eitner. (104 S.)
53. 54. Arne. Eine Novelle v. Björnson. Übers. v. Edm. Lobedanz. (98 S.)
55. 56. Die Verschwörung d. Fiesko zu Genua. Ein republikan. Trauerspiel in 5 Aufzügen v. Schiller. Hrsg. v. Heinr. Kurz. (107 S.)
57. Egmont. Ein Trauerspiel in 5 Aufzügen v. Goethe. Hrsg. v. Heinr. Kurz. (80 S.)
58. 59. Othello, der Mohr v. Venedig. Ein Trauerspiel in 5 Aufzügen v. Shakespeare. Übers. v. Wilh. Jordan. (100 S.)
60. 61. Die Bettlerin vom Pont des Arts. Eine Erzählg. v. Wilh. Hauff. (100 S.)
62. 63. Nathan der Weise. Ein dramat. Gedicht in 5 Aufzügen v. G. E. Lessing. Hrsg. v. Frz. Bornmüller. (135 S.)
64. 65. Kabale u. Liebe. Ein bürgerl. Trauerspiel in 5 Akten v. Schiller. Hrsg. v. Heinr. Kurz. (99 S.)
66—68. Oberon. Ein Gedicht in 12 Gesängen v. Wieland. Hrsg. v. H. Kurz. (196 S.)
69—71. Der hinkende Teufel. Von Lesage. Übers. v. Levin Schücking. (240 S.)
72. Legenden v. Rübezahl. Von Joh. K. A. Musäus. (76 S.)
73. 74. Erzählung von Heinr. v. Kleist. Hrsg. v. Heinr. Kurz. (152 S.)
75. 76. Wallenstein. Ein dramat. Gedicht v. Schiller. 1. Tl.: Wallensteins Lager. Die Piccolomini. Hrsg. v. Heinr. Kurz. (124.)
77. 78. Dasselbe. 2. Tl.: Wallensteins Tod. Hrsg. v. Heinr. Kurz. (127 S.)
79. Julius Cäsar. Ein Trauerspiel in 5 Aufzügen v. Shakespeare. Übers. v. Heinr. Viehoff. (79 S.)
80. Iphigenie auf Tauris. Ein Schauspiel in 5 Aufzügen v. Goethe. Hrsg. v. Heinr Kurz. (63 S.)
81—84. Der Oberhoff. Aus „Münchhausen". Von Karl Immermann. (296 S.)
85. Der neue Pygmalion. Eine Erzählg. v. Karl Immermann. (47 S.)
86. Der zerbrochene Krug. Ein Lustspiel von Heinr. v. Kleist. Hrsg. v. Heinr. Kurz. (67 S.)
87. 88. Dichtungen v. G. G. Byron. Der Korsar. — Lara. Übers. v. W. Schäffer u. A. Strodtmann. (91 S.)
89. 90. Torquato Tasso. Ein Schauspiel in 5 Aufzügen v. Goethe. Hrsg. v. Heinr. Kurz. (95 S.)
91. Erzählungen v. Schiller. Der Verbrecher aus verlorener Ehre. Eine großmüt. Handlg. aus der neuesten Geschichte. Merkwürdiges Beispiel e. weibl. Rache. Spiel d. Schicksals. Hrsg. v. Heinr. Kurz. (72 S.)
92. Peter Schlemihls wundersame Geschichte von Adb. v. Chamisso. Hrsg. v. Heinr. Kurz. (60 S.)
93. 94. Colomba. Eine Novelle v. Prosper Mérimée. Uebers. v. Ad. Laun. (131 S.)
95. 96. Novellen v. Wilh. Hauff. Jud Süß. — Othello. (111 S.)
97. 98. Franz der Champi. Eine Erzählg. v. George Sand. Übers. v. Aug. Cornelius. (135 S.)
99. Über Anmut u. Würde. Eine Abhandlg. v. Schiller. Hrsg. v. Heinr. Kurz. (56 S.)
100. 101. Der Cid. Nach span. Romanzen v. Herder. Hrsg. v. Heinr. Kurz. (131 S)
102. Medea. Ein Drama in 5 Akten v. Euripides. Übers. v. Jak. Mähly. (43 S.)
103—105. Die Wahlverwandtschaften. Ein Roman v. Goethe. Hrsg. v. Heinr. Kurz. (228 S.)
106—108. Faust. Eine Tragödie in 5 Akten v. Goethe. 2. Tl. Hrsg. v. Heinr. Kurz. (207 S.)
109. Die gelehrten Frauen. Ein Lustspiel in 5 Akten v. Molière. Übers. v. Adf. Laun. (60 S.)
110—113. Robinson Crusoe. Eine Erzählg. v. Defoe. Übers. v. Karl Altmüller. (283 S.)
114. König Ödipus. Eine Tragödie v. Sophokles. Übers. v. Heinr. Viehoff. (48 S.)
115—120. Siebenkäs. Ein Roman v. Jean Paul. (455 S.)
121—124. Das verlorene Paradies. Ein Gedicht in 12 Gesängen v. Milton. Übers. v. K. Eitner. (286 S.)
125. 126. König Richard III. Ein Trauerspiel in 5 Aufzügen v. Shakespeare. Übers. v. Wilh. Jordan. (111 S.)
127. 128. Maria Stuart. Ein Trauerspiel in 5 Aufzügen v. Schiller. Hrsg. v. Heinr. Kurz. (127 S.)
129. Erzählungen v. E. T. A. Hoffmann. Der unheimliche Gast. — Don Juan. Hrsg. v. Heinr. Kurz. (155 S.)
130. 131. Erzählungen v. Wilh. Hauff. Die Sängerin. — Die letzten Ritter v. Marienburg. (106 S.)
132. 133. Dramen v. G. G. Byron. Manfred. — Kain. Übers. v. W. Grüzmacher. (103 S.)
134. 135. Bauern-Novellen v. Björnson. Thrond. Eine gefährl. Freierei. Der Vater. Aus dem Stifte Bergen. Ein fröhl. Bursch. Übers. v. Edm. Lobedanz. (107 S.)
136. Ausgewählte Novellen v. Prosper Mérimée. Die etrur. Vase. Der Abbé Aubain. Mateo Falcone. Eine Vision Karl XI. Die Erstürmg. der Reboute. Übers. v. Ad. Laun. (63 S.)
137. 138. Die Karawane. Von Wilh. Hauff. (93 S.)
139. 140. Der Scheik von Alessandria u. seine Sklaven. Märchen v. Wilh. Hauff. (87 S.)
141. 142. Das Wirtshaus im Spessart. Märchen v. Wilh. Hauff. (144 S.)

Meyer & Bilitz, Welt-Adressbuch der Industriellen, Kaufleute, Gewerbetreibenden, Advocaten, Notare, Grundbesitzer, Banken u. Credit-Institute, Versicherungs-Gesellschaften, Verkehrs-Anstalten, Behörden, öffentl. Institute u. Gebäude, Privat-Anstalten,

Lehr-Anstalten u. Vereine der grösseren Städte, Handels-Geographie, statist. Daten üb. Einwohnerzahl, Industrie, Producten- u. Waaren-Ex- u. Import etc., der Post-, Eisenbahn-, Dampfschiff- u. Telegraphen-Stationen, sammt vollständ. Orts- u. Waaren-Register. 1., 12—15., 20—30. Bd. Neubearb. m. Suppl. 1885—1889. Lex.-8. Wien 884—86. Meyer & Bilitz. cart. n. 246. —

1. Wien u. Umgebung. (884 S.) n. 12. —
12. Königr. Sachsen u. sächsische Fürstenthümer. (755 S.) n. 16. —
13. Hamburg, Bremen, Lübeck, Schleswig-Holstein, Hannover, Oldenburg, Braunschweig etc. (1108 S.) n. 18. —
14. Rheinpreussen, Westphalen, Birkenfeld, Detmold, Luxemburg. (849 S.) n. 18. —
15. Berlin u. Brandenburg. (1082 S.) n. 12. —
20. Schweiz. (49 S.) n. 10. —
21. Frankreich. (76 S.) n. 20. —
22. Belgien (51 S.) n. 10. —
23. Niederlande [Holland]. (46 S.) n. 10. —
24. Grossbritannien u. Irland. (122 S.) n. 20. —
25. Dänemark, Schweden u. Norwegen. (50 S.) n. 10. —
26. Italien, Spanien u. Portugal. (50 S.) n. 10. —
27. Russland. (V, 794 S.) n. 30. —
28. Türkei, Griechenland, Serbien, Rumänien u. Bulgarien. (60 S.) n. 20. —
29. Amerika. (141 S.) n. 20. —
30. Asien, Afrika u. Australien. (42 S.) n. 10. —

Meyer, Musterblätter f. das militairische Zeichnen v. Terrain u. Situationen auf Plänen, Meßtischaufnahmen u. bei Anfertigung v. Croquis. [Mit Erläuterg. üb. Farbengebrauch, Terraindarstellungsarten, Truppeneinzeichng. ꝛc.] In Berücksicht. der „Musterblätter f. die topograph. Arbeiten der preuß. Landesaufnahme 1876" [sowie der Nachträge] zusammengestellt. 6. Aufl. qu. 4. (10 S. m. 5 Steintaf.) Neisse 883. Graveur's Verl. n. 1. 25

Meyer, A., s.: Beiträge, kritische, zur herrschenden Wirthschaftspolitik.

Meyer, A., Lehrbuch der deutschen Stenographie nach dem System v. F. X. Gabelsberger. Für Schulen u. zum Selbstunterricht. 3. Aufl. gr. 8. (VIII, 83 S.) Leipzig 884. Klinkhardt. n. 1. 50

Meyer, A., Hausandachtsbuch f. die lutherischen Gemeinden Mecklenburgs. Tägliche Abendandachten, nach der Ordng. d. Kirchenjahres. gr. 8. (V, 666 S.) Stavenhagen 886. (Beholtz.) geb. n. 2. 25

Meyer, A. B, Abbildungen v. Vogel-Skeletten, hrsg. m. Unterstützg. der Generaldirection der königl. Sammlgn. f. Kunst u Wissenschaft in Dresden. 4—11. Lfg. gr. 4. (S. 25—564 m. 80 Lichtdr.-Taf.) Dresden 883—86. (Berlin, Friedländer & Sohn.) Subscr.-Pr. à n.n. 15. —; Einzelpr à n.n. 20. —

— Album v. Philippinen-Typen. Ca. 250 Abbildgn. auf 32 Taf. in Lichtdr. gr. 4. (10 S.) Dresden 885. W. Hoffmann. In Mappe. n.n. 50. —

— das Gräberfeld v. Hallstatt. Anlässlich e. Besuches daselbst. Mit 3 Lichtdr.-Taf. gr. 4. (17 S.) Ebend. 885. n. 4. —

— Gurina im Obergailthal [Kärnten]. Ergebnisse der im Auftrage der Anthropolog. Gesellschaft zu Wien im J. 1884 vorgenommenen Ausgrabgn. Eine Vorstudie zu weiterer Localforschg. Mit 14 Taf. in Lichtdr. Imp.-4. (VIII, 104 S.) Ebend 885. 20. —

— die Nephritfrage kein ethnologisches Problem. Vortrag. gr. 8. (24 S.) Berlin 883. Friedländer & Sohn n — 60

— über die Namen Papúa, Dajak u. Alfuren. Lex.-8. (18 S.) Wien 882. (Gerold's Sohn.) n. — 40

— Publicationen d. königl. ethnographischen Museums zu Dresden. Hrsg. m. Unterstützg. der Generaldirection der königl. Sammlgn. f. Kunst- u. Wissenschaft zu Dresden. II—V. Fol. Leipzig, Naumann & Schroeder? In Mappe. n. 180. — (I—V.: n. 200. —)

II. Jadeit- u. Nephrit-Objecte. A. Amerika u. Europa. Mit 2 Taf. in Lichtdr., darunter 1 color. (36 S.) 883. n. 30 —
III. Dasselbe. B. Asien, Oceanien u. Afrika. Mit 5 Taf. in Lichtdr. (S. 37—69.) 883. n. 30. —
IV. Alterthümer aus dem ostindischen Archipel u. angrenzenden Gebieten, unter besond Berücksicht. derjenigen aus der hinduischen Zeit. Mit 19 Taf. Lichtdr., darunter 4 in Chromolichtdr. u. 1 Karte. (24 S) 884. n. 90. —
V. Seltene Waffen aus Afrika, Asien u. Amerika. Hrsg. v. A. B. Meyer u. M. Uhle. Mit 10 Taf. Lichtdr. (6 S.) 885. n. 30. —

Meyer, A. F., deutsches Elementarbuch. Methodisch geordnete Uebungssätze, Regeln u. Uebungsaufgaben f. den deutschen Sprachunterricht in der 1. Klasse der Vorschulen höherer Lehranstalten [Septima]. Bearb. unter Zugrundelegg. der neuen Bestimmgn. üb. die deutsche Rechtschreibg. gr. 8. (V, 49 S.) Trier 883. Lintz. cart. n. — 70

— deutsches Schulliederbuch, s.: Märtens, W.

Meyer, Adph., Paul Henckel, Gedenkblatt f. seine Freunde. gr. 8. (4 S.) Wien 875. (Berlin, Mittler & Sohn.) n. 1. —

— die Münzen der Stadt Dortmund. Mit 7 (lith.) Taf. gr. 8. (122 S.) Wien 884. (Berlin, Stargardt.) n.n. 9. —

— die Münzen u. Medaillen der Herren Rantzau. Mit 2 Taf. u. 2 Holzschn. Nebst Nachtrag: Die Medaillen der Familie Rantzau. Mit 1 Taf. [Aus: „Numismat. Ztschr."] gr. 8. (22 u. 8 S.) Wien 882 u. 885. Berlin, Mittler & Sohn. n. 4. —

— die Münzen der Freiherren Schutzbar, genannt Milchling [Burgmilchling]. 2 Hfte. nebst Nachtrag: Münzgeschichtliches zu den Burgmilchling'schen Ausprägungen v. C. F. Gebert. [Aus „Numismat. Ztschr."] gr. 8. (8, 7 u. Nachtr. 6 S. m. 7 Abbildgn.) Ebend. 882 u. 84. n. 3. —

— Prägungen Brandenburg-Preussens, betr. dessen afrikanische Besitzungen u. Aussenhandel 1681—1810. Mit 8 photo-lith. Taf. gr. 8. (27 S.) Ebend. 885. n. 3. 50

— Albrecht v. Wallenstein [Waldstein], Herzog v. Friedland, u. seine Münzen. Hierzu 7 (Lichtdr.-)Taf. gr. 8. (108 S) Ebend. 886. n. 9. —

Meyer, Alex., Reichsgesetz, betr. die Kommanditgesellschaften auf Aktien u. die Aktiengesellschaften. Vom 18. Juli 1884. Textausg. m. Einleit., Anmerkgn. u. Sachregister. 2. Aufl. 16. (IV, 116 S.) Berlin 884. Vahlen. cart. n. 1. 20

Meyer, Arth., das Chlorophyllkorn in chemischer, morphologischer u. biologischer Beziehung. Ein Beitrag zur Kenntniss d. Chlorophyllkornes der Angiospermen u. seiner Metamorphosen. Mit 3 Taf. in Farbendr. gr. 4. (VII, 91 S.) Leipzig 883. Felix. n. 9. —

— Handbuch der qualitativen chemischen Analyse anorganischer u. organischer Substanzen, nebst Anleitg. zur volumetr. Analyse. Mit Holzschn. gr. 8. (IV, 208 S. m. 3 Tab.) Berlin 884. Gaertner. n. 4. 20; geb. n. 5. —

Meyer, Auguste, Dichten u. Denken. Gedichte. 8. (VI, 143 S.) Stuttgart 886. Deutsche Verlags-Anstalt. n. 3. —; geb. m. Goldschn. n. 4. 50

Meyer, B., biographische Notizen, s.: Deutschlands Kunstschätze.

Meyer-Kraus, B., Wappenbuch der Stadt Basel. gr. 4. (78 Chromolith. m. 4 Bl. Text.) Basel 883. Detloff. geb. m. Goldschn. n. 80. —

Meyer, Bernh., Friedensklänge vom Teutoburger Walde. Ein Wort zur Versöhng. v. Religion u. Wissenschaft u. e. Werk zur Herbeiführg. religiöser Eintracht d. deutschen Volkes. 8. (253 S.) Detmold 884. Meyer. n. 3. 60; geb. n. 4. —

Meyer, Bertha, von der Wiege bis zur Schule an der Hand Friedrich Fröbel's. 3. Aufl. 8. (XVI, 416 S.) Berlin 884. Staude. n. 4. —; geb n. 5. —

Meyer, Bruno, Glasphotogramme f den kunstwissenschaftlichen Unterricht, im Projectionsapparat zu gebrauchen. 1. Verzeichniss [Nr. 1—4000]. Mit e. Einleitg. u. e. reich illustr. Abhandlg. üb. „Projectionskunst". gr. 4. (XXXII, 128 Sp.) Karlsruhe 883. Selbstverlag. n n. 2. —; Schreibpap. n.n. 3. —; Büttenpap. n.n. 5. —

Meyer, Bruno, Führer durch die Literatur der Gesundheitspflege f. Freunde e. naturgemäßen Lebensweise in Verbindg. m. solchen hrsg. 2., verm. Aufl. 16. (72 S.) Rudolstadt 884. Hartung & Sohn. n. — 25

Meyer, C., Lehrbuch der Geometrie f. Gymnasien u. andere Lehranstalten. Hrsg. v. H. C. E. Martus. 1. Tl. Planimetrie. 14. Aufl. gr. 8. (VIII, 188 S.) Leipzig 885. C. A. Koch. n. 1. 80

Meyer, C. F., Stettin zur Schwedenzeit. Stadt, Festg. u. Umgegend am Ende d. 17. Jahrh. m. besond. Berücksicht. der Belagerg. v. 1677. Mit 1 Karte u. 2 Plänen. gr. 8. (III, 128 S.) Stettin 886. (Saunier.) n.n. 2. —

Meyer, Carl, der Aberglaube d. Mittelalters u. der nächstfolgenden Jahrhunderte. gr. 8. (VIII, 382 S.) Basel 884. Schneider. n. 6. 40

— der Parzival Wolframs v. Eschenbach, s.: Vorträge, öffentliche, geh. in der Schweiz.

Meyer, Chrn., Friedrich der Große u. der Netzedistrikt. gr. 8. (101 S.) Posen 883. (Breslau, Koebner.) n. 1. 50

Meyer, Conr. Ferd., Thomas à Becket the Saint. A novel. Translated from the german by M. v. Wendheim. 8. (243 S.) Leipzig 885. Haessel. n. 3. —; geb. n. 4. —

— Engelberg. Eine Dichtg. 2. Aufl. 8. (112 S.) Ebend. 886. n. 2. —; geb. n. 3. —

— Gedichte. 2. Aufl. Mit dem (Lichtdr.-)Bildniß d. Dichters. 8. (XI, 351 S.) Ebend. 883. n. 3. —; geb. n. 4. —

— der Heilige. Novelle. 6. Aufl. 8. (235 S.) Ebend. 886. n. 3. —; geb. n. 4. —

— die Hochzeit d. Mönchs. Novelle. 3. Aufl. 8. (165 S.) Ebend. 886. n. 2. —; geb. n. 3. —

— Huttens letzte Tage. Eine Dichtg. 5. Aufl. 8. (VIII, 170 S.) Ebend. 884. n. 3. —; geb n. 4. —

— Jürg Jenatsch. Eine Bündnergeschichte. 9. Aufl. 8. (352 S.) Ebend. 886. n. 3. —; geb. n. 4. —

— das Leiden e. Knaben. Novelle. 2. Aufl. 8. (99 S.) Ebend. 883. n. 2. —; geb. n. 3. —

— Novellen. 1. u. 2. Bd. 8. (354 u. 404 S.) Ebend. 885. à n. 4. —; geb. à n. 5. —

— die Richterin. Novelle. 8. (136 S.) Ebend. 885. n. 2. —; geb. n. 3. —

Meyer, E., Amoretten u. Figuren. Motive f Decorations-, Porzellan- u. Leder-Maler, Zeichner, Lithographen, Elfenbeinschnitzer, Bildhauer u. Modelleure. 28 (lith.) Taf. 2. Aufl. 7 Lfgn. Fol. (à 4 Taf.) Berlin 885. Claesen & Co. à n. 4. — (cplt. in Mappe: n. 30. —)

Meyer-Nägeli, E., u. A. **Schellenberg,** die Einführung neuer u. Verbesserung bestehender Industrien in der Schweiz. Die Kammgarnweberei. Zwei gekrönte Preisschriften, hrsg. auf Veranlassg. d. Centralcomités der schweizer. Landesausstellg. in Zürich 1883. gr. 8. (28 S.) Frauenfeld 884. Huber. n. 1. —

Meyer, Ed., Handbuch der Augenheilkunde. 4. vom Verf. verm. u. verb. Aufl. Mit 244 Holzschn. gr. 8. (XVIII, 602 S.) Berlin 886. H. Peters. n. 10. —

Meyer, Ed., Abriß der Geschichte d. Altertums, s.: Assmann, W.

— Geschichte d. alten Aegyptens, s.: Geschichte, allgemeine, in Einzeldarstellungen.

— Geschichte des Alterthums. 1. Bd. Geschichte d. Orients bis zur Begründg. des Perserreichs. gr. 8 (XIX, 647 S.) Stuttgart 884. Cotta. n. 12. —

Meyer, Elard Hugo, indogermanische Mythen. I. Gandharven-Kentauren. gr. 8. (II, 243 S.) Berlin 883. Dümmler's Verl n. 5. —

Meyer-Detmold, Ernst, Bernhard II. Edelherr zur Lippe. Festgedicht in 6 Gesängen u 6 leb. Bildern. 8. (34 S.) Detmold 884. Hinrichs. n. 1. —

Meyer, F., die Rheinsagen, s.: Wallner, E., deutsche Festspiel-Halle.

Meyer v. Waldeck, F., Rußland, s.: Wissen, das, der Gegenwart.

Meyer, F. H., aus der Havanna. Erfahrungen u. Ansichten üb. die Fabrikation der ächten Cigarren. Nebst Mittheilgn. üb. Tabacksbau u. Tabackshandel, sowie nützl. Winken f. Fabrikanten zur Erzielg e. vorzügl. u. den Havanna-Cigarren gleichkomm. Fabrikats. 5. Aufl. 8. (IV, 53 S.) Norden 884. Fischer Nachf. n. 1. —

Meyer, Ferd., Handbuch f. Postmarkensammler. 2—5. Nachtrag. gr. 8. Nürnberg, Zechmeyer. n.n. 8. 45 (Hauptwerk u. 1—4. Nachtr.: n.n. 14. 95)

2. (15 Bl.) 882. n.n. 1. 50
3. Rev. v. P. Kloss. (VIII, 53 Bl.) 883. n.n. 1. 75
4. Zusammengestellt v. P. Kloss. (97 Bl.) 884. n.n. 2. 50
5. Zusammengestellt v. P. Kloss. (99 Bl.) 886. n.n. 2. 70

Meyer, Ferd., das Berliner Schuhmachergewerk. Denkschrift zum 600jähr. Jubiläum desselben am 2. Juni 1884. gr. 8. (III, 151 S.) Berlin 884. F Luckhardt. n. 4. —

Meyer, Fl., französische Fibel f. deutsche Schulen. gr. 8. (IV, 76 S.) Köln 885. Du Mont-Schauberg. n. — 60

Meyer, Fr., die Gebühren-Ordnung f. Rechtsanwälte vom 7. Juli 1879. Erläutert. 2. Aufl. gr. 8. (XI, 166 S.) Berlin 884. C. Heymann's Verl. n. 4. —

— u. C. Finkelnburg, das Gesetz betr. den Verkehr m. Nahrungsmitteln, Genußmitteln u Gebrauchsgegenständen vom 14. Mai 1879, sowie die auf Grund desselben erlassenen Verordnungen. Mit Erläutergn. hrsg. 2. Aufl. 8. (VI, 227 S.) Berlin 885. Springer. cart. n. 4. —

Meyer, Fr., neues Complimentirbuch. 34. Aufl. 8. (VIII, 128 S.) Quedlinburg 884. Ernst. 1. 25

Meyer, Fr., der sichere Schnellrechner. Übersichtliche Tabellen f. den Ein- u. Verkauf v. Waren, von $^1/_{10}$ Pfennig aufsteigend bis zu 3 Mark, f. Stück, Kilo, Pfund, Meter rc. von $^1/_{10}$ bis 1000. Ferner Zinsberechng. von 1—50000 Mark zu $^1/_4$, $^1/_2$, $^3/_4$ rc. bis zu 6 Prozent pro 1 Jahr, 1 Monat, 1 Tag, nebst Wechsel-Stempeltarif. Genau u. zuverlässig berechnet. gr. 16. (191 S.) Oberhausen 886. Spaarmann. geb. 1. —

Meyer, Frz., rein-geometrische Beweise einiger fundamentaler Kegelschnittssätze. gr. 8. (22 S.) Tübingen 885. Fues. n. — 40

Meyer, Frz. Sales, ornamentale Formenlehre, e. systemat. Zusammenstellg. d. Wichtigsten aus dem Gebiete der Ornamentik zum Gebrauch f Schulen, Musterzeichner, Architekten u. Gewerbtreibende 30 Hfte. Fol. (30 Bl. Text m. je 10 Steintaf.) Leipzig 883—86 Seemann. à n. 2. 50

Meyer, Frdr., Lebensläufe selig heimgegangener Schwestern d. Diakonissenhauses Neuendettelsau. Ihren noch pilgernden Genossinnen zu Trost u. Nacheiferg. dargereicht. 12. (XI, 300 S.) Nördlingen 884. Beck. n. 2. —; geb. n. 2. 80

— Via dolorosa. Betrachtungen üb. den Schmerzensweg JEsu. 16. (V, 94 S. m. 1 Kpfrst.) Neuendettelsau 884. (Nürnberg, Löhe.) n. — 90

Meyer, Frdr., Abschiedspredigt, geh. an D. 14. p. f. Trinit. den 26. Aug. 1883 in der St. Pauli-Kirche zu Chemnitz. gr. 8 (10 S.) Chemnitz 883. Focke. n. — 30

— Antrittspredigt, üb. Luc. 11, 23 am D. 15. p. f. Trinit den 2. Septbr. 1883 geh. in der Marienkirche zu Zwickau. gr. 8. (12 S.) Zwickau 883. Bär. n. — 40

— Festpredigt, am 11 Novbr. 1883 zur Feier der 400jähr. Wiederkehr d. Geburtstages Dr. Martin Luther's üb. 1. Cor. 15, 10 geh. gr. 8. (15 S.) Ebend. 883. n. — 40

Meyer, Frdr., Elemente der Arithmetik u. Algebra. 5. Aufl. Mit 13 Holzschn. gr. 8. (VIII, 228 S.) Halle 885. Schmidt. n. 2. 50

Meyer, G., griechische Grammatik, s.: Bibliothek indogermanischer Grammatiken.

Meyer, G., Beitrag zur Kenntniss d. Culm in den südlichen Vogesen, s.: Abhandlungen zur geologischen Specialkarte v. Elsass-Lothringen.

Meyer, G. E., die Grundgedanken der bibl. Geschichten alten u. neuen Testamentes nach ihrem religiös-sittlichen Inhalte, nebst Angabe d. verwandten religiösen Stoffes, e. Leitfaden f. Lehrer u. e. Wiederholungsbuch f. angeh. Lehrer. 8. (88 S.) Danzig 883. (Axt.) n. — 80

— Mart. Luthers kleiner Katechismus m. übersichtl. Anordng. der Hauptgedanken u. d verwandten religiösen Lehrstoffes, zum Schulgebrauch bearb. 8. (48 S.) Ebend. 886. n. — 40

Meyer, G. H. v., die Bedeutung d. Athmungsprozesses f. das Leben d. thierischen Organismus, s.: Sammlung gemeinverständlicher wissenschaftlicher Vorträge.

— Missbildungen d. Beckens unter dem Einflusse abnormer Belastungsrichtung. Mit 5 photolith. Taf. u. 11 Holzschn. Imp.-4. (48 S.) Jena 886. Fischer. n. 7. 50

— Studien üb. den Mechanismus d. Fusses in normalen u. abnormen Verhältnissen. 1. u. 2. Hft. gr. 8 Ebend. n. 4. 80

1. Ursache u. Mechanismus der Entstehung d. erworbenen Plattfusses, nebst Hinweisg. auf die Indikationen zur Behandlg. desselben. (VII, 52 S.) 883. n. 1. 80
2. Statik u Mechanik d. menschlichen Fusses. Nach neuen Untersuchgn. (VIII, 119 S.) n. 3. —

Meyer, Geo., Grundzüge d. Eisenbahn-Maschinenbaues. 3 Tle. gr 8. Berlin, Ernst & Korn. à n. 9. 50
1. Die Lokomotiven. Mit 473 Holzschn. u. 3 Taf. (XI, 354 S.) 883.
2. Die Eisenbahnwagen. Mit 433 Holzschn. u. 4 Taf. (XIII, 326 S.) 884.
3. Gleiskreuzungen, Ausweichungen, Centralisirung u. Sicherung v. Weichen u. Signalen, Drehscheiben, Schiebebühnen, mechanische Anlagen der Wasserstationen. Mit 650 Holzschn. (XII, 347 S.) 886.

Meyer, Geo., Lehrbuch d. deutschen Staatsrechts. 2. Aufl. gr. 8. (IX, 725 S.) Leipzig 885. Duncker & Humblot. n 13. —

— Lehrbuch d. deutschen Verwaltungsrechtes. Im Anschluss an das Lehrbuch d. deutschen Staatsrechtes desselben Verf. bearb. 2 Thle. gr. 8. Ebend. n. 20. —
1. Allgemeine Lehren. Innere Verwaltung. (375 S.) 883. n. 12. —
2. Auswärtige Verwaltg Militärverwaltung. Finanzverwaltung. Mit e. alphabet. Sachregister üb. Thl. I. u. II. (IX, 395 S.) n. 8. —

— das Staatsrecht d. Großherzogth. Sachsen-Weimar-Eisenach, s.: Handbuch d. öffentlichen Rechts der Gegenwart.

Meyer, Gerh., Pyrmonter Tage in Wahrheit u. Sage. 8. (111 S.) Hamburg 886. O. Meißner's Verl. geb. n. 2 50

Meyer v. Knonau, Gerold, aus e. zürcherischen Familienchronik. Als Einleitg. zu den Lebenserinnergn. von Ludw. Meyer v. Knonau [1769—1841] neu hrsg. gr. 8. (VI, 101 S.) Frauenfeld 884. Huber. n. 2. —

— u. **G. Finsler,** Festreden, bei der Feier d. 400jähr. Geburtstages Ulrich Zwingli's am 6. Jan. 1884 in der Tonhalle zu Zürich geh. gr. 8. (24 S.) Zürich 884. Schultheß. n. — 60

Meyer, Gust., Essays u. Studien zur Sprachgeschichte u. Volkskunde. gr. 8. (VII, 412 S.) Berlin 885. Oppenheim. n. 7. —; geb. n. 8. —

Meyer, Gust., albanesische Studien. I. u. II. Lex.-8. Wien, (Gerold's Sohn). n. 3. —
1. Die Pluralbildungen der albanes. Nomina. (108 S.) 882. n. 1. 80
II. Die albanes. Zahlwörter. (82 S.) 884. n. 1. 20

Meyer, Gust., üb. die antiseptische Wirksamkeit d. Jodoforms. gr. 8. (19 S.) Göttingen 882. (Vandenhoeck & Ruprecht.) n. — 60

Meyer, H., die Fabrikation d. Mehls u. seiner Neben-Produkte, s.: Taschenbibliothek, deutsche bautechnische.

Meyer, H., die Chanson des Saxons Johann Bodels in ihrem Verhältnis zum Rolandslied u. zur Karlamagnussaga, s: Ausgaben u. Abhandlungen aus dem Gebiete der romanischen Philologie.

Meyer, H., Bemerkungen aus dem Zeitalter der schönen Wissenschaften. gr. 4. (29 S.) Berlin 886. Gaertner. n. 1. —

— kleine Schriften zur Kunst, s.: Litteraturdenkmale, deutsche, d. 18 u. 19. Jahrh.

Meyer, H. v., das Sehen u. der Blick, s.: Sammlung gemeinverständlicher wissenschaftlicher Vorträge.

Meyer, H. Ch. W., Gutachten üb. die Lokal-Schulaufsicht, s.: Schriften d. Liberalen Schulvereins Rheinlands u. Westfalens.

Meyer, Hans, e. Weltreise. Plaudereien aus e. zweijähr. Erdumsegelg. Mit 120 Abbildgn. u. Plänen, e. Erdkarte u. e. Anh.: „Die Igorroten". gr. 8. (544 S.) Leipzig 885 Bibliograph. Institut. geb. n.n. 6. —

Meyer, Heinr., das Nünnlein v. Nimtschen od. Dr. Luther's Brautfahrt. Dramatisches Gedicht. gr. 8. (14 S.) Minden 883. Bruns. n. — 40

Meyer, Heinr. Aug. Wilh., kritisch exegetischer Kommentar üb. das Neue Testament. 1., 2., 4., 6—9. u. 11. Abth. gr. 8. Göttingen, Vandenhoeck & Ruprecht's Verl. n. 58. —
I. 1. Kritisch exegetisches Handbuch üb. das Evangelium d. Matthäus v. Heinr. Aug. Wilh. Meyer. 7. Aufl., neu bearb. v. Bernh Weiss. Mit dem (Lichtdr.-)Portr. d. Verf. (XII, 579 S.) 883. n. 8. —
2. Kritisch exegetisches Handbuch üb. die Evangelien d. Markus u. Lukas. 7. Aufl., neu umgearb. v. Bernh. Weiss. (X, 654 S.) 885. n. 8. —
II. Kritisch exegetisches Handbuch üb. das Evangelium d. Johannes. 7. Aufl. v. Bernh. Weiss. (VIII, 716.) 886. n. 8. —; geb. n.n 9 60
IV. Kritisch exegetisches Handbuch üb. den Brief d. Paulus an die Römer v. Heinr. Aug. Wilh. Meyer. 7. Aufl., umgearb. v. Bernh. Weiss. (VI, 680 S.) 886. n. 8. —; geb. n. 9. 60
VI. Kritisch exegetisches Handbuch üb. den 2. Brief an die Korinther v. Heinr. Aug. Wilh. Meyer. 6. Aufl., neu bearb. v. Geo. Heinrici. (VIII, 406 S.) 883. n. 5. —
VII. Kritisch exegetisches Handbuch üb. den Brief an die Galater. 7. Aufl., neu bearb. v. Frdr. Sieffert. (XIII, 377 S.) 886. n. 5. —; geb. n.n. 6. 60
VIII. Kritisch exegetisches Handbuch üb. den Brief an die Epheser. 6. verb. Aufl., besorgt durch Wold. Schmidt. (VI, 328 S.) 886. n. 4. —; geb. n. 5. 60
IX. Kritisch exegetisches Handbuch üb. die Briefe an die Philipper, Kolosser u. Philemon. 5. Aufl., neu bearb. v. A. H. Franke. (VI, 539 S.) 886. n. 6. 60; geb. n n. 8. 20
XI. Kritisch exegetisches Handbuch üb. die Briefe Pauli an Timotheus u. Titus. 5. Aufl., neu bearb. v. Bernh. Weiss. (VI, 400 S.) 886. n. 5. 40; m. dem 10. Bd. zusammen geb. n. 10. —

Meyer, Herm., die Theorie der Buchhaltung. Der kaufmänn. Welt gewidmet. 8. (21 S.) Leipzig 884. Glöckner. cart. n. — 75

Meyer, Herm., die schweizerische Sitte der Fenster- u. Wappenschenkung vom XV. bis XVII. Jahrh. Nebst Verzeichniss der Züricher Glasmaler von 1540 an u. Nachweis noch vorhandener Arbeiten derselben. Eine kulturgschichtl. Studie. gr. 8. (XX, 384 S.) Frauenfeld 884. Huber. n. 5. —

Meyer, Herm., Protokoll u. Urtheil im Civil- u. Strafprozeß. 8. (VII, 104 S.) Berlin 885. Vahlen. n. 2. —

Meyer, Herm., die Krisis in der Branntwein-Produktion Norddeutschlands u. der Weg zur Besserung. gr. 8. (20 S.) Posen 886. (Türk.) n. — 50

Meyer, Hugo, Lehrbuch d. deutschen Strafrechts. 4. Aufl. 1. Hälfte. gr. 8. (506 S.) Erlangen 886. Deichert. n. 9. —

Meyer, J., e. Beitrag zur Lösung d. Währungsproblems. gr. 8. (210 S.) Berlin 887. Puttkammer & Mühlbrecht. n. 4. —

Meyer, J. Ch., Lehrbuch der einfachen u. doppelten Buchführung, der Börsengeschäfte, Wechsellehre u. d. kaufmännischen Rechnens f. das Waren- u. Bankgeschäft, sowie f. Aktiengesellschaften. Unter Hinweis auf die Bestimmgn. d. allgemeinen deutschen Handelsgesetzbuches zum Selbstunterrichte, f. Handels- u. Realschulen bearb. 4. Aufl. gr. 8. (IV, 168 S.) Hannover 886. Meyer. n. 2. 40

Meyer, Joh., plattdeutsche Gedichte in dithmarscher Mundart. 3. Aufl. 8. (IV, 741 S.) Kiel 886. Lipsius & Tischer. geb. m. Goldschn. n. 6. —

Meyer, Joh Fr., Reaktion u. Volksschule. Dreißig Jahre preuß. Schulgeschichte. 1840—1870. Auf Grund amtl. Dokumente u. zeitgenöss. Urteile bearb. gr. 8. (188 S.) Leipzig 882. Siegismund & Volkening. n. 1. 60

Meyer, Johs., klinische Untersuchungen üb. das Verhalten der Ovarien während der Menstruation. gr. 8. (55 S.) Dorpat 883. (Karow.) n. 1. —

Meyer, Johs., biblische Geschichte f. einfache Schulverhältnisse. Nach method. Grundsätzen bearb. 8. (68 S.) Leipzig 886. Siegismund & Volkening. n. — 30; cart. n. — 35

— die heilige Geschichte in biblischen Geschichten f. die Mittel- u. Oberstufe evangelischer Volksschulen. Nach method. Grundzügen bearb. 2. Aufl. Mit 8 (lith. u. color.) Karten vom Schauplatz der heil. Geschichte. gr. 8. (224 S.) Ebend. 888. n. — 70

— die Prov. Hannover in Geschichts-, Kultur- u. Landschaftsbildern. In Verbindg. m. C. Diercke, A. Ebert, E. Görges, F. Günther, W. Hering, L. Rosenbusch, H. Steinvorth u. a. hrsg. 2., vollständig umgearb. u. verm. Aufl. (In ca. 10 Lfgn.) 1. u. 2. Lfg. gr. 8. (S. 1—256 m. Fig. u. 1 Taf.) Hannover 886. Meyer. Subscr.-Pr. à n. 1. —

— Heimatskunde der Prov. Hannover. Für die Hand der Schüler bearb. 2. Aufl. Zugleich e. Ergänzungsheft zu der Weltkunde f. Volks- u. Mittelschulen v. Hüttmann, Jastram, Marten, sowie zu dem Realienbuch f. Volksschulen v. Hüttmann, Marten, Remer. Ausg. m.

der neuen Kreiseinteilg. gr. 8. (40 S) Hannover 885. Helwing's Verl. n. — 25

Meyer, Johs., biblisches Lehr- u. Lesebuch f. mehrklassige Volks- u. Bürgerschulen, Mittelschulen u. höhere Mädchenschulen. Nach method. Grundsätzen bearb. 1. u. 2. Tl. gr. 8. Leipzig 884. Siegismund & Volkening. n. 1. —; geb. n. 1. 35

1. Abgerundete Einzelbilder, nebst Bibelsprüchen, Liederversen u. Gebeten f. die Unterstufe Mit 18 Abbildgn. Zugleich e. Vorstufe zu d. Verf. Schulbuche: „Die heil. Geschichte in bibl. Geschichten f. die Mittel- u. Oberstufe evangel. Volksschulen". (80 S.) n. — 40; geb. n. — 55

2. Lebens- u. Geschichtsbilder, nebst Bibelsprüchen u. Bibellesestücken f. die Mittelstufe. Mit 2 (lith. u. color.) Karten. (191 S.) n. — 60; geb. n. — 80

— Lehr- u. Übungsbuch f. den Unterricht in der deutschen Rechtschreibung. Nach method. Grundsätzen f. Volks- u. Bürgerschulen, sowie f. die unteren Klassen der Gymnasien, Realgymnasien u. höheren Töchterschulen bearb. 5. Aufl. gr. 8. (64 S.) Hannover 885. Meyer. n. — 30

— methodischer Leitfaden f. den Unterricht in der Rechtschreibung. Nach den preuß., bayer., sächs. u. württemberg. Regeln bearb. 2. umgearb. u. verm. Aufl. gr. 8. (XIV, 164 S.) Leipzig 886. Dürrsche Buchh. n. 1. 80

— Dr. Martin Luthers Pädagogik. Eine systematisch-krit. Darstellg. gr. 8. (IV, 48 S.) Hannover 884. Meyer. n. — 75

— u. Heinr. Free, ausführl. Lehrplan f. e. dreiklassige Volksschule. Nach Maßgabe der „Allgemeinen Bestimmgn. vom 15. Okt. 1872" u. unter steter Berücksicht. der neueren Bestrebgn. auf dem Gebiete der Methodik bearb. gr. 8. (86 S.) Leipzig 884. Siegismund & Volkening. n. 1. —; geb. n. 1. 20

— — dasselbe f. e. zweiklassige Volksschule. Nach Maßgabe der „Allgemeinen Bestimmgn. vom 15. Okt. 1872" u. unter steter Berücksicht. der neueren Bestrebgn. auf dem Gebiete der Methodik bearb. gr. 8. (77 S.) Ebend. 884. n. 1. —

— u. Johs. Prinzhorn, Dr. Martin Luthers Gedanken üb. Erziehung u. Unterricht. Eine Festgabe zu dem 400jähr. Geburtstage Luthers. gr. 8. (XIV, 310 S.) Hannover 883. Meyer. n. 5. —; geb. n. 6. —

Meyer, Jorge Alberto, üb. e. Fall v. multiplen Stenosen bei primärer Darmtuberkulose. gr. 8. (31 S.) Heidelberg 886. C. Winter. n. — 80

Meyer, Jul., beschreibendes Verzeichniss der Gemälde in den königl. Museen zu Berlin. 2. Aufl. Unter Mitwirkg. v. L. Scheibler u. W. Bode bearb. 8. (X, 595 S. m. 1 lith. Grundriss.) Berlin 883. Weidmann. cart. n.n. 4. —

Meyer, Jul., Beitrag zur Geschichte der Ansbacher u. Bayreuther Lande. gr. 8. (V, 221 S.) Ansbach 885. Brügel & Sohn. n. 1. —; geb. m. Goldschn. n. 2. —

Meyer, Jürgen Bona, Bericht, s.: Zur Volksschullesebuchsfrage.

— gesetzliche Bestimmungen, Ministerial-Erlasse u. Regierungs-Verordnungen üb. die Lokal-Schulaufsicht in Preußen, s.: Schriften d. Liberalen Schulvereins Rheinlands u. Westfalens.

— Luther als Schulbefreier, s.: Zeit- u. Streitfragen, deutsche.

— die Stellung der Philosopie zur Zeit u. zum Universitätsstudium. Rede. 8. (30 S.) Bonn 886. Strauß. n. 1. —

— die angebliche sittliche Verwilderung der Jugend unserer Zeit u. die behauptete Mitschuld d. Schule, s.: Schriften d. liberalen Schulvereins Rheinlands u. Westfalens.

Meyer, K., das zürcherische Feuerversicherungswesen. Eine Sammlg. der im Kanton Zürich üb. die Feuerversicherg. u. die Feuerpolizei besteh. Gesetze, Verordngn., Kreisschreiben ꝛc. Mit Erläutergn. 2. Aufl. 8. (XVI, 218 S.) Zürich 886. Schultheß. n. 2. 40

Meyer, K. F. Th., die provenzalische Gestaltung der m. dem Perfectstamm gebildeten Tempora d. Lateinischen, s.: Ausgaben u. Abhandlungen aus dem Gebiete der romanischen Philologie.

Meyer, K. W., Aufsatzregeln f. die oberen Klassen höherer Schulen. 8. (VII, 66 S.) Hannover 887. Schmorl & v. Seefeld. cart. n. 1. —

Meyer, K. W., die moderne Berechtigungsjagd auf unseren höheren Schulen. Ernste pädagogisch-militärische Bedenken. gr. 8. (112 S.) Hannover 885. Norddeutsche Verlagsanstalt. n. 2. —

— deutsches Lesebuch f. höhere Lehranstalten, s.: Kohts, R.

— die Pflege d. Idealen auf unseren höheren Schulen, s.: Zeit- u. Streitfragen, deutsche.

Meyer, Konr., Regeln u. Beispiele der Brandschadens-Ausmittlung bei Mobiliar-Versicherungen. Eine Belehrg. f. Versicherte. 2. Aufl. 8. (39 S.) Zürich 884. Orell Füssli & Co. Verl. n. — 60

Meyer, L., Tibur. Eine röm. Studie, s.: Sammlung gemeinverständl. wissenschaftl. Vorträge.

Meyer, L., die Bewölkung in Württemberg m. Zugrundlegung der Beobachtungen von 1878 – 82 u. m. besond. Berücksicht. meteorologischer Gebiete. Abhandlung. Lex.-8. (81 S. m. 1 lith. Karte.) Stuttgart 884. Cotta. n. 2. —

Meyer, Leo, vergleichende Grammatik der griechischen u. lateinischen Sprache. 1. Bd. 2. Hälfte. 2. Aufl. gr. 8. (VIII u S. 641—1270.) Berlin 884. Weidmann. n. 9. — (1. Bd. cplt.: 18. —)

Meyer, Leo., üb. die vierte Bitte d. Vaterunsers. Vortrag. gr. 8. (22 S.) Dorpat 886. Karow. n. — 80

Meyer, Loth., üb. die neuere Entwickelung der chemischen Atomlehre. [Vorgetragen zu Plochingen, den 25. Jan. 1885.] gr. 8. (24 S.) Tübingen 886. Fues. n. — 40

— die modernen Theorien der Chemie u. ihre Bedeutung f. die chemische Mechanik. 4. umgearb. Aufl. 3. Buch. Dynamik der Atome. gr. 8. (XXVII u. S. 377—607.) Breslau 883. Maruschke & Berendt. n. 7. — (cplt.: n. 17. —)

— dasselbe. 5. Aufl. gr. 8. (XXIX, 626 S. m. 1 Steintaf.) Ebend. 884. n. 17. —

— u. Karl Seubert, die Atomgewichte der Elemente, aus den Originalzahlen neu berechnet. gr. 8. (X, 245 S.) Leipzig 883. Breitkopf & Härtel. n. 6 —

— — dasselbe. Zum Gebrauche im Laboratorium berichtigt abgedr. gr. 8. (2 S.) Ebend. 884. n.n. — 25; Ausg. in Plakatformat, 2 Blatt in gr. Fol. n. 1. —

Meyer v. Knonau, Ludw., Lebenserinnerungen. 1769—1841. Hrsg. von Gerold Meyer v. Knonau. Lex.-8. (IX, 519 S.) Frauenfeld 883. Huber. n. 5. —

Meyer, M. Wilh., die Königin d. Tages u. ihre Familie. Unterhaltungen üb. unser Planetensystem u. das Leben auf anderen Erdsternen. Mit e. Titelbild u. 8 Text-Illustr. 8. (X, 368 S.) Teschen 885. Prochaska. n. 4. 50; geb. n. 5. —

— Spaziergänge durch das Reich der Sterne. Astronomische Feuilletons. 8. (V, 321 S.) Wien 885. Hartleben. n. 4. —; geb. n. 5. 40

— kosmische Weltansichten. Astronomische Beobachtgn. u. Ideen aus neuester Zeit. gr. 8. (IV, 323 S m. 1 photogr. Taf.) Berlin 886. Verein f. deutsche Literatur. n 5. —

Meyer, Martinus, Sagen-Kränzlein aus Tirol. 2. Aufl. m. 6 Bildern. 8. (IV, 364 S.) Innsbruck 884. Wagner. n. 4. —

Meyer, Mor., Geschichte der preussischen Handwerkerpolitik. Nach amtl. Quellen. 1. Bd. A. u. d. T.: Die Handwerkerpolitik d. Grossen Kurfürsten u. König Friedrich's I. [1640—1713.] gr. 8. (XII, 626 S.) Minden 884. Bruns. n. 12. —

— die neuere Nationalökonomie in ihren Hauptrichtungen, auf histor. Grundlage u kritisch dargestellt. 4. Aufl. 8. (XII, 227 S.) Ebend. 885. n. 4. 25

Meyer, O., u. G. Wallis, der Kanarienvogel. Handbuch f. Züchter u. Liebhaber. 8. (VIII, 110 S.) Duderstadt 884. Haensch. n. 1. 20

Meyer, Otto, Bericht üb. Gruppe 14 der schweizerischen Landesausstellung Zürich 1883: Kurzwaaren. gr. 8. (17 S.) Zürich 884. Orell Füssli & Co. Verl. n. — 50

Meyer, Otto, üb. den Glycogengehalt embryonaler u. jugendlicher Organe. gr. 8. (30 S.) Breslau 884. (Köhler.) n. 1. —

Meyer, Paul Erich, quaestiones grammaticae ad Scauri

artem restituendam spectantes. gr. 8. (70 S.) Jena 885. (Neuenhahn.) n. 2. 20

Meyer, Pet. Jos., Geschichte d. königl. Gymnasiums zu Trier vom 9. Febr. 1561 bis Ostern 1888. gr. 8. (56 S.) Trier 884. Paulinus-Druckerei. n. — 80

Meyer, R., chemische Verarbeitung der Pflanzen- u. Thierfasern, s.: Handbuch der chemischen Technologie.

— die aromatischen Verbindungen, s.: Erlenmeyer, E., Lehrbuch der organischen Chemie.

Meyer, R., u. H. **Reichel**, Weltgeschichte in Poesie. Sammlung histor. Gedichte. gr. 8. (144 S.) Wittenberg 884. Herrosé Verl. cart. n. — 75

Meyer, Renward, Sammlung der kantonalen Vorschriften üb. das schweizerische Handelsregister u. die Wechselvollstreckung [Exekution u. Prozeß]. gr. 8. (200 S.) Zürich 885. Schultheß. n. 2 40

— die schweizerische Wechsel-Ordnung nach dem neuen Obligationenrecht m. Erläuterungen. 3. Aufl. 16. (XXVI, 222 S.) Luzern 883 Prell. n. 2. —; geb. n. 2. 50

Meyer, Rich. M., Grundlagen d. mitteldeutschen Strophenbaus, s.: Quellen u. Forschungen zur Sprach- u. Culturgeschichte der germanischen Völker.

— Jonathan Swift u. G. Ch. Lichtenberg. Zwei Satiriker d. 18. Jahrh. gr. 8. (IX, 84 S.) Berlin 886. Hertz. n. 1. 60

Meyer, Rob., die Principien der gerechten Besteuerung in der neueren Finanzwissenschaft. gr. 8. (IX, 418 S.) Berlin 884. Hertz. n. 8. —

Meyer, Rodolphe, la crise internationale de l'industrie et de l'agriculture. gr. 8. (128 S.) Berlin 885. Bahr. n. 3. —

— s.: Heimstätten- u. andere Wirthschaftsgesetze.

— Ursachen der amerikanischen Concurrenz. Ergebnisse e. Studienreise der Herren: Grafen Géza, Andrassy, Géza u. Imre Széchényi, Ernst Hoyos, Baron Gabr. Gudenus u. Rud. Meyer durch die Vereinigten Staaten. Mit 1 Verkehrskarte der Union. gr. 8. (VI, 825 S.) Berlin 883. Bahr. n. 13. 50

Meyer, Rud., in Ketten u. Banden. Ein plautin. Schönbartspiel, übers. v. R. M. gr. 4. (31 S.) Berlin 886. Gaertner. n. 1. —

Meyer, Rud., die beiden Canaletto Antonie Canale u. Bernardo Belotto. Versuch e. Monographie der radirten Werke beider Meister. gr. 8. (IV, 99 S.) Dresden 878. (v. Zahn's Verl.) n. 2. 50; geb. n. 3. —

Meyer, Sophie, Holzmalerei-Vorlagen. 1. u. 2. Sammlg. Fol. (à 6 Chromolith.) Düsseldorf 882. 83. A. Bagel. In Mappe. à 6. —

— für fleißige Kinder. 4. (16 Chromolith. m. eingedr. Text.) Ebend. 884. cart. — 60

— Tischlein deck' dich. Neues Puppenkochbuch, geschrieben u. gezeichnet. Mit 7 kolor. Abbildgn. 12. (32 S.) Ebend. 884. cart. n. — 50

— des Hauses Zier. Vorlagen f. Malerei auf Porzellan u. Fayence. Fol. (6 Chromolith.) Ebend. 884. In Mappe. 6. —

Meyer, Thdr., institutiones juris naturalis seu philosophiae moralis universae secundum principia S Thomae Aquinatis ad usum scholarum adornavit Th. M. Pars I. Jus naturae generale, continens ethicam generalem et jus sociale in genere. gr. 8. (XX, 498 S.) Freiburg i/Br. 885. Herder. n 6. —

Meyer, Theophil, die doppelte Buchführung. Praktische Anleitung zur leichten u. schnellen Erlerng. derselben nach e. höchst einfachen neuen Unterrichts-Methode. gr. 8. (107 S.) Berlin 884. Mode's Verl. 2. 25

Meyer, W. Frz, Apolarität u. rationale Curven. Eine systemat. Voruntersuchg. zu e. allgemeinen Theorie der linearen Räume. gr. 8. (XIV, 406 S.) Tübingen 883. Fues. n. 12. —

Meyer, Wald., die Wahlfreiheit d. Willens, in ihrer Nichtigkeit dargelegt. gr. 8. (IX, 218 S.) Gotha 886. F. A. Perthes. n 4. —

Meyer, Wilh., Anfang u. Ursprung der lateinischen u. griechischen rhythmischen Dichtung. gr. 4. (186 S.) München 885. (Franz' Verl.) n.n. 5. 50

— philologische Bemerkungen zu Aventins Annalen u. Aventins Lobgedicht auf Albrecht IV. von 1507, zum ersten Male hrsg. gr. 4. (69 S.) München 886. (Franz' Verl.) n.n. 2. —

Meyer, Wilh., über die Beobachtung d. Wortaccentes in der altlateinischen Poesie. gr. 4. (120 S.) München 884. (Franz' Verl.) n.n. 3. 60

— die Schicksale d. lateinischen Neutrums im Romanischen. gr. 8. (176 S.) Halle 883. Niemeyer. n. 3. 60

— u. Wilh. **Brambach**, Petri Abaelardi planctus virginum Israel super filia Jeptae Galaditae. gr. 8. (18 S) München 885. (Kaiser.) n. — 80

Meyer-Markau, Wilh., Kehr als Seminardirektor. Erinnerungen. 3. Aufl. 8. (IV, 112 S.) Leipzig 885. Unflad. n. 1. 20

Meyer, Wilh., Gewichtstabellen f. rechtwinklige Prismen, Cylinder u. Kugeln aus Gusseisen, Schmiedeisen u. Stahl, Bronce u. Messing. gr. 8. (X, 95 S.) Graz 886. Moser. geb. n. 3. —

Meyer, Wilh., die Schlacht bei Zürich am 25. u. 26. Septbr. 1799. Mit e. Vorwort v. Gerold Meyer v. Knonau u. 1 Croquis d. Operations-Gebietes. gr. 8. (XXII, 42 S.) Zürich 886. Schultheß. n. 1. 80

Meyer, Wilh., Harmonielehre. Elementarer Lehrgang f. Seminarien u. Präparanden-Anstalten, sowie zum Selbstunterricht. gr. 8. (VI, 210 S.) Hannover 886. Hahn. n. 2. —

Meyer, Wolfg. Alex., Hypatia v. Alexandria. Ein Beitrag zur Geschichte d. Neuplatonismus. gr. 8. (52 S.) Heidelberg 886. Weiss' Verl. n. 1. 40

Meyerheim, Paul, ABC. 27 aquarellirte Orig.-Zeichngn. In Farben-Holzschn. ausgeführt v. Kaeseberg u. Oertel, m. Reimen v. J. Trojan. 2. Aufl. gr. 4. (28 Bl.) Berlin 883. Mitscher. cart. n. 7. 50

Meyern, G. v., Teuerdank's Brautfahrt, s.: Romanbibliothek der Gartenlaube.

Meyersburg, F., üb die neuen preußischen Verwaltungsgesetze m. besond. Rücksicht auf die Prov. Hannover. Ein Vortrag. gr. 8. (31 S.) Celle 884. Capaun-Karlowa. n. — 60

Meyn's, L., schleswig-holsteinischer Haus-Kalender auf d. J. 1887. 19. Jahrg Hrsg. v. H. Keck. 16. (48 u. 143 S. m. Holzschn.) Garding, Lühr & Dircks n. — 40

— Schleswig-Holsteinisches landwirthschaftl. Taschenbuch auf d. J. 1887. 27. Jahrg. gr. 16. (311 S.) Itzehoe. (Altona, Schlüter) geb. n.n. 1. 80

Meyn, Ludwig, aus dem Leben u. aus der Natur. Gesammelte Aufsätze. Hrsg. v. J. Meyn. gr. 8. (VIII, 126 S. m. Lichtdr.-Bild) Garding 886. Lühr & Dircks. n. 1. 50; geb. 2. 50

Meynert, Thdr, Psychiatrie. Klinik der Erkrankungen d. Vorderhirns, begründet auf dessen Bau, Leistgn. u. Ernährg. 1. Hälfte. Mit 64 Holzschn. u. 1 (chromolith.) Taf. gr. 8. (X, 288 S.) Wien 884. Braumüller. n. 12. —

Meysenbug, Malwida v., gesammelte Erzählungen. gr. 8. (III, 223 S.) Zürich 885. Verlags-Magazin. n. 3. 20

— Phädra. Ein Roman v. der Verf. der „Memoiren e. Idealistin". 3 Bde. 8. (186, 152 u. 219 S.) Leipzig 885. Reißner. n. 8 —; in 1 Bd. geb. n. 9. —

Mezger, G. C, ausgewählte Schulreden. Hrsg. v Frdr. Mezger. gr. 8. (VIII, 250 S.) Augsburg 883. Rieger. n. 3. —

Mezger, K. L. Fr., 600 Rätsel f. Kinder von 6–10 Jahren, je nach den Altersstufen geordnet. 2. Aufl. 8. (130 u. Nachwort nebst Auflösgn. 15 S.) Heilbronn 884. Scheurlen's Verl. cart. n. 1. 30

Mezger, K. L. F., hebräisches Übungsbuch. Ein Hilfsbuch f. Anfänger u. zum Selbstunterricht, im Anschluss an die Grammatiken v. Gesenius-Kautzsch [23. Ausg.] u. Nägelsbach [3. Ausg.]. 4. Ausg. Mit e. Schreibvorschrift. gr. 8. (V, 184 S.) Leipzig 883. Hahn's Verl. n. 2. 40

Mezler, Joh. Geo., planmäßig geordnete Musterbeispiele, nebst Anleitg. zur Übg. im mündl. u. schriftl. Gedankenausdruck f. alle drei Klassen e. Volksschule. 10. Aufl.

gr. 8. (XVI, 449 S.) Freiburg i/Br. 886. Herder. n. 3. —; Einbd. n.n. — 50

Miaskowski, A. v., das Erbrecht u. die Grundeigenthumsvertheilung im Deutschen Reiche, s.: Schriften d. Vereins f. Socialpolitik.

Mich, J., Anleitung zum Gebrauche d. Lesebuches in der Volksschule, s.: Zeynek, G. Ritter v.

— allgemeine Erziehungslehre. 6. Aufl. gr. 8. (VI, 98 S) Troppau 886. Buchholz & Diebel. n. 1. 60

— Grundriss der Seelenlehre. Gemeinfaßl. dargestellt. 5. Aufl. gr. 8. (VII, 96 S.) Ebend. 885. n. 1. 40

— allgemeine Unterrichtslehre m. besond. Rücksicht auf den Volksschulunterricht. 2. Aufl. gr. 8. (VI, 78 S.) Ebend. 885. n. 1. —

Michael the miner. A tale for young girls. Adapted for the use of schools by Meta v. Metzsch. 2. verb. Aufl. 8. (54 S.) Leipzig 886. Baumgärtner. cart. — 90

Michael, Chronik der Stadt Bielefeld, verf. im Auftrage d. Histor. Vereins der Grafsch. Ravensberg. 1. Lfg. gr. 8. (32 S.) Bielefeld 884. (Velhagen & Klasing.) n. — 50

Michael, adenoide Vegetationen d. Nasenrachenraumes, s.: Klinik, Wiener.

Michael, C., vernünftige Gedanken e. Hausmutter. 2. Aufl. 8. (VII, 482 S.) Leipzig 883. Keil's Nachf. n. 4. —; geb. 5. —

— im Geisterkreis der Ruhe- u. Friedlosen. Sagenhafte Gestalten in den Ueberliefergn. d. deutschen Volkes. Unsrer Jugend u. dem Volke erzählt. Unter Mitwirkg. v. Frz. Otto hrsg. 2. Ausg. Mit 52 Text-Illustr. u. e. bunten Titelbilde. gr. 8. (X, 214 S.) Leipzig 884. Spamer. n. 3. 50; cart. n. 4. —; Volks-Ausg. 8. n. 1. 25; cart. n. 1. 50

— orientalische Märchenwelt. 30 Märchen u. Erzählgn. nach altägypt., ind., pers. u. arab. Ueberliefergn. Mit Beiträgen v. Geo Ebers, A. König, Gust. H. Klette, Frz. Otto, Dor. Waldner hrsg. Mit 50 Text-Abbildgn. u. e. aquarellierten Titelbilde v. Konr. Ermisch. gr. 8. (X, 375 S.) Ebend. 885. n. 5 —; cart. n. 6. —

— das schönste Weihnachtsbuch, s.: Spieß, B.

Michael, J., üb. Ohrensausen, s.: Sonderabdrücke der deutschen Medicinal-Zeitung.

Michael, Paul Osc., vergleichende Untersuchungen üb. den Bau d. Holzes der Compositen, Caprifoliaceen u. Rubiaceen. gr. 8. (60 S.) Leipzig 885. (Fock.) n. 1. 20

Michaelis, Hals- u. Lungen-Diätetik im Spiegel der patholog. Entwicklungsprozesse. Diätetisch-prakt. Leitfaden f. Behandlg. u. Verhütg. der Hals- u. Lungenleiden. Mit 12 Abbildgn. 3. Aufl. gr. 8. (III, 331 S.) Schweidnitz 886. Brieger & Gilbers. n. 4. —

— Kampf u. Schutz gegen beginnende Schwindsuchts-Krankheiten d. Kehlkopfs u. der Lungen in 80 Lebensregeln, nebst Tagesdiät. Für Aerzte u. Laien. Mit 2 Abbildgn. 8. (127 S.) Jena 884. Costenoble. n. 1. 20

— die Leberkrankheiten u. Gallenstörungen in diätetischer, hygieinischer u. prophylactischer Beziehung. Für Aerzte u. Laien in 60 Grundregeln, nebst Tagesdiät. 8. (VIII, 123 S.) Ebend. 886. n. 1. 80

— die Pflege d. erkrankten Magens. Für Aerzte u. Laien. 1. u. 2. Thl. 8. Ebend. n 2. —

1. Diätetik u. Hygieine gegen tiefergeh. Erkrankgn. d. Magens. (64 S.) 883. n. — 80
2. Magen u. Darm. Diätetik u. Hygieine gegen die wechselseit. u. eigenart. Erkrankgn. d. Magens u. die damit zusammenhäng. Unterleibsstörgn. in 80 Aphorismen. (80 S.) 885. n. 1. 20

— dasselbe. 3. Thl. gr. 8. Berlin 886. Zimmer. n. 1. 50

Magen u. Lunge in ihren eigenartigen Erkrankungen u. gegenseitigen Beziehungen. In 85 Grundregeln nebst Tagesdiät. (VIII, 95 S.)

Michaelis, A., ausführliches Lehrbuch der anorganischen Chemie, s.: Graham-Otto's ausführliches Lehrbuch der Chemie.

Michaelis, A., Michelangelos Leda u. ihr antikes Vorbild, s.: Festgruss, Strassburger, an Anton Springer.

Michaelis, Alfr., die Lehre vom einfachen, doppelten, drei- u. vierfachen Contrapunkte unter besond. Berücksicht. d. vielstimm. u. Vokal-Satzes. 1. u. 2. Tl. gr. 8. Leipzig, Merseburger. à 2. 25

1. Der einfache Contrapunkt. (IV, 83 S.) 885.
2. Der doppelte, drei- u. vierfache Contrapunkt. (IV, 74 S.) 886.

Michaelis, Alfr., die Lehre v. der freien u. strengen Nachahmung. Studien in den höhern Formen d. Tonsatzes. gr. 8. (V, 128 S) Leipzig 886. Merseburger. 3. —

— allgemeine Musiklehre. 8. (VI, 114 S.) Ebend. 886. n. 1. 20

Michaëlis, C. Th., üb. Kants Zahlbegriff. gr. 4. (18 S.) Berlin 884. Gaertner. n. 1. —

— Lessings Minna v. Barnhelm u. Cervantes' Don Quijote. gr. 8. (44 S.) Ebend. 883. n. 1. —

— de Plutarchi codice manuscripto Marciano 386. Accedit fragmentum Epitomes Ζηνοδώρου περὶ [Ὁμήρου] συνηθείας. gr. 4. (26 S.) Ebend. 886. n. 1. —

— de Plutarchi codice manuscripto Seitenstettensi. 4. (27 S.) Ebend. 885. n. 1. —

Michaelis, Ed., Handwörterbuch der augenärztlichen Therapie zum Gebrauche f. prakt. Aerzte. 8. (XI, 252 S.) Leipzig 883. Abel. n. 5. – ; Einbd. n.n. — 75

Michaëlis, Gustavo, estenographia portugueza segundo os principios de Guilherme Stolze, adaptados a lingua portugueza. Com 8 estampas. 8. (24 S.) Berlin 884. Mittler & Sohn. n. 1. —

— über die Physiologie u. Orthographie der Zischlaute m. besond Rücksicht auf die Heysesche Regel. Zugleich als 2. Aufl. der Schrift: „Über die Physiologie u. Orthographie der S-Laute, 1863". gr. 8. (94 S.) Ebend. 883. n. 2 —

— stenografia italiana secondo il sistema di Guglielmo Stolze, rifatto e adattato alla lingua italiana. Con 8 tav. (lit.). 3. ed. 8. (24 S.) Ebend. 886. n. 1. —

— système simplifié de sténographie française d'après la méthode Stolze. 2. éd. Avec 8 planches (lith.). 8. (24 S.) Ebend. 884. n. 1. —

— vier Tafeln, enth. die Stolzesche Stenographie in kürzester Fassung. Im Anschluss an Stolzes Anleitg. zur deutschen Stenographie zum Gebrauch bei Vorträgen u. zur Wiederholg. bearb. 4., nach den neuesten Beschlüssen der stenograph. Prüfungscommission zu Berlin umgearb. Aufl. 8. (12 S., wovon 4 lith.) Ebend. 884. n n. — 25

Michaelis, H., vollständiges Wörterbuch der italienischen u. deutschen Sprache m. besond. Berücksicht. der techn. Ausdrücke d. Handels, der Gewerbe, der Wissenschaften, d. Kriegs- u. Seewesens, der Politik ꝛc. 2 Thle. 3. Aufl. gr. 8. (X, 640 u. 720 S.) Leipzig 884 u. 85. Brockhaus. n. 12. —; geb. n. 15. – ; in 1 Bd. geb. n. 14. —

Michaelis, Joh., das kleinere Konfirmandenbüchlein. Das ist: kurzer Unterricht in der christl. Religion f. die evangel. Jugend A. B. in den Volksschulen u. f. Konfirmanden. 9. Aufl. 12. (103 S.) Hermannstadt 883. Michaelis. cart n. — 60

Michaëlis, K., Regulirung der Vorfluthverhältnisse im Emscherthale v. Herne bis Oberhausen. Kritische Untersuchgn. üb. Ursachen u. Mittel zur Beseitigg. der schädl. Wirkgn. der Vorfluthstörgn., Bodensenkgn. u. Wasserverunreiniggn. im rhein.-westfäl. Industriebezirke. Fol. (IV, 111 S. m. 7 Steintaf.) Münster 884. Coppenrath. n. 5. —

Michaelsen, W., Untersuchungen üb. Enchytraeus Möbii Mich. u. andere Enchytraeiden. gr. 8. (50 S. m. 3 Steintaf.) Kiel 886. Lipsius & Tischer. n. 1. 20

Michahelles, Frdr., zur Nationalfeier! Festrede. gr. 8. (12 S.) Nürnberg 884. Raw. n. — 20

Michahelles, Geo., praktische Anleitung zum Kroquieren nach der in der k. b. Kriegsschule gebräuchlichen Methode f. Einjährig-Freiwillige u. f. den Unterricht an Unteroffiziere u. Unteroffiziers-Aspiranten; m. e. Zeichenschule. Mit vielen Abbildgn. gr. 8. (IV, 35 S. m. 12 Taf.) Nürnberg 885. v. Ebner. n. 1. 50

Michalke, Carl, Untersuchungen üb. die Extinktion d. Sonnenlichtes in der Atmosphäre. gr. 8. (58 S.) Breslau 886. (Köhler.) n. 1. —

Michalsky, Otto, Kant's Kritik der reinen Vernunft u. Herder's Metakritik. Einleitung u. literar. Thl., nebst Voruntersuchgn. gr. 8. (39 S.) Breslau 883. (Köhler.) n. 1. —

Michaud, J. F., Geschichte d. 1. Kreuzzuges, s.: Hausbibliothek ausländischer Classiker.

Michaud, J. F., histoire des croisades, s.: Prosateurs français.
— histoire de la première croisade. Erklärt v. F. Lamprecht. Mit 1 Karte. 2. Aufl. gr. 8. (208 S.) Berlin 885. Weidmann. 2. 25
— dasselbe. Vol. III der Goebel'schen „Bibliothek gediegener u. interessanter franz. Werke". Wörterbuch dazu v. A. Klipstein. 16. (52 S.) Münster 886. Theissing. — 30
— histoire de la troisième croisade, s.: Bibliothèque française.
— influence et résultats des croisades, — moeurs et coutumes des croisades, — siège d'Antioche et prise de Jérusalem, s.: Schulbibliothek, französische u. englische.
Michel, Frdr. Aug., welches sind die Hauptfehler in unseren kleinen Wirthschaften, u. wie sind solche zu beseitigen? Vortrag. gr. 4. (15 S.) Anklam 883. Krüger. — 30
Michel, üb. den Mikroorganismus bei der sogenannten ägyptischen Augenentzündung [Trachom]. gr. 8. (8 S.) Würzburg 886. Stahel. n. — 20
Michel, A. Th., Leitfaden f. den Unterricht in der landwirthschaftl. Gesetzeskunde. Für landwirthschaftl. Mittelschulen im Auftrage d. h. k. k. Ackerbau-Ministeriums verf. 8. (VIII, 145 S.) Graz 883. Leuschner & Lubensky. n. 1. —; geb. n. 1. 25
Michel, Carl, Lehrbuch der Bierbrauerei nach dem neuesten Standpunkte der Wissenschaft u. Praxis unter Zugrundelegung eigener Versuche u. Erfahrungen. 3. Bd. Theorie u. Praxis d. Braugewerbes. 1. Hft. Lex.-8. (III, 120 S.) München 883. (Leipzig, Gracklauer.) n.n. 6. — (I. u. III. 1.: n.n. 14. —)
Michel, Carl, die Gebärdensprache, dargestellt f. Schauspieler, sowie f. Maler u. Bildhauer. 2 Thle. Lex.-8. Köln 886. Du Mont-Schauberg. n.n. 30. —
1. Die körperliche Beredsamkeit: Gebärden — Seelenzustände — Stimme — Rollenstudium — Spielen. 2. Aufl. (XXVI, 176 S.) n. 8. —
2. Mimische Darstellungen in 34 Photogr. auf 25 Taf. (6 S. Text.) geb. n.n. 22. —
Michel, Joh. Jak., die Jülich'sche Unterherrschaft Heiden. gr. 8. (24 S.) Aachen 884. Cremer. — 75
Michel, Jul., Lehrbuch der Augenheilkunde. Mit 85 Holzschn. u. 2 Farbentaf. gr. 8. (XVI, 674 S.) Wiesbaden 884. Bergmann. n. 18. —
Michel Angelo, die Propheten u. Sibyllen in der Sixtina. 13 Blätter, m. dem Bildnisse Michel Angelos gestochen v. F. Ruscheweyh. gr. 8. (7 S. Text.) Regensburg 883. Verlags-Anstalt. n. 2. 80
Michelangelo Buonarroti, le rime. Nachdichtungen v. Hans Grasberger. 2. Aufl. gr. 16. (XVI, 213 S.) Norden 885. Fischer Nachf. n. 2. 50
— u. **Rafael's** Gedichte. Von Herm. Harrys. Neue Ausg. 8. (195 S.) Halle 883. Gesenius. n. 2. —
Michelet, Carl Ludw., Wahrheit aus meinem Leben. Nebst 2 Lichtbildern u. 4 Stammtaf. gr. 8. (XI, 548 S.) Berlin 884. Nicolai's Verl. n. 6. —
Michelet, J., Auszug aus l'oiseau, la mer u. l'insecte. Erklärt v. O. Schulze. gr. 8. (105 S.) Berlin 884. Weidmann. n. 1. —; Anh. (8 S.) n. — 20
— précis de l'histoire moderne, s.: Prosateurs français.
Michelia. Commentarium mycologicum fungos in primis italicos illustrans, curante P. A. Saccardo. Nr. VIII. gr. 8. (2. Bd. III u. S. 385—682.) Patavii 882. (Berlin, Friedländer & Sohn.) n n. 19. — (Vol. I. II.: n.n. 48. —)
Michelis, Frdr., Antidarwinismus. Weber's Kritik der Weltansicht Du Bois Reymonds u. Sachs' Vorlesungen üb. Pflanzenphysiologie, zwei stumme Zeugen f. die Richtigkeit meiner idealen Weltauffassg. 8. (XI, 75 S.) Heidelberg 886. Weiss' Verl. n. 1. 40
— Aristotelis περὶ ἑρμηνείας librum pro restituendo totius philosophiae fundamento interpretatus est F. M. gr. 8. (84 S.) Ebend. 886. n. 2. 40
— über die Bedeutung d. Neuplatonismus f. die Entwickelung der christlichen Speculation, s.: Vorträge, philosophische.

Michelis, Frdr., Deutschlands Zukunft. Ein Mahnwort an alle Katholiken u. Protestanten, welche redliche Deutsche bleiben wollen. gr. 8. (22 S.) Löbau Wpr. 883. Skrzeczek. n. — 50
— das Gesammtergebniss der Naturforschung, denkend erfasst. gr. 8. (VIII, 423 S.) Freiburg i/Br. 885. Wagner. n. 10. —
— der exegetische Hirtenbrief d. Bischofes Herzog in seiner Beziehung zum Primat. gr. 8. (23 S.) Freiburg i/Br. 885. (Schmidt.) n. — 30
— Hobelspäne. Gedichte m. e. geharnischten Vorworte. 8. (XII, 77 S.) Mainz 885. Diemer. n. 2. —
— suum cuique! Ein altkathol. Festgruss an den Fürsten Reichskanzler zu seinem Ehrentage. gr. 8. (16 S.) Ebend. 885. n. — 40
— die naturwissenschaftliche Unhaltbarkeit der Darwin'schen Hypothese. Vortrag. 8. (31 S.) Heidelberg 885. Weiss' Verl. n. — 60
— warum werden wir nicht Alle Altkatholiken? Ein Nachklang zur deutschen Nationalfeier auf dem Niederwalde. gr. 8. (25 S.) Mainz 883. Diemer. n. — 50
— was sagt das Gewissen dazu? Ein nicht culturkämpferischer Freundesbrief an Joh. Bernh. Brinkmann, Bischof v. Münster, u. den Domkapitul. u. Regens d. dort. Priesterseminars Wilh. Kramer. gr. 8. (34 S.) Dortmund 884. (Krüger.) — 30
Michell, Gust., das Buch der Esel. Mit 25 Zeichngn. vom Verf. 8. (III, 287 S.) Jena 884. Mauke.. n. 6. —; geb. n. 7. —
— dasselbe. 2. Aufl. 8. (287 S.) Ebend 886. n. 4. —; geb. n. 5. —
Michelsen, E., vom Pflug zum Schwert. Kriegs-Erinnergn. der landwirtschaftl. Lehranstalt in Hildesheim an das J. 1870/71. Für die Schule u. ihre Freunde veröffentlicht. 3. Aufl. gr. 8. (XIV, 114 S.) Berlin 884. Parey. n. 1. 50
Michelson, P., die Electrolyse als Mittel zur radicalen Beseitigung an abnormer Stelle gewachsener Haare. Mit 3 Abbildgn. 8. (19 S.) Berlin 886. Hirschwald. n. — 40
Michow, H., die ältesten Karten v. Russland, e. Beitrag zur histor. Geographie. Mit 3 Karten u. 1 Skizze. gr. 8. (91 S.) Hamburg 884. Friederichsen & Co. n. 4. —
Micklitz, R., neue Beiträge zur Pensions-Statistik der land- u. forstwirthschaftl. Beamten. Vorher: Rechenschaftsbericht d. Directoriums d. Vereines zur Förderg. der Interessen der land- u. forstwirthschaftl. Beamten f. das 6. Vereinsj. 1885. gr. 8. (63 S.) Wien 886. (Frick.) n. 1. —
— u. Arth. Frhr. v. **Hohenbruck**, zwei Vorträge üb. die Pensions-Verhältnisse der land- u. forstwirthschaftlichen Beamten. gr. 8. Ebend. 883. n. — 80
Beiträge zur Pensions-Statistik v. Rob. Micklitz. — Mittheilungen üb. Pensions-Normalien von A. Frhr. v. Hohenbruck. (33 S.)
Mickháth, Koloman v., zwischen einst u. jetzt. Erzählungen aus der jüngsten Vergangenheit. Nach dem Ung. v. Rob. Tábori. 2. Aufl. 8. (VIII, 214 S.) Budapest 886. Singer & Wolfner. n. 2. 50; geb. n. 4. —
Micolci, Adph., das Unterrichtswesen d. Hamburgischen Staates. Eine Sammlg. der gelt. Gesetze, Verordngn. u. sonst. Bestimmgn. üb. das Unterrichtswesen in Hamburg. gr. 8. (XIV, 712 S.) Hamburg 884. (Gräfe.) n. 8. —
Middeldorpf, üb. die Operation der doppelseitigen Hüftgelenks-Ankylose. gr. 8. (8 S.) Würzburg 886. Stahel. n. — 20
Midrasch Bemidbar Rabba, der, d. i. die allegorische Auslegung d. 4. Buches Mose. Zum ersten Male ins Deutsche übertr. v. Aug. Wünsche. Mit Noten u. Verbessergn. versehen v. J. Fürst. gr. 8. (VII, 676 S) Leipzig 885. O. Schulze. n. 15 —
— Debarim Rabba, der, d. i. die haggad. Auslegg. d. 5. Buches Moses. Zum ersten Male ins Deutsche übertr. v. Aug. Wünsche. Mit Noten u. Verbessergn. v. J. Fürst u. D. O. Straschun. gr. 8. (X, 184 S.) Ebend. 882. n. 5. —

Midrasch Mischle, der, d. i. die allegorische Auslegung der Sprüche Salomonis. Zum ersten Male ins Deutsche übertr. v. Aug. Wünsche. gr. 8. (IX, 77 S.) Leipzig 885. O. Schulze. n. 3. —
— Ruth Rabba, der, d. i. die haggadische Auslegung d. Buches Ruth Zum ersten Male ins Deutsche übertr. v. Aug. Wünsche. Angehängt sind einige Sagen v. Salomon u. drei Petrussagen. gr. 8. (XIII, 98 S.) Ebend. 883. n. 3. —
— Wajikra Rabba, der, d. i. die haggadische Auslegung d. 3. Buches Mose. Zum ersten Male ins Deutsche übertragen v. Aug. Wünsche. Mit Noten u. Verbessergn. v. J. Fürst. gr. 8. (X, 298 S.) Ebend. 884. n. 7. 50

Mieg, A., theoretisch äussere Ballistik, nebst Anleitg. zur prakt. Ermittelg. der Flugbahn-Elemente. Mit 5 Taf. in Steindr. gr. 8. (XVIII, 383 S. m. Tab.) Berlin 884. Mittler & Sohn. n. 8. —

Mielck, W. H., der Torfmoos-Verband, s.: Leisrink, H.

Mielecka, Anna v., sei getreu bis an den Tod od. Pauls Sieg. Eine Erzählg. f. jung u. alt. Frei nach dem Engl. Mit 3 Bildern. 12 (77 S.) Basel 883. Spittler. n. — 40

Mielot, Jean, Leben der heiligen Katharina v. Alexandrien. Nach der alten französ Legende bearb. v. Marius Sepet, verdeutscht v. J. Wipfli u. J. J. v. Ah. Mit e. chromolith. Titelbild nach Fra Angelico, e. chromolith. Einschaltbild nach e. alten Tafelgemälde, 26 Einschaltbildern nach alten Miniaturen, auf Tongrund gedr., Randeinfassgn. nach A. Dürer u. a. in reichster Abwechslg. ꝛc. hoch 4. (VIII, 296 S.) Einsiedeln 886. Benziger. n. 12. —

Mierzinski, Stanisl., die Fabrikation d. Aluminiums u. d. Alkalimetalle. Mit 27 Abbildgn. 8. (VIII, 112 S.) Wien 885. Hartleben. n. 2. —
— Handbuch der praktischen Papier-Fabrikation. 3 Bde. 8. Ebend. 886. n. 13. 25
1. Die Herstellg. d. Papiers aus Hadern auf der Papiermaschine. Mit 166 Abbildgn. (XIV, 423 S.) n. 6. —
2. Die Ersatzmittel der Hadern. Mit 114 Abbildgn. (VIII, 294 S.) n. 4. —
3. Anleitung zur Untersuchung der in der Papier-Fabrikation vorkommenden Rohproducte. Mit 28 Abbildgn. (VIII, 209 S.) n. 3. 25

Miescher, E., die St. Gallische Kaufmannsfrau Anna Schlatter, s.: Reben am Weinstock.

Miessler, Adf., deutscher Geographen-Almanach. 1. Jahrg. 1884. gr. 8. (V, 568 S.) Hagen, Risel & Co. n. 8. —

Miet- u. Pachtrecht, das. Zum Gebrauche f. Haus- u. Grundbesitzer, Mieter u. Vermieter, Pächter u. Verpächter behufs Vermeidg. der im tägl Leben aus den Miet- u. Pachtverhältnissen entspring. Verlegenheiten u. Prozessen. 8. (47 S.) Neuwied 883. Heuser's Verl. cart. n. — 50

Mieth-, Pacht- u. Gesinderecht, das, nebst dem amtsgerichtlichen Prozeßverfahren nach der deutschen Civilprozeßordnung. Unter Berücksicht. d. gemeinen Rechts, d. preuß. Landrechts, d. französ. Civilrechts, sowie der Partikular-Gesetze in Schleswig-Holstein, Hannover u. Hessen-Nassau. Ein prakt. Handbuch f. Jedermann. Mit Anleitg. zur selbstständ. Abfassg. v. Verträgen, Anstellg. v. Klagen, Betreibg. d. Prozesses u. Zwangsvollstreckungsverfahrens. Nebst vollständ. Sachregister. In leichtfaßl. Weise bearb. v. e. königl. preuß. Rechtsanwalt. 3. Aufl. gr. 8. (159 S.) Frankfurt a/M. 886. Gestewitz. n. 1. —; geb. n. 1. 30
— — — das preußische, im Gebiete d. allgemeinen Landrechts. Eine populäre Darstellg. aller einschläg. Bestimmgn., nebst Anleitg. zum selbständ. Anstellen v. Klagen aus Miet- u. Pacht-Verträgen, sowie zur Fortführg. d. sich daraus entwickelnden Prozesses, Betreiben der Exekution ꝛc. Mit e. Reihe von Formularen ꝛc. Alles nach den Bestimmgn. der deutschen Zivilprozeß-Ordng. u. den Ergänzungs-Gesetzen. Ein unentbehrl. Handbuch f. jedermann. 8. Aufl. 8. (VII, 88 S.) Mülheim 885. Bagel. — 75

Migault's, Jean, Tagebuch. Schicksale e. protestant. Familie aus dem Poitou vor u. nach der Aufhebg. d. Edikts v. Nantes. Aus dem Franz. übers., m. geschichtl. Einleitg. u. m. erläut. Anmerkgn. versehen v. F. u. P. Sander. gr. 8. (84 S.) Breslau 885. F. Hirt. n. 1. 50; geb. n. 2. 25

Migault's, Jean, Tagebuch oder Leiden e. protestant. Familie aus dem Poitou vor u. nach der Aufhebg. d. Edictes v. Nantes. Zur Feier der 200jähr. Wiederkehr d. 29. Octbr. 1685, d. Tages d. Edictes v. Potsdam, aus dem Franz. übers. u. hrsg. v. J. L. Mathieu. gr. 8. (84 S.) Berlin 885. (Plahn.) n. 1. —

Mignet, M., histoire de la révolution française depuis 1789 jusqu'en 1814. Hrsg. u. m. sprachl., sachl. u. geschichtl Anmerkgn. versehen v. Adf. Korell. 1. Bd.: Introduction et assemblée constituante. 2. verb. Aufl. gr. 8 (XVIII, 125 S) Leipzig 885. Teubner. 1. 50
— dasselbe, } s.: Prosateurs français.
— vie de Franklin, }

Migotti, A., zur Theorie der Kreistheilungsgleichung. Lex.-8. (8 S.) Wien 883. (Gerold's Sohn.) n. — 20

Mikado, s.: Briefe August Bemmchens in Kamerun.
— s.: Goldblech.

Miklosich, Frz., Beiträge zur Lautlehre der rumunischen Dialekte. (IV. recte V.) Lautgruppen (I.) Lex.-8. (74 S.) Wien 883. (Gerold's Sohn.) n. 1. 20 (I—V.: n. 5. 50)
— die serbischen Dynasten Cruojevič. Ein Beitrag zur Geschichte v. Montenegro. Lex.-8. (66 S.) Ebend. 886. n. 1. —
— die türkischen Elemente in den süd-ost- u. osteuropäischen Sprachen. [Griechisch, Albanisch, Rumunisch, Bulgarisch, Serbisch, Kleinrussisch, Grossrussisch, Polnisch.] gr. 4. (192 S.) Ebend. 884. n. 9. 50
— Geschichte der Lautbezeichnung im Bulgarischen. Imp.-4. (48 S.) Ebend. 883. n. 2 40
— über Goethe's „Klaggesang v. der edlen Frauen d. Asan Aga". Geschichte d. Orig.-Textes u. der Übersetzgn. Lex.-8. (80 S.) Ebend. 883. n. 1. 40
— vergleichende Grammatik der slovenischen Sprachen. 4. Bd. Syntax. 2. Abdr. gr. 8. (895 S.) Wien 883. Braumüller. n.n. 30. —
— subjectlose Sätze. 2. Aufl. gr. 8. (76 S.) Ebend. 883. n. 2. —
— etymologisches Wörterbuch der slavischen Sprachen. gr. 8. (VIII, 546 S.) Ebend. 886. n. 20. —

Mikosch, Carl, üb. die Entstehung der Chlorophyllkörner. [Mit 2 (lith.) Taf.] [Arbeiten d. pflanzenphysiolog. Institutes der k. k. Wiener Universität. XXX.] Lex.-8. (30 S.) Wien 885. (Gerold's Sohn.) n n. — 90

Mikszáth, Koloman, die guten Hochländer. Ungarische Dorfgeschichten. Uebertr. durch Adf. Silberstein. [Mit 28 Illustr.] 2. Ausg. 8. (160 S.) Szegedin 884. Endrényi & Co. n. 3. 50; geb. n. 6. —

Mikulicz, J., üb. die Bedeutung der Bluttransfusion u. Kochsalzinfusion bei akuter Anämie, s.: Klinik, Wiener.
— über Laparotomie bei Magen- u. Darmperforation, s.: Sammlung klinischer Vorträge.

Mikulla, Johs., der Söldner in den Heeren Kaiser Friedrichs II. gr. 8. (70 S.) Gnesen 885. (Breslau, Köhler.) n. 1. —

Mikusch, Gust., Beiträge zum Unterrichte in der Geographie. Mit besond. Rücksichtnahme auf Kartenlesen, Terraindarstellg., Kartenprojection ꝛc. u. 48 Abbildgn. gr. 8. (IV, 60 S.) Brünn 883. Winkler. n. 1. 20

Mila, Guillaume, Geschichtsschreiber v. Berlin. gr. 8. (15 S.) Berlin 885. (Mittler & Sohn.) n. — 50

Milchhoefer, Arthur, die Anfänge der Kunst in Griechenland. Studien. Mit Abbildgn. gr. 8. (VII, 247 S.) Leipzig 883. Brockhaus. n. 6. —; geb. n. 7. —
— die Befreiung d. Prometheus, e. Fund aus Pergamon. 42. Programm zum Winckelmannsfeste der archäolog. Gesellschaft zu Berlin. Mit 1 (heliograv.) Taf. u 3 Zinkdr. gr. 4. (III, 44 S.) Berlin 882. G. Reimer. n. 2. 40

Milch-Industrie. Organ f. das Molkereiwesen in Beziehg. auf Technik, Wissenschaft u. Handel. [Früher Bernische Blätter f. Milchwirthschaft.] Unter Mitwirkg v. Fachgenossen u. Korrespondenten. Hrsg. vom Bernischen Milchinteressentenverein. Red.: Rud. Häni, J. U. Engeler, R. Gerber. 3. Jahrg. 1885. 52 Nrn. (B.) Fol. Bern, Wyß. n. 5. —

Milch-Industrie. Organ f. das Molkereiwesen in Beziehg. auf Technik, Wissenschaft u. Handel. [Früher Bernische Blätter f. Milchwirthschaft.] Unter Mitwirkg. v. Fachgenossen u. Korrespondenten. Hrsg. vom Bernischen Milchinteressentenverein. Red.: Rud. Häni, J. U Engeler, N. Gerber. 4. Jahrg. 1886. 52 Nrn. (B.) Fol. Bern, Wyß. n. 3. 20

Milch-Zeitung. Organ f. die gesamte Viehhaltung u. das Molkereiwesen. Begründet v. Benno Martiny. Unter Mitwirkg. v. Fachmännern hrsg. v. C. Petersen. 12—15. Jahrg. 1883—1886. à 52 Nrn. (à 1—2 B.) gr. 4. Bremen, Heinsius. à Jahrg. n. 16. —

Milde, Karoline S. J., der deutschen Jungfrau Wesen u. Wirken. Winke f. das geist. u. prakt. Leben. 7. Aufl. 8. (XI, 455 S. m. 1 Chromolith.) Leipzig 885. Amelang. geb. m. Goldschn. 6. —

Milde, M, ins Stammbuch. Gedichte, Sprüche u. Goldkörner f. das Album. 8. (80 S.) Augsburg 886. Literar. Institut v Dr M Huttler. n.n. — 70

Milde, S. J., die Musik im Lichte der Poesie. Dichterworte aus der Weltliteratur, gesammelt. 8. (XX, 304 S) Leipzig 884. Breitkopf & Härtel. n. 4. —; geb. n. 5. —

Mildner, Rhard., üb. Ableitung neuer unendlicher Reihen aus e. gegebenen durch Umstellung der Vorzeichen nach e bestimmten Gesetze. Lex.-8. (52 S.) Wien 882. (Gerold's Sohn.) n. — 80

— Beitrag zur Ausmittelung d. Werthes bestimmter Integrale. gr. 4. (18 S.) Ebend. 884. n. 1. 20

— Beitrag zur Auswerthung unendlicher Producte u. Reihen. Lex.-8. (38 S.) Ebend. 883. n. — 60

— über Potenzreihen, deren Glieder m. den aufeinanderfolgenden Gliedern e. arithmetischen Reihe r-ten Ranges multiplicirt od. durch letztere dividirt werden. Lex.-8. (24 S.) Ebend. 883. n.n. — 50

Milet, Jacques, estudiant es loix en la ville d'Orleans, l'istoire de la destruction de Troye la grant translatee de latin en francoys mise par parsonnages et composee par J. M. l'an mil quatrecens cinquante le deuxiesme iour du moys de Septembre et imprimee a Paris par Jehan Bonhomme libraire de l'universite de Paris le XII de May mil quatre cens quatre vingts et quatre. Autographische Vervielfältigg. d. der königl. Bibliothek zu Dresden gehör Exemplars veranstaltet v. E. Stengel. gr. 4. (VIII, 434 S.) Marburg 883. Elwert's Verl. cart. Subscr.-Pr. n.n. 12. —; Ladenpr. n.n. 15 —

Miletus, Ed. v., e. irische Fürstentochter. Roman aus der 2. Hälfte d. 18. Jahrh 2. Aufl. 8. (346 S.) Braunschweig 883. Sattler. n 6. —; geb. n 7. 20

— dasselbe. 3. Aufl. 8. (346 S) Ebend. 884. n. 4. —; geb. n. 5. 20

Milinowsky, A., elementar-synthetische Geometrie der gleichseitigen Hyperbel Mit Fig. im Text. gr. 8 (X, 135 S) Leipzig 883 Teubner. n 3. 60

Militair-Adreßbuch f. das Deutsche Reich 1. Jahrg. 1885. Enth. die Offiziere, Aerzte u. höheren Beamten sämmtl. deutscher Truppentheile u. Behörden der Armee u. Marine, einschließlich der Reserve, Land- u Seewehr. Hrsg. unter Red. von R. Leutsch. hoch 4. (VIII, 413; 254 u. 1 Nachtrag 16 S.) Berlin 885. v. Decker. n.n. 8. 50; geb. n.n. 10. 50; Sep.-Ausg. (VIII, 413 S.) n. 5. —

Militär-Adressen v. Metz in alphabetischer Reihenfolge. 8 (15 S) Metz 884. Lang. n - 50

Militär-Befreiung, die, auf gesetzlichem Wege m. Rücksicht auf das Wehrgesetz vom 5 Decbr. 1868, die hiezu erschienene Novelle vom 2. Octbr. 1882, den ungar. Gesetzartikel XL. vom J. 1868 u der ungar. Gesetzartikel XXXIX vom J. 1882. 8. (VII, 121 S.) Wien 884. Manz. n. 1. —

Militär-Erziehungs- u. Bildungs-Anstalten, d. k. k. Aufnahms-Bedingungen. Berichtigt bis Ende Aug. 1884. 8. (37 S.) Wien 884. Seidel & Sohn. n. — 40

Militair-Gesang- u. Gebetbuch, evangelisches, m. der preußischen Agende Kleine Ausg. 16. (LIV, 206 S.) Berlin 885. G. Reimer. Auf ordinär Pap. n.n. — 25; auf stärkerem Pap n.n. — 40; geb. in Leinw. m. Goldschn. n. 1. 60; in Ldr. m. Goldschn. n. 2. —

— — dasselbe. Größere Ausg. auf feinem Pap. 8. (LVI, 256 S.) Berlin 885. G. Reimer. n.n. — 80; geb. in Leinw. m. Goldschn. n. 3. 60; in Ldr. m. Goldschn. n. 5. —; in Saffian m. Goldschn. n. 16. —

Militair-Gesang- u. Gebetbuch, evangelisches. Ohne preuß. Agende. Kleine Ausg. 16. (VI, 206 S.) Berlin 885. G. Reimer. Auf ordinär Pap. n.n. — 20; auf stärkerem Pap. n.n. — 35

— — dasselbe. Größere Ausg. auf feinem Pap. 8. (VIII, 256 S.) Ebend. 885. n.n. — 70

— — evangelisches. Ausg. f. die königl. sächs. Truppen. 16. (262 S.) Leipzig 886. Pöschel & Trepte. geb. in Leinw. n. — 80; m. Goldschn. n. 1. 20; in Ldr. m. Goldschn. n. 2. 40

Militär-Handbuch d. Königr. Bayern. Verf. nach dem Stande vom 1. Mai 1885. 32. Aufl. gr. 8. (LII, 428 S.) München 885. (E. Mangelsdorf [G. Franz'sche Hofbuchh.].) cart. n.n. 4. —

Militär-Kalender, österreichischer, „Mars" f. 1887. 20. Jahrg. Neue Folge. 6. Jahrg. 16. (III, 189 S. m. 1 chromolith Eisenbahnkarte.) Wien, Perles. geb. in Leinw. n. 3. —; in Ldr. n. 4. —

Militär-Literatur-Zeitung. Literarisches Beiblatt zum Militär-Wochenblatt. Red. v. Löbell. 64—67. Jahrg. 1883—1886. à 12 Nrn. (B.) gr. 4. Berlin, Mittler & Sohn. à Jahrg. n. 5. —

— deutsche. Beiblatt zur deutschen Heeres-Zeitung. 1. Jahrg. 1883. 12 Nrn. (à 3/4—1 B.) gr. 4. Berlin, F. Luckhardt. n. 8. —
Erscheint nicht mehr.

Militair-Musiker-Almanach f. das deutsche Reich. Red. u. hrsg. v. Emil Prager. 16. (XXVIII, 510 S.) Berlin 886. E. Prager. n. 3. —

Militär-Musiker-Notiz- u. Taschenbuch f. d. J. 1884. Mit dem Bildniß Sr. Maj. d. deutschen Kaisers in Lichtdr. 16. (274 S.) Berlin, E Prager. geb. n.n. 1. 50

Militär-Musiker-Zeitung, deutsche. Organ zur Hebg. deutscher Militär-Musik. Red. u Hrsg.: Emil Prager. 6—8. Jahrg. 1884—1886. à 52 Nrn. (B.) Fol. Berlin, E. Prager. à Jahrg n.n. 6. —

Militair-Pensionsgesetz, das neue, u. die Kommunalsteuer-Freiheit der Offiziere. gr. 8. (37 S.) Leipzig 883. F. Duncker. n. — 60

Militär-Pensionsgesetz-Novelle, die, u. die Dankbarkeit d. Deutschen Vaterlandes, e. Weihnachtsandenken f. die deutschen Krieger v. 1870—71 u. die Reichstags-Abgeordneten v. 1882—83. 2. Aufl. gr. 8. (16 S.) Berlin 883. Adf. Klein. n. — 50

Militär-Schematismus, k. k., f. 1885. Hrsg. vom k. k. Reichs-Kriegs-Ministerium. gr. 8. (1134 S.) Wien, Hof- u. Staatsdruckerei. geb. n.n. 6. —

Militär-Schematismus-Tableau. Fol. Prag 884. Neugebauer. n.n. 1. 60

Militär-Stenograph, der. Zeitschrift f. gründl. Aneigng. u. einheitl. Anwendg. der Gabelsberger'schen Stenographie im Militär. Red. v. Guido Ritter v. Leinner. 1. Jahrg. 1886. 4 Hfte. 8 (1. Hft. 32 S.) Wien. (Leipzig, Robolsky.) n. 2. —

Militär-Strafgesetzbuch. Vom 20. Juni 1872. — Verordnung üb. die Disziplinar-Strafordnung f. das deutsche Heer. Vom 31. Oktbr. 1872. — Vorschriften üb. den Dienstweg u. die Behandlung v. Beschwerden der Militär-Personen d. Heeres u. der Marine, sowie der Civilbeamten der Militär- u. Marine-Verwaltung. Vom 6. März 1873. — Kriegs-Artikel f. das Heer. Vom 31. Oktbr. 1872. Amtliche Ausg., m. Sachregister. Neue Ausg. 8. (141 S.) Berlin 883. Mittler & Sohn. n. — 80

— für das Deutsche Reich. Vom 20. Juni 1872. Amtliche Ausg. 8. (39 S.) Ebend. 883. n. — 40

Militär-Strafprozeß-Ordnung. Amtliche Zusammenstellg. der üb. das Strafverfahren bei den Gerichten d. steh. Heeres u. der Kriegs-Marine besteh. Gesetze u. Vorschriften. 2. Aufl. 8. (VI, 243 S.) Wien 884. Hof- u. Staatsdruckerei. n. 1. 20; Alphabetisches Wort- u. Sachregister (81 S) 886. n. 1. —

Militär-Vereinsblatt, badisches. Organ d. bad. Militärvereins-Verbandes. Red: Krumel. Jahrg. 1883—1886. à 12 Nrn. (à 1/2—1 B.) gr. 4. Karlsruhe, Reiff. à Jahrg. 1. 50

Militär-Verordnungsblatt, schweizerisches. 8. u. 9. Jahrg. 1883 u. 1884. gr. 4. (Nr. 1. $^3/_4$ B.) Bern, Jent & Reinert. à Jahrg. n. 3. —

— dasselbe. 10. u. 11. Jahrg. 1885 u. 1886. gr. 4. (Nr. 1. $^3/_4$ B.) Bern, Huber & Co. à Jahrg. n. 4. —

Militär-Veterinärordnung, nebst Anhang. 8. (248 S.) Berlin 886. Mittler & Sohn. n.n. 2. 50

Militär-Vorschriften. Taschen-Ausg. [Zusammengestellt f. den Feldgebrauch.] 1., 3—6., 8., 10—12., 15., 17., 18., 23—25., 27—30., 36., 37., 42., 43., 47., 49—51., 54—63. Hft. 8. Wien, Hof- u. Staatsdruckerei. n. 31. 50

1. Geschäfts-Ordnung f. das k. k. Heer, vom J. 1886. I. Abschnitt. Allgemeine Bestimmgn. (V, 35 S.) 886. n. — 50

3. Vorschrift üb. die Beurlaubung der im Gage-Bezuge stehenden Personen d. k. k. Heeres, vom J. 1885. (IV, 84 S.) 885. n. 1. 20

4. Verzeichnis der in Kraft stehenden u. der in Bearbeitung befindlichen Dienstbücher u. Vorschriften, als Anhang I zur Geschäftsordnung f. das k. k. Heer. 3. Aufl. (IV, 57 S.) 886. n. — 80

5. Chronologische u. alphabetische Zusammenstellung aller jener seit dem J. 1848 bis zum J. 1882 auf den verschiedenen Kriegsschauplätzen vorgekommenen Affairen, an denen k. k. Truppen Theil genommen haben. 3. vollständig ergänzte Aufl. (VI, 125 S.) 885. n. 1. —

6. Superarbitrirungs-Vorschrift f. die Personen d. k. k. Heeres, vom J. 1885. (3. Aufl.) (XI, 96 S.) 886. n. 1. 20

8. Organische Bestimmungen f. den Generalstab, v. J. 1883. (V, 10 S.) 885. n. — 24

10. Gebürenvorschrift f. das k. k. Heer, vom J. 1884. I. Thl. Friedensgebüren. 1. Hft. enth.: Geld- u. Natural-Gebüren, Beförderungsmittel u. Gebüren bei Dienstreisen u. Marschbewegn. (XIX, 207 S.) 885. n. 1. 80

11. Dasselbe. 2. Hft. Enth.: Futtergebüren der Thiere. Service-Gebüren. Pauschal-Gebüren. Gebüren der Familien der activen Personen d. Heeres. Anhang. (VI, 146 S.) 885. n. 1. 40

12. Dasselbe. 2. Thl. Mobilitätsgebüren. (X, 116 S.) 885. n. 1. 20

15. Vorschrift üb. das Verfahren bei Aufrechnungs-Bedeckungen. Passirungen u. Ersatz-Verhandlungen vom J. 1884. (XII, 50 S.) 885. n. — 72

17. Instruktion üb. das militärische Dienstes-Verhältniß der im Linien-, Reservestande u. in der Ersatzreserve befindlichen Personen d. k. k. Heeres u. der Kriegs-Marine außer der Zeit der aktiven Dienstleistung, die Evidenthaltung derselben u. über die periodischen Waffen- [Dienst-]Übungen. I. Thl.: Ueber das militär. Dienstes-Verhältniß der Personen d. Mannschaftsstandes etc. vom J. 1871. [Berichtigt bis Ende März 1885] (VII, 136 S.) 885. n. 1. 40

18. Organische Bestimmungen f. das Heerwesen betr. die Personen d. k. k. Heeres nach Standesgruppen, Chargengraden [Rangclassen] u. Dienstverhältnissen, vom J. 1875. [Berichtigt bis Ende Aug. 1886.] (VI, 12 S.) 886. n. — 20

23. Organische Bestimmungen f. das Heerwesen, betr. die Infanterie u. die Jäger-Truppe vom J. 1882. [Ausg. im Dezbr. 1882.] (V, 39 S.) 883. n. 1. —

24. Organische Bestimmungen f. das Heerwesen, betr.: Die Militär-Territorial-Kommanden, die Truppen-Divisions- u. Brigade-Kommanden. Die General-, Flügel- u. Personal-Adjutanten. Sämmtlich vom J. 1882. Die Militär-, Stations-, Festungs- u. Platz-Kommanden, vom J. 1877. Die Ergänzungsbezirks-Kommanden vom J. 1882. [Jene v. J. 1877 berichtigt bis Ende Dezbr. 1882.] (VI, 87 S.) 883. n. 1. 60

25. Organische Bestimmungen f. das Heerwesen, betr. die Militär-Verpflegs-Anstalten u. die Militär-Betten-Magazine, vom J. 1882. (VII, 37 S. m. Tab.) 883. n. — 80

27. Organische Bestimmungen f. das Heerwesen, betr. die Train-Truppe, dann das Trainzeugwesen, vom J. 1882. Instruktion f. den General-Train-Inspektor, vom J. 1880. (VI, 56 S. m. Tab.) 885. n 1. 40

28. Organische Bestimmungen f. die Militär-Rechnungs-Controle, vom J. 1869, u. Dienstvorschrift f. die Militär-Rechnungs-Control-Beamten, vom J. 1869. [Berichtigt bis Ende Dezbr. 1885] (VI, 20 S.) 886. n. — 40

29. Organische Bestimmungen u. Dienstvorschrift f. die Truppen-Rechnungsführer u. Rechnungs-Hilfsarbeiter vom J. 1885. (2. Aufl.) (VI, 26 S.) 886. n — 50

30. Organische Bestimmungen f. das Heerwesen, betr. den Artillerie-Stab, die Feld- u Festungs-Artillerie, vom J. 1882, dann das Artillerie-Zeugswesen, vom J. 1876, letztere berichtigt bis Ende Dezbr. 1885. (VII, 76 S.) 885. n. 1. 20

36. Organische Bestimmungen f. das Pionnier-Regiment u. f. das Pionnier-Zugs-Depot vom J. 1883. (V, 30 S.) 885. n. — 60

37. Organische Bestimmungen f. den Genie-Stab, vom J. 1882, u f. die Genie-Truppe, vom J. 1883. Dienst-Vorschrift f. die Genie-Chefs bei den Korps- [Militär-]Kommanden vom J. 1877. [Berichtigt bis Ende Apr. 1885.] (VIII, 56 S.) 885. n. 1. —

42. Organische Bestimmungen f. das Heerwesen, betr. die Sanitäts-Truppe, vom J 1882. [Ausg. im Jänner 1883.] Instruktion f. den Sanitäts-Truppen-Kommandanten, vom J. 1870. (V, 45 S. m. Tab.) 883. n. 1. —

43. Organische Bestimmungen f. das Heerwesen, betr. die Militär-Intendantur u. die Militär-Intendanz, vom J. 1882. Provisorische Geschäfts-Ordng. u. Geschäfts-Eintheilg. der Intendanzen, vom J. 1882. Dienstvorschrift f. die Militär-Intendantur-Beamten, vom J. 1882. (X, 54 S.) 883. n. 1. —

47. Organische Bestimmungen f. die Militär-Medikamenten-Anstalten, vom J. 1878, Qualifikations-Beschreibgn. üb. Militär-Medikamenten-Beamte, vom J. 1874. [Berichtigt bis Ende Apr. 1883.] (V, 20 S.) 883. n. — 40

49. Organische Bestimmungen f. die Monturs-Verwaltungs-Anstalten vom J. 1883. (V, 12 S.) 885. n. — 40

50. Organische Bestimmungen f. die Militär-Sanitäts-Anstalten, vom J. 1882. [Ausg. im Dezbr. 1882.] (V, 33 S. m. Tab.) 883. n. 1. 20

51. Organische Bestimmungen f. das militär-ärztliche Offiziers-Korps, vom J. 1882. Dienstes-Instruktion f. den Chef d. militär-ärztl. Offiziers-Korps, vom J. 1875. Organische Bestimmgn. u. Dienst-Vorschrift f. den militär-ärztl. Kurs, vom J. 1875. (VI, 34 S.) 883. n. 1. —

54. Inspizirungs-Vorschrift f. das k. k. Heer vom J. 1882. [Ausg. im Dezbr. 1882.] (37 S.) 883. n. — 50

55. Evidenz-Vorschrift. 2. Thl. Gagisten in der Reserve, vom J. 1881. [Berichtigt bis Ende Apr. 1883.] (XI, 79 S.) 883. n. 1. 20

56. Organische Bestimmungen f. das Eisenbahn- u. Telegraphen-Wesen im Kriege, vom J. 1883. (IV, 37 S.) 885. n. — 80

57. Vorschrift üb. die Behandlung der gerichtlichen u. administrativen Vormerkungen, der Abzüge u. Rücklässe v. den aus militärischen Kassen [Militär-Zahlstellen] zu leistenden Zahlungen vom J. 1885. (VII, 43 S. 886. n. — 60

58. Vorschrift zur Verfassung der Qualifications-Listen üb. Truppen-Rechnungsführer u. üb. die zur Beförderung zu Lieutenant-Rechnungsführern vorgemerkten Rechnungs-Hilfsarbeiter vom J. 1884. (V, 28 S.) 886. n. — 40

59. Vorschrift zur Verfassung der Qualifications-Listen üb. die Militär-Rechnungs-Controls-Beamten vom Militär-Ober-Rechnungsrathe 1. Classe abwärts. (V, 31 S.) 886. n. — 48

60. Instruction zur Führung der Standes-Evidenz üb. die Activ- u. Reserve-Gagisten, dann üb. die im Ruhestande od. im Verhältnisse „außer Dienst“ befindlichen Personen, vom J. 1869. Vorschrift zur Führung der Standes-Tabelle, vom J. 1885. Bestimmungen üb. die Standesführung der commandirten, isolirten, dann der überzähligen Offiziere, vom J. 1868. [Berichtigt bis Ende Mai 1886.] (V, 43 S.) 886. n. — 60

61. Vorschrift üb. das Legitimationsblatt, vom J. 1878. Vorschrift zur Verfassung der Conduite-Listen üb. active Personen d. Soldatenstandes vom Unteroffizier abwärts, m. Ausschluß der Cadeten im k. k. Heere, vom J. 1878. (VII, 13 S.) 886. n. — 40

62. Dienstvorschrift f. die Beamten der Militär-Intendantur, vom J. 1885. (X, 40 S.) 886. n. — 60

63. Geschäfts-Ordnung f. das k. k. Heer, vom J. 1886. III. Abschnitt. Für die Militär-Territorial-Commanden. (V, 23 S.) 886. n. — 30

Militär-Wochenblatt. Red.: v. Löbell. 68—71. Jahrg. 1883—1886. à 104 Nrn. (à 1—2 B.) Mit Beilagen. gr. 4. Berlin, Mittler & Sohn. à Jahrg. n. 16. —

Militär-Zeitung, allgemeine. Red.: Zernin. 58—61 Jahrg. 1883—1886. à 104 Nrn. (B.) gr. 4. Darmstadt, Zernin. à Jahrg. n 24. —

— allgemeine illustrirte. Red.: Oettinger. 2. Jahrg. 1883. 36 Nrn. (à $1^1/_2$—2 B. m. eingedr. Holzschn.) Imp.-4. Berlin, Eisenschmidt. n. 18. 40
Erscheint nicht mehr.

— für die Reserve- u. Landwehr-Offiziere d. deutschen Heeres. Red.: Oettinger. 6—9. Jahrg. 1883—1886. à 52 Nrn. ($1^1/_2$ B) gr. 4. Ebend. à Jahrg. n. 16. —

— allgemeine schweizerische. Organ der schweizer Armee. Red.: v. Elgger. 29—32. Jahrg [Der schweizer. Militärzeitschrift 49—52. Jahrg.] 1883—1886. à 52 Nrn. (B.) hoch 4. Basel, Schwabe. à Jahrg. n. 6. 40

Mill's, John Stuart, gesammelte Werke. Autoris. Uebersetzg. unter Red. v. Th. Gomperz 2. Bd. gr. 8. Leipzig 884. Fues. n. 4. —
System der deductiven u. inductiven Logik. Eine Darlegg. der Grundsätze der Beweislehre u. der Methoden wissenschaftl. Forschg. Mit Genehmigg. u. unter Mitwirkg. d. Verf. übers. u. m. Anmerkgn. versehen v. Thdr. Gomperz. 2. Aufl. 1. Bd. (XVI, 367 S.)

Miller, A., die Lehre v. der Geschäftsfirma nach schweizerischem Obligationenrecht unter Berücksicht. der deutschen u. französischen Gesetzgebung u. Gerichtspraxis. gr 8. (IV, 53 S.) Bern 884. Jenni n. 1. 20

Miller-Hauenfels, Alb. Ritter v., theoretische Meteorologie. Ein Versuch, die Erscheingn. d. Luftkreises auf Grundgesetze zurückzuführen Mit e. Begleitschreiben v. Jul. Hann. Mit 13 Abbildgn. gr. 8. (VIII, 129 S.) Wien 883. Spielhagen & Schurich. n. 4. —

Miller, Andr., der primäre u sekundäre longitudinale Elastizitätsmodul u. die thermische Konstante d Letzteren. [Mit 2 Taf.] gr. 4. (54 S.) München 886. (Franz' Verl) n.n. 1. 80

Miller, Bénigne Emm., necrologue, s.: Reinach, S.

Miller, Frz., die letzten Ziele u. die Kampfweise d. Jesuitismus, entwickelt an e. Schrift d. französ. Jesuiten S. Martin. gr. 8. (22 S.) Halle 886. (Strien.) n. — 50

Miller, J. B., die Glasätzerei f. Tafel- u. Hohlglas, Hell- u. Mattätzerei in ihrem ganzen Umfange Alle bis heute bekannten u. viele neue Verfahren enthaltend; m. besond. Berücksicht. der Monumental-Glasätzerei. Leicht faßlich dargestellt m. genauer Angabe aller erforderl. Hilfsmittel. 2. Aufl. Mit 18 Abbildgn. 8. (VI, 122 S.) Wien 886. Hartleben. n. 1. 80

Miller, Konr., die römischen Begräbnissstätten in Württemberg. 4. (50 S. m. Illustr.) Stuttgart 884. (Wildtsche Buchh.) n. 1. 40

Miller, Max, das Jagdwesen der alten Griechen u. Römer, f. Freunde d. klass. Alterthums u. den gebildeten Weidmann nach den Mittheilungen der alten Schriftsteller dargestellt. 8. (III, 104 S.) München 883. Killinger. n. 2. —

Miller, Max, Uebungsbuch der deutschen Sprache f. die Lateinschule. 2. Aufl. gr. 8. (VII, 103 S.) Amberg 884. E. Pohl's Verl. n. 1. 40

Miller, Osc., Bericht üb. Gruppe 8 der schweizerischen Landesausstellung Zürich 1883: Papier-Industrie. gr. 8. (23 S.) Zürich 884. Orell Füssli & Co. Verl. n. 1. —

— die Stenographieen v. Stolze u. Faulmann in ihrer Bedeutung als Schul- u. Verkehrsschriften. Mit 4 stenograph. Taf. u. den photolith. Copien e. Briefes v. Wilh. Stolze u. e. Schreibens v. Karl Faulmann. gr. 8. (VI, 32 S.) Biberist b. Solothurn 886. (Wien, Bermann & Altmann.) n. 1. —

Miller, Otto, de decretis atticis quaestiones epigraphicae. gr. 8. (57 S.) Breslau 885. (Maruschke & Berendt.) n. 1. —

Miller, W. v., u. H. **Kiliani,** kurzes Lehrbuch der analytischen Chemie. Mit 69 Abbildgn. im Text u. 1 (chromolith.) Spectraltaf. 8. (XI, 553 S.) München 884. Th. Ackermann's Verl. n. 9. —

Miller, W. D., Wörterbuch der Bacterienkunde. gr. 8. (VII, 43 S.) Stuttgart 886. Enke. n. 1. —

Millingen, E. van, Bericht der Privat-Augenheilanstalt d. Dr. E. van M. in Constantinopel f. d. J. 1882. gr. 8. (17 S. m. 1 Tab.) Salzburg 883. (Dieter.) n. 1. 60

Milne, John, appendix to recherches sur les tremblements de terre au Japon. Spécialement imprimé pour le congrès géologique de Berlin. gr. 8. (24 S.) Berlin 885. Friedländer & Sohn. n. 1. —

Milosch, der neue Assessor od. aus e. kleinen Stadt, aber nicht v. Gust. Freytag, sondern v. M. 8. (28 S.) Posen 883. Heine. n. 1. 20

Milow, Steph., deutsche Elegieen. Neue, stark verm. u. veränd. Aufl. d. Elegieencyklus „Auf der Scholle". 8. (X, 86 S.) Stuttgart 885. Bonz & Co. geb. m. Goldschn. n. 3. —

— Arnold Frank, s.: National-Bibliothek, deutsch-österreichische.

— wie Herzen lieben. Drei Novellen. 8. (III, 360 S.) Stuttgart 883. Bonz & Co. n. 4. —; geb. n. 5. —

Milton, J., das verlorene Paradies, s.: Collection Spemann. — Meyer's Volksbücher. — Universal-Bibliothek.

Minckwitz, J., das ABC d. Schachspiels. Anleitung zur Erlerng. d. edlen Spiels u. Einführg. in die Problemkomposition. 2. Aufl. gr. 8. (VIII, 184 S. m. eingedr. Diagrammen.) Leipzig 884. Veit & Co. n. 1. 60; geb. n. 2. —

— der Entscheidungskampf zwischen W. Steinitz u. J. H. Zuckertort um die Meisterschaft der Welt,
— Humor im Schachspiel,
} s.: Bibliothek f. Schachfreunde.

— der 4. Kongress d. deutschen Schachbundes. Hamburg 1885. Unter Mitwirkg. von C. v. Bardeleben u. M. Kürschner hrsg. gr. 8. (IV, 256 S. m. eingedr. Diagrammen.) Leipzig 886. Veit & Co. n. 4. —

Minckwitz, Johs., die Entwicklung e. neuen dramatischen Styls in Deutschland, s.: Zeit- u. Streit-Fragen, deutsche.

— Taschenwörterbuch der Mythologie aller Völker. Mit 214 (eingedr.) Holzschn.-Illustr. 6. Ster.-Aufl. 12. (620 S.) Leipzig 883. Arnold. geb. n. 3. —

Mindermann, Marie, bis zum Senator. Eine Erzählg. f. Alt u. Jung. 2. Ausg. 8. (192 S.) Bremen 885. Haake. n. 2. —

Miniat, L., Wegweiser zu klimatischen Kuren. Eine Belehrg. f. Kranke u. ihre Angehörigen. 8. (80 S. m. 1 Holzschn.) Bern 883. Fiala. geb. n. 1. 60

Miniatur-Bibliothek. 1—6. Bdchn. 16. Köln 883. Püttmann. cart. à n. — 50

1. Ich denke dein! Goldene Sprüche f. das Album der Freundschaft. (95 S.)
2. Liebesgrüße aus dem Reiche der Dichtung. (96 S.)
3. Für Hochzeit u. Polterabend. Ausgewählte Vorträge ernsten u. heiteren Charakters f. Damen. (96 S.)
4. Frohe Stunden Ein Handbüchlein f. gesell. Unterhaltg. bei Familien- u. Vereinsfesten, Landpartieen &c. (96 S.)
5. Deklamatorium. Eine Auswahl wirkungsvoller Vorträge ernsten u. heiteren Inhalts. (96 S.)
6. Glückwunsch-Büchlein. Eine Sammlg. v. Gratulations-Gedichten zu allen festl. Gelegenheiten. (95 S.)

— Nr. 446—455. 16. Mülheim 883. Bagel. à n. — 50

446. Der feine Ton im gesellschaftlichen Leben. Ein Ratgeber f. Damen u. Herren im gesellschaftl. u. öffentl. Leben. Hrsg. v. Ernestine Hoefer. (63 S.)
447. Briefsteller f. junge Damen u. Herren. Briefe aus dem Familien-, Braut- u. Liebesleben. Hrsg. v. Ernestine Hoefer. (64 S.)
448. Humoristische Vorträge f. Damen u. Herren. (64 S.)
449. Neuester Traumdeuter. Auslegung u. Deutg. sämtl. Träume in Poesie u. Prosa. (64 S.)
450. Goldene Sprüche fürs Leben. Denk- u. Sinn-Sprüche berühmter Männer. (64 S.)
451. Punktierbüchlein, nebst Blumen- u. Karten-Orakel zur Enthüllg. d. Zukunft. Zur Unterhaltg. f. heitere Stunden. (64 S.)
452. Briefsteller f. Herzens-Angelegenheiten. (64 S.)
453. Plattdeutsche Polterabendscherze. Humoristische u. ernste Gedichte, Vorträge u. Scenen f. 1, 2 u. mehrere Personen. (64 S.)
454. Ich gratuliere. Glückwünsche f. jung u. alt zu Geburts- u. Namenstagen, Neujahrs- u. anderen Festen, Verlobgn., Hochzeiten &c. (64 S.)
455. Liebesgrüße. Blüten u. Perlen deutscher Dichtg. (63 S.)

— neue. Nr. 2101—2130. 16. (à ca. 32 S.) Ebend. 884. à — 30

2101. Contre-Tänze u. Cotillon-Touren.
2102. Das gratulierende Kind. Kinder-Glückwünsche zu Neujahr, Geburtstag u. Weihnachten u. sonst. Familienfesten.
2103. Kranzgedichte u. Aufführungen zu Polterabend u. Hochzeit.
2104. Hochzeitswünsche u. Gedichte. Eine Sammlg. v. Glückwünschen, Reden, Liedern u. Aufführgn. zu Hochzeitsfesten.
2105. Die Blumensprache der Liebe u. Freundschaft.
2106. Festreden u. Toaste f. allgemeine, patriotische, Familien- u. Vereins-Festlichkeiten.
2107. Festprologe u. Gedichte zu lebenden Bildern.
2108. Unterhaltungs- u. Gesellschafts-Spiele im Zimmer.
2109. Dasselbe im Freien.
2110. Karnevals-Lieder u. Ulkereien f. heitere Narrenkreise.
2111. Komische Vorträge f. heitere Kreise.
2112. Die schönsten Karten-Kunststücke zur Unterhaltung in allen Gesellschaftskreisen.
2113. Der gute Ton. Das Benehmen auf Bällen, nebst e. Anleitg. zu Ball-Gesprächen.
2114. Das feine Benehmen bei Besuchen u. Gesellschaften.
2115. Die schönsten Braut- u. Liebes-Lieder. Neue Sammlg.
2116. Vergißmeinnicht. Stammbuchverse u. Sprüche.
2117. Kleine Lustspiele f. Familien- u. Vereinsfeste.
2118. Polterabendscherze f. 1, 2 u. mehrere Personen.
2119. Hochzeits-Lieder u. Gedichte.
2120. Neues Traumbuch. Auslegung u. Deutg. sämtl. Träume in Poesie u. Prosa.
2121. Vom Herzen zu Herzen. Liebesbriefsteller.
2122. Briefe der Liebe während d. Brautstandes.
2123. Heirats-Anträge nebst Antworten.
2124. Rätsel-Büchlein f. jung u. alt.
2125. Glückwunsch-Büchlein f. Familienfeste.
2126. Heitere Lieder u. Couplets f. frohe Kreise.
2127. Gesellschafts- u. Tafel-Lieder f. frohe Kreise.
2128. Hübsche Soloscenen u. Vorträge f. Dilettanten.
2129. Punktir-Büchlein nebst Planeten-Deuter zur Enthüllung der Zukunft. Zur Unterhaltung f. heitere Stunden.
2130. Die schönsten Deklamationen f. Damen u. Herren in gesellschaftlichen Kreisen.

Ministerial-Blatt f. Kirchen- u. Schulangelegenheiten im Königr. Bayern. Haupt-Register zu den Jahrgängen 1865—1882. gr. 8. (67 S.) München 883. Franz' Verl. n.n. 2. —

— für die gesammte innere Verwaltung in den königl. preußischen Staaten. Hrsg. im Büreau d. Ministeriums d. Innern. 44—47. Jahrg. 1883—1886. gr. 4. (Nr. 1. 24 S.) Berlin. (Kortkampf. — Münnich. — Puttkammer & Mühlbrecht.) à Jahrg. n.n. 8. 50

— dasselbe. Alphabetisches Haupt- u. Sachregister f. die

Jahrgänge 1840 bis 1882 einschließlich. Von K. Schmitt. gr. 4. (343 S.) Hagen 883. Risel & Co. n.n. 8. —

Minor, Jac., die Schicksals-Tragödie in ihren Hauptvertretern. gr. 8. (VIII, 189 S.) Frankfurt a/M. 883. Literar. Anstalt. n. 4. —

Minot's, L., Lieder, s.: Quellen u. Forschungen zur Sprach- u. Culturgeschichte der germanischen Völker.

Minucii Felicis, M., Octavius. Emendavit et praefatus est Aemilius Baehrens. 8. (XXXV, 64 S.) Leipzig 886. Teubner. 1. 35

Mir, Miguel, Zusammenhang zwischen Wissen u. Glauben. Mit Genehmigg. d. Verf. aus dem Span. übers. v. Johs. Jehly. gr. 8. (XVI, 362 S.) Regensburg 883. Verlags-Anstalt. n. 5. 40

Mirabeau, ausgewählte Reden. Erklärt v. H. Fritsche. 1. Hft. Reden aus dem J. 1789. 2. Aufl. gr. 8. (168 S.) Berlin 884. Weidmann 1. 50

Mirbach-Sorquitten, Frhr. v., Währung, Preisrückgang, mobiles Capital. 8. (24 S.) Berlin 886. Walther & Apolant. n.n. — 25

Mirbach, Ernst Frhr. v., üb. Ausbildung der Kompagnie im Felddienst. gr. 8. (VIII, 154 S.) Berlin 884. Mittler & Sohn. n. 2. 50

Mirsch, Paul, de M. Terenti Varronis antiquitatum rerum humanarum libris XXV. gr. 8. (144 S.) Leipzig 883. (Hirzel.) n. 2. —

Mirus', v., Leitfaden f. den Kavalleristen bei seinem Verhalten in u. außer dem Dienste. Zum Gebrauch in den Instruktionsstunden u. zur Selbstbelehrg. Im Anschluß an die maßgeb. Bestimmgn. bearb. u. hrsg. von G. v. Pelet-Narbonne. 15. verb. u. durch Abschnitte üb. den Reitdienst u. den Schießdienst, sowie zahlr. Holzschn. im Text verm. Aufl. 8. (XIII, 266 S.) Berlin 884. Mittler & Sohn. n. — 80

Mirza Schaffy im Waffenrock. Ein luft. Vademecum f. den Einjährig-Freiwilligen. Von Abdullah-Aga. 12. (48 S.) Celle 884. Literar. Anstalt. — 80

Misasi, N., kalabrische Novellen, s.: Collection Spemann.

Misboekje voor godvruchtige kinderen, met 43 gravuren. In het Nederlandsch vertaald en bewerkt door een r. k. pr. 2. uitgaaf. 16. (132 S.) Freiburg i/Br. 886. Herder. n. — 60; geb. n. — 80

Mischi, J., deutsche Worte im Ladinischen. gr. 8. (32 S.) Wien 885. (Pichler's Wwe. & Sohn.) n. — 70

Mische, C., u. A. Tromnau, der religiöse Lern- u. Merkstoff f. evangelische Schulen. Mit Berücksicht. der 3 Unterrichtsstufen zusammengestellt. gr. 8. (92 u. Begleitwort 4 S.) Gera 885. Th. Hofmann. n. — 40

Mischke, J. G., das erste Schuljahr in der ein- u. mehrklassigen Schule. 4. Aufl. gr. 8. (IV, 56 S.) Langensalza 885. Beyer & Söhne. — 60

Mischler, Ernst, die Literaturstatistik in Oesterreich. gr. 8. (23 S.) Wien 886. Hölder. n. — 80

— alte u. neue Universitäts-Statistik. Antrittsrede, geh. zu Beginn d. Winter-Semesters 1884/85. gr. 8. (IV, 32 S.) Prag 885. Dominicus. n. — 80

Mischnaioth. Hebräischer Text m. Punktation, deutscher Uebersetzg. u. Erklärg. v. A. Sammter. (In 40 Lfgn.) 1—7. Lfg. gr. 8. (1. Bd. S. 1—196.) Berlin 885. 86. (Adf. Cohn.) à n.n. — 75

Mischpeter, E., Beobachtungen der Station zur Messung der Temperatur der Erde in verschiedenen Tiefen im botanischen Garten zu Königsberg in Pr. Jan. 1879 bis Decbr 1880. gr. 4. (27 S.) Königsberg 886. (Berlin, Friedländer & Sohn.) n. 1. —

Mises, das Wünschelmännchen, s.: Volksbibliothek d. Lahrer Hinkenden Boten.

Mistakis, Johs., ausgewählte griechische Volksmärchen. Für die deutsche Jugend bearb. 2. Aufl. gr. 8. (VII, 162 S. m. 5 Chromolith.) Berlin 884. Drewitz. geb. 4. 50

Missa in vigilia immaculatae conceptionis beatae Mariae virginis. Ed. II. Fol. (4 S.) Kempten 885. Kösel. — 20

Missae in festis sancti Augustini, episcopi et confessoris, sancti Cyrilli, episcopi Alexandrini, confessoris et ecclesiae doctoris, sancti Cyrilli, episcopi Hierosolymitani, confessoris et ecclesiae doctoris, sancti Justini martyris et Sancti Josaphat, episcopi et martyris. Fol. (10 S.) Kempten 883. Kösel. n. — 25

Missae in festis S. Benedicti Josephi Labre, confessoris, S. Joannis Baptistae de Rossi, confessoris, S. Laurentii a Brundusio, confessoris, beati Urbani II., papae et confessoris, S. Clarae a Cruce de Montefalco, virginis. Fol. (à 2 S.) Kempten 883. Kösel. n. — 20

— propriae dioecesis Paderbornensis. Auctoritate reverendissimi domini Francisci Caspari episcopi Paderbornensis. Fol. (24 S.) Paderborn 884. Junfermann. n. 2. —

— votivae per annum. Fol. (4 S.) Kempten 883. Kösel. — 15

Missi, Math., et Ant. **Oberkoffer,** Florale poeseos christianae. Opus tripartitum. 8. (VII, 272; 207 u. 144 S. m. Titel u. 1 Taf. in Farbendr.) Bozen 883. (Wohlgemuth.) n. 5. —

Mission, die innere, in Berlin. Uebersicht der dem Werke der inneren Mission dien. Anstalten u. Vereine, f. das J. 1881 zusammengestellt. Hrsg v. dem Berliner Hülfs-Verein d. Central-Ausschusses f. die innere Mission der deutschen evangel. Kirche. gr. 8. (XII, 176 S.) Berlin 883. F. Schulze's Verl. n. 2. —

— die Innere, in Breslau. Eine Festschrift, dem XXIV. Kongreß f. Innere Mission dargebracht vom Vorstande d. Evangel. Vereinshauses u. d. Evangel. Vereins f. Innere Mission. gr. 8. (IV, 71 S.) Breslau 886. (Dülfer.) n — 50

— die innere, in Deutschland. Eine Sammlg. v. Monographieen üb. Geschichte u. Bestand der inneren Mission in den einzelnen Teilen d. deutschen Reichs. Hrsg. v. Thdr. Schäfer. 6. Bd. gr. 8. Hamburg 883. Oemler. n. 4. — (1—6.: n. 20. 60)

Die innere Mission in Schlesien. Dargestellt v. O. Schütze. (XII, 296 S.)

Missionaire, le. Organe de la mission bâloise pour les pays de langue française. Réd.: Ed. Barde. 4—7. année. 1883—1886. à 12 nrs. (à $^1/_2$—1 B. m. Holzschn.) gr. 4. Basel, Missionsbuchh. à Jahrg. n. 1. 20

Missionar, e., im fernen Nord-Osten. Ein Lebensbild aus der Missionsthätigkeit der russ. Kirche. gr. 8. (16 S.) Stuttgart 884. (Roth.) n. — 50

Missionen, die katholischen. Illustrirte Monatsschrift im Anschluß an die Lyoner Wochenschrift d. Vereins der Glaubensverbreitg. Unter Mitwirkg. einiger Priester der Gesellschaft Jesu hrsg. Jahrg. 1884—1886. à 12 Hfte. (à 2—3 B. m. Holzschn.) gr. 4. Freiburg i/Br., Herder. à Jahrg. n. 4. —

Missions évangéliques, les, au 19me siècle. Journal mensuel rendant compte de tout les travaux missionnaires actuels. Publié par la Société des missions de Bâle et sous la direction du L. Nagel. 25 et 26 année. 1885 et 1886. à 12 nrs. (2 B.) gr. 8. Basel, Missionsbuchh. à Jahrg. n. 4. —

Missions-Berichte, Berliner. Hrsg. u. Red.: Wangemann u. Kratzenstein. Jahrg. 1883—1886. à 24 Nrn. (B. m. Holzschn.) gr. 8. Berlin, W. Schultze. à Jahrg. n.n. 1. 50

Missionsblatt. Hrsg. v. der Missions-Hülfs-Gesellschaft in Barmen. Red.: Ernst Frhr. Ball unter Mitwirkg. v. A. Schreiber. 58—61. Jahrg. 1883—1886. à 12 Nrn. (B.) gr. 4. Barmen, (Klein. — Wiemann). à Jahrg. n.n. 1. 25

— aus der Brüdergemeine. Red.: A. Glitsch. 47—49. Jahrg. 1883—1886. à 12 Nrn. (à 1—2 B. m. Illustr.) gr. 8. Herrnhut. (Gnadau, Unitäts-Buchh.) à Jahrg. 1. 50

— dasselbe. 50. Jahrg. 1886. 12 Nrn. (à 1—2. B. m. Illustr.) gr. 8. Ebend. n. 1. —

— Calwer. Eine allgemeine illustr. Missions-Zeitschrift. Red.: Gundert. 56—59. Jahrg. 1883—1886. à 12 Nrn. (B. m. Holzschn.) hoch 4. Calw, Vereinsbuchh. à Jahrg. 1. 50

— evangelisch-lutherisches. Red., unter Mitwirkg. v. Hardeland, v. Cordes. 39—41. Jahrg. 1884—1886. à 26 Nrn. (B.) gr. 8. Leipzig, (J. Naumann). à Jahrg. n. 1. 20

— des Frauen-Vereins f. christliche Bildung d. weiblichen Geschlechts im Morgenlande. Red.: Schrader.

19—22. Jahrg. 1883—1886. à 12 Nrn. (B.) gr. 8. Berlin, W. Schultze. à Jahrg. n.n. 1. 50

Missionsblatt, hannoversches. Illustrirte Monatsschrift. Red.: H. Harms. 4—7. Jahrg. 1883—1886. à 12 Nrn. (à 3/4—1 B. m. Holzschn.) gr. 8. Stade 883. Pockwitz. à Jahrg. 1. 20

— Hermannsburger. Hrsg.: Th. Harms. 30. Jahrg. 1883. 12 Nrn. (B.) Nebst Beiblatt. (1/2 B.) gr. 8. Hermannsburg, Missionshausdruckerei. 1. 50; ohne Beiblatt 1. —

— dasselbe. 31—33. Jahrg. 1884—1886. à 12 Nrn. (B.) Nebst Beiblatt. (1/2 B.) gr. 8. Ebend. à Jahrg. n. 2. —; ohne Beiblatt 1. 50

— das, aus Hessen. Red.: Heinr. Bernhardt. Jahrg. 1886. 12 Nrn. (B.) gr. 4. Cassel, (Röttger). n.n. 1. —

— des rheinisch-westphälischen Vereins f. Israel. Red.: F. Stolle u. L. Wallis. 39. u. 40. Jahrg. 1883 u. 1884. à 12 Nrn. (à 1/2—1 B.) gr. 4. Barmen, (Klein). à Jahrg. n.n. 1. 25

— dasselbe. 41. u. 42. Jahrg. 1885 u. 1886. à 12 Nrn. (à 1/2—1 B.) gr. 4. Barmen, (Wiemann). à Jahrg. n. 1. 50

— katholisches. Ein Sonntagsblatt zur religiösen Belehrg. u. Erbaug. f. heilsbegier. Christen, die fromm leben u. selig sterben wollen. Besonders zur Auffrischg. der in der Mission gehörten Heilswahrheiten u. zur Befestigg. der gefaßten Vorsätze. Red.: J. Fing. 32—35. Jahrg. 1883—1886. à 52 Nrn. (B.) gr. 8. Dülmen, Laumann. à Jahrg. 2. 50

— für Kinder. Red.: v. Gundert. 42—45. Jahrg. 1883—1886. à 12 Hfte. (à 1/2—3/4 B. m. Holzschn.) 8. Calw, Vereinsbuchh. à Jahrg. — 75

— des allgemeinen evangelisch-protestantischen Missionsvereins. Im Auftrage d. Centralvorstandes d. Vereins hrsg. u. red. v. Schück. 2. Jahrg. 1886. 12 Nrn. (1/2 B.) gr. 8. Heidelberg, C. Winter's Sort. n.n. — 60

— Nürnberger. Red.: Pauli. (39. u. 40. Jahrg.) 1883 u. 1884. à 24 Nrn. (1/2 B.) gr. 8. Nürnberg, (Raw). à Jahrg. n.n. 1. 30

— Nürnberger. Hrsg. vom Central-Ausschuß d. evangelisch-luther. Missions-Vereins f. Bayern in Nürnberg Red.: Ittameier. Jahrg. 1885 u. 1886. à 24 Nrn. (1/2 B.) gr. 8. Rothenburg o/T., (Peter). à Jahrg. n.n. 1. —

Missions-Bote, der kleine, im Dienste d. schles. Kolhs-Missions-Vereins zu Breslau, hrsg. v. P. Gerhard. 11—14. Jahrg. 1883—1886. à 4 Nrn. (à 1—1 1/2 B.) 8. Breslau, (Dülfer). à Jahrg. n. — 60

Missionsbüchlein. Zur Bewahrg. u. Erneuerg. der Missionsfrüchte. Von e. Missionär aus dem Kapuzinerorden. 16. (VIII, 232 S.) Mainz 886. Frey. n. — 75; geb. n. 1. —

— für Eheleute. Anleitung zu e. guten Generalbeicht, nebst Morgen-, Abend- u. Meßgebeten am Beichttage. 19. Aufl. 8. (55 S.) Dülmen 886. Laumann. n. — 15

— katholisches Oder Anleitg. zu e. christl. Lebenswandel. Hrsg. v. der Versammlg. d. allerheiligsten Erlösers. Neue, stark verm. Orig.-Aufl. 40. Aufl. (In kleinem Druck.) 8. (510 S.) Regensburg 885. Verlags-Anstalt. 1. —

— für Söhne u. Töchter. Anleitung zu e. guten Generalbeicht, Morgen-, Abend- u. Meßgebete am Beichttage, nebst e. Anh.: Von der Nothwendigkeit e. immerwähr. Buße; recht oft zu beherzigen nach der Mission. 19. verb. Aufl. 8. (48 S.) Dülmen 886. Laumann. n. — 15

Missions- u. Exercitien-Erneuerung. 72 Missions- u. Exerzitien-Betrachtgn. üb. die großen u. ernsten Heilswahrheiten zur Rettg. der Seele. Hauptinhalt der Missionspredigten u. der Exercitienbetrachtgn., welche zwar zu jeder Zeit als Auffrischg. der Mission u. der Exercitien, auch als Büchlein f. Privatexercitien, dienen können, aber so auf alle Tage der Advents- u. Weihnachtszeit vertheilt sind, daß alle Betrachtgn. der Reihe nach vorkommen, u. diese Zeit passend als e. jährl. Missions- u. Exercitien-Erinnerg. kann benutzt werden. Nebst Morgen-, Abend- u. Meßgebeten u. Litaneien f. die Advents- u. Weihnachtszeit. Von e. kathol. Pfarrer J. E. [Hrsg. der „Maiandacht".] 2. Aufl. 16. (VIII, 256 S.) Paderborn 885. Bonifacius-Druckerei. n. — 60

Missions-Freund, der. Red. u. Hrsg.: Wendland. 38—41. Jahrg. 1883—1886. à 12 Nrn. (B.) gr. 8. Berlin, W. Schultze. à Jahrg. n.n. 1. 50

— der kleine. Hrsg. v. M. Huyssen u. Johs. Spänker. 29—32. Jahrg. 1883—1886. à 12 Nrn. (B. m. Holzschn.) 8. Barmen, (Wiemann. — Halle, Fricke's Verl.). à Jahrg. n. 1. —

Missions-Harfe. 60 Lieder f. die Missions-Gemeinde. 8. (82 S.) Basel 885. Missionsbuchh. geb. n. — 40

— große. Geistliches Liederbuch f. gemischten Chor, sowie f. Klavier- od. Harmonium-Begleitg. Mit den sämtl. Melodien der „Kleinen Missionsharfe". 5. Aufl. gr. 8. (VIII, 212 S.) Gütersloh 886. Bertelsmann. n. 2. —; geb. n. 2. 50

— kleine, im Kirchen- u. Volkston f. festliche u. außerfestliche Kreise. 43. Aufl. 12. (136 S.) Ebend. 886. n.n. — 30

Missions-Kalender, evangelischer. 1887. 8. Jahrg. 16. (64 S. m. Holzschn. u. 1 Chromolith.) Basel, (Missionsbuchh.). n. — 25

Missions-Magazin, evangelisches. Im Auftrag der Missions-Kommittee hrsg. v. J. Hesse. Neue Folge. 27—30. Jahrg. 1883—1886. à 12 Hfte. (à 3—3 1/2 B. m. Holzschntaf.) gr. 8. Basel, Missionsbuchh. à Jahrg. n. 5. —

Missionssammler, der. Hrsg. f. die Missions-Gesellschaft der bischöfl. Methodistenkirche. 15—17. Bd. Jahrg. 1883—1886. à 12 Nrn. (1/2 B.) 8. Bremen, (Verl. d. Tractathauses). pro 10 Explre. n. 2. —

Missionsschriften-Katalog. Verzeichniss der neueren litterar. Erscheingn. auf dem Gebiete der äusseren Mission. Luther-Litteratur-Catalog. 8. (23 S.) Leipzig 883. Buchh. d. Vereinshauses. n.n. — 25

Missions-Taube. Nachrichten aus dem Missionsgebiet der Heimat u. d. Auslandes. Hrsg. v. der ev.-luth. Synodalconferenz in Nordamerika. In deren Auftrag red. v. F. Lochner unter Mithilfe v. C. F. W. Sapper. 5—8. Jahrg. 1883—1886. à 12 Nrn. (B.) hoch 4. St. Louis, Mo. (Dresden, H. J. Naumann.) à Jahrg. n. 1. 50

Missions-Vorträge, acht, geh. bei der constituir. Versammlg. d. allgemeinen evangelisch-protestant. Missionsvereins in Weimar am 4. u. 5. Juni 1884 v. Furrer, Hesse, Buß, Kirchhoff u. Kesselring, Ritter, Vogelgesang u. Nippold. gr. 8. (III, 83 S.) Frankfurt a/M. 884. Diesterweg. n. 1. —

Missions-Zeitschrift, allgemeine. Monatshefte f. geschichtl. u. theoret. Missionskunde. In Verbindg. m. Th. Christlieb u. R. Grundemann hrsg. v G. Warneck. 10—13. Bd. Jahrg. 1883—1886. à 12 Hfte. gr. 8. (1. Hft. 64 S.) Gütersloh, Bertelsmann. à Jahrg. n. 7. 50

Missolunghi's letzte Stunde od. der Sieg im Tode. Ein histor. Charakter- u. Heldengemälde aus Griechenlands Befreiungskampfe. Der reiferen Jugend u. dem Volke gewidmet. 3. Aufl. Mit 1 Stahlst. 8 (167 S.) Straubing 886. Volks- u. Jugendschriften-Verlag. cart. 1. 20

Missong, Alex., die Münzen d. Fürstenhauses Liechtenstein. [Mit 8 (lith.) Taf.] gr. 8. (86 S.) Wien 882. (Szelinski.) n. 5. —

Mit Gott f. König u. Vaterland! Für Kaiser u. Reich! Ein Mahnruf an den deutschen Soldaten d. aktiven Heeres u. d. Beurlaubtenstandes zum 22. März 1886. Von e. preuß. Stabsoffizier. 8. (16 S.) Berlin, Eisenschmidt. n.n. — 15

Mitchell, S. Weir, die Behandlung gewisser Formen v. Neurasthenie u. Hysterie. Mit Genehmigg. d. Verf. nach der IV. Aufl. d. Originals ins Deutsche übertr. v. G. Klemperer. Mit e. Vorwort v. E. Leyden. gr. 8. (V, 102 S.) Berlin 887. Hirschwald. n. 2. 40

Mithoff, H. Wilh. H., mittelalterliche Künstler u. Werkmeister Niedersachsens u. Westfalens, lexikalisch dargestellt. 2. Ausg. gr. 8. (IX, 462 S.) Hannover 885. Helwing's Verl. n. 5. —

— Taschenwörterbuch f. Kunst u. Alterthums-Freunde. Mit Holzschn. 2. Aufl. 8. (IV, 412 S.) Ebend. 885. n. 4. —

Mitregenten u. fremde Hände in Deutschland. gr. 8. (28 S.) Zürich 886. Verlags-Magazin. n. — 60

Mitschke-Collande, F. v, der praktische Merinozüchter. Gründliche Anleitg. zur rationellen Züchtg d. Merinoschafes m. Hinblick auf die jetzigen Zeitverhältnisse. gr. 8. (XII, 435 S.) Berlin 883. Parey. n. 10. —

— die Wollzollfrage, erörtert m. Hinblick auf den jetzigen Standpunkt der deutschen Merinozucht. gr. 8. (31 S.) Dresden 886. G. Schönfeld's Verl. n. — 80

Mitteis, Ludw., die Individualisirung der Obligation. Civilistische Studie. gr. 8. (IV, 114 S.) Wien 886. Hölder. n. 2. 80

— die Lehre v. der Stellvertretung nach römischem Recht m. Berücksicht. d österreichischen Rechtes. gr. 8. (VIII, 311 S.) Ebend. 885. n. 7. 20

Mittelbach, R., Führer u. Panorama zum Hochwalde bei Zittau. 8. (19 S. m. 1 Lichtdr.-Panorama in gr. Fol.) Dresden 884. (Leipzig, Hinrichs' Sort.) n. 1. —

— Ortszeiger f. die Orts- u. Entfernungskarte, die Generalstabskarte, sowie alle Specialkarten v. Sachsen. Bearb. nach den neuesten kartograph. u. statist. Unterlagen. gr. 8. (172 S.) Ebend. 885. n. 1. 50

Mittelschulgesetzentwurf, der, im ungarischen Reichstage. Mittheilung der wichtigsten Reden d. ungar. Abgeordnetenhauses vom 5. bis 17. März 1883. [Uebersetzung aus den stenograph. Reichstagsberichten.] gr. 8. (XI, 416 S.) Hermannstadt 883. (Michaelis.) n. 2. 40

Mittelsdorf, J., Frankfurt, Hanau u. Umgegend, s.: Renaissance, deutsche.

Mittelstein, Max, die Einkindschaft nach Hamburgischem Recht m. Berücksicht. d. gemeinen Rechts. gr. 8. (V, 95 S. m 2 Tab.) Hamburg 886. Seippel. n. 2. —

— das Hamburgische Gesetz betr. Grundeigentum u. Hypotheken, nebst zugehör. Verordngn. u. Gesetzen m. Anmerkgn. aus den Motiven u. der Rechtsprechg. 8. (V, 110 S.) Ebend. 886. n. 1. 50

Mittenzweig, Hugo, die Bakterien-Aetiologie der Infections-Krankheiten. gr. 8. (VIII, 135 S.) Berlin 886. Hirschwald. n. 2. 80

Mittenzwey, L., Geometrie f. einfache Volksschulen. Ein Leitfaden f. Lehrer u. Übungsbuch f. Schüler. 2. Aufl. 8. (52 S.) Leipzig 886. Klinkhardt. n. — 40

— Geometrie f. Volks- u. Fortbildungsschulen u. untere Klassen höherer Lehranstalten. Ausg. B in 3 Hftn. Für die Hand der Schüler. gr. 8. (Mit eingedr. Fig.) Ebend. 885. à n. — 30

1. 5. Aufl. (32 S.) — 2. 4. Aufl. (35 S.) — 3. 3. Aufl. (36 S.)

— Gesetz üb. die eingeschriebenen Hülfskassen m. Erläuterungen u. Anmerkungen unter steter Beziehung auf das Reichs-Krankenkassengesetz. Nebst e. prakt. Anleitg. zur Buchführg. f. obige Kassen. Bearb. u. hrsg. f. Alle, welche versicherungspflichtig u. versicherungsbedürftig sind. 8. (48 S.) Leipzig 884. Leopold & Bär. n. — 60

— Gesetzeskunde. Die Verfassg., Gesetzgebg. u. Verwaltg. d. Deutschen Reiches u. Einzelstaates m. besond. Berücksicht. Preußens u. Sachsens, allgemein faßlich dargestellt Zur Selbstbelehrg. f. Laien u. zum unterrichtl. Gebrauche an Fortbildungsschulen u. höheren Lehranstalten. gr. 8. (XXVIII, 500 S.) Leipzig 883. Hahn's Verl. n. 4. —

— Gottes Auge. Das Walten der göttl. Vorsehg. Eine Darstellg. mannigfacher wunderbarer Függgn. in den Schicksalen der Menschen. Zur Belehrg. u. Erhebg. f. jung u. alt auf Grund wirkl. Begebenheiten erzählt. Mit 30 Text-Abbildgn. u. e. Titelbilde. gr. 8. (IX, 148 S.) Leipzig 887. Spamer. n. 2. —; geb. n. 2. 50

— das Spiel im Freien. Eine reichhalt. Auswahl v. Gruppenspielen zum Gebrauche f. Spielvereine, bei Kinder- u. Volksfesten, sowie auf dem Turnplatze u. bei Turnfahrten ꝛc., nebst e. Abhandlg. üb. die erzieherische Bedeutg. der Jugendspiele, üb. Einrichtgn. v. Spielvereinen u. Spielplätzen ꝛc. bearb. 12. (X, 158 S.) Leipzig 884. Merseburger. cart. n. 1. —

— das Spiel im Zimmer. Eine reichhalt. Sammlg. ausgewählter Spiele zum Gebrauch f. jung u. alt, f. den Einzelnen, wie f. kleinere u. größere Kreise. 8. (X, 140 S.) Ebend. 887. cart. n. 1. —

Mittenzwey, L., die Zukunft unserer Kinder. Ein Ratgeber bei der Wahl e. Berufes f. alle Lebensgebiete im Staatsdienst wie in Privatstellg. Die verschiedenen Berufsarten in Wissenschaft u. Kunst, Handel, Verkehr u. Gewerbe, betrachtet nach ihren Licht- u. Schattenseiten u. in ihren Anfordergn. u. Gewährleistgn. Nebst e. Anh. üb. die weibl. Berufszweige. Für Eltern, Vormünder, Lehrer u. heranwachs. Schüler bearb. gr. 8. (XVI, 228 S.) Leipzig 885. Klinkhardt. n. 3. —

Mitteregger, Jos., Lehrbuch der Chemie f. Oberrealschulen. 2 Thle. gr. 8. Wien, Hölder. n. 4. 84

1. Anorganische Chemie. Mit 45 Holzschn. u. 1 Spectraltaf. in Farbendr. 3. Aufl. (VIII, 278 S.) 886. n. 3. —
2. Organische Chemie. Mit 12 Holzschn. 2. Aufl. (VII, 152 S.) 884. n. 1. 84

— trattato di chimica inorganica delle scuole reali superiori. Tradotte sulla II. ed. originale da Ernesto Girardi. Con 45 incisioni originali in legno intercalate nel testo ed 1 tavola spettrale in colori. gr. 8. (VIII, 252 S.) Ebend. 886. n. 3. 20

Mitterer, Ign., die wichtigsten kirchlichen Vorschriften f. katholische Kirchenmusik. Nebst e. Anh.: „Über den Gesang d. Priesters am Altare". [Unter Benützg. d. vom Salzburger Cäcilienverein hrsg. Sammlg. liturg. Verordngn. f. kathol. Kirchenmusik.] Für die Hand der Lehrer u. Chorregenten zusammengestellt u. geordnet. 8. (102 S.) Regensburg 885. Coppenrath. n. 1. 20

— dasselbe. 2. Aufl. 12. (105 S.) Ebend. 886. n. 1. —

Mittermaier, K., u. F. **Mittermaier**, Bilder aus dem Leben v. K. J. A. Mittermaier. Zur 500jähr. Jubelfeier der Universität Heidelberg gewidmet. Mit dem Bildnisse Mittermaier's u. 8 Bildern in Lichtdr. nach Zeichngn. u. Aquarellen v. K. Roux. Lex.-8. (68 S.) Heidelberg 886. Weiß' Verl. n. 3. —; geb. n.n. 4. 20

Mittermaier, Karl u. Jul. **Goldschmidt**, Madeira u. seine Bedeutung als Heilungsort. Nach vieljähr. Beobachtgn. geschildert. 2. Aufl. gr. 8. (VIII, 236 S.) Leipzig 885. F. C. W. Vogel. n 6. —

Mitterrutzner, J. Ch., Joseph Cardinal Mezzofanti, der grosse Polyglott. Eine Lebensskizze. gr. 8. (46 S.) Brixen 885. (Wien, Pichler's Wwe. & Sohn) n. 1. —

Mitterstiller, Gabr., die Collectanea-Frage der Instructionen f. den Unterricht an den Gymnasien in Oesterreich. gr. 8. (III, 56 S.) Graz 885. Leuschner & Lubensky. n. 1. 60

Mittheilungen der k. k. mährisch-schlesischen Gesellschaft f. Ackerbau, Natur- u. Landeskunde. Red.: Emil Kořistka. 64—66. Jahrg. 1884—1886. à 52 Nrn. (à 1—1$^1/_2$ B.) gr. 4. Brünn, (Winiker). à Jahrg. n. 8. 40

— der afrikanischen Gesellschaft in Deutschland. Unter Mitwirkg. d. Vorstandes hrsg. v. W. Erman. 4. Bd. 6 Hfte. gr. 8. (IV, 411 S. m. 13 lith. Karten.) Berlin 883—85. (D. Reimer.) n. 16. —

— des deutschen u. österreichischen Alpenvereins. Red. v. Th. Trautwein. Jahrg. 1883 u. 1884. à 10 Hfte. (2 B.) gr. 8. Salzburg. (München, Lindauer.) à Jahrg. n. 4. —

— dasselbe. Red.: Johs. Emmer. Jahrg. 1885 u. 1886. à 24 Nrn. (2 B.) gr. 4. Ebend. à Jahrg. n. 4. —

— des Altertumsvereins zu Plauen i. V. 3. Jahresschrift auf das J. 1882—83. Hrsg. v Joh. Müller. gr. 8. (V, CII, 106 S.) Plauen 883. (Neupert.) n. 2. 80

— dasselbe. 4. Jahresschrift auf d. J. 1883—84. gr. 8. (LXXXVI, 66 S. m. Steintaf.) Ebend. 884. n. 2. 80

— dasselbe. 5. Jahresschrift auf d. J. 1884—85. gr. 8. (X, 220 S. m. 1 Steintaf.) Ebend. 885. n. 3. 60

— der anthropologischen Gesellschaft in Wien. 13—15. Bd. [Der neuen Folge 3—5. Bd.] à 4 Hfte. gr. 4. (à ca. 300 S. m. eingedr. Fig. u. Taf.) Wien 88^{3}—86. Hölder. à Heft n. 4. —

— dasselbe. Suppl. I. 1884. gr. 4. Ebend. 884. n. 4. —

Erhebungen üb. die Farbe der Augen, der Haare u. der Haut bei den Schulkindern Oesterreichs. Nach dem v. der k. k. statist. Central-Commission zur Verfügg. gestellten Materiale im Auftrage der Anthropolog. Gesellschaft in Wien bearb. v. Gust. Adf. Schimmer. Mit 2 (chromolith.) Karten. (XXIV, 42 S.)

19—22. Jahrg. 1883—1886. à 12 Nrn. (B.) gr. 8. Berlin, W. Schultze. à Jahrg. n.n. 1. 50

Missionsblatt, hannoversches. Illustrirte Monatsschrift. Red.: H. Harms. 4—7. Jahrg. 1883—1886. à 12 Nrn. (à 3/4—1 B. m. Holzschn.) gr. 8. Stade 883. Pockwitz. à Jahrg. 1. 20

— Hermannsburger. Hrsg.: Th. Harms. 30. Jahrg. 1883. 12 Nrn. (B.) Nebst Beiblatt. (1/2 B.) gr. 8. Hermannsburg, Missionshausdruckerei. 1. 50; ohne Beiblatt 1. —

— dasselbe. 31—33. Jahrg. 1884—1886. à 12 Nrn. (B.) Nebst Beiblatt. (1/2 B.) gr. 8. Ebend. à Jahrg. n. 2. —; ohne Beiblatt 1. 50

— das, aus Hessen. Red.: Heinr. Bernhardt. Jahrg. 1886. 12 Nrn (B.) gr. 4. Cassel, (Röttger). n.n. 1. —

— des rheinisch-westphälischen Vereins f. Israel. Red.: F. Stolle u. L. Wallis. 39. u. 40. Jahrg. 1883 u. 1884. à 12 Nrn. (à 1/2—1 B.) gr. 4. Barmen, (Klein). à Jahrg. n.n. 1. 25

— dasselbe. 41. u. 42. Jahrg. 1885 u. 1886. à 12 Nrn. (à 1/2—1 B.) gr. 4. Barmen, (Wiemann). à Jahrg. n. 1. 50

— katholisches. Ein Sonntagsblatt zur religiösen Belehrg. u. Erbaug. f. heilsbegier. Christen, die fromm leben u. selig sterben wollen. Besonders zur Auffrischg. der in der Mission gehörten Heilswahrheiten u. zur Befestigg. der gefaßten Vorsätze. Red.: J. Fing. 32—35. Jahrg. 1883—1886. à 52 Nrn. (B.) gr. 8. Dülmen, Laumann. à Jahrg. 2. 50

— für Kinder. Red.: v. Gundert. 42—45. Jahrg. 1883—1886. à 12 Hfte. (à 1/2—3/4 B. m. Holzschn.) 8. Calw, Vereinsbuchh. à Jahrg. — 75

— des allgemeinen evangelisch-protestantischen Missionsvereins. Im Auftrage d. Centralvorstandes d. Vereins hrsg. u. red. v. Schück. 2. Jahrg. 1886. 12 Nrn. (1/2 B.) gr. 8. Heidelberg, C. Winter's Sort. n.n. — 60

— Nürnberger. Red.: Pauli. (39. u. 40. Jahrg.) 1883 u. 1884. à 24 Nrn. (1/2 B.) gr. 8. Nürnberg, (Raw). à Jahrg. n.n. 1. 30

— Nürnberger. Hrsg. vom Central-Ausschuß d. evangelisch-luther. Missions-Vereins f. Bayern in Nürnberg Red.: Ittameier. Jahrg. 1885 u. 1886. à 24 Nrn. (1/2 B.) gr. 8. Rothenburg o/T., (Peter). à Jahrg. n.n. 1. —

Missions-Bote, der kleine, im Dienste d. schles. Kolhs-Missions-Vereins zu Breslau, hrsg. v. P. Gerhard. 11—14. Jahrg. 1883—1886. à 4 Nrn. (à 1—1 1/2 B.) 8. Breslau, (Dülfer). à Jahrg. n. — 60

Missionsbüchlein. Zur Bewahrg. u. Erneuerg. der Missionsfrüchte. Von e. Missionär aus dem Kapuzinerorden. 16. (VIII, 232 S.) Mainz 886. Frey. n. — 75; geb. n. 1. —

— für Eheleute. Anleitung zu e. guten Generalbeicht, nebst Morgen-, Abend- u. Meßgebeten am Beichttage. 19. Aufl. 8. (55 S.) Dülmen 886. Laumann. n. — 15

— katholisches Oder Anleitg. zu e. christl. Lebenswandel. Hrsg. v. der Versammlg. d. allerheiligsten Erlösers. Neue, stark verm. Orig.-Aufl. 40. Aufl. (In kleinem Druck.) 8. (510 S.) Regensburg 885. Verlags-Anstalt. 1. —

— für Söhne u. Töchter. Anleitung zu e. guten Generalbeicht, Morgen-, Abend- u. Meßgebete am Beichttage, nebst e. Anh.: Von der Nothwendigkeit e. immerwähr. Buße; recht oft zu beherzigen nach der Mission. 19. verb. Aufl. 8. (48 S.) Dülmen 886. Laumann. n. — 15

Missions- u. Exercitien-Erneuerung. 72 Missions- u. Exerzitien-Betrachtgn. üb. die großen u. ernsten Heilswahrheiten zur Rettg. der Seele. Hauptinhalt der Missionspredigten u. der Exercitienbetrachtgn., welche zwar zu jeder Zeit als Auffrischg. der Mission u. der Exercitien, auch als Büchlein f. Privatexercitien, dienen können, aber so auf alle Tage der Advents- u. Weihnachtszeit vertheilt sind, daß alle Betrachtgn. der Reihe nach vorkommen, u. diese Zeit passend als e. jährl. Missions- u. Exercitien-Erinnerg. kann benutzt werden. Nebst Morgen-, Abend- u. Meßgebeten u. Litaneien f. die Advents- u. Weihnachtszeit. Von e. kathol. Pfarrer J. E. [Hrsg. der „Maiandacht".] 2. Aufl. 16. (VIII, 256 S.) Paderborn 885. Bonifacius-Druckerei. n. — 60

Missions-Freund, der. Red. u. Hrsg.: Wendland. 38—41. Jahrg. 1883—1886. à 12 Nrn. (B.) gr. 8. Berlin, W. Schultze. à Jahrg. n.n. 1. 50

— der kleine. Hrsg. v. M. Huyssen u. Joh. Spänker. 29—32. Jahrg. 1883—1886. à 12 Nrn. (B. m. Holzschn.) 8. Barmen, (Wiemann. — Halle, Fricke's Verl.). à Jahrg. n. 1. —

Missions-Harfe. 60 Lieder f. die Missions-Gemeinde. 8. (82 S.) Basel 885. Missionsbuchh. geb. n. — 40

— große. Geistliches Liederbuch f. gemischten Chor, sowie f. Klavier- od. Harmonium-Begleitg. Mit den sämtl. Melodien der „Kleinen Missionsharfe". 5. Aufl. gr. 8. (VIII, 212 S) Gütersloh 886. Bertelsmann. n. 2. —; geb. n. 2. 50

— kleine, im Kirchen- u. Volkston f. festliche u. außerfestliche Kreise. 43. Aufl. 12. (136 S.) Ebend. 886. n.n. — 30

Missions-Kalender, evangelischer. 1887. 8. Jahrg. 16. (64 S. m. Holzschn. u. 1 Chromolith) Basel, (Missionsbuchh.). n. — 25

Missions-Magazin, evangelisches. Im Auftrag der Missions-Kommittee hrsg. v. J. Hesse. Neue Folge. 27—30. Jahrg. 1883—1886. à 12 Hfte. (à 3—3 1/2 B. m. Holzschntaf.) gr. 8. Basel, Missionsbuchh. à Jahrg. n. 5. —

Missionssammler, der. Hrsg. f. die Missions-Gesellschaft der bischöfl. Methodistenkirche. 15—17. Bd. Jahrg. 1883—1886. à 12 Nrn. (1/2 B.) 8. Bremen, (Verl. d. Tractathauses). pro 10 Explre. n. 2. —

Missionsschriften-Katalog. Verzeichniss der neueren litterar. Erscheingn. auf dem Gebiete der äusseren Mission. Luther-Litteratur-Catalog. 8. (23 S.) Leipzig 883. Buchh. d. Vereinshauses. n.n. — 25

Missions-Taube. Nachrichten aus dem Missionsgebiet der Heimat u d. Auslandes. Hrsg. v. der ev.-luth. Synodalconferenz in Nordamerika. In deren Auftrag red. v. F. Lochner unter Mithilfe v. C. F. W. Sapper. 5—8. Jahrg. 1883—1886. à 12 Nrn. (B.) hoch 4. St. Louis, Mo. (Dresden, H. J. Naumann.) à Jahrg. n. 1. 50

Missions-Vorträge, acht, geh. bei der constituir. Versammlg. d. allgemeinen evangelisch-protestant. Missionsvereins in Weimar am 4. u. 5. Juni 1884 v. Furrer, Hesse, Buß, Kirchhoff u. Kesselring, Ritter, Vogelgesang u. Rippold. gr. 8. (III, 83 S.) Frankfurt a/M. 884. Diesterweg. n. 1. —

Missions-Zeitschrift, allgemeine. Monatshefte f. geschichtl. u. theoret. Missionskunde. In Verbindg. m. Th. Christlieb u. R. Grundemann hrsg. v G. Warneck. 10—13. Bd. Jahrg. 1883—1886. à 12 Hfte. gr. 8. (1. Hft. 64 S.) Gütersloh, Bertelsmann. à Jahrg. n. 7. 50

Missolunghi's letzte Stunde od. der Sieg im Tode. Ein histor. Charakter- u. Heldengemälde aus Griechenlands Befreiungskampfe. Der reiferen Jugend u. dem Volke gewidmet. 3. Aufl. Mit 1 Stahlst. 8 (167 S.) Straubing 886. Volks- u. Jugendschriften-Verlag. cart. 1. 20

Missong, Alex., die Münzen d. Fürstenhauses Liechtenstein. [Mit 8 (lith.) Taf.] gr. 8. (86 S.) Wien 882. (Szelinski.) n. 5. —

Mit Gott f. König u. Vaterland! Für Kaiser u. Reich! Ein Mahnruf an den deutschen Soldaten d. aktiven Heeres u. d. Beurlaubtenstandes zum 22. März 1886. Von e. preuß. Stabsoffizier. 8. (16 S.) Berlin, Eisenschmidt. n.n. — 15

Mitchell, S. Weir, die Behandlung gewisser Formen v. Neurasthenie u. Hysterie. Mit Genehmigg. d. Verf. nach der IV. Aufl. d. Originals ins Deutsche übertr. v. G. Klemperer. Mit e. Vorwort v. E. Leyden. gr. 8. (V, 102 S.) Berlin 887. Hirschwald. n. 2. 40

Mithoff, H. Wilh. H., mittelalterliche Künstler u. Werkmeister Niedersachsens u. Westfalens, lexikalisch dargestellt. 2. Ausg. gr. 8. (IX, 462 S.) Hannover 885. Helwing's Verl. n. 6. —

— Taschenwörterbuch f. Kunst u. Alterthums-Freunde. Mit Holzschn. 2. Aufl. 8. (IV, 412 S.) Ebend. 885. n. 4. —

Mitregenten u. fremde Hände in Deutschland. gr. 8. (28 S.) Zürich 886. Verlags-Magazin. n. — 60

Mitschke-Collande, F. v., der praktische Merinozüchter. Gründliche Anleitg. zur rationellen Züchtg. d. Merinoschafes m. Hinblick auf die jetzigen Zeitverhältnisse. gr. 8. (XII, 435 S.) Berlin 883. Parey. n. 10. —

— die Wollzollfrage, erörtert m. Hinblick auf den jetzigen Standpunkt der deutschen Merinozucht. gr. 8. (31 S.) Dresden 886. G. Schönfeld's Verl. n. — 80

Mitteis, Ludw., die Individualisirung der Obligation. Civilistische Studie. gr. 8. (IV, 114 S.) Wien 886. Hölder. n. 2. 80

— die Lehre v. der Stellvertretung nach römischem Recht m. Berücksicht. d. österreichischen Rechtes. gr. 8. (VIII, 311 S.) Ebend. 885. n. 7. 20

Mittelbach, R., Führer u. Panorama zum Hochwalde bei Zittau. 8. (19 S. m. 1 Lichtdr.-Panorama in gr. Fol.) Dresden 884. (Leipzig, Hinrichs' Sort.) n. 1. —

— Ortszeiger f. die Orts- u. Entfernungskarte, die Generalstabskarte, sowie alle Specialkarten v. Sachsen. Bearb. nach den neuesten kartograph. u. statist. Unterlagen. gr. 8. (172 S.) Ebend. 885. n. 1. 50

Mittelschulgesetzentwurf, der, im ungarischen Reichstage. Mittheilung der wichtigsten Reden d. ungar. Abgeordnetenhauses vom 5. bis 17. März 1883. [Uebersetzung aus den stenograph. Reichstagsberichten.] gr. 8. (XI, 416 S.) Hermannstadt 883. (Michaelis.) n. 2. 40

Mittelsdorf, J., Frankfurt, Hanau u. Umgegend, s.: Renaissance, deutsche.

Mittelstein, Max, die Einkindschaft nach Hamburgischem Recht m. Berücksicht. d. gemeinen Rechts. gr. 8. (V, 95 S. m 2 Tab.) Hamburg 886. Seippel. n. 2. —

— das Hamburgische Gesetz betr. Grundeigentum u. Hypotheken, nebst zugehör. Verordngn. u. Gesetzen m. Anmerkgn. aus den Motiven u. der Rechtsprechg. 8. (V, 110 S.) Ebend. 886. n. 1. 50

Mittenzweig, Hugo, die Bakterien-Aetiologie der Infections-Krankheiten. gr. 8. (VIII, 135 S.) Berlin 886. Hirschwald. n. 2. 80

Mittenzwey, L., Geometrie f. einfache Volksschulen. Ein Leitfaden f. Lehrer u. Übungsbuch f. Schüler. 2. Aufl. 8. (52 S.) Leipzig 886. Klinkhardt. n. — 40

— Geometrie f. Volks- u. Fortbildungsschulen u. untere Klassen höherer Lehranstalten. Ausg. B in 3 Hftn. Für die Hand der Schüler. gr. 8. (Mit eingedr. Fig.) Ebend. 885. à n. — 30

1. 5. Aufl. (32 S.) — 2. 4. Aufl. (35 S.) — 3. 3. Aufl. (36 S.)

— Gesetz üb. die eingeschriebenen Hülfskassen m. Erläuterungen u. Anmerkungen unter steter Beziehung auf das Reichs-Krankenkassengesetz. Nebst e. prakt. Anleitg. zur Buchführg. f. obige Kassen. Bearb. u. hrsg. f. Alle, welche versicherungspflichtig u. versicherungsbedürftig sind. 8. (48 S.) Leipzig 884. Leopold & Bär. n. — 60

— Gesetzeskunde. Die Verfassg., Gesetzgebg. u. Verwaltg. d. Deutschen Reiches u. Einzelstaates m. besond. Berücksicht. Preußens u. Sachsens, allgemein faßlich dargestellt. Zur Selbstbelehrg. f. Laien u. zum unterrichtl. Gebrauche an Fortbildungsschulen u. höheren Lehranstalten. gr. 8. (XXVIII, 500 S.) Leipzig 883. Hahn's Verl. n. 4. —

— Gottes Auge. Das Walten der göttl. Vorsehg. Eine Darstellg. mannigfacher wunderbarer Fügngn. in den Schicksalen der Menschen. Zur Belehrg. u. Erhebg. f. jung u. alt auf Grund wirkl. Begebenheiten erzählt. Mit 30 Text-Abbildgn. u. e. Titelbilde. gr. 8. (IX, 148 S.) Leipzig 887. Spamer. n. 2. —; geb. n. 2. 50

— das Spiel im Freien. Eine reichhalt. Auswahl v. Gruppenspielen zum Gebrauche f. Spielvereine, bei Kinder- u. Volksfesten, sowie auf dem Turnplatze u. bei Turnfahrten ꝛc., nebst e. Abhandlg. üb. die erzieherische Bedeutg. der Jugendspiele, üb. Einrichtgn. v. Spielvereinen u. Spielplätzen ꝛc. bearb. 12. (X, 153 S.) Leipzig 884. Merseburger. cart. n. 1. —

— das Spiel im Zimmer. Eine reichhalt. Sammlg. ausgewählter Spiele zum Gebrauch f. jung u. alt, f. den Einzelnen, wie f. kleinere u. größere Kreise. 8. (X, 140 S.) Ebend. 887. cart. n. 1. —

Mittenzwey, L., die Zukunft unserer Kinder. Ein Ratgeber bei der Wahl e. Berufes f. alle Lebensgebiete im Staatsdienst wie in Privatstellg. Die verschiedenen Berufsarten in Wissenschaft u. Kunst, Handel, Verkehr u. Gewerbe, betrachtet nach ihren Licht- u. Schattenseiten u. in ihren Anfordergn. u. Gewährleistgn. Nebst e. Anh. üb. die weibl. Berufszweige. Für Eltern, Vormünder, Lehrer u. heranwachs. Schüler bearb. gr. 8. (XVI, 228 S.) Leipzig 885. Klinkhardt. n. 3. —

Mitteregger, Jos., Lehrbuch der Chemie f. Oberrealschulen. 2 Thle. gr. 8. Wien, Hölder. n. 4. 84

1. Anorganische Chemie. Mit 45 Holzschn. u. 1 Spectraltaf. in Farbendr. 3. Aufl. (VIII, 278 S.) 886. n. 3. —
2. Organische Chemie. Mit 12 Holzschn. 2. Aufl. (VII, 152 S.) 884. n. 1. 84

— trattato di chimica inorganica delle scuole reali superiori. Tradotte sulla II. ed. originale da Ernesto Girardi. Con 45 incisioni originali in legno intercalate nel testo ed 1 tavola spettrale in colori. gr. 8. (VIII, 252 S.) Ebend. 886. n. 3. 20

Mitterer, Ign., die wichtigsten kirchlichen Vorschriften f. katholische Kirchenmusik. Nebst e. Anh.: „Über den Gesang d. Priesters am Altare". [Unter Benützg. d. vom Salzburger Cäcilienverein hrsg. Sammlg. liturg. Verordngn. f. kathol. Kirchenmusik.] Für die Hand der Lehrer u. Chorregenten zusammengestellt u. geordnet. 8. (102 S.) Regensburg 885. Coppenrath. n. 1. 20

— dasselbe. 2. Aufl. 12. (105 S.) Ebend. 886. n. 1. —

Mittermaier, K., u. F. **Mittermaier**, Bilder aus dem Leben v. K. J. A. Mittermaier. Zur 500jähr. Jubelfeier der Universität Heidelberg gewidmet. Mit dem Bildnisse Mittermaier's u. 8 Bildern in Lichtdr. nach Zeichngn. u. Aquarellen v. K. Roux. Lex.-8. (68 S.) Heidelberg 886. Weiß' Verl. n. 3. —; geb. n.n. 4. 20

Mittermaier, Karl u. Jul. **Goldschmidt**, Madeira u. seine Bedeutung als Heilungsort. Nach vieljähr. Beobachtgn. geschildert. 2. Aufl. gr. 8. (VIII, 236 S.) Leipzig 885. F. C. W. Vogel. n. 6. —

Mitterrutzner, J. Ch., Joseph Cardinal Mezzofanti, der grosse Polyglott. Eine Lebensskizze. gr. 8. (46 S.) Brixen 885. (Wien, Pichler's Wwe. & Sohn.) n. 1. —

Mitterstiller, Gabr., die Collectanea-Frage der Instructionen f. den Unterricht an den Gymnasien in Oesterreich. gr. 8. (III, 56 S.) Graz 885. Leuschner & Lubensky. n. 1. 60

Mittheilungen der k. k. mährisch-schlesischen Gesellschaft f. Ackerbau, Natur- u. Landeskunde. Red.: Emil Kofistka. 64—66. Jahrg. 1884—1886. à 52 Nrn. (à 1—1½ B.) gr. 4. Brünn, (Winiker). à Jahrg. n. 8. 40

— der afrikanischen Gesellschaft in Deutschland. Unter Mitwirkg. d. Vorstandes hrsg. v. W. Erman. 4. Bd. 6 Hfte. gr. 8. (IV, 411 S. m. 13 lith. Karten.) Berlin 883-85. (D. Reimer.) n. 16. —

— des deutschen u. österreichischen Alpenvereins. Red. v. Th. Trautwein. Jahrg. 1883 u. 1884. à 10 Hfte. (2 B.) gr. 8. Salzburg. (München, Lindauer.) à Jahrg. n. 4. —

— dasselbe. Red.: Johs. Emmer. Jahrg. 1885 u. 1886. à 24 Nrn. (2 B.) gr. 4. Ebend. à Jahrg. n. 4. —

— des Altertumsvereins zu Plauen i. V. 3. Jahresschrift auf das J. 1882—83. Hrsg. v Joh. Müller. gr. 8. (V, CII, 106 S.) Plauen 883. (Neupert.) n. 2. 80

— dasselbe. 4. Jahresschrift auf d. J. 1883—84. gr. 8. (LXXXVI, 66 S. m. Steintaf.) Ebend. 884. n. 2. 80

— dasselbe. 5. Jahresschrift auf d. J. 1884—85. gr. 8. (X, 220 S. m. 1 Steintaf.) Ebend. 885. n. 3. 60

— der anthropologischen Gesellschaft in Wien. 13—15. Bd. [Der neuen Folge 3—5. Bd.] à 4 Hfte. gr. 4. (à ca. 300 S. m. eingedr. Fig. u. Taf.) Wien 883—86. Hölder. à Heft n. 4. —

— dasselbe. Suppl. I. 1884. gr. 4. Ebend. 884. n. 4. —

Erhebungen üb. die Farbe der Augen, der Haare u. der Haut bei den Schulkindern Oesterreichs. Nach dem v. der k. k. statist. Central-Commission zur Verfügg. gestellten Materiale im Auftrage der Anthropolog. Gesellschaft in Wien bearb. v. Gust. Adf. Schimmer. Mit 2 (chromolith.) Karten. (XXIV, 42 S.)

Mittheilungen der antiquarischen Gesellschaft [der Gesellschaft f. vaterländische Alterthümer] in Zürich. 21. Bd. 4—6. Hft. gr. 4. Zürich, (Orell Füssli & Co. Verl.). n. 4. 50
4. Die Kirche v. Oberwinterthur u. ihre Wandgemälde. Von J. Rud. Rahn. (26 S. m. 2 Steintaf. u. 1 Chromolith.) 883. n. 3. 50
5. Denkmäler aus der Feudalzeit im Lande Uri. [Das Kästchen v. Attinghusen.] Von H. Zeller-Werdmüller. (32 S. m. Holzschn. u. 3 lith. z. Th. Golddr.-Taf.) 884. n. 4. —
6. Das Ritterhaus Bubikon. Von H. Zeller-Werdmüller. (S. 143—174 m. 4 Taf.) 885. n. 3. 50
— dasselbe. 22. Bd. 1. Hft. gr. 4. Ebend. 886. n. 3. 50
Der Pfahlbau Wollishofen. Von J. Heierli. (IV, 32 S. m. 4 Taf.)
— des deutschen archäologischen Institutes in Athen. 8—10. Bd. à 4 Hfte. gr. 8. (à Hft. ca. 80 S. m. 3 Stein-, 1 Lichtdr.-Taf. u. 2 Beilagen.) Athen 883—85. (Wilberg.) à Bd. n. 15. —
— dasselbe. Athenische Abtheilung. 11. Bd. 4 Hfte. gr. 8. (1. Hft. 96 S. m. eingedr. Abbildgn. u. 4 Taf.) Ebend. 886. n. 12. —
— dasselbe. Römische Abtheilung. 1. Bd 4 Hfte. gr. 8. (1. Hft. 64 S. m. 3 Taf.) Rom 886. Loescher & Co. n. 12. —
— archaeologisch-epigraphische, aus Oesterreich, hrsg. v. O. Benndorf, O. Hirschfeld u. E. Bormann. 7—10. Jahrg. 1883—1886. gr. 8. (à Hft. 152 S. m. 3 Taf.) Wien, (Gerold's Sohn). à Jahrg. n 9. —
— über Gegenstände d. Artillerie- u. Genie-Wesens. Hrsg. vom k. k. techn. u. administrativen Militär-Comité. Jahrg. 1883—1886. à 12 Hfte. gr. 8. (à Hft. ca 102 S. m. eingedr. Holzschn. u. 3 Steintaf.) Wien, (v. Waldheim). à Jahrg. n. 20. —
— dasselbe. Sach-Register aller grösseren wissenschaftl. Aufsätze u. Notizen vom J. 1877—1883. Zusammengestellt v. Joh. Sterbenz. gr. 8. (III, 37 S.) Ebend. 884. n. 1. —
— des Vereines der Aerzte in Nieder-Oesterreich. Red.: A. Blach. 9—12. Jahrg. 1883—1886. à 24 Nrn. (à $^{1}/_{4}$—1 B.) Lex.-8. Wien, (Töplitz & Deuticke). à Jahrg. n.n. 8. —
— für den Verein Schleswig-Holsteinischer Aerzte. Red.: Bockendahl. 8. Jahrg. Nr. 6—9. gr. 8. (IV u. S. 95—158.) Kiel 883. (Haeseler.) à n. — 40
— dasselbe. 4. Jahrg. Nr 1 u. 2. gr. 8. (48 S.) Ebend. 883. 84. à n. — 40
— des Vereines der Ärzte in Steiermark. XIX—XXI. Vereinsj. 1882—1884. Red. v. J. Kratter, R. Klemensiewicz u. F. Müller. gr. 8. (à ca. 110 S.) Graz 883—86. (Leuschner u. Lubensky.) à n. 2. 40
— dasselbe. 22. Vereinsj. 1885. Red.: J. Kratter. gr. 8. (VI, 166 S) Ebend. 886. n. 2. 60
— ärztliche, aus Baden. Gegründet v. Rob. Volz. Red.: Neumann. 38. Jahrg. 1884. gr. 8. (Nr. 1. $^{1}/_{2}$ B.) Karlsruhe, Malsch & Vogel. n.n. 4. 75
— für Autographensammler. Red.: Fischer v. Röslerstamm. 1—3. Jahrg. 1884—1886. à 12 Nrn. gr. 8. (Nr. 1. $^{1}/_{2}$ B.) Leipzig, List & Francke. à Jahrg. n. 4. —
— des „Bismarck-Vereins", Verein f. nationale Politik. 1. Hft. gr. 8. (35 S.) Marburg 885. Elwert's Verl. n. — 20
— aus dem botanischen Institute zu Graz. Hrsg. v. H. Leitgeb. 1. Hft. gr. 8. (184 S. m. 5 Steintaf.) Jena 886. Fischer. n. 8. —
— über neue u. erloschene Buchhandlungen, Vertreter-Veränderungen etc. im deutschen Buchhandel, begründet v. † Adph. Büchting, fortgeführt v. Osc. Leiner. Als Handschr. gedr. 11—14. Jahrg. 1883—1886. à 12 Nrn. ($^{1}/_{4}$ B.) Lex.-8. Leipzig, Leiner. à Jahrg. n n. 1. 50
— aus dem Kölner Bürgerhospital, hrsg. v. Bardenheuer. 1. Hft. gr. 8. Köln 886. A. Ahn. n. 3. —
Osteoplastische Resection d. Manubrium sterni v. Bardenheuer. Mit 10 Taf. in Lichtdr. (79 S.)

Mittheilungen, chemisch-technische, der neuesten Zeit, ihrem wesentl. Inhalte nach zusammengestellt. Begründet v. L. Elsner. Fortgeführt v. Fritz Elsner. 3. Folge. 3. Bd. Die Jahre 1881—1882. [Der ganzen Reihe 31. Bd.] 3—7. (Schluss-) Hft. gr. 8. (S. 105-359.) Halle 883. Knapp. à Heft n. 1. —
— dasselbe. 3. Folge. 4—9. Bd. Die Jahre 1882—1885. [Der ganzen Reihe 32—37. Bd.] à 6 Hfte. (à ca. 30 S.) Ebend. 883—85. à Hft. n. 1. —
— aus der chirurgischen Klinik in Greifswald. Hrsg. v. P. Vogt. Mit 28 Holzschn. gr. 8. (XVIII, 198 S.) Wien 884. Urban & Schwarzenberg. n. 6. —
— aus der chirurgischen Klinik zu Kiel. Hrsg. v. Frdr. Esmarch. I—III. gr. 8. Kiel, Lipsius & Tischer. n. 6. —
1. Eine neue Amputationsmethode. Ueberosmiumsäure-Injectionen bei peripheren Neuralgien v. G. Neuber. (23 S. m. eingedr. Illustr.) 883. n. 1. —
2. Vorschläge zur Beseitigung der Drainage f. alle frischen Wunden. Von G. Neuber. (S. 25—70 m. eingedr. Fig.) 884. n. 2. —
3. Die Methode d. Unterrichts an der chirurgischen Klinik der Universität Kiel. Ein Vortrag v. Esmarch. Mit 8 Beilagen. (S. 73—87.) 884. n. 3. —
— aus der chirurgischen Klinik zu Tübingen. Hrsg. v. Paul Bruns. 1. Bd. 3 Hfte. Mit Abbildgn. in Holzschn. u. lith. Taf. gr. 8. (VII, 510 S.) Tübingen 883. 84. Laupp. n. 12. —
cfr.: Beiträge zur klinischen Chirurgie.
— aus e. kurzgefaßten Chronik d. J. 1794—1832. 8. (80 S.) Münster 883. Regensberg. n. — 50
— aus der Praxis d. Dampfkessel- u. Dampfmaschinen-Betriebes. Zeitschrift d. Verbandes der Dampfkessel-Ueberwachungs-Vereine. Hrsg. v. H. Minssen u. R. Weinlig. 6—9. Jahrg. 1883—1886. à 12 Nrn. (à 1—2 B. m. eingedr. Holzschn. u. Steintaf.) gr. 4. Breslau 883. (Trewendt & Granier.) à Jahrg. n. 6. —
— der deutschen Gesellschaft zur Erforschung vaterländischer Sprache u. Alterthümer in Leipzig. 8. Bd. 1. Hft. gr. 8. (24 S. m. 9 Lichtdr. u. 1 Steintaf.) Leipzig 883. T. O. Weigel. n. 3. —
— des Wiener medicinischen Doctoren-Collegiums. Red.: L. Hopfgartner. 9—12. Jahrg. 1883—1886. à 26 Nrn. (à $^{1}/_{2}$—1 B.) gr. 8. Wien, (Töplitz & Deuticke). à Jahrg. n.n. 6. —
— aus dem embryologischen Institute der k. k. Universität in Wien. Von S. L. Schenk. 2. Bd. 3. Hft. Mit 5 (lith.) Taf. gr. 8. (S. 125—204.) Wien 883. Braumüller. n. 4. — (1—3.: n. 13. —)
— dasselbe. Neue Folge. 1. Hft. Mit 3 (lith.) Taf. u. 3 Holzschn. gr. 8. (III, 57 S.) Wien 885. Urban & Schwarzenberg. n. 3. —
— der schweizerischen entomologischen Gesellschaft. Red. v. Gust. Stierlin. 6. Bd. 8—10. Hft. gr. 8. (S. 403—722.) Schaffhausen 883. 84. (Bern, Huber & Co.) n. 6. 80
— dasselbe. 7. Bd. 1—5. Hft. gr. 8. (315 S. m. Steintaf.) Ebend. 884—86. n. 9. 90
— des Vereins f. Erdkunde zu Halle a/S. Zugleich Organ d. thüringisch-sächs. Gesammtvereins f. Erdkunde. 1882. gr. 8. (168 S. m. 1 chromolith. Karte.) Halle 882. Buchh. d. Waisenhauses. n. 3. —
— dasselbe. 1883. gr. 8. (264 S. m. 1 chromolith. Karte.) Halle 883. Tausch & Grosse. n. 5. —
— dasselbe. 1884. gr. 8. (142 S. m. 3 Karten u. 1 Steintaf.) Ebend. 884. n. 4. —
— dasselbe. 1885. gr. 8. (136 S. m. 9 Taf. u. Karten.) Ebend. 885. n. 4. —
— dasselbe. 1886. gr. 8. (164 S. m. 13 Taf. u. 2 Karten.) Ebend. 886. n. 5. —
— des Vereins f. Erdkunde zu Leipzig. 1882. Nebst dem 22. Jahresbericht d. Vereins, e (Lichtdr.-) Portr. u. 3 Karten. gr. 8. (214 S.) Leipzig 883. Duncker & Humblot. n. 5. —

Mittheilungen des Vereins f. Erdkunde zu Leipzig 1883. Mit 4 Karten. gr. 8. (III, 258 S.) Leipzig 884. Duncker & Humblot. n. 6. 80
— dasselbe. 1884. Hierzu e. (cart.) Atlas (8 Chromolith. in gr. Fol.). gr. 8. (III, 408 S. m. 1 photocop. Karte.) Ebend. 885. n. 14. —
— dasselbe. 1885. Mit 3 Karten. gr. 8. (XLVIII, 403 S.) Ebend. 886. n. 10. —
— der evangel. Gesellschaft f. Deutschland. Red.: Müller. 33—36. Jahrg. 1883—1886. à 12 Nrn. (B.) gr. 8. Elberfeld, Buchh. der Evangel. Gesellschaft. à Jahrg. 1. 50
— des evangelischen Vereins zur Förderung d. kirchlichen Gemeinde- u. Synodallebens [Synodal-Verein] in der Prov. Brandenburg. Bericht üb. die General-Versammlg. d. Vereins am 22. Mai 1883. gr. 8. (29 S.) Halle 883. Strien. n. — 50
— des evangelischen Vereins in der Prov. Sachsen. Nr. 14—17. gr. 8. (14, 22, 35 u. 16 S.) Halle 882—85. Pfeffer. à n. — 50
— des nordböhmischen Excursions-Clubs. Red. v. A. Paudler. 6—9. Jahrg. 1883—1886. gr. 8. (1. Hft. 96 S.) Böhm.-Leipa. (Hamann.) à Jahrg. n.n. 2. 50
— des österr.-ungar. Export-Vereines. Jänner 1883. gr. 8. (109 S.) Wien 883 (Gerold & Co.) n.n. 1. 20
— amtliche, aus den Jahresberichten der m. Beaufsichtigung der Fabriken betrauten Beamten. 1882. Behufs Vorlage an den Bundesrath u. den Reichstag zusammengestellt im Reichsamt d. Innern. Lex.-8. (XXX, 832 S.) Berlin 884. Schettler's Erben. n. 15. —; geb. n. 16. 80
— dasselbe. 1883. Lex.-8. (XXII, 831 S.) Ebend. 884. n. 15. —; geb. n. 16. —
— dasselbe. 9. Jahrg. 1884. Lex.-8. (XIV, 781 S.) Ebend. 885. n. 15. —; geb. n. 16. —
— dasselbe. 10. Jahrg. 1885. Mit Abbildgn. Lex.-8. (XXIX, 228 S.) Ebend. 884. n. 4. —; geb. n. 5. —
— über neue, veränderte u. erloschene Firmen, Theilhaber-Aufnahme u. Ausscheidung, Procura-Ertheilungen, Vertreter-Aenderungen u. s. w. im Buch-, Kunst- u. Musikalienhandel. Begründet v. † Adph. Büchting, fortgesetzt v. Osk. Leiner. 13. u. 14. Jahrg. 1885 u. 1886. à 12 Nrn. ($^1/_4$ B.) gr. 8. Leipzig 885. 886. Leiner. à Jahrg. n.n. 1. 50
cfr.: Mittheilungen üb. neue u. erloschene Buchhandlungen etc.
— aus dem forstlichen Versuchswesen Oesterreichs. Hrsg. v. A. v. Seckendorff. Neue Folge. 2. u. 3. Hft. Der ganzen Folge 10. u. 11. Hft. hoch 4. Wien, Gerold's Sohn. à n. 2. 80
2. Beiträge zur Kenntniss der auf der Schwarzföhre [Pinus austriaca Höss] vorkommenden Pilze. Von Felix v. Thümen. I. (47 S.) 883.
3. Die doppelzähnigen europäischen Borkenkäfer. Von Fritz A. Wachtl. Mit 3 lith. Taf. u. 2 Zinkogr. (15 S.) 884.
— forststatistische, aus Württemberg f. d. J. 1882. Hrsg. v. der königl. Forstdirektion. gr. 4. (123 S.) Stuttgart 884. Kohlhammer. n. 5. —
— dasselbe, f. d. J. 1883. Ebend. 885. n. 1. 50
— dasselbe, f. d. J. 1884. gr. 4. (97 S.) Stuttgart 886. (Metzler's Sort.) n.n. 1. —
— des krainisch-küstenländischen Forstvereines. Red. v. Joh. Salzer. 8. Hft. gr. 8. (228 S.) Wien 883. (Frick.) n. 2. —
— des niederösterreichischen Forstvereines an seine Mitglieder. Red. v. Fritz A. Wachtl. Jahrg. 1885 u. 1886. gr. 8. (1. Hft. 56 S.) Wien, (Hölder). à Jahrg. n. 8. —
— des deutschen Gebirgsvereines f. das Jeschken- u. Iser-Gebirge. Red.: Frdr. Matschek. 1. u. 2. Jahrg. 1885 u. 1886. à 4 Nrn. gr. 8. (Nr. 1: $1^1/_4$ B.) Reichenberg, (Fritsche). à Jahrg. 3. —
— aus der geburtshilflich-gynäkologischen Klinik zu Tübingen. Hrsg. von Joh. v. Säxinger. 1. u. 2. Hft. gr. 8. Tübingen, Fues. n. 9. 40
1. Beobachtungen aus der Tübinger geburtshilflichen Klinik umfassend den Zeitraum 1869—1881 v. Frdr. Hauff. (IV, 116 S. m. 5 Taf.) Eine Puerperalfieberepidemie in der Tübinger geburtshilflichen Klinik. Ein Beitrag zur Verbreitungsweise u. Behandlg. d. Puerperalfiebers v. Eug. Kommerell. (S. 117—153.) 884. n. 5. —
2. Studien üb. Erkrankungen der Placenta u. der Nabelschnur, bedingt durch Syphilis, v. Rud. Zilles. (S. 155—297 m. 4 Taf.) 885. n. 4. 40
Mittheilungen der kaiserl. livländischen gemeinnützigen u. oekonomischen Societät. Nr. 11. gr. 4. Dorpat 884. (Berlin, Puttkammer & Mühlbrecht.) n. 4. —
Das Brennerei-Gewerbe unter den gegenwärtigen Steuer-Bestimmungen u. die f. die Zukunft projectirten Abänderungen derselben in Russland. Von J. Kestner. (77 u. Beilagen 33 S.)
— der geographischen Gesellschaft in Hamburg 1880—81. 2 Hfte. Im Auftrage d. Vorstandes hrsg. v. L. Friederichsen. Mit 8 ethnograph. (lith.) Taf. gr. 8. (III, 421 S.) Hamburg 883. Friederichsen & Co. n. 9. —
— dasselbe. 1882—83. 2 Hfte. Mit 13 Autotypien, 3 ethnogr. Taf., 2 Kartenskizzen u. 7 Karten. gr. 8. (VI, 356 S.) Ebend. 884. 85. n. 12. —
— dasselbe. 1884. Mit 2 Karten. gr. 8. (IV, 359 S.) Ebend. 885. n. 10. —
— dasselbe. 1885—86. 1. u. 2. Hft. Im Auftrage d. Vorstandes hrsg. v. L. Friederichsen. gr. 8. (213 S.) Ebend. 885. 86. n. 5. —
— der Geographischen Gesellschaft in Lübeck. 1—3. Hft. Mit e. (lith.) Karte der Gironde vinicole. gr. 8. (III, 90 u. IV, 142 S.) Lübeck 882—83. Schmersahl. 4. —
— dasselbe. 4—7. Hft. gr. 8. Ebend. 885. n. 6. 40
4. Beschreibung der erdmagnetischen Station zu Lübeck. Von W. Schaper. (26 S. m. 4 Steintaf.) n. 2. 40
5. 6. (IV, 159 S. m. 1 Kartenskizze.) n. 2. 50
7. P. Friedrich, Zusammenstellung der, die Landeskunde d. Lübeckischen Staatsgebietes betr. Litteratur. (44 S.) n. 1. 50
— der geographischen Gesellschaft [f. Thüringen] zu Jena. Im Auftrage der Gesellschaft hrsg. v. G. Kurze u. F. Regel. 2—5. Bd. gr. 8. (à Hft. ca. 60 S.) Jena 883—86. Fischer. à Bd. n. 5. —
— der k. k. geographischen Gesellschaft in Wien. Hrsg. vom Redactions- u. Vortrags-Comité. 26—29. Bd. Jahrg. 1883—1886. à 12 Hfte. gr. 8. (à Hft. ca. XXX, 48 S.) Wien, Hölzel. à Jahrg. 10. —
— des Vereins f. die Geschichte Berlins. Red.: Fr. Budczies u. R. Béringuier. 1—3. Jahrg 1884—1886. gr. 4. (Nr. 1. 1 B.) Berlin, (Mittler & Sohn). à Jahrg. n. 6. —
— des Vereins f. Chemnitzer Geschichte. IV. Jahrbuch f. 1882—83. gr. 8. (III, 256 S.) Chemnitz 884. (May.) n. 3. —
— des Vereins f. Geschichte der Deutschen in Böhmen. Nebst der literar. Beilage. Red. v. Ludw. Schlesinger. 22—25. Jahrg. 1883/87. à 4 Hfte. gr. 8. (à Hft. ca. 88 u. 16 S.) Prag. (Leipzig, Brockhaus' Sort.) à Hft. n. 2. —
— des Vereins f. Geschichte u. Topographie Dresdens u. seiner Umgebung. 4—6. Hft. gr. 8. (II, 80 S.) Dresden, (Tittmann). n. 3. 60
4. (II, 80 S.) 883. n. 1. —
5. 6. Dresden im 7jähr. Kriege. Von Alfr. Heinze. (VIII, 192 S.) 885. 2. 80
— des Vereins f. die Geschichte u. Alterthumskunde v. Erfurt. 11. Hft. gr. 8. (III, 246 S.) Erfurt 883. (Villaret.) n. 3. —
— dasselbe. 12. Hft. gr. 8. (LVI, 242 S.) Ebend. 885. n. 3. 60
— des Vereins f. Geschichte u. Alterthumkunde in Frankfurt a/M. 7. Bd. 6 Hfte. m. 1 Beilage. gr. 8. (IV, 378 u. VIII, 95 S.) Frankfurt a/M. 884/85. Voelcker. n. 4. 60
— des Vereins f. Hamburgische Geschichte. Hrsg. vom Vereins-Vorstand. 8. Jahrg. 1885. gr. 8. (V, 188 S.) Hamburg, Mauke Söhne. n. 2. —
— zur Geschichte d. Heidelberger Schlosses. Hrsg. vom Heidelberger Schloßverein. 1—4. Hft. (1. Bd.) Mit

28 Taf. in Lichtdr. gr. 8. (VI, 256 S.) Heidelberg 885. 86. K. Groos. n. 10. —

Mittheilungen aus der livländischen Geschichte. 13. Bd. 2. u. 3. Hft. gr. 8. (S. 117—452.) Riga 882. 84. Kymmel. n 6. 75 (1—3.: n. 9. —)

— des Vereins f. Lübeckische Geschichte u. Alterthumskunde. 1-4. Jahrg. 1883—1886. à 6 Nrn. (B.) gr. 8. Lübeck, (Schmersahl). à Jahrg. n. 1. 20

— des Vereins f Geschichte der Stadt Meissen. 1. Bd. 2—5. (Schluss-)Hft. gr. 8. Meissen, (Mosche). à n. 1. 25

2. (83 S.) 883. — 3. (V, 97 S. m. 1 lith. Karte.) 884. — 4. (67 S.) 884. — 5. (107 S.) 886.

— des Vereins f. Geschichte u. Landeskunde v. Osnabrück [histor. Verein]. 13. Bd. 1886. gr. 8. (XV, 404 S.) Osnabrück, (Meinders). n. 4. 50

— zur vaterländischen Geschichte. Hrsg. vom histor. Verein in St. Gallen. Neue Folge. 9—11. Hft. [Der ganzen Folge XIX—XXI.] gr. 8. St. Gallen, Huber & Co. n. 24. —

9. Das St. Gallische Verbrüderungsbuch u. das St. Gallische Buch der Gelübde. Die annalistischen Aufzeichnungen d. Klosters St. Gallen. Das zweite St. Galler Totenbuch. (462 S.) 884. n. 9. —
10. Fridolin Sicher's Chronik. Hrsg. v. Ernst Götzinger. (XXXI, 284 S.) 885. n. 6. —
11. Müller-Friedberg Lebensbild e. schweizer. Staatsmannes [1755—1836], bearb. v. Johs. Dierauer. Mit Müller-Friedberg's (Stahlst.-) Portr. u. Briefen v. Johs. Müller. (XX, 462 S. m. 1 Facsm.) 884. n. 9. —

— des Instituts f. österreichische Geschichtsforschung. Unter Mitwirkg. v. Th. Sickel, M. Thausing u. H. R. v. Zeissberg red. v. E. Mühlbacher. 4—7. Bd. à 4 Hfte. gr. 8. (à Hft. ca. 176 S.) Innsbruck, Wagner. à Bd. n 13. —

— dasselbe. 1. Ergänzungsbd. 3 Hfte. gr. 8. (III, 738 S.) Ebend. 883-85. n. 14. 80

— dasselbe. 2. Ergänzungsbd. 1. Hft. gr. 8. (275 S.) Ebend. 886. n. 5. 20

— der geschichts- u. alterthumsforschenden Gesellschaft d. Osterlandes. 9. Bd. 1. Hft. gr. 8. (120 S.) Altenburg 882. (Bonde.) n. 2. —

— aus dem kaiserl. Gesundheitsamte. Hrsg. v. Struck 2. Bd. Mit 13 chromolith. Taf. u. 13 Holzschn. gr. 4. (V, 499 S.) Berlin 884. Hirschwald. cart. n. 44. — (1. u. 2.: n. 60. —)

— aus dem Verein f. öffentliche Gesundheitspflege der Stadt Nürnberg. 5—8. Hft. 8 (119, 130, 127 u. III, 125 S. m. graph. Steintaf. u. 2 Tab.) Nürnberg 882—86. (v. Ebner.) cart. à Hft. n. 2. 50

— des bayrischen Gewerbemuseums zu Nürnberg. Beiblatt zur Zeitschrift: Kunst u. Gewerbe. Red. v. J. Stockbauer. 12. u. 13 Jahrg. 1885 u. 1886. à 24 Nrn. (B.) gr. 4. Nürnberg, Verlagsanstalt d. bayr. Gewerbemuseums. à Jahrg. n. 2. 50

— des Gewerbe-Museums zu Bremen. 1. Jahrg. 1886. 12 Nrn. (B) hoch 4. Bremen, (Kühtmann). n. 3. —

— des Mährischen Gewerbe-Museums in Brünn. Red. v. Aug. Prokop. 4. Jahrg. 1886. 12 Nrn. (1½ B.) hoch 4. Brünn, Verl. d. Mähr. Gewerbe-Museums. n. 6. —

— Schweizer graphische. Red. u. Hrsg.: R. Schneider. 2—5. Jahrg. Septbr. 1883—Aug. 1887. à 24 Nrn. (B.) Imp.-4. Zürich, (Schmittner). à Jahrg. n.n. 6. 50

— der Handels- u. Gewerbe-Kammer in Brünn. I—III. 8 Brünn 884. Winkler. n. — 50

I. Commercieller Bericht üb. e. Reise nach Central-Amerika. Von Jos. Menz. II. Bericht üb. den internationalen Getreide- u. Saatenmarkt in Wien 1884. Von Bernh. Morgenstern. III. Bericht üb. die internationale Ausstellung in Calcutta 1883/4. Von Ludw. Kuffner. (38 S.)

— über Haus-, Land- u. Forstwirthschaft. Organ der landwirthschaftl. Gesellschaft d. Kantons Aargau. Red.: Th. Herzog. 41—44. Jahrg. 1883—1886. à 52 Nrn. (½ B) gr. 4. Aarau, Christen. à Jahrg. n. 3. 60

— aus der historischen Litteratur, hrsg. v. der histor. Gesellschaft in Berlin u. in deren Auftrage red. v. Ferd. Hirsch. 11—14. Jahrg. 1883—1886. à 4 Hfte. gr. 8. (1. Hft. 96 S.) Berlin, Gaertner. à Jahrg. n. 6. —

Mittheilungen des historischen Vereins f Heimathkunde zu Frankfurt a/O. 15—17. Hft. Hrsg im Namen d. Vereins v. R. Schwarze gr. 8. (102 S.) Frankfurt a/O. 885. (Harnecker & Co.) n. 4. —

— des historischen Vereins d. Kantons Schwyz. 2—4. Hft. gr. 8 Einsiedeln, Benziger. n. 7. 60

2. (VII, 202 S.) 883. n. 3. 60. — 3. (VIII, 85 S.) 884. n. 1. 60. — 4. (VIII, 115 S.) 885. n. 2. 40

— des historischen Vereines f. Steiermark. Hrsg. v. dessen Ausschusse. 26—32. Hft. gr. 8. (XXI, 189; XXIV, 186; XXXII, 228; XXIV, 248; XXII, 189; XXV, 172 u. XXXIII, 172 S. m. Steintaf. u Tab.) Graz 878—84. Leuschner & Lubensky. à n. 3. —

— dasselbe. 33. Hft. gr. 8. (XX, 222 S. u. Stiria illustrata S. 193—256.) Ebend. 885. n. 4. —

— neue, aus dem Gebiete historisch-antiquarischer Forschungen. Im Namen d. m. der königl. Universität Halle-Wittenberg verbundenen Thüringisch-Sächs. Vereins f. Erforschg. d. vaterländ. Altertums u. Erhaltg. seiner Denkmale. Hrsg. v. J. O. Opel. 16. Bd. gr. 8. (III, 442 S.) Halle 883. (Anton.) n. 8. —

— dasselbe. 17. Bd. 1. u. 2. Hft gr. 8. (174 S.) Ebend. 885. 86. à Hft. n.n. 2. —

— aus Hohenheim. Unter Mitwirkg. von E. v. Wolff, v. Ehmann, Kirchner, Behrend, Sieglin, Strebel u. v. Tröltsch hrsg. v. O. Vossler. Mit 4 in Lichtdr. ausgeführten Plänen. gr. 8. (V, 238 S.) Stuttgart 887. Ulmer. n. 5. —

— über Jugendschriften an Eltern, Lehrer u. Bibliothekvorstände, v. der Jugendschriftenkommission d. schweiz. Lehrervereins. 7—10. Hft. gr. 8. Aarau, Sauerländer. n. 4. 40 (1—10: n. 9. 40)

7. (V, 118 S.) 883. n. 1. 40. — 8. (V, 67 S.) 884. n. 1. —. — 9. (VII, 88 S.) 885. n. 1. —. — 10. (VI, 79 S.) 886. n. 1. —

— des deutschen Juristenvereins in Prag. Red. v. Dominik Ullmann. 15. u. 16. Jahrg. 1883 u. 1884. à 4 Hfte. gr. 8. (1. Hft. 54 S.) Prag, (Dominicus). à Jahrg. n. 2. —

cf.: Vierteljahrsschrift, juristische.

— kirchliche, aus, üb. u. f. Nord-Amerika. Ein Blatt f. innere Mission. Red.: J. Deinzer. Neue Folge. 15—18. Jahrg. 1883—1886. à 12 Nrn. (½ B.) gr. 4. Nördlingen, Beck. à Jahrg. n. — 50

— über die konfessionellen Verhältnisse in Württemberg. 1—5. Hft. gr. 8. Halle 886. Strien. n. 2. 30

1. Die klerikalen Konvikte u. der Staatsdienst. (15 S.) n. — 30
2. Der württembergische Patriotismus der Katholiken, gemessen an ihren Leistgn. f. nationale, humane u. staatl. Zwecke. (25 S.) n. — 50
3. Die Konviktspraxis u. ihre Verteidigung. (22 S.) n. — 40
4. Die konfessionelle Kriminalstatistik in Württemberg. (58 S.) n. — 60
5. Die kirchliche Versorgung der Katholiken in Württemberg. (38 S.) n. — 50

— des k. k. Kriegs-Archivs. Hrsg. u. red. v. der Direction d. Kriegs-Archivs. 3. u. 4. Jahrg. 1883 u. 1884. à 4 Hfte. gr. 8. (à Hft. ca. 150 S. m. 1 Steintaf. u. 1 lith. Karte.) Wien, (v. Waldheim). à Jahrg. n. 14. —

— dasselbe. 5. u. 6. Jahrg. 1885 u. 1886. à 4 Hfte. gr. 8. (1. Hft. 161 S. m. 1 lith. Karte.) Ebend. à Jahrg. n. 12. —

— des k. k. österreich. Museums f. Kunst u. Industrie. [Monatsschrift f. Kunst u. Kunstgewerbe.] Red.: Ed. Chmelarz, Jos. Folnesics u. F. Ritter. 18—20. Jahrg 1883—1885 u. Neue Folge 1. Jahrg. 1886. à 12 Nrn. [à 1—1½ B.] gr. 8. Wien, (Gerold's Sohn). à Jahrg. n. 8. —

— der k. k. Central-Commission zur Erforschung u. Erhaltung der Kunst- u. historischen Denkmale. Hrsg. unter der Leitg. von Jos. Alex. Frhr. v. Helfert. Red.: Karl Lind. 9—12. Bd. à 4 Hfte. [Neue Folge der Mittheilgn. der k. k. Central-Commission zur Erforschg. u. Erhaltg. v. Baudenkmalen.] gr. 4. (à Hft. ca. 92 S. m. 74 eingedr. Illustr. u. 14 Taf.) Wien 883—86. (Gerold's Sohn.) à Jahrg. 12. —

— statistische, aus den deutschen evangelischen Landeskirchen vom J. 1884. [Zusammengestellt v. der statist. Kommission der deutschen evangel. Kirchenkonferenz nach Angaben der landeskirchl. Behörden gemäß den Konferenzbeschlüssen v. Eisenach den 2. Juni 1880, 14. Juni 1882, 18. Juni 1884.] gr. 8. (22 S.) Stuttgart 886. Grüninger. n n. — 50

Mittheilungen der Gesellschaft f. Salzburger Landeskunde. 21—25. Vereinsj. 1881—1885. (Red v E. Richter, Frdr. Pürckmayer u. Ludw. Schmund.) gr. 8. (à ca. 250 S.) Salzburg 882—86. (Dieter.) à n.n. 10. —

— der grossherzogl. hessischen Centralstelle f. die Landesstatistik. 12. Bd. Jahrg. 1882. gr. 8. (VII, 336 S.) Darmstadt 883. Jonghaus. n. 4. 20

— dasselbe. 13. Bd. Nr. 279—301. Jan.—Decbr. 1883. gr. 8. (VII, 368 S.) Ebend. 884. n. 4. 60

— dasselbe. 14. Bd. Nr. 302 - 325. Jan.—Decbr. 1884 gr. 8. (VIII, 384 S. m. 1 Steintaf.) Ebend. 885. n. 4. 80

— dasselbe 15. Bd. Nr. 326—350. Jan.—Decbr. 1885. gr. 8. (VIII, 400 S. m. 1 Steintaf.) Ebend. 886. n. 5. —

— der großherzogl. sächsischen Lehranstalt f. Landwirthe an der Universität Jena. Hrsg. v. G. Liebscher. gr. 8. (VII, 164 S.) Berlin 884. Parey. n. 4. —

— landwirthschaftliche. Red.: Jos. Mottitschka. 1. Jahrg. 1883. 12 Nrn. (B.) gr. 8. Podersam. (Saaz, Butter.) n. 2. 50

— landwirthschaftliche, der Neuhaldensleben-Loburg-Oebisfelde-Clötze-Calvörde-Gardelegen-Weferlingen-Köstritz-Parchim-Mahlwinkel-Gommernschen Vereine. Hrsg. v. den Vorständen derselben. 84—37. Jahrg. 1883—1886. à 12 Nrn. (B.) gr. 8. Neuhaldensleben, Eyraud. à Jahrg. n. 1. 50

— des Vereines zur Förderung d. landwirthschaftlichen Versuchswesens in Oesterreich. Red. von v. Liebenberg u. Em. v. Proskowetz jun. 1. Hft. 1886. gr. 4. (87 S.) Wien, (Frick). n. 3. —

— des Comité f. die land- u. forstwirthschaftliche Statistik d. Königr. Böhmen f. d. J. 1882—1886. gr. 8. (LIV, 33; LVIII, 32 u. XXXV, 19 S.) Prag 883—85. (Calve) à n. 2. —

— aus der land- u. milchwirthschaftlichen Versuchs-Station in Kiel, v. A. Emmerling u. M. Schrodt. 3. Bd. 1883/84. gr. 8. (III, 314 S.) Kiel 884. (Haeseler.) n. 3. —

— aus der amtlichen Lebensmittel-Untersuchungs-Anstalt u. chemischen Versuchsstation zu Wiesbaden üb. die geschäftliche u. wissenschaftliche Thätigkeit in dem Betriebsj. 1883/84. Hrsg. v. Schmitt. gr. 8. (VII, 270 S. m. 2 Lichtdr. u. 1 Steintaf.) Berlin 885. (Friedländer & Sohn.) n. 6. —

— der litauischen litterarischen Gesellschaft. 6. Hft. gr 8. (1. Bd. IV u. S. 353—420.) Heidelberg 883. C. Winter. n. 2. 80 (1. Bd. cplt.: n. 13. —)

— dasselbe. 7—11. Hft. [2. Bd. 1—5. Hft.] gr. 8. (391 S.) Ebend. 883—86. n. 13. 40

— aus der neuen Mädchenschule. Red.: Schuppli. 22. Jahrg. 1883. 4 Nrn. gr 8. (Nr. 1 u. 2. 74 S.) Bern, (Huber & Co.). n. 2. 70

— praktisch- u. chemisch-technische, f. Malerei u. Baumaterialienkunde v. A. Keim. Technisches Zentral-Organ f. Kunst- u. Dekorationsmaler, Architekten, Baumeister, Fabrikanten, Techniker ꝛc. 1. u 2. Jahrg. Oktbr. 1884—Septbr. 1886. à 12 Nrn. (à 1—2 B.) Fol. München. (Leipzig, Scholtze.) à Jahrg. n. 6. —

— aus dem Markscheiderwesen. Vereinsschrift d. Rheinisch-Westfäl. Markscheider-Vereins. Im Auftrage u. unter Mitwirkg. d. Vereins-Vorstandes hrsg. v. H. Werneke. 1. Hft. gr. 8. (III, 64 S.) Freiberg 885. Craz & Gerlach. n. 2. —

— mathematische u. naturwissenschaftliche, aus den Sitzungsberichten der königl preussischen Akademie der Wissenschaften zu Berlin. Jahrg. 1883—1886. Lex.-8. (à Hft. 29 S.) Berlin, G. Reimer. à Jahrg n. 8. —

— mathematisch-naturwissenschaftliche, hrsg v. Otto Böklen. 1—3. Hft. 1884—1886 gr. 8. (94, 96 u. 110 S.) Tübingen 884—86. Fues. à n. 2. —

— aus der medicinischen Klinik zu Würzburg Hrsg. v. C. Gerhardt u. F. Müller. 1. u. 2. Bd. gr. 8. Wiesbaden, Bergmann. n. 16 70
1. Mit 2 Taf. u. 3 Text-Fig. (XXIX, 276 S.) 885. n. 6. 70
2. Mit 1 Taf. (IV, 412 S.) 886. n. 10. —

Mittheilungen des k. k. militär-geographischen Institutes. Hrsg. auf Befehl d. k. k. Reichs-Kriegs-Ministeriums. 2. Bd. 1882. Mit 8 (lith.) Beilagen. gr. 8. (120 S.) Wien 883. (Lechner's Sort.) n. 2. —

— dasselbe. 3—6. Bd. 1883 - 1886. Mit 11, 13, 18, resp. 12 Beilagen. gr. 8. (190; 200; IV, 191 u. IV, 197 S.) Ebend. 883—86. à n. 1. 20

— mineralogische u. petrographische, hrsg. v. G Tschermak. [Neue Folge.] 6—8. Bd. à 6 Hfte. gr. 8. (à Hft. 92 S. m. Zinkogr.) Wien 884—86. à Bd. n. 16. —

— aus dem königl. mineralogisch-geologischen u. praehistorischen Museum in Dresden. 6. u. 7. Hft. gr. 4. Kassel, Fischer. n. 26. —
6. Nachträge zur Dyas III. Branchiosaurus petrolei Gaudry sp. aus der unteren Dyas v. Autun, Oberhof u. Niederhässlich. Von Johs. Viot. Deichmüller. Mit 1 (lith.) Taf. Abbildgn. (19 S.) 884. n. 6. —
7. Die Insecten aus dem lithographischen Schiefer im Dresdener Museum. Von Joh. Vict. Deichmüller. Mit 5 Taf. Abbildgn. (X, 88 S.) 886. n. 20. —

— des Vereins zur Förderung der Moorkultur im Deutschen Reiche. Red.: H. Grahl. 4. Jahrg. 1886. 24 Nrn. (à 3/4—1 B.) gr. 8. Berlin, Parey. n. 8. —

— über die Arbeiten der Moor-Versuchsstation in Bremen. gr. 8. (216 S.) Ebend. 886. n. 8. —

— der Aargauischen Naturforschenden Gesellschaft. 4. Hft. gr. 8. (XXXI, 135 S. m. 1 autogr. Karte.) Aarau 886. Sauerländer. n. 2. 80

— der naturforschenden Gesellschaft in Bern aus dem J. 1882. 2 Hfte. Nr. 1030—1056. gr. 8. (16, 74, 46 u. 134 S. m. 3 Steintaf.) Bern 883. (Huber & Co.) n. 4. 50

— dasselbe. 1883. Nr. 1057—1072. gr. 8. (24, 55, 27 u. 72 S.) Ebend. 883. 84. n. 3. 15

— dasselbe. 1884. 3 Hfte. Nr. 1073—1101. Red.: J. H. Graf. gr. 8. (277 S. m. 13 Steintaf.) Ebend. 884. 85. n. 10. 60

— dasselbe. 1885. 3 Hfte. Nr. 1103—1142. gr. 8. (XVIII, 312 S. m. 6 Steintaf.) Ebend. 885. 86. n. 9. 40

— der deutschen Gesellschaft f. Natur- u. Völkerkunde Ostasiens, hrsg. v. dem Vorstande. 27—30. Hft. gr. 4. (3. Bd. S. 257—441 m. Tab. u. Steintaf.) Yokohama 883. 84. (Berlin, Asher & Co.) à n.n. 6. —

— dasselbe. Index zu Bd. III. [Hft. 21—30 incl.] gr. 4. (VIII u. S. 442—452.) Ebend. 884. n.n. 6 —

— dasselbe 31—34. Hft. gr. 4. (4. Bd. S. 1—204 m. 23 Taf.) Ebend. 884 - 86. à n.n. 6. -

— monatliche, d. naturwissenschaftlichen Vereins d. Reg.-Bez. Frankfurt. Hrsg. v. E. Huth. Jahrg. 1883/84. u. 1884/85. à 12 Nrn. (B.) gr. 8. Frankfurt a O. (Grimma, Hering.) à Jahrg. n. 3. —

— aus dem naturwissenschaftlichen Vereine v. Neu-Vorpommern u. Rügen in Greifswald. Red. v. Th. Marsson. 14. Jahrg. Mit 2 (lith.) Taf gr. 8. (XXVII, 223 S.) Berlin 883. Gaertner. n. 6. —

— dasselbe. 15. Jahrg. Mit 1 (lith.) Taf. gr. 8. (XXXII, 58 S.) Ebend. 884. n. 2. 10

— dasselbe. 16. Jahrg. gr. 8. (XXIX, 121 S.) Ebend. 885. n. 3. —

— dasselbe. 17. Jahrg. Mit 1 (lith.) Taf. gr. 8. (XXXII, 92 S.) Ebend. 886. n 3. —

— des naturwissenschaftlichen Vereines f. Steiermark. Jahrg. 1882. [Der ganzen Reihe 19. Hft.] Unter Mitverantwortg. der Direction red. von Aug. v. Mojsisovics. Mit 1 Taf in Lichtdr., 2 lith. Taf. u. e. lith. Karte. gr. 8. (CLII, 281 S.) Graz 883. (Leuschner & Lubensky.) n. 8. —

— dasselbe. Jahrg. 1883. [Der ganzen Reihe 20. Hft.] Mit 2 lith. Taf. gr. 8. (CX, 221 S.) Ebend. 884. n.n. 6. —

— dasselbe. Jahrg. 1884. [Der ganzen Reihe 21. Hft.) Red. v. R. Hoernes. Mit 2 lith. Taf. gr. 8. (CIV, 221 S.) Ebend. 885. n.n. 6. —

— dasselbe. Jahrg. 1885. [Der ganzen Reihe 22. Hft.]

Mit 1 lith. Taf. u. 18 Holzschn. gr. 8. (CXXXI, 307 S.) Graz 886. (Leuschner & Lubensky.) n.n. 6. —

Mittheilungen der Riebeck'schen Niger-Expedition. I. u. II. gr. 8. Leipzig 884. Brockhaus. à n. 4. —

1. Ein Beitrag zur Kenntniss der Fulischen Sprache in Afrika. Von Glob. Adf. Krause. Mit 1 (chromolith.) Kartenskizze. (III, 108 S.)
2. Proben der Sprache v. Ghât in der Sáhârâ m. haussanischer u. deutscher Uebersetzung. Von Glob. Adf. Krause. Mit 1 (lith.) Kartenskizze u. Fcsms. (IV, 82 S.)

— der kaiserl. Normal-Aichungs-Kommission. 1. Reihe. Nr. 1 u. 2. Lex.-8. Berlin 886. Springer. n.n. — 55

1. (16 S.) n.n. — 30. — 2. (S. 17—28.) n.n. — 25

— der bayerischen numismatischen Gesellschaft. Hrsg. v. deren Redactions-Comité. 1. Jahrg. 1882. gr. 8. (XIV, 128 S. m. 1 Lichtdr.) München 883. (Franz' Verl.) n.n. 2. 50

— der oekonomischen Gesellschaft im Königr. Sachsen. 1882—1886. 9—12. Fortsetzg. der Jahrbücher f. Volks- u. Landwirthschaft. gr. 8. Dresden, G. Schönfeld's Verl. à n. 2 —

9. Jahresbericht u. Vorträge von H. A. v. Bosse, A. v. Clauson-Kaas, Frdr. Nobbe, G. Richter, Henry Settegast. Nachtrag IV. zum Katalog der Bibliothek. (X, 93 S.) 883.
10. Jahresbericht, die Geschichte der Gesellschaft seit 120 Jahren v. E. am Ende u. Vorträge v. Ed. Dietrich — K. v. Langsdorff — R. Kraft. (XII, 140 S.) 884.
11. Jahresbericht u. Vorträge v. Herm. Rost, Roth-Döbeln, Steiger-Leutewitz, v. Stieglitz-Mannichswalde. (X, 105 S.) 885.
12. Jahresbericht u. Vorträge v. G. Andrä, G. Calberla, O. Klette, H. Nitsche, R. Ulbricht. Nachtrag V zum Katalog der Bibliothek. (V, 179 S.) 886.

— aus der ophthalmiatrischen Klinik in Tübingen. Hrsg. v. Albr. Nagel. 2. Bd. 1. u. 2. Hft. gr. 8. (III, 258 S. m. 10 eingedr. Holzschn. u. 6 Steintaf.) Tübingen 884—85. Laupp. à Hft. n. 4. —

— des Ornithologischen Vereines in Wien: Blätter f. Vogelkunde, Vogel-Schutz u. Pflege. Red.: Gust. v. Hayek u. Aurelius Kermenic. 7. Jahrg. 1883. 12 Nrn. (à 1—1½ B) gr. 4. Wien, (Frick). n. 6. —

— dasselbe. 8—10. Jahrg. 1884—1886. à 12 Nrn. (2 B.) gr. 4 Ebend. à Jahrg. n. 12. —

— dasselbe. Section f. Geflügelzucht u. Brieftaubenwesen. Red.: Gust. v. Hayek. 2. Jahrg. 1885. 52 Nrn. (½ B.) gr. 4. Ebend. 885. n. 8. —

— palaeontologische, aus dem Museum d. königl. bayer. Staates. Hrsg. v. Karl Alfr. Zittel. 2. Bd. 4. Abth. gr. 8. Kassel 883. Fischer. n. 30. —

Palaeontologische Studien üb. die Grenzschichten der Jura- u. Kreide-Formation im Gebiete der Karpathen, Alpen u. Apenninen. 4. Abth. Die Bivalven der Stramberger Schichten v. Geo. Boehm. Mit Atlas v. 18 Steintaf. in Fol. (VIII u. S. 493—680.)

Erschien auch als Suppl. zu: Palaeontographica.

— dasselbe. 3. Bd. 1. Abth. Lex.-8. Ebend. 884. n. 24. — (I—III, 1.: n. 272. —)

Die Echiniden der Stramberger Schichten v. Gustave Cotteau. Mit Atlas in Fol. (5 Steintaf.) (VI, 40 S.)

Erschien auch als Suppl. II, 5 zu: Palaeontographica.

— des Clubs f. Pflanzenzucht im Zimmer Beiliegend 2 Lichtdr.-Taf. gr. 8. (12 S.) Wien 884. (Teufen.) n. — 50

— photographische. Zeitschrift d. Vereines zur Förderg. der Photographie. Hrsg. v. Herm. W. Vogel. 20—23. Jahrg. Apr. 1883—März 1887. à 24 Hfte. (à ¾—1 B. m. Holzschn. u. Photogr.) gr. 8. Berlin, Oppenheim. à Jahrg. n. 10. —

— der internationalen Polar-Commission. 3—6. Hft. (Deutsch, französisch u. englisch.) Lex.-8. (S. 77—337.) St. Petersburg 882—84. Leipzig, Voss' Sort. n. 3. 70

— aus der Tübinger Poliklinik. Hrsg. v. Thdr. v. Jürgensen. 1. Hft. gr. 8. (V, 241 S. m. 6 eingedr. Holzschn. u. 2 lith. Curventaf.) Stuttgart 886. Schweizerbart. n. 4. —

— der Anstalt zur Prüfung v. Baumaterialien am eidg. Polytechnikum in Zürich. 1—3. Hft. gr. 8. Zürich, (Meyer & Zeller.) n. 8. —

1. Methoden u. Resultate der Prüfung natürlicher u. künstlicher Bausteine. Bearb. v. L. Tetmajer. (XXX, 59 S.) 884. n. 1. 50
2. Methoden u. Resultate der Prüfung der schweiz. Bauhölzer. Bearb. v. L. Tetmajer. (IV, 52 S. m. 1 Steintaf.) 884. n. 1. 50
3. Methoden u. Resultate der Prüfung v. Eisen u. Stahl u. anderer Metalle. Zusammengestellt v. L. Tetmajer. Mit 8 Taf. u. 38 Textfig. (XII, 260 S.) 886. n. 5. —

Mittheilungen aus dem Gebiete d. Seewesens. Hrsg. vom k. k. hydrograph. Amte, Marine-Bibliothek. 11—14. Bd. Jahrg. 1883—1886. à 12 Hfte. gr. 8. (à Hft. ca. 64 S. m. 5 Steintaf. u. 5 Tab., nebst Kundmachung f. Seefahrer 1883—1886. Nr. 1—6 u. Hydrographische Nachricht 1882—1886. Nr. 1—6.) Pola. (Wien, Gerold's Sohn.) à Jahrg. n. 12. —

— aus dem Stadtarchiv v. Köln, hrsg. v. Konst. Höhlbaum. 1—9. Hft. gr. 8. Köln, Du Mont-Schauberg. n. 28. 20

1. (III, 107 S.) 882. n. 2. 40. — 2. (IV, 127 S.) 883. n. 3. 60. — 3. (IX, 80 S.) 883. n. 2. 40. — 4. (X, 130 S.) 883. n. 3. 60. — 5. (VI, 89 S.) 884. n. 2. 40. — 6. (III, 128 S.) 884. n. 3. 60. — 7. (V, 127 S.) 885. n. 3. 60. — 8. (III, 58 S.) 885. n. 1. 80. — 9. (VI, 209 S.) 886. n. 4. 80

— statistische, aus den Verhältnissen der Stadt Kulmbach. Gesammelt v. C. Ritz. 12. (60 S.) Kulmbach 886. Wanderer. — 30

— des bernischen statistischen Bureau's. Jahrg. 1883. 3. Lfg. gr. 8. Bern 883. (Schmid, Francke & Co.) n. — 80

Die Gemeindesteuern im Kanton Bern pro 1882. (55 S.)

— dasselbe. Jahrg. 1885. 1—3. Lfg. gr. 8. (253 S.) Ebend. 885. 86. n. 3. 20

— des statistischen Amtes der Stadt Chemnitz. Hrsg. v. Max Flinzer. 6. u. 7. Hft. gr. 4. (138 S.) Chemnitz 885. Focke. n. 4. 40 (1—7.: n. 16. 90)

— statistische, üb. Elsass-Lothringen. Hrsg. v. dem statist. Bureau d. kaiserl. Ministeriums f. Elsass-Lothringen. 20. u. 21. Hft. gr. 8. Strassburg 883. Schultz & Co. Verl. n. 29. —

20. Die Beobachtungen der meteorologischen Stationen in Elsass-Lothringen, sowie die Bodentemperatur-Beobachtungen d. Lehrer-Seminars zu Strassburg während d. J. 1881. (VIII, 270 S.) n. 9. —
21. Die Ergebnisse der Volkszählung in Elsass-Lothringen vom 1. Dezbr. 1880. Mit 11 kartograph. Darstellgn. (CXXIV, 274 S.) n. 20. —

Das 19. Hft. erscheint später.

— aus dem statistischen Büreau d. herzogl. Staatsministeriums zu Gotha üb. Landes- u. Völkerkunde der Herzogthümer Coburg u. Gotha. Jahrg. 1883. Fol. (285 S.) Gotha 885. (Thienemann.) n. 8. —

— dasselbe. Jahrg. 1884. 1. u. 2. Thl. Fol. (158 u. 144 S.) Ebend. 885. à n. 4. —

— des statistischen Bureaus der Stadt Leipzig. 15—17. Hft. gr. 4. Leipzig, Duncker & Humblot. n. 5. — (1—17.: n. 20. —)

15. Die Ergebnisse der Volkszählung vom 1. Dezbr. 1880, Berufszählung vom 5. Juni 1882, der Fabrikenzählungen 1. Mai 1884 u. der Viehzählung vom 10. Jan. 1883. Hrsg. v. Ernst Hasse. (IV, 82 S.) 884. n. 3. —
16. Der Bevölkerungswechsel in Leipzig in den J. 1881 u. 1882. (22 S.) 883. n. 1. —
17. Der Bevölkerungswechsel in Leipzig in den J. 1883 u. 1884. (23 S.) 885. n. 1. —

— des statistischen Bureaus der Stadt München. 4. Bd. 4 Hfte., 5. Bd. 3 Hfte., 6. Bd. 4 Hfte. u. 7. Bd. 1. Hft. gr. 4. München, Lindauer. n. 38. —

4. I. (114 S. m. 2 Steintaf.) 880. n. 4. —. — II. (S. 115—238 m. 6 Steintaf.) 880. n. 4. —. — III. IV. (S. 239—470 m. 10 Steintaf.) 882. n. 6. —. — 5. I. (70 S. m. 1 lith. Plan.) 881. n. 3. 50. — II. (S. 71—122.) 882. n. 2. 50. — III. (S. 123—170 m. 2 lith. u. 1 chromolith. Taf.) 883. n. 3. —. — 6. I. II. (198 S. m. 4 Steintaf.) 883. n. 5. —. III. IV. (S. 199—408 m. 10 Steintaf.) 883. n. 5. —. — 7. I. (108 S.) 884. n. 5. —

— dasselbe. 8. Bd. 1. u. 2. Hft. gr. 4. (286 S. m. 8 Taf.) Ebend. 885. 86. n. 8. —

Die restirenden Hefte d. 7. Bds. erscheinen später.

— statistische u. andere wissenschaftliche, aus Rußland. 16. Jahrg. gr. 8. (IV, 111 S.) St. Petersburg 883. Röttger. n. 3. —

Mittheilungen aus der Verwaltung der direkten Steuern im Königreich Sachsen. Hrsg. vom königl. sächs. Finanzministerium. 1. Bd. 1. Hft. Lex.-8. (80 S.) Dresden 884. Heinrich. n. 1. —

— technisch statistische, üb. die Stromverhältnisse d. Rheins längs d. elsass-lothringischen Gebietes. Aufgestellt im Ministerium f. Elsass-Lothringen, Abtheilg. f. Gewerbe, Landwirthschaft u. öffentl. Arbeiten. 1. Hft. Text m. Atlas. hoch 4. (193 S. m. 52 Taf.) Strassburg 885. Schmidt. n. 12. —

— des technischen Club in Salzburg. Neue Folge. 1883. Lex.-8. (24 S. m. 6 Taf.) Salzburg 883. (Kerber.) n. 2. 50

— des technologischen Gewerbe-Museums, Section f. Färberei, Druckerei, Bleicherei u. Appretur. Fachzeitschrift f. die chem. Seite der Textil-Industrie. Hrsg. vom nieder-österreich. Gewerbe-Verein. Red.: W. F. Exner. 1—3. Folge. 1884—1886. à 4 Hfte. gr. 8. (à Hft. 32 S.) Wien, Frick. à Folge n. 4. —

— dasselbe. Section f. Holz-Industrie. Fach-Zeitschrift f. Holz-Production, Holzhandel u. Holz-Industrie. Red.: W. F. Exner. 4—7. Jahrg. 1883—1886. à 12 Nrn. (B.) Lex.-8. Ebend. à Jahrg. n. 8. —

— dasselbe. Section f. Metall-Industrie u. Elektrotechnik. Red.: Carl Pfaff. 1. u. 2. Jahrg. 1885 u. 1886. à 12 Nrn. (B.) Lex.-8. Ebend. à Jahrg. n. 8. —

— thierärztliche. Organ d. Vereins bad. Thierärzte, subventionirt durch das grossh. Ministerium d. Innern. Red. v. Lydtin. 18—21. Jahrg. 1883—1886. à 12 Nrn. (à 1—1½ B.) gr. 8. Karlsruhe, F. Gutsch. à Jahrg. n. 5. —; m. mikrophotograph. Beilagen n. 10. —

— aus der thierärztlichen Praxis im Preussischen Staate. Mit Genehmigg. der königl. techn. Deputation f. das Veterinärwesen aus den amtl. Veterinär-Sanitätsberichten zusammengestellt v. F. Roloff u. W. Schütz. Neue Folge. 8. Jahrg. [Berichtsj. 1881/82] gr. 8. (VII, 80 S.) Berlin 883. Hirschwald. n. 2. 50

— aus den königl. technischen Versuchsanstalten zu Berlin. Hrsg. im Auftrage der königl. Aufsichts-Kommission. Red.: H. Wedding. 1—4. Jahrg. 1883—1886. à 4—8 Hfte. hoch 4. (à Hft. 48 S. m. 2 Steintaf.) Berlin, Springer. à Jahrg. n. 10. —

— der k. k. chemisch-physiologischen Versuchsstation f. Wein- u. Obstbau in Klosterneuburg bei Wien. Hrsg. v. L. Roesler. 4. Hft. gr. 4. Wien 885. Frick. n. 9. 20 (1—4.: n. 21. —)

I. Ueber die Anwendung der schwefligen Säure in der Kellerwirthschaft u. den Schwefelsäure-Gehalt d. Weines. Von L. Roesler. Mit 48 Tab. (24 S.) — II. Ueber den Nachweis u. die Bestimmung der schwefligen Säure u. Schwefelsäure im Wein. Von B. Haas. (S. 25—37.) — III. Ueber den Einfluss der schwefligen Säure auf Most u. Wein, sowie die Vermehrung d. Schwefelsäuregehaltes desselben durch in der Kellerwirtschaft gebräuchliche Manipulationen. Von Leop. Weigert. (S. 39—52.)

— monatliche, d. Vereins zur Erhaltung der ev. Volksschule. Red.: H. Krieger. 5—7. Jahrg. 1883—1886. à 12 Nrn. (à ½—1 B.) gr. 8. Langenberg, Joost. à Jahrg. n. 2. —

— aus dem Gebiete d. Volksschulwesens. Hrsg. v. H. Brandt. 8. Jahrg. Mai 1883—April 1884. 12 Nrn. (à 1—1½ B.) gr. 4. Osnabrück, Webberg. n. 1. 50

— dasselbe. 9. Jahrg. Apr. 1884—März 1885. 26 Nrn. (à 1—2 B.) gr. 4. Ebend. n. 3. 60

— dasselbe. 10. u. 11. Jahrg. Apr. 1885—März 1887. à 26 Nrn. (à 1—2 B.) gr. 4. Ebend. à Jahrg. n. 4. —

— über das schwere oldenburgische Wagenpferd. In Veranlassg. der internationalen landwirtschaftl. Tierausstellg. in Hamburg 1883 revidiert. 8. (27 S.) Bremen 883. Heinsius. n. — 60

— des Vereins zur Wahrung der gemeinsamen wirthschaftlichen Interessen in Rheinland u. Westfalen. Hrsg. v. dem Vereins-Vorstande. Red. v. H. A. Bueck. Jahrg. 1883 u. 1884. à 12 Nrn. gr. 8. (Nr. 1—8, 107 S.) Düsseldorf, (Schwann). à Jahrg. n. 9. —

Mittheilungen des Vereines zum Schutze d. österreichischen Weinbaues. I. 8. Wien 885. (Frick.) n. — 30

Die Reblaus u. ihre Bekämpfung durch Neuanlage widerstandsfähiger Weingärten. (48 u. Statuten d. Vereins 16 S.)

— aus der zoologischen Station zu Neapel, zugleich e. Repertorium f. Mittelmeerkunde. 4. Bd. Mit 40 (lith.) Taf. gr. 8. (IV, 522 S.) Leipzig 883. Engelmann. n. 59. —

— dasselbe. 5. Bd. gr. 8. (IV, 580 S. m. 32 z. Thl. farb. Steintaf.) Ebend. 884. n. 56. —

— dasselbe. 6. Bd. Mit 32 Taf. u. 1 Abbildg. gr. 8. (IV, 756 S.) Berlin 885. 86. Friedländer & Sohn. n. 58. —

— u. Nachrichten f. die evangelische Kirche in Rußland, begründet v. C. C. Ulmann, gegenwärtig red. v. J. Th. Helmsing, unter Mitwirkg. v. E. Kaehlbrandt, G. Seesemann, A. H. Haller u. A. 39—42. Bd. Neue Folge. 16—19. Bd. Jahrg. 1883—1886. à 12 Hfte. gr. 8. (à Hft. 3 B.) Riga. (Bernburg, Bacmeister.) à Jahrg. n.n. 10. —

Mitzenius, Adf., die Kunst der öffentlichen Rede. Praktische Winke. 8. (40 S.) Leipzig-Reudnitz 886. Kühle. n. — 75

Mitzlaff, Eugenia v., Gott ist mein Heil. Eine Erzählg. aus der Gegenwart. 5. Aufl. 8. (XIX, 376 S.) Halle 884. Fricke's Verl. n. 3. —; geb. n. 4. —

— durch Kreuz zur Krone. Eine Erzählg. 2 Tle. in 1 Bde. 7. Aufl. 8. (394 u. 342 S.) Ebend. 886. 6. —; geb. n. 7. —

Mitzschke, Paul, Jaroslav Čermák u. sein Gemälde „Die Hussiten vor Naumburg“. gr. 8. (8 S.) Naumburg 883. Domrich. n. — 20

— eine griechische Kurzschrift aus dem 4. vorchristlichen Jahrhundert. gr. 8. (28 S.) Leipzig 885. Robolsky. n. — 60

— Martin Luther, Naumburg a/S. u. die Reformation. Festschrift. gr. 8. (36 S.) Naumburg 885. Domrich. n. — 50

Mitzugoro, japanische Tuschzeichnungen. 1. Mappe. 4. (24 Lichtdr.-Taf.) Berlin 885. Bette. In Mappe. n. 12. 50

Mnemosyne. Bibliotheca philologica Batava. Scripserunt C. G. Cobet, C. M. Francken, H. van Herwerden etc., collegerunt C. G. Cobet, H. W. van der Mey. Nova series. Vol. XI—XIV. à 4 partes. gr. 8. (à Hft. ca 112 S.) Lugduni Batavorum 883—86. Leipzig, Harrassowitz. à Vol. n.n. 9. —

— Organ f. Gedächtnißkunst. In zwanglosen Hftn. hrsg. v. C. T. Mauersberger. 1—3. Hft. gr. 8. (98 S.) Leipzig 883. 84. Klinkhardt. à n. — 60

Möbel, moderne. Vorlagen f. Möbeltischler u. Holzbildhauer v. Prignot, Liénard, Pfnor, Coignet, Lenoir etc. 2. Aufl. 144 Taf. (In 12 Lfgn.) 1. Lfg. Fol. (12 Steintaf.) Berlin 886. Claesen & Co. In Mappe. n. 10. —

Möbel-Bazar, neuer Stuttgarter. Entworfen u. gezeichnet v. theoretisch u. praktisch gebildeten Fachmännern. 1. Jahrg. 1883. 12 Hfte. (à 6 Steintaf.) Fol. Stuttgart, Horster. à Hft. 1. 50

— dasselbe. 2. Jahrg. 1884. 12 Hfte. (à 4 Steintaf. m. 2 Bog. Details.) Fol. Ebend. à Hft. 2. —

Möbeltischler, der praktische. Eine Sammlg. grösstentheils ausgeführter Arbeiten m. Details in natürl. Grösse. Hrsg. v. Wilh. Kick u. O. Seubert. 1—3. Serie. à 6 Lfgn. Fol. (à 4 Steintaf. m. 7 Bog. Details.) Stuttgart 883—85. Wittwer. à Lfg. 2 50 (à Serie cplt. in Mappe: n. 16. —)

Mobiliar-Feuerversicherungen, die. Verordnung vom 11. Septbr. 1872. Die Brandversicherungskammer. Verordnung vom 30. Aug. 1875. 8. (6 S.) Würzburg 883. Stahel. — 20

Mobitz, Frdr., experimentelle Studien üb. die quantitativen Veränderungen d. Hämoglobingehaltes im Blute bei septischem Fieber. gr. 8. (84 S. m. 3 graph. Steintaf.) Dorpat 883. (Karow.) n. 1. 50

Möbius, Aug. Ferd., gesammelte Werke. Hrsg. auf Veranlassg. der königl. sächs. Gesellschaft der Wissenschaften. 1—3. Bd. Lex.-8. Leipzig, Hirzel. n. 46. —

1. Mit e. (Stahlst.-)Bildnisse v. Möbius. Hrsg v. R. Baltzer. (XX, 634 S.) 885. n. 16. —

2. Hrsg. v. F. Klein. (VII, 708 S.) 886 n. 16. —
3. Hrsg. v. F. Klein. (V, 580 S. m. Fig.) 886. n. 14. —

Möbius, H., H. Pöthig, O. Werner, Rechenbuch f. Volksschulen in 4 Hftn. gr. 8. Leipzig, Klinkhardt. à n. — 20
1. 6. Aufl. (51 S.) 886. — 2. 5. Aufl. (64 S.) 885. — 3. 5. Aufl. (55 S.) 885. — 4. 4. Aufl. (44 S.) 886

Möbius, Hugo, die Kinder Israel nie in Aegypten. Populär-wissenschaftl. Studie üb. die Lage d. bibl. Landes Mizraim. 8. (17 S.) Ilmenau 884. Schröter. — 30

— Heinrich Schaumberger. Sein Leben u. seine Werke. Nach authent. Quellen dargestellt. Mit Schaumberger's (Lichtdr.-)Bildnis. 8. (VII, 424 S.) Wolfenbüttel 883. Zwißler. n. 3. —; geb. n. 4. —

Möbius, Karl, die Bildung. Geltung u. Bezeichnung der Artbegriffe u. ihr Verhältniss zur Abstammungslehre. gr 8. (36 S.) Jena 886. Fischer. n. 1. —

— u Fr. Heincke, die Fische der Ostsee. Mit (eingedr.) Abbildgn. aller beschriebenen Arten u. e. (chromolith.) Verbreitungskarte. gr. 8. (V, 207 S.) Berlin 883. Parey. n. 5. —

Möbius, O., s.: Studien üb. Regeneration der Gewebe.

Möbius, Otto, üb. die Foerster'sche Iridektomia maturans zur künstlichen Reifung immaturer Katarakte. gr. 8. (13 S.) Kiel 886. (Lipsius & Tischer.) n. — 80

Möbius, Paul, üb. die Gemütspflege in der Volksschule. Vortrag. 2. Aufl. gr. 8. (17 S.) Gera 883. Ißleib & Rietzschel. n. — 20

Moebius, Paul Jul., allgemeine Diagnostik der Nervenkrankheiten. Mit 101 Abbildgn. im Text. gr. 8. (IV, 338 S.) Leipzig 886. F. C. W. Vogel. n. 8. —

— die Nervosität. 2. Aufl. 8. (XII, 195 S.) Leipzig 885. Weber. n. 2. —; geb. n.n. 3. —

— zur Pathologie d. Halssympathikus. gr. 8. (37 S.) Berlin 884. Hirschwald. n. 1. —

Möbius, Rhold., die zwölf Gebote d. Flachsbaues. Zur Erklärg. der Vorschriften f. die Mitglieder der Sächs. Flachsbau-Gesellschaft. gr. 8. (24 S.) Chemnitz 884. (Döbeln, Schmidt.) — 30

Möbius, Rob., die Milchfehler, ihre Verhütung u. Abstellung. 8. (26 S.) Plauen 886. (Neupert.) n. — 50

Möbius, Th., s.: Kormaks Saga.

Möbus, A., Lesebuch f. Bürgerschulen, besonders f. höhere Knaben- u. Mädchenschulen. 1. Stufe. Für Unterklassen. 2. Tl. 3. Aufl. gr. 8. (160 S.) Berlin 886. Gaertner. n. — 80

— Stoffe zu deutschen Stilübungen. Eine Sammlg. v. Musterstücken, Entwürfen u. Aufgaben f. die Oberklassen höherer Schulen. 2. Aufl. gr. 8. (VIII, 320 S.) Ebend. 883. n. 4. —

Möckel, G. L., ausgeführte u. projectirte Kirchen, Villen u. Wohnhäuser m. übersichtlicher Zusammenstellung der Herstellungskosten. 8—12. Lfg. Fol. (à 6 Lichtdr.- u. Steintaf.) Dresden 883. Gilbers' Verl. à n. 6. —

Močnik, Frz. Ritter v., geometrische Anschauungslehre f. Unter-Gymnasien. 1. u. 2. Abth. gr. 8. Wien 885. Gerold's Sohn. à n. 1. 20
1. Mit 110 in den Text gedr. Holzschn. 21. Aufl. (VI, 80 S.)
2. Mit 95 in den Text eingedr. Holzschn. 15. Aufl. (III, 107 S.)

— geometria combinata col disegno ad uso delle scuole cittadine. Con 183 incisioni in legno intercalata nel testo. [Traduzione dal tedesco.] gr. 8. (III, 166 S.) Prag 885. Tempsky. n. 1. 50

— Geometrie in Verbindung m. dem Zeichnen f. Bürgerschulen. Mit 183 in den Text gedr. Holzschn. 4. Aufl. gr. 8. (IV, 180 S.) Ebend. 884 n. 1. 40

— Lehrbuch der Arithmetik f. Unter-Gymnasien. 2 Abthlgn. Mit Rücksicht auf den neuen Lehrplan f. Gymnasien umgearb. gr. 8. Wien 885. Gerold's Sohn. n. 3. 30; geb. n. 4. 10
1. 29. Aufl. (III, 144 S.) n. 1. 80; geb. n. 2. 20. — 2. 22. Aufl. (120 S.) n. 1. 50; geb. n. 1. 90

— Lehrbuch der Arithmetik u. Algebra, nebst e. Aufgaben-Sammlg., f. die oberen Classen der Mittelschulen. 21. Aufl. gr. 8. (VII, 309 S.) Ebend. 885. n. 3. 20; geb. n. 3. 70

— Lehrbuch der Geometrie f. die oberen Classen der Mittelschulen. 18. dem neuen Lehrplane entsprech. Aufl. Mit 221 in den Text gedr. Holzschn. gr. 8. (VIII, 293 S.) Wien 886 Gerold's Sohn. geb. 3. 70

Močnik, Frz., Ritter v., Lehr- u. Übungsbuch der Arithmetik f. Bürgerschulen. 2. u. 3. Hft. gr. 8. Prag 883. Tempsky. — Leipzig, Freytag. n. 1. 12
2. Für die 7. Classe achtclass. Volks- u. Bürgerschulen u. f. die 2. Classe der dreiclass. Bürgerschulen. Ausg. f. Mädchen-Bürgerschulen. 4. Aufl. (III, 46 S.) n. — 40
3. Für die 8. Classe achtclass. Volks- u. Bürgerschulen u. f. die 3. Classe der dreiclass. Bürgerschulen. Ausg. f. Mädchen-Bürgerschulen. 9. Aufl. (IV, 73 S.) n. — 72

— Rechenbuch f. die 1—3. Classe der Knaben-Bürgerschulen. gr. 8. Ebend. n. 2. —; Einbd. à n.n. — 20
1. 6. Aufl. (III, 61 S.) 886. n. — 60. — 2. 5. Aufl. (III, 98 S.) 885. n. — 80. — 3. 9. Aufl. (V, 78 S) 885. n. — 60

— Rechenbuch f. die 1.—3. Classe der Mädchen-Bürgerschulen. gr. 8. Ebend. 885. à n. — 60; Einbd. à n.n. — 20
1. 5. Aufl. (III, 56 S.) — 2. 6. Aufl. (IV, 60 S.) — 3. 10. Aufl. (V, 70 S.)

— Rechenbuch f. Knaben- u. Mädchen-Bürgerschulen. 1. u. 2. Hft. 4. Aufl. gr. 8. (V, 84 u. III, 83 S.) Ebend. 884. à n. — 72

— der Rechenunterricht in der Volksschule. Eine method. Anleitg. f. Volksschullehrer. 4. Aufl. gr. 8. (286 S.) Ebend. 884. n. 2. —; Einbd. n n. — 30

Mocsáry, Alex., characteristische Daten zur Hymonopterenfauna Siebenbürgens. Lex-8. (9 S.) Budapest 884. (Berlin, Friedländer & Sohn.) n. 1. —

— species generis Anthidium Fabr. regionis palaearcticae. Lex.-8. (38 S.) Ebend. 884. n. 2. —

Mode, die. Allgemeine Schneider-Zeitg. Organ f. Bekleidungsgewerbe, Tuchfabrikation u. die Interessen d. Posamentier- u Knopfmacher-Gewerbes. Centralblatt d. Bundes selbständ. Schneidermeister u. Fachgenossen Deutschlands. Unter Mitwirkg. e. Fachkommission hrsg. v. Adph. Schulz. 4—7. Jahrg. 1883—1886. à 24 Nrn. (à 1—2 B. m. Modebildern.) Fol. Berlin, Horrwitz Nachf. à Jahrg. n. 10. —

— die neueste politische. Von Timoleon. Nach der 3. Aufl. d. ungar. Originals übers. gr. 8. (VII, 160 S.) Budapest 884. Zihahy. n. 1. 50

— u. **Handarbeit**. Monatsbeilage zum schweizer. Familienwochenblatt f. unsere Frauen u. Töchter. Jahrg. 1884. 12 Nrn. ($1^1/_2$ B. m. Illustr. u. Schnittmusterbogen.) hoch 4. Stuttgart, Schröter & Meyer. n. 2. 40

— — dasselbe. Jahrg. 1885 u. 1886. à 12 Nrn. ($1^1/_2$ B. m. Illustr. u. Schnittmusterbogen.) hoch 4. Ebend. à Jahrg. n. 3. —

— u. **Haus**. Praktische illustr. Frauen-Zeitg. m. illustr. belletrist. Beilage, Schnittmusterbogen u. Rabattverkehr-Ausnutzg. Red.: Russak, Josephine Calé, John Schwerin. 1. Jahrg. 1885. Octbr.—Decbr. 6 Nrn. (2 B.) gr. 4. Berlin, Russak & Co. n. 1. —

Moedebeck, H., die Luftschiffahrt unter besond. Berücksicht. ihrer militärischen Verwendung. Historisch, theoretisch u. praktisch erläutert. 2 Thle. gr. 8. (VI, 192 u. 209 S.) Leipzig 885. 86. Schloemp. n. 12. —

Moden-Bühne. Haupt-Organ der europ. Moden-Akademie. Begründet v. G. A. Müller u. A. Gunkel Red.: H. Klemm. 12—15. Jahrg. 1883—1886. à 12 Nrn. (B m. eingedr. planotyp. Zeichngn. u. 1 color. Modekpfr.) gr. Fol. Dresden, Exped. der europ. Modenzeitg. à Jahrg. n. 9. —; große Ausg. m. 2 Modekpfrn. n. 12. —

Moden-Post f. Herren-Garderobe. Red.: H. Klemm. 19—22. Jahrg. 1883—1886. à 12 Nrn. (B. m. eingedr. planotyp. Zeichngn. u. zum Thl. color. Modekpfrn.) gr. Fol. Dresden, Exped. d. europ. Modenztg. à Jahrg. n. 6. —

Moden-Tableau, photographisches, hrsg. vom Directorium der europ. Moden-Akademie. Jahrg. 1883—1886 à 4 Blatt. 12. Dresden 883. Exped. der europ. Modenzeitg. à Jahrg. n. 2. —; einzelne Blätter à n. — 60; color. n. 4. —; einzelne Blätter à n. 1. —

Moden-Telegraph. Berichterstatter üb. den neuesten Geschmack in der Herren-Garderobe. Red.: H. Klemm 23—26. Jahrg. 1883—1886. à 12 Nrn. (B. m. eingedr. planotyp. Zeichngn. u. 1 color. Modekpfr.) gr. Fol. Dresden, Exped. der europ. Modenzeitg. à Jahrg. n. 7. —

Jahrgänge 1840 bis 1882 einschließlich. Von R. Schmitt. gr. 4. (343 S.) Hagen 883. Risel & Co. n.n. 8. —

Minor, Jac., die Schicksals-Tragödie in ihren Hauptvertretern. gr. 8. (VIII, 189 S.) Frankfurt a/M. 883. Literar. Anstalt. n. 4. —

Minot's, L., Lieder, s.: Quellen u. Forschungen zur Sprach- u. Culturgeschichte der germanischen Völker.

Minucii Felicis, M., Octavius. Emendavit et praefatus est Aemilius Baehrens. 8. (XXXV, 64 S.) Leipzig 886. Teubner. 1. 35

Mir, Miguel, Zusammenhang zwischen Wissen u. Glauben. Mit Genehmigg. d. Verf. aus dem Span. übers. v. Johs. Jehly. gr. 8. (XVI, 362 S.) Regensburg 883. Verlags-Anstalt. n. 5. 40

Mirabeau, ausgewählte Reden. Erklärt v. H. Fritsche. 1. Hft. Reden aus dem J. 1789. 2. Aufl. gr. 8. (163 S.) Berlin 884. Weidmann. 1. 50

Mirbach-Sorquitten, Frhr. v., Währung, Preisrückgang, mobiles Capital. 8. (24 S.) Berlin 886. Walther & Apolant. n.n. — 25

Mirbach, Ernst Frhr. v., üb. Ausbildung der Kompagnie im Felddienst. gr. 8. (VIII, 154 S.) Berlin 884. Mittler & Sohn. n. 2. 50

Mirsch, Paul, de M. Terenti Varronis antiquitatum rerum humanarum libris XXV. gr. 8. (144 S.) Leipzig 883. (Hirzel.) n. 2. —

Mirus', v., Leitfaden f. den Kavalleristen bei seinem Verhalten in u. außer dem Dienste. Zum Gebrauch in den Instruktionsstunden u. zur Selbstbelehrg. Im Anschluß an die maßgeb. Bestimmgn. bearb. u. hrsg. von G. v. Pelet-Narbonne. 15. verb. u. durch Abschnitte üb. den Reitdienst u. den Schießdienst, sowie zahlr. Holzschn. im Text verm. Aufl. 8. (XIII, 266 S.) Berlin 884. Mittler & Sohn. n. — 80

Mirza Schaffy im Waffenrock. Ein lust. Vademecum f. den Einjährig-Freiwilligen. Von Abdullah-Aga. 12. (48 S.) Celle 884. Literar. Anstalt. — 80

Misasi, N., kalabrische Novellen, s.: Collection Spemann.

Misboekje voor godvruchtige kinderen, met 43 gravuren. In het Nederlandsch vertaald en bewerkt door een r. k. pr. 2. uitgaaf. 16. (132 S.) Freiburg i/Br. 886. Herder. n. — 60; geb. n. — 80

Mischi, J., deutsche Worte im Ladinischen. gr. 8. (32 S.) Wien 885. (Pichler's Wwe. & Sohn.) n. — 70

Mischke, C., u. A. **Tromnau,** der religiöse Lern- u. Merkstoff f. evangelische Schulen. Mit Berücksicht. der 3 Unterrichtsstufen zusammengestellt. gr. 8. (92 u. Begleitwort 4 S.) Gera 885. Th. Hofmann. n. — 40

Mischke, J. G., das erste Schuljahr in der ein- u. mehrklassigen Schule. 4. Aufl. gr. 8. (IV, 56 S.) Langensalza 885. Beyer & Söhne. — 60

Mischler, Ernst, die Literaturstatistik in Oesterreich. gr. 8. (23 S.) Wien 886. Hölder. n. — 80

— alte u. neue Universitäts-Statistik. Antrittsrede, geh. zu Beginn d. Winter-Semesters 1884/85. gr. 8. (IV, 32 S.) Prag 885. Dominicus. n. — 80

Mischnaioth. Hebräischer Text m. Punktation, deutscher Uebersetzg. u. Erklärg. v. A. Sammter. (In 40 Lfgn.) 1—7. Lfg. gr. 8. (1. Bd. S. 1—196.) Berlin 885. 86. (Adf. Cohn.) à n.n. — 75

Mischpeter, E., Beobachtungen der Station zur Messung der Temperatur der Erde in verschiedenen Tiefen im botanischen Garten zu Königsberg in Pr. Jan. 1879 bis Decbr 1880. gr. 4. (27 S.) Königsberg 886. (Berlin, Friedländer & Sohn.) n. 1. —

Mises, das Wünschelmännchen, s.: Volksbibliothek d. Lahrer Hinkenden Boten.

Misstakis, Johs., ausgewählte griechische Volksmärchen. Für die deutsche Jugend bearb. 2. Aufl. gr. 8. (VII, 162 S. m. 5 Chromolith.) Berlin 884. Drewitz. geb. 4. 50

Missa in vigilia immaculatae conceptionis beatae Mariae virginis. Ed. II. Fol. (4 S.) Kempten 885. Kösel. — 20

Missae in festis sancti Augustini, episcopi et confessoris, sancti Cyrilli, episcopi Alexandrini, confessoris et ecclesiae doctoris, sancti Cyrilli, episcopi Hierosolymitani, confessoris et ecclesiae doctoris, sancti Justini martyris et Sancti Josaphat, episcopi et martyris. Fol. (10 S.) Kempten 883. Kösel. n. — 25

Missae in festis S. Benedicti Josephi Labre, confessoris, S. Joannis Baptistae de Rossi, confessoris, S. Laurentii a Brundusio, confessoris, beati Urbani II., papae et confessoris, S. Clarae a Cruce de Montefalco, virginis. Fol. (à 2 S.) Kempten 883. Kösel. n. — 20

— propriae dioecesis Paderbornensis. Auctoritate reverendissimi domini Francisci Caspari episcopi Paderbornensis. Fol. (24 S.) Paderborn 884. Junfermann. n. 2. —

— votivae per annum. Fol. (4 S.) Kempten 883. Kösel. — 15

Missl, Math., et Ant. **Oberkoffer,** Florale poeseos christianae. Opus tripartitum. 8. (VII, 272; 207 u. 144 S. m. Titel u. 1 Taf. in Farbendr.) Bozen 883. (Wohlgemuth.) n. 5. —

Mission, die innere, in Berlin. Uebersicht der dem Werke der inneren Mission dien. Anstalten u. Vereine, f. das J. 1881 zusammengestellt. Hrsg. v. dem Berliner Hülfs-Verein d. Central-Ausschusses f. die innere Mission der deutschen evangel. Kirche. gr. 8. (XII, 176 S.) Berlin 883. F. Schulze's Verl. n. 2. —

— die Innere, in Breslau. Eine Festschrift, dem XXIV. Kongreß f. Innere Mission dargebracht vom Vorstande d. Evangel. Vereinshauses u. d. Evangel. Vereins f. Innere Mission. gr. 8. (IV, 71 S.) Breslau 886. (Dülfer.) n. — 50

— die innere, in Deutschland. Eine Sammlg. v. Monographieen üb. Geschichte u. Bestand der inneren Mission in den einzelnen Teilen d. deutschen Reichs. Hrsg. v. Thdr. Schäfer. 6. Bd. gr. 8. Hamburg 883. Oemler. n. 4. — (1—6.: n. 20. 60)

Die innere Mission in Schlesien. Dargestellt v. O. Schütze. (XII, 296 S.)

Missionaire, le. Organe de la mission bâloise pour les pays de langue française. Red.: Ed. Barde. 4—7. année. 1883—1886. à 12 nrs. (à 1/2—1 B. m. Holzschn.) gr. 4. Basel, Missionsbuchh. à Jahrg. n. 1.20

Missionar, e., im fernen Nord-Osten. Ein Lebensbild aus der Missionsthätigkeit der russ. Kirche. gr. 8. (16 S.) Stuttgart 884. (Roth.) n. — 50

Missionen, die katholischen. Illustrirte Monatsschrift im Anschluß an die Lyoner Wochenschrift d. Vereins der Glaubensverbreitg. Unter Mitwirkg. einiger Priester der Gesellschaft Jesu hrsg. Jahrg. 1884—1886. à 12 Hfte. (à 2—3 B. m. Holzschn.) gr. 4. Freiburg i/Br., Herder. à Jahrg. n. 4. —

Missions évangéliques, les, au 19me siècle. Journal mensuel rendant compte de tout les travaux missionnaires actuels. Publié par la Société des missions de Bâle et sous la direction du L. Nagel. 25 et 26 année. 1885 et 1886. à 12 nrs. (2 B.) gr. 8. Basel, Missionsbuchh. à Jahrg. n. 4. —

Missions-Berichte, Berliner. Hrsg. u. Red.: Wangemann u. Kratzenstein. Jahrg. 1883—1886. à 24 Nrn. (B. m. Holzschn.) gr. 8. Berlin, W. Schultze. à Jahrg. n.n. 1. 50

Missionsblatt. Hrsg. v. der Missions-Hülfs-Gesellschaft in Barmen. Red.: Ernst Frdr. Ball unter Mitwirkg. v. A. Schreiber. 58—61. Jahrg. 1883—1886. à 12 Nrn. (B.) gr. 4. Barmen, (Klein. — Wiemann). à Jahrg. n.n. 1. 25

— aus der Brüdergemeine. Red.: A. Glitsch. 47—49. Jahrg. 1883—1886. à 12 Nrn. (à 1—2 B. m. Illustr.) gr. 8. Herrnhut. (Gnadau, Unitäts-Buchh.) à Jahrg. 1. 50

— dasselbe. 50. Jahrg. 1886. 12 Nrn. (à 1—2. B. m. Illustr.) gr. 8. Ebend. n. 1. —

— Calwer. Eine allgemeine illustr. Missions-Zeitschrift. Red.: Gundert. 56—59. Jahrg. 1883—1886. à 12 Nrn. (B. m. Holzschn.) hoch 4. Calw, Vereinsbuchh. à Jahrg. 1. 50

— evangelisch-lutherisches. Red., unter Mitwirkg. v. Hardeland, v. Cordes. 39—41. Jahrg. 1884—1886. à 26 Nrn. (B.) gr. 8. Leipzig, (J. Naumann). à Jahrg. n. 1. 20

— des Frauen-Vereins f. christliche Bildung d. weiblichen Geschlechts im Morgenlande. Red.: Schrader.

Mohr, U., die Wasserförderung. Handbuch bei Ausführg. u. Benutzg. v. Brunnenanlagen, Pumpen, Röhren, Spritzen u. Wasserleitgn. f. Stadt u. Land. 6. Aufl. d. „Brunnen-, Pumpen- u. Spritzenmeister". Mit e. Atlas, enth. 20 (lith.) Foliotaf. gr. 8. (X, 168 S.) Weimar 883. B. F. Voigt. 7. 50

Mohr, Wilh., Antwerpen. Die allgemeine Ausstellg. in Briefen an die Kölnische Zeitg. gr. 8. (157 S.) Köln 885. A. Ahn. n. 2. 50

— Köln in seiner Glanzzeit. Neue Forschgn. gr. 8. (VIII, 280 S.) Ebend. 885. n. 5. —

— mit e. Retourbillet nach dem stillen Ozean. 8. (309 S.) Stuttgart 884. Spemann. n. 4. —

Möhrlin, Fritz, Einkehr u. Umschau, s.: Landmann's, d., Winterabende.

— das Jahr d. Landwirts, in den Vorgängen der Natur u. in den Verrichtungen der gesamten Landwirthschaft dargestellt. Mit 133 Holzschn. gr. 8. (VIII, 392 S.) Stuttgart 885. Ulmer. geb. n. 5. —

— Loden. Charakterbild in 1 Aufzuge. 8. (40 S.) Ravensburg 883. (Leutkirch, Roth.) n. 1. —

— der Pfennig in der Landwirtschaft, s.: Landmanns, d., Winterabende.

— Herrn Starke's Weihnachtsabend. Charakterbild in 1 Aufzuge. 8. (25 S.) Ravensburg 883. Leutkirch, Roth. n. 1. —

— Vorsicht u. Liebe. Ländliche Scene in 1 Aufzuge. 8. (25 S.) Ebend. 883. n. 1. —

Mohrmann, Karl, üb. die Tagesbeleuchtung innerer Räume. gr. 8. (31 S. m. 2 Taf.) Berlin 885. Polytechn. Buchh. n. 1. 50

Moinaux, J., er muß taub sein, s.: Bloch's, E., Theater-Correspondenz.

— dasselbe, s.: Universal-Bibliothek.

— die beiden Tauben, s.: Theater, kleines.

Mojsisovics Edler v. Mojsvár, Aug., Leitfaden bei zoologisch-zootomischen Präparirübungen. Mit 27 Fig. in Holzschn. 2. Aufl. gr. 8. (XII, 259 S.) Leipzig 885. Engelmann. n. 8. —

Mojsisovics v. Mojsvár, E., arktische Triasfaunen, s.: Mémoires de l'académie impériale des sciences de St. Pétersbourg.

Moiszisstzig, H., praktische Schulgrammatik der lateinischen Sprache, s.: Gillhausen, W.

Moitzi, K., das Geschenk der Zwerge, } s. Jugend-
— aus bewegter Zeit, } bibliothek.

Molbech, Chr. K. F., Dante. Historisches Drama in 5 Aufzügen. Mit theilweiser Benutzg. e. metr. Uebersetzg. v. Fr. Wilib. Wulff f. die deutsche Bühne bearb. v. Wilh. Buchholz. Einzige vom Dichter selbst autoris. Bearbeitg. 8. (126 S.) München 886. Callwey. n. 1. 20

Moldenhauer, E. F. Thdr., das Weltall u. seine Entwickelung. Darlegung der Ergebnisse der kosmolog. Forschg. Neue Ausg. 18 Lfgn. od. 2 Bde. gr. 8. (XV, 448 u. VIII, 564 S.) Leipzig 884. Mayer. à Lfg. n. — 80 (cplt.: n. 14. 40; geb. n. 16. —)

Moldenhauer, F., e. reicher Staat — e. mächtiger Staat s.: Vorträge zur Förderung der Bestrebungen d. Deutschen Kolonialvereins.

Moldenhauer, W., die Krankheiten der Nasenhöhlen, ihrer Nebenhöhlen u. d. Nasen-Rachenraumes m. Einschluss der Untersuchungstechnik. Zum Gebrauche f. Aerzte u. Studirende. Mit 25 Abbildgn. im Texte. gr. 8. (VIII, 198 S.) Leipzig 886. F. C. W. Vogel. n. 5. —

Molé, Charles, moderne Zimmereinrichtungen. Eine Sammlg. stylgerechter Möbel aus der internationalen Ausstellg. zu Amsterdam 1883. Fol. (60 Lichtdr.-Taf.) Dresden 884. Gilbers' Verl. In Mappe. n. 60. —

Moleschott, Jac., Hermann Hettner's Morgenroth. 8. (VIII, 129 S.) Gießen 883. Roth. n. 3. —; geb. n. 4. 50

— der Kreislauf d. Lebens. 5., verm. u. gänzlich umgearb. Aufl. 13—18. (Schluß-)Lfg. 8. (2. Bd. V u. S. 289—711.) Ebend. 887. à n. 1. — (cplt.: n. 18. —; geb. n. 20. —)

Molesworth, Großmütterchen, } s.: Sammlung v.
— die Kuckucksuhr, } Kinderschriften.
— zwei kleine Verlassene, }

Molien, Thdr., üb. die lineare Transformation der elliptischen Functionen. Abhandlung. gr. 4. (23 S.) Dorpat 885. (Karow.) n. 1. —

Molière, J. B., oeuvres complètes. Vol. I. 8. (224 S.) Leipzig 885. Huth. n. 1. —; Einbd. n.n. — 50

— Werke, m. deutschem Kommentar, Einleitgn. u. Exkursen hrsg. v. Adf. Laun. Fortgesetzt v. Wilh. Knörich. 14. Bd. gr. 8. Leipzig 885. Leiner. n. 2. 25 (1—14.: n 31. 45)

Sganarelle ou le cocu imaginaire. La Princesse d' Elide. (175 S.)

— dasselbe. 1. Le Misanthrope. 2. Aufl., bearb. v. Wilh. Knörich. 8. (148 S.) Ebend. 883. n. 2. —

— ausgewählte Werke, s.: Bibliothek, Cotta'sche, der Weltlitteratur.

— l'avare, } s.: Théâtre français.
— le bourgeois gentilhomme, }

— Charakter-Komödien. Aus dem Franz. v. Adf. Laue. 8. (379 S.) Leipzig 886. Bibliograph. Institut. geb. n. 1. —

— l'école des femmes, s.: Théâtre français.

— les femmes savantes, comédie. Mit e. Einleitg. u. erklär. Anmerkgn. zum Schulgebrauch hrsg. v. C. Th. Lion. 2. Aufl. gr. 8. (130 S.) Leipzig 885. Teubner. 1. 35

— dasselbe, } s.: Théâtre français.
— les fourberies de Scapin, }

— die gelehrten Frauen, s.: Meyer's Volksbücher.

— ausgewählte Lustspiele. 1—3. Bd. Erklärt v. H. Fritsche. gr. 8. Berlin, Weidmann. 4. 80

1. Le Misanthrope. (176 S.) 885. 1. 50
2. Le Tartuffe. (176 S.) 883. 1. 50
3. L'Avare. (XI, 136 S.) 886. 1. 80

— les précieuses ridicules, s.: Théâtre français.

— der Tartüff, s.: Meyer's Volksbücher.

— le Tartuffe, s.: Théâtre français.

Molière u. seine Bühne. Molière-Museum. Sammelwerk zur Förderg. d. Studiums d. Dichters in Deutschland, unter Mitwirkg. v. Frdr. v. Bodenstedt, Alfr. Friedmann, Fritsche etc. in zwanglosen Heften hrsg. v. Heinr. Schweitzer. 5. u. 6 Hft. gr. 8. (6. Hft.: 2. Bd. IV u. S. 1—148.) Wiesbaden 884. (Leipzig, Thomas.) à n. 3. —

Molisch, Hans, üb. die Ablenkung der Wurzeln v. ihrer normalen Wachsthumsrichtung durch Gase [Aërotropismus]. [Arbeiten d. pflanzen-physiolog. Institutes der Wiener Univ. XXIX.] [Mit 1 (lith.) Taf.] Lex.-8. (86 S.) Wien 884. (Gerold's Sohn.) n. 1. 50

— Untersuchungen üb. den Hydrotropismus. [Arbeiten d. pflanzenphysiolog. Institutes d. k. k. Wiener Universität. XXIV.] [Mit 1 (lith.) Taf.] Lex -8. (47 S.) Ebend. 883. n. 1. —

— Untersuchungen üb. Laubfall. [Arbeiten d pflanzenphysiolog. Institutes d. k. k. Wiener Universität. XXXI.] Lex.-8. (37 S.) Ebend. 886. n. — 60

— zwei neue Zuckerreactionen. [Arbeiten d. pflanzenphysiolog. Institutes der k. k. Wiener Universität XXXIII.] Lex.-8. (12 S.) Ebend. 886. n.n. — 25

Molitor, Ludw., vollständige Geschichte der ehemals pfalzbayerischen Residenzstadt Zweibrücken von ihren ältesten Zeiten bis zur Vereinigung d. Herzogth. Zweibrücken m. der bayerischen Krone. Mit 14 Illustr. u. 1 Kriegskarte, nebst Personen- u. Sachregister. gr. 8. (XV, 613 S.) Zweibrücken 885. Schuler. n. 4. —

Molitor, Wilh., Gedichte. 8. (XIII, 247 S.) Mainz 884. Kirchheim. n. 3. 50; geb. n. 5. —

Molkenboer, Herm., Geschichtsunterricht in Volksschulen u. Soldatenwesen. Aphorismen Erziehern [zur gütigen Erwägg. e. kräftigeren Zusammenwirkg.] vorgelegt. 8. (VIII, 87 S.) Leipzig 883. Mutze. n. 1. 50

Molkentin, R., e. Beitrag zur Sicherstellung der Diagnose d. occulten Rotzes, s.: Vorträge f. Thierärzte.

Moll, Ludw., die temporis epistularum Tullinarum. Quaestiones selectae. gr. 8. (57 S.) Berlin 883. (Mayer & Müller.) n. 1. 20

Mollat, G., die juristischen Prüfungen u. der Vorbereitungsdienst zum Richteramte. Sammlung der in den deutschen Bundesstaaten gelt. Vorschriften. 8. (XII, 245 S.) Berlin 886. H. W. Müller. n. 3. 60; in 5 Abthlgn. n. 4. 80

gr. 8. [illegible] Schlesw. [illegible]
n. 1. 20

Monatsblätter für innere Mission. Hrsg. im Auftrage der [illegible]-deutschen Konferenz f. innere Mission unter Mitwirkg. v. [illegible] v. [illegible] Kanjer. 3. Jahrg. 1886. 12 Nrn. (B.) gr. 8. [illegible]. Evangel. [illegible] f. Baden. n. 1. —

— für [illegible] Missionsstunden. Hrsg. v. [illegible]. 46.—48. Jahrg. 1883—1886. à 12 Nrn. (B.) gr. 8. [illegible]. à Jahrg. 1. 20

— für die Neue Kirche. Red. u. Hrsg.: F. [illegible]. 1. u. 2. Jahrg. 1884 u. 1885. à 12 Nrn. (B.) gr. 8. Zürich, Frankfurt a. M., [illegible]. à Jahrg. n. 2. 50

— dieselbe. 3. Jahrg. 1886. 12 Nrn. (B.) gr. 8. Stuttgart, [illegible] & Meyer. n. 1. —

— des Gabelsberger Stenographen-Vereins in Augsburg. Organ d. „schwäb. Bauverbands“ (Augsburg, Dillingen, Heilbronn etc.). Jahrg. 1883—1886. à 12 Nrn. (1/2 B.) gr. 8. Augsburg, Lampart & Co. à Jahrg. n. 2. —

— des Gabelsberger Stenografen-Vereins Aussig. Organ der Gabelsberger-Stenografen-Vereine Eger, Petschau. Red. v. Ron. C. Hable. 4. Jahrg. 1886. 12 Nrn. à 1/2—1 B. Lex.-8. Aussig, Grohmann. n. n. 2. —

Monatsblätter, die, aus dem Stephansstift. Red. u. Hrsg.: Fricke. Jahrg. 1883—1886. à 12 Nrn. (B.) gr. 8. Hannover, Feesche. à Jahrg. n. 1. —

Monatsbuch, irdisches, nebst alphabet. Register. Fol. (172 S.) Berlin 883. Dreyer. geb. n. 4. —

Monatshefte, akademische. Organ der deutschen Corpsstudenten. Hrsg. u. Red.: Paul Salvisberg. 1—3. Jahrg. Apr. 1884—März 1887. à 12 Hfte. (4 B.) gr. 4. Stuttgart, Bonz' Erben. à Jahrg. n. 16. —

— dieselbe. Illustrirte Heidelberger Jubiläums-Nummer m. dem Facs. d. Scheffel'schen Festgedichtes u. den Abbildgn. der Heidelberger Corpshäuser. Hrsg. u. Chef-Red.: Paul v. Salvisberg. gr. 4. (S. 117—156.) Ebend. 886. n. 1. —

— Bremer. Zeitschrift f. Politik, Litteratur u. Kunst. Hrsg. v. Emil Brenning. 1. u. 2. Jahrg. 1885 u. 1886. à 12 Hfte. gr. 8. (à Hft. ca. 3 B.) Bremen, Roussell. à Jahrg. n. 9. —

— für Chemie u. verwandte Theile anderer Wissenschaften. Gesammelte Abhandlgn aus den Sitzungsberichten der Kaiserl. Akademie der Wissenschaften. 4—7. Bd. Jahrg. 1883—1886. à 12 Hfte. gr. 8. (à Hft. 87 S.) Wien, (Gerold's Sohn). à Jahrg. n. 10. —

— neue, d. Daheim. Red.: Rob. Koenig u. Thdr. Herm. Pantenius. 23. Jahrg. Oktbr. 1886—Septbr. 1887. 12 Hfte. Lex.-8. (1. Hft. 176 S. m. Illustr. u. Daheimbibliothek 1. Bd. S. 1—48.) Leipzig, Daheim-Expedition. à Hft. n. 1. —

— für praktische Dermatologie, red. von H. v. Hebra, O. Lassar, P. G. Unna. 2—5. Bd. Jahrg. 1883—1886. à 12 Nrn. (2 B.) gr. 8. Hamburg, Voss. à Jahrg. 12. —

— dasselbe. Jahrg. 1885. Ergänzungshft. gr. 8. Ebend. 885. n. 3. —; Einzelpr. n. 6 —
Lepraestudien. Von E. Baelz, E. Burow, P. G. Unna, A. Wolff. Mit 9 Abbildgn. in Lichtdr. (78 S.)

— dasselbe. Jahrg. 1886. Ergänzungshft. I. gr. 8. Ebend. 1886. n. 3. —; Ladenpr. n. 5. —
Dermatologische Studien. Hrsg. v. P. G. Unna, 1. Hft. (100 S.)

— illustrierte, f. die Gesamt-Interessen d. Gartenbaues. [Neue Folge v. Neubert's deutschem Garten-Magazin, 39. Jahrg.] Hrsg. v. Max Kolb u. J. E. Weiss. 5. Jahrg. 1886. 12 Hfte. (2 B. m. eingedr. Illustr. u. Taf.) Lex.-8. München, Kolb u. Weiss. n. 10. —; einzelne Hfte. à n. 1. —
cf.: Neubert's deutsches Garten-Magazin.

— Berliner, f. Litteratur, Kritik u. Theater. Unter Mitwirkg. der hervorragendsten Dichter u. Kritiker hrsg. v. Heinr. Hart. 1. Bd. 6 Hfte. gr. 8. (1. Hft. 116 S.) Minden 885. Bruns. à Hft. n. 1. 25
Erscheint nicht mehr.

Monatshefte für Musik-Geschichte. Hrsg. v. der Gesellschaft f. Musikforschg. Red. v. Rob. Eitner. 15. u. 16. Jahrg. 1883 u. 1884. à 12 Nrn. à 1—2 B. m. Musikbeilagen. gr. 8. Berlin 883. Trautwein. à Jahrg. n. 9. —

— dieselbe. 17. u. 18. Jahrg. 1885 u. 1886. à 12 Nrn. à 1—2 B. m. Beilagen. gr. 8. Leipzig, Breitkopf & Härtel. à Jahrg. n. 9. —

— [illegible]. Unter Mitwirkg. v. F. [illegible], sowie mehrerer namhafter Fachgelehrten red. u. hrsg. v. [illegible]. 17.—22. Bd. à 12 Hfte. gr. 8. [illegible] 883—886. [illegible]. à Bd. n. 12.

— dieselbe. 23. Bd. 10 Hfte. gr. 8. (1. u. 2. Hft. 128 S.) Ebend. n. 12. —

— pomologische. Zeitschrift f. Förderg. u. Hebg. des Obstbaues, Obstkultur u. Obstverwertg. Organ d. pomolog. Institutes in Reutlingen. Gegründet v. Ed. Lucas. Unter Mitwirkg. v. A. Arnold, C. Bach, C. Ehlen etc. fortgesetzt v. Fdr. Lucas. Neue Folge der „Monatsschrift f. Pomol. u. prakt. Obstbau“ u. der „Illustr. Monatshefte f. Obst- u. Weinbau“. 9.—12. Jahrg. 1883—1886. (29.—32. Jahrg. seit Beginn der Zeitschrift.) 12 Hfte. (2 B. m. Holzschn. u. Steintaf.) gr. 8. Stuttgart, Ulmer. à Jahrg. n. 8. —

— zur Statistik d. Deutschen Reichs. Hrsg. vom kaiserl. statist. Amt. Jahrg. 1883—1886. à 12 Hfte. Imp.-4. (à Hft. 151 S.) Berlin, Puttkammer & Mühlbrecht. à Jahrg. n. 18. —

Monatsschrift, altpreussische, neue Folge. Der neuen preuss. Provinzial-Blätter 4. Folge. Hrsg. v. Rud. Reicke u. Ernst Wichert. (Der Monatsschrift 20—23. Bd. Der Provinzialblätter 86—89. Bd.) Jahrg. 1883—1886. à 8 Hfte. gr. 8. (1. u. 2. Hft. 192 S. m. 3 autogr. Taf.) Königsberg, Beyer. à Jahrg. n. 8. —

— internationale, f. Anatomie u. Histologie. Hrsg. v. E. Anderson, C. Arnstein, Ed. van Beneden, G. Bizzozero, H. F. Formad, C. Golgi, H. Hoyer, G. Mihalkovics, G. Retzius, E. A. Schäfer, L. Testut u. W. Krause. 1. Bd. gr. 8. (401 S. m. 13 Steintaf.) Leipzig 884. G. Thieme. n. 40. —

— dasselbe. 2. Bd. gr. 8. (488 S. m. Steintaf.) Ebend. n. 52. —

— dasselbe. 3. Bd. 1—10. Hft. gr. 8. (S. 1—398 m. 19 Steintaf.) Ebend. 886. n. 47. 50

— baltische. Hrsg. v. Fdr. Bienemann. 30—33. Bd. Jahrg. 1883—1886. à 9 Hfte. Lex.-8. (1. Hft. 96 S.) Reval, (Kluge). à Jahrg. n. 20. —

— für deutsche Beamte. Organ d. preuß. Beamten-Vereins. Red. v. A. Boisse. 7—10. Jahrg. 1883—1886. à 12 Hfte. (à 2—3 B.) gr. 8. Grünberg, Weiß's Nachf. à Jahrg. n. 4. —

— deutsche botanische. Organ f. Floristen, Systematiker u. alle Freunde der heim. Flora. Hrsg. v. G. Leimbach. 2. Jahrg. 1884. 12 Nrn. (B.) gr. 8. Sondershausen, Leimbach. n. 3. —

— dasselbe. 3. Jahrg. 1885. 12 Nrn. (B.) gr. 8. Bielefeld, Velhagen & Klasing. n. 4. —

— dasselbe. 4. Jahrg. 1886. 12 Nrn. (B.) gr. 8. Sondershausen. (Leipzig, O. Klemm). 4. —

— allgemeine conservative, f. das christliche Deutschland. Unter dem Titel „Volksblatt f. Stadt u. Land“ begründet 1843. Hrsg. v. Mart. v. Nathusius u. Dietr. v. Oertzen. Jahrg. 1883. 12 Hfte. Lex.-8. (1. Hft. 116 S.) Berlin 883. (Leipzig, Hinrichs' Verl.) n. 10. —
1. u. 2. Quartal. à n. 3. —. — 3. u. 4. Quartal à n. 2. —

— dasselbe. Jahrg. 1884. à 12 Hfte. Lex.-8. (1. Hft. 112 S.) Ebend. n. 12. —

— dasselbe. 42. u. 43. Jahrg. 1885 u. 1886. à 12 Hfte. Lex.-8. (1. Hft. 112 S.) Leipzig, Böhme. à Jahrg. n. 12. —

— für die evang.-lutherische Kirche im hamburgischen Staate. Hrsg. v. Geo. Behrmann. 3. Jahrg. Oktbr. 1882—Septbr. 1883. 12 Hfte. gr. 8. (1. Hft. 80 S.) Hamburg, Oemler. n. 6 —

— dasselbe. Hrsg. v. K. Kreusler, Geo. Behrmann u. H. Köpe. 4. u. 5. Jahrg. Oktbr. 1883—Septbr. 1885. à 12 Hfte. gr. 8. (1. Hft. 84 S.) Hamburg, Gräfe. à Jahrg. n. 6. —

Monatsschrift d. Gartenbauvereins zu Darmstadt. Red.: Rud. Noack. 2—5. Jahrg. 1883—1886. à 12 Nrn. (B.) gr. 8. Darmstadt, Zernin. à Jahrg. n. 2. 50

— für Geschichte u. Wissenschaft d. Judenthums. Hrsg. v. Z. Frankel, fortgesetzt v. H. Graetz u. P. F. Frankl. 32—35. Jahrg. 1883—1886. à 12 Hfte. (3 B.) gr. 8. Krotoschin, Monasch & Co. à Jahrg. n. 9. —

— deutsche populäre, f. Homöopathie. Hrsg.: Edwin Hahn. 3—6. Jahrg. 1883—1886. à 12 Nrn. (à 1—1½ B.) gr. 4. Stuttgart, Hahn. à Jahrg. 2. 40

— internationale. Zeitschrift f. die Allgemeine Vereinigg. zur Bekämpfg. d. Judenthums. [Alliance universelle antijuive.] Red. v. C. H. Rittner. 2. Bd. Jahrg. 1883. 12 Hfte. gr. 8. (1. Hft. 62 S.) Chemnitz, Schmeitzner. n. 16. —

— juristische, f. den Bezirk d. königl. Oberlandesgerichts zu Posen. Hrsg. v. Kempner u. Kalkowski. 1. Jahrg. Apr. 1885—März 1886. 12 Nrn. (B.) gr. 4. Posen. Rehfeld. n. 6. —

— kirchliche. Organ f. die Bestrebgn. der positiven Union, unter Mitwirkg. v. Baur, Christlieb, Cremer, hrsg. v. G. Pfeiffer u. H. Jeep. 3—6. Jahrg. Octbr. 1883—Septbr. 1887. à 12 Hfte. gr. 8. (1. Hft. 72 S.) Magdeburg, E. Baensch jun. à Jahrg. n. 10. —

— des Gauverbandes der Krieger- u. Landwehr-Vereine f. Neuhaldensleben u. Umgegend. Hrsg. v. den Präsidialmitgliedern desselben. 1. Jahrg. 1883. gr. 8. (Nr. 1. 1 B.) Neuhaldensleben, Eyraud. n 1. 50
Erscheint nicht mehr.

— für innere Mission m. Einschluß der Diakonie, Diaspora-Pflege, Evangelisation u. gesamten Wohlthätigkeit. Hrsg. unter Mitwirkg. v. E. Haupt, Kobelt, L. F. Ranke, G. Schlosser, H. Schmidt, R. Schuster v. Thdr. Schäfer. 4. u. 5. Jahrg. Oktbr. 1883—Septbr. 1885. à 12 Hfte. (2½ B.) Nebst Beiblatt: „Zeitung f. innere Mission". 2. Jahrg. 1883/4. 12 Nrn. (B.) gr. 8. Gütersloh, Bertelsmann. à Jahrg. n. 6. —

— dasselbe. 6. u. 7. Jahrg. Oktbr. 1885—Septbr. 1887. à 12 Hfte. (3 B.) gr. 8. Ebend. à Jahrg. n. 7. 50

— für innere Mission u. kirchliches Leben. Red.: Sardemann. 5—8. Jahrg. 1883—1886. à 12 Nrn. (à ¾—1 B.) gr. 4. Kassel, Buchh. im evangel. Vereinshaus. à Jahrg n. 1. —

— für Obst- u. Weinbau. Organ d. schweizer. Obst- u. Weinbauvereins. Red.: Ad. Boßhard. 19—21. Jahrg. 1883—1885. à 12 Nrn. (à 1—1½ B.) gr. 8. Frauenfeld, Huber. à Jahrg. n. 4. —

— für Ohrenheilkunde, sowie f. Kehlkopf-, Nasen-, Rachen-Krankheiten. Hrsg. v. Jos. Gruber, J. M. Rossbach, N. Rüdinger, Leop. v. Schrötter, R. Voltolini u. Weber-Liel. 17—20. Jahrg. 1883—1886. à 12 Nrn. (à 2—2½ B. m. Holzschn.) Fol. Berlin, Exped. der allgem. medicin. Centralzeitg. à Jahrg. n. 8. —

— österreichische, f. d. Orient. Hrsg. vom oriental. Museum in Wien. Unter besond. Mitwirkg. v. M. L. Hansal, F. v. Hellwald, Fr. Hirth etc. Red. v. A. v. Scala. 10 u. 11. Jahrg. 1884 u. 1885. à 12 Nrn. (à 2—2½ B.) hoch 4. Wien 884. Verl. d. Oriental. Museums. à Jahrg. n. 10. —

— illustrirte, der ärztlichen Polytechnik. Hrsg. v. G. Beck. 5. Jahrg. (der illustr. Vierteljahrsschrift) 1883. 12 Hfte. (1½ B. m. Holzschn.) gr. 8. Bern, Schmid, Francke & Co. n. 5. —

— dasselbe. 6—8. Jahrg. 1884—1886. à 12 Hfte. (1½ B. m. Holzschn.) Nebst Centralblatt f. orthopädische Chirurgie. Red. v. F. Beely. 1—3. Jahrg. 1884—1886. à 12 Nrn. (½ B.) gr. 8. Ebend. à Jahrg. n. 8. —

— für christliche Social-Reform, Gesellschafts-Wissenschaft, volkswirthschaftliche u. verwandte Fragen von Frhr. C. v. Vogelsang. 6—8. Jahrg. 1884—1886. à 12 Hfte. (à 3—4 B.) gr. 8. Wien, (Kirsch. — Augsburg, Literar. Institut v. Dr. M. Huttler). à Jahrg. n. 12. —

— statistische. Im Auftrage der k. k. statist. Central-Commission red. u. hrsg. v. der k. k. Direction der administrativen Statistik. 9—12. Jahrg. 1883—1886. à 12 Hfte. Lex.-8. (1. Hft. 64 S) Wien, Hölder. à Jahrg. n. 9. 60

Monatsschrift, stenographische, aus Landshut. Organ der Stenographen-Vereine Amberg, Frontenhausen, Ingolstadt etc., hrsg. v. dem Stenographen-Vereine Landshut. 23. u. 24. Jahrg. 1883 u. 1884. à 12 Nrn. (½ autogr. B.) gr. 8. Landshut, (Krüll). à Jahrg. n.n. 1. 80

— Leipziger, f. Textil-Industrie. Ein illustrirtes Fachjournal f. die Wollen-, Baumwollen-, Seiden-, Leinen-, Hanf- u. Jute-Industrie, sowie f. den Textil-Maschinenbau, Spinnerei, Weberei, Wirkerei, Stickerei, Färberei, Druckerei, Bleicherei u. Appretur. Mit den 3 Gratis-Beiblättern: Der Musterzeichner (12 Nrn.); Wochenberichte, Handelsblatt (52 Nrn.) u. Mittheilungen aus u. f. Textil-Berufsgenossenschaften (nach Bedarf). Unter Mitwirkg. namhafter Fachautoritäten hrsg. v. Thdr. Martin. 1. Jahrg. 1886. 12 Hfte. Imp.-4. (1. Hft. 44 S. m. Illustr.) Leipzig, Expedition. n. 16. —

— österreichische, f. Thierheilkunde m. Berücksicht. der Viehzucht u. Landwirthschaft. Hrsg. u. red. v. Alois Koch. 10. u. 11. Jahrg. 1885 u. 1886. à 12 Nrn. (B.) gr. 4. Nebst Beilage: Revue f. Thierheilkunde u. Thierzucht. gr. 8. Wien, (Perles). à Jahrg. n. 6. —

— für das Turnwesen m. besond. Berücksicht. d. Schulturnens u. der Gesundheitspflege. Unter Mitwirkg. v. Ed. Angerstein, Th. Bach, C. F. Hausmann x. hrsg. v. C. Euler u. Gebh. Eckler. 2—5. Jahrg. 1883—1886. à 12 Hfte. (à 1—2 B.) gr. 8. Berlin, Gaertner. à Jahrg. n. 5. —

— des Deutschen Vereins zum Schutze der Vogelwelt, begründet unter Red. von E. v. Schlechtendal. Red. v. Liebe, Rey, Frenzel, Thiele. 10. Jahrg. 1885. 12 Nrn. (à 1—2 B.) gr. 8. Zeitz, (Huch). n. 8. —

— für christliche Volksbildung. Unter Mitwirkg. zahlreicher Herren verschiedensten Berufs hrsg. v. Alexi, Cuno, Carl Fulda, Ed. Kaiser, Rocholl u. Weber. 1—4. Bd. Oktbr. 1883—Septbr. 1887. à 12 Hfte. (2 B.) gr. 8. Barmen, Wiemann. à Jahrg. n. 3. —

— für praktische Witterungskunde. Organ d. Vereines f. landwirthschaftl. Wetterkunde in der Prov. Sachsen, den sächs. Großherzog-, Herzog- u. Fürstenthümern, den Herzogthümern Anhalt u. Braunschweig. Hrsg. v. R. Aßmann. 2. Jahrg. Apr. 1883—März 1884. 12 Nrn. gr. 8. (Nr. 1 u. 2 ¾ B.) Magdeburg, Faber. n.n. 5. —
cfr.: Wetter, das.

— deutsche, f. Zahnheilkunde. Organ d. Central-Vereins deutscher Zahnärzte. Red. v. Jul. Parreidt. 1—4. Jahrg. 1883—1886. à 12 Hfte. gr. 8. (à Hft. 52 S.) Leipzig, Felix. à Jahrg. n. 14. —
Fortsetzung der Vierteljahrsschrift.

— des Vereins deutscher Zahnkünstler. [Vereins-Organ.] Der Vereinsschrift III—V. Jahrg. Hrsg. vom Verein deutscher Zahnkünstler. Red.: Aug. Polscher. April 1883—März 1886. à 12 Hfte. gr. 8. (à Hft. 72 S. m. eingedr. Holzschn.) Dresden. (Leipzig, Strauch.) à Jahrg. n. 9. —

Mönch, Heinr. Hub., das himmlische Jerusalem. Heiligen-Legende f. die kathol. Jugend. Mit 8 Farbendr.-Bildern. 8. (XVI, 392 S.) Mainz 886. Kirchheim. geb. n. 5. —

Mönckeberg, Carl, Geschichte der freien u. Hansestadt Hamburg. gr. 8. (V, 521 S.) Hamburg 885. Perstiehl. n. 8. —

— Martin Luther's kleiner Katechismus. Zur Vorfeier v. Luther's vierhundertjähr. Geburtstage ausgelegt. gr. 8. (155 S.) Ebend. 883. n. 2. —

Mondschein, Herm., italienische Repetitions- u. Taschen-Grammatik. 8. (IV, 92 S.) Leipzig 886. Fock. n. — 90; cart. n. 1. —

Monika. Zeitschrift f. häusl. Erziehg. Red.: Ludw. Auer. 15—18. Jahrg. 1883—1886. à 52 Nrn. (½ B.) Lex.-8. Nebst Beilage: Der Schutzengel. (½ B.) 8. Donauwörth, Auer. à Jahrg. n. 2. —

Monika-Kalender f. d. J. 1887. Mit 1 Wandkalender. 4. (104 S. m. Illustr. u. 1 Chromolith.) Donauwörth, Auer. n. — 50

Moninger, Aug., Sammlung dreistimmiger Lieder f. Schule, Haus u. Verein. 8. (79 S.) Mülhausen i/E. 885. Bufleb's Sort. n. — 55

Moninger, Hans, Werth u. Bedeutung der Friedrich v. Gärtner's Plan u. Studiensammlung in den Urtheilen u. Aeußerungen competenter Behörden, berühmter Fachmänner u. sachverständ. Kunstfreunde. gr. 8. (VIII, 38 S.) München 883. (Lindauer.) n. — 80

Moniteur, le, universel des modes de Paris. Red.: Mathilde Clasen-Schmid. (Complete Ausg.) 17—20. Jahrg. 1883—1886. à 12 Nrn. (2 B. m. Holzschn., Modekpfrn. u. Schnittmustern.) Fol. Leipzig, Hoffmann & Ohnstein. à Jahrg. n. 20. — ; Ausg. f. Kleider n. 14. —; Ausg. f. Putz u. Lingerie n. 14. —

Mönkeberg, K., Einwirkung v. Chlorameisensäureäther auf Nitrotoluidin. gr. 8. (32 S.) Göttingen 885. (Vandenhoeck & Ruprecht.) n. — 80

Mönnichmeyer, Carl, e. genäherte Berechnung der absoluten Störungen der Themis durch Jupiter. gr. 8. (30 S.) Kiel 886. (Lipsius & Tischer.) n. 1. —

Monod, Adf., ausgewählte Predigten. 2. Ausg. 8. (VIII, 299 S.) Oldenburg 886. Stalling's Sort. n. 2. —

Monod, Adolph. Lebenserinnerungen u. Briefe. In deutscher autoris. Übersetzg. u. Bearbeitg. v. Max Reichard. Mit e. (Lichtdr.-)Bilde A. Monods. 8. (XV, 354 S.) Calw 887. Vereinsbuchh. n. 4. 50; geb. n. 5. —; fein geb. n. 6. 50

Monographie d. Ostrau-Karwiner Steinkohlen-Revieres, bearb. u. hrsg. vom berg- u. hüttenmänn. Vereine in Mähr.-Ostrau. 2 Bde. gr. 4. (VIII, 488 S. m. Fig. u. 22 Taf.) Teschen 885. Prochaska. geb. n. 45. —

Monrad, D. G., Festklänge. Aus dem Dän. v. A. Michelsen. gr. 8. (III, 195 S.) Gotha 883. F. A. Perthes. n. 2. 40; geb. n. 3. 60

— das alte Neuseeland. Aus dem Dän. Deutsch v. Aug. W. Peters. 2. Aufl. 8. (III, 62 S.) Norden 885. Fischer Nachf. n. 1. —

— aus der Welt d. Gebetes. Deutsch v. A. Michelsen. 8. Aufl. 8. (VII, 230 S.) Gotha 885. F. A. Perthes. n. 3. —; geb. n. 4. —

Monsterberg-Münckenau, S. v., der Infinitiv in den Epen Hartmanns v. Aue, s.: Abhandlungen, germanistische.

Monstre-Prozeß, der, gegen die Vorstände der Berliner Gewerkschaften. Nach dem Orig.-Berichte der „Süddeutschen Post". 8. (51 S.) München 883. Viereck. — 20

Montag, J. B., allgemeiner Rechenknecht zum Gebrauch in Deutschland, Oesterreich, der Schweiz etc. u. allen übrigen Ländern m. Decimal-Münz-System. 12. (IV, 145 S.) Berlin 885. S. Mode's Verl. n. 1. —

Montalembert, Graf v., Gregor VII., Mönch, Papst u. Heiliger. Vom Verf. genehmigte deutsche Ausg. v. J. Müller. gr. 8. (174 S.) Regensburg 885. Verlags-Anstalt. 1. 80

Montan-Handbuch, österreichisches, f. d. J. 1885. Hrsg. vom k. k. Ackerbauministerium. gr. 8. (VI, 267 S.) Wien 885. Manz. cart. n. 6. —

Montanus, Frdr., der Odenwald einschliesslich der Bergstrasse. Ein Führer f. Fremde u. Einheimische, insbesondere f. Touristen. Nebst Specialkarte d. Odenwaldes. 2. Aufl. 8. (XVI, 264 S.) Mainz 885. Diemer. cart. n. 2. —

Montan- u. Metallindustrie-Zeitung, österreichisch-ungarische. Einziges österreich. Organ f. Montan- u. Metall-Industrie, Metallhandel, Maschinenbau etc. Red. u. Hrsg.: Gust. Pappenheim. 17—20. Jahrg. 1883—1886. à 52 Nrn. (1½ B.) Fol. Wien, (Perles). à Jahrg. 18. —

Montelius, Osc., die Kultur Schwedens in vorchristl. Zeit. Übers. v. Carl Appel nach der 2. Aufl. gr. 8. (VIII, 198 S.) Berlin 885. G. Reimer. n. 6. —

Montesquieu, Betrachtungen üb. die Ursachen der Größe der Römer u. ihres Verfalles. Wortgetreu nach H. R. Mecklenburgs Grundsätzen aus dem Franz. übers. v. R. T. 1. Hft. 32. (32 S.) Berlin 886. H. R. Mecklenburg. n. — 25

— dasselbe, } s.: Universal-Bibliothek.
— persische Briefe, }

— considérations sur les causes de la grandeur des Romains et de leur décadence. Erklärt v. G. Erzgraeber. 2. Aufl. gr. 8. (XII, 154 S.) Berlin 885. Weidmann. 1. 50

Montesquieu, considérations sur les causes de la grandeur des Romains et de leur décadence, s.: Bibliothèque française.

— dasselbe, s.: Schulbibliothek, französische u. englische.

Monteton, Otto v., Georg Ramstedt. Roman. 8. (384 S.) Hannover 886. Schmorl & v. Seefeld. n. 4. —; geb. n. 5. —

Montgomery, Florence, Durchkreuzt. Uebers. v. R. M. 8. (122 S.) Itzehoe 883. Nusser. n. 1. 20

— der blaue Schleier. Eine Erzählg. f. Kinder von 9—14 Jahren. Deutsche autoris. Ausg. v. M. Karstens. Mit 4 color. Illustr. 8. (VII, 246 S.) Basel 884. Schneider. n. 3. —; geb. n. 4. —

— transformed, } s.: Collection of British authors.
— the blue veil, }

Monti, Alois, üb. Croup im Kindesalter, s.: Klinik, Wiener.

— über Croup u. Diphtheritis im Kindesalter. 2. verm. u. verb. Aufl. Mit 21 Holzschn. gr. 8. (VIII, 384 S.) Wien 884. Urban & Schwarzenberg. n. 8. —

Montry u. Morgan, König Camille. Komische Oper in 3 Akten. 8. (100 S.) Wien 886. Künast. 1. —

Monturs-Wirthschafts- u. Verrechnungs-Vorschrift f. das k. k. Heer. 8 (XXVII, 436 S.) Wien 883. Hof- u. Staatsdruckerei. n. 3. —

— — für die k. k. Landwehr. 8. (XXIV, 394 S.) Ebend. 886. n. 3. 20

Monumenta rerum bohemico-moravicarum et silesiacarum. Hrsg. v. der histor.-statist. Section der k. k. mähr.-schles. Gesellschaft zur Beförderg. d. Ackerbaues, der Natur- u. Landeskunde. Sectio II. Leges et statuta. Liber II et III. gr. 8. Brünn 882. (Winiker.) n.n. 6. —

II. Liber informationum et sententiarum, čili Naučeni Brnčnská Hradišt'ské městské radč davaná od r. 1447 až do r. 1509 s. dodatky do roku 1540. Dle rukopisu Hradišt'ského vydal Ignác Tkač. (XVI, 352 S.) n.n. 4. —

III. Ueber das Olmützer Stadtbuch d. Wenzel v. Iglau. Von Wilh. Saliger. (IV, 120 S.) n.n. 2. —

— boica. Vol. 44. [Collectio nova, vol. 17.] Ed. academia scientiarum boica. 4. (VI, 660 S.) München 883. (Franz' Verl.) n. 4. 60

— conciliorum generalium seculi XV., edd. caesareae academiae scientiarum socii delegati. Concilium Basileense. Scriptorum tomi III. pars 1. Imp.-4. (398 S.) Wien 886. (Gerold's Sohn.) n. 20. — (I—III, 1.: n. 110. —)

— graphica medii aevi ex archivis et bibliothecis imperii austriaci collecta. Edita jussu atque auspiciis ministerii cultus et publicae institutionis. Fasc. X. [finis]. qu gr. Fol. (20 Lichtdr.-Taf.) Die Texte der Schrifttafeln hrsg. v. K. Rieger. gr. 4. (IV u. S. 159—184.) Wien 882. (Gerold's Sohn.) n. 30. — (cplt.: n. 480. —)

— Germaniae historica inde ab a. D. usque ad a. MD, ed. societas aperiendis fontibus rerum germanicarum medii aevi Auctorum antiquissimorum tom. IV. pars 2, tom. V. pars 2, tom. VI. 2 prts et tom. VII. gr. 4. Berlin, Weidmann. n. 56. —; auf Schreibpap. n. 84. —

IV, 2. Venanti Honori Clementiani Fortunati, presbyteri italici, opera pedestria. Rec. et emendavit Bruno Krusch. (XXXIII, 144 S.) 885. n. 6. —; auf Schreibpap. n. 9. —

V, 2. D. Magni Ausonii opuscula, rec. Car. Schenkl. Adjecta est tabula (photolith.). (LXIV, 302 S.) 883. n. 10. —; auf Schreibpap. n. 15. —

VI, 1. Q. Aurelii Symmachi quae supersunt, ed. Otto Seeck. (CCXII, 355 S.) 883. n. 15. —; auf Schreibpap. n. 22. —

VI, 2. Alcimi Ecdicii Aviti, Viennensis episcopi, opera quae supersunt, rec. Rud. Peiper. (LXXVI, 376 S.) 883. n. 12. —; auf Schreibpap. n. 18. —

VII. Magni Felicis Ennodi opera, rec. Frdr. Vogel. (LXII, 418 S.) 885. n. 13. —; auf Schreibpap. n. 20. —

Monumenta germaniae historica inde ab a. D. usque ad a. MD, ed. societas aperiendis fontibus rerum germanicarum medii aevi. Epistolae. Tom. I. hoch 4. Berlin 883. Weidmann. n. 20. —; auf Schreibpap. n. 30. —
Epistolae saeculi XIII pontificum romanorum selectae per G. H. Pertz. Ed. Carol. Rodenberg. Tom. I. (XVIII, 786 S.)

— dasselbe. Libri confraternitatum Sancti Galli, Augiensis, Fabariensis, ed. Paulus Piper. gr. 4. (IX, 550 S.) Ebend. 884. n. 16. —; auf Schreibpap. n. 24. —

— dasselbe. Necrologia Germaniae I. gr. 4. Ebend. 886. n. 10. —; auf Schreibpap. n. 15. —
Dioeceses Augustensis, Constantiensis, Curiensis. Pars I. Rec. A. Baumann. (344 S.)

— dasselbe. Poetarum latinorum medii aevi tomus II. 2 partes. gr. 4. Ebend. 884. n. 19. —; auf Schreibpap. n. 28. 50
Poetae latini aevi Carolini. Rec. Ernestus Duemmler. Tomus II. 2 partes. (VII, 721 S m. 3 Lichtdr.-Taf.)

— dasselbe. Legum tom. V. Fasc. II. Fol. (S. 185—288.) Hannover 883. Hahn. n. 6. —; auf feinerem Velinpap. n. 9. —

— dasselbe. Legum sectio II. gr. 4. Ebend. 883. n. 6. —; auf feinerem Velinpap. n. 9. —
Capitularia regum Francorum, denuo ed. Alfr. Boretius Tomi I. pars 2. (XII u. S. 261—461.)

— dasselbe. (Neue Quart-Ausg.) Legum sectio V. Pars II. gr. 4. Ebend 886. n. 15. —; auf feinerem Velin-Pap. n. 22. 50 (Sectio V. cplt. n. 25. —; auf feinerem Velinpap. n. 37. 50)
Formulae Merowingici et Karolini aevi. Accedunt ordines judiciorum Dei. Ed. Karolus Zeumer. Pars II. (XX u. S. 329—782 m. 1 Taf.)

— dasselbe. Scriptorum tomus XXVI. et XXVII. Fol. Ebend. n. 70. —; auf feinerem Velinpap. n. 104. —
XXVI. (VIII, 875 S. m. 1 Steintaf.) 882. n. 42. —; auf feinerem Velinpap. n. 62. —
XXVII. (VIII, 500 S.) 885. n. 28. —; auf feinerem Velinpap. n. 42. —

— dasselbe. Scriptorum rerum Merovingicarum tomi I. 2 prts. gr. 4. Ebend. 884. 85. n. 29. —; auf feinerem Velinpap. n. 43. 50
Gregorii Turonensis opera, edd. W. Arndt et Br. Krusch. 2 prts. (VIII, 964 S. m. 5 Taf.)

— dasselbe. Scriptorum qui vernacula lingua usi sunt tomi IV. pars I. et tomus XIV. hoch 4. Ebend. 883. n. 39. 40; auf feinerem Pap. n. 57. —
IV. 1. Deutsche Chroniken u. andere Geschichtsbücher d. Mittelalters. 4. Bd. 1. Abth. Die Limburger Chronik. (176 S. m. 1 Lichtdr.) n. 5. 40; auf feinerem Pap. n. 7. —
XIV. (VIII, 678 S.) n. 34. —; auf feinerem Pap. n. — 50

— dasselbe. (Neue Quart-Ausg.) Diplomatum regum et imperatorum Germaniae tomi I. pars 3. gr. 4. Ebend. 884. n. 12. 60; auf feinerem Velinpap. n. 19. — (Tom I. cplt.: n. 22. —; auf feinerem Velinpap. n. 33. 10)
Ottonis I. imperatoris diplomata. (XX u. S. 321—740.)

— medii aevi historica res gestas Poloniae illustrantia. Tom. VIII et IX. hoch 4. Krakau, (Friedlein). n. 34. — (I—IX.: n. 180. —)
VIII. Cathedralis ad S. Venceslaum ecclesiae Cracoviensis diplomatici codicis pars II. 1367—1423. (XXXVIII, 597 S. m. 4 Taf.) 881. n. 20. —
IX. Codicis diplomatici Poloniae minoris pars II. 1153—1333. (LVI, 374 S. m. 1 Fcsm.-Taf.) 886. n. 14. —

— spectantia historiam Slavorum meridionalium, ed. academia scientiarum et artium Slavorum meridionalium. Vol. III., XI—XVI. gr. 8. Agram, Hartmán. n.n. 40. — (I—XVI.: n.n. 96. —)
3. Listine o odnošajih izmedju južnoga slavenstva i mletačke republike skupio Sime Ljubič. Knjiga III od godine 1347 do 1358. (XXXVII, 451 S.) 872. n.n. 6. —
11. Commissiones et relationes Venetae. Collegit et digessit Simeon Ljubič. (VI, 300 S.) 880. n.n. 5. —
12. Listine o odnošajih izmedju južnoga slavenstva i mletačke republike. Skupio i uredio Sime Ljubič. Knjiga VII od godine 1412 do 1420. (XIII, 325 S.) 882. n.n. 5. —
13. Monumenta Ragusina. Libri reformationum. Tom. II. A. 1347—1352, 1356—1360. Additamentum a. 1301—1305, 1318, 1325—1336. (VI, 409 S.) 882. n.n. 6. —
14. Scriptores. Vol. 1. Annales Ragusini anonymi item Nicolai de Ragnina. Digessit Speratus Nodilo. (XII, 328 S.) 883. n. 6. —
15. Acta historiam confinii militaris croaticae illustrantia. Tom. I. Ann. 1479—1610. (XXVIII, 390 S.) 884. n. 6. —
16. Dasselbe. Tom. II. Ann. 1610—1693. (XX, 435 S.) 885. n. 6. —

Monumenta historico-juridica Slavorum meridionalium, edit. academia scientiarum et artium Slavorum meridionalium. Pars I. Statuta et leges. Vol. III. gr. 8. Agram 882/83. Hartmán. n.n. 9. — (I, 1—3.: n.n. 21. —)
Statuta et leges civitatis Buduae, civitatis Scardonae, et civitatis et insulae Lesinae. Cura Simeonis Ljubič. (IX, 618 S. m. 1 lith. Handschrift-Fcsm.)

— Germaniae paedagogica. Schulordnungen, Schulbücher u. pädagog. Miscellaneen aus den Landen deutscher Zunge. Unter Mitwirkg. e. Anzahl v. Fachgelehrten hrsg. v. Karl Kehrbach. 1. Bd. gr. 8. Berlin 886. Hofmann & Co. n. 24. —
Braunschweigische Schulordnungen von den ältesten Zeiten bis zum J. 1828 m. Einleitg., Anmerkgn., Glossar u. Register. Hrsg. v. Frdr. Koldewey. 1. Bd. Schulordnungen der Stadt Braunschweig. (CCV, 602 S. m. 4 Tab.)

— tachygraphica codicis Parisiensis latini 2718, transcripsit, adnotavit, ed. Guil. Schmitz. Fasc. II, sancti Johannis Chrysostomi de cordis conpunctione libros II latine versos continens. Adiectae sunt XV tabulae phototypae notarum simulacra exhibentes. gr. 4. (VII, 31 S.) Hannover 885. Hahn. In Mappe. n. 10. —

— vaticana historiam regni Hungariae illustrantia. Series I. Tom. 2. gr. 4. Budapestini 885. (Würzburg, Woerl.) n.n. 20. —; auf holländ. Pap. n.n. 25. —
Acta legationis cardinalis Gentilis. 1307—1311. (CXX, 510 S. m. 4 Photolith.)
Tom. 1. erscheint später.

— dasselbe. Series II. Tom. 1 et 2. Relationes oratorum pontificiorum. 1524—1526. gr. 4. Ebend. n.n. 36. —
1. Relationes oratorum pontificorum 1524—1526. (CLIII, 472 S. m. 8 photolith. Fcsm.-Beilagen.) 884. n. 16. —
2. Relationes cardinalis Buonvisi, in imperatoris et Hungariae regis curia nuntii apostolici, a. 1686 exaratae. In anniversariam arcis Budae ducentis abhinc annis recuperatae memoriam typis vulgatae. (CLV, 310 S.) 886. n.n. 20. —

Moody, D. L., der Himmel u. das ewige Leben hier u. dort. Aus der heil. Schrift geschöpft. Frei aus dem Engl. übertr. vom Verf. der „Lyra Passionis". 2. Aufl. 12. (VIII, 166 S.) Basel 884. Spittler. n. — 80

— zwölf Reden. Nach der autoris. engl. Übersetzg. 3. Aufl. 12. (VIII, 295 S.) Ebend. 885. geb. n. 2. 20

— der Weg zu Gott. 10 Reden. 8. (VIII, 197 S.) Ebend. 886. n. — 80

— Winke zum gesegneten, nutzbringenden Bibel-Lesen. [Mit grobem Druck.] (2. Aufl.) 8. (16 S.) Gernsbach 884 Christl. Kolportage-Verein. n. — 8

Mook, Ph., Sammlung v. Entscheidungen höherer Gerichte aus dem Gebiete d. Reichsgerichtskostengesetzes m. Beispielen u. Anmerkungen. gr. 8. (105 S.) Kandel 886. (Leipzig, Schneider.) n. 2. —

Moore, Th., Paradise and the Peri and the fire-worshippers from „Lalla Rookh", s.: Rauch's English readings.

Mooren, A., Hauteinflüsse u. Gesichtsstörungen. 8. (55 S.) Wiesbaden 884. Bergmann. n. 1. 60

Moosbach, A. v., der verborgene Schatz. gr. 8. (39 S.) Aachen 887. (Cremer.) n. — 90

Mooser, Ludw., Gelegenheitsgedichte f. Schule u. Haus. Gesammelt u. hrsg. 12. Aufl. gr. 8. (VIII, 227 S.) Langensalza 886. Schulbuchh. 1. 50

Morandi, F., il trovatello e il suo tesoro; Cherubina, }
— e **E. Corti**, le avventure di Pinotto ed altri racconti, } s.: Biblioteca italiana.

Morandière, Jules, Bericht üb. die bei der französischen Westbahn in Anwendung befindliche Westinghouse-Bremse, vorgetragen in der Versammlg. der Société des ingénieurs civils am 1. Juli 1881. Mit 5 (lith.) Taf. gr. 4. (15 S.) Wiesbaden 882. Kreidel. n. 3. —

Moräwek, Carl Glob., Jahrbuch der Geschichte der Armbrust- und Büchsen-Schützen-Gesellschaft zu Zittau m. theilweiser Beziehg. auf die Schützen-Gesellschaften der Oberlausitz, Böhmens u. Schlesiens. Eine Fest- u. Denkschrift. gr. 8. (VII, 135 S.) Zittau 884. (Oliva.) n.n. — 60

Moerbe, Johs., der erfahrene Gartenfreund. Ein zuverläss. Rathgeber f. Haus- und Handelsgärtner. 9. Aufl. 8. (VIII, 312 S.) Berlin 886. Mode's Verl. 2. 50

— der praktische Vogelfreund od. nützl. Anleitg., wie man 94 der beliebtesten in- und ausländ. Sing- u. Stubenvögel, besonders Kanarienvögel, Lerchen, Nachtigallen &c. u. ihre verschiedenen Arten ziehen, warten u. zähmen muß. 11. Aufl. 8. (VIII, 152 S.) Ebend. 885. 1. 50

Mörch, J. O., Handbuch der Chemigraphie u. Photochemigraphie. Nach eigenen Erfahrgn. bearb. Mit 16 Abbildgn. u. 8 Beilagen. 8. (X, 156 S.) Düsseldorf 886. Liesegang. n. 4. —

Mordhorst, Carl, Antwort auf Hrn. Dr. Ziemssen's „Offene Erwiderung auf Hrn. Dr. Mordhorst's Wiesbaden gegen chronischen Rheumatismus, Gicht etc.“ gr. 8. (14 S.) Wiesbaden 885. (Moritz & Münzel.) n. — 50

— Wiesbaden gegen chronischen Rheumatismus, Gicht, Ischias etc. u. als Winter-Aufenthalt. gr. 8. (48 S.) Wiesbaden 885. Bergmann. n. 1. —

— Wiesbaden als Terrain-Curort zur Behandlung v. Herz- und Lungenkrankheiten, Bleichsucht, Fettsucht etc. Mit 1 Karte der Terrain-Curwege. Im Auftrage d. Wiesbadener Curvereins veröffentlicht. gr. 8. (19 S.) Wiesbaden 886. (Moritz & Münzel). n.n. 1. —; Karte ap. n.n. — 60

Mordtmann, J. H., u. D. H. **Müller**, sabäische Denkmäler. Mit 8 photozinkogr. Taf. Imp.-4. (114 S.) Wien 883. (Gerold's Sohn.) n. 9. —

Morel, Gall., eremus sacra. Die heil. Wüste. Erinnerung an Maria-Einsiedeln. 16. (47 S. m. 1 Stahlst.) Einsiedeln 885. Benziger. geb. in Leinw. n. 1. 20; feine Ausg. auf Büttenpap. cart. n. 1. 60

Moreno, Ph., im Höllenloch, s.: Erzählungen, zwei.

Morf, H., zur Biographie Pestalozzi's. Ein Beitrag zur Geschichte der Volkserziehg. 2. u. 3. Thl. gr. 8. Winterthur, Bleuler-Hausherr & Co. n. 7. 20 (1—3.: n. 11. 20)

2. Pestalozzi u. seine Anstalten in der 2. Hälfte der Burgdorfer Zeit. (X, 275 S.) 884. n. 3. 20
3. Von Burgdorf üb. Münchenbuchsee nach Yverdon. (IV, 385 S.) 885. n. 4. —

Morgan, Appleton, der Shakespeare-Mythus. William Shakespeare u. die Autorschaft der Shakespeare-Dramen. Autoris. deutsche Bearbeitg. v. Karl Müller-Mylius. gr. 8. (XV, 306 S.) Leipzig 885. Brockhaus. n. 6. —

Morgan, Camillo, König Camille, s.: Montry.

— dreissig Tage in Kleinasien. Reiseskizzen. 8. (74 S.) Wien 886. Künast. 3. —

— das Waldveilchen. Ein Einacter. gr. 16. (31 S.) Linz 885. Danner's Sort. n. 1. 25

Morgenbesser, A., die mathematischen Grundlagen d. gesammten Versicherungswesens. Ein Lehr- u. Handbuch. 2. Ausg. gr. 8. (XII, 412 S.) Berlin 883. Puttkammer & Mühlbrecht. n. 15. —

Morgenbesser, B., Martin Luther, e. Mann v. Gottes Gnaden. Predigt. gr. 8. (19 S.) Blasewitz 884. (Dresden, J. Naumann.) n.n. — 30

Morgen- u. Abendgebete, christliche, auf alle Tage der Woche nach Dr. Joh. Habermann, sammt Beicht-, Abendmahls- u. andern Gebeten. Mit Liederanhang hrsg. v. der Berliner Stadtmission. 4. Aufl. 32. (160 S.) Berlin 885. Buchh. der Berliner Stadtmission. geb. n. — 20

— — siebenmal sieben, s. das christliche Haus. Mit e. Anh.: Tischlieder. gr. 8. (VI, 124 S.) Augsburg 886. Literar. Institut v. Dr. M. Huttler. n. 1. 20; geb. n. 2. 20

Morgen- u. Abend-Opfer f. evangelische Christen in auserlesenen Gebeten auf alle Wochen-, Fest- u. Feiertage, f. Beicht u. Kommunion, f. Kranke u. Sterbende &c. Ausgewählt aus den Schriften hervorrag. Gottesmänner. 16. Aufl. 32. (320 S.) Reutlingen 885. Fleischhauer & Spohn. cart. — 60; geb. in Leinw. — 90; m. Goldschn. 1. 20

Morgenröte, die, der Reformation d. 19. Jahrh. Beiträge zur religiösen Reform. Hrsg.: Karl Voigt. 6—9. Jahrg. 1883—1886. à 24 Nrn. (B.) gr. 8. Offenbach a/M. (Wiesbaden, Limbarth.) à Jahrg. n. 5. —

Morgenroth, Ed., die fossilen Pflanzenreste im Diluvium der Umgebung v. Kamenz in Sachsen. Mit (1 lith.) Taf. gr. 8. (50 S.) Halle 883. Tausch & Grosse. n. 2. —

Morgen- u. Abendsegen f. das christliche Haus. 14. Aufl. 8. (118 S.) Berlin 886. Hauptverein f. christl. Erbauungsschriften. — 37

Morgenstern, der aufgehende. Enthält: Ein Familientempel, aufgeführt: in e. Aufbaue v. moralisch-religiösen Abhandlgn., christl. Betstunden u. erheb. Feierklängen. Ein lehrreicher Hausschatz f. Alle, die auf den Namen „Jesu“ getauft sind. 7. Aufl gr. 8. (552 S.) Leipzig 886. Ziegenhirt & Co. n. 3. 20; geb. n. 4. —

Morgenstern, B., Bericht üb. den internationalen Getreide- u. Saatenmarkt in Wien 1884, s.: Mittheilungen der Handels- u. Gewerbekammer in Brünn.

Morgenstern, K., reichs- u. landesgesetzliche in dem Königr. Sachsen geltende Bestimmungen, Anlage, Betrieb u. Beaufsichtigung der Dampfkessel betr. Für den prakt. Gebrauch zusammengestellt, m. Anmerkgn. u. e. Sachregister versehen. 8. (VIII, 105 S.) Leipzig 885. Roßberg. n. 1. 70; Einbd. n.n. — 30

— Einrichtungen u. Schutzvorkehrungen zur Sicherung gegen Gefahren f. Leben u. Gesundheit der in gewerblichen Etablissements beschäftigten Arbeiter. Handbuch f. Fabrikbesitzer, Betriebsleiter, Konstrukteure, Techniker &c., f. Justiz- u. Verwaltungsbehörden, sowie f. die m. der Beaufsichtigg. der Fabriken betrauten Staatsbeamten. 2 Tle. Mit 286 Holzschn.-Abbildgn. gr. 8. (XXII, 300 S.) Leipzig 883. Gebhardt. n. 8. 50; geb. n. 9. 50

Morgenstern, Lina, Koch-Recepte der Berliner Volksküchen v. 1866 u. die Nährwerthe der Speisen od. wie bereitet man schmackhaft u. nährend die billigste Massenspeisung? 4. Aufl. gr. 8. (29 S.) Berlin 883. Stuhr. n. — 30

— Victoria, Kronprinzessin d. deutschen Reichs, Prinzeß Royal v. Großbritannien. Festschrift. 8. (107 S.) Leipzig 883. Kempe. n. 1. 20; geb. n. 2. —

Morgenstern, Marie, Glück auf! Aus den Aufzeichngn. e. oberharz. Bergarztes. 8. (143 S.) Hannover 884. Weichelt. n. 1. 60

— ein Menschenleben. Eine wahre Geschichte. Mit Titelbild (Holzschn.). 8. (38 S.) Basel 883. Spittler. n. — 50

Morgenstern, Mich., Untersuchungen üb. den Ursprung der bleibenden Zähne. Ausgeführt in dem Institute der normalen Histologie zu Genf. Mit 4 lith. Taf. u. 6 Holzschn. gr. 8. (VII, 114 S.) Leipzig 885. (Felix.) n. 4. —

Morgenstund hat Gold im Mund! Anleitung zum frühen Aufstehen. Insbesondere allen Kurbedürftigen gewidmet v. H. W. 3. Aufl. 8. (III, 70 S.) Stuttgart 886. Schröter & Meyer. n. — 80

Morgenthau, Jul. C., der Zusammenhang der Bilder auf griechischen Vasen. I. Die schwarzfigurigen Vasen. gr. 8. (88 S.) Leipzig 886. (Liebisch.) n. 1. 50

2. Hrsg. v. F. Klein. (VII, 708 S.) 886 n. 16. —
3. Hrsg. v. F. Klein. (V, 580 S. m. Fig.) 886. n. 14. —

Möbius, H., H. **Pöthig**, O. **Werner**, Rechenbuch f. Volksschulen in 4 Hftn. gr. 8. Leipzig, Klinkhardt. à n. — 20
1. 6. Aufl. (51 S.) 886. — 2. 5. Aufl. (64 S.) 885. — 3. 5. Aufl. (55 S.) 885. — 4. 4. Aufl. (44 S.) 886

Möbius, Hugo, die Kinder Israel nie in Aegypten. Populär-wissenschaftl. Studie üb. die Lage d. bibl. Landes Mizraim. 8. (17 S.) Ilmenau 884. Schröter. — 30

— Heinrich Schaumberger. Sein Leben u. seine Werke. Nach authent. Quellen dargestellt. Mit Schaumberger's (Lichtdr.-)Bildnis. 8. (VII, 424 S.) Wolfenbüttel 883. Zwißler. n. 3. —; geb. n. 4. —

Möbius, Karl, die Bildung, Geltung u. Bezeichnung der Artbegriffe u. ihr Verhältniss zur Abstammungslehre. gr 8. (36 S.) Jena 886. Fischer. n. 1. —

— u Fr. **Heincke**, die Fische der Ostsee. Mit (eingedr.) Abbildgn. aller beschriebenen Arten u. e. (chromolith.) Verbreitungskarte. gr. 8. (V, 207 S.) Berlin 883. Parey. n. 5. —

Möbius, O., s.: Studien üb. Regeneration der Gewebe.

Möbius, Otto, üb. die Foerster'sche Iridektomia maturans zur künstlichen Reifung immaturer Katarakte. gr. 8. (13 S.) Kiel 886. (Lipsius & Tischer.) n. — 80

Möbius, Paul, üb. die Gemütspflege in der Volksschule. Vortrag. 2. Aufl. gr. 8. (17 S.) Gera 883. Ißleib & Rietzschel. n. — 20

Moebius, Paul Jul., allgemeine Diagnostik der Nervenkrankheiten. Mit 101 Abbildgn. im Text. gr. 8. (IV, 338 S.) Leipzig 886. F. C. W. Vogel. n. 8. —

— die Nervosität. 2. Aufl. 8. (XII, 195 S.) Leipzig 885. Weber. n. 2. —; geb. n.n. 3. —

— zur Pathologie d. Halssympathikus. gr. 8. (37 S.) Berlin 884. Hirschwald. n. 1. —

Möbius, Rhold., die zwölf Gebote d. Flachsbaues. Zur Erklärg. der Vorschriften f. die Mitglieder der Sächs. Flachsbau-Gesellschaft. gr. 8. (24 S.) Chemnitz 884. (Döbeln, Schmidt.) — 30

Möbius, Rob., die Milchfehler, ihre Verhütung u. Abstellung. 8. (26 S.) Plauen 886. (Neupert.) n. — 50

Möbius, Th., s.: Kormaks Saga.

Möbus, A., Lesebuch f. Bürgerschulen, besonders f. höhere Knaben- u. Mädchenschulen. 1. Stufe. Für Unterklassen. 2. Tl. 3. Aufl. gr. 8. (160 S.) Berlin 886. Gaertner. n. — 80

— Stoffe zu deutschen Stilübungen. Eine Sammlg. v. Musterstücken, Entwürfen u. Aufgaben f. die Oberklassen höherer Schulen. 2. Aufl. gr. 8. (VIII, 320 S.) Ebend. 883. n. 4. —

Möckel, G. L., ausgeführte u. projectirte Kirchen, Villen u. Wohnhäuser m. übersichtlicher Zusammenstellung der Herstellungskosten. 8—12. Lfg. Fol. (à 6 Lichtdr.- u. Steintaf.) Dresden 883. Gilbers' Verl. à n. 6. —

Močnik, Frz. Ritter v., geometrische Anschauungslehre f. Unter-Gymnasien. 1. u. 2. Abth. gr. 8. Wien 885. Gerold's Sohn. à n. 1. 20
1. Mit 110 in den Text gedr. Holzschn. 21. Aufl. (VI, 80 S.)
2. Mit 95 in den Text eingedr. Holzschn. 15. Aufl. (III, 107 S.)

— geometria combinata col disegno ad uso delle scuole cittadine. Con 183 incisioni in legno intercalata nel testo. [Traduzione dal tedesco.] gr. 8. (III, 166 S.) Prag 885. Tempsky. n. 1. 50

— Geometrie in Verbindung m. dem Zeichnen f. Bürgerschulen. Mit 188 in den Text gedr. Holzschn. 4. Aufl. gr. 8. (IV, 180 S.) Ebend. 884. n. 1. 40

— Lehrbuch der Arithmetik f. Unter-Gymnasien. 2 Abthlgn. Mit Rücksicht auf den neuen Lehrplan f. Gymnasien umgearb. gr. 8. Wien 885. Gerold's Sohn. n. 3. 30; geb. n. 4. 10
1. 29. Aufl. (III, 144 S.) n. 1. 80; geb. n. 2. 20. — 2. 22. Aufl. (120 S.) n. 1. 50; geb. n. 1. 90

— Lehrbuch der Arithmetik u. Algebra, nebst e. Aufgaben-Sammlg., f. die oberen Classen der Mittelschulen. 21. Aufl. gr. 8. (VII, 309 S.) Ebend. 885. n. 3. 20; geb. n. 3. 70

— Lehrbuch der Geometrie f. die oberen Classen der Mittelschulen. 18. dem neuen Lehrplane entsprech. Aufl. Mit 221 in den Text gedr. Holzschn. gr. 8. (VIII, 293 S.) Wien 886 Gerold's Sohn. geb. 3. 70

Močnik, Frz., Ritter v., Lehr- u. Übungsbuch der Arithmetik f. Bürgerschulen. 2. u. 3. Hft. gr. 8. Prag 883. Tempsky. — Leipzig, Freytag. n. 1. 12
2. Für die 7. Classe achtclass. Volks- u. Bürgerschulen u. f. die 2. Classe der dreiclass. Bürgerschulen. Ausg. f. Mädchen-Bürgerschulen. 4. Aufl. (III, 46 S.) n. — 40
3. Für die 8. Classe achtclass. Volks- u. Bürgerschulen u. f. die 3. Classe der dreiclass. Bürgerschulen. Ausg. f. Mädchen-Bürgerschulen. 9. Aufl. (IV, 72 S.) n. — 72

— Rechenbuch f. die 1—3. Classe der Knaben-Bürgerschulen. gr. 8. Ebend. n. 2. —; Einbd. à n.n. — 20
1. 6. Aufl. (III, 61 S.) 886. n. — 60. — 2. 5. Aufl. (III, 98 S.) 885. n. — 80. — 3. 9. Aufl. (V, 78 S.) 886. n. — 60

— Rechenbuch f. die 1.—3. Classe der Mädchen-Bürgerschulen. gr. 8. Ebend. 886. à n. — 60; Einbd. à n.n. — 20
1. 5. Aufl. (III, 56 S.) — 2. 6. Aufl. (IV, 60 S.) — 3. 10. Aufl. (V, 70 S.)

— Rechenbuch f. Knaben- u. Mädchen-Bürgerschulen. 1. u. 2. Hft. 4. Aufl. gr. 8. (V, 84 u. III, 83 S.) Ebend. 884. à n. — 72

— der Rechenunterricht in der Volksschule. Eine method. Anleitg. f. Volksschullehrer. 4. Aufl. gr. 8. (286 S.) Ebend. 884. n. 2. —; Einbd. n.n. — 30

Mocsáry, Alex., characteristische Daten zur Hymenopterenfauna Siebenbürgens. Lex.-8. (9 S.) Budapest 884. (Berlin, Friedländer & Sohn.) n. 1. —

— species generis Anthidium Fabr. regionis palaearcticae. Lex.-8. (38 S.) Ebend. 884. n. 2. —

Mode, die. Allgemeine Schneider-Zeitg. Organ f. Bekleidungsgewerbe, Tuchfabrikation u. die Interessen d. Posamentier- u Knopfmacher-Gewerbes. Centralblatt d. Bundes selbständ. Schneidermeister u. Fachgenossen Deutschlands. Unter Mitwirkg. e. Fachkommission hrsg. v. Adph. Schulz. 4—7 Jahrg. 1883—1886. à 24 Nrn. (à 1—2 B. m. Modebildern.) Fol. Berlin, Horrwitz Nachf. à Jahrg. n. 10. —

— die neueste politische. Von Timoleon. Nach der 3. Aufl. d. ungar. Originals übers. gr. 8. (VII, 160 S.) Budapest 884. Zilahy. n. 1. 50

— u. **Handarbeit**. Monatsbeilage zum schweizer. Familienwochenblatt f. unsere Frauen u. Töchter. Jahrg. 1884. 12 Nrn. ($1^1/_2$ B. m. Illustr. u. Schnittmusterbogen.) hoch 4. Stuttgart, Schröter & Meyer. n. 2. 40

— — dasselbe. Jahrg. 1885 u. 1886. à 12 Nrn. ($1^1/_2$ B. m. Illustr. u. Schnittmusterbogen.) hoch 4. Ebend. à Jahrg. n. 3. —

— u. **Haus**. Praktische illustr. Frauen-Zeitg. m. illustr. belletrist. Beilage, Schnittmusterbogen u. Rabattverkehr-Ausnutzg. Red.: Russak, Josephine Calé, John Schwerin. 1. Jahrg. 1885. Octbr.—Decbr. 6 Nrn. (2 B.) gr. 4. Berlin, Russak & Co. n. 1. —

Moedebeck, H., die Luftschiffahrt unter besond. Berücksicht. ihrer militärischen Verwendung. Historisch, theoretisch u. praktisch erläutert. 2 Thle. gr. 8. (VI, 192 u. 209 S.) Leipzig 885. 86. Schloemp. n. 12. —

Moden-Bühne. Haupt-Organ der europ. Moden-Akademie. Begründet v. G. A. Müller u. A. Gunkel Red.: H. Klemm. 12—15. Jahrg. 1883—1886. à 12 Nrn. (B. m. eingedr. planotyp. Zeichngn. u. 1 color. Modekpfr.) gr. Fol. Dresden, Exped. der europ. Modenzeitg. à Jahrg. n. 9. —; große Ausg. m. 2 Modekpfrn. n. 12. —

Moden-Post f. Herren-Garderobe. Red.: H. Klemm. 19—22. Jahrg. 1883—1886. à 12 Nrn. (B. m. eingedr. planotyp. Zeichngn. u. zum Thl. color. Modekpfrn.) gr. Fol. Dresden, Exped. d. europ. Modenztg. à Jahrg. n. 6. —

Moden-Tableau, photographisches, hrsg. vom Directorium der europ. Moden-Akademie. Jahrg. 1883—1886 à 4 Blatt. 12. Dresden 883. Exped. der europ. Modenzeitg. à Jahrg. n. 2. —; einzelne Blätter à n. — 50; color. n. 4. —; einzelne Blätter à n. 1. —

Moden-Telegraph. Berichterstatter üb. den neuesten Geschmack in der Herren-Garderobe. Red.: H. Klemm 23—26. Jahrg. 1883—1886. à 12 Nrn. (B. m. eingedr. planotyp. Zeichngn. u. 1 color. Modekpfr.) gr. Fol. Dresden, Exped. der europ. Modenzeitg. à Jahrg. n. 7. —

Modenwelt, die. Illustrirte Zeitg. f. Toilette u. Handarbeiten. 19 21. Jahrg. Octbr. 1883 — Septbr. 1886. à 24 Nrn. (2 B m. Holzschn., Schnittbogen ꝛc.) Fol. Berlin, Lipperheide. à Jahrg. 5. —

— **Wiener.** Hrsg. u. Red.: Hugo Engel. Jahrg. 1885. 12 Nrn. (B. m. Holzschn. u. Schnittmusterbogen.) gr. 4. Wien, Wiener Modenwelt. n. 3. 50; halbjährlich n. 1. 80

Moden-Zeitung, allgemeine. 85—88. Jahrg. 1883—1886. à 52 Nrn. (2 B. m. color. Modekpfrn.) gr. 4. Leipzig, Dürr'sche Buchh. à Jahrg. n. 21. —; Ausg. m. 52 Stahlst. n. 27. —

— **deutsche**, f. Damen- u. Wäsche-Schneiderei, Konfektion, Weißwaaren, Putz- u. verwandte Branchen. Organ der Berliner Schneider-Akademie. Red.: E. Kuhn. 1. Jahrg. 1886/87. 24 Nrn. (à 2—2½ B. m. Illustr.) Fol. Berlin, Exped. der deutschen Schneider-Zeitung. 12. —

— **europäische**, f. Herren-Garderobe. Hauptorgan d. deutschen, französ u. engl. Modegeschmacks. Red.: H. Klemm. 33—36. Jahrg. 1883—1886. à 12 Nrn. (B. m. eingedr. planotyp. Zeichngn. u. 1—2 color. Modekpfrn.) gr. Fol. Dresden, Exped. à Jahrg. n. 13. 60

— **internationale.** Central-Organ europ. Herren-Moden m. „Wiener" u. „Pariser" Orig.-Moden-Bildern. Technische Zeitschrift f. das Herren-Bekleidungsfach unter Mitwirkg. der renommirtesten Schneidermeister d In- u. Auslandes. Red.: F. A. Hofmann. 16. Jahrg. 1886. 12 Nrn. (B. m. Modebildern u. Schnittmusterbogen.) Fol. Wien, Hofmann & Sohn. 15. —

Moder, J., Tabellen nebst Anweisung zur bequemen Aufsuchung d. Kreisumfangs, d. Kreisfläche, der Oberfläche der Kugel, d. Kubikinhalts der Kugel bis auf 20 Dezimalstellen, sowie zur Aufsuchg. d. Diameters resp. Radius, wenn e. der obigen Dimensionen gegeben ist, f. alle Bauhandwerker u. Solche, welche m. Vermessungsarbeiten zu thun haben, sowie zum Selbstunterricht etc. gr. 8. (30 S.) Wiesbaden 886. (Rodrian.) n. 1. —

Modiste, la, de Paris, publié par l'administration du Moniteur universel des Modes de Paris. Red.: Matthilde Clasen-Schmid. 17—20. Jahrg. 1883—1886. à 12 Nrn. (2 B. m. Holzschn. u. Modekpfrn.) Fol. Leipzig, Hoffmann & Ohnstein. à Jahrg. n. 20. —

Mohaupt, Frz., die militärischen Ordnungs- u. Freiübungen, f. d. österr. Volks- u. Bürgerschulen methodisch zurechtgelegt. 16. (IV, 91 S.) Prag 884. Tempsky. n. — 75

Mohl, Mor., Rede vom 20. Jan. 1886 gegen e. Eintreten auf das sog. Feldbereinigungs-Gesetz. 8. (14 S.) Stuttgart 886. (Ullrich.) — 10

Mohl, Rob. v., Erinnerungsblatt an ihn, s.: Schulze, H

Möhl, Pflanzung, Schnitt u. Behandlung d. Weinstocks im norddeutschen Klima zur Erzielung d. größtmöglichen Ertrages. Vortrag. gr. 8. (11 S.) Kassel 884. Hühn. n. — 25

Möhl, G., cours complet de langue allemande à l'usage des établissements d'instruction moyenne. 1. et 2. partie. 8. Köln, Du Mont-Schauberg. n. 3. 80

1. Cours élémentaire. 28. éd. (VI, 167 S.) 886. n. 1. —
2. Cours moyen et supérieur. 7. éd. (IV. 385 S.) 884. n. 2. 80

— **deutsches Lesebuch.** Auswahl v. Musterstücken f. Belgiens Schulen. 3. Aufl. gr. 8. (VIII, 324 S.) Ebend. n. 2. 40

— **méthode** facile théorique pour apprendre la langue allemande. 2. éd. 8. (V, 116 S.) Ebend. 885. n. 1. —

Möhl, H., illustrirter Führer durch die Parkanlagen v. Wilhelmshöhe u. deren Umgebung. Mit 14 Orig.-Illustr. in Holzschn. u. 1 (lith.) Situationsplan. 8. (55 S.) Kassel 883. Dietrich & Co. n. — 90

Möhler, J. A., Symbolik od. Darstellung der dogmatischen Gegensätze der Katholiken u. Protestanten nach ihren öffentlichen Bekenntnißschriften. 9. Orig.-Aufl. gr. 8. (XL, 632 S.) Mainz 884. Kupferberg. n. 2. —

Möhlmann, J., Lehrbuch der deutschen Handelskorrespondenz, s.: Günther, H.

Mohn, H., Grundzüge der Meteorologie. Die Lehre v. Wind u. Wetter, nach den neuesten Forschgn. gemeinfasslich dargestellt. Deutsche Orig.-Ausg. 3. Aufl. Mit 23 (lith.) Karten u. 36 Holzschn. gr. 8. (XII, 353 S.) Berlin 883. D. Reimer. geb. n. 6. —

Mohn, H., die Strömungen d. europäischen Nordmeeres, s.: Petermann's, A., Mittheilungen aus J. Perthes' geographischer Anstalt.

Mohn, Paul, Christkind. 16 Aquarellen. Farbendr. v. Mühlmeister u. Johler. gr. 4. Berlin 884. Stilke. cart. n. 6. —

— **der Kinder-Engel.** 25 Aquarellen. In Chromolith. v. R. Steinbock. gr. 4. (8 Bl. Text.) Berlin 885. Mitscher. cart. n. 6. —

Mohn, W., der Heidelberger Katechismus, f. die Schule u. f. den Katechumenen-Unterricht bearb. Auszug aus dem „Lehr- u Lernbuch". 4. Aufl. 12. (103 S.) Neuwied 885. Heuser's Verl. geb. n. — 50

Mohnike, Otto, Blicke auf das Pflanzen- u. Thierleben in den niederländischen Malaienländern. Mit 18 Taf. gr. 8. (IV, 694 S.) Münster 883. Aschendorff. n. 10. —

Mohr, E., die Stauanlage in der Spree bei Charlottenburg im Zuge der canalisirten Unterspree. Mit 5 Taf. [Aus: „Zeitschr. f. Bauwesen".] gr. 4. (10 S.) Berlin 886. Ernst & Korn. n. 6. —

Mohr, Ed., das Bildniß der Thersandra. Trauerspiel in 5 Aufzügen. 8. (74 S.) Stuttgart 883. Metzler's Verl. n. 2. —

Mohr's, Frdr., Lehrbuch der chemisch-analytischen Titrirmethode. Neu bearb. v. Alex. Classen. Für Chemiker, Aerzte, Pharmaceuten, Berg- u. Hüttenleute, Fabrikanten, Agronomen, Metallurgen, Münzbeamte etc. 6. umgearb. u. verm. Aufl. Mit 201 eingedr. Holzst. u. angehängten Berechnungstabellen. gr. 8. (XX, 887 S.) Braunschweig 886. Vieweg & Sohn. n. 20. —

Mohr, J. J., Gedanken üb. Leben u. Kunst. (IV, 111 S.) Frankfurt a/M. 885. Mahlau & Waldschmidt. n. 2. —; geb. n. 3. —

Mohr, Jos., Herz-Jesu-Büchlein. Betrachtungen üb. das heiligste Herz Jesu v. Gautrelet u. Borgo, nebst Andachtsübgn u. Gebeten. 5., verb. Aufl. 16. (XVI, 686 S. m. 1 Stahlst.) Regensburg 885 Pustet. geb. n. 2. —

— **lasset uns beten!** Katholisches Gebet- u. Gesangbuch. 4. unveränd. Aufl. 12. (IV, 712 S. m. 1 Stahlst.) Ebend. 884. geb. n.n. 1. 90

— dasselbe. Größere Ausg. 8. (IV, 739 S. m. 1 Stahlst.) Ebend. 884. geb. n.n. 2. 10

— **Meßbüchlein.** Die gewöhnl. Meßgesänge nach dem röm. Graduale, nebst den Meßgebeten d. Priesters, einigen Hymnen u. Gebeten. 16. (IV, 156 S. m. 1 Stahlst.) Ebend. 884. n. — 30

— die **Pflege** d. Volksgesanges in der Kirche. 2. Aufl. 8. (IV, 60 S.) Ebend. 885. n. — 5

— geistliches **Vademecum.** Taschengebetbuch f. Studierende. 16. (IV, 204 S. m. 1 Stahlst.) Ebend. 885. n. — 40; geb. in Leinw. n. — 60; in Ldr. m. Goldschn. n. 1. 20

— **Vesperbüchlein.** Das allen Vespern Gemeinsame, die Hymnen u. Versikel der Vespern v. den Sonntagen, sowie den Festen d. Herrn u. der Heiligen, nebst der vollständ. Komplet nach den Choralbüchern Roms, m. e. Anh. v. Liedern u. Gebeten. 16. (VIII, 248 S. m. e. Stahlst.) Ebend. 883. n. — 45; geb. m. Leinw. n. — 60; in Ldr. m. Goldschn. n. 1. 40

Mohr, Karl Aug. Frdr., die Geschichte v. Sachsen zum Unterricht in den vaterländischen Schulen. 7. Aufl., durchgesehen v. Th. Flathe. 8. (IV, 84 S.) Leipzig 885. Barth. — 75; geb. n. 1. —

Mohr, Louis, die Jubelfeste der Buchdruckerkunst u. ihre Literatur. Ein bibliograph. Versuch. Veröffentlicht bei Gelegenheit d. 400jähr. Jubiläums der Einführg. der Buchdruckerkunst in Wien. 8. (109 S.) Wien 886. Graeser. n. 2. —

Mohr, Ludw., Roth-Weiß Eine Erzählg. aus der Zeit d. Königr. Westphalen. 2 gänzlich umgearb. Aufl. 9 Lfgn. 2 Thle. 8. (236 u. 225 S.) Kassel 885. 86. Kleimenhagen. à Lfg. n. — 50 (cplt.: n. 4. 50; geb. n. 5. 50)

— altes **Schrot** u. Korn. Erzählungen aus dem Lande der Hessen. 2 Bde. 8. (1. Bd. 280 S.) Ebend. 884. n. 4. —

Mohr, R., e. Streifzug durch den Nordwesten Amerikas Festfahrt zur Northern Pacific-Bahn im Herbste 1883. 8. (VI, 394 S.) Berlin 884. Oppenheim. n. 5. —

Moszkowski, Alex., marinirte Zeitgeschichte. Gesammelte Humoresken. 8. (94 S.) Berlin 884. Steinitz. n. 1. —

Mothes, O., Baugeschichte der St. Marienkirche zu Zwickau. gr. 16. (106 S.) Zwickau 885. (Konegen.) n. — 80

— die Baukunst d. Mittelalters in Italien von der ersten Entwicklung bis zu ihrer höchsten Blüthe. Mit ca. 200 (eingedr.) Holzschn. u. 6 Farbendr.-Taf. 3—5. Thl. Lex.-8. (XII u. S. 321—828.) Jena 883. 84. Costenoble. n. 26. — (cplt.: n. 42. —)

— Handbuch f. Hausbesitzer u. Baulustige. Ein Rathgeber in allen Bau-, Rechts- u. Vermögensfragen d. Hausbesitzerstandes. gr. 8. (XVI, 300 S.) Leipzig-Reudnitz 883. Rühle. n. 4. —

Motive zur Führung der Zuchtregister im Königr. Sachsen u. die Eintragung der Zuchtstuten in dasselbe durch den Landstallmeister. 8. (21 S.) Dresden 885. (v. Zahn & Jaensch.) n. — 60

Motschmann, Rechenbuch, s.: Barnicol.

Mottony, Felix v., milchwirtschaftliche Untersuchungen, den Möllthaler Rindviehschlag betr. Mitteilungen aus der Stammzucht v. Mölltaler Rindvieh in Wernberg. gr. 8. (21 S.) Wien 883. (Frick.) n. — 80

Moufang, Chrph., Officium divinum. Ein kathol. Gebetbuch, lateinisch u. deutsch, zum Gebrauche beim öffentl. Gottesdienst u. zur Privatandacht. 11. Aufl. 12. (XVI, 804 S.) Mainz 885. Kirchheim. n. 2. —; geb. n. 3. —; n. 4. 20 u. n. 6. —

Mounstein, A., üb. die spontane Gangrän u. Infarcte. Mit 1 (lith.) Taf. Lex.-8. (44 S.) Strassburg 884. Trübner n. 1. 20

Mountford, the life and death of Doctor Faustus, s.: Sprach- u. Literaturdenkmale, englische, d. 16., 17. u. 18. Jahrh.

Mousson, Alb., die Physik auf Grundlage der Erfahrung. 3. Bd. 2. Lfg. Die Lehre vom Galvanismus. Mit 363 eingedr. Fig. 3. Aufl. gr. 8. (IV u. S. 325—852.) Zürich 883. 84. Schulthess. n. 10. 40 (cplt.: n. 36. —)

Moy, Graf, die Spinne. Lustspiel in 5 Aufzügen. 8. (85 S.) München 884. Th. Ackermann's Verl. n. 1. —

Moynier, Gust., das rothe Kreuz, seine Vergangenheit u. seine Zukunft. Allein berechtigte deutsche Ausg. Aus dem Franz. übertr. v. A. Stange. gr. 8. (IV, 180 S.) Minden 883. Bruns. n. 3. —

Moyß v. Aßmannshaußen Justus, v. dem schweren Mißbrauch d. Weins. Nach dem Orig. vom J. 1580 m. Einleitg. neu hrsg. v. Max Oberbreyer. 2. Aufl. 16. (XIV, 87 S.) Heilbronn 883. Henninger. n. 1. —

Mozzisch, W., die Amortisirung v. Urkunden u. die Todeserklärung, s.: Frühwald, K.

Mraček, F., zur Syphilis der Orbita, s.: Klinik, Wiener.

Mrazek, F., die Walzenstühle f. die Mehlfabrikation, s.: Turban, F.

Much, Matthaeus, die Kupferzeit in Europa u. ihr Verhältniss zur Cultur der Indogermanen. gr. 8. (187 S. m. eingedr. Fig.) Wien 886. (Kubasta & Voigt.) n. 5. —

Muchall-Viebrook, Signal-Ordnung f. Yachten. Mit 2 farb. Taf. 8. (57 S.) Berlin 886. Verl. d. „Wassersport" (C. Otto). geb. n. 2. 50

Muchall, C., das A-B-C d. Gas-Consumenten. Mit Abbildgn. 3. Aufl. 8. (34 S.) Wiesbaden 886. Bergmann. n. — 80

Muck, Carl, Vorschriften f. Volks- u. Töchterschulen. Current. 1. Hft. 11. Aufl. schmal gr. 8. (18 Steintaf.) Wien 886. (Sallmayer.) n.n. — 80

Mucke, Joh. Rich., Deutschlands Getreide-Ertrag. Agrarstatistische Untersuchgn. Lex.-8. (IV, 508 S.) Greifswald 883. Abel. n. 15. —

Mücke, die. Ein volksthüml. Correspondenz-Organ f alle Freunde der Natur u. Wahrheit. Hrsg. u. red. v. Carl Baunscheidt. 24. u. 25. Jahrg. 1884 u. 1885. à 28 Nrn. (B.) gr. 8. Bonn, (Schulten). à Jahrg. n. 3. —

Mücke, die Nichtigkeit der ganzen päpstlichen Nachfolgerschaft Petri sammt ihren allumfassenden Ansprüchen in Staat u. Kirche. 9. Aufl. Lex.-8. (23 S.) Brandenburg 886. Wiesike. — 30

Mücke, A., aus der Hohenstaufen- u. Welfenzeit. Kaiser Heinrich VI., König Philipp u. Otto IV. v. Braunschweig. gr. 8. (XII, 295 S.) Gotha 884. F. A. Perthes. n. 4. —

Mücke, Frdr., der preußische Forst- u. Jagdschutzbeamte in seiner Eigenschaft als Hilfsbeamter der Staatsanwaltschaft. Das Gesetz üb. den Waffengebrauch der Forst- u. Jagd-Beamten vom 31. März 1837. Die gesetzl. Bestimmgn. üb. die Bestrafg. der Jagdvergehen u. üb. die Widersetzlichkeit bei Forst- u. Jagdvergehen. Mit Erläutergn. 8. (72 S.) Neudamm 884. Neumann. — 50

— Wald-Hege u. -Pflege, s.: Taschenbibliothek, deutsche forstwirthschaftliche.

Mufaḍḍalîjât, die. Nach den Handschriften zu Berlin, London u. Wien auf Kosten der deutschen morgenländ. Gesellschaft hrsg. u. m. Anmerkgn. versehen v. Heinr. Thorbecke. 1. Hft. gr. 8. (56 u. 104 S.) Leipzig 885. (Brockhaus' Sort.) n. 7. 50

Muff, Chrn., Dr. Franz Theodor Adler, weiland Direktor der Franckischen Stiftungen. Nekrolog. Anh: I. Grabrede v. Hoffmann. II. Gebet v. Knuth. 8. (51 S.) Halle 884. Buchh. d. Waisenh. n. — 60

— zwei Titanen, Prometheus u. Faust. Ein Vortrag. 8. (53 S.) Halle 883. Mühlmann. n. 1. —

Muff, Karl, das 3. württembergische Jägerbataillon, jetzt Füsilierbataillon d. Grenadierregiments „König Karl" [5. württ.] Nr. 123. Ein Erinnerungsblatt. gr. 8. (88 S.) Tübingen 883. Fues. n. 1. 20

Mugdan, B., die Gewerbe-Ordnung f. das Deutsche Reich, nebst dem Gesetze üb. eingeschriebene Hülfskassen u. den Ausführungsgesetzen. Mit ausführl. Sachregister. Für den prakt. Gebrauch bearb. gr. 8. (IV, 103 S.) Berlin 883. v. Decker. cart. n. 1. —

Mugdan, Leo, die Zwangsvollstreckung in das unbewegliche Vermögen nach dem Gesetze vom 13. Juli 1883. gr. 8. (VI, 112 S.) Breslau 884. Maruschke & Berendt. n. 1. 60

— u. Rich. **Freund**, Entscheidungen u. Verfügungen zum Reichsgesetz betr. die Krankenversicherung der Arbeiter vom 15. Juni 1883. 1. Hft. A. u. d. T.: Entscheidungen u. Verfüggn. der Gewerbe-Deputation d. Magistrats zu Berlin, nebst e. Abdrucke d. Gesetzes. gr. 8. (VII, 132 S.) Berlin 886. Guttentag. n. 2. 50

Mühe, Ernst, der Aberglaube. Eine biblische Beleuchtg. der finstern Gebiete der Sympathie, Zauberei, Geisterbeschwörg. ꝛc. 2. Aufl. 8. (48 S.) Leipzig 886. Böhme. n. — 50

— das enthüllte Geheimnis der Zukunft od. die letzten Dinge d. Menschen u. der Welt. Auf Grund bibl. Forschgn. f. das Volk dargelegt. 5. Aufl. 8. (XVI, 207 S.) Ebend. 886. n. 1. 60; cart. n. 1. 80; geb. n. 2. 50

— der Konfirmandenunterricht od. christlicher Glaubensweg f. jung u. alt, nach Dr. Mart. Luthers Katechismus, besonders f. Konfirmanden, dargelegt. 2., verb. u. verm. Aufl. gr. 8. (80 S.) Ebend. 885. cart. n. — 75

— die Leidensgeschichte Jesu Christi, sowie seine Höllenfahrt u. glorreiche Auferstehung, erklärt in 15 Predigt-Vorträgen. 3. Aufl. gr. 8. (VII, 151 S.) Ebend. 884. n. 2. —; cart. n. 2. 25

— biblische Merkwürdigkeiten. 2. Aufl. gr. 8. (IV, 174 S.) Ebend. 886. n. 1. 60; cart. n. 1. 80; geb. 2. 50

— dasselbe. Neue Folge. 8. (IV, 180 S.) Ebend. 886. n. 1. 60; cart. n. 1. 80; geb. n. 2. 50

Mühlau, F., besitzen wir den ursprünglichen Text der Heiligen Schrift? Vortrag. gr. 8. (24 S.) Dorpat 884. Karow. n. — 60

— s.: Liber Genesis sine punctis, exscriptus.

Mühlbacher, Ferd., Panorama v. der Zwiesel-Alpe [Salzkammergut]. 1584 m. Hrsg. vom österreich. Touristen-Club in Wien. Lith. qu. Fol. Wien 883. (Hölder.) n. 1. 60

Mühlbauer, Wolfg., supplementum ad decreta authentica congregationis sacrorum rituum in usum cleri commodiorem ordine alphabetico concinnata. Tom. III. Fasc. 3—6. gr. 8. (S. 305—650.) München 882—85. Stahl. à 2. 50 (Hauptwerk u. Suppl. I—III. 6.: 96. 30)

Mühlbauer, Wolfg., thesaurus resolutionum s. c. concilii, quae consentanee ad Tridentinorum pp. decreta aliasque canonici juris sanctiones prodierunt usque ad a. 1884, cum omnibus constitutionibus et aliis novissimis declarationibus ss. pontificum ad causas respicientibus. Primum ad commodiorem usum ordine alphabetico concinnatus. Tom. IV. Fasc. 14—16. gr. 4. (S. 1353—1648.) München 883. à 3. —
— dasselbe. Tom. V. Fasc. 1—7. gr. 4. (S. 1—688.) Ebend. 883—86. à 3. —

Mühlberg, F., der Kreislauf der Stoffe auf der Erde, s.: Vorträge, öffentliche, geh. in der Schweiz.
— u. A. Kraft, die Blutlaus. Ihr Wesen, ihre Erkenng. u. Bekämpfg. Im Auftrage des eidgenöss. Landwirthschafts-Departements zum Gebrauche der eidgenöss., kantonalen u. Gemeinde-Experten hrsg. 2. Aufl. Mit 1 Taf. in Farbendr. gr. 8. (55 S.) Aarau 885. Christen. n. 1. 20
— — le Puceron lanigere. Sa nature, les moyens de le découvrir et de le combattre. Travail publié sur l'ordre du département fédéral de l'agriculture à l'usage des experts fédéraux, cantonaux et communaux. Avec 1 planche en couleur. Traduit en français par J. C. Ducommun. gr. 8. (63 S.) Bern 885. Wyss. n. 1. 20

Mühlbrecht, Otto, Wegweiser durch die neuere Literatur der Staats- u. Rechtswissenschaften. [Abgeschlossen am 1. Juli 1885.] Für die Praxis bearb. gr. 8. (XVI, 429 S.) Berlin 886. Puttkammer & Mühlbrecht. geb. in Moleskin. n. 15. —; in Ldr. n. 17. —

Mühle, die. Zeitschrift f. die Interessen der deutschen Mühlenindustrie. Die neuesten Fortschritte im Mühlwesen u. den damit verwandten Geschäftszweigen. Organ d. Verbandes deutscher Müller. Red.: K. W. Kunis. 20—23. Jahrg. 1883—1886. à 52 Nrn. (à 1—2 B.) Fol. Leipzig, M. Schäfer. à Jahrg. n. 10. —

Mühlenbauer, Matthias, Maria-Hilf. 11 Predigten, geh. auf dem Mariahilfsberge bei Vilsbiburg während d. 200jähr. Jubiläums der dort. Gnadenkirche 7. bis 12. Septbr. 1886. 8. (88 S. m. 1 Bild.) Straubing 886. (Attenkofer.) n. — 80

Mühlenfels, Otto v., die Haftpflicht der Eisenbahnen u. die Unfall-Versicherung. Ein Vorschlag zur Reform d. Haftpflicht-Gesetzes vom 7. Juni 1871. gr. 8. (VI, 93 S.) Berlin 884. G. Reimer. n. 2. —

Mühlen-Kalender, deutscher. Ein Taschenbuch m. den wichtigsten Regeln, Notizen u. Betriebs-Resultaten f. Müller u. Mühlen-Techniker, Teigwaaren-Fabrikanten etc. Unter Mitwirkg. v. Fachmännern hrsg. v. W. H. Uhland. 8. Jahrg. 1887. Mit 1 (chromolith.) Eisenbahnkarte, mehreren Mühlenplänen (6 Steintaf.) u. 215 Illustr. im Text. 12. (IV, 222 u. 56 S.) Leipzig, Baumgärtner. geb. in Leinw. n. 3. —; in Ldr. n. 5. —
— österreichisch-ungarischer illustrirter. Jahrb. f. Müller, Bäcker, Getreidehändler etc. 19. Jahrg. 1887. Bearb. v. d. Red. v. Pappenheim's österr.-ungar. Müller-Ztg. gr. 16. (VIII, 189 u. 130 S.) Wien, Perles. geb. in Leinw. n. 3. —; in Ldr. n. 4. —

Mühlenthal, B., Anleitung zur Erlernung der Arends'schen Stenographie, s.: Auerbach, L.

Mühler, Heinr. v., Wahlsprüche der Hohenzollern, zusammengestellt u. historisch erläutert. Ausg. A. (Fürsten-Ausg.) Fol. (29 Chromolith. m. 35 Bl. Text.) Breslau 883. F. Hirt. In Ldr.-Carton. n.n. 165. —
— dasselbe. Ausg. B. (Familien-Ausg.) gr. 4. (29 Chromolith. m. 35 Bl. Text.) Ebend. 884. In Leinw.-Mappe. n. 25. —
— dasselbe. Ausg. C. (Für Jugend u. Volk.) gr. 8. (91 S. m. 8 eingedr. Holzschn. u. 1 Facsim.) Ebend. 883. geb. n. 2. 50

Muhlert, Wilh., Beiträge zur Kenntnis üb. das Vorkommen der Tuberkelbacillen in tuberkulösen Organen. Nach Sectionsfällen zusammengestellt. gr. 8. (35 S.) Göttingen 885. (Vandenhoeck & Ruprecht.) n. — 80

Mühlfeith, H., Vertheilung d. Lehrstoffes der Elementarclasse, s.: List, J.

Mühlfeld, Jul., die Erben v. Moosdorf. Novelle. 3. Aufl. 8. (107 S.) Berlin 883. Goldschmidt. n. — 50
— Portrait-Skizzen. 2. Aufl. gr. 8. (VII, 335 S.) Norden 885. Fischer Nachf. n. 5. —

Mühlmann's, G., lateinisch-deutsches u. deutsch-lateinisches Handwörterbuch zum Gebrauch f. Gymnasien, Real- u. höhere Bürgerschulen, neu bearb. v. Hans Windel. 2 Thle. 27. Aufl. 8. (V, 692 u. 678 S.) Leipzig 884. Ph. Reclam jun. à 2. —; geb. à 2. 50

Mühlwerth-Gärtner, Frdr. Frhr. v., die Belagerung u. der Entsatz v. Wien im J. 1683. [Auszug aus dem v. k. k. Kriegsarchive hrsg. Werke: „Das Kriegsjahr 1683".] Mit 1 (Facsim.-)Taf. gr. 8. (45 S.) Wien 883. Seidel & Sohn. n. — 80

Mühsam, Siegfr., Apotheken-Manual. Anleitung zur Herstellg. v. in den Apotheken gebräuchl. Präparaten, welche in der Pharmacopoea germanica, ed. altera, keine Aufnahme gefunden haben. 2. Aufl. gr. 8. (157 S.) Leipzig 886. A. Felix. n. 3. —

Müldener, Rud., das Buch vom Wetter od. das Wetter im Sprüchwort. 2. Aufl. 8. (IV, 164 S.) Gotha 883. Behrend. n. — 80
— Insubordination, s.: Erzählungen aus Heimat u. Ferne.
— das brennende Schiff, s.: Volks-Erzählungen, kleine.

Müldner's v. Mülnheim, Karl, Biographie, s.: Rogge-Ludwig, W.

Mülhausen im Elsaß, der Kreis. Ein Beitrag zur Heimatkunde d. Kreises. Mit e. (chromolith.) Karte d. Kreises. 8. (VIII, 71 S.) Mülhausen i/E. 884. Bufleb's Sort. n.n. — 60; Karte ap. n. — 20

Mülinen, Egbert Frdr. v., Beiträge zur Heimathkunde d. Kantons Bern deutschen Theils. 4. Hft. 8. Bern 883. (Nydegger & Baumgart.) n. 3. 60 (1—4.: n. 10. 10)
Mittelland. III. Papiermühle — Zuzwyl. (VIII, 359 S.)

Müllendorff, Jul., Entwürfe zu Betrachtgn. nach der Methode d. heil. Ignatius v. Loyola, zunächst f. Cleriker. 1. u. 2. Bdchn. 8. Innsbruck 886. F. Rauch. n. 2. 80
1. Die Bergpredigt. 34 Betrachtgn. (VIII, 230 S.) n. 1. 20
2. Das Ziel der Gerechten. 31 Betrachtgn. (VIII, 264 S.) n. 1. 60
— biblische Geschichte d. Alten u. Neuen Testamentes. Mittlere Ausg. 8. (VIII, 218 S.) Freiburg i/Br. 883. Herder. n. — 60; Einbd. n.n. — 10

Müllener, C., praktische Übungsschule in Sprachform u. Satzbau. Ein Lehr- u. Übungsbuch f. den Unterricht in der Grammatik der deutschen Sprache. Für schweizer. Volksschulen der Primar- u. Sekundarstufe methodisch bearb. gr. 8. (VIII, 168 S.) Bern 885. Huber & Co. n. 1. 50

Müllenhoff, K., Leitfaden f. den Unterricht in der Botanik, — Leitfaden f. den Unterricht in der Zoologie, } s.: Vogel, O.
— die Ortsbewegungen der Tiere. 4. (19 S.) Berlin 885. Gaertner. n. 1. —

Müllenhoff, Karl, deutsche Altertumskunde. 5. Bd. 1. Abtlg. gr. 8. (IV, 356 S.) Berlin 883. Weidmann. n. 10. — (I. u. V, 1.: n. 20. —)
Die Bände 2—4 werden später erscheinen.
— altdeutsche Sprachproben. 4. Aufl., besorgt von Max Roediger. gr. 8. (VIII, 150 S.) Ebend. 885. n. 3. 60

Müllensiefen, J., Abschieds-Predigt üb. Apostel-Geschichte 20, 32, geh. am 17. Sonntage nach Trin. den 27. Septbr. 1885 in der Marienkirche zu Berlin. gr. 8. (13 S.) Halle 885. Strien. n. — 25
— tägliche Andachten zur häuslichen Erbauung. 11. Aufl. 2 Thle. in 1 Bde. Lex.-8. (XVI, 342 u. IV, 335 S.) Ebend. 885. n. 6. —; geb. n. 7. 50
— Zeugnisse v. Christo. Ein Jahrgang Predigten auf alle Sonn- u. Festtage d. Kirchenjahres. 14. veränd. u. um 34 bisher ungedruckte Predigten verm. Aufl. gr. 8. (XII, 859 S.) Ebend. 884. n. 7. —; geb. n. 8. 50

Müller, der. Organ f. die Interessen der gesammten Mühlen-Industrie. Red.: Rob. Teßmer. 2. Jahrg. 1886. 26 Nrn. (B. m. Fig.) gr. 4. Berlin, Teßmer. n. 3. —

Müller, deutscher. Zeitschrift f. die Interessen d. allgemeinen Mühlen-Gewerbes. Hrsg. u. red. v. Th. Fritsch. 4. Jahrg. 1884. 24 Nrn. (2½ B. m. Illustr.) gr. 4. Leipzig, Th. Fritsch. n. 4. —
— dasselbe. 6. Jahrg. 1886. 48 Nrn. (B. m. Illustr.) gr. 4. Ebend. 5. —
— der deutsch-amerikanische, Monatsschrift zur Verbreitg. nützl. Kenntnisse im Mühlenwesen u. verwandten Geschäftszweigen. Hrsg.: Eugene A. Sittig. 8. u. 9. Bd. Jahrg. 1884/86. à 12 Hfte. (à 5—6 B. m. Illustr.) gr. 4. Chicago. (Leipzig, M. Schäfer.) à Jahrg. n. 5. 75

Müller, Uebungsstoff f. das geometrische Zeichnen. Im Auftrage der kgl. württemberg. Centralstelle f. Gewerbe u. Handel bearb. Mit 21 lith. Taf. 8. Aufl. 16. (118 S.) Eßlingen 888. (Fröhner.) cart. n. 1. 75

Müller-Köpen, üb. den Gebrauch der Nivellirlatten. Eine Monographie m. e. Nivellir-Formular. gr. 8. (11 S.) Berlin 883. Müller-Köpen. 1. —
— die Höhenbestimmungen der königl. preuß. Landesaufnahme in der Prov. Brandenburg. Mit e. Karte: Nivellitisches Höhennetz in Preußen rc. 2. Hft. Nach dem amtl. Mskr. d. VI. Bds. der Nivellements der trigonometr. Abteilg. hrsg. gr. 8. (S. 61—82.) Ebend. 883. n. 5. — (1. u. 2.: n. 11. —)
— dasselbe in Elsaß-Lothringen. 2. Hft. Zusammengestellt nach amtl. Werken. gr. 8. (S. 55—74.) Ebend. 885. n. 1. 35 (1. u. 2.: n. 8. 85)
— dasselbe in der Prov. Hessen-Nassau einschließlich Kreis Wetzlar u. im Großherzogt. Hessen, sowie im Fürstent. Schaumburg-Lippe. Mit e (chromolith.) Karte: Nivellitisches Höhennetz in Preußen rc. 2. Hft. Nach dem V. Bde. der Nivellements der trigonometr. Abteilg. hrsg. gr. 8. (S. 33—48.) Ebend. 883. n. 5. — (1. u. 2.: n. 8. —)
— dasselbe in der Prov. Posen. Mit e. (chromolith.) Karte: Nivellitisches Höhennetz in Preußen rc. 2. Hft. Nach dem amtl. Mskr. d. VI. Bds. der Nivellements der trigonometr. Abteilg. hrsg. gr. 8. (S. 45—64.) Ebend. 888. n. 5. — (1. u. 2.: n. 10. —)
— dasselbe in der Prov. Rheinland. 1. Hft. 2., bericht. u. erweit. Aufl. Mit 1 Karte „Nivellitisches Höhennetz". Nach dem V. Bde. der Nivellements der trigonometr. Abteilg. neu zusammengestellt. 8. (36 S.) Ebend. 885. n. 7. —
— dasselbe in der Prov. Schlesien. Mit e. (chromolith.) Karte: Nivellitisches Höhennetz in Preußen rc. 2. Hft. Nach dem amtl. Mskr. d. VI. Bds. der Nivellements der trigonometr. Abteilg. hrsg. gr. 8. (67 S.) Ebend. 883. 12. — (1. u. 2.: n. 16. —)
— Verzeichnis derjenigen Fixpunkte, deren Höhen gemäß neuer amtlicher Feststellung gegen die früheren Angaben auf S. 26—29 endgültig abgeändert worden sind. Entnommen aus dem 5. Bde. der Nivellements der trigonometr. Abteilg. der Landesaufnahme. Endgültige Höhen. Prov. Westfalen. gr. 8. (2 S.) Ebend. 883. n. — 50

Müller, die wichtigsten physikalischen Eigenschaften der Körper, sowie die einfachsten Gesetze der Mechanik, s.: Treutzmann.

Müller, der Kompagnie-Dienst. Ein Handbuch f. den Kompagniechef im inneren u. äußeren Dienst der Kompagnie. 4. verb. Aufl. Mit Holzschn. im Text. gr. 8. (VIII, 210 S.) Berlin 886. Mittler & Sohn. n. 3. 60; geb. n. 4. 20

Müller, üb. die Bacterien als Krankheitserreger. Vortrag. Mit 1 Fig.-Taf. gr. 8. (32 S.) Minden 885. Bruns. n. — 50

Müller-Friedberg's Lebensbild, s.: Dierauer, J.

Müller-Pouillet's Lehrbuch der Physik u. Meteorologie. 9. umgearb. u. verm. Aufl. v. Leop. Pfaundler. [In 3 Bdn.] Mit gegen 2000 Holzst., Taf., zum Thl. in Farbendr., u. 1 Photogr. 1. Bd. gr. 8. (XXI, 888 S.) Braunschweig 886. Vieweg & Sohn. n. 12. —

Müller, A., die Beherrscher aller Gläubigen, s.: Sammlung gemeinverständlicher wissenschaftlicher Vorträge.
— der Islam im Morgen- u. Abendland, s.: Geschichte, allgemeine, in Einzeldarstellungen.

Müller, A., auf dem Exercierplatz, s.: Bloch's, E., Theater-Correspondenz.

Müller, A., geologische Skizze d. Kantons Basel u. der angrenzenden Gebiete, s.: Beiträge zur geologischen Karte der Schweiz.

Müller, A., die Verwerthung der städtischen Fäcalien, s.: Heiden, E.

Müller, A., Lehrbuch der griechischen Bühnenalterthümer, s.: Hermann's, K. F., Lehrbuch der griechischen Antiquitäten.

Müller, A., kleiner Wegweiser durch das Fichtelgebirge, s.: Mayenberg, J.

Müller, A. W. F., Helgoland, s.: Crell, R.

Müller, Adb., der Gelegenheitsdichter f. Kinder. 5. Aufl. 8. (56 S.) Regensburg 884. Coppenrath. — 40; cart. — 60
— der Gelegenheitsdichter zum Gebrauche f. Jedermann. 7. Aufl. 8. (332 S.) Ebend. 886. 2. —
— der Gelegenheitsdichter f. die Jugend. 7. Aufl. 8. (178 S.) Ebend. 886. 1. 20; cart. 1. 40
— kurzgefaßte Geschichte u. Beschreibung der Walhalla u. d. anliegenden Marktflecken Donaustauf. 14. Aufl. Mit 1 Abbildg. 8. (32 S.) Regensburg 885. Verlags-Anstalt. — 40

Müller, Adam, ethischer Charakter v. Göthes Faust. Mit e. Faustmärchen als Anh. 8. (IV, 251 S.) Regensburg 885. Verlags-Anstalt. n. 2. 80

Müller's, Adam, kurzgefaßter Unterricht in der Landwirtschaft. 6. Aufl. Hrsg. v. Otto May. Mit 26 Abbildgn 8. (IV, 124 S.) Wiesbaden 885. Kunze's Nachf. cart. n. 1. —

Müller-Guttenbrunn, Adam, Frau Dornröschen. Ein Wiener Roman. 8. (310 S.) Berlin 884. Janke. n. 5. —
— dasselbe. 2. Aufl. m. e. Vorwort d. Verf. 8. (XII, 310 S.) Ebend. 886. n. 2. —
— die Lectüre d. Volkes. Volksausg. v. Hft. IX der Flugschriften e. literarisch-künstler. Gesellschaft „Gegen den Strom". 4. Tausend. gr. 8. (31 S.) Wien 886. Graeser. n. — 24

Müller-Portius, Adelaide, zwei Waisenkinder. Eine Erzählg. f. junge Mädchen. 8. (250 S.) Hannover 886. Meyer. 2. —; geb. 3. —

Müller, Adf. u. Karl **Müller**, Thiere der Heimath. Deutschlands Säugethiere u. Vögel, geschildert. Mit Orig.-Illustr. nach Zeichngn. auf Holz u. Stein v. C. F. Deiker u. Adf. Müller. 23—30. (Schluss-)Lfg. Lex.-8. (2. Buch VIII u. S. 289—586 m. 12 Steintaf.) Kassel 883. Fischer. à 1. — (cplt. in 2 Halbfrzbde. geb.: à n. 18. —)

Müller, Adf., curvus uncus u. Komposita. 4. (38 S.) Flensburg 886. (Leipzig, Teubner.) n. 1. —
— quaestiones Socraticae. 4. (36 S.) Döbeln 877. (Leipzig, Fock.) n. 1. —

Müller, Alfr., Volkslieder aus dem Erzgebirge, gesammelt u. hrsg. 12. (XX, 225 S.) Annaberg 883. Graser. n. 1. 50

Müller, Alois, brauchen die Juden Christenblut? Ein offenes Wort an denk. Christen. Lex.-8. (16 S.) Wien 884. Frank. n. — 50

Müller, Alph., fünf neue Lust-Spiele f. das Policinell-Theater. (II.) (2. Aufl.) 8. (47 S.) Frankfurt a/M. 886. Jaeger's Verl. n. — 60

Müller, Ant. Dominikus, geistlicher Führer od. Regel- u, Gebetbuch f. die Brüder u. Schwestern d. 3. Ordens v. der Buße d. heil. Vaters Dominikus. 4. Aufl. 12. (XII, 472 S.) Luxemburg 884. Brück. 2. 40

Müller, B., Liederbuch f. Volksschulen. Op. 5. 1. u. 2. Hft. 8. Hildburghausen 886. Gadow & Sohn. n. — 75
1. Für Unter- u. Mittelklassen. 4. Aufl. (64 S.) n. — 25. —
2. Für Mittel- u. Oberklassen. 3. Aufl. (VII, 167 S.) n. — 50

Müller, C., Leitfaden zur Einführung der Lehrlinge in das Forst- u. Jagdwesen. 1. u. 2. Bd. Mit 10 (lith.) Taf. Zeichngn. gr. 8. (XVI, 214 u. X, 132 S.) Münden 883. Augustin. n. 4. 20

Müller-Hartung, C., A. **Bräunlich** u. A. W. **Gottschalg**, neues vaterländisches Liederbuch f. Volksschulen u. höhere Lehranstalten. 4 Hfte. gr. 8. Weimar 885—86. Böhlau. n. 2. 45

1. Für die Unterklasse. 5. Aufl. (IV, 36 S.) n. — 25. — 2. Für die Mittelklasse. 10. Aufl. (IV, 60 S.) n. — 40. — 3. Für die Oberklasse. 6. Aufl. (IV, 128 S.) n. — 80. — 4. Für höhere Lehranstalten. 3. Aufl. (IV, 128 S.) n. 1. —

Müller-Sommer, C., die Chorstühle d. Münsters zu Bern, s.: Renaissance, deutsche.

Müller, C., die preußischen Kultusminister u. das Volksschulwesen. gr. 8. (VII, 89 S.) Gotha 884. Behrend. n. 1. —

Mueller, C., Handbuch der vergleichenden Anatomie der Haus-Säugethiere, s.: Leisering, A. G. T.

Müller, C. A., Heimgang unserer Lieben. Trost f. Leidtragende in Wort u. Lied, gesammelt v. C. A. M. 12. (VIII, 164 S.) Dresden 885. J. Naumann. geb. m. Goldschn. 3. —

Müller, C. F., u. G. Schwarznecker, die Pferdezucht nach ihrem jetzigen rationellen Standpunkt. 2. Bd. Lex.-8. Berlin 884. Parey. n. 15. —

Racen, Züchtung u. Haltung d. Pferdes. Von G. Schwarznecker. 2. Aufl. Mit 138 in den Text gedr. Holzschn. (X, 719 S.)

Müller, C. Thdr., zur Geographie der älteren Chansons de geste. gr. 8. (36 S.) Göttingen 885. (Erlangen, Deichert.) n. — 80

Müller, C. Th., u. Th. v. Zwehl, Handbuch f. den Einjährig-Freiwilligen, den Unteroffizier, Offiziers-Adspiranten u. Offizier d. Beurlaubtenstandes der kgl. bayerischen Infanterie. Aus Reglements, Verordngn. etc. zusammengestellt. 3. Aufl. Mit 260 Abbildgn. u. 4 Taf. gr. 8. (XIII, 738 S.) München 886. Oldenbourg. n. 7. —; geb. n. 8. —

Müller, C. W., die Zerstörung d. Schlosses Dillenburg, e. Denkmal deutscher Reichsohnmacht. Vortrag. 8. (40 S.) Dillenburg 884. Seel. n. — 50

Müller, C. W., in d. Königs Rock. Bilder u. Erinnergn. aus dem Kriege 1870 u. 1871. 8. (V, 150 S.) Herborn 883. Buchh. d. Nassauischen Colportage-Vereins. n. 1. —

— edle Rache. Du sollst nicht töten. Zwei Erzählgn. aus dem Kriege 1870 u. 1871. 8. (55 S.) Ebend. 883. — 30

— der falsche Zuave. Eine Erzählg. aus dem Kriege 1870 u. 1871. 8. (52 S.) Ebend. 883. — 30

Müller, C. W., zur Einleitung in die Elektrotherapie. gr. 8. (XII, 187 S.) Wiesbaden 885. Bergmann. n. 5. —

Mueller, Carl, de nonnullis doctrinae gnosticae uestigiis, quae in quarto euangelio inesse feruntur, dissertatio. gr. 8. (III, 47 S.) Freiburg i/Br. 883. Herder. n. — 80

Müller, Carl, die letzten Tage d. alten Bern. Denkschrift zur Einweihungsfeier d. Denkmals im Grauholz 29. Aug. 1886. Hrsg. vom kantonalen bernischen Offiziersverein. gr. 8. (327 S. m. 1 Taf. u. 1 Karte.) Bern 886. (Nydegger & Baumgart.) n. 3. 50; geb. n. 5. —

Müller, Ch., Diarium pastorale, s.: Dieffenbach, G. Ch.

Müller, Ch. P., unsere Freudigkeit zum Dienst am Werk der Mission. Predigt üb. Josua 1, 9. gr. 8. (12 S.) Nürnberg 883. Raw. n. — 20

Müller, Christ., Constructionslehre der Maschinentheile, nebst Resultaten f. den Maschinenbau. Ein Unterrichts- u. Handbuch f. techn. Lehranstalten u. Techniker, m. Atlas, 34 (lith. u.) color. Taf. (in qu. Fol.) enth. Neue Ausg. gr. 8. (XII, 298 S.) Stuttgart 883. A. Koch. n. 10. —

Müller, Chrn., Anleitung zur Prüfung der Kuhmilch. 5. Aufl. gr. 8. (VII, 83 S. m. 2 Tab.) Bern 883. Nydegger & Baumgart. n. 1. 50

Müller, Clotar, der homöopathische Haus- u. Familienarzt. Eine Darstellg. der Grundsätze u. Lehren der Homöopathie zur Heilg. der Krankheiten. 11. Aufl. 8. (XVI, 376 S.) Leipzig 884. O. Wigand. geb. 3. —

Müller, Curt, Savello od. Doge u. Pirate. Trauerspiel in 5 Akten. 8. (132 S.) Leipzig 885. Mutze. n. 1. 50

Müller, Dav., Abriss der allgemeinen Weltgeschichte f. die obere Stufe d. Geschichtsunterrichtes. 1. Tl. Das Altertum. 4. Aufl. Besorgt v. Frdr. Junge. gr. 8. (VIII, 311 S) Berlin 883. Weidmann. n. 3. —

— alte Geschichte f. die Anfangsstufe d. historischen Unterrichts. 8. Aufl. Besorgt v. Frdr. Junge. 8. (174 S.) Ebend. 885. geb. n. 1. 90

Müller, Dav., Geschichte d. deutschen Volkes in kurzgefaßter übersichtlicher Darstellung zum Gebrauch an höheren Unterrichtsanstalten u. zur Selbstbelehrung. 11. Aufl. Besorgt v. Frdr. Junge. Ausg. f. den Schulgebrauch. Mit dem (Lichtdr.-)Bildnis Kaiser Wilhelms von Ant. v. Werner. gr. 8. (XXXVI, 485 S.) Berlin 884. Vahlen. n. 4. 20; geb. n. 5. —; fein geb. m. der Schilling'schen Germania n. 6. —

— Leitfaden zur Geschichte d. deutschen Volkes. 5., verb. Aufl. v. Frdr. Junge. Mit e. (Lichtdr.-)Bildnis Kaiser Wilhelms v. A. v. Werner. 8. (X, 216 S.) Ebend. 885. geb. n. 1. 70

Müller, D. H., sabäische Denkmäler, s.: Mordtmann, J. H.

— vier palmyrenische Grabinschriften im Besitze v. J. C. Samson. [Mit 1 (Lichtdr.-)Taf.] Lex.-8. (7 S.) Wien 885. Gerold's Sohn. n. — 60

— die Keil-Inschrift v. Aschrut-Darya, s.: Wünsch, J.

Müller, D. L., die Erweckungsbewegung in Rheydt im Jahre 1750. Ein Blatt aus der Geschichte d. christl. Lebens am Niederrhein im vor. Jahrh. Nach Urkunden d. Rheydter Kirchenarchivs dargestellt. 8. (VII, 89 S.) Bremen 886. Müller. n. 1. —

Müller, E., aus armen Hütten, } s.: Volksschriften,
— Ulrich Zwingli, } Berner.

Müller, E., die uneingeschränkte Submission im Bauwesen. gr. 8. (30 S) Magdeburg 884. (Schäfer.) n. — 80

Müller, E., Aufgaben zu lateinischen Stilübungen im Anschluß an Ciceros Rede f. P. Sestius. gr. 8. (20 S.) Gotha 883. F. A. Perthes. — 30

Müller, E., Hülfsbuch zur französischen Grammatik. 8. (IV, 90 S.) Hamburg 885. O. Meißner's Verl. n. 1. —

Müller, E. G. Otto, die Ranken der Cucurbitaceen. gr. 8. (54 S.) Breslau 886. (Köhler.) n. 1. —

Müller, E. R., planimetrische Konstruktionsaufgaben, nebst Anleitg. zu deren Lösg. f. höhere Schulen. Methodisch bearb. 8. (VIII, 66 S.) Oldenburg 886. Stalling's Verl. cart. n. 1. 20

— Lehr- u. Übungsbuch der Elementar-Geometrie, den neuesten Ansichten gemäss bearb. 1. Tl.: Quintakursus. gr. 8. (28 S. m. Fig.) Ebend. 886. n. — 40

— Leitfaden der unorganischen Chemie f. Gymnasien, Realgymnasien, höhere Bürgerschulen, Seminare etc. Methodisch-systematisch bearb. 8. (VIII, 53 S.) Ebend. 884. n. — 60

Müller, Ed., Sinn und Sinnverwandtschaft deutscher Wörter nach ihrer Abstammung aus den einfachsten Anschauungen entwickelt. gr. 8. (VIII, 322 S.) Leipzig 885/86. Pfau. n. 6. 40; geb. n. 7. 50

Müller, Ed., Bericht üb. die Untersuchung betr. die anarchistischen Umtriebe in der Schweiz, an den hohen Bundesrath der schweiz. Eidgenossenschaft erstattet. gr. 8. (186 S.) Bern 885. Wyss. n. 2. —; franz. Ausg. (180 S.) n. 2. —

— die Hochschule Bern in den J. 1834—1884. Festschrift zur fünfzigsten Jahresfeier ihrer Stiftg. gr. 8. (V, 227 S.) Bern 884. (Schmid, Francke & Co.) n. 2. 50

Müller, Edwin, Dresden u. die Sächsisch-Böhmische Schweiz. Führer durch Dresdens Kunstschätze u. in die Sächsisch-Böhm. Berge, m. besond. Berücksicht. d. Badeortes Schandau u. seiner Umgebgn 10. Aufl. Mit Illustr u. 18 Spezialkarten u. 1 Generalkarte der Sächs. Schweiz m. Plan v. Dresden. 12. (IV, 121 S.) Berlin 886. Barthol & Co. cart. n. 1. 50

— der Harz. Führer durch das Harzgebirge unter besond. Berücksicht. seiner Bade- u. Luftkurorte m. Einschluß d. Kyffhäuser. 14. Aufl. m. 1 Übersichtskarte u. 37 in den Text eingedr. Spezialkarten. 12. (III, 211 S.) Ebend. 888. cart. 2. —

— das Riesengebirge u. die angrenzenden böhmisch-schlesischen Gebirgszüge m. besond. Berücksicht. der Badeorte u. Stationsorte u. sämmtl. Gebirgswege. Führer f. Badegäste u. Touristen. 9. Aufl. Mit Illustr., 1 Übersichtskarte u. 11 in den Text eingedr. Spezialkarten. 12. (III, 185 S.) Ebend. 883. cart. 2. —

Müller, Edwin, die Insel Rügen m. Berücksicht. der benachbarten Städte d. Festlandes: Stralsund u. Greifswald, u. der angrenz. Küsten d. Zingst u. Darß [Bad Prerow]. Führer f. Badegäste u. Touristen. 13. Aufl. Mit Holzschn., 1 Generalkarte v. Rügen u. 13 Spezialkarten. 12. (VIII, 172 S.) Berlin 886. Barthol & Co. cart. 1. 50

— die Sächsisch-Böhmische Schweiz Führer durch die sächs. Schweiz u. die angrenz. Böhm. Berge. 10. Aufl. Mit Illustr. u. 15 Spezialkarten, sowie e. Übersichtskarte der Sächs. Schweiz, nebst Plan v. Dresden. 12. (121 S.) Ebend. 886. cart. 1. —

— die Seebäder der Inseln Usedom u. Wollin u. der angrenzenden Pommerschen Küste: Swinemünde, Heringsdorf, Ahlbeck, Zinnowitz, Misdroy u. Dievenow, m. Ausflug bis Colberg. Führer f Badegäste u. Touristen. 5. Aufl. Mit Ansichten u. 12 Spezialkarten u. Plänen. 12. (III, 140 S.) Ebend 885. cart. 1. 50

— der Thüringer Wald u. die Ortschaften der Thüringer Saal- u. Werrabahn, m. besond. Berücksicht. der Bade- u. Stations-Orte. Führer f. Touristen u. Badegäste. 12. Aufl. Mit Illustr. u. Übersichtskarte u. 19 in den Text eingedr. Spezialkarten. 12. (III, 208 S.) Ebend. 883. cart. 2. —

Müller, Emil, Beiträge zur Erklärung u. Kritik d. Königs Ödipus d. Sophokles. I. u. II. 4. (71 S.) Grimma 884. (Gensel.) n.n. 2. —

Mueller, Ernst, de numero Ciceroniano. gr. 8. (56 S.) Kiel 886. (Lipsius & Tischer.) n. 1. —

Müller, Ernst, theologia moralis recognita. Liber I—III. gr. 8. (XX, 515, X; 582 u. XII, 565 S.) Wien 886. 87. Mayer & Co. à n. 6. —
Liber I. Ed. V. — Liber II. Ed. IV. — Liber III. Ed. III.

Müller, Eug., 25 (lith.) Blatt Decken-Skizzen. Für Dekorations- u. Zimmermaler. 1. Serie. gr. 4. Frankfurt a/M. 883. (Rommel.) n. 4. 50

— 21 (20 chemigr., 1 chromolith.) Blatt Motive f. Maler. 2. Hft. gr. 8. Ebend. 886. n. 4. — (1. u. 2.: n. 7. —)

— dasselbe. Detailausg. zu Hft. II. gr. Fol. (50 Steintaf.) Nürnberg 886. Ebend. n. 15. —

— Motive zu Schablonen f. Zimmermaler. 1. Hft. 2. Aufl. gr. 8. (20 Bl.) Ebend. 884. n. 3. —

Müller, Eug. Ad., l'aide de la conversation française avec questionnaires et dictionnaire français-allemand. gr. 8. (144 S.) Hannover 885. Meyer. n. 1. 80

Müller-Saalfeld, F., die Lorbeeren d. Herrn v. Moser, s.: Bloch's, E., Dilettanten-Bühne.

Müller, F., de Claudio Rutilio Namatiano Stoico, s.: Festschrift zu der Feier der Einweihung d. neuen Gymnasiums zu Salzwedel.

Müller, F., das Leben Joachim Nettelbecks, s.: Groschenbibliothek.

— die Rache d. Indianers, s.: Volks-Erzählungen, kleine.

Müller, F., siebenbürgische Sagen, s.: Volksbücher, siebenbürgisch-deutsche.

Müller, F., Taschenbuch der medicinisch-klinischen Diagnostik, s.: Seifert, O.

Müller-Beeck, F. G., e. Reise durch Portugal, m. e. geolog. (chromolith.) Karte. gr. 8. (III, 84 S.) Hamburg 883. Friederichsen & Co. n. 3. —

Müller, F. Max, Indien in seiner weltgeschichtlichen Bedeutung. Vorlesungen, geh. an der Universität Cambridge. Vom Verf. autoris. Übersetzg. v. C. Cappeller. gr. 8. (XV, 335 S.) Leipzig 884. Engelmann. n. 7. —; Einbd. n.n. 2. —

Müller, Felix, üb. die Schalenbildung bei Lamellibranchiaten. gr. 8. (41 S.) Breslau 885. (Köhler.) n. 1. —

Müller, Felix, Kalender-Tabellen. gr. 8. (8 S. m. 3 Taf. in qu. gr. 4) Berlin 885. G. Reimer. n. — 80

Müller-Saalfeld, Ferd., f. Weihnachtszeit u. Sommerfrische. Lustige Räthsel u. Charaden. 8. (III, 84 S.) Berlin 885. Ißleib. 1. 20

Müller, Ferd. Aug., das Problem der Continuität in Mathematik u. Mechanik. Historische u. systemat. Beiträge. gr. 8. (IV, 124 S.) Marburg 886. Elwert's Verl. n. 3. —

Müller, Fpp., das Gesetz vom 23. Mai 1883, Nr. 82 R. G. Bl., betr. die theilweise Aenderung der §§. 74 u. 76 d. allgemeinen Grundbuchsgesetzes. Mit Benutzg. der Motive zur betroffenen Regierungsvorlage u. im Zusammenhange m. dem Bezug hab. Gesetze vom 23. Mai 1883, Nr. 83 R. G. Bl., der Ministerialverordng. vom 1. Juni 1883, Nr. 86 R. G. Bl., u. der Instruction vom 11. Juni 1883, Nr. 91 R. G. Bl., erläutert. 8. (52 S.) Wien 884. Manz. n. — 60

Müller, Fr., ethnologischer Bilder-Atlas f. Volks-, Bürger- u Mittelschulen. Nach Angaben u. unter wissenschaftl. Leitg. v. F. M. Nach Originalen v. Aug. Gerasch, in Farbendr. ausgeführt v. Ant. Hartinger & Sohn. Blatt 4, 5 u. 11. Imp.-Fol. Mit Text. gr. 4. (à 1 Bl.) Wien 884. 85. (Lechner's Verl.) à n. 5. —
4. Hottentotten. — 5. Buschmänner. — 11. Amerikanische Indianer.

Müller, Frz., Lehrbuch der Anatomie der Haus-Säugethiere m. besond. Berücksicht. d. Pferdes u. m. physiologischen Bemerkungen. 3. Aufl. Mit 75 Holzschn. gr. 8. (XV, 545 S.) Wien 885. Braumüller. n. 12. —

— Lehre vom Exterieur d. Pferdes od. v. der Beurtheilung d. Pferdes nach seiner äusseren Form. 4. Aufl. Mit 28 Holzschn. u. der (lith.) Abbildg. e. Pferdeskelettes. gr. 8. (VIII, 211 S.) Ebend. 884. n. 4. —

Müller, Frz., Punktir- u. Meßtabellen, nebst kurzer Anleitung zum Messen u. Punktiren d. schweizer. Braun- u. Grauviehes. Hrsg. im Auftrag der Gesellschaft schweizer. Landwirthe. 8. (26 S. m. 35 S. Tab.) Zürich 884. Schmidt. cart. n.n. 1. 20; geb. in Leinw. n.n. 1. 50; in Ldr. n.n. 2. —; Tabellen ohne Text f. Zuchtstiere n. — 20; f. Kühe n.n. — 15; Viehmeßtabellen n. — 12

Müller, Frz., Dispositionen zu den Reden bei Thukydides. Für die Schul- u. Privatlektüre entworfen. gr. 8. (XII, 112 S.) Paderborn 886. F. Schöningh. n. 1. 80

Müller, Frdr., üb. die diagnostische Bedeutung der Tuberkelbacillen. gr. 8. (7 S.) Würzburg 883. Stahel. n. — 60

— über Fettresorption. gr. 8. (5 S.) Ebend. 885. — 30

— Taschenbuch der medicinisch-klinischen Diagnostik, s.: Seiffert, O.

Müller, Frdr., Bemerkungen üb. das Verbum der Koloschischen Sprache. Lex.-8. (12 S.) Wien 884. (Gerold's Sohn.) n. — 40

— Grundriss der Sprachwissenschaft. 3. Bd. Die Sprachen der lockenhaarigen Rassen. 1. u. 2. Abth. gr. 8. Wien, Hölder. n. 20. 40 (cplt.: n. 46. 40)
1. Die Sprachen der Nuba- u. Dravida-Rasse. (IX, 246 S.) 883. n. 5. —
2. Die Sprachen der mittelländ. Rasse. (VIII, 679 S.) 885. 86. n. 15. 40

— die Musuk-Sprache in Central-Afrika. Nach den Aufzeichngn. v. Glob. Adf. Krause hrsg. [Mit 1 Karte.] Lex.-8. (71 S.) Wien 886. (Gerold's Sohn.) n. 1. 80

Müller, Frdr. Louis, Cunewalder Kirchennachrichten 1883. 8. (III, 20 S.) Frankenberg i/S. 884. (Frankfurt a/M., Drescher.) n. — 30

— was ist Trauung? In Fragen u. Antworten kurz behandelt. 8. (17 S. m. 1 Holzschntaf.) Frankenberg 884. Roßberg. — 30

Müller, Frdr. Wilh., üb. die dermaligen Behandlungs-Methoden der venerischen Krankheiten. gr. 8. (64 S.) München 886. Ernst. n. 4. —

— Grundriss der Pathologie u. Therapie der venerischen Krankheiten f. praktische Aerzte u. Studirende. Mit 3 lith. Taf. gr. 8. (XII, 172 S.) Leipzig 884. Veit & Co. n. 4. 60

Müller, G., spectroskopische Beobachtungen der Sterne bis einschliesslich 7. 5ter Grösse in der Zone von — 1° bis + 20° Declination, s.: Vogel, H. G.

— über den Einfluss der Temperatur auf die Brechung d. Lichtes in einigen Glassorten, im Kalkspath u. Bergkrystall, s.: Publicationen d. astrophysikalischen Observatoriums zu Potsdam.

— Untersuchungen üb. Mikrometerschrauben, s.: Beobachtungen, astronomische, auf der königl. Sternwarte zu Berlin.

Müller, G., u. P. **Kempf,** Bestimmung der Wellenlängen v. 300 Linien im Sonnenspectrum, s.: Publicationen d. astrophysikalischen Observatoriums in Potsdam.

Müller, G., zeichnende Geometrie. Mit 9 (lith.) Fig.-Taf. 3. Aufl. 8. (76 S.) Eßlingen 884. (Fröhner.) geb. n. 1. 80

Müller, G., Hilfsbüchlein bei dem Unterricht in der vaterländischen Geographie, zugleich als Begleitwort der Wandkarte v. Ost- u. Westpreußen v. A. Elwenspök u. G. Müller. 4. Aufl. gr. 8. (60 S.) Königsberg 885. Bon's Verl. n. — 60

Müller, G., der Sohn der Sklavin. Eine Erzählg. aus Süd-Amerika. 8. (62 S.) Hamburg 884. Kramer. — 25

Müller, G. Louis, Rundschrift [Ronde]. 16 (lith.) Blätter. 12. Aufl. qu. gr. 8. Stuttgart 883. Maier. n. 1. —

Müller, Geo., die vier wichtigsten Fragen beantwortet. 4. Aufl. 12. (24 S.) Basel 882. Spittler. n. — 10

— das zweite Kommen unseres Herrn Jesu Christi. 12. (24 S.) Ebend. 882. n. — 10

Müller, Geo., zur Morphologie der Scheidewände bei einigen Palythoa u. Zoanthus. Mit 1 (lith.) Taf. gr. 8. (44 S.) Heidelberg 884. C. Winter. n. 1. 40

Müller, Geo., e. Jahr in Schweden. Skizzen nach dem Leben. 8. (162 S.) Berlin 884. F. Luckhardt. cart. n. 2. 50

Müller, Geo. Alfr., Beitrag zur Kenntniss d. Oxyhaemoglobins im Blute der Haussäugethiere u. d. Hausgeflügels. Inaugural-Dissertation. gr. 8. (40 S.) Leipzig 886. G. Wolf. n n. — 90

— die Untugenden der Haustiere, s.: Zürn, F. A.

— Veterinär-Receptir- u. Dispensirkunde. Auf Grundlage der Pharmacopoea germanica Ed. altera bearb. 8. (VIII, 196 S.) Berlin 885. Parey. geb. n. 4. —

Müller, H., Schüler-Herbarium. 2. Aufl. Fol. (43 B.) Cöslin 883. Hendess. In Mappe. n. 1. 60

Müller, H., Duft, s.: Bloch's, E., Theater-Correspondenz.

Müller, H., u. C. **Schulz,** der religiöse Lernstoff f. Volksschulen, im Anschluß an die allgem. Bestimmgn. vom 15. Oktbr. 1872 zusammengestellt u. hrsg. 5. Aufl. 8. (108 S.) Oppeln 885. Franck. n. — 50

Müller, H. Ed., üb. accentuirendmetrische Verse in der französischen Sprache d. XVI—XIX. Jahrh. gr. 8. (IV, 95 S.) Bonn 882. (Behrendt.) n. 1. 50

Müller, H. F., Parzival u. Parsifal, s.: Sammlung v. Vorträgen.

Müller, H. J., symbolae ad emendandos scriptores latinos. Particula III. 4. (31 S.) Berlin 885. Gaertner. n. 1. —

Müller, Hans, Armins Tod. Dramatisches Gedicht in 5 Aufzügen. 8. (VII, 216 S) Frankfurt a/M. 883. Koenitzer. n. 2. 40; geb. n. 3. 50

Müller, Hans, e. Abhandlung üb. Mensuralmusik in der Karlsruher Handschrift St. Peter pergamen. 29a. Mit 1 (Lichtdr.-) Taf. Imp.-4. (III, 24 S.) Leipzig 886. Teubner. n. 4. —

— Hucbalds echte u. unechte Schriften üb. Musik. Mit 3 (lith.) Taf. hoch 4. (IV, 102 S.) Ebend. 884. n. 12. —

— die Musik Wilhelms v. Hirschau. Wiederherstellung, Uebersetzg. u. Erklärg. seines musik-theoretischen Werkes. gr. 4. (XXIV, 85 S. m. 4 Taf.) Frankfurt a/M. 883. Ebend. n. 8. —

Müller, Hans, schöne Seelen. Eine Jägerianergeschichte f. „Wollene" u. solche, welche „Wollene" werden wollen. 16. (45 S.) Leipzig 886. Werther. geb. n. 1. 20

Müller's, Heinr., geistlicher Dank-Altar zum täglichen Lob-Opfer der Christen. Neue Ausg. gr. 8. (VI, 354 S.) Hermannsburg 885. Missionshausdruckerei. n. 1. —

Müller, Heinr., e. Fall v. Hirnsyphilis m. Erweichungsherd im Hirnschenkel u. Veränderungen an den Kernen der Medulla oblongata unter dem Bilde e. apoplektiformen Bulbärparalyse, verbunden m. hochgrad. Ataxie. gr. 8. (36 S.) Helmstedt 886. (Göttingen, Vandenhoeck & Ruprecht.) n. — 80

Müller, Heinr. Dietr., lateinische Formenlehre u. Hauptregeln der Syntax, } s.: Lattmann, J.
— kurzgefaßte lateinische Grammatik, }

Müller, Heinr. Dietr., sprachgeschichtliche Studien. gr. 8. (IV, 202 S.) Göttingen 884. Vandenhoeck & Ruprecht's Verl. n. 4. 40

— griechisches Übungsbuch, s.: Lattmann, J.

— u. J. **Lattmann,** griechische Grammatik f. Gymnasien. Auf Grundlage der vergleich. Sprachforschg. bearb. 1. Tl. Formenlehre. 4. Aufl. gr. 8. (VIII, 179 S.) Göttingen 886. Vandenhoeck & Ruprecht's Verl. n. 1. 80; geb. n. 2. 20

Müller-Breslau, Heinr. F. B., die neueren Methoden der Festigkeitslehre u. der Statik der Baukonstruktionen, ausgehend von dem Gesetze der virtuellen Verschiebgn. u. den Lehrsätzen üb. die Formänderungsarbeit. Mit 121 Textfig. in Holzschn. gr. 8. (IV, 192 S.) Leipzig 886. Baumgärtner. n. 6. —

— die wichtigsten Resultate f. die Berechnung eiserner Träger u. Stützen, f. den Gebrauch bei Anfertigg. baupolizeil. statischer Berechngn. zusammengestellt u. durch zahlreiche der Praxis entlehnte Beispiele erläutert. Mit 75 Holzschn. im Text u. 5 Taf. in Photocopie. 2. Aufl. gr. 8. (VIII, 109 S.) Ebend. 883. geb. n. 5. —

— Theorie d. durch e. Balken verstärkten steifen Bogens. Mit 3 lith. Taf. gr. 4. (62 Sp.) Leipzig 883. Felix. n. 1. 60

— Vereinfachung der Theorie der statisch unbestimmten Bogenträger. Imp.-4. (66 S. m. eingedr. Fig.) Hannover 885. (Schmorl & v. Seefeld.) n. 2. —

Müller, Heinr. Karl, üb. Resonanzschwingungen gespannter Saiten. 4. (32 S.) Fulda 884. (Nehrkorn.) n. 1. —

Müller, Herm., Heideläufers Friedel od. der Herr führt alles herrlich hinaus. Eine Erzählg. f. die Jugend. Mit 4 Stahlst. 12. (100 S.) Stuttgart 884. Schmidt & Spring. cart. — 75

— der Stadtpfeifer v. Schönau od. die Sünde ist der Leute Verderben. Eine Erzählg. f. die Jugend. 12. (88 S.) Ebend. 883. cart. — 75

Müller, Herm., die preußische Justizverwaltung. Eine systemat. Darstellg. der die administrativen Geschäfte der Justiz betr. Vorschriften. Auf amtl. Veranlassg. u. unter Benutzg. der Akten d. Justizministeriums hrsg. 2. Aufl. gr. 8. (VIII, 883 S.) Berlin 883. R. Kühn. n. 15. —

Müller, Herm., Erklärung der Faust-Vorstellungen am königl. Theater zu Hannover. Mit Benutzg. der von Düntzer hrsg. „Erläuterungen" zusammengestellt. 8. (55 S.) Hannover 883. Helwing's Verl. n. — 60

— das königl. Hoftheater zu Hannover. Ein Beitrag zur deutschen Theatergeschichte. 2. Ausg. 8. (VIII, 273 S.) Ebend. 884. n. 3. —

Müller, Herm., unregelmäßige griechische Verba, in alphabet. Zusammenstellg. u. nach Konjugationsklassen f. Schüler mittlerer Gymnasien bearb. 6. Aufl. gr. 8. (23 S.) Tübingen 883. Fues. n. — 60

Müller, Herm., Arbeitstheilung bei Staubgefässen v. Pollenblumen. Mit 10 (eingedr.) Holzschn. gr. 8. (19 S.) Stuttgart 883. (Berlin, Friedländer & Sohn.) n. 1. 20

— ein Beitrag zur Lebensgeschichte der Dasypoda hirtipes. Mit 2 (lith.) Taf. gr. 8. (52 S.) Ebend. 885. n. 2. —

— Versuche üb. die Farbenliebhaberei der Honigbiene. gr. 8. (27 S.) Ebend. 883. n. 1. 50

Müller, Herm., einige seltenere congenitale Neubildungen an Kopf u. Gesicht. gr. 8. (37 S. m. 1 Steintaf.) Jena 885. (Neuenhahn.) n. 1. 35

Müller, Herm., 100 frische Lieder zum Gebrauche bei Schülerturnfahrten. schmal 8. (III, 76 S.) Düsseldorf 886. F. Bagel. geb. n. — 80

Müller, Herm., Leitfaden zum Unterrichte in der elementaren Mathematik, m. e. Sammlg. v. Aufgaben. 9. Aufl. d. Geo. Mayer'schen Leitfadens. 2 Abtlgn. gr. 8. München, Lindauer. à n. 1. 75

1. Arithmetik. (V, 129 S.) 885. — 2. Geometrie u. Trigonometrie. Mit 132 Holzschn. (VI, 149 S.) 886.

Müller, Herm. Alex., Lexikon der bildenden Künste. Technik u. Geschichte der Baukunst, Plastik, Malerei u. der graph. Künste; Künstler, Kunststätten, Kunstwerke.

Mit 480 Abbildgn. 17 Lfgn. 8. (VI, 965 S.) Leipzig 883. 884. Bibliograph. Institut. n. 8. 50

Müller, Herm. Alex., französische Maler d. 18. u. 19. Jahrh., s.: Klassiker-Bibliothek der bildenden Künste.

Müller, Herm. Frdr., Dispositionen zu den drei ersten Enneaden d. Plotinos. gr. 8. (III, 102 S.) Bremen 883. Heinsius. n. 2. —

Müller, Hub., die Elemente der Planimetrie. Ein Beitrag zur Methode d. geometr. Unterrichts. 8. (V, 63 S. m. 2 Steintaf.) Metz 883. Scriba. n. 1. 20

— die Elemente der Stereometrie. Ein Beitrag zur Methode d. geometr. Unterrichts. 8. (III, 60 S. m. 2 Steintaf.) Ebend. 883. n. 1. 20

Müller, J., kritischer Versuch üb. den Ursprung u. die geschichtliche Entwicklung d. Pesach- u. Mazzothfestes. [Nach den pentateuch. Quellen.] Ein Beitrag zur hebräisch-jüd. Archäologie. gr. 8. (VII, 85 S.) Bonn 883. Weber. n. 2. —

Müller, I., von Innsbruck nach Bludenz, s.: Touristen-Führer.

Müller, J., der Familienarzt. Ein Hausbuch zur richt. Erkenntniß der im menschl. Leben am häufigsten vorkomm. Krankheiten, m. Angabe der Ursachen, Behandlg., d. Verlaufs u. der Mittel zur Heilg. derselben, sowie auch m. Franzbranntwein u. Salz. gr. 8. (VIII, 178 S.) Bern 885. Jenni. n. 2. —

— Dr. Raspail's neues Heilverfahren od. theoret. u. prakt. Anweisg. zur Selbstbehandlung der meisten heilbaren Krankheiten u. zur Selbstbereitg. der einfachen, bill. u. bewährten Heilmittel der neuen Schule. gr. 8. (VIII, 178 S.) Ebend. 885. n. 2. —

Müller, J., zur Würdigung d. Thukydides vom ethischen Standpunkte aus. gr. 8. (27 S.) Wien 885. (Pichler's Wwe. & Sohn.) n. — 50

Müller, J., vor- u. frühreformatorische Schulordnungen u. Schulverträge, s.: Sammlung selten gewordener pädagogischer Schriften früherer Zeiten.

Müller, J. B., die Schmerzen der Mutter Gottes. Ein Lehr-, Gebet- u. Betrachtungsbüchlein f. die Mitglieder der Scapulier-Bruderschaft, die Liebhaber d. Rosenkranzes u. frommen Besucher der Stationen v. den 7 Schmerzen Mariä, sowie f. alle Verehrer der schmerzhaften Mutter Gottes. 16. (248 S. m. 1 Stahlst.) Dülmen 886. Laumann. geb. n. — 75

Müller, J. G., Gedichte, s.: Erinnerungen an J. G. Müller.

Müller, J. L., Abendmahls-Büchlein od. Selbstbetrachtungen f. evangel. Communicanten, nebst Anh.: Zum Confirmationstage. 12. Aufl. Mit e. Vorwort v. Rieden. 8. (VIII, 134 S.) Bremen 885. Müller. cart. n. — 75; Velin-Ausg. 11. Aufl. geb. n. 1. —

— die lebendige Hoffnung der Christen od. Blicke d. Glaubens auf die Dinge der zukünftigen Welt, den Mitpilgern zur Heimat dargeboten zu Trost, Ermunterg. u. Belebg. der ewigen Hoffng. 4. Aufl. 8. (VIII, 113 S.) Ebend. 885. n. 1. 20; geb. m. Goldschn. n.n. 2. 20

Müller, J. P., E. Muser, A. Roth, die badische Gemeindevoranschlagsanweisung u. Gemeinderechnungsanweisung f. die der Städteordnung nicht unterstehenden Gemeinden. Mit Erläutergn., Zusätzen u. Formularien. gr. 8. (VI, 415 S.) Karlsruhe 883. Reuther. n. 4. 70

Müller, J. P., Flora der Blütenpflanzen d. bergischen Landes. Zum Gebrauche in den Schulen, unter Mitwirkg. v. E. Hintzmann hrsg. 2. Aufl. 8. (XV, 149 S.) Remscheid 885. Krumm. n. 1. 80

Müller, Joh., Lehrbuch der Physik u. Meteorologie. Theilweise nach Pouillet's Lehrbuch der Physik selbständig bearb. Ergänzungsbd. A. u. d. T: Lehrbuch der kosmischen Physik. 4. Aufl. 2. Ausg. Mit 431 in den Text eingedr. Holzst. u. 25 dem Texte beigegebenen, sowie e. Atlas v. 46 zum Thl. in Farbendr. ausgeführten Taf. (in 4. m. 2 S. Text.) gr. 8. (XXV, 851 S.) Braunschweig 883. Vieweg & Sohn. n. 12. —

Müller, Joh., der Stil d. älteren Plinius. gr. 8. (XI, 158 S.) Innsbruck 883. Wagner. n. 4. —

Müller's, Prof. Oberschulherr D. Joh. Geo., Lebensbild, s.: Stokar, K.

Müller's, Joh. Nep., Volks-Predigten. Hrsg. v. Leonard Widemayr. 1. u. 2. Bd. gr. 8. Brixen, Weger. n. 8. 80
1. Sonntags-Predigten. (XII, 480 S.) 883. n. 4. —
2. Festtags-Predigten. [Fest-Zeiten, Feste d. Herrn u. einiger Heiligen.] (IV, 588 S.) 886. n. 4. 80

Müller, Johs., Untersuchungen üb. das Verhalten d. Convolvulins u. Jalapins im Thierkörper. gr. 4. (29 S.) Dorpat 885. (Schnakenburg.) — 80

Müller, Johs., die wissenschaftlichen Vereine u. Gesellschaften Deutschlands im 19. Jahrh. Bibliographie ihrer Veröffentlichgn. seit ihrer Begründg. bis auf die Gegenwart. 1—8. Lfg. 4. (S. 1—640) Berlin 883—86. Asher & Co. à n. 6. —

Müller, Johs., Luthers reformatorische Verdienste um Schule u. Unterricht. 2. Aufl. gr. 8. (65 S.) Berlin 883. Gaertner. n. 1. —

Müller, Johs., die Verfassung der christlichen Kirche in den ersten beiden Jahrhunderten u. die Beziehungen derselben zu der Kritik der Pastoralbriefe. gr. 8. (52 S.) Leipzig 885. (Scholtze.) n. 1. —

Müller, Johs. Paul, die deutschen Schulen im Auslande, ihre Geschichte u. Statistik. Unter Mitwirkg. zahlreicher Schulmänner zusammengestellt. gr. 8. (XVI, 176 S. m. 1 Taf.) Breslau 885. F. Hirt. n. 2. —

Müller, Jos., Predigt, geh. an der Schlachtfeier in Sempach, Montag den 9. Heumonat 1883. gr. 8. (19 S.) Luzern 883. (Räber.) n. — 30

Müller, Jos., das sociale Übel der Trunksucht u. des Wirtshauslebens der Gegenwart. Vortrag. Nebst e. Anh., „üb. die christl. Arbeit" v. demselben Verf. Hrsg. vom Schweizer. Piusverein. 8. (23 S.) Solothurn 885. (Schwendimann.) n. — 20

Müller, Iwan, s.: Handbuch der klassischen Altertums-Wissenschaft.

— Franz Liszt. Vortrag. gr. 8. (33 S.) Erlangen 883. Deichert. n. — 40

— specimina I. et II. novae editionis libri Galeniani, qui inscribitur ὅτι ταῖς τοῦ σώματος κράσεσιν αἱ τῆς ψυχῆς δυνάμεις ἕπονται. 4. Ebend. n. 1. 40
I. (15 S.) 880. n. — 60. — II. (19 S.) 885. n. — 80

Müller, K. Fr., Karl Kraepelin. Zur Erinnerg. an sein Leben u. seine künstler. Thätigkeit. Mit e. Bildnis Kraepelins u. einigen Briefen Fritz Reuters. 8. (80 S. m. 1 Fcsm.) Hamburg 884. Schlotke. n. 1. 20; geb. n. 1. 50

Müller, Karl, der Auswanderer, s.: Erzählungen aus Heimat u. Ferne.

— der junge Auswanderer, s.: Jugendbibliothek, neue.

— in der Gefangenschaft der Shawnee-Indianer; unter Piraten u. auf einer wüsten Insel, s.: Volks-Erzählungen, kleine.

— die Hand am Pflug u. Gott im Herzen, s.: Jugendbibliothek, neue.

— feurige Kohlen, s.: Erzählungen aus Heimat u. Ferne.

— dasselbe, s.: Jugendbibliothek, neue.

— Oberon, der Elfenkönig, s.: Universal-Bibliothek f. die Jugend.

— die Opal-Grube, s.: Erzählungen aus Heimat u. Ferne.

— dasselbe; aus dem Goldsucher-Leben, s.: Jugendbibliothek, neue.

— der blinde Passagier; die beiden Auswanderer, s.: Erzählungen aus Heimat u. Ferne.

— praktische Pflanzenkunde f. Handel, Gewerbe u. Hauswirthschaft. Ein Handbuch der sämtl. f. den menschl. Haushalt nützl. Pflanzen. Mit 140 farb. Abbildgn. auf 24 Taf. 10 Lfgn. Lex.-8. (IV, 314 S. m. 22 Taf.) Stuttgart 884. Thienemann. à — 75 (cplt. cart.: n. 9. —)

— der Prärie-Doktor; der Findling, s.: Erzählungen aus Heimat u. Ferne. — Jugendbibliothek, neue.

— Rübezahl, der Herr d. Riesengebirges. Für die Jugend erzählt. Mit 36 Holzschn. u. 4 Buntbildern nach Zeichngn. v. Wold. Friedrich. 3. Aufl. 8. (IV, 272 S.) Leipzig 886. Abel. cart. n. 2. —

Müller, Karl, der Sohn des Kunstreiters, s.: Erzählungen aus Heimat u. Ferne.

Müller, Karl, die Anfänge d. Minoritenordens u. der Bussbruderschaften. gr. 8. (XII, 210 S.) Freiburg i/Br. 885. Mohr. n. 5. —

— die Waldenser u. ihre einzelnen Gruppen bis zum Anfang d. 14. Jahrh. gr. 8. (XII, 172 S.) Gotha 886. F. A. Perthes. n. 3. —

Müller, Karl, Winke zur geistigen u. sittlichen Fortbildung f. Jünglinge. 16. (VIII, 392 S.) Göppingen 862. Herwig's Verl. n. 1. 20; geb. in Halbleinw. n. 1. 80; in Leinw. n 2. —

Müller's, Karl Otfr., Geschichte der griechischen Litteratur bis auf das Zeitalter Alexanders. Fortgesetzt v. Emil Heitz. 2. Bd. 2. Hälfte. gr. 8. (VI, 462 S.) Stuttgart 884. Heitz. n. 6. — (I—II, 2.: n. 18. —)

Mueller, Karl Otfried, s.: Briefwechsel zwischen Boeckh u. K. O M.

Müller, K. Th., der einjährig-freiwillige Dienst. Zusammenstellung der bezügl. Verordngn. u. Erlasse zur Orientierung f. junge Leute, welche ihrer Militärpflicht als Einjährig-Freiwillige [sei es m. der Waffe bei den verschiedenen Truppengattgn., od. als Arzt, od. als Pharmazeut, od. als Veterinär] Genüge zu leisten beabsichtigen. gr. 8. (46 S.) München 886. Oldenbourg. n. — 75

Müller, Karl W. Ph., die Principien d. Protestantismus. gr. 8. (48 S.) Straßburg 883. (Trübner.) n. — 80

— der Zusammenbruch d. theologischen Protestantismus u. die Lösung d. 300jährigen Räthsels. gr. 8. (36 S.) Ebend. 883. n. — 80

Müller, Konr., u. H. O. Reddersen, Erzählungen aus der biblischen Geschichte. Auf Grund der Scholarchatsverordng. vom Novbr. 1878, betr. den religiösen Unterrichts- u. Memorierstoff, bearb. 5. Aufl. 8. (VIII, 152 S.) Bremen 884. v. Halem. geb. n.n. 1. —

Müller, L., praktisches Handbuch der Land- u. Hauswirthschaft mit vielen (eingedr. Holzschn.-)Abbildgn. zu Nutz u. Lehr d. Landwirths, sowie zum Gebrauch in Ackerbau- u. Fortbildungsschulen. gr. 8. (448 S.) Eßlingen 885. Langguth. n. 4. 40; geb. n. 5. —

— des Landwirts goldenes Schatzkästlein. Bewährte Erfahrgn. u. Beobachtgn. aus dem Gebiete der Land- u. Hauswirtschaft. Zu Nutz u. Lehr d. Landwirts in vielen erprobten Recepten aus dem Wochenblatt f. Landwirtschaft gesammelt u. geordnet. Ster.-Ausg. 8. (112 S.) Reutlingen 885. Enßlin & Laiblin. — 75

— der praktische Obstbaumzüchter m. vielen (eingedr.) Abbildgn. Gründliche Anleitg. zur Zucht u. Pflege der wichtigsten Obstsorten. 2. Aufl. 8. (31 S.) Eßlingen 885. Langguth. n. — 25

Müller, L., das Rondel in den französischen Mirakelspielen u. Mysterien d. XV. u. XVI. Jahrh., s.: Ausgaben u. Abhandlungen aus dem Gebiete der romanischen Philologie.

Müller, L., der Glaube e. gewisse Zuversicht. Predigten üb. das 11. Kapitel d. Hebräerbriefes. gr. 8. (V, 282 S.) Gotha 885. F. A. Perthes. n. 4. —

Müller, L. A. v., die Krankenversicherung der Arbeiter. Abdruck d. Reichsgesetzes vom 15. Juni 1883, betr. die Krankenversicherg. der Arbeiter, d. bayer. Ausführungsgesetzes vom 28. Febr. 1884, der k. Verordngn. vom 14. Mai 1884 u. der Vollzugsbekanntmachgn. f. Bayern, dann der vom Bundesrath veröffentlichten Entwürfe zu Statuten v. Orts- u. Betriebskrankenkassen &c. Mit einleit. Bemerkgn., sowie ausführl. Sachregister hrsg. Ergänzungsheft zu v. Riedel's Kommentar zum bayer. Gesetz üb. öffentliche Armen- u. Krankenpflege vom 29. Apr. 1869 [3. Aufl.]. 2. Aufl. gr. 8. (XXVI, 168 S.) Nördlingen 885. Beck. n. 2. —

Mueller, Lucian, Lucilianа. Ueber einige Beiträge zur Literatur d. Lucilius. gr. 8. (24 S.) Berlin 884. Calvary & Co. n. 1. 20

— Metrik der Griechen u. Römer. Für die obersten Klassen der Gymnasien u. angeh. Studenten der Philologie bearb. Mit e. Anh.: Entwicklungsgang der antiken Metrik. 2. Ausg. gr. 8. (XII, 86 S.) Leipzig 885. Teubner. geb. n. 1. 50

— Quintus Ennius. Eine Einleitg. in das Studium der röm. Poesie. gr. 8. (IX, 313 S.) St. Petersburg 884. Ricker. n. 8. —

Mueller, Lucian, der saturnische Vers u. seine Denkmäler. gr. 8. (VIII, 175 S.) Leipzig 885. Teubner. n. 4. —

Müller, Ludw., geschichtliche Nachrichten üb. die Umgegend v. Erlangen. 8. (102 S.) Erlangen 885. (Deichert.) n. 1. —

Müller, Ludw. Aug. v., das bayerische Gesetz üb. Heimat, Verehelichung u. Aufenthalt vom 16. Apr. 1868, 23. Febr. 1872 u. 21. Apr. 1884. Handausg. m. Erläutergn. unter besond. Berücksicht. der ergangenen Vollzugsvorschriften, sowie der Erkenntnisse d. Verwaltungsgerichtshofes u. einschläg. Reichsgesetze. 8. (III, 126 S.) Nördlingen 884. Beck. cart. n. 1. 40

Müller, M., in den Händen der Thugs, s.: Volks-Erzählungen, kleine.

Müller, M., Geschichtsbilder zum Gebrauche der Volksschule. 21. Aufl. Ausg. f. Baden. 8. (VIII, 103 S.) Stuttgart 884. Metzler's Verl. cart. n. — 80

Müller, Marie, kurze Anleitung zum Verständnis u. Gebrauch der Fröbel-Methode in Ausübung u. Beschäftigungen. 8. (31 S.) Basel 884. Riehm. cart. — 60

— Kinderlied — Kinderspiel. Neue Spiele u. Lieder, nebst e. Sammlg. beliebter Spiele, Gedichte, Rätsel &c. u. e. Zusammenstellg. v. Frei- u. Ordnungsübgn. Für den Kindergarten, das Haus u. die Elementarklasse. 8. (XVI, 184 S.) Düsseldorf 886. F. Bagel. cart. n. 2. —

— Kinderlieder f. Schule u. Haus [in Basler Mundart]. Mit Bildern. 2. Aufl. 8. (96 S.) Basel 886. Spittler. n. — 80; cart. n. 1. 20; geb. n. 1. 60

Müller, Max, üb. die Ermittlung d. Prozentgehaltes der Sool- u. Moorbäder. Vortrag. gr. 8. (23 S.) Berlin 883. Grosser. n. — 50

Müller, Michael, praktische Betrachtungen üb. die Parabel vom Verlorenen Sohn. Besonders zum Gebrauch in der Fastenzeit u. bei geistl. Uebungen. Aus dem Engl. übers. 2. Ausg. Mit 1 Stahlst. 8. (628 S.) Freiburg i/Br. 884. Herder. 3. —

Müller sen., Mor., bis zum letzten Athemzuge! Eine Streitschrift nach verschiedenen Richtgn. 3. Abdr. gr. 8. (35 S.) Pforzheim 884. Delffs. n. — 80

— zur Aufklärung in der Goldwaaren-Fabrikation u. im Goldwaaren-Handel. Allen Interessenten gewidmet. gr. 8. (16 S.) Stuttgart 884. Ebend. n. — 50

— die Fortsetzung unseres Lebens im Jenseits. Vertheidigt gegen die rabiate Unsterblichkeitsleugnerei. gr. 8. (109 S.) Halle 884. Pfeffer. n. 1. 80

— über „berechtigte Kerne“, sowie üb. die Zeit, wo vielleicht „nicht mehr gewählt werden wird“. Eine Denkanrege. gr. 8. (43 S.) Pforzheim 885. Delffs. n. 1. —

— über der „Weisheit letzten Schluß!“ Mit krit. Bemerkgn. üb. pessimist. Ansichten u. Aussprüche v. A. Schopenhauer, E. v. Hartmann, Ph. Mainländer, Max Nordau, Johs. Scherr u. andere Pessimisten, sowie üb. diejenigen demokrat. Parteigenossen, welche der pessimist. Weltanschauung huldigen. gr. 8. (106 S.) Berlin 886. Friedrich Nachf. n. 1. 50

Müller, Nathanael, Erbauungsbibel. Das ist e. Erbauungsbuch, zusammengestellt aus bloßen Bibelstellen in Luthers Uebersetzg. 1. Tl.: Neues Testament. gr. 8. (XI, 99 S.) Gotha 885. F. A. Perthes. n. 1. —

Müller, O., Glaubenstrost. Predigten. 8. (VIII, 128 S.) Basel 883. Spittler. n. 1. 20

— die Gottesoffenbarung in Jesu Christo. Kurze bibl. Unterweisg. in der christl. Glaubens-, Hoffnungs- u. Liebeslehre f. schlichte Schriftforscher u. besonders f. Konfirmanden. 8. (60 S.) Ebend. 882. geb. n. — 40

Müller, Otto, Altar u. Kerker. Ein Roman aus den dreißiger Jahren. 3 Bde. 8. (III, 146, 167 u. 204 S.) Stuttgart 884. Bonz & Co. n. 6. 50; geb. n. 7. 50

— Schatten auf Höhen. Roman. 2 Bde. 2. Aufl. 8. (234 u. 239 S.) Ebend. 883. n. 5. —

— der Tannenschütz. Eine Volkserzählg. aus dem Vogelsberg. [4. Abdr.] 8. (154 S.) Ebend. 883. n. 1. —

Müller, Otto, die Zellhaut u. das Gesetz der Zelltheilungsfolge v. Melosira arenaria Moore. Mit 5 (lith.) Taf. gr. 8. (62 S.) Berlin 883. Borntrӓger. n. 4. —

Müller, Otto, die Organisations-Bestrebungen der Stolze'schen Schule. Ein Beitrag zur inneren Geschichte der Stolze'schen Stenographie. gr. 8. (60 S.) Berlin 883. (Hohn.) n. — 75

Müller, Otto, die Kunst der Beredtsamkeit. Eine auf Erfahrg. begründete Anleitg., d. geschriebenen u. lebend. Wortes in der Umgangs- u. Schriftsprache durch Selbstunterricht Meister zu werden. 2. Aufl. 8. (VI, 192 S.) Wien 884. Hartleben. 1. 50

Müller, Otto, Schönschreibhefte. Deutsche Schrift. 9 Hfte. 4. verb. Aufl. qu. 4. (à 24 S.) Halle 886. Hendel. à n. — 10

— dasselbe. Lateinische Schrift. 8 Hfte. 4. verb. Aufl. qu. 4. (à 24 S.) Ebend. 886. à n. — 10

— dasselbe. Geschäfts-Aufsätze. 8 Hfte. 4. verb. Aufl. qu. 4. (à 24 S.) Ebend. 886. à — 12

Müller, P., kurze Geschichte v. Hessen. Ein Anhang zu jedem Lehrbuch der Geschichte. Für hess. Schulen bearb. 2. Aufl. 8. (VIII, 72 S. m. 1 chemittyp. Portr. u. 1 chromolith. Karte.) Gießen 883. Roth. n. — 60

Müller, P., üb. d. Einpressen d. Kopfes in den Beckenkanal zu diagnostischen Zwecken, s.: Sammlung klinischer Vorträge.

— die Sterilität der Ehe, Entwicklungsfehler d. Uterus, s.: Chirurgie, deutsche.

— dasselbe, s.: Handbuch der Frauenkrankheiten.

— die Unfruchtbarkeit der Ehe. Für Aerzte bearb. Mit Holzschn. gr. 8. (XV, 193 S.) Stuttgart 885. Enke. n. 5. —

Müller, P. Joh., das Deutsche Reich in seiner Entwicklung u. Gestaltung. Ein geograph. Handbuch f. den Schulgebrauch, sowie zum Selbststudium. 8. (XII, 304 S.) Langensalza 884. Schulbuchh. 2. 40

Müller, Paul, Verzeichniss sämmtlicher Nummern 1—100 Köng. Sächs. Landes-Lotterie, welche m. Gewinnen v. u. üb. 5000 Thaler bez. 15000 Mark gezogen worden sind. 12. (34 S.) Riesa 882. (Leipzig, Werther.) — 50

Müller, Paul, das Riesenthor d. St. Stephansdomes zu Wien. Seine Beschreibg. u. seine Geschichte. Mit 6 Taf. u. 14 Abbildgn. im Text. gr. 8. (59 S.) Innsbruck 883. Wagner. n. 3. —

Müller, Paul Rich., u. Mor. **Müller,** Übungsstücke zum Übersetzen aus dem Deutschen in das Lateinische f. Tertia der Gymnasien u. die entsprechenden Klassen verwandter Lehranstalten im Anschluß an Cäsars gallischen Krieg. 2 Tle. 2. Aufl. 8. Halle, Niemeyer. à n. — 80
1. [1—4. Buch.] Bearb. v. P. R. Müller u. M. Müller. (VI, 84 S.) 884.
2. [5—7. Buch.] Bearb. v. P. R. Müller. (III, 88 S.) 883.

Müller, Pauline, neues Kochbuch f. Haushaltungen aller Stände m. 570 nach eigener Erfahrg. erprobten Rezepten zur schnellen, bill. u. schmackhaften Zubereitg. der verschiedenartigsten Speisen, Backwerke u. Getränke. 6. Aufl. 16. (XXIV, 264 S.) Reutlingen 885. Fleischhauer & Spohn. cart. — 75

Müller, R., das Staatsrecht d. Fürstenth. Reuß jüngerer Linie, s.: Handbuch d. öffentlichen Rechts der Gegenwart.

Müller, R., ist die jetzige Staatshilfe f. unsere so schwer geschädigte Viehzucht ausreichend? Unter Mitwirkg. unserer, dem Hrn. Reichskanzler am 1. März 1882 eingereichten, in Nrn. 131 u. 184 der „Nordd. Allg. Z." citirten u. in Nr. 20 der „D. L. Pr." veröffentlichten Denkschrift: „Mittel u. Wege, die Rentabilität unserer Viehzucht wieder herzustellen." gr. 8. (28 S.) Berlin 885. Parey. n. 1. —

Müller, Rich., 113 Choräle, auf Grund d. vierstimm. Choralbuchs zu dem Gesangbuche f. die evangelisch-luther. Landeskirche d. Königr. Sachsen f. mittlere u. höhere Schulen teils dreistimmig, teils drei- u. zweistimmig gesetzt. gr. 8. (III, 80 S.) Leipzig 884. M. Hesse. n. — 40

— 70 dreistimm. Choräle f. den Schulgebrauch gesetzt. 2. Aufl. 8. (IV, 36 S.) Leipzig 882. Brandstetter. cart. — 60

— Leitfaden beim Gesangunterricht in Schulen. gr. 8. (16 S.) Leipzig 880. Kahnt. n. — 30

— musikalisch-technisches Vokabular. Die wichtigsten Kunstausdrücke der Musik, englisch-deutsch, deutsch-englisch, sowie die gebräuchlichsten Vortragsbezeichngn. etc. italienisch-englisch-deutsch. gr. 8. (IV, 84 S.) Leipzig 886. Kahnt. n. 1. 50

Müller, Rob., üb. Cirrhosis hepatis im Kindesalter. gr. 8. (39 S.) Göttingen 882. (Vandenhoeck & Ruprecht.) n. 1. —

Müller, Rud., die Prof. Dr. Aloys Klar'sche Künstlerstiftung, nach ihrer Bedeutg. u. Wirksamkeit, unter Beischluss biograph. Skizzen, gewürdigt. Hrsg. zur Feier d. ersten 50jähr. Jubiläums der Stiftg. v. dem gegenwärt. Stiftungspräsentator u. Enkel d. Stifters Rud. Maria Klar. gr. 8. (IV, 97 S.) Prag 883. Kytka. n. 1. 20

Müller, Rud., schädigen die Kirchhöfe die Gesundheit der Lebenden? 8. (32 S.) Dresden 885. Knecht. n. — 50

Müller, Susanne, die Hausfrau auf dem Lande. 2., vollständig umgearb. u. verm. Aufl. Mit 24 Holzschn. 8. (III, 208 S.) Stuttgart 885. Ulmer. cart. n. 1. 30

— das fleißige Hausmütterchen. Mitgabe in das prakt. Leben f. erwachsene Töchter. Mit üb. 100 in den Text gedr. Abbildgn. 10. Aufl. gr. 8. (640 S.) Zürich 884. Schmidt. n. 5. —; geb. n.n. 8. —

— neuer systematischer Zuschneide-Unterricht f. Schule u. Haus m. Anleitungen zur Anfertigung der Schnittgegenstände. Praktische Orig.-Arbeit. 1. Thl. gr. 8. (VI, 81 S.) Ebend. 883. n. 1. 20

Müller, Th., Kunstgewerbe u. Handwerkerfrage, s.: Zeitfragen, soziale.

Müller, Thdr., Statistik der Amputationen der königl. chirurgischen Klinik zu Breslau vom J. 1877 bis März 1884. gr. 8. (65 S.) Breslau 884. (Köhler.) n. 1. —

Müller, Thdr., angelsächsische Grammatik. Aus dem handschriftl. Nachlasse d. Verf hrsg. v. H. Hilmer. gr. 8. (XI, 257 S.) Göttingen 883. Vandenhoeck & Ruprecht's Verl. n. 4. 40

Müller, Thdr., methodisches Lehrbuch der englischen Sprache f. Realgymnasien u. Realschulen, Handels- u. Töchterschulen. 1. u. 2. Tl. gr. 8. Braunschweig, Vieweg & Sohn. n. 6. —
1. (XII, 338 S.) 885. n. 2. 50. — 2. (XII, 423 S.) 886. n. 3. 50

Müller, Thdr., die Senegal- u. oberen Nigerländer. gr. 8. (50 S) Leipzig 886. Fock. n. 1. —

Müller, Thdr. Aug., üb. das Privateigenthum an katholischen Kirchengebäuden. gr. 8. (126 S.) München 883. Kellerer's Buchh. n. 1. 60

Müller, Vict., Leitfaden zum griechischen, römischen, deutschen Sagenunterrichte. 2. verb. Aufl. 8. (16 S.) Altenburg 887. Bonde's Verl. n. — 25

Müller, W., die Schiffsmaschinen, ihre Konstruktionsprinzipien, sowie ihre Entwickelg. u. Anordng Nebst e. Anh.: Die Indikatoren u. die Indikatordiagramme. Ein Handbuch, f. Maschinisten u. Offiziere der Handelsmarine bearb. Mit 100 Holzst. 8. (VIII, 259 S.) Braunschweig 884. Vieweg & Sohn. n. 5. —; geb. n. 5. 75

Müller, W., das Baurecht in den landrechtlichen Gebieten Preußens unter besond. Berücksicht. der in den übrigen preußischen Landestheilen geltenden, sowie der außerpreußischen Gesetzgebung. gr. 8. (VIII, 148 S.) Berlin 883. H. W. Müller. cart. n. 4. —

Müller, W., die sel. Jungfrau Stilla, Gräfin v. Abenberg. Leben, Wunder, Verehrg., Grab *x.* der Seligen, 9 Betrachtgn. üb. ihr Leben, Andachtsübgn., nebst e. Anh. der gewöhnl. Gebete e. kath. Christen. Mit 7 Illustr. u. 1 Titelbild. 8. (VIII, 136 S.) Amberg 883. Habbel. n. — 70

Müller von Königswinter, W., sie hat ihr Herz entdeckt, s.: Bloch's, E., Theater-Correspondenz.

Müller, Wilh., die Massenverhältnisse d. menschlichen Herzens. gr. 8. (V, 220 S.) Hamburg 883. Voss. n. 9. —

Müller, Wilh., südamerikanische Nymphalidenraupen. Versuch e. natürl. Systems der Nymphaliden. Mit 4 Taf. gr. 8. (X, 255 S.) Jena 886. Fischer. n 11. —

Müller, Wilh., die Geographie der Rheinprovinz nach der zeichnenden Methode. Dargestellt f. die Mittel- u. Oberstufe der Volksschule in 18 Skizzen m. erläut. Text. gr. 8. (11 S.) Düsseldorf 886. Schwann. n. — 75

Deutschen gleich, od. doch m. ihm verwandt sind. Zum Schulunterricht u. Selbststudium hrsg. 1. Abtlg. 22. Aufl. gr. 8. (VII, 208 S.) Leipzig 884. Arnold. n. 1. 60; Schlüssel. 7. Aufl. (IV, 47 S.) — 75

Munde, Th., der neue lustige Deklamator. Sammlung heiterer Gedichte u. komischer Vorträge. 8. (64 S.) Oberhausen 886. Spaarmann. — 30

Mündel, Kurt, Haussprüche u. Inschriften im Elsass. gr. 8. (76 S.) Strassburg 883. Schmidt. n. — 80

— die Vogesen. Ein Handbuch f. Touristen. Auf Grund v. Schricker's Vogesenführer neu bearb. Unter Mitwirkg. v. Jul. Euting u. Aug. Schricker. Mit 13 Karten, 3 Plänen, 2 Panoramen u. mehreren Holzschn. 3. Aufl. 8. (XVII, 406 S.) Strassburg 883. Trübner. geb. n. 3. 50

— dasselbe. 4., neubearb. u. beträchtlich verm. Aufl. 8. (XIX, 472 S.) Ebend. 886. geb. n 4. —

— elsässische Volkslieder, gesammelt u. hrsg. 8. (XV, 302 S.) Ebend. 884. n. 3. —; geb. n. 3. 50

— les Vosges. Guide du touriste. Rédigé, avec la collaboration de J. Euting et A. Schricker par C. M. Avec cartes, 3 plans, 2 panoramas et plusieurs gravures sur bois. 8. (XI, 426 S.) Ebend. 884. geb. n. 4. —

Munderloh, H. F., s.: Jugendfreund.

— u. C. H. **Kröger**, Rechenbuch. 1. u. 2. Tl. gr. 8. Oldenburg, Schulze. à n. 1. —; geb. à n. 1. 30
1. 16. Aufl. (IV, 186 S.) 885. — 2. 9. Aufl. (VIII, 164 S.) 886.

Munding, Karl, die Lügen d. sozialistischen Evangeliums u. die moderne Gesellschaft. gr. 8. (VII, 92 S.) Stuttgart 886. Levy & Müller. n. 1. 50

— die Schule d. Lebens. Ein Brevier f. Weltleute. 8. (XXXIV, 234 S.) Ebend. 887. n. 3. 60; geb. n. 5. —

Mundy, J., üb. das freiwillige Rettungswesen in Europa, s.: Vorträge üb. Gesundheitspflege u. Rettungswesen.

— Gerhard van Swieten u. seine Zeit. Vortrag. gr. 8. (20 S.) Wien 883. (Huber & Lahme.) n. 1. —

— der Transport v. Kranken u. Verletzten in grossen Städten. Mit 12 Taf. Hrsg. v. der Wiener freiwill. Rettungs-Gesellschaft. 12. (75 S.) Ebend. 882. n. 1. —

Münich, W. v., die Millionen-Erbschaft, } s.: Familien-
— durch die Zeitung, } Bibliothek.

Munier, Mor., die Paläographie als Wissenschaft u. die Inschriften d. Mainzer Museums. 4. (29 S. m. 1 Taf.) Mainz 883. Diemer. n. 1. —

Munk, J., u. J. **Uffelmann**, die Ernährung d. gesunden u. kranken Menschen. Handbuch der Diätetik f. Aerzte, Verwaltungsbeamte u. Vorsteher v. Heil- u. Pflege-Anstalten. Mit 1 Farbentaf. gr. 8. (VIII, 596 S.) Wien 887. Urban & Schwarzenberg. n. 14. —; geb. n. 16. —

Munk, Rhold., e. Beitrag zu den Dermoidcysten d. Ovarium. gr. 8. (19 S.) Tübingen 885. (Fues.) n. — 60

Münkel, L., Kinderheimat, s.: Gölitz, G.

Munker, J. G., die Grundgesetze der Elektrodynamik, synthetisch hergeleitet u. experimentell geprüft. M. Holzschn. gr. 8. (IV, 27 S.) Nürnberg 883. v. Ebner. n. 1. —

Münnich, Karl, der Reichstag in der Westentasche. 1884—1887. 64. (48 S.) Leipzig 885. Radelli. cart. — 20

— parlamentarischer Taschen-Almanach f. die VI. Legislaturperiode d. deutschen Reichstags 1884—1887. Auf Grund actenmäß. Materials u. privater Mittheilgn. bearb. 8. (75 S.) Ebend 885. n. — 50

Münscher, Frdr., Chronik d. Gymnasiums zu Marburg von 1833—1883, nebst alphabet. Verzeichnis sämmtl. Schüler. gr. 8. (55 S.) Marburg 883. Elwert's Verl. n. 1. 80

Münster, G. Graf zu, Anleitung zur rationellen Haus-Pferdezucht f. die Landwirthe Mitteldeutschlands. Vom Vorstande d. Pferdezuchtvereins im Großherzogth. Hessen gekrönte Preisschrift. 2. Aufl. gr. 8. (31 S.) Darmstadt 886. (Waitz.) n. — 60

— die Conservirung d. Pferdematerials durch mechanische Vorbereitung der Remonten auf dem Zirkel, s.: Beiheft zum Militär-Wochenblatt.

— zur Zäumung d. Pferdes u. die Kandaren-Einsatz-Garnitur. 4. (16 S. m. 3 Taf.) Dresden 883. (Höckner.) n. 1. 50

Münster, Heinr., kurze Geographie f. Volksschulen. 4. verb. Aufl. 8. (73 S.) Paderborn 884. F. Schöningh. n. — 30

Münster, Karl, Untersuchungen zu Thomas Chestre's „Launfal". gr. 8. (40 S.) Kiel 886. (Lipsius & Tischer.) n. 1. 20

Münsterberg, H., Studentenpflicht u. Studentenrecht, s.: Fragen, zeitbewegende.

Münster-Blätter. Im Auftrag d. Münster-Komites hrsg. v. Aug. Beyer u. Frdr. Pressel. 3. u. 4. Hft. Mit 20 Holzschn. u. 2 zinkogr. Taf. Lex.-8. (VII, 174 S.) Ulm 883. Ebner. n. 4. 50 (1—4: n. 9. 50)

Münter, F., Dampfkessel-Revisionsbuch. 4. Aufl. Fol. (16 S.) Halle 884. Hoffstetter. geb. 1. 20

Münz, L., die modernen Anklagen gegen das Judenthum als falsch nachgewiesen. Eine Rede. gr. 8. (29 S.) Frankfurt a/M. 882. (Kauffmann.) n. — 60

Münz, Wilh., die Grundlagen der Kant'schen Erkenntnistheorie. Eine Einführg. in die Kritik der reinen Vernunft. 2. Aufl. gr. 8. (V, 84 S.) Breslau 885. Koebner. n. 1. 80

Münzberger, J., aus dem B.-Laipaer Stadt-Archive. II. Abschnitt. Nachrichten zur Geschichte Laipas vom J. 1660 bis zum Beginne d. 18. Jahrh. gr. 8. (33 S) B.-Leipa 885. (Wien, Pichler's Wwe. & Sohn.) n. — 70

Münzblätter, Berliner. Monatsschrift zur Verbreitg. der Münzkunde, nebst Beilage: Numismatische Correspondenz, hrsg. v. Adph. Weyl. 4—7. Jahrg. 1883—1886. à 12 Nrn. (B. m. eingedr. Illustr.) gr. 4. Berlin, Weyl. à Jahrg. n. 2. 50

Münzel, Rob., de Apollodori περὶ θεῶν libris. gr. 8. (39 S.) Bonn 883. (Behrendt.) n. 1. —

— quaestiones mythographae. gr. 8. (VI, 25 S.) Berlin 883. Weidmann. n. 1. 20

Münzenberger, C. F. A., zur Kenntniß u. Würdigung der mittelalterlichen Altäre Deutschlands. Ein Beitrag zur Geschichte der vaterländ. Kunst. 1—4. Lfg. Fol. (96 S. m. 40 Lichtdr.-Taf.) Frankfurt a/M. 885. 86. (Foesser Nachf.) à n.n. 6. —

— wie sollen wir das Jubiläum recht halten? Erwägungen u. Gebete zur würd. Gewinng. d. v. Sr. Heil. Papst Leo XIII. f. d. J. d. Heils 1886 ausgeschriebenen außerordentl. Jubiläums-Ablasses. 3. Aufl. 16. (64 S.) Ebend. 886. n. — 20

Münzenberger, F., s.: Dom, der, zu Lübeck.

Münzer, Hugo, üb Benzolazoketone. gr. 8. (30 S.) Breslau 884. (Köhler.) n. 1. —

Münzer, Johs., die Ethik d. Aristoteles u. ihr Werth auch f. unsere Zeit. Vortrag, geh. im Wissenschaftl. Club in Wien am 16. Novbr. 1882. Lex.-8. (12 S.) Wien 883. (Rospini.) n. — 60

— ein Philosoph auf dem Throne. [Marc Aurel.] Vortrag. Lex.-8. (10 S.) Ebend. 884. n. — 60

Munzinger, Werner, ostafrikanische Studien. Mit e. (lith u. color.) Karte v. Nord-Abyssinien u. den Ländern am Mareb, Barka u. Anseba. 2. Ausg. gr. 8. (584 S.) Basel 883. Schwabe. n. 6. —

Münzsammlung der wichtigsten seit dem westphälischen Frieden bis zum J. 1800 geprägten Gold- u. Silber-Münzen sämmtlicher Länder u. Städte. 2. verb. Aufl. Mit ca. 120 Taf Abbildgn. (in Hochdr.) 14—30. (Schluss-)Lfg. Lex.-8. (VIII u. S. 209—441 m. 68 Taf.) Leipzig 883—85. M Schäfer. à n. 1. —

Münz-Umrechner, praktischer, f. das Porte-Monnaie od. die Westen-Tasche. 25. Aufl. Jubiläums-Ausg. 32. (24 S.) Esslingen 884. Langguth. n. — 10

Murad Efendi, Balladen u. Bilder. 3. Aufl. 8. (VI, 103 S.) Oldenburg 885. Schulze. n. 2. —; geb. n. 3. —

Muralt, Carl v., die Staarextraction der ophthalmologischen Klinik in Zürich 1870—1880. gr. 8. (70 S.) Zürich 881. (Wiesbaden, Bergmann.) n. 1. 80

Muralt, E v., Schweizergeschichte m. durchgängiger Quellenangabe u. in genauer Zeitfolge od. urkundliche Jahrbücher der Schweiz. 4—6. Lfg. gr. 8. (I. II u. S. 193—399.) Bern 884. 85. Wyß. n. 4. — (1—6 : n. 7. —)

Murawjew, Graf M. N., Memoiren, s.: Dictator, der, v. Wilna.

Mürdter, F., General Gordon, s.: Familienbibliothek, Calwer.

Muret, Ed., Geschichte der französischen Kolonie in Brandenburg-Preußen, unter besond. Berücksicht. der Berliner Gemeinde. Aus Veranlassg. der 200jähr. Jubelfeier am 29. Oktbr. 1885 im Auftrage d. Konsistoriums der französ. Kirche zu Berlin u. unter Mitwirkg. d. hierzu berufenen Komitees auf Grund amtl. Quellen bearb. gr. 4. (IX, 360 S. m. Illustr.) Berlin 885. Consistorium der französischen Kirche. (Auslieferg. durch Plahn'sche Buchh.) cart. n. 12. —

— französisches Lesebuch, s.: Güth, A.

Muret, E., s.: Notwörterbuch der engl. u. deutschen Sprache.

Murgue, Dan., üb. Grubenventilatoren. Mit einigen Zusätzen deutsch bearb. von Jul. Ritter v. Hauer. Mit 12 Holzschn. gr. 8. (V, 96 S.) Leipzig 884. Felix. n. 3. 60

Murgulovic, Ljubomir, drei Fälle v. Unterbindung der Arteria femoralis. gr. 8. (23 S.) Jena 884. (Pohle.) — 75

Murner, Th., die Narrenbeschwörung, s.: Universal-Bibliothek.

Murray, Andrew, bleibe in Jesu. Gedanken üb. das sel. Leben der Gemeinschaft m dem Sohne Gottes. Nach dem Engl. 3. Aufl. 8. (206 S.) Basel 885. Spittler. n. 1. 20; geb. n. 2. —

— nach Jesu Bild. Betrachtungen üb. das sel. Leben der Umgestaltg. in das Ebenbild d. Sohnes Gottes. Aus dem Engl. 8. (VIII, 215 S.) Ebend. 886. n. 1. 20; geb. n. 2. —

Murray, Ch. A., Prärieblume unter den Indianern. Eine Erzählg. aus dem Westen Nordamerikas. Für die Jugend bearb. v. Wilh. Stein. Mit 8 Chromolith. nach Motiven v. F. Kosla, gezeichnet v. W. Schäfer u. e. Uebersichtskarte. 5. Aufl. gr. 8. (281 S.) Breslau 883. Trewendt. geb. n. 5. —

Murray, D. Ch., a model father, — by the gate of the sea, — hearts, s.: Asher's collection of English authors.

— eines Lebens Buße, s.: Romanbibliothek, englische.

— Rainbow Gold, s.: Collection of British authors.

— Val Strange, — the way of the world, s.: Asher's collection of English authors.

Murrmann, Frz., Erdkunde. Für kathol. Elementarschulen bearb. 8. (59 S.) Aachen 885. A. Jacobi & Co. n.n. — 25

Musäus, F., Comment u. Cerevis! Humoristische Erzählgn. aus dem Studentenleben. 8. (III, 167 S.) Leipzig 886. Unflad. n. 1. 50

Musäus, J. K. A., Legenden v. Rübezahl, s.: Meyer's Volksbücher.

Muschi, s.: Bernard, J.

Muse, heitere. 1—4. Bdchn. 12. Dresden 886. Kaufmann's Verl. à n. 1. —

1. Kamerunisches u. Anderes! Fröhliche Stunden unter Negern u. Weißen. Eine Blütenlese besten Humors, ausgewählt von Adf. v. Grün. 2. Aufl. (104 S.)
2. Haus- u. Gesellschafts-Theater. Ausgewählt u. m. eigenen Beiträgen versehen von Adf. v. Grün. 1. Sammlg. 2. Aufl. (69 S.)
3. Launiges Allerlei. Eine Blütenlese besten Humors, ausgewählt von Adf. v. Grün. 2. Aufl. (104 S.)
4. Unser Bismarck! od. aus goldner Jugendzeit! Stimmungsbilder aus d. deutschen Kanzlers Jugendleben. Orig.-Lustspiel in 5 Akten u. 5 Bildern von Adf. v. Grün. (62 S.) geb. 1. 50

Museen, die, Athens. In Lichtdr.-Reproduction v. Gebr. Rhomaïdès. Veröffentlicht v. C. Rhomaïdès. (1. Abth.) Ausgrabungen der Akropolis. Beschreibender Text (in neugriech., deutscher, französ. u. engl. Sprache) v. P. Carvadias. 1. Lfg. gr. 4. (8 S. m. 8 Taf.) Athen 886. Wilberg. n.n. 6. —

Musenklänge aus Deutschlands Leierkasten. Mit feinen Holzschn. 16. Aufl. 16. (192 S.) Reutlingen 884. Enßlin & Laiblin. cart. n. 1. —; geb. n. 2. —

Muser, E., die badische Gemeindevoranschlagsanweisung u. Gemeinderechnungsanweisung, s.: Müller, J. P.

Müser, A. W., Anschauungskursus der Geometrie. Für die 2 Klassen der Mittelschulen u. städt. Volksschulen u. die Oberklasse v. Schulen m. einfacheren Verhältnissen. 8. (32 S.) Elberfeld 884. Faßbender. n. — 30

Museum. Sammlung literar. Meisterwerke. Nr. 7, 10, 11, 13, 16—20, 24, 25, 44, 50, 52, 54, 63—65, 102, 104—109, 111, 112, 159. 8. Berlin, Friedberg & Mode's Sep.-Cto. n. 18. 80

7, 10, 11, 13, 16, 17. Kleinere Theaterstücke. Von Wolfg. v. Goethe 6 Bde. (187, 181, 183, 178, 190 u. 185 S.) 883. à n. — 50

18. Die Wahlverwandtschaften. Ein Roman von Wolfg. v. Goethe. (216 S.) 883. n. — 60

19. Westöstlicher Divan. Von Wolfg. v. Goethe. (276 S.) 883. n. — 70

20. Kleine Schriften vermischten Inhalts. Von Frdr. v. Schiller. (616 S.) 883. n. 1. 60

24. Prosaische Schriften. Von Frdr. v. Schiller. (332 S.) 883. n. 1. —

25. Gedichte von Frdr. v. Schiller. (VIII, 307 S.) 883. n. — 80

44. Laokoon od. üb. die Grenzen der Malerei u. Poesie. Von Gotth. Ephr. Lessing. (158 S.) 883. n. — 50

50. Der Freigeist. Ein Lustspiel in 5 Aufzügen. Der Schatz. Ein Lustspiel in 1 Aufzuge. Von Gotth. Ephr. Lessing. (41 S) 883. n. — 30

52. Damon od. die wahre Freundschaft. Die alte Jungfer. Von Gotth. Ephr. Lessing. (35 S.) 883. n. — 20

54. Hamburgische Dramaturgie. Von Gotth. Ephr. Lessing. (400 S.) 884. n. 1. 10

63. Reise um die Welt m. der Romanzoffischen Entdeckungs-Expedition in den J. 1815—1818 auf der Brigg Rurik, Kapitän Otto v. Kotzebue. Von Adb. v Chamisso. (512 S.) 883. n. 1. 30

64. Wilhelm Meisters Lehrjahre. Von Wolfg. v. Goethe. (512 S.) 883. n. 1. 30

65. Wilhelm Meisters Wanderjahre. Von Wolfg. v. Goethe. (365 S.) 883. n. 1. —

102. Das Bild d. Kaisers. Novelle v. Wilh. Hauff. (80 S) 883. n. — 20

104. Lichtenstein. Romantische Sage aus der württemberg. Geschichte v. Wilh. Hauff. (346 S.) 883. n. 1. —

105. Der Mann im Monde. Von Wilh. Hauff. Nebst der Kontroverspredigt üb. H. Clauren u. den Mann im Monde. (206 S.) 883. n. — 60

106. Märchen f. Söhne u. Töchter gebildeter Stände. Von Wilh. Hauff. (307 S.) 883. n. — 80

107. Othello. Novelle v. Wilh. Hauff. (46 S.) 883. n. — 20

108. Die letzten Ritter v. Marienburg. Novelle v. Wilh. Hauff. (55 S.) 883. n. — 20

109. Die Sängerin. Novelle v. Wilh. Hauff. (45 S.) 883. n. — 20

111. Mitteilungen aus den Memoiren d. Satan. Von Wilh. Hauff. (237 S.) 883. n. — 70

112. Gedichte u. Skizzen. Von Wilh. Hauff. (56 S.) 883. n. — 30

159. Gedichte von Graf Aug. v. Platen. (VIII, 426 S.) 884. n. 1. 20

— das k. k. österreichische, f. Kunst u. Industrie u. die k. k. Kunstgewerbeschule in Wien. gr. 8. (72 S.) Wien 886. Hölder. n. 1. 50

— pfälzisches. Monatsschrift f. heimatl. Litteratur u. Kunst, Geschichte u. Volkskunde. Hrsg. vom Verein pfälz. Schriftsteller u. Künstler. Red.: A. v. Bangerow. 1. u. 2. Jahrg. 1884 u. 1885. à 12 Nrn. (B.) gr. 4. Speier, (Lang). à Jahrg. n. 4. —

— rheinisches, f. Philologie. Hrsg. v. Otto Ribbeck u. Frz. Buecheler. Neue Folge. 38–41. Bd. [Jahrg. 1883—1886.] à 4 Hfte. gr. 8. (à Hft. 156 S.) Frankfurt a/M., Sauerländer. à Jahrg. n. 14. —

— dasselbe. Neue Folge. 40. Bd. Ergänzungsheft. gr. 8. Ebend. 885. n. 4. —

Das Recht v. Gortyn, hrsg. u. erläutert v. Frz. Bücheler u. Ernst Zitelmann. (X, 180 S.)

— komischer Vorträge f. das Haus u. die ganze Welt. Eine Gesammtausg. d. Bewährtesten, sowie auch d. ori-

ginaliter Neuesten der kom. Vorträge in Poesie u. Prosa v. F. E. Moll. Hrsg. v. der Red. d. Komikers. 1. u. 2. Bd. 16. Berlin, Janke. à n. 1. —
1. 15. Aufl. (VIII, 216 S.) 886. — 2. 13. Aufl. (VIII, 254 S.) 885.

Musgrave, Curt A., die bevorstehende Revolution in den Vereinigten Staaten v. Nord-Amerika. gr. 8. (42 S.) Berlin 886. Walther & Apolant. n. 1. —

Mushacke's deutscher Schul-Kalender f. 1887. 36. Jahrg. Mit Benutzg. amtl. Quellen hrsg. Michaelis-Ausg. 1886. 12. (CV, 127 S.) Leipzig, Teubner. n. 1. 20; geb. n. 1. 80

Mushacke, W., geschichtliche Entwicklung der Mundart v. Montpellier [Languedoc], s.: Studien, französische.

Musica. Beschreibung e. neuentdeckten Lautenbuches, sowie vier anderer musikal. Seltenheiten. Als Beitrag zur Musik-Bibliographie u. Musik-Geschichte veröffentlicht v. den derzeit. Besitzern dieser Werke. Gilhofer & Ranschburg. 4. (4 S) Wien 886. Gilhofer & Ranschburg. n.n. — 60

— divina. Annus primus. Liber missarum. Titel u. Einleitungsheft zum Gesammtwerke. gr. 4. (LX S.) Regensburg 885. Pustet. n 1. —

— sacra. Beiträge zur Reform u. Förderg. der kathol. Kirchenmusik, hrsg. v. Frz. Witt. 16—19. Jahrg. 1883—1886. à 12 Nrn. (à 1—1½ B.) Mit Musikbeilagen. hoch 4. Ebend. à Jahrg. n. 2. —

Musiker-Adreßbuch, unvollständiges, der „Signale f. die musikalische Welt". gr. 8. (25 S.) Leipzig 884. B. Senff. n.n. — 30

Musiker-Kalender, deutscher, f. d. J. 1886. Mit dem Portr. u. der Biographie Karl Reinecke's. gr. 16. (295 S.) Leipzig, M. Hesse. geb. n. 1. 20

— allgemeiner deutscher, f. 1887. Hrsg. v. Osc. Eichberg. 8. Jahrg. gr. 16. (XV, 402 S.) Berlin, Raabe & Plothow. geb. n. 2. —

Musikzeitung, neue Berliner, gegründet v. Gust. Bock unter Mitwirkg. theoret. u. pract. Musiker. 37—40. Jahrg. 1883—1886. à 52 Nrn. (B.) hoch 4. Berlin, Bote & Bock. à Jahrg. n. 10. —; halbjährlich n. 6. —; m. Musikprämien à Jahrg. n. 15. —; halbjährlich n. 9. —

— allgemeine deutsche. Wochenschrift f. die Reform d. Musiklebens der Gegenwart. Red.: Otto Lessmann. 10—13. Jahrg. 1883—1886. à 52 Nrn. (à 1—2 B.) gr. 4. Charlottenburg, Expedition. à Jahrg. n. 8. —

— neue. Red.: Aug. Reiser. 4—7. Jahrg. 1883—1886. à 24 Nrn. (à ½—¾ B. m. Beilagen u. Musikbeigaben.) Imp.-4. Köln, P. J. Tonger. à Jahrg. n. 3. 20

— schweizerische, u. Sängerblatt. Organ d. eidgenöss. Sängervereins. 23—26. Jahrg. 1883—1886. à 24 Nrn. (à 1—3 B.) Fol. Zürich, Hug. à Jahrg. n. 5. —

Musik- u. Kunstzeitung, Leipziger. Früher „Parsifal". Red.: E. Schloemp. 3. Jahrg. 1886. 24 Nrn. (B.) gr. 4. Leipzig, Schloemp. n. 6. —

Musil, Alfr., die Motoren f. das Kleingewerbe. Mit 4 (lith.) Taf. u. 51 Holzst. 2. Aufl. gr. 8. (XIV, 178 S.) Braunschweig 883. Vieweg & Sohn. n. 5. —

Musiol, Rob., Wilhelm Fritze. Ein musikal. Charakterbild. Mit dem (Holzschn.-)Portr. d. Componisten. (2. Aufl.) 8. (88 S.) Demmin 883. Frantz. n. — 50; cart. n. — 70

Muspratt's theoretische, praktische u. analytische Chemie in Anwendung auf Künste u. Gewerbe. Encyklopädisches Handbuch der techn. Chemie v. F. Stohmann u. Bruno Kerl. Mit zahlreichen in den Text eingedr. Holzst. 4. Aufl., unter Mitwirkg. v. E. Beckmann, R. Biedermann, R. Bunte ꝛc. (In 7 Bdn.) 1. Bd. 1—10. Lfg. hoch 4. (Sp. 1—640.) Braunschweig 886. Vieweg & Sohn. à n. 1. 20

Mussafia, Adf., Mittheilungen aus romanischen Handschriften. I. u. II. Lex.-8. Wien, (Gerold's Sohn). n. 3. —
I. Ein altneapolitanisches Regimen sanitatis. (122 S.) 884. n. 2. —
II. Zur Katharinenlegende. (69 S.) 885. n. 1. —

Mussafia, Adf., zur Präsensbildung im Romanischen. Lex.-8. (77 S.) Wien 883. (Gerold's Sohn.) n. 1. 20

— italienische Sprachlehre in Regeln u. Beispielen, f. den ersten Unterricht bearb. 21. Aufl. gr. 8. (X, 252 S.) Wien 886. Braumüller. geb. n. 3. 40

Musset, Alfr. de, Dichtung, übers. v. Otto Baisch. 2. Aufl. 12. (VII, 239 S.) Norden 885. Fischer Nachf. n. 4. —

Mußte es so kommen? Von Hohenschwangau bis Schloß Berg. Die bayr Regentschafts-Katastrophe m. Randglossen. Von e. Unterrichteten. 3. Aufl. gr. 8. (96 S. m. 1 Holzschn.-Portr.) Annaberg 886. van Groningen. n. 1. —

Muster altdeutscher Alphabete, entworfen v. Frau M. Beeg-Aufseß, u. moderner Monogramme, entworfen v. Frl. J. v. Salzberg. Fol. (8 Bl. in Farbendr.) Leipzig 883 Heitmann. In Mappe. n. 3. —

— 23, zu Einträgen in die Standesregister zum Handgebrauche f. die Standesbeamten. 12. (35 S.) Glauchau 883. (Peschke.) cart. n. — 40

— gothische, v. Schmiede- u. Schlosser-Arbeiten aus dem gothischen Musterbuche v. V. Statz u. G. G. Ungewitter, enth. Thürbeschläge, Schloßdecken, Thürgriffe, Ringe, Klopfer u. Aehnliches. 15 (lith.) Taf. m. vielen Abbildgn., nebst erläut. Texte. Fol. (1 Bl. Text.) Leipzig 883. T. O. Weigel. In Mappe. n 4. —

— altdeutscher u. moderner Stickereien. Hrsg. v. Frau M. Beeg-Aufseß, Frl. C. v. Braumühl, Frau M. Meyer, Frl. Jos. Merz, Frl. J. v. Salzberg u. A. Ausg. A. Fol. (15 Bl. in Farbendr.) Leipzig 883. Heitmann. In Mappe. n. 5. —; Ausg. B., 30 Bl. n. 10. —; Ausg. C, 60 Bl. in Leinw.-Mappe n. 20. —

— für Textil-Industrie, angefertigt in der kunstgewerbl. Fachzeichenschule zu Plauen i. V. im Schulj. 1884/85. 40 Photogr. in 2 Abthlgn. Hrsg. v. Rich. Hofmann. 4. (1 Bl. Text.) Plauen 885. Neupert. In Mappe. n. 30. —

Muster-Alphabete der gebräuchlichsten Schriftarten. Für Bildhauer u. Steinmetzen hrsg. gr. 4. (7 Blatt.) Ravensburg 885. Dorn. n. 1. —

— verschiedener Schriftgattungen. 2. Aufl. qu. gr. 8. (20 Steintaf.) Zürich 884. Orell Füßli & Co. Verl. n. 1. —

Musterblätter zu Laubsäge-, Schnitz- u. Einlegearbeiten. [25—32. Buch.] Nr. 577—768. Lith. qu. gr. Fol. München 883—86. Mey & Widmayer. à — 15

Musterbriefe f. junge Damen aus dem Mädchen-, Braut-, Liebes- u. Familienleben. 8. (II, 284 S.) Mülheim 883. Bagel. 2. —

— für alle Verhältnisse d. menschlichen Lebens, als: Freundschafts-, Erinnerungs-, Bitt-, Empfehlungs-, Glückwunsch-, Einladungs-, Liebes- u. Beileids-Briefe. 3. Aufl. gr. 16. (155 S.) Brünn 885. F. Karafiat's Verl. 1. —

Musterbuch der Baumwollfärberei. III—V. Serie. 8. Leipzig, G. Weigel. cart. à n. 12. —
III. 50 Proben gefärbter Baumwollgarne, sammt den neuesten u. besten im In- u. Auslande übl. Färb-Verfahren v. L. Werner, R. Mayer u. A. (50 Bl.) 884.
IV. 50 Proben gefärbter Baumwollgarne, sammt den besten u. erprobtesten Färbverfahren v. G. Hertel, E. Meißner, W. Zimmermann u. A. (85 S.) 886.
V. 46 Proben gefärbter Baumwollgarne, sammt den besten u. erprobtesten Färbverfahren v. A. Czasche, Welter, Sartorius u. A. (101 S.)
Die I. u. II. Serie bilden: Wieland u. Stein, Musterbuch der Baumwollfärberei, 1879, u. Rudloff u. Stein, Musterbuch der Baumwollfärberei, 1880. à — 12

— für Gold- u. Silberarbeiter. 25 Lfgn. gr. 4. (à 8 Taf.) Stuttgart 883—84. Engelhorn. à n. 1. —

— für graphische Gewerbe. 1—5. Lfg. Fol. (à 5 Taf.) Stuttgart 886. Engelhorn. à n. 1. 75

— für Kunst-Schlosser. 3—15. (Schluss-) Lfg. Fol. (102 Holzschn.- u. chemigr. Taf. m. 1 Bl. Text.) Stuttgart 883. Engelhorn. à n. 1. —

— dasselbe. 2. Aufl. (In 15 Lfgn.) 1. Lfg. Fol. (12 Taf.) Ebend. 885. n. 1. —

— der patentirten Stickmuster zum Aufplätten auf Stoff. 6. Aufl., enth. 369 Abbildgn. der beliebtesten u. gangbarsten Aufplättmuster; darunter 86 ganz neue. gr. 8. (IV, 140 S.) Berlin 886. Ebhardt. geb. n. 1. 20

Musterbücher f. weibliche Handarbeit. Hrsg. v. der Redaction der Modenwelt. 1—3. u. 5. Sammlg. gr. 4. Berlin, Lipperheide. 20. 40

1. Muster altdeutscher Leinenstickerei, gesammelt v. Jul. Lessing. 1. Sammlg. 3. Aufl. (35 Taf. m. 2 Bl. Text.) 886. 4. 20
2. Dasselbe. 2. Sammlg. 5. Aufl. (36 Taf. m. 4 Bl. Text.) 883. 4. 20
3. Dasselbe. 3. Sammlg. Alphabete. (27 Taf. m. 32 S. Text.) 884. 6. —
5. Muster altitalienischer Leinenstickerei. 2. Sammlg. Gesammelt u. hrsg. v. Frida Lipperheide. (36 S. m. eingedr. Holzschn. u. 30 Taf.) 882. 6. —

— dasselbe. Neue Folge. Hrsg. v. Frida Lipperheide. 1—12. Lfg. gr. 4. Ebend. 885. 86. à 1. 20

Die Webe-Arbeit m. Hand-Apparat. Bearb. v. Anna Dorn u. Johanna Riedel. 6 Lfgn. (IV, 93 S. m. eingedr. Holzschn.)
Die Smyrna-Arbeit. Bearb. v. Lina Feige u. Clara Marggraff. 6 Lfgn. (IX, 58 S. m. 12 Chromolith.)

Musterheft v. Formularen zur Rechnungs- u. Geschäftsführung v. Krankenkassen jeder Art, nebst Anleitg. zu deren Gebrauch. Entworfen u. bearb. auf Grund d. Reichsgesetzes vom 15. Juni 1883, sowie der amtl. Normal-Statuten f. Orts- u. Betriebs-Krankenkassen, unter sachverständ. Beirath v. Aufsichts-Beamten u. Rechnungsführern großer Kassen. Fol. (XIV, 28 S.) Berlin 885. Schettler's Erben Verl. n.n. 1. 50

Musterkatalog f. Volksbibliotheken. Ein Verzeichnis v. Büchern, welche zur Anschaffg. f. Volksbibliotheken zu empfehlen sind. Hrsg. vom Gemeinnützigen Vereine zu Dresden. 2. Aufl. gr. 8. (III, 68 S.) Leipzig 886. Spamer. n. 1. —

Muster-Ornamente aus allen Stilen in historischer Anordnung. Nach Orig.-Aufnahmen v. Jos. Durm, Fr. Fischbach, A. Gnauth etc. 2. Aufl. 25 Lfgn. Fol. (à 12 Holzschntaf.) Stuttgart 883. 84. Engelhorn. à n. 1. —

Musterplan f. landwirthschaftliche Bauten in Böhmen. 5. u. 6. Blatt. Hrsg. vom Landes-Culturrathe f. das Königr. Böhmen. gr. 8. Prag, Calve. à n. — 80 (1—6.: n. 4. 20)

5. Insbesondere f. e. grössere Wirthschaft d. Tepler Gebirges. Mit erläut. Texte v. Ladisl. Burket. (14 S. m. 1 Pl.) 885.
6. Insbesondere f. e. Wirthschaftshof im Erzgebirge. gr. Fol. Mit erläut. Texte v. Ladisl. Burket. (14 S.) 886.

— für landwirthschaftliche Bauten in Krain. Mit besond. Berücksicht. der Wochein. 1. Blatt. Mit erläut. Texte v. E. Kramer. Hrsg. v. der k. k. Landwirthschafts-Gesellschaft f. Krain. gr. 8. (11 S. m. Fig.) Wien 883. Frick. n. 1. —

— für landwirthschaftliche Bauten in Niederösterreich. 8. u. 9. Blatt. Kleinere u. grössere Schweinestallgn. Mit erläut. Text v. Ant. Wittmann. Hrsg. vom Comité f. landwirthschaftl. Bauwesen der k. k. Landwirthschafts-Gesellschaft in Wien. 2 Taf. qu. Fol. Text. gr. 8. Ebend. n. 2. 20

8. Kleinere u. grössere Schweinestallungen. Mit erläut. Text v. Ant. Wittmann. 2 Taf. Nebst Text. (12 S.) 883. n. 1. —
9. Kleinere u. grössere Rindviehstallgn. 2 Taf. Mit Text. (22 S.) 886. n. 1. 20

— dasselbe. II. Blatt. [2. Aufl.] Wohn- u. Wirthschaftsgebäude f. e. grösseren bäuerl. Besitz. Mit besond. Berücksicht. der Bedürfnisse der Umgegend v. St. Pölten. Erläuternder Text v. Carl A. Romstorfer. qu. gr. Fol. (4 S.) Ebend. 883. n. — 60

— für landwirthschaftliche Bauten in Tirol. 1. Blatt. Für die Gebirgsgegenden Nordtirols. qu. gr. Fol. Text v. Adf. Trientl. Hrsg. v. der Section Innsbruck d. Landes-Culturrathes. gr. 8. (21 S.) Wien 883. (Frick. — Innsbruck, Wagner.) n. — 60

Mustersammlung v. Holzschnitten aus englischen, nordamerikanischen, französischen u. deutschen Blättern. (In 10 Lfgn.) 1—9. Lfg. Fol. (30 S. m. 44 Holzschn.-Taf. u. 1 Lichtdr.) Berlin 885. 86. Lipperheide. à n. 3. —

Musterschatz v. Handarbeiten. Eine Sammlg. farb. Musterblätter f. Kreuzstich, Application u. Phantasiearbeiten. 18 Stahlst.-Taf., m. der Hand colorirt. Fol. (4 S. Text.) Berlin 883. Ebhardt. In Leinw.-Mappe. n. 10. —

Muth, Frz. Alfr., Dichterbilder u. Dichterstudien aus der neueren u. neuesten Literatur. (I.) gr. 8. (VII, 357 S.) Frankfurt a/M. 887. Foesser Nachf. n. 4. —

— immer heiter kommt man weiter. Schwankgeschichten. 8. (VIII, 132 S.) Fulda 883. Maier. n. 1. 20

— Rosen der Heide. Lieder. gr. 16. (176 S.) Regensburg 885. Coppenrath. n. 2. 40; Einbd. n.n. 1. —

— Waldblumen. Dichtungen. 3., durchaus ausgewählte u. reich verm. Aufl. 12 (XII, 408 S.) Paderborn 885. F. Schöningh. n. 3. —; geb. m. Goldschn. n. 4. 50

— Winter-Garten. Erzählungen. 3. verb. u. verm. Aufl. 8. (VIII, 204 S.) Regensburg 884. Coppenrath. n. 2. 20; Einbd. n.n. — 80

— u. Jos. **Michels**, scintillae et effata St. Ignatii. Die Weisheit in der Zelle od. Betrachtgn. üb. Kernsprüche d. heil. Ignatius, auf alle Tage d. Jahres verteilt, aus dem Lat. übers., m. Sachregister u. e. Anh. v. Gebeten versehen. 2. Aufl. 12. (VII, 452 S.) Ebend. 884. n. 2. —; Einbd. in Leinw. n.n. — 70; m. Goldschn. n.n. — 90

Muth, Frdr., die Beurkundung u. Publikation der deutschen Königswahlen bis zum Ende d. 15. Jahrh. gr. 8. (61 S.) Duderstadt 881. (Göttingen, Vandenhoeck & Ruprecht.) n. 1. 60

Muther, Rich., die ältesten deutschen Bilder-Bibeln. Bibliographisch u. kunstgeschichtlich beschrieben. Lex.-8. (68 S.) München 883. Augsburg, Literar. Institut v. Dr. M. Huttler. 1. 50

— die deutsche Bücherillustration der Gothik u. Frührenaissance [1460—1530]. 6 Lfgn. Fol. (XVI, 232 S. u. Illustr. 248 S.) München 883. 84. Hirth. à n. 20. —

Mutianus Rufus' Briefwechsel, s.: Zeitschrift d. Vereins f. hessische Geschichte u. Landeskunde.

Mutter, e., welche ihr Vertrauen auf den lebendigen Gott setzte. Eine wahre Geschichte. 11. Aufl. 8. (16 S.) Stuttgart 883. Buchh. der Evangel. Gesellschaft. n. — 4

— der Mann m. dem Coaks ist da! Neuester Berliner Couplet-Scherz. Nach der Melodie d. „Gasparone-Walzer" zu singen. 3. Aufl. gr. 8. (7 S.) Berlin 886. Lassar. n. — 60

— unsere. Ein Lebensbild v. M. K. 5. Aufl. 8. (VII, 207 S.) Bielefeld 884. Velhagen & Klasing. geb. n. 4. —

Muttersprache, die. Ausg. A. Lesebuch in 8 Tln. Hrsg. v. Berthelt, Petermann, Thomas u. Baron, Junghanns, Schindler. 1—5. u. 7. Tl. gr. 8. Leipzig 885. 86. Klinkhardt. n. 3. 35; geb. n. 5. 3

1. Fibel. Nach der Normalwörtermethode bearb. 9. Aufl. (100 S. m. Illustr.) n. — 35; geb. n. — 53
2. 9. Aufl. (XIV, 120 S.) n. — 50; geb. n. — 80
3. 7. Aufl. (VI, 154 S.) n. — 60; geb. n. — 90
4. 6. Aufl. (VIII, 167 S.) n. — 60; geb. n. — 90
5. 5. Aufl. (VIII, 196 S.) n. — 60; geb. n. — 90
7. 5. Aufl. (VIII, 208 S.) n. — 70; geb. n. 1. —

— dasselbe. Ausg. B. Lesebuch in 5 Tln. gr. 8. Ebend. 885. 86. n. 3. 45; geb. n. 4. 93

1. Fibel. Nach der gemischten Schreiblesemethode bearb. 12. Aufl. (100 S. m. Illustr.) n. — 35; geb. n. — 53
2. 5. Aufl. (VII, 112 S.) n. — 40; geb. n. — 70
3. 5. Aufl. (VIII, 200 S.) n. — 60; geb. n. — 90
4. 6. Aufl. (VIII, 188 S.) n. 1. —; geb. n. 1. 35
5. 5. Aufl. (VIII, 330 S.) n. 1. 10; geb. n. 1. 45

— dasselbe. Ausg. C. Lesebuch in 3 Tln. 2. Tl. u. 3. Tl. in 2 Abtlgn. gr. 8. Ebend. 886. n. 2. 10; geb. n. 3. —

2. 10. Aufl. (VIII, 248 S.) n. — 80; geb. n. 1. 10
3. I. Für Oberklassen. 1. Abtlg. 8. Aufl. (VIII, 208 S.) n. — 65; geb. n. — 95. — II. Dasselbe. 2. Abtlg. 7. Aufl. (VIII u. S. 209—432.) n. — 65; geb. n. — 95; beide Abtlgn. in 1 Bd. n. 1. 30; geb. n. 1. 70

Mutz, Frz. Xav., die Schmähschrift „In Coena Domini u. Messe. Von Wilh. Joos." Beleuchtet. 8. (44 S.) Freiburg i/Br. 884. Herder. n. — 20

Mutzbauer, Carl, der homerische Gebrauch der Partikel μέν. I. u. II. 4. (23 u. 35 S.) Köln 884 u. 86. (Berlin, Mayer & Müller.) n. 2. —; II. Tl. ap. n. 1. —

Muyden, G. van, Schlüssel zu den französischen Aufgaben, s.: Wedells, v., Vorbereitung f. das Examen zur Kriegs-Akademie.

— Schlüssel zu den mathematischen u. französischen Aufgaben in v. Wedell's Vorbereitung f. das Examen zur Kriegs-Akademie, s.: Havemann.

Muzzarelli, Alph., neuer Mai-Monat. Mit Zugrundlegg. d. alten Büchleins hrsg. v. e. Seelsorgspriester. 16. (208 S. m. 1 Stahlst.) Mainz 883. Kirchheim. — 90

— von den Pflichten e. Seelenhirten in Zeiten der Drangsale der Kirche. gr. 16. (IV, 105 S.) Regensburg 885. Verlags-Anstalt. — 65

Mylius, A., der fleischgewordene Logos im Prolog d. Evang. Joh. [I., 1—18] unter Berücksicht. der v. H. Schultz in seinem Werke „Die Lehre v. der Gottheit Christi" dargelegten „Johanneischen Lehre". gr. 8. (19 S.) Hannover 883. Feesche. n. — 50

Mylius, C., das Anlegen v. Herbarien der deutschen Gefässpflanzen. Eine Anleitg. f. Anfänger in der Botanik. 8. (VI, 110 S.) Stuttgart 885. Thienemann. n. 1. 80; geb. n. 2. 20

Mylius, O., Auge um Auge, Zahn um Zahn, s.: Unterhaltungs-Bibliothek.

— das Indianergrab, s.: Volks-Erzählungen, kleine.

— das liederliche Kleeblatt,
— der einzige junge Mann im Dorfe, } s.: Bloch's, E., Theater-Correspondenz.

— ein Ritt über die Grenze, s.: Volks-Erzählungen, kleine.

— verschlagen auf dem Ozean, s.: Unterhaltungs-Bibliothek.

— unter den Wilden der Südsee,
— die gestohlene Yacht, } s.: Volks-Erzählungen, kleine.

Myrbach, Frz. Frhr. v., die Besteuerung der Gebäude u. Wohnungen in Oesterreich u. deren Reform. Eine finanzwissenschaftl. Studie. gr. 8. (IV, 287 S.) Tübingen 886. Laupp. n. 5. —

— der gemeinwirtschaftliche Betrieb elektrischer Anstalten aus dem Gesichtspunkte d. ökonomischen Vortheils. gr. 8. (III, 142 S.) Ebend. 886. n. 3. —

Myrdacz, Paul, Sanitäts-Geschichte der Bekämpfung d. Aufstandes in der Hercegovina, Süd-Bosnien u. Süd-Dalmatien im J. 1882. Mit 1 Kartenskizze. gr. 8. (VIII, 208 S.) Wien 885. Seidel & Sohn. n. 5. —

Myrthenblüthen. Katholisches Gebet- u. Andachtsbuch der christl. Frau. Sammlung der schönsten u. vorzüglichsten, zumeist aus den Schriften der Heiligen entnommenen Gebete. 2. Aufl. 16. (XXIV, 536 S.) Dülmen 886. Laumann. n. 2. —; geb. von n. 3. — bis n. 30. —

Myska, Gustav, de antiquiorum historicorum graecorum vocabulis ad rem militarem pertinentibus. gr. 8. (67 S.) Königsberg 886. (Koch & Reimer.) n. 1. 20

Myskovszky, Vikt., Kunstdenkmale d. Mittelalters u. der Renaissance in Ungarn. 10 Lfgn. gr. Fol. (à 10 photolith. Taf.) Wien 883. 85. A. Lehmann. à n. 8. —

— les monuments d'art du moyen âge et de la renaissance en Hongrie. 10 Livr. Fol. (à 10 Lichtdr.-Taf.) Ebend. 885. à n. 8. —

Mysliwski, Naturgeschichte f. katholische Elementarschulen. 8. (72 S.) Aachen 885. A. Jacobi & Co. n. — 35

N.

Naber, Frdr., aus Sage u. Geschichte. Hülfsbuch f. den ersten geschichtl. Unterricht auf den untersten Klassen höherer Lehranstalten. gr. 8. (VI, 204 S.) Detmold 885. Meyer. n. 1. 50; cart. n. 1 75

Nach Norderney u Juist. Saison 1886. 32. (50 S.) Norden 886. Soltau. n. — 20

Nachbar, der. Ein christl. Volksblatt f. Stadt u. Land. Red. v. N Fries u. C. Ninck. 35—37. Jahrg. 1883—1885. à 52 Nrn. (B.) gr. 4. Hamburg, Persiehl. à Jahrg. n. 14. —

Nachbauer, Paul, der fromme Sodale. Ein Gebet- u. Gesangbüchlein f. Mitglieder Marianischer Sodalitäten. 16. (XII, 436 S.) Regensburg 883. Verlags-Anstalt. n. — 80

Nachfolge d. heil. Aloisius. Vollständiges Gebet- u. Erbauungsbuch f. die heranwachs. Jugend v. A. L. 16. (480 S. m. 1 Chromolith.) Salzburg 885. Pustet. — 90

Nachrichten, amerikanische. Deutsch-amerikan. Wochenblatt. Organ zur Vermittelg. deutscher u. amerikan. Interessen. Red.: G. Brückner. 1. Jahrg. Mai 1883—April 1884. 52 Nrn. (B.) Fol. Berlin. (Leipzig, Serbe.) 4. —

— dasselbe, s.: Auswanderer, der.

— astronomische. Hrsg.: A. Krüger. 104—115. Bd. à 24 Nrn. (B.) gr. 4. Kiel 883—86. (Hamburg, Mauke Söhne.) à Bd. n.n. 15. —

— aus der Brüder-Gemeine. Red.: C. A. Seiler. 65—67. Jahrg. 1883—1885. à 12 Hfte. 8. (à Hft. 93 S.) Gnadau, Unitäts-Buchh. à Jahrg. n. 8. —

— dasselbe. 68 Jahrg. 1886. 12 Hfte. 8. (1. Hft. 92 S.) Ebend. n. 6. —

— statistische, v. den Eisenbahnen d. Vereins deutscher Eisenbahn-Verwaltungen f. d. Etats-Jahr 1881—1884. Hrsg. v. der geschäftsführ. Direktion d. Vereins. XXXII—XXXV. Jahrg. Fol. (à 200 S.) Berlin 883—86. (Nauck & Co) cart. à Jahrg. n.n. 12. 50

— statistische, üb. die Eisenbahnen der österreichisch-ungarischen Monarchie f. d. Betriebsj. 1879. Bearb. u. hrsg. vom statist. Departement im k. k. Handels-Ministerium in Wien u. vom königlich-ungar. statist. Landesbureau in Budapest. (Deutsch u. ungarisch.) Imp.-4. (VI, 596 S.) Wien 882. Hof- u. Staatsdruckerei. n. 16. —

— dasselbe f. d. Betriebsj. 1880. Imp -4. (IV, 411 S.) Ebend. 883. n. 10. —

— dasselbe f. das Betriebsj. 1881. Imp.-4. (IV, 409 S.) Ebend. 883. n. 12. —

— dasselbe f. das Betriebsj. 1882. Imp.-4. (IV, 639 S.) Ebend. 884. n. 16. —

— dasselbe f. das Betriebsj. 1883. Imp.-4. (IV, 449 S.) Ebend. 885. n. 12. —

— entomologische. Hrsg. v. F. Katter. 9. Jahrg. 1883. 24 Nrn. (à 3/4—1 B.) gr. 8. Putbus. (Stettin, Katter.) n. 7. 50

— dasselbe. 10—12. Jahrg. 1884—1886. à 24 Nrn. (1 1/2 B.) gr. 8. Berlin, Friedländer & Sohn. à Jahrg. n. 6. —

— statistische, üb. die Erkrankungs-Verhältnisse der Beamten v. 25 Vereins-Verwaltungen im J. 1882. Hrsg. v. der geschäftsführ. Direktion d. Vereins deutscher Eisenbahn-Verwaltgn. Fol. (66 S.) Berlin 883. (Nauck & Co.) n. 3. —

— über Industrie, Handel u. Verkehr aus dem statistischen Departement im k. k. Handels-Ministerium. 23. Bd. Lex.-8. Wien 882. Hof- u. Staatsdruckerei. n. 8. —

Mittheilungen der k. u. k. österreichisch-ungarischen Consulats-Behörden. 10. Jahrg. (XXX, 975 S.)

— dasselbe. 24. Bd. 4. u. 5. Hft. Lex.-8. Ebend. 882. n. 4. 40

4. Hauptergebnisse der österreichischen Eisenbahn-Statistik im J. 1881. [Beiden Reichshälften der Monarchie gemeinsame u. österr. Eisenbahnen.] (180 S.) n. 2. 40
5. Werthe f. die Mengeneinheiten der im J. 1881 im österreichisch-ungarischen Zollgebiete ein- u. ausgeführten Waaren. (III, 74 S.) n. 2. —

— dasselbe. 25. Bd. Lex.-8. Ebend. 883. n. 8. —

Jahresberichte der k. u. k. österreichisch-ungarischen Consulats-Behörden. 11. Jahrg. (XVI, 970 S.)

— dasselbe. 26. Bd. 1—5. Hft. Lex.-8. Ebend. 882. 84. Hof- u. Staatsdruckerei. n. 11. 40

1. Amtlicher Bericht üb. die Geschäftsthätigkeit d. k. k. Handels-Ministeriums während d. J. 1882. (IV, 121 S.) n. 2. —
2. Statistik d. österreichischen Telegraphen im J. 1882. Mit e. Uebersicht üb. den neuesten Stand d. Telegraphen in Europa. (157 S.) n. 3. —
3. Statistik d. österreichischen Postwesens im J. 1882. Mit e. Uebersicht üb. den neuesten Stand der Post in Europa. (IV, 139 S.) n. 2. —
4. Hauptergebnisse der österreichischen Eisenbahn-Statistik im J. 1882. [Beiden Reichshälften gemeinsame u. österreich. Eisenbahnen.] (121 S.) n. 2. 40
5. Werthe f. die Mengeneinheiten der im J. 1882 im österreichisch-ungarischen Zollgebiete ein- u. ausgeführten Waaren. (V, 112 S.) n. 2. —

— dasselbe. 27. Bd. Lex.-8. Ebend. 884. n. 17. 10

Jahresbericht der k. u. k. österreichisch-ungarischen Consulatsbehörden. 12. Jahrg. (XIV, 828 S.)

— dasselbe. 28. Bd. Lex.-8. Ebend. 884. n. 6. —

Statistik der österreichischen Industrie nach dem Stande vom J. 1880. (XIV, 244 S.)

Nachrichten über Industrie, Handel u. Verkehr aus dem statistischen Departement im k. k. Handels-Ministerium. 29. Bd. 1—5. Hft. Lex.-8. Wien 884. Hof- u. Staatsdruckerei. n. 11. 40
1. Amtlicher Bericht üb. die Geschäftsthätigkeit d. k. k. Handels-Ministeriums während d. J. 1883, nebst e. Darstellg. d. Ressorts dieser Centralstelle nach dem Bestande vom 30. Septbr. 1884. (IV, 131 S.) n. 2. —
2. Statistik d. österreichischen Telegraphen im J. 1883. Mit e. Uebersicht üb. den neuesten Stand d. Telegraphen in Europa. (161 S.) n. 3. —
3. Statistik d. österreichischen Postwesens im J. 1883. Mit e. Uebersicht üb. den neuesten Stand der Post in Europa. (IV, 145 S.) n. 2. —
4. Hauptergebnisse der österreichischen Eisenbahn-Statistik im J. 1883. [Beiden Reichshälften der Monarchie gemeinsame u. österreich. Eisenbahnen.] (135 S.) n. 2. 40
5. Werthe f. die Mengeneinheiten der im J. 1883 ein- u. ausgeführten Waaren im österreichisch-ungarischen Zollgebiete. Festgestellt v. der k. k. Permanenz-Commission f. die Handelswerthe. (VI, 96 S.) n. 2. —

— dasselbe. 30. Bd. Lex.-8. Ebend. 885. n. 8. —
Jahresbericht der k. k. österreichisch-ungarischen Consulats-Behörden. 13. Jahrg. (XX, 984 S.)

— dasselbe. 31. Bd. 1—4. Hft. Lex.-8. Ebend. 886. n. 9. 40
1. 2. Statistik d. österreichischen Post- u. Telegraphenwesens im J. 1884. Mit e. statist. Uebersicht üb. das Post- u. Telegraphenwesen in Europa. (V, 293 S.) n. 5. —
3. Hauptergebnisse der österreichischen Eisenbahn-Statistik im J. 1884. [Beiden Reichshälften der Monarchie gemeinsame u. österreich. Eisenbahnen.] (143 S.) n. 2. 40
4. Werthe f. die Mengeneinheit der im J. 1884 im österreichisch-ungarischen Zollgebiete ein- u. ausgeführten Waaren. Festgestellt v. der k. k. Permanenzcommission f. die Handelswerthe. (V, 110 S.) n. 2. —

— dasselbe. 32. Bd. Lex.-8. Ebend. 886. n. 8. —
Jahresbericht der k. k. österreichisch-ungarischen Consulats-Behörden. 14. Jahrg. (VIII, 305.)

— dasselbe. 33. Bd. 1. u. 2. Hft. Lex.-8. Ebend. 886. n. 5. —
Statistik d. österreichischen Post- u. Telegraphenwesens im J. 1885. Mit e. statist. Übersicht üb. das Post- u. Telegraphenwesen in Europa. (V, 303 S.)

— für u. üb. Kaiser Wilhelms-Land u. den Bismarck-Archipel. Hrsg. im Auftrage der Neu-Guinea-Compagnie zu Berlin. 1. Jahrg. 1885. gr. 8. (61 S. m. 2 Karten.) Berlin 885. 86. (Asher & Co.) n.n. 5. —

— dasselbe. Jahrg. 1886. 1—4. Hft. gr. 8. (135 S.) Ebend. n.n. 3. 75

— vierteljährliche, v. Kirchen- u. Schulsachen, hrsg. v. B. Raven. 77—80. Jahrg. 1883—1886. à 4 Hfte. 8. (1. Hft. 48 S.) Hannover, Feesche. à Jahrg. n.n. 1. 50

— aus dem Luisenstift zu Niederlößnitz. Zur Erinnerg. an die am 12. Oktbr. 1882 festlich begangene 25jähr. Jubelfeier. gr. 8. (96 S.) Dresden 883. (J. Naumann.) n. 1. —

— neueste, aus dem Morgenlande. [Neue Folge.] Unter Mitwirkg. v. Kögel, Strauß u. A. hrsg. v. C. Hoffmann. 27—30. Jahrg. 1883—1886. à 6 Hfte. (à 1—2 B.) gr. 8. Berlin, W. Schultze. à Jahrg. n. 3. —

— über Quedlinburg u. seine Altertümer. 3. verm. Aufl. 8. (33 S.) Quedlinburg 886. Huch. n.n. — 30

— amtliche, d. Reichs-Versicherungsamts. 1. u. 2. Jahrg. 1885 u. 1886. à 24—26 Nrn. 4. (Nr. 1. 1 B.) Berlin, Asher & Co. à Jahrg. n. 6. —

— für Seefahrer. Hrsg. v. dem hydrograph. Amt der Admiralität. 14—17. Jahrg. 1883—1886. à 52 Nrn. (à $^1/_2$—2 B.) hoch 4. Berlin, (Mittler & Sohn). à Jahrg. n. 2. —

— amtliche, üb. das preußische Staatsschuldbuch. 8. (32 S.) Berlin 884. Guttentag. n.n. — 25

— dasselbe. 2. Ausg. Nach den Gesetzen vom 20. Juli 1883 [G. S. S. 120] u. vom 12. Apr. 1886 [G. S. S. 124] u. den Ausführungsbestimmgn. d. Herrn Finanzministers. 12. (40 S.) Ebend. 886. n. — 40

— statistische, üb. das Grossherzogth. Oldenburg. Hrsg. vom grossherzogl. statist. Bureau. 20. Hft. Das Finanzwesen der Communalverbände in den J. 1873—1882. Nebst 2 kartograph. Tab. gr. 4. (VIII, 164 u. 301 S.) Oldenburg 886. (Bültmann & Gerriets.) n. 10. —

— statistische, üb. den Stand d. Gelehrten- u. Realschulwesens in Württemberg auf 1. Jan. 1884. gr. 8. (57 S.) Tübingen 884. Fues. n. 1. —

— dasselbe, auf 1. Jan. 1885. gr. 8. (84 S.) Ebend. 885. n. 1. —

Nachrichten, typographische. Organ zur Verbreitg. v. Fachkenntnissen in Berufskreisen. Hrsg. vom litterar. Klub der Typograph. Gesellschaft zu Leipzig. Red.: Karl Müller. 2. Jahrg. 1886. 12 Nrn. (B. m. Illustr.) Imp.-4. Leipzig, Exped. (O. Kahle b. Fischer & Kürsten). n.n. 5. —

Nachtbilder. (2. Abdr.) 8. Berlin 885. Goldschmidt. n. — 50
Brüderlein fein. Eine Kriminal-Novelle v. Pitaval. — Die blonde Perrücke. Ein unaufgeklärter Kriminal-Fall v. Ponson du Terrail. (122 S.)

Nachtigal's, Gust., Reisen in der Sahara u. im Sudan. Nach seinem Reisewerk dargestellt v. Alb. Fränkel. Mit Nachtigal's Portr., 92 Abbildgn. u. 1 Uebersichtskarte. gr. 8. (XII, 401 S.) Leipzig 887. Brockhaus. n. 6. —; geb. n. 6. 50

Nachtigall, Karl, Hilfsbuch f. den deutschen Unterricht in den oberen Klassen höherer Lehranstalten. 2. Aufl. gr. 8. (XI, 106 S.) Remscheid 886. Schmidt. geb. n. 1. 50

Nachträge, Verordnungen u. **Normal-Statuten** zu der durch das Gesetz vom 15. März 1883 abgeänderten u. ergänzten Gewerbe-Ordnung vom 20. Decbr. 1859. Ergänzungsheft zur „Gewerbe-Ordnung". 8. (64 S.) Wien 883. Manz. n. — 40

Nachweisung üb. die ausgeschlossenen Güter-Gemeinschaften in der Prov. Westfalen vom 1. Jan. 1860 bis incl. den Monat August 1883. gr. 8. (342 S.) Hagen 883. Risel & Co. n. 6. —

Nack, H., u. H. **Rathmann,** Schreiblese-Fibel. 27. Aufl. Mit Illustr. gr. 8. (40 S.) Stade 887. Steudel sen. — 30

Nacke, C., Einführung in die deutsche Litteratur, s.: Lüben, A.

Nacke, J., das Decimalrechnen auf Grund der Wesenheit d. Decimalsystems. Nach Vorträgen von J. N. 2. Aufl. Neu bearb. u. erweitert v. F. S. Holzinger. 8. (VII, 84 S.) Linz 884. Fink. n. 1. 20

Nadaillac, Marquis de, die ersten Menschen u. die prähistorischen Zeiten, mit besond. Berücksicht. der Urbewohner Amerikas. Nach dem gleichnam. Werke hrsg. v. W. Schlösser u. Ed. Seler. Mit 70 Holzschn. gr. 8. (XII, 527 S.) Stuttgart 884. Enke. n. 12. —

Nader, E., u. A. **Würzner,** englisches Lesebuch f. höhere Lehranstalten. Mit literarhistor., sachl. u. sprachl. Anmerkgn. Mit 1 Plan v. London. gr. 8. (VIII, 528 S.) Wien 886. Hölder. geb. n. 4. 80

Nadler, Fr., Erläuterung u. Würdigung deutscher Dichtungen. gr. 8. (VII, 434 S.) Gotha 882. Behrend. n. 5. —

— dasselbe. 2. Aufl. gr. 8. (VII, 434 S.) Ebend. 885. n. 4. 50

Nadler, Karl Gfr., fröhlich Palz, Gott erhalts! Gedichte in Pfälzer Mundart. Hrsg. v. e. Rheinländer. Mit e. erklär. Wörterbuch. 2. Aufl. 8. (VIII, 210 S.) Kaiserslautern 883. Gotthold. n. 1. 50; geb. 2. 50

Nädler, H., vollständiges deutsch-russisches Wörterbuch. 1—3. Lfg. gr. 8. (S. 1—288.) St. Petersburg 885. 86. Erickson & Co. à n. 1. 60

Naef, Emil, Erinnerungen aus Nord-Amerika. Nach eigenen Erlebnissen aufgezeichnet. 8. (184 S.) Aarau 884. (Chur, Kellenberger.) n. 1. 50

Naef, R., das Recht der Liegenschaftsvollstreckung im Großherzogt. Baden. Mit angehängtem Text-Abdruck der einschläg. Rechts-Normen. 8. (XL, 238 S.) Karlsruhe 884. Bielefeld's Verl. n. 3. 20; geb. n. 4. —

— das französische u. badische Recht der Vermögensabsonderung unter Eheleuten. 12. (XV, 135 S.) Freiburg i/Br. 886. Mohr. geb. n. 2. 80

— das Wasserrecht im Großherzogt. Baden 8. (372 S.) Lahr 883. Schauenburg. n. 3. —

Nafzger, Frdr., üb. die Säuren d. Bienenwachses. gr. 8. (39 S.) Stuttgart 883. (Tübingen, Fues.) 1. 20

Nagel, A., die Grossenhainer Grundlinie, s.: Bruhns, C.

— das Landesnivellement, s.: Arbeiten, astronomisch-geodätische, f. die europäische Gradmessung im Königr. Sachsen.

Nagel, A., die Liebe der Blumen, s.: Sammlung gemeinverständlicher wissenschaftlicher Vorträge.

Nagel, C., Alexandre Hardy's Einfluss auf Pierre Corneille, s.: Ausgaben u. Abhandlungen aus dem Gebiete der romanischen Philologie.

Nagel, Chrn. Heinr., Theorie der periodischen Decimalbrüche, nebst Tabellen zur leichten Verwandlg. gewöhnl. Brüche in Decimalbrüche. Neue Ausg. gr. 8. (VI, 148 S.) Stuttgart 884. A. Koch. n. 1. —

Nagel, E., die Seekrankheit, s.: Hausbücher, medicinische.

Nagel, Ed., der Curort Trencsin-Teplitz in Ober-Ungarn u. seine Schwefelthermen. 2. Aufl. 8. (48 S.) Wien 884. Perles. n. 1. —

Nagel, Fr., Geschichte u. Lage der evangelischen Gemeinden in Altbayern. Vortrag. gr. 8. (18 S.) Nürnberg 886. Löhe. n. — 20

Nagel, Fritz, e. Weihnachtsgeschichte od. die letzte öffentliche Weihnachtsbescherung armer Kinder. Reich u. Arm zu Nutz u. Frommen erzählt. 8. (73 S.) Magdeburg 883. Heinrichshofen's Verl. 1. —

Nagel, Joh., Aufgaben f. das mündliche u. schriftliche Rechnen an Volksschulen. 1. Hft. [Rechenfibel.] Zahlenraum 1 bis 20. 4., verb. Aufl. gr. 8. (32 S.) Prag 884. Tempsky. — Leipzig, Freytag. n. — 20

Nagel, Jul., Kasualreden. Aus dessen Nachlaß hrsg. v. Ernst Nagel. gr. 8. (VIII, 375 S.) Leipzig 885. J. Naumann. n. 5. —; geb. n. 6. —

Nagel, L., Akatanghi, le petit sonneur. Histoire véritable. Imité de l'allemand. 2. éd. 8. (47 S. m. 1 Holzschn.) Basel 882. Missionsbuchh. n. — 25

L. v. **Nagel-Album.** gr. 4. (60 Bl. m. Holzschn.) München 883. Braun & Schneider. n. 4. —; Einbd. n.n. 1. 50

Nägeli, Carl v., botanische Mittheilungen. 3 Bde. Mit 14 Taf. gr. 8. (IV, 446; IV, 501 u. III, 534 S.) München 863, 66 u. 81. (Leipzig, Osw. Weigel.) n. 30. —

— mechanisch-physiologische Theorie der Abstammungslehre. Mit e. Anh.: 1. Die Schranken der naturwissenschaftl. Erkenntniss, 2. Kräfte u. Gestaltungen im molecularen Gebiet. gr. 8. (XI, 822 S.) München 883. Oldenbourg. n 14. —

— u. **A. Peter**, die Hieracien Mittel-Europas. Monographische Bearbeitg. der Piloselloiden mit besond. Berücksicht. der mitteleurop. Sippen. Lex.-8. (IX, 931 S.) Ebend. 885. n. 21. —; Einbd. n.n. 3. —

— — dasselbe. 2. Bd. Monographische Bearbeitg. der Archieracien m. besond. Berücksicht. der mitteleuropäischen Sippen. 1. u. 2. Hft. gr. 8. (240 S.) Ebend. 886. n. 7. 40

Nägelsbach's, Carl Frdr. v., homerische Theologie. 3. Aufl., bearb. v. Geo. Autenrieth. gr. 8. (XXXII, 482 S.) Nürnberg 884. Geiger. n. 8. 50

— Übungen d. lateinischen Stils f. reifere Gymnasialschüler. 3. Hft. 7., verb. Aufl., bearb. v. J. A. Baumann. 8. (VIII, 155 S.) Leipzig 886. Brandstetter. n. 1. 40

Nagelschmitt, Heinr., Gelegenheitsreden. Gesammelt u. hrsg. 4. Bd. A. u. d. T.: Begräbnißreden. 2. Bd. 8. (X, 351 S.) Paderborn 885. F. Schöningh. n. 3. — (1—4.: n. 11. 40)

— dasselbe. 2. Bd. A. u. d. T.: Begräbnißreden. 1. Bd. 2. Aufl. gr. 8. (XII, 320 S.) Ebend. 883. n. 2. 60

Nagl, J. Willibald, die Conjugation d. schwachen u. starken Verbums im niederösterreichischen Dialekt. Nebst e. knappen Übersicht üb. den Gebrauch d. Conjunctivs in derselben Mundart. gr. 8. (31 S.) Wien 883. (Gerold's Sohn.) n. — 80

— die Declination der drei Geschlechter d. Substantivs im niederösterreichischen Dialekt. Mit zwei Anhängen üb. Anomala, üb. Eigennamen u. Fremdwörter in derselben Mundart. gr. 8. (38 S.) Ebend. 884. n. — 80

— da Roanad. Eine Uebertragg. d. deutschen Thierepos in den niederösterreich. Dialekt. 1. Thl. gr. 8. Ebend. 886. n 10. —

Grammatische Analyse d. niederösterreichischen Dialektes im Anschlusse an den als Probestück der Uebersetzg. abgedruckten VI. Gesang d. Roanad. Mit ausführl. Nachschlagebuch. (X, 536 S.)

Nagl, J. Willibald, über den gegenwärtigen Stand der baierisch-österreichischen Dialektforschung. Mit Excursen üb. die parallele Dialektdichtg. u. verwandte Litteraturzweige. gr. 8. (64 S.) Wien 886. (Gerold's Sohn.) n. 1. —

Nagl, Jos., der kleine Gratulant. Eine Sammlg. v. Glückwünschen zum Jahreswechsel, zu Geburts- u. Namenstagen, zum Weihnachtsfeste u. einigen Gelegenheitsgedichten zu Schulfeierlichkeiten. 4. Aufl. gr. 16. (96 S.) Wien 887. Sallmayer. n. — 30

Nagulewski, M. Darius, de Juvenalis vita observationes. gr. 8. (VI, 66 S.) Rigae 883. (Dorpat, Karow.) n. 1. —

Naeher, J., die deutsche Burg, ihre Entstehung u. ihr Wesen insbesondere in Süddeutschland. Mit 73 Holzschn.-Darstellgn. nach eigenen Aufnahmen d. Verf. gr. 8. (III, 44 S.) Berlin 885. Toeche. n. 1. —

— die Burgen in Elsass-Lothringen. Ein Beitrag zur Kenntniss der Militär-Architectur d. Mittelalters. 1. Hft. Die Burgen im Unter-Elsass. 2. Hft. Die Burgen im Ober-Elsass u. in Lothringen [m. 15 Taf., die autogr. Aufnahmen v. 60 Burgen enth.]. gr. 4. (VI, 32 u. 13 S.) Strassburg 886. (Noiriel.) n. 8. —

— die Stadt Pforzheim u. ihre Umgebung. Ein Beitrag zur Vaterlandskunde. Mit 60 bildl. Darstellgn. in 8 (autogr.) Blättern. Lex.-8. (64 S.) Pforzheim 884. Riecker. n. 2. 50

— die Burg Zwingenberg im Neckarthal. Beschreibung u. Geschichte m. 1 (autogr.) Taf. Orig.-Aufnahmen. gr. 8. (19 S) Karlsruhe 886. Gutsch. n. — 50

— u. **H. Maurer**, die alt-badischen Burgen u. Schlösser d. Breisgaues. Beiträge zur Landeskunde. gr. 4. (VII, 83 S. m. eingedr. Fig. u. 4 autogr. Taf.) Emmendingen 884. Dölter. n. 3. —

Nahlowsky, Jos. W., allgemeine Ethik. Mit Bezugnahme auf die realen Lebensverhältnisse pragmatisch bearb. 2. Aufl. gr. 8. (XXIV, 366 S) Leipzig 885. Veit & Co. n. 7. —

— das Gefühlsleben. In seinen wesentlichsten Erscheingn. u. Bezügen dargestellt. 2. Aufl. gr. 8. (XII, 193 S.) Ebend. 884. n. 3. 60

Nähmaschinen-Zeitung, deutsche. Organ d. Vereins deutscher Nähmaschinen-Fabrikanten. Red.: Otto Fischer. 9—11. Jahrg. 1884—1886. à 12 Nrn. (à 1—2 B m. Holzschn. u. Steintaf.) gr. 4. Dresden, (Kaufmann's Sort.). à Jahrg. n. 4. —

Nahrhaft, Jos., lateinisches Uebungsbuch zu der Grammatik v. Al. Goldbacher. 1. u. 2. Thl. gr. 8. Wien, Schworella & Heick. geb. n. 4. 4; alphabet. Wörterverzeichnis zum 1. Thl. (32 S.) cart. n. — 60

1. (VI, 128 S.) 883. n. 1. 80. — 2. (VI, 188 S.) 884. n. 2. 24

— dasselbe. 1. Thl. 2. Aufl. gr. 8. (IV, 120 S.) Ebend. 886. geb. n. 1. 25

Nake, B., Vorübungen zur Anfertigung lateinischer Aufsätze. 2. Aufl. gr 8. (63 S.) Berlin 885. Weidmann. n. — 80

Nakel, P., Anleitung zum Unterrichte im Rechnen, s.: Dorn, J.

Nala u. Damayanti, s.: Universal-Bibliothek.

Nald, R. O., Licht u. Schwere od. die Zurückführung der Licht- u. Wärmeerscheinungen auf die allgemeine Schwere. gr. 8. (100 S.) Berlin 886. Polytechn. Buchh. n. 1. 50

Nalepa, Alfr., die Anatomie der Tyroglyphen. I. u. II. Abth. [Mit 5 (lith.) Taf.] Lex.-8. Wien, (Gerold's Sohn). n. 2. 50

1. Mit 2 (lith.) Taf. (32 S.) n. 1. —
2. Mit 3 (lith.) Taf. (52 S.) n. 1. 50

— Beiträge zur Anatomie der Stylommatophoren. [Mit 3 (2 lith. u. 1 chromolith.) Taf.] Lex.-8. (66 S.) Ebend. 883. n. 2. 80

— die Intercellularräume d. Epithels u. ihre physiologische Bedeutung bei den Pulmonaten. [Mit 1 (chromolith.) Taf.] Lex.-8. (10 S.) Ebend. 883. n.n. — 70

Name, der heiligste, Jesus, das sicherste Hilfsmittel in Krankheiten, wo kein Arzt helfen kann. Neue Aufl. gr. 8. (III, 503 S.) Regensburg 886. Verlags-Anstalt. 5. —

Name, Adam, Antichrist. Drama in 5 Akten. 8. (126 S.) Leipzig 886. Fr. Richter. n. 2. —

Namens-Verzeichniss, alphabetisches, der k. u. k. österr.-ungar. Consularfunctionäre, sowie der k. u. k. österr.-ungar. Consularämter in sämmtlichen fremden Staaten. Jänner 1886. Zusammengestellt im k. u. k. Ministerium d. kais. Hauses u. d. Aeussern. Lex.-8. (30 S.) Wien 886. Hof- u. Staatsdruckerei. n. — 40

Namen-Verzeichniß der Mitglieder d. Abgeordnetenhauses. X. Session. Nach dem Stande im Octbr. 1886. gr. 8. (114 S.) Wien 886. Hof- u. Staatsdruckerei. n. — 80

Namur, J., analyse chimique des gypses ou plâtres du grand-duché de Luxembourg. 8. (80 S) Luxemburg 885. Brück. — 60

Nandy, Gopinath, der Märtyrer v. Allahabad. 2. Aufl. 8. (48 S.) Basel 882. Missionsbuchh. n. — 20

Napravnik, Frz., geometrische Formenlehre f. Mädchen-Bürgerschulen. 2 Thle. gr. 8. Prag 885. Tempsky. à n. — 60; Einbd. à n.n. — 20
1. Mit 89 eingedr. Holzschn. 3. Aufl. (VIII, 56 S.)
2. Mit 35 eingedr. Holzschn. 2. Aufl. (VI, 58 S.)

— Geometrie u. geometrisches Zeichnen f. Knabenbürgerschulen. 1 u. 2. Thl. gr. 8. Wien 885. Pichler's Wwe. & Sohn. à n. — 60
1. Für die 1. Classe dreiclass. Bürgerschulen od. die 6. Classe achtclass. Volksschulen. Mit 123 eingedr. Holzschn. 3., unveränd. Aufl. (79 S.)
2. Für die 2. Classe dreiclass. Bürgerschulen. Mit 94 eingedr. Holzschn. 2., durchgeseh. Aufl. (III, 84 S.)

— dasselbe f. Mädchen-Bürgerschulen. 3 Thle. gr. 8. Prag 885. Tempsky. n. 1. 68
1. 2. (VII, 56 u. IV, 58 S. m. 85 resp. 61 Holzschn.) à n. — 60. — 3. (IV, 48 S. m. 37 Holzschn.) n. — 48

Narrenbuch, s.: National-Litteratur, deutsche.

Narrey, Chr., wenn Frauen lachen, s.: Universal-Bibliothek.

Nasemann, O., Bad Lauchstädt, s.: Neujahrsblätter, hrsg. v. der Histor. Commission der Prov. Sachsen.

Naske, Alois, die Aufgaben der deutschen Frau im Dienste ihrer Nation. Ein Vortrag f. Damen. gr. 8. (19 S.) Brünn 883. Knauthe. n. — 40

Nasmyth, J., u. J. **Carpenter,** der Mond, betrachtet als Planet, Welt u. Trabant. Autoris. deutsche Ausg. m. Erläutergn. u. Zusätzen v. Herm. J. Klein. 3. Ausg. Mit 2 Lith. u. 19 Taf. im Lichtdr. 5 Lfgn. 4. (VIII, 165 S.) Hamburg 883. Voss. à n. 2. —; cplt. cart. 10. 50

Nass, Paul, üb. den Gerbstoff der Castanea vesca. gr. 8. (39 S.) Dorpat 884. (Karow.) n. 1. —

Nasse, Erwin, F. C. Dahlmann. Rede. gr. 8. (34 S.) Bonn 885. Cohen & Sohn. n. 1. —

— Lehrbuch der politischen Oekonomie, s.: Wagner, A.

— agrarische Zustände in Frankreich u. England, s.: Reitzenstein, F. Frhr. v.

Nasse, R., der technische Betrieb der kgl. Steinkohlengruben bei Saarbrücken, — geologische Skizze d. Saarbrücker Steinkohlengebirges, } s.: Steinkohlenbergbau, der, d. Preussischen Staates in der Umgebung v. Saarbrücken.

Nassius, R., Sammlung der den Bezirk der königl. Regierung zu Stettin gültigen Polizei-Vorschriften. Unter Benutzg. amtl. Quellen zusammengestellt u. erläutert. 2. Aufl. gr. 8. (VIII, 1033 S.) Stettin 884. Dannenberg. geb. n. 22. 50

Nath, R., General-Bericht üb. das öffentliche Gesundheitswesen im Reg.-Bez. Königsberg f. die J. 1881 bis 1883. Mit 12 graph. Taf. u. 2 Karten. gr. 8. (VII, 340 S. m. 5 Tab.) Königsberg 885. Gräfe & Unzer. n. 6. —

Nathan, Joel, Vocabularium zum Pentateuch, nebst Biegungs-Tabellen der hebr. Substantiva u. Verba. Durchgesehen v. Meissel. 10. verb. Aufl. 8. (IV, 174 S.) Berlin 883. Adf. Cohn. geb. n. 1. 50

Nathanael. Zeitschrift der Berliner Gesellschaft zur Beförderg. d. Christentums unter den Juden. Hrsg. v. Herm. L. Strack. 1. u. 2. Jahrg. 1885 u. 1886. à 6 Nrn. (2 B.) gr. 8. Karlsruhe, Reuther. à Jahrg. n. 1. 25

Nathusius, Heinr. v., üb. die Zucht schwerer Arbeitspferde u. die Mittel zu ihrer Beförderung in Preussen. Mit 2 lith. Taf. gr. 8. (107 S.) Berlin 885. Parey. n. 4. —

Nathusius, Marie, gesammelte Schriften. 2. u. 6. Bd. 8. Halle 885. 86. Mühlmann's Verl. à 2. 40; geb. à n. 3. —
2. Die Geschichten v. Christfried u. Julchen. Aus den kleinen Erzählgn. zusammengestellt. 4. Aufl. (286 S.)
6. Langenstein u. Boblingen. Eine Erzählg. 9. Aufl. (288 S.)

— Tagebuch e. armen Fräuleins. Abgedruckt zur Unterhaltg. u. Belehrg. f. junge Mädchen. 14. Aufl. 16. (208 S.) Ebend. 886. 1. 80; geb. m. Goldschn. n. 2. 60

Nathusius, Mart. v., Katechismus-Predigten, nach der Ordnung d. Kirchenjahres geh. 1. u. 2. Tl.: Vom 1. Advent bis 27. Sonntage nach Trinitatis. gr. 8. (VII, 254 u. VII, 312 S.) Leipzig 883. Hinrichs' Verl. à n. 4. 50; geb. à n. 5. 50

— Naturwissenschaft u. Philosophie, s.: Zeitfragen d. christlichen Volkslebens.

— Predigt zum Todtenfeste 1882. Geh. in der St. Benedictikirche. gr. 8. (11 S.) Quedlinburg 882. (Vieweg.) n. — 25

— Timotheus. Ein Rathgeber f. junge Theologen in Bildern aus dem Leben. 2. Aufl. 8. (VIII, 123 S.) Leipzig 883. Hinrichs' Verl. n. 1. 50; geb. n. 2. 20

— das Wesen der Wissenschaft u. ihre Anwendung auf die Religion. Empirische Grundlegg. f. die theolog. Methodologie. gr. 8. (VIII, 446 S.) Ebend. 885. n. 8. —

— Wissenschaft u Kirche im Streit um die theologischen Fakultäten, s.: Zeitfragen d. christlichen Volkslebens.

— u. Ghold. **Knapp,** Bibelfestpredigten, geh. am 10. Mai 1885 beim Fest der Wupperthaler Bibel-Gesellschaft. gr. 8. (30 S.) Barmen 885. (Wiemann.) n. — 50

Nation, die. Wochenschrift f. Politik, Volkswirthschaft u. Litteratur. Hrsg. v. Th. Barth. 1. Jahrg. Oktbr. 1883—Septbr. 1884. 52 Nrn. (à 1½—2 B.) gr. 4. Berlin, (H. J. Meidinger). n. 12. —

— dasselbe. 2. u. 3. Jahrg. Octbr. 1884—Septbr. 1886. à 52 Nrn. (à 1½—2 B.) gr. 4. Berlin, (H. S. Hermann). à Jahrg. n. 15. —

National-Bibliothek, deutsche, f. Russen. Mit russ. Interlinearübersetz. Red.: F. Booch-Arkossy u. F. A. Stroganoff. 1—12. Lfg. gr. 8. (448 S.) Leipzig 883. 84. Voss' Sort. à n. 1. —

— sämmtlicher deutscher Classiker. 2. Sammlg. 151. Hft. 12. Berlin 883. Hempel. à n. — 30
Aug. Graf v. Platen's Werke. (3. Bd. VII u. S. 273—396.)

— deutsch-österreichische. Hrsg. v. Herm. Weichelt. Nr. 1—47. 50. 51. 58. 59. 61. 63. u. 64. 8. Prag 885. 86. Weichelt. à n. — 20
1. Jakob Stainer. Novelle v. Johs. Schuler. 3. Aufl. (64 S.)
2. Die gefesselte Fantasie. Orig.-Zauberspiel v. Ferd. Raimund. (63 S.)
3. Das Engerl im See. Eine Hochlandsgeschichte v. Aug. Silberstein. (63 S)
4. In der Einöd'. Ländliches Volksstück m. Gesang in 3 Akten v. Carl Gründorf. [Musik v. Jul. Hopp.] (48 S.)
5. 6. Don Juan de Austria. Heldenlied in 12 Gesängen v. Ludw. Aug Frankl. (94 S.)
7. Der Hauskobold. Novelle aus den Glückstagen d. „Aufschwungs" v. Jos. Rank. (55 S.)
8. 9. Herzog Otto. Historische Erzählg. aus Tirol v. J. C. Maurer. (125 S.)
10. Jucunda. Dichtung in Prosa u. Vers v. Herm. Rollett. (80 S)
11. Moisasur's Zauberfluch. Zauberspiel in 2 Aufzügen v. Ferd. Raimund. (62 S.)
12. Das große u. das kleine Loos. Ein Lebensbild v. Ferd. Kürnberger. (64 S.)
13. 14. Lebensbilder. 2 Novellen von M. v. Weißenthurn. (104 S.)
15. In den schwarzen Bergen. Dramatisches Gedicht in 1 Aufzuge v. Heinr. Swoboda. (40 S.)
16. 17. Der letzte Ritter. Romanzenkranz v. Anastasius Grün. (104 S.)
18. Arnold Frank. Ein Lebensbild v. Steph. Milow. (55 S.)
19. Die Versuchungen der Armen. Novelle v. Ferd. Kürnberger. (48 S.)

20. 21. Der Sohn der Wildniß. Dramatisches Gedicht in 5 Acten v. Frdr. Halm. (94 S.)
22. Ernst u. Scherz. Kleine Geschichten v. M. Märzroth. (48 S.)
23. 24. Ein Vandale. Historisches Gemälde in 5 Aufzügen v. Heinr. Swoboda. (96 S.)
25. Der Drache. Novelle v. Ferd. Kürnberger. (48 S.)
26. 27. Ausgewählte poetische Erzählungen von Carl Egon R. v. Ebert. (88 S)
28. Spaziergänge e. Wiener Poeten. Von Anastasius Grün. (39 S.)
29. 30. Griseldis. Dramatisches Gedicht in 5 Acten v. Frdr. Halm. (88 S.)
31. Der arme Spielmann. Erzählung v. Frz. Grillparzer. (48 S.)
32. Todtenkränze. Canzone v. J. Chr. Frhrn. v. Zedlitz. (48 S.)
33. Onkel Forster. Eine Alltagsgeschichte v. Carl Herloßsohn. (48 S.)
34. Camoens. Dramatisches Gedicht in 1 Aufzuge v. Frdr. Halm. (40 S.)
35. 36. Garrick in Bristol. Lustspiel in 4 Aufzügen v. J. L. Deinhardstein. (80 S.)
37. Die Griechin. Novelle v. Adf. Foglar. (48 S.)
38. 39. Das Kloster. Idyllische Erzählg. in 5 Gesängen von Carl Egon R. v. Ebert. (79 S.)
40. Ein Landpfarrer. Erzählung v. Carl Herloßsohn. (68 S.)
41. 42. Brockmann. Schauspiel in 3 Aufzügen v. Fritz Pichler. (79 S.)
43. Ingvelde Schönwang. Altnordisches Bild in 8 Büchern von J. Chr. Frhrn. v. Zedlitz. (71 S.)
44. Eine Nacht in den Apenninen. Novelle v. Carl Herloßsohn. (36 S.)
45. 46. Ferd. Raimund's dramatische Werke. 7. Bdchn.: Die unheilbringende Krone. (86 S.)
47. Die Tage d. Teufels. Novelle v. Alfr. Meißner. (45 S.)
50. 51. Bruder Fritz. Eine Erzählg. v. C. Herloßsohn. (116 S.)
58. 59. Schutt. Dichtungen v. Anastasius Grün. (83 S.)
61. Agda Sjöström. Historisches Schauspiel in 4 Aufzügen v. Heinr. Swoboda. (63 S.)
63. 64. Der Fechter v. Ravenna. Trauerspiel in 5 Acten v. Frdr. Halm. (84 S.)

Bd. 48. 49. 52—57. 60. 62. sind noch nicht erschienen.

National-Bibliothek, russische. Hrsg. vom russ. literar. Bureau. Interlinear-Uebersetzg. Accentuirter Text. (2. Jahrg. 13. Hft.) 25. Hft. [Suppl.] gr. 8. (2. Bd. S. 289—317.) Leipzig 883. Gerhard. 1. —

— Schweizerische Dichter u. Redner d. 18. u. 19. Jahrh., in sorgfält. Auswahl. Mit biographisch-krit. Einleitgn. hrsg. v. Rob. Weber. 1—16. Bdchn. 8. Aarau 884—86. Sauerländer. à n. — 50

1. Albr. v. Haller, Gedichte. 2. Abdr. (VI, 72 S.)
2. 3. A. E. Fröhlich, Lieder u. erzählende Dichtungen. (160 S.)
4. J. G. Zimmermann, vom Nationalstolze. (80 S.)
5. J. G. Zimmermann, üb. die Einsamkeit. Salomon Geßner, der erste Schiffer. (80 S.)
6. 7. Jak. Frey, der Alpenwald. Das Vaterhaus. Die Freiämter-Deputirten u. General Massena. Kindersegen. (162 S.)
8. Joh. Kasp. Lavater. Joh. Gaudenz v. Salis. (80 S.)
9. Salomon Tobler. Hrsg. v. Rob. Weber. (76 S.)
10. E. Döffekel. Hrsg. v. Rob. Weber. (80 S.)
11. 12. Hch. Pestalozzi, Lienhard u. Gertrud. Hrsg. v. Rob. Weber. (153 S.)
13. G. J. Kuhn. M. Usteri. J. R. Wyß. Gedichte. Hrsg. v. Rob. Weber. (78 S.) geb. n. — 80
14. Emil Zschokke. Hrsg. v. Rob. Weber. (73 S.)
15. 16. Ulrich Hegner. Hrsg. v. Rob. Weber. (155 S.)

Nationaldenkmal, das, auf dem Niederwald. Mit Text v. F. Hey'l. [Neudruck-Ausg. der Festnummer der Leipziger Illustrirten Zeitg.] Fol. [8 S. m. 8 Holzschntaf.) Frankfurt a/M. 884. Gestewitz. n. 1. 20; auf Kupferdr.-pap. 1. 50

Nationalités, les. 8. (24 Photogr.) München 883. Bruckmann. In Leinw.-Mappe. 24. —

National-Kalender, eidgenössischer, f. das Schweizervolk auf d. J. 1886. 49. Jahrg. Oder d. Schweizerboten-Kalender 62. Jahrg 4. (66 S. m. Illustr.) Aarau, Christen. n. — 40

— illustrirter, f. d. J. 1885. Mit e. prachtvollen Oeldr.-Bild. 8. (112 S.) Berlin, Teßmer. n. — 40

National-Litteratur, deutsche. Historisch-krit. Ausg. Unter Mitwirkg. v. Arnold, G. Balke, K. Bartsch ꝛc. hrsg. v. Jos. Kürschner. 13—353. Lfg. 8. Stuttgart 883—86. Spemann. à n. — 50; à Bd. n. 2 50

Abraham à S. Clara, Judas der Ertz-Schelm. (XIV, 368 S.) (Lfg. 118—121.)

Albertinus' Lucifers Königreich. (XXI, 379 S.) (Lfg. 113—116.)

Bürger's Gedichte. (LXXXII, 538 S.) (Lfg. 122—127.)

Dichterbund, Göttinger. (1. Bd. S. 1—304.) (Lfg. 195—197.)

Fabeldichter, Satiriker ꝛc. d. 18. Jahrh. (VI, 508 S.) (Lfg. 156—160.)

Flemming, Logau u. Olearius. (II, 292 S.) (Lfg. 240—242.)

Gegner, die, der zweiten schlesischen Schule. 2 Bde. (XXIX, 332 u. LXXX, 588 S.) (Lfg. 43—46 u. 103—108.)

Geßner's Werke, Auswahl. (XXXVI, 299 S.) (Lfg. 167–169.)

Goethe's Werke. (2. Bd. VII, 372; 3. Bd. 1. Thl. VIII, 312, 2. Thl. IV, 308; 5. Bd. 329; 7. Bd. XVIII, 454; 8. Bd. XXIX, 522 u. 33. Bd. XLVIII, 472 S.) (Lfg. 109—112. 117. 129. 132. 133. 161. 163—166. 180—182. 281—284. 288. 290. 292 294. 301.)

— Dramen. (1. Bd. XVI, 503 S. m. 1 Holzschntaf.) (Lfg. 63—67.)

— Gedichte. (1. Bd. XIV, 292 S.) (Lfg. 82—84.)

Gottsched, Bodmer u. Breitinger. (CI, 335 S.) (Lfg. 128. 130. 131. 135.)

Grimmelshausen's Werke. (2. Bd. 348 u. 3. Bd. XXIV, 353 S.) (Lfg. 21—26. 35—38.)

Gryphius' Werke. (1. Bd. XXVII, 410 S.) (Lfg. 51—54.)

Haller u. Salis-Seewis. (XLVIII, 371 S.) (Lfg. 175–177. 179.)

Hebel's Werke. (1. Bd. LIII, 175 u. 2. Bd. VIII, 472 S. m. Stahlst.-Portr.) (Lfg. 90—95, 98.)

Herder's Werke. (2. Bd. LXV, 468 S.) (Lfg. 249. 250. 258. 260–262.)

Jean Paul's Werke. (1. Bd. XCI, 312; 2. Bd. 364, 3. Bd. 277, 4. Bd. IX, 338 u. 5. Bd. 461 S.) (Lfg. 146—149. 265. 267. 268. 270. 275—277. 347—353.)

Kleist, Heinr. v., Werke. (4 Bde. XLVI, 354; XIV, 436; XVI, 384 u. XVIII, 384 S.) (Lfg. 202. 203. 223. 225—227. 233. 235. 236. 239. 251. 252. 257. 269. 272.)

Klopstock's Werke. (1. Bd. CXCIV, 313; 2. Bd. 458, 3. Bd. XXXV, 292 u. 4. Bd. XVIII, 388 S.) (Lfg. 136—145. 150—155. 162.)

Kortum's Jobsiade. (S. 81—409.) (Lfg. 16—18.)

Kudrun. (XIX, 267 S.) (Lfg. 207. 210. 211.)

Lessing's Werke. (1. Bd. XVI, 400; 2. Bd. XIX, 448; 3. Bd. 1. Abth. XXVIII, 257, 2. Abth. 316; 4. Bd. 1. Abth. VII, 288, 2. Abth. 243; 5. Bd. XII, 508; 9. Bd. 1. Abth. XLVIII, 548, 2. Abth. XLVIII, 276 S.) (Lfg. 19—22. 68—72. 96. 97. 99—102. 208. 209. 212. 213. 215. 287. 300. 302. 313. 328—331. 335—337. 344—346.)

Lessing's Jugendfreunde. (XV, 385 S.) (Lfg. 55—58.)

Lichtenberg, Hippel, Blumauer. (458 S.) (Lfg. 303—307.)
Liliencron, Rochus Frhr. v., deutsches Leben im Volkslied um 1520. (LXXV, 436 S.) (Lfg. 219. 220 224. 248. 253.)
Moscherosch' Geschichte Philanders v. Sittenwaldt. (XXIX, 404 S. m. eingedr. Illustr.) (Lfg. 59—62.)
Narrenbuch. (VII, 388 S.) (Lfg. 188. 190—192. 194.)
Piper, P., die älteste deutsche Litteratur bis um d. J. 1050. (320 S.) (Lfg 243—247.)
Prosa, erzählende, der klassischen Periode. (1. Bd. IV, 452 u. 2. Bd. 532 S.) (Lfg. 295—299. 312. 314—316.)
Sachs, Hans, Werke. (1. Bd. LXXVIII, 396 u. 2. Bd. X, 465 S.) (Lfg. 178. 183—187. 189. 191. 193. 204.)
Schiller's Werke. (3. Bd. S. 81—406; 4. Bd. LXIII, 479; 7. Bd. 515, 8. Bd. III, 496; 10. Bd. 1. Abth XVI, 372, 2. Abth. 249; 11. Bd. X, 383; 12. Bd. 1. Abth. V, 446 u. 2. Abth. 542 S.) (Lfg. 13—15. 73—77. 228. 229. 234. 237. 238. 273. 274. 280. 308—311. 319—322. 325. 332. 333. 338—343.)
Schicksalsdrama, das. (VII, 540 S.) (Lfg. 170. 173. 174.)
Schule, erste schlesische. (5. Bd. XVIII, 352 S.) (Lfg. 78—82.)
— zweite schlesische. (1. Bd. XXIV, 427 u. 2. Bd. VIII, 480 S.) (Lfg. 85—89. 263 264. 266. 270.)
Stürmer u. Dränger. (1. Bd. XVI, 433; 2. Bd. XVI, 483 u. 3. Bd. XII, 436 S.) (Lfg. 31—34. 39—42. 47—50.)
Tieck's Werke. (1. Abth. XXIV, 322 u. 2. Abth. 436 S.) (Lfg. 214. 216. 218. 221. 222. 230—232.)
Tieck u. Wackenroder. (410 S.) (Lfg. 285. 286. 289. 291.)
Wieland's Werke. (2. Bd. S. 97—538, 3. Bd. XVII, 336; 4. Bd. XXII, 392 u. 5. Bd. 377 S.) (Lfg. 27—30. 198—201. 254—256. 259. 323. 324. 326. 327.)

National-Trachten, österreichisch-ungarische. Unter der Leitg. d. Malers Frz. Gaul nach der Natur photogr. u. in Chromolichtdr. vervielfältigt v. J. Löwy. 2. Sammlg. 6 Lfgn. gr. 4. (à 4 Taf.) Wien 883—85. Lechner's Sort. à n. 10. — (cplt. in Leinw.-Mappe n. 66. —)

Natorp-Rinck's Choralbuch f. evangelische Kirchen. 4. Aufl. Die Choräle neu geordnet u. historisch bestimmt v. G. B. Abb. Natorp, rev., m. meist neuen Zwischenspielen u. m. Schlüssen versehen v. Wilh. Greef. qu. gr. 4. (1. Hälfte 112 S.) Essen 885. Bädeker. n. 10. —

Natorp, A., der Gustav-Adolf-Verein in Rheinland u. Westfalen, s.: Bruderliebe, evangelische.
— Schwert u. Palme. Eine Schilderg. der 50jähr. Arbeit d. Gustav-Adolf-Vereins. Zur Lutherfeier d. J. 1883 dargeboten. 8. (IV, 68 S.) Düsseldorf 883. (Barmen, Klein.) n. — 80

Natorp, O., Lehr- u. Übungsbuch f. den Unterricht in der englischen Sprache. 2 Tle. 8. Wiesbaden 885. Kunze's Nachf. à n. 1. 60
1. Für die untere Lehrstufe. (VII, 259 S.)
2. Für die obere Lehrstufe. (VII, 267 S.)

Natorp, Paul, Forschungen zur Geschichte d. Erkenntnissproblems im Alterthum. Protagoras, Demokrit, Epikur u. die Skepsis. gr. 8. (VIII, 315 S.) Berlin 884. Hertz. n. 7. —

Nattermüller, Otto, vollständiger Kalender der Obstkultur, e. Leitfaden zur rechtzeit. Ausführg. aller im Obstbau vorkomm. Arbeiten. 8. (96 S.) Worbis 884. Müller. geb. n. 2. —

Natur, die. Zeitung zur Verbreitg. naturwissenschaftl. Kenntniß u. Naturanschaug. f. Leser aller Stände. Organ d. „Deutschen Humboldt-Vereins". Begründet unter Hrsg. v. Otto Ule u. Karl Müller. Hrsg. v. Karl Müller. Neue Folge. 9—12. (der ganzen Reihe 32—35.) Jahrg. 1883—1886. à 52 Nrn. (à 1—2 B. m. Holzschn.) gr. 4. Halle, Schwetschke. à Jahrg. n. 16. —

Natur u. Herz. Ein Album, sinniger Betrachtg. gewidmet. Mit 15 Kpfr.-Radiergn. v. W. Georgy u. O. Schulz. 3. Aufl. gr. 8. (128 S.) Berlin 886. H. W. Müller. geb. m. Goldschn. n. 10. —
— u. **Offenbarung.** Organ zur Vermittelg. zwischen Naturforschg. u. Glauben f. Gebildete aller Stände. 29—32. Bd. Jahrg. 1883—1886. à 12 Hfte. (4 B.) gr. 8. Münster, Aschendorff. à Jahrg. n. 8. —

Naturae Novitates. Bibliographie neuer Erscheingn. aller Länder auf dem Gebiete der Naturgeschichte u. der exacten Wissenschaften. 5—8. Jahrg. 1883—1886. à 24 Nrn. gr. 4. (Nr. 1. 1 B.) Berlin, Friedländer & Sohn. à Jahrg. n. 4. —

Naturarzt, der. Zeitschrift f. naturgemäße Behandlg. d. menschl. Körpers in gesunden u. kranken Tagen. Hrsg. u. Red.: Gust. Wolbold 22—25. Jahrg. 1883—1886. à 12 Nrn. (B.) gr. 8. Oberlößnitz bei Dresden, Wolbold's Selbstverl. à Jahrg. n. 5. —

Naturbeschreibung f. Elementarschulen. Mit besond. Berücksicht. d. Lehrplanes v. Schönen verf. v. prakt. Schulmännern. 8. (88 S.) Köln 886. Theissing. n. — 50

Naturforscher, der. Wochenblatt zur Verbreitg. der Fortschritte in den Naturwissenschaften. Hrsg. v. Wilh. Sklarek. 16—18. Jahrg. 1883—1885. à 52 Nrn. (B.) gr. 4. Berlin, Dümmler's Verl. à Jahrg. n. 16. —
— dasselbe. Hrsg. v. Otto Schumann. 19. Jahrg. 1886. 52 Nrn. (B.) gr. 4. Tübingen, Laupp. n. 10. —

Naturgeschichte der Berlinerin. Von *.*. 6. Aufl. 8. (III, 124 S.) Berlin 885. Issleib. n. 1. 50
— des Pflanzen-Reichs. Großer Pflanzenatlas m. Text f. Schule u. Haus. 80 Großfoliotaf. m. mehr als 2000 fein kolor. Abbildgn. u. 40 Bogen erläut. Text nebst zahlreichen Holzschn. Hrsg. v. M. Fünfstück. (In 40 Lfgn.) 1—27. Lfg. Fol. (à 2 Taf. m. Text S. 1—76.) Stuttgart 885. 86. Hänselmann. à n. — 50
— des Tierreichs. Großer Bilderatlas m. Text f. Schule u. Haus. 80 Großfoliotaf. m. mehr als 1000 fein kolor. Abbildgn. u. 40 Bogen erläut. Text, nebst zahlreichen Holzschn. Hrsg v. hervorragendsten Künstlern u. Fachgelehrten. 2. Aufl. Fol. (198 S.) Ebend. 886. geb. n. 25. —
— des Tier-, Pflanzen- u. Mineralreichs in kolor. Bildern nebst erläuterndem Text. 1. Abtlg.: Naturgeschichte d. Tierreichs in 3 Tln. Mit 800 Abbildgn. auf 91 Taf. u. üb. 100 teilweise kolor. Textillustr. Hrsg. v. namhaften Fachgelehrten u. Tierzeichnern. Mit e. Vorrede v. G. H. v. Schubert. Fol. Eßlingen 887. Schreiber. In 1 Bd. geb. n. 20. —; in 3 Tln. cart. à n. 6. 50
1. Säugetiere. 10. Aufl. (IV, 25 S. m. 159 kolor. Abbildgn. auf 30 Taf. u. 15 Textillustr.)
2. Vögel. 9. Aufl. (IV, 34 S. m. 195 kolor. Abbildgn. auf 30 Taf. u. 46 Text-Illustr., worunter 32 kolor. Abbildgn. v. Vogeleiern.)
3. Reptilien, Amphibien, Fische, Insekten, Krebstiere, Würmer, Weichtiere, Stachelhäuter, Pflanzentiere u. Urtiere. 10. Aufl. (VI, 67 S. m. 479 kolor. Abbildgn. auf 30 Taf. u. 149 Text-Illustr.)
— dasselbe. 2. u. 3. Abtlg. Fol. Ebend. n. 23. 50
II. Naturgeschichte d. Pflanzenreichs m. 601 (kolor.) Abbildgn. nach G. H. v. Schubert's Lehrbuch der Naturgeschichte hrsg. v. Fr. Hochstetter. Neu bearb. v. Mor. Willkomm. 3. Aufl. 8. Ster.-Abdr. (64 S.) 884. n. 13. 50; Einbd. n. n. — 75
III. Das Mineralreich in Bildern. Naturhistorisch-techn. Beschreibg. u. Abbildg. der wichtigsten Minerale von J. G. v. Kurr. 3. Aufl. 3. Ster.-Abdr. Neu bearb. v. A. Kenngott. (65 S. m. 490 kolor. Abbildgn. auf 24 Taf.) 884. n. 10. —; Einbd. n. n. — 50
— unzerreißbare, f. kleine Kinder. Ausg. A. 20 Großfoliotaf. m. mehr als 300 naturgetreu kolor. Abbildgn. Fol. Ebend. 884. geb. 5. —
— dasselbe. Ausg. B. 10 Taf. m. mehr als 178 kolor. Abbildgn. Fol. Ebend. 884. geb. 3. —
— dasselbe. Ausg. C. Leinwandbilderbuch m. 10 fein lackierten Taf. Fol. Ebend. 884. geb. 3. 50
— unzerreißbare f. kleine Kinder. 2. Aufl. gr. 4. (15 color. Steintaf.) Stuttgart 885. Thienemann. geb. n. 5. —

Naturhistoriker, der. Illustrierte Monatsschrift f. die Schule u. das Haus u. Korrespondenzblatt der österreich. u. deutschen Naturhistoriker. Hrsg. v. Frdr. Knaur. 6. Jahrg. April 1883—März 1884. 12 Hfte. (4 B. m. Illustr.) gr. 8. Wien. Leipzig, Leiner. n. 12. —
— dasselbe. 7. Jahrg. Apr. 1885—März 1886. 12 Hfte. (4 B. m. Illustr.) gr. 8. Ebend. n. 10. —

Naturkunde, allgemeine. Das Leben der Erde u. ihrer Geschöpfe. [In 130 Hftn. od. 9 Bdn, m. üb. 3000 Textillustr., 20 Karten u. üb. 120 Aquarelltaf.] 1—64. Hft. Lex.-8. (à 3 Bog.) Leipzig 885. 86. Bibliograph. Institut. à 1. — (geb. à Bd. n. 16. —)

Nau, Claude, Maria Stuart von der Ermordung Riccio's bis zur Flucht nach England [1566—1568]. Aufzeichnungen ihres Secretärs C. N. Nach der französ. Orig.-Ausg. d. J. Stevenson übers. u. erläutert v. H. Cardauns. gr. 8. (95 S.) Würzburg 885. Woerl. 1. 20

Naubert, C., Land u. Leute in Amerika, s.: Notwörterbuch der englischen u. deutschen Sprache.

Nauck, Aug., üb. e. neue Eigenschaft der Producte der regressiven Metamorphose der Eiweisskörper. gr. 8. (52 S.) Dorpat 886. (Karow.) n. 1. —

Naudé, Alb., die Fälschung der ältesten Reinhardtsbrunner Urkunden. gr. 8. (128 S. m. 12 Facsm.-Lichtdr.) Berlin 883. Weber. n. 3. —

Naudh, H., die Juden u. der deutsche Staat. 11. Aufl. gr. 8 (140 S.) Chemnitz 883. Schmeitzner. n. 1. 50

Naue, Jul., die prähistorischen Schwerter. Vortrag. Mit 11 (autogr.) Taf. hoch 4. (24 S.) München 885. Literar.-artist. Anstalt. n. 4. —

Naumann, der Infanterie-Zugführer im Felddienste. 2. Aufl. Mit 36 Zeichngn. u. 2 Taf. gr. 8. (IV, 123 S.) Hannover 884. Helwing's Verl. n. 1. 60; in Leinw. cart. n. 2. —

Naumann, Carl Frdr., Elemente der Mineralogie, begründet v. C. F. N. 12. Aufl. v. Ferd. Zirkel. Mit 951 Fig. in Holzschn. gr. 8. (XII, 782 S.) Leipzig 885. Engelmann. n. 14. —

Naumann, Edm., üb. den Bau u. die Entstehung der japanischen Inseln. Begleitworte zu den v. der geolog. Aufnahme v. Japan f. den internationalen Geologen-Congress in Berlin bearb. topograph. u. geolog. Karten. gr. 8. (91 S.) Berlin 885. Friedländer & Sohn. n. 2. 40

Naumann, Emil, illustrirte Musikgeschichte. Die Entwicklg. der Tonkunst aus frühesten Anfängen bis auf die Gegenwart. 19—36. (Schluß-)Lfg. gr. 8. (XIV u. S. 377—1128 m. eingedr. Holzschn., Holzschntaf., Chromolith. u. Fcsms.) Stuttgart 883—85. Spemann. à — 50 (cplt. n. 18. —; geb. n. 20. —)
— italienische Tondichter von Palestrina bis auf die Gegenwart. Vorträge. 2. Aufl. gr. 8. (XI, 570 S.) Berlin 883. Oppenheim. n. 4. —

Naumann, Ferd., Grundbegriffe der deutschen Grammatik in Übungsstücken. Für die unteren u. mittleren Klassen höherer Lehranstalten. 9. Aufl. 8. (VIII, 184 S.) Dresden 886. Huhle. n. 1. 60

Naumann, Heinr., e. schlichter Strauß. Gedichte. Mit e. Zuschrift an u. v. Karl Gerok. 16. (XII, 178 S.) Stuttgart 886. Greiner & Pfeiffer. geb. n. 2. —

Naumann, Jul., Grundriß der evangelisch-lutherischen Dogmatik nach der induktiven u. komparativen Methode. Ein Lernbuch f. die Schüler der oberen Klassen der Gymnasien u. Realgymnasien u. e. Repetitorium f. d. Kandidaten d. höheren Schulamtes. gr. 8. (VI, 74 S.) Leipzig 886. Teubner. cart. n. 1. —
— Grundriß der Welt-Literatur u. Kirchengeschichte nach den preußischen Lehrplänen vom 31. März 1882. Ein Repetitorium u. Vademecum f. den Klassenunterricht u. Reifeprüfgn. in Gymnasien u. Real-Lehranstalten. 1. u. 3. Tl. 8. Osterode, Weller's Nachf. cart. n. 2. 25
1. Das Altertum. 2. Aufl. (IV, 68 S.) 884. n. — 75
3. Die neuere Zeit. (V, 121 S.) 885. n. 1. 50
Der 2. Tl. erscheint später.

Naumann, L., Systematik der Kochkunst. Internationales Koch-Lehrbuch f. Haushaltgn. aller Stände. Zur Benützg. beim Ertheilen v. Unterricht sowie zum Selbststudium, desgleichen zur Orientirg. f. Ärzte 2c. Mit 89 Abbildgn. 2. Aufl. gr. 8. (XX, 560 S.) Dresden 886. G. Schönfeld's Verl. geb. n. 5. —

Naumann, Ludw. F., Gartenbautafeln. Nr. 3—6. Lith. u. color. Imp.-Fol. Mit Text. 8. Prag, (Neugebauer). In Mappe. à n. 2. —
3. Die einzelnen Zweige d. Obstbaumes u. deren Behandlung. (10 S.) 882.
4. Cultur der Weinrebe. (16 S.) 883.
5. Erziehung der Bäume in künstl. Formen [à Cordone]. (10 S.) 885.
6. Freistehende künstl. Baumformen. Chromolith. (16 S.) 886.

Naumann, O., Wellhausen's Methode, kritisch beleuchtet. gr. 8. (166 S.) Leipzig 886. Hinrichs' Verl. n. 2. —

Naundorf, E. v., in der Loge Archimedes zum flammenden Stern. Roman nach den hinterlassenen Papieren e. Freimaurers. 12. (284 S.) Dresden 886. Steffens. n. 3. —

Naunyn, B., zum derzeitigen Standpunkt der Lehre v. den Schutzimpfungen. Rede. gr. 8. (18 S.) Leipzig 886. F. C. W. Vogel. n. — 80

Nauss, Rud., ansteckende Krankheiten in der Schule. Aerztliche Winke zum Erkennen derselben. Für Lehrer u. Väter. [In 15 Vorlesgn.] 12. (IV, 207 S.) Wien 886. Pichler's Wwe. & Sohn. n. 1. 60

Naveau, Thekla, u. Marianne **Naveau**, Spiele, Lieder u Verse f. Kindergarten, Elementarklasse u. Familie. Gesammelt u. nach Musik u. Text überarb. 4. Aufl. gr. 8. (XVIII, 144 S.) Hamburg 883. Hoffmann & Campe's Verl. n. 2. —

Naevi, C., belli poenici quae supersunt, s.: Enni, Q., carminum reliquiae.
— fabularum reliquiae, s.: Livius Andronicus.

Naville, Edouard, das ägyptische Todtenbuch der XVIII. bis XX. Dynastie. Aus verschiedenen Urkunden zusammengestellt u. hrsg. 2 Bde. m. Einleitg. Fol. (1. u. 2. Bd. VI S. m. 212 Steintaf. u. VI S. m. 448 lith. S. u. Einleitg., VI, 204 S.) Berlin 886. Asher & Co. cart. n.n. 240. —; Einleitg. ap.: n.n. 30. —

Navrátil, Frz., Gries bei Bozen als klimatischer Winter-Kurort. 2. Aufl. 8. (V, 64 S.) Wien 885. Braumüller. n. 1. —
— Prof. Dr. Oertel's [München] Heilverfahren bei Herzkrankheiten, Wassersucht u. Fettleibigkeit. Allgemein verständlich dargestellt. 2. Aufl. 8. (V, 36 S.) Ebend. 885. n. 1. —

Nazareth, Andachtsbuch f. christl. Mütter, die sich e. glückl. Geburt erbitten wollen. (3. Aufl.) 12. (VII, 120 S.) Würzburg 885. Bucher. — 75

Neander, Thdr., die Reimbildung der Dorparter Landsmannschaften. Eine kritisch-histor. Untersuchg. gr. 8. (VIII, 159 S. m. 4 z. Thl. farb. Steintaf.) Mitau 884. Felsko. n. 4. —

Nebe, Aug., Luther als Seelsorger. gr. 8. (IX, 127 S.) Wiesbaden 883. Niedner. n. 2. —
— die evangelischen u. epistolischen Perikopen d. Kirchenjahres. Wissenschaftlich u. erbaulich ausgelegt. 1. Bd. Die evangel. Perikopen. 1. Bd. Einleitung in das Perikopensystem überhaupt u. Auslegg. der Perikopen d. Weihnachtskreises. 3. Aufl. gr. 8. (XII, 516 S.) Ebend. 886. n. 8. —
— dasselbe. 5. u. 6. Bd. A. u. d. T.: Die epistol. Perikopen. 2. u. 3. Bd. 2., verb. Aufl. gr. 8. Ebend. 883. à n. 8. —
5. Auslegung der Episteln d. Oster- u. Pfingst-Kreises. (572 S.)
6. Die epistolischen Texte der Trinitatiszeit. (600 S.)

Nebel, F., die Muskeln, Knochen u. Bänder d. menschlichen Körpers, abgebildet. Vorwort, Revision u. Neuordng. d. Textes v. J. Herm. Baas. 5 anatom. Taf., nebst e. 6. Taf. anatomisch behandelter Antiken. 2. Aufl. gr. Fol. (7 Bl. Text.) Tübingen 885. Laupp. In Mappe. n. 20. —

Nebel, H., die Behandlung der Rückgratsverkrümmungen. } s.: Sammlung klinischer Vorträge.
— über Heilgymnastik u. Massage, } s.: Sammlung klinischer Vorträge.

Nebelspalter, der. Illustrirtes humoristisch-satyr. Wochenblatt. Red.: Jean Nötzli. 9. Jahrg. 1883. 52 Nrn. (à 1—1½ B. m. Illustr.) Fol. Stuttgart, Schröter & Meyer. n.n. 11. 20
— dasselbe. 10 u. 11. Jahrg. 1884 u. 1885. à 52 Nrn. (à 1—1½ B. m. Illustr.) Fol. Ebend. à Jahrg. n.n. 12. —

Neckelmann, Fred. Skjold, decorative Skizzen. (In 5 Lfgn.) 1. Lfg. Fol. (10 Lichtdr.-Taf.) Leipzig 886. Hessling. Subscr.-Pr. n. 7. —

Needon, Rich., Beiträge zur Geschichte Heinrich's V. Die Anfänge seiner Regierg. 1105—1110. gr. 8. (74 S.) Leipzig 885. (Gräfe.) n 1. 20

Neefe, Konr., Schule u. Militär od. der Weg zum einjährig-freiwill. Militärdienst im steh. Heere d. Königr. Sachsen. Ein Ratgeber f. Eltern u. Vormünder sowie f. junge Leute v. Bildg. bearb. auf Grund gesetzl. Bestimmgn. u. amtl. wie fachmänn. Angaben. 8. (66 S.) Dresden 887. Pierson. n. — 75

Neelmeyer-Vukassowitsch, H., geh' nicht nach Amerika! Belehrung u. Warng. f. Europamüde. gr. 8. (114 S.) Leipzig 884. Braun & Heynau. n. 1. —

— Grossbritannien u. Irland, — Oesterreich-Ungarn, } s.: Bibliothek f. moderne Völkerkunde.

— das Russland der Gegenwart u. Zukunft. Politische u. national-ökonom. Skizzen, gesammelt während meines langjähr. Aufenthaltes u. auf vielen Reisen in dem grossen Reich. 2. Aufl. gr 8. (VIII, 208 S.) Leipzig 886. Unflad. n. 3. —

— die Vereinigten Staaten v. Amerika, s.: Bibliothek f. moderne Völkerkunde.

— Welt-Taschenbücher. (1. Bdchn.) Oesterreich-Ungarn. 12. (III, 96 S.) Leipzig 885. Braun & Heynau. cart. — 50

Neefsen, F., unsere Freunde unter den niedern Pilzen, s.: Sammlung gemeinverständlicher wissenschaftlicher Vorträge.

Nega, Jul., vergleichende Untersuchungen üb. die Resorption u. Wirkung verschiedener zur cutanen Behandlung verwandter Quecksilberpräparate. gr. 8. (102 S.) Strassburg 884. Trübner. n. 2. —

Negendank, M., Seelenkämpfe e. armen Landmädchens, s.: Familienbibliothek, Calwer.

Neher, H., 110 neue Briefmuster zur Zergliederung, zum Auswendiglernen u. zur Nachahmung f. die Hand der Oberklassen, Fortbildungs- u. Sonntagsschulen. 3. Aufl. gr. 8. (44 S.) Paderborn 885. F. Schöningh. n. — 20

— neue Musterbeispiele, nebst log. u. grammat. Uebgn., f. alle Klassen kathol. Volksschulen, untere Gymnasial- u. Realklassen. 2. Aufl. gr. 8. (X, 384 S.) Ebend. 886. n. 2. 80

— planmäßig geordnete Rechtschreib-, Sprach- u. Aufsatzübungen. 3 Hfte. 8. Ebend. 885. n. — 56
1. 2. Aufl. (64 S.) n. — 18. — 2. (64 S.) n. — 18. — 3. (68 S.) n. — 20

Neher, St. J., Personal-Katalog der seit 1813 ordinierten u. in der Seelsorge verwendeten Geistlichen d. Bist. Rottenburg. 2. Aufl. gr. 8. (211 S.) Rottenburg a/N. 885. Bader. n. 1. 80

Nehls, Chr., der einfache Balken auf zwei Endstützen unter ruhender u. bewegter Last. Eine allgemeine Theorie der äusseren Kräfte auf Grundlage der Methode der graph. Differentiation u. Integration. Lex.-8. (III, 191 S. m. 8 Steintaf.) Hamburg 885. (Jenichen.) n. 6. —

— über graphische Integration u ihre Anwendung in der graphischen Statik. Mit 13 Fig.-Taf. Neue Ausg. gr. 8. (VIII, 223 S.) Leipzig 885. Baumgärtner. n. 6. —

Nehmt's zu Herzen! Ein Ziehbilderbuch m. Verwandlgn. f. die liebe Jugend. 12 fein kolor. Bilder m. Versen. 5. Aufl. gr. 4. (6 S. Text.) Eßlingen 886. Schreiber. geb. n. 4. —

Nehring, Alfr., Katalog der Säugethiere der zoologischen Sammlung der kgl. landwirthschaftlichen Hochschulen in Berlin. Mit 52 Textabbildgn. gr. 8. (VII, 100 S.) Berlin 886. Parey. n. 1. 50

— fossile Pferde aus deutschen Diluvial-Ablagerungen u. ihre Beziehungen zu den lebenden Pferden. Ein Beitrag zur Geschichte d. Hauspferdes. Mit 5 lith. Taf. gr. 8. (82 S.) Ebend. 884. n. 4. —

Neide, E., ausgeführte Gartenanlagen. Hrsg. v. H. Geitner. Fol. (10 Chromolith. u. 6 Steintaf. m. 8 S. Text.) Berlin 884. Parey. cart. n. 20. —

Neide, Siegfr., Dr. Martin Luther. Versuch e. Charakteristik. Festrede zur Lutherfeier. gr. 8. (8 S.) Landsberg a/W. 884. (Schaeffer & Co.) n.n. — 25

Neidhardt, E., die Bildung des Willens. Der Begriff der Tapferkeit. 2 Festreden. 8. (60 S.) Berlin 885. Wiegandt & Grieben. n. — 80

— über Freidank's Bescheidenheit. Ein Vortrag. 8. (52 S.) Ebend. 885. n. — 80

Nejedlý, J., die neue Bau-Ordnung f. die königl. Hauptstadt Prag u. deren Vororte, s.: Gesetze f. das Königr. Böhmen.

Neisser, Walter, zur vedischen Verballehre. I. gr. 8. (35 S.) Göttingen 882. (Vandenhoeck & Ruprecht.) n. — 80

Neißner, E., Lessings drei Bücher Fabeln, ins Altgriechische übersetzt. gr. 8. (78 S.) Leipzig 883. Reichardt. n. 1. 60

Nekola, Rud., das Forstwesen auf der Triester Ausstellung im J. 1882. gr. 8. (45 S. m. 2 Steintaf.) Gmunden 883. (Wien, Gerold & Co.) n. 2. —

Nekrassow's, Nicolai Alexejewitsch, sämmtliche Werke, aus dem Russ. metrisch übertr. v. Herm. Jurjewitsch Köcher. 1. Bd. gr. 8. (189 S.) Leipzig 885. Friedrich. n. 3. —

Nekrolog d. k. württembergischen Oberstudienrats Dr. Christian Heinrich v. Nagel. gr. 8. (18 S.) Tübingen 884. Fues. n. — 40

Nell, Theophilus, die Jungfrau v. Orleans. Eine der schönsten Geschichten aus dem 15. Jahrh. Neu erzählt u. vorzüglich der reiferen Jugend gewidmet. 2. Aufl. Mit 1 Stahlst. 8. (218 S.) Regensburg 886. Verlags-Anstalt. 1. 50

Nellen, Th., die Wiener Köchin, s.: Kraft, J.

Nell, seid mäßig u. nüchtern zum Gebet od. hütet euch vor dem Branntwein! Predigt üb. 1. Petri 4, Vers 8. gr. 8. (15 S.) Barmen 885. Wiemann. n. — 20

Nell, A. M., fünfstellige Logarithmen der Zahlen u. der trigonometrischen Functionen nebst den Logarithmen f. Summe u. Differenz zweier Zahlen, deren Logarithmen gegeben sind, sowie einigen anderen Tafeln, m. e. neuen, die Rechng. erleicht. Anordng. der Proportionalantheile. 5. Aufl. Lex.-8. (XIX, 104 S.) Darmstadt 883. Bergsträsser. 1. 50

Nelle, Wilh., das evangelische Gesangbuch, hrsg. nach den Beschlüssen der Synoden v. Jülich, Cleve, Berg u. v. der Grafsch. Mark [Elberfeld 1835], hymnologisch untersucht. gr. 8. (71 S.) Essen 883. Bädeker. n. 1. 20

Nellenburg, R., e. Abenteuer in Texas, s.: Erzählungen aus Heimat u. Ferne.

— an Bord der Cassiopeja, s.: Volks-Erzählungen, kleine.

— Flinkfuß, der Späher, s.: Bibliothek interessanter Erzählungen.

— der Postwagenraub, s.: Volks-Erzählungen, kleine.

Nellessen, L., die heilige Mission während der Fastenzeit. 21 Fastenpredigten. Aus seinem Nachlasse hrsg. v. e. seiner Verehrer. 2. Aufl. gr. 8. (VIII, 335 S. m. 1 Farbendr.) Regensburg 884. Pustet. n. 2. —

Nellner, J. B., die Nordsee-Insel Spiekeroog. Ein Wegweiser f. Badegäste. Mit einem Plan der Insel u. e. Karte d. nördl. Teiles v. Ostfriesland, nebst Angabe der Reisewege. 12. (V, 63 S.) Emden 884. Haynel. n. 1. 50

Nemanić, D., čakavisch-kroatische Studien. 1. Studie. Accentlehre. Nebst 1. u. 2. Fortsetzung. Lex.-8. (68, 70 u. 66 S.) Wien 883—86. (Gerold's Sohn.) à n. 1. —

Němcova, B., Großmutter, s.: Universal-Bibliothek.

Nemec, Valentin, die Pfarrconcurs-Prüfung. gr. 8. (76 S.) Klagenfurt 885. (Raunecker.) n. 1. 40

Nemecek, Aug., Maturitäts-Prüfungen, ob. keine? Ein Beitrag zur Wertschätzg. dieses Instituts, nach den dabei gemachten eigenen u. theilweise auch fremden Erfahrgn. verf. gr. 8. (35 S.) Wien 882. (Klinkhardt.) n. — 80

Nemenyi, A., das moderne Ungarn, s.: Verein, allgemeiner, f. deutsche Literatur.

Nemesiani Bucolica, s.: Calpurnius.

Nentwig, Gust., Reisebilder. Ein Führer durch die

Grafschaft Glatz. Mit zahlreichen Illustr. u. e. Uebersichts-Karte. 2. Aufl. 8. (III, 134 S.) Schweidnitz 885. Brieger & Gilbers. n. 1. —

Nerling, F., der Blutbann d. Duells vor dem Richterstuhle d. Gewissens u. der Vernunft. gr. 8. (55 S.) Dorpat 888. Schnakenburg. n. 1. —

Nerling, F., üb. die Prädestinationslehre Missouris. Gibt dieselbe wirklich den Trost, dessen sie sich rühmt, den Trost unzweifelhafter Seligkeitsgewißheit? 8. (III, 59 S.) Nördlingen 886. Beck. n. 1. 20

Nerlinger, Thdr., u. Carl **Bach,** der landwirthschaftliche Obstbau. Allgemeine Grundzüge zu rationellem Betrieb desselben f. Landwirte, Baumzüchter, Seminaristen, Obstbauschüler, landw. Winter- u. Fortbildungsschüler u. s. f. Mit 27 Holzschn. gr. 8. (VI, 158 S.) Stuttgart 885. Ulmer. n. 2. —

Neruda, J., Genrebilder, } s.: Universal-
— Kleinseitner Geschichten, } Bibliothek.

Nesemann, Ludw., halt deinen Luther fest! 2 Predigten. gr. 8. (26 S.) Berlin 884. Deutsche evangel. Buch- u. Tractat-Gesellschaft. n. — 30

— u. L. **Wolter,** 80 Bibelabschnitte zum Zwecke d. Bibellesens ausführlich disponiert, erklärt u. m. Anmerkgn. versehen. 8. (VIII, 316 S.) Gütersloh 886. Bertelsmann. n. 3. 60

Nesmüller, F., freigesprochen, s.: Universal-Bibliothek.

Nessel, civilprozeßrechtliche Erörterungen im Anschlusse an die Schriften des Prof. v. Bülow. gr. 8. (110 S.) Berlin 886. Vahlen. n. 2. —

Nesselmann, R., Luthers Katechismus f. Schule u. Kirche ausgelegt. 8. verb. Aufl. 8. (IV, 89 S.) Leipzig 884. Reichardt. n. — 40; geb. — 60

Neßler, Frdr. Wilh., Dein Reich komme! Tägliche Andachten in Lied, Schrift u. Gebet nach Ordng. d. christl. Kirchenjahrs. Schrift ausgelegt durch Schrift. 3. wohlf. Ausg. m. Familien-Chronik. gr. 8. (XX, 873 u. 56 S.) Leipzig 884. Hinrichs' Verl. geb. n. 5. —

Neßler, J., die Bereitung, Pflege u. Untersuchung d. Weines, besonders f. Winzer, Weinhändler u. Wirte. 4. Aufl. d. Buches: „Die Behandlg. d. Weines". Mit 38 Holzschn. gr. 8. (VIII, 336 S.) Stuttgart 885. Ulmer. n. 5. 20

Neßler, V. J., der Trompeter v. Säkkingen, s.: Bunge, R.

Nestel, H., die Riviera, s.: Kaden, W.

Nesthäkchens Bilderlust. 2 Nrn. 4. (à 6 Chromolith. m. 8 S. Text.) Düsseldorf 884. A. Bagel. cart. à — 60

Nestroy, s.: Aus Nestroy.

Nestroy, J., Eulenspiegel, s.: Theater-Repertoir, Wiener.

— das liederliche Kleeblatt, s.: Theater-Bibliothek f. Seminarien u. Gesellenvereine.

Neteler, B., Untersuchung der geschichtlichen u. der kanonischen Geltung d. Buches Judith. gr. 8. (87 S.) Münster 886. Theissing. n. — 50

— Zusammenhang der alttestamentlichen Zeitrechnung m. der Profangeschichte. 2 u. 3. Hft. gr. 8. Ebend. à n. — 50 (1—3.: n. 3. —)

2. Lösung der assyriologisch-alttestamentl. Schwierigkeiten. (38 S.) 885.
3. Der Zeitraum vom Auszuge aus Aegypten bis zum salomon. Tempelbau. (33 S.) 886.

Neth, Jos., Handbuch zur Verwaltung d. Priesteramtes. gr. 8. (XV, 404 S.) Regensburg 885. Verlags-Anstalt. 5. —

Netoliczka, Eug., Erdbeben u. Vulkane, s.: Volks- u. Jugend-Bibliothek.

— illustrierte Geschichte der Elektricität von den ältesten Zeiten bis auf unsere Tage. Für weitere Kreise bearbeitet. gr. 8. (VIII, 288 S.) Wien 886. Pichler's Wwe. & Sohn. n. 3. —

— Geschichte der deutschen Literatur f. mittlere Lehranstalten, besonders für Töchterschulen. 3. Aufl. gr. 8. (III, 64 S.) Ebend. 886. n. — 60

— Geschichte der österreichisch-ungarischen Monarchie von den ältesten Zeiten bis auf unsere Tage f. die Oberclassen der Volks- u. Bürgerschulen. 14. Aufl. gr. 8. (IV, 68 S.) Ebend. 885. n. — 60; geb. n. — 75

— kurzgefaßte Geschichte d. Herzogth. Steiermark f. das Volk u. f. untere Lehranstalten. 4. Aufl. 8. (60 S.) Graz 883. Leykam. n. — 50

Netoliczka, Eug., Lehrbuch d. Physik u. Chemie, f. Bürgerschulen u. die Oberclassen der Volksschulen in 3 concentr. Kreisen bearb. 3 Stufen. gr. 8. Wien, Pichler's Wwe. & Sohn. à n. — 50

1. Für die 6. Classe der Volks- u. Bürgerschulen. Mit 75 in den Text gedr. Holzschn. 28. Aufl. (88 S.) 883.
2. Für die 7. Classe der Volks- u. Bürgerschulen. Mit 81 in den Text gedr. Holzschn. 39. Aufl. (IV, 90 S.) 884.
3. Für die 8. Classe der Volks- u. Bürgerschulen. Mit 49 in den Text gedr. Holzschn. 10. Aufl. (IV, 89 S.) 885

— dasselbe. 3. Stufe. Für die 8. Classe der Bürgerschulen u. die Oberclassen der allgemeinen Volksschulen. Mit 51 in den Text gedr. Holzschn. 10. Aufl. gr. 8. (112 S.) Ebend. 885. n. — 64

— Leitfaden beim Unterrichte in der Geographie. Auf Grundlage der neuesten Verändergn. u. m. besond. Berücksicht. der österreichisch-ungar. Monarchie f. die Oberclassen der Volksschulen. 25. Aufl. [Mit 17 Holzschn.] gr. 8. (V, 89 S.) Ebend. 885. n. — 60

— Leitfaden beim ersten Unterrichte in der Weltgeschichte f. die Oberclassen der Volks- u. Bürgerschulen. 23. Aufl. gr. 8. (IV, 119 S.) Ebend. 885. n. — 80

— Methodik der Naturlehre, s.: Handbuch der speciellen Methodik.

— kurzgefaßte Mythologie der Griechen u. Römer. Für Bürger- u. Töchterschulen. Mit 35 Holzschn. 2. Aufl. gr. 8. (VIII, 102 S.) Wien 884. Pichler's Wwe. & Sohn. n. 1. —

— Naturlehre f. den Unterricht in den Oberclassen der Volksschulen. Mit 104 Holzschn. 14. Aufl. gr. 8. (136 S.) Ebend. 885. n. — 80; cart. n. — 96

Nettelbeck's Joach., Lebensbeschreibung, s.: Collection Spemann.

Nettelbladt, Frhr. v., der Strafvertrag nach gemeinem Rechte. Eine civilrechtl. Abhandlg. gr. 8. (XII, 70 S.) Ludwigslust 886. (Hinstorff.) n.n. 1. 50

Nettels, Hanne. 'ne lüttge Vertellig v. B. T. gr. 8. (17 S.) Osterwieck 884. Zickfeldt. n. — 25

Netto, Frdr. Aug. Wilh., Handbuch der Zuschneidekunst f. Gewerbtreibende u. Gewerbschulen, insbesondere f. Klempner, Schlosser, Pfannenschmiede 2c. (Neue Aufl.) qu. gr. 4. (III, 31 S.) Quedlinburg 884. Basse. n. 5. —

Netz, Ed., Farbenblindheit od. Farbenkenntnis? Pädagogische Studie e. farbenblinden Lehrers. Mit 2 Farbentaf. 8. (72 S.) Jena 886. Bufleb. n. 1. 20

Netz, Wilh., der japanische u. der chinesische Eichen-Seidenspinner [Attacus Jama-Mái u. Bombyx Pernyi] als die naturgemäßen Seidenspinner f. Deutschland, ihr Leben u. ihre Züchtung. 8. (28 S.) Neuwied 883. Heuser's Verl. n. — 50

Neubau, der, der technischen Hochschule in Berlin u. die Feier der Einweihung am 2. Novbr. 1884. Imp.-4. (12 S. m. Illustr.) Berlin 884. Ernst & Korn. n. 1. —

Neubauer, C., u. Jul. **Vogel,** Anleitung zur qualitativen u. quantitativen Analyse d. Harns sowie zur Veränderg. dieses Secrets m. besond. Rücksicht auf die Zwecke d. prakt. Arztes. Zum Gebrauche f. Mediciner, Chemiker u. Pharmaceuten. 8. Aufl. Mit Vorwort v. R. Fresenius. 2. Abth.: Semiotischer Thl., bearb. v. L. Thomas. 2. Hälfte. gr. 8. (VIII u. S. 445—584.) Wiesbaden 885. Kreidel. n. 2. 80 (cplt: n. 12. —)

Neubauer, Joh., altdeutsche Idiotismen der Egerländer Mundart. Mit e. kurzen Darstellg. der Lautverhältnisse dieser Mundart. Ein Beitrag zu e. Egerländer Wörterbuch. gr. 8. (115 S.) Wien 887. Graeser. n. 3. —

Neubaur, L., die Sage vom ewigen Juden, untersucht. gr. 8. (VII, 132 S.) Leipzig 884. Hinrichs' Verl. n. 3. 60

Neubauten, belgische, hrsg. v. der Société centrale d'architecture de Belgique. 50 Taf. (In 6 Lfgn.) 1. Lfg. Fol. (10 Photolith.) Berlin 886. Claesen & Co. In Mappe. n. 8. —

— zu Frankfurt am Main. Hrsg. v. Frdr. Sauerwein. 2. Serie. Photogr. Aufnahmen v. Webe-Wehl in Frankfurt a/M., Lichtdr. v. A. Naumann & Schröder in Leipzig. 6 Lfgn. Fol. (à 6 Bl.) Frankfurt a/M. 884. Keller. à n. 6. —

Neubauten, Wiener. Serie A. Privat-Bauten. 3. Bd. Hrsg. v. Ludw. Tischler. 1—5. Lfg. Fol. (à 8 Kpfrtaf.) Wien 886. A. Lehmann. à n. 8. —
— dasselbe. 3. Aufl. 4 Viertelbde. Fol. (96 Taf.) Ebend. 883. In Mappe. à n. 24. —
— dasselbe. Serie B. Wiener Monumental-Bauten. 1. Bd. Hof-Opernhaus v. van der Nüll u. v. Sicardsburg. Justizpalast von A. v. Wielemans. 11—20. (Schluss-)Lfg. gr. Fol. (à 6—7 Kpfrtaf. m. Text.) Ebend. 883—86. à n. 12. —; Prachtausg. à n. 20. — (Hofopernhaus cplt. in Mappe n. 200. —; Justizpalast cplt. in Mappe n. 100. —)
— dasselbe. 2. Bd. 1—3. Lfg. Fol. Ebend. 886. à n. 12. —; Prachtausg. à n. 20. —
Die k. k. Universität. Von H. v. Ferstel. Das k. k. Reichsrathsgebäude von Th. v. Hansen. Die Votivkirche von H. v. Ferstel. 1—3. Lfg. (à 6 Kpfrtaf.)

Neuber, G., e. neue Amputationsmethode; Ueberosmiumsäure-Injectionen bei peripheren Neuralgien, s.: Mittheilungen aus der chirurgischen Klinik zu Kiel.
— Anleitung zur Technik der antiseptischen Wundbehandlung u. d. Dauerverbandes. Mit zahlreichen Abbildgn. im Text. gr. 8. (VIII, 184 S.) Kiel 883. Lipsius & Tischer. n. 5. —
— Vorschläge zur Beseitigung der Drainage f. alle frischen Wunden, s.: Mittheilungen aus der chirurgischen Klinik zu Kiel.
— die aseptische Wundbehandlung in meinen chirurgischen Privat-Hospitälern. gr. 8. (36 S. m. Fig.) Kiel 886. Lipsius & Tischer. n. 1. 60

Neubert's deutsches Garten-Magazin. 36—38. Jahrg. Neue Folge: Illustrierte Monatshefte f. die Gesamt-Interessen d. Gartenbaues. Hrsg. v. Max Kolb u. J. E. Weiss. 2—4. Jahrg. 1883—1885. à 12 Hfte. (2 B. m. Holzschn. u. 1. Chromolith.) Lex.-8. Stuttgart, G. Weise. à Jahrg. 9. —; einzelne Hfte. à n. — 80
cf.: Monatshefte, illustrierte, f. die Gesammt-Interessen d. Gartenbaues.

Neubert, O., s.: Versuche üb. die Verdaulichkeit der Weizenkleie etc.

Neubner, Ed., Beiträge zur Kenntniss der Calicieen. Inaugural-Dissertation. gr. 8. (21 S. m. 3 Chromolith.) Regensburg 883. (Köln, Neubner.) n. 3. —

Neubronn, Frdr. Frhr. v., Einlagebogen zum 2. Bd. der Justizgesetze f. das Großherzogth. Baden, enth. die durch das Gesetz, betr. die Kommanditgesellschaften auf Aktien u. die Aktiengesellschaften, vom 18. Juli 1884, eingetretenen Aendergn. d. Handelsgesetzbuchs. gr. 8. (72 S.) Mannheim 884. Bensheimer's Verl. n. — 80; Schreibpap. n. 1. 20

Neuda, Fanny, geb. Schmiedl, Stunden der Andacht. Ein Gebet- u. Erbauungsbuch f. Israels Frauen u. Jungfrauen zur öffentl. u. häusl. Andacht, so wie f. alle Verhältnisse d. weibl. Lebens. 11. Aufl. 8. (VIII, 156 S.) Prag 886. Brandeis. geb. m. Goldschn. 1. —

Neudecker, G., die eigentliche Hauptfrage im gegenwärtigen Mittelschulstreit. gr. 8. (16 S.) Würzburg 883. Stuber's Verl. n. — 50
— die gegenwärtige Stellung der Lehrer an den bayerischen Mittelschulen. gr. 8. (25 S.) Ebend. 885. n. — 60

Neudegger, Max Jos., Geschichte der bayerischen Archive neuerer Zeit bis zur Hauptorganisation vom J. 1799. 2 Hfte. gr. 8. (145 S.) München 881 u. 82. (Th. Ackermann's Verl.) n. 4. 80

Neudörfer, Ign., die moderne Chirurgie in ihrer Theorie u. Praxis. gr. 8. (XV, 642 S.) Wien 885. Braumüller. n. 12. —

Neudrucke deutscher Litteraturwerke d. XVI. u. XVII. Jahrh. Nr. 37—61. 8. Halle 883—86. Niemeyer. à n. — 60

37. 38. Sonn- u. Feiertags-Sonette v. Andr. Gryphius. Abdr. der 1. Ausg. [1639] m. den Abweichgn. der Ausg. letzter Hand [1663], besorgt durch Heinr. Welti. (XX, 114 S.)
39. 40. Sämmtliche Fastnachtsspiele v. Hans Sachs. In chronolog. Ordng. nach den Originalen hrsg. v. Edm. Goetze. 3. Bdchn. A. u. d. T.: Elf Fastnachtsspiele aus den J. 1550 u. 1551. (XX, 145 S.)
41. Das Endinger Judenspiel. Zum 1. Mal hrsg. von Karl v. Amira. (108 S.)
42. 43. Sämmtliche Fastnachtsspiele v. Hans Sachs. In chronolog. Ordng. nach den Originalen hrsg. v. Edm. Götze. 4. Bdchn. 11 Fastnachtspiele aus den J. 1552 u. 1553. (XXIII, 149 S.)
44. 45. Gedichte d. Königsberger Dichterkreises, aus Heinr. Alberts Arien u. musical. Kürbshütte hrsg. v. L. H. Fischer. 1. Hälfte. (176 S.)
46. 47. Gedichte d. Königsberger Dichterkreises, aus Heinr. Alberts Arien u. musicalischer Kürbshütte [1638—1650] hrsg. v. L. H. Fischer. 2. Hälfte. (XLVIII u. S. 177—303.)
48. Heinr. Albert, Musik-Beilagen zu den Gedichten d. Königsberger Dichterkreises. Hrsg. v. Rob. Eitner. (III, 20 S.)
49. Streitgedichte gegen Herzog Heinrich den Jüngern v. Braunschweig v. Burkard Waldis [1542]. Hrsg. v. Frdr. Koldewey. (XVI, 46 S.)
50. Von der Winkelmesse u. Pfaffenweihe v. Martin Luther. Abdr. der 1. Ausg. [1533.] (X, 77 S.)
51. 52. Sämmtliche Fastnachtspiele v. Hans Sachs. In chronolog Ordng. nach den Originalen hrsg. v. Edm. Goetze. 5. Bdchn. 11 Fastnachtsspiele aus den J. 1553 u. 1554. (XVI, 151 S.)
53. 54. Der Eislebische Christliche Ritter. Ein Reformationsspiel v. Mart. Rinckhardt. 1613. (XVI, 108 S.)
55. 56. Till Eulenspiegel. Abdr. d. Ausg. vom J. 1515. (XXIII, 145 S.)
57. 58. Schelmuffsky v. Chrn. Reuter. Abdr. der vollständ. Ausg. 1696. 1697. (XIV, 129 S.)
59. Schelmuffsky v. Chrn. Reuter. Abdruck der 1. Fassg. 1696. (IV, 57 S.)
60. 61. Sämmtliche Fastnachtsspiele v. Hans Sachs. In chronolog. Ordng. nach den Originalen hrsg. v. Edm. Goetze. 6. Bdchn. 12 Fastnachtsspiele aus den J. 1554 bis 1556. (XV, 164 S.)

Neudrucke, Wiener. Nr. 1—11. 8. Wien 883—86. Konegen. n. 24. 20

1. Auf, auf ihr Christen v. Abraham a Sancta Clara. 1683. (XIV, 136 S.) n. 1. 20
2. Prinzessin Pumphia v. Jos. Kurz. (VII, 59 S.) n. — 80
3. Der Hausball. Eine Erzählung. 1781. (XII, 24 S.) n. — 60
4. Der auf den Parnass versetzte grüne Hut v. Chr. G. Klemm. 1767. (63 S.) n. — 80
5. Samuel u. Saul v. Wolfg. Schmeltzl. 1551. (V, 44 S.) n. — 80
6. Der Wiener Hanswurst. Stranitzkys u. seiner Nachfolger ausgewählte Schriften, hrsg. v. R. W. Werner. 1. Bdchn.: Lustige Reiss-Beschreibung aus Saltzburg in verschiedene Länder v. J. A. Stranitzky. (XXXII, 54 S.) n. 1. 20
7. Briefe üb. die Wienerische Schaubühne von J. v. Sonnenfels. 1768. (XIX, 353 S.) n. 4. —
8. Vier dramatische Spiele üb. die zweite Türkenbelagerung aus den J. 1683—1685. (VII, 85 S.) n. — 80
9. Sterzinger Spiele, nach Aufzeichngn. v. Vigil Raber, hrsg. v. Oswald Zingerle. 1. Bdchen. 15 Fastnachts-Spiele aus den J. 1510 u. 1511. (XII, 295 S.) n. 4. —
11. Dasselbe. 2. Bdchen. 11 Fastnachts-Spiele aus den J. 1512—1535. (V, 263 S.) n. 4. —
10. Ollapatrida d. durchgetriebenen Fuchsmundi v. J. A. Stranitzky. [1711.] (CXXVIII, 384 S.) n. 6. —

Neuenfeldt, Otto, ist die Conventionalstrafe ihrem Grundprincipe nach Strafe od. Ersatzleistung? Eine civilist. Abhandlg. gr. 8. (VII, 61 S.) Berlin 885. Puttkammer & Mühlbrecht. n. 1. 60

Neuenhaus, J., das Wort Gottes u. die Gemeinden. Eine

Studie, Amtsbrüdern u. Freunden der evangel. Kirche dargeboten. gr. 8. (III, 92 S.) Halle 885. Niemeyer. n. 1. 50

Neuert, Hans, Almenrausch u. Edelweiß. Oberbayerisches Charaktergemälde m. Gesang u. Tanz in 5 Aufzügen m. theilweiser Benützg. der Erzählg. d. Herm. v. Schmid. 8. (82 S.) Augsburg 886. Schmid's Verl. n. 1. —

— im Austragsstüberl. Ländliches Volksstück m. Gesang u. Tanz in 4 Akten. Musik v. C. Horak. 8. (69 S.) Ebend. 885. n. 1. —

— 's Christl vom Staffelberg. Oberbayerisches Volksstück m. Gesang in 4 Aufzügen nach der Erzählg. „Der Wurzengraber" v. Th. Messerer, f. die Bühne bearb. 8. (77 S.) Ebend. 885. n. 1. —

— der Geigenmacher v. Mittenwald, } f.: Ganghofer, L.
— der Prozeßhansl, }

Neue Welt-Kalender, illustrirter, f. d. J. 1887. 11. Jahrg. 4. (80 S. m. eingedr. Illustr., 4 Holzschntaf. u. 1 Wandkalender.) Stuttgart, Dietz. — 50

Neufert, Herm., die schlesischen Erwerbungen d. Markgrafen Georg v. Brandenburg. gr. 8. (54 S.) Breslau 883. (Köhler.) n. 1. —

Neuffer, Carl Th., neuestes Räthsel- u. Charaden-Buch. 12. (III, 140 S.) Cannstadt 884. Stehn. n. 1. 50

Neuffer, Karl Heinr., langjährige Erfahrungen im Düngerwesen, nebst Rathschlägen f. die Zukunft. gr. 8. (181 S.) Stuttgart 885. (Kohlhammer.) n. 2. —

Neugebauer, Herm., das Isergebirge u. insbesondere der Kurort Flinsberg in demselben. Zur Orientirg. f. Kurgäste u. Touristen. Mit e. (lith.) Karte d. Isergebirges. 2. Aufl. 16. (X, 93 S.) Görlitz 884. Vierling's Verl. n. 1. —

Neugebauer, J., die Wiener Vieh- u. Fleischmarktfrage. Volkswirthschaftlich beleuchtet. gr. 8. (20 S.) Wien 884. Gerold's Sohn. n. — 80

Neugebauer, Jul., Beitrag zur Geschichte v. Weidenau in Österr.-Schlesien. gr. 8. (40 S.) Weidenau 874. (Wien, Pichler's Wwe. & Sohn.) n. — 90

Neuhaus, Carl, die lateinischen Vorlagen zu den altfranzösischen Adgar'schen Marien-Legenden, zum ersten Male gesammelt u. hrsg. 1. Hft. gr. 8. (28 S. m. 1 Tab.) Heilbronn 886. (Henninger.) n. — 80

Neuhaus, G. H., Diptera marchica. Systematisches Verzeichniss der Zweiflügler [Mücken u. Fliegen] der Mark Brandenburg. Mit kurzer Beschreibg. u. analyt. Bestimmungs-Tabellen. Mit 6 lith. Taf. u. 3 Holzschn. gr. 8. (IV, XVI, 371 S.) Berlin 886. Nicolai's Verl. n. 12. —

Neuhaus, J. C., kleine Lebensbilder berühmter Männer f. den geschichtlichen Unterricht in den beiden unteren Klassen der höheren Lehranstalten. gr. 8. (IV, 158 S.) Düsseldorf 886. Schwann. n. 1. 20

Neuhaus, Rhardt., Diana u. Renata. Ein romant. Schauspiel in 5 Akten. 8. (94 S.) Barmen 884. Inderau. n. 1. 50

Neuhauser, Jos., Geschichte der österreichisch-ungarischen Monarchie. Ein Lehrbuch zum Schul- u. Privatgebrauch. 4. Aufl., besorgt durch Gust. Herr. gr. 8. (IV, 186 S.) Wien 884. Graeser. n. 2. —

Neuhaeuser, Jos., Anaximander Milesius sive vetustissima quaedam rerum universitatis conceptio restituta. Cum 1 tab. (lith.). gr. 8. (XVI, 428 S.) Bonn 883. Cohen & Sohn. n. 14. —

Neuhauß-Selchow, G., unsere Landwirthschaft u. die amerikanische Concurrenz. Reisebetrachtungen. gr. 8. (32 S.) Berlin 884. Parey. n. 1. —

— Selchow contra Lupitz. Auch e. Wort der Erfahrg. an seine Berufsgenossen üb. Wirthschaftsbetrieb auf leichtem Boden. gr. 8. (64 S.) Ebend. 883. n. 1. —

Neuhauß, R., die Hawaii-Inseln, f.: Sammlung gemeinverständlicher Vorträge.

Neujahrsblätter. Hrsg. v. der Historischen Commission der Prov. Sachsen. 7—10. Hft. gr. 8. Halle, Pfeffer. à n. 1. —

7. Die Einführung d. Christenthums in die nordthüringischen Gaue Friesenfeld u. Hassengau. Von Herm. Größler. (37 S.) 883.
8. Martin Luther, der deutsche Reformator. Von Jul. Köstlin. Mit dem Bilde Luthers in Lichtdr. nach e. Zeichng. von Schnorr v. Carolsfeld. (VII, 77 S.) 884.
9. Bad Lauchstädt. Von Otto Rasemann. (52 S.) 885.
10. Die Gegenreformation in Magdeburg. Von Gust. Hertel. (38 S.) 886.

Neujahrsblätter, württembergische. Unter Mitwirkg. v. Beckh, Heyd, Klaiber etc. hrsg. v. J. Hartmann. 1. u. 2. Blatt. gr. 8. Stuttgart, Gundert. à n. 1. —

1. Eberhard im Bart. Von Gust. Bossert. (64 S. m. 1 Holzschn.-Portr.) 884.
2. Schiller u. Schwaben. Von Paul Lang. (50 S. m. Illustr.) 885.

Neujahrs-Bote, christlicher. Kalender auf d. J. 1886. 4. (108 S. m. Illustr.) Winterberg, Steinbrener. n. — 42

Neujahrsgabe v. Xanthippus. 8. (24 S.) Berlin 886. Bohne. n. — 75

Neuigkeiten, medizinische, f. praktische Aerzte. Hrsg. v. Aloys Martin. 33—36. Jahrg. 1883—1886. à 52 Nrn. (B.) gr. 4. Erlangen, Palm & Enke. à Jahrg. n. 8. —

Neukirch, F., Geschichtstabellen. gr. 8. (IV, 78 S.) Holzminden 885. Müller. geb. n.n. 1. 30

Neukirchenblätter. Red.: J. G. Mittnacht. 2. Folge. 4. Bd. Jahrg. 1883. 24 Nrn. (B.) gr. 8. Frankfurt a/M., Mittnacht. n. 3. —
Erscheint nicht mehr.

Neukomm, Mart., die epidemische Diphtherie im Canton Zürich u. deren Beziehungen zum Luftröhrenschnitt. Eine statistisch-klin. Untersuchg. in 2 Thln. m. 4 graph. Taf. u. 1 Karte d. Cantons Zürich. [Der 1. Thl. aus: „Zeitschr. f. schweiz. Statistik".] gr. 4. (V, 127 S.) Leipzig 886. F. C. W. Vogel. n. 6. —

Neuling, Herm., Schlesiens ältere Kirchen u. kirchliche Stiftungen nach ihren frühesten urkundlichen Erwähnungen. Ein Beitrag zur schles. Kirchengeschichte. Namens d. Vereins f. Geschichte u. Alterthum Schlesiens zusammengestellt. gr. 8. (VII, 164 S.) Breslau 884. Max & Co. n. 2. —

Neuman, Alex., der forensisch-chemische Nachweis d. Santonin u. sein Verhalten im Thierkörper. gr. 8. (56 S.) Dorpat 883. (Schnakenburg.) n. 1. —

Neumann's geographisches Lexikon d. Deutschen Reichs. Mit Ravenstein's Spezialatlas v. Deutschland (10 Bl. cart.), vielen Städteplänen, statist. Karten u. mehreren Hundert Abbildgn. deutscher Staaten- u. Städtewappen. (22 Holzschntaf. m. 4 S. Text.) 17—40. (Schluß-)Lfg. 8. (LXXVIII u. S. 609—1413.) Leipzig 883. Bibliograph. Institut. à n. — 50 (cplt. geb. in 2 Halbleinw.-Bde.: n. 23. —; in 1 Halbfrzbd. n. 25. —)

— dasselbe. 2. Text-Ausg. 40 Lfgn. 8. (LXXVIII, 1413 S.) Ebend. 884. à n. — 25 (cplt. in 2 Leinwdbde. geb.: n. 12. 50)

Neumann, Kalk, Gips, Cement, f.: Böhmer.

Neumann, v., Leitfaden f. den Unterricht in der Waffenlehre an den königl. Kriegsschulen. Auf Befehl der General-Inspektion d. Militär-Erziehungs- u. Bildungs-Wesens ausgearb. 3. Aufl. Mit 425 Abbildgn. 4. (VI, 252 S. m. 3 Tab.) Berlin 883. Mittler & Sohn. n. 9. 40

— dasselbe. 4. Aufl. Mit 265 Abbildgn. 4. (VI, 219 S.) Ebend. 886. n. 8. —

Neumann, das Buch vom guten Ton. Ein Begleiter f. junge Leute beiderlei Geschlechts bei ihrem Eintritte in die Welt, um sich in allen Vorkommnissen d. gesellschaftl. Lebens m. vollkommenem Anstande benehmen zu können. 8. (136 S.) Wien 885. Reidl. n. 1. —

Neumann, Alf., üb. das Leben u. die Gedichte d. Minnesingers Steinmar. Untersuchungen. gr. 8. (106 S.) Leipzig 886. Fock. n. 2. —

Neumann, Alois, deutsches Lesebuch f. die 3. u. 4. Classe der Gymnasien u. verwandter Anstalten, m. sachl. u. sprachl. Erklärgn. Unter Mitwirkg. v. Otto Gehlen hrsg. gr. 8. Wien 883. Hölder. n. 4. 64
3. 7. Aufl. (VIII, 288 S.) n. 2. 24. — 4. 6. Aufl. (XII, 312 S.) n. 2. 40

Neumann, Alois, u. Otto Gehlen, deutsches Lesebuch f. die 1. Classe der Gymnasien u. verwandter Anstalten m. sachlichen u. sprachlichen Erläuterungen. 9. Aufl. gr. 8. (263 S.) Wien 885. Bermann & Altmann. n. 1. 80; geb. n.n. 2. 12

— dasselbe f. die 2. Classe. 8. Aufl. [Unverändert, bis auf Anwendg. der im „Regeln- u. Wörterverzeichnis" behördlich festgestellten Orthographie.] gr. 8. (288 S.) Ebend. 884. geb. n. 2. 28

Neumann, C., üb. die Kugelfunctionen P_n u. Q_n, insbesondere üb. die Entwicklung der Ausdrücke $P_n(zz_1 + \sqrt{1-z^2}\sqrt{1-z_1^2}\cos\Phi)$ u. $Q_n(zz_1 + \sqrt{1-z^2}\sqrt{1-z_1^2}\cos\Phi)$ nach den Cosinus der Vielfachen v. Φ. Lex.-8. (76 S.) Leipzig 886. Hirzel. n. 2. 40

— hydrodynamische Untersuchungen, nebst e. Anh. üb. die Probleme der Elektrostatik u. der magnet. Induction. gr. 8. (XL, 320 S.) Leipzig 883. Teubner. n. 11. 20

— Vorlesungen üb. Riemann's Theorie der Abel'schen Integrale. 2. Aufl. Mit 1 lith. Taf. u. in den Text gedr. Fig. gr. 8. (XIV, 472 S.) Ebend. 884. n. 12. —

Neumann, Carl, das Aufgebotsverfahren, durch Beispiele veranschaulicht. gr. 8. (VIII, 411 S.) Berlin 884. Weidmann. n. 8. —

Neumann, Carl, Geschichte Roms während d. Verfalles der Republik. 2. Bd. von Sullas Tode bis zum Ausgange der catilinar. Verschwörg. Aus seinem Nachlasse hrsg. v. G. Faltin. gr. 8. (VII, 312 S.) Breslau 884. Koebner. n. 7. — (1. u. 2.: n. 19. —)

— u. J. **Partsch**, physikalische Geographie v. Griechenland m. besond. Rücksicht auf das Alterthum. gr. 8. (XII, 475 S.) Ebend. 885. n. 9. —

Neumann, Carl E. O., welcher Cur soll ich mich unterwerfen? Ein Wegweiser für Kranke. 8. (VIII, 125 S.) Leipzig 886. Arnold. n. 1. 75; geb. n. 2. 25

— der Frauenarzt. Ein Ratgeber f. Jungfrauen, Frauen u. Mütter. Naturgemäße Behandlg. der Frauenkrankheiten m. Abbildgn. 2. Aufl. gr. 8. (VII, 81 S.) Köthen 886. Schettler's Verl. n. 2. —

— neuer Hausarzt f. Stadt u. Land. Ratgeber u. Anleiter zur Selbsthülfe in allen Krankheitsfällen. gr. 8. (VIII, 312 S.) Leipzig 883. Th. Grieben. n. 3. —; geb. n. 4. —

— die Haut, Haare, Nägel u. Zähne d. Menschen. Deren Bau, Pflege, Krankheiten u. naturgemäße Behandlg. Mit Abbildgn. im Text. 8. (IV, 107 S.) Ebend. 886. n. 1. 50

— der Kinderarzt od. die naturgemäße Pflege d. Kindes in gesunden u. kranken Tagen. 8. (IV, 98 S.) Berlin 886. Breitkreuz. n. 1. 50; geb. n. 2. —

— der Männerarzt. Ein Ratgeber f. junge u. alte Männer. Naturgemäße Behandlg. der Männerkrankheiten. Mit in den Text gedr. Abbildgn. 8. (IV, 90 S.) Leipzig 885. Th. Grieben. n. 1. 40; geb. n. 1. 80

— die Massage. Anleitung zur prakt. Ausführung derselben f. Jedermann. Nebst specieller Krankheits- u. Heil-Lehre. Mit 34 Abbildgn. im Text. 2. Aufl. 8. (IV, 120 S.) Ebend. 886. n. 1. 50; geb. n. 2. —

— kleine Naturheilkunde f. unsere Kinder. gr. 8. (IV, 63 S.) Köthen 885. Schettler's Verl. n. — 80

— Repetitorium der Chemie f. Chemiker, Pharmaceuten, Mediziner zc., sowie zum Gebrauche an Realschulen u. Gymnasien. 12. (IV, 250 S.) Düsseldorf 884. Schwann. n. 2. —

— Repetitorium der Physik zum Gebrauche an Realschulen u. Gymnasien. 16. (III, 288 S. m. eingedr. Fig.) Dresden 884. Axt. cart. n. 2. 50

— Wegweiser zur praktischen Verwertung der Elektrizität als Heilkraft, nebst e. kurzen Abriss der Elektrizitäts-, Nerven- u. Muskellehre f. Gebildete aller Stände. Mit 65 Abbildgn. 12. (XXXI, 214 S.) Leipzig 886. Arnold. geb. n. 5. —

Neumann, Emil, de compositorum a dis [di] incipientium apud priscos scriptores vi et usu. gr. 8. (36 S.) Jena 885. (Neuenhahn.) 1. 50

Neumann, F., Vorlesungen üb. theoretische Optik, geh. an der Universität zu Königsberg. Hrsg. v. E. Dorn. Mit Fig. im Text. gr. 8. (VIII, 310 S. m. Lichtdr.-Portr. d. Verf.) Leipzig 885. Teubner. n. 9. 60

Neumann-Spallart, F. X. v., Uebersichten der Weltwirthschaft. Jahrg. 1881—82 [m. vielen auch d. J. 1883 umfass. Nachweisen.] 8. (XV, 487 S.) Stuttgart 884. Maier. n. 10. —

Neumann, Fr., die romanische Philologie. Ein Grundriß. [Aus: „Schmid's Encyklopädie."] gr. 8. (96 S.) Leipzig 886. Fues. n. 2. —

Neumann, Frz., deutsches Lesebuch f. die unteren u. mittleren Classen der Realschulen. In 4 Thln. Mit besond. Rücksicht auf mündl. u. schriftl. Übgn. hrsg. 1. u. 2. Thl. 3. Aufl. gr. 8. (200 u. VIII, 282 S.) Wien 884. 86. Graeser. geb. à n. 1. 92

Neumann, Frz., Einleitung in die theoretische Physik. Vorlesungen, geh. an der Universität zu Königsberg. Hrsg. v. C. Pape. Mit Fig. gr. 8. (X, 291 S.) Leipzig 883. Teubner. n. 8. —

— Vorlesungen üb. elektrische Ströme. Geh. an der Universität zu Königsberg. Hrsg. v. K. Vondermühll. Mit in den Text gedr. Fig. gr. 8. (X, 308 S.) Ebend. 884. n. 9. 60

— Vorlesungen üb. die Theorie der Elasticität der festen Körper u. d. Lichtäthers. Geh. an der Universität Königsberg. Hrsg. v. Osk. Emil Meyer. Mit Fig. im Text. gr. 8. (XIII, 374 S.) Ebend. 885. n. 11. 60

Neumann, Frdr., der Mahlmühlenbetrieb, dargestellt durch Zeichngn. u. Beschreibgn. vollständ. Mühleneinrichtgn., sowie einzelner Maschinen u. Betriebsteile zur Fabrikation v. Mehl, Gries, Graupen u. Reis. Mit Berücksicht. bewährter, prakt. Anlagen u. der neuesten Konstruktionen. 2. gänzlich umgearb. u. verb. Aufl. Mit e. Atlas v. 39 (lith.) Foliotaf. (m. 4 S. Text) u. 17 Holzschn. gr. 8. (XVI, 228 S.) Weimar 885. B. F. Voigt. 13. 50

Neumann, Geo., Beobachtungen üb. Nitrophenole. gr. 8. (31 S.) Berlin 883. (Göttingen, Vandenhoeck & Ruprecht.) n. — 80

Neumann, Gust., Schul-Geographie. Nach dem Tode d. Verf. durchgesehen v. H. Damm. 13. Aufl. 8. (112 S.) Berlin 886. G. W. F. Müller. n. — 60; geb. n. — 75

Neumann, H., das Börsensteuergesetz [Tarifnummer 4 d. Reichsstempelgesetzes], f. die prakt. Anwendg. dargestellt. 3. Aufl. gr. 8. (V, 144 S. m. 1 Tab.) Berlin 885. Siemenroth. n. 3. —; geb. n. 3. 50

Neumann, H., Katechismus der gerichtlichen Psychiatrie in Fragen u. Antworten. Mit e. Anh. v. Mustergutachten. 8. (70 S.) Breslau 884. Preuss & Jünger. n. 1. 50

— Leitfaden der Psychiatrie f. Mediciner u. Juristen. gr. 8. (VIII, 143 S.) Ebend. 883. n. 3. —; geb. n. 3. 60

Neumann, J., Diagnostik u. Therapie der Hautsyphiliden, } s.: Klinik, Wiener.
— über Psoriasis vulgaris, }

Neumann, J., Unterricht in der Kunst der Tourentänze, m. e. reichhalt. Sammlg. v. leicht ausführbaren Cotillon-Touren. 16. (16 S.) Reutlingen 883. Bardtenschlager. — 15

Neumann, Ign., Zinses-Zinsen-Tabellen m. zeitgemässen neuen zum ersten Male publicirten Zinsfüssen, anzuwenden auf die Berechnung v. Amortisationsplänen etc. gr. 8. (78 S.) Wien 886. Gerold's Sohn. n. 2. —

Neumann, Jos. Geo., oratio de tumulo D. Lutheri adhoc inviolato, a. 1707, habita; unacum appendice eiusdem argumenti. Ed. noviter impressa. 8. (12 S.) München 883. (Kaiser.) n. — 50

Neumann, Isidor, Atlas der Hautkrankheiten. 72 Taf., in Chromolith. ausgeführt v. J. Heitzmann u. A. Mit beschreib. Texte. 2—4. Lfg. Fol. (à 6 Taf. m. 3 Bl. Text.) Wien 883—86. Braumüller. à n. 10. —

Neumann, K., s.: Wiederholungsbuch f. den geographischen, geschichtlichen, naturkundlichen u. deutschen Unterricht.

Neumann-Strelo, Karl, vom alten Fritz. Sein Leben u. Sterben. Ein Gedenkblatt zu seinem 100jähr. Todestage. gr. 8. (64 S.) Berlin 886. Sensenhauser. n. — 75; bill. Ausg., 3. Aufl. n. — 30

— im Silberkranz. Ein Gedenkblatt zur silbernen Hochzeit d. Kronprinzenpaares am 25. Jan. 1888. 8. (95 S. m. Lichtdr.-Portr. auf dem chromolith. Umschlag.) Berlin 888. Moeser. n. 1. —

— Thron u. Reich. Bilder u. Skizzen. 3. Aufl. 8. (VII, 183 S. m. 1 Holzschn.) Oldenburg 888. Schulze. n. 2. —; geb. n. 3. —

— Kaiser Wilhelm, s.: Universal-Bibliothek f. die Jugend.

Neumann, Karl Johs., Ludwig Lange, ord. Prof. der class. Philologie an der Universität Leipzig. Ein Nekrolog. gr. 8. (33 S.) Berlin 886. Calvary & Co. n. 1. 60

— Strabons Landeskunde v. Kaukasien. Eine Quellenuntersuchg. gr. 8. (36 S.) Leipzig 883. Teubner. n. 1. —

Neumann, Karl Wilh., Lehrbuch der allgemeinen Arithmetik u. Algebra f. höhere Lehranstalten. Theoretischer Leitfaden zu der Sammlg. v. Beispielen u. Aufgaben v. Ed. Heis. 7. Aufl. gr. 8. (VIII, 208 S) Leipzig 883. Langewiesche. n. 2. 80

Neumann, L., Fribourg en Brisgau, s.: l'Europe illustrée.

Neumann, L., Hugo Grotius, s.: Sammlung gemeinverständlicher wissenschaftlicher Vorträge.

Neumann, L., die deutsche Sprachgrenze in den Alpen, s.: Sammlung v. Vorträgen.

Neumann, Leop. Frhr. v., Grundriss d. heutigen europäischen Völkerrechts. 3. Aufl. gr. 8. (X, 204 S.) Wien 885. Braumüller. n. 3. —

— s.: Recueil des traités et conventions conclus par l'Autriche avec les puissances étrangères.

Neumann's, M., Kunst der Pflanzenvermehrung durch Samen, Stecklinge, Ableger u. Veredelung. 5. Aufl., durchgesehen u. erweitert v. J. Hartwig. Mit 59 Abbildgn. gr. 8. (XII, 234 S.) Weimar 886. B. F. Voigt. 5. —

Neumann, S., zur Statistik der Juden in Preussen von 1816 bis 1880. 2. Beitrag aus den amtl. Veröffentlichgn. gr. 8. (50 S.) Berlin 884. Gerschel (?). n. 1. 20
Den 1. Beitrag s.: Neumann, S., die Fabel v. der jüdischen Masseneinwanderung. 3. Aufl. n. 1. 20

Neumann, W. A., Wereschagin's Palästina-Bilder u. sein Katalog. 8. (13 S.) Wien 885. Mayer & Co. n. — 20

Neumayer, A., die Laboratorien der Elektro-Technik u. deren neuere Hilfsapparate, s.: Bibliothek, elektro-technische.

Neumayer, Frz., kurze Anleitung, das tägliche Leben nach Gottes Wohlgefallen nützlich u. verdienstlich einzurichten. Neu hrsg. v. D. Faustmann. 16. (19 S.) Würzburg 884. Bucher. — 15

— die Freude in Gott. Ein Gebet- u. Erbauungsbuch f. kathol. Christen, die nach Tugend u. Frömmigkeit streben u. ihr Heil in Gott u. durch Maria u. alle Heiligen suchen. 6. Aufl. (Mittelgrober Druck.) 16. (XVI, 528 S. m. chromolith. Titel u. 1 Stahlst.) Dülmen 883. Laumann. n. 1. 50; geb. von n. 2. — bis n. 20. —

— dasselbe. 11. Aufl. Taschen-Ausg. 16. (496 S. m. 1 Stahst.) Ebend. 885. n. 1. 50

— dasselbe. Nebst Kern d. Christenthums od. kurzer Inbegriff der kathol. Glaubens- u. Sittenlehre. Ausg. Nr. I. 14. Aufl. 8. (XVI, 685 S. m. farb. Titel u. 1 Stahlst.) Ebend. 886. n. 2. —; geb. von n. 3. — bis n. 20. —

Neumayr, M., zur Morphologie d. Bivalvenschlosses. [Mit 2 (lith.) Taf.] Lex.-8. (34 S.) Wien 883. (Gerold's Sohn.) n. 1. —

— die geographische Verbreitung der Juraformation. [Mit 2 (chromolith.) Karten u. 1 (lith.) Taf.] Imp.-4. (88 S.) Ebend. 885. n. 7. 20

— über klimatische Zonen während der Jura- u. Kreidezeit. [Mit 1 (chromolith.) Karte.] Imp.-4. (34 S.) Ebend. 883. n. 3. 20

Neumayr, Melch., Erdgeschichte. 1. Bd. Allgemeine Geologie. Mit 334 Abbildgn. im Text, 15 Aquarelltaf. u. 2 Karten v. E. Heyn, O. Peters, K. Poschinger u. a. Lex.-8. (XII, 653 S.) Leipzig 886. Bibliograph. Institut. geb. n. 16. —

Neumeister — **Herburger's**, Geschäfts- u. Auskunfts-Kalender f. d. J. 1887. 28. Jahrg. gr. 8. (169 S.) Wien, Perles. cart. n. 1. —

Neumeister, A., die Renaissance in Belgien u. Holland, s.: Ewerbeck, F.

Neumeister, F., der königl. Weg d. Kreuzes. Fromme Erwäggn. u. Betrachtgn. vor den 14 Stationen. 16. (64 S. m. Holzschn.) Dülmen 883. Laumann. n. — 25

Neumeyer, Andr., Aratus aus Sikyon. Ein Charakterbild aus der Zeit d. achäischen Bundes, nach den Quellen entworfen. 2 Abtlgn. in 1 Bde. gr. 8. (38 u. 42 S.) Leipzig 886 Fock. n. 1. 50

Neupert, Alb., de Demosthenicarum quae feruntur epistularum fide et auctoritate. gr. 8. (78 S.) Leipzig 885. Fock. n. 1. 50

Neurath, Wilh., Eigenthum u. Gerechtigkeit. Nach e. Vortrage, geh. am 24. März 1884. gr. 8. (31 S.) Wien 884. Manz. n. 1. —

— Grundzüge der Volkswirtschaftslehre od. Grundlage der socialen u. politischen Oekonomie. Für den Schulgebrauch u. den Selbstunterricht. gr. 8. (XXIV, 337 S.) Leipzig 885. Klinkhardt. n. 4. —

— das Recht auf Arbeit u. das Sittliche in der Volkswirthschaft. g. 8. (41 S.) Wien 886. Manz. n. 1. —

— Adam Smith im Lichte heutiger Staats- u. Socialauffassung. Nach e. Vortrage. gr. 8. (48 S.) Ebend. 884. n. 1. —

Neuschler, zur rechtlichen Stellung d. wundärztlichen Standes im deutschen Reich u. besonders in Württemberg. gr. 8. (27 S.) Tübingen 884. Fues. n. — 60

Neuse, G., ernstes u. heiteres Deklamatorium. Eine Sammlg. humorist. u. ernster Gedichte, Vorträge, Aufführgn., Tischreden, Soloscenen 2c. f. alle Gesellschaftskreise. 7. Sammlg. 12. (92 S.) Mülheim 883. Bagel. n. — 50

Neustadt, Louis, Markgraf Georg v. Brandenburg als Erzieher am ungarischen Hofe. gr. 8. (VIII, 90 S.) Breslau 883. Koebner. n. 2. —

— Ungarns Verfall beim Beginn d. 16. Jahrh. Lex.-8. (59 S.) Budapest 885. Kilian. n. 1. —

Neustadt, P., Trauerrede f. Sir Moses Montefiore. Geh. bei der Gedächtnisfeier in der Synagoge „zum Tempel" am 19. Septbr. 1885. gr. 8. (16 S.) Breslau 886. (Frankfurt a/M., Kauffmann.) n. — 40

Neustadtl, Siegm., Ideen zur Reform der Wiener Börse. gr. 8. (64 S.) Wien 883. Rosner. n. 1. —

Neustifter, Jos., Herz Jesu, du Rettung in unseren Tagen! Unterrichts- u. Erbauungsbuch f. die Verehrer d. göttl. Herzens Jesu. Nebst e. vollständ. Gebetbuche. 16. (III, 448 S. m. 1 Stahlst.) Dülmen 883. Laumann. n. — 90; geb. von n. 1. — bis n. 10. —

Neutralité, la, de l'Alsace-Lorraine. Compte rendu de l'assemblée générale des membres de la ligue internationale de la paix et de la liberté tenue à Genève le 7 Septbre. 1884. Publié avec l'autorisation du comité central de la ligue. gr. 8. (64 S.) Basel 884. Bernheim. 1. —

Neuweihung, die, der St. Bartholomäuskirche in Nürnberg [Vorstadt Wöhrd] am 31. Oktbr. 1886. gr. 8. (12 S.) Nürnberg 886. Raw. n. — 25

Neuwirth, Jos., die Bauthätigkeit der alamannischen Klöster St. Gallen, Reichenau u. Petershausen. Lex.-8. (114 S.) Wien 884. (Gerold's Sohn.) n. 1. 70

— datierte Bilderhandschriften österreichischer Klosterbibliotheken. Lex.-8. (62 S.) Ebend. 885. n.n. — 90

— Albrecht Dürers Rosenkranzfest. Mit 3 Abbildgn. Lex.-8. (III, 75 S.) Prag 885. Tempsky. — Leipzig, Freytag. n. 4. —

Neuwirth, Jos., üb. Fabriks-Gesetzgebung. Vortrag, geh. im Saale d. mähr. Gewerbemuseums am 28. Novbr. 1883. Hrsg. vom Verein der Schafwoll-Industriellen in Brünn. Lex.-8. (31 S.) Brünn 883. (Winiker.) n. 1. —

Neve, Jul., Berliner Fibel f. den Schreib- u. Lese-Unterricht nach der gemischten Schreiblesemethode bearb. 4. Ster.-Aufl. 8. (114 S.) Berlin 883. Neve. n.n. — 50

— Rechenbuch f. Volksschulen. 1. u. 2. Hft. 8. (à 32 S.) Ebend. 885. n. — 20

Neveling, W., Gastpredigt, s.: Beesenmeyer, E.

— die religiöse Weltanschauung Goethe's. Ein Vortrag. gr. 8. (IV, 28 S.) Barmen 884. Klein. n. — 75

Neviandt, die Gefahren der falschen u. der Segen der rechten Freiheit, s.: Koch.

— der Unterschied zwischen Erweckung u. Bekehrung nach der Schrift. — Ueber Gemeindezucht u. das Verhalten der christlichen Gemeinschaften Ausgeschlossenen gegenüber nach der Schrift. Von Koch. 8. (28 S.) Bern 886. (Bonn, Schergens.) — 20

— u. **Koch**, die Gefahren d. Formalismus. Ueber die rechte Opferwilligkeit. 2 Vorträge. 8. (35 S.) Ebend. 885. — 20

Nevinný, Jos., das Cocablatt. Eine pharmakognost. Abhandlg. Mit 4 lith. Taf. u. 2 Abbildgn. gr. 8. (V, 51 S.) Wien 886. Toeplitz & Deuticke. n. 2. 50

Newald, Joh., Beiträge zur Geschichte der Belagerung v. Wien durch die Türken, im J. 1683. Historische Studien. 1. u. 2. Abth. gr. 8. (IV, 268 u. VI, 141 S.) Wien 883. 84. Kubasta & Voigt. n 9. —

— das österreichische Münzwesen unter Ferdinand I. Eine münzgeschichtl. Studie. 8. (VIII, 155 S.) Ebend. 883. n. 4. —

— das österreichische Münzwesen unter den Kaisern Maximilian II, Rudolph II. u. Mathias. Münzgeschichtliche Studien. gr. 8. (VI, 248 S. m. 3 Taf.) Ebend. 885. n. 6. —

Newman, Joh. Heinr., Kallista. Ein Roman aus dem 3. Jahrh. Autoris. Uebersetzg. 5. Aufl. 8. (XVI, 294 S. m. 1 Holzschn.) Köln 885. Bachem. 2. 50; geb. n. 3. 74

— der Traum d. Gerontius. Autoris. Uebersetzg. nach der 18. Aufl. aus dem Engl. Mit 1 (Lichtdr.-)Bilde von E. v. Steinle. 8. (56 S.) Mainz 885. Kirchheim. 1. 20

News, Vienna weekly. Editor: J. Griez de Ronse. 1. year. 52 nrs. (2 B.) Fol. Wien 886. (Konegen.) n. 16. —; halbjährlich n. 9. —

Newsky, P., die Danischeffs, s.: Universal-Bibliothek.

Ney, C., das deutsche Wechselrecht m. erläuternden Formularen u. Beispielen aus dem Gesammtgebiete d. Wechselverkehrs, f. den akadem. Gebrauch bearb. 8. (VIII, 194 S.) Berlin 886. Bahr. geb. n. 2. 70

Ney, C. E., üb. den Einfluß d. Waldes auf das Klima, s.: Zeit- u. Streitfragen, deutsche.

— Forst- undt Waldordnung der Pfaltzgraveschafft bey Rhein, s.: Forst- u. Jagdzeitung, allgemeine, Supplemente.

— die Lehre vom Waldbau f. Anfänger in der Praxis. gr. 8. (X, 504 S.) Berlin 885. Parey. n. 9. —

Ney, Chr., e. Don Juan wider Willen, s.: Wallner's allgemeine Schaubühne.

— Sammlung leicht ausführbarer Theaterstücke ernsten u. launigen Inhalts, zum Gebrauche f. gesell. Kreise, namentlich kathol. Gesellen-Vereine. 1., 6., 7., 11., 13., 14., 20—22. Hft. 8. Paderborn 883—86. F. Schöningh. n. 3. 10

1. 4. Aufl. (24 S.) n. — 25. — 6. 4. Aufl. (32 S.) n. — 30. — 7. 4. Aufl. (46 S.) n. — 40. — 11. 4. Aufl. (28 S.) n. — 30. — 13. 2. Aufl. (24 S.) n. — 25. — 14. 2. Aufl. (44 S.) n. — 40. — 20. 4. Aufl. (26 S.) n. — 30. — 21. 4. Aufl. (32 S.) n. — 30. — 22. 2. Aufl. (64 S.) n. — 60.

Neyen, J. Aug., die Zucht u. Pflege d. Schweines. Frei nach dem Franz. d. Hrn. Eug. Fischer u. nach den besten deutschen Quellen bearb. 8. (IV, 124 S.) Luxemburg 886. (Bück.) 1. 20

Nibelungen, der, Not. Nach Karl Lachmann's Ausg. übers. u. m. e. Einleitg. versehen v. Osk. Henke. 8. (299 S.) Barmen 884. Klein. n. 3. —

Nibelungenlied, das, f. die Jugend bearb. v. Adf. Bacmeister. 3. Aufl. Mit 4 Zeichngn. v. C. Häberlin. gr. 8. (III, 114 S.) Stuttgart 885. Neff. geb. n. 2. 25

— das, f. das deutsche Haus nach den besten Quellen bearb. v. Emil Engelmann. Mit 9 Facsms. der hervorragendsten Handschriften, 56 Bildern nach Zeichngn. von Schnorr v. Carolsfeld, Bauer, Hübner &c., sowie 6 Vollbildern in Lichtdr. nach den Schnorr'schen Fresken im Münchener Residenzschloß, ausgeführt v. J. Albert in München. Lex.-8. (IV, 236 S.) Stuttgart 885. Neff. n. 5. —; cart. n. 6. —; geb. n. 7. —

Nibelungenlied, das, übers. u. zum Gebrauch an höheren Töchterschulen eingerichtet v. L. Freytag. gr. 8. (IV, 319 S.) Berlin 885. Friedberg & Mode. n. 2. 50; Einbd. n.n. — 50

— dasselbe. 2. verb. Aufl. gr. 8. (LIX, 387 S.) Ebend. 886. n. 4. —

— dasselbe. Text-Ausg. gr. 8. (X, 351 S.) Ebend. 886. n. 3. —

— das, hrsg. v. Frdr. Zarncke. Ausg. f. Schulen m. Einleitg. u. Glossar. 5. Aufl. 10. Abdr. d. Textes. 12. (XVIII, 409 S.) Leipzig 884. G. Wigand. n. 2. —; geb. n. 2. 40

— dasselbe, s.: Classiker, deutsche, d. Mittelalters. — Collection Spemann.

Nick, Gust., Verzeichnis der Druckwerke u. Handschriften der Bibliothek d. historischen Vereins f. das Grossherzogt. Hessen. Auf Grund d. Ende 1882 vorhandenen Bestandes bearb. gr. 8. (VIII, 207 S.) Darmstadt 883. (Klingelhöffer.) n. 2. —

Nickel, F. W., der Thurm zu Babel u. die Freimaurerei od. die Freimaurerei im Lichte d. göttl. Wortes betrachtet. 12. (16 S.) Einbeck 885. (Bonn, Schergens.) n. — 10

Nicklas, Johs., Personalstatus der Gymnasien u. isolierten Lateinschulen im Königr. Bayern, nach dem Stande vom 1. Jan. 1886 zusammengestellt. gr. 4. (III, 40 S.) München 886. (Lindauer.) n. 1. 80

— Johann Andreas Schmellers Leben u. Wirken. Eine Festgabe zum 100jähr. Geburtstage d. großen Sprachforschers. Mit dem (Kpfrst.-)Bildnis Schmellers. gr. 8. (VII, 174 S.) München 885. Rieger. n. 3. —

Nicol, L. A., das touristische Vereinswesen u. seine Bedeutung f. unsere Zeit. gr. 8. (20 S.) Wiesbaden 886. Nicol. n. — 80

Nicolai [Henrik Scharling], meine Frau u. ich. Erzählung. Deutsch v. P. J. Willatzen. Nach der 4. Aufl. d. dän. Originals. 2. autoris. Aufl. Vermehrt durch das (Lichtdr.-)Portr. u. die Biographie d. Verf. 8. (XIII, 324 S.) Bremen 886. Heinsius. n. 5. —; geb. m. Goldschn. n. 6. —

— zur Neujahrszeit im Pastorat zu Nöddebo. Erzählung. Deutsch v. P. J. Willatzen. Nach der 6. Aufl. d. dän. Originals. Vom Verf. autoris. 2. Aufl. 8. (364 S.) Ebend. 884. n. 5. —; geb. m. Goldschn. n. 6. —

— dasselbe. Nach der 3. Aufl. d. dän. Originals deutsch v. W. Reinhardt. 5. Aufl. 8. (IV, 389 S.) Norden 886. Fischer Nachf. n. 5. —; geb. n. 6. —

Nicolai, Adph., Materialien zum mündlichen u. schriftlichen Uebersetzen aus dem Deutschen ins Griechische. Nach Regeln geordnet. Für obere Klassen, vorzugsweise f. Sekunda. 2. m. e. Vokabularium verseh. Aufl. gr. 8. (VI, 151 S.) Berlin 883. Weidmann. n. 1. 60

Nicolai, Nic., zwei Fälle v. partieller Verdoppelung der Vena cava inferior. [Aus dem patholog. Institute zu Kiel.] gr. 8. (28 S. m. 5 autogr. Taf.) Kiel 886. (Lipsius & Tischer.) n. 1. 20

Nicolai, O. Fr. O., der kleine Katechismus Dr. Mart. Luthers. Mit kurzen Erläutergn. u. e. Auswahl v. Bibelsprüchen hrsg. 3. Aufl. 8. (111 S.) Weimar 884. Böhlau. n. — 45; geb. n. — 60

— dasselbe, s.: Uebersicht der darin enthaltenen biblischen Sprüche &c.

Nicolai, Rud., Geschichte der griechischen Litteratur f. höhere Schulen u. zum Selbststudium. [Auszug aus dem größeren Werke d. Verf.] gr. 8. (VII, 207 S.) Magdeburg 883. Heinrichshofen's Verl. n. 3. —

Nicolaier, Arth., Beiträge zur Aetiologie d. Wundstarrkrampfes. gr. 8. (31 S.) Göttingen 885. (Vandenhoeck & Ruprecht.) n. — 80

Nicolai-Kirche, die, in Kiel. Ein Gedenkblatt ihrer Restauration in den J. 1878—84. 8. (64 S. m. 1 Lichtdr.) Kiel 884. Universitäts-Buchh. n. 1. —

Nicolaisen, Nicolai, üb. Sprechgebrechen u. deren Beseitigung durch die Schule. Vortrag. gr. 8. (31 S.) Flensburg 886. Westphalen. n. — 50

Nicollin, François, the latest and most complete guide to Dresden. Containing all useful information about the museums, picture gallery, amusements, education, forms of contract for taking lodgings, taxes, regulations of the town, cabs, tramways, excursions, etc. With a plan of the town. 8. (VIII, 104 S.) Dresden 886. Pierson. n. 1. 50

Nida, C. A. v., Katechismus der Lustfeuerwerkerei. Kurzer Lehrgang f. die gründl. Ausbildg. in allen Teilen der Pyrotechnik. Mit 124 Abbildgn. 8. (VIII, 214 S.) Leipzig 883. Weber. geb. n. 2. —

Nieberding's, C., Leitfaden bei dem Unterricht in der Erdkunde. Vollständig umgearb. v. Wilh. Richter. 19. Aufl. gr. 8. (VIII, 148 S.) Paderborn 886. F. Schöningh. n. — 80

Nieberding, Wilh., üb. Achsenzug-Zangen. gr. 8. (11 S.) Würzburg 886. Stahel. n. — 40

— über Melaena neonatorum. gr. 8. (8 S.) Ebend. 886. n. — 20

Niebergall, Soolbad Arnstadt am Thüringer Walde m. Saline Arnshall, Cur- u. Badeort f. chron. Kranke. 30jähriger Bericht üb. die Heilresultate seiner Curmittel. gr. 8. (22 S.) Berlin 883. Maurer-Greiner. n. — 75

Niebuhr's tales of greek heroes. Für Realschulen aus dem Deutschen übers. 2. Aufl. 12. (V, 64 S.) Altenburg 884. Pierer n. — 60

Niebuhr's, B. G., Biographie, s.: Eyssenhardt, F.

Nieden, A., Schrift-Proben zur Bestimmung der Sehschärfe. 2. Aufl. gr. 8. (8 S.) Wiesbaden 883. Bergmann. n. — 60; in Mappe n. 1. 20; Mappe sp. n. — 60

Nieden, E. zur, methodisch geordnete Aufgabensammlung f. den geometrisch-propädeutischen Unterricht in der Quinta höherer Lehranstalten. 2. durchgeseh. Aufl. 8. (VIII, 53 S.) Bonn 885. Strauß. cart. n. — 90

Nieden, Jul. zur, der Eisenbahn-Transport verwundeter u. erkrankter Krieger, nebst e. Anh., betr. die Einrichtg. v. Pflegestätten im Kriege. Bearb. v. Rud. Götting, Osc. v. Hoenika, Niese, Rud. Schmidt u. dem Herausgeber. 2. Aufl. Mit 91 Holzschn. gr. 8. (VIII, 271 S.) Berlin 883. (Gutmann.) n. 6. —; Anh. sp. (77 S.) n. 1. 50

— über die Errichtung v. Pflegestätten im Kriege, s.: Vorträge üb. Gesundheitspflege u. Rettungswesen.

Niederberger, Jos., easy german reader. 12. (VIII, 79 S.) Heidelberg 884. C. Winter. geb. n. 1. 20

Niederegger, A., der Studentenbund der Marianischen Sodalitäten, sein Wesen u. Wirken an der Schule. Auf Grund histor. Berichte dargestellt. gr. 8. (117 S. m. 1 Stahlst.) Regensburg 884. Pustet. n. 1. 20

Niedergesäß, Rob., die Familien-Erziehung. Rathschläge f. Väter u. Mütter. 8. (VII, 462 S.) Wien 884. Pichler's Wwe & Sohn. n. 5. —; geb. n. 6. —; auch in 10 Lfgn. à n. — 50

— Geschichte der Pädagogik in Biographien, Uebersichten u. Proben aus pädagogischen Hauptwerken. 3. Aufl. Mit 41 Porträts. gr. 8. (IV, 509 S.) Ebend. 886. n. 6. —; geb. n. 7. —

— Handbuch f. den Anschauungsunterricht u. f. die erste Unterweisung in der Heimatskunde. gr. 8. (IX, 356 S.) Ebend. 883. n. 4. —

— Handbuch der speciellen Methodik. Auf Grundlage der Lehrpläne f. die österreich. Volks- u. Bürgerschulen unter Mitwirkg. v. M. Fischer, Jos. Granbauer, Thdr. Hein etc. hrsg. Mit zahlreichen Illustr. 25 Hfte. gr. 8. (à 3 B.) Ebend. 883. 84. à n. — 50

— Jugend- u. Volksbibliothek. 1—6. Thl. 8. Freiburg i/Br. 886. Herder. à n. 1. 20; geb. in Halbleinw. à n. 1. 45

1. Rudolf v. Habsburg. Nach dem gleichnam. Epos v. J. L. Pyrker. Frei bearb. (176 S.)
2. Männer aus dem Volke. Lebensbilder zu sittl. Erweckg. u. Erhebg. (185 S.)
3. Denksteine der Cultur. (126 S.)
4. Auf österreichisch-deutschem Boden. Landschafts- u. Sittenbilder. (138 S.)
5. Auf dem Meere. Bilder aus dem Seeleben. (106 S.)
6. Naturkundliche Spaziergänge. (144 S.)

— Kinderstubengeschichten. 30 Erzählgn. f. das Kindesalter. Mit (eingedr. u. 6 chromolith.) Bildern v. Fritz Bergen. 2., durchgeseh. Aufl. gr. 4. (V, 41 S.) Stuttgart 885. Kröner. cart. 4. 50

Niedergesäß, Rob., die Kinderwelt. Anschauungs-, Erzähl- u. Gesprächstoffe f. Haus, Kindergarten u. Schule. gr. 8. (X, 246 S.) Wien 886. Hölder. n. 3. —

— geschichtliche Lehrstoffe f. die Volks- u. Bürgerschule in 3 concentrischen Kreisen, nebst dem Wichtigsten aus der Verfassungskunde. gr. 8. (IX, 353 S.) Wien 884. Pichler's Wwe. & Sohn. n. 2. 80

— Leitfaden der Geschichte der Pädagogik m. besond. Berücksicht. der Volksschule Österreichs. 3. Aufl. gr. 8. (222 S.) Ebend. 885. geb. n.n. 2. 30

— deutsches Lesebuch f. Volks- u. Bürgerschulen. 2—8. Schuljahr. gr. 8. Ebend. 885. 86. geb. n. 6. 80

2. 33. Aufl. (112 S. m. Holzschn.) n. — 56
3. 30. Aufl. (IV, 151 S. m. Holzschn.) n. — 72
4. 26. Aufl. (IV, 215 S. m. Holzschn.) n. — 98
5. 22. Aufl. (IV, 203 S. m. Holzschn.) n. 1. 4
6. Für die 1. Classe der Bürgerschulen. 18. Aufl. (304 S. m. Holzschn.) n. 1. 20
7. Für die 2. Classe der Bürgerschulen. 11. Aufl. (IV, 216 S.) n. 1. 16
8. Für die 3. Classe der Bürgerschulen. 6. Aufl. (IV, 224 S.) n. 1. 20

— die specielle Methodik d. Unterrichts in der Elementarclasse, s.: Handbuch der speciellen Methodik.

— deutsches Sprachbuch f. Bürgerschulen u. die Oberclassen der erweiterten allgemeinen Volksschule. 3 Thle. 4., nach dem neuen Lehrplane umgearb. Aufl. gr. 8. Wien 886. Hölder. n. 1. 44

1. (IV, 96 S.) n. — 68. — 2. (IV, 54 S.) n. — 40. — 3. (IV, 48 S.) n. — 36

Niederheitmann, Frdr., Cremona. Eine Charakteristik der italien. Geigenbauer u. ihrer Instrumente. 2. Aufl. gr. 8. (VIII, 68 S. m. 1 Steintaf.) Leipzig 884. Merseburger. n. 2. —

Niederhöfer, Phpp., kleine Möbel. 100 Motive auf 26 Taf. Eine Sammlg. mustergilt. Entwürfe v. Zierschränkchen, Damen- u. Herren-Schreibtischen, Servir- u. Nähtischen, Sesseln, Fantasiestühlen, Bänken, Consolen, Postamenten etc. in einfacher u. reicher Gestaltg., im Stile der Renaissance, d. Barock u. Rococo. gr. 4. (4 S.) Frankfurt a/M. 886. Niederhöfer. In Mappe. n. 8. —

— Frankfurter Möbel-Bazar. Neue Entwürfe zur prakt. Ausführg. bill. u. reicherer Möbel im Stil der Renaissance. 5. Serie. Fol. (25 Taf., 4 Detailbogen u. 4 Bl. Text.) Ebend. 884. 12. —

— Vorlagen f. Lederschnitt-Arbeiten. Unter Mitwirkg. v. Jos. Keller, Celda Klouček, E. Ludwig etc. hrsg. Ausg. A. hoch 4. (8 Lichtdr.- u. 12 Steindr.-Taf., 1. Taf. Abbildgn. der Werkzeuge m. Beschreibg., sowie 1 Textblatt m. Anleitung zur Erlerng. der Technik d. Lederschnittes.) Ebend. 886. In Mappe. 12. —; Ausg. B. ohne die Lichtdr.-Taf. 6. —

Niedermann, W. F., vier einaktigi Lustspiel, s.: Gutermeister, O., Schwelzer-Dütsch.

— Vereins- u. Haus-Theater. Einaktigi Lustspiel, liecht ufz'füehre i Vereine u. Familie. 8. (75 S.) Zürich 885. Orell Füßli & Co. Verl. n. 1. 50

Niedermayer, Gregorius, die selige gute Betha v. Reute. Ein Gebet- u. Erbauungsbüchlein f. das kathol. Volk. Neu bearb. u. hrsg. v. e. Priester der Gesellschaft Jesu. 2. Aufl. 16. (X, 341 S. m. 1 Stahlst.) Freiburg i/Br. 884. Herder. — 90

Niedermüller, H., Zinstafel f. alle Tage d. Jahres. Hrsg. v. F. Fischer. qu. 8. (VIII, 360 S.) Leipzig 885. Grunow. geb. n. 2. 50

Niederrhein, der. Beiträge zur Geschichte u. Naturkunde. Red.: J. P. Lentzen u. Heinr. Faust. Jahrg. 1884/85. 52 Nrn. (½ B.) gr. 4. Uerdingen, Faust. n.n. 4. —

Niedźwiedzki, Julian, Beitrag zur Kenntniss der Salzformation v. Wieliczka u. Bochnia, sowie der an diese angrenzenden Gebirgsglieder. III. Mit 1 (chromolith.) Taf. gr. 8. (S. 133—152.) Lemberg 884. (Milikowski.) n. 1. 80 (I—III.: n.n. 4. 80)

— zur Kenntniss der Fossilien d. Miocäns bei Wieliczka u. Bochnia. [Mit 1 Taf.] Lex.-8. (8 S.) Wien 886. (Gerold's Sohn.) n. — 40

— über die Salzformation v. Wieliczka u. Bochnia,

sowie die an diese angrenz. Gebirgsglieder. [Mit 3 lith. Taf.] gr. 8. (IV, 131 S.) Lemberg 884. Milikowski. n.n. 3. —

Njeguš, Petar Petrović, der Bergkranz. [Die Befreiung Montenegros.] Historisches Gemälde aus dem Ende d. 17. Jahrh. Zum ersten Male aus dem Serb. in das Deutsche übertr. v. J. Kirste. gr. 8. (XIII, 122 S.) Wien 886. Konegen. n. 2. 80

Niehues, Bernh., Geschichte d. Verhältnisses zwischen Kaiserthum u. Papstthum im Mittelalter. 2. Bd. 8. Münster 887. Coppenrath. n. 6. — (1. u. 2.: n. 12. —)

Von der Wiedererneuerung d. abendländischen Kaiserthums im J. 800 n. Chr. bis zur Gründung d. römisch-deutschen Kaiserthums durch Otto den Großen. (VIII, 526 S.)

Nielsen, Wortsinn u. Bau d. kleinen Luther-Katechismus. Vorschläge, wie, zur Vorbereitg. auf den eigentl. Katechismus-Unterricht, in das Verständniß v. beiden möchte eingeleitet werden können. 3. Aufl. 8. (IV, 73 S.) Eutin 884. Struve. — 90

Nielsen, Chr., die Feldmeßkunde f. den Unterricht in Landwirtschaftsschulen. Als Leitfaden bearb. Mit 21 lith. Taf. gr. 8. (VI, 74 S.) Varel 886. Bültmann & Gerriets Nachf. cart. n. 2. 50

— die Nivellier- u. die Drainierkunde. Als Leitfaden f. den Unterricht in landwirthschaftl. Lehranstalten bearb. Mit 12 lith. Taf. gr. 8. (62 S.) Ebend. 886. cart. n. 1. 25

Nielsen, Fr., Freimaurertum u. Christentum. Deutsch v. A. Michelsen. 3. Aufl. 8. (VI, 129 S.) Leipzig 884. Fr. Richter. n. 1. 50

— Loge u. Kirche. Antwort auf den „Offenen Brief“ d. Hrn. Archidiak. G. A. Schiffmann in Stettin. 8. (43 S.) Ebend. 883. n. — 80

Niemack, J., die Einweihungs-Feier der Apostelkirche zu Hannover am 28. Septbr. 1884. gr. 8. (27 S.) Hannover 884. Feesche. n. — 40

Niemann, Aug., das Flibustierbuch. Mit 16 Tonbildern v. Frz. Simm. gr. 8. (VI, 553 S.) Bielefeld 887. Velhagen & Klasing. geb. n. 9. —

— das Geheimnis der Mumie. Mit 17 Tonbildern. gr. 8. (VIII, 549 S.) Ebend. 886. n. 9. —

— die Grafen v. Altenschwerdt. Roman. 3 Bde. (407, 408 u. 348 S.) Leipzig 883. Grunow. geb. in Leinw. n. 15. 75; in Halbfrz. n. 19. 50

— Katharina. Roman. 2 Bde. 2. Aufl. 8. (243 u. 251 S.) Ebend. 884. n. 8. —; geb. in Leinw. n.n. 10. 50; in Halbfrz. n.n. 13. —

— Pieter Maritz, der Buernsohn v. Transvaal. Mit 16 Tonbildern v. H. Merté. 2. Aufl. gr. 8. (553 S.) Bielefeld 886. Velhagen & Klasing. geb. n. 9. —

Niemann, C., Handbuch der Linear-Perspektive f. bildende Künstler. Mit Unterstützg. d. k. k. österreich. Ministeriums f. Cultus u. Unterricht hrsg. qu. gr. 4. (XV, 33 S. m. eingedr. Fig. u. 18 Taf.) Stuttgart 882. Spemann. geb. n. 10. —

Niemann, G., Palast-Bauten d. Barockstils in Wien. Mit Unterstützg. d. k. k. Ministeriums f. Cultus u. Unterricht aufgenommen u. hrsg. (In ca. 8 Lfgn.) 1—3. Lfg. gr. Fol. Wien 883. 84. Gesellschaft f. vervielfältigende Kunst. à n. 12. —

1. Gartenpalast d. Fürsten Schwarzenberg. 5 Kpfrtaf. Mit Text v. A. Berger. (4 S.)
2. Palast d. Fürsten Kinsky. 4 Kpfrtaf. u. illustr. Text v. G. Niemann. (2 S.)
3. Gartenpalast d. Fürsten Liechtenstein. 5 Kpfrtaf. u. illustr. Text v. G. Niemann. (2 S.)

Niemann, G., Reisen im südwestlichen Kleinasien, s.: Benndorf, O.

Niemann, J., die Seelen d. Aristoteles. Roman. 8. (289 S.) Leipzig 886. Peterson. n. 3. —

Niemann, Otto, üb. den Processus vaginalis peritonei beim weiblichen Geschlechte u. die Cysten der weibl. Inguinalgegend. gr. 4. (9 S.) Göttingen 882. (Vandenhoeck & Ruprecht.) n. 1. 60

Niemann, Rud., das mosaische Gesetz im Religionsunterricht der Secunda. gr. 4. (18 S.) Waren 883. (Berlin, Weidmann.) n. — 80

Niemann, Thdr., homöopathisches bürgerliches Kochbuch. 2. Aufl. 8. (XII, 184 S.) Oranienburg 884. Freyhoff. n. 1. 50; geb. n. 2. —

Niemeczek, Herm., Anwendung der Gebühren-Gesetze auf Verlassenschafts-Abhandlungen. 2. verm. u. bis auf die jüngste Zeit bericht. Aufl. 8. (74 S.) Troppau 884. Buchholz & Diebel. n. 1. 60

Niemeyer's, A. H., Grundsätze der Erziehung u. d. Unterrichts. Mit Ergänzg. d. geschichtlich litterar. Teils u. m. Niemeyer's Biographie hrsg. v. Wilh. Rein. 3. Bd. 2. Aufl. gr. 8. (V, 452 S.) Langensalza 884. Beyer & Söhne. n. 3. 50; geb. n. 4. 50

Niemeyer, Ed., Abriß der deutschen Metrik u. Poetik, nebst metr. Aufgaben. Ein Leitfaden f. Schulen. 5. verb. Aufl. 8. (IV, 100 S.) Dresden 883. Höckner. n. 1. 25

— Abschiedsrede, geh. Freitag, den 26. Septbr. 1884 in der Aula d. Neustädter Realgymnasiums zu Dresden. gr. 8. (11 S.) Ebend. 884. n.n. — 25

— deutsche Aufsatz-Entwürfe. Für höhere Schulen. 8. (VIII, 244 S.) Berlin 886. Friedberg & Mode. n. 3. —

— Lessings Nathan der Weise, durch e. historisch-krit. Einleitg. u. e. fortlauf. Kommentar, besonders zum Gebrauche auf höheren Lehranstalten erläutert. 2. Ausg. gr. 8. (VI, 218 S.) Leipzig 887. Siegismund & Volkening. n. 1. 50; geb. n. 2. —

— Schulreden. Neue Folge. 8. (IV, 46 S.) Berlin 885. Friedberg & Mode. n. 1. —

Niemeyer's, Fel. v., Lehrbuch der speciellen Pathologie u. Therapie m. besond. Rücksicht auf Physiologie u. pathologische Anatomie, neu bearb. v. Eug. Seitz. 11. Aufl. 2 Bde. gr. 8. (VIII, 878 u. XI, 1004 S.) Berlin 884. 86. Hirschwald. n. 38. —

Niemeyer, Paul, die Hämorrhoiden, s.: Hausbücher, medicinische.

— die Lunge. Ihre Pflege u. Behandlg. im gesunden u. kranken Zustande. Nebst e. Abschnitte üb. Heiserkeit. 5. Aufl. Mit 33 Abbildgn. 8. (XII, 255 S.) Leipzig 885. Weber. n. 2. —; geb. n.n. 3. —

— ärztlicher Ratgeber f. Mütter. 20 Briefe üb. die Pflege d. Kindes von der Geburt bis zur Reife. Mit 24 Holzschn. 2. Aufl. gr. 8. (IV, 306 S.) Stuttgart 885. Engelhorn. n. 3. 80; geb. n. 4. 50

— die Sonntagsruhe vom Standpunkte der Gesundheitslehre gemeinverständlich abgehandelt. Gekrönte Preisschrift. 2. Aufl. gr. 8. (VIII, 75 S.) Leipzig 883. Denicke. n. 1. 50

— ärztliche Sprechstunden. Zeitschrift f. naturgemäße Gesundheits- u. Krankenpflege. Organ d. hygiein. Vereins zu Berlin. 2. Folge. 6—37. Hft. 8. (2. Bd. 320; 3. Bd. VIII, 323; 4. Bd. VIII, 325; 5. Bd. VIII, 314; 6. Bd. XI, 320; 7. Bd. VIII, 325 S.; 8. Bd. S. 1—128.) Jena 883—86. Costenoble. à — 50

— Trichinen-Catechismus in Fragen u. Antworten, nebst e. Anh. üb. das Mikroskop u. 1 lith. Taf. f. Nichtärzte. 4. Aufl. gr. 8. (16 S. m. 1 Steintaf.) Genthin 885. (Brandenburg, Müller.) n. — 60

Niemiec, J., Untersuchungen üb. das Nervensystem der Cestoden. Mit 2 Taf. gr. 8. (60 S.) Wien 886. Hölder. n. 5. 60

Niendorf, C., Sammlung v. Aufgaben f. den Rechenunterricht, s.: Fritze, L.

Niendorff, Osk., das preußische Miethsrecht. Handbuch f. Juristen, Hauswirthe u. Miether. gr. 8. (XI, 245 S.) Berlin 884. C. Duncker. geb. n. 4. —

Nienhaus, H., 50 kleine Geschichten, Märchen, Fabeln u. Liedchen f. liebe Kinder. 12. (96 S. m. 1 Chromolith.) Mülheim 885. Bagel. cart. — 60

— Stilübung f. Volks- u. Fortbildungsschulen. Mit Rücksicht auf die Anfordergn. der Gegenwart nach der neuen Rechtschreibg. bearb. 3 Tle. 8. Berlin 880—82. Salewski. n. 1. 10

1. Für Mittelklassen der Volksschulen. 9. Aufl. (48 S.) n. — 25
2. Für die Oberklasse: Die Satz- u. Aufsatzlehre. 7. Aufl. der Schrift: Leitfaden f. den Unterricht in der Wort-, Satz- u. Aufsatzlehre. (64 S.) n. — 35
3. Für Oberklassen der Volks- u. Fortbildungsschulen. Briefe, Aufsätze u. die einfache Buchführg. 9. Aufl. (104 S.) n. — 50

Nienhold, Alb., das königl. sächs. Gesetz, das Vereins- u. Versammlungsrecht betr., vom 22. Novbr. 1850, nebst Ausführungsverordng. vom 23. Novbr. 1850. Unter

Berücksicht. der Motive der Kammerverhandlgn., sowie der ergangenen Verordngn. u. Entscheidgn. m. erläut. Bemerkgn. hrsg. Mit ausführl. Sachregister. 8. (VI, 69 S.) Leipzig 884. Roßberg. n. 1. 20

Nienhold, Alb., die Unfallversicherung. 1. Bd. Unfallversicherungsgesetz vom 4. Juli 1884 u. Gesetz üb. die Ausdehng. der Unfall- u. Krankenversicherg. vom 28. Mai 1885, m. erläut. Bemerkgn. hrsg. 8. (VIII, 889 S.) Leipzig 886. Roßberg. n. 5. —; Einbd. n.n. — 80

Niepel, Rhard., unsere Choräle u. Volkslieder. 8. (VI, 48 S.) Czarnikau 886. Deuß. n. — 40

Nieritz, Gust., Betty u. Toms. Der Riesenstiefel. Ein furchtbares Himmelfahrtsfest. 3 Jugend-Erzählgn. Mit 3 Farbendr.-Bildern v. C. Offterdinger. Neue Ausg. gr. 8. (252 S.) Düsseldorf 884. F. Bagel. geb. 4. 50

— die Hunnenschlacht. Der Landprediger. Die Wunderpfeife. Drei Jugend-Erzählgn. Mit 3 Farbendr.-Bildern v. C. Offterdinger. Neue Ausg. gr. 8. (218 S.) Ebend. 886. geb. 4. 50

— liebet euch untereinander! Eine Erzählg. aus dem wirkl. Leben. 2. Aufl. 8. (106 S. m. 1 Chromolith.) Ebend. 884. cart. 1. —

— Alexander Menzikoff. Potemkin. Der junge Trommelschläger. 3 Jugend-Erzählgn. Mit 3 Farbendr.-Bildern v. C. Offterdinger. Neue Ausg. gr. 8. (280 S.) Ebend. 884. geb. 4. 50

— Georg Neumark u. die Gambe. Das wüste Schloß. Die Großmutter. 3 Jugend-Erzählg. Mit 3 Farbendr.-Bildern v. C. Offterdinger. Neue Ausg. gr. 8. (264 S.) Ebend. 885. geb. 4. 50

— Seppel od. der Synagogen-Brand zu München. Zu Nutz u. Frommen f. jung u. alt erzählt. 5. Aufl. 8. (128 S. m. 1 Chromolith.) Ebend. 883. cart. 1. —

— Wilhelm Tell. Der Königstein od. der neue Hiob. Das Strandrecht. 3 Jugend-Erzählgn. Mit 3 Farbendr.-Bildern v. Offterdinger. Neue Ausg. gr. 8. (274 S.) Ebend. 885. geb. 4. 50

— Gustav Wasa. Die Türken vor Wien. Eine freie Seele. 3 Jugend-Erzählgn. Mit 3 Farbendr.-Bildern v. C. Offterdinger. Neue Ausg. gr. 8. (318 S.) Ebend. 884. geb. 4. 50

Nierenberger, J., Wandtabellen f. den Gesangunterricht an Volks- u. Bürgerschulen. 3. Aufl. 12 Steintaf. Imp.-Fol. Wien 885. Pichler's Wwe. & Sohn. In Mappe. n. 6. —

Niese, Benedict, de annalibus romanis observationes. gr. 4. (15 S.) Marburg 886. Elwert's Verl. n. 1. —

Niese, Charlotte, Philipp Reiffs Schicksale. Eine Erzählg. aus dem 16. Jahrh. [Gekrönte Preisschrift.] 8. (48 S.) Hamburg 886. Evangel. Buchh. n. — 10

Niess, Benno, die Baumwoll-Spinnerei in allen ihren Teilen. 2. Aufl. Mit e. Atlas v. 50 (lith.) Taf., enth. 442 Abbildgn. (u. 4 S. Text). gr. 8. (XXIV, 887 S.) Weimar 885. B. F. Voigt. 24. —; geb. 30. —

Niessen, Heinr., Buchführung d. Landmanns od. prakt. Unterweisg., wie derselbe seine Bücher führen soll. 8. (32 S.) Trier 886. Paulinus-Druckerei. n. — 50

Niessl, G. v., Bahnbestimmung d. Meteors vom 17. Juni 1885. Lex.-8. (13 S.) Wien 886. (Gerold's Sohn.) n.n. — 30

— Bahnbestimmung d. grossen Meteors vom 13. März 1883. Lex.-8. (22 S.) Ebend. 883. n. — 40

— über die astronomischen Verhältnisse bei dem Meteoritenfalle v. Mócs in Siebenbürgen am 3. Febr. 1882. Lex.-8. (11 S.) Ebend. 884. n.n. — 25

Niethammer, Geo. v., Fest-Schrift zur Feier der Verleihung der Säkularfahnenbänder f. 200jähriges Bestehen an das Grenadierregiment Königin Olga [1. Württembergisches] Nr. 119. Lex.-8. (71 S. m. eingedr. Illustr., 4 Taf., 1 Lichtdr.-Portr. u. 1 autogr. u. color. Karte.) Stuttgart 883. Wittwer. n.n. 2. 50

— Geschichte d. Grenadierregiments Königin Olga. Mit 1 Karte. 2. Aufl. 8. (III, 123 S.) Stuttgart 886. Kohlhammer. n. 2. 50

Niethe, zur See, s.: Henk.

Nietmann's Atlas der Eisenbahnen Mittel-Europa's. Umfassend: Deutschland, Österreich-Ungarn, Belgien, die Niederlande, Frankreich, Italien u. die Schweiz. 10., durchaus verb. u. verm. Aufl. In ca. 65 in Farbendr. ausgeführten Karten. 1 : 700,000 Mit e. vollst. Stationsverzeichniss. (In ca. 10–12 Lfgn.) 1. Lfg. Fol. (5 Bl.) Leipzig 886. Pfau. n. 1. 50

Nietsche, Benno, Geschichte der Stadt Gleiwitz. (In ca. 9 Lfgn.) 1—6. Lfg. gr. 8. (S. 1—480.) Gleiwitz 886. Raschdorff. à n. — 60

Nietschmann, H., s.: Stein, A.

Nietzki, R., organische Farbstoffe. 8. (165 S.) Breslau 886. Trewendt. geb. n. 3. 60

Nietzsche, Frdr., jenseits v. Gut u. Böse. Vorspiel e. Philosophie der Zukunft. gr. 8. (VII, 271 S.) Leipzig 886. C. G. Naumann. n. 5. —

— also sprach Zarathustra. Ein Buch f. Alle u. Keinen. 1—3. Bd. gr. 8. Leipzig 883. 84. E. W. Fritzsche. n. 9. 60

1. (112 S.) n. 3. 30. — 2. (III, 101 S.) n. 3. —. — 3. (III, 119 S.) n. 3. 30

Nieuwstraten, J. C., üb. e. transportabeln Schwitzapparat. gr. 8. (34 S.) Göttingen 882. (Vandenhoeck & Ruprecht.) n. — 80

Nigetiet, H., u. J. N. Boltz, Rechenbuch f. Volksschulen. 3 Thle. 8. Metz, Gebr. Even. cart. n. 1. 80

1. 8. Aufl. (67 S.) 884. n. — 40. — 2. 6. Aufl. (115 S.) 884. n. — 60. — 3. 5. Aufl. (189 S.) 883. n. — 80

Niggeler, N., Gutachten f. die Berner Bankvereinigung üb. Interpretation der Art. 826 u. 828 O.-R. betr. domizilirte Eigenwechsel. gr. 8. (66 S.) Bern 884. (Nydegger & Baumgart.) n. 1. 50

Niggl, Joh. Nep., die deutsche Küche. Ein zweckdienl. Kochbuch f. herrschaftl. u. bürgerl. Küchen, nach der guten u. deutschen Art u. Weise. 3. Aufl. gr. 8. (XVI, 386 S. m. Illustr.) München 883. Franz' Verl. cart. n. 4. —

Niggli, A., Giacomo Meyerbeer, sein Leben u. seine Werke, s.: Sammlung musikalischer Vorträge.

Niggli, Fr., Arnold Winkelried. Dramatisches Gedicht. Ein Beitrag zur 500jähr. Feier der Sempacher Schlacht. 8. (97 S.) Aarau 886. Sauerländer. n. 1. 40

Nikel, Emil, 120 Begräbnis-Gesänge, Psalmen, Lieder u. Motetten f. 3 bis 8 Stimmen. 8. (XVI, 269 S.) Breslau 883. Goerlich. n. 2. —; geb. n. 2. 20

Nikitin, S., die Fluss-Thäler d. mittleren Russlands, s.: Mémoires de l'académie impériale des sciences de St.-Pétersbourg.

Nil, E., der neue Todtentanz, s.: Volksschriften, Berner.

Nilles, Nic., selectae disputationes academicae juris ecclesiastici. Fasc. I. 1—3. gr. 8. (193 S.) Innsbruck 886. F. Rauch. n. 2. —

— varia pietatis exercitia erga sacratissimum cor Jesu cum idoneis instructionibus in usum juniorum clericorum, ex libro de festis utriusque ss. cordis exscripta. 8. (IV, 88 S.) Ebend. 886. n. — 72

— kalendarium manuale utriusque ecclesiae orientalis et occidentalis. Pars III., addititia. 2 voll. gr. 8. Ebend. 885. n. 13. — (I—III.: n. 28. —)

Symbolae ad illustrandam historiam ecclesiae orientalis in terris coronae S. Stephani, maximam partem nunc primum ex variis tabulariis, romanis, austriacis, hungaricis, transilvanis, croaticis, societatis Jesu aliisque fontibus accessu difficilibus erutae, patrocinantibus almis hungaricae et rumenae literarum academiis editae. 2 voll. (CXX, 1086 S.)

— de rationibus festorum sacratissimi cordis Jesu et purissimi cordis Mariae. Libri IV. Ed. V. novis accessionibus adornata. 2 tomi. gr. 8. (LIX, 606 u. 659 S.) Innsbruck 885. Wagner. n. 15. 20

Nimm u. Lies. 8. (4 S.) Basel 883. Spittler. pro 100 Explre. n. 1. 60

— — Anleitung zur beständ. Vergegenwärtigg. Gottes. 16. (192 S. m. 1 Holzschn.) Steyl 886. Missionsdruckerei. n. — 50

— mich mit. Kleine Geschichten, Märchen, Fabeln, Liedchen, Sprüche u. Gedichtchen f. die Kinderstube. Mit Beiträgen v. Clara Ernst, B. Filhés, E. Ebeling, A. Mittelacher u. A. Mit vielen hübschen Bildern. 8. (III, 80 S.) Mülheim 886. Bagel. geb. 1. 50

Nimrod. Jagd-Kalender f. d. Jagdj. 1884/85. 16. (57 S.) Brieg 884. Bänder. geb. n. 1. —

Nink, C., auf biblischen Pfaden. Reisebilder aus Aegypten, Palästina, Syrien, Kleinasien, Griechenland u. der Türkei. Mit Zugaben einiger Reisegefährten u. oriental. Freunde. hoch 4. (VIII, 400 S. m. Holzschn. u. Karten.) Hamburg 885. (Evangel. Buchh., Sep.-Kto.) n. 7. 20

— dasselbe. Anhang. hoch 4. (S. 401—508 m. Holzschn.) Ebend. 885. n. 1. —; apart n. 2. — (cplt.: n. 8. 20; geb. n. 10. 80; in Prachtbd. n. 11. —)

— dasselbe. 2. Aufl. hoch 4. (436 S. m. eingedr. Holzschn., 1 Holzschntaf. u. 2 chromolith. Karten.) Ebend. 886. n. 7. —; geb. n. 10. —

— Sonntagsgruß f. die deutsche Jugend. gr. 8. (VIII, 368 S. m. Holzschn.) Ebend. 887. geb. n. 5. —

Nippold, Frdr., Handbuch der neuesten Kirchengeschichte. 3. Aufl. 2. Bd. A. u. d. T.: Geschichte d. Katholizismus seit der Restauration d. Papstthums. gr. 8. (XLII, 850 S.) Elberfeld 883. Friederichs. n. 15. — (1. u. 2.: n. 25. —)

— s.: Missions-Vorträge, acht.

— zur geschichtlichen Würdigung der Religion Jesu. Vorträge, Predigten, Abhandlgn. 1—7. Hft. gr. 8. Bern 884—86. Wyß. n. 7. 20

1. Das Leben Jesu im Mittelalter. Ein Vortrag aus dem gemeinsamen Cyclus der beiden theolog. Fakultäten in Bern im Winter 1881/82. (XIII, 91 S.) n. 1. 20
2. Die Gleichniße Jesu v. der wachsenden Saat, vom großen Abendmahl u. vom sterbenden Weizenkorn. 3 Berner Predigten. 2. Ausg. (62 S.) n. 1. 20
3. Die Paradoxien Jesu v. der Offenbarung f. die Unmündigen, v. dem Hause d. Starken u. der Herrlichkeit d. Dienens. 3 Berner Predigten. (58 S.) n. 1. 20
4. Das ideale Prinzip d. Katholizismus. 2 Vorträge. (XV, 72 S.) n. — 80
5. Das einheitliche Prinzip d. Protestantismus. Referat bei der 40. Jahres-Versammlg. der schweizer. reformirten Prediger-Versammlg. in Frauenfeld, 9. Aug. 1881. (XIII, 78 S.) n. — 80
6. Das Wesen d. christlichen Glaubens. Vortrag in Frankfurt a/M., 18. März 1867. Mit e. Erinnerungswort an Prof. Dr. Immer. (62 S.) n. — 80
7. Das Naturbild in den Reden Jesu. Eine Jenaer Rosenvorlesg. Mit e. Anh. üb. die gesicherten Ergebnisse der Forschg. üb. das Leben Jesu. (95 S.) n. 1. 20

Nippold, Max, die Meinungsverschiedenheiten zwischen dem Rathe u. den Stadtverordneten zu Dresden. Ein Rückblick auf die Thätigkeit der Stadtverordneten im 1. Halbjahr 1884. gr. 8. (24 S.) Dresden 884. Lehmann'sche Buchdr. — 30

Nirschl, Jos., Gedanken üb. Religion u. religiöses Leben in freien Vorträgen. Neue Ausg. gr. 8. (VI, 376 S.) Würzburg 884. Bucher. 3. —

— Lehrbuch der Patrologie u. Patristik. 2. u. 3. Bd. gr. 8. Mainz, Kirchheim. n. 15. 60 (cplt.: n. 20. 40)
2. (VIII, 525 S.) 883. n. 6. 80. — 3. (XII, 664 S.) 885. n. 8. 80

Nisle, Paul, Deutschland. Geographischer Leitfaden zum Unterrichten in den oberen Klassen höherer Bürger- u. Mädchenschulen, in Lehrer- u. Lehrerinnenbildungs-Anstalten. gr. 8. (VI, 131 S.) Breslau 884. Woywod. n. 1. 50

— Grundzüge der mathematischen Geographie. Ein Leitfaden zum Unterrichten in den oberen Klassen höherer Bürger- u. höherer Mädchenschulen, in Lehrer- u. Lehrerinnenbildungs-Anstalten. gr. 8. (39 S.) Ebend. 883. cart. n. — 60

Nissen, A., darfst du Baptist werden? Ein Warnungswort f. Alle, welche v. den Baptisten angefochten werden. 2. Aufl. 8. (31 S.) Frankfurt a/M. 886. Drescher. n. — 40

— unterrichtliche Behandlung v. 50 geistlichen Liedern. gr. 8. (VIII, 283 S.) Kiel 885. Homann. n. 3. —

Nissen, Adph., Beiträge zum römischen Staatsrecht. gr. 8. (IV, 245 S.) Strassburg 885. Trübner. n. 5. —

Nissen, Heinr., italische Landeskunde. 1. Bd. Land u. Leute. gr. 8. (VIII, 566 S.) Berlin 883. Weidmann. n. 8. —

Nissen, J., Lehrbuch der englischen Sprache. 1. u. 2. Kurs. gr. 8. Hamburg 886. Nolte. à n. 1. —
1. Die Formen der englischen Sprache. 6. Aufl. (136 S.)
2. Die Eigenthümlichkeiten d. englischen Sprachgebrauches. 5. Aufl. Ausg. f. Mittelschulen. (IV, 163 S.)

— die Weltgeschichte in gedrängter Uebersicht; nebst e. Abriß der alten Geographie, der griechisch-röm. Mythologie u. der Kirchengeschichte. Zur Wiederholg. d. Vortrags. 3. Aufl. gr. 8. (VIII, 246 S.) Hamburg 885. Nolte. n. 2. —

Nissen, J., Unterredungen üb. die biblischen Geschichten. Ein prakt. Handbuch f. Schullehrer. Mit e. Vorwort vom sel. Cl. Harms. 2 Bde. 14. Aufl. gr. 8. Kiel, Homann. à n. 4. —
1. Altes Testament. (XVI, 404 S.) 884.
2. Neues Testament. (X, 539 S.) 883.

Nissen's, J. H., Aufgaben fürs Kopfrechnen. Zum Gebrauch f. die Oberklassen gehobener Volksschulen, sowie f. Mittelschulen, Präparanden-Anstalten u. Seminarien. 4. Aufl., gänzlich umgearb. u. bedeutend erweitert v. C. A. Harder. 8. (VIII, 101 S.) Eckernförde 886. Heldt. n. 1. 20; geb. n. 1. 40

Nissen, Peter, der Nominativ der verbundenen Personalpronomina in den ältesten französischen Sprachdenkmälern. gr. 8. (83 S.) Greifswald 882. (Kiel, Lipsius & Tischer.) n. 1. 60

Nissl, Ant., der Gerichtsstand d. Clerus im fränkischen Reich. gr. 8. (XV, 247 S.) Innsbruck 886. Wagner. n. 4. 80

Nißl, Thdr., faßliche u. praktische Grammatik der katholischen Kirchen-Sprache. Für Chorregenten, Lehrer, Laienbrüder, Ordensfrauen, überhaupt f. alle, welche, ohne humanist. Studien gemacht zu haben, e. Verständniß dieser Sprache anstreben. Nebst e. religionsphilosoph. Abhandlg. üb. die Wichtigkeit u. Bedeutg. d. Lateinischen als Kirchensprache. Früher hrsg. v. Domin. Mettenleiter. 3. Aufl. gr. 8. (XIX, 227 S.) Regensburg 885. Bößenecker. n. 2. —

Nitsche, Adf., Versuch e. einheitlichen Lehre v. den Gefühlen in 34 Lehrsätzen, nebst Erläutergn., Ausführgn. u. Begründgn. gr. 8. (50 S.) Innsbruck 886. Wagner. n. 1. 20

Nitsche, Frz., 60 ausgewählte Gedichte aus den Heinrich'schen Lesebüchern, in unterrichtlicher Weise behandelt u. bearb. gr. 8. (V, 119 S.) Wien 884. Frank. n. 1. 20

— Liederbuch f. Studirende an österreichischen Mittelschulen. 2. verm. Aufl. qu. gr. 8. (55 S.) Wien 882. Klinkhardt. n. — 48

Nitsche, Frz., u. Herm. **Materna**, der politische Bezirk Sternberg. Ein Beitrag zur Heimatskunde f. Schule u. Haus, verf. im Auftrage d. nordmährisch-deutschen Lehrervereines. gr. 8. (III, 142 S.) Sternberg 883. Pialek. n. 2. —

Nitsche, H., der Flußaal u. seine wirthschaftliche Bedeutung. Vortrag. gr. 8. (17 S. m. 6 Holzschn.) Dresden 886. G. Schönfeld's Verl. n. — 60

— Lehrbuch der mittel-europäischen Forstinsektenkunde, s.: Judeich, J. F.

— Wandtafel f. den Unterricht in der künstlichen Zucht der Forellen. 4 Blatt. Chromolith. gr. Fol. Mit Text. gr. 8. (28 S.) Kassel 883. Fischer. n. 9. —; f. Aufziehen auf Leinw. m. Stäben n.n. 3. —

— zoologische Wandtafeln, s.: Leuckart, R.

Nitsche, J., kurze Anleitung zum Zimmerturnen f. Kurgäste, Rekonvalescenten, aber auch f. Gesunde. Mit vielen Abbildgn. im Texte. 8. (31 S.) Berlin 883. Goldschmidt. n. — 60

Nitsche, Rich., Geschichte der Wiedertäufer in der Schweiz zur Reformationszeit. gr. 8. (VIII, 108 S.) Einsiedeln 885. Benziger. n. 2. —

Nitsche, Wilh., der Rhetor Menandros u. die Scholien zu Demosthenes. gr. 4. (26 S.) Berlin 883. Gaertner. n. 1. —

Nitschke, Anna, freudvoll u. leidvoll. Lieder. 8. (80 S.) Berlin 884. A. Senff. 2. —; geb. m. Goldschn. 3. —

Nitschke, Rob., Realunterricht u. Reallesebuch. Unter Zugrundelegg. der Dörpfeld'schen Anforderg. 8. (40 S.) Breslau 885. Goerlich. n. — 50

Nitschmann, Heinr., Pogia. Altpreußisches Epos in 6 Gesängen. Mit 2 Illustr. nach Orig.-Zeichngn. v. H. Laasner. 12. (73 S.) Danzig 885. Bertling. 1. 20; geb. n. 1. 80

Nitzsch, Frdr., Luther u. Aristoteles. Festschrift zum 400jähr. Geburtstage Luther's. gr. 8. (III, 51 S.) Kiel 883. Universitätsbuchh. n. 1. 20

Nitzsch, Karl Wilh., Geschichte d. deutschen Volkes bis zum Augsburger Religionsfrieden. Nach dessen hinterlassenen Papieren u. Vorlesgn. hrsg. v. Geo. Matthäi. 3 Bde. gr. 8. Leipzig, Duncker & Humblot. n. 24. —
1. Geschichte des deutschen Volkes bis zum Ausgang der Ottonen. (XVIII, 372 S.) 883. n. 7. 20
2. Geschichte d. deutschen Volkes im 11. u. 12. Jahrh. (X, 344 S.) 883. n. 7. 20
3. Vom Tode Heinrichs VI. bis zum Augsburger Religionsfrieden. (XIV, 458 S.) 885. n. 9. 60

— Geschichte der römischen Republik. Nach dessen hinterlassenen Papieren u. Vorlesgn. hrsg. v. Geo. Thouret. 2 Bde. Mit e. Einleitg. „Ueberblick üb. die Geschichte der Geschichtschreibg. bis auf Niebuhr" u. e. Anh. „Zur röm. Annalistik". gr. 8. (XV, 203 u. XIII, 298 S.) Ebend. 884. 85. n. 10. —

Nitzsche, W. H., die bayerische Staatsforst-Verwaltung u. ihre Reform. gr. 8. (38 S.) Leipzig 884. Schmidt & Günther. n. 1. —

Nitzschner, Aug., de locis Sallustianis, qui apud scriptores et grammaticos veteres leguntur. gr. 8. (103 S.) Hannoverae 884. (Göttingen, Vandenhoeck & Ruprecht.) n. 2. 40

Nivellement, das, u. die Neuvermessung der Stadt Riga, ausgeführt in den J. 1880 bis 1882. Bericht der m. der Leitg. dieser Arbeiten betrauten Commission. Lex.-8. (34 u. 2 Beilagen 25 S. m. 1 Steintaf.) Riga 882. (Kymmel.) n. 2. 80

Nivellements der preussischen Landesaufnahme in der Prov. Hannover u. in den angrenzenden Landestheilen. Auszug aus dem IV. Bde. der Nivellements der trigonometr. Abtheilg. der Landesaufnahme. Mit Genehmigg. der trigonometr. Abtheilg. der Landesaufnahme hrsg. vom hannov. Feldmesser-Verein. Mit 2 Uebersichtskarten. gr. 8. (IV, 39 S.) Hannover 885. Schmorl & v. Seefeld. n. 2. —

— der trigonometrischen Abtheilung der Landesaufnahme. 5. Bd. Mit 6 (lith., z. Thl. farb.) Taf. gr. 4. (VI, 156 S.) Berlin 883. Mittler & Sohn. cart. n.n. 10. —

— dasselbe. 6. Bd. Mit 7 Taf. gr. 4. (VI, 148 S.) Ebend. 886. cart. n.n. 10. —

Nivellirbuch. 8. (204 S. Nivellirformulare m. 2 Transversal-Massstäben u. Brieftasche.) Berlin 883. Müller-Köpen. geb. n. 3. —

Noack, C., Aufgaben f. den Rechenunterricht in deutschen Schulen. Mit genauer Beachtg. der vom Bundesrat vorgeschriebenen Bestimmgn. inbezug auf Abkürzgn. der Münzen, Maße u. Gewichte in 5 Hftn. bearb. 8. Berlin 885. Burmester & Stempell. n. 1. 40
1. (24 S.) n. — 15. — 2. (32 S.) n. — 20. — 3. (48 S.) n. — 25. — 4. (47 S.) n. — 30. — 5. (84 S.) n. — 50

— dasselbe. Auflösungen. 2 Hfte. [zu Hft. 2/3 u. 4/5]. 8. (39 u. 42 S.) Ebend. 886. à n. 1. —

— Rechenhefte f. deutsche Schulen. Mit genauer Beachtg. der vom Bundesrat vorgeschriebenen Bestimmgn. inbezug auf Abkürzgn. der Münzen, Maße u. Gewichte in 4 Hftn. bearb. 8. Ebend. 883. n. 1. 15
1. (26 S.) n. — 20. — 2. (48 S.) n. — 25. — 3. (40 S.) n. — 30. — 4. (64 S.) n. — 40

— dasselbe. Auflösungen zu den 4 Hftn. 8. Ebend. 883. n. 1. 25
1. (8 S.) n. — 20. — 2. (18 S.) n. — 30. — 3. (8 S.) n. — 25. — 4. (16 S.) n. — 50

Noack, G., tausend Millionen Mark jährlich in Deutschland durch e. leicht durchführbare Reform zu ersparen. Ein ernstes Wort an die deutsche Nation zur Zeit der Deficits, Steuerreformen u. Geschäftskrisen. (Empfehlg. v. Noack's Kurzschrift.) gr. 8. (27 S.) Herford 886. (Leipzig, Siegismund & Volkening.) n. — 50

— Vorlagen f. das Schön- u. Rechtschreiben. Auf Grund e. im Organ d. Vereins seminarisch gebildeter Lehrer an höheren Unterrichtsanstalten u. Vorschulen beratenen Alphabetes hrsg. 2 Hfte. Deutsche, resp. latein. Schrift. qu. 4. (à 12 lith. S.) Leipzig 886. Urban. à n.n. — 25

— dasselbe. Lehr-Ausg. 1. u. 2. Hft., m. e. method. Einleitg. qu. 4. (15 u. 24 lith. S.) Ebend. 886. n.n. — 75

Noack, Karl, Hülfsbuch f. den evangelischen Religionsunterricht in den oberen Klassen höherer Schulen. 20. Aufl. gr. 8. (VI, 169 S.) Berlin 886. Nicolai's Verl. geb. n. 1. 60

Noack, Karl, Schulgesangbuch, nebst Katechismus u. Spruchbuch. 8. (XXIV, 131 S.) Frankfurt a/O. 883. Waldmann. geb. n. — 60

Noack, P., das öffentliche Gesundheitswesen d. Reg.-Bez. Oppeln f. d. Jahr 1882. 2. General-Bericht. gr. 8. (IV, 156 S.) Oppeln 884. Franck. n. 3. 60

Noack, Phpp., Lehrbuch der japanischen Sprache. gr. 8. (XIV, 424 S.) Leipzig 886. Brockhaus. n. 15. —

Noack, R., der Obstbau. Kurze Anleitg. zur Anzucht u. Pflege der Obstbäume, sowie zur Ernte, Aufbewahrg. u. Benutzg. d. Obstes, nebst e. Verzeichnis der empfehlenswertesten Sorten. 2. Aufl. Mit 75 Holzschn. 8. (IV, 192 S.) Berlin 885. Parey. geb. n. 2. 50

Noack, W., kurzgefaßte Methodik d. Geschichtsunterrichtes. Bearb. f. Volksschullehrer zur Vorbereitg. auf die 2. Prüfg. gr. 8. (16 S.) Hildesheim 886. Lax. n. — 40

Noback, Frdr., die Handelswissenschaft. 4. Ausg. gr. 8. (VIII, 607 S.) Leipzig 886. O. Wigand. 5. —; geb. 6. —

— u. Thom. John **Graham,** deutsch-englisches Handelscorrespondenz-Lexikon. 3. Aufl. gr. 8. (VIII, 421 S.) Leipzig 885. Haessel. n. 6. —; geb. n. 7. —

— u. J. **Bond,** Handels-Korrespondenz in englischer u. deutscher Sprache. Vollständig neu bearb. v. G. W. C. Remschel. 2 Tle. 7. Aufl. gr. 8. Ebend. 886. à 2. 50
1. Englisch-deutsch. (VIII, 153 S.)
2. Deutsch-englisch. (VIII, 171 S.)

Noback, Vict., der Braunkohlen-Reichthum u. die Braunkohlen-Bahnen Böhmens. Mit 1 Uebersichtskarte. gr. 8. (35 S.) Wien 886. Spielhagen & Schurich. n. 1. 20

Noblesses, mes trois. Fragment de Chronique Mulhousienne rimé par un descendant des deux principaux personnages des 26 chants, qui disent la seconde. gr. 4. (XI, 658 S.) Mülhausen i/Els. 886. Petry. n. 54. —

Nobody, C., Robert u. Bertram, s.: Liebhaber-Bühne, neue.

Nocar, Adf., leichtfassliche Darstellung der Wechselrechtslehre nach den Gesetzen der österreichisch-ungarischen Monarchie. Zum Gebrauche an Handels-Lehr-Anstalten, sowie zum Privatstudium. 2. Aufl. gr. 8. (XVI, 294 S.) Prag 886. Calve. n. 4. 50

Noch etwas mehr Licht in der sehr trüben Sache d. „wendischen Panslavismus". Von G. J. J. S. (18 S.) Bautzen 885. (Rühl.) n. — 50

Noé, Heinr., deutsches Alpenbuch. (3. Bd.) 2. Abth.: Die Ost-Alpen. 1. Bd. Wanderungen u. Bilder in u. aus Osttirol, Kärnten, Steiermark, Salzburg u. Nieder-Oesterreich. Mit 1 Holzschn. 8. (VIII, 478 S.) Glogau 885. Flemming. 4. 50 (1—3. [1. 2. geb.]: n. 27. —)

— die Brennerbahn vom Innstrom zum Gardasee, s.: Wanderbilder, europäische.

— la ligne Carinthie-Pusterthal, s.: l'Europe illustrée.

— the line through Carynthia and the Pusterthal, s.: Europe, illustrated.

— du Danube à l'Adriatique, s.: l'Europe illustrée.

— from the Danube to the Adriatic, s.: Europe, illustrated.

— von der Donau zur Adria, s.: Wanderbilder, europäische.

— illustrirter Führer auf den Linien der österreichischen Eisenbahnen nördlich der Donau. Mit vielen Illustr., Textkarten u. Plänen u. 2 Uebersichtskarten. Lex.-8. (IV, 223 S.) Wien 886. Steyrermühl. n. 2. —

— from Germany to Italy, s.: Europe, illustrated.

— am Hofe der Babenberger, s.: Für die Jugend.

— deutsches Lesebuch, s.: Jauker, K.

— manuale di stenografia secondo il sistema di Gabelsberger applicato alla lingua italiana. Con 28 tavole dallo stesso autografate. 8. ed. gr. 8. (VIII, 57 S.) Dresden 883. G. Dietze. n. 1. 40

— die Pioniere der Unterwelt, } s.: Für die Jugend.
— die Reise in den Naßwald, }

— österreichische Südbahn, s.: Wanderbilder, europäische.

— Tagebuch aus Abbazia. 8. (VII, 232 S.) Teschen 884. Prochaska. n. 4. 50; Einbd. n.n. — 50

— Toblach-Ampezzo u. die Dolomite d. Höhlen-

Neckelmann, Fred. Skjold, decorative Skizzen. (In 5 Lfgn.) 1. Lfg. Fol. (10 Lichtdr.-Taf.) Leipzig 886. Hessling. Subscr.-Pr. n. 7. —

Needon, Rich., Beiträge zur Geschichte Heinrich's V. Die Anfänge seiner Regierg. 1105—1110. gr. 8. (74 S.) Leipzig 885. (Gräfe.) n 1. 20

Neefe, Konr., Schule u. Militär od. der Weg zum einjährig-freiwill. Militärdienst im steh. Heere d. Königr. Sachsen. Ein Ratgeber f. Eltern u. Vormünder sowie f. junge Leute v. Bildg. bearb. auf Grund gesetzl. Bestimmgn. u. amtl. wie fachmänn. Angaben. 8. (66 S.) Dresden 887. Pierson. n. — 75

Neelmeyer-Vukassowitsch, H., geh' nicht nach Amerika! Belehrung u. Warng. f. Europamüde. gr. 8. (114 S.) Leipzig 884. Braun & Heynau. n. 1. —

— Grossbritannien u. Irland, } s.: Bibliothek f. moderne Völkerkunde.
— Oesterreich-Ungarn, }

— das Russland der Gegenwart u. Zukunft. Politische u. national-ökonom. Skizzen, gesammelt während meines langjähr. Aufenthaltes u. auf vielen Reisen in dem grossen Reich. 2. Aufl. gr 8. (VIII, 208 S.) Leipzig 886. Unflad. n. 3. —

— die Vereinigten Staaten v. Amerika, s.: Bibliothek f. moderne Völkerkunde.

— Welt-Taschenbücher. (1. Bdchn.) Oesterreich-Ungarn. 12. (III, 96 S.) Leipzig 885. Braun & Heynau. cart. — 50

Neelsen, F., unsere Freunde unter den niedern Pilzen, s.: Sammlung gemeinverständlicher wissenschaftlicher Vorträge.

Nega, Jul., vergleichende Untersuchungen üb. die Resorption u. Wirkung verschiedener zur cutanen Behandlung verwandter Quecksilberpräparate. gr. 8. (102 S.) Strassburg 884. Trübner. n. 2. —

Negendorff, M., Seelenkämpfe e. armen Landmädchens, s.: Familienbibliothek, Calwer.

Neher, H., 110 neue Briefmuster zur Zergliederung, zum Auswendiglernen u. zur Nachahmung f. die Hand der Oberklassen, Fortbildungs- u. Sonntagsschulen. 3. Aufl. gr. 8. (44 S.) Paderborn 885. F. Schöningh. n. — 20

— neue Musterbeispiele, nebst log. u. grammat. Uebgn., f. alle Klassen kathol. Volksschulen, untere Gymnasial- u. Realklassen. 2. Aufl. gr. 8. (X, 384 S.) Ebend. 886. n. 2. 80

— planmäßig geordnete Rechtschreib-, Sprach- u. Aufsatzübungen. 3 Hfte. 8. Ebend. 885. n. — 56
1. 2. Aufl. (64 S.) n. — 18. — 2. (64 S.) n. — 18. — 3. (68 S.) n. — 20

Neher, St. J., Personal-Katalog der seit 1813 ordinierten u. in der Seelsorge verwendeten Geistlichen d. Bist. Rottenburg. 2. Aufl. gr. 8. (211 S.) Rottenburg a/N. 885. Bader. n. 1. 80

Nehls, Chr., der einfache Balken auf zwei Endstützen unter ruhender u. bewegter Last. Eine allgemeine Theorie der äusseren Kräfte auf Grundlage der Methode der graph. Differentiation u. Integration. Lex.-8. (III, 191 S. m. 8 Steintaf.) Hamburg 885. (Jenichen.) n. 6. —

— über graphische Integration u ihre Anwendung in der graphischen Statik. Mit 13 Fig.-Taf. Neue Ausg. gr. 8. (VIII, 223 S.) Leipzig 885. Baumgärtner. n. 6. —

Nehmt's zu Herzen! Ein Ziehbilderbuch m. Verwandlgn. f. die liebe Jugend. 12 fein kolor. Bilder m. Versen. 5. Aufl. gr. 4. (6 S. Text.) Eßlingen 886. Schreiber. geb. n. 4. —

Nehring, Alfr., Katalog der Säugethiere der zoologischen Sammlung der kgl. landwirthschaftlichen Hochschulen in Berlin. Mit 52 Textabbildgn. gr. 8. (VII, 100 S.) Berlin 886. Parey. n. 1. 50

— fossile Pferde aus deutschen Diluvial-Ablagerungen u. ihre Beziehungen zu den lebenden Pferden. Ein Beitrag zur Geschichte d. Hauspferdes. Mit 5 lith. Taf. gr. 8. (82 S.) Ebend. 884. n. 4. —

Neide, E., ausgeführte Gartenanlagen. Hrsg. v. H. Geitner. Fol. (10 Chromolith. u. 6 Steintaf. m. 8 S. Text.) Berlin 884. Parey. cart. n. 20. —

Neide, Siegfr., Dr. Martin Luther. Versuch e. Charakteristik. Festrede zur Lutherfeier. gr. 8. (8 S.) Landsberg a/W. 884. (Schaeffer & Co.) n.n. — 25

Neidhardt, E., die Bildung des Willens. Der Begriff der Tapferkeit. 2 Festreden. 8. (60 S.) Berlin 885. Wiegandt & Grieben. n. — 80

— über Freidank's Bescheidenheit. Ein Vortrag. 8. (52 S.) Ebend. 885. n. — 80

Nejedly, J., die neue Bau-Ordnung f. die königl. Hauptstadt Prag u. deren Vororte, s.: Gesetze f. das Königr. Böhmen.

Neisser, Walter, zur vedischen Verballehre. I. gr. 8. (35 S.) Göttingen 882. (Vandenhoeck & Ruprecht.) n. — 80

Neitzner, E., Lessings drei Bücher Fabeln, ins Altgriechische übersetzt. gr. 8. (78 S.) Leipzig 883. Reichardt. n. 1. 60

Nekola, Rud., das Forstwesen auf der Triester Ausstellung im J. 1882. gr. 8. (45 S. m. 2 Steintaf.) Gmunden 883. (Wien, Gerold & Co.) n. 2. —

Nekrassow's, Nicolai Alexejewitsch, sämmtliche Werke, aus dem Russ. metrisch übertr. v. Herm. Jurjewitsch Köcher. 1. Bd. gr. 8. (189 S.) Leipzig 885. Friedrich. n. 3. —

Nekrolog d. k. württembergischen Oberstudienrats Dr. Christian Heinrich v. Nagel. gr. 8. (18 S.) Tübingen 884. Fues. n. — 40

Nell, Theophilus, die Jungfrau v. Orleans. Eine der schönsten Geschichten aus dem 15. Jahrh. Neu erzählt u. vorzüglich der reiferen Jugend gewidmet. 2. Aufl. Mit 1 Stahlst. 8. (218 S.) Regensburg 886. Verlags-Anstalt. 1. 50

Nellen, Th., die Wiener Köchin, s.: Kraft, J.

Nell, seid mäßig u. nüchtern zum Gebet od. hütet euch vor dem Branntwein! Predigt üb. 1. Petri 4, Vers 8. gr. 8. (15 S.) Barmen 885. Wiemann. n. — 20

Nell, A. M., fünfstellige Logarithmen der Zahlen u. der trigonometrischen Functionen nebst den Logarithmen f. Summe u. Differenz zweier Zahlen, deren Logarithmen gegeben sind, sowie einigen anderen Tafeln, m. e. neuen, die Rechng. erleicht. Anordng. der Proportionalantheile. 5. Aufl. Lex.-8. (XIX, 104 S.) Darmstadt 883. Bergsträsser. 1. 50

Nelle, Wilh., das evangelische Gesangbuch, hrsg. nach den Beschlüssen der Synoden v. Jülich, Cleve, Berg u. v. der Grafsch. Mark [Elberfeld 1835], hymnologisch untersucht. gr. 8. (71 S.) Essen 883. Bädeker. n. 1. 20

Nellenburg, R., e. Abenteuer in Texas, s.: Erzählungen aus Heimat u. Ferne.

— an Bord der Cassiopeja, s.: Volks-Erzählungen, kleine.

— Flinkfuß, der Späher, s.: Bibliothek interessanter Erzählungen.

— der Postwagenraub, s.: Volks-Erzählungen, kleine.

Nellessen, L., die heilige Mission während der Fastenzeit. 21 Fastenpredigten. Aus seinem Nachlasse hrsg. v. e. seiner Verehrer. 2. Aufl. gr. 8. (VIII, 335 S. m. 1 Farbendr.) Regensburg 884. Pustet. n. 2. —

Nellner, J. B., die Nordsee-Insel Spiekeroog. Ein Wegweiser f. Badegäste. Mit einem Plan der Insel u. e. Karte d. nördl. Teiles v. Ostfriesland, nebst Angabe der Reisewege. 12. (V, 63 S.) Emden 884. Haynel. n. 1. 50

Nemanić, D., čakavisch-kroatische Studien. 1. Studie. Accentlehre. Nebst 1. u. 2. Fortsetzung. Lex.-8. (68, 70 u. 66 S.) Wien 883—86. (Gerold's Sohn.) à n. 1. —

Němcova, B., Großmutter, s.: Universal-Bibliothek.

Nemec, Valentin, die Pfarrconcurs-Prüfung. gr. 8. (76 S.) Klagenfurt 885. (Raunecker.) n. 1. 40

Němecek, Aug., Maturitäts-Prüfungen, ob. keine? Ein Beitrag zur Wertschätzg. dieses Instituts, nach den dabei gemachten eigenen u. theilweise auch fremden Erfahrgn. verf. gr. 8. (35 S.) Wien 882. (Klinkhardt.) n. — 80

Nemenyi, A., das moderne Ungarn, s.: Verein, allgemeiner, f. deutsche Literatur.

Nemesiani Bucolica, s.: Calpurnius.

Nentwig, Gust., Reisebilder. Ein Führer durch die

Becker]. 8. (VIII, 80 S.) Aachen 886. (Creutzer.) n. 1. —

Nöltingk, G. C., Bericht üb. die Wirksamkeit der Unterstützungscasse f. evangelisch-lutherische Gemeinden in Rußland während der ersten 25 Jahre ihres Bestehens. Festschrift, im Auftrage d. Centralcomités der Unterstützungscasse verf. gr. 8. (VI, 237 S.) Nebst Gratisbeilage: Tabellarische Auszüge aus ihren Jahresberichten v. E. Papmehl. Imp.-4. (108 S.) St. Petersburg 884. (Bernburg, Bacmeister.) n. 2. 40

— der Gustav-Adolf-Verein u. die lutherischen Gotteskasten. gr. 8. (40 S.) Ebend. 884. n. — 60

Nomenclatur u. Classification, einheitliche, v. Bau- u. Constructionsmaterialien. 1. Thl.: Eisen u. Stahl. Hrsg. durch den schweiz. Ingenieur- u. Architecten-Verein. gr. 8. (52 S. m. eingedr. Fig. u. 1 Steintaf.) Zürich 883. (Schmidt.) n. 2. —

Nommensen, L., 2. Bericht an seine Freunde. 8. (31 S.) Breklum 883. Christl. Buchh. n — 10

— Reise-Bericht an seine Freunde. 8. (32 S.) Ebend. 882. n. — 10

Nonne, technische Mittheilungen d. Vereins f. die bergbaulichen Interessen im Oberbergamts-Bezirk Dortmund. Im Auftrage d. Vereins-Vorstandes u. der v. demselben erwählten techn. Kommission bearb. u. veröffentlicht. (1. Hft.) gr. 4. (224 S. m. 1 Steintaf.) Berlin 886. (Essen, Baedeker.) geb. n.n. 12. —

Nonne, Ludw., der Bürgermeister v. Rothenburg. 8. (343 S.) Gotha 883. F. A. Perthes. n. 5. —

— ein Zug nach Rom. Historischer Roman. 8. (450 S.) Stuttgart 883. Bonz & Co. n. 6. —; geb. n. 7. —

Nonne, Ludw., das Reformationsbüchlein. Eine Erzählg. f. Kinder. 10. Aufl. Mit dem Bildniß Luthers. 8. (X, 86 S.) Hildburghausen 883. Kesselring. n. — 50

Nonnemann, Frdr., Deutschland üb. Alles! Populäre Culturgeschichte d. deutschen Volkes. (In ca. 10 Lfgn.) 1. Lfg. gr. 8. (80 S.) Leipzig 886. Werther. n. 1. —

Nonnenmacher, Frdr., Uebersichten der aus dem deutschen Reichsgebiete erfolgten Verweisungen von Ausländern. Nach amtl. Publikationen hrsg. 11. u. 12. Jahrg. 1883 u. 1884. à 4 Hfte. gr. 8. (à Hft. 28 S.) Ansbach, (Junge). à Jahrg. n. 2. —

— dasselbe. 13. u. 14. Jahrg. 1885 u. 1886. à 4 Hfte. gr. 8. (à Hft. 32 S.) Ebend. à Jahrg. n. 2. 65

Nonnig, Karl Ferd., kleine deutsche Sprachlehre f. Volks-, Bürger- u. Mittelschulen u. die entsprechenden Klassen höherer Lehranstalten. Ein Handbüchlein d. Unterrichts in der deutschen Satz- u. Wortlehre, Stilistik, Metrik u. Poetik. 23. Aufl. 8. (VIII, 108 S.) Berlin 885. Berggold. geb. n.n. 1. —

Noorden, Carl v., historische Vorträge. Eingeleitet u. hrsg. v. Wilh. Maurenbrecher. Mit dem Portr. C. v. Noordens in Lichtdr. gr. 8. (58 u. 277 S.) Leipzig 884. Duncker & Humblot. n. 6. 40

Nord u. Süd. Eine deutsche Monatsschrift. Hrsg. v. Paul Lindau. 7—10. Jahrg. April 1883—März 1887. à 12 Hfte. (à ca. 10 B. m. je 1 Radirg.) gr. 8. Breslau, Schottländer. à Jahrg. 24. —

Nord, W. du, Admiral Wilhelm v. Tegethoff, s.: Helden, unsere.

Nordau, Max, ausgewählte Pariser Briefe, s.: Bibliothek f. Ost u. West.

— die conventionellen Lügen der Kulturmenschheit. 12. Aufl. gr. 8. (VIII, 351 S. m. Portr. in Stahlst.) Leipzig 886. Elischer. n. 6. —; geb. n. 7. 50

— Paradoxe. 4. Aufl. gr. 8. (VII, 366 S.) Ebend. 886. n. 6. —; geb. n. 7. 50

Norden, A., verkauft. Historischer Roman. 3 Bde. 8. (211, 239 u. 254 S.) Berlin 886. Janke. n. 10. —

Norden, Erich, Gott ist die Liebe. Eine Erzählg. f. Kinder von 8—14 Jahren. Nach Thatsachen geschildert. Mit Bildern. 12. (48 S.) Basel 885. Spittler. n.n. — 25

— das kranke Hannchen, s.: Sammlung v. Kinderschriften.

— der Mutter Gebet, s.: Hausfreund, Hamburger.

— durch Nacht zum Licht, s.: Schillingsbücher.

— der Rollstuhl. Eine Erzählg. 12. (46 S.) Basel 885. Spittler. n.n. — 25

Norden, Erich, Saat u. Ernte. Erzählung. 8. (235 S.) Norden 885. Soltau. n. 2. 40

— soll ich meines Bruders Hüter sein?, s.: Schillingsbücher.

— treu bis ans Grab. Meister Borner. Zwei Erzählgn. Mit Illustr. 8. (120 S.) Basel 884. Spittler. n. — 80

— verloren u. wiedergefunden, s.: Volks-Bibliothek, christliche.

— ein Weihnachtsfeuer, }
— der Weihnachtsstern, } s.: Schillingsbücher.

— zum Licht. Eine Erzählg. f. Kinder von 8—14 Jahren. Nach Thatsachen geschildert. 12. (44 S.) Basel 885. Spittler. n.n. — 25

Norden, J., die Flüchtlinge, }
— der Freibeuter, }
— Hakiba-ben-Fatme, } s.: Volks- u. Jugend-Erzählungen.
— der letzte König der Inkas, }
— die Meuterer auf Pitcairn, }

— Robinson. Der Jugend von 9—15 Jahren erzählt. Mit 8 Farbendr.-Bildern. 8. (96 S.) Wesel 885. Düms. geb. — 75

— der Untergang des Piraten, s.: Volks- u. Jugend-Erzählungen.

Nordenskjöld, Adf. Erik Frhr. v., Grönland. Seine Eiswüsten im Innern u. seine Ostküste. Schilderung der 2. Dickson'schen Expedition, ausgeführt im J. 1883. Autoris. deutsche Ausg. Mit üb. 200 Abbildgn. u. 6 Karten. gr. 8. (XIII, 505 S.) Leipzig 886. Brockhaus. n. 24. —; geb. n. 26. —

— s.: Studien u. Forschungen, veranlaßt durch meine Reisen im hohen Norden.

— Vegafahrt um Asien u. Europa. Nach Nordenskjölds Berichten f. weitere Kreise bearb. v. E. Erman. Mit 200 Abbildgn., 1 Portr. u. 1 Karte. gr. 8. (XXV, 397 S.) Leipzig 886. Brockhaus. n. 5. —; geb. n. 6. 50

Norderney, königl. Seebad. Saison 1883. Winke f. Badegäste, enth.: Flut-Tabelle, Fahrpläne, amtl. Taxen u. Nachweise, Gesundheitsregeln, Ausflüge etc. u. (1 lith.) Plan d. Dorfes (in 4.). 5. Jahrg. 32. (VIII, 157 S.) Norden 883. Soltau. n. — 50

Nordheim, Festreden, Ansprachen u. Toaste zum Sedantage gesammelt u. hrsg. 4. Aufl. gr. 8. (110 S.) Kattowitz 885. Siwinna. n. 1. —

— Reden, Ansprachen u. Trinksprüche bei patriotischen Vereins- u. Familienfestlichkeiten. 8. (IV, 263 S.) Ebend. 886. n. 2. —

Nordhoff, J. B., der vormalige Weinbau in Norddeutschland. 2. Ausg. m. Nachträgen u. Zusätzen. 8. (VII, 58 S.) Münster 883. Coppenrath. n. — 70

Nordlandfahrten. Malerische Wanderungen durch Norwegen u. Schweden, Irland, Schottland, England u. Wales. Mit besond. Berücksicht. v. Sage u. Geschichte, Literatur u. Kunst. Hrsg. v. A. Brennecke, Francis Broemel, Hans Hoffmann 2c. Illustrirt durch mehrere 100 Holzschn. nach Orig.-Zeichngn., v. den bewährtesten Künstlern an Ort u. Stelle eigens f. dies Werk aufgenommen. 27—32. (Schluß-)Lfg. gr. 4. (4. Bd. [Holland u. Dänemark.] IV u. S. 65—228.) Leipzig 883. Hirt & Sohn. à n. 2. — (4 Bde. geb. m. Goldschn.: à n. 20. —)

Nordlicht. Natur u. Kunst, Literatur u. Geschichte. Eine Zeitschrift f. die gebildete Gesellschaft. Hrsg. v. B. T. Sträter. 1. Jahrg. 1885/86. 4—6 Hfte. hoch 4. (2. Hft. 64 S.) Berlin, (Mühnich). n. 10. —

Nördling, Wilh. v., Neueres üb. die Wasserstrassen-Frage. Zwei Vorträge, geh. im Club österreich. Eisenbahn-Beamten in Wien. gr. 8. (48 S.) Wien 886. Hölder. n. — 80

— die Selbstkosten d. Eisenbahn-Transportes u. die Wasserstrassen-Frage in Frankreich, Preussen u. Österreich. Mit 2 Holzschn. u. 11 Karten u. Taf. in Schwarz- u. Farbendr. Lex.-8. (VIII, 232 S.) Ebend. 885. n. 15. —

Nördlinger, H., die Kenntniss der wichtigsten kleinen Feinde der Landwirthschaft. Mit Holzschn. Für das prakt. Bedürfniss bearb. 2. Aufl. 8. (IV, 156 S.) Stuttgart 884. Cotta. cart. n. 1. 50

— Lehrbuch des Forstschutzes. Abhandlung der Be-

schädiggn. d. Waldes durch Menschen, Thiere u. die Elemente unbelebter Natur, sowie der dagegen zu ergreif. Massregeln. Mit 222 Holzschn. gr. 8. (XXIV, 520 S.) Berlin 884. Parey. n. 10. —
Nördlinger, Thdr., der Einfluss d. Waldes auf die Luft- u. Bodenwärme. gr. 8. (VIII, 100 S.) Berlin 885. Parey. n. 3. —
Nordmann, H., der ländliche Grundbesitz, seine Lage u. seine Bedeutung. Eine social-polit. Studie. gr. 8 (102 S.) Berlin 884. Baensch. n. 1. 80
Nordmann, Joh., e. Römerfahrt. Epische Dichtg. 1. Gesang: Der Bauernkrieg in Oberösterreich. gr. 8. (XIV, 179 S.) Stuttgart 884. Spemann. n. 3. —
— unterwegs, s.: Bibliothek f. Ost u. West.
Nordmann, Otto, Beiträge zur Kenntniss u. namentlich zur Färbung der Mastzellen. gr. 8. (52 S.) Helmstedt 884. (Hildburghausen, Lax.) n. 1. —
Nordostseekanal, der, [Brunsbüttel-Kiel] u. die wirthschaftliche Stellung Kiel's. Denkschrift der Kieler Handelskammer. gr. 8. (19 S.) Kiel 885. (Lipsius & Tischer.) n. — 50
Nordeck, C., Gedichte. 8. (IX, 159 S.) Stuttgart 885. (Metzler's Verl.) geb. n. 2. 80
Nordseebäder, die, auf Sylt, Westerland, Marienlust u. Wenningstedt. 2. Aufl. 12. (73 S. m. eingedr. Holzschn. u. 1 Karte) Hamburg 886. O. Meißner's Verl. n. — 50
Nordwest. Gemeinnützig-unterhalt. Wochenschrift. Hrsg. v. A. Lammers. Red. v. Mathilde Lammers. 6—9. Jahrg. 1883—1886. à 52 Nrn. (B.) gr. 4. Bremen, (Roussell). à Jahrg. n. 12. —
Noreen, A., altnordische Grammatik, s.: Sammlung kurzer Grammatiken germanischer Dialecte.
Norm f. die Honorirung architektonischer Arbeiten. Hrsg. vom schweiz. Ingenieur- u. Architekten-Verein. gr. 8. (7 S.) Zürich 882. (Orell Füssli & Co. Verl.) n. — 40
Normal-Ductus f. die königl. Schullehrer-Seminare der Prov. Hannover, hrsg. vom königl. Provinzial-Schul-Kollegium qu. Fol. (1 lith. Blatt.) Hannover 886. (Meyer.) pro 10 Expl. n. — 50
Normale zur Erbauung gedeckter Reit- u. Fahrschulen. Fol. (27 lith. S. m. 4 Steintaf. in Imp.-Fol.) Wien 883. Hof- u. Staatsdruckerei. n. 2. 40
— für Schiffs-Ambulancen. 8. (VI, 84 S. m. 2 Steintaf.) Ebend. 878. n. — 60
Normal-Lehrplan f. die deutschen Elementar-Schulen in Elsaß-Lothringen. Neue Ausg. gr. 8. (45 S.) Straßburg 883. Schmidt. n. — 60
— für die höheren Mädchen-Schulen zu Berlin. [Aus: „Centralblatt f. d. gesammte Unterrichtsverwaltg. in Preußen".] gr. 8. (14 S.) Berlin 886. Hertz. n. — 40
— für höhere Mädchenschulen in Preussen. gr. 8. (14 S.) Leipzig 886. Siegismund & Volkening. n. — 30; cart. n. — 40
Normal-Lehrpläne f. Volksschulen in Mähren. Veröffentlicht durch Erlaß d. k. k. Landesschulrathes vom 19. Jänner 1885, Z. 403. Lex.-8. (80 S.) Brünn 885. Winiker. n. — 60
— für Volks- u. Bürgerschulen in Schlesien. Veröffentlicht durch Verordng. d. k. k. schles. Landesschulrathes vom 1. Juni 1886, Z. 817. gr. 8. (IV, 302 S.) Troppau 886. Buchholz & Diebel. n. 2. 40
Normalstatut f. Berufsgenossenschaften. 8. (39 S.) Berlin 885. C. Heymann's Verl. cart. u. durchsch. n. — 80
— für e. Orts-Krankenkasse. Fol. (12 S.) Berlin 884. Stankiewicz. — 30
Normalstatuten für Krankenkassen im Bereiche der Staatseisenbahnverwaltung nach e. Erlass d. Ministers der öffentlichen Arbeiten vom 28. März 1884. gr. 4. (48 S.) Berlin 884. C. Heymann's Verl. n. 1. 20
Normann, H., freimaurerische Reden u. Toaste, gesammelt u. hrsg. 2. Bd. 2. Aufl. gr. 8. (V, 327 S.) Kattowitz 883. Siwinna. n. 4. —
— neue Materialien zu deutschen Stilübungen. Für höhere Lehranstalten u. pädagog. Seminarien. 3. Aufl. gr. 8. (XII, 453 S.) Ebend. 886. n. 3. 50; geb. n. 4. —
— Perlen der Weltliteratur. Aesthetisch-krit. Erläuterg. klass. Dichterwerke aller Nationen. 12 Bde. in 52 Lfgn. 8. (1. Bd. 176, 2. Bd. 188, 3. Bd. 196, 4. Bd. 200, 5. Bd. 224, 6. Bd. 216, 7. Bd. 240, 8. Bd. 216, 9. Bd. 224, 10. Bd. 232, 11. Bd. 212 u. 12. Bd. 221 S. m. Holzschn.-Porträts.) Stuttgart 883 - 85. Levy & Müller. à Lfg. n. — 50
Normann, H., Vademecum f. Freimaurer. Eine Erklärg. v. Aufnahmegebräuchen, maurerischen Symbolen u. Ausdrücken, nebst e. kurzen Geschichte der Freimaurer. 2. Aufl. 12. (117 S.) Kattowitz 883. Siwinna. n. 1. 50
— u. M. **Steinmann,** deutsche Geschichte von der Urzeit bis zur Gegenwart, in Bildern dargestellt. gr. 8. (VII, 422 S. m. eingedr. Holzschn.) Ebend. 886. geb. n. 4. —
Normen f. die Anfertigung u. Verwendung v. Ziegelsteinen. Hrsg. vom schweizer. Ingenieur- u. Architecten-Verein. gr. 8. (5 S.) Zürich 883. (Schmidt.) — 30
— für die Konstruktion u. Ausrüstung der Eisenbahnen Deutschlands. Vom 30. Novbr. 1885. Durchgesehen im Reichs-Eisenbahn-Amt. 12. (23 S.) Berlin 886. Ernst & Korn. cart. n.n. — 30
— dasselbe. 4. Aufl. 8. (23 S.) Berlin 886. C. Heymann's Verl. — 30
— dasselbe. 8. (22 S.) Berlin 886. Siemenroth. — 30
Nörner, C. die Brandzeichen der Staats- u. Hofgestüte Österreich-Ungarns. 8. (III, 18 S.) Leipzig 885. H. Voigt. n. — 60
Norrenberg, P., aus dem Viersener Bannbuch, s.: Beiträge zur Localgeschichte d. Niederrheins.
Norris, W. E., Eheglück, s.: Engelhorn's allgemeine Romanbibliothek.
— my friend Jim, s.: Collection of Britsh authors.
— no new thing, s.: Asher's collection of English authors.
Norton, Th., and Th. **Sackville,** Gorboduc, s.: Sprach- u. Literaturdenkmale, englische d. 16., 17. u. 18. Jahrh.
Nösgen, C. F., die Evangelien nach Matthäus, Markus u. Lukas, ausgelegt, s.: Kommentar, kurzgefaßter, zu den heiligen Schriften Alten u. Neuen Testaments, sowie zu den Apokryphen.
Nosinich, J. u. L. **Wiener,** Kaiser Josef II. als Staatsmann u. Feldherr. Österreichs Politik u. Kriege in den J. 1763 bis 1790. Verf. im k. k. Kriegs-Archive. Mit 1 Taf. gr. 8. (IV, 380 S.) Wien 885. (Seidel & Sohn.) n. 6. —
Nossig, Alfr., Materialien zur Statistik d. jüdischen Stammes. gr. 8. (IV, 112 S.) Wien 887. Konegen. n. 2. —
Noeßler, Ed., humoristische Räthsel-Gedichte f. große u. größere Kinder m. e. räthselhaften Programm. gr. 8. (60 S.) Leipzig 883. Seidel & Co. cart. 1. —
Nostadt, Jak., die Kindheit Jesu in Bildern u. Dichtungen berühmter Meister. Mit 44 Illustr. 8. (VIII, 224 S.) Mainz 883. Kirchheim. n. 4. —; geb. n. 5. 80
— das Kirchenjahr in Bildern u. Dichtungen berühmter Meister. Mit 63 Illustr. 8. (IV, 221 S.) Ebend. 883. n. 4. — ; geb. n. 5. 80
— das Leiden Christi in Bildern u. Dichtungen berühmter Meister. Mit 40 Illustr. 8. (VIII, 160 S.) Ebend. 883. n. 3. —
— Marien-Dichtungen deutscher u. ausländischer Klassiker alter u. neuer Zeit. 12. (IV, 166 S.) Ebend. 884. n. 2. —
Nostitz, Graf v., Tagebuch, s.: Einzelschriften, kriegsgeschichtliche.
Notariats-Ordnung, die, vom 25. Juli 1871, sammt allen darauf bezügl. Verordngn. u. den grundsätzl. Entscheidgn. d. obersten Gerichtshofes. 8. Aufl. 8. (IV, 104 S) Wien 883. Manz. n. 1. —
Notariats-Zeitung, deutsche, u. Zeitschrift f. Hypothekenwesen. Organ d. Notariatsvereins f. Deutschland u. Oesterreich. Im Auftrage d. Vorstandes hrsg. v. Ed. Graf u. Wilh. Henle unter ständ. Mitwirkg. v. Frdr. Weber. 12—15. Jahrg. 1883—1886. à 24 Nrn. (B.) gr. 8. Nördlingen, Beck. à Jahrg. n. 6. —
Nötel-Jsensee, Jul., Krönungslieder. 8. (15 S.) Hannover 886. Helwing's Verl. n. — 40

Becker]. 8. (VIII, 80 S.) Aachen 886. (Creutzer.) n. 1. —

Nöltingk, G. C., Bericht üb. die Wirksamkeit der Unterstützungscasse f. evangelisch-lutherische Gemeinden in Rußland während der ersten 25 Jahre ihres Bestehens. Festschrift, im Auftrage d. Centralcomités der Unterstützungscasse verf. gr. 8. (VI, 237 S.) Nebst Gratisbeilage: Tabellarische Auszüge aus ihren Jahresberichten v. E. Papmehl. Imp.-4. (108 S.) St. Petersburg 884. (Bernburg, Bacmeister.) n. 2. 40

— der Gustav-Adolf-Verein u. die lutherischen Gotteskasten. gr. 8. (40 S.) Ebend. 884. n. — 60

Nomenclatur u. Classification, einheitliche, v. Bau- u. Constructionsmaterialien. 1. Thl.: Eisen u. Stahl. Hrsg. durch den schweiz. Ingenieur- u. Architecten-Verein. gr. 8. (52 S. m. eingedr. Fig. u. 1 Steintaf.) Zürich 883. (Schmidt.) n. 2. —

Nommensen, L., 2. Bericht an seine Freunde. 8. (31 S.) Breklum 883. Christl. Buchh. n — 10

— Reise-Bericht an seine Freunde. 8. (32 S.) Ebend. 882. n. — 10

Nonne, technische Mittheilungen d. Vereins f. die bergbaulichen Interessen im Oberbergamts-Bezirk Dortmund. Im Auftrage d. Vereins-Vorstandes u. der v. demselben erwählten techn. Kommission bearb. u. veröffentlicht. (1. Hft.) gr. 4. (224 S. m. 1 Steintaf.) Berlin 886. (Essen, Baedeker.) geb. n.n. 12. —

Nonne, Ludw., der Bürgermeister v. Rothenburg. 8. (343 S.) Gotha 883. F. A. Perthes. n. 5. —

— ein Zug nach Rom. Historischer Roman. 8. (450 S.) Stuttgart 883. Bonz & Co. n. 6. —; geb. n. 7. —

Nonne, Ludw., das Reformationsbüchlein. Eine Erzählg. f. Kinder. 10. Aufl. Mit dem Bildniß Luthers. 8. (X, 86 S.) Hildburghausen 883. Kesselring. n. — 50

Nonnemann, Frdr., Deutschland üb. Alles! Populäre Culturgeschichte d. deutschen Volkes. (In ca. 10 Lfgn.) 1. Lfg. gr. 8. (80 S.) Leipzig 886. Werther. n. 1. —

Nonnenmacher, Frdr., Uebersichten der aus dem deutschen Reichsgebiete erfolgten Verweisungen von Ausländern. Nach amtl. Publikationen hrsg. 11. u. 12. Jahrg. 1883 u. 1884. à 4 Hfte. gr. 8. (à Hft. 28 S.) Ansbach, (Junge). à Jahrg. n. 2. —

— dasselbe. 13. u. 14. Jahrg. 1885 u. 1886. à 4 Hfte. gr. 8. (à Hft. 32 S.) Ebend. à Jahrg. n. 2. 65

Nonnig, Karl Ferd., kleine deutsche Sprachlehre f. Volks-, Bürger- u. Mittelschulen u. die entsprechenden Klassen höherer Lehranstalten. Ein Handbüchlein d. Unterrichts in der deutschen Satz- u. Wortlehre, Stilistik, Metrik u. Poetik. 23. Aufl. 8. (VIII, 108 S.) Berlin 885. Berggold. geb. n.n. 1. —

Noorden, Carl v., historische Vorträge. Eingeleitet u. hrsg. v. Wilh. Maurenbrecher. Mit dem Portr. C. v. Noordens in Lichtdr. gr. 8. (58 u. 277 S.) Leipzig 884. Duncker & Humblot. n. 6. 40

Nord u. Süd. Eine deutsche Monatsschrift. Hrsg. v. Paul Lindau. 7—10. Jahrg. April 1883—März 1887. à 12 Hfte. (à ca. 10 B. m. je 1 Radirg.) gr. 8. Breslau, Schottländer. à Jahrg. 24. —

Nord, W. du, Admiral Wilhelm v. Tegetthoff, s.: Helden, unsere.

Nordau, Max, ausgewählte Pariser Briefe, s.: Bibliothek f. Ost u. West.

— die conventionellen Lügen der Kulturmenschheit. 12. Aufl. gr. 8. (VIII, 351 S. m. Portr. in Stahlst.) Leipzig 886. Elischer. n. 6. —; geb. n. 7. 50

— Paradoxe. 4. Aufl. gr. 8. (VII, 366 S.) Ebend. 886. n. 6. —; geb. n. 7. 50

Norden, A., verkauft. Historischer Roman. 3 Bde. 8. (211, 289 u. 254 S.) Berlin 886. Janke. n. 10. —

Norden, Erich, Gott ist die Liebe. Eine Erzählg. f. Kinder von 8—14 Jahren. Nach Thatsachen geschildert. Mit Bildern. 12. (48 S.) Basel 885. Spittler. n.n. — 25

— das kranke Hannchen, s.: Sammlung v. Kinderschriften.

— der Mutter Gebet, s.: Hausfreund, Hamburger.

— durch Nacht zum Licht, s.: Schillingsbücher.

— der Rollstuhl. Eine Erzählg. 12. (46 S.) Basel 885. Spittler. n.n. — 25

Norden, Erich, Saat u. Ernte. Erzählung. 8. (235 S.) Norden 885. Soltau. n. 2. 40

— soll ich meines Bruders Hüter sein?, s.: Schillingsbücher.

— treu bis ans Grab. Meister Borner. Zwei Erzählgn. Mit Illustr. 8. (120 S.) Basel 884. Spittler. n. — 80

— verloren u. wiedergefunden, s.: Volks-Bibliothek, christliche.

— ein Weihnachtsfeuer, } s.: Schillingsbücher.
— der Weihnachtsstern, }

— zum Licht. Eine Erzählg. f. Kinder von 8—14 Jahren. Nach Thatsachen geschildert. 12. (44 S.) Basel 885. Spittler. n.n. — 25

Norden, J., die Flüchtlinge, }
— der Freibeuter, } s.: Volks- u.
— Hakiba-ben-Fatme, } Jugend-
— der letzte König der Inkas, } Erzählungen.
— die Meuterer auf Pitcairn, }

— Robinson. Der Jugend von 9—15 Jahren erzählt. Mit 8 Farbendr.-Bildern. 8. (96 S.) Wesel 885. Düms. geb. — 75

— der Untergang des Piraten, s.: Volks- u. Jugend-Erzählungen.

Nordenskjöld, Adf. Erik Frhr. v., Grönland. Seine Eiswüsten im Innern u. seine Ostküste. Schilderung der 2. Dickson'schen Expedition, ausgeführt im J. 1883. Autoris. deutsche Ausg. Mit üb. 200 Abbildgn. u. 6 Karten. gr. 8. (XIII, 505 S.) Leipzig 886. Brockhaus. n. 24. —; geb. n. 26. —

— s.: Studien u. Forschungen, veranlaßt durch meine Reisen im hohen Norden.

— Vegafahrt um Asien u. Europa. Nach Nordenskjölds Berichten f. weitere Kreise bearb. v. E. Erman. Mit 200 Abbildgn., 1 Portr. u. 1 Karte. gr. 8. (XXV, 397 S.) Leipzig 886. Brockhaus. n. 5. —; geb. n. 6. 50

Norderney, königl. Seebad. Saison 1883. Winke f. Badegäste, enth.: Flut-Tabelle, Fahrpläne, amtl. Taxen u. Nachweise, Gesundheitsregeln, Ausflüge etc. u. (1 lith.) Plan d. Dorfes (in 4.). 5. Jahrg. 32. (VIII, 157 S.) Norden 883. Soltau. n. — 50

Nordheim, Festreden, Ansprachen u. Toaste zum Sedantage gesammelt u. hrsg. 4. Aufl. gr. 8. (110 S.) Kattowitz 885. Siwinna. n. 1. —

— Reden, Ansprachen u. Trinksprüche bei patriotischen Vereins- u. Familienfestlichkeiten. 8. (IV, 263 S.) Ebend. 886. n. 2. —

Nordhoff, J. B., der vormalige Weinbau in Norddeutschland. 2. Ausg. m. Nachträgen u. Zusätzen. 8. (VII, 58 S.) Münster 883. Coppenrath. n. — 70

Nordlandfahrten. Malerische Wanderungen durch Norwegen u. Schweden, Irland, Schottland, England u. Wales. Mit besond. Berücksicht. v. Sage u. Geschichte, Literatur u. Kunst. Hrsg. v. A. Brennecke, Francis Broemel, Hans Hoffmann rc. Illustrirt durch mehrere 100 Holzschn. nach Orig.-Zeichngn., v. den bewährtesten Künstlern an Ort u. Stelle eigens f. dies Werk aufgenommen. 27—32. (Schluß-) Lfg. gr. 4. (4. Bd. [Holland u. Dänemark.] IV u. S. 65—228.) Leipzig 883. Hirt & Sohn. à n. 2. — (4 Bde. geb. m. Goldschn.: à n. 20. —)

Nordlicht. Natur u. Kunst, Literatur u. Geschichte. Eine Zeitschrift f. die gebildete Gesellschaft. Hrsg. v. B. T. Sträter. 1. Jahrg. 1885/86. 4—6 Hfte. hoch 4. (2. Hft. 64 S.) Berlin, (Mühnich). n. 10. —

Nördling, Wilh. v., Neueres üb. die Wasserstrassen-Frage. Zwei Vorträge, geh. im Club österreich. Eisenbahn-Beamten in Wien. gr. 8. (48 S.) Wien 886. Hölder. n. — 80

— die Selbstkosten d. Eisenbahn-Transportes u. die Wasserstrassen-Frage in Frankreich, Preussen u. Österreich. Mit 2 Holzschn. u. 11 Karten u. Taf. in Schwarz- u. Farbendr. Lex.-8. (VIII, 232 S.) Ebend. 885. n. 15. —

Nördlinger, H., die Kenntniss der wichtigsten kleinen Feinde der Landwirthschaft. Mit Holzschn. Für das prakt. Bedürfniss bearb. 2. Aufl. 8. (IV, 156 S.) Stuttgart 884. Cotta. cart. n. 1. 50

— Lehrbuch des Forstschutzes. Abhandlung der Be-

schädiggn. d. Waldes durch Menschen, Thiere u. die Elemente unbelebter Natur, sowie der dagegen zu ergreif. Massregeln. Mit 222 Holzschn. gr. 8. (XXIV, 520 S.) Berlin 884. Parey. n. 10. —
Nördlinger, Thdr., der Einfluss d. Waldes auf die Luft- u. Bodenwärme. gr. 8. (VIII, 100 S.) Berlin 885. Parey. n. 3. —
Nordmann, H., der ländliche Grundbesitz, seine Lage u. seine Bedeutung. Eine social-polit. Studie. gr. 8 (102 S.) Berlin 884. Baensch. n. 1. 80
Nordmann, Johs, e. Römerfahrt. Epische Dichtg. 1. Gesang: Der Bauernkrieg in Oberösterreich. gr. 8. (XIV, 179 S.) Stuttgart 884. Spemann. n. 3. —
— unterwegs, s.: Bibliothek f. Ost u. West.
Nordmann, Otto, Beiträge zur Kenntniss u. namentlich zur Färbung der Mastzellen. gr. 8. (52 S.) Helmstedt 884. (Hildburghausen, Lax.) n. 1. —
Nordostseekanal, der, [Brunsbüttel-Kiel] u. die wirthschaftliche Stellung Kiel's. Denkschrift der Kieler Handelskammer. gr. 8. (19 S.) Kiel 885. (Lipsius & Tischer.) n. — 50
Nordruf, C., Gedichte. 8. (IX, 159 S.) Stuttgart 885. (Metzler's Verl.) geb. n. 2. 80
Nordseebäder, die, auf Sylt, Westerland, Marienlust u. Wenningstedt. 2. Aufl. 12. (73 S. m. eingedr. Holzschn. u. 1 Karte) Hamburg 886. O. Meißner's Verl. n. — 50
Nordwest. Gemeinnützig-unterhalt. Wochenschrift. Hrsg. v. A. Lammers. Red. v. Mathilde Lammers. 6—9. Jahrg. 1883—1886. à 52 Nrn. (B.) gr. 4. Bremen, (Roussell). à Jahrg. n. 12. —
Noreen, A., altnordische Grammatik, s.: Sammlung kurzer Grammatiken germanischer Dialecte.
Norm f. die Honorirung architektonischer Arbeiten. Hrsg. vom schweiz. Ingenieur- u. Architekten-Verein. gr. 8. (7 S.) Zürich 882. (Orell Füssli & Co. Verl.) n. — 40
Normal-Ductus f. die königl. Schullehrer-Seminare der Prov. Hannover, hrsg. vom königl. Provinzial-Schul-Kollegium qu. Fol. (1 lith. Blatt.) Hannover 886. (Meyer.) pro 10 Expl. n. — 50
Normale zur Erbauung gedeckter Reit- u. Fahrschulen. Fol. (27 lith. S. m. 4 Steintaf. in Imp.-Fol.) Wien 883. Hof- u. Staatsdruckerei. n. 2. 40
— für Schiffs-Ambulancen. 8. (VI, 84 S. m. 2 Steintaf.) Ebend. 878. n. — 60
Normal-Lehrplan f. die deutschen Elementar-Schulen in Elsaß-Lothringen. Neue Ausg. gr. 8. (45 S.) Straßburg 883. Schmidt. n. — 60
— für die höheren Mädchen-Schulen zu Berlin. [Aus: „Centralblatt f. d. gesammte Unterrichtsverwaltg. in Preußen".] gr. 8. (14 S.) Berlin 886. Hertz. n. — 40
— für höhere Mädchenschulen in Preussen. gr. 8. (14 S.) Leipzig 886. Siegismund & Volkening. n. — 30; cart. n. — 40
Normal-Lehrpläne f. Volksschulen in Mähren. Veröffentlicht durch Erlaß d. k. k. Landesschulrathes vom 19. Jänner 1885, Z. 403. Lex.-8. (80 S.) Brünn 885. Winiker. n. — 60
— für Volks- u. Bürgerschulen in Schlesien. Veröffentlicht durch Verordng. d. k. k. schles. Landesschulrathes vom 1. Juni 1886, Z. 817. gr. 8. (IV, 302 S.) Troppau 886. Buchholz & Diebel. n. 2. 40
Normalstatut f. Berufsgenossenschaften. 8. (39 S.) Berlin 885. C. Heymann's Verl. cart. u. durchsch. n. — 80
— für e. Orts-Krankenkasse. Fol. (12 S.) Berlin 884. Stankiewicz. — 30
Normalstatuten für Krankenkassen im Bereiche der Staatseisenbahnverwaltung nach e. Erlass d. Ministers der öffentlichen Arbeiten vom 28. März 1884. gr. 4. (48 S.) Berlin 884. C. Heymann's Verl. n. 1. 20
Normann, H., freimaurerische Reden u. Toaste, gesammelt u. hrsg. 2. Bd. 2. Aufl. gr. 8. (V, 327 S.) Kattowitz 883. Siwinna. n. 4. —
— neue Materialien zu deutschen Stilübungen. Für höhere Lehranstalten u. pädagog. Seminarien. 3. Aufl. gr. 8. (XII, 453 S.) Ebend. 886. n. 3. 50; geb. n. 4. —
— Perlen der Weltliteratur. Aesthetisch-krit. Erläuterg. klass. Dichterwerke aller Nationen. 12 Bde. in 52 Lfgn. 8. (1. Bd. 176, 2. Bd. 188, 3. Bd. 196, 4. Bd. 200, 5. Bd. 224, 6. Bd. 216, 7. Bd. 240, 8. Bd. 216, 9. Bd. 224, 10. Bd. 232, 11. Bd. 212 u. 12. Bd. 221 S. m. Holzschn.-Porträts.) Stuttgart 883 - 85. Levy & Müller. à Lfg. n. — 50
Normann, H., Vademecum f. Freimaurer. Eine Erklärg. v. Aufnahmegebräuchen, maurerischen Symbolen u. Ausdrücken, nebst e. kurzen Geschichte der Freimaurer. 2. Aufl. 12. (117 S.) Kattowitz 883. Siwinna. n. 1. 50
— u. M. **Steinmann,** deutsche Geschichte von der Urzeit bis zur Gegenwart, in Bildern dargestellt. gr. 8. (VII, 422 S. m. eingedr. Holzschn.) Ebend. 886. geb. n. 4. —
Normen f. die Anfertigung u. Verwendung v. Ziegelsteinen. Hrsg. vom schweizer. Ingenieur- u. Architecten-Verein. gr. 8. (5 S.) Zürich 883. (Schmidt.) — 30
— für die Konstruktion u. Ausrüstung der Eisenbahnen Deutschlands. Vom 30. Novbr. 1885. Durchgesehen im Reichs-Eisenbahn-Amt. 12. (23 S.) Berlin 886. Ernst & Korn. cart. n.n. — 30
— dasselbe. 4. Aufl. 8. (23 S.) Berlin 886. C. Heymann's Verl. — 30
— dasselbe. 8. (22 S.) Berlin 886. Siemenroth. — 30
Nörner, C. die Brandzeichen der Staats- u. Hofgestüte Österreich-Ungarns. 8. (III, 18 S.) Leipzig 885. H. Voigt. n. — 60
Norrenberg, P., aus dem Viersener Bannbuch, s.: Beiträge zur Localgeschichte d. Niederrheins.
Norris, W. E., Eheglück, s.: Engelhorn's allgemeine Romanbibliothek.
— my friend Jim, s.: Collection of Britsh authors.
— no new thing, s.: Asher's collection of English authors.
Norton, Th., and Th. **Sackville,** Gorboduc, s.: Sprach- u. Literaturdenkmale, englische d. 16., 17. u. 18. Jahrh.
Nösgen, C. F., die Evangelien nach Matthäus, Markus u. Lukas, ausgelegt, s.: Kommentar, kurzgefaßter, zu den heiligen Schriften Alten u. Neuen Testaments, sowie zu den Apokryphen.
Nosinich, J. u. L. **Wiener,** Kaiser Josef II. als Staatsmann u. Feldherr. Österreichs Politik u. Kriege in den J. 1763 bis 1790. Verf. im k. k. Kriegs-Archive. Mit 1 Taf. gr. 8. (IV, 380 S.) Wien 885. (Seidel & Sohn.) n. 6. —
Nossig, Alfr., Materialien zur Statistik d. jüdischen Stammes. gr. 8. (IV, 112 S.) Wien 887. Konegen. n. 2. —
Nostler, Ed., humoristische Räthsel-Gedichte f. große u. größere Kinder m. e. räthselhaften Programm. gr. 8. (60 S.) Leipzig 883. Seibel & Co. cart. 1. —
Nostadt, Jak., die Kindheit Jesu in Bildern u. Dichtungen berühmter Meister. Mit 44 Illustr. 8. (VIII, 224 S.) Mainz 883. Kirchheim. n. 4. —; geb. n. 5. 80
— das Kirchenjahr in Bildern u. Dichtungen berühmter Meister. Mit 63 Illustr. 8. (IV, 221 S.) Ebend. 883. n. 4. —; geb. n. 5. 80
— das Leiden Christi in Bildern u. Dichtungen berühmter Meister. Mit 40 Illustr. 8. (VIII, 160 S.) Ebend. 883. n. 3. —
— Marien-Dichtungen deutscher u. ausländischer Klassiker alter u. neuer Zeit. 12. (IV, 166 S.) Ebend. 884. n. 2. —
Nostiz, Graf v., Tagebuch, s.: Einzelschriften, kriegsgeschichtliche.
Notariats-Ordnung, die, vom 25. Juli 1871, sammt allen darauf bezügl. Verordngn. u. den grundsätzl. Entscheidgn. d. obersten Gerichtshofes. 8. Aufl. 8. (IV, 104 S) Wien 883. Manz. n. 1. —
Notariats-Zeitung, deutsche, u. Zeitschrift f. Hypothekenwesen. Organ d. Notariatsvereins f. Deutschland u. Oesterreich. Im Auftrage d. Vorstandes hrsg. v. Ed. Graf u. Wilh. Henle unter ständ. Mitwirkg. v. Frdr. Weber. 12—15. Jahrg. 1883—1886. à 24 Nrn. (B.) gr. 8. Nördlingen, Beck. à Jahrg. n. 6. —
Nötel-Jsensee, Jul., Krönungslieder. 8. (15 S.) Hannover 886. Helwing's Verl. n. — 40

Nötel, L., der Herr Hofschauspieler, } s.: Universal-
— vom Theater, } Bibliothek.

Noetel, Rich., Festrede zum 50jährigen Jubiläum d. königl. Friedrich-Wilhelm-Gymnasiums zu Posen, geh. am 26. Septbr. 1884. gr. 8. (19 S.) Posen 885. Merzbach. n. — 50

Nothburga, Zeitschrift f. Dienstboten. Red.: Ludw. Auer. 7—10. Jahrg. 1883—1886. à 24 Nrn. (B.) 8. Donauwörth, Auer. à Jahrg. n. 1. —

Nothburga, die heil. Jungfrau u. Dienstmagd. Ein Lehr- u. Gebetbuch f. Jungfrauen d. Bürger- u. Bauernstandes. Vom Verf. d. Anna-Buches. 2. Aufl. 12. (VIII, 696 S. m. 1 Titelbild.) Lienz 883. Schuster. n. 3. —

Noethe, Heinr., de pugna Marathonia quaestiones. gr. 8. (71 S.) Susati 881. (Leipzig, Fock.) n. 1. 20

Noether, Max, zur Grundlegung der Theorie der algebraischen Raumcurven. Mit dem Steiner'schen Preise gekrönt. gr. 4. (120 S.) Berlin 883. (G. Reimer.) n. 6. —

Nöthig, Theobald, Lichter u. Schatten. Gedichte. 2. Aufl. 8. (IV, 144 S.) Breslau 884. Woywod. n. 2. 50

Nothkommunalsteuer-Gesetz, das. Gesetz, betr. Ergänzg. u. Abänderg. einiger Bestimmgn. üb. Erhebg. der auf das Einkommen gelegten direkten Kommunalabgaben vom 27. Juli 1885 m. den erlassenen Ausführungsbestimmgn. Text-Ausg. 2. Aufl. gr. 8. (20 S.) Hannover 886. Meyer. n. — 25

Nöthling, Ernst, die Eiskeller, Eishäuser u. Eisschränke, ihre Konstruktion u. Benutzung. Für Bautechniker, Brauereibesitzer, Landwirte, Schlächter, Konditoren, Gastwirte 2c. 4. Aufl. v. K. Swoboda's Anlegg. u. Benutzg. der Eiskeller. Mit 81 Fig. gr. 8. (VIII, 105 S.) Weimar 886. B. F. Voigt. 2. 50

— Formenlehre der Baukunst. Leitfaden zum Gebrauche f. techn. Lehranstalten, sowie zum Selbststudium f. Bautechniker u. angeh. Architekten. Mit 288 Fig. auf 29 lith. u. 3 Farbendr.-Taf. 2. Aufl. gr. 8. (54 S.) Zürich 884. Orell Füssli & Co. Verl. n. 5. —

— der Schutz unserer Wohnhäuser gegen die Feuchtigkeit. Ein Handbuch f. prakt. Bautechniker, sowie als Leitfaden f. den Unterricht in Baugewerkschulen bearb. Mit 24 Fig. gr. 8. (VII, 37 S.) Weimar 884. 85. B. F. Voigt. 1. 20

Nothnagel, Herm., Beiträge zur Physiologie u. Pathologie d. Darmes. gr. 8. (VII, 249 S. m. 2 Steintaf.) Berlin 884. Hirschwald. n. 6. —

— einige Bemerkungen üb. das Diagnosticiren bei inneren Krankheiten. Nach 2 klin. Eröffnungsvorlesgn. gr. 8. (35 S.) Wien 883. Braumüller. n. — 80

— u. M. J. **Rossbach**, Handbuch der Arzneimittellehre. 5. Aufl. gr. 8. (XX, 916 S.) Berlin 884. Hirschwald. n. 18. —

Nothschrei, der bittere, d. Londoner Auswurfs. Eine Untersuchg. d. Nothstands der verworfenen Armuth. Deutsche autoris. Ausg. v. H. Hansen. 8. (29 S.) Breklum 884. Christl. Buchh. n. — 20

Notice sur le révérend père Léonor François de Tournély et sur son oeuvre la Congrégation des Pères du Sacré-Coeur. 8. (IX, 232 S.) Wien 886. (Verl. der „St. Norbertus' Buch- u. Kunstdruckerei.) n. 1. 20

Notiones quaedam de cultu ss. cordis Jesu. 8. (6 S.) Augsburg 885. Literar. Institut v. Dr. M. Huttler. f. 25 Stück 2. —

Notizblatt, polytechnisches, f. Chemiker, Gewerbtreibende, Fabrikanten u. Künstler. Gegründet v. Rud. Boettger. Hrsg. u. red. v. Thdr. Petersen. 38. u. 39. Jahrg. 1883 u. 1884. à 24 Nrn. (B.) gr. 8. Frankfurt a/M., Exped. à Jahrg. n. 6. —

— dasselbe. 40. u. 41. Jahrg. 1885 u. 1886. à 24 Nrn. (B.) gr. 8. Ebend. 885. à Jahrg. n. 8. —

Notiz-Buch f. Alpen-Reisende u. Touristen. Zusammengestellt v. C. W. Pfeiffer. 12. (96 S.) Frankfurt a/M. 886. Mahlau & Waldschmidt. geb. 1. —

— photographisches. Taschenbuch f. Photographen u. Amateure m. Expositions-Tabellen u. Register f. ungefähr 1000 Negative, Tabellen üb. die Schwankgn. der chem. Lichtstärke, Anleitg. z. Behandlg. der exponirten Gelatine-Trockenplatten, Firmenregister u. m. e. jährlich auszuwechselnden Taschenkalender, hrsg. v. der Redaction der Photograph. Correspondenz. qu. 8. (144 S.) Wien 885. Verl. der Photograph. Correspondenz. geb. n. 2. —

Notiz-Buch für alle Tage d. Jahres. 16. (200 S.) Esslingen 883. Langguth. geb. n. — 50

— tägliches, f. Comptoire auf d. J. 1887. schmal Fol. (IV, 248 S. m. 3 Karten u. 1 Wandkalender.) Düsseldorf 886. F. Bagel. cart. n. 2. —

— tägliches, f. Comptoir u. Bureaux 1887. gr. 8. (56 S.) Wien, Perles. cart. n. 1. 20

Notiz-Büchlein, Münchener, auf alle Tage e. Jahres. 16. (216 S.) München 885. Franz' Verl. geb. n. 1. —

Notizen, biographische, üb. die geistige Entwickelung d. Philosophen Edmund v. Hagen bis zum 34. Lebensjahre. [10. Aug. 1850 bis 10. Aug. 1884.] 2. Aufl. gr. 8. (VIII, 16 S.) Hannover 885. Schüssler. n. — 50

— über das k. k. Festungs-Geschütz-Material. 16. (VI, 112 S.) Pardubitz 882. (Wien, Seidel & Sohn.) geb. n. 2. 40

— therapeutische, der Deutschen Medizinal-Zeitung. 1880—1882. Hrsg.: Jul. Grosser. 16. (III, 56 S.) Berlin 883. Grosser. n. — 80

— dasselbe. 1880—1883. 12. (IV, 100 S.) Ebend. 884. n. 1. 50

— dasselbe. 1880—1884. 12. (120 S.) Ebend. 885. n. 2. —

Notizenblatt f. den Dienstbereich d. k. k. Finanzministeriums f. die im Reichsrathe vertretenen Königreiche u. Länder. Red. im k. k. Finanzministerium. Jahrg. 1884. gr. 4. (Nr. 1. 1/4 B.) Wien 884. Hof- u. Staatsdruckerei. n. 2. 70

— dasselbe. Jahrg. 1885 u. 1886. gr. 4. (Nr. 1. 1/2 B.) Ebend. à Jahrg. n. 1. 60

Notiz-Kalender f. 1887. gr. 16. (VIII, 381 S.) Berlin, Trowitzsch & Sohn. geb. n. 1. 75

— auf d. J. 1884. Hierzu die Pläne d. Stadt- u. Thalia-Theaters. gr. 16. (X, 166 S.) Hamburg, Nestler & Melle. geb. u. durchsch. n. 1. —

— pro 1887. Tagebuch f. alle Stände. 16. (IV, 91 u. 192 S. m. 1 Eisenbahnkarte.) Wien, Perles. geb. in Leinw. n. 2. 40; in Ldr. n. 3. 60

— für Hochschulen [medicinische Facultät] pro 1887. 16. (112 u. 130 S.) Ebend. geb. n. 2. 80

— für die weibliche Jugend. Taschenbuch f. Schülerinnen an Bürger-, Mittel- u. Fachschulen u. Präparandien in Oesterreich-Ungarn f. das Studienj. 1887. Mit Benutzg. amtl. Quellen. 13. Jahrg. 16. (III, 63 u. 132 S. m. 1 Portr.) Wien, Perles. cart. n. — 50; geb. n. — 80

— kleiner, f. 1887. 16. (121 S.) Berlin, Trowitzsch & Sohn. geb. n. 1. 25

— kleiner, f. d. J. 1887. 16. (204 S.) Düsseldorf, F. Bagel. geb. in Leinw. n. — 80; in Ldr. als Brieftasche n. 2. —

— für Landwirte u. Gewerbetreibende. 1887. gr. 16. (IV, 224 S.) Stade, Pockwitz. geb. n. 1. —

— landwirthschaftlicher, f. d. J. 1887. gr. 16. (232 S.) Düsseldorf 885. F. Bagel. geb. n. 1. 20

— für Lehrer der technischen Unterrichtsfächer [auch Rechnen- u. Naturkunde] m. e. zuverlässigen Führer durch die Unterrichtsmittel dieser Disciplinen f. d. J. 1884 u. das 1. Quartal 1885, hrsg. v. G. Noack. gr. 16. (54 S.) Bernburg, Bacmeister. geb. in Leinw. n. — 80; in Wachstuch n. — 60

— für Oesterreichs Lehrerinnen f. d. Schulj. 1886—1887. Bearb. v. Phpp. Brunner. 10. Jahrg. 16. (III, 171 u. 132 S.) Wien, Perles. geb. n. 1. —

— für Oesterreichs Professoren u. Lehrer f. d. Schulj. 1886—1887. Bearb. v. Phpp. Brunner. 19. Jahrg. (III, 171 u. 132 S.) Ebend. geb. n. 1. —

— täglicher, f. 1887. Mit 1 Eisenbahnkarte v. Mitteleuropa. 16. (192 S.) Breslau, Morgenstern's Verl. geb. n. 1. —

— für Uhrmacher auf d. J. 1885. Hrsg. v. M. Grossmann. 8. Jahrg. 16. (356 S. m. 1 Taf.) Naumburg, Schirmer. geb. in Leinw. n. 2. 25; in Ldr. n. 3. —

Notiz-Taschenbuch, Schleswig-Holsteinisches, f. Beamte, Landwirte u. Geschäftsleute jeden Berufs auf d. J. 1886.

20. Jahrg. gr. 16. (246 S.) Garding, Lühr & Dircks' Verl. geb. n. 1. 50

Notker's u. seiner Schule Schriften, s.: Bücherschatz, germanischer.

Noetling, Ernst, Draisine, Velociped u. deren Erfinder, Frhr. Carl v. Drais aus Karlsruhe [Baden]. † Geschichtliche Darstellg., nach officiellen u. privaten Quellen geschrieben. 2. Aufl. Mit 15 Holzschn. 8. (47 S.) Mannheim 884. Hermann. n. 1. 80

Noetling, Fritz, Crustaceen aus dem Sternberger Gestein. Mit 1 Taf. gr. 8. (6 S.) Güstrow 886. (Opitz & Co.) n. — 75

— die Fauna der baltischen Cenoman-Geschiebe, s.: Abhandlungen, paläontologische.

— die Fauna d. samländischen Tertiärs, s.: Abhandlungen zur geologischen Specialkarte v. Preussen u. den Thüringischen Staaten.

Notowitsch, J., e. wenig Philosophie, Sophismen u. Paradoxe anläßlich der religiös-philosoph. Schriften d. Grafen L. N. Tolstoi. Nach der 2. Aufl. aus dem Russ. übers. v. Frdr. Fiedler. gr. 8. (III, 85 S.) Berlin 887. Wilhelmi. n. 1. 50

Nott, Karl C., Kriegs-Scenen. Übers. von Herm. v. Hoff. gr. 8. (IX, 154 S.) Berlin 884. Baensch. geb. n. 5. —

— Scenen aus Lagern v. Kriegsgefangenen. Eine Fortsetzg. der „Kriegs-Scenen". Autoris. Uebersetzg. von Herm. v. Hoff. gr. 8. (IX, 176 S.) Ebend. 884. geb. n. 5. —

Nottbeck, A., der fromme Meßdiener in seinem Dienste am Altar u. seinem Gebete. 4. Aufl. 16. (192 S. m. eingedr. Holzschn.) Dülmen 883. Laumann. geb. n. — 50

Notter, Frdr., Gott u. Seele. Stimmen der Völker u. Zeiten, nach seinem Tode hrsg. v. Carl Beck. gr. 8. (510 S.) Stuttgart 885. Spemann. n. 5. —

Notter, G., Leitfaden zur Wiederholung d. Unterrichts in den Realien u. der Sprachlehre. Auf Grundlage d. Lesebuchs f. die evangel. Volksschulen Württembergs u. m. Berücksicht. d. württemberg. Normallehrplans bearb. 2. Aufl. 8. (IV, 115 S.) Stuttgart 886. Kohlhammer. n. 1. 50

Nottrott, A., Grammatik der Kolh-Sprache. gr. 8. (104 S.) Gütersloh 882. (Berlin, Buchh. der Gossner'schen Mission.) 1. 50

Nottrott, L., Adam Godoë. Lebensbild e. Larka-Kolh. 8. (63 S.) Berlin 886. Buchh. der Goßner'schen Mission. n. — 60

Notwörterbuch der englischen u. deutschen Sprache f. Reise, Lektüre u. Konversation. 4 Tle. gr. 16. Berlin 884—86. Langenscheidt. geb. à n. 2. —

1. Englisch-Deutsch. (XVI, 476 S.)
2. Deutsch-Englisch. (XVI, 418 S.)
3. Sachwörterbuch [Land u. Leute in England]. Unter Mitwirkg. v. Heinr. Baumann u. J. Th. Daun zusammengestellt v. C. Naubert. (XVI, 607 S.)
4. Land u. Leute in Amerika. Zusammengestellt v. Carl Naubert. (XVI, 453 S.)

Nouvelles, les cinq, s.: Bibliothèque française.

Novák, J. V., Platon u. die Rhetorik. Eine philolog. Studie. gr. 8. (100 S.) Leipzig 883. Teubner. n. 2. 40

Novalis, Gedichte, hrsg. v. Willib. Beyschlag. 3. Aufl. gr. 16. (IV, 150 S.) Leipzig 886. Böhme. n. 1. 50; geb. n. 2. 20

Novellen, chinesische. Die seltsame Geliebte; das Juwelenkästchen, deutsch, m. e. bibliograph. Notiz v. Ed. Grisebach. 10. Hundert. 12. (121 S.) Berlin 886. F. & P. Lehmann. n. 3. 60

— die, zum rheinischen Eigenthums- u. Hypothekenrecht. Commentirte Ausg. vom Verf. d. Rhein-Preuß. Haus-Advokaten. 8. (53 S.) Mülheim a/R. 885. Bagel. — 75

— norddeutsche. 1. Reihe. 16. (170, 101, 47, 112 u. 95 S.) Bremen 886. Rocco. n. 5. —; geb. m. Gold- u. Rothschn. n. 6. —

— einer Pastorwitwe u. Pensionsmutter. Hrsg. v. der Verfasserin. 12. (188 S.) Freiburg a/U. 885. Kellner. geb. n. 2. —

Novellen-Bibliothek, criminalistische. 1—6. Bd. 12. Leipzig, v. Biedermann. à n. — 50

1. Der schwarze Handschuh. Von Bernh. Stavenow. (105 S.)
2. Der Finger d. Ermordeten. Von Karl Hannemann. (120 S.)
3. Der Präsident. Von E. Rebenhall. Die Braut vom Richtplatz. Von Herm. Roskoschny. Der Mörder seiner selbst. Von Max Trausil. (84 S.)
4. Sperber contra Taube. Von Svatopluk Čech. (110 S.)
5. Die Vergelterin. Von C. Dressel. Die Mörderbande. Von Ed. J. Richter. Die Polizei von der Polizei überlistet. Von Max Trausil. (62 S.)
6. Des Henkers Töchterlein. Von Ed. Müllerbach. Eine traurige Geschichte. Von J. Piorkowska. W. G. H. Von Bernh. Stavenow. Die Kröte als Verräterin. Von Max Trausil. Der Henker wider Willen. Von Max Trausil. (85 S.)

Novellen-Bibliothek der Illustrirten Zeitung. Sammlung ausgewählter Erzählgn. 1. Bd. 8. (VIII, 404 S.) Leipzig 886. Weber. geb. n. 3. —

Novellenkranz. Eine Sammlg. v. Erzählgn. Hrsg. v. Frdr. Dasbach. 9—20. Bdchn. 8. Trier, Paulinus-Druckerei. n. 14. 45

9. Datura. Erzählung v. N. Mosenberg. Maria hilft. Nach dem Franz. frei übers. v. Wilh. Freund. (124 S.) 881. n. 1. —
10. Der rothe Dieter. Erzählung v. Phpp. Laicus. Eine Pilgerfahrt nach Jerusalem im Herbste 1877. Reise-Erinnergn. v. Priest. B. E. (143 S.) 881. n. — 75
11. Ein deutsches Frauenbild. Von K. M. Die Schmuggler. Erzählung v. Rich. Kettnacker. (110 S.) 881. n. 1. —
12. Costal, der Indianer. Nach dem Franz. d. G. Ferry, bearb. v. Bern. Krell. (392 S.) 882. n. 1. 80
13. Einmal betrunken. Orig.-Erzählg. v. Rich. Kettnacker. Tante Veronika. Preisnovelle v. E. Lagrange. Aus der Brüsseler Revue générale übers. (133 S.) 882. n. 1. —
14. Johann v. Parthenay. Von Beatrix Gräfin de Buisseret. Aus dem Franz. übers. (191 S.) 882. n. 1. 10
15. Das geheimnißvolle Schloß. Roman v. Paul Féval. Autoris. Uebersetzg. v. J. E. B. (205 S.) 883. n. 2. —
16. Moderne Gegensätze. Roman aus dem wirkl. Leben v. Alinda Jacoby. (215 S.) 884. n. 1. —
17. Pomponius Laetus. Von Antoinette Klitsche de la Grange. Aus dem Ital. (298 S.) 884. n. 1. 60
18. Die letzte Gräfin v. Manderscheid. Erzählung aus der Geschichte d. Erzstifts Trier. Von Antonie Haupt. (222 S.) 884. n. 1. 20
19. Der Martertod d. Judenknaben v. Prag. Bunte Kleinigkeiten. (192 S.) 885. n. 1. —
20. Magdalene. Vertrauen um Vertrauen. Tochter d. Emirs. (172 S.) 885. n. 1. —

Novellenschatz, neuer deutscher. Hrsg. v. Paul Heyse u. Ludw. Laistner. 1—18. Bd. 8. (VII, 254; 231, 239, 237, 239, 240, 252, 238, 242, 244, 226, 231, 248, 254, 246, 253, 226 u. 223 S.) München 884—86. Oldenbourg. geb. à n. 1. —

Novellenzeitung, Hamburger. Sonntagsblatt f. gesell. Unterhaltg. Hrsg.: Wilibald Wulff. Red. v. F. W. König. 29—32. Jahrg. 1883—1886. à 52 Nrn. (B.) gr. 4. Hamburg, (Preußer). à Jahrg. n. 4. —

Novene zu Ehren unserer lieben Frau v. Lourdes. Nach der in Lourdes gebräuchl. Orig.-Novene. 4. Aufl. 1. (48 S.) Aachen 884. A. Jacoby & Co. n. — 35

— zu Unserer lieben Frau vom heiligsten Herzen, nebst einigen andern Gebetsübungen u. Liedern. 16. (80 S.) Regensburg 872. (Hildesheim, Borgmeyer.) n. — 30

Novenen, die Kärtner, u. die Volksschule. Ein Wort der Richtigstellg. u. Abwehr. Hrsg. vom Deutschen Verein in Klagenfurt. gr. 8. (30 S.) Klagenfurt 885. (Raunecker.) — 75

Nover, Jak., nordisch-germanische Götter- u. Heldensagen f. Schule u. Volk. Unter Mitwirkg. v. Wilh. Wägner hrsg. 2. Aufl. Mit 80 Text-Abbildgn. u.

1 Titelbilde. 8. (VIII, 216 S.) Leipzig 886. Spamer. n. 1. 60; geb. n. 2. —

Nover, Jak., der Vater Rhein in Sage u. Dichtung. Eine poet. Wanderg. von der Quelle bis zum Meere. 8. (XII, 320 S.) Mainz 883. v. Zabern. n. 2. 25; geb. n. 2. 75

— Rheinfahrt von Mainz bis Köln, s.: Städtebilder u. Landschaften aus aller Welt.

Novitäten. Organ u. Anzeiger f. alle beachtenswerthen Neuheiten in Technik, Industrie u. Gewerbe, Wirthschafts- u. Waarenkunde etc. Hrsg. v. Wagner u. Gruner. 1. Jahrg. 1883. 26 Nrn. (B.) gr. 4. Leipzig, Gruner. n. 6. —

— medicinische. Rundschau auf dem Gebiete der medicin. Literatur, hrsg. v. O. Reyher. 1. Jahrg. 1884. 24 Nrn. gr. 8. (Nr. 1 ¾ B.) Leipzig, Denicke. n. 4. —

Erscheint nicht mehr.

Novitäten-Bühne, Frankfurter. Nr. 7 u. 8. gr. 8. Frankfurt a/M. 883. Koenitzer. à n. — 90

7. Liebes-Plänkelei. Dramatische Plauderei in 1 Aufzug v. Albr. Bogtherr. (31 S.)

8. Ein Reise-Abenteuer. Schwank in 1 Aufzug v. Emil Peschkau. (24 S.)

Novotny, A., die Schablonen-Formerei in Lehm u. Sand. Nach neuen Gesichtspunkten u. auf Grund mehrjähr. Erfahrgn. dargestellt. Hrsg. vom technolog. Gewerbe-Museum in Wien. Mit 46 Abbildgn. gr. 8. (III, 50 S.) Wien 887. Graeser. n. 2. —

Novotny, Rob., allgemeiner Zoll-Tarif d. österreichisch-ungarischen Zollgebietes, sammt Durchführungsvorschrift nach dem Gesetze u. der Verordng. vom 25. Mai 1882, nebst e. ausführl. alphabet. Waaren-Verzeichnisse u. e. Anleitg. zur Verfassg. der Waaren-Erklärgn. ꝛc. Für den prakt. Gebrauch eingerichtet u. m. allen bezugnehm. Vorschriften, Instruktionen, Hilfstabellen ꝛc. versehen. 2. Aufl. 8. (441 S.) Prag 883. Mercy. n. 4. —; geb. n. 4. 48

Nowack, H., Geographie, s.: Hirt's, F., Realienbuch.

— der evangelische Religionsunterricht in der Volksschule. Veranschaulichung d. unterrichtl. u. prüf. Verfahrens in der Religion durch Lehrproben u. Entwürfe f. die verschiedenen Zweige u. Unterrichtsstufen, nebst method. Anweisgn. u. Stoffplänen. 2 Tle. [I. Lehrproben u. Entwürfe. II. Methodische Anweisg. u. Stoffpläne.] gr. 8. (240 S.) Breslau 886. F. Hirt. n. 2. 50

— Sprachstoffe f. die Volksschule zur Uebung im richtigen Sprechen u. Schreiben. Ausg. [A] in 1 Hfte. 8. (48 S.) Ebend. 885. n. — 25

— dasselbe. Ausg. in 3 Schülerheften u. e. Lehrerhefte. Lehrerheft. 8. (48 S.) Ebend. 884. n. — 50

— dasselbe. Ausg. B in 3 Schülerheften u. 1 Lehrerhefte. 1—3. Schülerhft. 8. Ebend. n. — 66

1. 2. rev. [Ster.-]Aufl. (24 S.) 885. n. — 16. — 2. 2. rev. [Ster.-] Aufl. (32 S.) 885. n. — 20. — 3. (56 S.) 884. n. — 30

— der Unterricht im Deutschen auf Grundlage d. Lesebuches. Eine method. Anweisg. m. Lehrproben f. die verschiedenen Zweige u. Stufen d. deutschen Unterrichts in der Volksschule. 3 Tle. Mit erläut. Abbildgn. 8. Aufl. gr. 8. Ebend. 885. n. 3. 50

1. Unterstufe. (VII, 76 S.) n. 1. —
2. Mittelstufe. (VI, 104 S.) n. 1. —
3. Oberstufe. (VI, 144 S.) n. 1. 50

— Wandfibel zur Uebung im Lesen u. Rechtschreiben. Imp.-Fol. (16 Taf.) Nebst Text. 8. (6 S.) Ebend. 885. n. 3. —

Nowacki, Ant., kurze Anleitung zur einfachen Bodenuntersuchung. 8. (VIII, 120 S.) Berlin 885. Parey. n. 1. 60

— Anleitung zum Getreidebau auf wissenschaftlicher u. praktischer Grundlage. Mit 161 Holzschn. 8. (VIII, 304 S.) Ebend. 886. geb. n. 2. 50

— Jagd od. Ackerbau? Ein Beitrag zur Urgeschichte der Menschheit. gr. 8. (IV, 108 S.) Ebend. 885. n. 2. 50

— der praktische Kleegrasbau. Bericht üb. die auf dem Versuchsfelde d. eidg. Polytechnikums in den J. 1876—1883 ausgeführten Futterbau-Versuche. 2. Aufl. gr. 8. (IV, 32 S.) Frauenfeld 884. (Huber.) n. — 60

Nowák, E., die Organisation u. Ausrüstung v. Fabriks- u. Rittergutsfeuerwehren. Ratschläge f. die Einrichtg. der Löschvorkehrgn. in Fabriken u. auf Rittergütern, f. Fabrikanten, Gutsbesitzer, Inspektoren ꝛc. zusammengestellt. Mit 27 Textfig. gr. 8. (40 S.) Karlsruhe 883. Bielefeld's Verl. n. 1. —

Nowak, Jos., Lehrbuch der Hygiene. Systematische Zusammenstellg. der wichtigsten hygien. Lehrsätze u. Untersuchungs-Methoden. Zum Gebrauche f. Studierende der Medicin, Physikats-Candidaten, Sanitäts-Beamte, Aerzte, Verwaltungs-Beamte. Mit ca. 200 Abbildgn. 2. Aufl. gr. 8. (XVI, 1043 S.) Wien 883. Toeplitz & Deuticke. n. 20. —

Nowel, Ghold., evangelischer Religionsstoff f. die erste Schulzeit, in e. dem Verständnis der Kleinen nahe lieg. Form Lehrern u. Eltern dargeboten. 12. (23 S.) Kottbus 885. Differt. n. — 20

Nuber, B., Papst Gregor VII., s.: Broschüren, Frankfurter zeitgemäße.

Nuhn, A., Lehrbuch der vergleichenden Anatomie. 2. Ausg. Mit 636 Holzschn. (5 Abthlgn.) gr. 8. (XXXII, 700 S.) Heidelberg 886. C. Winter. Subscr.-Pr. n. 20. —; geb. n. 21. 60

Nun rat' einmal! Tausend Rätsel f. jung u. alt. Gesammelt u. hrsg. v. E. K. 8. (212 S.) Münster 887. F. Schöningh. n. 1. 20; geb. n. 1. 60

Nuredin Aga, türkische Interna. 8. (248 S.) Dresden 884. Minden. n. 3. 50; geb. n.n. 4. 50

Nürnberg. Zuverlässiger Führer durch die Stadt u. ihre Sehenswürdigkeiten. Mit geschichtl. Einleitg. Für Einheimische u. Fremde nach den besten Quellen u. eigener Anschauung bearb. v. e. alten Nürnberger. Mit e. (lith. u. color.) Plane der Stadt. 8. Aufl. 12. (XVIII, 63 S.) Nürnberg 883. v. Ebner. n. 1. —

Nürnberg, A., allgemeine Geographie. Mit besond. Berücksicht. Deutschlands. Ein Leitfaden f. Schulen, sowie zum Selbstunterricht. 7. Aufl., v. e. Gymnasiallehrer umgearb. u. erweitert. 8. (VIII, 80 S.) Berlin 885. Liebel. n. — 60

Nürnberg, Herm, 8 leichte Motetten f. 2 Soprane u. Alt. In Musik gesetzt u. zum Gebrauch in den Oberklassen der Schule eingerichtet. [289. Werk.] 8. (28 S.) Delitzsch 883. Pabst. n. — 40

Nürnberg, L., der religiöse Unterrichtsstoff in der Volksschule. 2. Erklärung d. kleinen Katechismus Dr. Mart. Luthers. 4. Aufl. gr. 8. (110 S.) Neubrandenburg 885. Brünslow. n. — 50

— u. A. Matzkow, der religiöse Unterrichtsstoff in der Volksschule. 1. Die bibl. Geschichte. 10. Aufl. 8. (IV, 156 S.) Ebend. 886. n. — 50; geb. n. — 75

Nüsperli, Edm., Apparate u. Einrichtungen zum Schutze v. Fabrikarbeitern gegen Gefahren f. Leben u. Gesundheit. Gesammelt u. ausgestellt an der schweiz. Landesausstellg. in Zürich v. den eidg. Fabrikinspectoren. Mit 60 Abbildgn. gr. 8. (35 S.) Aarau 883. Sauerländer. n.n. — 60

Nussbaum, J. N. Ritter v., Anleitung zur [fäulnisswidrigen] antiseptischen Wundbehandlung. Zum Gebrauche f. die Unterrichtskurse der Badergehilfen verf. 2. Aufl. [Mit der Bader-Ordng. im Anh.] 8. (28 S.) München 885. Rieger. cart. n. — 50

— Bauchverletzungen, s.: Sonderabdrücke der Deutschen Medicinal-Zeitung.

— über Chloroform-Wirkung. Vortrag. 8. (42 S.) Breslau 885. Trewendt. n. — 80

— künstliche Harnwege. 1. Temporäre Drainage zur Bildg. e. künstl. Harnleiters. 2. Temporäre Drainage zur Bildg. e. künstl. Harnröhre. Zwei kleine Mittheilgn. Lex.-8. (19 S.) München 883. Rieger. n. 1. 20

— die erste Hilfe bei Verletzungen. 2. verb. Aufl. 16. (29 S.) Augsburg 886. Literar. Institut v. Dr. M. Huttler. n.n. — 15

— Operation e. Uterusgeschwulst in zwei Zeiten. Ein klin. Vortrag. gr. 8. (12 S.) München 884. J. A. Finsterlin. — 30

— über Umwandlung maligner Geschwülste [Krebse] in gutartige u. üb. Vorzüge glühender Instrumente. Ein klin. Vortrag. gr. 8. (20 S.) Ebend. 883. — 45

— ein neuer Versuch zur Radicaloperation der Unterleibsbrüche. Ein klin. Vortrag. gr. 8. (16 S.) Ebend. 885. — 45

Nüsser, M., s.: Klassiker-Bibliothek der bildenden Künste.

Nußbaum, Frdr., der Largiadèr'sche Arm- u. Brustſtärker in seiner Verwendung beim Klassenunterricht. [Deutsches Reichspatent Nr. 31,710.] 2. Aufl. gr. 8. (24 S. m. Illustr.) Karlsruhe 885. Kundt. n. — 50

Nußknacker, der kleine. Ein Rätsel-ABC-Bilderbuch. gr. 8. (6 Chromolith. m. eingedr. Text.) Wesel 886. Düms. cart. — 30

Nußpickel's, **Herrn Privatier**, Bergfahrt. [Neuer prakt. Rathgeber f. Alpenreisende.] 16. (24 S.) Koburg 882. Sendelbach's Buchh. n.n. — 60

Nutzen, der, der öftern Beicht u. Communion zum allgemeinen Gebrauch f. das katholische Volk. Von e. Franziskaner-Ordenspriester der nordtirol. Provinz. 2. Aufl. Mit 3 Stahlst. 8. (XIII, 960 S.) München 884. Stahl sen. n. 2. 40

Nützliches, allerlei, f. den praktischen Landwirth. Lehrreiche Lese- u. Unterhaltungsbücher in zwanglosen Heften. 6. u. 7. Hft. gr 8. (à 96 S.) Graz 883. Leykam. à n. — 80

Nyman, C. Fr., Acotyledoneae vasculares et Characeae Europae. gr. 8. (21 S.) Örebro 883. (Berlin, Friedländer & Sohn.) n.n. 2. 50

— conspectus florae europaeae. Fasc. V sive supplementum I. Acotyledoneae vasculares. Characeae. Index. gr. 8. (S. 859—1046.) Ebend. 883. 84.
Subscr.-Pr. n. 4. 80; Einzelpr. n. 6. — (cplt.: n.n. 30. —)

— dasselbe, additamenta, s.: Roth, E.

Nyrén, M., l'aberration des étoiles fixes,
— Untersuchung der Repsold'schen Theilung d. Pulkowaer Verticalkreises,
} s.: Mémoires de l'académie impériale des sciences de St.-Pétersbourg.

Nyssen, J. J., der Tanz. Ein Wort der Belehrg. an die Familienväter u. Familienmütter u. die erwachsene Jugend. Aus dem Franz. 2., verb. Aufl. 8. (167 S.) Luxemburg 882. Brück. n. — 90

O.

Obach, Eug., Sir William Siemens als Erfinder u. Forscher. Vortrag. gr. 8. (54 S.) London 884. (Siegle.) n. 2. —

Obentraut, Ad. Ritter v., die österreichischen Volksschul-Gesetze. 1. Bd. Reichsgesetze u. Ministerial-Erlässe, nebst e. alphabet. Materien-Register. 4. bis zum J. 1882 fortgeführte Aufl. gr. 8. (VII, 321 S.) Wien 883. Pichler's Wwe. & Sohn. n. 2. 20; geb. n. 2. 60

Oberbeck, C., Cassel u. Wilhelmshöhe, s.: Städtebilder u. Landschaften aus aller Welt.

— Touristen-Führer f. die Umgebung v. Kassel. 2. Aufl. 12. (114 S. m. 1 lith. Karte.) Kassel 883. Kleimenhagen. n. 1. —; ohne Karte n. — 80

Oberbeck, H., Taschenbuch zum Abstecken v. Kreisbögen m. u. ohne Uebergangskurven f. Eisenbahnen u. Strassen, s.: Sarrazin, O.

Oberdick, Johs., kritische Studien. Gesammelte Abhandlgn. u. Rezensionen, nebst Einleitg. 1. Bdchn. gr. 8. (VI, 91 S.) Münster 884. Coppenrath. n. 1. 60

Oberdieck's illustrirtes Handbuch der Obstkunde, s.: Lucas.

Oberdieck, Gust., üb. Epithel u. Drüsen der Harnblase u. weiblichen u. männlichen Uretra. Mit 4 (lith.) Taf. Gekrönte Preisschrift. gr. 4. (43 S.) Göttingen 884. Akadem. Buchh. n. 2. —

Oberfeld, G., Grundzüge der mathematischen Geographie, f. Lehrer, Lehrerbildungsanstalten, Mittel-, Bürger- u. Töchterschulen, sowie zum Selbstunterrichte bearb. gr. 8. (IV, 147 S. m. Holzschn.) Wittenberg 883. Herrosé Verl. n. 1. 25

Obergföll, Jos., Gottscheer Familiennamen. Lex.-8. (21 S.) Gottschee 882. (Laibach, v. Kleinmayr & Bamberg.) n.n. — 50

Oberhoffer, H., 1—3. Arbeitsheft zur Harmonielehre. Progressiv geordnete Übungsaufgaben f. Musik-Schüler. Op. 57. qu. 4. (28, 20 u. 26 S.) Trier 885. Lintz. à n. — 50

Oberhoffer, H., Gesellenlieder f. katholische Gesellenvereine. Sep.-Ausg. d. Anhangs zu „der neue Orpheus". 8. (54 S.) Trier 885. Lintz. n. — 60

— Harmonie- u. allgemeine Musiklehre m. Rücksicht auf ihre geschichtliche Entwickelung, kurz u. leicht faßlich dargestellt. Op. 53. 2. Aufl. gr. 8. (V, 284 S.) Ebend. 883. n. 3. —

— der katholische Männerchor. Eine Auswahl der schönsten deutschen u. latein. Kirchengesänge [nebst zwei deutschen Messen], f. vierstimm Männerchor gesetzt u. zum Singen aus der Partitur eingerichtet. Op. 55. 8. (VI, 130 S.) Paderborn 883. F. Schöningh. n. 1. 80

— der neue Orpheus. Sammlung auserlesener Compositionen f. Männerchor m. 60 Orig.-Beiträgen v. Fr. Abt, W. E. Becker, Fr. van Hoffs xc., hrsg. u. zum Singen aus der Partitur eingerichtet. 8. (VIII, 506 S.) Trier 885. Lintz. n. 2. —; geb. n. 2. 50; Klavierbegleitg. zu den einstimm. Gesellschaftsliedern qu. 4. (39 S.) n. 1. 20

— die Schule d. katholischen Organisten. Theoretisch-prakt. Orgelschule. Op. 36. 4. Aufl. gr. 4. (VII, 300 S.) Ebend. 884. n. 9. —

Oberländer, F. M., zur Kenntnis der nervösen Erkrankungen am Harnapparat d. Mannes, s.: Sammlung klinischer Vorträge.

Oberländer, Rich., Deutsch-Afrika. Land u. Leute, Handel u. Wandel in unseren Kolonien. gr. 8. (176 S.) Leipzig 885. Friedrich. n. 5. —; geb. n. 6. —

— David Livingstone, der Missionär. Entdeckungsreisen im Süden u. Innern v. Afrika während der J. 1840 bis 1873. Nach David Livingstones Werken u. hinterlassenen Aufzeichngn. bearb. 6. Aufl. Mit 60 Textabbildgn. u. 1 Titelbilde. gr. 8. (VIII, 302 S.) Leipzig 883. Spamer. n. 4. —; geb. n. 5. —

— Livingstones Nachfolger. Afrika quer durchwandert v. Stanley, Cameron, Serpa Pinto, Wißmann u. a. Mit besond. Rücksicht auf die Kongo- u. Angra Pequena-niederlassgn. bearb. 2. Aufl. Mit üb. 80 in den Text gedr. Abbildgn. u. e. Titelbilde. gr. 8. (VIII, 288 S.) Ebend. 885. n. 4. —; geb. n. 5. —

— von Ozean zu Ozean. Kulturbilder u. Naturschildergn. aus dem fernen Westen v. Amerika. Nach eigenen Beobachtgn. u. Reisestudien. Mit 60 in den Text gedr. Abbildgn., sowie 1 Titelbilde. gr. 8. (VIII, 260 S.) Ebend. 885. n. 4. 50; geb. n. 5. 50

Oberländer-Album. 3. u. 4. Thl. Fol. (à 60 Holzschntaf. m. Text.) München 883. 85. Braun & Schneider. cart. à n. 5. —

Oberle, K. A., Überreste germanischen Heidentums im Christentum od. die Wochentage, Monate u. christl. Feste, etymologisch, mythologisch, symbolisch u. historisch erklärt. gr. 8. (VIII, 172 S.) Baden-Baden 883. Sommermeyer. n. 3. —

Oberlein, Alb., Malcher in der Ausstellung, in Altenburger Mundart. 8. (8 S.) Altenburg 886. (Schnuphase.) — 15

— Maßliebchen. Dichtungen in Altenburger Mundart. 8. (80 S.) Ebend. 886. n. — 60

— Myrthenzweige. Lieder u. Vorträge zu Hochzeitsfeierlichkeiten. 12. (64 S.) Ebend. 885. n. — 60

— Töffels Liebesglück auf der Landesausstellung zu Altenburg. Humoreske in Altenburger Mundart. 8. (8 S.) Ebend. 886. — 15

Oberleitner, Karl, Donna Maria de Pacheco. Trauerspiel in 5 Aufzügen. gr. 8. (101 S. m. 1 Portr.) Wien 884. Frick. n. 3. —

— Johanna Plantagenet. Trauerspiel in 4 Aufzügen. gr. 8. (103 S.) Ebend. 883. n. 2. —

Oberlin-Blatt. Zeitschrift f. Kleinkinderpflege u. Gemeindepflege. Organ d. Oberlinvereins. Red.: Th. Hoppe. 15—17. Jahrg. 1884—1886. à 6 Nrn. (1/2 B.) gr. 8. Nowawes. (Leipzig, Bredt.) à Jahrg. n. 2. —
cf.: Kleinkinderschule, die christliche.

Obermaier & Co., Otto, neue Methode u. Apparat zur Behandlung [Waschen, Färben etc.] v. Gespinnstfasern, Gespinnsten u. Geweben aller Art. [Mit 3 Abbildgn.] Lex.-8. (12 S.) Berlin 888. Burmester & Stempell. n. — 50

Obermair, L., die Befestigungen Frankreichs. Mit Karte. gr. 8. (36 S.) Berlin 886. Wilhelmi. n. 1. 50

Obermayer, Alb. v., Lehrbuch der Physik f. die k. k. Infanterie-Cadetten-Schulen. 2. Aufl. Mit 207 Abbildgn. gr. 8. (IV, 181 S.) Wien 885. Braumüller. geb. n n. 2. 60

— Versuche üb. Diffusion v. Gasen. III. [Mit 1 (lith.) Taf.] Lex.-8. (76 S.) Wien 883. (Gerold's Sohn.) n. 1. 40 (I—III.: n.n. 2. 30)

— u. M. Ritter v. **Pichler**, üb. die Einwirkung der Entladung hochgespannter Elektricität auf feste in Luft suspendirte Theilchen. Lex.-8. (12 S.) Ebend. 886. n.n. — 25

— — über die Entladung hochgespannter Elektricität aus Spitzen. [Mit 1 Holzschn.] Lex.-8. (26 S.) Ebend. 886. n.n. — 50

Obermeyer, W., u. W. **Kirn**, Naturgeschichte f. den Schulgebrauch. Mit 114 Abbildgn. 8. (65 S.) Eßlingen 885. Langguth. n. — 40

Obermüller, Karl, Handbuch der Polizeiverwaltung, in lexikaler Form zusammengestellt. gr. 8. (IV, 272 S.) Löbau Westpr. 885. Skrzeczek. n. 4. —; geb. n. 4. 50

Obermüller, Wilh., die Gaelischen Annalen nach der Uebertragung O'connor's m. Erläuterungen. Als Beilage zu der Monatsschrift der historisch-ethnolog. Gesellschaft. gr. 8. (96 S.) Wien 879. (Regensburg, Verlags-Anstalt.) n. 4. —

Obermüller, Wilh., kleines praktisches Blumen-Lexicon, enth. die in der Kunstgärtnerei vorkomm. latein. u. griech. Namen m. deren Uebersetzg. ins Deutsche, nebst Angabe der Abstammg. wie der Personen, nach denen viele Pflanzen benannt sind. 4. Aufl. 8. (141 S.) Basel 886. Schwabe. geb. n. 1. 60

Obersteiner, H., die Intoxikationspsychosen, } s.: Klinik, Wiener.
— der chronische Morphinismus, }

Obersteiner, H., nach Spanien u. Portugal. Reise-Erinnergn. aus den J. 1880 u. 1882. 8. (208 S.) Wien 883. Lechner's Verl. n. 4. —

Obert, Frz., neues deutsches Lesebuch. Mit Rücksicht auf die „Vollzugsvorschrift" rc. bearb. 3. Thl. Für das 5. u. 6. Schulj. 3. Aufl. gr. 8. (224 S.) Hermannstadt 883. Filtsch. geb. n.n. 1. 50

— über das Mädchenturnen. Eine Kongreßverhandlg. gr. 8. (16 S.) Leipzig 886. Siegismund & Volkening. n. — 50

Obertwinder, Heinr., Sozialismus u. Sozialpolitik. Ein Beitrag zur Geschichte der sozialpolit. Kämpfe unserer Zeit. gr. 8. (IV, 164 S.) Berlin 887. Staude. n. 3. —

Obhlidal, M., Unterrichts-Briefe zur Erlerng. der Weltsprache Volapük. 3. Ausg. 8. (95 S.) Wien 885. (Kravani.) n. — 75

Objecte, kunstgewerbliche, der Ausstellung kirchlicher Kleinkunst im mährischen Gewerbe-Museum 1884—5. Fol. (99 Lichtdr.-Taf. m. 8 S. Text.) Brünn 885. (Knauthe.) n. 80. —

Obligationenrecht, das schweizerische. Volks-Ausg. 8. (VIII, 237 S.) St Gallen 883. Wirth. cart. n. 2. —

Oborny, Adf., Flora v. Mähren u. österr. Schlesien, enth. die wildwachs., verwilderten u. häufig angebauten Gefässpflanzen. Hrsg. vom naturforsch. Vereine in Brünn. 1—3. Thl. gr. 8. Brünn, Winiker. n. 13. 60
1. Die Gefäss-Cryptogamen, Gymnospermen u. Monocotyledonen. (368 S.) 883. n. 4. —
2. Die Apetalen u. Gamopetalen. gr. 8. (S. 269—636.) 884. n. 6. —
3. (S. 637—888.) 885. n. 3. 60

Obrecht, J. J., üb. die öffentliche Meinung u. die Presse. 2. Aufl. gr. 8. (75 S.) Chur 885. Kellenberger. n. — 80

Obricatis, Ricardus, de per praepositionis latinae et cum casu coniunctae et cum verbis nominibusque compositae usu, qualis obtinuerit ante Ciceronis aetatem. 8. (60 S.) Königsberg 884. (Beyer.) n. 1. 20

O'Bryn, H. H., ist der Papst e. Gefangener? Praktische Erörterg. der röm. Frage. Uebers. aus dem Engl. 8. (III, 48 S.) Freiburg i/Br. 884. Herder. — 50

Obser, Karl, Wilfrid der Aeltere, Bischof v. York. Ein Beitrag zur angelsächs. Geschichte d. 7. Jahrh. gr. 8. (103 S.) Karlsruhe 884. (Heidelberg, Bangel & Schmitt.) n. 1. 20

Obst, J. G., Dr. Martin Luthers kleiner Katechismus, [in entwickelnder Methode] f. Elementarschulen bearb. Durchgesehen u. befürwortet durch Heyse u. Schubart. 8. (VIII, 135 S.) Breslau 886. Max & Co. geb. n.n. — 50

Obstalden, Friedrich der Große. Ein Gedenkblatt in gebundener Rede. 8. (20 S.) Stargard 886. Just. n. — 50

Obstbau, der. Monatsschrift f. Pomologie u. Obstkultur. Hrsg. vom württemberg. Obstbau-Verein unter der Red. v. Karl Müller. 3—6. Jahrg. 1883—1886. à 12 Nrn. (B. m. Holzschn.) gr. 8. Stuttgart, (Kohlhammer). à Jahrg. 6. —

Obstbaumzucht, besonders f. Lehrer u. Freunde der Obstkultur hrsg. v. e. Lehrer d. Kreises Jülich. 8. (IV, 60 S.) Aachen 883. Barth. n. — 50

Obstbau-Statistik, Thurgauische, f. d. J. 1884. 1. Thl.: Der Obstbaum-Bestand im Winter 1884/85. 8. (91 S. m. 3 chromolith. Karten.) Frauenfeld 885. (Huber.) n. 1. —

Obstfelder, Grabinschriften. Gesammelt u. hrsg. 8. (III, 123 S.) Schmalkalden 886. (Wilisch.) n. 1. 50

— Vornamen. Alphabetisch geordnet u. hrsg. 8. (20 S.) Ebend. 886. n. — 30

Obstfelder, Carl v., english vocabulary for the use of schools. Englisches Vocabularium zum Gebrauch an höheren Lehranstalten. 12. (VIII, 48 S.) Halle 885. Gesenius. cart. n. — 60

Oechelhaeuser, A. v., Dürer's apokalyptische Reiter. Lex.-8. (V, 36 S. m. 11 Abbildgn.) Berlin 885. Hertz. n. 2. —

Oechelhaeuser, Wilh., die Arbeiterfrage. Ein sociales Programm. gr. 8. (IV, 97 S.) Berlin 886. Springer. n. 1. 60

— Einführungen in Shakespeare's Bühnen-Dramen u. Charakteristik sämmtlicher Rollen. 2. Aufl. 2 Bde. gr. 8. (XIII, 384 u. V, 414 S.) Minden 885. Bruns. n. 6. —; geb. n. 9. —

Ochsenbein, G. F., e. Flüchtling der St. Bartholomäusnacht. gr. 8. (80 S.) Bern 885. Schmid, Franke & Co. n.n. 1. —

— Benner Manuel v. Bern, s.: Volksschriften, Berner.

Ochsenius, C., Chile, s.: Wissen, das, der Gegenwart.

Oechsli, Wilh., üb. die Historia Miscella, l. XII—XVIII u. den Anonymus Valesianus II. Zwei Quellenuntersuchgn. zur Geschichte d. untergeh. Römerthums. gr. 8. (106 S. m. 1 Tab.) Zürich 1873. (Berlin, Calvary & Co.) n. 2. —

— Quellenbuch zur Schweizergeschichte. Für Haus u. Schule bearb. gr. 8. (576 S.) Zürich 886. Schultheß. n. 8. —

— zur Sempacher Schlachtfeier. Mit e. Beigabe: das Sempacherlied bei Ruß u. das große Halbsuterlied. gr. 8. (54 S.) Ebend. 886. n. 1. —

Ochsner, H., einfache Buchhaltung der Landwirthschaft. In leichtfaßl. Vorlagen an e. ganzjähr. Betrieb m. Eingangs- u. Schlußinventar praktisch dargestellt. 8. (68 S.) Zürich 886. Orell Füßli & Co. Verl. n. 1. 50

Ochsner, M., Lehr- u. Lesebuch f. die männlichen deutschen Feiertags- od. Fortbildungs-Schulen. 17. rev. Aufl. 8. (212 S.) München 883. (J. A. Finsterlin.) geb. n.n. — 80

Ocker, Thdr., e. Fall v. Hirntumor. gr. 8. (36 S.) Göttingen 884. (Vandenhoeck & Ruprecht) n. — 80

Octavarium romanum sive octavae festorum: Lectiones secundi scilicet et tertii nocturni singulis diebus recitandae infra octavas sanctorum titularium, vel tutelarum ecclesiarum, aut patronorum locorum a sacra rituum congregatione ad usum totius orbis ecclesiarum approbatae. Accedit supplementum, in quo octavae novissimae inveniuntur cum textu ab eadem s. congregatione adprobato. 8. (XX, 508 S. m. 1 Farbendr.) Regensburg 883. Pustet. n. 4. —; geb. n. 7. —

Octavian, s.: Bibliothek, altenglische.

— Altfranzösischer Roman, s.: Bibliothek, altfranzösische.

Octroi-Reglement der Stadt Strassburg, genehmigt durch kaiserl. Verordng. vom 8. Novbr. 1883. gr. 8. (33 S.) Strassburg 884. Schultz & Co. n. — 40

Octroi-Tarif der Stadt Strassburg vom 1. Jan. 1884 ab. gr. 8. (23 S.) Strassburg 884. Schultz & Co. n. — 40

Odd-Fellow, der. Organ der Odd-Fellow-Logen Deutschlands u der Schweiz. Red.: W. Hartmann. 7. Jahrg. 1883. 39 Nrn. (B.) gr. 4. Leipzig, Grimm. n. 7. —
— dasselbe. 8. Jahrg. 1884. 36 Nrn. (B.) gr. 4. Ebend. n. 7. —
— dasselbe. 9. u. 10. Jahrg. 1885 u. 1886. à 24 Nrn. (B.) gr. 4. Ebend. à Jahrg. n. 6. —

Odenwaldclub, der. 1. Jahresbericht d. Central-Ausschusses. Periode 1882/83. 8. (VI, 104 S.) Beerfelden 883. Meinhard. n. — 40

Oder, Eug., de Antonino Liberali. gr. 8. (61 S.) Bonn 886. (Behrendt.) n. 1. 20

Odermann, C. G., Auswahl deutscher Handlungsbriefe, s.: Schiebe.
— das Ganze der kaufmännischen Arithmetik, s.: Feller, F. E.
— deutsch-französisches Hauswörterbuch der Sprache d. Handels, des Handelsrechts u. der Volkswirthschaft. Bearb. unter Mitwirkg. v. Elie Côte. (VIII, 501 S.) gr. 8. Leipzig 883. Haessel. n. 8. —

Odin, Alfr., phonologie des patois du canton de Vaud gr. 8. (VIII, 166 S.) Halle 886. Niemeyer. n. 4. —

O'Donell, Gräfin, u. Goethe, s.: Werner, R. M.

Odstrčil, J., üb. den Mechanismus der Fernwirkung elektrischer Kräfte. [Mit 1 Holzschn.] Lex.-8. (12 S.) Wien 884. (Gerold's Sohn.) n.n. — 25
— über den Mechanismus der Gravitation u. d. Beharrungsvermögens. Lex.-8. (6 S.) Ebend. 884. n. — 20

Odstrčil, Ludw., Magyaren u. Böhmen. Betrachtungen üb. Oesterreich-Ungarn. gr 8. (55 S.) Prag 886. Valečka. n. 1. —

Ofellus jun., Q., s.: Philosophie d. Magens in Sprüchen aus alter u. neuer Zeit.

Ofenheim, Adf. Ritter v., die sphärische Trigonometrie u. analytische Geometrie in dem f. die k. k. Kriegsschule vorgeschriebenen Umfange. Mit 39 Holzschn. gr. 8. (VI, 112 S.) Wien 886. Seidel & Sohn. n. 3. —

Offenherzigkeiten aus der Armee v. Friedrich Ferdinand. 3. Aufl. gr. 8. (101 S.) Berlin 887. Walther & Apolant. n. 2. —

Offerten-Blatt f. den Export. Organ f. Angebot u. Nachfrage auf dem Weltmarkte. Mit der Beilage: Der Weltmarkt. Red.: H. Bernhard. 5. Jahrg. 1883. 48 Nrn. (2 B.) Fol. Leipzig 883. (C. A. Koch.) 4. —
Erscheint in e. internationalen Ausgabe, sowie je e. Ausgabe für Europa, f. Nord-, Central- u. Süd-Amerika, f. Asien u. Afrika u. f. Australien.
— für die gesammte Holzbranche. Jahrg. 1884/85. 24 Nrn. (1/4 B.) gr. 4. Leipzig 885. Gruner. n. 8. —

Officia sancti Augustini, episcopi et confessoris, sancti Cyrilli, episcopi Alexandrini, confessoris et ecclesiae doctoris, sancti Cyrilli, episcopi Hierosolymitani, confessoris et ecclesiae doctoris, sancti Justini martyris et sancti Josaphat, episcopi et martyris. 8. (16 S.) Kempten 883. Kösel. n. — 20
— in festis S. Benedicti Josephi Labre, confessoris, S. Joannis Baptistae de Rossi confessoris, S. Laurentii a Brundusio, confessoris, beati Urbani II., papae et confessoris, S. Clarae a Cruce de Montefalco, virginis. 8. (4, 4, 5, 3 u. 5 S.) Ebend. 883. à — 15
— propria dioecesis Paderbornensis revisa et aucta, jussu et auctoritate reverendissimi et illustrissimi domini Francisci Caspari, episcopi Paderbornensis, sacrae theologiae doctoris, edita, et a sacra rituum congregatione approbata. 8. (XXXI, 208 S.) Paderborn 884. Junfermann. n.n. 4. —
— propria sanctorum dioecesis Monasteriensis ad recitandas horas diurnas a sacra rituum congregatione approbata. Ed. II. 16. (32 S.) Münster 885. Mitsdörffer. n. — 40
— votiva per annum pro singulis hebdomadae feriis a. ss. d. n. Leone P.P. XIII per decretum urbis et orbis d. d. 5. Julii 1883 concessa. 8. (46 S.) Kempten 883. Kösel. — 50

Officia votiva per annum pro singulis hebdomadae feriis a. ss. d. n. Leone P.P. XIII per decretum urbis et orbis d d. 5. Julii 1883 concessa. Ed. III. 8. (84 S.) Kempten 884. Kösel. n. — 70
— dasselbe, cum psalmis et precibus in extenso. 8. (VI, 34 u. 144 S.) Regensburg 885. Pustet. n. 1. 50

Officier, der deutsche. Ein Wort zur Verständigg. u. Abwehr v. e. preuß. Stabs-Officier. [H. v. M.] 5. Aufl. gr. 8. (116 S.) Hannover 884. Helwing's Verl. n. 1. 25

Officiere, die vormärzlichen Schleswig-Holsteinischen, am 24. März 1848. gr. 8. (64 S.) Schleswig 885. Bergas. n. 1 —

Officium defunctorum. Choramt f. die Abgestorbenen. Lateinisch u. deutsch. 16. (102 S.) Paderborn 883. F. Schöningh. n. — 80
— hebdomadae sanctae secundum missale et breviarium romanum, s. Pii V. pontificis maximi jussu editum, Clementis VIII. et Urbani VIII. auctoritate recognitum, in quo horae canonicae, a matutino dominicae palmarum usque ad vesperas sabbati in albis exclusive, pro majori recitantium commoditate sunt dispositae. 8. (IV, 332 S. m. 1 Chromolith.) Kempten 883. Kösel. n. 4. —; Einbände von n.n. 1. — bis n.n. 4. 50
— Marianum. Tagzeiten der allerheiligsten Jungfrau Maria. In deutscher Uebersetzg. nach dem röm. Brevier. 32. (162 S.) Mainz 884. Kirchheim. geb. n.n. — 50
— parvum Beatae Mariae Virginis. Das kleine Chor-amt od. die kleinen Tageszeiten v. unserer lieben Frau. Lateinisch u. Deutsch. Nebst e. kurzen Erklärg. u. e. Anh. verschiedener Gebete. 4. Aufl. 12. (IV, 462 S) Paderborn 886. F. Schöningh. n. 1. 50
— parvum beatae Mariae virginis. S. Pii V. pont. max. jussu editum et Clementis VIII., et Urbani VIII. auctoritate recognitum. 16. (XII, 98 S. m. Holzschn.) Augsburg 883. Literar. Institut v. Dr. M. Huttler. n. — 40; geb. n. 1. —
— parvum b. Mariae virginis et officium defunctorum ad usum s. ordinis cisterciensis. Novissime editum. 16. (195 S.) Graz 884. Moser. n. 1. 80
— d. i. Tagzeiten f. die Verstorbenen. Mit e. Anh. v. Gebeten f. die Armen Seelen. 16. (111 S. m. Holzschn.) Augsburg 883. Literar. Institut v. Dr. M. Huttler. n. — 40

Offinger's u. **Engelbrecht's** Inbegriff d. Nothwendigsten u. Gemeinnützigsten aus der Natur u. dem Menschenleben. Ein Hülfsbuch zum Unterrichte üb. Sprache, Realien u. Rechnen f. Land-, Stadt- u. Fortbildungsschulen. Neu bearb. v. W. Siebenlist. 1. Abtlg.: Sprache. 18. Aufl. gr. 8. (V, 217 S.) Bamberg 886. Buchner. n. — 80

Oeffinger, H., die Ptomaine od. Cadaver-Alcaloide, nach e. f. den bad. staatsärztl. Verein ausgearb. Vortrag dargestellt. gr. 8. (42 S.) Wiesbaden 885. Bergmann. n. 1. 60

Offizien, die, d. Thuriferas, der Akolythen u. der Ceroferare bei feierlichen Aemtern, m. Erläuterg. einiger liturg. Gebräuche v. e. Priester der Gesellschaft Jesu. gr. 16. (IV, 128 S.) Innsbruck 886. F. Rauch. n. — 50

Offiziere, die. Gegen Colmar Frhrn. v. d. Goltz u. Gesinnungsgenossen v. d. Verf. v. „Die Vorrechte der Offiziere". 4. Tausend. gr. 8. (44 S.) Berlin 884. Walther & Apolant. n. — 60
— die verabschiedeten, der Preußisch-Deutschen Armee. Eine sozialpolit. Studie v. e. Standesgenossen. 8. (13 S.) Berlin 886. v. Decker. — 30
— u. Unteroffiziere, inactive, od. die Fürsorge d. Staats f. Beide. Von e. alten Officier. gr. 8. (15 S.) Rathenow 886. Babenzien. n. — 40

Offizier-Taschenbuch f. Manöver, Generalstabsreisen, Kriegsspiel, taktische Arbeiten. Mit Tabellen, Signaturtafeln, 1 Zirkel m. Maßstäben u. Kalendarium. 3. Jahrg. 16. (25 u. 115 S.) Berlin 885. Eisenschmidt. geb. n. 2. 50; ohne Zirkel n. 2. —

Offizier-Verein, der deutsche. Seine Entstehg. u. sein Wirken. Eine krit. Studie v. e. Unparteiischen. gr. 8. (15 S.) Berlin 885. Dreyer. — 30
— deutscher. gr. 8. (24 S.) Potsdam 883. Militaria. — 50

Vorworte v. Fabri. Nebst 1 Karte d. Herero- u. Nama-Landes. gr. 8. (41 S.) Elberfeld 884. Friedrichs. n. 1. 50

Olpp, Johs, Erlebnisse im Hinterlande v. Angra-Pequena. Dem Volke erzählt. (2. Aufl.) 8. (219 S. m. 1 lith. Karte.) Barmen 886. (Leipzig, Wallmann.) cart. n. 1. 50; geb. n. 2. —

Oelrichs, H., die Domainen-Verwaltung d. Preußischen Staats. Zum prakt. Gebrauche f. Verwaltungsbeamte u. Domainenpächter. Mit e. Nachweisg. v. sämmtl. Domainen-Vorwerken d. Preuß. Staats u. deren Pachtverhältnissen am 15. Octbr. 1882. gr. 8. (XVI, 298 S.) Breslau 883. Kern's Verl. n. 7. —

Olschewsky, W., s.: Jahresbericht üb. Neuerungen u. Erfahrungen in der Thonwaren- u. Kalkindustrie.

— die Ursachen der Verwitterung bei Verblendsteinen u. Terrakotten. 8. (54 S.) Halle 885. Knapp. n. 1. —

Oelschläger, Herm., Engel Kirk· Eine Geschichte in Versen. gr. 16. (84 S.) Dresden 886. Minden. n. 1. 50; geb. n n. 2. 40

Olsen, Waldem., quaestionum Plautinarum de verbo substantivo specimen. gr. 8. (105 S.) Gryphiswaldiae 884. (Jena, Pohle.) n. 1. 50

Olshausen, Just., Beiträge zur Reform d. Strafprozesses. gr. 8. (V, 47 S.) Berlin 885. Vahlen. n. 1. —

— Kommentar zum Strafgesetzbuch f. das Deutsche Reich. 2. Bd. 3. Lfg. [Schluß.] gr. 8. (XII u. S. 977—1343.) Ebend. 883. Subscr.-Preis n. 6. — (2 Bde. cplt.: Ladenpr. n. 25. —; Einbd n.n 4. —)

— dasselbe. 2. Aufl. gr. 8. (XVI, 1350 S.) Ebend. 885. 86. n. 25. —; in 2 Bde. geb. n. 30. —; in 1 Bd. geb. n. 28. —

— Strafgesetzbuch f. das Deutsche Reich. Nebst e. Anh., enth. Reichs-Straf-Nebengesetze, sowie Vorschriften üb. Zuständigkeit rc. Textausg. m. Anmerkgn. u. Sachregister zum prakt. Gebrauch. 2. Aufl. 16. (XII, 254 S.) Ebend. 884. cart. n. 1. —

Olshausen, Rob., klinische Beiträge zur Gynäkologie u. Geburtshülfe. Mit 5 Holzschn. gr. 8. (VII, 204 S.) Stuttgart 884. Enke. n. 6. —

— die Krankheiten der Ovarien, s.: Chirurgie, deutsche.

— dasselbe, s: Handbuch der Frauenkrankheiten.

Oelsner, G. Herm., die Webmaterialienkunde. Supplement zur „Deutschen Webschule“ 5. Aufl. Mit 6 Holzschn. gr. 8. (97 S.) Altona 884. Send. n. 2. 25

— die deutsche Webschule. Mechanische Technologie der Weberei. 6. Aufl., m. vielen im Text u. auf Taf. vorgeführten Mustern u. Zeichngn. (In ca. 25 Lfgn.) 1—20. Lfg. gr. 8. (S. 1—640.) Ebend. 884—86. à n. — 60

Olszewski, K., üb. die Verflüssigung d. Sauerstoffes u. die Erstarrung d. Schwefelkohlenstoffes u. Alkohols,
— über die Verflüssigung d. Stickstoffs u. d. Kohlenoxydes,
} s.: Wroblewski, S. v.

Olten, Antonie v., „Ilse“. Ein Lebensbild. 8. (IV, 76 S.) Hagen 884. Risel & Co. n. 1. 20

Oltmann, B., Glückwunsch-Büchlein f. Kinder, enth. Gratulationen zu Neujahrs-, Geburts- u. Namenstagen, Hochzeitsfesten u. Jubiläen, nebst e. Sammlg. v. Neujahrsbriefen. 16. (63 S.) Köln 886. Püttmann. — 30

Oltrogge, Carl, deutsches Lesebuch. 1. Curs. 14. Aufl. gr. 8. (V, 378 S.) Hannover 884. Hahn. 2. —

Ölzelt-Newin, Ant., die Grenzen d. Glaubens. gr. 8. (43 S.) Wien 885. Konegen. n. 1. —

— die Unlösbarkeit der ethischen Probleme gr. 8. (III, 45 S.) Wien 883. Braumüller. n. 1. 20

Ommerborn, C., üb. Natursinnigkeit u. ihre Pflege durch den naturkundlichen Unterricht. Ein Beitrag zur Methodik der naturkundl. Disziplin. gr. 8. (30 S.) Leipzig 886. Siegismund & Volkening. n. — 60; cart. n. — 80

Omnia mecum porto. Manöver-Kalender f. die Infanterie. 3. Jahrg. 1886. 16. (125 S.) Metz, Scriba. n.n. 1. 40; m. Tasche n.n. 2. —

Ompteda, Ludw. Frhr. v., rheinische Gärten von der Mosel bis zum Bodensee. Bilder aus alter u. neuer Gärtnerei. Mit 55 farb. Abbildgn. im Text. hoch 4. (VII, 190 S.) Berlin 886. Parey. cart. Subscr.-Pr. n. 20. —

— alte Schulden. Eine rhein. Geschichte. 8. (315 S) Stuttgart 884. Deutsche Verlags-Anstalt. n. 5. —

Oncken, A., der ältere Mirabeau u. die Oekonomische Gesellschaft in Bern, s.: Beiträge, Berner, zur Geschichte der Nationalökonomie.

Oncken, W., Beiträge zur neueren Geschichte, s.: Studien, Gießener, auf dem Gebiet der Geschichte.

— Stadt, Schloss u. Hochschule Heidelberg. Bilder aus ihrer Vergangenheit. 3. vom Verf. rev. Aufl. gr. 8. (VIII, 98 S. m. 1 chromolith. Plan.) Heidelberg 885. Meder. cart. n. 2. 50

— Martin Luther in Worms u. sein Fortleben in der deutschen Nation. Festrede. 8. (37 S.) Gießen 884. Roth. n. — 60

— das Zeitalter Friedrichs d. Großen,
— das Zeitalter der Revolution, d. Kaiserreiches u. der Befreiungskriege,
} s.: Geschichte, allgemeine, in Einzeldarstellungen.

Onodi, A. D., u. F. **Flesch,** Leitfaden zu Vivisectionen am Hunde, nach eigenen anatom. u. experimentellen Untersuchgn. bearb. 1. Thl. [Hals.] gr. 8. (16 Bl. Text m. 8 Steintaf.) Stuttgart 884. Enke. n. 4. —

Onody, Géza v., Tisza-Eszlar in der Vergangenheit u. Gegenwart. [Ueber die Juden im Allgemeinen. — Jüdische Glaubens-Mysterien. — Rituelle Mordthaten u. Blutopfer. — Der Tisza-Eszlarer Fall.] Autoris. Uebersetzg. aus dem Ung. von Geo. v. Marcziányi. gr. 8. (XIII, 215 S. m. 1 Portr.) Budapest 883. (Grimm.) n. 3. 50

Onyr, der, v. Schaffhausen. Jubiläums-Schrift d. historisch-antiquar. Vereins Schaffhausen. Fol. (5 S. m. 4 Chromolith.) Zürich 882. Hofer. n. 7. —; Prachtbd. m. Goldschn. n.n. 4. —

Oort, H., der Ursprung der Blutbeschuldigung gegen die Juden. Vortrag. gr. 8. (31 S.) Leiden 883. Leipzig, Harrassowitz. n. 1. —

Osten, G. v., e. Sohn Polens, s.: Bachem's Roman-Sammlung.

— Vannina, s.: Bachem's Novellen-Sammlung.

Oosterzee, J. J. van, die Theologie d. Neuen Testaments. Ein Handbuch f. akadem. Vorlesgn. u. zum Selbststudium. 2. Aufl. gr. 8. (XII, 279 S.) Bremen 886. Heinsius. 3. 50

Opderbecke, Adph., die Bauformen d. Mittelalters in Sandstein. 2. Aufl. 36 (lith.) Blatt. Fol. (8 S. Text.) Weimar 885. B. F. Voigt. In Mappe. 6. —

Opel, die Kanalfrage. gr. 8. (35 S.) Leipzig 884. Engelmann. n. — 60

Opel, Carl, das Kartenspiel, dargestellt in den beliebtesten, zur gesell. Unterhaltg. dien. Spielen m. der deutschen, französ. u. der Tarok-Karte. 2. Aufl. 8. (92 S.) Oranienburg 884. Freyhoff. 1. 20

Opel, F. M. Ed., Lehrbuch der forstlichen Zoologie. Für Forstwirthe, Grundbesitzer u. Jagdberechtigte. Mit 18 xylogr. Abbildgn. Neue Ausg. gr. 8. (VIII, 483 S.) Berlin 885. Parey. n. 5. —

Openchowski, Th., e. Beitrag zur Lehre v. den Herznervenendigungen. Inaugural-Dissertation. gr. 8. (24 S. m. 1 Steintaf.) Dorpat 884. (Karow.) n. 1. —

Oper, die Münchener. 12 Portraits m. Text v. Felix Phillippi. Die photograph. Orig.-Aufnahmen v. Fr. Müller. 16. (74 S.) München 884. Verlagsanstalt f. Kunst u. Wissenschaft. n. 6. —; geb. m. Goldschn. n. 8. —

Operntext zu Don Juan, Fidelio u. zum Freischütz, s.: Volksbibliothek f. Kunst u. Wissenschaft.

Opern-Text-Bibliothek. Nr. 2. 6. 9. 14. 15. 18. 21. 22. 24. 25. 29—34. 38. 40. 42. 43. 47. 51—55. 57—61. 66. 68. 70. 71. 74. 76. 77. 80. 82. 84—86. 88—90. Ausg. m. farb. Umschlägen u. Einleitgn. kl. 8. (à ca. 24 S.) Wiesbaden 886. Bechtold & Co. à — 15

2. Alessandro Stradella. — 6. Der Barbier v. Sevilla. — 9. Die Entführung aus dem Serail. — 14. So machen es Alle (Cosi fan tutte). — 15. Czar u. Zimmermann. — 18. Don Juan. — 21. Ein Maskenball. — 22. Ernani. — 24. Euryante. — 25. Die Favoritin. — 29. Fidelio. — 30. Figaro's Hochzeit. — 31. Fra Diavolo. — 32. Der Freischütz. — 33. Gustav od. der Maskenball. — 34. Hans Heiling. — 38. Jessonda. — 40. Johann v. Paris. — 42. Iphigenie in Aulis. — 43. Die Jüdin. — 47. Violetta (La traviata). — 51. Lucia v. Lammermoor. — 52. Lucrezia Borgia. — 53. Maurer u. Schlosser. — 54. Martha. — 55. Marie od. die Regimentstochter. — 57. Nachtlager v. Granada. — 58. Die

Nachtwandlerin. — 59. Norma. — 60. Der Nordstern. — 61. Oberon. — 66. Postillon v. Lonjumeau. — 68. Rigoletto. — 70. Robert der Teufel. — 71. Der schwarze Domino. — 74. Die Stumme v. Portici. — 76. Tell. — 77. Der Templer u. die Jüdin. — 80. Der Troubadour. — 82. Undine. — 84. Die Vestalin. 85. Die weiße Dame. — 86. — Der Waffenschmied. — 88. Der Wildschütz. — 89. Die Zauberflöte. — 90. Zampa od. die Marmorbraut.

Opilionis, Alb., elegidia XII saecularia D. Martini Lutheri D. M. consecrata. gr. 8. (16 S) Erlangen 883. Deichert. — 30

Opitz, H. G., das Staatsrecht d. Königr. Sachsen. 1. Bd. gr. 8. (XI, 291 S. m. 3. Tab.) Leipzig 883. Roßberg. n. 7. —

Opitz, Herm., zur Revision der Luther'schen Uebersetzung d. neuen Testamentes. Ein Urtheil üb. die Probebibel. gr. 8. (69 S.) Leipzig 884. Mutze. n. 1. 50

Opitz, Paul, Raumlehre f. Volks- u. Bürgerschulen. Mit 102 Fig. 8. (44 S.) Danzig 885. Axt. n. — 35; Facit-Hft. 16. (8 S.) n.n. — 25

Opitz, Thdr., in Julio Floro spicilegium criticum. gr. 4. (24 S.) Dresden 884. (v. Zahn & Jaensch.) n. 1. —

Oepke, E., Lehrbuch der englischen Sprache. 1. Tl. Unterstufe. [Im Anschluß an d. Verf. engl. Lesebuch, 1. Tl.] A. u. B. T.: Grammatische Ergebnisse der engl. Lektüre, nebst Übungsstücken. gr. 8. (VIII, 134 S.) Goslar 886. Koch. n. 1. 40

— englisches Lesebuch. 3. Tl. Oberstufe. gr. 8. (XII, 485 S.) Ebend. 884. n. 4. —; geb. n. 4. 50 (cplt.: n. 7. 50; geb. n. 8. 60)

Opp, Joh. Bernard, Lokal-Polizeiverordnungen, Reglements u. Regulative 2c. der Stadt Trier. Systematisch zusammengestellt u. hrsg. 8. (IX, 208 S.) Trier 884. Lintz. cart. n. 3. —

Oppel, A., 5. deutscher Geographentag in Hamburg. 8. 24 S.) Bremen 885. Rocco. n. — 60

— Landschaftskunde. Versuch e. Physiognomik der gesamten Erdoberfläche in Skizzen, Charakteristiken u. Schilderungn., zugleich als erläut. Text zum landschaftl. Teile [II] v. F. Hirt's geograph. Bildertafeln. gr. 8. (XII, 728 S.) Breslau 884. F. Hirt. n. 12. —; geb. n. 14. 50

Oppel, Karl, Städtegeschichten. Aus allen Gauen d. Vaterlandes. Historische Erzählgn. u. Sittenschildergn. aus deutschen Städten. Mit 42 Text-Abbildgn. u. e. Titelbilde nach Zeichngn. v. Konr. Ermisch u. B. Mörlins. gr. 8. (X, 366 S.) Leipzig 887. Spamer. n. 6. —; geb. n. 7. 50

— Tambour u. General. Erzählung aus der Geschichte d. amerikan. Freiheitskampfes. Auf Grundlage der Werke v. L. Rousselet, Fr. Kapp, Will. C. Bryant u. Sydney H. Gay nebst andern bearb. Mit 160 Text-Illustr. u. 2 Tonbildern. gr. 8. (VIII, 334 S.) Ebend. 884. n. 6. —; geb. n. 7. —

— Tondichter-Album. Leben u. Werke der hervorragendsten Meister der Tonkunst. Unter Mitwirkg. seines Bruders Wigand Oppel. Mit 7 (Lichtdr.-)Portraits. 5. Tausend. 8. (VI, 277 S.) Coblenz 886. Groos. geb. m. Metallreliefkopf. n. 7. —

Oppeln, A. v., Vetter Karl, s.: Familien-Bibliothek.

Oppen, Curt v., Aufgaben zum Übersetzen aus dem Deutschen in das Griechische f. Prima im Anschluss an die Lektüre. gr. 8. (VII, 96 S.) Berlin 886. Gaertner. n. 1. 40

— der griechische Unterricht m. Bezugnahme auf den neuen Lehrplan. Nebst Vorlagen zu griech. Extemporalien in den oberen Klassen. gr. 8. (63 S.) Ebend. 885. n. 1. 20

— die Wahl der Lektüre im altsprachlichen Unterricht an Gymnasien, wie sie getroffen wird u. wie sie zu treffen wäre. gr. 8. (64 S.) Ebend. 885. n. 1. 20

Oppenau, Fr. v., die Hebung der kleinbäuerlichen Milchwirthschaft in Elsaß-Lothringen. Im Auftrage d. landwirthschaftl. Bezirksvereins Unter-Elsaß bearb. 2. verm. u. verb. Aufl. gr. 8. (53 S.) Straßburg 886. Schmidt. n. 1. 20

Oppenheim, L., die Rechtsbeugungsverbrechen [§§ 336, 343, 344] d. deutschen Reichsstrafgesetzbuches. Mit e. Einleitg. üb. das Wesen der Amtsverbrechen. Eine kriminalist. Monographie. gr. 8. (VIII, 329 S.) Leipzig 886. Duncker & Humblot. n. 4. 80

Oppenheim, S., Bahnbestimmung d. Kometen. VIII. 1881. Lex.-8. (25 S.) Wien 885. (Gerold's Sohn.) n.n. — 50

— über e. neue Integration der Differentialgleichungen der Planetenbewegung. [Mit 1 Holzschn.] Lex.-8. (54 S.) Ebend. 883. n. — 80

— über die Rotation u. Präcession e. flüssigen Sphäroids. Lex.-8. (47 S.) Ebend. 885. n. — 80

Oppenheimer, Z., üb. den Einfluß d. Klimas auf den Menschen, s.: Sammlung gemeinverständlicher wissenschaftlicher Vorträge.

Oppenhoff, F. C., das Strafgesetzbuch f. das Deutsche Reich, nebst dem Einführungs-Gesetze vom 31. Mai 1870 u. dem Einführungs-Gesetze f. Elsaß-Lothringen, erläutert. 10. Ausg., hrsg. v. Th. F. Oppenhoff. gr. 8. (VIII, 952 S.) Berlin 885. G. Reimer. n. 15. —; geb. n. 17. —

Oppermann, E., zum 25jährigen Jubiläum der Dresdner Beschlüsse, s.: Sammlung v. Vorträgen aus dem Gebiete der Stenographie.

Oppermann, Ernst, üb. zwei seltene Anomalien der grossen Gefässstämme. gr. 8. (21 S. m. 3 Steintaf.) Kiel 886. (Lipsius & Tischer.) n. 1. —

Oppermann, H., die Magnesia im Dienste der Schwammvertilgung, Reinigung der Effluvien u. Pflanzensäfte, der Desinfection u. Beseitigung v. Pilzbildungen u. der Conservirung, sowie Heilung der Diphteritis. 2. Aufl. 8. (63 S.) Bernburg 886. Bacmeister. n 1. 50

Oppermann, Thdr., Erheiterungen. Gedichte ernsten u. laun. Inhalts. Gesammelt u. hrsg. 12. (80 S.) Kahla 885. Heyl. n.n. — 60

Oppert, Jul., die astronomischen Angaben der assyrischen Keilinschriften. Lex.-8. (13 S.) Wien 885. (Gerold's Sohn.) n.n. — 30

Oppin's d. Jüngeren Gedicht v. der Jagd in 4 Büchern. 1. Buch, metrisch übers. u. m. erklär. Bemerkgn. vers. v. Max Miller. gr. 8. (61 S.) Amberg 885. (Habbel.) 1. 20

Oeppis ufe Sylvester vom Dr. Bäri. Mit Deckenbildern v. Fischer-Hinnen. Textillustr. v. Gehri. 8. (52 S.) Bern 886. (Fiala.) n. 1. —

Oppler, Edwin, architektonische Entwürfe. Profan- u. Kultbauten, innere Einrichtgn., Dekorationen, Möbel, kunstgewerbl. Gegenstände, Denkmäler etc. Veröffentlicht v. Ferd. Schorbach. (In 20—25 Lfgn.) 1—9. Lfg. Fol. (à 5 Taf. m. 1 Bl. Text.) Halle 884—86. Knapp. à n. 4. —

Oppolzer, Th. v., üb. die Auflösung d. Kepler'schen Problems. Imp.-4. (59 S.) Wien 885. (Gerold's Sohn.) n. 3. 20

— Bahnbestimmung d. Planeten Cölestina (237). Lex.-8. (7 S.) Ebend. 884. n. — 20

— dasselbe. Lex.-8. (15 S.) Ebend. 886. n.n. — 30

— Beitrag zur Ermittlung der Reduction auf dem unendlich kleinen Schwingungsbogen. Lex.-8. (20 S.) Ebend. 882. n. — 40

— Entwurf e. Mondtheorie. Imp.-4. (37 S.) Ebend. 886. n. 2. —

— Ermittlung der Störungswerthe in den Coordinaten durch die Variation entsprechend gewählter Constanten. Imp.-4. (31 S.) Ebend. 883. n. 2. —

— über die Kriterien d. Vorhandenseins dreier Lösungen bei dem Kometenprobleme [Mit 1 (eingedr.) Holzschn.] Lex.-8. (8 S.) Ebend. 882. n.n. — 25

— über die Länge d. Siriusjahres u. der Sothisperiode. [Mit 2 (eingedr.) Holzschn.] Lex.-8. (28 S) Ebend. 884. n.n. — 50

— Note üb. e. v. Archilochus erwähnte Sonnenfinsterniss. Lex.-8. (4 S.) Ebend. 883. — 15

— über die astronomische Refraction. Imp.-4. (52 S.) Ebend. 886. n. 2. 60

— Tafeln f. den Planeten (58) Concordia. Imp.-4. (11 S.) Ebend. 883. n. 1. —

— Tafeln zur Berechnung der Mondfinsternisse. [Mit 8 lith. Tab.] Imp.-4. (35 S.) Ebend. 883. n. 2. 60

Oppre, Frau Anna, das neue Kochbuch f. das deutsche Haus. 2. m. e. Anh. verm. Ausg. [Wohlf. Volksausg.] 4. (IV, 385 u. Anh. 17 S.) Augsburg 886. Kranzfelder. 3. —; geb. in Callico n. 4. 50; in Halbfrz. n. 5. —

Opsimathes, G. H., γνῶμαι sive thesaurus sententiarum et apophthegmatum ex scriptoribus graecis praecipue poetis. Collegit, disposuit et ed. G. H. O. gr. 8. (VIII, 368 S.) Leipzig 884. T. O. Weigel. n. 10. —

Opuscula Nestoriana, syriace ed. Geo. Hoffmann. Neue Ausg. 4. (XXIII, 163 S.) Kiel 886. C. F. Haeseler. n. 10. —

Orakel, das. Ein Frag- u. Antwortspiel f. heitere Kreise. Neue Ausg. 16. (64 S.) Dresden 886. Jaenicke. — 30

Oratio pro rege diebus dominicis et festis finito sacro officio ad pedes altaris cantanda. 8. (1 Bl.) Kempten 886. Kösel. — 3; auf Pappe n. — 10

Orchester, das. Blätter f. Musiker u. Freunde der Musik. Red.: Bruno Scholze. 1. Jahrg. Oktbr.—Decbr. 1884. 6 Nrn. (B.) gr. 4. Dresden, Seeling. n. — 80

— dasselbe. 2. u. 3. Jahrg. 1885 u. 1886. à 36 Nrn. (B.) gr. 4. Ebend. à Jahrg. n. 4. —

Ordega, Sigism. v., die Gewerbepolitik Russlands von Peter I—Katharina II [1682—1762]. Ein Beitrag zur Geschichte d. russ. Gewerbewesens. gr. 8. (X, 139 S.) Tübingen 885. Laupp. n. 3. —

Orden, der 3., d. hl. Franziskus. Ein Regel- u. Gebetbuch f. die Mitglieder d. 3. Ordens v. e. Priester d. Ordens. gr. 16. (367 S.) Regensburg 885. Coppenrath. geb. in Leinw. n.n. 1. 60; in Ldr. n.n. 2. 20

— der 3., vom heil. Franziskus, seine Regeln u. Uebungen, nach der Reform Leo's XIII. [Breve vom 30. Mai 1883.] Mit dem neuen Ceremonienbüchlein d. 3. Ordens nach der 7. italien. Aufl. Mit Titelbild, e. Anh. v. Gebeten u. den Tagzeiten der allerseligsten Jungfrau Maria. 3. Aufl. 16. (VII, 240 S.) Freiburg i/Br. 885. Herder. — 50; geb. n. — 75; ohne Tagzeiten — 30; geb. n. — 50; Tagzeiten ap. (108 S.) n. — 25

— der dritte, Unserer Lieben Frau vom Berge Karmel u. der heiligen seraphischen Jungfrau Theresia. Des Dritten-Ordens-Handbuches 1. Thl. Verf. v. e. Unbeschuhten Karmeliten der bayr. Provinz. 2. Aufl. gr. 16. (VIII, 312 S. m. 1 Stahlst.) Regensburg 885. Pustet. n. — 80

— **Wappen u. Flaggen**, die, aller Regenten u. Staaten in originalgetreuen Abbildgn. 2. Aufl. m. erläut. Text. 2—13. (Schluss-)Lfg. 4. (à 3 Chromolith. m. Text VIII, 43 S.) Leipzig 883. Ruhl. à n. 1. 50

— dasselbe. Suppl. 1—7. Lfg. 4. (à 4 Taf.) Ebend. 886. à n. 1. 50

Ordensleben, das, in der Welt, od. Gründg., heil. Regel u. Lebensweise d. 3. Ordens, vom heil. Franziskus gestiftet. Nebst den heil. Tagzeiten zur Ehre der seligsten Jungfrau Mariä u. f. die Verstorbenen. Hrsg. v. e. Priester der nordtirol. Kapuziner-Provinz. 8. Aufl. 8. (688 S.) Innsbruck 883. F. Rauch. n. 2. —; Einbd. n.n. — 60

Ordo divini officii recitandi missaeque celebrandae a clero provinciarum S. Ludovici, Milwaukiensis, Chicagiensis et Sanctae Fidei. Juxta rubricas breviarii ac missalis romani, anno 1883. De mandato reverendissimorum archiepiscoporum. 16. (96 S.) S. Ludovici 883. Freiburg i/Br., Herder. geb. n. 2. 50

O'Rell, Max, John Bull u. sein Inselheim. Englische Sittenbilder. Nach der 47. Aufl. d. französ. Originals v. Arthur Bertow. 8. (VI, 290 S.) Berlin 885. Janke. n. 4. —

Orelli, Aloys v., das schweizerische Bundesgesetz betr. das Urheberrecht an Werken der Litteratur u. Kunst, unter Berücksicht. der bezügl. Staatsverträge erläutert. gr. 8. (VIII, 174 S.) Zürich 884. Schultheß. n. 2. 80

— Grundriss zu den Vorlesgn. üb. schweizerische Rechtsgeschichte [m. Literatur- u. Quellenangabe]. 2. Aufl. gr. 8. (24 S.) Ebend. 884. n. 1. —

— das Staatsrecht der schweizerischen Eidgenossenschaft, s.: Handbuch d. öffentlichen Rechts der Gegenwart.

Orelli, C. v., v. der Freiheit e. Christenmenschen. Predigt. gr. 8. (14 S.) Basel 883. Detloff. — 30

— die Propheten Jesaja u. Jeremia, ausgelegt, s.: Kommentar, kurzgefaßter, zu den heil. Schriften Alten u. Neuen Testamentes, sowie zu den Apokryphen.

— durch's heilige Land. Tagebuchblätter. 3. Aufl. Mit e. (chromolith.) Karte v. Palästina u. 7 Ansichten. gr. 8. (XIV, 290 S.) Basel 884. Spittler. n. 3. 20

Orelli, C. v., die apostolische Losung f. die Gläubigen der Gegenwart. Predigt. 8. (13 S.) Basel 882. Detloff. — 30

— Ziel u. Wege der Evangelisation in der Gegenwart. Vortrag. gr. 8. (20 S.) Elberfeld 883. Buchh. d. Evangel. Gesellschaft. n. — 30

Oreschnikow, A. W., zur Münzkunde d. cimmerischen Bosporus. Mit 1 Lichtdr.-Taf. Lex.-8. (22 S.) Moskau 883. Lang. n. 4. —

Orff, Carl v., Bestimmung der Länge d. einfachen Secundenpendels auf der Sternwarte zu Bogenhausen. Nach Beschluss der königl. bayer. Commission f. die europ. Gradmessg. unter Oberleitg. ihres Mitgliedes, von v. Lamont, ausgeführt gr. 4. (134 S.) München 883. (Franz Verl.) n.n. 4. —

Organ f. die Fortschritte d. Eisenbahnwesens in technischer Beziehung. Organ d. Vereins deutscher Eisenbahn-Verwaltgn. Hrsg. von E. Heusinger v. Waldegg. 38. Jahrg. Neue Folge. 20—23. Bd. 1883—1886. à 6 Hfte. (à 5—6 B. m. Holzschn. u. Steintaf.) gr. 4. Wiesbaden, Kreidel. à Jahrg. n. 20. —

— dasselbe. 9. Suppl.-Bd. gr. 4. Ebend. 884. n. 20. —
Fortschritte der Technik d. deutschen Eisenbahnwesens in den letzten Jahren. 5. Abth. Nach den Ergebnissen der am 14. u. 15. Juli 1884 in Berlin abgeh. X. Versammlg. der Techniker der Eisenbahnen d. Vereins deutscher Eisenbahn-Verwaltgn. Red. v. der techn. Commission d. Vereins. Mit 27 Taf. Abbildgn. (XIV, 414 S.)

— dasselbe. Sach- u. Autoren-Register. Jahrg. 1874—1883 od. Neue Folge. Bd. 11—20 u. Suppl.-Bd. 5—8. Bearb. vom Hrsg. gr. 4. (IV, 71 S.) Ebend. 883. n. 4. —

— der militär-wissenschaftlichen Vereine. Hrsg. vom Ausschusse d. militärwissenschaftl. Vereines in Wien. 26—33 Bd. Jahrg. 1883—1886. à 8—12 Hfte. gr. 8. (26. Bd. 1. Hft. 148 u. XXIV S. m. 4 Steintaf.) Wien, (v. Waldheim). à Jahrg. n. 20. —

— dasselbe. II. Inhalts-Verzeichniss zu den Jahrgängen 1880—1884. [Bde. XX—XXIX.] Von C. Duncker. gr. 8. (V, 60 S.) Wien 885. (Seidel & Sohn.) n. 1. —

— des Centralvereins f. Rübenzucker-Industrie in der österreichisch-ungarischen Monarchie. Zeitschrift f. Landwirthschaft u. techn. Fortschritt der landwirthschaftl. Gewerbe. Red. v. Otto Kohlrausch. 21—24. Jahrg. Neue Folge. 12—15. Jahrg. 1883—1886. à 12 Hfte. Lex.-8. (à Hft. ca. 98 S. m. eingedr. Holzschn. u. Steintaf.) Nebst Gratis-Beilagen: „Der Marktbericht". Red. v. A. Achleitner. 52 Nrn. (à $^1/_2$—$^3/_4$ B.) Imp.-4. u. „Biedermann's Ratgeber in Feld, Stall u. Haus". 12 Nrn. (B.) gr. 8. Wien, (Frick). à Jahrg. n. 24. —

— für Schornsteinfegerwesen. Monatsschrift f. die Gesammtinteressen der Schornsteinfeger d. Deutschen Reichs. Red.: G. B. C. Rahn. 10—13. Jahrg. 1883—1886. à 12 Nrn. (à 1—2 B.) gr. 4. Berlin, (Rahn). à Jahrg. n. 6. —

— des Breslauer Stenographen-Vereins [System Neu-Stolze]. Red.: J. Brass. 3. Jahrg. Novbr. 1885—Octbr. 1886. 12 Nrn. ($^1/_2$ autogr. B.) gr. 8. Breslau, Zimmer. n. 1. 50

— der Taubstummen-Anstalten in Deutschland u. den deutschredenden Nachbarländern. [Begründet v. Matthias.] Im Verein m. K. Berndt, W. Hirzel u. E. Walther hrsg. v. J. Vatter. 29—32. Jahrg. 1883—1886. à 12 Nrn. (B.) gr. 8. Friedberg, Bindernagel. à Jahrg. n. 4. 50

Organisation der Werftdivisionen u. der Marineartillerie-abtheilungen. II. Vorschrift üb. die Ergänzung d. Zahlmeisterpersonals der kaiserl. Marine. 8. (28 S.) Berlin 884. Mittler & Sohn. n.n. — 60

— u. **Budget** d. industriellen Bildungswesens in Oesterreich im J. 1885. gr. 8. (23 S.) Reichenberg 885. Schöpfer. n. — 40

Organisations-Reglement f. die Werft-Divisionen der kaiserl. Marine. — Bestimmungen üb. die Organisation d. Maschinen-Ingenieur-Korps. Neue Ausg. 8. (43 S.) Berlin 883. Mittler & Sohn. — 15

Organisations-Statut der Bildungsanstalten f. Lehrer u. Lehrerinnen an öffentl. Volksschulen. Statut der Bürgerschul-Lehrercurse. Neue Vorschrift üb. die Lehrbefähigungs-Prüfgn. f. allgemeine Volks- u. Bürgerschulen. Nach den Ministerial-Verordngn. vom 31. Juli 1886. 8. (IV, 99 S.) Prag 886. Mercy. n. — 80

Orgel, die neue, im Dome zu Salzburg. [Erbaut v. Matthäus Mauracher im J. 1883.] Von Johannes Peregrinus. 12. (16 S.) Salzburg 883. (Kerber.) n. — 30

Orgelweihe in der Nydeckkirche. Sonntag, den 13. Christmonat 1885. 8. (38 S.) Bern 886. Nydegger & Baumgart. n. — 40

Oeri, J. J., Interpolation u. Responsion in den jambischen Partien der Andromache d. Euripides. gr. 8. (30 S.) Berlin 882. Weidmann. n. 1. —

Oerlbauer, M., Führer f. Trient-Arco u. Umgebung, sowie die übrigen Curorte Wälschtirols. Mit 7 Stahlst. u. 1 Plane. 8. (IV, 204 S.) Reichenberg 884. Gebr. Stiepel. geb. n. 4. —

Orientirungs-Plan f. Besucher d. Stadt-Theaters in Kaiserslautern. Lith. Fol. Kaiserslautern 886. A. Gotthold's Verl. n. — 40; auf Pappe gezogen n. — 70

Original-Genrebilder aus den Vorräthen der Herder'schen Verlagshandlung in Freiburg [Baden], wovon galvan. Kupferablagergn. auf Holzfuß zum Preise v. 10 Pf. pro Quadratcentimeter abgegeben werden. Fol. (III, 100 S.) Freiburg i/Br. 886. Herder. n.n. 2. —

Original-Mittheilungen aus der ethnologischen Abtheilung der königl. Museen zu Berlin, hrsg. v. der Verwaltg. 1. Jahrg. 4 Hfte. 4. (1. Hft. VIII, 56 S. m. 4 Taf.) Berlin 885. Spemann. n. 16. —

Original-Radirungen Düsseldorfer Künstler. 1—5. Hft. Fol. (à 10 Bl.) Wien 886. Gesellschaft f. vervielfältigende Kunst. à n. 20. —

Örley, Ladisl., die Rhabditiden u. ihre medicinische Bedeutung. Mit 6 Taf. gr. Lex.-8. (IV, 84 S.) Berlin 886. Friedländer & Sohn. n. 8. —

Ormós, Sigm. v., Rückerinnerungen. I. Venedig. 12. (552 S.) Temesvar 886. (Budapest, Aigner.) n. 6. —

Ornamentenschatz, der. Ein Musterbuch stilvoller Ornamente aus allen Kunst-Epochen. 80 (lith. u. chromolith.) Taf. m. üb. 1000 meist farb. Abbildgn. u. erläut. Text v. H. Dolmetsch. 2—20. (Schluss-) Hft. Fol. (64 Taf. m. 63 Bl. Text.) Stuttgart 883—86. Thienemann. à n. 1. — (cplt.: geb. n. 25. —)

Ornis. Internationale Zeitschrift f. die gesammte Ornithologie. Organ d. permanenten internationalen ornitholog. Comité's unter dem Protectorate Sr. k. k. Hoh. d. Kronprinzen Rudolf v. Oesterreich-Ungarn. Hrsg. v. R. Blasius u. G. v. Hayek. 1. u. 2. Jahrg. 1885 u. 1886. à 4 Hfte. gr. 8. (à Hft. ca. IV, 148 S.) Wien, (Gerold's Sohn). à Jahrg. n. 8. —

Orny, L., im Banne d. Kometen. Erzählung. 8. (149 S.) Berlin 888. Janke. n. — 50

Orphal, Hugo, Aehrenlese auf dem Acker d. göttlichen Gesetzes, in u. f. Religions- u. Konfirmandenstunden geh. gr. 8. (IV, 52 S.) Langensalza 888. Beyer & Söhne. n. — 50

— das evangelische Kirchenlied. 86 Kernlieder, f. den Schul- und Konfirmandenunterricht erläutert u. m. e. histor. Einleitg. versehen. gr. 8. (VI, 190 S.) Ebend. 884. n. 2. —

— 5 Passionsandachten. 8. (12 S.) Eisleben 885. (Mähnert.) n. — 30

— Schulfeier zum 400jährigen Luther-Jubiläum am 10. Novbr. 1883. Für deutsche Volksschulen zusammengestellt. Ausg. A: Für die Hand d. Lehrers. gr. 8. (16 S.) Langensalza 883. Beyer & Söhne. n. — 20; Ausg. B: Für d. Hand der Schüler. (8 S.) n. — 6

— das Vaterunser. 8. (112 S.) Eisleben 886. (Winkler.) n. 1. —

Orphica. Rec. Eug. Abel. Accedunt Procli hymni, hymni magici, hymnus in Isim, aliaque eiusmodi carmina. 8. (III, 320 S.) Prag 885. Tempsky. — Leipzig, Freytag. n. 5. —

Orschiedt, Herm. Rob., Lehrbuch der anorganischen Chemie u. Mineralogie an der Hand d. Experiments. Für höhere Lehranstalten, Lehrerseminarien, landwirthschaftliche Schulen, etc. (1. Bd.) Nichtmetalle. Neue Ausg. gr. 8. (VIII, 246 S.) Strassburg 885. Schmidt. n. 2. 80

Orsi, Spirito, der Ursprung der radicalen Neutra der deutschen Sprache, entdeckt v. S. O., ins Deutsche übertragen v. N. N. gr. 8. (17 S.) Turin 885. (Leipzig, Urban.) n. 1. —

Országh, Alex., Budapest's öffentliche Bauten in den J. 1868—1882. Aus dem Ung. 8. (XII, 254 S.) Budapest 884. (Nagel.) n. 2. —

Oertel, Frdr., die Teigwaaren-Fabrikation. Mit 43 Abbildgn. 8. (III, 142 S.) Wien 885. Hartleben. n. 2. 50

Oertel, Hugo, Matthias Claudius, der Wandsbecker Bote. Ein Lebensbild, f. die deutsche Jugend u. das deutsche Volk gezeichnet. Mit 4 Abbildgn. 12. (171 S.) Wiesbaden 884. Niedner. cart. — 75

— William Wilberforce, der Sklavenfreund. Ein Lebensbild, f. die deutsche Jugend u. das deutsche Volk gezeichnet. Mit 4 (Stahlst.-)Abbildgn. 12. (158 S.) Ebend. 885. cart. — 75

Oertel, Karl, astronomische Bestimmungen der Polhöhen auf den Punkten Irschenberg, Höhensteig u. Kampenwand. Im Auftrage der k. bayer. Kommission f. d. europ. Gradmessg. u. im Zusammenhange m. den Untersuchgn. d. Hrn. Dir. Dr. v. Bauernfeind üb. terrestr. Refraktion ausgeführt. gr. 4. (63 S.) München 885. (Franz' Verl.) n.n. 2. —

Oertel, M. J., üb. die Aetiologie der Diphtherie, s.: Zur Aetiologie der Infectionskrankheiten.

— kritisch-physiologische Besprechung der Ebsteinschen Behandlung der Fettleibigkeit. Erwiderung auf dessen Schrift: „Fett od. Kohlenhydrate". gr. 8. (24 S.) Leipzig 885. F. C. W. Vogel. n. — 80

— die Ebstein'sche Flugschrift üb. Wasserentziehung u. s. w., kritisch beleuchtet. gr. 8. (16 S.) Ebend. 885. n. — 60

— Ernährung m. Hühnereiern. [Aus e. grössern Arbeit üb. die Behandlg. der Kreislaufstörgn. etc.] Lex.-8. (21 S.) München 883. Rieger. n. 1. —

— über Terrain-Curorte zur Behandlung v. Kranken m. Kreislaufs-Störungen, Kraftabnahme d. Herzmuskels, ungenügenden Compensationen bei Herzfehlern, Fettherz u. Fettsucht, Veränderungen im Lungenkreislauf etc., insbesondere als Winter-Stationen in Süd-Tirol. [Meran-Mais, Bozen-Gries, Arco.] Zur Orientirg. f. Aerzte u. Kranke. Mit 2 Karten v. Bozen u. Meran. gr. 8. (IV, 76 S.) Leipzig 886. F. C. W. Vogel. n. 3. —

— Therapie der Kreislaufs-Störungen etc., s.: Handbuch der allgemeinen Therapie.

— Zusätze u. Erläuterungen zur Allgemeinen Therapie der Kreislaufs-Störungen. gr. 8. (III, 70 S.) Leipzig 886. F. C. W. Vogel. n. 1. 60

Oertel, O., die Städte-Ordnung vom 30. Mai 1853 u. die Verwaltungs-Reform-Gesetze f. die Preußische Monarchie m. Ergänzungen u. Erläuterungen. 1. u. 2. Bd. gr. 8. Liegnitz 883. Krumbhaar. n. 14. —
I. Die Städte-Ordng. vom 30. Mai 1853. Die Kreis-Ordng. vom 13. Dcbr. 1872 / 19. März 1881. Die Provinzial-Ordnung vom 29. Juni 1875 / 22. März 1881. (XXII, 454 S.) n. 8. —. — 2. (316 S.) n. 6. —.

Oertel, Osc., Gedichte. 2. veränd. Aufl. 8. (VII, 150 S.) Leipzig 886. Greßner & Schramm. n. 2. —

Ortelius, Abr., Kartuschen im Style der flämischen Renaissance. Ein Motivenwerk f. Stein- u. Holzbildhauer, Kunsttischler, Decorationsmaler, Glasmaler, Kunstschlosser u. Architekten aus dem Atlas d. A. O. 1569. 2. Aufl. gr. 4. (30 Taf.) Berlin 886. Claesen & Co. In Mappe. n. 12. —; farbige Ausg. (16 Taf.) n. 15. —

Ortenburg, Gräfin Julie zu, geb. Freiin v. Wöllwarth-Lauterburg, Gedichte aus dem Nachlaß. 8. (XIII, 205 S.) Gotha 885. Thienemann. n. 2. —; geb. n. 3. —

Orth, Ernst Rud., der aaronische Segen 4. Mose 6, 24—26, mein Jubiläumsdank u. mein Jubiläumsbekenntniß. Predigt. gr. 8. (15 S.) Berlin 883. Wiegandt & Grieben. — 30

Orth, J., Jigelis Porträt, s.: Groschen-Bibliothek f. das deutsche Volk.

Orth, Johs., Compendium der pathologisch-anatomischen Diagnostik, nebst Anleitg. zur Ausführg. v. Obductionen, sowie v. pathologisch-histolog. Untersuchgn. 3. neu bearb. u. m. mikroskop. Technik verm. Aufl. gr. 8. (XX, 634 S.) Berlin 884. Hirschwald. n. 13. —

— Cursus der normalen Histologie zur Einführung in den Gebrauch d. Mikroskopes, sowie in das prakt. Studium der Gewebelehre. 4. Aufl. Mit 108 Holzschn. gr. 8. (XII, 360 S.) Ebend. 886. n. 8. —

— Lehrbuch der speciellen pathologischen Anatomie. (In 4 Lfgn.) 1—3. Lfg. Mit 68 (eingedr.) Holzschn. gr. 8. Ebend. n. 26. —

1. Blut u. Lymphe, blutbereit. u. Circulationsorgane. (1. Bd. 280 S.) 883. n. 8. —
2. Respirationsorgane u. Schilddrüse. Mit 70 Holzschn. (1. Bd. S. 281—590.) 885. n. 8. —
3. Verdauungsorgan. Mit 85 Holzschn. (1. Bd. XII. u. S. 591—1014.) 887. n. 10. —

Orthodoxismus, der, vor der Wissenschaft. Offenes Sendschreiben an Hrn. Prof. Conr. Hermann in Leipzig, als Erwiderg. auf die Besprechg. desselben in dem „Theolog. Litteraturblatt" [Leipzig 1885, Nr. 26] üb. d. „Urkunde der Wissenschaft" [Berlin 1885]. Vom Verf. der letzteren. gr. 8. (IV, 70 S.) Hamburg 885. König & Schulz. n. 2. 50

Orthoepia, a, da lingua portugueza em exercicios para escolas allemans no Brasil. 2. ed. gr. 8. (40 S.) São Leopoldo 883. Evangel. Buchh. — 30; geb. n. — 40

Orti y Lara, J. E., Wissenschaft u. Offenbarung in ihrer Harmonie. Preisgekrönt v. der königl. Akademie der Moral- u. Staats-Wissenschaften zu Madrid. Uebers. v. Ludw. Schütz. gr. 8. (XIX, 348 S.) Paderborn 884. F. Schöningh. n. 3. 60

Ortleb, A., u. G. **Ortleb**, Anleitung zu häuslichen Kunstarbeiten f. die Jugend. 11. u. 12. Hft. 12. Leipzig 883. Ruhl. à n. — 50

11. Spritzarbeit. Mit 17 color. Abbildgn. auf 4 (lith.) Taf. (16 S.)
12. Lederarbeiten. Mit 31 color. Abbildgn. auf 4 (lith.) Taf. (15 S.)

— — kleine Baumodellirschule. Eine Anleitg., wie Dilettanten u. jugendl. Anfänger Modelle v. Gebäuden jeder Stylart v. Holz, Kork u. Pappe selbst anfertigen können. Erläutert durch 98 Textabbildgn. 8. (119 S.) Leipzig 886. Th. Grieben. n. 2. —; cart. n. 2. 40

— — Cartonage-Arbeiten f. die Jugend. 2. Serie, enth. 12 (chromolith.) Taf. (auf Carton). qu. 4. (1 Bl. Text m. 1 lith. Erläuterungstaf.) Leipzig 883. Ruhl. In Mappe. n. 2. —

— — Deutschlands Kaiserhaus. Bildnisse sämmtl. Regenten d. erlauchten Fürstenhauses der Hohenzollern. Auf Anregg. der Verlagsbuchhandlg, nach den besten Quellen entworfen u. gezeichnet. gr. 16. (18 Taf.) Leipzig 886. G. Weigel. In Cart. n. 1. 20; color., n. 4. —

— — Sachsens Königshaus. Historisch-treue Bildnisse der Regenten d. erlauchten Hauses Wettin seit der Erlangg. der Kurwürde. Nach den besten Quellen entworfen u. gezeichnet. gr. 16. (22 Taf.) Ebend. 886. cart. n. 1. 20; color., geb. n. 4. —

— — der emsige Naturforscher u. Sammler. Mit Abbildgn. 1—24. Bdchn. 12. Berlin 885. Mode's Verl. cart. à — 60

1. Das Süßwasseraquarium u. Terrarium. (57 S.)
2. Die Fische, m. besond. Berücksicht. der einheim. Arten. Nebst Anleitg. zum Aufbewahren u. Abformen der Fische. (84 S.)
3. Die merkwürdigsten Reptilien u. Amphibien, m. besond. Berücksicht. der einheim. Arten. Nebst Anleitg. zum Aufbewahren u. Konservieren derselben u. zur Herrichtg. e. billig. Reptilien- u. Amphibienhauses. (66 S.)
4. Schnecken u. Muscheln [Conchylien] u. andere hartschalige Seeprodukte. Nebst Anleitg. zum Präparieren u. Aufbewahren derselben. (72 S.)
5. Das Fangen, Präparieren u. Sammeln der Schmetterlinge, nebst Beschreibg. derselben. (64 S.)
6. Der Raupensammler. (62 S.)
7. Das Sammeln der einheimischen Käfer, nebst Beschreibg., Präparieren u. Aufbewahren derselben. (70 S.)
8. Insekten, Tausendfüßler u. Spinnentiere. (80 S.)
9. Der Kanarienvogel. Zucht u. Pflege desselben, sowie anderer kleiner Stubenvögel, wie: Stieglitz, Hänfling, Zeisig rc., nebst ihren Krankheiten u. deren Heilg., Zähmg. u. Abrichtg. der Singvögel u. dem Sprechenlehren der einheim. Vögel. (52 S.)
10. Die Eiersammlung. Beschreibung der Vögel, ihrer Eier u. Nester, nebst Anleitg. zum Präparieren u. Aufbewahren der gesammelten Vogeleier. (51 S.)
11. Die Zucht u. Pflege kleiner Haustiere, wie Hund, Katze, Meerschweinchen, weiße Maus, Eichhörnchen, Kaninchen, Hamster, Ziegenbock, Tauben, Hühner, Papageien rc. Nebst Anleitg. zum Anfertigen v. Tierzwingern u. Käfigen. (69 S.)
12. Das Ausstopfen u. Skelettiſieren v. Säugetieren u. Vögeln. (63 S.)
13. Das Herbarium, nebst Samen- u. Holz-Sammlg. Anleitung zum Sammeln, Präparieren, Aufbewahren u. Ordnen der Pflanzen, Samen u. Hölzer, m. Angabe der Schutzmittel gegen die Feinde der Herbarien u. Anweisg. zur Herstellg. v. Pflanzen-Abdrücken. (51 S.)
14. Die nützlichen u. schädlichen Pilze od. Schwämme Deutschlands [Mycetologie]. (83 S.)
15. Die einheimischen Giftpflanzen, nebst Angabe der Gegenmittel bei Vergiftgn. durch dieselben. (68 S.)
16. Der Mineralien- u. Petrefakten-Sammler. Anweisung zur Anlage e. Mineralien-Sammlg., nebst Einteilg. u. Beschreibg. der Mineralien u. Versteinergn. (63 S.)
17. Anleitung zu mikroskopischen Untersuchungen u. Beobachtungen m. der Lupe v. kleinen Tierchen, wie Milben, Trichinen, Infusorien, Würmern, Insekten rc., Pflänzchen u. Mineralien. Nebst Anleitg. zur Herstellg. u. Aufbewahrg. der Präparate. (56 S.)
18. Astronomie od. Himmelskunde. (63 S.)
19. Physikalische Experimente. Belehrungen üb. Magnetismus, Electricität, opt. Erscheingn., Wärme, Mechanik. (66 S.)
20. Entstehung u. Bau unserer Erde. Grundbegriffe der Geologie u. Geognosie. (66 S.)
21. Der Münzen-, Siegel- u. Briefmarken-Sammler, nebst Anleitg. zur Herstellg. v. Abgüssen u. Abdrücken. (46 S.)
22. Der Antiquitäten-Sammler. Uebersicht der alten Künste, nebst Anleitg. zum Sammeln v. Altertümern. (77 S.)
23. Die Gehörne u. Geweihe. Anleitg. zum Sammeln, Präparieren u. Aufbewahren derselben u. kurze Naturgeschichte der Gehörne u. Geweihe trag. Tiere. (64 S.)
24. Gefäßkunde od. Keramik. (75 S.)

Ortleb, A., u. G. **Ortleb**, Vorlagen zu Holzschnitzerei-Arbeiten f. die reifere Jugend. 1. Serie, enth. 12 Taf. in Farbendr. qu. 4. (2 S. Text.) Leipzig 884. Ruhl. In Mappe. n. 2. —

Ortloff, Herm., die strafbaren Handlungen nach Deutschlands Reichsrecht u. Praxis. Handbuch f. Straf- u. Polizeibehörden. gr. 8. (X, 397 S.) München 883. Oldenbourg. geb. n. 6. —

— die gerichtliche Redekunst. I. Allgemeiner od. theoret. Tl. Anwendung der Regeln der Rhetorik auf die gerichtl. Redekunst. gr. 8. (XII, 176 S.) Neuwied 887. Heuser's Verl. n. 4. —

— der Wechselverkehr nach deutschem u. österreichischem Recht. gr. 8. (XI, 222 S.) Ebend. 885. n. 3. 20

Ortlaph, Joh. Ludw. Aug., Rede üb. Jesaj. Kap. 57 Vers 2, bei der Beerdigg. d. am 26 Juni 1883 in Bad Kissingen verstorbenen Kgl. b. Oberbaudir. a. D. Frdr. Aug. v. Pauli am 28. Juni 1883. geh. gr. 8. (8 S.) Würzburg 883. Stuber's Verl. n. — 20

Ortmann, J. H., der Anschauungsunterricht, s.: Fuhr, J. H.

— u. K. **Schüßler**, naturgeschichtlicher Anschauungs-Unterricht f. die Oberstufe der Volksschule. 2. Abtlg. Tierkunde, nebst Anh.: Die wichtigsten Mineralien. 1. Lfg. gr. 8. (VIII, 227 S.) Dillenburg 885. Seel. n. 2. 60 (I. u. II, 1.: n. 5. —)

Ortmann, Paul, experimentelle Untersuchungen üb. centrale Keratitis. 8. (35 S.) Königsberg 884. (Beyer.) n. 1. —

Ortmann, Rhold., meine Bühnen-Erlebnisse. Wahrheitsgetreue Memoiren v. Herm. Püsterich, Theaterdiener am Stadt-Theater zu Ypsilon. Hrsg. u. eingeleitet v. R. O. 8. (347 S.) Berlin 886. Friedrich Nachf. n. 4. —

— ungleiche Gefährten od. echtes Gold klärt sich im Feuer. Eine Erzählg. f. die Jugend. Mit 4 Stahlst. 12. (88 S.) Stuttgart 886. Schmidt & Spring. cart. — 75

— an den Gestaden Afrikas od. treuer Freundschaft Lohn. Eine Erzählg. f. die Jugend. Mit 4 Stahlst. 12. (100 S.) Ebend. 885. cart. — 75

— Görbersdorf, s.: Europe, illustrated. — Europe illustré.

— Luther,
— der Mutter Abschiedsgruß; e. Unterrichtsstunde Ludwig Devrients, } s.: Theater, deutsches.

Oertner, Horazens Bemerkungen üb. sich selbst in den Satiren. gr. 4. (22 S.) Gross-Strehlitz 883. (Wilpert.) n.n. 1. —

Ortsbaustatut der königl. Haupt- u. Residenzstadt Stuttgart vom 15 Juli 1874 m. den seither beschlossenen Zusätzen u. Abänderungen, nebst den die Baukontrole betr. Instruktionen, sowie e. die Behandlg. der Bausachen in Stuttgart betr. Anh. u. e. alphabet. Sachregister. 12. (70 S.) Stuttgart 883. Metzler's Verl. n. — 60

Ortschaften-Verzeichniss, vollständiges, der im Reichsrathe vertretenen Königreiche u. Länder nach den Ergebnissen der Volkszählungen vom 31. Decbr. 1880. Hrsg. v. der k. k. statist. Central-Commission in Wien. 2. Aufl. 3. Abdr. gr. 8. (403 S.) Wien 885. Hölder. n. 6. —

Ortschafts- u. Bevölkerungs-Statistik v. Bosnien u. der Hercegovina nach dem Volkszählungs-Ergebnisse vom 1. Mai 1885. Aemtliche Ausg. gr. 4. (379 S. m. Tab. u. 3 Karten.) Sarajevo 886. (Wien, Hölzel.) n. 16. —

Ortschafts-Verzeichniß d. Herzogth. Braunschweig auf Grund der Volkszählung vom 1. Decbr. 1885. Hrsg. vom statist. Büreau d. herzogl. Staats-Ministeriums im Juli 1886. 8. (39 S.) Braunschweig 886. (Schulbuchh.) cart. n. — 60

— alphabetisches, d. Landgerichtsbezirks Danzig m. Angabe der Amtsgerichte, Amtsbezirke u Gensdarmen-Stations-Orte. Auf dienstl. Veranlassg. zusammengestellt. gr. 8. (65 S.) Danzig 883. Kafemann. n. 1. 60

— von Elsaß-Lothringen. Aufgestellt auf Grund der Ergebnisse der Volkszählg. vom 1. Dezbr. 1880. Hrsg. vom statist. Büreau d. kaiserl. Ministeriums f. Elsaß-Lothringen. gr. 8. (XII, 135 u. 39 S.) Straßburg 884. Schmidt. n. 2. —

— alphabetisches, d. Landgerichtsbezirks Konitz m. Angabe der Postbestellbezirke, Amtsgerichtsbezirke, Amtsbezirke, Standesamtsbezirke u. Stationsorte der Gendarmen. Nach amtl. Quellen zusammengestellt v. Laudon. 8. (99 S.) Konitz 883. Wollsdorf. n. 1. 50

— alphabetisches, d Kreises Mohrungen m. Bezeichng. der Amtsbezirke, Amtsvorsteher, Standesamtsbezirke, Standesbeamten, Postanstalten, Kirchspiele, Schulverbände, Amtsgerichtsbezirke u. Entferng. v. der Kreisstadt Mohrungen. Aufgestellt im Bureau d. Kreisausschusses. 4. (21 S.) Mohrungen 884. Harich. n. 1. 25

— des Reg.-Bez. Wiesbaden nach der neuen Kreisordnung vom 7. Juni 1885. [Gesetzsammlung S. 193.] Im Auftrage der königl. Regierg. bearb. v. C. Dillmann. Fol. (37 S.) Wiesbaden 885. Bechtold & Co. n. 1. —

Orts-Lexikon, vollständiges topographisches deutschböhmisches, der Markgrafsch. Mähren u. d. Herzogth. Ober- u. Nieder-Schlesien, m. e. alphabet. deutsch-böhm. u. böhmisch-deutschen Orts-Register, m. Berücksicht. der Schulen, Lehrer-Gehaltsclassen, Pfarrämter, Gendarmerie-Posten, Baubezirke, Sanitätsbezirke, Heeres-Ergänzungsbezirke, Post-, Telegraphen- u. Eisenbahn-Stationen etc., geordnet nach Bezirkshauptmannschaften u. Gerichtsbezirken auf Grund der Volkszählg. vom J. 1880 m, Berücksicht. aller später erfolgten Aendergn. u. einigen statist. Uebersichts-Tabellen. Zum Gebrauche f. die k. k. Aemter, Verwaltungs-, Sicherheits- u. Militärbehörden etc. gr. 8. (XXVI, 229 u. 95 S.) Brünn 885. Winkler. geb. n. 5. —

Orts-Repertorium f. das Königr. Böhmen. Im Auftrage der h. k. k. Statthalterei f. Böhmen auf Grund ämtl. Daten zusammengestellt. gr. 8. (842 u. Reg. 204 S.) Prag 886. (Neugebauer.) n. 12. —

Ortsstatuten, erlassen v. der Rigaschen Stadtverordneten-versammlung in den J. 1879 bis 1882. 8. (29 S.) Riga 883. (Kymmel) n. — 80

Ortsverzeichnis d. Großherzogt. Baden. Zusammenstellung sämtl. Gemeinden, Gemarkgn. u. Wohnorte rc., nebst Angaben üb. deren geograph., statist., administrative, gewerbl. u. geschichtl. Verhältnisse. Mit 1 Karte. gr. 8. (VIII, 244 S.) Karlsruhe 886. Bielefeld's Verl. geb. n. 4. 80

— vom Königr. Sachsen m. genauer Angabe der Bestellungs-Postanstalten. Zum Gebrauch f. den Geschäfts- u. Privat-Verkehr. gr. 8. (30 S.) Dresden 884. Jaenicke. — 60

— des Königr. Württemberg m. Angabe der Gemeindebezirke, Oberamtsbezirke, nächsten Telegraphenanstalten u. Postbezirke. Hrsg. v. der königl. württ. Generaldirektion der Posten u. Telegraphen. 4. (250 S.) Stuttgart 885. (Grüninger.) cart. 3. —

Ortway, Thdr., zur Frage der Wasserabnahme in Ungarn. Eine hydro-histor. Studie. 8. (48 S.) Preßburg 883. (Stampfel.) n. 1. 20

Oertzen, Dietr. v., die Jünglingsvereine in Deutschland, s.: Zeitfragen d. christlichen Volkslebens.

— sinkende Welten. Novelle in Versen. 8. (159 S.) Leipzig 887. Böhme. n. 1. 80; geb. n. 2. 60

Oertzen, Geo. v., aus den Herbergen d. Lebens. 8. (118 S.) Breslau 887. Trewendt. n. 2. —

— Lieder u. Leute. 8. (XII, 248 S.) Wismar 883. Hinstorff's Verl. n. 4. — ; geb. n. 5. —

— Pera bei Poetenlicht. 8. (VII, 100 S.) Breslau 883. Trewendt. n. 2. —

Orzeszko, E. P., Meier Ezofowicz. Erzählung aus dem Leben der Juden. Einzig autoris. Uebersetzg. aus dem Poln. v. Leonh. Brixen. Mit 26 Illustr. v. M. Andriolli. 2. Aufl. Lex.-8. (266 S.) Dresden 885. Minden. n. 12. —; geb. n.n. 15. —

Osann, Arth., Beiträge zur Behandlung der Kompensationseinrede in der deutschen Civilprozeßordnung. Inaugural-Dissertation. gr. 8. (43 S.) Darmstadt 885. Bergsträßer. n. — 80

Osborne, P., Altarblumen. Communionbuch f. fromme Seelen. 6. Aufl. 16. (VIII, 544 S. m. 1 Holzschn.) Dülmen 885. Laumann. n. 1. —; geb. von n. 1. 50 bis n. 24. —

— Altarsbesuchungen f. jeden Tag d. Monats, nebst e. Anh. der nothwendigsten Gebete. 16. (IV, 320 S. m. 1 Stahlst.) Ebend. 883. n. — 80; geb. n. 1. 20

— Blüthen aus Assisis seraphischem Paradiesesgarten, e. Communionbuch f. die Mitglieder d. 3. Ordens vom hl. Franziskus. Zum VII. Centenarium d. hl. Franziskus v. Assisi. 16. (224 S.) Ebend. 883. n. — 75; geb. n. 1. —

— die Freuden d. hl. Sacraments. Communionbuch als Andenken an den Tag der ersten hl. Communion. 16. (335 S.) Ebend. 883. n. — 75; geb. n. 1. —

Oscar II., König v. Schweden u. Norwegen, Fest-Reden, geh. in den J. 1864 bis Ende 1871 in der königl. schwed. musikal. Akademie v. deren derzeit. hohen Präses, dem damal. Prinzen Oscar Fredrik, nunmehr Protektor der Akademie Oscar II. Mit allerh. Autorisation übers. v. Emil Jonas. gr. 8. (V, 130 S.) Leipzig 883. Teubner. n. 3. 60

Oschatz, F., experimentelle Untersuchungen üb. die physiologische Wirkung d. Chinolins. gr. 8. (50 S.) Göttingen 882. (Vandenhoeck & Ruprecht.) n. 1. 20

Oser, die Neurosen d. Magens u. ihre Behandlung, s.: Klinik, Wiener.

Oser, Frdr., Bruder Adolphus. Ein Klosteridyll. Illustr. v. Karl Jauslin. Volksausg. gr. 8. (15 S.) Basel 887. Bernheim. n. — 80

— neue Lieder [1874—1884]. gr. 16. (XI, 374 S.) Ebend. 885. n. 2. 50; geb. n. 3. 50

Oser, L., die mechanische Behandlung der Magen- u. Darmkrankheiten, } s.: Klinik, Wiener.

— die Ursachen der Magenerweiterung u. der Werth der mechanischen Behandlung bei derselben, } s.: Klinik, Wiener.

Oeser, Th. Clem., drei Tafeln üb. den Gang der Hauptverhandlung im Strafprozess, e. Hilfsmittel beim Studium der deutschen Strafprozessordng. u. zum Gebrauch in der Praxis. gr. 8. (8 S. m. 3 Taf. in qu. Fol.) Freiberg 883. Engelhardt. n. 2. 80

Osiander, Ludw. Ernst, Erklärung d. württembergischen Confirmations-Büchleins. Hrsg. v. dem Sohn Osiander's. 8. (VIII, 176 S.) Ludwigsburg 884. Neubert. n. 2. 40

Osius, Rud., die kommunalständische Landeskreditkasse zu Cassel, ihre Geschichte u. Organisation. gr. 8. (51 S.) Leipzig 885. Duncker & Humblot. n. 1. —

— das Reichs-Strafgesetzbuch. Commentirt f. Amtsanwälte, Bürgermeister, Schöffen. 12. (VI, 246 S.) Düsseldorf 883. Schwann. cart. n. 2. —

Orth, J., Zigelis Porträt, s.: Groschen-Bibliothek f. das deutsche Volk.

Orth, Johs., Compendium der pathologisch-anatomischen Diagnostik, nebst Anleitg. zur Ausführg. v. Obductionen, sowie v. pathologisch-histolog. Untersuchgn. 3. neu bearb. u. m. mikroskop. Technik verm. Aufl. gr. 8. (XX, 634 S.) Berlin 884. Hirschwald. n. 13. —

— Cursus der normalen Histologie zur Einführung in den Gebrauch d. Mikroskopes, sowie in das prakt. Studium der Gewebelehre. 4. Aufl. Mit 108 Holzschn. gr. 8. (XII, 360 S.) Ebend. 886. n. 8. —

— Lehrbuch der speciellen pathologischen Anatomie. (In 4 Lfgn.) 1—3. Lfg. Mit 68 (eingedr.) Holzschn. gr. 8. Ebend. n. 26. —

1. Blut u. Lymphe, blutbereit. u. Circulationsorgane. (1. Bd. 280 S.) 883. n. 8. —
2. Respirationsorgane u. Schilddrüse. Mit 70 Holzschn. (1. Bd. S. 281—590.) 885. n. 8. —
3. Verdauungsorgan. Mit 85 Holzschn. (1. Bd. XII. u. S. 591—1014.) 887. n. 10. —

Orthodoxismus, der, vor der Wissenschaft. Offenes Sendschreiben an Hrn. Prof. Conr. Hermann in Leipzig, als Erwiderg. auf die Besprechg. desselben in dem „Theolog. Litteraturblatt" [Leipzig 1885, Nr. 26] üb. d. „Urkunde der Wissenschaft" [Berlin 1885]. Vom Verf. der letzteren. gr. 8. (IV, 70 S.) Hamburg 885. König & Schulz. n. 2. 50

Orthoepia, a, da lingua portugueza em exercicios para escolas allemans no Brasil. 2. ed. gr. 8. (40 S.) São Leopoldo 883. Evangel. Buchh. — 30; geb. n. — 40

Orti y Lara, J. E., Wissenschaft u. Offenbarung in ihrer Harmonie. Preisgekrönt v. der königl. Akademie der Moral- u. Staats-Wissenschaften zu Madrid. Uebers. v. Ludw. Schütz. gr. 8. (XIX, 348 S.) Paderborn 884. F. Schöningh. n. 3. 60

Ortleb, A., u. G. **Ortleb**, Anleitung zu häuslichen Kunstarbeiten f. die Jugend. 11. u. 12. Hft. 12. Leipzig 883. Ruhl. à n. — 50

11. Spritzarbeit. Mit 17 color. Abbildgn. auf 4 (lith.) Taf. (16 S.)
12. Lederarbeiten. Mit 31 color. Abbildgn. auf 4 (lith.) Taf. (15 S.)

— — kleine Baumodellirschule. Eine Anleitg, wie Dilettanten u. jugendl. Anfänger Modelle v. Gebäuden jeder Stylart v. Holz, Kork u. Pappe selbst anfertigen können. Erläutert durch 98 Textabbildgn. 8. (119 S.) Leipzig 886. Th. Grieben. n. 2. —; cart. n. 2. 40

— — Cartonage-Arbeiten f. die Jugend. 2. Serie, enth. 12 (chromolith.) Taf. (auf Carton). qu. 4. (1 Bl. Text m. 1 lith. Erläuterungstaf.) Leipzig 883. Ruhl. In Mappe. n. 2. —

— — Deutschlands Kaiserhaus. Bildnisse sämmtl. Regenten d. erlauchten Fürstenhauses der Hohenzollern. Auf Anregg. der Verlagsbuchhandlg, nach den besten Quellen entworfen u. gezeichnet. gr. 16. (18 Taf.) Leipzig 886. G. Weigel. In Cart. n. 1. 20; color., n. 4. —

— — Sachsens Königshaus. Historisch-treue Bildnisse der Regenten d. erlauchten Hauses Wettin seit der Erlangg. der Kurwürde. Nach den besten Quellen entworfen u. gezeichnet. gr. 16. (22 Taf.) Ebend. 886. cart. n. 1. 20; color., geb. n. 4. —

— — der emsige Naturforscher u. Sammler. Mit Abbildgn. 1—24. Bdchn. 12. Berlin 885. Mode's Verl. cart. à — 60

1. Das Süßwasseraquarium u. Terrarium. (57 S.)
2. Die Fische, m. besond. Berücksicht. der einheim. Arten. Nebst Anleitg. zum Aufbewahren u. Abformen der Fische. (84 S.)
3. Die merkwürdigsten Reptilien u. Amphibien, m. besond. Berücksicht. der einheim. Arten. Nebst Anleitg. zum Aufbewahren u. Konservieren derselben u. zur Herrichtg. e. billig. Reptilien- u. Amphibienhauses. (66 S.)
4. Schnecken u. Muscheln [Conchylien] u. andere hartschalige Seeprodukte. Nebst Anleitg. zum Präparieren u. Aufbewahren derselben. (72 S.)
5. Das Fangen, Präparieren u. Sammeln der Schmetterlinge, nebst Beschreibg. derselben. (64 S.)
6. Der Raupensammler. (62 S.)
7. Das Sammeln der einheimischen Käfer, nebst Beschreibg., Präparieren u. Aufbewahren derselben. (70 S.)
8. Insekten, Tausendfüßler u. Spinnentiere. (80 S.)
9. Der Kanarienvogel. Zucht u. Pflege desselben, sowie anderer kleiner Stubenvögel, wie: Stieglitz, Hänfling, Zeisig &c., nebst ihren Krankheiten u. deren Heilg., Zähmg. u. Abrichtg. der Singvögel u. dem Sprechenlehren der einheim. Vögel. (52 S.)
10. Die Eiersammlung. Beschreibung der Vögel, ihrer Eier u. Nester, nebst Anleitg. zum Präparieren u. Aufbewahren der gesammelten Vogeleier. (51 S.)
11. Die Zucht u. Pflege kleiner Haustiere, wie Hund, Katze, Meerschweinchen, weiße Maus, Eichhörnchen, Kaninchen, Hamster, Ziegenbock, Tauben, Hühner, Papageien &c. Nebst Anleitg. zum Anfertigen v. Tierzwingern u. Käfigen. (69 S.)
12. Das Ausstopfen u. Skelettisieren v. Säugetieren u. Vögeln. (63 S.)
13. Das Herbarium, nebst Samen- u. Holz-Sammlg. Anleitung zum Sammeln, Präparieren, Aufbewahren u. Ordnen der Pflanzen, Samen u. Hölzer, m. Angabe der Schutzmittel gegen die Feinde der Herbarien u. Anweisg. zur Herstellg. v. Pflanzen-Abdrücken. (51 S.)
14. Die nützlichen u. schädlichen Pilze od. Schwämme Deutschlands [Mycetologie]. (83 S.)
15. Die einheimischen Giftpflanzen, nebst Angabe der Gegenmittel bei Vergiftgn. durch dieselben. (68 S.)
16. Der Mineralien- u. Petrefakten-Sammler. Anweisung zur Anlage e. Mineralien-Sammlg., nebst Einteilg. u. Beschreibg. der Mineralien u. Versteinergn. (63 S.)
17. Anleitung zu mikroskopischen Untersuchungen u. Beobachtungen m. der Lupe v. kleinen Tierchen, wie Milben, Trichinen, Infusorien, Würmern, Insekten &c., Pflänzchen u. Mineralien. Nebst Anleitg. zur Herstellg. u. Aufbewahrg. der Präparate. (56 S.)
18. Astronomie od. Himmelskunde. (63 S.)
19. Physikalische Experimente. Belehrungen üb. Magnetismus, Elektricität, opt. Erscheingn., Wärme, Mechanik. (66 S.)
20. Entstehung u. Bau unserer Erde. Grundbegriffe der Geologie u. Geognosie. (66 S.)
21. Der Münzen-, Siegel- u. Briefmarken-Sammler, nebst Anleitg. zur Herstellg. v. Abgüssen u. Abdrücken. (46 S.)
22. Der Antiquitäten-Sammler. Uebersicht der alten Künste, nebst Anleitg. zum Sammeln v. Altertümern. (77 S.)
23. Die Gehörne u. Geweihe. Anleitg. zum Sammeln, Präparieren u. Aufbewahren derselben u. kurze Naturgeschichte der Gehörne u. Geweihe trag. Tiere. (64 S.)
24. Gefäßkunde od. Keramik. (75 S.)

Ortleb, A., u. G. **Ortleb**, Vorlagen zu Holzschnitzerei-Arbeiten f. die reifere Jugend. 1. Serie, enth. 12 Taf. in Farbendr. qu. 4. (2 S. Text.) Leipzig 884. Ruhl. In Mappe. n. 2. —

Ortloff, Herm., die strafbaren Handlungen nach Deutschlands Reichsrecht u. Praxis. Handbuch f. Straf- u. Polizeibehörden. gr. 8. (X, 397 S.) München 883. Oldenbourg. geb. n. 6. —

— die gerichtliche Redekunst. I. Allgemeiner od. theoret. Tl. Anwendung der Regeln der Rhetorik auf die gerichtl. Redekunst. gr. 8. (XII, 176 S.) Neuwied 887. Heuser's Verl. n. 4. —

— der Wechselverkehr nach deutschem u. österreichischem Recht. gr. 8. (XI, 222 S.) Ebend. 885. n. 3. 20

Ortloph, Joh. Ludw. Aug., Rede üb. Jesaj. Kap. 57 Vers 2, bei der Beerdigg. d. am 26 Juni 1883 in Bad Kissingen verstorbenen Kgl. b. Oberbaudir. a. D. Frdr. Aug. v. Pauli am 28. Juni 1883. geh. gr. 8. (8 S.) Würzburg 883. Stuber's Verl. n. — 20

Ortmann, J. H., der Anschauungsunterricht, s.: Fuhr, J. H.

— u. K. Schützler, naturgeschichtlicher Anschauungs-Unterricht f. die Oberstufe der Volksschule. 2. Abtlg. Tierkunde, nebst Anh.: Die wichtigsten Mineralien. 1. Lfg. gr. 8. (VIII, 227 S.) Dillenburg 885. Seel. n. 2. 60 (I. u. II, 1.: n. 5. —)

Ortmann, Paul, experimentelle Untersuchungen üb. centrale Keratitis. 8. (35 S.) Königsberg 884. (Beyer.) n. 1. —

Ortmann, Rhold., meine Bühnen-Erlebnisse. Wahrheitsgetreue Memoiren v. Herm. Püsterich, Theaterdiener am Stadt-Theater zu Ypsilon. Hrsg. u. eingeleitet v. R. O. 8. (347 S.) Berlin 886. Friedrich Nachf. n. 4. —

— ungleiche Gefährten od. echtes Gold klärt sich im Feuer. Eine Erzählg. f. die Jugend. Mit 4 Stahlst. 12. (83 S.) Stuttgart 886. Schmidt & Spring. cart. — 75

— an den Gestaden Afrikas od. treuer Freundschaft Lohn. Eine Erzählg. f. die Jugend. Mit 4 Stahlst. 12. (100 S.) Ebend. 885. cart. — 75

— Görbersdorf, s.: Europe, illustrated. — Europe illustré.

— Luther, }
— der Mutter Abschiedsgruß; e. Unterrichtsstunde Ludwig Devrients, } s.: Theater, deutsches.

Oertner, Horazens Bemerkungen üb. sich selbst in den Satiren. gr. 4. (22 S.) Gross-Strehlitz 883. (Wilpert.) n.n. 1. —

Ortsbaustatut der königl. Haupt- u. Residenzstadt Stutt-

matikalisch geordnetes Vokabularium. 4 Abtlgn. gr. 8. Leipzig 884. Teubner. 3. 60

1. Für Sexta. 22. verb. Doppel.Aufl. (VIII, 131 S.) — 75. — 2. Für Quinta. 16. verb. Doppel-Aufl. (VI, 152 S.) — 90. — 3. Für Quarta. 14. verb. Doppel-Aufl. (140 S.) — — 75. — 4. Für Tertia 2. Doppel-Aufl. (VIII, 219 S.) n. 1. 20

Ostermann, Chrn., lateinisches Vokabularium, grammatikalisch geordnet in Verbindg m. e. Übungsbuche. 3 Abtlgn. [Mit Berücksicht. der neuen deutschen Rechtschreibg.] gr. 8. Leipzig 884. 86. Teubner. cart. 1. 5

1. Für Sexta. 27. Doppel-Aufl. (34 S.) — 30. — 2. Für Quinta. 19. Doppel-Aufl. (36 S.) — 30. — 3. Für Quarta. 13. verb. Doppel-Aufl. (52 S.) — 45

— lateinisch-deutsches u. deutsch-lateinisches Wörterbuch zu Ostermanns lateinischen Übungsbüchern f. Sexta, Quinta u. Quarta, alphabetisch geordnet. 13. Doppel-Aufl. gr. 8. (85 S.) Ebend. 885. cart. — 75

Ostermann, W., u. L. **Wegener,** Lehrbuch der Pädagogik. 1. u. 2. Bd. gr. 8. Oldenburg, Schulze. n. 6. 40

1. 2. Aufl. (VIII, 231 S.) 885. n. 2. 40
2. (IV, 380 S.) 883. n. 4. —

Ostermeyer, Schreib-Vorlagen zur raschen Verbesserung der Handschrift. Für die unteren Klassen der Mittelschulen u. zum Selbstunterrichte. qu. 8. (14 Steintaf m. 2 S. Text.) Neu-Ulm 883. Stahl's Verl. n. — 30

Ostermeyer, Frdr., de historia fabulari in comoediis Plautinis. gr. 8. (64 S.) Gryphiswaldiae 884. (Jena, Pohle.) n. 1. 20

Oesterreichs Gesellschaften u. Vereine f. Land- u. Forstwirthschaft nach dem Stande zu Anfang d. J. 1886. Zusammengestellt im k. k. Ackerbau-Ministerium. gr. 8. (46 S.) Wien 886. Hölder. n. — 80

— Neuschule. Zeitschrift f. den heim. Lehrerstand. Unter Mitwirkg. prakt. Schulmänner hrsg. u. red. v. Joh. Umlauft. 3. Jahrg. 1883. 52 Nrn. Lex.-8. (Nr. 1. 1½ B.) Wien, Sallmayer. n. 8. —

Erscheint nicht mehr.

— Theilnahme an den Befreiungskriegen. Ein Beitrag zur Geschichte der Jahre 1813 bis 1815 nach Aufzeichngn. von Frdr. v. Gentz, nebst e. Anh.: „Briefwechsel zwischen den Fürsten Schwarzenberg u. Metternich". Hrsg. v. Rich. Fürst Metternich-Winneburg. Geordnet u. zusammengestellt von Alf. Frhrn. v. Klinkowström. Mit e. Stahlst.-Portr. „Friedrich v. Gentz" u. e. Fcsm.-Briefe d. Feldmarschall Blücher. gr. 8. (XI, 844 S.) Wien 887. Gerold's Sohn. n. 16. —; geb. n. 18. —

Osterwald, K. W., Erzählungen aus der alten deutschen Welt f. Jung u. Alt. 1—3. Tl. 8. Halle, Buchh. d. Waisenhauses. cart. 6. 50

1. Gudrun. 6. Aufl. Mit 2 Vollbildern v. Jul. Immig. (XVI, 160 S.) 886. 2 —
2. Siegfried u. Kriemhilde. 6. Aufl. Mit 2 Vollbildern v. Jul. Immig (V, 196 S.) 884. 2. 50
3. Walther v. Aquitanien. Dietrich u. Ecke. 4. Aufl. (VIII, 159 S.) 886. 2. —

Osterwald, Karl, die Wasseraufnahme durch die Oberfläche oberirdischer Pflanzenteile. gr. 4. (29 S.) Berlin 886. Gaertner. n. 1. —

Osterwald, Wilh., Robert Franz. Ein Lebensbild. 12. (15 S.) Leipzig 886. Gebr. Hug. n. — 50

— Helden der Sage u. der Geschichte, nach ihren Dichtern f. die deutsche Jugend geschildert. 2 Bde. Mit 11 Bildern. 8. (VII, 383 u. V, 345 S.) Glogau 886. Flemming. geb. à 4. —

— Sang u. Sage, s.: Schmidt's, F., deutsche Jugendbibliothek.

Oesterwitz, Herm., Bericht üb. das 50jähr. Jubelfest d. Buchhandlungs-Gehilfen-Vereins zu Leipzig am 6., 7. u. 8. Oktbr. 1883. Als Suppl. zur Festschrift. gr. 8. (64 S.) Leipzig 884. (Rühle.) — 75

Die Festschrift s.: Ackermann, P., Geschichte d. Buchhandlungs-Gehilfen-Vereins zu Leipzig.

Oesterwitz, Herm., Führer durch Spandau u. Umgebung. Als Beigabe: e. genauer Plan der Stadt, e. Karte vom Grunewald, Fahrplan Spandau-Berlin, Dampfschifffahrtspläne u. Droschken-Tarif. 8. (32 S.) Spandau 886. Neugebauer's Sort. In Ledertuch geb. n. — 60

Ostheimer, Lucas, Schematismus der Volks- u. Bürgerschule in Deutsch-Tirol u. Vorarlberg. Nebst Status d. k. k. Unterrichtsministeriums, der k. k. Landesschulräthe f. Tirol u. f. Vorarlberg, d. k. k. Prüfungscommissionen u. der Lehrer- u. Lehrerinnen-Bildungs-Anstalten. Nach amtl. Quellen zusammengestellt. 2, verb. Aufl. 16. (VI, 178 S.) Innsbruck 885. (Wagner.) n. 1. 60

Osthoff, C., Beiträge zur Lehre v. der Eclampsie u. Uraemie, s.: Sammlung klinischer Vorträge.

Osthoff, Geo., der gesamte Eisenbahnbau, s.: Taschenbibliothek, deutsche bautechnische.

— Hülfsbuch zur Anfertigung v. Kostenberechnungen im Gebiete d. Ingenieurwesens. 2. Aufl. gr. 8. (XXII, 390 S.) Karlsruhe 883. Bielefeld's Verl. n. 10. —

— Schlachthöfe u. Viehmärkte, } s.: Handbuch der Architektur.
— u. **E. Schmitt,** Markthallen u. Marktplätze, } s.: Handbuch der Architektur.

Osthoff, Herm., zur Geschichte d. Perfects im Indogermanischen m. besond. Berücksicht. auf griechisch u. lateinisch. gr. 8. (IX, 653 S.) Strassburg 884. Trübner. n. 14. —

— Schriftsprache u. Volksmundart, s.: Sammlung gemeinverständlicher wissenschaftlicher Vorträge.

— die neueste Sprachforschung u. die Erklärung d. indogermanischen Ablautes. Antwort auf die gleichnam. Schrift v. Herm. Collitz [Göttingen, Vandenhoeck & Ruprecht's Verl. 1886]. gr. 8. (20 S.) Heidelberg 886. Bangel & Schmitt. n. — 80

Osthues, üb. die Fabrikation u. Verwendung des Wassergases zu Heizungs- u. Beleuchtungszwecken. Vortrag, gr. 8. (20 S.) Dortmund 885. Köppen n. — 60

Ostland, J. P., der Entsatz v. Wien 1683. Volksstück m. Gesang in 5 Aufzügen zur 2. Säcularfeier der letzten Türkenbelagerg. Wiens. gr. 8. (90 S.) Wien 883. Künast. n. 2. —

Ostrożyński, Ladisl. R. v., Prozess Zółkiewski-Stwiertnia. Nach den Gerichtsakten kritisch zusammengestellt. gr. 8. (39 S.) Lemberg 886. (Milikowski.) n. 1. 30

Ostwald, Wilh., Lehrbuch der allgemeinen Chemie. 2 Bde. gr. 8. Leipzig, Engelmann. à n. 20. —; Einbd. à n.n. 2. 50

1. Stöchiometrie. (855 S. m. Holzschn.) 884.
2. Verwandschaftslehre. (XII, 909 S. m. Holzschn. u. Taf.) 886.

— in Sachen der modernen Chemie. Offener Brief an Hrn. Albrecht Rau. gr. 8. (22 S.) Riga 884. Deubner. n. — 50

Oswald's v. Wolkenstein, d. letzten Minnesängers, Gedichte. Zum erstenmale in den Versmaßen d. Originals übers., ausgewählt, m. Einleitg. u. Anmerkgn. versehen v. Johs. Schrott. Mit e. Bildniß d. Dichters u. e. Fcsm. seiner musikal. Compositionen. 8. (XXXI, 214 S.) Stuttgart 886. Cotta. cart. n. 3. —

Oswald, E. [B. Schulze-Smidt], Inge v. Rantum. Eine Sylter Novelle. 2. Aufl. m. Illustr. v. E. h. S. 8. (IV, 220 S.) Koblenz 885. Groos. n. 4. 25; geb. n. 5. —

— s.: Schulze-Smidt, B.

Oswald, Felix L., Streifzüge in den Urwäldern v. Mexico u. Central-Amerika. 2. Aufl. Mit 76 Abbildgn. gr. 8. (XXIV, 384 S.) Leipzig 884. Brockhaus. n. 7. 50; geb. n. 9. —

Oswald, Frdr., der Vorsteh-Hund in seinem vollen Werthe; dessen neueste Parforce-Dressur ohne Schläge; seine Behandlg. in guten u. bösen Tagen. Mit ergänz. u. lehrreicher Vorrede v. Hegewald. 6. Aufl. gr. 8. (XX, 299 S.) Rudolstadt 886. Hartung & Sohn. n. 4. —; geb. n. 5. —

Oswald, Joh. H., Angelologie, das ist die Lehre v. den guten u. bösen Engeln, im Sinne der kathol. Kirche dargestellt. gr. 8. (VIII, 220 S.) Paderborn 883. F. Schöningh. n. 3. —

— die Erlösung in Christo Jesu, nach der Lehre der kathol. Kirche dargestellt. 2. Aufl. 2 Bde. gr. 8. (VIII, 340 u. III, 262 S.) Ebend. 887. n. 7. 50

— die Lehre v. der Heiligung, d. i. Gnade, Rechtfertigung, Gnadenwahl, im Sinne d. kathol. Dogmas dargestellt. 3. verm. u. verb. Aufl. gr. 8. (V, 274 S.) Ebend. 885. n. 3. —

— die Schöpfungslehre im allgemeinen u. in besonderer Beziehung auf den Menschen, im Sinne der kathol. Kirche dargestellt. gr. 8. (VII, 243 S.) Ebend. 885. n. 3. —

Osman-Bey, Enthüllungen üb. die Ermordung Alexanders II. Veröffentlicht aus Anlass d. 5. Jahrestages d. Todes Alexanders II. Aus dem Franz. übers. 8. (223 S.) Bern 886. Nydegger & Baumgart. n. 2. 50

— die Frauen in der Türkei. 8. (VI, 276 S.) Berlin 886. Ißleib. n. 3. —

Osner, R., neue Schreib-Lese-Fibel, s.: Bartels, F.

Ossians, Gedichte, s.: Collection Spemann.

Ossmann, Rose, geb. Freiin v. Beust, Blüthen der deutschen Heimath. 12 Blatt in Chromolith. m. Poesien v. Frida Schanz. Fol. (12 Bl. Text.) Leipzig 885. Meissner & Buch. In Mappe n. 25. —; in Leinw.-Mappe n. 37. 50; einzelne Blätter à n. 3. —

Ost u. West. Illustrirtes Familienblatt. Kleine illustr. Zeitg. Hrsg. v. C. Guerdan u. Frz. Scherer. Red.: F. Scherer. 4. Jahrg. 1884. 52 Nrn. (2 B. m. eingedr. Holzschn.) gr. 4. Wien, Engel. 10. —
Vergl.: Zeitung, kleine illustr.

— — Engel's illustrirtes Familienblatt. Hrsg. u. Red.: Hugo Engel. Red.: Carl Fleischmann. 2. Jahrg. 1885. 46 Hfte. (2 B.) gr. 4. Wien, Engel. 6. —; à Hft. — 10; Ausg. m. Chromobild — 20

Ost, L., s.: Othmer, G., Vademecum d. Sortimenters.

Osten, v. der, der einfache Sachtransport nach deutschem Reichspostrecht. gr. 8. (VI, 58 S.) Strassburg 883. Trübner. n. 1. 50

Osten, A. v. d., der erste Preis. Erzählung f. Mädchen. 8. (III, 304 S.) Hamburg 886. J. F. Richter. geb. n. 4. —

Osten, H. H. v., Schleswig-Holstein in geographischen u. geschichtlichen Bildern. Ein Handbuch der Heimatskunde f. Schule u. Haus. 3. Aufl. gr. 8. (VIII, 251 S.) Flensburg 884. Westphalen. n. 2. 50

Osten, M., neue Polterabendscherze, s.: Kern, J.

Osten, M. v. der, die Arbeiterversicherung in Frankreich, s.: Schriften d. Vereins f. Socialpolitik.

Oesten, R., die Verfasser der altfranzösischen Chanson de geste Aye d'Avignon, s.: Ausgaben u. Abhandlungen aus dem Gebiete der romanischen Philologie.

Oster, C., ärztlicher Rathgeber, s.: Baden-Baden.

Oster, J., Luther auch Unser! Festpredigt. gr. 8. (16 S.) Dresden 884. Pierson. n.n — 50

Osterau, W. v., eigene Wege, s.: Saat u. Ernte.

Osterhage, Geo., üb. die Spagna istoriata. 4. (24 S.) Berlin 885. Gaertner. n. 1. —

Osterhas, der, in Maria Hilf, vom Verf. d. Bochsthaler St. Nikolausbüchlein. 2. Aufl. 8. (88 S. m. Illustr.) Miltenberg 884. (Halbig.) n. 1. —

Oesterhaus, Wilh., iuse Platt. Gedichte. 12. (IV, 96 S.) Detmold 882. Klingenberg. n. 1. 20

Osterkarten, neue, m. christlichen Sprüchen. Chromolith. Nr. 609—683. 16., 8. u. 4. Leipzig 884. 85. (Baldamus Sep.-Cto.) n. 72. 20

609. Bei Gott ist mein Heil. (4 Bl.) n. 1. 20
610. Der Herr ist gnädig u. gerecht. (12 Bl.) n. 1.
611. Alles m. Gott. (8 Bl.) n. 1.
612. Mancherlei Kräfte aber ein Gott. (8 Bl.) n. 1.
613. Geistlicher Himmelsschlüssel. (8 Bl.) n. 1.
614. Der Herr ist mein Licht. (4 Bl.) n. 1.
615. Christus ist mein Leben. (4 Bl.) n. —
616. Weise mir Herr deinen Weg. (6 Bl.) n. —
617. Ich bin die Auferstehung. (4 Bl.) n. —
618. Hoffnung läßt nicht zu Schanden werden. (4 Bl.) n. 2.
619. Ich will lobsingen. (4 Bl.) n. —
620. Der Herr denket an uns. (4 Bl.) n. —
621. Meine Seele harret nur auf Gott. (4 Bl.) n. 1.
622. Meine Seele müsse sich freun d. Herrn. (4 Bl.) n. —
623. Worte zu Trost u. Frieden. (4 Bl.) n. —
624. Preiset m. mir den Herrn. (4 Bl.) n. —
625. Der Herr ist mein Hirt. (4 Bl.) n. —
626. Hoffet auf Gott. (4 Bl.) n. —
627. Der Herr ist mein Schutz. (4 Bl.) n. —
628. Herr höre meine Stimme. (4 Bl.) n. —
629. Selig sind die Gottes Wort hören. (4 Bl.) n. —
630. Herr du bist meine Stärke. (12 Bl.) n. 1.
631. Herr wie sind deine Werke so groß. (4 Bl.) n. —
632. Ich will den Herrn loben allezeit. (4 Bl.) n. 1.
633. Bei dir Herr ist die lebendige Quelle. (4 Bl.) n. —
634. Lobe den Herrn. (4 Bl.) n. 1. 20
635. Auf Golgatha. (4 Bl.) n. — [illegible]
636. Lichtstrahlen des Glaubens. (4 Bl.) n. 1. —
637. Einkehr in Gott. (4 Bl.) n. — 80
638. Zuversicht im Glauben. (4 Bl.) n. 1. 20
639. Harre d. Herrn. (4 Bl.) n. 1. —
640. Dein Reich komme. (4 Bl.) n. 1. 20
641. Befiehl dem Herrn deine Wege. (4 Bl.) n. 1. 20
642. Gnädig u. barmherzig ist der Herr. (4 Bl.) n. 1. 10
643. Freuet euch in dem Herrn. (4 Bl.) n. —
644. Gott will, daß allen Menschen geholfen werde. (4 Bl.) n. 1.
645. Bittet, so wird euch gegeben. (12 Bl.) n. 1.
646. Selig sind die Sanftmüthigen. (6 Bl.) n. — 80
647. Prüfet aber alles, u. das Gute behaltet. (4 Bl.) n. — 80
648. Herr, ich warte auf dein Heil. (6 Bl.) n. 1. —
649. Wir sahen seine Herrlichkeit. (4 Bl.) n. —
650. Halte, was du hast. (12 Bl.) n. 1.
651. Alles, was Odem hat, lobe den Herrn. (4 Bl.) n. —
652. Lasset das Wort Christi reichlich unter euch wohnen. (4 B n. 1.
653. Herr Gott, du bist meine Zuflucht. (8 Bl.) n. 1. 80
654. Die Furcht d. Herrn. (8 Bl.) n. 1. [illegible]
655. Nach dir Herr, verlanget mich. (6 Bl.) n. — 65
656. Sorget nichts; sondern in allen Dingen ꝛc. (4 Bl.) n. — 80
657. Lobe den Herrn, meine Seele. (4 Bl.) n. — 80
658. Herr, wie sind deine Werke so groß u. viel. (4 Bl.) n. — 80
659. Herr, du thust deine Hand auf. (4 Bl.) n. — 80
660. Gott, wie dein Name, so ist auch dein Ruhm. (4 Bl.) n. — 80
661. Herr, wenn ich dich nur habe. (4 Bl.) n. — 80
662. Machet die Thore weit. (4 Bl.) n. 2. —
663. Habe deine Lust an dem Herrn. (6 Bl.) n. — 80
664. Des Herrn Wort ist wahrhaftig. (6 Bl.) n. — 80
665. Das Auge d. Herrn siehet auf die, so ihn fürchten. (4 Bl.) n. 1. 80
666. Alle gute Gabe u. alle vollkommene Gabe ꝛc. (4 Bl.) n. — 65
667. Die m. Thränen säen, werden m. Freuden ernten. (4 Bl.) n. 1. —
668. Selig sind, die Gottes Wort hören. (4 Bl.) n. 1. —
669. Die Ehre d. Herrn ist ewig. (4 Bl.) n. 1. 20
670. Herr, deine Güte reichet, soweit der Himmel ist. (4 B n. 1.
671. Es ist aber der Glaube e. gewisse Zuversicht. (4 Bl.) n. 1.
672. Dein Wort ist meines Fußes Leuchte. (4 Bl.) n. — [illegible]
673. Alles, was ihr bittet im Gebet ꝛc. (4 Bl.) n. — 80
674. Ist Gott für uns, wer mag wider uns sein? (4 Bl.) n. — 60
675. Die Himmel erzählen die Ehre Gottes. (4 Bl.) n. 1.
676. Es sollen wohl Berge weichen. (4 Bl.) n. 1.
677. Seid getrost u. unverzagt. (4 Bl.) n. —
678. Ich bin das Licht der Welt. (4 Bl.) n. —
679. Der Herr aber richte eure Herzen. (4 Bl.) n. —
680. Danket dem Herrn, denn er ist freundlich. (4 Bl.) n. — [illegible]
681. Die Engel sollen loben den Namen d. Herrn. (4 Bl.) n. — 7[illegible]
682. Alles, was ihr thut, das thut im Namen d. Herrn. (4 Bl.) n. —
683. Der Engel d. Herrn. (6 Bl.) n. — 60

Oesterlein, Nik., Entwurf zu einem Richard Wagner-Museum. Mit 4 Bildern in Lichtdr. gr. 8. (15 S.) Wien 884. Gutmann. n. 1. 50

— Katalog e. Richard Wagner-Bibliothek. Nach den vorlieg. Originalen systematisch-chronologisch geordnetes u. m. Citaten u. Anmerkgn. versehenes authent. Nachschlagebuch durch die gesammte Wagner-Litteratur. 2. Bd. Abgeschlossen: Novbr. 1881. [Nr. 3373—5567.] Lex.-8. (XXX, 352 S.) Leipzig 886. Breitkopf & Härtel. n. 10. —; geb. n. 11. 50 (1. u. 2.: n. 20. —; geb. n. 23. —)

Oesterlen, Rich., der mehrfache Verkauf derselben Sache. gr. 8. (III, 91 S.) Stuttgart 883. (Kohlhammer.) n. 1. 20

Oesterlen, Thdr., Komik u. Humor bei Horaz. Ein Beitrag zur röm. Litteraturgeschichte. 1. u. 2. Hft. gr. 8. (135 S.) Stuttgart, Metzler's Verl. à n. 3. —
1. Die Satyren u. Epoden. (135 S.) 885.
2. Die Oden. (133 S.) 886.

— Schulgrammatik der französischen Sprache m. Berücksicht. d. Lateinischen. Für sämmtl. Schulklassen. 1. Kurs. Für untere u. mittlere Klassen, in 3 Jahrgängen. Laut- u. Formenlehre. Unter Mitwirkg. v. W. Wiedmayer hrsg. 3. Aufl. gr. 8. (XXVI, 435 S.) Ebend. 883. n. 4. 20

— Studien zu Vergil u. Horaz. gr. 8. (VII, 104 S.) Tübingen 885. Fues. n. 2. 40

Oesterley, Herm., Wegweiser durch die Literatur der Urkundensammlungen. 2 Thle. gr. 8. (VI, 574 u. VI, 423 S.) Berlin 885. 86. G. Reimer. n. 21. —

— historisch-geographisches Wörterbuch d. deutschen Mittelalters. 10. [Schluss-]Lfg. Lex.-8. (III u. S. 721—806.) Gotha 883. J. Perthes. n. 2. 40 (cplt.: n. 24. —)

Osterloh, S., Wangeroog u. s. Seebad. Nebst e. Plane der Insel u. e. Karte d. nördl. Teiles Ostfrieslands, m. Angabe der Reisewege. 12. (III, 37 S.) Emden 884. Haynel. n. 1. 25

Ostermann, Chrn., griechisches Übungsbuch im Anschluß an e. grammatikalisch geordnetes Vokabularium nebst e. Abriß der griech. Formenlehre f. Anfänger [Tertia]. 2 Abtlgn. 5. Aufl. gr. 8. Kassel 884. Kay. n. 2. —
1. Übungsbuch. (VIII, 199 S.) Einzelpr. n. 1. 60. — 2. Formenlehre. (87 S.) Einzelpr. n. — 60

— lateinisches Übungsbuch im Anschluß an e. gram

matikalisch geordnetes Vokabularium. 4 Abtlgn. gr. 8. Leipzig 884. Teubner. 3. 60
1. Für Sexta. 22. verb. Doppel.Aufl. (VIII, 131 S.) — 75. — 2. Für Quinta. 18. verb. Doppel-Aufl. (VI, 152 S.) — 90. — 3. Für Quarta. 14. verb. Doppel-Aufl. (140 S.) — — 75. — 4. Für Tertia 2. Doppel-Aufl. (VIII, 219 S.) n. 1. 20

Ostermann, Chrn., lateinisches Vokabularium, grammatikalisch geordnet in Verbindg m. e. Übungsbuche. 3 Abtlgn. [Mit Berücksicht. der neuen deutschen Rechtschreibg.] gr. 8. Leipzig 884. 86. Teubner. cart. 1. 5
1. Für Sexta. 27. Doppel-Aufl. (34 S.) — 30. — 2. Für Quinta. 19. Doppel-Aufl. (36 S.) — 30. — 3. Für Quarta. 13. verb. Doppel-Aufl. (52 S.) — 45

— lateinisch-deutsches u. deutsch-lateinisches Wörterbuch zu Ostermanns lateinischen Übungsbüchern f. Sexta, Quinta u. Quarta, alphabetisch geordnet. 13. Doppel-Aufl. gr. 8. (85 S.) Ebend. 885. cart. — 75

Ostermann, W., u. L. **Wegener**, Lehrbuch der Pädagogik. 1. u. 2. Bd. gr. 8. Oldenburg, Schulze. n. 6. 40
1. 2. Aufl. (VIII, 231 S.) 885. n. 2. 40
2. (IV, 380 S.) 883. n. 4. —

Ostermeyer, Schreib-Vorlagen zur raschen Verbesserung der Handschrift. Für die unteren Klassen der Mittelschulen u. zum Selbstunterrichte. qu. 8. (14 Steintaf m. 2 S. Text.) Neu-Ulm 883. Stahl's Verl. n. — 30

Ostermeyer, Frdr., de historia fabulari in comoediis Plautinis. gr. 8. (64 S.) Gryphiswaldiae 884. (Jena, Pohle.) n. 1. 20

Oesterreichs Gesellschaften u. Vereine f. Land- u. Forstwirthschaft nach dem Stande zu Anfang d. J. 1886. Zusammengestellt im k. k. Ackerbau-Ministerium. gr. 8. (46 S.) Wien 886. Hölder. n. — 80

— Neuschule. Zeitschrift f. den heim. Lehrerstand. Unter Mitwirkg. prakt. Schulmänner hrsg. u. red. v. Joh. Umlauft. 3. Jahrg. 1883. 52 Nrn. Lex.-8. (Nr. 1. 1¼ B.) Wien, Sallmayer. n. 8. —
Erscheint nicht mehr.

— Theilnahme an den Befreiungskriegen. Ein Beitrag zur Geschichte der Jahre 1813 bis 1815 nach Aufzeichngn. von Frdr. v. Gentz, nebst e. Anh.: „Briefwechsel zwischen den Fürsten Schwarzenberg u. Metternich". Hrsg. v. Rich. Fürst Metternich-Winneburg. Geordnet u. zusammengestellt von Alf. Frhrn. v. Klinkowström. Mit e. Stahlst.-Portr. „Friedrich v. Gentz" u. e. Fcsm.-Briefe d. Feldmarschall Blücher. gr. 8. (XI, 844 S.) Wien 887. Gerold's Sohn. n. 16. —; geb. n. 18. —

Osterwald, K. W., Erzählungen aus der alten deutschen Welt f. Jung u. Alt. 1—3. Tl. 8. Halle, Buchh. d. Waisenhauses. cart. 6. 50
1. Gudrun. 6. Aufl. Mit 2 Vollbildern v. Jul. Immig. (XVI, 160 S.) 886. 2 —
2. Siegfried u. Kriemhilde. 6. Aufl. Mit 2 Vollbildern v. Jul. Immig (V, 196 S.) 884. 2. 50
3. Walther v. Aquitanien. Dietrich u. Ecke. 4. Aufl. (VIII, 159 S.) 886. 2. —

Osterwald, Karl, die Wasseraufnahme durch die Oberfläche oberirdischer Pflanzenteile. gr. 4. (29 S.) Berlin 886. Gaertner. n. 1. —

Osterwald, Wilh., Robert Franz. Ein Lebensbild. 12. (15 S.) Leipzig 886. Gebr. Hug. n. — 50

— Helden der Sage u. der Geschichte, nach ihren Dichtern f. die deutsche Jugend geschildert. 2 Bde. Mit 11 Bildern. 8. (VII, 383 u. V, 345 S.) Glogau 886. Flemming. geb. à 4. —

— Sang u. Sage, s.: Schmidt's, F., deutsche Jugendbibliothek.

Oesterwitz, Herm., Bericht üb. das 50jähr. Jubelfest d. Buchhandlungs-Gehilfen-Vereins zu Leipzig am 6., 7. u. 8. Oktbr. 1883. Als Suppl. zur Festschrift. gr. 8. (64 S.) Leipzig 884. (Rühle.) — 75
Die Festschrift s.: Ackermann, P., Geschichte d. Buchhandlungs-Gehilfen-Vereins zu Leipzig.

Oesterwitz, Herm., Führer durch Spandau u. Umgebung. Als Beigabe: e. genauer Plan der Stadt, e. Karte vom Grunewald, Fahrplan Spandau-Berlin, Dampfschifffahrtspläne u. Droschken-Tarif. 8. (32 S.) Spandau 886. Neugebauer's Sort. In Lebertuch geb. n. — 60

Ostheimer, Lucas, Schematismus der Volks- u. Bürgerschule in Deutsch-Tirol u. Vorarlberg. Nebst Status d. k. k. Unterrichtsministeriums, der k. k. Landesschulräthe f. Tirol u. f. Vorarlberg, d. k. k. Prüfungscommissionen u. der Lehrer- u. Lehrerinnen-Bildungs-Anstalten. Nach amtl. Quellen zusammengestellt. 2, verb. Aufl. 16. (VI, 178 S.) Innsbruck 885. (Wagner.) n. 1. 60

Osthoff, C., Beiträge zur Lehre v. der Eclampsie u. Uraemie, s.: Sammlung klinischer Vorträge.

Osthoff, Geo., der gesamte Eisenbahnbau, s.: Taschenbibliothek, deutsche bautechnische.

— Hülfsbuch zur Anfertigung v. Kostenberechnungen im Gebiete d. Ingenieurwesens. 2. Aufl. gr. 8. (XXII, 390 S.) Karlsruhe 883. Bielefeld's Verl. n. 10. —

— Schlachthöfe u. Viehmärkte, — u. E. **Schmitt**, Markthallen u. Marktplätze, } s.: Handbuch der Architektur.

Osthoff, Herm., zur Geschichte d. Perfects im Indogermanischen m. besond. Berücksicht. auf griechisch u. lateinisch. gr. 8. (IX, 653 S.) Strassburg 884. Trübner. n. 14. —

— Schriftsprache u. Volksmundart, s.: Sammlung gemeinverständlicher wissenschaftlicher Vorträge.

— die neueste Sprachforschung u. die Erklärung d. indogermanischen Ablautes. Antwort auf die gleichnam. Schrift v. Herm. Collitz [Göttingen, Vandenhoeck & Ruprecht's Verl. 1886]. gr. 8. (20 S.) Heidelberg 886. Bangel & Schmitt. n. — 80

Osthues, üb. die Fabrikation u. Verwendung des Wassergases zu Heizungs- u. Beleuchtungszwecken. Vortrag, gr. 8. (20 S.) Dortmund 885. Köppen n. — 60

Ostland, J. P., der Entsatz v. Wien 1683. Volksstück m. Gesang in 5 Aufzügen zur 2. Säcularfeier der letzten Türkenbelagerg. Wiens. gr. 8. (90 S.) Wien 883. Künast. n. 2. —

Ostrożyński, Ladisl. R. v., Prozess Zółkiewski-Stwiertnia. Nach den Gerichtsakten kritisch zusammengestellt. gr. 8. (39 S.) Lemberg 886. (Milikowski.) n. 1. 30

Ostwald, Wilh., Lehrbuch der allgemeinen Chemie. 2 Bde. gr. 8. Leipzig, Engelmann. à n. 20. —; Einbd. à n.n. 2. 50
1. Stöchiometrie. (855 S. m. Holzschn.) 884.
2. Verwandschaftslehre. (XII, 909 S. m. Holzschn. u. Taf.) 886.

— in Sachen der modernen Chemie. Offener Brief an Hrn. Albrecht Rau. gr. 8. (22 S.) Riga 884. Deubner. n. — 50

Oswald's v. Wolkenstein, d. letzten Minnesängers, Gedichte. Zum erstenmale in den Versmaßen d. Originals übers., ausgewählt, m. Einleitg. u. Anmerkgn. versehen v. Johs. Schrott. Mit e. Bildniß d. Dichters u. e. Fcsm. seiner musikal. Compositionen. 8. (XXXI, 214 S.) Stuttgart 886. Cotta. cart. n. 3. —

Oswald, E. [W. Schulze-Smidt], Inge v. Rantum. Eine Sylter Novelle. 2. Aufl. m. Illustr. v. E. d. S. 8. (IV, 220 S.) Koblenz 885. Groos. n. 4. 25; geb. n. 5. —

— s.: Schulze-Smidt, B.

Oswald, Felix L., Streifzüge in den Urwäldern v. Mexico u. Central-Amerika. 2. Aufl. Mit 76 Abbildgn. gr. 8. (XXIV, 384 S.) Leipzig 884. Brockhaus. n. 7. 50; geb. n. 9. —

Oswald, Frdr., der Vorsteh-Hund in seinem vollen Werthe; dessen neueste Parforce-Dressur ohne Schläge; seine Behandlg. in guten u. bösen Tagen. Mit ergänz. u. lehrreicher Vorrede v. Hegewald. 6. Aufl. gr. 8. (XX, 299 S.) Rudolstadt 886. Hartung & Sohn. n. 4. —; geb. n. 5. —

Oswald, Joh. H., Angelologie, das ist die Lehre v. den guten u. bösen Engeln, im Sinne der kathol. Kirche dargestellt. gr. 8. (VIII, 220 S.) Paderborn 883. F. Schöningh. n. 3. —

— die Erlösung in Christo Jesu, nach der Lehre der kathol. Kirche dargestellt. 2. Aufl. 2 Bde. gr. 8. (VIII, 340 u. III, 262 S.) Ebend. 887. n. 7. 50

— die Lehre v. der Heiligung, d. i. Gnade, Rechtfertigung, Gnadenwahl, im Sinne d. kathol. Dogmas dargestellt. 3. verm. u. verb. Aufl. gr. 8. (V, 274 S.) Ebend. 885. n. 3. —

— die Schöpfungslehre im allgemeinen u. in besonderer Beziehung auf den Menschen, im Sinne der kathol. Kirche dargestellt. gr. 8. (VII, 248 S.) Ebend. 885. n. 3. —

Oswalt, H., unter'm Märchenbaum. Allerlei Märchen, Geschichtchen u. Fabeln in Reimen u. Bildern. Nach den Orig.-Skizzen d. Verf. illustr. v. Eug. Klimsch. 4. Aufl. gr. 4. (32 color. Taf. m. eingedr. Text.) Frankfurt a/M 883. Literar. Anstalt. cart. n. 3. —

Otfried's Evangelienbuch. Mit Einleitg., erklär. Anmerkgn. u. ausführl. Glossar hrsg. v. Paul Piper. 2. Thl.: Glossar. gr. 8. (IX, 696 S.) Freiburg i/Br. 883.84. Mohr. n. 18. —; (cplt. n. 26. —)

— dasselbe, s.: Bücherschatz, germanischer.

Othmer's Vademecum d. Sortimenters. Zusammenstellung der wissenswürdigsten Erscheingn. auf dem Gebiete der gesammelten Werke u. schönen Literatur, vorzugsweise der deutschen, von Anbeginn bis zur Gegenwart, nebst genauer Angabe der Preise u. Verleger, sowie kurzen biograph. u. bibliograph. Notizen. Nachtrag zur 3. Aufl. umfassend die J. 1878—1884, bearb. v. Carl Georg u. Leop. Ost. gr. 8. (VI, 318 S.) Hannover 885. Cruse. Subscr.-Pr. n.n. 6. —

Für Nicht-Buchhändler u. d. T.: Othmer, G., Vademecum f. Literaturfreunde. Ladenpreis n. 8. —

Otter, Adam, zur Erinnerung an denselben, s.: Pfaff, A.

Oetker, Frdr., Lebenserinnerungen. 3. Bd. Aus dem Nachlasse hrsg. v. Frdr. Oetker. gr. 8. (XXIV, 534 u. Beilagen 111 S.) Cassel 885. Fischer. n. 10. —; geb. n.n. 12. — (1—3.: n.n. 25. —)

— das Verfolgungsrecht [right of stoppage in transitu] nach §. 36 der Reichsconcursordnung. gr. 8. (VIII, 146 S.) Kassel 883. Kay. n. 3. —

Ott, Adf., der Führer nach Amerika. Ein Reisebegleiter u. geograph. Handbuch. 2. Aufl. d. Handbuches f. Auswanderer. 8. (XX, 508 S. m. Illustr.) Basel 882. Bern, Jenni. geb. n. 4. —

Ott, Geo., im Kreuz ist Heil. Ein Gebetbuch zur Verehrg. der 14 hhl. Nothhelfer f. alle Kreuzträger. 16. (269 S. m. 1 Stahlst.) Steyl 883. Missionsdruckerei. n. — 50

— Maienblüten od. Betrachtungen u. Gebete, der hohen Himmelskönigin Maria zur Feier der Mai-Andacht geweiht. 7. Aufl. 16. (512 S. m. 1 Farbendr.) Regensburg 885. Pustet. 1. 20; geb. in Leinw. n. 1. 60; in Ldr. m. Goldschn. n. 2. 50

Ott, Herm., Führer f. Weissensee u. Umgebung in Oberkärnten. Mit 1 Karte u. 1 Photogr. 8. (31 S.) Klagenfurt 886. Heyn. geb. n. 2. —

Ott, Karl v., das graphische Rechnen u. die graphische Statik. 4. erweit. Aufl. 2. Thl.: Die graph. Statik. 1. Abth. gr. 8. (IX, 217 S. m. eingedr. Fig. u. 3 Steintaf.) Prag 884. Calve. n. 7. 20 (I. u. II, 1.: n. 12. —)

— Tafeln der Logarithmen u. anderer beim mathematischen Unterrichte unentbehrlicher Zahlenwerte f. Mittelschulen. 2. Aufl. 8. (XXIII, 160 S.) Ebend. 883. cart. n. 1. 80

Otte, Heinr., Glockenkunde. Mit Holzschn. u. 2 lith. Taf. 2. Aufl. gr. 8. (VII, 220 S.) Leipzig 884. T. O. Weigel. n. 6. —; geb. n. 7. —

— Handbuch der kirchlichen Kunst-Archäologie d. deutschen Mittelalters. 5. Aufl. In Verbindg. m. dem Verf. bearb. v. Ernst Wernicke. 2 Bde. gr. 8. (XIV, 697 u. XIV, 885 S. m. Holzschn. u. Kpfrtaf.) Ebend. 883. 84. n. 36. —; in Halbfrz geb. n n. 42. —

Otte, P., das Gesamtgymnasium, e. pädagog. Versuch. gr. 8. (52 S. m. 2 Tab.) Neuwied 886. Heuser's Verl. n. 1. —

Ottens, J., Elementarbuch der französischen Sprache, s.: Luppe, G.

Ottensen, Hans, schwer gebüßt. Wider Liebe u. Pflicht. Zwei Novellen. 8. (275 S.) Düsseldorf 886. A. Bagel. 2. —

Otterstedt, v., kurze Geschichte d. 7. Thüring. Infanterie-Regiments Nr. 96 u. seiner Stämme. 8. (68 S.) Gera 885. Nugel. n. — 50

Ottesen, M., Deutsch-Dänisch, Norwegisch, s.: Sammlung praktischer Sprachführer f. Reisende.

Ottiker, E., Mahl- u. Mehlprodukte, s.: Bericht üb. Gruppe 25 der schweizerischen Landesausstellung Zürich 1883.

Oettingen, A. v., die thermodynamischen Beziehungen, antithetisch entwickelt, s.: Mémoires de l'académie impériale des sciences de St-Pétersbourg.

Oettingen, Alex. v., was heißt christlich-social? Zeitbetrachtungen. gr. 8. (V, 82 S.) Leipzig 886. Duncker & Humblot. n. 1. 60

— Moritz v. Engelhardt's christlich-theologischer Entwickelungsgang. gr. 8. (63 S.) Riga 883. Dorpat, Karow. n. 1. —

— christliche Religionslehre auf reichsgeschichtlicher Grundlage. Ein Handbuch f. den höheren Schulunterricht. gr. 8. (XXIV, 452 S.) Erlangen 885. 86. Deichert. n. 6. —

Oettingen, Burchard v., die Ausbildung der Artillerie-Augremonten. Mit 14 Fig. in Steindr. gr. 8. (VIII, 59 S.) Berlin 884. Mittler & Sohn. n. 1. 80

— über die Geschichte u. die verschiedenen Formen der Reitkunst. Mit 2 Taf. in Lichtdr. u. 16 Abbildgn. Lex.-8. (V, 103 S.) Ebend. 885. n. 3. —

Oettinger, Paul, unter kurbrandenburgischer Flagge. Deutsche Kolonial-Erfahrgn. vor 200 Jahren. Nach dem Tagebuche d. Chirurgen Joh. Peter Oettinger unter Mitwirkg. von Henk hrsg. 8. (103 S.) Berlin 886. Eisenschmidt. n. 1. 50

Oettinger, Paul, die künstliche Reifung d. Staars. gr. 8. (34 S.) Breslau 885. (Köhler.) n. 1. —

Ottl's, Joh. Nep., Klaus, der Bienenvater aus Böhmen. Anleitung, die Bienen gründlich u. m. sicherem Nutzen zu züchten u. die zweckmäßigsten Bienenwohngn. hiezu anzufertigen. Unter Mitwirkg. v. Cöl. M. Schachinger bearb. u. hrsg. v. Hans Schusser. 5., m. 42 Abbildgn. im Texte versch. Aufl. gr. 8. (496 S.) Prag 887. Ehrlich. n. 4. 80

Ottmann, Rich. Ed., grammatische Darstellung der Sprache d. althochdeutschen Glossars Rb. gr. 8. (VI, 84 S.) Berlin 886. Weidmann. n. 2. 40

Ottmann, Rud., Beiträge zur Culturgeschichte der polnischen Frauen im XVI. u. XVII. Jahrhunderte. gr. 8. (20 S.) Krakau 884. (Wien, Gerold's Sohn.) n. — 60

Otto, künstliche Unfruchtbarkeit. Zugleich e. Entgegng. auf Dr. Capellmann's Schrift: Facultative Sterilität ohne Verletzung der Sittengesetze. gr. 8. (20 S.) Neuwied 884. Heuser's Verl. n. — 50

— dasselbe. 2. verm. Aufl. gr. 8. (27 S.) Ebend. 885. n. 1. —

Otto, die Heuchelei nach ihrem Wesen u. in ihrer Erfolglosigkeit. Philosophisch-histor. Abhandlg. 8. (139 S.) Paderborn 885. Junfermann. n. 1. 20

Otto, die Grundbuchregulirung im Bezirke d. vormaligen Justizsenats zu Ehrenbreitstein in ihrer practischen Gestaltung. gr. 8. (VI, 159 S.) Neuwied 884. Heuser's Verl. n. 2. 40

Ottonis et **Rahewini** gesta Friderici I. imperatoris, s.: Scriptores rerum germanicarum.

Otto-Birnbaum, Lehrbuch der rationellen Praxis der landwirthschaftlichen Gewerbe. Zugleich als 7. Aufl. von Frdr. Jul. Otto's Lehrbuch der landwirthschaftl. Gewerbe. Hrsg. in Gemeinschaft m. E. Birnbaum, Bronner, Dahlen rc. u. red. v. K. Birnbaum. 39. (Schluß-) Lfg. gr. 8. Braunschweig 884. Vieweg & Sohn. n. 2. — (cplt.: n. 187. —)

General-Register. Zusammengestellt v. K. Birnbaum. (VI, 58 S.)

Otto, A., das Staatsrecht d. Herzogth. Braunschweig, s.: Handbuch d. öffentlichen Rechts der Gegenwart.

Otto, B., Fördermaschinenanlage auf Schacht No. 1 der Steinkohlen-Actien-Gesellschaft Bockwa-Hohndorf-Vereinigtfeld bei Lichtenstein. Mit 4 lith. Taf. gr. 4. (23 S.) Berlin 884. Springer. n. 2. 40

— Schlagwetter u. kein Ende der Forschung. Ein Beitrag zur Schlagwetterfrage aus der Praxis f. die Praxis. gr. 8. (IV, 111 S.) Ebend. 886. n. 2. 40

Otto, Carl Wilh., Commentar zum Römerbrief. 1. u. 2. Thl. Capp. 1—16. gr. 8. (VIII, 462 u. IV, 508 S) Glauchau 886. Peschke. à n. 9. —

Otto, D., allgemeine deutsche Wechselordnung, durch die Rechtsprechg. d. Reichsgerichts u. d. vormal. Reichsoberhandelsgerichts, sowie durch allgemeinverständl. Zusätze erläutert. Das Wechselstempelsteuergesetz vom 10. Juni

1869. 8. (88 S.) Neuwied 886. Heuser's Verl. cart. n. — 80

Otto, Dora, drei Erzählungen f. das reifere Kindesalter. 12. (48 S. m. 4 Holzschn.) Berlin 884. Deutsche Evangel. Buch- u. Traktat-Gesellschaft. n. — 30

— fünf Erzählungen f. kleine Leute. 12. (44 S. m. 1 Holzschn.) Ebend. 884. n. — 30

Otto, E., die Phantasie, s.: Lehrer-Prüfungs-Arbeiten u. Konferenz-Vorträge.

Otto, Emil, French conversation-grammar, a new and practical method of learning the French language. 9. ed. 8. (X, 394 S.) Heidelberg 886. J. Groos. geb. n. 5. —; key. 5 ed. (III, 76 S.) cart. n. 1. 60

— German conversation-grammar, a new and practical method of learning the German language. 21. ed. 8. (XXIV, 456 S. m. 2 lith. Schrifttaf.) Ebend. 886. geb. n. 5. —; supplementary exercises. 2. ed. (VII, 68 S.) (1878.) cart. n. 1. 60; geb. n. 1. 80

— conversations françaises [Französische Konversations-Schule.] Eine method. Anleitg. zum Französisch-Sprechen. 5. Aufl. gr. 8. (VIII, 170 S.) Ebend. 884. n. 1. 60; geb. n. 1. 80

— german-english conversations. [Deutsche Conversations-Schule.] A new methodical guide to learn to speak german. 2. ed. Revised by A. Mauron. gr. 8. (VI, 168 S.) Ebend. 883. cart. n. 1. 60

— französische Conversations-Grammatik zum Schul- u. Privatunterricht. 22. verb. Aufl. gr. 8. (XV, 432 S.) Ebend. 884. n. 3. —

— französisches Conversations-Lesebuch. Eine Auswahl stufenmässig geordneter Lesestücke m. Conversations-Übgn., Anmerkgn. u. e. Wörterbuche. 1. Abtlg. f. die unteren u. mittleren Klassen. 8. Aufl. gr. 8. (XII, 240 u. 86 S.) Ebend. 885. n. 2. —

— first German book with exercises for translation, reading, grammar, conversation, and vocabularies. Rearranged and revised by Frz. Lange. 7. ed. gr. 8. (VII, 100 S. m. 2 lith. Schrifttaf.) Ebend. 887. geb. n. 1. 60

— kleines deutsch-französisches Gesprächbuch zum Gebrauch f. die Jugend. 62. Aufl. 16. (196 S.) Strassburg 885. Schultz & Co. Verl. cart. n. — 60

— neues englisch-deutsches Gesprächbuch zum Schul- u. Privatgebrauch. 6. Aufl. 12. (XII, 116 S.) Stuttgart 886. Metzler's Verl. cart. n. 1. —

— neues französisch-deutsches Gesprächbuch zum Schul- u. Privatgebrauch. 21. Aufl. 12. (XII, 124 S.) Ebend. 885. cart. n. 1. —

— gramática sucinta de la lengua francesa acompañada de numerosos ejercicios de traduccion y lectura para el uso de los principiantes, segun el método teórico y práctico de E. O. par Gust. Kordgien. gr. 8. (VI, 176 S.) Heidelberg 884. J. Groos. cart. n. 2. —

— gramática sucinta de la lengua inglesa acompañada de numerosos ejercicios de traduccion y lectura, segun el método de las gramáticas de E. O. arreglada par el uso de los principiantes par G. C. Kordgien. gr. 8. (V, 163 S.) Ebend. 884. cart n. 2. —

— an elementary grammar of the German language, combined with exercises, readings and conversations. 4. ed. gr. 8. (VIII, 174 S. m. 2 lith. Schrifttaf.) Ebend. 886. geb. n. 2. —

— nuova grammatica elementare della lingua tedesca con temi, letture e dialoghi. 2. ed. gr. 8. (VII, 164 S.) Ebend. 884. cart. n. 2. —

— lectures allemandes. Recueil de versions allemandes accompagnées de notes explicatives et d'un vocabulaire. 1. et 2. partie. gr. 8. Ebend. 884. cart. à n. 2. 40
1. 4. éd. (X, 199 S.) 883. — 2. 2. éd. (IX, 240 S.) 881.

— französisches Lesebuch m. Konversations-Übungen f. Töchterschulen u. andere weibl. Bildungsanstalten. Eine Auswahl stufenmässig geordneter Lesestücke m. Anmerkgn. u. e. Wörterbuche. 1. u. 2. Kurs. gr. 8. Ebend. à n. 2. —; Einbd. à n. n. — 25
1. Für die unteren u. mittleren Klassen. 3. Aufl. (XII, 290 S.) 885.
2. Für die oberen Klassen. 2. Aufl. (VIII, 267 S.) 886.

— letture tedesche. Piccola raccolta di traduzioni tedesche contenente aneddoti, descrizioni, favole, tratti di carattere, piccole storie, racconte di fate, parabole, racconte morali e poesie coll' aggiunta di note esplicative e d' un vocabolario. 2. ed. 8. (XI, 178 S.) Heidelberg 886. J. Groos. cart. n. 2. —

Otto, Emil, Materialien zum Uebersetzen in's Englische f. vorgerücktere Schüler. Ein Suppl. zu jeder engl. Grammatik. 2. verm. u. verb. Aufl. gr. 8. (VI, 152 u. 40 S.) Heidelberg 883. J. Groß. n. 1. 60

— materials for translating english into german, with indexes of words and explanatory notes. 2. part, containing a series of english conversations on various subjects, adapted for translation into german. 2. ed. gr. 8. (VIII, 243 S.) Ebend. 884. cart. n. 2. 40; Key. 2. ed. (VIII, 116 S) cart. n. 1. 60

— the german reader. A selection of readings in german literature with explanatory notes and a vocabulary. [In 3 parts.] 1. and 2. part. gr. 8. Ebend. 884. cart. à n. 2. 40
1. 5. ed. (XI, 208 S.) — 2. 3. ed. (IX, 230 S.) 883.

Otto, F. A., das Schieferdach v. deutschem Schablonenschiefer, u. Anleitung, v. demselben Schiefer Mustereindeckungen zu fertigen. Ein Handbuch. 8. (20 S. m. 14 Steintaf.) Halle 885. Kaemmerer & Co. n. 1. 50

Otto, F. W., der Kampf Luthers u. der lutherischen Kirche gegen Romanismus u. Libertinismus. Vortrag. gr. 8. (IV, 47 S) Leipzig 883. Dörffling & Franke. n. 1. —

Otto, Ferd., der Unterrichtsstoff f. das erste Schuljahr, nach Wochen u. Stunden methodisch geordnet. gr. 8. (106 S.) Berlin 886. Grote. n. 1. 20; geb. n. 1. 60

Otto's, Fr., pädagogische Zeichenlehre. Neu bearb. u. hrsg. v. Wilh. Rein. 3. Aufl. gr. 8. (XII, 120 S.) Weimar 885. Böhlau. n. 1. 60

Otto, Frz., Alruna. Der Jugend Lieblings-Märchenschatz. Familienbuch der schönsten Haus- u. Volksmärchen, Sagen u. Schwänke aus aller Herren Ländern. 5. verm. u. verb. Aufl. Mit 170 Text-Abbildgn. u. buntem Titelbilde. Nach Zeichngn. v. L. Bechstein, Konr. Ermisch, Rob. Kretschmer rc. gr. 8. (XVI, 672 S.) Leipzig 883. Spamer. n. 6. —; geb. n. 7. —

— das Buch vom Alten Fritz. Leben u. Thaten d. großen Preußenkönigs Friedrich II., genannt der Einzige. Der Jugend u. dem Volke erzählt. 3. durchgeseh. Aufl. Mit Text-Abbildgn., e. bunten Titel- u. e. Tonbild. gr. 8. (VI, 210 S) Ebend. 884. n. 2. —; cart. n. 2. 50

— dasselbe. 4. durchgeseh. Aufl. Auszug aus dem größeren Werke. Mit 67 Text-Abbildgn. u. Titelbild. 8. (VIII, 152 S.) Ebend. 886. n. 1. —

— das Buch merkwürdiger Kinder. Lebensbilder aus der Jugendzeit u. d. Entwickelungsjahren denkwürd. Menschen. Hrsg. in Verbindg. m. M. Schlimpert, B. Schuhmann, W. Wägner u. a. 5. Aufl. Mit 102 Text-Abbildgn., sowie 2 Buntbildern. 8. (VIII, 326 S.) Ebend. 884. n. 4. —; cart. n. 4. 50

— die Buschjäger od. die geprüfte Familie. Erlebnisse, Fahrten, Streifzüge u. Abenteuer, Natur- u. Sittenschildergn. aus dem afrikan. Jagd-, Reise- u. Buschleben, vornehmlich im Lande der Boers. 4. Aufl. Mit 140 Text-Abbildgn. u. e. bunten Titelbilde. gr. 8. (X, 404 S.) Ebend. 885. n. 4. 50; cart. n. 5. 50

— neues Fabelbuch, s.: Lausch, E.

— unser Kaiser. Ein Lebensbild zum 25jähr. Königs-Jubiläum d. Kaisers Wilhelm. Unter Benutzg. e. Manuskriptes v. W. Wägner bearb. Mit e. Portr. d. Kaisers u. 43 Text-Abbildgn. gr. 8. (142 S.) Leipzig 886. Spamer. cart. n. 1. 50

— dasselbe. (3. [Volks-]Ausg.) Mit e. Portr. d. Kaisers u. üb. 40 Text-Abbildgn. 8. (104 S.) Ebend. 886. n. — 60

— der große König u. sein Rekrut. Lebensbilder aus der Zeit d. 7jähr. Krieges. Unter teilweiser Benutzg. e. histor. Romans v. A. H. Brandrupp, f. Volk u. Heer, insbesondere f. die reifere Jugend bearb. 7. verb. u. verm. Aufl. Mit 6 Ton- u. Buntdr.-Bildern, sowie 130 Text-Illustr. gr. 8. (XII, 468 S.) Ebend. 886. n. 5. —; geb. n. 6. —

— der Menschenfreund auf dem Throne. Leben u. Wirken d. edlen Kaisers Josef d. Zweiten. Unter Benutzg. e. Lebensskizze v. W. Wägner dem Volke u. der Jugend erzählt. Mit 48 Text-Illustr. u. e. Titelbilde. 3. verb. u. stark erweit. Aufl. gr. 8. (VI, 188 S.) Leipzig 884. Spamer. n. 1. 50; cart. n. 2. —

Otto, Frz., der Skalpjäger, s.: Bade, Th.

— der Sohn d. Schwarzwaldes Johann Peter Hebel u. der rheinische Hausfreund. Hrsg. unter Zugrundelegg. e. hinterlassenen Lebensskizze v. Ernestine Diethoff. Mit 58 Text-Illustr. u. e. Titelbilde nach Zeichngn. v. W. Claudius, C. H. Schmolze, T. Stauber u. a. gr. 8. (VI, 170 S.) Leipzig 883. Spamer. n. 3. —; cart. n. 3. 50

— das deutsche Volkslied u. seine Bedeutung f. die neuhochdeutsche Kunstdichtung. gr. 8. (30 S.) Ebend. 885. n. — 60

— der Marschall Vorwärts u. sein getreuer Piepenmeister. Historische Erzählg. in Schildergn. u. Lebensbildern aus Blüchers Leben u. aus der Zeit der deutschen Befreiungskriege. Dem Volke u. d. Heere, insbesondere der deutschen Jugend gewidmet. Hrsg. unter Zugrundelegg. e. Erzählg. v. Osk. Höcker. 2. Ausg. Mit 130 Text-Abbildgn., 1 Tonbilde u. 1 bunten Titelbilde, nach Zeichngn. v. A. Beck, H. Lüders u. a. gr. 8. (X, 570 S.) Ebend. 884. n. 7. 50; geb. n. 8. 50

— Wohlthäter der Menschheit. Hochsinnige Bekenner der Duldg., Barmherzigkeit u. Menschenliebe. Vorbilder f. Jung u. Alt. Ursprünglich hrsg. in Verbindg. m. Th. Arnim, Ed. Grosse, C. F. Lauckhard etc. In 3. erweit. Aufl. vielfach verbessert der Jugend u. dem Volke vorgeführt. Mit 108 Text-Abbildgn. u. e. Titelbilde. gr. 8. (XII, 324 S.) Ebend. 887. n. 4. 50; geb. n. 6. —

— Wunderglaube u. Wirklichkeit. In Rücksicht auf seltsame Erscheingn. der Tierwelt, sowie unerklärte Vorgänge im Menschenleben. Fabelhafte Gestalten d. Wahns in Volksglauben, Sage u. Dichtg. In Bildern u. Schildergn. aus Vergangenheit u. Gegenwart. Unter Mitwirkg. v. C. Michael gemeinverständlich dargestellt. Mit über 130 Text-Abbildgn. u. e. Titelbilde. gr. 8. (XII, 378 S.) Ebend. 885. n. 6. 50; geb. n. 8. —

— u. Osk. **Höcker**, vaterländisches Ehrenbuch. III. Das große Jahr 1870. Gedenkbuch aus der Zeit d. Nationalkrieges gegen Frankreich im Jahre der deutschen Einigg. Ehrentage aus Deutschlands neuester Geschichte. 4. Aufl. Mit 190 Text-Abbildgn., 6 Tonbildern u. 1 bunten Titelbilde. gr. 8. (XX, 474 S.) Ebend. 886. n. 4. 50; geb. n. 6. —

Otto's, Fr. Jul., Anleitung zur Ausmittelung der Gifte u. zur Erkennung der Blutflecken bei gerichtlich-chemischen Untersuchungen. 6. Aufl., neu bearb. v. Rob. Otto. Für Chemiker, Apotheker, Medicinalbeamte u. Juristen, Leitfaden in Laboratorien u. bei Vorträgen. Mit Holzst. gr. 8. (XVII, 261 S.) Braunschweig 883. 84. Vieweg & Sohn. n. 7. —

Otto, H. C., üb. die äusseren Formen d. schriftlichen Verkehrs. Die Titulaturen der Würdenträger, Behörden, Beamten, Militär- u. Privatpersonen. Verzeichniss der Wörter, die nach der neuen Rechtschreibg. e. Änderg. ihrer Schreibweise erfahren haben. Zur Handhabe f. Schule u. Haus hrsg. 8. (23 S.) Berlin 884. F. Rosenthal. n. — 30

— Leitfaden f. den Schreibunterricht im Anschluss an die neue Berliner Schreibschule. Eine entwickelnde Darstellg. der deutschen Kurrent- u. der latein. Kursivschrift. gr. 8. (68 S.) Leipzig 884. Klinkhardt. n. 1. 50

— die Rundschrift, in genet. Stufenfolge bearb. [Neue Berliner Schreibschule, 22. Hft.] qu. gr. 4. (32 lith. S.) Ebend. 885. n. — 50

— Übungsheft zur Rundschrift. [Neue Berliner Schreibschule, 23. Hft.] qu. gr. 4. (24 S.) Ebend. 885. n. — 30

Otto, Heinr., üb. den Antheil der Stadt Budweis an den Kriegsereignissen d. J. 1683. gr. 8. (34 S.) Budweis 885. (Wien, Pichler's Wwe. & Sohn.) n. — 70

Otto, Herm., die Trichinenkrankheit u. ihre Heilung. gr. 8. (21 S.) Magdeburg 884. Rathke. n. 1. —

Otto, J. Karl, die Behandlung der Dezimalbruchrechnung in der Volksschule. gr. 8. (60 S.) Leipzig 886. Siegismund & Volkening. n. 1. 20; geb. n. 1. 40

Otto, Jac. Aug., üb. den Bau der Bogeninstrumente u. üb. die Arbeiten der vorzüglichsten Instrumentenmacher. Zur Belehrg. f. Musiker. Nebst Andeutgn. zur Erhaltg. der Violine in gutem Zustande. 3. Aufl. 8. (VII, 93 S.) Jena 886. Mauke. n. 1. —

Otto, Karl Ritter v., evangelischer Gottesdienst in Wien vor der Toleranzzeit. gr. 8. (14 S.) Wien 886. Braumüller. n. — 50

Otto, Louise, zwischen den Bergen. Erzählungen u. Zeitbilder. 2 Bde. 2. Ausg. 8. (378 u. 406 S.) Norden 883. Fischer Nachf. n. 8. —

— aus vier Jahrhunderten. Historische Erzählgn. in 2 Bdn. 8. (283 u. 277 S.) Ebend. 883. n. 8. —

— Gräfin Lauretta. Historische Erzählg. aus dem 14. Jahrh. 8. (III, 199 S.) Leipzig 884. Reißner. 1. —

— Nürnberg. Culturhistorischer Roman aus dem 15. Jahrh. 3. Ausg. 3 Bde. 8. (XII, 287; 268 u. 272 S.) Norden 883. Fischer Nachf. n. 10. 50

— Rom in Deutschland. Zeit-Roman in 3 Bdn. 2. Ausg. 8. (194, 186 u. 186 S.) Ebend. 883. n. 8. —

— deutsche Wunden. Zeitroman [1864—1871]. 4 Bde. 2. Ausg. 8. (313, 331, 273 u. 246 S.) Ebend. 883. n. 15. —

Otzen, J., s.: Baukunst d. Mittelalters.

Ouida, e. Dorfgemeinde. Roman. Frei nach dem Engl. 2 Bde. 8. (280 u. 258 S.) Berlin 884. Janke. n. 9. —

— Frescoes and other tales, s.: Collection of British authors.

— Don Gesualdo. A sketch. Copyright ed. 12. (88 S.) Leipzig 886. B. Tauchnitz. n. — 60

— a house party, s.: Collection of British authors.

— a rainy June. A novelette. Copyright ed. 12. (86 S.) Leipzig 885. B. Tauchnitz. n. — 60

— in den Maremmen. Roman. Frei nach dem Engl. 3 Bde. 8. (284, 287 u. 278 S.) Berlin 883. Janke. n. 10. —

— Princess Napraxine, s.: Collection of British authors.

— Fürstin Napraxine. Roman. 2 Bde. 8. (308 u. 279 S.) Jena 886. Costenoble. n. 8. —

— Othmar, } s.: Collection of British authors.
— Wanda, }

— Wanda. Roman. Frei nach dem Engl. 3 Bde. 8. (252, 263 u. 256 S.) Berlin 884. Janke. n. 10. —

— dasselbe, s.: Universal-Bibliothek.

Outarde, M., album pour timbres-poste. Illustré avec 37 portraits, 41 armoiries de pays, et environ 1300 types de timbres-poste. 3. éd. gr. 8. (78 S.) Leipzig 884. Gebr. Senf. geb. 1. 50

Oven, A. H. E. v., neue Sammlung v. Gesetzen, Statuten u. Verordnungen f. Frankfurt a. M. 4. Bd. 1. u. 2. Hft. 8. Frankfurt a/M. Rommel. n. 3. 20

1. Neue Bauordnung u. andere Gemeindestatuten u. Verordnungen f. Frankfurt a. M. 1878—84. (V, 90 S.) 884. n. 1. 20

2. Neuere Gemeinde-Statuten u. Regulative, sowie Gesetze f. Frankfurt a. M. 1878—1886. 2. Hft. Regulative üb. die Feuerwehr u. das Fuhrwesen, die Anstellungs- u. Pensionsverhältnisse, die Wittwen- u. Waisenversorgg. u. den Gehalts-Etat der Beamten, Lehrer u. Lehrerinnen, sowie die Gemeindesteuern. (IX, 154 S.) 886. n. 2. —

— neue Verwaltungsgesetze u. Ausführungsverordnungen f. die Prov. Hessen-Nassau u. Frankfurt a. M. 1885—1886. Vollständige Ausg. 8. (XII, 320 S.) Ebend. 886. n. 4. —

Overbeck's Biographie, s.: Valentin, V.

Overbeck, J., Abbildungen aus der Geschichte der griechischen Plastik. Zum Gebrauche bei Vorlesgn. zusammengestellt. (7) Ergänzungstafeln (in Holzschn.) nach der 3. Aufl. qu. gr. Fol. Leipzig 883. Hinrichs' Verl. n. 2. 50 (Hauptwerk u. Ergänzg.: n.: 7. —)

— Pompeji, in seinen Gebäuden, Alterthümern u. Kunstwerken dargestellt. 4. im Vereine m. Aug. Mau durchgearb. u. verm. Aufl. m. 30 grösseren zum Thl. farb. Ansichten u. 320 Holzschn. im Texte, sowie e. grossen (lith.) Plane. Lex.-8. (XVI, 676 S.) Leipzig 884. Engelmann. n. 20. —; geb. n. 22. —; in Liebhabereinbd. n.n. 25. —

Overzier, Ludw., Wetterprognose f. jeden Tag d. Monate Januar—April 1884, auf Grundlage der Berechng. der atmosphär. Gezeiten u. der Einflügg. der Werte f. Wärme, Druck u. Feuchtigkeitsgehalt der Luft f. ganz Deutschland ausgearb. 16. (19 S.) Köln 884. Lengfeld. à n. 1. —

Ovidius Naso, P., ex iterata R. Merkelii recognitione. Vol. III. Tristia. Ibis. Ex Ponto libri. Fasti. 8. (XLI, 355 S.) Leipzig 884. Teubner. n. 1. —

— Werke. Deutsch im Versmaße der Urschrift. 3—7. 16. 19. 20—24. Lfg. 8. Berlin 886. Langenscheidt. à n. — 35

3. 4. Metamorphosen. Uebers. u. erläut. v. Reinh. Suchier. 3. Lfg. 5. Aufl. 4. Lfg. 4. Aufl. (2. Bd. S. 81—168.)
5—7. Dasselbe. 5—7. Lfg. 4. Aufl. (3. Bd. S. 1—128.)
16. Festkalender. Uebers. u. erläut. v. E. Klußmann. 4. Lfg. 3. Aufl. (S. 113—116.)
19. 24. Klagelieder. (Tristia.) Deutsch v. Alex. Berg. 2. u. 3. Lfg. 3. Aufl. (S. 33—160.)
20. Ibis. Übers. u. erläutert v. Alex. Berg. 2. Lfg. 2. Aufl. (3. Bd. S. 129—164.)
21—23. Briefe aus Ponti[16]. Uebers. u. erläut. v. Alex. Berg. 2. Aufl. 1—3. Lfg. (S. 1—128.)

— dasselbe, s.: Collection Spemann.

— dasselbe, s.: Dichter, römische, in neuen metrischen Uebersetzungen.

— carmina, edd. H. St. Sedlmayer, A. Zingerle, O. Güthling. Vol. II et III. 8. Leipzig 884. Freytag. n. 3. 25

II. Metamorphoseon libri XV. Scholarum in usum ed. Ant. Zingerle. (XXX, 334 S.) n. 1. 25
III. Fasti, Tristium libri, Ibis, epistulae ex Ponto, Halieutica, fragmenta. Scholarum in usum ed. Otto Güthling. (LXVI, 354 S.) n. 2. —
Vol. I ist noch nicht erschienen.

— carmina selecta. Scholarum in usum ed. Henr. Steph. Sedlmayer. 8. (XVIII, 139 S.) Ebend. 883. n. — 80

— carmina in exilio composita, tristium libri, Ibis, epistulae ex Ponto, halieutica. Rec. Otto Güthling. Accedunt carminum deperditorum fragmenta. 8. (XLIV, 216 S.) Ebend. 884. n. 1. 40

— carmina selecta, Schulwörterbuch dazu, s.: Jurenka, H.

— ausgewählte Gedichte, m. Erläutergn. f. den Schulgebrauch v. Herm. Günther. gr. 8. (XVI, 128 S.) Leipzig 885. Teubner. 1. 50

— fasti. Scholarum in usum ed. Otto Güthling. 8. (XXIV, 141 S.) Leipzig 884. Freytag. n. — 75

— fastorum libri VI ex iterata R. Merkelii recognitione. 8. (143 S.) Leipzig 884. Teubner. — 60

— heroides. Apparatu critico instruxit et ed. Henr. Steph. Sedlmayer. gr. 8. (XVII, 177 S.) Wien 886. Konegen. n. 5. —

— dasselbe. Ed. Henr. Steph. Sedlmayer. 8. (XXI, 100 S.) Prag 886. Tempsky. — Leipzig, Freytag. n. — 80

— metamorphoses. Auswahl f. den Schulgebrauch, m. sachl. Einleitg., erläut. Anmerkgn. u. e. Register der Eigennamen v. J. Meuser. 3. Aufl., besorgt v. B. Barkholt. 8. (XI, 219 S.) Paderborn 885. F. Schöningh. n. 1. 60

— dasselbe. Auswahl f. Schulen. Mit erläut. Anmerkgn. u. e. mythologisch-geograph. Register v. Johs. Siebelis. 1. u. 2. Hft. gr. 8. Leipzig, Teubner. à 1. 50

1. Buch I—IX u. die Einleitg. enth. 13. Aufl. Besorgt v. Frdr. Polle. (XX, 189 S.) 885.
2. Buch X—XV u. das mythologisch-geograph. Register enth. 11. Aufl. Besorgt v. Frdr. Polle. (IV, 210 S.) 884.

— dasselbe. 1. Bd. Buch I—VII. Erklärt v. Mor. Haupt. 7. Aufl. v. H. J. Müller. gr. 8. (VI, 273 S.) Berlin 885. Weidmann. 2. 25

— dasselbe. Für den Schulgebrauch erklärt v. Hugo Magnus. 3 Bdchn. Buch I—XV. Ausg. A. Kommentar unterm Text. gr. 8. (XIII, 535 S.) Gotha 885. 86. F. A. Perthes. à 1. 80; Ausg. B. Text u. Kommentar getrennt in 2 Hftn. (VI, 341 u. 182 S.) à 1. 80

— dasselbe. Anh. [Ovids Leben, allgemeine Bemerkgn. üb. den Sprachgebrauch der röm. Dichter, mythologisch-geograph. Register.] gr. 8. (66 S.) Ebend. 885. — 60

— dasselbe. Für den Schulgebrauch ausgewählt u. erklärt v. L. Englmann. 3. Aufl. gr. 8. (IV, 192 S.) Bamberg 886. Buchner. n. 2. —

Ovid Naso, P., Metamorphosen, s: Präparationen.

— dasselbe. Wörterbuch dazu, s.: Siebelis, J.

— metamorphoseon delectus Siebelisianus, seorsum ed. Frdr. Polle. 8. (IV, 224 S.) Leipzig 886. Teubner. — 60

— tristium libri V ex iterata R. Merkelii recognitione. 8. (102 S.) Ebend. 884. — 45

— Verwandlungen, Wörterbuch dazu, siehe: Eichert, O.

Owsiannikow, Ph., Studien üb. das Ei, hauptsächlich bei Knochenfischen, s.: Mémoires de l'académie impériale des sciences de St. Pétersbourg.

Oxé, Ludw., neun köstliche maurerische Reden. Geh. in der gerechten u. vollk . · . Loge zu den „Drei Verbündeten" im Or . · . Düsseldorf. 3. Aufl. gr. 8. (III, 64 S.) Frankfurt a/M. 886. Gestewitz. n. — 80

Oyex-Delafontaine, E., nouveau vocabulaire français-allemand avec phraséologie. 8. (VIII, 401 S.) Wien 883. Manz. n. 2. 80

P.

Paalzow, das Hauptgestüt Beberbeck unter preussischer Verwaltung. Mit e. Anh.: Ueber den gegenwärt. Zustand d. preuss. Gestütswesens. gr. 8. (51 S.) Berlin 885. Feicht. 1. 50

Paalzow's, Henriette, sämmtliche Romane. 1—6. Bd. 12. Stuttgart 884. Heitz. n. 6. —; geb. n. 8. —

1—3. Godwie-Castle. Aus den Papieren der Herzogin v. Nottingham. 3 Thle. 8. Aufl. (XVI, 256; 260 u. 236 S.) n. 3. —; in 1 Bd. geb. n. 4. —
4—6. Ste. Roche. 3 Thle. 6. Aufl. (252, 292 u. 300 S.) n. 3. —; in 1 Bd. geb. n. 4. —

Paasch, Vergiß mein nicht! Andenken an den Tag der ersten h. Communion u. zugleich e. Gebetbüchlein f. alle Communiontage. 24. (142 S.) Aachen 883. A. Jacobi & Co. n. — 40; geb. in Halbldr. n. — 60; in Leinw. m. Goldschn. n. 1. 20

Paasch, H., Erläuterungen üb. Classification, verschiedene Bauarten, etc. hölzerner, Compositions-, eiserner u. stählerner Schiffe. 8. (16 S. m. 1 Taf.) Antwerpen 886. (Hamburg, Friederichsen & Co.) n. 1. —

— „vom Kiel zum Flaggenknopf". Marine-Wörterbuch in Englisch, Französisch u. Deutsch, erläutert durch zahlreiche Illustr., zum Gebrauche f. Schiffsrheder, Schiffsbauer, Schiffsmakler etc. gr. 8. (VI, 206 u. 104 S. m. lith. Portr.) Ebend. 885. geb. n. 20. —

Paasch, Wilh., jauchzet Gott, alle Lande! Psalm 66, 1—8, f. vierstimm. Männerchor komponiert. Op. 1. gr. 8. (14 S.) Eckernförde 883. Heldt. n. — 50

Pabst, Sammlung der Ortsgesetze, Regulative u. wichtigeren Polizeiverordnungen f. die großherzogl. sächs. Haupt- u. Residenzstadt Weimar. Mit Genehmigg. d. Gemeinderathes hrsg. gr. 8. (XII, 296 S.) Weimar 885. Böhlau. n. 3. —

Pabst, Arth., die Sammlung Frohne in Kopenhagen. 28 Taf. in Lichtdr. v. J. Nöhring. Fol. (6 S.) Berlin 883. Bette. In Mappe. n. 40. —

— die Sammlungen d. Kunstgewerbe-Museums zu Berlin. Mit 20 Abbildgn., nach Zeichngn. v. J. Mitteldorf, u. 2 Kpfrlichtdr. hoch 4. (VI, 38 S.) Leipzig 884. Seemann. cart. n. 2. —

Pabst, G., u. F. Elsner, die offizinellen Pflanzen, s.: Köhler's Medizinal-Pflanzen.

Pabst, H. W. v., Lehrbuch der Landwirthschaft. 7. Aufl., neu bearb. u. hrsg. von Wilh. v. Hamm. Mit 105 Holzschn. 2 Thle. in 1 Bd. Neue Ausg. gr. 8. (XXXV, 611 u. XIII, 571 S. m. rad. Portr.) Berlin 885. Parey. geb. n. 20. —

Pabst, M., die Gross-Schuppenflügler [Macrolepidóptera] der Umgegend v. Chemnitz u. ihre Entwicklungsgeschichte. 1. Thl. Rhopalócera, Tagfalter. Heterócera. A. Sphinges, Schwärmer. B. Bombyces,

Spinner. gr. 8. (100 S.) Chemnitz 884. (Brunner.) n. 2. —

Pabstthum u. Freimaurerthum. Eine geschichtl. Studie v. e. Katholiken, der weder Freimaurer ist, noch einer zu werden beabsichtigt. 8. (39 S.) Leipzig 886. Unflad. n. — 60

Pache, G., neue Fibel f. den ersten Leseunterricht. 1. Tl. 4. Aufl. gr. 8. (VI, 86 S., wovon 40 lith. m. eingedr. Abbildgn.) Straßburg 883. Schultz & Co. Verl. n. — 40; Einbd. n.n. — 10

Pacher, Dav., u. Markus Frhr. v. **Jabornegg**, Flora v. Kärnten. Hrsg. vom naturhistor. Landesmuseum v. Kärnten. 1. Thl. 2. Abth. A. u. d. T.: Systematische Aufzählung der in Kärnten wildwachs. Gefässpflanzen, bearb. v. Dav. Pacher. 2. Abth.: Dicotyledones. Familie: Coniferae bis Hypopityaceae. gr. 8. (369 S.) Klagenfurt 884. (v. Kleinmayr.) n. 6. — (I. 1. u. 2.: n. 10. —)

Pacher, Gust. v., zur Reform der Fabriksgesetzgebung in Oesterreich. gr. 8. (III, 72 S.) Wien 884. (Sintenis.) n. 1. 20

Pachler, Faust, das Geheimnis d. Dichtens. Eine lyr. Symphonie. 8. (IV, 212 S.) Stuttgart 885. Greiner & Pfeiffer. geb. m. Goldschn. n. 2 50

Pachmann, Heinr., die Fabrikbuchhaltung nach den Regeln der doppelten Buchführung. Unter besond. Berücksicht. der zur Handhabg. e. genauen Controlle u. zur Verfassg. exacter Bilanzen nöth. Scontro-Bücher. 2. verb. Aufl. (In ca. 6 Hftn.) 1. Hft. gr. 8. (56 S.) Böhm.-Leipa 884. Künstner. n. — 70

Pachmann, Hnr. Col., die Bilanz der doppelten Buchhaltung, in prakt. Beispielen bündig erklärt. Lex.-8. (45 S.) Wien 885. (Sallmayer.) n. 2. —

Pachmayer, Zinseszins- u. Rentenrechnungs-Tabellen. Lex.-8. (41 S.) Würzburg 885. Staudinger. n. — 80

Pachtler, G. M., Meßbuch f. das katholische Pfarrkind, in latein. u. deutscher Sprache. 7. Aufl. Mit 1 Stahlst. gr. 16. (XXX, 792 S.) Mainz 885. Kupferberg. 2. —; geb. n. 4. —

— die Reform unserer Gymnasien. gr. 8. (378 S.) Paderborn 883. Bonifacius-Druckerei. n. 4. 80

Packetposttarif. Bearb. im Reichs-Postamt. Amtliche Ausg. gr. 8. (IV, 284 S.) Berlin 886. v. Decker. n.n. 2. 10

Pädagogium. Monatsschrift für Erziehung u. Unterricht. Hrsg. unter Mitwirkg. hervorrag. Pädagogen v. Frdr. Dittes. 6–9. Jahrg. Octbr. 1883– Septbr. 1887. à 12 Hfte. gr. 8. (à Hft. 72 S.) Leipzig, Klinkhardt. à Jahrg. n. 9. —

Padderatz, Emil, Tabellen zur Berechnung d. Freibord v. Dampf- u. Segelschiffen. Vom 10. Aug. 1882. Nach dem engl. Orig. hrsg. [Lloyd's Register of british & foreign shipping.] gr. 4. (49 S.) Hamburg 883. Eckardt & Messtorff. n. 2. —

Page, Geo. H., offene Antwort auf die Fragen d. Schweizer. Handels- u. Industrie-Vereins betr. die Ausdehnung der Haftpflicht u. die Einführung e. obligatorischen Arbeiter-Versicherung. 8. (41 S.) Zürich 886. Orell Füssli & Co. Verl. n. 1. —

Pagen-Liebe u. **Leben**. Ein Lieder-Cyclus. Illustrirt v. Fritz Wichgraf. 2. Aufl. Lex.-8. (III, 64 S.) Leipzig 886. Barsdorf. 5. —; Einbd. m. Goldschn. n.n. 1. 50

Pagenstecher, Arnold, Beiträge zur Lepidopteren-Fauna v. Amboina. Mit 2 (lith.) Taf. gr. 8. (179 S.) Wiesbaden 884. Niedner. n. 4. —

— Beiträge zur Lepidopteren-Fauna d. malayischen Archipels. [II. u. III.] gr. 8. Ebend. à n. 3. — (I–III.: n. 10. —)

II. Heteroceren der Insel Nias (bei Sumatra). Mit 2 color. Taf. (74 S.) 885.

III. Heteroceren der Aru-Inseln, Kei-Inseln u. v. Südwest-Neu-Guinea. Mit 1 Taf. (92 S.) 886.

Pagenstecher, H., 27–30. Jahresbericht der Augenheilanstalt f. Arme in Wiesbaden. Mit e. Abhandlg.: Die Brille, ihre Anwendg. u. Wirkungsweise. gr. 8. (43, 38, 28 u. 32 S.) Wiesbaden 883–86. (Bergmann.) à n. 1. —

Pahnke, Karl, „Er heißt Friedefürst". Ein Weihnachtsgruß in Predigten an meine Gemeinde. 8. (IV, 157 S.) Darmstadt 886. Waitz. n. 2. 20

Pahnsch, Joh., arithmetische Aufgaben. Resultate. 10. unveränd. Aufl. 8. (78 S.) Reval 886. Kluge. cart. n. 1. 50

— Leitfaden f. den Unterricht im Rechnen. 4. verb. Aufl. gr. 8. (IV, 190 S) Ebend. 884. cart. n. 2. 40

Pailler, Wilh., Weihnachtlieder u. Krippenspiele aus Oberösterreich u. Tirol, gesammelt u. hrsg. 2. Bd. Spiele. Mit 31 Singweisen. gr. 8. (XVI, 486 S.) Innsbruck 883. Wagner. n. 8. 80 (1. u. 2.: n. 16. —)

Pailleron, Ed., Sprühregen [Petite Pluie]. Lustspiel in 1 Aufzug. Deutsch v. Paul d'Abrest. 3. Aufl. 8. (77 S.) Dresden 886. Minden. n. 1. —

— die Welt, in der man sich langweilt, s.: Theater-Repertoir, Wiener.

Pakscher, A., zur Kritik u. Geschichte d. französischen Rolandsliedes. gr. 8. (136 S.) Berlin 885. Weidmann. n. 3. —

Passom, A., Staatshilfe — Selbsthilfe. Schauspiel in 4 Aufzügen. Zur Arbeiterfrage. Dem österr. Reichsrath gewidmet. 8. (III, 79 S.) Dresden 885. Pierson. n. 1. 50

Palacký, Joh., pflanzen-geographische Studien. I. Erläuterungen zu Hooker et Bentham Genera Plantarum. 2. u. 3. Bd. gr. 4. Prag, (Calve). n. 3. 36

2. Familie 58–166. (84 S.) 883. n. 2. 10

3. Familie 167–200. [Monocotyledonen.] (50 S.) 884. n. 1. 26

— die Verbreitung der Vögel auf der Erde. Monographie. Lex.-8. (IV, 128 S.) Wien 885. Künast. n. 3. —

Palaeontographica. Beiträge zur Naturgeschichte der Vorzeit. Hrsg. v. Wilh. Dunker u. Karl A. Zittel, unter Mitwirkg. v. W. Benecke, E. Beyrich, Frhr. v. Fritsch, W. Neumayr u. Ferd. Römer als Vertreter der deutschen geolog. Gesellschaft. 29. Bd. od. 3. Folge 5. Bd. 3–6. Lfg. gr. 4. (S. 122–348 m. 29 Steintaf. u. 29 Bl. Tafelerklärgn.) Stuttgart 883. Schweizerbart. n. 130. — (1–6.: n. 178. —)

— dasselbe. 30. Bd. od. 3. Folge 6. Bd. 1. Thl. gr. 4. (VI, CXLVII, 237 S. m. 1 chromolith. Uebersichtskarte, 1 landschaftl. u. 36 paläontolog. [lith.] Taf., nebst 36 Bl. Erklärgn.) Ebend. 883. n. 200. —

— dasselbe. 6. Bd 2. Thl. 1. Lfg. gr. 4. (59 S. m. 11 Bl. Erklärgn.) Ebend. 883. n. 52. —

— dasselbe. 31. Bd. od. 3. Folge 7. Bd. 6 Lfgn. gr. 4. (352 S. m. 35 Steintaf. u. 25 Bl. Tafelerklärgn.) Ebend. 884. 85. n. 188. —

— dasselbe. 32. Bd. od. 3. Folge 8. Bd. 6 Lfgn. gr. 4. (1. Lfg. 73 S. m. 7 Taf. u. 7 Bl. Erklärgn.) Ebend. 885. n. 60. —

— dasselbe. General-Register zu den 20 Bdn. der ersten Folge. Hrsg. v. Wilh. Dunker u. K. A. Zittel. 3. Hft. gr. 4. (S. 193–237.) Ebend. 877. n. 12. — (cplt.: n. 44. —)

— dasselbe. 3. Suppl. 10. u. 11. Lfg. gr. 4. Ebend. 882. n. 40. —

Die Tertiarformation v. Sumatra u. ihre Thierreste. Von R. D. M. Verbeek, O. Boettger u. K. v. Fritsch. 2. Thl. (151 S. m. 12 Steintaf., 1 lith. Profiltaf. u. 12 Bl. Taf.-Erklärgn.) (1. u. 2.: n. 80. —)

— dasselbe. Suppl. II, 4 dazu, s.: Mittheilungen, palaeontographische, aus dem Museum d. königl. bayer. Staates.

Palast-Architektur v. Ober-Italien u. Toscana vom XV. bis XVII. Jahrh. (II.) Toscana. Mit Unterstützg. d. kgl. preuss. Ministeriums f. Handel u. öffentl. Arbeiten hrsg. v. J. Raschdorff. Mit Aufnahmen von Emil Ritter v. Foerster, A. Gnauth, Otto Raschdorff u. anderen Architekten. 1. u. 2. Lfg. gr. Fol. (40 Taf. in Lith., Chromolith., Lichtdr. u. Kpfrst.) Berlin 883. 86. Wasmuth. In Mappe. à n. 28. —

Palästina. Das Nothwendigste v. der Geographie d. gelobten Landes im Anschlusse an den bibl. Geschichtsunterricht. Von e. Religionslehrer. 4. Aufl. 8. (26 S.) Passau 885. Waldbauer. n. — 15

— in Bild u. Wort. Nebst der Sinaihalbinsel u. dem Lande Gosen. Nach dem Engl. hrsg. v. Geo. Ebers u. Herm. Guthe. Mit 40 Stahlst. u. gegen 600 Holzschn.-Illustr. 30–56. (Schluss-) Lfg. Fol.

(2. Bd. VI, 474 S.) Stuttgart 883. Deutsche Verlags-Anstalt. à n. 1. 50 (2. Bd. cplt. geb.: n. 55. —)

Palatinus, L., s.: Scheidemauer, die, in der Heiliggeistkirche zu Heidelberg.

Paldamus, F. C., deutsches Lesebuch. Vorstufe. [1. Tl. 1. Abtlg.] 2. Schulj. [Octava.] 10., m. der 9. übereinstimm. Aufl. [2. Abdr.] Hrsg v. E. Scholderer. gr. 8. (XVI, 159 S.) Frankfurt a/M. 885. Diesterweg. n. — 90; geb. n. 1. 20

— dasselbe. 6 Thle. Hrsg. v. E. Scholderer. gr. 8. Ebend. geb. n. 13. 85

1. 3. Schulj. [Septima.] Mit e. Einleitg.: Zur Methodik d. deutschen Unterrichts. 12. Aufl. (XXXII, 208 S.) 885. n. 1. 35
2. 4. Schulj. [Sexta.] Mit Einleitg. u. Übersicht der Formenlehre. 9. Aufl. (XLIII, 244 S.) 882. n. 1. 56
3. 5. Schulj. [Quinta.] Mit e. Einleitg., Übersicht der Satz- u. Interpunktionslehre u. Tabelle der Präpositionen. 8. Aufl. (XXXII, 280 S.) 882. n. 1. 80
4. 6. Schulj. [Quarta.] Mit e. Einleitg., Übersicht der Satz- u. Interpunktionslehre u. Tabelle der Präpositionen. 8 Aufl. (XXXII, 315 S.) 885. n. 2. —
5. Obere Stufe, 1. Kurs. Mit e. Übersicht d. Dichtungsarten u. Dichtungsformen. 7., verb. u. verm. Aufl. (XXX, 476 S.) 885. n. 2. 65
6. Obere Stufe, 2. Kurs. Mit biograph. Notizen üb. die Schriftsteller u. chronolog. Übersichten ihrer Hauptwerke. 4., verb. Aufl. (XL, 648 S.) 883. n. 4. 50

Palfy, Ottilie, die richtige u. billige Ernährung. Kochbuch u. Haushaltungslehre f. den sparsamen Haushalt. 8. (XVIII, 268 S. m. 1 color. Steintaf.) Leipzig 885. F. Duncker. geb. n. 1. 50

— dasselbe. 2. Aufl. 8. (XXIV, 311 S. m. 1 Taf.) Ebend. 885. geb. n. 2. —

Palisa, J., Bericht üb. die während der totalen Sonnenfinsterniss vom 6. Mai 1883 erhaltenen Beobachtungen. Lex.-8. (14 S.) Wien 883. (Gerold's Sohn.) n.n. — 30

Palkh, J., Kostenberechnung v. Eisenbahn-Ausrüstungen m. Angabe der Bestimmungsorte, Stückzahl, Preise u. Bezugsquellen der erforderl. Gegenstände. Zum Gebrauche f. Ingenieure, Bauunternehmer, Lieferanten etc. gr. 8. (IV, 96 S.) Wien 884. Spielhagen & Schurich. n. 3. —

Pallas. Zeitschrift d. Kunst-Gewerbe-Vereins zu Magdeburg. Red.: L. Clericus. 4—7. Jahrg. 1883—1886. à 12 Nrn. (B.) gr. 4. Magdeburg, (Faber). à Jahrg. n. 4. —

Palleske, Emil, die Kunst d. Vortrags. 2. Aufl. 8. (XVI, 276 S.) Stuttgart 884. Krabbe. n. 3. —; geb. n. 4. —

— Schillers Leben u. Werke. 12. Aufl., bearb. v. Herm. Fischer. 2 Tle. in 1 Bd. gr. 8. (XVI, 368 u. XII, 432 S. m. Holzschn.-Bild.) Ebend. 886. n. 5. —; geb. in Leinw n. 6. —; in Halbfrz. n. 7. —

Pall Mall-Babylonier im deutschen Reich. Oeffentliche Geheimnisse v. ***. 5. Aufl. 8. (64 S.) Leipzig 885. Werther. 1. —

Palm's Starnberger Führer [m. Karte u. Fahrplan]. Beschreibung der Reise von München nach Starnberg, d. Starnbergersees u. all' seiner Uferorte [Rundgang um den See], sowie der Ausflüge in Starnbergs nächste Umgebg. Mit Angabe der wichtigsten geograph. u. geschichtl. Merkwürdigkeiten, nebst e. Karte d. Starnbergersees, dem Fahrplan f. die bayer. Eisenbahnen. 32. (VIII, 56 S.) München 886. Palm. n. — 80

Palm, Aug., die Lieder in den historischen Büchern d. Alten Testaments. Strophische Textausg. u. Uebersetzg. 2. Aufl. gr. 8. (VII, 83 S.) Freiburg i/Br. 883. Mohr. n. 2. 40

Palm, C., Lehr- u. Lesebuch f. Gesellenvereine u. gewerbliche Fortbildungsschulen. 2. Aufl. In 2 Ausgaben. A. Kleine Ausg. gr. 8. (145 S.) Breslau 885. F. Hirt. n. — 80; Einbd. n.n. — 16

— dasselbe. Ausg. B. Große Ausg. Mit 63 Illustr. im Text. gr. 8. (317 S.) Ebend. 885. geb. n. 2. 25

— die Obstpflanzungen an Wegen u. auf unbenutzten Plätzen als Mittel zur Unterhaltung der Volksschule. Denkschrift, allen Schul-Interessenten gewidmet. gr. 8. (15 S.) Graudenz 885. Gaebel. n. — 40

Palm, H., üb. die Grundlagen e. guten Patentgesetzes. 8. (49 S.) Wien 884. (Hartleben.) n. — 60

Palm, R., unter deutscher Flagge, s.: Schmidt's, F., deutsche Jugendbibliothek.

Palm, R., die Milch, ihre Bestandtheile u. Präparate, m. besond. Berücksicht. d. Milchpeptons od. Lactoproteins. 8. (III, 34 S.) Leipzig 885. Voss' Sort. n. 1. —

Palma, die Stadt. [Aus: „Die Balearen, in Wort u. Bild geschildert".] (Von Erzherzog Ludwig Salvator.) Fol. (309 S. m. 127 Holzschn. u. 3 Plänen.) Leipzig 882. Brockhaus. geb. n. 60. —

Palmberger, Rich., Geschichte d. königl. bayer. 6. Chevaulegers-Regiments Großfürst Konstantin Nikolajewitsch. Historische Skizze, bearb f. Unteroffiziere u. Soldaten. gr. 8. (63 S.) Amberg 884. E. Pohl's Verl n. — 80

Palmé-Paysen, H., Monsieur Lafaire, s.: Dilettanten-Mappe.

— Mädchenliebe. Zwei Novellen. 8. (569 S.) Düsseldorf 885. F. Bagel. 4. 50

— meine Nachbarin zur Rechten, s.: Dilettanten-Mappe.

— Marietta Tonelli. 2. Aufl. gr. 8. (373 S.) Düsseldorf 883. F. Bagel. 4. —

Palme, R., Feierklänge. 36 Festmotetten u. religiöse Festgesänge f. 3stimm. Kinder-, Frauen- od. Männerchor nach Ordng. d. christl. Kirchenjahres, m. Orig.-Beiträgen v. D. H. Engel, Chr. Fink, H. Götze etc. Op. 36. Partitur. gr. 8. (III, 82 S.) Leipzig 884. M. Hesse. n. 2. 50; geb. 3. —

— dasselbe. 3 Stimmen. 8. (67, 70 u. 72 S.) Ebend. 884. à n. — 50

— Sangeslust. Sammlung gemischter Chorgesänge f. Gymnasien u. Realschulen, m. besond. Berücksicht. d. Stimmumfanges ausgearb. u. hrsg. gr. 8 (420 S.) Ebend. 886. n. 1. 20; geb. n. 1. 70

Palmén, J. A., üb. paarige Ausführungsgänge der Geschlechtsorgane bei Insecten. Eine morpholog. Untersuchg. Mit 5 (lith.) Taf. gr. 8. (IV, 108 S.) Leipzig 884. Engelmann. n. 5. —

Palmenbund-Kalender. 1884. 32. (16 S.) Augsburg 884. Literar. Institut v. Dr. M. Huttler. — 10

Palmer, Alb., gegen den Strom. Lyrisches u. Satyrisches. 8. (VIII, 132 S.) Leipzig 884. O. Wigand. 1. 50

Palmer, E., the standard bearer, s: Library, English.

Palmer's, E. H., Leben u. Wirken, s.: Besant, W.

Palmer, F., Eddy, s.: Sammlung v. Kinderschriften.

Palmer, Heinr., der christliche Glaube u. das christliche Leben. Lehrbuch der Religion u. der Geschichte der christl. Kirche f. die mittleren Klassen evangel. Gymnasien, die oberen Klassen der Realschulen u. höhere Töchterschulen. 8. Aufl. 8. (VI, 210 S.) Darmstadt 884. Jonghaus. n. 1. 40

Palmié, Frdr., „Eins ist Noth". Schlichte Geschichten. 8. (172 S.) Halle 884. Strien's Verl. n. 2. —; geb. n. 3. —

— schaue an die Güte u. den Ernst deines Gottes. Predigt üb. das Evangelium d. 20. Sonntags nach Trinit. Matthäi 22, 1—14. gr. 8. (6 S.) Ebend. 885. n. — 10

— Hassio u. Hadabrant. Eine Erzählg. aus dem alten Sachsen. 2. Aufl. 8. (267 S.) Ebend. 883. n. 3. —

— Hatheburg. Historischer Roman aus dem Anfange d. 10. Jahrh. nach Christi Geburt. 8. (287 S.) Ebend. 883. n. 3. —; geb. n. 4. —

— das Recht u. der Sieg der Reformation. Predigt üb. Matth. 5 Vers 6. gr. 8. (8 S.) Ebend. 883. n. — 10

— die sieben Seligpreisungen der Bergpredigt, der evangel. St. Georgen-Gemeinde zu Glaucha-Halle in 7 Predigten ausgelegt. 8. (56 S.) Ebend. 884. n — 80

Palmieri, G., ad Vaticani archivi Romanorum pontificum regesta manuductio. 8. (XXVIII, 175 S.) Rom 884. Spithoever. n. 2. 50

Palmieri, Luigi, die atmosphärische Elektricität. Mit Zustimmg. d. Verf. aus dem Ital. übers. v. Heinr. Discher. Mit 8 Abbildgn. gr. 8. (III, 51 S.) Wien 884. Hartleben. n. 1. —

Paltauf, C. S., Bad Neuhaus bei Cilli in Steiermark. 2. Aufl. gr. 8. (VII, 82 S.) Wien 883. Braumüller. n. 1. 40

Paludan-Müller, Adam Homo. Ein Roman in Versen. Mit e. Vorrede v. Geo. Brandes. Nach der 5. dän. Aufl. übers. v. Emma Klingenfeld. 2 Bde. 8. (II, 329 u. 284 S.) Breslau 883. Schottländer. n. 7. 50; geb. n. 10. —

Paludan-Müller, Frederik, der Jugendborn. Erzählung. Aus dem Dän. v. Al. Michelsen. gr. 16. (103 S.) Leipzig 885. Fr. Richter. n. 2. —; geb. m. Goldschn. n. 3. —

Pampe, H., der Abschluss der Handlungsbücher u. die Lehre vom Conto-Corrent, auf handelsrechtl. Grundlage durch Darstellg. d. Bücher-Abschluss erläutert. gr. 8. (48 S.) Freiburg i/Br. 885. (Leipzig, Renger.) cart. 1. 20

— Handels- u. Buchführungs-Lehre m. Hinweisungen auf das allgemeine deutsche Handelsgesetzbuch. [2. Tl. der Unterrichtsbriefe üb. Handelswissenschaften.] gr. 8. (VIII, 144 S.) Ebend. 885. cart. 5. 60

— Unterrichtsbriefe üb. Handelswissenschaften. (In 50 Briefen.) 1. Tl. 1—4. Brief u. 2. Tl. 1—18. (Schluss-)Brief. gr. 8. (1. Tl. S. 1—32 u. 2. Tl. VIII, 144 S.) Ebend. 884. 85. à n. — 30

Panaetii et Hecatonis librorum fragmenta, collegit, praefationibus illustravit Haroldus N. Fowler. gr. 8. (63 S.) Bonn 885. (Cohen & Sohn.) 1. 50

Pancritius, Paul, Beiträge zur Kenntniss der Flügelentwickelung bei den Insecten. gr. 8. (37 S. m. 2 Steintaf.) Königsberg 884. (Nürmberger's Sort.) n. 1. —

Pánek, Jos., commentarius in duas epistolas b. Pauli apostoli ad Thessalonicenses. Usibus auditorum suorum concinnavit J. P. 8. (VII, 154 S.) Regensburg 886. Verlags-Anstalt. n. 3. —

Paneth, Jos., die Entwickelung v. quergestreiften Muskelfasern aus Sarkoplasten. [Aus dem physiolog. Institute der Wiener Universität.] [Mit 3 (lith.) Taf.] Lex.-8. (34 S.) Wien 885. (Gerold's Sohn.) n. 1. 50

Panholzer, Joh., kritischer Führer durch die Jugend-Literatur, unter Mitwirkg. mehrerer Fachmänner hrsg. u. red. 1., 2. u. 4. Thl. gr. 8. (371 S.) Wien, (Edm. Schmid). n. 4. 40

1. 2. Empfehlenswerthe Jugendschriften f. d. Jugend bis 14 Jahren. (371 S.) 886. n. 3. 20
4. Nicht empfehlenswerte od. verderbl. Jugendschriften. (120 S.) 884. n. 1. 20

Pâṇini's Grammatik, hrsg., übers., erläutert u. m. verschiedenen Indices versehen v. Otto Böhtlingk. 1—6. Lfg. Lex.-8. (S. 1—479.) Leipzig 886. Haessel. à n.n. 6. —

Panitz, K., Leitfaden f. den Unterricht in der Grammatik der deutschen Sprache. Für vielklass. Bürgerschulen in 5 konzentr. Kreisen bearb. 1—5. Kreis. 8. Leipzig, Klinkhardt. à n. — 20

1. Für das 3. Schuljahr. 15. Aufl. (28 S.) 885.
2. Für das 4. Schuljahr. 15. Aufl. (20 S.) 885.
3. Für das 5. Schulj. 13. Aufl. (39 S.) 886.
4. Für das 6. Schulj. 12. Aufl. (35 S.) 886.
5. Für das 7. Schulj. 9. Aufl. (32 S.) 885.

Panizza, Osk., düstre Lieder. gr. 16. (124 S.) Leipzig 886. Unflad. n. 2. —

— Londoner Lieder. gr. 16. (88 S.) Ebend. 887. n. 2. —

Pank, Osk., Bismarckbüchlein. 1815—1885—1885. Festgabe zum Jubiläum d. Reichskanzlers Fürsten Bismarck f. d. deutsche Volk. Mit zahlreichen Abbildgn. gr. 8. (112 S.) Bielefeld 885. Velhagen & Klasing. n.n. — 50

— s.: Einweihung, die, der Lutherkirche zu Leipzig.

— Festpredigt bei der 37. Hauptversammlung d. Evangel. Vereins der Gustav-Adolf-Stiftung in Lübeck am 26. Septbr. 1883. gr. 8. (15 S.) Leipzig 886. (Hinrichs' Verl.) n.n. — 20

— s.: Gedenkblätter der Grundsteinlegungs- u. Einweihungsfeier f. die neue Peterskirche zu Leipzig.

— Predigten, geh. in der St. Nikolaikirche zu Leipzig. I—XIII. gr. 8. Berlin 883. 84. Fr. Schulze's Verl. n. 3. 15 (cplt.: n. 2. 50; geb. n. 3. —)

I. Singet dem Herrn e. neues Lied! Predigt am 1. Pfingsttage 1883, dem Tage der Einführg. d. neuen Landes-Gesangbuches bei der St. Nikolai-Gemeinde zu Leipzig. (12 S.) n. — 25
II. Die Jordanfurt d. neuen Testaments. Predigt üb. Apostelgeschichte 2, 37—39 am Trinitatis-Sonntage 1883. (S. 13—22.) n. — 25
III. Geld Salz und Licht! Predigt am 4. Sonntage nach Trin. 1883. (S. 23—34.) n. — 25
IV. St. Petrus u. St. Peter. Predigt am 6. Sonntage nach Trin. 1883. (S. 35—46.) n. — 25
V. „Gedenket an eure Lehrer, die euch das Wort Gottes gesagt haben!" Predigt zum 400jähr. Luther-Jubiläum am 11. Novbr. 1883. (S. 47—58.) n. — 25
VI. Rede bei der Grundsteinlegung der Lutherkirche am 11. Novbr. 1883. (S. 61—66.) — 15
VII. Bist du Christus? Predigt am 3. Adventssonntag 1882. (S. 67—76.) n. — 25
VIII. Tempel- u. Simeonswünsche. Predigt am Epiphaniastage 1883. (S. 77—88.) n. — 25
IX. Saat u. Segen. Predigt am Sonntag Rogate 1882. (S. 89—98.) n. — 25
X. Drei Fragen zwischen Himmelfahrt u. Pfingsten. Predigt am Sonntag Exaudi 1882. (S. 99—108.) n. — 25
XI. Ein großer Gewinn. Predigt am 3. Sonntag nach Trinitatis 1882. (S. 109—118.) n. — 25
XII. Das Feld ist weiß zur Ernte. Predigt am Erntedankfest 1882. (S. 119—128.) n. — 25
XIII. Die Kunst selig zu sterben. Predigt am Sonntag Reminiscere 1884. (IV u. S. 129—137.) n. — 25

Pank, Osk., Predigten, geh. in der St. Nikolaikirche zu Leipzig. 2. verm. Aufl. gr. 8. (III, 151 S.) Berlin 885. Fr. Schulze's Verl. n. 2. 50; geb. n. 3. —

— Rede bei Gründung d. Kirchenbauvereins f. die Stadt Leipzig, geh. am 15. Jan. 1888. gr. 8. (15 S.) Leipzig 883. Hinrichs' Verl. — 30

— „Wach auf, du Geist der ersten Zeugen!" Antrittspredigt, geh. in der Thomaskirche zu Leipzig am Sonntage Exaudi, den 25. Mai, 1884. gr. 8. (12 S.) Berlin 884. Fr. Schulze's Verl. n. — 25

— woran kranken wir? Predigt üb. 1. Korinther 4, 7. 8, am Bußtage den 24. Novbr. 1882 in der St. Nicolai-Kirche zu Leipzig geh. gr. 8. (13 S.) Leipzig 882. Hinrichs' Verl. — Berlin, Fr. Schulze's Verl. n. — 20

Pann, H., u. Chr. Lorenz, Aufgaben f. den Rechenunterricht. Hft. 1a, 1b, 2—5, 6a, 6b u. 7. 8. Güstrow, Opitz & Co. n. 3. 65

1a. 4. Aufl. (24 S.) 886. n. — 15. — 1b. 3. Aufl. (40 S.) 884. n. — 25. — 2. 5. Aufl. (64 S.) 886. n. — 35. — 3. 4. Aufl. (48 S.) 886. n. — 25. — 4. 4. Aufl. (56 S.) 886. n. — 40. — 5. 2. Aufl. (80 S.) 885. n. — 25. — 6a. 4. Aufl. (66 S.) 886. n. — 50. — 6b. 3. Aufl. (64 S.) 886. n. — 50. — 7. 2. Aufl. (93 S.) 886. n. 1. —

— — Kommentar zu den Heften VIa, VIb u. VII der Aufgaben f. den Rechenunterricht. 8. Ebend. 884. geb. n. 1. 75

VIa. u. VIb. (43 S.) n. — 75. — VII. (71 S.) n. 1. —

Pannenborg, A., zur Geschichte d. Göttinger Gymnasiums. 4. (59 S.) Göttingen 886. (Vandenhoeck & Ruprecht's Verl.) n. 2. —

— der Verfasser d. Ligurinus. Studien zu den Schriften d. Magister Gunther. gr. 4. (IV, 39 S.) Ebend. 883. n. 2. —

Pannwitz, M., Diktier- u. Uebungsstoff f. den Unterricht in der Rechtschreibung u. Interpunktion. Hilfsbuch f. Lehrer an gehobenen Volksschulen u. in den unteren Klassen höherer Lehranstalten. gr. 8. (IV, 108 S.) Dresden 887. Huhle. n. 1. 20

Panofsky, Hugo, de historiae Herodoteae fontibus. gr. 8. (69 S.) Berlin 884. Mayer & Müller. n. 1. 60

Panorama vom Buchen-Glärnisch. 4 Bl. Chromolith. qu.-schmal-Fol. Mülheim a/R. 886. Ziegenhirt. In Carton. n. 4. —

— von Budapest. Lith. qu. gr. Fol. Budapest 885. Lampel. n. — 60

— von der Heuscheuer. Aufgenommen u. lith. v. Heinr. Schulze. qu. schmal Fol. (4 Steintaf.) Reichenbach i/Schl. 883. (Hoefer.) n.n. 1. 50

— pittoresque du Righi et du Lac des IV Cantons. Chromolith. Fol. Luzern 885. Prell. In Carton. 1. 20

— du chemin de fer du St. Gothard. Chromolith. Fol. Ebend. 885. In Carton. 1. 20

— der Umgegend v. Tübingen v. der Eberhardhöhe aus. Chromolith. qu. Fol. Tübingen 885. Fues. n. 1. —

— des Wissens u. der Bildung. Eine Sammlg. v. Leitfaden zum Selbstunterricht in den folg. Fächern: Englisch, Französisch, Italienisch, Buchhaltg., Briefsteller, Stenographie, Geschichts-Chronik, Clavierspiel, Zeichnen, Erdkunde, Physik, Dichtkunst. Mit e. vollständ. Atlas üb. sämmtl. Länder der Erde u. Special-Karten d. deutschen Reichs u. Oesterreichs, sowie e. vollständ. nach den neuesten Quellen gearb. biograph. Lexikon. 2. Aufl. 2—50. (Schluß-)Hft. gr. 8. (à 8 S.) Reudnitz-Leipzig 883 - 85. Payne. à — 50

Parabeln von H. v. R. 8. (18 S.) Augsburg 886. Preyß. n. — 20

Paradies der christlichen Seele. Vollständiges Gebetbuch für kathol. Christen. Bestehend aus Gebeten u. Betrachtgn. d. h. Anselmus, Ambrosius, Augustin ꝛc. Min.-Ausg. 12. Aufl. 24. (576 S. m. 1 Stahlst.) Aachen 886. Cremer. 1. 20

Paradigmen der arabischen Schriftsprache. Übersichtliche Formenlehre, nebst Anleitg. zum Lesen u. zum Verständniss der heut. Vulgäraussprache, hrsg. v. der k. k. öffentl. Lehranstalt f. oriental. Sprachen in Wien. gr. 8. (IV, 120 S.) Wien 885. Frick. n. 4. —

Paradoxe üb. die Ehe. 8. (VIII, 312 S.) Leipzig 886. Unflad. n. 4. —; geb. n. 5. —

— der conventionellen Lügen v. ***. 1—5. Tausend. gr. 8. (IV, 108 S.) Berlin 885. Steinitz. n. 2. —

Parallel-Bibel od. die heil. Schrift Alten u. Neuen Testaments in der Verdeutschung durch D. Martin Luther nach der Orig.-Ausg. v. 1545 m. nebenstehender wortgetreuer Übersetzung nach dem Grundtext. [In 3 Bdn. od. 24 Lfgn.] 1. Lfg. gr. 8. (1. Bd. S. 1—96) Gütersloh 886. Bertelsmann. n. — 50

Paravicini-Bachofen, E., Specialbericht üb. Strassenfuhrwerk u. Luxuswagen auf der schweizerischen Landesausstellung Zürich 1883, s.: Gerlich, E.

Pardo, Mich., George Washington. Ein Lebensbild nach Washington Irving u. George Bancroft, f. die reifere Jugend. gr. 8. (312 S.) Gotha 886. F. A. Perthes. geb. n. 7. —

Pardon, die römische Diktatur. 4. (18 S.) Berlin 885. Gaertner. n. 1. —

Paret, Karl Ludw., offener Brief an alle Bibel- u. Geschichtskundigen üb. die Unrichtigkeit der in die willkürliche Bauschsumme von 4000 Jahren künstlich u. gewaltsam eingezwängten vorchristlichen Chronologie, deren Revision u. Berichtigung auf 5581 Jahre als Summe der urkundlich genau, bestimmt, vollständig u. ungefälscht gegebenen u. nachgewiesenen Zahlen u den Werth dieser Berichtigung f. die Bibel u. Geschichte. gr. 8. (16 S.) Stuttgart 885. (Metzler's Sort.) n n. — 30

Parey, C., Denkschrift üb. die Handhabung der Baupolizei in der Haupt- u. Residenzstadt Berlin. gr. 8. (29 S.) Berlin 886. (Toeche.) n. 1. —

Parey, Karl, Gesetz üb. die eingeschriebenen Hülfskassen vom 7. Apr. 1876 in der Fassung d. Gesetzes vom 1. Juni 1884. Aus den Reichstags-Verhandlgn. u. den Aussprüchen höchster Gerichtshöfe u. Zentral-Verwaltungs-Behörden f. den prakt. Gebrauch erläutert. 2. Aufl. 8. (VIII, 80 S.) Berlin 886. P. Schettler's Erben. n. 1.—

— die rechtliche Natur d. Gesinde-Miethsvertrages in den königl. preußischen Staaten, als e. Art der gemeinrechtl. Locatio-conductio operarum. gr. 8. (29 S.) Ebend. 885. n. — 60

— die Rechte u. Pflichten der Hauseigenthümer, Vizewirthe u. Miether untereinander u. gegenüber den Behörden d. Staats u. der Gemeinde [Steuer-, Polizei- u. Kommunalbehörden]. Mit ausführl. Sachregister. 2. Aufl. 8. (IV, 76 S.) Berlin 886. Springer. cart. n. 1. —

— die Rechtsgrundsätze d. königl. preußischen Ober-Verwaltungsgerichts. Nach den gedruckten Entscheidgn. Bd. I—XII zusammengestellt u. m. Rücksicht auf die fortschreit. u. auf die neuen Provinzen ausgedehnte Verwaltungs-Gesetzgebg. erläutert. (In 4 Abthlgn) 1. Abth. gr. 8. (144 S.) Berlin 886. Heine. n. 3. —

— der juristische Reisebegleiter d. Eisenbahn-Passagiers im deutschen Reiche, insonderheit in Preußen. Eine unentbehrl. Ergänzg. zu allen Coursbüchern, Reisehandbüchern, Fahrplänen ꝛc. Nach Maßgabe der gesetzl. Bestimmgn. u. der Aussprüche höchster Centralbehörden u. Gerichtshöfe bearb. u. hrsg. 16. (66 S.) Guben 885. König. n. — 40

— Zuständigkeits-Bilder zur besseren Orientirung in den neuesten preußischen Verwaltungsgesetzen [Ges. üb. die allgemeine Landesverwaltg. Vom 30. Juli 1883. — G. S. S. 195 — u. Gesetz üb. die Zuständigkeit der Verwaltungs- u. Verwaltungsgerichtsbehörden. Vom 1. Aug. 1883 — G. S. S. 237 —], f. die Berufs- u. Ehrenbeamten der preuß. Verwaltg. in Stadt u. Land bearb. Fol. (78 Steintaf. m. 3 S. Text.) Cöslin 884. (Schulz.) cart. n. 6. —

Parey, W., Erläuterungen zu Macaulays Reden üb. Parlamentsreform. 4. (27 S.) Berlin 885. Gaertner. n. 1. —

Parfait, Paul, der Mord im Nebenzimmer. 8. (108 S.) Berlin 885. Goldschmidt. n. — 50

Parfenow, Ilja, chemisch-pharmacognostische Untersuchung der braunen amerikanischen Chinarinden aus der Sammlung d. pharmaceut. Institutes der Universität Dorpat. gr. 8. (100 S.) Dorpat 885. (Schnakenburg.) 1. 20

Parie, Th., Ismaël, s.: Bibliothèque française.

Paris, das lachende, s.: Eckstein's humoristische Bibliothek.

Paris, E., die Lehre v. der Prioritäts-Abtretung nach deutschem Hypothekenrecht. gr. 8. (125 S.) Berlin 883. Bahr. n. 2. 40

— Uebertragungsform der Grundschuld. gr. 8. (31 S.) Ebend. 883. n. 1. —

Paris, F. A., die Dienst-Verhältnisse der Offiziere, Sanitäts-Offiziere u. Offizier-Aspiranten d. Beurlaubtenstandes im Frieden u. im Kriege, nach den bezügl. Dienstvorschriften u. m. Angabe der Quellen übersichtlich zusammengestellt. 4. Aufl. gr. 8. (X, 191 S.) Burg 886. Hopfer. n. 3. —

— das reglementsmäßige Exerziren im Trupp, in der Kompagnie u. im Bataillon, nach dem Neu-Abdruck d. Exerzir-Reglements f. die Infanterie vom 1. März 1876 u. den Bestimmgn., betr. die Ausbildg. der Jäger u. Schützen vom 18. Juni 1868. Mit 52 Holzschn. 2. Aufl. gr. 8. (VI, 116 S.) Gera 884. Reisewitz. n. 1. 60

— Reglements-Studien. Ein Beitrag zur Frage e. Zukunfts-Reglements f. die deutsche Infanterie. 2. Ausg. gr. 8. (126 S.) Rathenow 886. Babenzien. n. 2. —; geb. n.n. 3. —

— Taschenbuch f. den Dienst d. Infanterie-Offiziers auf dem Exerzirplatz, beim Manöver u. im Felde. 2. Aufl. 12. (XIV, 208 S.) Gera 884. Reisewitz. n. 2. —

Parisien, le. Journal de modes et de l'art du tailleur. Réd.: H. Klemm. (In französ. u. deutscher Sprache) 15—18 année. 1883—1886. à 12 nrs. (B. m. eingedr. planotyp. Zeichngn., Schnittbeilagen u. 1 color. Modekpfr.) gr. Fol. Leipzig. (Dresden, Exped. der europ. Modenzeitg.) à Jahrg. n. 9. 60; grosse Ausg. m. 2 Modekpfrn. n. 14. 40

Parisius, L., Bilder aus der Altmark, s.: Dietrichs, H.

Parkinson, R., im Bismarck-Archipel. Erlebnisse u. Beobachtgn. auf der Insel Neu-Pommern. [Neu-Britannien.] Mit Abbildgn. in Holzschn. u. 1 Karte. gr. 8. (VIII, 154 S.) Leipzig 887. Brockhaus. n. 4. —; geb. n. 5. 50

Parlaments-Almanach, deutscher. Begründet u. hrsg. v. Geo. Hirth. 15. Ausg. Novbr. 1884. 8. (IV, 262 S.) München 885. Hirth. 2. —; geb. 3. —

Parlamentsreden, englische, zur französischen Revolution. Zum Gebrauch in der Prima höherer Unterrichtsanstalten hrsg. v. Frdr. Perle. gr. 8. (VI, 100 S.) Halle 885. Niemeyer. n. 1. —; geb. n. 1. 20

— dasselbe. Erklärt v. Leo Türkheim. gr. 8. (242 S.) Berlin 886. Weidmann. cart. 2. 40

Parlow, Hans, vom Guadalquivir. Wanderungen in Sevilla. 8. (77 S.) Wien 886. Hartleben. n. 3. —; geb. m. Goldschn. n. 4. —

— spanische Nächte. Skizzen. 8. (96 S.) Ebend. 884. 3. —; geb. m. Goldschn. 4. —

Paroissien, petit, ou recueil de prières les mieux choisies et les plus appropriées aux besoins des fidèles. Revu et corrigé par J. Schneuwly. Orné de gravures. 16. (383 S.) Einsiedeln 886. Benziger. — 80

Parow, Walter, der Vortrag v. Gedichten als Bildungsmittel u. seine Bedeutung f. den deutschen Unterricht. gr. 8. (III, 84 S.) Berlin 886. Gaertner. n. 1. 50

Parreidt, Jul., Compendium der Zahnheilkunde.

Zum Gebrauche f. Studirende u. Aerzte. Mit 38 Abbildgn. 8. (VIII, 226 S.) Leipzig 886. Abel. n. 4. —

Parreidt, Jul., die Zähne u. ihre Pflege, s.: Universal-Bibliothek.

Parrisius, Ed., Gedenkblätter. Gewidmet den Freunden d. Verewigten. 8. (V, 361 S.) Berlin 884. Parrisius. geb. n. 3. —

— zerstreute Schriften. Nach seinem Tode gesammelt u. hrsg. 2. Thl. 8. (197 S.) Ebend. 885. n. 2. 40 (1. u. 2.: n. 5. 40)

Parsch, J. H., das Rosenkranzgebet in der katholischen Kirche. Eine Belehrg. üb. dasselbe u. Erwiderg. auf die Angriffe, welche vielfach gegen das Rosenkranzgebet erhoben werden. 8. (35 S.) Dülmen 884. Laumann. n. — 25

Parseval, J. v., die amerikanischen Eisenbahnen, deren Aktien od. Prioritäten an deutschen Börsen gehandelt werden, dargestellt in ihrer Entstehg., ihren Finanz- u. Betriebs-Verhältnissen nach Orig.-Berichten, Poors Manual u. anderen Quellen. 8. (VII, 111 S.) Berlin 886. Haude & Spener. geb. n. 3. —

Parsival. Leipziger Musik-, Theater- u. Kunst-Zeitg Anregungen f. das Kunstleben der Gegenwart. Hrsg. unter Mitwirkg. bewährter Fachschriftsteller v. Edwin Schloemp. 2. Jahrg. 1885. 24 Nrn. (B.) gr. 4. Leipzig, Schloemp. n. 5. —

cfr.: Musik- u. Kunst-Zeitung, Leipziger.

— scenische Bilder nach den f. die Bayreuther Aufführung gefertigten Decorations- u. Costümskizzen der Gebr. Brückner u. P. Joukovsky. 9 Lichtdr. v. Naumann & Schroeder. 2. Aufl. qu. Fol. (1 Bl. Text.) Leipzig 883. Unflad. n. 15. — ; Pracht-Ausg. n. 20. —

— der reine Thor, od. die Ritter vom Salvator. Große Bayreuther Bühnenweihfestspiel-Komödie in 5 Abthlgn. Frei nach dem Wahnfriedischen d. Rich. Wagner f. Nicht-Bayreuther leichtfaßlich bearb. u. m. Gesang, Tanz u. Salvatorkneiperei ausgestattet v. E. F. Germanicus Mit e. Titelbild. 8. (54 S.) München 883. Viereck. 1. —

Parsons, A. Wilde, am Meeresufer. 4 Studienblätter. Chromolith. qu. gr. 4. Leipzig 886. (Baldamus.) n. 4. —

Parsons, M., die Macht der Gewohnheit. Erzählung. Nach dem Engl. 4. Aufl. 16. (138 S.) Köln 884. Bachem. — 80

— der Schein trügt. Erzählung. Nach dem Engl. 4. Aufl. 16. (148 S.) Ebend. 884. — 80

Partei, die demokratische, u. die Handwerker. gr. 8. (27 S.) München 883. (Augsburg, Literar. Institut v. Dr. M. Huttler.) — 30

Parth, J. H., das A-B-C der Handelswissenschaften. 2. Bd. u. 5. Bd., 1. Thl. Graz 884. Leykam. n. 1. 80

2. Das A-B-C d. Bankwesens. Für Schul- u. Selbstunterricht m. besond. Rücksicht auf die österreich. Credit-institute. Mit vollst. Sachregister. 2. Aufl. Vollständig neu bearb. v. J. Berger. (X, 106 S.) n. 1. —

5. Das A-B-C der Buchhaltung zum Schul- u. Selbstunterricht. 1. Thl.: Einfache Buchhaltung. 3. Aufl. (VIII, 72 S.) n. — 80

Parthey, G., e. verfehlter u. e. gelungener Besuch bei Goethe 1819 u. 1827. 2. Abdr. 8. (79 S.) Berlin 883. Nicolai's Verl. n. 1. 20

Parthey, Thdr., gesunder Schlaf! Ratschläge u. Winke f. Kranke u. Gesunde. 8. (29 S.) Berlin 887. Funcke & Naeter. n. 1. —

Partie-Buch. Hrsg. v. der Section Dresden d. Gebirgs-Vereins f. die sächsisch-böhmische Schweiz. 3. Aufl. 8. (VIII, 56 S. m. 1 Karte.) Dresden 884. (Arnoldische Buchh.) cart. n.n. 1. —

Partikular-Examen od. die besondere Gewissensforschung nach dem hl. Ignatius v. Loyola v. A. W. 16. (40 S. m. 1 Holzschn.) Augsburg 886. Litterar. Institut v. Dr. M. Huttler. n.n. — 15

Partisch, H., Dr. Martin Luther. Festpredigt, am 11. Novbr. 1883, dem Jubeltage der 400jähr. Gedächtnißfeier der Geburt Dr. Martin Luther's, geh. gr. 8. (15 S.) Oldenburg 883. Schulze. n.n. — 25

— Sylvesterglockenklang. Ein stilles Wort zur feierl. Stunde. I. Im Strome der Zeit. II. Vor Jerusalems Thoren. 2. Aufl. 8. (III, 73 S.) Ebend. 885. n. 1. —; geb. n. 2. —

Partsch, Carl, das Carcinom u. seine operative Behandlung. Nach den in der königl. chirurg. Klinik zu Breslau gesammelten Erfahrgn. [1875—1882.] gr. 8. (87 S.) Breslau 884. (Köhler.) n. 1. —

Partsch, J., physikalische Geographie v. Griechenland m. besond. Rücksicht auf das Altertum, s.: Neumann, C.

Pârvatî's Hochzeit. Ein ind. Schauspiel. Zum ersten Male ins Deutsche übers. v. K Glaser. gr. 8. (X, 38 S.) Triest 886. (Schimpff.) n. 1. 20

Parzival, s.: Stecher, Ch., deutsche Dichtung.

Pasig, Jul., Luther in seinen Mußestunden. Eine Denkschrift zur 400jähr. Gedächtnisfeier d. Geburtstages Luthers. Mit dem Bildnis Luthers als Junker Georg. 8. (IX, 68 S.) Berlin 883. Parrisius. n. 1. 80; geb. n. 2. 40

Pasig, Paul, Herzensklänge. Eine Liedergabe d. Herzens f. das Herz. 12. (183 S.) Grimma 885. Hering. n. 2. —

Paslawsky, Geo. Pet. v., Handbuch f. den finanziellen Verwaltungsdienst in den im Reichsrathe vertretenen Königreichen u. Ländern. 1—14. Lfg. gr. 8. (S. 1—877.) Czernowitz 882—84. (Pardini.) à n.n. — 70

Pasqué, Ernst, die Bergstrasse, s.: Wanderbilder, europäische.

— la Bergstrasse, s.: l'Europe illustrée.

— the Bergstrasse, s: Europe, illustrated.

— auf dem Domkrahnen. Eine Erzählg. 8. (166 S.) Bremen 884. Roussell. n. 2. —

— zwei Eleven Worths, s.: Collection Spemann.

— das Glück d. Drei-Königen-Hauses. Roman. 3 Bde. 8. (276, 288 u. 275 S.) Berlin 884. Janke. n. 13. 50

— vierzig Jahre aus dem Leben e. musikalischen Zeitung. Eine Chronik der „Signale" v. 1843—1883. gr. 8. (20 S.) Leipzig 883. B. Senff. n. 1. —

— die Vagabunden. Roman. 3 Bde. 8. (254, 276 u. 236 S.) Berlin 886. Janke. n. 12. —

Passarge, Louis, norwegische Balladen, übertragen u. erläutert. 8. (152 S.) Leipzig 883. Elischer. cart. 3. —; geb. m. Goldschn. n. 4. —

— Henrik Ibsen. Ein Beitrag zur neusten Geschichte der norweg. Nationallitteratur. Mit dem Portr. u. Fksm. Ibsens in Stahlst. gr. 8. (VII, 310 S.) Ebend. 883. n. 6. —

— baltische Novellen. 8. (308 S.) Ebend. 884. n. 5. —; geb. n. 6. 50

— Sommerfahrten in Norwegen. Reiseerinnerungen, Natur- u. Kulturstudien. 2. Aufl. 2 Bde. gr. 8. (VI, 303 u. 325 S.) Ebend. 884. n. 10. —; geb. n. 12. 80

— aus dem heutigen Spanien u. Portugal. Reisebriefe. 2 Bde. gr. 8. (XIII, 286 u. V, 319 S.) Ebend. 884. n. 10. —; geb. n. 12. 80

Passau u. Umgebung. Praktisches Handbüchlein f. Reisende Zugleich Fremdenführer u. Wegweiser durch die Stadt. 2. verm. Aufl. gr. 16. (75 S. m. 1 Plan, 1 Karte u. 2 Panoramen.) Passau 885. Deiters. n. 1. — ; geb. m. 12 Ansichten in Photogr.-Imitation n. 2. —

Passauer, contagiöse Augenentzündung. gr. 8. (35 S.) Gumbinnen 883. (Chrześciński.) n. 1. 20

— die Direktiven f. das Verfahren bei der Bekämpfung der contagiösen Augen-Entzündung. 2. Aufl., m. e. Erwiderg. auf die Broschüre d. Hrn. Prof. Dr. Jacobson: „Zur Abwehr gegen Hrn. Medicinalrath Dr. Passauer". gr. 8. (42 S.) Gumbinnen 884. Hinz. n. 1. —

— das öffentliche Gesundheitswesen im Reg.-Bez. Gumbinnen während d J. 1881. General-Bericht. gr. 8. (IV, 301 S.) Ebend. 883. n. 4. —

— dasselbe, während d. J. 1882. General-Bericht. gr. 8. (IV, 207 S.) Ebend. 883. n. 2. —

— zur Klärung der Lehre v. der contagiösen Augenentzündung. Replik auf e. Abhandlg. d. Hrn. Prof. Dr. J. Jacobson in Königsberg. gr. 8. (14 S.) Ebend. 883. n. — 60

Passavant, Carl, craniologische Untersuchung der Neger u. der Negervölker. Nebst e. Bericht üb. meine erste Reise nach Cameroons [West-Afrika] im J. 1883. Mit 1 (lith.) Curventaf. gr. 8. (94 S.) Basel 884. Georg. n. 2. 50

Passer, A. v. der, s.: Gedichte.

Passet, Jos., Untersuchungen üb. die Aetiologie der eiterigen Phlegmone d. Menschen. Mit 1 Taf. gr. 8. (VII, 94 S.) Berlin 885. Fischer's medicin. Buchh. n. 4. —

Passional Christi u. Antichristi, s.: Drucke, deutsche, älterer Zeit.

Passions-Geschichte, die heilige, zum liturgischen Gebrauch bei 7 Passionsandachten od. am Charfreitage, zusammengestellt nach den 4 Evangelien. 4. (32 S.) Mohrungen 886. Harich. n.n. — 50; Ausg. in 12 (28 S.) n.n. — 10

Passow, Wolfg., de crimine *βουλεύσεως*. gr. 8. (43 S.) Leipzig 886. Fock. n. 1. 50

Passy, Paul, le français parlé. Morceaux choisis à l'usage des étrangers avec la prononciation figurée. 8 (11 S.) Heilbronn 886. Henninger. n. 1. 80

Pastor, Carl, culturhistorische Bilder aus den Zeiten d. Wahns. 1. Bd. Das Marile. Eine Geschichte aus der Zeit d. Hexenwahns. 8. (VI, 184 S.) Hamburg 883. Seelig & Ohmann. n. 4. 50

— Wahrheit u. Dichtung in den Texten bedeutender Opern, Erläuterg. u. Feststellg. d. mytholog. u. histor. Hintergrundes dieser Gattg. v. Bühnenschöpfgn. 1. Lfg. A. u. d. T.: Die Bühnendichtgn. v. Rich. Wagner. Textlich erläutert. 1. Lfg. gr. 8. (64 S.) Leipzig 883. Findel. n. 1. —

Pastor, Ludw., Geschichte der Päpste seit dem Ausgang d. Mittelalters. Mit Benutzg. d. päpstl. Geheim-Archives u vieler anderer Archive bearb. 1. Bd. A u. d. T.: Geschichte der Päpste im Zeitalter der Renaissance bis zur Wahl Pius' X. gr. 8. (XLVI, 728 S.) Freiburg i/Br. 886. Herder. n. 10. —; geb. n. 12. —

Pastoralbibliothek. Sammlung v. Kasualreden, begründet v. F. Dickmann, fortgesetzt u. hrsg. v. E. Lehmann. 4. Bd. 2. Hälfte. gr. 8. (S. 177—365.) Gotha 882. Schloeßmann. n. 2. 40

— dasselbe. 5—7. Bd. à 2 Hälften. gr. 8. (à ca. 372 S.) Ebend. 883. 85. à Bd. n. 4. 80; geb. à n. 6. — (I—VIII: n. 33. 60; geb. n. 42. —)

Pastoralblatt, f. die Diöcese Augsburg. In Verbindg. m. mehreren Geistlichen hrsg. v. Herm. Koneberg u. Max Steigenberger. 26—29. Jahrg. 1883—1886. à 52 Nrn. ($^1/_2$ B.) gr. 4. Augsburg, Schmid's Verl. à Jahrg. n. 4. —

— Bamberger. Red. u. Hrsg.: J. Körber. 26. Jahrg. 1883. 52 Nrn. ($^1/_2$ B.) gr. 4. Bamberg, (Buchner). n. 4. 60

— dasselbe. 27—29. Jahrg. 1884—1886. à 52 Nrn. ($^1/_2$ B.) gr. 4. Ebend. à Jahrg. n. 4. —

— des Bisth. Eichstätt. 30—32. Jahrg. 1883—1885. à 26 Nrn. ($^1/_2$ B.) gr. 4. Eichstätt, (Stillkrauth). à Jahrg. n.n. 6. 65

— dasselbe. 33. Jahrg. 1886. 52 Nrn. ($^1/_2$ B.) gr. 4. Ebend. n.n. 6. 65

— Unter Mitwirkg. e. Vereines v. Curatgeistlichen der Erzdiöcese Köln hrsg. v. M. Jos. Scheeben. 17—20. Jahrg. 1883—1886. à 12 Nrn. ($1^1/_2$ B.) gr. 4. Köln, (Bachem). à Jahrg. n. 2. 40

— unter Mitwirkg. v. Kuratgeistlichen d. Bisth. Münster hrsg. v. J. B. Funcke. 21—24. Jahrg. 1883—1886. à 12 Nrn. ($1^1/_2$ B.) gr. 4. Münster, Theissing. à Jahrg. n. 2. 50

— hrsg. von mehreren katholischen Geistlichen Nordamerikas. Red.: W. Faerber. 18. u. 19. Jahrg. 1884 u. 1885. à 12 Nrn. ($1^1/_2$ B.) gr. 4. St. Louis, Mo. (Freiburg i/Br., Herder.) à Jahrg. n. 8. 50

— für die Diözese Rottenburg m. der Beilage: Diözesan-Archiv, Blätter f. kirchengeschichtl. Mittheilgn. u. Studien aus Schwaben. Mit e. Verein v. Geistlichen u. in Verbindg. m. Geschichtsgelehrten hrsg. v. Engelbert Hofele. 2. u. 3. Jahrg. 1884 u. 1885. à 12 Nrn. (B.) 4. Stuttgart, Deutsches Volksblatt. à Jahrg. n. 4. 80; jedes der Blätter einzeln à Jahrg. n. 2. 40

— dasselbe. 4. Jahrg. 1886. 12 Nrn. (B.) 4. Ebend. n.n. 6. 80; jedes der Blätter einzeln n.n. 3. 20

— schlesisches. Red.: Aug. Meer. 4—6. Jahrg. 1883—1885. à 12 Nrn. (2 B.) gr. 4. Breslau, Aderholz. à Jahrg. n. 3. —

— dasselbe. 7. Jahrg. 1886. 24 Nrn. (B.) gr. 4. Ebend. n 4 —

Pastoralblatt, schweizerisches, s.: Kirchen-Zeitung, schweizerische.

Pastoralblätter f. Homiletik, Katechetik u. Seelsorge. In Verbindg. m. mehreren Geistlichen hrsg. v. G. Leonhardi u. E. Zimmermann. [Neue Folge der praktisch-theolog. Zeitschrift: „Gesetz u. Zeugniß".] 13—15. Bd. [Der ganzen Reihe 25—27. Bd.] 1883—1885. à 12 Hfte. gr. 8. (à Hft. ca. 64 S.) Leipzig, Teubner. à Jahrg. n. 9. 60; m. katechet. Vierteljahrsschrift. 4 Hfte. (à Hft. ca. 56 S.) à Jahrg. n. 11. 20; katechet. Vierteljahrsschrift apart pro cplt. à Jahrg. n. 3. 60

— dasselbe. 16. Bd. [Der ganzen Reihe 28. Bd.] 1886. 12 Hfte. gr. 8. (1. Hft. 64 S.) Ebend. n. 9. 60

— dasselbe. Generalregister zum 1. bis m. 25. Bd. [1859—1883.] gr. 8. (98 S.) Ebend. 884. n. 1. 60

Pastoral-Correspondenz, hannoversche. Red.: Kleinschmidt. 11—14. Jahrg. 1883—1886. à 26 Nrn. (à $^1/_2$—$^3/_4$ B.) gr. 8. Hannover, Feesche. à Jahrg. n. 4. —

Pastorius, Frz. Dan., Beschreibung v. Pennsylvanien. Nachbildung der in Frankfurt a/M. im J. 1700 erschienenen Orig.-Ausg. Hrsg. vom Crefelder Verein f. wissenschaftl. Vorträge. Mit e. Einleitg. v. Frdr. Kapp. 8. (XXXVI, 140 S.) Crefeld 884. (Kramer & Baum.) geb. n. 2. —

Pastors Kinder auf dem Lande. Märchen u. Erzählgn. aus der goldenen Kinderzeit v. Onkel Hans. Mit 1 Bilde in Farbendr. 2. Aufl. 8. (VI, 234 S.) Leipzig 884. Quedlinburg, Vieweg. geb. n. 3. —

— dasselbe. 2. Tl. A. u. d. T.: Aus dem Paradiese der Kindheit v. Onkel Hans. 8. (VIII, 260 S. m. Holzschn.) Ebend. 886. geb. 3. —

Paetel's Miniatur-Ausgaben-Collection. 1—8. Bd. 12. Berlin 886. Gebr. Paetel. geb. m. Goldschn. à n. 3. —

1. Immensee. Von Thdr. Storm. 27. Aufl. (72 S.)
2. Was sich der Wald erzählt. Ein Märchenstrauß v. Gust. zu Putlitz. 45. Aufl. (100 S.)
3. Die Irrlichter. Von Marie Petersen. 41. Aufl. (164 S.)
4. Zur Chronik v. Grieshuus. Von Thdr. Storm. 2. Aufl. (148 S.)
5. Höher als die Kirche. Eine Erzählg. aus alter Zeit von Wilhelmine v. Hillern, geb. Birch. 3. Aufl. (85 S.)
6. Die braune Erica. Novelle v. Wilh. Jensen. 4. Aufl. (112 S.)
7. Walpurgis. Von Gust. zu Putlitz. 6. Aufl. (199 S.)
8. Ein Fest auf Haderslevhuus. Novelle v. Thdr. Storm. (110 S.)

Paetel, Fr., Catalog der Conchylien-Sammlung v. F. P. gr. 8. (III, 271 S.) Berlin 883. Gebr. Paetel. n. 9. —

Patentblatt. Hrsg. v. dem kaiserl. Patentamt. 7—10. Jahrg. 1883—1886. à 52 Nrn. hoch 4. (Nr. 1. $2^3/_4$ B.) Berlin, C. Heymann's Verl. à Jahrg. n. 12. —

— u. **Auszüge** aus den Patentschriften. Hrsg. v. dem kaiserl. Patentamt. Jahrg. 1883—1886. à 52 Nrn. hoch 4. (Nr. 1. $4^1/_2$ B.) Ebend. 883. à Jahrg. n.n. 40. —

Patent-Central-Heizung m. Ventilation. System: Bechem & Post. (Patentirt in vielen Ländern.) 2. Aufl. der Broschüre: Das neue Dampfheizungs-Verfahren. gr. 4. (III, 32 S. m. Holzschn. u. 3 Chromolith.) Hagen 884. (Risel & Co.) n. 3. —

Patentgesetz vom 25. Mai 1877, nebst den Ausführungsverordngn. u. den Bestimmungen üb. die Anmeldg. der Patente, sowie den wichtigsten Vorschriften der Patentgesetzgebg. anderer Länder. Reichs-Gesetzbl. S. 501, ausgegeben zu Berlin den 30. Mai 1877. Markenschutzgesetz vom 30. Novbr. 1874, sowie Musterschutzgesetz vom 11. Jan. 1876, m. den Ausführungsbekanntmachgn. d. Reichskanzleramtes. Nach der Rechtsprechg. erläut. u. m. vielen Anmerkgn. verseh. 2. Aufl. 8. (61 S.) Neuwied 884. Heuser's Verl. cart. — 80

Patentgesetzgebung. Sammlung der wichtigeren Patentgesetze. Ausführungsvorschriften, Verordngn. etc., welche gegenwärtig in Geltg. stehen. Hrsg. u. m. e. vergleich. Uebersicht versehen v. Carl Gareis u.

fortgeführt v. A. Werner. 4. Bd. 12. Berlin 885. C. Heymann's Verl. geb. n. 5. — (1—4.: n. 19. —)

Die Britischen Colonien, die central- u. südamerikan. Staaten, Grossbritannien, Luxemburg, Schweden, die Türkei u. Norwegen, m. e. alle 4 Abthlgn. umfass. Inhaltsverzeichniss. Hrsg. v. A. Werner. (IX, 336 S.)

Patentschriften, hrsg. vom kaiserl. Patent-Amt. Jahrg. 1883—1886. à ca. 4000 Nrn. hoch 4. (à 1/2—3 B. m. Lichtdr.-Taf.) Berlin, (C. Heymann's Verl.). à Nr. n.n. 1. 50

Paternitäts-Kalender m. angehängter Berechnung d. Kapital-Werths unverzinslicher Zieler, nebst e. Zins-Tafel. Zum Gebrauch f. Richter u. Rechts-Anwälte. 2. Aufl. 8. (32 S.) Neresheim 876. (Stuttgart, Metzler's Sort.) n.n. 1. 50

Paterson's Reisebuch f. die Schweiz. Mit Karten u. Plänen. 8. (XII, 164 S.) Edinburgh 886. (Stuttgart, Kröner.) geb. n. 1. 50

Patin, Alois, Heraklits Einheitslehre, die Grundlage seines Systems u. der Anfang seines Buches. gr. 8. (100 S.) Leipzig 886. Fock. n. 1. 50

Patinakrieg, der. Die Restaurirung d. Maxdenkmals zu Innsbruck u. der Streit f. u. wider dieselbe. Aktenmässig dargestellt. gr. 8. (VI, 122 S.) Innsbruck 883. Wagner. n. 2. —

Patiß, Geo., Ansprachen in der marianischen Congregation der Jungfrauen. gr. 8. (IV, 400 S.) Regensburg 883. Verlags-Anstalt. n. 4. —

— Briefe üb. Geistesbildung an B. Gräfin v. S. 2. Ausg. 8. (238 S.) Ebend. 883. 2. 25

— das Leiden unseres Herrn Jesu Christi, nach der Lehre d. heil. Thomas v. Aquin dargestellt. gr. 8. (VI, 415 S.) Regensburg 883. Pustet. n. 3. —

— üb. die Leiden Mariä, der Königin der Märtyrer. 30 Predigten. gr. 8. (592 S.) Regensburg 884. Verlags-Anstalt. n. 5. 40

— Predigten auf alle Sonntage d. Kirchenjahres. (2. vom Verf. verb. Aufl.) 2 Bde. gr. 8. (IV, 306 u. 335 S.) Innsbruck 885. F. Rauch. n. 6. —

— der heil. Rosenkranz. Dessen Wesen, Zweck u. Gebrauch. 2. vom Verf. verb. Aufl. gr. 8. (56 S.) Ebend. 886. n. — 48

— die Schule d. göttlichen Herzens Jesu. 25 Homilien. gr. 8. (VIII, 619 S.) Regensburg 886. Verlags-Anstalt. n. 6. —

— die Verehrung d. göttlichen Herzens Jesu. 5. v. dem Verf. verb. u. verm. Aufl. 8. (VIII, 519 S.) Innsbruck 886. F. Rauch. n. 2. —

— heilige Vorbilder f. die christlichen Jungfrauen in der Welt. gr. 8. (332 S.) Regensburg 883. Verlags-Anstalt. n. 3. —

— Vorträge üb. das Magnificat f. d. Maiandacht. gr. 8. (IV, 338 S.) Innsbruck 883. F. Rauch. n. 2. 60

— die ganze Weltordnung ruht auf dem Gehorsame. Die Weisheit, die Freiheit, die Sicherheit, das Opfer, die Hilfsmittel, der Sieg u. Triumph d. Gehorsams. Geschrieben im Zeitalter der Revolutionen. 2. (Titel-) Ausg. d. u. d. T. erschienenen Werkes: Der Gehorsam. 8. (VIII, 616 S.) Regensburg 883. Verlags-Anstalt. 4. 50

Patkanian, R., drei Erzählungen, s.: Bibliothek, armenische.

Patrullen- u. Meldedienst, der theoretisch-praktische. Ein Handbuch f. den Unterricht in den Winter- u. Einjährig-Freiwilligen-Schulen und prakt. Anleitg. zur systemat. Ausbildung der Compagnie im Patrullen- u. Meldedienste. Zusammengestellt v. J. W. 8. (VII, 119 S. m. 1 Taf.) Wien 886. (Seidel & Sohn.) n. 1. 80

Patrum, sanctorum, opuscula selecta ad usum praesertim studiosorum theologiae. Ed. et commentariis auxit H. Hurter. Vol. 45—48. 16. Innsbruck, Wagner. 5. 28

45. 46. Sancti Fulgentii episcopi Ruspensis epistolae in unum corpus collectae. 2 voll. (255 u. 319 S.) 884. 2. 58

47. Sancti Bernardi abbatis Clarae-Vallensis de consideratione libri V ad Eugenium III. et tractatus de moribus et officio episcoporum. Ad Henricium Senonensem archiepiscopum. (277 S.) 885. 1. 20

48. Sulpicii Severi opuscula de S. Martino episcopo Turonensi et S. Eusebii Hieronymi Stridonensis presbyteri vitae S. Pauli, S. Hilarionis et Malchi monachorum. (317 S.) 886. 1. 50

Patrum, sanctorum, opuscula selecta ad usum praesertim studiosorum theologiae. Ed. et commentariis auxit H. Hurter. Series II. Vol. 1 et 2. 16. Innsbruck 884. Wagner. à 2. —

S. Aurelii Augustini Hipponensis episcopi in Joannis evangelium tractatus CXXIV. 2 partes. (VII, 575 u. 558 S.)

Pattai, Rob., die Judenfrage in Deutschland u. Oesterreich. Die antisemitische Bewegung in Deutschland u. überhaupt. 2 Reden. 3. Aufl. m. dem Bildnisse R. Pattai's. gr. 8. (24 S.) Wien 885. Vetter. n. — 40

— Rede üb. die Judenfrage in Deutschland u. Oesterreich. Geh. am 11. Dezbr. 1883 in den Viktoria-Sälen zu Berlin. 2. Aufl. gr. 8. (15 S.) Ebend. 884. n. — 20

Patten, William, the embryology of Patella. With 5 (lith.) plates. gr. 8. (26 S.) Wien 885. Hölder. n. 10. 40

Patzack's homöopathischer Hausarzt. Neu bearb. v. P. Veith. 5. Aufl. 8. (131 S.) Breslau 885. orn. geb. n. 2. —

Patzelt, Vorlagen f. geschnittene u. gepunzte Lederarbeiten, s.: Horn.

Patzelt, Vict., üb. die Entwicklung der Dickdarmschleimhaut. [Mit 3 (lith. u. color.) Taf.] Lex.-8. (28 S.) Wien 882. (Gerold's Sohn.) n. 2. 40

Patzig, C. A., deutsche Kolonial-Unternehmungen u. Postdampfer-Subventionen. gr. 8. (32 S.) Hannover 884. Norddeutsche Verlagsanstalt. n. — 50

— die afrikanische Konferenz u. der Congostaat, s.: Sammlung v. Vorträgen.

Patzig, G. C., der praktische Oekonomie-Verwalter nach den Anforderungen der Jetztzeit. Zugleich e. zweckmäßig belehr. Handbuch f. Gutsbesitzer, Pächter, Wirthschaftsführer, angeh. Landwirthe, landwirthschaftl. Lehranstalten, überhaupt Alle, die sich f. die prakt. Landwirthschaft interessiren. 11. Aufl. gr. 8. (VIII, 471 S.) Leipzig 887. Reichenbach. 6. —; geb. n. 7. —

Patzner, Karl G. E., pädagogische Goldkörner. Eine Sammlg. pädagog. Sentenzen f. Lehrer u. Erzieher. 2. Aufl. 12. (VI, 172 S.) Langensalza 886. Schulbuchh. 1. —; geb. 1. 60

— pädagogische Lesefrüchte. Eine Sammlg. pädagog. Sentenzen aus dem Gebiete der speciellen Unterrichtsmethodik f. Lehrer u. Erzieher im Anschluß an „Pädagog. Goldkörner". 8. (VI, 190 S.) Ebend. 886. 1. 20

Paucker, Carl v., Materialien zur lateinischen Wörterbildungsgeschichte. I—VII. gr. 8. Berlin 883. Calvary & Co. n. 6. —; Einzelpr. n. 9. 30

I. Die m. Präpositionen zusammengesetzten Verba. (26 S.) n. 1
II. Die Adiectiua auf -orius. (19 S.) n. 1.
III. Die Adiectiua auf -bilis. (26 S.) n. 1.
IV. Die Adiectiua auf -osus [u. -entus]. (21 S.) n. 1.
V. Die Adjectiva auf -icius. (18 S.) n. 1.
VI. Die Adjectiva verbalia auf -ivus. (18 S.) n. 1.
VII. Die Adverbia auf -im. (15 S.) n. 1.

— kleinere Studien. Lexikalisches u. Syntaktisches. I—IV. gr. 8. Ebend. 883. n. 6. —; Einzelpr. n. 7. 10

I. Bemerkungen üb. die Latinität d. Grammatikus Diomedes. (23 S.) n. 1. 50
II. Die Latinität d. Orosius. (41 S.) n. 2. 40
III. De latinitate Sulpicii Severi. (38 S.) n. 2. —
IV. Eusthatius. (15 S.) n. 1. 20

— supplementum lexicorum latinorum. (In ca. 8 fascc.) Fasc. 1—5. gr. 8. (S. 1—464.) Ebend. 883—85. à n. 3. —

— Übersicht d. der sogenannten silbernen Latinität eigenthümlichen Wortschatzes. Hrsg. v. Herm. Rönsch. gr. 8. (III, 80 S.) Ebend. 884. n. 3. —

— Vorarbeiten zur lateinischen Sprachgeschichte. 3 Tle. [1. Materialien zur latein. Wörterbildungsgeschichte. — 2. Übersicht d. der sogenannten silbernen Latinität eigenthüml. Wortschatzes. — 3. Kleinere Studien (Lexikalisches u. Syntaktisches).] gr. 8. (VII, 143, 80 u. 117 S.) Ebend. 883. 84. n. 15. —

Paucker, C. P. H., Ehstlands Kirchen u. Prediger seit 1848. Im Anschluß an „Ehstlands Geistlichkeit v. H. R. Paucker" zusammengestellt. gr. 8. (VI, 120 S.) Reval 885. Kluge. n. 2. 40

Paucker, Heinr. v., das Lied v. der Heerfahrt Igor's

Fürsten v. Sèversk. Aus dem Altruss. übers. u. m. e. literarhistor. Einleitg. u. Anmerkgn. versehen. gr. 8. (63 S.) Berlin 884 Deubner. n. 1. 20
Paudler, A., Beiträge zur Geschichte der Stadt Schluckenau. 8. (IV, 38 S.) Böhm.-Leipa 883. (Hamann.) n.n. — 50
— Cultur-Bilder u. Wander-Skizzen aus dem nördlichen Böhmen. gr. 8. (VIII, 112 S.) Ebend. 883. n. 1. 20
Pauer, L., Wanderungen durch Bosnien u. Herzegowina, s.: Volks- u. Jugend-Bibliothek.
Paukert, F., Oberösterreich u. Salzburg, s.: Renaissance, deutsche, in Oesterreich.
Paul, A. G., Großmutter-söhnchen, — Liebe u. Liebelei, } s.: Both's, L. W., Bühnen-Repertoir d. In- u. Auslandes.
Paul, C. A., Herr Blechhose aus Draesen, s.: Kühling's, A., Theater-Specialität.
— er mag wollen od. nicht, s.: Kühling's, A., Album f. Liebhaber-Bühnen.
— Flötenknopf's Liebes-Lust u. Leid, s.: Album f. Liebhaber-Bühnen.
— Gastwirths-Leiden, s.: Kühling's, A. Theater-Specialität.
— ein modernes Genie, s.: Kühling's, A., Album f. Liebhaber-Bühnen.
— Großvaters Herzblatt, s.: Kühling's, A., Album f. Solo-Scenen.
— der listige Krieg, s.: Theater-Mappe.
— 500,000 Mark, s.: Kühling's, A., Album f. Liebhaber-Bühnen.
— der erste Maskenball, s.: Wallner's allgemeine Schaubühne.
— Grenadier Pfiffig, s.: Kühling's, A., Theater-Specialität.
— ein deutscher Reichs-Fechtbruder, s.: Bloch's, E., Dilettanten-Bühne.
— drei Schätze — u. e. Schatz, s.: Kühling's, A., Theater-Specialität.
— ein ander Städtchen, e. ander Mädchen, s.: Bloch's, E., Dilettanten-Bühne.
— Suse, die Dorfhexe, s.: Album f. Liebhaber-Bühnen.
— ihr Tänzer, s.: Bloch's, E., Dilettanten-Bühne.
— im Wein ist Wahrheit! s.: Bloch's, E., Theater-Gartenlaube.
Paul, Ewald, Egypten in handelspolitischer Hinsicht, s.: Zeit- u. Streit-Fragen, deutsche.
— Griechenland u. die Türkei. Zeitgemäße Erörtergn. zum Verständniß der Balkanfrage. 8. (47 S.) Leipzig 886. Greßner & Schramm. n. — 60
— die russischen Intriguen gegen den Fürsten Alexander u. die Zukunft Bulgariens. Ein Mahnwort an unsere Zeit. 2. Aufl. gr. 8. (34 S.) Leipzig 886. Renger. n. — 50
— die Ziele d. Russentums. 2. Aufl. gr. 8. (48 S.) Ebend. 886. — 75
— die Zukunft der Franzosen. 8. (48 S.) Leipzig 886. Greßner & Schramm. n. — 60
— die Zukunft unseres Handels, s.: Zeit- u. Streit-Fragen, deutsche.
Paul, Frdr., Lehrbuch der Heiz- u. Lüftungstechnik. Nach leichtfassl. Theorien u. m. besond. Rücksicht auf die Bedürfnisse der Praxis verf. Mit üb. 300 Abbildgn. 4 Abthlgn. gr. 8. (XX, 772 S.) Wien 884. 85. Hartleben. à n. 4. 50; cplt. geb. n. 20. —
Paul, G., die deutschen Prozeßordnungen u. die in Preußen geltenden Gesetze f. Angelegenheiten der nicht streitigen Gerichtsbarkeit. Systematisch dargestellt zur Vorbereitg. u. zum prakt. Gebrauch f. Beamte. gr. 8. (III, 240 S.) Berlin 883. (W. Kühn.) n. 3. 60
Paul, Geo., Berliner Kriminalstudien. 8. (180 S.) Berlin 886. Janke. 1. 50
Paul, H., mittelhochdeutsche Grammatik, s.: Sammlung kurzer Grammatiken germanischer Dialecte.
— Principien der Sprachgeschichte. 2. Aufl. gr. 8. (XI, 368 S.) Halle 886. Niemeyer. n. 9. —
Paul, H., opposite neighbours, s.: Rauch's english readings.
Paul, Herm., üb. Hautanpassung der Säugetiere. gr. 8. (72 S.) Jena 884. Pohle. n. 1. 20
Paul, Karl, Aufgaben f. den Rechenunterricht, s.: Becker, J. C.
— Rechenbuch f. Real- u. Handelsschulen. 1. Thl. 4. Aufl. gr. 8. (XI, 124 S.) Frankfurt a/M. 880 Auffarth. geb. n.n. 1. 85
— dasselbe. Resultate. 1. u. 2. Thl. gr. 8. Ebend. à n.n. 1. —
1. 3. Aufl. (33 S.) 876. — 2. 2. Aufl. (19 S.) 875.
Paul, M., räthselhafte Erinnerungen an Leipzig m. erläuternden Anmerkungen. 8. (262 S.) Leipzig 883. Reichardt. n. 4. —; geb. n. 5. —
— Sphinx. 100 Räthsel u. Charaden. 2. Aufl. 16. (86 S.) Leipzig 884. Weber. geb. n. 1. —
Paul, Max, quaestionum grammaticarum particula I. De unus nominis numeralis apud priscos scriptores usu. gr. 8. (51 S.) Jena 884. (Neuenhahn.) n. 1. 60
Paul, Max., üb. puerperale Inversion d. Uterus. (36 S.) Breslau 884. (Köhler.) n. 1. —
Paul, Otto, vergleichende Untersuchung üb. das Endosperm. gr. 8. (51 S.) Göttingen 882. (Vandenhoeck & Ruprecht.) n. 1. 20
Paul, Wilh., der Vokal A. Ein Beitrag zur Methodik d. Artikulationsunterrichts der Taubstummen. 8. (40 S.) Strassburg 885. Schmidt. n. — 80
Paulhuber, Fr. X., Bilder d. Sterbens, gezeichnet in 9 Musterpredigten. 2. Aufl. gr. 8. (112 S.) Regensburg 886. Verlags-Anstalt. 1. 15
Pauli, Geschichte d. Museum. Vortrag. 8. (39 S.) Bremen 883. Schünemann. — 75
Pauli, Carl, altitalische Forschungen. 1. Bd. Die Inschriften nordetruskischen Alphabets. Mit 7 lith. Taf. gr. 8. (VIII, 131 S.) Leipzig 885. Barth. n. 9. —
— eine vorgriechische Inschrift v. Lemnos. Mit lith. Taf. gr. 8. (IV, 81 S.) Ebend. 886. n. 4. —
Pauli, Friedr. Aug., Gedächtnisrede auf denselben, s.: Bauernfeind, C. M. v.
Pauli, K., Ehrenämter, s.: Theater, kleines.
— „Gemma". Schauspiel in 3 Acten. 8. (95 S.) Guben 885. Koenig. 1. —
Pauli, Rhold., Aufsätze zur englischen Geschichte. Neue Folge. Hrsg. v. Otto Hartwig. gr. 8. (XXIV, 440 S.) Leipzig 883. Hirzel. n. 7. — (1. u. 2.: n. 13. 75)
Pauli, Rob., Anweisungen zur Lösung der Textaufgaben in Dr. Bardey's Aufgabensammlung. I. Mit 1 Unbekannten. 8. (IV, 228 S. m. 1 Tab.) Rastatt 886. Greiser. n.n. 2. 50
Paulisch, F., Hand-Fibel. 1. Tl.: Übungsbuch zum grundleg. Lese-, Schreib-, Recht- u. Schönschreib-Unterricht in der Unterklasse der Volksschulen. Zugleich als Einführg. in die poet. u. prof. Lesestücke der Hand-Fibel v. Otto Schulz. 31. Aufl. 8. (48 S. m. Holzschn.) Berlin 885. Oehmigke's Verl. n.n. — 25; Einbd. n.n. — 10
Paulitschke, Phpp., Beiträge zur Ethnographie u. Anthropologie der Somâl, Galla u. Harari. Mit 40 Lichtdr.-Bildern, 4 Textillustr. u. 1 Karte. [D. Kammel v. Hardeggers Expedition in Ost-Afrika.] Imp.-4. (VIII, 105 S.) Leipzig 886. Frohberg. cart. n. 40. —
— die geographische Erforschung der Adâl-Länder u. Harâr's in Ost-Ofrika. Mit Rücksicht auf die Expedition d. Dominik Kammel, Edlen v. Hardegger veröffentlicht. Lex.-8. (VII, 109 S.) Ebend. 884. n. 4. —
— die Sudanländer nach dem gegenwärtigen Stande der Kenntnis. Mit 59 Holzschn., 12 Tonbildern, 2 Lichtdr. u. 1 Karte. gr. 8. (XII, 311 S.) Freiburg i/Br. 885. Herder. n. 7. —; geb. n. 9. —
Paulitzky, O., u. A. v. **Boedtke,** Geschichte d. 4. Rheinischen Infanterie-Regiments Nr. 30. 1815—1884. Im Auftrage d. Regiments bearb. Mit 4 Skizzen im Text u. 2 Karten-Beilagen. gr. 8. (X, 600 S.) Berlin 884. Mittler & Sohn. n. 12. —
Paulli, Jak., aus dem Reich der Gnade. Religiöse Betrachtgn. Aus dem Dän. v. O. Gleiss. 8. (208 S.) Leipzig 884. J. Naumann. n. 2. 50; geb. n. 3. 50
Paullóva, A., Reinhold Lenz, — der Sangesbruder, } s.: Dilettanten-Mappe.

Paulsen, das neue Gesangbuch. Vortrag. gr. 8. (32 S.) Altona 882. Harder. n. — 50

Paulsen, Alex., üb. die Zusammensetzung einiger Glasperlen alter Gräber Livlands. gr. 8. (24 S.) Dorpat 882. (Leipzig, K. F. Köhler.) n.n. — 50

Paulsen, E., s.: Studien üb. Regeneration der Gewebe.

Paulsen, Frdr., Geschichte d. gelehrten Unterrichts auf den deutschen Schulen u. Universitäten vom Ausgang d. Mittelalters bis zur Gegenwart. Mit besond. Rücksicht auf den klass. Unterricht. gr. 8. (XVI, 811 S.) Leipzig 885. Veit & Co. n. 16. —

Paulsen, J., Falkenstein & Söhne, s.: Universal-Bibliothek.

Paulsen, Johs, den Prophet Elias sin Lebensgeschicht, vertellt. 12. (67 S.) Kropp 886. Buchh. „Eben-Ezer". n. — 40

— Hausbuch [Morgensegen] in Betrachtungen aus GOttes Wort auf alle Tage d. Kirchenjahres. 2. Hälfte. gr. 8. (XIV, u. S. 401—1056.) Ebend. 883. n. 3. — (cplt.: n. 6. —; Einbd. n.n. 1. 50)

— dasselbe. [Abendsegen] in Betrachtungen aus GOttes Wort auf alle Tage d. Kirchenjahres. gr. 8. (629 S.) Ebend. 886. n. 3. —; geb. n.n. 4. 50

— Wegzeiger auf der Pilgerstraße in Lektionen auf alle Tage d. J. 1887. 12. (XXXII, 129 u. 179 S. m. Illustr.) Ebend. 886. n. — 40; kleine Ausg. (XXXII, 129 S.) n. — 20

— Zukost. Erzählungen zum Vorlesen auf jeden Tag d. Kirchenjahres, gesammelt. 2. Hälfte. gr. 8. (S. 305—722) Ebend. 883. n. 1. 50 (cplt.: n. 3. —)

Paulsen, O., die Entstehung u. Behandlung der Kurzsichtigkeit. gr. 8. (41 S.) Berlin 883. Hirschwald. n. 1. —

— zur Entstehung u. Behandlung der Scrophulose u. der scrophulösen Erkrankungen der Sinnesorgane. gr. 8. Ebend. 883. n. 1. —

— die Jägersche Wollkleidung u. ihre Bedeutung f. die Gesundheit. Eine gemeinverständl. Betrachtg. nach eigenen u. fremden Untersuchgn. gr. 8. (48 S.) Hamburg 885. O. Meißner's Verl. n. 1. —

Paulsiek, K., deutsches Lesebuch f. höhere Lehranstalten, s.: Hopf, J.

— deutsches Lesebuch f. Vorschulen höherer Lehranstalten. 2 Abtlgn. gr. 8. Berlin 884. Grote. geb. à n. 1. 50

1. Für Octava. 21. Aufl., 7. der orthograph. Umgestaltg. (XVI, 176 S.)
2. Für Septima. 22. Aufl., 7. der orthograph. Umgestaltg. (XII, 192 S.)

Paulson, Frdr., e. Beitrag zur Kenntniss der Lepra in den Ostseeprovinzen Russlands. gr. 8. (83 u. 49 S. m. 1 Karte.) Dorpat 886. Krüger. n. 2. —

Paulus, die wüste Kirche. 8. (78 S.) Hamburg 886. Evangel. Buchh. n. — 25

Paulus, Ch., die Berechnung der Mondphasen, nebst Hinweisg. auf Sonnen- u. Mondfinsternisse, welche damit verbunden sein können. Ein Beitrag zur mathemat. Geographie. gr. 4. (25 S.) Tübingen 883. (Fues.) n. 2. —

— Tafeln zur Berechnung der Mondphasen. Zum Gebrauch beim Unterricht in der mathemat. Geographie entworfen u. m. erklär. Texte hrsg. gr. 8. (VI, 72 S.) Ebend. 885. n. 1. 80

Paulus, E., Schönthal, s.: Bossert, G.

Paulus, Ed., die Cisterzienser-Abtei Bebenhausen. Bearb. unter Mitwirkg. v. Heinr. Leibnitz u. F. A. Tschernig. Hrsg. vom württemberg. Alterthums-Verein. Mit 20 Taf. in Stein-, Licht- u. Farbendr. u. 225 Holzschn. nach Aufnahmen u. Zeichngn. v. Eug. Macholdt. Unter Mitwirkg. v. Max Bach, A. Beyer, Ernst v. Hayn, Heinr. Leibnitz, Geo. Loosen, Rob. Stieler, A. Wolff u. A. Holzschn. v. A. Cloß. (In ca. 10 Lfgn.) 1. u. 2. Lfg. gr. 4. (XII u. S. 1—32.) Stuttgart 886. Neff. à n. 1. 20

— Bilder aus Kunst u. Alterthum in Deutschland. 8. (VIII, 223 S.) Stuttgart 883. Bonz & Co. n. 2. —; geb. n. 3. —

— Stimmen aus der Wüste. Sonette. 8. (VI, 88 S.) Stuttgart 886. Kröner. n. 2. —; geb. n. 3. —

— u. Rob. Stieler, aus Schwaben. Schilderungen in Wort u. Bild. Die Illustr. in Holzschn. ausgeführt v. Ad. Cloß. 8. (296 S.) Stuttgart 887. Bonz & Co. n. 8. 60; geb. n. 10. —

Paulus, Ed., u. Carl Weitbrecht, schwäbisches Dichterbuch. 8. (VIII, 264 S. m. 4 Lichtdr.-Porträts.) Stuttgart 883. Bonz & Co. geb. m. Goldschn. n. 4. 80

Paulus, J., Barabbas,
— Herodias,
— die Hochzeit zu Kana,
— der Jüngling zu Nain,
s.: Jugend- u. Volksbibliothek, deutsche.

Pauly, E., s.: Geschichte d. 2. Ostpreußischen Grenadier-Regiments Nr. 3.

Pauly, Nic., Stadt u. Burg Cochem. Nach ungedr. Quellen. Mit 1 (lith.) Abbildg. 8. (135 S.) Cochem 883. Wieprecht. n. 1. 50; geb. n. 1. 80

Pauly, Tony, die Dienstherrschaft. Ein Buch f. deutsche Hausfrauen. 3. Aufl. (VIII, 200 S.) Berlin 885. Oehmigke's Verl. n. 2. —

Pauntscheff, G., Untersuchungen üb. den Magen der Wiederkäuer, s.: Vorträge f. Thierärzte.

Pausa, die Stadt, u. ihre nächste Umgebung. Hrsg. vom Verein f. Ortskunde. (In 4 Lfgn.) 1. Lfg. Mit 1 Ansicht (in Lichtdr.) u. e. (lith.) Plane v. Pausa. gr. 8. (48 S.) Pausa 883. Plauen, (Kell). n. — 50

Pausanias, Beschreibung v. Griechenland. Uebers. v. Joh. Heinr. Chr. Schubert. 1—13. Lfg. 2. Aufl. 8. (4. Bd., 628 S.) Berlin 885. 86. Langenscheidt. à n. — 35

Paussig, A. v., Bergkloster Chemnitz, Schloß Chemnitz u. Schloß Miramar. Mittheilungen aus 7 Jahrhunderten. Mit 1 Ansicht in Lichtdr. 8. (29 S.) Chemnitz 886. (Focke.) n. — 30

Paust, J. G., Pflanzen- u. Tierkunde,
— Physik, Chemie u. Mineralogie,
s.: Hirt's, F., Realienbuch.

Pauwels, F., u. Th. Grosse, Wandgemälde in der Aula der Fürsten- u. Landesschule St. Afra zu Meissen. Mit erläut. Texte v. Paul Schumann. Fol. (12 Lichtdr.-Taf. m. 4 S. Text.) Dresden 885. Gutbier. In Mappe. 15. —

Pávay Vajna, Gabr., die Cholera m. besond. Rücksicht auf die Vorsichtsmaßregeln, die Desinfection u. Preßburg's allgemeine Gesundheitsverhältnisse. 8. (65 S.) Preßburg 884. (Stampfel.) n. 1. 20

— über die Hundefrage. gr. 8. (16 S.) Preßburg 886. (Heckenast's Nachf.) n. — 40

— wie soll man desinficiren, s.: Dobrovits, M.

Pavel, Wilh., die Tuberkulose d. Harn- u. männlichen Genital-Apparates. gr. 8. (47 S. m. 1 autogr. Taf.) Breslau 884. (Köhler.) n. 1. —

Pavissich, Alois Cäs. Ritter v., Conversations-Taschenbuch der italienischen u. deutschen Sprache. [Nach Bozzi.] 24. Aufl. 16. (X, 364 S.) Wien 886. Lechner's Verl. geb. 2. 25

Pawel, Jaro, kurzer Abriß der Entwickelungsgeschichte d. deutschen Schulturnens. gr. 8. (III, 93 S.) Hof 885. Lion. n. 1. 50

— Anleitung zur Ertheilung d. Turnunterrichts an den österreichischen Realschulen u. an den m. ihnen verwandten Lehranstalten. Auf Grund d. Lehrplans bearb. 1. Thl. 1. Classe. gr. 8. (VI, 262 S. m. eingedr. Fig. u. 1 Tab.) Wien 886. Hölder. n. 2. 80

— Grundriss e. Theorie d. Turnens. 1. Bd. Vorbereitender Thl. A. u. d. T.: Die Freiübungen. Der Einheit der Turnsprache wegen durchgesehen v. Karl Wassmannsdorff. 1. u. 2. Thl. gr. 8. Wien 884. 85. Pichler's Wwe. & Sohn. à n. 4. —

1. Vorbereitender Theil. Die Freiübungen. [Bei Stemmverhalten nur einzelner Leibestheile u. am Ort.] Mit 2 Taf. (VIII, 250 S.)
2. Die Ordnungsübungen. (VI, 295 S.)

— Deutschlands Turner. Eine Auswahl biographisch-literar. Gedenkblätter zur 25jähr. Jubelfeier der deutschen Turnerschaft. 8. (94 S.) Dresden 885. Lehmann'sche Buchdr. n. 1. —

Pawel-Rammingen, Baron W. v., zwei Briefe an den österreichischen Justizminister. gr. 8. (160 S.) Chur 885. (Rich.) n. 2. —

Pawlicki, Steph., der Ursprung d. Christenthums. gr. 8. (IV, 255 S.) Mainz 885. Kirchheim. n. 4. —

Pawlik, K., zur Frage der Behandlung der Uteruscarcinome, s.: Klinik, Wiener.

Pawlowski, J. N., Heimatkunde od. Leitfaden der Geographie u. Geschichte der Prov. Westpreußen, im Anschluß an d. Verf. „Schulwandkarte v. Westpreußen". 2. Aufl. 8. (23 S.) Danzig 884. Homann. n. — 35

— populäre Landeskunde od. Handbuch der Geographie u. Geschichte der Prov. Westpreußen, im Anschluß an d. Verf. „Schulwandkarte v. Westpreußen". 2. Aufl. gr. 8. (118 S.) Ebend. 884. 1. 75

Pawlowsky's, J., deutsch-russisches Wörterbuch. 3. umgearb u. wesentlich verm. Aufl. Lex.-8. (VI, 1530 S.) Riga 886. Kymmel's Verl. n. 16. 80

Pay, J. de, die Renaissance der Kirchenbaukunst. Entwürfe zu Kirchen. gr. Fol. (4 S. m. 30 Steintaf.) Berlin 884. Wasmuth. In Mappe. n. 25. —

Payer, Frdr., neues Recht in Württemberg, zur Orientierung f. Nichtrechtsgelehrte im Auszug dargestellt. 3. Aufl. gr. 8. (XII, 364 S.) Stuttgart 884. Schickhardt & Ebner. n. 3. — ; geb. n. 3. 50

Payn, J., the canon's ward, — the heir of the ages, — Kit: a memory, — the luck of the Darrells, s.: Collection of British authors.

— married beneath him, s.: Asher's collection of English authors.

— some literary recollections, — the talk of the town, s.: Collection of British authors.

— thicker than water, s.: Asher's collection of English authers.

— eine Traube v. den Dornen, s.: Romanbibliothek, englische.

— a perfect treasure, s.: Asher's collection of English authors.

Payne's illustrirter Familien-Kalender. 31. Jahrg. 1887. Mit 1 Oeldr.-Bild: „Eine Herzensfrage" u. Portemonnaie-Kalender, Wand-Kalender, Damen-Almanach, Panorama der Elbe. 4. (XVIII, 55 S.) Reudnitz b/Leipzig, Payne. n.n. — 50

Peard, F. M., contradictions, — near neighbours, — Alicia Tennant, s.: Collection of British authors.

Pearson, Will. L., the prophecy of Joel: its unity, its aim and the age of its composition. gr. 8. (X, 154 S.) Leipzig 885. Stauffer. n. 4. —

Pechan, Jos, Leitfaden d. Dampfbetriebes f. Dampfkesselheizer u. Wärter stationärer Dampfmaschinen, sowie f. Fabriksbeamte u. Industrielle. 2. Aufl. Mit 67 Holzschn. gr. 8. (X, 145 S.) Reichenberg 884. Schöpfer. n. 2. —

— Leitfaden d. Maschinenbaues f. Vorträge, sowie zum Selbststudium f. angehende Techniker, Maschinenzeichner, Constructeure u. technische Beamte industrieller Etablissements. 1. u. 2. Abth. gr. 8. Ebend. n. 20. —

1. Maschinen zur Ortsveränderung. Mit 78 Holzschn. u. 24 lith. Taf. (VIII, 254 S.) 883. n. 8. —
2. Motoren. Mit 258 Holzschn. u. 42 Fig.-Taf. (VII, 484 S.) 885. n. 12. —

Pechar, Joh., die Lokomotiv-Feuerbüchse f. Rauchverzehrung u. Brennstoff-Ersparniss m. besond. Berücksicht. d. Systems Nepilly. Beobachtungen, gesammelt v. J. P. Mit 48 Abbildgn. Nebst e. Anh.: Erfahrungen m. der Nepilly'schen Lokomotivfeuerung. [Aus: „Organ f. die Fortschritte d. Eisenbahnwesens".] gr. 8. (95 S. m. 1 Tab.) Wien 884. Spielhagen & Schurich. n. 2. —

Pechmann, Frhr. v., der Wirkungskreis der bayer. Distrikts-Verwaltungsbehörden, zunächst der Bezirksämter. 4. Aufl. v. Wilh. Stadelmann. Nachtrag-Bd, enth. die sämmtl. seit den J. 1880 erschienenen einschläg. Bestimmgn. nebst den Entscheidgn. d. Verwaltungsgerichtshofes 2c., nach den Seitenzahlen d. Hauptwerkes geordnet, dann e. ausführl. Gesammtregister f. das Hauptwerk u. den Nachtragbd. gr. 8. (XXXII, 336 S.) Bamberg 885. Buchner. n. 8. —; auf Schreibvelinpap. n. 12. —

Pecht, Frdr., die moderne Kunst auf der internationalen Kunstausstellung zu München 1883. 19 Briefe. 8. (VI, 206 S.) München 883. Verlagsanstalt f. Kunst u. Wissenschaft. n. 3. —

Pecht, Frdr., deutsche Künstler d. 19. Jahrh. Studien u. Erinnergn. 4. Reihe. gr. 8. (III, 368 S.) Nördlingen 885. Beck. n. 5. 50; geb. n. 6. 50 (1—4.: n. 20. 50; geb. n. 24. 30)

— dasselbe. 2. Reihe. 2. umgearb. u. bis zur Gegenwart ergänzte Aufl. 8. (V, 408 S.) Ebend. 887. n. 5. 50; geb. n.n. 6. 50

Pechuel-Loesche, E., die Bewirthschaftung tropischer Gebiete. Vortrag. gr. 8. (31 S.) Strassburg 885. Trübner. n. 1. —

— Herr Stanley u. das Kongo-Unternehmen. Eine Entgegng. gr. 8. (74 S.) Leipzig 885. Keil's Nachf. n. 1. 60

— Herrn Stanley's Partisane u. meine offiziellen Berichte vom Kongolande. gr. 8. (31 S.) Ebend. 886. n. — 80

Peck, E. A., codice di commercio generale, s.: Raccolta di leggi ed ordinanze della monarchia austriaca.

Peez, Wilh., Beiträge zur vergleichenden Tropik der Poesie. 1. Thl.: Systematische Darstellg. der Tropen d. Aeschylus, Sophocles u. Euripides, m. einander verglichen u. in poet. u. culturhistor. Rücksicht behandelt. gr. 8. (XII, 172 S.) Berlin 886. Calvary & Co. n. 6. 80

Péczely, Ign., die Lungenschwindsucht u., behufs Bewahrung vor derselben, Instruction zur gründlichen Heilung der acuten u. chronischen Lungencatarrhe. Ster.-Ausg. 8. (16 S.) Budapest 884. (Tettey & Co.) n. — 40

Pedersen, Herm., u. Alb. **Schmidt**, dänische Unterrichts-Briefe f. das Selbst-Studium nach der Methode Toussaint-Langenscheidt. 11—20. (Schluß-) Brief. gr 8. (S. 161—320.) Leipzig 883. Morgenstern. à n. — 50

Pederzani-Weber, die soziale Frage u. die Frauen. Eine Studie. 8. (55 S.) Leipzig 885. M. Schäfer. — 75

— die moderne Kultur u. die Frauen, s.: Fragen, zeitbewegende.

— die Marienburg. Deutschlands erste Kulturstätte im Osten. 8. (VII, 147 S.) Berlin 886. Friedrich Nachf. n. 2. 50

Pegasus, der. Humoristische Blätter f. Literatur, Kunst u. Theater. Hrsg. u. Red.: Leop. Ritter v. Sacher-Masoch. 1. Jahrg. 1885. Lex.-8. (Nr. 1. ³/₄ B.) Leipzig, Licht & Meyer. f. 6 Nrn. n. 1. —

Pehmler, J. Ed., die preussische Beamten- u. Militär-Herrschaft u. der polnische Aufstand im Grossherzogth. Posen im J. 1848. Eine histor. Skizze. gr. 8. (97 S.) Lemberg 886. Gubrynowicz & Schmidt. n. 2. —

Pein, A., Aufgaben der sphärischen Astronomie, gelöst durch planimetrische Konstruktionen u. m. Hülfe der ebenen Trigonometrie. Mit 3 (lith.) Fig.-Taf. gr. 4. (VIII, 48 S.) Bochum 883. (Leipzig, Teubner.) n. 1. 20

Peine, Selmar, de ornamentis triumphalibus. gr. 8. (85 S.) Berlin 885. Calvary & Co. n. 3. 50

Peinlich's, Rich., Biographie, s.: Ilwolf, F.

Peiper, W., die Gesetze, Reglements u. Verordnungen üb. die Elementarlehrer-Wittwen- u. Waisen-Pensions-Anstalten der Prov. Schlesien. 12. (VIII, 87 S.) Breslau 882. Woywod. n. — 80

Pelpers, Dav., ontologia Platonica ad notionum terminorumque historiam symbola. gr. 8. (XIV, 606 S.) Leipzig 883. (Teubner.) n. 14. —

Peisker, Malwine, Recommandirt. Geburt u. Erziehung. Novellen. 8. (209 S.) Freiburg i/Br. 884. Kiepert. n. 4. —

Pelchrzim, Thdr. v., die wissenschaftliche Ausbildung d. Soldaten. Enth.: Alles was der Soldat [Unteroffizier] in wissenschaftl. Beziehg. lernen muß, um sowohl seine jetz. Stellg. tüchtig auszufüllen, als auch jedem Examen zu genügen, welches v. ihm verlangt wird, wenn er einst versorgt zu werden wünscht. 25. Aufl. 8. (VIII, 168 S.) Schweidnitz 886. Kaiser. n. 1. —

— die Sonne m. ihren Planeten u. deren Monden, die Kometen, feurigen Meteore [Sternschnuppen 2c.] nach dem jetzigen Stande der Wissenschaft. Erklärung der Spektral-Analyse u. deren Anwendg. auf jene Himmelskörper. Der Jugend in Gesprächen e. Vaters m. seinen Kindern erzählt. Mit 40 Illustr., 4 Vorträts u. 1 Fksm. Briefe. gr. 8. (144 S.) Berlin 883. Kühl. cart. n. 2. —

Pèlerin, le petit, de Notre-Dame des Ermites, contenant une instruction sur le pèlerinage et un recueil de prières à l'usage des serviteurs de Marie. Revu et corrigé par Schneuwly. Orné de gravures. 16. (190 S. m. 1 Chromolith.) Einsiedeln 885. Benziger. geb. m. Goldschn. n. 1. —

Pelet-Narbonne, G. v., der Kavalleriedienst u. die Wehrkräfte d. Deutschen Reiches. Ein Lehrbuch f. jüngere Offiziere, sowie zur Benutzg beim theoret. Unterricht, nebst e. Anh.: Der Melde- u. Rekognoszirungsdienst d. Kavallerie-Offiziers, Formales üb. Dispositionen, Relationen, Croquis. 2. Aufl., zugleich 7. Aufl. d. „Hülfsbuch beim theoret. Unterricht von v. Mirus". Mit Abbildgn. im Text. gr. 8. (XX, 451 u. Anh. 48 S.) Berlin 885. Mittler & Sohn. n. 7. —

— der Kavallerie-Unteroffizier im innern Dienst der Eskadron. gr. 8. (VII, 72 S.) Ebend. 884. n. 1. —

— der Melde- u. Aufklärungsdienst d. Kavallerie-Offiziers. Formales üb. Dispositionen, Relationen, Croquis. Zugleich Anh. zu „Der Kavalleriedienst". 2. Aufl. gr. 8. (IV, 48 S.) Ebend. 885. n. 1. —

Pelizaeus, F., Bad Elgersburg u. Umgebung, s.: Reisebücher, Thüringer.

— zur Lehre v. der chronischen Obstipation u. deren Behandlung, s.: Sonderabdrücke der Deutschen Medicinal-Zeitung.

Pell, G., Abriß der Kirchengeschichte f. die höheren Bildungsanstalten. Ein Lernbuch. gr. 8. (XVI, 212 S.) Regensburg 886. Verlags-Anstalt. n. 2. 20

— das Dogma v. der Sünde u. Erlösung im Lichte der Vernunft. Eine dogmatisch-spekulative Abhandlg. gr. 8. (VIII, 114 S.) Ebend. 886. n. 1. 80

Pellico, Silvio, le mie prigioni. Memorie. Con addizioni di Pietro Maroncelli, e notizie preliminari intorno all' autore e l'ode sulla creduta di lui morte. Mit Übersetzg. der schwierigsten Worte u. Redensarten f. den Schul- u. Privatgebrauch hrsg. v. G. B. Ghezzi. 8. Aufl. 8. (XIV, 274 S.) Leipzig 883. Baumgärtner. geb. n. 1. 80

— dasselbe e poesie scelte, s.: Biblioteca d'autori italiani.

Pelman, C., üb. die Grenzen zwischen psychischer Gesundheit u. Geistesstörung, s.: Sammlung gemeinverständlicher wissenschaftlicher Vorträge.

Pelz, Carl, zur wissenschaftlichen Behandlung der orthogonalen Axonometrie. III. Mittheilg. [Mit 1 (lith.) Taf.] Lex.-8. (16 S.) Wien 885. (Gerold's Sohn.) n. 1. — (I—III.: n. 3. 20)

— Bemerkung zur Axenbestimmung der Kegelflächen 2. Grades. [Mit 1 (lith.) Taf.] Lex.-8. (6 S.) Ebend. 885. n. — 60

— zur Contourbestimmung windschiefer Schraubenflächen. [Mit 1 (lith.) Taf.] Lex.-8. (11 S.) Ebend. 883. n.n. — 90

Pelzeln, Aug. v., Bericht üb. die Leistungen in der Naturgeschichte der Vögel während d. J. 1881. gr. 8. (86 S.) Berlin 883. Nicolai's Verl. n. 3. —

— brasilianische Säugethiere. Resultate v. Joh. Natterer's Reisen in den J. 1817 bis 1835. Hrsg. v. der k. k. zoologisch-botan. Gesellschaft. Beiheft zu Bd. 23. gr. 8. (140 S.) Wien 883. (Hölder. — Leipzig, Brockhaus' Sort.) n. 2. —

Pelzeln, F. v., der Erbe v. Weidenhof, } s.: Bachem's Roman-Sammlung.
— Prinzessin Irrlicht, }

Penck, Albr., die Eiszeit in den Pyrenäen. Mit 1 (lith. u. color.) Karte. gr. 8. (69 S.) Leipzig 885. Duncker & Humblot. n. 3. —

— zur Vergletscherung der deutschen Alpen. gr. 4. (15 S.) Halle 885. (Leipzig, Engelmann.) n. — 80

— u. Ed. Richter, das Land Berchtesgaden. gr. 8. (84 S.) Salzburg 885. (Kerber.) n. 1. 20

Pendleton, J. H., üb. Isomerie in der Thiophenreihe. gr. 8. (47 S.) Göttingen 886. (Vandenhoeck & Ruprecht.) n. 1. —

Penecke, Alfr., das Campagne-Feuer der Infanterie. Ein Beitrag zur Repetirgewehr-Frage. gr. 8. (III, 24 S.) Wien 884. (Seidel & Sohn.) n. — 60

Penecke, Karl Alphon, das Eocän d. Krappfeldes in Kärnten. [Mit 5 (lith.) Taf.] Lex.-8. (45 S.) Wien 885. (Gerold's Sohn.) n. 1. 80

Penka, Karl, die Herkunft der Arier. Neue Beiträge zur histor. Anthropologie der europ. Völker. gr. 8. (XIV, 182 S.) Teschen 886. Prochaska. n. 5. 20

— origines ariacae. Linguistisch-ethnolog. Untersuchgn. zur ältesten Geschichte der arischen Völker u. Sprachen. gr. 8. (IX, 214 S.) Ebend. 883. n. 7. —

Pennerstorfer, Ign., historische Bibliothek f. die Jugend. Auszüge aus den hervorragendsten Quellenschriften. 1—6. Bdchn. 12. Wien 884. Manz. à n. — 30

1. Die Aegypter, Babylonier u. Assyrer. (46 S.) — 2. Die Inder. (45 S.) — 3. 4. Die Meder u. Perser. (48 u. 53 S.) — 5. 6. Die Griechen. (96 S.)

— Festrede zur 600jähr. Jubelfeier der Vereinigung d. Habsburgischen Herrscherhauses m. Österreich. 27. Decbr. 1282—27. Decbr. 1882. Mit 7 in den Text verflochtenen Festgedichten. 8. (20 S.) Ebend. 882. n. — 40

— Lehrbuch der Geschichte f. Bürgerschulen. 3 Thle. 3. Aufl. gr. 8. Ebend. 884. à n. — 80

1. Bilder aus der alten, mittleren u. neueren Geschichte. Für die I. Classe 3class. Bürgerschulen. Mit 3 color. Karten. (XI, 120 S.)
2. Bilder aus der mittleren u. neueren Geschichte. Für die II. Classe 3class. Bürgerschulen. (IV, 110 S.)
3. Bilder aus der mittleren u. neueren Geschichte. Für die III. Classe 3class. Bürgerschulen. Mit 2 Karten u. 2 Tab. (IV, 116 S.)

— Lehrbuch der Geschichte f. Volks- u. Bürgerschulen. 3 Thle. 2. Aufl. gr. 8. Ebend. à n. — 80

1. Bilder aus der alten, mittleren u. neueren Geschichte. Zunächst f. die IV. Classe. Mit 3 (lith.) Karten. (IX, 120 S.) 882.
2. 3. Bilder aus der mittleren u. neueren Geschichte. Zunächst f. die VII. u. VIII. Classe. (IV, 110 S. u. IV, 114 S. m. 2 lith. Karten.) 883.

Pensenverteilung f. Volksschulen, f. 1 Schuljahr ausreichend. Fol. (44 S.) Osnabrück 886. Veith. n. 1. —

— u. **Lehrbericht** f. Volksschulen, f. 1 Schuljahr ausreichend. Fol. (44 S.) Ebend. 886. n. 1. —

Pensenverteilungsplan, allgemeiner, f. die Volksschulen der Kreisinspektionsbezirke IX u. XV d. Reg.-Bez. Düsseldorf. Red. u. hrsg. durch e. Commission v. Lehrern der beiden Bezirke. Hierzu als Beilage e. Schnittmusterheft f. den Handarbeitsunterricht (8 Steintaf. m. 1 S. Text in 4.). 8. (40 S.) Essen 883. (Bädeker.) n. — 80; ohne Beilage n. — 50

Pensionsgesetz, das, vom 27. März 1872 in der durch die Gesetze vom 31. März 1882 u. 30. Apr. 1884 abgeänderten Fassung. Gesetze, betr. die Abänderg. d. Pensionsgesetzes vom 31. März 1882 u. 30. Apr. 1884 u. Gesetz, betr. die Fürsorge f. die Wittwen u. Waisen der unmittelbaren Staatsbeamten, vom 20. Mai 1882 2. Aufl. Mit Sachregister. gr. 16. (29 S.) Berlin 886. v. Decker. — 30

Pentateuch, der, übers. u. erläutert v. Samson Raph. Hirsch. 1. Thl.: Die Genesis. 2. Aufl. gr. 8. (VI, 633 S.) Frankfurt a/M. 883. Kauffmann. n. 7. 80

Pentateuchus samaritanus. Ad fidem librorum manuscriptorum apud Nablusianos repertorum ed. et varias lectiones adscripsit H. Petermann. Fasc. III et IV. gr. 8. Berlin, Moeser. n. 27. — (I—IV.: n. 57. —)

III. Leviticus quem ex recensione Petermanniana typis describendum curavit C. Vollers. (S. 261—347.) 883. n. 12. —
VI. Numeri, ex recensione Caroli Vollers. (IV u. S. 349—465.) 885. n. 15. —

Pentz, Adf., die biblische Geschichte in ihrem inneren Zusammenhange. Ein Hilfsbuch zum tieferen Verständnis der heil. Geschichte. 2. Aufl. gr. 8. (VIII, 170 S.) Wismar 883. Hinstorff's Verl. n. 2. —

Penzig, Rud., e. Wort vom Glauben an seine Verfechter u. Verächter. 8. (XII, 320 S.) Kassel 884. Fischer. n. 3. —

Penzoldt, F., ältere u. neuere Harnproben u. ihr praktischer Werth. Kurze Anleitg. zur Harnuntersuchg. in der Praxis f. Aerzte u. Studierende. 2. Aufl. gr. 8. (IV, 32 S.) Jena 886. Fischer n. — 80

Per aspera ad astra. Leben, Wirken u. Heimgang weiland Sr. königl. Hoh. Friedrich Franz II., regier. Großherzogs v. Mecklenburg. 2. Aufl. gr. 8. (141 S.) Schwerin 883. Stiller. n. 2. 50

Perbandt, C. v., Nalube. Historisches Drama in 5 Aufzügen. 8. (V, 101 S.) Berlin 886. F. Luckhardt. n. 2. —

Peregrina, Cordula [C. Wöhler], was das ewige Licht erzählt. Gedichte üb. das allerheiligste Altarssakrament. 3. Aufl. 8. (VI, 254 S. m. 1 Stahlst.) Innsbruck 885. F. Rauch. n. 2. —; geb. m. Goldschn. n. 3. —

Pereira, Adf. Frhr. v., im Reiche d. Aeolus. Ein Bordleben v. 100 Stunden an den Liparischen Inseln. Reiseskizzen. Mit 36 Illustr. u. 1 Karte. Lex.-8. (V, 168 S.) Wien 883. Hartleben. 4. 60; geb. 6. —

Perels, Emil, Handbuch d. landwirthschaftlichen Wasserbaus. 2. neu bearb. Aufl. Mit 341 Textfig. u. 4 Taf. in Farbendr. gr. 8. (XII, 660 S.) Berlin 884. Parey. n. 18. —

Perels, F., Auslieferung desertirter Schiffsmannschaften. gr. 8. (16 S.) Berlin 883. Mittler & Sohn. n. — 50

— Handbuch d. allgemeinen öffentlichen Seerechts im deutschen Reiche. gr. 8. (XIV, 510 S) Ebend. 884. n. 10. —

Perfall, K. v., Vicomte Bossu. Novelle. 8. (222 S.) Düsseldorf 885. F. Bagel. 3. —

— vornehme Geister. Roman. 2 Bde. 8. (219 u. 192 S.) Ebend. 883. 2. —

— die Heirath d. Herrn v. Rabenau. Novelle. 8. (224 S.) Ebend. 884. 3. —

— die Langsteiner. Süddeutscher Roman in 2 Bdn. 8. (168 u. 202 S.) Ebend. 886. 4. 50

— Wanda. Schauspiel in 5 Acten. 8. (112 S.) Ebend. 883. 1. 50

Periplus, der, d. Erythräischen Meeres v. e. Unbekannten. Griechisch u. deutsch m. krit. u. erklär. Anmerkgn., nebst vollständ. Wörterverzeichnisse v. B. Fabricius. gr. 8. (III, 188 S.) Leipzig 883. Veit & Co. n. 6. —

Peritz, Mor., Sefer ha-Mizwoth. Das Buch der Gesetze v. Moseh ben Maimun [Maimonides] im arab. Urtexte, nebst der hebr. Uebersetzg. d Shelomoh ben Joseph ibn Ajub, zum 1. Male vollständig hrsg. u. m. e. deutschen Uebersetzg. u. Anmerkgn. versehen. 1. Thl. gr. 8. (VI, 34 u. 28 S.) Breslau 882. (Liegnitz, Cohn.) n. 1. 50

Perk, M. A., le Luxembourg pittoresque. Esquisse. Traduit du hollandais par L.-J. Zelle. Avec 2 cartes. 8. (XV, 253 S. m. 1 Lichtdr.) Luxemburg 885. Schamburger. geb. n. 2. 40

— une visite à Mondorf-les-Bains. 8. (32 S.) Ebend. 885. — 30

Perl, Henry, Richard Wagner in Benedig. Mosaikbilder aus seinen letzten Lebenstagen. Mit e. Vorworte u. unter Benutzg. der Beobachtgn. von Frdr. Keppler. 8. (VIII, 151 S.) Augsburg 883. Reichel. n. 2. —

Perlbach, Max, preussisch-polnische Studien zur Geschichte d. Mittelalters. 2 Hfte. Lex.-8. (VIII, 149 u. VII, 128 S. m. 6 Schrifttaf.) Halle 886. Niemeyer. n. 10. —

Perle, Frdr., die historische Lektüre im französischen Unterricht an Realgymnasien u. Realschulen. gr. 8. (66 S) Oppeln 886. Franck. n. 1. 20

— s.: Parlamentsreden, englische, zur französischen Revolution.

Perlen. Kleine Geschichten f. Jung u. Alt. Nr. 1—7. 16. Zwickau 883. 84. (Dresden, H. J. Naumann.) n. — 40

1—6. (à 16 S.) à n. — 5. — 7. (32 S.) n. — 10

— aus den deutschen Alpen v. Rich. Püttner, Jos. Wopfner u. Anderen. 2. Serie. qu. Fol. (12 Chromolith.) Leipzig 886. Baldamus. Ausg. A. à Blatt n. 1. 80; Ausg. B. qu. gr. Fol. à Blatt n. 1. 60 (cplt. in Mappe: n. 42. —); Ausg. C à Blatt n. 2. 10

Bozen, Berchtesgaden, Schliersee, Innsbruck, Salzburg, Chiemsee, Hintersee, Achensee, Königsee, Meran, Starnbergersee, Zell am See.

cf.: Wopfner, J.

— der Andacht. Vollständiges Gebet- u. Erbauungsbuch f. kathol. Christen. Größtentheils entnommen den Schriften d. hl. Bernard, Frz. v. Sales, Alph. v. Liguori u. der ehrw. Wilh. Nakatenus u. Mart. v. Cochem. Neue, verb. u. verm. Aufl. 16. (381 S. m. 3 Stahlst. u. chromolith. Titel.) Einsiedeln 884. Benziger. 1. 10; Ausg. Nr. 3. 24. (445 S.) 886. — 80

Perles, Jos., Beiträge zur Geschichte der hebräischen u. aramäischen Studien. gr. 8. (VI, 247 S.) München 884. Th. Ackermann's Verl. n. 6. —

— Rede, geh. bei der Trauerfeier f. weiland Se. Maj. König Ludwig II. am 22. Juni 1866 in der Synagoge zu München. 8. (7 S.) Ebend. 886. n. — 10

Perlewitz, Paul, Temperatur-Abweichungen u. -Schwankungen. [Auf Grund 38jähr. Beobachtgn. der Berliner meteorolog. Station.] Mit 4 Taf. gr. 4. (22 S.) Berlin 886. Gaertner. n. 1. —

Perls, Arnold, Herr Stöcker u. sein Prozess. Zeitbetrachtungen. 2. Aufl. 8. (40 S.) Leipzig 885. Unflad. n. — 60

Perls, M., Lehrbuch der allgemeinen Pathologie f. Aerzte u. Studirende. 2. Aufl., hrsg. v. F. Neelsen. Mit 238 Holzschn. gr. 8. (XVIII, 706 S.) Stuttgart 886. Enke. n. 16. —

Pernisch, J., les bains de Tarasp-Schuls [Engadine — Suisse], leurs propriétés curatives et indication des maladies auxquelles ils conviennent. Description sommaire à l'usage des médecins. 8. (93 S. m. Illustr.) Chur 886. Hitz. n. 1. 20

— der Kurort Tarasp-Schuls [Engadin, Schweiz], seine Heilmittel u. Indicationen. Eine gedrängte Schilderg. f. Aerzte. gr. 8. (93 S.) Ebend. 884. n. 1. 20

— die amerikanische Schreibmaschine. Mit 3 Illustr. 8. (23 S.) Zürich 884. Orell Füssli & Co. Verl. — 80

Pernter, J. M., Beitrag zu den Windverhältnissen in höheren Luftschichten. Lex.-8. (15 S.) Wien 884. (Gerold's Sohn.) n.n. — 30

— Psychrometerstudie. Lex.-8. (18 S) Ebend. 883. n. — 40

Perozzo, Luigi, neue Anwendungen der Wahrscheinlichkeits-Rechnung in der Statistik, insbesondere bei der Vertheilg. der Ehen nach dem Lebensalter der Ehegatten. Deutsch bearb. v. Osc. Elb. gr. 4. (33 S. m. Fig. u. 1 Chromolith.) Dresden 883. Knecht. n. 2. 40

Perpeet, C. H., Probe-Bilanzen in der doppelten Buchhaltung mit u. ohne Conto-Corrent-Buch. Ein Beitrag zur Praxis der systemat. Buchführg. m. besond. Berücksicht. d. gewöhnl. Waren- u. Fabrik-Geschäfts. gr. 8. (40 S.) Crefeld 884. (Kramer & Baum.) n. 1. —

Perpeet, Heinr., Fastenpredigten. 1—4. Cyclus. gr. 8. Münster, Aschendorf. à n. — 80

1. Das hl. Kreuz, dargestellt in 6 Bildern. Nebst Anh.: Charfreitags-Predigt: Zwei Worte Jesu vom Kreuze herab an uns Alle. (78 S.) 884.
2. Ueber den Fall u. die Auferstehung d. Apostelfürsten Petrus. Nebst Anh.: Charfreitags-Predigt: Christi Leiden — das Muster e. wahren Buße. (70 S.) 885.
3. Stationen auf dem Wege zur Hölle. Nebst Anh.: Charfreitags-Predigt: Von der Andacht zum leidenden Erlöser. (80 S.) 885.
4. Stationen auf dem Wege zum Himmel. Nebst Anh.: Charfreitags-Predigt: Vom Leiden u. Sterben Jesu, seinen Ursachen u. Wirkgn. (80 S) 886.

— Predigten auf die Sonn- u. Festtage d. katholischen Kirchenjahres. 1. Bd. Die Sonntage d. kathol. Kirchenjahres. 1. Abth. Der Weihnachts-Festkreis. gr. 8. (III, 108 S.) Ebend. 886. n. 1. —

Perriard et **Golaz**, experts pédagogiques, aux recrues suisses. Guide pratique. 8. (74 S.) Zürich 884. Orell, Füssli & Co. Verl. n. — 50

Perrochet, A., exercices hébreux d'après le manuel hébreu-allemand de E. Kautzsch, ‚mis en corrélation avec la grammaire hébraïque de Preiswerk. gr. 8. (VIII, 152 S.) Basel 887. Georg's Verl. n. 2. 40

Perron, P., blinde Liebe, s.: Bibliothek, neue, f. das deutsche Theater.

Perrot, F., e. parlamentarisches Votum üb. das Aktienwesen, s.: Sammlung v. Vorträgen.

Perrot, Georges, u. Charles **Chipiez**, Geschichte der Kunst im Altertum. Aegypten — Assyrien — Persien — Kleinasien — Griechenland — Etrurien —

Rom. Autoris. deutsche Ausg. 1. Abth. Aegypten. Mit ungefähr 600 Abbildgn. im Text, 4 farb. u. 15 schwarzen Taf. Bearb. v. Rich. Pietschmann. Mit e. Vorwort. v. Geo. Ebers. 9—24. (Schluss-)Lfg. Lex.-8. (XIII—LXXX u. S. 353—915.) Leipzig 883. 84. Brockhaus. à n. 1. 50 (cplt. geb.: n. 44. —)

Perry, Thomas Sergeant, Franz Lieber. Aus den Denkwürdigkeiten e. Deutsch-Amerikaners [1800—1872]. Auf Grundlage d. engl. Textes u. in Verbindg. m. Alfr. Jachmann hrsg. v. Frz. v. Holtzendorff. gr. 8. (VIII, 317 S. m. Stahlst.-Portr.) Stuttgart 885. Spemann. n. 8. —

Persiani, Baron, die Völker in Waffen. Roman-Trilogie aus der Gegenwart. 1. Abth.: Das Kreuz v. Savoyen. Zeitgeschichtlicher Roman. [Fortgesetzt v. Abbate Rimesso.] 29—40. (Schluß-)Lfg. 8. (3. Bd. S. 385—480 u. 4. Bd. 480 S.) Berlin 883—86. Kogge & Fritze. à n. — 40

Persii fragmenta Bobiensia, s.: Juvenalis.

— D. Junii **Juvenalis, Sulpiciae saturae**, recognovit Otto Jahn. Ed. II. curam agente Frz. Buecheler. gr. 8. (XV, 238 S.) Berlin 886. Weidmann. 3. —

Personal, das medicinal- u. veterinärärztliche, u. die dafür bestehenden Lehr- u. Bildungsanstalten im Königr. Sachsen am 1. Jan. 1886. Mit e. graph. (autogr. u. color.) Darstellg. Auf Anordng. d. königl. Ministeriums d. Innern bearb. gr. 8. (180 S.) Dresden 886. Warnatz & Lehmann. n. 1. 80; die graph. Darstellg. ap. n. — 80

Personalstand der Geistlichkeit d. Bisth. Breslau österreichischen Antheils f. d. J. 1884. 8. (120 S.) Teschen 884. (Feitzinger.) n. 2. —

— der Secular- u. Regular-Geistlichkeit der Diözese Gurk in Kärnten im J. 1886. 8. (173 S.) Klagenfurt 886. (v. Kleinmayr.) n.n. 1. 60

— der Säcular- u. Regular-Geistlichkeit d. Erzbisth. Salzburg. Auf d. J. 1883. 8. (240 S.) Salzburg 883. (Mittermüller.) n. 2. —

Personalstatus der evangelisch-lutherischen u. evangelisch-reformirten Kirche in Russland, hrsg. v. C. Laaland. 8. (IV, 116 S.) St. Petersburg 886. (Eggers & Co.) n. 1. 80

Personal-Verzeichniß der katholischen Geistlichen v. Baden u. Hohenzollern. 16. (29 S.) Leutkirch 885. Roth. — 20

Persuhn, W., Hülfsbuch bei Revision u. Leitung e. Postamtes f. Postaufsichtsbeamte u. Amtsvorsteher. 2., zahlreiche Verbessergn. u. Nachträge enthalt. Aufl. 8. (V, 146 S.) Leipzig 883. Findel n. 1. 60; cart. n. 2. —

Perteck, J., der blaue Atlasschuh, s.: Bloch's, E., Theater-Correspondenz.

Perthaler's, Hans v., auserlesene Schriften. Ausgewählt, hrsg. u. m. e. Lebensbilde des Verewigten versehen v. Ambros Mayr. 2 Bde. Mit e. Bildnisse v. Perthaler's. 8. Wien 883. Braumüller. n. 10. —

1. Biographie. Lyrische Dichtungen. Schöngeistige Prosa. Aus dem Briefwechsel. (VI, 403 S.)
2. Staatsmännische Schriften. Socialwissenschaftliche u. philosophische Studien. Aphorismen u. Excerpte. (V, 374 S.)

Perthes, Clem. Thdr., das Herbergswesen der Handwerksgesellen. 2. Aufl., m. e. Vorwort von Fr. v. Bodelschwingh. 8. (IX, 86 S.) Gotha 883. F. A. Perthes. n. 1. —

Perthes, Herm., lateinische Formenlehre zum wörtlichen Auswendiglernen. Mit Bezeichng. sämtl. langen Vokale v. Gust. Löwe. 4. Aufl. gr. 8. (VIII, 56 S.) Berlin 886. Weidmann. cart. n. — 70

— zur Reform d. lateinischen Unterrichts auf Gymnasien u. Realschulen. 1—4. Artikel. gr. 8. Ebend. 6. 80

1. 2. Aufl. (24 S.) 885. n. — 60. — 2. 3. Aufl. (31 S.) 885. n. — 60. — 3. Zur lateinischen Formenlehre. Sprachwissenschaftliche Forschgn. u. didact. Vorschläge. 1. Hälfte. Zur regelmäss. Formenlehre. 2. Aufl. (VIII, 68 S.) 886. n. 1. 60. — 4. Die Prinzipien d. Übersetzens u. die Möglichkeit e. erheblichen Verminderung der Stundenzahl. 2. Aufl. (VIII, 169 S.) 886. n. 4. —

— lateinische Wortkunde im Anschluss an die Lectüre. Für Gymnasien u. Realschulen bearb. 1., 3. u. 4. Kurs. gr. 8. Ebend. n. 6. —

1. Für Sexta. Das Wort nach seiner grammat. Endg. m. Unterscheidg. der zu lern. Primitiva u. der zunächst nur zu les. Derivata. 3. Aufl., besorgt v. W. Gillhausen. A. u. d. T.: Grammatisches Vocabularium im Anschluss an Perthes' latein. Lesebuch f. Sexta. Mit Bezeichng. sämtl. langen Vokale v. Gust. Löwe. 3. Aufl. Nebst latein. Lesebuch. 3. Aufl. (IV, 89 u. VII, 54 S.) 884. n. 1. 60
3. Für Quarta. Das Wort nach seiner Ableitung u. Verbindung. Etymologisch-phraseologisches Vocabularium im Anschluss an Vogels Nepos plenior. 2. Aufl., besorgt v. Karl Jahr. (XV, 182 S.) 886. n. 2. —
4. 2. Aufl. Zur Durchnahme in Unter- u. Ober-Tertia u. zum Handgebrauch in den oberen Klassen. A. u. d. T.: Lateinisch-deutsche vergleich. Wortkunde im Anschluss an Caesars bellum gallicum. Ein Hülfsbuch f. den latein. u. deutschen Unterricht. 2. Aufl., besorgt v. W. Gillhausen. 1. Abtlg. Zu Caesars bell. gall. I—IV. (XX, 187 S.) 884. n. 2. 40

Perthes', Just., Taschen-Atlas. 22. Aufl. Vollständig neu bearb. v. Herm. Habenicht. 24 kolor. Karten in Kpfrst. 4. Mit e. geographisch-statist. Text. kl. 8. (32 S.) Gotha 886. J. Perthes. geb. 2. —

Perthes, Otto, die platonische Schrift Menexenus im Lichte der Erziehungslehre Platos. 4. (24 S.) Bielefeld 886. (Bonn, Behrendt.) 1. 50

Pertsch, Wilh., die arabischen Handschriften der herzogl. Bibliothek zu Gotha. Auf Befehl Sr. Hoh. d. Herzogs Ernst II. v. Sachsen-Coburg-Gotha verzeichnet. 4. Bd. 2. Hft. gr. 8. (VIII u. S. 241—564.) Gotha 883. F. A. Perthes. n. 11. 60 (I—IV.: n. 70. 60)

Pertz, Ernst, Hand- u. Hülfsbuch f. Gewerbetreibende aller Stände, m. besond. Berücksicht. der Bedürfnisse d. Handwerkerstandes. gr. 8. (VIII, 159 S.) Simmern 884. (Leipzig, Schneider.) n. 1. 80

Pertzel, der kleine Ornamentist f. Schmiedeeisen, s.: Puls.

Perwolf, Eman., der österreichische Reichsrath u. die Delegation. Die Vertretungskörper u. Mitwirkg. derselben bei der Gesetzgebg. seit dem J. 1861 [bez. 1868] bis auf die Gegenwart. Mit Tabellen. Eine historisch-statist. Studie. gr. 8. (VI, 74 S.) Wien 883. Bloch & Hasbach. n. 2. —

Pesch, Chrn., der Gottesbegriff in den heidnischen Religionen d. Alterthums. Eine Studie zur vergleich. Religionswissenschaft. gr. 8. (X, 144 S.) Freiburg i/Br. 885. Herder. n. 1. 90

— die christliche Staatslehre nach den Grundsätzen der Encyklika vom 1. Novbr. 1885. gr. 8. (126 S.) Aachen 887. Barth. 1. 50

Pesch, Tilmann, das religiöse Leben. Ein Begleitbüchlein m. Rathschlägen u. Gebeten f. die gebildete Männerwelt. Mit 1 Stahlst. 3. Aufl. 16. (XXIII, 560 S.) Freiburg i/Br. 884. Herder. 1. 20

— Regel- u. Gebetbuch zum Gebrauche der Marianischen Männer-Congregationen gebildeter Stände. Anhang zu dem Büchlein „Das religiöse Leben". 16. (VI, 136 S.) Ebend. 884. n. — 30

— die grossen Welträthsel. Philosophie der Natur. Allen denk. Naturfreunden dargeboten. 2 Bde. gr. 8. Ebend. n. 20. —

1. Philosophische Naturerklärung. (XXII, 872 S.) 883. n. 12. —
2. Naturphilosophische Weltauffassung. (XI, 599 S.) 884. n. 8. —

Pescheck, der Panama-Canal, } s.: Canäle.
— der Suezcanal u. seine Erweiterung, }

Peschel's, Osc., physische Erdkunde. Nach den hinterlassenen Manuskripten selbständig bearb. u. hrsg. v. Gust. Leipoldt. Mit zahlreichen Holzschn. u. lith. Karten. 2. Aufl. 2 Bde. gr. 8. (XVI, 623 u. VIII, 830 S.) Leipzig 883—85. Duncker & Humblot. n. 30. —

— neue Probleme der vergleichenden Erdkunde als Versuch e. Morphologie der Erdoberfläche. 4. Aufl. Mit e. alphabet. Register u. 2 Steintaf. gr. 8. (VIII, 215 S.) Ebend. 883. n. 5. —

— Völkerkunde. 6. Aufl., bearb. v. Alfr. Kirchhoff. Mit e. Namen- u. Sachverzeichnis. gr. 8. (VIII, 596 S. m. 1 Tab.) Ebend. 885. n. 12. —; geb. n. 14. —

Peschka, Gust. Ad. V., darstellende u. projective Geometrie nach dem gegenwärtigen Stande dieser Wissenschaft m. besond. Rücksicht auf die Bedürfnisse höherer Lehranstalten u. das Selbststudium. 2—4.

Bd. gr. 8. Wien 884. 85. Gerold's Sohn. n. 62. — (cplt.: n 80. —)
2. Mit e. Atlas v. 11 (lith.) Taf. (XVIII, 576 S.) n. 17. —
3. Mit e. Atlas v. 42 (lith. Fol.-)Taf. (XIV, 792 S.) n. 24. —
4 Mit e. Atlas v. 30 (lith. Fol.-)Taf. (XIV, 607 S.) n. 21. —

Peschkau, E., am Abgrund, s.: Universal-Bibliothek.
— aus Herz u. Welt. Allerlei neue Humore. gr. 16. (297 S.) Leipzig 885. Liebeskind. n. 3. —
— Miniaturen. Ernste u. heitere Geschichten. 8. (119 S.) Frankfurt a/M. 884. Sauerländer. n. 1. —
— Herr u. Frau Pieps. 2. Aufl. 8. (VII, 308 S.) Dresden 886. Pierson. n. 3. —
— die Prinzessin, s.: Universal-Bibliothek.
— ein Reise-Abenteuer, s.: Novitäten-Bühne, Frankfurter.
— Sommersprossen. Neue Humoresken. 8. (135 S.) Frankfurt a/M. 886. Sauerländer. n. 1. —
— Traum u. Leben. Gedichte. 16. (VIII, 131 S.) Ebend. 884. geb. m. Goldschn. n. 3. —
— hinter dem Vorhang. Neue Novellen. 8. (200 S.) Halle 884. Abenheim. n. 3. —
— die Reichsgrafen v. Walbeck. Roman aus der Gegenwart. 8. (VII, 321 S.) Frankfurt a/M. 884. Sauerländer. n. 4. 50
— Zeitglossen. Essays, Plaudereien, Satiren. 8. (VI, 243 S.) Leipzig 886. Friedrich. n. 3. —

Peschke, Otto, die Petri'sche Methode zur Reinigung städtischer Kanalwässer. Geschichte u. Kritik der Methode m. besond. Berücksicht. der Berlin-Plötzensee'er Versuchs-Anlage. Ein Beitrag zur Frage der Verwendbarkeit v. Torfgrus als Filtermaterial. gr. 8. (28 S. m. 1 Steintaf.) Berlin 884. Polytechn. Buchh. n. 1. 25

Peschl, Adf., über Verdampfapparate in Verbindung m. der trockenen Schiebervacuumpumpe m. potenzirter Leistung. 2. Aufl. gr. 8. (23 S. m. 3 Taf.) Prag 886. Calve. n. 2. —

Pesikta d. Rab Kahana, d. i. die älteste in Palästina redigirte Haggada. Nach der Buberschen Textausg. zum 1. Male ins Deutsche übertr. u. m. Einleitg. u. Noten versehen v. Aug. Wünsche. gr. 8. (XII, 300 S.) Leipzig 885. O. Schulze. n. 8. —

Pesstack, Louise, ins Kinderherz. Gedichte. 8. (XI, 178 S.) Laibach 885. v. Kleinmayr & Bamberg. n. 2. 50

Pestalozzi, s.: Morf, H.

Pestalozzi, C., Stephan Serres u. Johanna Terrasson, s.: Beyer, G.

Pestalozzi, J., Antisemitismus u. Judenthum. Ein Beitrag zur Beleuchtg. der Stöcker'schen Agitation. 2. Aufl. gr. 8. (VIII, 69 S.) Halle 886. Strien. n. 1. 40
— die gegenwärtigen Bestrebungen zur Befreiung der evang. Kirche in Preußen. Protestantisch beleuchtet. gr. 8. (48 S.) Leipzig 886. (Uhlig.) n. — 90
— Herr Hofprediger Stöcker u. die christlich-soziale Arbeiterpartei. Ein Beitrag zur Wegleitg. d. öffentl. Urtheils. gr. 8. (V, 35 S.) Halle 885. Strien. n. — 80
— was ist die Heils-Armee? [Salvation Army]. gr. 8. (VII, 280 S.) Ebend. 886. n. 4. 80
— ein Wort üb. hirtenamtl. Arbeitsorganisation im Sinne der vom „Reichsboten" vertretenen Auffassung. gr. 8. (63 S.) Leipzig 886. (Uhlig.) n. 1. —
— ein Wort üb. evangelische Kirche u. Staat im Hinblick auf den Antrag der konservativen Partei im Abgeordnetenhause. 8. (20 S.) Cassel 886. Röttger. — 50

Pestalozzi's, J. H., ausgewählte Werke. Mit Pestalozzi's Biographie hrsg. v. Frdr. Mann. 1. u. 2. Bd. 3. Aufl. gr. 8. Langensalza 883. Beyer & Söhne. n. 5. 50
1. (XVI, 376 S.) n. 2. 50. — 2. (X, 426 S.) n. 3. —
— die Abendstunde e. Einsiedlers. Bearb. u. m. Erläutergn. versehen v. Karl Richter. gr. 8. (XVI, 48 S.) Leipzig 885. Siegismund & Volkening. n. — 50; cart. n. — 70
— Lienhard u. Gertrud. Ein Buch f. das Volk. 3. u. 4. Tl. Neu hrsg. als Fortsetzung der Jubiläums-Ausg. d. 1 u. 2. Tls. v. der Kommission f. das Pestalozzistübchen in Zürich. gr. 8. (XXXII, 636 S. m. Portr. in Kpfrst.) Zürich 884. Schultheß. n. 4. 20
— dasselbe, s.: Nationalbibliothek, schweiz.

Pestalozzi, J. H., meine Nachforschungen üb. den Gang der Natur in der Entwicklung d. Menschengeschlechts. Neu hrsg. als Fortsetzg. der Jubiläums-Ausg. v. „Lienhard u. Gertrud" v. der Kommission f. das Pestalozzistübchen in Zürich. gr. 8. (IV, 232 S.) Zürich 886. Schultheß. 2. 70

Pestalozzi, K., Bericht üb. Ingenieur- u. Transportwesen auf der schweizerischen Landesausstellung Zürich 1883, s.: Gerlich, E.

Pestalozzi, L., die christliche Lehre in Beispielen zum Gebrauche f. Kirche, Schule u. Haus. gr. 8. (VII, 359 S.) Zürich 884. Höhr. n. 3. 15; geb. n. 4. —
— dasselbe 2. Aufl. 8. (VIII, 359 S.) Ebend. 885. n. 3. 15

Pestalozzi, Th., das Thierleben der Landschaft Davos. 8. (56 S.) Davos 883. Richter. n. 1. 20

Pestalozzi-Blätter. Hrsg. v. der Kommission f. das Pestalozzi-Stübchen der schweiz. permanenten Schulausstellg. in Zürich. 4—7. Jahrg. 1883—1886. à 6 Nrn. (B.) gr. 8. Zürich, (Meyer & Zeller). à Jahrg. n. 2. —
— Zur Förderg. erziehl. Zusammenwirkens v. Haus u. Schule. Begründet v. Chr. Liebermann. Fortgeführt u. hrsg. v. J. W. Lange. 6. Jahrg. 1884. 36 Nrn. (1/4 B.) gr. 8. Cassel, Baier & Co n. 1. —

Pestalozzistübchen, das, in Zürich. (Von O. Hunziker.) [Aus: „Neue Züricher Zeitg."] 8. (39 S. m. 1 Holzschntaf.) Zürich 886. (Schultheß.) n. — 60

Pestel, Bernh., der menschliche Fuß u. seine naturgemäße Bekleidung. Zur Belehrg. f. Jedermann, insbesondere f. Schuhmacher u. Leistenschneider. Bearb. v. Max Richter. Mit 90 Taf. in Lichtdr. gr. 8. (XII, 79 S.) Glauchau 885. Kunst-Verlagsanstalt E. Diener. n. 7. 50

Petenbeck, Maria, d. Schloßvogts Töchterlein, od. wahrer Liebe Sieg u. höchstes Glück. Für's Volk erzählt. 8. (64 S.) Reutlingen 883. Bardtenschlager. — 25

Peter, A., die Hieracien Mittel-Europas, s.: Nägeli, C. v.

Peter, A., das Herzogth. Schlesien, s.: Länder, die, Oesterreich-Ungarns in Wort u. Bild.
— Verzeichnis v. geeigneten u. nicht geeigneten Jugendschriften f. Volks- u. Bürgerschulbibliotheken. Im Auftrage d. k. k. schles. Landesschulrathes u. üb. Beschluss der 3. schles. Landes-Lehrerconferenz hrsg. 2. Aufl. gr. 8. (64 S.) Troppau 886. Buchholz & Diebel. n. 1. —

Peter, B., Anleitung zur Anstellung geograph. Ortsbestimmungen auf Reisen m. Hilfe d. Sextanten u. Prismenkreises, s.: Beobachtungen, wissenschaftliche, auf Reisen.

Peter, C. W, deutsches Lesebuch, s.: Davin, G.

Peter, Carl, Geschichts-Tabellen zum Gebrauch beim Elementar-Unterricht in der Geschichte. 12. Aufl. 8. (80 S.) Halle 884. Buchh. d. Waisenhauses. cart. n. — 50
— Zeittafeln zur griechischen Geschichte zum Handgebrauch u. als Grundlage d. Vortrags in höheren Gymnasialklassen m. fortlauf. Belegen u. Auszügen aus den Quellen. 6. Aufl. gr. 4. (IV, 166 S) Ebend. 886. n. 4. 50

Peter, Herm., praktische Anweisung zur Erteilung d. elementaren Gesangunterrichtes, s.: Beiträge zur Methodik d. Unterrichtes in der Volksschule.
— Geographie f. die Volksschule. 7. Aufl. 8. (IV, 124 S.) Hildburghausen 883. Gadow & Sohn. n. — 40

Peter, Jul., Frankenstein, Camenz u. Wartha in Schlesien, nebst Reichenstein, Silberberg, Warthapaß, Königshainer Spitzberg u. deren Umgebungen. Handbuch f. Reisende u. Einheimische. 8. (VII, 393 S.) Glatz 885. Hirschberg. geb. n. 3. 50
— der Rothe Berg in der Grafsch. Glatz. Monographie. 8. (60 S.) Ebend. 884. n. — 40

Péterfy, A., s.: Lesebuch, deutsches, f. die II. Klasse der Volksschulen.

Petermanns, Herrn, Jagdbuch od. Skizzen u. Abenteuer aus den Jagdzügen d. Herrn Petermann u. seiner Freunde. Zu Nutz u. Frommen aller Jäger u. Jagdliebhaber hrsg. u. m. vielen Bildern geziert. 7. Thl. gr. 4. (48 Bl. m. eingedr. Holzschn.) München 884. Braun & Schneider. cart. 3. — (1—7.: 21. —)

Petermann's, A., Mitteilungen aus Justus Perthes' geographischer Anstalt. Hrsg. v. E. Behm u. A. Supan. 29—32. Bd. od. Jahrg. 1883—1886. à 12 Hfte. (à 5—6 B. m. Karten.) gr. 4. Gotha, J. Perthes. à Hft. n. 1. 50
— dasselbe. Ergänzungsheft Nr. 71—84. gr. 4. Ebend. n. 66. —
71. Die russischen Kosakenheere. Nach dem Werke d. Obersten Choroschchin u. andern Quellen von Fr. v. Stein. Mit 1 (lith. u. color.) Karte. (39 S.) 883. n. 2. 20
72. Reisen im oberen Nilgebiet. Erlebnisse u. Beobachtgn. auf der Wasserscheide zwischen Blauem u. Weissem Nil u. in den ägyptisch-abessin. Grenzländern 1881 u. 1882. Von Juan Maria Schuver. Mit 1 (chromolith.) Karte. (IV, 95 S.) 882. n. 4. 40
73. Kritische Untersuchungen üb. die Zimtländer. Ein Beitrag zur Geschichte der Geographie u. d. Handels. Von Carl Schumann. Mit 1 (chromolith.) Karte. (II, 53 S.) 883. n. 2. 80
74. Die Florenreiche der Erde. Darstellung der gegenwärt. Verbreitungsverhältnisse der Pflanzen. Ein Beitrag zur vergleich. Erdkunde. Von Osc. Drude. Mit 3 (chromolith.) Karten. (74 S.) 884. n. 4. 60
75. Der Tasman-Gletscher u. seine Umrandung. Von R. v. Lendenfeld. Mit e. Lichtdr., 2 Karten u. 10 in den Text gedr. Skizzen. (III, 80 S.) 884. n. 5. 40
76. Die Entwickelung der Ortschaften im Thüringerwald [nordwestliches u. zentrales Gebiet]. Ein Beitrag zur Siedelungslehre Thüringens. Von Fritz Regel. Mit 1 (chromolith.) Karte. (III, 100 S.) 884. n. 4. 40
77. Die Handelsverhältnisse Persiens, m. besond. Berücksicht. der deutschen Interessen. Von F. Stolze u. F. C. Andreas. Mit 1 (chromolith.) Karte. (III, 86 S.) 885. n. 4. —
78. Ein Beitrag zur Geographie u. Lehre vom Erdmagnetismus Asiens u. Europas. Resultate aus astronomisch-geograph., erdmagnet. u. hypsometr. Beobachtgn., angestellt an mehr als 1000 Orten in den J. 1867 bis 1883, nebst e. Instruktion zur Anstellg. solcher Beobachtgn. auf Reisen. Von H. Fritsche. Mit 5 Karten. (III, 78 S.) 885. n. 5. —
79. Die Strömungen d. europäischen Nordmeeres. Von H. Mohn. Mit 10 Durchschnitten u. 13 Karten auf 4 Taf. (III, 20 S.) 885. n. 2. 60
80. Baffin-Land. Geographische Ergebnisse e. in den J. 1883 u. 1884 ausgeführten Forschungsreise. Von Frz. Boas. Mit 2 Karten u. 9 Skizzen im Text. (100 S.) 885. n. 5. 40
81. Geographisch-geologische Studien aus dem Böhmerwalde. Die Spuren alter Gletscher, die Seen u. Thäler d. Böhmerwaldes. Von Frz. Bayberger. Mit 2 Karten u. 2 Skizzen im Text. (V, 63 S.) 886. n. 4. —
82. Die pacifischen Eisenbahnen in Nordamerika. Von Rob. v. Schlagintweit. Mit 1 Karte. (III, 31 S.) 886. n. 2. 60
83. Der Alpenföhn in seinem Einfluss auf Natur- u. Menschenleben. Von Gust. Berndt. Mit 1 Karte. (66 S.) 886. n. 3. 60
84. Archiv f. Wirtschaftsgeographie. Von Alex. Supan. I. Nordamerika, 1880—1885. Mit 2 Karten. (57 S.) 886. n. 5. —

Petermann, Carl F., üb. den Einfluß, welchen die Umgestaltung der Verkehrs- u. landwirthschaftlichen Verhältnisse auf den Grad der Intensität u. auf die Produktionsrichtung der sächsischen Landwirthschaft ausübt. gr. 8. (III, 72 S.) Leipzig 886. H. Voigt. n. 1. 50

Petermann, K., Aufgaben zum Tafelrechnen, s.: Berthelt, A.
— Aufgabenbuch f. den schriftlichen Gedankenausdruck der Kinder deutscher Volksschulen. Nach der 30 Aufl. d. früheren 1. Hfts. neu bearb. v. O. Thieme. 1. Hft. 3. Aufl. 8. (52 S.) Dresden 885. Huhle. n. — 20

Petermann, K., Aufgabenbuch f. den schriftlichen Gedankenausdruck der Kinder deutscher Volksschulen. Vorschule dazu, s.: Thieme, O.
— biblische Geschichten, | — Handbuch f. Schüler, | — Lebensbilder, | — 1. Lesebuch, } s.: Berthelt, A.
— s.: Muttersprache, die.
— Rechenschule, s.: Berthelt, A.
— vollständiges Spruchbuch zu Luthers kleinem Katechismus, m. Hinweisgn. auf bibl. Geschichten, bibl. Abschnitte, das Gesangbuch u. den Lehrgang im Religionsunterrichte. Für Lehrer u. Schüler. 46. Aufl. 8. (96 S.) Dresden 884. Huhle. cart. n. — 50

Peters, C. F. W., die Fixsterne, s.: Wissen, das, der Gegenwart.
— zur Geschichte u. Kritik der Toisen-Maass-Stäbe, s.: Beiträge, metronomische.

Peters, Emil, die deutschen u. österreichischen Programmabhandlungen d. J. 1881, nach ihrem Inhalte im Verein m. Fachmännern geordnet u. besprochen. gr. 8. (120 S.) Berlin 882. Friedberg & Mode. 2. 50

Peters, F., aus Lothringen. Sagen u. Märchen, mitgeteilt v. F. P. 8. (214 S.) Leipzig 887. Reißner. n. 1. 50; cart. n. 1. 80
— Uebergangszeiten in den Reichslanden. Belletristische Skizze. 12. (VIII, 128 S.) Baden-Baden 883. Sommermeyer. n. 2. —

Peters, F., üb. die Aufbereitung der Steinkohlen im Ruhrbassin, s.: Schultz, die westfälische Kohlen-Industrie.

Peters, F., die Formveränderungen d. Pferdehufes bei Einwirkung der Last m. besond. Bezug auf die Ausdehnungs-Theorie. Nach eigenen Versuchen dargestellt. gr. 8. (IV, 67 S.) Berlin 883. Parey. n. 2. —

Peters, Fr., Siebenbollentiner Züchtung u. Besprechung einiger Fragen die Viehzucht betr. gr. 8. (III, 43 S.) Wismar 884. Hinstorff's Verl. n. 1. —

Peters, Fritz, der Satzbau in Heliand in seiner Bedeutung f. die Entscheidung der Frage, ob Volksgedicht od. Kunstgedicht. gr. 4. (26 S.) Schwerin 886. (Stiller.) n. 1. —

Peters, H., e. Beitrag zur Lohn-Reform, unter Zugrundelegg. der socialökonom. Ansichten v. Rodbertus-Jagetzow aufgestellt. gr. 8. (III, 67 S.) Tübingen 884. Laupp. n. 1. 20

Peters, H. L., Handbuch f. das Nassauische Gemeindewesen nach den jetzt bestehenden Bestimmungen. Nach amtl. Quellen zusammengestellt. 8. (X, 159 S.) Wiesbaden 882. Bechtold & Co. cart. 2. —

Peters, Herm., die Blutarmut u. Bleichsucht. 2. Aufl. Mit 2 Taf. kolor. lith. Abbildgn. 8. (VIII, 61 S.) Leipzig 885. Weber. n. 1. —; geb. n. 2. —
— die Quellen u. Bäder Elster's. Leitfaden bei Verordng. u. beim Gebrauch der Trink- u. Badekur in Elster. 2. Aufl. 8. (III, 50 S.) Leipzig 884. O. Wigand. n. 1. —
— die Untersuchung d. Auswurfs auf Tuberkelbacillen. 8. (24 S.) Ebend. 886. geb. n. 1. —
— aus pharmazeutischer Vorzeit in Bild u. Wort. gr. 8. (X, 224 S.) Berlin 886. Springer. n. 5. —

Peters, J., Leitfaden f. den Unterricht in der Mineralogie, Botanik, Anthropologie u. Zoologie, s.: Lübstorf, W.

Peters, J., der schwarze Staar der Pferde. Eine diagnost. u. forens. Studie. Mit 1 Taf. gr. 8. (VII, 74 S.) Berlin 886. Hirschwald. n. 2. 40

Peters, J. B., englisches Lesebuch f. höhere Lehranstalten. 3. Aufl. gr. 8. (X, 271 S.) Berlin 886. Springer. n. 2. —
— Materialien zu englischen Klassenarbeiten, sowie zu häuslichen schriftlichen Arbeiten u. mündlichen Übungen. Für obere Klassen höherer Lehranstalten. 8. (VIII, 87 S.) Leipzig 883. A. Neumann. n. 1. 20
— französische Schulgrammatik in tabellarischer Darstellung. gr. 8. (VIII, 84 S.) Ebend. 886. n. 1. 50

Peters, Rich., der Roman de Mahomet v. Alexandre

du Pont, e. sprachl. Untersuchg. gr. 8. (IV, 86 S.) Göttingen 886. (Dieterich's Verl.) n. 1. 80

Peters, Thdr., Brosamen aus der heiligen Geschichte d. alten u. neuen Testamentes f. die lieben Kleinen. 9. Aufl. 16. (79 S.) Köln 886. Rommerskirchen. geb. n. — 40

Peters, Th., die Schablonen-Malerei. Musterblätter f. Decorations-Maler. Aubeldr. v. C. F. Kaiser. 1. Hft. gr. 8. (7 Bl.) Hildesheim 883. Lax. n. 2. 50

Peters, W., der Arrest u. die einstweiligen Verfügungen nach preußischem Recht. gr. 8. (VIII, 99 S.) Berlin 884. H. W. Müller. n. 2. —

Petersdorff, R., e. neue Hauptquelle d. Q. Curtius Rufus. Beiträge zur Kritik der Quellen f. die Geschichte Alexanders d. Grossen. gr. 8. (III, 64 S.) Hannover 884. Hahn. n. 2. —

— die wichtigsten Punkte der Methodik im gymnasialen Unterricht. 1. Tl.: Allgemeine Grundsätze, die fremden Sprachen, Geschichte u. Geographie. gr. 4. (26 S.) Pr. Friedland 882. (Leipzig, Fock.) n. 1. 50

Peterseim, J., Exerzier-Reglement u. Instructions-Buch f. freiwillige u. Pflicht-Feuerwehren. Fol. (IV, 60 S. m. Abbildgn.) Breslau 886. Koebner. n. 2. —

Petersen, die Lehre der zwölf Apostel. Mitteilungen üb. den handschriftl. Fund d. Metropoliten Philotheos Bryennios u. Bemerkgn. zu demselben. gr. 8. (15 S.) Flensburg 884. (Frankfurt a/M., Drescher.) n. — 20

Petersen, C., Bericht üb. die internationale landwirtschaftliche Tier-Ausstellung in Hamburg 1883. Unter Mitwirkg. von v. Mendel-Oldenburg, Brödermann-Knegendorf, Schubart-Lüssow rc. 8. (VII, 167 S. m. dem Ausstellungsplan.) Bremen 883. Heinsius. n. 2. 25

— aus u. üb. Ungarn. 8. (60 S.) Ebend. 886. n. 1. 20

— die landwirthschaftlichen Zölle als Mittel zur Hebung der Landwirthschaft, s.: Johanssen.

Petersen, Ernst, e. Beitrag zur Statistik d. Typhus abdominalis in Kiel. gr. 8. (29 S. m. 1 graph. Steintaf.) Kiel 886. Lipsius & Tischer. n. 1. —

Petersen, Hans, Afrika's Westküste. 56 Photogr. gr. 4. Hamburg 885. O. Meissner's Verl. In Kasten. n. 90. —; einzelne Blätter à n. 3. —

Petersen, J., Nordseestrand u. Inselland, s.: Frahm, L.

Petersen, Jul., Kinematik. Deutsche Ausg., unter Mitwirkg. d. Verf. besorgt von R. v. Fischer-Benzon. 8. (80 S.) Kopenhagen 884. Höst & Sohn. n. 2. —

— Lehrbuch der Stereometrie. Ins Deutsche übers. unter Mitwirkg. d. Verf. von R. v. Fischer-Benzon. gr. 8. (94 S. m. eingedr. Fig.) Ebend. 885. n. 1. 60

— die ebene Trigonometrie u. die sphärischen Grundformeln. Ins Deutsche übers. unter Mitwirkg. d. Verf. von R. v. Fischer-Benzon. gr. 8. (67 S. m. eingedr. Fig.) Ebend. 885. n. 1. 25

Petersen, Jul., die Civilprozess-Ordnung f. das Deutsche Reich nebst Einführungsgesetz erläutert. 2. Aufl. 3. [Schluss-]Abth. gr. 8. (XII u. S. 801—1217.) Lahr 883. Schauenburg. n. 7. 50 (cplt.: n. 22. 50)

Petersen, Marie, die Irrlichter. 42. Aufl. 12. (164 S.) Berlin 887. Gebr. Paetel. geb. m. Goldschn. n. 3. —

— dasselbe, s.: Paetel's Miniatur-Ausgaben-Collection.

Petersen, P., der Cellulosen-Verband. gr. 8. (20 S.) Neuwied 885. Heuser's Verl. — 75

Petersen, Rich., Henrik Steffens. Ein Lebensbild. Aus dem Dän. v. Al. Michelsen. Mit (lith.) Portr. gr. 8. (VII, 419 S.) Gotha 884. F. A. Perthes. n. 6. —

Petersen, Thdr., Schutzhütten u. Unterkunftshäuser in den Alpen Europas. Tabelle. qu. Fol. Frankfurt a/M. 884. Mahlau & Waldschmidt. n. — 40

Petersen, Wilh., aus Transkaukasien u. Armenien. Reisebriefe. gr. 8. (IX, 140 S.) Leipzig 885. Duncker & Humblot. n. 3. —

Petersen, Wilh., kleine englische Grammatik, zum wörtl. Auswendiglernen beim ersten Unterricht in der engl. Sprache, sowie zur Wiederholg. f. reifere Schüler u. Schülerinnen zusammengestellt. 8. (IV, 51 S.) Halle 883. Buchh. d. Waisenhauses. cart. n. — 60

Peterson, Carl, kleines Schulgesangbuch. Eine Auswahl geistl. Lieder zum Gebrauch bei Schulandachten u. zum Auswendiglernen. 8. (48 S.) Riga 886. (Mellin & Neldner.) cart. n.n. — 50

Petiscus, A. H., der Olymp od. Mythologie der Griechen u. Römer. Mit Einschluß der ägypt., nord. u. ind. Götterlehre. 19. Aufl. Mit 89 erläut. Abbildgn. in Holzschn. gr. 8. (VII, 400 S.) Leipzig 883. Amelang. 3. 50; geb. 4. 50

Petit, A., Plafonds. Compositionen u. Entwürfe reicher Decken- u. Wanddecorationen f. Maler, Bildhauer u. Stuckateure. 30 (Lichtdr.-)Taf. Fol. Berlin 886. Claesen & Co. n. 60. —

Petition d. niederösterreichischen Gewerbevereines an das Abgeordnetenhaus, betr. die Abänderungen im VI. Hauptstücke der Gewerbeordnung. Beschlossen in der Plenar-Versammlg. vom 25. Apr. 1884. gr. 8. (24 S.) Wien 884. Seidel & Sohn. n. — 60

Petöfi's poetische Werke. Mit Beiträgen namhafter Uebersetzer. Hrsg. v. Ludw. Aigner. 10—12. Lfg. 8. (à 4 B.) Budapest 883. Aigner. à — 60

— Buch d. Lebens. Gedichte. [Poetische Werke 2. Bd.] Mit Beiträgen namhafter Uebersetzer. Hrsg. v. Ludw. Aigner. 8. (404 S. m. Holzschn.-Portr.) Ebend. 883. n. 4. —

— Gedichte. Aus dem Ung. v. Ladisl. Neugebauer. 2. Aufl. 12. (XVIII, 284 S.) Leipzig 885. O. Wigand. n. 4. —; geb. n. 5. —

— dasselbe, s.: Universal-Bibliothek.

— ausgewählte Gedichte. Uebers. von Hugo v. Meltzl. 2. Aufl. (80 S.) Leipzig 883. Unflad. n. 1. 40

— Liederkranz aus Alex. Petöfi's lyrischen Dichtungen. Uebers. von Geo. v. Schulpe. 8. (XII, 108 S.) Minden 886. Bruns. n. 1. 50

Petong, Rich., die Gründung u. älteste Einrichtung der Stadt Dirschau. [Mit 2 autogr. Karten.] gr. 8. (44 S.) Königsberg 885. Beyer. n.n. 1. —

Petrarca, Francesco, il canzoniere, s.: Biblioteca d'autori italiani.

— Gedichte. Uebers. v. Wilh. Krigar. 2. Aufl. Neue Ausg. Mit 2 (Stahlst.-)Portraits: Petrarca u. Laura. 8. (XIX, 560 S.) Halle 883. Gesenius. n. 4. —

Petras, Paul, üb. die mittelenglischen Fassungen der Sage v. den 7 weisen Meistern. 1. Tl.: Ueberlieferung u. Quelle. gr. 8. (74 S.) Grünberg i/Schl. 885. (Breslau, Köhler.) n. 1. —

Petraschek, Karl, forstliches Vademecum. Messung, Berechng. u. Ausnutzg. lieg. Hölzer, nebst e. Anh. üb. Gewicht, Schwinden, Heizkraft u. Nutzwerth, sowie üb. Masse u. Gewichte verschiedener Länder f. Forstwirthe, Holzindustrielle u. Holzhändler. gr. 16. (VIII, 256 S.) Wien 883. Fromme. geb. n.n. 4. —

Petreins, F., neues Choralmelodienbuch, s.: Erk, L.

Petri, üb. den naturhistorisch-chemischen Unterricht an den höheren Lehranstalten. — Benedikt v. Aniane. Von R. Foss. gr. 4. (24 S.) Berlin 884. Gaertner. n. 1. —

Petri, Plaudereien üb. die Erhaltung u. Beförderung der Gesundheit u. üb. die Verhütung v. ansteckenden Krankheiten. 8. (96 S.) Detmold 884. Meyer. cart. n. 1. —

Petri Hispani de lingua arabica libri duo, Pauli de Lagarde studio et sumptibus repetiti. Lex.-8. (VIII, 440 S.) Göttingen 883. (Dieterich's Sort.) n.n. 20. —

Petri, C., die Brachiopoden der Juraformation v. Elsass-Lothringen, s.: Haas, H.

Petri, K. H., vor 65 Jahren in u. um Torgau. 8. (29 S.) Torgau 879. Jacob. n. — 50

Petri, Ludw. Adf., der Glaube in kurzen Betrachtungen. 5. Aufl. 12. (VII, 221 S.) Hannover 884. Hahn. geb. m. Goldschn. n. 2. 40

Petrich, Herm., Bugenhagen-Büchlein d. i. Lebensgeschichte Johann Bugenhagens, genannt Doctor Pommer. Zum Gedächtnis seines 400jähr. Jubiläums den 24. Juni 1885. Bevorwortet v. Jaspis. 12. (18 S.) Anklam 885. (Leipzig, Buchh. d. Vereinshauses.) — 15

— pommersche Lebens- u. Landesbilder. Nach gedruckten u. ungedruckten Quellen entworfen. 2. Tl. A u. d. T.: Aus dem Zeitalter der Befreiung. Mit vielseit. landsmänn. Beihilfe. 1. Halbbd. gr. 8. (X, 281 S.) Stettin 884. Saunier. 4. 50; geb. n. 6. — (I. u. II., 1.) n. 10. 10; geb. n. 13. — :

— pommersches Missionsbuch. Geschichte der Mitarbeit

Pommerns am Werke der Heidenbekehrg. Ein Beitrag zur Kenntnis d. geistl. Lebens an der Ostsee. gr. 8. (XII, 72 S.) Anklam 886. (Leipzig, Buchh. d. Vereinshauses.) n. 1. 50

Petrick, Alex., die Eroberung v. Constantinopel. Trauerspiel in 5 Akten. gr. 8. (VII, 143 S.) St. Petersburg 883. Schmitzdorff. n. 3. —

Petřina, Heinr., Polychromie-Ornamentik d. classischen Alterthums. Ein Vorlagenwerk f. den Zeichenunterricht, zugleich e. Mustersammlg. f. die kunstgewerbl. Industrie. 1. Thl. 3. Lfg. Fol. (10 Chromolith.) Troppau 885. Buchholz & Diebel. n. 8. — (I, 1—3.: n. 24. —)

Petritsch, F., Wolfgang u. Nannerl, s.: Jugendbibliothek.

Petrlik, Christ., das Walzen der Strassen als Mittel zur Erzielung v. Ersparnissen bei deren Erhaltung. Für Strassenverwaltgn., Bezirks- u. Gemeindevertretgn., Bau- u. Maschinen-Ingenieure, Bauunternehmer, Fabrikanten u. A. Mit 8 photolith. Taf. gr. 8. (39 S.) Prag 883. Řivnáč. n. 2. 40

Petroff's, J. A., neuer russischer Dolmetscher f. Deutsche. Leichteste Methode zur Erlerng. der russ. Sprache durch Selbstunterricht. 5. Aufl. 8. (VIII, 192 S.) Leipzig 883. Berndt. cart. 3. —

Petroni, Pietro, italienischer Dolmetscher od. der beredte Italiener. Einfache u. prakt. Methode, in kurzer Frist u. ohne Lehrer das Italienische geläufig sprechen zu lernen. Ster.-Ausg. 8. (128 S.) Reutlingen 884. Enßlin & Laiblin. — 75; cart. — 90

Petry, Emil Fr. Th., üb. die geistige Frische im Lehrerberufe. Vortrag. gr. 8. (23 S.) Wiesbaden 886. Limbarth. n. — 40

Petry, O., die wichtigsten Eigenthümlichkeiten der englischen Syntax [m. Berücksichtigung d. französ. Sprachgebrauchs], nebst zahlreichen Uebungsbeispielen zum Uebersetzen aus dem Deutschen ins Englische. 4. Aufl. 8. (XII, 160 S.) Remscheid 885. Krumm. n. 1. 50

Petschenig, Mich., üb. die textkritischen Grundlagen im 2. Theile v. Cassians Conlationes. Lex.-8. (31 S.) Wien 883. (Gerold's Sohn.) n.n. — 50

— zur Kritik der Scriptores historiae Augustae. gr. 8. (16 S.) Wien 885. (Pichler's Wwe. & Sohn.) n. — 40

— Studien zu dem Epiker Corippus. Lex.-8. (40 S.) Wien 885. (Gerold's Sohn.) n. — 60

Pettenegg, Ed. Gaston Pöttikh Graf v., sphragistische Mittheilungen aus dem Deutsch-Ordens-Centralarchive. Lex.-8. (40 S. m. eingedr. Fig.) Wien 884. (Frankfurt a/M., Rommel.) n. 3. —

Pettenkofer, M. v., die Cholera, s.: Bücherei, deutsche.

— über Cholera u. deren Beziehung zur parasitären Lehre, s.: Zur Aetiologie der Infectionskrankheiten.

Petty, M., der kaufmännische Schnellrechner. Ein Handbuch f. Jedermann, der schnell u. sicher rechnen will, sowie f. Handels- u. Gewerbeschulen. Nach eigener Methode. 2. Aufl. gr. 8. (IV, 77 S.) Dresden 884. G. Dietze. cart. n. 1. —

Petz, Jos., die Jahreszeiten. Zweistimmiger Gesang m. Declamation u. Begleitg. d. Piano-Forte u. Harmoniums. 6. Aufl. 8. (16 S.) Graz 885. (Leipzig, Siegismund & Volkening.) — 30

— eine Wanderung durch die Heimat. Zweistimmiges Liederspiel m. Declamationen u. Begleitg. d. Piano-Forte u. Harmoniums. 6. Aufl. 8. (13 S.) Ebend. 885. — 30

— das Weihnachtsfest. Zweistimmiges Liederspiel m. Declamationen u. Begleitg. d. Pianoforte u. Harmoniums. Für die Jugend componirt. 2. Aufl. 8. (8 S.) Ebend. 885. — 20

Petzel, M., e. seliges Weihnachtsfest, s.: Schillingsbücher.

Petzhold, J., Geheimrath Dr. Friedrich Albert v. Langenn in Dresden. gr. 8. (12 S.) Dresden 883. v. Zahn & Jaensch. n. — 40

Petzold, Emma, die deutsche Hausköchin, e. erprobtes bürgerl. Muster-Kochbuch. Neueste verb. Aufl. m. Illustr. 8. (IV, 208 S.) Dresden 885. (Nabelli.) 1. 20; geb. 1. 50

Petzold, Karl, petrographische Studien an Basaltgesteinen der Rhön. gr. 8. (48 S.) Halle 883. Tausch & Grosse. n. 1. —

Petzold, W., die Bedeutung d. Griechischen f. das Verständnis der Pflanzennamen. 4. (38 S.) Leipzig 886. (Fock.) n. 1. 20

Petzold, W., Leitfaden f. den Unterricht in der astronomischen Geographie. gr. 8. (62 autogr. S. m. Fig.) Braunschweig 885. Bruhn's Verl. n. — 80

Petzoldt, Jos., die deutsche Burschenschaft trotz aller Angriffe. gr. 8. (42 S.) Jena 884. Doebereiner. n. — 75

— dasselbe. 2. verm. Aufl. gr. 8. (94 S.) Ebend. 885. n. 1. 20

Peucker, Osc., das Patronats-Recht im Lichte der Kirchengemeinde- u. Synodal-Ordnung vom 10. Septbr. 1873 u. der nach derselben erlassenen Gesetze, Verordnungen u. Rescripte. gr. 8. (30 S.) Berlin 886. Heinicke. n. — 50

Peuckert, F. A., die ger. u. vollk. St. Johannisloge zu den drei Schwertern u. Asträa zur grünenden Raute im Orient Dresden 1738—1882. Ein Beitrag zur Geschichte der Freimaurerei in Dresden u. Sachsen. Nach archival. Quellen bearb. gr. 8. (IX, 277 S.) Leipzig 883. Zechel. 4. 50; Einbd. n.n. 1. —

Peuckert, Frdr., die Memoiren d. Marquis v. Valory. gr. 8. (VIII, 112 S.) Berlin 884. W. Weber. n. 1. 80

Peuker, Wenc. Jos., sursum corda sive libellus precum et hymnorum in usum juventutis literarum studiosae. Ed. II. 16. (180 S. m. 1 Stahlst.) Reichenberg 885. Jannasch. geb. m. Goldschn. n. 2. —

Peust's Post- u. Telegraphenlexicon. Alphabetisches Verzeichniss sämmtl. Bestimmgn., Taxen etc., f. das Inland nach Stichworten geordnet, f. das Ausland unter den betr. Ländernamen. 2. Aufl. v. Scharnik. 8. (100 S.) Köln 884. Warnitz & Co. n. 1. 20

Peyer, Alex., die chronische nervöse od. reflectorische Diarrhoe. [Diarrhoea chronica nervosa.] Ein Beitrag zur Lehre der Darmerkrankgn. gr. 8. (38 S.) Basel 884. Schwabe. n. — 80

— die Microscopie am Krankenbette. Mit 79 Taf. in Farbendr. 8. (19 u. 79 S. Tafelerklärgn.) Ebend. 884. geb. n. 10. —

Peyer, Gust., Geschichte d. Reisens in der Schweiz. Eine culturgeschichtl. Studie. 8. (VIII, 248 S.) Basel 885. Detloff. n. 2. 40

— u. C. **Pestalozzi,** Stephan Serres u. Johanna Terrasson, s.: Reben am Weinstock.

Peyerimhoff, Henri de, catalogue des Lépidoptères d'Alsace, avec indication des localités, de l'époque d'apparition et de quelques détails propres à en faciliter la recherche. 2. éd. 2. partie. [Microlépidoptères], revue et coordonnée par Fettig. gr. 8. (182 S.) Colmar 882. (Barth.) n. 3. — (1. u. 2.: n. 6. —)

Peyl, Thdr., die Reblaus, Phylloxera vastatrix Planchon, u. der Wurzelpilz d. Weinstockes, Dematophora necatrix R. Hartig. Zwei Weinstockfeinde. 8. (46 S. m. 1 Tab.) Prag 884. Neugebauer. n. 1. 20

Peyrer R. v. Heimstätt, Karl, Denkschrift betr. die Erbfolge in landwirthschaftliche Güter u. das Erbgüterrecht [Heimstättenrecht] nebst e. hierauf bezügl. Gesetzentwurf. gr. 8. (IV, 172 S.) Wien 884. Manz. n. 3. —

— das österreichische Wasserrecht. Mit vorzügl. Rücksicht auf die Entstehungsgeschichte u. die Spruch- u. Verwaltungspraxis erläutert. 2. verm. u. verb. Aufl. Hrsg. von Karl Peyrer R. v. Heimstätt u. Ign. Großmann. gr. 8. (XXIV, 884 S.) Ebend. 886. n. 12. —

Peyscha, Frz., die Olmützer Kunstuhr. Ein Beitrag zur Lokalgeschichte der Stadt Olmütz. Mit e. fotograf. Lichtdr.-Bilde der Uhr aus dem J. 1747, nach e. im städt. Archive aufbewahrten Abbildg. der 3. Reparatur. 8. (VIII, 32 S.) Olmütz 886. Hölzel. n. — 60

Pfaff, A. H., s.: Psalter u. Harfe.

Pfaff, Adam, zur Erinnerung an Friedrich Ötker. gr. 8. (XVI, 245 S.) Gotha 883. F. A. Perthes. n. 4. —

Pfaff, C., Werkzeuge u. Maschinen zur Holz-Bearbeitung, s.: Exner, W. F.

Pfaff, F., die Entwicklung der Welt auf atomistischer Grundlage. Ein Beitrag zur Charakteristik d. Materialismus. Mit 31 Fig. gr. 8. (X, 241 S.) Heidelberg 883. C. Winter. n. 5. —

Pfaff, F., die Gletscher der Alpen, ihre Bewegung u. Wirkung,
— die Grenzen der Sichtbarkeit,
— Romantik u. germanische Philologie,
} s.: Sammlung v. Vorträgen.

Pfaff, Frdr., die allgemeine Bau-Ordnung f. das Großherzogth. Hessen. Erläuterung d. Gesetzes vom 30. Apr. 1881 nach Anleitg. der Motive d. v. der Regierg. den Ständen vorgelegten Gesetz-Entwurfes u. der darüber gepflogenen landständ. Verhandlgn., nebst e. Einleitg. üb. die Entwickelg. der Baugesetzgebg. d. Großherzogthums u. e. ausführl. Sachregister. In e. Anh. sind mitgetheilt: I. die Ausführungs-Verordng. zur allgemeinen Bau-Ordng., II. die auf die Stadterweiterung v. Mainz sich bezieh. Gesetze. gr. 8. (VIII, 208 S.) Mainz 883. Diemer. n. 3. 60

— Einleitung zu dem großh. hessischen Gesetz v. 30. Aug. 1884 üb. die Erbschafts- u. Schenkungssteuer. gr. 8. (90 S.) Ebend. 886. n. 2. —

— neues allgemeines Sach-Register zu der Sammlung großh. hessischer Verordnungen vom 13. Aug. 1806 bis zum 1. Juli 1819 u. dem großh. hessischen Regierungsblatt vom 1. Juli 1819 bis Ende d. J. 1884. Nebst 2, die milden Stiftgn. u. die Erfindungs-Patente betr. Special-Registern. gr. 4. (IV, 116 S.) Ebend. 885. n. 6. —

Pfaff, Herm., die Börsensteuer. Gesetz, betr. die Erhebung v. Reichsstempelabgaben in der Fassung d. Gesetzes vom 29. Mai 1885. Mit Einleitg., Erläutergn. u. Sachregister. 16. (VI, 86 S.) Nördlingen 885. Beck. cart. n. 1. —

— dasselbe. Anhang, enth. die Ausführungsvorschriften u. Instruktionen d. Bundesrats zu dem Gesetze, betr. die Erhebg. v. Reichsstempelabgaben, nebst Sachregister, ferner die bayer. u. württemberg. Vollzugsbestimmgn. 16. (III, 73 S.) Ebend. 885. cart. n. — 50

— das bayerische Gesetz üb. das Gebührenwesen vom 18. Aug. 1879. / 29. Mai 1886. Mit Einleitg., Erläutergn. u. Sachregister, sowie e. Anh., enth. die Gebühren-Novelle vom 29. Mai 1886 u. das Reichs-Gerichtskostengesetz in der Fassg. vom 18. Juni 1878 / 29. Juni 1881 hrsg. 8. (VI, 218 S.) Ebend. 886. cart. n. 2. 40

Pfaff, K., Heidelberg, s.: Europe, illustrated.

— dasselbe, s.: l'Europe illustrée.

— dasselbe, s.: Wanderbilder, europäische.

Pfaff, Leop. u. Frz. **Hofmann**, Commentar zum österreichischen allgemeinen bürgerlichen Gesetzbuche. 2. Bd. 3. u. 4. Abth. gr. 8. (S. 321—640.) Wien 883. 85. Manz. à n. 3. — (I, 1. 2. II, 1—4.: n. 19. 20)

— — Excurse üb. österreichisches allgemeines bürgerliches Recht. Beilagen zum Commentar. 2. Bd. 3. Hft. gr. 8. (S. 213—332.) Ebend. 884. n. 2. —

— — zur Geschichte der Fideicommisse. gr. 8. (42 S.) Ebend. 884. n. 1. —

Pfaff, M., Kirche, Kapelle u. Friedhof od. die heil. Orte u. ihre Einrichtungen. In Fragen u. Antworten f. die Schule u. Christenlehre, sowie zur Belehrg. f. Erwachsene. 32. (134 S.) Freiburg i/Br. 884. Herder. n — 30; geb. n.n. — 45

— das christliche Kirchenjahr. In Fragen u. Antworten f. die Schule u. Christenlehre. Nebst e. Anh., religiöse Lieder f. die Festzeiten enth. 4. Aufl. 16. (IV, 118 S.) Ebend. 886. n. — 25

— Sammlung v. Gebeten u. Kirchenliedern f. Gymnasien u. höhere Bürgerschulen. Mit Berücksicht. d. neuen Lehrplanes f. den kathol. Religionsunterricht an Mittelschulen. 2. Aufl. 8. (38 S.) Ebend. 885. n. — 25

Pfafferoth, Carl, das deutsche Gerichtskostenwesen, enth. das Gerichtskostengesetz u. die Gebührenordnungen f. Zeugen u. Sachverständige — sowie f. Gerichtsvollzieher. Für den prakt. Gebrauch bearb. 4. verm. u. verb. Aufl. gr. 8 (VI, 232 S.) Berlin 886. C. Heymann's Verl. geb. n. 5. —

— die gesammten Organisationsgesetze f. die innere Verwaltung d. preußischen Staates. Text-Ausg. m. Anmerkgn., e. die einschläg. sonst. Gesetze, Verordngn., Regulative u. Cirkulare enthalt. Anh. u. e. ausführl. Sachregister. 2. Aufl. 8. (VIII, 565 S.) Berlin 884. Guttentag. n. 6. —; geb. n. 6. 50

Pfäfflin, Glob., e. Beitrag zur Raptur u. Axendrehung d. Stieles bei Eierstockgeschwülsten. gr. 8. (26 S.) Tübingen 883. (Fues.) n. — 80

Pfalz, E., methodisches Handbuch f. den Unterricht in der Naturgeschichte,
— Wiederholungsbuch der Naturgeschichte,
} s.: Kießling, F.

Pfalz, F., die Einheit der Schule, s.: Bericht d. Vereins Leipziger Lehrer.

— tabellarischer Gundriß der Weltgeschichte f. Unter- u. Mittelklassen höherer Bildungsanstalten. 4 Hfte. gr. 8. Leipzig 885. Klinkhardt. n. 2. 35
1. Alte Geschichte. 7. Aufl. Mit 2 Karten. (49 S.) n. — 50
2. Mittlere Geschichte. Mit 2 (lith.) Karten. 7. Aufl. (56 S.) n. — 75
3. Neuere Geschichte. Mit 2 Karten. 4. Aufl. (80 S.) n. — 90
4. Neueste Geschichte. 3. Aufl. (24 S.) n. — 20

— die deutsche Litteraturgeschichte, in den Hauptzügen ihrer Entwicklg., sowie in ihren Hauptwerken dargestellt u. den höheren Lehranstalten Deutschlands gewidmet. 2 Tle. gr. 8. Leipzig 883. Brandstetter. à n. 2. 70 (cplt. in 1 Bd. geb.: n. 5. 40)
1. Die Litteratur des Mittelalters. (VIII, 368 S.)
2. Die Litteratur der neueren Zeit. (XIII, 306 S.)

— die Weltgeschichte in zusammenhängender Darstellung f. Schule u. Haus. 1. Tl. Alte Geschichte. Zunächst Kommentar zu Hft. I. v. d. Verf. „Tabellarischem Grundriß der Weltgeschichte f. die Unter- u. Mittelklassen höherer Bildungsanstalten". gr. 8. (IV, 293 S.) Leipzig 885. Klinkhardt. n. 3. —

Pfanne, H., kleine Bibelkunde d. Neuen Testaments in Denkversen. 5. Aufl. 16. (12 S.) Halle 886. Pfeffer. f. 10 Explre. n. — 60

Pfannenschmid, B., auf nach Hardenberg! Wallfahrtsbüchlein zur unbefleckt empfangenen Gnadenmutter v. Hardenberg zum Gebrauche f. Prozessionen, sowie f. einzelne Pilger. 4. Aufl. gr. 16. (72 S.) Essen 886. Fredebeul & Koenen. n. — 30

Pfannenschmid, Heino, Fastnachtsgebräuche in Elsass-Lothringen. Gesammelt u. erläutert. gr. 8. (50 S.) Colmar 884. Barth. n. 1. 60

— über Ordnung u. Inventarisirung der Gemeinde-Archive. [Aus: „Archival. Zeitschr."] Lex.-8. (52 S.) München 885. Th. Ackermann Verl. n. 1. 20

— Weihnachts-, Neujahrs- u. Drei-Königslieder aus dem Ober-Elsass. Gesammelt u. hrsg. gr. 8. (26 S.) Colmar 884. Barth. n. — 80

Pfannenschmidt, Frau, s.: Burow, J.

Pfannstiel, G. Ad., Geschichte u. Statistik der Grundsteuerverfassungen. 4. (56 S.) Schivelbein 885. (Buchstein.) n. 2. —

Pfarr-Almanach f. Berlin u. den Reg.-Bez. Potsdam. 1888. Mit Benutzg. amtl. Quellen hrsg. v. Arwed John. 2. Jahrg. 8. (IV, 247 S.) Berlin, (W. Schultze). geb. n. 4. —

Pfarramts-Kalender. Amtliches- Hand- u. Taschenbuch f. evangel. Geistliche zum Gebrauche bei ihren dienstl. Verrichtgn. u. kirchl. Amtshandlgn., m. e. kirchengesetzl. Verordnungsbuche u. e. Taschen-Pfarramtsagende auf d. J. 1887 v. M. Ueberschaer. Mit dem Portr. u. der Biographie d. Ob.-Konsist.-R. Ober-Hof- u. Dompred. D. Koegel. 16. (VIII, 326 S.) Danzig 886. R. Bertling. geb. n. 1. 50

Pfau, Karl Fr., das Buch berühmter Buchhändler. Eine Sammlg. v. Lebensbildern berühmter Männer. 1. u. 2. Tl. 8. Leipzig, Pfau. n. 5. 50; geb. n. 6. 75 (1. u. 2. Tl. in 1 Bd. n. 4. 50; geb. n. 5. —)
1. Mit 6 Portr. (VII, 152 S.) 885. n. 3. —; geb. n. 3. 75 — 2. (VIII, 138 S.) 886. n. 2. 50; geb. n. 3. —

— dasselbe. 1. Bd. 2. verb. Aufl. 8. (V, 150 S.) Ebend. 886. n. 2. 50; geb. n. 3. —

Pfau, Ludw., zur Charakteristik d. Herrn Lübke. 8. (31 S.) Stuttgart 884. Dietz. — 50

Pfaundler, L., üb. die Mantelringmaschine v. Kravogl u. deren Verhältniss zur Maschine v. Pacinotti-Gramme, nebst Vorschlägen zur Construction verbesserter dynamo-elektrischer Maschinen. [Mit 1 (lith.) Taf.] Lex.-8. (12 S.) Wien 883. (Gerold's Sohn.) n. — 60

Pfävers, das Kloster. Nebst St. Galler Chronik f. d. J. 1882. Hrsg. vom histor. Verein in St Gallen. Mit 2 (phototyp.) Taf. gr. 4. (46 S.) St. Gallen 883. Huber & Co. n. 2. —

Pfeffer, J., Skizze aus der Geschichte d. k. b. 15. Infanterie-Regiments [König Albert v. Sachsen] von 1722—1885, f. Unteroffiziere u. Mannschaften zusammengestellt. 8. (66 S.) Neuburg a/D. 885. Grießmayer. n. — 40

Pfeifer, Fr. Xav., der goldene Schnitt u. dessen Erscheinungsformen in Mathematik, Natur u. Kunst. Mit vielen 100 Nachweisgn. u. Lichtdr.-Taf. gr. 8. (IV, 232 S.) Augsburg 885. Literar. Institut v. Dr. M. Huttler. n. 8. —

Pfeifer, Joh., neue Gedichte. 2. Aufl. 12. (VIII, 106 S.) Meran 884. Pötzelberger. n.n. 2. 60

Pfeiffenberger, C., deutsche Schreib-Lese-Fibel, s.: Unglenk, L.

Pfeiffer, C. W., Ausrüstungsgegenstände f. Touristen. 16. (36 S) Frankfurt a/M. 884. Mahlau & Waldschmidt. geb. n. — 80

Pfeiffer, E., Lehrbuch der Arithmetik u. Algebra f. höhere Bürgerschulen. gr. 8. (VI, 140 S. m. 5 Tab.) Jena 886. Mauke. n. 1. 80

Pfeiffer, E., üb. die Handschriften d. altfranzösischen Romans Partonopeus de Blois, s.: Ausgaben u. Abhandlungen aus dem Gebiete der romanischen Philologie.

Pfeiffer, Emil, die Analyse der Milch. Anleitung zur qualitativen u. quantitativen Untersuchg. dieses Secretes f. Chemiker, Pharmazeuten u. Ärzte. Mit 5 Abbildgn. gr. 8. (VIII, 84 S.) Wiesbaden 887. Bergmann. n. 2. 40

— über Pflegekinder u. Säuglingskrippen. Ein Wort an die Wohlthätigkeits- u. insbesondere die Frauenvereine. 8. (84 S.) Ebend. 884. n. — 80

Pfeiffer, Fr., Beschreibung u. Geschichte der Stadt Göppingen. Nebst Anh.: Umgebung der Stadt u. Ausflüge auf die Schwäbische Alb. Mit 1 (lith.) Karte. 8. (VI, 112 S.) Göppingen 885. Herwig. geb. 3. —

Pfeiffer, Frz., die Kraft, erbaulich zu predigen. 8. (36 S.) Berlin 883. Deutsche Evangel. Buch- u. Tractat-Gesellschaft. n. — 30

Pfeiffer, G., kurzgefaßte Erklärung d. kleinen Katechismus Dr. Mart. Luthers, nebst e. Übersicht üb. die Geschichte der Kirche u. d. geistl. Liedes u. e. Anh. v. geistl. Liedern u. Gebeten, f. den Schul- u. Konfirmanden-Unterricht. 3. Aufl. 8. (156 S.) Glogau 885. Flemming. geb. n. — 60

Pfeiffer, K., biblische Geschichte f. Volksschulen. 4. verb. Aufl. 8. (VII, 202 S.) St. Gallen 885. Huber & Co. n. 1. —; Einbd. n.n. — 25

Pfeiffer, L., Regeln f. die Wochenstube u. Kinderpflege. 2 Thle. 2., vollständig umgearb. Aufl. 41—44. Tausend d. Gesammtabdrucks der Regeln d. Hebammenkalenders. 8. (Mit Holzschn.) Weimar 884. Böhlau. geb. à n. 1. —
1. Die Pflege der Wöchnerin u. d. Neugeborenen. (VIII, 70 S.)
2. Die gesundheitsgemäße Erziehung u. häusliche Pflege d. Kindes. (VIII, 86 S.)

— Taschenbuch f. die Krankenpflege in der Familie, im Hospital, im Gemeinde- u. Armendienst, sowie im Kriege. Bearb. v. Ed. Brehme, P. Fürbringer, A. Guttstadt rc. Hrsg. im Auftrage der Pflegerinnen-Anstalt in Weimar. 8. (XII, 286 S. m. 12 Taf.) Ebend. 883. geb. n. 4. —

— die Vaccination, ihre experimentellen u. erfahrungsgemässen Grundlagen u. ihre Technik, m. besond. Berücksicht. der animalen Vaccination. Mit 17 Holzschn. gr. 8 (VIII, 158 S.) Tübingen 884. Laupp. n. 3. —

— über Vaccine u. Variola. gr. 8. (24 S.) Wiesbaden 884. Bergmann. n. 1. —

Pfeil, Heinr., Tegnér's Frithjofs-Sage, m. Rücksicht auf Max Bruch's „Scenen aus der Frithjofs-Sage" f. Chorgesangvereine erläutert. 8. (32 S.) Leipzig 884. Siegel. — 40

— auf Wegen u. Stegen. Erzählungen, Plaudereien, Sprüche. gr. 8. (VII, 112 S.) Leipzig 885. Schlag. n. 1. 50

Pfeil, L. Graf v., vier Fragen Verhältnisse d. Grundbesitzes betreffend u. Vorschläge zur Herstellung unkündbarer Hypotheken auf alle künftigen Zeiten. gr. 4. (16 S) Breslau 884. Max & Co. n. 1. —

— Spiegelungen m. besond. Berücksicht. der doppelten Morgen- u. Abendröthen, erklärt durch e. neu entdecktes Gesetz sphärischer Spiegel. Nebst e. Anh.: Lichtschwächung durch Fernröhre u. Lichtzerstreug. auf Spiegelflächen. 2. Aufl. Mit 1 lith. Taf. gr. 8. (58 S.) Berlin 884. Dümmler's Verl. n. 2. —

— wie lernt man e. Sprache? nebst e. Anh.: Karl Witte, e. Erziehungsgeschichte. gr. 8. (43 S.) Breslau 883. Max & Co. n. — 80

— dasselbe. 2. Aufl. gr. 8. (43 S.) Ebend. 884. n. — 60

— kometische Strömungen auf der Erdoberfläche. 3. m. den neuesten Beweisen verstärkte u. umgearb. Aufl. Mit 5 (lith u. col.) Karten. gr. 8. (XIII, 246 S.) Berlin 883. Dümmler's Verl. n. 6. —

Pfeilsticker, Rud., Ideal-Materialismus. Allgemeine Gedanken e. Nicht-Philosophen. gr. 8. (III, 48 S.) Berlin 884. Issleib. n. 1. —

Pferd, das. Organ f. die gesammten auf das Pferd bezügl. Interessen. Hrsg.: B. Grünler. 1. u. 2. Jahrg. April 1885—März 1887. à 12 Nrn. (2 B.) gr. 4. Dresden. (Leipzig, Theile.) à Jahrg. 6. —

Pferde-Aushebungs-Reglement. 8. (47 S.) Berlin 886. Mittler & Sohn. n.n. — 30

Pferdefreund, der. Monatsblätter f. Pferdezüchter u. Pferdeliebhaber. Offizielle Zeitschrift d. Pferdezuchtvereins im Großherzogth. Hessen. Unter Mitwirk. hervorrag. Mitarbeiter hrsg. v. Schaefer. Jahrg. 1886. 12 Nrn. (³/₄ B.) gr. 8. Darmstadt 886. (Waitz.) n. 2 —

Pferdezucht, die, in der Kremper Marsch, nebst Stuten-Stammregister, statist. Nachrichten u. 12 (autotyp.) Bildern v. Pferden in der Kremper Marsch. gr. 8. (IV, 148 S. m. Tab.) Kiel 886. Biernatzki. 5. —; geb. n. 8. —

Pferd- u. Viehhändler, der. Zum nützl. Gebrauche f. Thierärzte, Oekonomen u Landwirthe. 16. (VII, 392 S.) St. Gallen 872. Macder. geb. n. 1. 60

Pfersche, Emil, privatrechtliche Abhandlungen. Die Eigentumsklage. Unredlicher Besitz. Die Erbschaftsklage. gr. 8. (390 S.) Erlangen 886. Deichert. n. 6. —

— die Bereicherungs-Klagen. Privatrechtliche Untersuchg. gr. 8. (VIII, 212 S.) Wien 883. Manz. n. 8. —

Pfirstinger, A., das bayerische Eheschließungs- u. Ehescheidungsrecht in den Gebieten d. bayerischen u. preußischen Landrechts. In alphabet. Ordng. dargestellt. Nebst e. Abdruck d. Civilstandsgesetzes u. e. Auszug aus dem Gesetze üb. Heimath, Verehelichg. rc. v. 16. Apr. 1868. 8. (IV, 156 S.) München 883. Stahl sen. geb. n. 2. 20

Pfister, das Regiment zu Fuß Alt-Württemberg im kaiserlichen Dienst auf Sicilien in den J. 1719—1720, s.: Beiheft zum Militär-Wochenblatt.

Pfister, A., s.: Real-Encyklopädie d. Erziehungs- u. Unterrichtswesens nach katholischen Prinzipien.

Pfister, Alb., der Milizgedanke in Württemberg u. die Versuche zu seiner Verwirklichung. 8. (68 S.) Stuttgart 883. Kohlhammer. n. 1. —

Pfister, Herm., deutsches Wort — Volkes Hort! Ein Mahnruf an alle wahrhaft vaterländisch gesonnene Männer zum Widerstande gegen planmäß. Zerrüttg. deutscher Sprache. Bevorwortet v. Mor. Heyne. 8. (24 S.) Paderborn 883. F. Schöningh. — 15

Pfister, Herm. v., England u. Irland. Eine zeitgemäße Betrachtg. gr. 8. (31 S.) Berlin 886. Reinecke. n. — 60

— mundartliche u. stammheitliche Nachträge zu A. F. C. Vilmar's Idiotikon v. Hessen. [Mit 1 Karte.] gr. 8. (XVI, 360 S.) Marburg 886. Elwert's Verl. n. 5. —

— Sagen u. Aberglaube aus Hessen u. Nassau. Als Beitrag zu vaterländ. Volkstume bearb. u. hrsg. 8. (XV, 172 S.) Ebend. 885. n. 1. 50

Pfister, Otto v., das Montavon m. dem oberen Paznaun. Ein Taschenbuch f. Fremde u. Einheimische. 12. (VIII, 243 S.) Augsburg 884. Lampart's alpiner Verl. geb. n. 2. 50

Pfisterer, Luther, der Prophet der Deutschen. Festrede. 8. (24 S.) Eßlingen 883. Weismann. n. — 30

Pfitzer, E., Beobachtungen üb. Bau u. Entwicklung der Orchideen. 9. Ueber das Wachsthum der Kronblätter v. Cypripedium caudatum Ldl. gr. 8. (19 S. m. 1 Steintaf.) Heidelberg 882. C. Winter. n. 1. —

— morphologische Studien üb. die Orchideenblüthe. [Aus: „Festschrift d. naturhist.-med. Vereins zu Heidelberg".] Lex.-8. (139 S.) Ebend. 886. n. 4. 40

Pfitzinger, W., der Brennerei-Werkführer. Handbuch f. Werkführer v. Spiritusbrennereien u. Mälzereien. [Mit 12 Abbildgn.] gr. 8. (IV, 84 S.) Leipzig 883. (Prag, Calve.) n. 2. —

Pfizmaier, A., die Abarten der grönländischen Sprache. Lex.-8. (82 S.) Wien 884. (Gerold's Sohn) n. 1. 20

— Aufklärungen üb. die Sprache der Koloschen. Lex.-8. (68 S.) Ebend. 883. n. 1. —

— chinesische Begründungen der Taolehre. Lex.-8. (69 S.) Ebend. 886. n. 1. —

— Darlegungen grönländischer Verbalformen. Lex.-8. (82 S.) Ebend. 885. n. 1. 20

— Erklärung d. Tagebuches Idzmi-Siki-Bu. Imp.-4. (98 S.) Ebend. 885. n. 4. 80

— Erklärungen unbekannter u. schwieriger japanischer Wörter. Lex.-8. (84 S.) Ebend. 882. n. 1. 20

— die Gefühlsdichtungen der Chlysten. Imp.-4. (98 S.) Ebend. 885. n. 4. 80

— die Gottesmenschen u. Skopzen in Russland. Imp.-4. (98 S.) Ebend. 883. n. 4. 80

— vier Himmel d. Jamáto-Liedes. Erklärungen buddhist. Dichtungen. gr. 8. (82 S.) Ebend. 885. n. 1. 20

— der Prophet Jesaias, grönländisch. Lex.-8. (78 S.) Ebend. 886. n. 1. 20

— Kennzeichnungen d. kalâlekischen Sprachstammes. Lex.-8. (82 S.) Ebend. 885. n. 1. 20

— die neuere Lehre der russischen Gottesmenschen. Lex.-8. (82 S.) Ebend. 883. n. 1. 20

— die Nachrichten d. Bergbewohners. Ein Theil innerer japan. Geschichte vom J. 1471 n. Chr. Lex.-8. (82 S.) Ebend. 885. n. 1. 20

— Nachrichten aus der Geschichte der nördlichen Thsi. Imp.-4. (96 S.) Ebend. 883. n. 4. 80

— die Oertlichkeiten v. Omi u. Mino. Lex.-8. (82 S.) Ebend. 885. n. 1. 20

— die Sprache der Aleuten u. Fuchsinseln. 1. u. 2. Thl. Lex.-8. (à 82 S.) Ebend. 884. à n. 1. 20

— Untersuchungen über Ainu-Gegenstände. Lex.-8. (82 S.) Ebend. 883. n. 1. 20

Pfleiderer, Edm., Leibniz u. Geulinx, m. besond. Beziehg. auf ihr beiderseit. Uhrengleichniss. 4. (73 S.) Tübingen 884. (Fues.) n. 3. 20

— Lotze's philosophische Weltanschauung nach ihren Grundzügen. Zur Erinnerg. an den Verstorbenen. 2. Aufl. gr. 8. (81 S.) Berlin 884. G. Reimer. n. 1. 60

— die Philosophie d. Heraklit v. Ephesus im Lichte der Mysterienidee. Nebst e. Anh. üb. heraklit. Einflüsse im alttestamentl. Kohelet u. besonders im Buche der Weisheit, sowie in der ersten christl. Literatur. gr. 8. (IX, 384 S.) Ebend. 886. n. 8. —

— zum Wesen der Universität u. ihrer Aufgabe als Hochschule. Philosophische Reflexionen e. Schwaben gelegentlich d. neuesten Angriffs auf einige wichtige württemberg. Lehreinrichtgn. gr. 8. (57 S.) Tübingen 884. Laupp. n. 1. —

Pfleiderer, Eug., Handbuch der bayerischen u. württembergischen Actiengesellschaften. 4. Jahrg. 1886. gr. 8. (VII, 165 S.) München 886. Franz' Verl. cart. n. 3. 60

Pfleiderer, J. G., evangelische Glaubens- u. Sittenlehre f. höhere Schulen, sowie zum Selbstunterricht. 3. Ausg. 8. (XX, 278 S.) Bonn 885. Schergens. geb. n. 1. 60

Pfleiderer, Otto, Grundriss der christlichen Glaubens- u. Sittenlehre als Compendium f. Studirende u. als Leitfaden f. den Unterricht an höheren Schulen. 3. Aufl. gr. 8. (VII, 323 S.) Berlin 886. G. Reimer. n. 5. —; geb. n. 6. —

— Luther als Begründer der protestantischen Gesittung. Ein Vortrag zur Lutherfeier. gr. 8. (31 S.) Berlin 883. G. Reimer. n. — 50

Pfleiderer, Otto, Religionsphilosophie auf geschichtlicher Grundlage. 2., stark erweit. Aufl. in 2 Bdn. gr. 8. (XII, 640 u. VIII, 676 S.) Berlin 883. 84. G. Reimer. à n. 9. —

Pfleiderer, R., Albrecht Dürer, s.: Schmidt's, F., deutsche Jugendbibliothek.

Pflug, Ferd., der Alte aus dem Busch. Hans Joachim v. Zieten u. seine Braven. Lebensbilder aus dem Kriegs- u. Husarenleben der Zeit d. großen Königs. Historische Erzählg. f. Jugend u. Volk. Mit 60 Abbildgn. u. 1 Titelbilde, nach Zeichngn. v. Rich. Knötel u. a. gr. 8. (XIV, 344 S.) Leipzig 884. Spamer. n. 5. —; geb. n. 6. —

— Geschichtsbilder. Erzählungen u. Skizzen. 2 Bde. Mit je 8 (chromolith.) Bildern v. Jul. Scholz, A. Diethe, Rich. Knötel u. Chr. Sell. 2. Aufl. 8. (329 u. 345 S.) Glogau 886 Flemming. geb. à 4. —

— Hodica. Vaterländischer, kulturgeschichtl. Roman. 3 Bde. 8. (XVI, 216; 216 u. 251 S.) Rostock 886. Hinstorff's Verl. n. 10. —

Pflugbeil, Jos., Geschichte der Stadt u. Pfarrei Grafenau. 2. Aufl. 8. (32 S) Passau 884. Bucher. — 75

Pfluger, J., Lehren e. Hausvaters an seinen Sohn. 2. Aufl. 8. (VIII, 172 S.) Solothurn 885. Schwendimann. n. 1. 20; geb. n. 2. —; cart. n. 1. 60

Pflüger's Übungsbuch f. mündliches u. schriftliches Rechnen in 6 Hftn. Neue Bearbeitg. v. H. Räther u. P. Wohl. 2. Aufl. gr. 8. Breslau 886. Morgenstern Verl. n. 1. 40

1. 2. (24 u. 32 S.) à n. — 15. — 3. 4. (48 u. 56 S.) à n. — 25. — 5. 6. (64 u. 72 S.) à n. — 30

Pflüger, Optotypi [Sehproben]. 8. (4 S. m. 2 Taf. in gr. Fol.) Bern 884. Schmid, Francke & Co. n. — 80

— Universitäts-Augenklinik in Bern. Bericht üb. d. J. 1882. gr. 8. (79 S. m. 2 Taf.) Ebend. 884. n. 2. 25

— dasselbe. Bericht üb. d. J. 1883. gr. 8. (59 S.) Ebend. 885. n. 1. 60

Pflüger, Geo. Frdr., Grammatik der französischen Sprache f. höhere Schulen. 1. Tl. Fibel, grundleg. Formenlehre sämtl. Redeteile, gebräuchlichste Regeln der Syntax, Vorübgn., Übungsbeispiele, Vokabularium, vollständ. Wörterverzeichnisse. 2. Aufl. gr. 8. (VIII, 96 u. Vokabulare 47 S.) Dresden 883. (Leipzig, Siegismund & Volkening.) n. 1. 20

Pflüger, Heinr. Hackfeld, üb. Besitz u. Ersitzung v. Theilen e. Sache. gr. 8. (52 S) Bremen 886. (Hollmann.) n. 1. 20

Pflugk-Harttung, Jul. v., s.: Acta pontificum romanorum.

— iter italicum, unternommen m. Unterstützg. d. kgl. Akademie der Wissenschaften zu Berlin. gr. 8. (XIV, 908 S.) Stuttgart 883. 84. Kohlhammer. n. 25. —

— das Mittelalter, s.: Weltgeschichte, allgemeine.

— Perikles als Feldherr. gr. 8. (IX, 143 S.) Stuttgart 884. Kohlhammer. n. 2. 60

— Theodor v. Sickel u. die Monumenta Germaniae diplomata. gr. 8. (66 S.) Ebend. 885. n. 1. 20

— specimina selecta chartarum pontificum romanorum. Pars I. Imp.-Fol. (55 autogr. Taf.) Ebend. 885. In Leinw.-Mappe. n. 50. —

Pfordten, Herm. Frhr. v. der, zur Geschichte der griechischen Denominativa. gr. 8. (III, 158 S.) Leipzig 886. Hinrichs' Verl. n. 4. —

Pforte, die Bestrebungen auf dem Gebiete d. deutschen Schulturnwesens bis auf die neueste Zeit. gr. 8. (28 S.) Köthen 883. Schettler's Erben, Verl. n. — 40

Pfuhl, E., Fortschritte in der Flachs-Gewinnung. gr. 4. (23 S. m. 2 Steintaf.) Riga 886. Kymmel's Sort. n. 1. 20

Pfundheller, Emil, words from the poets. A selection. 2. ed. 8. (VIII, 283 S.) Berlin 884. Weidmann. n. 2. 40

Pfundheller, H., Bertel Thorwaldsen, sein Leben u. seine Werke. gr. 8. (45 S.) Halle 886. (Stralsund, Bremer.) n. 1. —

Pfütze, Oswald, Heimatskunde v. Bautzen u. Umgegend. Ein Beitrag zur Ergänzg. u. Belebg. d. geograph. u.

geschichtl. Unterrichts. Für die oberen Klassen der Volksschulen u. die unteren u. mittleren Klassen höherer Schulanstalten. Mit 1 Karte v. R. Böhme. gr. 8. (IV, 60 S.) Bautzen 884. (Rühl.) n.n. 1. —

Phaedri Augusti Liberti fabulae Aesopiae. Ed. Alex. Riese. Ed. ster. gr. 8. (X, 72 S.) Leipzig 885. B. Tauchnitz. — 45

Phantasus, neuer. Von Ulis. 2 Bde. 8. (III, 300 u. III, 260 S.) Leipzig 887. Böhme. n. 5. 60; geb. n. 7. —

Phelps, Austin, die stille Stunde od. Gemeinschaft m. Gott. Autoris. Uebersetzg. 8. (VII, 85 S.) Köln 883. (Bonn, Schergens.) n. — 60

Phelps, Elisabeth Stuart, im Jenseits. Aus dem Amerikan. 2. Aufl. 8. (174 S.) Leipzig 885. Fr. Richter. geb. n. 3. —; geb. n. 4. —; m. Goldschn. n. 4. 20

Philadelphia's, Meister, Zauberkabinet, auf's Neue hrsg. v. Philadelphia dem Jüngern. 23. Aufl. 12. (XXVIII, 154 S.) Kempten 886. Wenger. n. 1. —

Philaploikes, D., zwei Vorschläge zur Vereinfachung d. griechischen Unterrichts. gr. 8. (15 S.) Bautzen 882. (Weller.) n. — 50

Philatelist, der. Organ f. Postwerthzeichenkunde. Vereins-Zeitg. d. Internationalen Philatelisten-Vereins Dresden u. seiner Sectionen. Vereinsorgan d. Württemberg. Philatelisten-Vereins Stuttgart m. Zweig-Vereinen Gmünd u. Ulm. Red.: H. Schwaneberger. 5—7. Jahrg. 1884—1886. à 12 Nrn. ($1^1/_2$ B.) gr. 4. Dresden (Leipzig, Heitmann). à Jahrg. n.n. 3. 50

Philipp, Heinr., Repetitorium f. Regierungs-Referendarien der sechs östlichen Provinzen üb. die wichtigsten Zweige der Kommunal-Verwaltung. Dargestellt in Fragen u. Antworten unter genauer Angabe der Gesetzesquellen. 12. (IV, 131 S.) Berlin 883. C. Heymann's Verl. cart. n. 2. —

Philippe, Prince de Saxe-Cobourg, s.: Kariudo.

Philippi, F., der Advokat, s.: Universal-Bibliothek.

Philippi, F., zur Geschichte der Reichskanzlei unter den letzten Staufern Friedrich II., Heinrich [VII.] u. Konrad IV. Mit Unterstützg. d. Directoriums der königl. preuss. Staatsarchive. Mit 12 Taf. in Lichtdr. u. e. Anh. üb. B. F. 1114. gr. 4. (III, 118 Sp.) Münster 885. Coppenrath. n. 10. —

— s.: Urkundenbuch, preußisches.

— s.: Urkundenbuch, Siegener.

Philippi, Frdr. Ad., Erklärung d. Briefes Pauli an die Galater. Aus dem handschriftl. Nachlaß der akadem. Vorlesgn. hrsg. v. Ferd. Philippi. gr. 8. (III, 214 S.) Gütersloh 884. Bertelsmann. n. 3. 20

— kirchliche Glaubenslehre. Hrsg. v. Ferd. Philippi. 1. u. 3. Bd. u. 4. Bd. 1. Hälfte. 3. Aufl. gr. 8. Ebend. n. 25. 70

1. Grundgedanken u. Prolegomena. Durch Excurse verm. (IV, 346 S.) 883. n. 5. 40
2. Die ursprüngliche Gottesgemeinschaft. Durch Zusätze verm. (III, 412 S.) 883. n. 6. 40
3. Die Lehre v. der Sünde, v. Satan u. vom Tode. (400 S.) 884. n. 6. 40
4. Die Lehre v. der Erwählung u. v. Christi Person u. Werk. 1. Hälfte: Die Lehre v. der Erwählg. u. v. Christi Person. (V, 490 S.) 885. n. 7. 50

— Predigten u. Vorträge. Nebst zwei Anhängen. Hrsg. v. Ferd. Philippi. gr. 8. (VI, 180 S.) Ebend. 883. n. 2. 80

— Symbolik. Akademische Vorlesgn. Als e. Festgabe zur 400jähr. Feier d. Geburtstages Dr. Martin Luthers hrsg. v. Ferd. Philippi. gr. 8. (VII, 464 S.) Ebend. 883. n. 7. 20

Philippi, J., die kleine Gräfin, s.: Theater-Repertoir, Wiener.

Philippovich v. Philippsberg, Eug. v., üb. Aufgabe u. Methode der politischen Ökonomie. Antrittsrede. gr. 8. (55 S.) Freiburg i/Br. 886. Mohr. n. 1. —

— die Bank v. England im Dienste der Finanzverwaltung d. Staates. gr. 8. (VIII, 214 S.) Wien 885. Toeplitz & Deuticke. n. 6. —

Philipps, W., *τοῦτό ἐστι τὸ σῶμά μου*. Vier Abhandlgn. üb. das Wort d. Herrn: „Das ist mein Leib". Ein Beitrag zur Sakraments- u. Abendmahlslehre. gr. 8. (VIII, 479 S.) Gütersloh 885. Bertelsmann. n. 8. —

Philippson, Alf., Studien üb. Wasserscheiden. Veröffentlicht v. dem Verein f. Erdkunde zu Leipzig. gr. 8. (163 S. m. eingedr. Fig.) Leipzig 886. Duncker & Humblot. n. 3. 20

Philippson, M., Westeuropa im Zeitalter v. Philipp II., Elisabeth u. Heinrich IV., s.: Geschichte, allgemeine, in Einzeldarstellungen.

— die neuere Zeit, s.: Weltgeschichte, allgemeine.

Philippson, R., Dichtung u. Wahrheit, } s.: Album f. Liebhaber-Bühnen.
— eine Liebeserklärung, } s.: Album f. Liebhaber-Bühnen.

Phillips, F. C., as in a looking glass, s.: Collection of British authors.

Philler, O., die Vormundschaftsordnung vom 5. Juli 1875, nebst den darauf bezügl. Gesetzen a. Gesetz, betr. die Kosten, Stempel u. Gebühren in Vormundschaftssachen, vom 21. Juli 1885, b. Gesetz, betr. die Geschäftsfähigkeit Minderjähriger u. die Aufhebg. der Wiedereinsetzg. in den vor. Stand wegen Minderjährigkeit, vom 12. Juli 1875, c. Hinterlegungsordng. vom 14. März 1879, d. Gesetz, betr. die Unterbringg. verwahrloster Kinder, vom 13. März 1878. Mit e. Kommentar. 2. Aufl. 8. (VIII, 252 S.) Berlin 885. Vahlen. cart. n. 4. —

Phillips, A., die Reichstags-Wahlen von 1867 bis 1883. Statistik der Wahlen zum konstituier. u. norddeutschen Reichstage, zum Zollparlament, sowie zu den ersten 5 Legislatur-Perioden d. deutschen Reichstages. 8. (XII, 278 S. m. 1 color. Taf.) Berlin 883. Gerschel. geb. n. 8. —

— Statistik der Wahlen in Berlin, m. 1 (chromolith.) Karte der Reichstagswahlen v. 1884 nach Stadtbezirken. gr. 4. (8 S.) Berlin 885. H. S. Hermann. 2. —

Philodemi de musica librorum qui exstant, ed. Joa. Kemke. 8. (XV, 112 S.) Leipzig 884. Teubner. 1. 50

— über den Tod. 4. Buch. Nach der Oxforder u. Neapolitaner Abschrift hrsg. v. Siegf. Mekler. Lex.-8. (52 S.) Wien 886. (Gerold's Sohn.) n. — 80

Philologos Germaniae Lipsiae congregatos m. Maio a. 1872 perofficiose salutant scholae Thomanae magistri. gr. 4. Leipzig 872. (Hinrichs' Sort.) n. 1. 50

Johann Sebastian Bach, der Cantor der Thomasschule zu Leipzig. Schulfestrede am 12. Decbr. 1871 v. Johs. Schümann. (24 S.) — Coniectanea Fulgentiana, scripsit Emil Jungmann. (S. 25—42) — De Claudiani codice Veronae nuper reperto commentatio critica Ludw. Jeep. (S. 43—54.)

Philologus. Zeitschrift f. das klass. Alterthum. Hrsg. von Ernst v. Leutsch. 42—45. Bd. à 4 Hfte. gr. 8. (à Hft. ca. 192 S.) Göttingen 883—86. Dieterich's Verl. à Bd. n. 17. —

— dasselbe. 4. Suppl.-Bd. 4—6. Hft. gr. 8. Ebend. 883. 84. n. 8. 80 (4. Bd. cplt.: n. 15. 80)

4. Eine verlorene Geschichte der römischen Kaiser u. das Buch de viris illustribus urbis Romae. Quellenstudien v. Alex. Enmann. (S. 335—501.) Miscellen: 1. De locis quibusdam [Pseudo-] Ciceronis epistularum ad Brutum. Scripsit F. Becher. (S. 502—510.) 2. Zu Lucretius VI (921—935). Von Ad. Kannegiesser. (S. 510.) n. 4. —
5. Die Zeitverhältnisse d. Anaxagoras u. Empedokles. Von Geo. Frdr. Unger. (S. 511—550.) Die Briefe Cicero's an M. Brutus. In Bezug auf ihre Echtheit geprüft v. Ludw. Gurlitt. (S. 551—630.) n. 2. 40
6. Analekten zu den darstellungen d. raubes u. der rückkehr der Persephone. Von Rich. Förster. (S. 631—736 m. 2. Taf.) 2. 40

— dasselbe. 5. Suppl.-Bd. 1—3. Hft. gr. 8. Ebend. 884. 86. n. 11. 60

1. Kritische Analekten v. W. Fröhner. (96 S.) Forschungen zur älteren attischen geschichte v. Hugo Landwehr. (S. 97—196.) n. 4. —
2. (S. 197—396.) n. 4. —
3. Des Presbyter Hadoardus Cicero-Excerpte, nach E. Narducci's Abschrift d. Cod. Vat. reg. 1762 mitgetheilt u. bearb. v. Paul Schwenke. (S. 397—588.) n. 3. 60

Philosophie d. Magens in Sprüchen aus alter u. neuer Zeit v. Q. Ofellus jun. 8. (VIII, 142 S.) Leipzig-Reudnitz 886. Osw. Schmidt. n. 2. —; geb. n.n. 2. 50

Philostratus, Apollonius v. Tyana. Aus dem Griech. übers. u. erläutert v. Ed. Baltzer. Mit e. (lith.) Uebersichtskarte. gr. 8. (IV, 403 S.) Rudolstadt 883. Hartung & Sohn. n. 6. —; geb. n. 7. —

Philotheа. Blätter f. religiöse Belehrg. u. Erbaug. durch Predigten, geschichtl. Beispiele, Parabeln 2c. Nebst dem Ergänzungsblatte „Theopista". Unter Mitwirkg. verschiedener kathol. Geistlichen hrsg. v. Frz. Alfr. Muth. 48—51. Jahrg. 1884—1887. à 12 Hfte. (ca. 5 B.) gr. 8. Leipzig, Exped. à Jahrg. 5. 50

Phöbe. Kalender u. Jahrbuch d. Diakonissenhauses zu Dresden. Hrsg. v. Molwitz. 1885. gr. 8. (124 S. m. 6 Lichtdr.-Taf.) Dresden, (J. Naumann). cart. n. 2. —

Phönix, der. Berichterstatter üb. neueste deutsche, französ. u. engl. Herrenmoden. Red.: H. Klemm. 39—42. Jahrg. 1883—1886. à 12 Nrn. (B. m. eingedr. planotyp. Zeichngn., Schnittbeilagen u. color. Modekpf.) gr. Fol. Dresden, Exped. der europ. Modenzeitg. à Jahrg. n. 7. —

Photographen-Kalender, deutscher. Taschenbuch u. Almanach f. 1886. Hrsg. v. K. Schwier. 5. Jahrg Mit 2 Kunstbeilagen. gr. 16. (279 S.) Weimar, Verl. der Deutschen Photographen-Zeitg. geb. n. 1. 50

Photographen-Zeitung, deutsche. Organ d. deutschen Photographen-Vereins etc. Red.: K. Schwier. 7—10. Jahrg. 1883—1886. à 52 Nrn. (à 1/2—1 B.) gr. 8. Weimar, Verlag der Deutschen Photographen-Zeitg. à Jahrg. n. 8. —

Phyllis, s.: Collection of British authors.

Physik, die, im Dienste der Wissenschaft, der Kunst u. d. praktischen Lebens. Unter Mitwirkg. v. J. van Bebber, C. Grahwinkel, E. Hartwig 2c. Hrsg. v. G. Krebs. gr. 8. (XVI, 583 S. m. eingedr. Holzschn. u. 1 Tab.) Stuttgart 883. 84. Enke. n. 10. —; geb. n. 11. —

Piano modello di costruzioni rurali nell' Istria. Fabbricato attinente ad una piccola possessione nella costa della provincia. Tavola II. Testo di E. Kramer Pubblicato dall' i. r. Ministero d'agricoltura. gr. Fol. Nebst italien. u. sloven. Text. gr. 8. (6 u. 5 S.) Wien 885. Frick. n. — 60

Piaz, Antonio dal, die Verwerthung der Weinrückstände. Praktische Anleitung zur rationellen Verwerthg. v. Weintrester, Weinhefe [Weinlager, Geläger] u. Weinstein. Mit e. Anh.: Die Erzeugg. v. Weinsprit u. Cognac aus Wein. Handbuch f. Weinproducenten, Weinhändler, Brennereitechniker, Fabrikanten chem. Producte u. Chemiker. 2. Aufl. Mit 23 Abbildgn. 8. (IV, 190 S.) Wien 885. Hartleben. n. 2. 50

— die Weinbereitung u. Kellerwirthschaft. Populäres Handbuch f. Weinproducenten, Weinhändler u. Kellermeister. 2. Aufl. Mit 31 Abbildgn. (IV, 382 S.) Ebend. 885. n. 4. —

Pic, Jos. Lad., zur rumänisch-ungarischen Streitfrage. Skizzen zur ältesten Geschichte der Rumänen, Ungarn u. Slaven. Mit 1 Abbildg. u. 1 Karte. gr. 8. (IV, 436 S.) Leipzig 886. Duncker & Humblot. n. 10. —

Picard, L. B., les deux Philibert, s.: Théâtre français.

Pichler, Adf., Vorwinter. 12. (51 S.) Gera 885. Amthor. — 50

Pichler, F., Brockmann, s.: National-Bibliothek, deutsch-österreichische.

Pichler, Helene, aus der Brandung d. Lebens. Fahrten zu Wasser u. zu Lande. 8. (279 S.) München 887. Callwey. n. 3. —; geb. n. 4. —

— Genrebilder aus dem Seeleben. 3. Aufl. 8. (III, 224 S.) Oldenburg 887. Schulze. n. 3. —; geb. n. 4. —

Pichler, Luise, Diademe u. Myrten. Ein Kranz histor. Erzählgn. Mit 6 Bildern in Farbendr. v. R. C. Kepler u. 5 Holzschn. gr. 8. (288 S.) Stuttgart 885. Kröner. geb. 5. 50

— Erzählungen aus der Geschichte. 1—3. Bd. 12. (Mit je 1 Chromolith.) Eßlingen 884. Schreiber. geb. à n. 1. 50

1. Deutsche Heldengeschichten aus dem Mittelalter. Drei histor. Erzählgn. f. die Jugend. (112, 99 u. 104 S.)
2. Deutsche Kaiser. Drei histor. Erzählgn. f. die Jugend. (100, 158 u. 114 S.)
3. Kaiser Rothbart. Drei histor. Erzählgn. f. d. Jugend. (92, 96 u. 105 S.)

Pichler, Luise, Fee'n in den Lüften u. Spuk in dem Haus, brausender Jubel und prickelnder Graus. Eine Auswahl der schönsten Märchen u. Sagen f. die Jugend bearb. Mit 7 Bildern in Farbendr. nach Aquarellen v. J. C. Dolleschal, Fed. Flinzer, G. Franz, H. Merté u. C. Offterdinger. 4. Aufl. Fol. (III, 32 S.) Stuttgart 884. Nitzschke. geb. n. 4. —

— Gnomen u. Riesen, verzauberte Welt, bunte Gestalten — wie's Kindern gefällt. Eine Auswahl der schönsten Märchen u. Sagen, f. die Jugend bearb. Mit 7 Bildern in Farbendr. nach Aquarellen v. J. C. Dolleschal, Fed. Flinzer, G. Franz u. C. Offterdinger. 4. Aufl. Fol. (III, 32 S.) Ebend. 884. geb. n. 4. —

— die Helden der deutschen Wanderzeit. Erzählungen aus der Geschichte der Völkerwanderg. f. die Jugend. Mit 5 feinen Farbendr.-Bildern v. Osc. Schulz. gr. 8. (238 S.) Eßlingen 884. Schreiber. n. 4. —; geb. n. 5. —

— lustiger Klingklang. Glöcklein läutet hell u. fein, ladet die Kinder ins Zauberland ein. Heitere Geschichten u. Märchen f. die Jugend. Mit 6 Bildern in feinstem Farbendr. nach Aquarellen v. C. Offterdinger. 2. Aufl. Fol. (III, 32 S.) Stuttgart 885. Nitzschke. geb. n. 4. —

— römische Macht u. deutsche Kraft. Drei histor. Erzählgn. f. die Jugend. Mit 4 feinen Farbendr.-Bildern. 12. (104, 104 u. 107 S.) Eßlingen 883. Schreiber. geb. n. 2. —

— illustrirtes Märchenbuch f. Kinder. 12. (VII, 184 S. m. eingedr. Holzschn.) Ulm 884. Ebner. cart. 1. 20

— Märchengarten, m. Blüten aus Berg u. Wald, wo helle der Vogelsang schallt. Lustige Märchen u. Geschichten f. die Jugend. Mit 12 Bildern in feinstem Farbendr. nach Aquarellen v. C. Offterdinger. 2. Aufl. Fol. (III, 64 S.) Stuttgart 885. Nitzschke. geb. n. 6. —

— Märchenpracht u. Fabelscherz freut der Kinder junges Herz. Eine Festgabe f. die Jugend. Mit 14 Bildern in Farbendr. nach Aquarellen v. J. C. Dolleschal, Fed. Flinzer, G. Franz, H. Merté u. C. Offterdinger. 4. Aufl. Fol. (III, 64 S.) Ebend. 884. geb. n. 6. —

— der Retter in d. Not. Eine vaterländ. Erzählg. f. die reifere Jugend. Mit 5 prachtvollen Illustr. in Farbendr. nach Aquarellen v. Gust. Bartsch. gr. 8. (151 S.) Stuttgart 884. Hänselmann. geb. n. 3. —

— Rotkäppchen u. andere Märchen. Für die Jugend bearb. Mit 4 Bildern in Farbendr. gr. 4. (6 S.) Stuttgart 886. Nitzschke. geb. 1. 50

— der Sandwirt v. Passeyer, s.: Erzählungen f. Taubstumme.

— Silberflocken aus der Märchenfee Rocken. Lustige Geschichten u. Märchen f. die Jugend. Mit 6 Bildern in feinstem Farbendr. nach Aquarellen v. C. Offterdinger. 2. Aufl. Fol. (III, 32 S.) Stuttgart 885. Nitzschke. geb. n. 4. —

— illustrirtes Theaterbüchlein f. Kinder. 1. Bdchn. (neue Aufl.) u. 4. Bdchn. 16. (164 u. 150 S. m. eingedr. Holzschn.) Ulm 883. Ebner. cart. à — 75

— der Tiger im Fasse u. andere Geschichten. Für die Jugend bearb. Mit 4 Bildern in Farbendr. gr. 4. (6 S.) Stuttgart 886. Nitzschke. geb. 1. 50

— u. Thdr. Ebner, in Steppen u. auf Schneefeldern. Zwei patriot. Erzählgn. Mit 4 prachtvollen Farbdr.-Bildern nach Aquarellen v. Gust. Bartsch. gr. 8. (196 S.) Stuttgart 886. Hänselmann. geb. n. 3. —

Pichler, M. Ritter v., üb. die Einwirkung der Entladung hochgespannter Elektricität auf feste in Luft suspendirte Theilchen, — über die Entladung hochgespannter Elektricität aus Spitzen, } s.: Obermayer, A. v.

Pichler, Thdr. v., „Alles rührt sich!" Ein bewegl. Bilderbuch m. 6 (chromolith.) Blättern f. die liebe Jugend. Mit Versen v. Ph. Brunner. qu. Fol. (7 Bl. Text.) Wien 885. Perles. geb. n. 5. —

— über Berg u. Thal zum Meere. Eine Fortsetzg. der Reise durch Europa. Bewegliches Bilderbuch m. Wandel-Panorama. Fol. (11 Chromolith. m. 12 S. Text.) Ebend. 884. geb. n. 6. —

Pichler, Thdr. v., eine Reise durch Europa. Bewegliches Bilderbuch m. transparenten Wandelbecorationen. 2. Aufl. Fol. (28 S. Text.) Wien 883. Perles. geb. n. 6. —
— durch Wald u. Flur. Ein Excursionsbuch f. kleine Naturfreunde. Text v. Phpp. Brunner. Jmp.-4. (10 Chromolith. m. 7. S. Text.) Ebend. 886. cart. n. 5. —
Pick, A., Lord Beeffteak, f.: Theater-Repertoir, Wiener.
Pick, Adf. Jos., die elementaren Grundlagen der astronomischen Geographie. Gemeinverständlich dargestellt. Mit 2 (lith.) Sternkarten u. 80 Holzschn. gr. 8. (XIV, 169 S.) Wien 883. Klinkhardt. n. 2. 40
Pick, G., üb. mehrdeutige doppeltperiodische Functionen. Lex.-8. (7 S.) Wien 885. (Gerold's Sohn.) n. — 20
— zur Lehre v. den Modulargleichungen der elliptischen Functionen. Lex.-8. (12 S.) Ebend. 885. n.n. — 25
Pick, Herm., Beiträge zur Statistik der öffentlichen Mittelschulen der im österreichischen Reichsrathe vertretenen Königreiche u. Länder am Schlusse d. Schuljahres 1883/84. gr. 8. (27 S.) Salzburg 885. Kerber. n. — 80
— dasselbe. Neue Beiträge am Schlusse des Schuljahres 1883/84. [Zugleich Schlussheft der „Beiträge".] gr. 8. (41 S.) Ebend. 885. n. 1. —
Pick, J., Bekenntnisse aus der Tiefe e. jüd. Herzens, f.: Schriften d. Institutum Judaicum in Leipzig.
Pick, Rich., Geschichte der Stiftskirche zu Bonn. Im Auftrage d. Kirchenvorstands hrsg. 1. Hft. gr. 8. (IV, 46 S. m. 2 Steintaf.) Bonn 884. (Hauptmann.) n. 1. —
— Materialien zur rheinischen Provinzialgeschichte. 1. Bd. 1. Hft.: Die Stadt u. das ehemal. Amt Rheinberg. gr. 8. (XVII, 127 S.) Bonn 883. Habicht. n. 2. —
Pick, S., die künstlichen Düngemittel. Darstellung der Fabrikation d. Knochen-, Horn-, Blut-, Fleisch-Mehls, der Kalidünger, d. schwefelsauren Ammoniaks, der verschiedenen Arten der Superphosphate, der Poudrette u. s. f., sowie Beschreibg. d. natürl. Vorkommens der concentrirten Düngemittel. Ein Handbuch f. Fabrikanten künstl. Düngemittel, Landwirthe, Zuckerfabrikanten, Gewerbetreibende u. Kaufleute. Mit 25 Abbildgn. 2. Aufl. 8. (VIII, 230 S.) Wien 887. Hartleben. n. 3. 25
Pickel, A., die Geometrie der Volksschule. Ausg. II.: Für die Hand der Schüler. Mit Fig. 11. Aufl. gr. 8. (44 S.) Dresden 883. Bleyl & Kaemmerer. n. — 40
— geometrische Rechen-Aufgaben. Ausg. III der Geometrie der Volksschule. 7. Aufl. gr. 8. (32 S.) Ebend. 884. n. — 30
— Theorie u. Praxis d. Volksschulunterrichts nach Herbartischen Grundsätzen, s.: Rein, W.
Pickel, J. M., Propionylanhydroisodiamidotoluol. [Propenylisotoluylenamidin.] gr. 8. (42 S.) Göttingen 884. (Vandenhoeck & Ruprecht.) n. 1. 20
Pictet, R., Berechtigung u. Ausführbarkeit der proportionalen Vertretung bei unseren politischen Wahlen, s.: Hagenbach-Bischoff.
— neue Kälteerzeugungsmaschinen auf Grundlage der Anwendung physikalisch-chemischer Erscheinungen. Mit Angaben üb. neue Einrichtgn. der Kälteerzeugungsmaschinen. Mit Genehmigg. d. Verf. übers. v. Konr. Schollmayer. Mit 1 lith. Taf. gr. 8. (IV, 43 S.) Leipzig 885. Quandt & Händel. n. 1. 50
Pider, Joh., kurze Kirchengeschichte f. die Jugend, hrsg. in 6. nach der seit 1879 vorgeschriebenen Orthogr. corrigierter Aufl. v. Karl Moser. gr. 8. (VII, 207 S.) Innsbruck 885. F. Rauch. n. 1. 60
Piderit, Auguste, u. Otto Hartwig, Charlotte Diede, die Freundin von W. v. Humboldt. Lebensbeschreibung u. Briefe. 8. (VIII, 294 S.) Halle 884. Niemeyer. n. 4. —
Piderit, Karl, das Buch f. junge Mütter u. treue Wärterinnen. Vorschriften üb. Haltg. u. Pflege der Kinder in den ersten Lebensjahren. 4. Aufl. Neubearb. u. hrsg. v. F. E. Clasen. 8. (XVI, 141 S.) Bielefeld 883. Velhagen & Klasing. n. 1. —; geb. n. 1. 50
Piderit, Thdr., Mimik u. Physiognomik. 2. neu bearb. Aufl. Mit 95 photolith. Abbildgn. gr. 8. (XII, 212 S.) Detmold 886. Meyer. n. 6. —; geb. n. 7. —

Piedboeuf, J. L., Petroleum Central-Europas, wo u. wie es entstanden ist, m. specieller Anwendg. auf die deutsche Petroleum-Industrie. gr. 8. (75 S. m. 7 Taf.) Düsseldorf 883. (A. Bagel.) 3. —
Piefke, C., die Bodenfiltration. Bericht, erstattet an die Direktion der Berliner Wasserwerke. gr. 8. (51 S. m. 3 Steintaf. u. 1 Tab.) Berlin 883. Polytechn. Buchh. n. 6. —
Piehl, Karl, dictionnaire du Papyrus Harris N°. 1, publié par S. Birch d'après l'original du British Museum. gr. 8. (VIII, 116 S.) Vienne 882. (Leipzig, Hinrichs' Verl.) n. 16. —
— inscriptions hiéroglyphiques recueillies en Europe et en Egypte. Publiées, traduites et commentées. 1. partie: Planches. 4. (194 autogr. Taf.) Stockholm 886. Ebend. n. 40. —
Piel, P., üb. den Gesang. Einiges aus der Gesanglehre u. aus der Gesangmethode. Konferenzvortrag. gr. 8. (34 S.) Düsseldorf 886. Schwann. — 30
— Handbüchlein d. Choralgesanges, enth. liturg. Gesänge zur hl. Messe u. f. die Karwoche, nebst einigen Gesängen verschiedenen Inhalts. 8. (64 S.) Paderborn 882. Junfermann. geb. n. — 60
Pieler, Fr., üb. einfache Methoden zur Untersuchung der Grubenwetter. Mit 5 Illustr. gr. 8. (19 S.) Aachen 883. Barth. n. 1. —
Pietenbring, Ulrich Zwingli. Festrede, geh. an dessen 400jähr. Geburtsfeier in der reformirten Kirche zu Straßburg. gr. 8. (8 S.) Straßburg 884. Schmidt. n. — 40
Piepenburg, Rob., e. Normal-Volksschuleinrichtung. Kurze Andeutgn., wie die preuß. Volksschulen nach e. Normalplane mehr einheitlicher gestaltet werden könnten. gr. 8. (35 S.) Crefeld 884. (Kramer & Baum.) n. — 80
Pieper, Tabelle der Pensionsbeträge f. Reichs- u. preußische Beamte u. die wesentlichsten Bestimmungen d. Pensionsgesetzes. 4. (11 S.) Celle 886. (Schulze.) n. — 40
Pieper, Ant., die Propaganda-Congregation u. die nordischen Missionen im 17. Jahrh. Aus den Acten d. Propaganda-Archivs u. d. Vatican. Geheim-Archivs dargestellt. [2. Vereinsschrift der Görres-Gesellschaft f. 1886.] gr. 8. (IV, 112 S.) Köln 886. (Bachem.) n. 1. 80
Pieper, Carl, was leisten unsere modernen Gewehre? Nach prakt. Versuchen. 8. (23 S. m. 1 Tab.) Berlin 884. W. Baensch. n. — 50
Pieper, J., Rechenbuch f. Volksschulen, f.: Genau, A.
Pieper, Rich., üb. einige metamere Hydroxylaminderivate. gr. 8. (38 S.) Königsberg 882. (Beyer.) n. 1. —
Pierson, A., et S. A. Naber, verisimilia. Laceram conditionem novi testamenti exemplis illustrarunt et ab origine repetierunt. gr. 8. (II, 295 S.) Haag 886. Nijhoff. n. 7. —
Pierson, H., die Prostitutionsfrage vom Standpunkte der medizinischen Wissenschaft, d. Rechtes u. der Moral. Vortrag. 8. (31 S.) Mülheim 885. Buchh. d. Evangel. Vereinshauses. n. — 10
Pierson, R. H., Compendium der Electrotherapie. 4. Aufl. Mit 25 Holzschn. 8. (XI, 270 S.) Leipzig 885. Abel. n. 4. —; Einbd. n.n. — 75
— über Polyneuritis acuta [multiple Neuritis], s.: Sammlung klinischer Vorträge.
Pierson, William, Kurfürstin Dorothea, die Gründerin der Dorotheenstadt zu Berlin. gr. 8. (39 S.) Berlin 886. Gaertner. n. 1. —
— Leitfaden der preußischen Geschichte, nebst chronolog. u. statist. Tabellen. 7. Aufl. 8. (VI, 195 S.) Berlin 884. W. Peiser Verl. n. 1. —
Pietsch, Ludw., Osteria. Sommer-Wohng. d. Vereins Berliner Künstler. Text v. L. P. Mit 28 Abbildgn. nach Orig.-Zeichngn. der Künstler u. photograph. Aufnahmen. gr. 8. (47 S.) Berlin 886. Berliner Verlags-Comtoir, A.-G. n. — 80
Pietsch, Paul, Martin Luther u. die hochdeutsche Schriftsprache. gr. 8. (122 S.) Breslau 883. Koebner. n. 2. 40
Pietsch, Thdr., Seele u. Hand. Vortrag. 8. (32 S.) Düsseldorf 885. F. Bagel. n. — 60

Pietscher, Aug., das Lutherfest, e. Fest f. ganz Deutschland. Festrede, geh. am 11. Novbr. 1883. gr. 8. (10 S.) Dessau 883. Baumann. n. — 40

— das Staatsrecht d. Herzogth. Anhalt, s.: Handbuch d. öffentlichen Rechts der Gegenwart.

Pihlemann, J., praktischer Leitfaden zum Erlernen der russischen Sprache. 9. Aufl. gr. 8. (VIII, 272 S.) Reval 885. Kluge. n. 3. —

Pilar, Geo., flora fossilis Susedana. Descriptio plantarum fossilium quae in lapicidinis ad Nedelja, Sused, Dolje etc. in vicinitate civitatis Zagrabiensis hucusque reperta sunt. Ed. academia scientiarum et artium Slav. merid. gr. 4. (VIII, 163 S. m. 15 color. Steintaf. u. 15 Bl. Erklärgn.) Agram 883. Hartman's academ. Buchh. n.n. 16. —

Pilger, der. Ein reformirtes Volksblatt. Red.: Geyser. Jahrg. 1886. 52 Nrn. (½ B.) gr. 8. Barmen, Exped. d. Reformirten Schriftenvereins. n. 2. —

— der, unter den Gemeinden d. Herrn. Hrsg. v. H. Brucker. 23. Jahrg. 1886. 12 Nrn. (B.) gr. 4. Cassel (Röttger). n.n. 1. 50

— der, zur Heimath. Red. u. Hrsg.: Schnackenberg. 1. Jahrg. Juli—Decbr. 1883. 27 Nrn. (B.) Fol. Bremerhaven, (Mocker). n.n. 1. —

— dasselbe. 2—4. Jahrg. 1884—1886. à 52 Nrn. (B.) Fol. Ebend. à Jahrg. n.n. 2. —

— der, zur Heimath. Allgemeiner Haushalts-Kalender f. die Provinzen Hannover u. Schleswig-Holstein, sowie die freien Hansestädte Hamburg u. Bremen 1885. Red. v. Schnackenberg. gr. 8. (81 S. m. Illustr.) Lehe. Ebend. n. — 30

— der kleine, u. seine Gefährten. I. Eine Gabe f. die Jugend. 8. (40 S. m. Holzschn.) Elberfeld 881. Buchh. d. Erziehungsvereins. n. — 20

— der, aus Sachsen. Christliches Volksblatt f. Stadt u. Land. Red.: Ahner. 49—52. Jahrg. 1883—1886. à 52 Nrn. (B.) gr. 4. Leipzig, J. Naumann. à Jahrg. n. 3. —

— der, aus Schaffhausen. Kalender f. 1887. 40. Jahrg. 4. (77 S. m. Holzschn.) Basel, Spittler. — 30

Pilgerbüchlein zum Gebrauch bei der Wallfahrt von Essen nach Kevelaer. 5. Aufl. gr. 16. (48 S.) Essen 886. Fredebeul & Koenen. n. — 25

Pilgerfahrt, e., nach Jerusalem im Herbste 1877, s.: Novellenkranz.

Pilgrim, L., Galilei, s.: Sammlung gemeinverständlicher wissenschaftlicher Vorträge.

Pilgrim, P., Maria Kevelaer, s.: Broschüren, Frankfurter zeitgemäße.

Pilling, F. O., zusammenstellende Repetitionsfragen f. den naturgeschichtlichen Unterricht in Quarta. I. Botanik. [Sommerkurs.] 8. (44 S.) Altenburg 884. Wermann. n. — 50

— dasselbe f. Quarta. II. Zoologie: Vögel. [Winterkursus.] 8. (36 S.) Ebend. 885. n. — 40

— dasselbe in Quinta. I. Botanik. [Sommerkursus.] 8. (32 S.) Ebend. 884. n. — 40

— dasselbe in Quinta. II. Zoologie: Säugetiere. [Winterkursus.] 8. (40 S.) Ebend. 885. n. — 50

— dasselbe in Sexta. [I. Botanik (Sommerkursus). II. Zoologie (Winterkursus).] 8. (20 S.) Ebend. 884. n. — 25

— dasselbe f. Untertertia. I. u. II, 1. 2. 8. Ebend. 886. n. 1. 40

I. Botanik. [Sommerkursus.] Kryptogamen. Allgemeine Botanik. (48 S.) n. — 50

II. Zoologie. [Winterkursus.] (1.) (44 S.) n. — 50. — 2. Wirbellose Tiere. I. Weichtiere. Mollusca. (24 S.) n. — 40

— dasselbe f. Obertertia. Zoologie. [Winterkursus.] I. Niedere Thiere. 8. (56 S.) Ebend. 886. n. — 60

— dasselbe f. Tertia. Zoologie [Ergänzungsheft]. Insekten. 8. (60 S.) Ebend. 886. n. — 60

Pillwax, J., Lehrbuch d. Huf- u. Klauen-Beschlags. 4. Aufl. Mit 112 Holzschn. gr. 8. (XI, 273 S.) Wien 884. Braumüller. n. 6. —

Piltz, Adf., üb. die Häufigkeit der Primzahlen in arithmethischen Progressionen u. üb. verwandte Gesetze. gr. 8. (48 S.) Jena 884. (Neuenhahn.) n. 2. —

Piltz, Ernst, Wandtafeln f. den naturkundlichen Unterricht in Volks- u. höheren Schulen. (In ca. 20 Lfgn.) 1. Abtlg. Tierkunde, nebst Bau d. menschl. Körpers. 1. Lfg. qu. gr. Fol. Nebst Text. gr. 4. (3 S.) Jena 885. Mauke. n. 1. 20

Pilz, Herm., Selbsthilfe im Kreditverkehr. Ein Vorschlag zur Hebg. v. Handel u. Gewerbe. gr. 8. (15 S.) Leipzig 886. Gloeckner. n. — 50

Pilz, Karl, in der Ferienkolonie od. der Segen der Liebe zur Mutter. Eine Erzählg. f. Kinder von 9—12 Jahren. Mit 29 in den Text gedr. Abbildgn. u. 1 Buntbilde. gr. 8. (VII, 108 S.) Leipzig 884. Spamer. n. 2. —; cart. n. 2. 50

— der Geist der Fraumaurerei in Erzählungen, Biographien, Licht- u. Schattenbildern, Abhandlungen, Reden u. Gedichten. gr. 8. (VIII, 256 S.) Leipzig 882. Zechel. n. 5. —; Einbd. n.n. 1. —

— was Kinder gern hören. 50 heitere u. ernste Geschichten f. Kinder von 7 bis 10 Jahren. 2. Aufl. Mit 25 Text-Abbildgn. u. 2 Buntbildern. gr. 8. (VI, 130 S.) Leipzig 885. Spamer. n. 2. —; cart. n. 2. 50

— Licht- u. Schattenbilder aus meinem Lehrerleben. Rückblicke auf drei Jahrzehnte im Dienste der Schule. 8. (VIII, 268 S.) Leipzig 885. C. F. Winter. n. 3. —

— Melitta, die kleine Tierfreundin. Eine Geschichte f. brave Kinder. Mit 6 Bildern in Farbendr. hoch 4. (11 S.) Leipzig 884. Opetz. cart. 1. 25

— die kleinen Tierfreunde. 50 Unterhaltgn. üb. die Tierwelt. Ein lust. Büchlein f. fröhl. Kinder im Alter von 7—10 Jahren bearb. 5. Aufl. Mit 100 Text-Abbildgn. u. 1 Titelbilde. gr. 8. (VII, 174 S.) Leipzig 886. Spamer. n. 2. —; cart. n. 2. 50

— der kleine Ulrich u. sein treuer Freund Karo. Tiergeschichte f. brave Kinder. Mit 6 Bildern in Farbendr. hoch 4. (11 S.) Leipzig 884. Opetz. cart. 1. 25

Pilz, Karl Ed., Bonifazius, der Apostel der Deutschen. Freie, aber den geschichtl. Verhältnissen gemässe Dichtg. Melodramatisch in Musik gesetzt f. Solo- u. Chorstimmen m. Orchester- od. Pianofortebegleitg. v. Frdr. Mor. Gast. Textbuch. 8. (32 S.) Plauen 883. Kell. n. — 40

Pina, W., Blicke in das Menschenleben. Erzählungen f. die reifere Jugend. 8. (VII, 180 S.) Solothurn 885. Schwendimann. 2. —

Pinamonti, Peter, rette deine Seele! 12 Betrachtgn. üb. den Werth der Seele. 5. Aufl. 8. (48 S.) Dülmen 886. Laumann. n. — 15

Pindar's Siegesgesänge. Verdeutscht v. C. F. Schnitzer. 1—3. Lfg. 2. Aufl. 8. (100 S.) Berlin 886. Langenscheidt. à n. — 35

Pinder, E., Bericht üb. die heidnischen Alterthümer der ehemals kurhessischen Provinzen Fulda, Oberhessen, Niederhessen, Herrschaft Schmalkalden u. Grafsch. Schaumburg etc., s.: Zeitschrift d. Vereins f. hessische Geschichte u. Landeskunde.

Pinder, R., zur Krisis d. Grundbesitzes. Ein Vortrag. gr. 8. (35 S.) Wien 885. Frick. n. 1. —

Pindter, Rud., die Ueberbürdungsfrage an den österreichischen Schulen. Ein offenes Wort zur Verständigg. gr. 8. (76 S.) Leipzig 886. Duncker & Humblot. n. 1. 40

Pingler, G, zur Lösung der Frage: Welches ist der kürzeste Weg zu gründlicher Heilung der Syphilis? gr. 8. (VI, 161 S.) Heidelberg 883. C. Winter. n. 4. —

Pingsmann, W., Santa Theresa de Jesus. Eine Studie üb. das Leben u. die Schriften der heil. Theresia. [1. Vereinsschrift der Görres-Gesellschaft f. 1886.] gr. 8. (IV, 112 S.) Köln 886. Bachem. n. 1. 80

Pink, Otto, der Deutschen Dankesfeier am Tage v. Sedan. Predigt üb. Psalm 108, 1 u. 2. gr. 8. (11 S.) Braunschweig 884. F. Wagner's Verl. n. — 30

Piniński, Leo Graf, der Thatbestand d. Sachbesitzerwerbs nach gemeinem Recht. Eine zivilist. Untersuchg. 1. Bd. gr. 8. (XIV, 409 S.) Leipzig 885. Duncker & Humblot. n. 8. —

Pinkus, Eug., üb. Geburten v. Zwillingen in weit auseinanderliegenden Terminen. gr. 8. (18 S.) Rawitsch 885. (Breslau, Köhler.) n. 1. —

Pinner, Adf., Repetitorium der anorganischen Chemie. Mit besond. Rücksicht auf die Studirenden der Medicin u. Pharmacie bearb. Mit 28 Holzst. 6. Aufl. gr. 8. (IX, 422 S.) Berlin 885. Oppenheim. n. 7. 50; geb. n. 8. —

— Repetitorium der organischen Chemie. Mit besond. Rücksicht auf die Studirenden der Medicin u. Pharmacie bearb. Mit 11 Holzst. 7. Aufl. gr. 8. (XIII, 391 S.) Ebend. 886. n. 6. 50; geb. n. 7. —

Pinner, E. M., Talmud Babylonicum. Tractat Berachoth m. deutscher Uebersetzg. u. den Commentaren Raschi u. Tosephoth, nebst den verschiedenen Verbessergn. aller früheren Ausg. Hinzugefügt sind: Neue Lesarten u. Parallelstellen in allen Theilen dieses Tractates u. der Commentare, Vokalisation der Mischnah, Interpunktion der Mischnah u. Gemara, Raschi u. Tosephoth, Etymologie u. Uebertragg. der fremden Wörter, R. Ascher m. Erläuterg. der Halachah u. den abweich. Lesearten, R. Mosche's Sohnes, R. Maimon's, Commentar zur Mischnah m. Berichtiggn., Einleitg. in den Talmud, enth. Grundprincipien der Methodologie u. Exegetik d. Talmud. Neue Ausg. 6 Lfgn. Fol. (1. Lfg. 16 u. 48 S.) Berlin 883. Gorzelanczyk & Co. n. 12. —

Pinner, O., üb. Struma, s.: Sonderabdrücke der deutschen Medicinal-Zeitung.

Pinter, Herm., Allerlei f. Kinder. gr. 8. (10 Chromolith. auf Carton m. 1 S. Text.) Chemnitz 885. Troitzsch. geb. n. 1. —

— das beste Bilderbuch . kleine Kinder. gr. 4. (12 Chromolith. m. 12 S. Text.) Ebend. 883. geb. 2. 10; unzerreißbar, geb. n. 2. 50; auf Leinw. gedr. n. 3. —

Pinto, J. R. da Gama, Untersuchungen üb. intraoculare Tumoren. Netzhautgliome. Mit 6 lith. Taf. gr. 8. (IV, 99 S.) Wiesbaden 886. Bergmann. n. 4. 60

Pinzger, Ant., Erläuterungen zum Gesetze vom 19. April 1885 betr. die provisorische Regulirung der Congrua. gr. 8. (22 S.) Linz 885. (Haslinger.) — 30

Pinzger, L., die Berechnung u. Construction der Maschinen-Elemente. Für den prakt. Gebrauch, sowie als Handbuch f. Vorlesgn. bearb. 2. u. 3. Hft. gr. 4. Leipzig, Baumgärtner. n. 7. — (1. Abth. cart.: n. 12. —)

1. Die Blechträger. Mit 2 lith. Taf. u. 21 Textfig. (S. 35—60.) 883. n. 3. —. — 3. Einige Notizen üb. die Construction der Gitterträger. Die Keilverbindungen u. die Schraubenverbindungen. Mit 6 lith. Taf. u. 55 Textfig. (IV u. S. 61—100.) 886. n. 4. —

Pinzke, H., das Bewegungsspiel, s.: Trapp, E.

Pionier. Zeitschrift f. volkswirthschaftl. u. sittl. Fortschritt, f. Schulwesen, Rechtsschutz, Hygiene u. Medizinalreform. Red.: A. v. Eye. 1. Jahrg. 1886. 24 Nrn. (B.) gr. 4. Berlin, Expedition. 12. —

— der. Mitteilungen aus der schweizer. permanenten Schulausstellg. in Bern u. Organ f. den Handfertigkeits-Unterricht. Red.: E. Lüthi. 5. Jahrg. 1884. 12 Nrn. (1/2 B.) gr. 4. Bern 884. R. F. Haller-Goldschach. n. 1. —

— dasselbe. 6. Jahrg. 1885. 12 Nrn. (1/2 B.) hoch 4. Bern 885. (Fiala.) n. 1. 20

— dasselbe. 7. Jahrg. 1886. 12 Nrn. (1/2 B.) gr. 4. Ebend. n. 2. —

Piorkowska, J., e. traurige Geschichte, s.: Novellen-Bibliothek, criminalistische.

Piper, C., üb. die vierstelligen graphischen logarithmisch-trigonometrischen Tafeln u. ihre Anwendung zum mechanischen Rechnen. 12. (24 S.) Lemgo 884. Selbstverlag. n. — 50; 1 vierstell. graph. logarithmisch-trigonometr. Taf. in Lichtdr. gr. 8. n. — 80; Zeigerapparat dazu n. 1. 20

Piper, Wilh., die Politik Gregors VII. gegenüber der deutschen Metropolitangewalt. gr. 8. (58 S.) Quedlinburg 884. (Bunzlau, Kreuschmer.) n. 1. 50

Pipers, Gust., am Arysee. — Sirenenstimmen. Zwei Novellen. 8. (147 S.) Riga 886. Jonck & Poliewsky. n. 2. 40; geb. n. 3. —

Pippch, Meester, der gemietliche Erzählert am Stammtisch. gr. 8. (III, 43 S.) Mittweida 888. (Schlüter.) n. — 75

Piranesi, J.-B., oeuvres choisies. Publié par Paul Lange. 1—7. livr. Fol. (à 20 Lichtdr.-Taf.) Wien 885. 86. A. Lehmann. à n. 12. —

— ausgewählte Werke. Hrsg v. Paul Lange. 1—7. Lfg. Fol. (à 20 Lichtdr.-Taf.) Ebend. 885. 86. à n. 12. —

— dasselbe, s.: Bauschatz.

Pirazzi, Emil, Rienzi der Tribun. Geschichtliches Trauerspiel in 5 Aufzügen. 3. Aufl. 8. (167 S.) Frankfurt a/M. 883. Koenitzer. n. 2. —

Pirchann, A., das Militär-Strafgesetz, s.: Gesetze, österreichische.

Pircher, J., Meran als klimatischer Curort m. Rücksicht auf dessen Curmittel. 4. Aufl. 8. (VI, 101 S.) Wien 884. Braumüller. n. 1. 60

Pirkheimer, Willib., Vertheidigung od. Lob d. Podagra. Vor 300 Jahren v. dem hochgelehrten W. P. lateinisch geschrieben, nun aber den deutschen Podagristen zum Trost in ihrer Sprache an den Tag gegeben u. m. Anh., das Mandat u. Privilegium der großen u. weltberühmten Ritterschaft de Podagra enthaltend, versehen durch Mor. Max. Mayer. 8. (47 S.) München 884. Leipzig, Unflad. n. 1. 20

Pisanski's, G. C., Entwurf e. preußischen Literärgeschichte, s.: Publicationen u. Republicationen der Königsberger literarischen Freunde.

Pischon, K., Konfirmandenbuch, s.: Borghardt, L.

Pissemski, Alexis, im Strudel. Roman. Eingeleitet u. übers. v. Wilh. Lange. 2 Bde. Neue bill. Aufl. 8. (XVI, 295 u. 308 S.) Leipzig 885. Unflad. n. 4. —

Pistor, die Behandlung Verunglückter bis zur Ankunft d. Arztes. Anweisung f. Nichtärzte zur ersten Hilfsleistg. Mit 9 Holzschn. 29. Tausend. gr. 8. (15 S.) Berlin 885. Th. Ch. F. Enslin. n. — 50; in Plakatform, 30. Tausend, n. — 50; 2seitig in Etui, 28. Tausend, n. — 50; auf Lederpap. gedr. in Ldr.-Etui. n. 1. —

— 3. Generalbericht üb. das Medizinal- u. Sanitätswesen der Stadt Berlin im J. 1882. gr. 8. (X, 352 S. m. Tab., 2 graph. Steintaf. u. 1 lith. u. color. Plan.) Berlin 884. Hayn's Erben. n. 7. —

Pistorius, Frz., der Aufstand der Dualla. Eine Erzählg. aus unsern Kolonieen. 8. (128 S. m. 1 Chromolith.) Mülheim 886. Bagel. cart. 1. —

— unter den Australnegern,
— der Fall v. Soochow,
— das Gasthaus am Redriver,
— Gordon u. Ben Naffar,
— der Held v. Khartum,
} s.: Volks-Erzählungen, kleine.

— Hiwa, die Insulanerin,
— die beiden Kapitäne,
} s.: Bibliothek interessanter Erzählungen.

— der Negerkönig v. Lunda,
— die Poststation im Ocean,
— die Rebellen,
} s.: Volks-Erzählungen, kleine.

— die Schatzgräber v. Santiado, s.: Bibliothek interessanter Erzählungen.

— das versunkene Schiff,
— das Silberschiff; das unheimliche Wrack,
} s.: Volks-Erzählungen, kleine.

— Fort Snelling. Erzählung aus dem Indianerleben. 8. (127 S. m. 1 Chromolith.) Mülheim 884. Bagel. cart. 1. —

— Rolf Tyndall, der Sträfling, s.: Bibliothek interessanter Erzählungen.

Pitaval, deutscher. Vierteljahrsschrift f. merkwürd. Fälle der Strafrechtspflege d. In- u. Auslandes. Hrsg. v. Hans Blum. 1. Jahrg. 4 Hfte. gr. 8. (à Hft. ca. 163 S.) Leipzig 886. C. F. Winter. à Hft. n. 3. —

— der neue. Eine Sammlg. der interessantesten Criminalgeschichten aller Länder, aus älterer u. neuerer Zeit. Begründet v. J. E. Hitzig u. W. Häring [W. Alexis]. Fortgesetzt v. A. Vollert. 4. Folge. 3—12. Thl. 2. Aufl. 8. (XI, 439; XI, 463; IX, 444; XV, 432; X, 444; XI, 436; IX, 472; XII, 438; IX, 456 u. X, 438 S.) Leipzig 883. Brockhaus. à n. 3. —

— dasselbe. Neue Serie. 18—20. Bd. 8. (IX, 301; XI, 291 u. XII, 316 S.) Ebend. 883. 84. à n. 5. —

Pitavall, Brüderlein fein, s.: Nachtbilder.

Pitawall, Ernst, e. verrathenes Herz. 12. (111 S.) Berlin 885. Goldschmidt. n. — 50

Pitra, Frz., Führer auf der Arlberg-Bahn u. deren Anschlusslinien. 12. (VI, 156 S. m. Taf., Plänen u. Karten.) Romanshorn 885. (Juker.) cart. 2. —; geb. 2. 25

— Innsbruck u. dessen nächste Umgebung. Mit e. Stadtplane u. e. Umgebungskarte. [4. Aufl. v. Erler's Innsbruck.] 8. (59 S.) Innsbruck 885. Wagner. n. — 60

Pitra, Joh. Bapt., Analecta sacra spicilegio Solesmensi parata. Tom. 1—4 et 8. gr. 8. Rom, Spithöver. à n. 12. —

1. Patres Auteniaceni orientales. (XCIV, 704 S.) 876.
2. — Auteniaceni. (XLVII, 660 S., m. 2 Taf.) 884.
3. — dasselbe. (638 S.) 883.
4. — Auteniaceni orientales. (XXXIV, 518 S.) 883.
8. Nova s. Hildegardis opera. (XXIII, 614 S.) 882.

Pitray, Vicomtesse de, geb. Gräfin Ségur, Schloß de la Taudière u. seine Bewohner. Nach dem Franz. v. Phpp. Laicus. Mit 75 Illustr. v. A. Marie. 8. (VI, 295 S.) Freiburg i/Br. 883. Herder. 2. —; geb. n. 2. 50

Pitsch, Hans, Beweis der Giltigkeit d. Fermat'schen Satzes f. die Lichtbewegung in doppeltbrechenden Medien. Lex.-8. (11 S.) Wien 884. (Gerold's Sohn.) n.n. — 25

— über die Isogyrenfläche der doppeltbrechenden Krystalle. [Mit 1 (lith.) Taf.] Lex.-8. (26 S.) Ebend. 885. n.n. — 90

Pitsch, Otto, die Theorie der Bodenbearbeitung u. ihre Anwendung auf die Praxis. Mit 7 Holzschn. gr. 8. (VIII, 160 S.) Dresden 884. G. Schönfeld's Verl. n. 3. —

Plutti, Carl, Regeln u. Erläuterungen zum Studium der Musik-Theorie, f. seinen Unterricht hrsg. gr. 8. (VII, 198 S. m. 5 tabellar. Beilagen.) Leipzig 883. (Pabst.) n. 4. 50

Pizzighelli, G., die Actinometrie od. die Photometrie der chemischwirksamen Strahlen f. Chemiker, Physiker, Optiker, Instrumenten-Fabrikanten, Photographen, in ihrer Entwicklung bis zur Gegenwart. Mit 44 Tab. u. 150 Illustr. in Holzschn. u. Photo-Zinkotypie. gr. 8. (202 S.) Wien 884. Verlag der Photogr. Correspondenz. n. 3. 60

— Handbuch der Photographie f. Amateure u. Touristen. 1. u. 2. Bd. gr. 8. Halle 886. Knapp. n. 15. —

1. Die photogr. Apparate u. die photogr. Processe. Mit 311 Holzschn. (XIII, 436 S.) n. 8. —
2. Die Anwendung der Photographie. Mit 158 Holzschn. (VIII, 355 S.) n. 7. —

Placzek, B., Haskara der Lebendigtodten. Predigt, geh. am Schemini-Azareth 5647 [21. Octbr. 1886]. gr. 8. (8 S.) Brünn 886. Epstein. n. — 35

— Nachruf, geh. an der Bahre d. verewigten mährischen Landes-Rabbiners, Hrn. Abraham Placzek, in derBoskowitzer Synagoge, am 24. Kießlew 5645 [12. Dezbr. 1884]. Nach Aufzeichngn. e. Zuhörers als Mscr. gedr. gr. 8. (8 S.) Ebend. 885. — 30

— „ehre Vater u. Mutter!" Predigt, geh. am Versöhnungstage 5647 [9. Octbr. 1886] im Tempel zu Brünn. gr. 8. (8 S.) Ebend. 886. n. — 40

— „zu eng ist mir der Raum!" Predigt, geh. am 1. Neujahrstage 5647 [30. Septbr. 1886] im neuhergerichteten Tempel zu Brünn. gr. 8. (8 S.) Ebend. 886. n. — 32

Plafond- u. Wanddecorationen d. XVI. bis XIX. Jahrh. Hrsg. v. Ed. Hölzel's Kunstanstalt u. Rhold. Völkel in Wien. Chromolith. nach Entwürfen u. Aufnahmen v. Heinr. Adam, Joh. Deininger, Rud. Feldscharek etc. Mit erklär. Text v. Alb. Ilg. 6 Lfgn. gr. 8. Fol. (à 4 Chromolith. m. 4 Bl. Text.) Wien 883—86. Hölzel. à n. 10. — (cplt. in Mappe n. 60. —)

Plagge, Dietr., Darstellung d. vom 1. Apr. 1885 ab geltenden Jagd-Rechts f. die Prov. Hannover. Zum prakt. Gebrauch ausführlich erläutert durch Ministerialbekanntmachgn., Entscheidgn. höchster Gerichtshöfe u. andere Anmerkgn. f. Jagdvorstände, Jäger, Grundbesitzer u. sonst. Interessenten. gr. 8. (76 S.) Hannover 885. Klindworth. geb. n. 1. —

Plan, neuester v. München m. Umgebungs- u. Eisenbahnkärtchen. Nebst kleinem Wegweiser zu den Sehenswürdigkeiten. Im Auszug aus Trautwein's München 13. Aufl. Mit e. Kärtchen vom Starnberger See u. Plan v. Nymphenburg. 12. (60 S.) München 886. Kaiser. n. — 60; m. chromolith. Plan v. München n. 1. —

Plan d. Stadt-Theaters zu Strassburg i. E. Holzschn. qu. 8. Strassburg 883. v. Wilmowski. n.n. — 15

— u. **Führer,** neuester, durch Wien u. nächste Umgebung. 5. Aufl. 12. (72 S. m. chromolith. Plan.) Wien 886. Lechner's Sort. geb. n. 1. 80

— and **guide,** the newest, of Vienna and environs. 12. (80 S. m. chromolith. Plan.) Ebend. 883. geb. n. 2. 40

— et **guide,** nouveau, de l'étranger à Vienne et dans ses environs. 12. (78 S. m. chromolith. Plan.) Ebend. 884. geb. n. 2. 40

— u. **Wegweiser** d. Ostseebades Heringsdorf (1 : 6000), nebst e. Specialkarte der Umgebung (1 : 90,000). Chromolith. Imp.-4. Practischer Führer f. Badegäste u. Touristen. Curtaxe, Fahrpläne der Schiffs-, Omnibus-, Post- u. Eisenbahn-Verbindg. m. Swinemünde, Stettin, Berlin u. Kopenhagen. Nebst Kortüm's Anleitg. zum Gebrauch d. Seebades. 8. (34 S.) Stettin 884. Dannenberg. n. 1. 25

Planck, J. W., Lehrbuch d. deutschen Civilprozessrechts, s.: Lehrbücher d. deutschen Rechts.

Planck, K. Chr., halbes u. ganzes Recht. Mit e. Einleitg. v. Adf. Gubitz. gr. 8. (XXX, 194 S.) Tübingen 885. Laupp. n. 3. —

Planck, Karl Chrn., s.: Zur Erinnerung.

Planck, Rud., im Kohlenrevier d. Westens. Erzählung aus dem Volksleben. 8. (61 S.) Reutlingen 885. Enßlin & Laiblin. — 20

Pläne der kgl. Theater zu München. 6 Taf. qu. 4. München 886. Palm. n.n. — 50

Planer, Herm., de haud et haudquaquam negationum apud scriptores latinos usu. gr. 8. (91 S.) Jena 886. (Pohle.) 1. 50

Planitz, Antritts- u. Abschiedspredigt, s.: Meier, Einweisungsrede.

Planitz, Ernst v. der, der Dragoner v. Gravelotte. Ein Reiter-Lied aus herrl. Zeit. 2. Aufl. gr. 8. (396 S. m. 1 Lichtdr.-Bild.) München 887. Schweitzer. geb. n. 5. —

— Neu-Deutschland's Heldenbuch. Epen-Cyclus e. fahr. Sängers. 1. Stück. Der Dragoner v. Gravelotte. Ein Reiter-Lied aus herrl. Zeit. gr. 8. (396 S.) München 886. Palm. geb. 8. —

Plant, Fridolin, Alt-Meran u. Zenoburg. Mit 2 Illustr. gr. 8. (15 S.) Meran 883. Plant. — 50

— alttirolische Bauernhöfe. Mit 3 Illustr. gr. 8. (13 S.) Wien 884. Ebend. n. — 80

— Berg-, Burg- u. Thalfahrten bei Meran u. Bozen. Mit Illustr. nach Zeichngn. d. Verf., Grasmairs, Arnold's etc. 8. (241 S.) Ebend. 885. n. 2. 60

— neuer Führer durch Meran u. dessen Umgebung. Mit e. medizin. Beitrag v. R. Hausmann. Mit 1 Karte v. Meran u. Umgebg. von E. v. Hartwig u. 1 Plane v. Meran, Ober- u. Untermais v. Fr. Plant. 4. Aufl. 8. (XXII, 236 S.) Ebend. 886. geb. n. 2. 40

— Andreas Hofer's Gethsemane. Das Nonsthal. 2 Skizzen. Mit Illustr. nach Zeichngn. d. Verf. 12. (27 S.) Wien 884. Ebend. n. — 80

— Panorama v. der Laugenspitze [2429 m]. Hrsg. vom österreich. Touristen-Club. Lith. qu. schmal gr. F°l. Mit Text. gr. 8. (2 S.) Ebend. 884. n. 1. 60

— Panorama v. Meran, gezeichnet mittelst seines k. k. pat. Zeichnen-Apparates. (2. Aufl.) Photogr.-Imitation. qu. schmal Fol. Ebend. 884. n. 3. 60

Planta, Alfr. v., Beitrag zur Kenntniss der deutsch-schweizerischen Hypothekarrechte m. besond. Berücksicht. d. Rechtsinstitutes der sog. Hypothek an eigener Sache. gr. 8. (XI, 256 S.) Zürich 883. (Alb. Müller's Verl.) n. 1. 85

Planta, P. C. v., dramatisirte Geschichten. 1. u. 2. Hft. [Zum Theil in 2. Aufl.] gr. 8. Bern 885. 86. Wyß. n. 6. —

1. (VIII, 276 S.) n. 3. 40. — 2. (232 S.) n. 2. 60

— der dreißigjährige Kampf um e. rätische Alpenbahn.

Historisch dargestellt. gr. 8. (102 S.) Chur 885. Rich. n. 1. 80

Planta, P. C. v., die Reconstruction der Familie u. d. Erbrechts. [Ein Beitrag zur Lösg. der sozialen Frage.] gr. 8. (60 S.) Chur 886. Rich. n. 1. —

Planté, Gaston, Untersuchungen üb. Elektricität. Nach der 2. Ausg. d. Orig.-Werkes ins Deutsche übertr. v. Ign. G. Wallentin. Mit 89 im Text befindl. Fig gr. 8. (VI, 270 S.) Wien 886. Hölder. n. 5. 60

Plantiko, Heinr., an die deutschen Rechtsanwälte. 8. (31 S.) Berlin 884. Feicht. — 75

— ein Urteil d. Reichsgerichts. gr. 8. (36 S.) Ebend. 885. 1. —

Plason, A. de, s.: Recueil des traités et conventions conclus par l'Autriche avec les puissances étrangères.

Plat, du, Geschichte d. Schleswigschen Infanterie-Regiments Nr. 84, s.: Gusmann.

Plate, G., üb. die Ausführung d. Arlberg-Tunnels, s.: Vorträge u. Abhandlungen, technische.

Plate, H., blossoms from the english literature. Englisches Lesebuch f. Mittelklassen m. vollständ. Wörterbuche. 10. Aufl. gr. 8. (VIII, 248 S.) Dresden 883. Ehlermann. n. 1. 20

— kurzgefaßte Grammatik der englischen Sprache. 5. verb. Aufl. 8. (IV, 76 S.) Ebend. 886. cart. n. 1. 20

— naturgemäßer Lehrgang zur schnellen u. gründlichen Erlernung der französischen Sprache. 4. Aufl. 8. (XII, 444 S.) Norden 886. Fischer Nachf. n. 3. —

— vollständiger Lehrgang zur leichten, schnellen u. gründlichen Erlernung der englischen Sprache. I. u. II. gr. 8. Dresden, Ehlermann. n. 3. 85

1. Elementarstufe. 59. Aufl. (VIII, 242 S.) 886. n. 1. 60
2. Mittelstufe. 44. Aufl. (VIII, 363 S.) 883. n. 2. 25

— springflowers from the english literature. Englisches Lesebuch f. Unterklassen m. beigefügtem vollständ. Wörterbuche. 7. Aufl. 8. (IV, 164 S.) Ebend. 884. n. 1. —

Plate, R., e. Beitrag zur Naturheilkunde. Die Heilmittel d. Hrn. H. A. Plate zu Osternburg u. ihre vielseit. Verwendg. gegen Krankheiten der Menschen u. der Hausthiere. Nebst e. Abhandlg. üb. Diphtheritis, ihr Wesen, ihre Heilg. u. Verhütg. Auf Grund zahlreicher u. untrügl. Heilerfolge gemeinverständlich dargestellt. gr. 8. (59 S.) Varel 886. Bültmann & Gerriets Nachf. n. 2. —

Platen's, Aug. Graf v., Werke. 3 Tle. Hrsg. v. Carl Chrn. Redlich. 12. (VIII, 784; IV, 568 u. VII, 396 S.) Berlin 883. Dümmler's Verl. geb. n. 9. —

— dasselbe. 2 Bde. gr. 8. (VIII, 426 u. 442 S.) Berlin 884. Friedberg & Mode Sep.-Cto. n. 3. —

— sämtliche Werke, s.: Bibliothek, Cotta'sche, der Weltlitteratur.

— Gedichte. Hrsg. v. C. Chr. Redlich. 12. (VIII, 781 S.) Berlin 884. Dümmler's Verl. n. 2. 80; geb. n. 3. 50

— dasselbe, s.: Museum.

— Lebens-Regeln. 4. Aufl. 32. (47 S.) Erfurt 883. Bartholomäus. n. — 40

Plath, F. W., Ehre sei Gott in der Höhe! Geistliche Lieder. 8. (32 S.) Berlin 883. (Leipzig, Matthies.) cart. n. — 50

Plath, Johs., der Sonntag, das Geschenk Gottes an die Welt, im Lichte d. Neuen Testaments dem Christenvolke dargestellt. 8. (IV, 32 S.) Berlin 885. Deutsche evangel. Buch- u. Traktat-Gesellschaft. n. — 30

Platner, Gust., die Struktur u. Bewegung der Samenfäden bei den einheimischen Lungenschnecken. 8. (16 S. m. 1 Steintaf.) Göttingen 885. Vandenhoeck & Ruprecht's Verl. n. — 60

Platonis opera quae feruntur omnia. Ad codices denuo collatos ed. Mart. Schanz. Vol. VI fasc. 2. Charmides, Laches, Lysis. gr. 8. (VIII, 90 S.) Leipzig 883. B. Tauchnitz. n. 2. —

— dasselbe. Vol. IX. Hippias major, Hippias minor, Jo, Menexenus, Clitopho. gr. 8. (XXIV, 103 S.) Ebend. 885. n. 3. —

— dasselbe. Nr. 10. gr. 8. Ebend. 885. — 45

Hippias maior, Hippias minor, Jo, Menexenus, Clitopho. Ed. ster. (S. 221—302.)

— opera omnia. Rec., prolegomenis et commentariis instruxit Godofr. Stallbaum. Vol. VI sect. II. Ed. II. E. s. t.: Platonis Meno et Eutyphro. Incerti scriptoris Theages, Erastae, Hipparchus. Rec., prolegomenis et commentariis instruxit Ad. Rich. Fritzsche. gr. 8. (VIII, 347 S.) Leipzig 885. Teubner. 6. —

Plato's Werke. 1—4., 16., 17., 19. u. 24. Lfg. 8. Berlin 885. 86. Langenscheidt. à n. — 35

1. 2. Phädon. Deutsch v. K. Prantl. 2. Aufl. (98 S.)
3. 4. Gastmahl. Deutsch v. K. Prantl. 1. u. 2. Lfg. 3. Aufl. (93 S.)
16. 17. Apologie od. Verteidigungsrede d. Sokrates. Deutsch v. K. Prantl. 1. u. 2. Lfg. 5. Aufl. (50 S.)
19. Euthyphron u. Kriton. Deutsch v. Ed. Eyth. 2. Lfg. 3. Aufl. (S. 17—46.)
24. Protagoras u. Laches. Deutsch v. Ed. Eyth. 3. Lfg. 3. Aufl. (S. 65—110.)

— dasselbe, s.: Collection Spemann.

— dasselbe, s.: Prosaiker, griechische, in neuen Uebersetzungen.

— Apologia et Crito. Scholarum in usum ed. Jos. Kral. Accedunt Phaedonis c. LXIV—LXVII. 8. (XVI, 57 S.) Leipzig 885. Freytag. n. — 40

— Apologie d. Sokrates u. Kriton. Für den Schulgebrauch bearb. v. Ed. Goebel. gr. 8. (XVI, 112 S.) Paderborn 883. F. Schöningh. n. 1. 20

— Charmides, Laches, Lysis. Ed. Mart. Schanz. gr. 8. (72 S.) Leipzig 883. B. Tauchnitz. — 45

— Cratylus. Theaetetus. Post Carol. Frid. Hermannum recognovit Mart. Wohlrab. (Opera. Nr. 2.) 8. (202 S.) Leipzig 884. Teubner. — 90

— ausgewählte Dialoge. Erklärt v. Herm. Sauppe u. C. Schmelzer. 2—4., 6—9. Bd. 8. Berlin, Weidmann. 11. 50

2. Protagoras. 4. Aufl. (148 S.) 884. 1. 20
3. Phädo. (118 S.) 883. 1. 20
4. Apologie. Krito. (92 S.) 883. 1. 20
6. Menon. Eutyphron. (111 S.) 883. 1. 20
7. Der Staat. 1. u. 2. Abtlg. (203 u. 260 S.) 884. 4. 80
8. Charmides. Lysis. (90 S.) 1. —
9. Laches. Ion. (80 S.) — 90

— Gorgias, s.: Universal-Bibliothek.

— Laches. In usum scholarum rec. et verborum indicem addidit Mich. Gitlbauer. 8. (49 S.) Freiburg i/Br 884. Herder. n. — 40; Einbd. n.n. — 30

— Laches, s.: Universal-Bibliothek.

— Protagoras. Für den Schulgebrauch erklärt v. H. Bertram. Ausg. A. Kommentar unterm Text. gr. 8. (III, 93 S.) Gotha 885. F. A. Perthes. n. 1. —; Ausg. B. Text u. Kommentar getrennt in 2 Hftn. (III, 51 u. 41 S.) n. 1. —

— dasselbe. Scholarum in usum ed. Jos. Král. 8. (VII, 70 S.) Leipzig 886. Freytag. n. — 40

— Protagoras, s.: Universal-Bibliothek.

— ausgewählte Schriften f. den Schulgebrauch erklärt v. Chrn. Cron u. Jul. Deuschle. 2., 4—6. Tl. gr. 8. Leipzig, Teubner. n. 8. 10

2. Gorgias. Erklärt v. Jul. Deuschle. 4. Aufl., bearb. v. Chrn. Wilh. Jos. Cron. (VIII, 232 S.) 886. n. 2. 10
4. Protagoras. Erklärt v. Jul. Deuschle. 4. Aufl., bearb. v. Chrn. Wilh. Jos. Cron. (V, 140 S.) 884. 1. 50
5. Symposion. Erklärt v. Arnold Huy. 2. Aufl. (LXVII, 232 S.) 885. 3. —
6. Phaedon. Erklärt v. Mart. Wohlrab. 2. Aufl. (VI, 156 S.) 884. 1. 50

— Verteidigungsrede d. Sokrates u. Kriton. Für den Schulgebrauch erklärt v. H. Bertram. gr. 8. (IV, 90 S.) Gotha 882. F. A. Perthes. n. 1. —

Plattdütsch ut Düötm van L. 8. (70 S.) Dortmund 886. (Krüger.) n. — 50

Platter, J., Gustav Cohns „ethische" Nationalökonomie. [Aus: „Deutsche Worte".] gr. 8. (36 S.) Wien 886. (Pichler's Wwe. & Sohn.) n. — 80

— die Pflichten d. Besitzes, s.: Zeit- u. Streit-Fragen, deutsche.

Platter, J. C., Josef Eisenstecken. Ein Lebensbild aus dem J. 1808. 16. (38 S.) Meran 885. Jandl. — 60

Plattner, P., Johann Caldar, s.: Bibliothek vaterländischer Schauspiele.

— Elementarbuch der französischen Sprache. gr. 8. (VIII, 223 S.) Karlsruhe 884. Bielefeld's Verl. n. 1. 25

Plattner, P., französisches Elementarbuch. Uebersetzung der in den Uebgn. enthaltenen Stücke. Als Schlüssel f. die Hand d. Lehrers, nebst e. Anleitg. zum Gebrauch d. Elementarbuchs u. e. Reihe leichter Uebungssätze. gr. 8. (54 S.) Karlsruhe 884. Bielefeld's Verl. n.n. 1. 50

— Uebersetzung der im Uebungsbuch zur französischen Schulgrammatik enthaltenen Stücke. Als Schlüssel f. die Hand d. Lehrers. gr. 8. (86 S.) Ebend. 883. n.n. 1. 50

— Uebungsbuch zur französischen Schulgrammatik. gr. 8. (IV, 211 S.) Ebend. 883. n. 1. 20

— Vorstufe f. das Elementarbuch der französischen Sprache. gr. 8. (32 S.) Ebend. 885. cart. n. — 30

Platz, B., der Mensch, sein Ursprung, seine Rassen u. sein Alter. Mit ca. 200 Illustr., wovon 30 Vollbilder. (In ca. 20 Hftn.) 1. Hft. Lex.-8. (64 Sp.) Würzburg 886. Woerl. n. — 50

Platz, Phpp., geologische Skizze d. Großherzogth. Baden m. e. geologischen Uebersichtskarte, 1 : 400 000. Lex.-8. (23 S.) Karlsruhe 886. Bielefeld's Verl. n. 5. —; Karte ap. n. 4. 50

Plaumann, Emil, „Markgraf Rüdeger v. Bechelaren" v. F. Dahn u. das Nibelungenlied. 4. (25 S.) Graudenz 885. (Leipzig, Fock.) n. 1. —

Plaut, H. C., das organisirte Contagium der Schafpocken u. die Mitigation desselben nach Toussaint's Manier, s.: Vorträge f. Thierärzte.

Plaut, Hugo, Beitrag zur systematischen Stellung d. Soorpilzes in der Botanik. Mit 2 Holzschn. gr. 8. (16 S.) Leipzig 885. H. Voigt. n. — 40

— über Desinfection der Viehställe. gr. 8. (22 S.) Ebend. 884. n. — 50

— Färbungs-Methoden zum Nachweis der fäulnisserregenden u. pathogenen Mikroorganismen. 2. Aufl. gr. 8. (IV, 32 S.) Ebend. 885. n. — 60

— Untersuchung üb. e. neue Krankheit der Lämmer. Mit e. lith. u. 1 Lichtdr.-Taf. gr. 8. (20 S.) Ebend. 883. n. — 80

Plauti, T. Macci, comoediae, recognovit Frdr. Leo. Vol. I, Amphitruonem, Asinariam, Aululariam, Bacchides continens. gr. 8. (X, 178 S.) Berlin 885. Weidmann. 1. 80

— dasselbe, rec., instrumento critico et prolegomenis auxit Frdr. Ritschelius, sociis operae adsumptis Gust. Loewe, Geo. Goetz, Frdr. Schoell. Tomi I. facs. 1. tomi II. fasc. 3—5. et tomi III. fasc. 1. gr. 8. Leipzig, Teubner. n. 21. 80

I. 1. Trinummus. Ed. III. a Frdr. Schoell recognita. (LXIV, 199 S.) 884. n. 5. 60
II. 3. Mercator, rec. Frdr. Ritschelius. Ed. II. a Geo. Goetz recognita. (XIII, 124 S.) 883. n. 3. 60
4. Stichus. Ed. II. a Geo. Goetz recognita. (XVI, 110 S.) 883. n. 3. 60
5. Poenulus, recensuerunt Ritschelii schedis adhibitis Geo. Goetz et Gust. Loewe. (XXVI, 176 S.) 884. n. 5. —
III. 1. Bacchides, rec. Frdr. Ritschelius. Ed. II. a Geo. Goetz recognita. (XI, 144 S.) 886. n. 4. —

— dasselbe. Rec. et enarravit Jos. Ludov. Ussing. Vol. IV pars 2 et Vol. V. gr. 8. Havniae. Leipzig, T. O. Weigel. n.n. 28. 50 (I—III, 1. IV, V: n.n. 70. —)

IV. 2. Pseudolum et Poenulum cont. (VIII, 363 S.) 883. n.n. 10. —
V. Persam, Rudentem, Stichum, Trinummum, Truculentum continens. (662 S.) 886. n. 18. 50

— fabularum deperditarum fragmenta, collegit Frz. Winter. gr. 8. (99 S.) Bonn 885. Cohen & Sohn. n. 2. 80

— ausgewählte Komödien. Für den Schulgebrauch erklärt v. Jul. Brix. 2. Bdchn.: Captivi. 4. Aufl. gr. 8. (IV, 116 S.) Leipzig 884. Teubner. n. 1. —

— dasselbe. Erklärt v. Aug. O. Fr. Lorenz. 2. u. 3. Bdchn.: 2. Aufl. gr. 8. Berlin, Weidmann. 5. 10

2. Mostellaria. (239 S.) 883. 2. 40
3. Miles gloriosus. (VII, 294 S.) 886. 2. 70

Playfair, W. S., die systematische Behandlung der Nervosität u. Hysterie. Autoris. deutsche Ausg. v. A. Tischler. 8. (80 S.) Berlin 883. Dümmler's Verl. n. 2. —

Plays, German classical. Nr. 1—3. 12. Dresden 885. 86. Pierson. à n. 1. —

1. Wilhelm Tell by Frdr. Schiller. Translated into english by Edward Stanhope Pearson. 2. ed. (IV, 127 S.)
2. Wallenstein by Frdr. Schiller. Translated into English by Edward Stanhope Pearson. 1. part: Wallenstein's camp. The Piccolomini. (151 S.)
3. The same. 2. part. Wallenstein's death. (157 S.)

Plays, pseudo-Shakespearian. I—III. gr. 8. Halle 883. 86. Niemeyer. à n. 2. —

I. The comedie of Faire Em, revised and ed. with introduction and notes by Karl Warnke and Ludw. Proescholdt. (XV, 63 S.)
II. The merry devil of Edmonton. Revised and edited with introduction and notes. (XVII, 61 S.)
III. King Edward III. Revised and edited with introduction and notes by Karl Warnke and Ludw. Proescholdt. (XXXIV, 92 S.)

Plechawski, Emil, die Weltzeit, populär dargestellt. 12. (12 S. m. 2 Fig.) Wien 885. Konegen. n. — 40

Plehn, F., Brillen u. Brillenbestimmung, s.: Sonderabdrücke aus der Deutschen Medicinal-Zeitung.

Pleier, Tandareis u. Flordibel, s.: Khull, F.

Pleier, Frz., der Unterricht im Freihandzeichnen. Vortrag. gr. 8. (56 S. m. Fig.) Karlsbad 882. (Knauer.) n. 1. 20

Pleines, A., Iliat u. Elision im Provenzalischen, s.: Ausgaben u. Abhandlungen aus dem Gebiete der romanischen Philologie.

Pleisch, Andr., die Religion u. Philosophie der Indier u. ihr Einfluss auf die Religionen der Völker. Mit e. naturwissenschaftl. Betrachtg. als Anh. gr. 8. (IV, 125 S.) Chur 881. (Rich.) n. 2. —

Pleithner, Frz. Xav., älteste Geschichte d. Breviergebetes od. Entwicklung d. kirchl. Stundengebetes bis in das 5. Jahrh. Nach den Quellen kritisch bearb. gr. 8. (XIV, 319 S.) Kempten 887. Kösel. 4. 20

Plenarbeschlüsse u. **Entscheidungen** d. k. k. Cassationshofes, veröffentlicht v. der Red. der allg. österreich. Gerichtszeitung. 1. 2. 5—7. Bd. 8. Wien, Manz. n. 19. —; geb. n. 24. —

1. Entscheidungen 1—100. [Mit doppeltem Register.] 2. Aufl. (XV, 532 S.) 884. n. 4. —; geb. n. 5. —
2. Entscheidungen 101—200. [Mit doppeltem, die erschienenen 2 Bde. umfass. Register.] 2. Aufl. (XV, 592 S.) 884. n. 5. —; geb. n. 6. —
5. Entscheidungen Nr. 401—500. [Mit doppeltem, die erschienenen 5 Bde. umfass. Register.] (XV, 347 S.) 883. n. 3. —; geb. n. 4. —
6. Entscheidungen Nr. 501—600. (XIV, 305 S.) 884. n. 3. —; geb. n. 4. —
7. Entscheidungen Nr. 601—750. Mit doppeltem, die erschienenen 7 Bde. umfass. Register. (XVII, 446 S.) 886. n. 4. —; geb. n. 5. —

Plener, Ernst v., Ferdinand Lassalle. gr. 8. (V, 86 S.) Leipzig 884. Duncker & Humblot. n. 1. 80

— drei Reden, geh. im böhm. Landtag in der Session 1885/6 üb. die Aufheb. der Sprachenverordng. u. die nationale Abgrenzg. der Bezirke. gr. 8. (103 S.) Prag 886. Tempsky. n. — 80

Plenker's, Wilh., der Däne Niels Stensen. Ein Lebensbild, nach den Zeugnissen der Mit- u. Nachwelt entworfen. Mit dem Portr. Stensens. [Ergänzungshefte zu den „Stimmen aus Maria-Laach". 25 u. 26.] gr. 8. (VIII, 206 S.) Freiburg i/Br. 884. Herder. n. 2. 75

Plenkner, Wilh., Beitrag zur Lösung der Frage üb. das Verhältniss zwischen Niederschlagsmenge u. Abflussmenge e. Flussgebietes. gr. 8. (8 S. m. 1 Fig.) Prag 886. (Bursik & Kohout.) — 30

Pleske, Th., Übersicht der Säugethiere u. Vögel der Kola-Halbinsel, s.: Beiträge zur Kenntniss d. Russischen Reiches u. der angrenzenden Länder.

Plessner, E., die Stellung der Juden im Staate. Ein Wort zu seiner Zeit! Nebst e. Anh.: Das gedankenharmon. Doppelfest. Vortrag, geh. zum 25jähr. Jubiläum der Alliance israélite universelle gr. 8. (20 S.) Berlin 886. Pinn. — 50

Plessner, Ferd., Anleitung zur Ermittelung der Betriebs-Einnahmen u. Ausgaben der Localbahnen v. verschiedener Länge u. Projectionsverhältnissen. gr. 8. (68 S.) Berlin 883. Polytechn. Buchh. n. 2. 50

Pleßner, M., die neueste Erfindung. Das Antiphon. Ein Apparat zum Unhörbarmachen v. Tönen u. Geräuschen. 2. Aufl. gr. 8. (48 S.) Rathenow 885. (Haase.) n. 1. —

Pleßner, Salomon, nachgelassene Schriften. 1. Bd.: Predigten. Hrsg. v. Elias Pleßner. 1—3. Lfg. gr. 8. (IV, 432 S.) Frankfurt a/M. 884—86. Kauffmann. à n. 2. —

Pletsch, Osk., daheim. 20 Orig.-Zeichngn. (in Holzschn.). Mit e. Eingangsgedicht v. Jul. Lohmeyer. 2. Aufl. gr. 8. (22 Bl.) Leipzig 883. A. Dürr. cart. n. 2. —

— im Freien. 20 Orig.-Zeichngn. (in Holzschn.). Mit e. Eingangsgedicht v. Jul. Lohmeyer. 2. Aufl. gr. 8. (22 Bl.) Ebend. 883. cart. n. 2. —

— ein Gang durch's Dörfchen. 16 Orig.-Compositionen. Mit Reimen v. Frdr. Oldenberg. 2. Aufl. In lith. Farbendr. gr. 4. (16 Bl.) Ebend. 883. cart. n. 4. 50

— wie's im Hause geht nach dem Alphabet. In 25 Bildern entworfen u. auf Holz gezeichnet. In Holzschn. ausgeführt v. H. Bürkner. 7. Aufl. gr. 4. (24 S.) Ebend. 885. cart. n. 3. —

— die Kinderstube in 36 Bildern. In Holz geschnitten v. Aug. Gaber. 4. Aufl. gr. 8. (Mit eingedr. u. 2 Bl. Text.) Hamburg 885. Agentur d. Rauhen Hauses. cart. n. 2. 40

— kleine Sippschaft. Mit Versen v. Vict. Blüthgen. gr. 4. (16 Chromolith. m. eingedr. Text.) Glogau 883. Flemming. geb. 6. —

Pletscher, Sam., Führer durch Basel u. Umgebung. 16. (63 S. m. Holzschn.) Basel 884. Jenke. geb. — 60

— Führer durch den Schwarzwald, Odenwald, Kaiserstuhl, Randengebirge, Hegau, Donauthal u. die Ufergegenden des Bodensees, sowie durch die angrenzenden Gebiete der Nordschweiz u. Württembergs. Reisetaschenbuch. Mit General- u. Specialkarten, Panoramen, Stadtplänen u. Illustr. 12. (LXXXIV, 427 S.) Zürich 883. Schmidt. geb. n. 4. —

— guide pour Bâle et ses environs. 16. (64 S. m. Holzschn.) Basel 884. Jenke. — 60

— guide of Basle and environs. 16. (64 S. m. eingedr. Holzschn.) Ebend. 884. geb. — 60

— der Rheinfall bei Schaffhausen, s.: Reisebilder, illustrirte, aus Süddeutschland u. Schweiz.

Plett, C., Jakob von Essen. Ein Lebensbild, gezeichnet zum Andenken an den Heimgegangenen. 8. (24 S.) Ahrensburg 883. (Ziese.) n. — 50

Pletz, W., in stürmischer Märznacht, s.: Erzählungen aus Heimat u. Ferne.

Plew, J., kritische Beiträge zu den Scriptores historiae Augustae. gr. 4. (32 S.) Strassburg 885. (Trübner.) n. 1. 50

Plieninger, Gust., Beispiele d. Guten, } s.: Universal-Bibliothek f. die Jugend.

— Hilfe in der Not, } s.: Universal-Bibliothek f. die Jugend.

— vom schwarzen Continente, } s.: Universal-Bibliothek f. die Jugend.

— David Livingstone. Ein Lebensbild d. großen Entdeckers u. Missionars, f. d. deutsche Lesewelt, besonders die reifere Jugend nach den Quellen dargestellt. Mit Livingstones Portr., 43 in den Text gedr. Illustr., 6 Farbdr.-Bildern u. 1 Karte. gr. 8. (V, 270 S.) Stuttgart 885. Kröner. geb. 5. 50

— die Kukuksburg. Erzählung. Mit 8 feinen Bildern. 3. Aufl. 12. (96 S.) Eßlingen 884. Schreiber. cart. n. — 75

Plischke, Max, das Rechtsverfahren Rudolfs v. Habsburg gegen Ottokar v. Böhmen. gr. 8. (78 S.) Bonn 885. Cohen & Sohn. n. 1. 20

Plitt, die Revision der lutherischen Bibelübersetzung u. die Hallische Probebibel v. 1883. Vortrag, geh. am 2. Juli 1884 in der Jahresversammlg. d. wissenschaftl. Predigervereins der evangelischen Geistlichkeit Badens. Nebst Uebersicht der auf den Vortrag folg. mündl. Verhandlgn. u. e. Anh.: Weitere Beiträge zur Charakteristik der Hallischen Probebibel. 8. (39 S.) Karlruhe 884. Macklot. n. 1. —

Plitt, C., das eheliche Güterrecht u. das Erbrecht Lübeck's, in seinen Grundzügen dargestellt. gr. 8. (IV, 122 S.) Wismar 884. Hinstorff Verl. n. 2. 50

Plitt, Gust., D. Martin Luthers Leben u. Wirken. Zum 10. Novbr. 1883 dem deutschen evangel. Volke geschildert. Vollendet v. E. F. Petersen. 2—9. (Schluß-)Lfg. gr. 8. (X u. S. 49—570.) Leipzig 883. Hinrichs' Verl. à — 50 (cplt.: n. 4. 50; geb. n. 5. 50)

Plitt, Gust., Dr. Martin Luthers Leben u. Wirken. Zum 10. Novbr. 1883 dem deutschen evangel. Volke geschildert. Vollendet v. E. F. Petersen. 2. Aufl. gr. 8. (VIII, 562 S. m. Portr. in Holzschn.) Leipzig 883. Hinrichs' Verl. n. 4. 50; geb. n. 5. 50

Plitt, Jak. Thdr., Katechismus-Unterricht nach dem Katechismus f. die evangel.-protest. Kirche im Großherzogt. Baden. gr. 8. (III, 224 S.) Lahr 883. Schauenburg. n. 2. 50; geb. n. 3. —

— die Perikopen u. Lektionen f. die evangelisch-protestantische Kirche im Großherzogt. Baden, f. die Gemeinde kurz erläutert. 1. Hft.: Die erste Evangelienreihe. gr. 8. (144 S.) Heidelberg 886. K. Groos. n. 1. 40

Pliverić, Jos., Beiträge zum ungarisch-kroatischen Bundesrechte. Rechtliche u. polit. Erörtergn. 8. (XIII, 540 S.) Agram, 886. Hartman's Verl. n. 6. —

Ploner, Otto, Verstaatlichung d. Versicherungswesens? Eine brenn. Zeitfrage, bejahend beantwortet. gr. 8. (39 S.) München, 884. Franz' Verl. n. — 50

Ploennies, Luise v., Lilien auf dem Felde. Neue Ausg. 16 (X, 301 S.) Leipzig 883. Fr. Richter. geb. m. Goldschn. n. 3. —

Ploss, H., zur Geschichte, Verbreitung u. Methode der Frucht-Abtreibung. Culturgeschichtlich-medicin. Skizze. gr. 8. (IV, 47 S.) Leipzig 883. Veit & Co. n. 1. 40

— Geschichtliches u. Ethnologisches üb. Knabenbeschneidung. gr. 8. (32 S.) Leipzig 885. Hirschfeld. n. 1. —

— das Kind in Brauch u. Sitte der Völker. Anthropologische Studien. 2. Aufl. Neue Ausg. 2 Bde. gr. 8. (X, 394 u. IV, 478 S.) Leipzig 884. Th. Grieben. n. 12. —; geb. n.n. 15. —

— das kleine Kind vom Tragbett bis zum ersten Schritt. Ueber das Legen, Tragen u. Wiegen, Gehen, Stehen u. Sitzen der kleinen Kinder bei den verschiedenen Völkern der Erde. Beobachtungen u. Studien. Mit weit üb. 100 Abbildgn. (2. Ausg.) gr. 8. (XII, 120 S.) Ebend. 884. n. 2. —; geb. n.n. 3. —

— das Weib in der Natur- u. Völkerkunde. Anthropologische Studien. 2 Bde. gr. 8. (VIII, 480 u. IV, 598 S.) Ebend. 884. n. 16. —; geb. n. 19. —

Plotini Enneades, praemisso Porphyrii de vita Plotini deque ordine librorum eius libello ed. Ric. Volkmann. 8. (LVI, 526 S.) Leipzig 884. Teubner. 5. 40

Plotnikow, Vict., Untersuchungen üb. die Vasa vasorum. Inaugural-Dissertation. gr. 8. (31 S.) Dorpat 884. (Karow.) n. 1. —

Ploetz, Gust., methodisches Lese- u. Übungsbuch zur Erlernung der französischen Sprache 2. Tl.: Syntax. gr. 8. (VIII, 220 S.) Berlin 885. Herbig. n. 1. 50 (1. u. 2.: n. 2. 80)

Den 1. Tl. s.: Ploetz, K.

Ploetz, Karl, Anhang zum Elementarbuch u. Elementargrammatik. 2. Aufl. gr. 8. (23 S.) Berlin 886. Herbig. n. — 20

— conjugaison française. 2. Stufe f. den französ. Unterricht in Töchterschulen. Mit e. Lesebuch u. Vokabular. 14. Aufl. 8. (VI, 186 S.) Ebend. 886. n. 1. —; Einbd. n.n. — 20

— dasselbe. Anhang 8. (20 S.) Ebend. 886. n.n. — 15

— corrigé des exercices de syntaxe à l'usage de la 1e et de la 2e classe des lycées et des écoles dites réales. 5. éd. 8. (XIV, 194 S.) Ebend. 886. n. 2. —

Wird nur an Lehrer direkt abgegeben.

— systematische Darstellung der französischen Aussprache od. Anleitung f. den französ. Unterricht m. Belegen aus dem Pariser Théâtre-français. 11. verm. u. verb. Aufl. 8. (VIII, 184 S.) Ebend. 884. n. 1. 50

— Elementarbuch der französischen Sprache nach e. Stufenfolge f. die Einübung d. Aussprache u. m. Bezeichnung derselben f. die Vokabeln. 36. Aufl. gr. 8. (VIII, 196 S.) Ebend. 885. n. 1. 20

— Elementar-Grammatik d. französischen Sprache. 15. Aufl. gr. 8. (XII, 224 S.) Ebend. 885. n. 1. 25

— lateinische Elementar-Grammatik [2. u. letzter

Kurs. der latein. Vorschule]. 3. verb. Aufl. gr. 8. (XII, 389 S.) Berlin 883. Herbig. n. 2. —; Einbd. n.n. — 30

Ploetz, Karl, kurzgefasste systematische Grammatik der französischen Sprache. 3. verb. Aufl. gr. 8. (VIII, 184 S.) Berlin 886. Herbig. n. 1. 80; Einbd. n.n. — 20

— Hülfsbuch f. den Unterricht nach der Elementargrammatik u. der methodischen Stufenfolge der Syntax u. Formenlehre. (Nur f. Lehrer.) 3. verb. Aufl. 8. (VI, 138 S.) Ebend. 885. n. 1. 50

— lectures choisies. Französische Chrestomathie m. Wörterbuch. 21. Aufl. 8. (XII, 388 S.) Ebend. 884. n. 2. —; Einbd. n.n. — 25

— methodisches Lese- u. Übungsbuch zur Erlernung der französischen Sprache. 1. Tl.: Aussprache u. Wortlehre. 3. Aufl. gr. 8. (XVI, 352 S.) Ebend. 886. n. 1. 60
Den 2. Thl. s.: Ploetz, Gust.

— dasselbe. Schlüssel zu Tl. I u. II. Hrsg. v. Gust. Ploetz. 8. (III, 180 S.) Ebend. 887. n. 2. —
Wird nur an Lehrer abgegeben.

— manuel de littérature française. 8. éd. soigneusement revue. gr. 8. (XLVIII, 784 S.) Ebend. 886. n. 5.—; Einbd. n.n. — 50

— Schulgrammatik der französ. Sprache. 29. Aufl. gr. 8. (XVI, 496 S.) Ebend. 885. n. 2. 50

— syllabaire français. Erste Stufe f. den französ. Unterricht in Töchterschulen. Nach e. Stufenfolge zur Einübg. der Aussprache. 19. Aufl. 8. (VIII, 124 S.) Ebend. 884. — 90

— Übungen zur Erlernung der französischen Syntax f. die Secunda u. Prima v. Gymnasien u. Realschulen. 7. Aufl. gr. 8. (XII, 198 S.) Ebend. 883. n. 1. 25; Einbd. n.n. — 20

— vocabulaire systématique et guide de conversation française. Methodische Anleitg. zum französisch Sprechen. 17. Aufl. 8. (XII, 456 S.) Ebend. 883. n. 2. —; Einbd. n.n. — 25

— english vocabulary. Methodische Anleitg. zum englisch Sprechen m. durchgeh. Bezeichng. der Aussprache. 2. verm. u. verb. Aufl. 8. (X, 304 S.) Ebend. 883. n. 2. 25

— voyage à Paris. Sprachführer f. Deutsche in Frankreich. Praktisches Handbuch der französ. Umgangssprache. 10. Aufl. 12. (VI, 122 S.) Ebend. 886. n. 1. —; geb. n. 1. 40

— Zweck u. Methode der französischen Unterrichtsbücher. 5. Aufl. 8. (IV, 74 S.) Ebend. 885. Nur f. Lehrer gratis.

Ploudien, E., u. J. **Adonis,** zu schön, s.: Universal-Bibliothek.

Plugge, P. C., die wichtigsten Heilmittel in ihrer wechselnden chemischen Zusammensetzung u. pharmakodynamischen Wirkung, übersichtlich dargestellt. Hrsg. durch die „Nederlandsche maatschappij tot bevordering der geneeskunst". [Amsterdam, F. van Rossen 1885.] Mit Bewilligg. d. Verf. aus dem Holl. übers. v. Fd. Schär. gr. 8. (XII, 119 S. m. 78 Tabellen.) Jena 886. Fischer. n. 3. 60

Plüggé, Thdr., das Choralbuch f. das neue schleswig-holsteinische Gesangbuch. Ein Beitrag zur Lösg. der Choralbuchfrage. gr. 8. (24 S.) Segeberg 884. Meier. n. — 40

Plümacher, O, der Pessimismus in Vergangenheit u. Gegenwart. Geschichtliches u. Kritisches. gr. 8. (XII, 355 S.) Heidelberg 884. Weiss' Verl. n. 7. 20

Plümer, E., W. **Haupt** u. C. Fr. **Bachmann,** Handbuch f. den Unterricht in der deutschen Litteratur an höheren Mädchenschulen u. Lehrerinnen-Seminarien. gr. 8. (XVI, 635 S.) Kassel 883. Kay. n. 4. —

— — — deutsches Lesebuch f. höhere Lehranstalten, insbesondere f. Mädchenschulen. 5. u. 6. Tl. 2., verb. Aufl. gr. 8. Ebend. 885. n. 4. 60
5. (VIII, 362 S.) n. 2. —. — 6. (VIII, 364 S.) n. 2. 60

Plüß, B., unsere Bäume u. Sträucher. Bestimmung nach dem Laube u. kurze Beschreibg. unserer wildwachs. Holzpflanzen m. Einschluß der Obstbäume u. einiger Ziergewächse. Mit 66 Holzschn. 12. (VII, 112 S.) Freiburg i/Br. 884. Herder. geb. n. 1. 50

Plüss, B., naturgeschichtliche Bilder f. Schule u. Haus. Zoologie — Botanik — Mineralogie. 230 Taf. m. 700 Holzschn. u. mehr als 1000 Aufgaben. 2. Aufl. Lex.-8. (VIII, 236 S.) Freiburg i/Br. 885. Herder. n. 4. —; geb. in Leinw. n. 6. —; Einbd. in Halbleinw. n.n. — 60

— Leitfaden der Naturgeschichte. Zoologie — Botanik — Mineralogie. 4. Aufl. gr. 8. (VII, 299 S.) Ebend. 886. n. 2. 70; Einbd. n.n. — 30

— Naturgeschichte im Anschluß an das Lesebuch v. J. Bumüller u. J. Schuster. Illustr. Ausg., neu bearb. Mit 200 Holzschn. 8. (XI, 376 S.) Ebend. 886. n. 2. —; geb. n. 2. 25

Plüss, Hans Thdr., Vergil u. die epische Kunst. gr. 8. (367 S.) Leipzig 884. Teubner. n. 8. —

Plutarch, der neue. Biographien hervorrag. Charaktere der Geschichte, Literatur u. Kunst. Hrsg. von Rud. v. Gottschall. 10. u. 11. Thl. 8. (VII, 383 u. VII, 359 S.) Leipzig 884. 85. Brockhaus. à n. 6. —; geb. à n. 7. —

Plutarch's Werke, s.: Prosaiker, griechische, in neuen Uebersetzungen.

— Biographieen. Deutsch v. Ed. Eyth. 11., 12., 25. u. 26. Lfg. 2. Aufl. 8. (6. Bdchn. 106 u. 13. Bdchn. 100 S.) Berlin 885. 86. Langenscheidt. à n. — 35

— ausgewählte Biographieen. Für den Schulgebrauch erklärt v. Otto Siefert u. Frdr. Blass. 3. Bdchn. Themistokles u. Perikles. Von Frdr. Blass. 2. Aufl. gr. 8. (136 S.) Leipzig 883. Teubner. 1. 50

— Königs- u. Feldherrnsprüche, in Auswahl deutsch bearb. v. Ed. Eyth. 2. Aufl. 8. (224 S.) Heidelberg 883. C. Winter. geb. n. 1. 50

— Themistokles, f. quellenkrit. Uebgn. commentiert u. hrsg. v. Adf. Bauer. gr. 8. (IV, 104 S. m. 2 Tab.) Leipzig 884. Teubner. n. 2. —

Pocci, Frz., lustiges Komödienbüchlein. 1. Bdchn. 3. Aufl. 16. (272 S.) München 883. Stahl sen. 2. 40

— dramatische Spiele f. Kinder. 2. Aufl. 8. (71 S) München 883. Mey & Widmeyer. n. 1. —; cart. n. 1. 25

— güldenes Weihnachts-ABC, m. Verslein v. J. B. Bach. 32. (24 Chromolith. m. eingedr. Text.) Ebend. 884. n. 1. —

Počta, Phpp., Beiträge zur Kenntniss der Spongien der böhmischen Kreideformation. 1—3. Abth. gr. 4. Prag, (Calve). n. 5. 44
1. Hexactinellidae. Mit 3 lith. Taf. u. 19 Fig. im Texte. (45 S.) 883. n. 2. —
2. Lithistidae. Mit 2 lith. Taf. u. 26 Fig. im Texte. (45 S.) 884. n. 2. —
3. Tetractinellidae, Monactinellidae, Calcispongiae, Ceratospongiae, Nachtrag. [Mit 1 lith. Taf. u. 26 Fig. im Texte.] (45 S.) 885. n. 1. 44

— über fossile Kalkelemente der Alcyoniden u. Holothuriden u. verwandte recente Formen. [Mit 1 (lith.) Taf.] Lex.-8. (6 S.) Wien 885. (Gerold's Sohn.) n. — 40

— über einige Spongien aus dem Dogger d. Fünfkirchner Gebirges. Mit 2 (Lichtdr.-)Taf. Lex.-8. (15 S. m. 2 Bl. Erklärgn.) Budapest 886. (Kilián.) n. 1. —

Podhagský, Joh. v., Anleitung zur technischen Ausfertigung v. Grundtheilungs- u. Parzellirungsplänen gemäss der in den Grundbuchs- u. Kataster-Gesetzen, dann in der Bauordng. enthaltenen Vorschriften, u. erläutert durch e. Abtheilungsplan, dann durch e. v. e. prakt. Juristen entworfenes zugehör. Grundbuchsgesuch sammt Erledigung. gr. 8. (28 S.) Wien 886. (C. Helf's Sort.) n. 3. —

Podschiwalow, A. M., Beschreibung der unedirten u. wenig bekannten Münzen v. Sarmatia europaea, Chersonesus taurica u. Bosporus Cimmerius, aus der Sammlg. A. M. P.'s. Mit 8 Lichtdr.-Taf. gr. 4. (26 S.) Moskau 882. (Leipzig, Brockhaus' Sort.) n. 8. —

Podwyssotzki [Sohn], W., Kefyr, kaukasisches Gährungsferment u. Getränk aus Kuhmilch. Seine Geschichte, Literatur, Zubereitg., Zusammensetzg., sowie physiolog. u. therapeut. Bedeutg. Aus dem Russ. nach der 3. Aufl. übers. v. Mor. Schulz. gr. 8. (XI, 73 S.) St. Petersburg 884. Ricker. n. 1. 60

Poe, E. A., ausgewählte Novellen, s.: Universal-Bibliothek.

— poems and essays, } s.: Collection of British
— tales, } authors.

Poestion, Jos. Calasanz, l'assonance dans la poésie norraine. 2. éd. 12. (26 S.) Kolozsvár 884. (Wien, Gilhofer & Ranschburg.) n. 2. —

— aus Hellas, Rom u. Thule. Cultur- u. Litteraturbilder. 2. Aufl. 8. (184 S.) Leipzig 884 Friedrich. n. 2. —

— Island. Das Land u. seine Bewohner nach den neuesten Quellen. Mit 1 (chromolith.) Karte. gr. 8. (VIII, 461 S.) Wien 885. Brockhausen & Bräuer. n. 10. —

— isländische Märchen. Aus den Orig.-Quellen übertr. gr. 8. (XXVI, 308 S.) Wien 884. Gerold's Sohn. n. 6. 80

— lappländische Märchen, Volkssagen, Räthsel u. Sprichwörter. Nach lappländ., norweg. u. schwed. Quellen. Mit Beiträgen v. Frl. Liebrecht. gr. 8. (XII, 274 S.) Ebend. 886. n. 6. —; geb. n. 8. —

— griechische Philosophinnen. Zur Geschichte d. weibl. Geschlechtes. 2. Aufl. 8. (X, 478 S.) Norden 885. Fischer Nachf. n. 6. —

— das Tyrfingschwert. Eine altnord. Waffensage. Deutsch v. J. C. P. 8. (XIX, 143 S.) Hagen 883. Risel & Co. n. 3. —; geb. n. 4. —

Poetae latini minores. Rec. et emendavit Aemilius Baehrens. Vol. V. 8. (446 S.) Leipzig 883. Teubner. 4. 20 (I—V.: 15. 90)

— lyrici graeci minores, ed. Joh. Pomtow. 2 voll. 16. (356 u. 396 S. m. 1 Titelbl. in Stahlst.) Leipzig 885. Hirzel. n. 5. —; geb. m. Goldschn. n. 7. —

Pohl, C. F., Denkschrift aus Anlass d. 25jährigen Bestehens d. Singvereines der Gesellschaft der Musikfreunde in Wien. Lex.-8. (III, 81 S.) Wien 883. (Gerold & Co.) n. 1. 20

Pohl, E., vom landwirthschaftlichen Ball, s.: Bloch's, E., Theater-Correspondenz.

— klein Geld, s.: Universal-Bibliothek.

— Sachsen in Preußen, } s.: Bloch's, E., Theater-

— die Schulreiterin, } Correspondenz.

— u. H. Wilken, auf eigenen Füßen, s.: Universal-Bibliothek.

Pohl, Hugo, medicinisches Haus-Lexikon. Alle Krankheiten d. Menschen u. ihre Behandlg., die wichtigeren Arzneimittel u. ihre Anwendg., die hauptsächlichsten Heilquellen u. Kurorte, sowie die bedeutendsten medicin. Anstalten in alphabet. Reihenfolge. 5. Aufl. 8. (XII, 420 S.) Leipzig 886. O. Wigand. geb. 3. 75

Pohl, J., Liebessieg, s.: Kühling's, A., Album f. Liebhaber-Bühnen.

Pohl-Pincus, J., die Krankheiten d. menschlichen Haares u. die Haar-Pflege, s.: Hausbücher, medicinische.

— das polarisirte Licht als Erkennungs-Mittel f. die Erregungs-Zustände der Nerven der Kopfhaut. gr. 8. (53 S. m. 1 Chromolith.) Berlin 886. Grosser. n. 2. —

Pohl, Joh., landwirthschaftliche Betriebslehre. [3 Tle.] 1. Tl.: Ökonomik der Landgutswirtschaft. Mit 10 Holzschn., 2 schwarzen u. 5 farb. lith. Taf. gr. 8. (XV, 696 S.) Leipzig 885. Gebhardt. n. 18. —; geb. n. 21. —; auch in 9 Lfgn. à n. 2. —

— Justus v. Liebig u. die landwirthschaftliche Lehre, s.: Zeit- u. Streit-Fragen, deutsche.

Pohl, Rich., gesammelte Schriften üb. Musik u. Musiker. 2. Bd. A. u. d. T.: Franz Liszt. Studien u. Erinnergn. 8. (XV, 402 S.) Leipzig 883. Elischer. n. 7. 50; geb. n. 9. —

— Hektor Berlioz. Studien u. Erinnergn. gr. 8. (XV, 275 S.) Ebend. 884. n. 6. —; geb. n. 7. 50

— Richard Wagner, s.: Sammlung musikalischer Vorträge.

Pohland, M., Frankfurt a. Oder, s.: Bieber, H.

Pohle, Frdr. Wilh., Chronik v. Loschwitz. Auf Grund v. amtl. Quellen u. m. Benutzg. d. königl. sächs. Haupt-Staatsarchivs, d. Ratsarchivs, der königl. Haupt- u. Residenzstadt Dresden, sowie der königl. Bibliothek zusammengestellt u. bearb. 1—5. Hft. gr. 8. (S. 1—280) Dresden 883—86. Teich. à n. — 50

Pohle, Jos., P. Angelo Secchi. Ein Lebens- u. Culturbild. (1. Vereinsschrift der Görres-Gesellschaft f. 1883.) gr. 8. (VII, 156 S.) Köln 883. (Bachem.) n. 2. 50

Pohle, Jos., die Sternwelten u. ihre Bewohner. Eine wissenschaftl. Studie üb. die Bewohnbarkeit u. die Belebtheit der Himmelskörper nach dem neuesten Standpunkte der Wissenschaften. 2 Tle. gr. 8. (VIII, 120 u. 214 S.) Köln 884. 85. Bachem. n. 5. 40

Pohler, Joh., Bibliotheca historico-militaris. Systematische Uebersicht der Erscheingn. aller Sprachen auf dem Gebiete der Geschichte der Kriege u. Kriegswissenschaft seit Erfindg. der Buchdruckerkunst bis zum Schluss d. J. 1880. (In 15—20 Lfgn.) 1. Lfg. gr. 8. (IV, 64 S.) Cassel 886. Kessler. n. 2. —

— Diodoros als Quelle zur Geschichte v. Hellas in der Zeit v. Thebens Aufschwung u. Grösse. [379—362.] gr. 8. (84 S.) Ebend. 885. n.n. 2. —

Pohlmann, H., Hausschatz komischer Vorträge u. humoristischer Deklamationen v. erprobter Wirkung. In verschiedenen Dialekten. 2. Aufl. 8. (160 S.) Oberhausen 884. Spaarmann. 1. —

Pöhlmann, R., die Übervölkerung der antiken Grossstädte, s.: Preisschriften, gekrönt u. hrsg. v. der fürstl. Jablonowski'schen Gesellschaft zu Leipzig.

Pohlmey, Emil, Wortschatz zu d. C. Julius Caesar Bellum Gallicum liber I—III, in Präparationsform zusammengestellt. 8. (VII, 176 S.) Gütersloh 885. Bertelsmann. n. 1. 60

Pöhner, G., aus der Gemeinde-Verwaltung der Stadt Hof. Berichte üb. die Sitzgn. d. Magistrats-Collegiums. 8—10. Jahrg. 1882—1884. gr. 8. (à ca. XIX, 254 Sp.) Hof 883. Lion. à Jahrg. n. 2. —

Poiman, Frz., Christus unser Heil. Ein Gebetbuch f. alle Stände. 2. Aufl. 16. (376 S. m. Farbentitel u. 1 Stahlst.) Wien 885. Grottendiek. n. — 80; geb. in Leinw. n. 1. 40; m. Goldschn. n. 1. 70; in Chagrinldr. m. Goldschn. n. 2. 50

Pökel, W., K. W. Krüger's Lebensabriss. Mit dem (Stahlst.-)Bilde u. Schriftenverzeichnisse d. Verewigten. 8. (40 S.) Leipzig 885. K. W. Krüger. n. 1. —

Pokorny, Alois, primi elementi di storia universale per le scuole popolari e cittadine in tre gradi, secondo l'opera del A. P. per Giorgio Orsetich. Grado 1 e 2. gr. 8. Prag 883. Tempsky. — Leipzig, Freytag. n. 2. 80

1. Specie principali del tre regni della natura. Con 177 incisioni (in legno, intercalate nel testo). (VIII, 138 S.) n. 1. 20

2. I più importanti gruppi naturali dei tre regni. Con 313 incisioni. (XI, 163 S.) n. 1. 60

— allgemeine Erdkunde, s.: Hann, J.

— Naturgeschichte f. Bürgerschulen in 3 Stufen. gr. 8. Prag 885—86. Tempsky. — Leipzig, Freytag. n. 3. 70; Einbd. à n.n. — 20

1. 8. Aufl. Mit 140 Abbildgn. (VIII, 136 S.) n. 1. 20
2. 5. Aufl. Mit 215 Abbildgn. (VIII, 171 S.) n. 1. 30
3. 5. Aufl. Mit 171 Abbildgn. (VI, 154 S.) n. 1. 20

— illustrirte Naturgeschichte der 3 Reiche f. Gymnasien, Realschulen, höhere Bürgerschulen u. verwandte Lehranstalten. 1. u. 3. Tl. gr. 8. Ebend. 885. n. 3. 80; Einbd. à n.n. — 80

1. Tierreich. 17. Aufl. Mit 565 Abbildgn. (XII, 307 S.) n. 2. 40
3. Mineralreich. 13. Aufl. Mit 180 Abbildgn. u. 1 Taf. Krystallnetze. (VIII, 158 S.) n. 1. 40

— dasselbe. Für die unteren Classen der Mittelschulen bearb. 3. Tl. Mineralreich. 12. Aufl. Mit 124 Abbildgn. gr. 8. (VIII, 102 S.) Ebend. 885. n. 1. 20; Einbd. n.n. — 30

Pokorny, Ign., zu den neuen österr. Gymnasial-Instructionen f. die Sprachfächer. gr. 8. (16 S.) Wien 885. (Pichler's Wwe. & Sohn.) n. — 40

— über die reduplicierten Praeterita der germanischen Sprachen u. ihre Umwandlung in ablautende. gr. 8. (29 S.) Ebend. 885. n. — 60

Pokorny, Vict. Ritter v., Nachrichten- u. Marschsicherungs-Dienst. gr. 8. (24 S.) Wien 885. (Seidel & Sohn.) n. — 80

Polack, Fr., Bilder aus der alten u. vaterländischen Geschichte. Ein Leitfaden f. Volks- u. Bürgerschulen. 28. Aufl. Mit 33 Abbildgn. gr. 8. (80 S.) Gera 886. Th. Hofmann. cart. n. — 40

— Bilder aus der Naturbeschreibung u. Naturlehre. Ein Leitfaden f. Volks- u. Bürgerschulen. 27. Aufl. Mit

137 Holzschn. gr. 8. (112 S.) Gera 886. Th. Hofmann. cart. n. — 50

Polack, Fr., Brosamen. Erinnerungen aus dem Leben e. Schulmannes. 1. u. 2. Bd. 3. Aufl. 8. Wittenberg 885. Herrosé Verl. n. 5. —; geb. n. 6. 20
1. Jugendleben. (335 S.) n. 2. —; geb. n. 2. 60
2. Amtsleben auf dem Lande. (472 S.) n. 3. —; geb. n. 3. 60

— ein Führer durchs Lesebuch. Erläuterungen poet. u. pros. Lesestücke aus deutschen Volksschul-Lesebüchern. 2 Tle. gr. 8. (240 u. 600 S.) Gera 886. Th. Hofmann. n. 5. 95

— Geschichtsbilder aus der allgemeinen u. vaterländischen Geschichte. Leitfaden f. höhere Töchter-, Mittel- u. gehobene Bürgerschulen. 9. Aufl. gr. 8. (239 S.) Ebend. 881. n. 1. 25

— dasselbe. 10. Aufl., hrsg. unter Mitwirkg. v. H. Zander. Mit 221 Porträts u. kulturhistor. Abbildgn., nebst 8 histor. Karten in Farbendr. gr. 8. (IV, 308 S.) Ebend. 885. n. 1. 80; Einbd. n.n. — 40

— Geschichts-Leitfaden f. Mittel- u. Bürgerschulen. 10. Aufl. der Geschichtsbilder aus der allgemeinen u. vaterländ. Geschichte". Mit 48 Porträts u. kulturhistor. Abbildgn. gr. 8. (247 S.) Ebend. 886. n. 1. 25; Einbd. n.n. — 20

— illustrierte Naturgeschichte der drei Reiche in Bildern, Vergleichungen u. Skizzen. Lehr- u. Lernbuch f. gehobene Lehranstalten, unter Mitwirkg. v. R. Bürgel u. Frz. Schröder. 4. Aufl. v. Wilh. Machold. 1. u. 2. Kurs. gr. 8. Wittenberg 884. Herrosé Verl. n. 2. 80; in 1 Bd. geb. n. 3. 30
1. Repräsentanten der 3 Reiche. [Zugleich abgeschlossener Leitfaden f. einfache Schulverhältnisse] (VI, 170 S.) n. 1. 20; Einbd. n.n. — 25
2. Vergleichung v. Repräsentanten u. systematische Behandlung der Naturgeschichte. (384 S. m. eingedr. Holzschn.) n. 1. 60; Einbd. n.n. — 30

— illustrirtes Realienbuch. Leitfaden f. Volks- u. Bürgerschulen. 3 Tle. in 1 Bd. gr. 8. Ebend. 886. n. — 75; Einbd. n n. — 25; einzeln cart. n. 1, 30
1. Bilder aus der alten u. vaterländischen Geschichte. 28. Aufl. Mit 33 Abbildgn. (80 S.) n. — 40
2. Geographische Skizzen u. Bilder. 28. Aufl. Mit 12 Holzschn. im Text u. 3 Karten in Farbendr. (64 S.) n. — 40
3. Bilder aus der Naturbeschreibung u. Naturlehre. 30. Aufl. Mit 137 Holzschn. (112 S.) n. — 50

— dasselbe. Ausg. f. das Königr. Bayern. 14. Aufl. gr. 8. (II, 80; 64, 112 u. 63 S.) Ebend. 883. n. 1. —

— dasselbe. Ausg. f. die Prov. Hannover. 14. Aufl. gr. 8. (II, 80; 64, 112 u. 32 S.) Ebend. 883. n. — 90

— dasselbe. Ausg. f. das Großherzogt. Hessen. 14. Aufl. gr. 8. (II, 80; 64, 112 u. 16 S.) Ebend. 883. n. — 85

— dasselbe. Ausg. f. die Prov. Sachsen. 14. Aufl. gr. 8. (II, 80; 64, 112 u. 16 S.) Ebend. 883. n. — 85

— dasselbe. Ausg. f. die Prov. Schlesien. 14. Aufl. gr. 8. (II, 80; 64, 112 u. 20 S.) Ebend. 883. n. — 85

— kleines Realienbuch. Für einfache Schulverhältnisse bearb. Mit 124 Abbildgn. im Text u. 3 Karten in Farbendr. 24. Aufl. gr. 8. (144 S.) Ebend. 886. n. — 50; Einbd. n.n. — 10

— geographische Skizzen u. Bilder. Ein kurzer Leitfaden in der Heimats- u. Erdkunde f. Volks- u. Bürgerschulen. 25. Aufl. Mit 12 Holzschn. im Text u. 3 Karten in Farbendr. gr. 8. (64 S.) Ebend. 886. cart. n. — 40

Polak, Otto, social od. liberal?? Ein freier Vortrag, geh. am 7. März 1884 in der staatswissenschaftl. Gesellschaft zu Prag. [Nach den stenograph. Aufzeichngn. e. Mitgliedes der staatswissenschaftl. Gesellschaft.] gr. 8. (22 S.) Prag 884. Mercy. n. — 80

Poland-China-Schweine-Herdbuch, deutsches. Hrsg. v. der Vereinigg. deutscher Poland-China-Schweine-Züchter. 1. Bd. gr. 8. (XXIV, 180 S. m. 10 Taf.) Oldenburg 886. Hintzen. n. 5. —

Polarforschung, die internationale, 1882—1883. Die österreich. Polarstation Jan Mayen, ausgerüstet durch Se. Exc. Graf Hanns Wilczek, geleitet von Emil Edlen v. Wohlgemuth. Beobachtungs-Ergebnisse, hrsg. v. der kaiserl. Akademie der Wissenschaften. 1. Bd., 2. Bd. 1. Abthl. u. 3. Bd. Wien 886. (Gerold's Sohn.) cart. n. 66. —
I. Mit 4 Karten, 15 Taf. u. 10 Holzschn. (III, 493 S.) n. 36. —
II. 1. Mit 12 Taf. u. 69 Holzschn. (III, 232 S.) n. 16. —
III. Mit 9 Taf. u. 2 Holzschn. (X, 132 u. 44 S.) n. 14. —

Poelchau, Arth., die livländische Geschichtsliteratur im J. 1883 u. 1884. 12. (87 u. 95 S.) Riga 884. 85. Kymmel. à n. 1. —

— griechische u. römische Sagen f. den Geschichtsunterricht in den untersten Klassen, nebst e. Anh., enth. die Geschichte der ältesten Kulturvölker. 3. Aufl. gr. 8. (68 S.) Ebend. 885. n. — 75

Poleck, Th., chemische Analyse der Kronenquelle zu Salzbrunn in Schlesien. gr. 8. (12 S.) Breslau 882. Maruschke & Berendt. n. — 50

— chemische Analyse d. Ober-Brunnens zu Flinsberg in Schlesien. gr. 8. (16 S.) Ebend. 883. n. — 50

— chemische Analyse der Thermen v. Warmbrunn am Fusse d. Riesengebirges in Schlesien. gr. 8. (19 S.) Ebend. 885. n. — 50

Poléjaeff, N., üb. das Sperma u. die Spermatogenese bei Sycandra raphanus Haeckel. [Mit 2 (lith.) Taf.] Lex.-8. (23 S.) Wien 882. (Gerold's Sohn.) n. — 80

Poljakow, J. S., Reise nach der Insel Sachalin in den J. 1881—1882. Briefe an den Secretär der kaiserl. russ. geograph. Gesellschaft. Aus dem Russ. übers. v. A. Arzruni. gr. 8. (III, 134 S.) Berlin 884. Asher & Co. n. 4. —

Polisch, C., neue Decorationsmotive. Vorlagen f. Decorationsmaler, Bildhauer, Holzschnitzer, Glasätzer, Graveure u. Cisleure. 1. Serie. 2. Aufl. u. 2. Serie. Fol. (à 25 Bl. in Lichtdr.) Berlin 884. 86. Claesen & Co. In Mappe. à n. 35. —

— motifs de décoration moderne. Réproduction des cartons et poncis. 1. série. Fol. (25 Lichtdr.-Taf.) Ebend. 888. In Mappe. n. 35. —

Polizeistrafgesetzbuch f. Bayern vom 26. Dezbr. 1871. 3. Aufl. Zum Handgebrauch. 8. (IV, 110 S.) Erlangen 886. Deichert. cart. n. 1. —

Polizei-Verordnung üb. die Bauten in den Städten d. Reg.-Bez. Breslau m. Ausnahme der Stadt Breslau vom 1. März 1883. gr. 8. (16 S.) Breslau 883. Morgenstern's Verl. n. — 20

— über die Bauten in den Städten d. Reg.-Bez. Oppeln. 8. (24 S.) Oppeln 885. Franck. n. — 50

— betr. das Bauwesen in den Städten d. Reg.-Bez. Merseburg m. Ausnahme der Stadt Halle a. S. vom 31. März 1884. Amtliche Ausg. m. Anmerkgn. u. e. Anh., enth. Auszüge aus einschläg. Gesetzen rc. 8. (95 S.) Merseburg 884. Stollberg. n — 50

Polizeiverwaltung, die, Wiens im J. 1882. Zusammengestellt u. hrsg. v. dem Präsidium der k. k. Polizei-Direction. gr. 8. (VI, 134 S.) Wien 883. Hölder. n. 4. 20

— dasselbe im J. 1883. gr. 8. (VI, 140 S.) Ebend. 884. n. 4. 40

— dasselbe im J. 1884. gr. 8. (VI, 137 S.) Ebend. 885. n. 4. 30

— dasselbe im J. 1885. gr. 8. (VI, 202 S.) Ebend. 886. n. 6. 30

Polko, Elise, Aquarellskizzen. 2. Ausg. 12. (III, 302 S.) Norden 886. Fischer Nachf. n. 4. 50

— kleine Bildermappe. Federzeichnungen. 8. (VII, 318 S.) Karlsruhe 886. Gebr. Pollmann. n. 5. —; geb. m. Goldschn. n. 6. —

— Blumen u. Lieder. Eine musikal. Blumensprache. 4. verb. Aufl. 16. (VI, 72 S.) Erfurt 883. Bartholomäus. geb. m. Goldschn. n. 1. 60

— Dichtergrüße. Neuere deutsche Lyrik, ausgewählt v. E. P. 13. Aufl. Mit e. farb. Titelbild nach Eug. Klimsch u. vielen Holzschn.-Vollbildern v. Paul Thumann u. A. 12. (VII, 611 S.) Leipzig 886. Amelang. geb. m. Goldschn. 6. —

— Faustina Hasse. Eine Geschichte aus dem Musikleben d. 18. Jahrh. 3. Aufl. 8. (VIII, 698 S.) Leipzig 884. Elischer. n. 6. —; geb. m. Goldschn. n. 7. 50

— am stillen Herd. Gedichte u. Sprüche aus dem deutschen Dichterschatz. Mit 9 Illustr. in Holzschn. u. 1 farb. Titelbilde v. Carl Gehrts. 8. (XXX, 480 S.) Minden 884. Bruns. geb. m. Goldschn. n. 8. —

— vom Herzen zum Herzen. Eine Plauderei. 3. Aufl. 12. (VIII, 92 S.) Leipzig 885. C. A. Koch. geb. m. Goldschn. 2. 4

Polko, Elise, Herzensfrühling u. Rosenzeit. Novellen. [Im alten Schlosse. Die junge Frau Gräfin. Ein blühendes Wunder. Dora.] 8. (254 S.) Breslau 884. Schottländer. n. 3. —; geb. n. 4. —

— dasselbe, s.: Bachem's Novellen-Sammlung.

— Ikarusflügel, s.: Bachem's Roman-Sammlung.

— neues Märchenbuch. Musikalische Skizzen u. Träumereien. Mit e. farb. Titelbilde v. Casp. Scheuren. 8. (VIII, 470 S.) Minden 884. Bruns. n. 6. —; geb. m. Goldschn. n. 7. 50

— Papillon, s.: Bachem's Novellen-Sammlung.

— unsere Pilgerfahrt von der Kinderstube bis zum eigenen Herd. Lose Blätter. 8. Aufl. Mit 8 Illustr. v. Eug. Klimsch. 8. (XIII, 306 S.) Leipzig 886. Amelang. geb. m. Goldschn. 5. —

— im Silberkranz. Gedenkblätter zur silbernen Hochzeit Ihrer k. u. k. Hoheiten d. Kronprinzen u. Kronprinzessin d. Deutschen Reiches u. v. Preußen. Mit e. (phototyp.) Titelbild nach e. Orig.-Zeichng. v. E. Geyger. 8. (79 S.) Berlin 883. Eckstein Nachf. n 1. 50

— ein Vergißmeinnichtstrauß. Novellen u. Skizzenblätter. 8. (VI, 336 S.) Minden 884. Bruns. n. 5. —; geb. m. Goldschn. n. 6. 50

Polko, L., die Geschichte der Pfennigkirche zu Rosenberg O/S., mitgetheilt v. ihrem Gründer u. ersten Geistlichen. Dem Buch ist beigefügt e. Bild der Kirche u. e. Anh. v. Briefen, als erheb. Zeugnisse evangel. Bruderliebe. gr. 8. (VI, 133 S.) Breslau 885. (Kuh.) — 75

Poll, Carl, allein. 12. (IV, 110 S.) Stuttgart 886. Metzler's Verl. n. 1. 60

— Spätherbst. 8. (111 S.) Wien 884. Rosner. n. 2. —

Pollack, G. H. O., Geographie d. Deutschen Kaiserreiches u. d. Kaisert. Österreich, nebst e. Übersicht der brandenburgisch-preuß. Geschichte. 12. Aufl. 8. (52 S.) Langensalza 884. Schulbuchh. cart. — 30

Pollack, H., Mittheilungen üb. den Hexenprozeß in Deutschland, insbesondere üb. verschiedene westfäl. Hexenprozeßakten. gr. 8. (III, 50 S.) Berlin 885. Siemenroth. n. 1. 50

— der Schenkungswiderruf, insbesondere seine Vererblichkeit. Ein Beitrag zur Abfassg. d. deutschen bürgerl. Gesetzbuches. gr. 8. (XV, 220 S.) Ebend. 886. n. 4. 50

Pollacsek, J., Hamburg, s.: Städtebilder u. Landschaften aus aller Welt.

Pollacsek, M., u. Wilh. v. **Lindheim**, die Organisation d. gesammten Verkehrs f. Wien u. Umgebung. [Mit 1 Plane.] gr. 8. (71 S.) Wien 885. Spielhagen & Schurich. n. 1. 50

Pollak, B. Wilh., source de Hall en Haute-Autriche eau minérale iodurée-bromurée. Esquisse médicale. 2. éd. 8. (51 S.) Wien 888. Rospini. n. 1. —

Pollak, Jos., üb. Kindersterblichkeit in Salzburg. Eine localstatist. Studie. gr. 8. (64 S. m. 4 Curventaf.) Salzburg 883. Dieter. n. 1. 60

Polle, Frdr., Führer durch das Weiseritzthal nach Schmiedeberg u. seiner Umgebung. Sekundärbahn Hainsberg—Kipsdorf. Mit 2 Karten. 2. Aufl. 8. (96 S.) Dresden 885. Huhle. n. 1. —

— Müglitzthalführer. Mit 1 (chromolith.) Karte v. C. Gräf. 8. (37 S.) Ebend. 886. n. — 70

Polleyn, Frdr., die Appreturmittel u. ihre Verwendung. Darstellung aller in der Appretur verwendeten Hilfsstoffe, ihrer speciellen Eigenschaften der Zubereitg. zu Appreturmassen u. ihre Verwendg. zum Appretiren v. leinenen, baumwollenen, seidenen u. wollenen Geweben xc. Mit 38 Abbildgn. 8. (X, 376 S.) Wien 886. Hartleben. n. 4. 50

Pollitz, Carl, Reise durch die Vereinigten Staaten v. Nord-Amerika. Das Eisenbahnwesen. Vortrag. gr. 8. (40 S.) Frankfurt a/M. 884. Auffarth. n. 1. 20

Pollitzer, Frz., das Verhalten d. allgemeinen deutschen Handelsgesetzbuches zum Immobiliarverkehr. gr. 8. (XIII, 143 S.) Leipzig 885. Duncker & Humblot. n. 3. 20

Pollitzer, Mor., die Anwendung der Elektricität im Eisenbahn-Betriebsdienste. Auf der Grundlage d. Berichtes f. das Organ f. die Fortschritte d. Eisenbahnwesens üb. die internationale elektr. Ausstellg. in Wien im J. 1883 bearb. u. m. Zusätzen versehen. Mit 7 lith. Fol.-Taf. u. 64 Fig. im Texte. gr. 4. (43 S.) Wiesbaden 884. Kreidel. n. 5. —

Pollitzer, Mor, höhere Eisenbahnkunde. Zum Gebrauche f. ausüb. Eisenbahn-Ingenieure u. alle, die an techn. Hochschulen sich zu solchen heranbilden. 1. Bd. A. u. d. T.: Die Materialien aus Eisen u. Stahl f. Eisenbahnzwecke. Herstellung u. Verwendg derselben m. Rücksicht auf die Bestimmgn. d. Vereines deutscher Eisenbahn-Verwaltgn. Mit 147 Holzschn. u. 10 Taf. gr. 8. (VII, 159 S.) Wien 887. Spielhagen & Schurich. n. 5. —

Pollmann, A., Wörterbuch f. Bienenzüchter u. Bienenfreunde. gr. 8. (III, 224 S.) Weinheim 885. Ackermann. n. 2. 50

Pollner, L., u. G. **Hammerschmidt**, die vorzüglichsten eßbaren Pilze der Prov. Westfalen u. der anstoßenden Gebiete. Mit 18 (lith. u.) kolor. Taf. Im Anh. ihre Zubereitg. gr. 8. (IV, 20 S.) Paderborn 883. F. Schöningh. n. 2. 40

Poellnitz, P. v., die römische Rheinbrücke bei Mainz. Ihr Ursprung u. ihre Construction. Mit 2 Taf. Abbildgn. gr. 4. (15 S.) Mainz 884. Diemer. n. 1. 80

Pollwein, Markus, der Geschwornendienst. Praktisches Hilfsbüchlein insbesondere f. Geschworne. 8. (VI, 34 S.) Nördlingen 885. Beck. cart. n. — 50

Polstorff, die Reformation, ihr Recht u. ihre Aussichten. Vortrag. gr. 8. (24 S) Güstrow 883. Opitz & Co. n. — 40

Polterabend, der fidele, od. die letzte interessante Brautnacht. Komische Vorträge, Toaste, Spiele, Witze, Gedichte u. Belustiggn. bei Hochzeiten. gr. 16. (72 S.) Leipzig 886. Vieweg. — 50

Polterabend-Scherze, lustige u. fidele, od. Hochzeitsgedichte u. Vorträge, nebst Aufführungen f. Ein, Zwei u. mehrere Personen in Hochdeutsch u. Plattdeutsch. Gesammelt v. A. Freudenreich. 8. (IV, 96 S.) Bremen 885. Haake. n. 1. —

Polybios, Geschichte. Deutsch v. A. Haakh u. K. Kraz. 1. u. 3. Lfg. 2. Aufl. 8. (1. Bdchn. S. 1—32 u. 129—172.) Berlin 885. Langenscheidt. à n. — 35

Polycarpi Smyrnaei epistula genuina. In usum scholarum academicarum rec. Gust. Volkmar. gr. 4. (12 S.) Zürich 885. Schröter & Meyer. n. — 80

Polytechniker, der. Zeitschrift f. die gesammten techn. Zweige, m. dem Beiblatt: „Secundäre Verkehrswege“. Hrsg v. G. Ad. Ungár-Szentmiklósy. 4. Jahrg. 1885. 24 Nrn. ($2^1/_2$ B.) Lex.-8. Wien 885. (Perles.) n. 12. —

Pölzl, Frz. X., kurzgefaßter Commentar zu den vier heiligen Evangelien. [In 4 Bdn.] 2. Bd. 2. Thl. Kurzgefaßter Commentar zum Evangelium d. heil. Lucas m. Ausschluß der Leidensgeschichte. gr. 8. (XXIV, 347 S.) Graz 887. Styria. 4. 80 (I. u. II. 2.: n. 9. 30)
Des 2. Bds. 1. Thl. erscheint später.

Pölzl, Ign., deutsches Lesebuch f. die oberen Classen österreichischer Realschulen. 3. Bd. Für die 7. Classe. gr. 8. (IV, 386 S.) Wien 883. Hölder. n. 3. — (1—3.: n. 8. —)

Pomay, Fr., „ein sehr artig Büchlein v. dem Weydwerck vnd der Falcknerey.“ („Traitté fort curieux de la vénerie et de la fauconnerie“.] Wortgetreuer Abdr. der Orig.-Ausg. „Lyon 1671“. Deutsch u. französisch. Mit Holzschn.-Vignetten v. Jost Amman. 8. (67 S.) Stuttgart 886. Scheible. n. 4. —

Pommer, Gust., Untersuchungen üb. Osteomalacie u. Rachitis, nebst Beiträgen zur Kenntniss der Knochenresorption u. -Apposition in verschiedenen Altersperioden u. der durchbohrenden Gefässe. Mit 7 (6 lith. u. 1 Lichtdr.-) Taf. Lex.-8. (VIII, 506 S.) Leipzig 885. F. C. W. Vogel. n. 20. —

Pommer, Jos., Beispiele u. Aufgaben zur Lehre vom kategorischen Syllogismus, nebst Andeutgn. üb. den Unterrichtsgang. gr. 8. (36 S.) Wien 884. Hölder. n. — 80

Pompetzki, Jos., Trebnitz u. seine Umgebung. 16. (21 S.) Breslau 884. Max & Co. — 30

Pompier, le, suisse. Organe de la société des pompiers suisses. Réd.: L. Stein. 1. année. Octbre. 1883—Decbr. 1883. 3 nrs. (à $\frac{1}{2}$ B.) gr. 4. Winterthur, Westfehling. n. — 50

— dasselbe. 2—4. année 1884—1886. à 12 nrs. (à $\frac{1}{2}$—$\frac{3}{4}$ B.) gr. 4. Ebend. à Jahrg. n. 2. —

Pomsel, Ludw., die Georgine [Dahlia]. Leichtfaßliche Anweisg. üb. Kultur, Ueberwinterg., Vermehrg., Samenzucht etc. Mit zahlreichen (eingedr.) Illustr. gr. 8. (52 S.) Dresden 885. v. Grumbkow. n. 2. —

Pomtow, Paul, de Xantho et Herodoto rerum Lydiarum scriptoribus. gr. 8. (60 S.) Halis Saxonum 886. (Jena, Pohle.) n. 1. —

Pond, J., Handels-Korrespondenz in englischer u. deutscher Sprache, s.: Noback, F.

Ponetz, Karl, Jagdkunde f. alle Freunde u. Liebhaber der Jagd, insbesondere f. Candidaten, welche sich dem Jagddienste widmen wollen. gr. 8. (VIII, 264 S.) Kolin 884. (Prag, Calve.) n. 5. —

Ponfick, E., Gedächtnisrede auf Julius Cohnheim. Vortrag. gr. 8. (23 S.) Breslau 884. Schletter. n. 1. —

Pongrácz, Graf Arnold, der letzte Illyésházy. gr. 8. (46 S. m. 2 Taf.) Wien 884. (Gerold's Sohn.) n. 1. 50

Ponholzer, Barthol., Pankratius, der heldenmüthige Blutzeuge. Schauspiel aus der ersten Christenheit in 4 Akten m. Gesang. 8. (62 S.) Augsburg 883. Kranzfelder. n. — 50

Poninska, Adelheid Gräfin [geb. Gräfin zu Dohna], Annunciata, die Lilie d. Himalaja, u. ihre Mission im deutschen Reiche. Ein Weckruf zu Lösg. der brenn. christlich-socialen Aufgaben. 2 Bde. 2. Aufl., m. dem (Lichtdr.-)Portr. der Verf. 8. (VII, 400 u. 227 S.) Leipzig 883. Kasprowicz. n. 6. —

Ponsard, F., l'homme et l'argent, s.: Théâtre français.

— Horaz u. Lydia. [Eine Ode d. Horaz.] Lustspiel in 1 Akt. Im Versmaass d. Originals übertr. v. Alfr. Friedmann. gr. 8. (VI, 35 S.) Leipzig 885. Reissner. n. 1. 50

— Lucrèce, s.: Théâtre français.

Ponson du Terrail, e. unaufgeklärter Kriminal-Fall, s.: Nachtbilder.

Ponte, Ludw. de, der vollkommene Christ. Aus dem Lat. übers. v. e. Priester der Erzdiöcese Köln. Mit e. Anh. der gewöhnl. Gebete. I—IV. gr. 16. Regensburg 885. 86. Verlags-Anstalt. à 2. —

I. Das heil. Bußsakrament. (XII, 412 S.)
II. Das heil. Meßopfer. (XV, 411 S.)
III. Das allerheiligste Sakrament d. Altars. (XII, 404 S.)
IV. Das heil. Sakrament der Ehe. (XVI, 414 S.)

Poole, J., Patrician and Parvenu, s.: Theatre, English.

Pope, A., the adventures of Odysseus, s.: Bibliothek gediegener u. lehrreicher Werke der englischen Litteratur.

— the rape of the lock and other poems, s.: Rauch's english readings.

Popelka, Frz. Lad., die Mauthbefreiung. Ein systemat. Handbuch, enth. sämmtl., die Befreig. v. den Mauthgebühren betr. Bestimmgn. u. Vorschriften. Mit Erläutergn. aus der Rechtsprechg. 8. (45 S.) Prag 885. Merch. n. — 80

Poplinski, A., Elementarbuch der polnischen Sprache f. den Schulgebrauch u. zum Selbstunterricht. 12. verb. Aufl. 8. (154 S.) Leipzig 885. Brockhaus. 1. 25

Popović, Geo., Wörterbuch der serbischen u. deutschen Sprache. I. Deutsch-serb. Thl. 2. Aufl. gr. 8. (535 S.) Pančova 886. Brüder Jovanović. n. 8. —

Popovicin, A., das Herkulesbad bei Mehadia in Siebenbürgen. 8. (III, 67 S.) Wien 885. Braumüller. n. 1. 40

Popowski, Jos., Entsumpfungs-Arbeiten in dem Polesie. Vortrag. 8. (34 S. m. 1 lith. Karte.) Wien 884. (Seidel & Sohn.) n. 1. —

Poppe, F., s.: Jugendfreund.

— Vorbereitung auf Luthers kleinen Katechismus. Praktische Katechesen f. Religionslehrer. gr. 8. (XII, 206 S.) Leipzig 884. Hinrichs' Verl. cart. n. 2. 50

Poppe's, O., neue Buchführung. Lehrbuch e. neuen Buchführungs-Systems, bearb. zum Selbstlernen, sowie f. den Unterricht in Handelslehranstalten unter Anwendg. e. neuen Lehrmethode. 5. Aufl. 4. (25 S.) Stuttgart 886. Rich. Hahn's Verl. n. 1. 50; m. Aufgaben- u. Lösungsbuch I. [Uebungstheile.] (25, 24 u. 23 S.) n. 3. —

— dasselbe. Bearbeitung f. Zimmereigeschäft, Sägemühle u. Holzhandel. 4. u. qu. Fol. (25 u. 19 S.) Ebend. 886. n. 3. —

Poppen, M., 's lahm Christinli. Ein Lebensbild aus dem Breisgau. 16. (74 S.) Freiburg i/Br. 883. (Ragoczy.) — 75

Poppendieck, L., griechische Syntax. Zum Gebrauch f. Schulen. gr. 8. (IV, 130 S.) Wolfenbüttel 885. Zwißler. n. 1. 50

Poppenhauer, zuverlässiger Geld-Berechner f. Accord- u. Tagearbeiten zur directen Benutzg. bei Anfertigg. u. Revision v. Lohnlisten, Nachweisgn. etc., m. Anführgn. der $\frac{1}{4}$, $\frac{1}{2}$ u. $\frac{3}{4}$ Bruchtheile von $\frac{1}{4}$ bis 100,000 nach dem Münzfuß: 1 Mark = 100 Pfennige bearb. 4. (25 S.) Neudamm 884. Neumann. 1. —

Popper, Jos., die physikalischen Grundsätze der elektrischen Kraftübertragung. Eine Einleitg. in das Studium der Elektrotechnik. Mit 1 Fig.-Taf. gr. 8. (55 S.) Wien 884. Hartleben. n. 1. 50

Popper, Jul., u. Ludw. **Drucker**, commercielle Berichte üb. die im J. 1882 im Auftrage der Handels- u. Gewerbe-Kammer in Brünn unternommene Reise nach Südamerika. gr. 8. (79 S.) Brünn 883. (Winkler.) n. 3. —

— — u. Vict. **Suchanek** Edler v. **Hassenau**, commercielle Berichte üb. die im J. 1882 im Auftrage der Handels- u. Gewerbe-Kammer in Brünn unternommene Reise nach Südamerika. 2. Aufl. gr. 8. (105 S.) Ebend. 884. n. 3. —

Popper, M., die Choleragefahr, s.: Sammlung gemeinnütziger Vorträge.

Porchat, J. J., trois mois sous la neige, s.: Bibliothèque, française.

Porphyrii philosophi Platonici opuscula selecta, iterum recognovit Aug. Nauck. 8. (XXIV, 320 S.) Leipzig 886. Teubner. 3. —

Porret, J. Alfr., e. Wunder im 19. Jahrh. Ein Vortrag. Autoris. Uebersetzg. 8. (51 S.) Augsburg 883. Preyß. — 50

Porschke, Ed., Geographie d. Reg.-Bez. Düsseldorf. Für die Unter- u. Mittelstufe mehrklass. Volksschulen methodisch bearb. gr. 8. (19 S.) Elberfeld 883. Löwenstein's Verl. n. — 20

— Geographie der Rheinprovinz. Für die Mittel- u. Oberstufe mehrklass Volksschulen. gr. 8. (46 S) Ebend. 883. n. — 40

— Lehrstoff der brandenburgisch-preußischen Geschichte in prosaischer u. poetischer Form f. die Mittel- u. Oberstufe mehrklassiger Volksschulen. Vorbereitungsbuch f. die Hand d. Lehrers. gr. 8. (VI, 225 S.) Ebend. 884. n. 2. 25

Port, Jul., üb. Morbilitäts-Statistik. Lex.-8. (14 S.) München 883. Rieger. n. — 80

— Taschenbuch der feldärztlichen Improvisationstechnik. Vom internationalen Comité d. rothen Kreuzes gekrönte Preisschrift. Mit 188 Holzschn. 8. (XI, 304 S.) Stuttgart 884. Enke. n. 5. —; geb. n. 6. —

Porta linguarum orientalium sive elementa linguarum I. hebraicae, II. chaldaicae, III. samaritanae, IV. arabicae, V. syricae, VI armeniacae, VII. aethiopicae, VIII. persicae, studiis academicis accommodata. Edd. J. H. Petermann, H. L. Strack, E. Nestle, S. Landauere. a. Pars I. et VII. 8. Karlsruhe, Reuther. n. 8. 70

I. Hebräische Grammatik m. Übungsstücken, Litteratur u. Vokabular. Zum Selbststudium u. f. den Unterricht m. besond. Berücksicht. derer, die das Hebräische erst auf der Universität erlernen, v. Herm. L. Strack. Ed. III. (XV, 168 S.) 883. n. 2. 70

VII. Aethiopische Grammatik m. Paradigmen, Litteratur, Chrestomathie u. Glossar v. F. Praetorius. (X, 164 u. 65 S.) 886. n. 6. —

Porta, W. de, geistlicher Humor in Wort, Drama u. Bild. 8. (IV, 140 S.) Münster 886. Russell. n. 1. 50

— die Wahlsprüche u. Motto's der Hohenzollern. gr. 8. (36 S. m. chromolith. Titel.) Münster 884. Aschendorff. n. 1. —

Porte, Wilh., Judas Ischarioth in der bildenden Kunst. gr. 8. (118 S.) Berlin 883. Calvary & Co. n. 1. 60

Portele, K., Studien üb. die Entwicklung der Traubenbeere u. den Einfluss d. Lichtes auf die Reife der Trauben. Mittheilungen aus dem Laboratorium der landwirthschaftl. Landes-Anstalt in S. Michele [Tirol]. Hrsg. v. der Direction der Anstalt. Lex.-8. (39 S.) Wien 883. (Frick.) n. 1. 60

Portemonnaie-Fahrplanbuch. 1886. ca. 6 Nrn. 32. (Nr. 1. 95 S. m. 1 Karte.) Hannover, Schmorl & v. Seefeld. à Nr. — 30

Portemonnaie-Hülfs-Kalender f. Techniker u. Laien pro 1885. 128. (44 S.) Darmstadt, Wittich'sche Hofbuchdr. — 30

Portemonnaie-Kalender f. 1887. 128. (33 S.) Berlin, Haack. geb. m. Messingecken u. Goldschn. — 50

— auf d. J. 1887. 128. (35 S.) Berlin, Trowitzsch & Sohn. — 15; geb. n. — 50 u. — 75

— 1887. 128. (31 S.) Breslau, Trewendt. — 5

— pro 1885. 128. (32 S.) Crefeld, Klein. — 10; m. Goldschn. — 15; geb. in Ldr. — 35

— stenographischer, auf d. J. 1886. 124' (48 S. m. Portr.) Dresden. (Stuttgart, Hugendubel.) geb. n. — 40

— 1884. 128. (29 S.) Dresden, Weiske. geh. m. Goldschn. — 15; geb. — 25

— für 1887. 128. (40 S.) Düsseldorf, F. Bagel. geb. in Ldr. — 40

— für d. J. 1887. 128. (32 S.) Düsseldorf, Voß & Co. cart. — 40

— für d. J. 1887. 128. (27 S.) Hildburghausen, Gadow & Sohn. — 10

— für die k. k. Armee 1884. 4. Jahrg. 64. (85 S.) Iglau, Lehmann. geb. n. — 70

— Klagenfurter, 1884. 128. (64 S. m. 1 Photogr.) Klagenfurt, Liegel. n. — 40; in Bronzebd. n. — 72; in Ldrbd. n. — 80

— für d. J. 1886. 10. Jahrg. 128. (54 S.) Leipzig, Stauffer. geb. — 15

— Münchener f. d. J. 1887. 128. (32 S.) München, J. A. Finsterlin. — 10; geb. — 15; — 30 u. n. — 40

— altdeutscher, f. d. J. 1887. 128. (52 S.) München, Knorr & Hirth. n. — 30; in altdeutschem Einbd. n. — 60

— für 1885. 128. (40 S.) Stuttgart, Metzler's Verl. — 12; geb. in Ldr. n. — 20; in Goldbronce-Metallbd. — 30

— für 1884. 128. (30 S.) Stuttgart, Rupfer. — 10; m. Goldschn. — 20; in Golddecke — 25

— für die elegante Welt. 1887. 128. (64 S. m. 2 Photogr.) Wien, Perles. n. — 40; geb. von n. — 60 bis n. 2. —

— Fromme's Wiener, 1887. 23. Jahrg. 128. (64 S. m. 1 Photogr.) Wien, Fromme. — 40; geb. von — 60 bis 1. 60

— für d. J. 1887. 128. (32 S.) Würzburg, Etlinger. geb n. — 24

— für 1887. 128. (72 S.) Würzburg, Stahel. n. — 20

Portemonnaie- u. Notiz-Kalender f. d. J. 1885. 128. (36 S.) Dresden, A. Köhler. — 10; geb. — 25

— f. 1885. 128. (32 S.) Meißen, Schlimpert. — 10

Portheim, Frdr., üb. den dekorativen Stil in der altchristlichen Kunst. gr. 8. (43 S.) Stuttgart 886. Spemann. n. 1. 20

Portheim, Paul v., Silentium pro P. v. P.! geb. 1858, gest. 1883. Hrsg. v. der „Deutschen Hochschule" in Prag. 8 (IX, 116 S.) Dresden 884. Minden. n. 2. —; geb. n. 3. —

Portia, s.: Collection of British authors.

Portig, Gust., angewandte Aesthetik in kunstgeschichtlichen u. aesthetischen Essays. 2 Bde. gr. 8. (VII, 314 u 348 S.) Hamburg 887. J. F. Richter. n. 8. —

Portig, Gust., die nationale Bedeutung d. Kunstgewerbes, s.: Zeit- u. Streit-Fragen, deutsche.

— das Christusideal in der Tonkunst. 8. (78 S.) Heilbronn 883. Henninger. n. 1. 20

— die Darstellung d. Schmerzes in der Plastik, s.: Sammlung v. Vorträgen.

— zur Geschichte d. Gottesideals in der bildenden Kunst. gr. 8. (VI, 140 S.) Hamburg 887. J. F. Richter. n. 3. —

— der Maler Rudolf Suhrlandt. gr. 8. (35 S.) Leipzig 885. Seemann. n. 1. —

— Text, s.: Crell, R., malerische Verherrlichung v. Frauen-Namen.

— das Weltgericht in der bildenden Kunst, s.: Zeitfragen d. christl. Volkslebens.

Portig, Gustav, Martin Luther. Zur Erinnerg. an den größten deutschen Volksmann u. zur Feier seines 400jähr. Geburtstages. Mit 35 Text-Illustr. u. e. Titelbild. 8. (VIII, 142 S.) Leipzig 883. Spamer. n. 2. —; geb. n. 3. —; Volks-Ausg. n. 1. 25; cart. n. 1. 50

Portionen-Beköstigungs- u. Gebühren-Tarif üb. Montur, Rüstung, Reitzeug u. Feldgeräthe der k. k. Landwehr. 8. (90 S.) Wien 885. Hof- u. Staatsdruckerei. n. 1. 20

Portis, A., les Chéloniens de la molasse vaudoise conservés dans le musée géologique de Lausanne. gr. 4. (78 S. m. 29 Lichtdr.) Genève 882. (Basel, Georg. — Berlin, Friedländer & Sohn.) n.n. 20. —

Portiuncula-Ablaß, der große. Erklärung u. Gebete zur Gewinng. desselben. Von e. Priester d. seraph. Ordens. 16. (48 S.) Mainz 886. Frey. — 15

Portmann, A., das System der theologischen Summe d. hl. Thomas v. Aquin. 4. (79 S.) Luzern 885. (Gebr. Räber.) n. 1. 35

Portraits berühmter Pädagogen. [Comenius, Diesterweg, Herbart, Kehr, Fröbel, Pestalozzi, Lüben, Jahn.] Fol. (8 Chemigr.) Wien 885. Pichler's Wwe. & Sohn. In Mappe. n. 4. 40; einzelne Bilder à n. — 50

Porträtwerk, allgemeines historisches. Eine Sammlg. v. 600 Porträts der berühmtesten Personen aller Völker u. Stände seit 1300 m. biograph. Daten. Photographien nach gleichzeit. Originalen. (In 12 Serien à 10 Lfgn.) 1. u. 2. Serie: Fürsten u. Päpste. 1.—20. Lfg. Fol. (à 5 Bl. m. 5 Bl. Text.) München 883. 84. Bruckmann. à n. 2. — (1. u. 2. Serie in 1 Bd. geb. n. 45. —)

— dasselbe. [3. Serie: Staatsmänner u. Feldherrn.] 21.—40. Lfg. Fol. (à 5 Bl. m. 5 Bl. Text.) Ebend. 884—86. à n. 2. —

— dasselbe. [5. Serie: Dichter, Schriftsteller, Verleger.] 41. u. 42. Lfg. Fol. (à 5 Bl. m. je 5 Bl. Text.) Ebend. 886. à n. 2. —

Poruba, Joh. Bapt., Bericht üb. den I. internationalen Lehrercongress in Havre. [6. bis 10. Septbr. 1885.] gr. 8. (IV, 60 S.) Wien 886. (Sallmeyer.) n. 1. 20

Posadowsky-Wehner, Graf, üb. die Altersversorgung der Arbeiter. Vortrag. gr. 8. (22 S.) Rawitsch 883. Frank. n. — 40

Posadsky, S., practische Modification der Pettenkofer-Nagorsky'schen Methode zur Bestimmung d. Kohlensäuregehalts der Luft. Mit Tabellen: 1. der Bestimmg. d. Kohlensäure-Volumens der Luft nach Abnahme der alkal. Reaction der Barytlösg., u. 2. zur Reduction e. Gasvolumens auf 0° Temp. u. auf 700 mm. Luftdruck. gr. 8. (41 S.) St. Petersburg 886. (Leipzig, Voss' Sort.) n. 1. 50

Posaunenbuch der Minden-Ravensberger Posaunenchöre. 2. Tl. 2. Aufl. 8. (S. 201—424.) Herford 885. Gütersloh, (Bertelsmann). geb. n. 1. 60

— dasselbe. Anhang A. u. B. 12. Ebend. 886. n.n. 1. 80
A. über Einrichtung u. Einübung v. Posaunenchören. (72 S.) n.n. 1. 20
B. Sammlung v. Duetten u. Terzetten. (S. 73—112.) n.n. — 60

Porschel, Johs., e. erzgebirgische Gelehrtenfamilie. Beitrag zur Kulturgeschichte d. 17. Jahrh. 8. (XII, 180 S.) Leipzig 884. Grunow. n. 2. 50; geb. n. 3. 25

Poschinger, Heinr. v., das Eigenthum am Kirchenvermögen m. Einschluss der heiligen u. geweihten Sachen, dargestellt auf Grund der Geschichte d.

Kirchenguts u. d. kathol. u. protestant. Kirchenrechts. Eine v. der Münchener Juristenfakultät gekrönte Preisschrift. Anh.: Ein Rechtsgutachten üb. die Ansprüche der Altkatholiken auf Kirchen u. Kirchengut. gr. 8. (VII, 359 S.) München 871. Oldenbourg. n. 6. —

Poschinger, Heinr. v., Preußen im Bundestag 1851—1859, f.: Publicationen aus den k. preußischen Staatsarchiven.

Poeschl, Rob., Lehrbuch der einfachen u. doppelten Buchhaltung. [Auszug aus dem größeren Werke d. Verf.] qu. gr. 8. (238 S.) Wien 884. Gerold's Sohn. n. 5. 20

— Lehrbuch der kaufmännischen Correspondenz, } s.: Gautsch, J. v.

— Leitfaden der kaufmännischen Correspondenz, }

Posert, v, 72 deutsche, französische u. englische Kartenspiele, als: Skat, L'Hombre, Whist, Préférence, Boston, Piquet, Ecarté, Sechsundsechzig, Mariage, Solo, Schafkopf, Impérial, Casino, Robouge, Patience in vielen Arten, Pharao, Commerce, Süßmilch, Dreiblatt, Sequenz ꝛc., nach den allgemeinen Regeln u. Gesetzen leicht u. richtig spielen zu lernen. Nebst Kartenkunststückchen, Karten-Orakel u. Karten-Deutgn. 7. verb. Aufl. 8. (VIII, 216 S.) Quedlinburg 886. Ernst. 1. 50

Posewitz, Thdr., das Goldvorkommen in Borneo. gr. 8. (16 S.) Budapest 883. (Kilian.) n. — 50

— unsere geologischen Kenntnisse v. Borneo. Mit e. geolog. (lith. u. color.) Karte. gr. 8. (31 S.) Budapest 882. (Berlin, Friedländer & Sohn.) n. 1. 20

— geologische Mittheilungen üb. Borneo. I. Das Kohlenvorkommen in Borneo. II. Geologische Notizen aus Central-Borneo. Lex.-8. (34 S.) Budapest 884. (Kilian.) n. 1. —

— die Zinninseln im indischen Ocean. I. u. II. gr. 8. Ebend. n. 3. 50

I. Geologie von Bangka. Als Anh.: Das Diamantvorkommen in Borneo. Mit 2 lith. Taf. (40 S.) 885. n. 2. —

II. Das Zinnerzvorkommen u. die Zinngewinng. in Bangka. Mit 1 (lith.) Taf. (52 S.) 886. n. 1. 50

Positions moyennes de 3542 étoiles déterminées à l'aide du cercle méridien de Poulkova dans les années 1840—1869 et réduites à l'époque 1855. 0. Imp.-4. (III, 91 S.) St. Pétersbourg 886. (Leipzig, Voss' Sort.) n. 6. —

Poske, F., Hauptsätze der Arithmetik, s.: Bork, H.

Posner's illustrirter Führer durch die Ausstellung u. Budapest. 16. (179 S. m. Illustr., 1 Chromolith. u. 1 chromolith. Plan.) Budapest 885. (Wien, Perles.) geb. n. — 80

Pospischil, Heinr. Vinc., die Heimstätte m. besond. Rücksicht auf die Verhältnisse d. bäuerlichen Grundbesitzes in Oesterreich. [Archiv f. Landwirthsch., hrsg. v. H. H. Hitschmann, V.] gr. 8. (VII, 141 S.) Wien 884. (Gerold's Sohn.) n. 3. —

Posseldt, H., das preußische Gesinde-Recht im Geltungsbereiche d. Allgemeinen Landrechts, gemeinfaßlich dargestellt, an Beispielen erläutert u. durch e. Darstellg. üb. die neue Verwaltungs- u. Gerichts-Organisation ergänzt. 2. Aufl. Bearb. v. C. Lindenberg. 8. (XVI, 128 S.) Berlin 886. H. W. Müller. cart. n. 1. 50

Posselt, E., die österreichische Gewerbe-Ordnung, s.: Seltsam, F.

Possen, dramatische, f. gesellige Vereine. Von e. Freunde derselben. 8. (VII, 118 S. m. 1 Musikbeilage v. J. Schweitzer.) Freiburg i/Br. 883. Herder. n. 1. 40; Musikbeilage ap. n. — 30

Poessnecker, W., die Welt als unsere Erscheinungswelt u. unsere Gedankenwelt. Die Bewegg. des Sauerstoffs. gr. 8. (VI, 200 S.) Berlin 886. Fischer's medicin. Buchh. n. 4. —

Post, die. Fachorgan f. das österreichisch-ungarische Post- u. Telegraphenwesen u. dessen Beziehgn. zu Communicationen und Eisenbahnen, Handel, Industrie, Finanz- u. Volkswirthschaft. [Organ d. „Vereines der Postmeister Böhmens" ꝛc., sowie d. gesammten postal. Vereinswesens.] Hrsg.: Joh. Kiebeck. Red.: Ed. Heinr. Matzenauer. 20.—22. Jahrg. 1883—1885. à 52 Nrn. (B.) Fol. Wien, (Edm. Schmid). à Jahrg. n. 12. —

Post, pharmaceutische. Zeitschrift f. die Gesammtinteressen der Pharmacie. Hrsg. u. Red.: Alois Phpp. Hellmann u. Hans Heger. 16. Jahrg. 1883. 52 Nrn. (à 1—1½ B.) gr. 8. Wien, (Perles). n.n. 12. —

— dasselbe 17—19. Jahrg. 1884—86. à 52 Nrn. (à 1—1½ B.) gr. 8. Ebend. à Jahrg. n.n. 14. —

Post, Alb. Herm., Einleitung in das Studium der ethnologischen Jurisprudenz. gr. 8. (53 S.) Oldenburg 886. Schulze. n. 1. 20

— die Grundlagen d. Rechts u. die Grundzüge seiner Entwickelungsgeschichte. Leitgedanken f. den Aufbau e. allgemeinen Rechtswissenschaft auf sociolog. Basis. gr. 8. (XIX, 492 S.) Ebend. 884. n. 7. 40

Post, Jul., Arbeit statt Almosen. Beitrag zur Social-Technik. gr. 8. (22 S.) Bremen 883. Roussell. n. 1. —

Postage stamp album, illustrated. 8vo ed. Empellished with 400 engravings of postage stamps. gr. 8. (64 S.) Leipzig 886. Heitmann. geb. n. — 50

Postbuch. Kleines Post- u. Telegraphen-Lexikon zum Gebrauch f. Jedermann. Ausg. f. 1883. schmal 12. (28 S.) Weimar 883. Weissbach. — 30

— Breslauer. Zusammenstellung der wesentlichsten, auf die Breslauer Post-, Telegraphen- u. Fernsprech-Einrichtgn., sowie auf den allgemeinen Post- u. Telegraphenverkehr bezügl. Bestimmgn. u. Tarife. Nach amtl. Materialien bearb. Mit e. lith. Plane. 16. (VIII, 260 S.) Breslau 883. Morgenstern's Verl. n. 1. 25; f. Käufer d. Adreßbuches n. — 75

— zum Gebrauch f. das Publikum in Leipzig u. den Vororten v. Leipzig. Hrsg. im Auftrage der kaiserl. Ober-Postdirection in Leipzig. 8. (IV, 179 S) Leipzig 886. Dürselen. n.n. 1. —

Postel's, Emil, deutscher Lehrer-Kalender f. 1887/88. [1. Jan. 1887 bis Ostern 1888.] Red. v. Jul. Herold. Mit dem Portr. v. Jac. Grimm u. 1 Eisenbahn-Karte v. Mittel-Europa. 2 Tle. 16. (253 u. 74 S.) Breslau, Morgenstern's Verl. geb. u. geh. n. 1. 20

Postel, Emil, Bibelkunde. Ein Hilfsbuch f. Schullehrer insbesondere bei dem Präparanden-Unterrichte, sowie zur Präparation auf die öffentl. Lehrstunden in der bibl. Geschichte u. im Bibellesen. 11. Aufl. 8. (XII, 560 S.) Langensalza. 885. Schulbuchh. 3. 75

— kleine Chemie, insbesondere f. Seminaristen, sowie f. angeh. Landwirte u. Gewerbtreibende nach den Anschaugn. der modernen Chemie bearb. 9. Aufl. Mit in den Text gedr. Holzschn. 8. (VIII, 136 S.) Ebend. 883. n. 1 —

Post-Handbuch f. die Schweiz Hrsg. v. der schweizerischen Oberpostdirektion. Juli 1883. 8. (X, 210 S.) Bern, (Jenni). cart. n.n. 1. 50

Post- u. Telegraphen-Kalender f. d. J. 1886. Hrsg. v. Abb. Kästner. 20. Jahrg. 8. (IV, 140 S.) Wien, Fromme. 1. 60

Post-Lexikon, topographisches, d. Erzherzogth. Oesterreich unter der Enns. Bearb. im Post-Cours-Bureau d. k. k. Handelsministeriums. gr. 8. (XII, 451 S.) Wien 885. Hof- u. Staatsdruckerei. n. 4. 40; cart. n. 5. —

— topographisches, der gefürsteten Grafsch. Tirol m. dem Lande Vorarlberg u. d. Fürstenth. Liechtenstein. Bearb. im Post-Coursbureau d. k. k. Handels-Ministeriums. Lex.-8. (XI, 714 S.) Ebend. 883. n. 6. —

Postolka, Aug., Geschichte der Thierheilkunde von ihren Anfängen bis auf die Jetztzeit. 2. verm. u. erweit. Aufl. gr. 8. (X, 398 S.) Wien 887. Perles. n. 8. —

Postportotarif f. Leipzig u. die zum Leipziger Postamtsbezirk gehörigen Ortschaften. Mit e. Verzeichniss sämmtl. Postorte d. Deutschen Reiches u. der Oesterreichisch-Ungar. Staaten, unter Bezeichng. der Länder, Provinzen etc., in denen dieselben gelegen sind, sowie der Zonen- u. Taxquadraten-Nummern zur Berechng. d. Packetpostportos v. Leipzig ab. 3. Aufl. Nebst e. Beigabe m. den Versendungsbedinggn. etc. über: 1. Gewöhnliche Briefsendgn., 2. Briefe m. Werthangabe, 3. Postaufträge, 4. Postanweisgn., 5. Packetsendgn. innerhalb Deutschlands u. nach Oesterreich-Ungarn, 6. Packetsendgn. nach dem Auslande,

7. Tarif f. Telegramme u. e. graph. Darstellg. der Taxquadratur-Eintheilg. d. Deutschen Reiches u. Oesterreich-Ungarns. gr. 8. (XIV, 147 S.) Leipzig 884. Ruhl. n. 2. 50; geb. 3. —

Post-Tarif f. frankirte Packete bis 3 bzw. 5 Kilogr. nach dem Ausland, nebst Angabe der Versendungs-Bedinggn. 8. (8 S.) Leipzig 884. Leiner. n — 35

Post-Zonenverzeichniß f. Aachen (Burtscheid), Barmen (Elberfeld), Berlin (Charlottenburg), Bielefeld (Herford), Bochum (Wattenscheid, Hattingen), Braunschweig, Breslau, Cassel, Chemnitz, Cöln [Rhein] (Deutz, Elberfeld, Nippes), Crefeld, Danzig, Dortmund, Duisburg (Hochfeld, Ruhrort), Düsseldorf (Rattingen), Essen [Ruhr], Gera, Glogau [Bz. Liegnitz], Görlitz, Göttingen. schmal Fol. (39 S.) Düsseldorf 884. F. Bagel. n. — 40

Potel, Walther, Fest-Predigt zum 400jährigen Lutherjubiläum der deutschen St. Gertrud-Gemeinde in Stockholm, geh. am 10. Novbr. 1883. gr. 8. (16 S.) Naumburg 884. Schirmer. — 30

Poten, B., militärischer Dienst-Unterricht f. die Kavallerie d. deutschen Reichsheeres. Zunächst f. einjährig Freiwillige, Offizier-Aspiranten u. jüngere Offiziere d. Beurlaubtenstandes bearb. 4., durch die Aufnahme der Bestimmgn. d. „Exerzier-Reglements f. die Kavallerie" vom 10. Apr. 1885 veränd. Aufl. gr. 8. (XIV, 337 S.) Berlin 884. Mittler & Sohn. n. 4. —; geb. n. 4. 60

— Kommandobuch zum Exerzir-Reglement f. die Kavallerie vom 10. Apr. 1886. gr. 8. (64 S.) Ebend. 886. n. — 80

— u. Chr. **Speier**, unser Volk in Waffen! Das deutsche Heer in Wort u. Bild. (In ca. 30 Hftn.) 1—20. Hft. Fol. (S. 1—244 m. Illustr. u. Taf.) Stuttgart 885. 86. Spemann. à n. 1. 50

Poten, Wilh., experimentelle Untersuchungen üb. Lungenschwindsucht u. Tuberculose. gr. 8. (51 S.) Helmstedt 883. (Göttingen, Vandenhoeck & Ruprecht.) n. 1. 20

Pöthig, H., Rechenbuch f. Volksschulen, s.: Möbius, H.

Potocki, St., schnell polnisch. Leichteste Anleitg., die poln. Umgangssprache in einigen Wochen zu erlernen. gr. 16. (144 S.) Brünn 885. Karafiat's Verl. — 90

Potonié, H., illustrierte Flora v. Nord- u. Mittel-Deutschland m. e. Einführung in die Botanik. 2. Aufl. gr. 8. (VIII, 427 S.) Berlin 886. Brachvogel & Boas. geb. n. 6. —

— die Pflanzenwelt Norddeutschlands in den verschiedenen Zeitepochen, besonders seit der Eiszeit, s.: Sammlung gemeinverständlicher wissenschaftlicher Vorträge.

Poetsch, Frdr. Herm., das Gefrierverfahren. Methode f. schnelles, sicheres u. lothrechtes Abteufen v. Schächten im Schwimmsande u. überhaupt im wasserreichen Gebirge; f. Herstellg. tiefgehender Brückenpfeiler u. f. Tunnel-Bauten im rolligen u. schwimm. Gebirge. gr. 8. (50 S. m. 4 Taf.) Freiberg 886. Craz & Gerlach. n. 1. 50

Potschka, Ludw., Geschichte d. Tiroler Jäger-Regiments Kaiser Franz Joseph, im Auftrage d. k. k. Regimentskommando nach authent. Quellen zusammengestellt. 4 Thle. Lex.-8. (XIII, 359; VI, 213; VI, 245 u. VI, 170 S. m. 25 Plänen.) Innsbruck 885. Wagner. n. 20. —

Pott, A. F., allgemeine Sprachwissenschaft u. Carl **Abels** aegyptische Sprachstudien, s.: Einzelbeiträge zur allgemeinen u. vergleichenden Sprachwissenschaft.

Pott, E., s.: Beobachtungen üb. die Cultur d. Hopfens.

— zur Kultur der Braugerste. gr. 8. (43 S.) München 883. Th. Ackermann's Verl. n. 1. 20

Potterat, D., Bericht an das schweizer. Landwirthschaftsdepartement üb. den thierärztlichen Unterricht in der Schweiz u. die Mittel zur Hebung desselben. gr. 8. (21 S.) Bern 885. Wyß. n. — 30

Französ. Ausgabe zu gleichem Preise.

Pötzl, Ed., „Jung-Wien". Allerhand wiener Skizzen, hochdeutsch u. in der Muttersprach'. 8. (VI, 226 S.) Leipzig 885. Friedrich. n. 2. —; geb. n. 3. —

— Kriminal-Humoresken, } s.: Universal-Bibliothek.
— Wien, }

— Wiener Skizzen aus dem Gerichts-Saal. Mit Bildern von C. v. Stur u. H. Schließmann. 2. Aufl. 8. (VI, 303 S.) Wien 884. Rosner. n. 4. —

Pötzsch, Rich., Trinkspruch, anläßlich d. Festcommerses zur Feier d. 70jährigen Geburtstages Fürst Bismarcks geh. 8. (8 S.) Dresden 885. Höckner Sep.-Cto. — 25

Povinelli, Adf. H., Morgenwolken. Gedichte. 12. (XII, 116 S.) Innsbruck 883. Wagner. n. 1. 60

Powell, Wilfred, unter den Kannibalen v. Neu-Britanien. Drei Wanderjahre durch e. wildes Land, frei übertr. durch F. M. Schröter. Mit vielen Illustr., nach Zeichngn. d. Verf. u. 1 (lith.) Karte. gr. 8. (262 S.) Leipzig 884. Hirt & Sohn. n. 7. 50; geb. n. 9. —

Power, B., Trostbüchlein f. Kranke u. Leidtragende. Aus dem Engl. übers. v. Marie Morgenstern. 8. (VIII, 116 S.) Leipzig 884. Drescher. n. 1. 20; geb. n. 1. 80

Poynter, E. F., Madame de Presnel, s.: Collection of British authors.

Pozzo, C. dal, Friese, s.: Meister, alte.

Prachtbilderbuch, militärisches. Bildlich dargestellt nach den neuesten Adjustirungsvorschriften d. k. k. österr.-ung. Armee. qu. Fol. (22 Chromolith.) Wien 886. Perles. cart. n. 9. —

Praechter, Karl, Cebetis tabula quanam aetate conscripta esse videatur. gr. 8. (130 S.) Marburgi 885. (Karlsruhe, Braun.) n. 2. —

Pracht-Märchen-Bilderbuch. Zwölf der schönsten Märchen f. die Jugend. Mit 70 Farbendr.-Bildern nach Aquarellen v. C. Offterdinger, H. Leutemann u. G. Bartsch. 4. (VI, 64 S.) Stuttgart 883. Loewe. geb. 9. —

Prachtmöbel u. Rahmen, moderne, in reichster Bildhauerarbeit v. Carrando, Focà u. anderen italienischen Künstlern. 2 Serien à 15 (Lichtdr.-)Taf. Fol. Berlin 886. Claesen & Co. In Mappe. à n. 35. —

Praed, C., affinities, } s.: Collection of British authors.
— Zéro, }

— Zéro, s.: Engelhorn's allgemeine Romanbibliothek.

Pradel, F. Andr., Rosenkranzbüchlein. Ein Unterricht üb. die Vorzüge d. Rosenkranzes, die demselben verliehenen Ablässe u. die Weise, ihn gut zu beten. Aus dem Franz. v. Ferd. Meurin. 2. Aufl. gr. 16. (VIII, 254 S.) Trier 885. Lintz. n. 1. 50

Pragois, le. Journal littéraire. Éd.: Emmanuel Bozděch. 7. année. 1884. 24 nrs. (B.) Fol. Prag, (Valecka). n.n. 6. —

Präjudicate d. Rigaschen Raths betr. den Civil-Proceß. 2. Bd. [1881—1883.] gr. 8. (IV, 158 S.) Riga 884. Kymmel's Verl. n. 3. 50 (1. u 2.: n. 15. —)

Praktisches f. Dienst u. Musse. Eine Anleitg. zur Instandhaltg. u. Conservirg. der Montur-, Leder- u. Rüstungs-Sorten, Waffen u. Geräthe. Winke f. Stall- u. Zimmer-Ordng., f. Kanzlei-Einrichtg., Rathschläge f. Menagemeister u. Viktualien-Magazine, f. Vertilg. v. Ungeziefer etc., nebst e. Sammlg. v. gegen 160 leicht herzustell. Recepten als Hilfsmittel zu vorgenannten Zwecken. Nach eigener Erprobg. u. Erfahrg. zusammengestellt v. e. Offizier. 12. (VII, 79 S.) Teschen 883. Prochaska. geb. n. 1. 20

Pralle, A., Lutherfest-Predigt, geh. am 11. Novbr. 1883. gr. 8. (14 S.) Oldenburg 883. Stalling's Verl. n.n. — 25

Prämien-Kalender, illustrirter, fürs Haus u. die Familie auf d. J. 1884. 16. Jahrg. Illustrirt nach Orig.-Zeichngn. Düsseldorfer Künstler. 16. (216 S. m. eingedr. Holzschn. u. 1 Ansicht d. Niederwald-Denkmals in 8.) Düsseldorf, F. Bagel. — 50

Prammer, Ign., Schulwörterbuch zu Cäsars Commentarii de bello Gallico. Mit Fig. 8. (V, 218 S.) Prag 884. Tempsky. — Leipzig, Freytag. n. 1. 40; Einbd. n.n. — 20

Prangen, W. v., Studie üb. die Wiener Stadtbahnen m. Beziehung auf die Entwicklung der Stadt Wien, s.: Flattich, W. Ritter v.

Prantl, Carl, Geschichte der Logik im Abendlande. 2. Bd. 2. Aufl. gr. 8. (VIII, 403 S.) Leipzig 885. Hirzel. n. 11. —

Prantl, K., Exkursionsflora f. das Königr. Bayern. Eine Anleitg. zum Bestimmen der in den bayr. Gebietstellen wildwachs., verwilderten u. häufig kultivierten Gefässpflanzen, nebst Angabe ihrer Verbreitg.

8. (XVI, 568 S.) Stuttgart 884. Ulmer. n. 4. 20; Einbd. n.n. — 80

Prantl, K., Lehrbuch der Botanik f. mittlere u. höhere Lehranstalten. Bearb unter Zugrundelegg. d. Lehrbuchs der Botanik v. Jul. Sachs. Mit 305 Fig. in Holzschn. 6. Aufl. gr. 8. (VIII, 339 S.) Leipzig 886. Engelmann. n. 4. —; Einbd. n.n. 1. 15

— Plan d. botanischen Gartens der k. Forstlehranstalt Aschaffenburg. Lith. Fol. Nebst einigen erläut. Bemerkgn. 8. (4 S.) Aschaffenburg 885. Krebs. n. — 40

Präparation zu Hoffmann's Historiae antiquae. Zum Gebrauch f. die Schule u. den Privatunterricht. 5 Hfte. 12. (395 S.) Leipzig 884. Violet. à n. — 50

Präparationen zu Homer's Ilias. Von e. Schulmann. Kleine Ausg. 5—12. Gesang. 24. (à ca. 120 S.) Düsseldorf 883—86. Schwann. à n. — 50

— zu Homer's Odyssee. Von e. Schulmann. 1. 2. 5. 9. Gesang. 2. Aufl. u. 10—17. Gesang. 16. (à ca. 116 S.) Ebend. 884—86. à n. — 50

— dasselbe. Große Ausg. 2—5. Hft. 2. Aufl. gr. 8. Ebend. n. 4. 70

2. Gesang VI—VIII. (83 S.) 876. n. 1. 20
3. Gesang IX—XI. (111 S.) 877. n. 1. 50
4. Gesang XII—XIV. (89 S.) 883. n. 1. —
5. Gesang XV—XVII. (91 S.) 883. n. 1. —

— zu Ovid's Metamorphosen. Von e. Schulmann. 1—5. Gesang. 16. (141, 151, 123, 138 u. 122 S.) Ebend. 886. à n. — 50

— zu Vergils Aeneis. Von e. Schulmann. Gesang 8—12. 16. (100, 117, 140, 143 u. 156 S.) Ebend. 885. à n. — 50

Prasch, A., Handbuch d. Telegraphendienstes der Eisenbahnen, s.: Bibliothek d. Eisenbahnwesens.

Prasch, Aloys, der Jägerwirth. Musik-Drama in 3 Aufzügen. [Mit freier Benutzg. der gleichnam. Erzählg. von Herm. v. Schmid, Musik v. Hans Steiner.] 8. (48 S.) München 885. Th. Ackermann's Verl. n. — 50

Präsenzliste zur Enthüllungsfeier d. Burschenschaftsdenkmals in Jena am 1., 2. u. 3. Aug. 1883. Nebst den Weiheworten, gesprochen bei der Enthüllungsfeier v. e. Festjungfrau. Nr. I—III. gr. 8. (19 S.) Jena 883. Neuenhahn. n. — 40

Prat, J. M., Leben u. Wirken des Peter de Ribadeneyra aus der Gesellschaft Jesu. [Eine Episode aus der Kirchengeschichte.] Aus dem Franz. übers. v. M. Gruber. gr 8. (XII, 561 S.) Regensburg 885. Verlags-Anstalt. 7. —

Prato, Giov. Napoleone Barone à, la Fillossera in Austria [dal suo primo apparire a tutto l'anno 1882]. Rapporto alla delegazione permanente del congresso antifillosserico internazionale di Sarragozza. gr. 8. (74 S.) Gorizia 883. (Wien, Frick.) n. 1. 60

Prato, Katharina [Edle v. Scheiger], die Haushaltungskunde. Ein Leitfaden f. Frauen u. Mädchen aller Stände. 1—3. Abth. gr. 8. Graz, Hesse. n. 4. 80

1. Anleitung zu den häusl. Geschäften. 4. Aufl. (XX, 144 S.) 886. n. 1. 20
2. Anleitung zur Führung d. Haushaltes. 4. Aufl. (168 S.) n. 1. 20
3. Anleitung zur Führung der Wirthschaft auf dem Lande. 3. Aufl. (256 S.) 887. n. 2. 40

— die süddeutsche Küche auf ihrem gegenwärtigen Standpunkte, m. Berücksicht. d. Thee's u. e. Anh. üb. das moderne Serviren, nach metr. Maß u. Gewicht berechnet u. f. Anfängerinnen sowie f. prakt. Köchinnen zusammengestellt. 18. Aufl. gr. 8. (VIII, 694 S.) Ebend. 885. n. 4. 50; geb. n. 6. —

Prätorius, Chrn. Ludw., österreichischer Medicinal-Schematismus f. 1886. Enth. sämmtl. graduirten u. diplomirten Aerzte, Thierärzte u. Apotheker der im Reichsrathe vertretenen Königreiche u. Länder. Als Anh.: Sanitäts-Gesetze f. Oesterreich-Ungarn. gr. 16. (499 S.) Wien 885. (Bretzner & Co.) n. 3. —

Praetorius v. Richthofen, Emil Frhr., Geschichte der Familie Praetorius v. Richthofen. Im Auftrage der Familie verf. [Hierzu e. Bd. Anlagen u. Stammtafeln.] gr. 8. (VII, 665 u. 185 S. m. 1 Chromolith. u. 17 Stammtaf.) Magdeburg 884. (E. Baensch jun.) n. 20. —; geb. n. 25. —

Praetorius, Ernst, de legibus Platonicis a Philippo Opuntio retractatis. gr. 8. (46 S.) Bonn 884. (Behrendt.) n. 1. —

Praetorius, F., grammatica aethiopica cum paradigmatibus, literatura, chrestomathia et glossario. 8. (X, 153 u. 65 S.) Karlsruhe 886. Reuther. n. 6. —

— äthiopische Grammatik, s.: Porta linguarum orientalium.

Prätorius, Greg., der Wortgrübler. Neuestes, bequemes u. vollständ. Taschen-Fremdwörterbuch. 18. Aufl., neu bearb. v. Joh. Tuschina. 12. (VII, 313 S.) Wien 882 (Daberkow.) n. 1. 20; geb. n. 1. 60; in Leinw. n. 1. 80

Prätorius, Herm., die Weltversöhnung der Grund der Weltmission. Missions-Predigt. 8. (15 S.) Basel 884. Missionsbuchh. n. — 10

Prätorius, Hermann, s.: Zur Erinnerung.

Praetorii, Mich., syntagmatis musici tomus secundus de organographia, darinnen aller Musicalischen Alten vnd Newen | sowol Außländischen | Barbarischen | Bäwrischen vnd vnbekandten | als Einheimischen | Kunstreichen | Lieblichen vnd bekandten Instrumenten Nomenclatur, Intonation vnnd Eigenschafften | samt deroselben Justen Abriß vnd eigentlicher Conterfeyung: Dann auch der Alten vnnd Newen Orgeln gewisse Beschreibung | Manual- vnnd Pedal Clavier | Blaßbälge | Disposition vnd mancherley Art Stimmen | auch wie die Regal vnnd Clavicymbel | rein vnnd leicht zu stimmen: vnd was in vberlifferung einer Orgeln in acht zu nehmen sampt angehengten ausfürlichen Register befindlichen: Nicht allein Organisten | Instrumentisten | Orgel- vnnd Instrumentmachern | sampt allen den Musis zugethanen gantz nützlich vnd nötig | sondern auch Philosophis, Philologis vnd Historicis sehr lustig vnnd anmütig zu lesen. Gedruckt zu Wolffenbüttel | bey Elias Holwein Fürstl. Braunschw. Buchtrucker vnnd Formschneider. M.DC. XVIII. Neuer Abdr. 13. Bd. der Publikation älterer prakt. u. theoret. Musikwerke, hrsg. v. der Gesellschaft f. Musikforschg. unter Protection Sr. Kgl. Hoh. d. Prinzen Georg v. Preussen. gr. 8. (VIII, 248 S. m. 42 Facsm.-Taf.) Berlin 884. Trautwein. n. 10. —

Prattes, Markus, Exercitien f. Priester. 8. (233 S.) Wien 885. Kirsch. n. 1. 80

— nur im Kreuze ist Heil. Sieben Fastenvorträge. gr. 8. (90 S.) Regensburg 883. Verlags-Anstalt. 1. 20

— die Liebe Jesu in ihrem Kampfe u. Siege auf Calvaria betrachtend dargestellt in den letzten Worten Jesu am Kreuze. 7 Fastenvorträge. gr. 8. (112 S.) Wien 884. Kirsch. n. 1. 50

Prausek, Vinc., üb. Schulbänke od. Schultische u. Sessel. 2., umgearb. Aufl. gr. 8. (26 S. m. eingedr. Fig.) Wien 886. Hölzel. n. — 50

Praxis, die, d. Mühlenbetriebes. Illustrirte Müllerbibliothek, red. v. K. W. Kunis. 1. u. 2. Bd. 8. Leipzig. M. Schäfer. n. 10. —

1. Die Reinigung d. Getreides u. die gegenwärtig dazu benutzten Maschinen u. Apparate. Von K. W. Kunis. Mit 18 Taf. Abbildgn. (152 S.) 884. n. 4. —
2. Die Einrichtungen zur Unfall-Verhütung in Mühlen u. Maschinenfabriken. Unter Berücksicht. der einschläg. Gesetze bearb. v. K. W. Kunis. Mit 15 Taf. Abbildgn. (269 S.) 885. n. 6. —

— synodalis. Manuale synodi dioecesanae ac provincialis celebrandae. Ed. emendata. 8. (96 S.) Einsiedeln 886. Benziger & Co. geb. n. 2. 50

— die, der schweizerischen Volks- u. Mittelschule. Beiträge f. spezielle Methodik u. Archiv f. Unterrichtsmaterial. Hrsg. unter Mitwirkg. vieler bedeut. Schulmänner v. J. Bühlmann. 3. Bd. Jahrg. 1883. 4 Hfte. (à 4—5 B.) gr. 8. Zürich 883. Orell Füssli & Co. n. 5. 75

— dasselbe. 4. u. 5. Bd. Jahrg. 1884—1886. à 4 Hfte. (à 4—5 B.) gr. 8. Ebend. à Jahrg. n. 5. —

Praxmarer, Joh., Maria vom guten Rath. Ein Büchlein üb. die Standeswahl. 16. (XII, 276 S. m. 1 Farbendr.) Innsbruck 886. Vereins-Buchh. u. Buchdruckerei. n. 1. 20

Praxmarer, Joh., St. Stanislaus. Ein Büchlein der Andacht u. Belehrg. f. Jünglinge jeglichen Standes. Mit e. Stahlst. 16. (XVI, 359 S.) Mainz 884. Kirchheim. n. 1. 50

— was sollen wir sein? Ein Wort an die Mitglieder der Marian. Congregationen bei Anlaß der 300jähr. Jubelfeier dieser Vereine [5. Dezbr. 1884]. 8. (31 S.) Mainz 884. Frey. — 45

Pražak, Emil, praktischer Ausrechner. Ein unentbehrl. Hilfsbuch beim Kaufe u. Verkaufe in österreich. Währg., berechnet von 1 bis 100 Stück zu 1 bis 99 kr. u. 1 bis 100 Gulden. Nebst den Interessentabellen, Stempelscala, Reduktions-Tabellen v. Wiener- u. Zoll-Gewicht, sowie auch der neuen Maße u. Gewichte. 7. Aufl. 16. (110 S.) Prag 883. Řiwnáč. cart. n. — 80

Preces iussu Papae Leonis XIII. in omnibus orbis ecclesiis post privatae missae celebrationum flexis genibus recitandae. 12. (2 S.) Kempten 886. Kösel. — 2; auf Pappe n. — 10

— ante et post missam pro opportunitate sacerdotis dicendae. gr. 8. (24 S.) Augsburg 883. Schmid's Verl. — 60

— dasselbe. Fol. (III, 88 S.) Augsburg 884. Literar. Institut v. Dr. M. Huttler. n. 10. —

— dasselbe et ritus administrandi infirmorum sacramenta juxta rituale romanum. 16. (48 u. 23 S.) Trier 885. Paulinus-Druckerei. — 25; geb. n.n. 1. 10

— dasselbe. Accedunt hymni, litaniae, aliaeque preces in frequentioribus publicis supplicationibus usitatae. Ed. III. 8. (96 S.) Regensburg 886. Pustet. n. 1. —

— et **meditationes** ante et post missam, precibus piisque exercitiis in usum sacerdotis quotidianum adiectis, collegit et ed. Joa. Evang. Goeser. 2. ed. 12. (XV, 486 S.) Tübingen 884. Laupp. n. 3. —

Precht, die Salz-Industrie v. Stassfurt u. Umgegend. 2. Aufl. gr 8. (16 S. m. 1 Chromolith) Stassfurt 885. Foerster's Sort. n. 1. 20

Prediger u. **Katechet**, der. Eine prakt., kathol. Monatsschrift, besonders f. Prediger u. Katecheten auf dem Lande u. in kleineren Städten. Unter Mitwirkg. mehrerer kathol. Geistlichen hrsg. v. Ludwig Mehler u. Joh. Ev. Zollner, fortgesetzt v. Jos. Ziegler. 34—37. Jahrg. 1884—1887. à 12 Hfte. Mit e. Zugabe: Gelegenheitspredigten. gr. 8. (à Hft. ca. 96 S.) Regensburg, Verlags-Anstalt. à Jahrg. 5. 75

Prediger, C., Compendium der analytischen Geometrie der Ebene. 2. Aufl. gr. 4. (229 autogr. S. m. Fig.) Clausthal 884. Uppenborn. n. 7. —; Einbd. n.n. 1. —

Predigt, die, der Gegenwart f. die evangelischen Geistlichen u. Gemeinden. Eine homilet. Zeitschrift zur Belehrg. u. Erbaug. Unter Mitwirkg. v. Althaus, Bickel, Billig &c. Hrsg. u. red. v. Wendel. 20—23. Jahrg. 1883—1886. à 6 Hfte. (à 5—6 B.) gr. 8. Leipzig, Barth. à Jahrg. n. 7. 50

— dasselbe. Lutherheft. gr. 8. (142 S.) Ebend. 883. 1. 50

— über Evang. Luc. 5, 1—11. Aus den Papieren e. Dame. 3. Aufl. 8. (11 S.) Nürnberg 883. (Raw.) n. — 15

— die sonntägliche. Ein Wochenblatt f. die christl. Gemeinde. Hrsg. v. Haß [unter Mitbetheiligg. Anderer]. 1. Jahrg. 1882. [Epistelpredigten.] 59 Nrn. (1/2 B.) 8. Schönwald bei Königsberg i/Pr. 883. (Frankfurt a/M., Drescher.) n. 1. 60; auf feinem Pap. n. 2. —
Erscheint nicht mehr.

— u. **Vorträge**, geh. bei der 25jährigen Jubelfeier der Meißner Konferenz v. Rüling, Fricke, Schmidt u. Rud. Hofmann. 8. (IV, 108 S.) Leipzig 884. Fr. Richter. n. 1. —

Predigten, altdeutsche. Hrsg. v. Ant. E. Schönbach. 1. Bd.: Texte. Lex.-8. (XIX, 531 S.) Graz 886. Styria. cart. n. 9. —

— geh. bei Eröffnung der XVIII. Rheinischen Provinzial-Synode in der evang. Kirche zu Neuwied am 6. u. 7. Septbr. 1884. gr. 8. (34 S.) Neuwied 884. (Heuser's Verl.) n. — 40

— auf alle Sonn- u. Festtage d. Kirchenjahres v. e. katholischen Geistlichen. Mit e. Vorrede v. Joh. Ev. Zollner. 1—6. Bdchn. 8. (à ca. VIII, 207 S.) Regensburg 884. 85. Verlags-Anstalt. à 1. 80

Preger, Wilh., die Politik d. Papstes Johann XXII. in Bezug auf Italien u. Deutschland. 4. (95 S.) München 885. (Franz' Verl.) n.n. 2. 80

— Psalmbüchlein. Biblische Psalmen in deutschen Liederweisen. 16. (VI, 64 S.) Rothenburg o/T. 886. Peter. cart. n.n. — 40

— die Verträge Ludwigs d. Baiern m. Friedrich dem Schönen in den J. 1325 u. 1326. Mit J. H. Reinkens' Auszügen aus Urkunden d. vatikan. Archivs von 1325—1334. gr. 4. (236 S.) München 883. (Franz' Verl.) n.n. 7. —

Prehn, A., Komposition u. Quellen der Rätsel d. Exeterbuches, s.: Studien, neuphilologische.

Preis dem Allerhöchsten! Gebet- u. Andachtsbuch f. kathol. Christen. Bearb. nach Wilh. Nakatenus u. a. 24. (334 S. m. 1 Stahlst.) Einsiedeln 885. Benziger & Co. 1. —

— der Gnade. 6 Blumenkarten m. Bibelsprüchen. 16. Leipzig 883. Böhme. — 90

Preis-Bilderbücher. 1. u. 2. Serie. à 12 Nrn. 16. (à 5 S. m. 6 Chromolith.) Stuttgart 883. G. Weise. à — 5

Preiss, Herm. G. S., Grundriss der Geschichte der Musik. Zum Gebrauch bei Vorlesgn. bearb. gr. 8. (VIII, 148 S.) Leipzig 884. Lincke'sche Buchh. n. 2. 40

Preisschriften, gekrönt u. hrsg. v. der fürstl. Jablonowski'schen Gesellschaft zu Leipzig. XXIV—XXVI. [Nr. XVI—XVIII der historisch-nationalökonom. Section.] Lex.-8. Leipzig, Hirzel. n. 21. 20

XXIV. Die Übervölkerung der antiken Grossstädte, im Zusammenhange m. der Gesammtentwicklg. städt. Civilisation dargestellt v. Rob. Pöhlmann. (VI, 169 S.) 884. n. 4. 20

XXV. Geschichte der Leipziger Messen v. Ernst Hasse. (VIII, 516 S.) 885. n. 15. —

XXVI. Die Flächen 4. Ordnung hinsichtlich ihrer Knotenpunkte u. ihrer Gestaltung. Von K. Rohn. Mit 2 Taf. (58 S) 886. n. 2. —

Preis-Tabellen f. runde Hölzer nach Metermaß u. Reichswährung. 3. Aufl. 8. (76 S.) München 883. Lindauer. n. 1. 10

Preis-Tarif üb. Fabrikate der Artillerie-Werkstätten. Gültig vom 1. Apr. 1886 ab. 8. (75 S.) Berlin 886. Mittler & Sohn. n.n. — 50

— über Fabrikate d. Feuerwehrs-Laboratoriums zu Spandau. Gültig vom 1. Apr. 1886 ab. gr. 8. (52 S.) Ebend. 886. n.n. — 40

— d. k. k. Train-Materials. 8. (35 S.) Wien 885. Hof- u. Staatsdruckerei. n. — 30

Preis- u. Gewichts-Umrechnung v. Wienerpfund in Kilo u. umgekehrt. Von 1 bis 1000. 16. (22 S.) Klagenfurt 886. Leon sen. cart. n. — 75

Preis-Verzeichnis der vom k. k. militär-geografischen Institute in Wien aufgelegten Kartenwerke u. sonstigen Druckschriften. Mit 16 Stück Beilagen. Lex.-8. (24 S.) Wien 883. (Lechner's Sort.) n.n. 1. —

— der in der österreichisch-ungarischen Monarchie u. im Auslande erscheinenden Zeitungen u. periodischen Druckschriften f. d. J. 1886. Bearb. v. d. k. k. Postamts-Zeitungs-Expedition I in Wien. Lex.-8. (V, 167 S) Wien 886. v. Waldheim. n. 1. —

Preiswerk, S., grammaire hébraïque. 4. éd., refondue par S. Preiswerk. Avec un tableau comparatif des alphabets. gr. 8. (LXVI, 402 S.) Basel 884. Georg. n. 6. —

— das tausendjährige Reich nach Offenbarung 20. 8. (24 S.) Basel 885. Spittler. n.n. — 25

Prel, C. du, das Gedankenlesen, s.: Bücherei, deutsche.

— Justinus Kerner u. die Seherin v. Prevorst. Mit e. photogr. Aufnahme v. Justinus Kerner u. Zeichngn. aus dem Skizzenbuche v. Gabr. Max. gr. 8. (38 S.) Leipzig 886. Th. Grieben. n. 1. —

— die Philosophie der Mystik. gr. 8. (XII, 548 S.) Leipzig 885. E. Günther's Verl. n. 10. —

— ein Problem f. Taschenspieler, s.: Bücherei, deutsche.

Preller, Anleitung zum Gebrauch der Wasserkur u. der Kiefernadelbäder. 8. (40 S.) Ilmenau 884. Schröter. n. — 50

Preller, Thüringens Bäder, Kurorte u. Sommerfrischen. Im Auftrage d. Thüringer Bäder-Verbandes nach Mittheilgn. der Kurvorstände zusammengestellt u. bearb. 12. (VI, 74 S.) Weimar 886. Uschmann. n. — 75

Preller's, Frdr., Lebensbild, s.: Roquette, O.

Preller, L., historia philosophiae graecae, s.: Ritter, H.

— römische Mythologie. 3. Aufl. v. H. Jordan. 2. Bd. gr. 8. (XI, 490 S.) Berlin 883. Weidmann. n. 5 — (1. u. 2.: n. 10. —)

Prellwitz, R., Luther in Worms, dramatiſches Gedicht in 4 Abteilgn. Ein Beitrag zur Lutherfeier am 10. Novbr. 1883. 8. (V, 75 S.) Königsberg 883. Gräfe & Unzer. n.n. 1. 50

Prellwitz, Walther, de dialecto thessalica. gr. 8. (63 S.) Göttingen 885. Vandenhoeck & Ruprecht's Verl. n. 1. 40

Prentiß, E., was Lizzie erzählte. Gentleman Jim. Autoriſ. Überſetzg. v. Marie Morgenſtern. 8. (47 u. 79 S.) Leipzig 884. Böhme. n. 1. 30; geb. n. 2. —

Prenzlau, K. v., e. modernes Duell; Graf Dufour; zwei Tage aus e. Herrſcherleben, ſ.: Erzählungen aus Heimat u. Ferne.

Presbyterial- u. Synodal-Ordnung f. die evangeliſchen Kirchengemeinſchaften [die reformirte, die lutheriſche u. die unirte] im Bezirke d. Konſiſtoriums zu Caſſel m. Allerhöchſtem Erlaß vom 16. Decbr. 1885. gr. 8. (59 S.) Caſſel 886. (Röttger.) n.n. — 60

Preſer, Carl, üb. den Einfluß entwaldeter Höhen auf die Bodencultur. Bericht d. Landesculturraths-Ausſchuſſes an den Landesculturrath f. das Königr. Böhmen. 8. (35 S.) Prag 884. Calve. n. — 60

— die Erhaltung d. Bauernſtandes. 2. Aufl. gr. 8. (XV, 396 S.) Leipzig 884. O. Wigand. n. 6. —

Presl, F., ſ.: Geſetze u. Verordnungen üb. das öſterreichiſche Apotheker-Weſen u. den Medicamenten-, Mineralwaſſer- u. Gifthandel.

Presse, die deutsche. Verzeichniss der im Deutschen Reiche erschein. Zeitgn. u. Zeitschriften. 1. u. 2. Bd. gr. 8. Forbach, Hupfer. à n. 1. —

1. Politische Zeitungen, Amts-, Local- u. Anzeigeblätter. 2. Aufl. (VIII, 289 S.) 886. — 2. Zeitschriften. (VIII, 152 S.) 885.

— die konſervative. Von den konſervativen Journaliſten. gr. 8. (46 S.) Berlin 885. Puttkammer & Mühlbrecht. n. — 80

— deutſche landwirthſchaftliche. Red.: Thdr. Kraus. 10—13. Jahrg. 1883—1886. à 104 Nrn. (1½ B.) Fol. Berlin, Parey. à Jahrg. n. 20. —

— Dresdner landwirthſchaftliche. Organ f. die Geſammt-Intereſſen der Landwirthſchaft. Red.: J. v. Puttkamer. 5. Jahrg. 1884. 52 Nrn. (1½ B.) gr. 4. Dresden, W. Hoffmann. n. 6. —

— Wiener medizinische. Organ f. prakt. Aerzte. Hrsg. u. Chef-Red.: Joh. Schnitzler. 24—27. Jahrg. 1883—1886. à 52 Nrn. (à 2—3 B.) gr. 4. Mit Beiblatt: Wiener Klinik. Vorträge aus der gesammten prakt. Heilkunde. 9—12. Jahrg. 1883—1886. à 12 Hfte. (à ca. 2 B.) gr. 8. Wien, Urban & Schwarzenberg. à Jahrg. n. 24. —; ohne Beiblatt n. 18. —; Beiblatt ap. n. 8. —

— Pester medizinisch-chirurgische. Wochenschrift f. prakt. Aerzte. Centralblatt zur Vermittlg. der ungar. medizin. Forschg. m. dem Auslande. Red.: Sam. Löw. 19—22. Jahrg. 1883—1886. à 52 Nrn. (à 1—1½ B.) gr. 4. Budapest, Zilahy. à Jahrg. n. 12. —

Preſſel, F., das Evangelium in Frankreich, ſ.: Glaube, der evangeliſche, nach dem Zeugnis der Geſchichte.

Preſſel, P., 80 Konfirmations-Denkſprüche [1 Bibelſpruch u. 1 Liedervers], ausgewählt v. P. P. Auf Chamoispap. m. Goldſchn. 16. Ulm 885. Ebner. n. 1. —

— Luther. Von Eisleben bis Wittenberg. 1483—1517. Chronik u. Stammbuch. gr. 8. (IV, 76 S.) Stuttgart 883. Greiner. — 75

Preſſel, Wilh, Bebenhauſen. Ein Kranz v. Romanzen aus ſeiner älteſten Geſchichte. 8. (194 S.) Tübingen 885. Oſiander. n. 2. —

— Priscilla an Sabina. Briefe e. Römerin an ihre Freundin aus den J. 29—33 n. Chr. Geb. 3 Serien in 1 Bd. Wohlfeile Ausg. gr. 8. Hamburg 883. Agentur d. Rauhen Hauſes. n. 6. —; in 1 Bd. geb. n. 7. 50

1. Aus dem J. 29. 3. Aufl. (VII, 240 S.) Einzelpr. n. 2. —; geb. n. 3. —
2. Aus den J. 30 u. 31. 2. Aufl. (IX, 268 S.) Einzelpr. n. 2. 40; geb. n. 3. 60
3. Aus den J. 32 u. 33. 2. Aufl. (VII, 320 S.) Einzelpr. n. 3. —; geb. n. 4. —

Preſſel, Wilh., Geſchichte u. Geographie der Urzeit von der Erſchaffung der Welt bis auf Moſe. Mit e. (chromolith.) Karte d. Orbis Mosaicus. 8. (VI, 338 S.) Nördlingen 883. Beck. n. 3. 50

Pressensé, Mme. E. de, deux ans au lycée, — Augustin, — la maison blanche, } s.: Bibliothèque française.

— dasselbe, s.: Bibliothèque, petite, française.

— petit mère, — Rosa, } s.: Bibliothèque française.

Preſſenſé, Edm. v., der Erlöſer. Vorträge. Mit e. Vorrede d. Verf. gr. 8. (VII, 368 S.) Gotha 883. F. A. Perthes. n. 6. —

— evangeliſche Studien. 2 Bdchn. Autoriſ. deutſche Ausg. v. Ed. Fabarius. 2. Ausg. 8. Halle 884. Pfeffer. à n. 1. —

1. Das Leiden im Lichte d. Evangeliums. (V, 104 S.)
2. Betrachtungen u. Reden verſchiedenen Inhalts. (III, 127 S.)

— die Urſprünge. Zur Geſchichte u. Löſg. d. Problems der Erkenntnis der Kosmologie, der Anthropologie u. d. Urſprungs der Moral u. der Religion. Autoriſ. deutſche Ausg. v. Ed. Fabarius. gr. 8. (XX, 446 S.) Ebend. 884. n. 6. 75

— daſſelbe. 2. Ausg. gr. 8. (XX, 446 S.) Ebend. 887. n. 4. 50

Preßgeſetz, das, ſ.: Univerſal-Bibliothek.

Pressler's, M. R., forstliche Cubirungstafeln zum Dienstgebrauche beim Staats-, Forst-, Ingenieur- u. Bauwesen. 6. Ster.-Ausg. m. entsprech. allgemeinen u. metr. Mas- u. Preis-Vergleichungs-Anhängen u. trennbar eingefügtem Suppl. zur Geldberechng. nach 100thl. Währg. [Mark à 100 pf., Gulden à 100 kr., Franken à 100 Cent., Rubel à 100 Kop. etc.]. Ausg. A. f. Sachsen etc. gr. 8. (VIII, 74; 16 u. 48 S.) Wien 883. Perles. cart. n. 5. —; Ausg. B. f. Preussen u. Norddeutschland (VIII, 74; 30 u. 48 S.) cart. n. 5. —; Ausg. C. f. Oesterreich-Ungarn (VIII, 74; 37 u. 48 S.) cart. n. 5. —

— forstliches Hülfsbuch f. Schule u. Praxis. 2. Tl. od. Textwerk, umfassend die Hauptlehren d. Forstbetriebs u. sr. Einrichtg. im Sinne e. forstwissenschaftlich und volkswirtschaftlich correcten Reinertragswaldbau. 4. Abtlg. od. Hft. IV zur Forstfinanzrechnung u. der. Anwendung a. Waldwirtschaftsbetrieb u. Boden-, Baum-, Bestands- u. Wald- u. Servituten-Wertschätzg. Zugleich als Leitfaden f. den Unterricht wie als Handbuch f. die Praxis in 4. Aufl. Mit umfass. Zins- u. Rententafeln. gr. 8. (82 S.) Ebend. 886. n. 2. —

— forstliches Messknechts-Practicum als Leitfaden f. die mathematisch-practischen Übungen der Schule u. als Supplement zu den Werken: Forstliches Hülfsbuch u. Holzwirtschaftliche Tafeln. gr. 8. (VI, 64 S. m. lith. Tab.) Ebend. 883. n. 1. 60

— neue Viehmesskunst. Selbständiges 2. Hft. zur Praxis. 3. f. den einfachen prakt. Landwirt popularisirte u. durch Krämers Formzahl-Erhebgn. üb. das schweizer Braun- u. Grauvieh vervollständ. Aufl. gr. 8. (30 S.) Ebend. 886. n. 1. 20

— die beiden Weiserprocente als Grundlagen d. eigentlichen u. wissenschaftlichen Lichtungsbetriebes, wie der productivsten Bestandswirthschaft überhaupt. Zugleich als 2. vervollständ. Aufl. der gleichnam. Artikel im Tharander Jahrbuche v. 1881 f. Forstbehörden, Waldbesitzer u. Forstpraktiker, insbesondere Solche, welche ihren Wald u. Betrieb im Sinne nachhaltig höchster Rentabilität zu vervollkommnen wünschen. [Der rationelle Waldwirth u. sein Nachhaltswaldbau höchsten Reinertrags. 9. Hft.] gr. 8. (XVI, 82 S.) Ebend. 885. n. 1. —

Pressler's, M. R., zum Zuwachsbohrer. Gebrauchsanweisung in Verbindg. m. den Zuwachs- u. Ertragstafeln 21—31 aus dem forstl. Hülfsbuch f. Schule u. Praxis. 3. verb. Aufl. m. Anleitg. zum doppeltproductiven Durchforstungs-, Vorhiebs- u. Vorverjüngungsbetrieb. gr. 8. (69 S.) Wien 883. Perles. n. 1. 50

Preßprozeß, der, gegen die „Kronstädter Zeitung" am 22. April 1882. gr. 8. (30 S.) Hermannstadt 882. Michaelis. n. — 40

— des Joh. Ludwig, Schweinehändler u. Industrieller in Preßburg, gegen Géza v. Kacziány, bis zum 1. März 1886 gewesener verantwortl. Redacteur d. in Preßburg erschein. Tageblattes „Westungarischer Grenzbote", wegen Ehrenbeleidigung, u. Preßklage d. vorgenannten Redacteurs Géza v. Kacziány gegen Johann Ludwig wegen Ehrenbeleidigung u. Verleumdung. Verhandelt vor dem Preßburger Schwurgerichte am 7. Apr. 1886. Sep.-Beilage der „Preßburger Zeitung". gr. 8. (79 S.) Preßburg 886. (Heckenast's Nachf.) gratis

Prestel, J. G., s.: Sándor-Album.

Prestele, A., üb. Beseitigung allgemeiner Hindernisse der Pflanzenkultur, Pflege u. Ernte der landwirthschaftlichen Kulturgewächse. 4. (25 S.) Sigmaringen 885. Tappen. n. — 60

Presting, die Hindernisse u. Bedingungen e. gesunden geistigen Volksbildung. Vortrag. gr. 8. (24 S.) Cöslin 884. Hendeß. n. — 40

Préston, S. Tolver, e. dynamische Erklärung der Gravitation. Lex.-8 (11 S.) Wien 883. (Gerold's Sohn.) n.n. — 25

— über die Möglichkeit, vergangene Wechsel im Universum durch die Wirkung der jetzt thätigen Naturgesetze — auch in Übereinstimmung m. der Existenz e. Wärmegleichgewichtes in vergrössertem Massstabe — zu erklären. Ebend. 883. Lex.-8. (18 S.) n. — 40

Preuner, A., Bericht üb. die Mythologie 1876—1885 u. üb. die Kunstarchäologie 1874—1885, s.: Jahresbericht üb. die Fortschritte der classischen Alterthumswissenschaft.

Preuß, A. E., Bemerkungen u. Winke f. den Lehrer zur Behandlung der biblischen Geschichte. [Bisheriger Anhang zu den bibl. Geschichten v. A. E. Preuß.] In neuer Bearbeitg. hrsg. v. Lackner u. Lettau. gr. 8. (244 S.) Königsberg 883. Bon's Verl. n 2. 50

— biblische Geschichten, m. Berücksicht. der Zeitfolge u. ihres inneren Zusammenhanges bearb. u. m. pass. Liederversen u. Sprüchen versehen f. Schulen u. Familien. 77. Aufl. 8. (VI, 276 S.) Ebend. 884. n. — 80; Einbd. n.n. — 20

— dasselbe. Neue Bearbeitg. m. e. kirchengeschichtl. Anh. Hrsg. v. R. Triebel. gr. 8. (VII, 216 S.) Ebend. 884. n. — 70; Einbd. n.n. — 20

— dasselbe. Ausgabe f. den Lehrer. Mit e. Anh.: „Ausführliche Bemerkg. u. Winke f. den Lehrer zur Behandlg. der bibl. Geschichte". 13. Aufl. gr. 8. (VI, 276 u. 244 S.) Ebend. 883. n. 3. —

Preuß, E., das pastorale Amtsleben. Winke aus der Erfahrg. Mit e. Vorwort v. Jaspis. gr. 8. (V, 64 S.) Berlin 884. Rother. n. 1. 20

Preuß, H., Deutschland u. sein Reichskanzler gegenüber dem Geist unserer Zeit, s.: Zeit- u. Streit-Fragen deutsche.

— Franz Lieber, e. Bürger zweier Welten, s.: Sammlung gemeinverständlicher wissenschaftlicher Vorträge.

Preuss, Otto, die Lippischen Familiennamen. gr. 8. (41 S.) Detmold 884. (Hinrichs.) n. 1. —

— die Lippischen Familiennamen m. Berücksicht. der Ortsnamen. 2. Aufl. gr. 8. (IV, 132 S.) Detmold 887. Meyer. n. 2. 80

Preuss, S., lexicon Caesarianum, s.: Menge, R.

— vollständiges Lexikon zu den pseudo-cäsarianischen Schriftwerken. I. Tl.: bell. Gall. 8. u. bell. Alex. II. Tl.: bell. Afr. u. Hisp. gr. 8. (433 S.) Erlangen 884. Deichert. n. 8. —

Preuß, Wilh. H., der vorgeschichtliche Mensch. Vortrag auf der 10. Jahres-Versammlg. d. oldenburger Alterthums-Vereins. gr. 8. (35 S.) Varel 886. Bültmann & Gerriets Nachf. n. — 80

Preuße, der treue redliche, f. d. J. 1885 f. die Provinzen Brandenburg, Pommern, Ost- u. West-Preußen, Posen, Schlesien, Sachsen, nebst den angrenz. Landestheilen: Altenburg, Anhalt, Bremen, Hamburg, Koburg-Gotha, Lübeck, Mecklenburg x. Mit 1 (chromolith.) Titelbilde u. zahlreichen Illustr. 8. (160 S.) Landsberg a/W. Volger & Klein. — 50

— u. **Deutsche,** der redliche. Ein Kalender auf d. J. 1887. Bearb. zum freundl. u. nützl. Gebrauche f. Jedermann v. C. L. Rautenberg. 56. Jahrg. Ausg. Nr. 1. Mit 7 Prämienbildern (in Holzschn.) u. vielen anderen (eingedr.) Holzschn.-Bildern. 8. (124 u. 144 S.) Mohrungen, Rautenberg. 1. —; Ausg. Nr. 2. 12. (164 u. 132 S. m. eingedr. Holzschn. u. 8 Holzschntaf.) — 75; Ausg. Nr. 3. (96 u. 34 S. m. eingedr. Holzschn. u. 2 Holzschntaf.) — 40

Preuße, der Offizier d. Beurlaubtenstandes. Zusammenstellung v. Bestimmgn. zum Gebrauch f. Offiziere der Reserve u. der Landwehr, nebst e. Anleitg. zum Anfertigen v. Dienstbriefen. gr. 8. (24 S.) Bromberg 885. Johne. n. — 50

Preußens landwirtschaftliche Verwaltung in den J. 1881, 1882, 1883. Bericht d. Ministers f. Landwirthschaft, Domänen u. Forsten an Se. Maj. den Kaiser u. König. Lex.-8. (XVI, 851 S.) Berlin 885. Parey. n. 25. —

Preußer, Louise, u. Gräfin **Olga zu Eulenburg,** nach Aegypten u. dem heiligen Land. Tagebuchblätter. Mit 24 Abbildgn. in Lichtdr. gr. 8. (IV, 205 S.) Dresden 884. J. Naumann. geb. n. 7. —

— — unter blühenden Blumen, gemalt v. L. P. u. Gr. O. zu E. Worte v. Similde Gerhard. 4. (68 S.) Leipzig 886. Meissner & Buch. geb. m. Goldschn. n. 10. —

Prévôt, C., Feld-Taschenbuch f. Truppen-Offiziere, s.: Stransky, C. v.

Preyer, W., Elemente der allgemeinen Physiologie. Kurz u. leichtfasslich dargestellt. gr. 8. (VII, 226 S.) Leipzig 883. Th. Grieben. n. 4. —

— die Erklärung d. Gedankenlesens, nebst Beschreibg. e. neuen Verfahrens zum Nachweise unwillkürl. Beweggn. Mit 26 Orig.-Holzschn. im Text. gr. 8. (VII, 70 S.) Ebend. 886. n. 2. —

— aus Natur- u. Menschenleben, s.: Verein, allgemeiner, f. deutsche Litteratur.

— specielle Physiologie d. Embryo. Untersuchungen üb. die Lebenserscheingn. vor der Geburt. Mit chromolith. Taf. u. Holzschn. im Text. gr. 8. (XII, 644 S. m. Erklärgn.) Leipzig 883. 84. Th. Grieben. n. 16. —; geb. n. 19. —

— die Seele d. Kindes. Beobachtungen üb. die geist. Entwickelg. d. Menschen in den ersten Lebensjahren. 2. Aufl. gr. 8. (XII, 487 S.) Ebend. 884. n. 9. —

Preysing-Lichtenegg, Max Graf v., Einiges üb. die Lage unserer bayerischen Landwirthschaft. gr. 8. (20 S.) Landsberg a/L. 884. Verza. n. — 30

— zwei landwirthschaftliche Fragen. gr. 8. Ebend. 885. n. — 40

Přibram, Alfr. Francis, Oesterreich u. Brandenburg. 1685—1686. gr. 8. (IV, 110 S.) Innsbruck 884. Wagner. n. 2. —

— dasselbe. 1688—1700. gr. 8. (VIII, 228 S.) Prag 885. Tempsky. — Leipzig, Freytag. n. 6. —

Přibyl, Leo, Bericht üb. die internationale Gespannpflug-Concurrenz verbunden m. e. Dampfpflugausstellung u. e. Dampfpflügen, welche auf der Besitzg. d. Hrn. H. Kuffner, Guts- u. Zuckerfabriksbesitzer zu Lundenburg in Mähren, am 11. u. 12. Septbr. 1882 vom Club der Land- u. Forstwirthe in Wien veranstaltet wurde. gr. 8. (IV, 89 S. m. eingedr. Holzschn. u. 1 lith. Plan.) Wien 883. (Frick.) n. 2. —

— das Bettelunwesen u. die Ackerbau-Colonien. gr. 8. (23 S.) Ebend. 884. n. — 80

— die Geflügelzucht. Mit e. Vorwort von Wilh. Ritter v. Hamm. 2., verb. u. verm. Aufl. Mit 13 in den Text gedr. Holzschn. 8. (XII, 228 S.) Berlin 884. Parey. geb. n. 2. 50

Prieger, Karl, Urtheile berühmter Dichter, Philosophen u. Musiker üb. Mozart. Gesammelt u. hrsg. gr. 8. (62 S.) Wiesbaden 885. Rodrian. n. 1. 50
— dasselbe. Anschließend: Hervorragende Musik-Schriftsteller üb. Mozart. — Gedichte. Gesammelt u. hrsg. 2. verm. Aufl. gr. 8. (288 S.) Ebend. 886. n. 4. —; geb. n. 5. —
Prielmayer, Gust. v., der Krainer Hans. Eine Geschichte aus dem bayer. Walde. 8. (408 S.) Würzburg 884. Kreßner. n. 4. —
Priem, J., Nürnberg, s.: Städtebilder u. Landschaften aus aller Welt.
Priester-Jubiläum Sr. Heil. Leo XIII. Hrsg. vom Central-Comité f. das Priester-Jubiläum. 1. Jahrg. 1886. 6 Nrn. (2 B.) gr. 8. Innsbruck, F. Rauch. n. 1. 20
Prietzel, Boëthius u. seine Stellung zum Christenthume. 4. (33 S.) Löbau 879. (Oliva.) n. — 85
Prignot, Eugène, moderne Sitzmöbel. 25 (lith.) Taf., ca. 60 Zeichngn. Sitzmöbel, alle Formen u. Stylarten umfassend. 5 Lfgn. Fol. (à 5 Taf.) Berlin 885. Claesen & Co. à n. 5. — (cplt. in Mappe: n. 25. —)
— Vorlagen f. Tapezierer u. Decorateure. 100 (lith.) Taf. 2. Aufl. 1—20. Lfg. Fol. (à 5 Taf.) Ebend. 886. In Mappe. n. 5. — (cplt. in Mappe: n. 100. —)
Prill, Jos., die Schloßkirche zu Wechselburg, dem ehemaligen Kloster Zschillen. Zur Erinnerg. an die 700jähr. Jubelfeier der Kirchweihe am 15. Aug. 1884 gezeichnet u. beschrieben. Fol. (III, 48 S. m. 12 Stein- u. 1 Lichtdr.-Taf.) Leipzig 884. H. Lorenz. cart. n. 15. —; geb. n. 20. —
Prillwitz, Paul, hie Welf! Stimmen d. Rechts, f. Braunschweig u. Deutschland gesammelt. gr. 8. (89 S.) Ludwigslust 885. Hinstorff. n. — 90
Primer in the Gã or Akra language, Gold Coast, W. Africa. 8. (VIII, 40 S.) Basel 883. Missionsbuchh. geb. n. — 60
Primics, Geo., die geologischen Verhältnisse der Fogarascher Alpen u. d. benachbarten rumänischen Gebirges. Mit 1 geologisch color. Karte u. 5 Durchschnitten. Lex.-8. (33 S.) Budapest 884. (Kilian.) n. 2. —
Pringsheim, Otto, die Ricardo'sche Werththeorie im Zusammenhang m. den Lehren üb. Kapital- u. Grundrente. gr. 8. (VII, 88 S.) Breslau 883. (Köhler.) n. 1. —
Prints, Ed., die Bau- u. Nutzhölzer od. das Holz als Rohmaterial f. techn. u. gewerbl. Zwecke, sowie als Handelsware. Nebst Beschreibg. v. üb. 200 europ. u. fremden Holzarten. Ein Hand- u. Nachschlagebuch f. Baumeister, Technologen, Holzhändler, Waldbesitzer, Forstbeamte etc. Mit 42 Abbildgn. gr. 8. (VI, 227 S.) Weimar 884. B. F. Voigt. 5. —
Printzen, Wilh., Marivaux. Sein Leben, seine Werke u. seine litterar. Bedeutg. gr. 8. (123 S.) Münster 885. (Leipzig, Fock.) n. 2. —
Prinz, P., Studien üb. das Verhältnis Frislands zu Kaiser u. Reich, insbesondere üb. die frisischen Grafen im Mittelalter. gr. 8. (99 S) Emden 884. Haynel. n. 2. —
Prinzhorn, Wilh., de libris Terentianis, quae ad recensionem Calliopianam redeunt. gr. 8. (38 S.) Göttingen 885. (Spielmeyer.) n. 1. —
Prinzinger d. Ae., die Markmannen-Baiern-Wanderungen. gr. 4. (13 S.) Wien 884. (Salzburg, Dieter.) n. 1. —
Prior, Eug., Denkschrift betr. die Verwendung der Salicylsäure in der bayerischen Bierbrauerei. gr. 8. (IV, 36 S.) Würzburg 886. Stuber's Verl. n. — 50
— Erlaubtes u. Verbotenes im bayerischen Brauereiwesen. Allgemein verständlich dargestellt u. kritisch erläutert f. Bierbrauer u. Juristen. gr. 8. (24 S.) Ebend. 885. n. — 50
— s.: Vorträge aus dem Gebiete der Nahrungsmittel-Chemie.
Prior, J., Forschungen üb. Cholerabacterien, s.: Finkler, D.
Prisciani Lydi quae extant, s.: Supplementum Aristotelicum.

Prittwitz u. Gaffron, Hans v., Verzeichniss gedruckter Familiengeschichten Deutschlands u. der angrenzenden Länder u. Landestheile. gr. 8. (161 S.) Berlin 882. (Stargardt.) n. 2. —
Prittwitz u. Gaffron, Walter v., der deutsche Edelmann. Der Jugend gewidmet. 8. (III, 49 S.) Berlin 885. Liebel. cart. n. 2. —
— Kriegs-Recht u. Kriegs-Politik. gr. 8. (16 S.) Ebend. 884. n. — 40
— der Preuße. Ein Katechismus f. Volksschulen, e. Instruktionsbuch f. die Armee. 5. Aufl. 16. (16 S.) Ebend. 884. n. — 10
Pritzel, G., u. C. **Jessen,** die deutschen Volksnamen der Pflanzen. Neuer Beitrag zum deutschen Sprachschatze. Aus allen Mundarten u. Zeiten zusammengestellt. 2. Hälfte. gr. 8. (S. 449—701.) Hannover 884. Cohen. à n. 5. 75 (cplt. geb.: n. 12. 75)
Pritzlaff, Joh., der Goldschmied. Ein vollständ. u. prakt. Hand- u. Hülfsbuch f. den Juwelier, Gold- u. Silberschmied, sowie verwandte Zweige. 8. (VIII, 92 S.) Dresden 882. (Leipzig, Schlag.) n. 2. —
Privatbauten, praemiirte, auf den neuen Boulevards in Brüssel. Fol. (20 photogr. Taf.) Berlin 885. Claesen & Co. In Mappe. n. 50. —
Privatökonomie u. Sozialökonomie. 8. (72 S.) Zürich 886. Verlags-Magazin. n. 1. —
Prix, A., der Zeichenunterricht als gymnasialer Bildungsfactor. gr. 8. (31 S.) Wien 885. (Pichler's Wwe. & Sohn.) n. — 60
Prix, Ernst, Elemente der darstellenden Geometrie. 1. u. 2. Tl. Mit Fig. 8. Leipzig 883. Teubner. n. 3. 20
1. Darstellung v. Raumgebilden durch orthogonale Projectionen. (IV, 72 S.) n. 1. 20
2. Schnitte v. ebenen u. krummen Flächen. Schiefwinklige u. axonometr. Projectionen. Centralprojection. (IV, 120 S.) n. 2. —
Pro memoria. Notizen zum Unterricht in der bibl. Geschichte f. Präparandenschulen. gr. 8. (32 S.) Rothenburg o. d. Tbr. 884. Peter. n. — 35
Probst, v., Mittheilungen aus der Rechtsprechung d. Oberlandesgerichts. gr. 8. (80 S.) Tübingen 884. Fues. n. 1. 20
Probst, Arth., Beiträge zur lateinischen Grammatik. I. u. II. gr. 8. Leipzig 883. Zangenberg & Himly. n. 5. —
I. Zur Lehre vom Verbum. (104 S.) n. 3. —
II. Zur Lehre v. den Partikeln u. Konjunktionen. (S. 105—172.) n. 2. —
Probst, Eman., Bonifacius Amerbach. 62. Neujahrsblatt, hrsg. v. der Gesellschaft zur Beförderg. d. Guten u. Gemeinnützigen. 1884. gr. 4. (28 S. m. 1 Lichtdr.-Portr.) Basel 883. (Detloff.) n. 1. 35
Probst, Ferd., Geschichte der katholischen Katechese. gr. 8. (IX, 192 S.) Breslau 886. Goerlich. 2. —
— Katechese u. Predigt vom Anfang d. 4. bis zum Ende d. 6. Jahrhunderts. gr. 8. (XII, 312 S.) Ebend. 884. 3. —
— Lehre vom liturgischen Gebete. 8. (VIII, 184 S.) Breslau 885. Aderholz. n. 2. —
— Theorie der Seelsorge. 2. Aufl. 8. (VIII, 172 S.) Ebend. 885. n. 2. —
— Verwaltung d. hohenpriesterlichen Amtes. 2. Aufl. 8. (VII, 192 S.) Ebend. 885. n. 2. —
Probst, Herm., Übungsbuch zum Übersetzen aus dem Deutschen ins Französische. Mit besond. Berücksicht. der französ. Schulgrammatik v. H. Knebel hrsg. 2 Tle. 8. Aufl. gr. 8. Leipzig 886. Bädeker. n. 2. 25; Einbd. n.n. — 45
1. Für mittlere Gymnasial- u. Realklassen. (IV, 150 S.) n. 1. —; Einbd. n.n. — 20
2. Für obere Klassen. (VI, 204 S.) n. 1. 25; Einbd. n.n. — 25
— praktische Vorschule der französischen Sprache. 8. Aufl. gr. 8. (IV, 200 S.) Ebend. 886. n. 1. 25; Einbd. n.n. — 25
Probst, J., natürliche Warmwasserheizung als Princip der klimatischen Zustände der geologischen Formationen. gr 4. (124 S.) Frankfurt a/M. 884. (Diesterweg.) n. 5. —
Probst, R., üb. das Erforderniß der gerichtlichen Kognition bei Errichtung ritterschaftlicher Familienstatute. gr. 8. (12 S.) Tübingen 884. Fues. n. — 20

Probst, Udalricus, Communion-Buch f. alle Verehrer d. heiligsten Altar-Sacramentes. Neubearb. nach der 3. Aufl. v. Conr. Sickinger. 8. (IV, 456 S. m. 1 Stahlst.) Dülmen 885. Laumann. 1. 50

Pröbst, Fr. X., die Grundlehren der deutschen Genossenschaften. Nach den Beschlüssen der Allgemeinen Vereinstage sistematisch dargestellt u. eingeleitet m. e. Skizze der Geschichte d. Allgemeinen Vereinstages. 2. Bd. gr. 8. (IV, 196 S.) München 884. F. A. Ackermann. n. 3. — (cplt.: n. 4. —)

Proebst, Max, die Verfassung d. Deutschen Reichs vom 16. April 1871, nebst verfassungsrechtl. Nebengesetzen, Verträgen etc. Mit Anmerkgn. u. Sachregister. 16. (VI, 270 S.) Nördlingen 885. Beck. cart. n. 1. 80

Proceß d. Mädchenmörders Hugo Schenk u. seiner Genossen, verhandelt im März 1884 vor dem Ausnahmegerichte. Nach authent. Berichten bearb. Mit 20 Illustr. 11. Aufl. 8. (128 S.) Wien 884. Hartleben. n. — 60

— der, v. Tisza-Eszlar. [Verhandelt in Nyiregyhaza im J. 1883.] Eine genaue Darstellg. der Anklage, der Zeugenverhöre, der Vertheidigg. u. d. Urtheils. Nach authent. Berichten bearb. Mit 20 Illustr. 10. Aufl. 8. (96 S.) Wien 883. Hartleben. — 60

— gegen die Herren Caplan Tix u. Dr. Urfey Klage d. d. entl. Ministeriums wegen Beleidigg. d. Fabrikanten Ernst L. F. Seyffardt. Verhandelt vor der Strafkammer zu Crefeld am 11., 12. u. 14. Juni 1883. Nach stenograph. Aufzeichngn. verf. v. A. Mann u. W. Emmert zu Crefeld. 8. (VIII, 286 S.) Crefeld 883. (Klein.) — 60

Processionale sive ordo in processionibus cum sanctissimo sacramento servandus. Fol. (14 S. m. eingedr. Holzschn.) Köln 885. Boisserée. geb. m. Goldschn. n.n. 15. —

Proch, Heinr., die Alpenhütte. Komische Oper in 1 Aufzuge nach Scribe u. Melesville. Musik v. Adf. Adam. 8. (31 S.) Wien 883. Künast. n. — 60

Prochaska, Carl, Liederbuch f. den Kirchengebrauch an Volks- u. Bürgerschulen. 1. u. 2. Stimme. 2. Aufl. 16. (47 S.) Brünn 884. Winkler. n. — 32; cart. n. — 40

Procházka, Joh. F., Böhmens landtäflicher Grundbesitz. [Mit 1 graf. Tableau.] Anh. Resultate der Grundsteuerregelg. Im Königr. Böhmen m. Schluss d. J. 1885. [Mit 1 Karte.] Auf Grund authent. Daten bearb. u. hrsg. hoch 4. (IV, 109 S.) Prag 886. (Neugebauer.) n.n. 8. —

Prochnow, ich beschwöre euch bei dem HErrn, daß ihr diese Epistel lesen lasset alle heiligen Brüder. 1. Thess. 5, 27. Predigt. 8. (8 S.) Berlin 883. Deutsche Evangel Buch- u. Tractat-Gesellschaft. n. — 10

Prochownik, L., üb. Pessarien, s.: Sammlung klinischer Vorträge.

Prodrsch, L., Methodik d. Unterrichts in den weiblichen Handarbeiten, s.: Handbuch der speciellen Methodik.

Procop, Wilh., syntactische Studien zu Robert Garnier. Inaugural-Dissertation. gr. 8. (V, 150 S.) Eichstätt 885. (Stillkrauth.) n. 2. 40

Procul, s.: Aufsätze, zwei volkswirthschaftliche.

Professoren- u. Lehrer-Kalender, Fromme's österreichischer, f. d. Studienj. 1886/87. 19. Jahrg. Red. v. Joh. E. Dassenbacher. 16. (272 S.) Wien, Fromme. geb. 2. —; Brieftaschen-Ausg 3. 20

Proffin, A., russischer Kinderfreund. (Russisch u. deutsch.) gr. 8. (VI, 59 S.) Reval 886. Kluge. cart. n. 2. —

Profittlich, J. B., das katholische Kirchenjahr. Kurze Unterweisungen üb. die Feste u. Festzeiten u. üb. die sonn- u. festtägl. Evangelien, nebst mehreren Hymnen u. Kirchenliedern. Für Lehrerseminarien u. Volksschulen bearb. 2. Aufl. 8. (IV, 263 S.) Trier 886. Lintz. n. 2. —

Programm f. das Sängerfest der Vereinigten norddeutschen Liedertafeln zu Celle am 20—22. Juli 1883. 12. (30 S. m. 1 chromolith. Plan.) Celle 883. (Schulze'sche Buchh.) n. — 60

— des vom Ober-Kirchen-Collegium der evang.-lutherischen Kirche in Preußen zu Breslau errichteten u. unter dessen Aufsicht stehenden theologischen Seminars f. lutherische Theologie-Studirende, welche die dortige Universität besuchen. Enthält amtl. Nachrichten üb. dessen Zweck, Einrichtg. u. Begründg. gr. 8. (33 S.) Cottbus 883. (Gotthold-Expedition.) — 30

Programm u. **Texte** f. das 18. eidgenössische Sängerfest in St. Gallen 10. bis 12. Juli 1886. 8. (79 S.) St. Gallen 886. (F. B. Müller.) n. 1. —

Progrès religieux, le. Journal des églises protestantes. Réd.: Th. Gerold. 18 et 19. année. 1885 et 1886. à 52 nrs. (B.) hoch 4. Strassburg, Heitz. à Jahrg. n. 5. 20

Prohaska, Carl, üb. den Basalt v. Kollnitz im Lavantthale u. dessen glasige cordieritführende Einschlüsse. [Mit 3 Holzschn.] Lex.-8. (13 S.) Wien 885. (Gerold's Sohn.) n. — 40

Prohl, Hedwig, Brauseköpfchen. Eine Erzählg. f. junge Mädchen. gr. 8. (99 S. m. 4 Chromolith.) Stuttgart 884. Hänselmann. geb. n. 3. —

— im trauten Daheim. Eine Erzählg. f. die Jugend. Mit 4 Farbendr.-Bildern nach Aquarellen v. M. Coester. gr. 8. (108 S.) Stuttgart 884. Thienemann. cart. n. 3. —

— das Glückskind. Eine Erzählg. 2. Aufl. 8. (235 S.) Breslau 885. Trewendt. geb. n. 3. —

— Stiefmütterchen. Eine Erzählg. 2. Aufl. 8. (232 S.) Ebend. 885. geb. n. 3. —

— wo ist der Himmel? Eine Erzählg. f. die Jugend. Mit 4 Farbendr.-Bildern. Nach Aquarellen v. M. Coester. 2. Aufl. gr. 8. (112 S.) Stuttgart 885. Thienemann. geb. n. 3. —

Pröhle, Heinr., Harzsagen, zum Teil in der Mundart der Gebirgsbewohner, gesammelt u. hrsg. 2. Aufl. in 1 Bde. 8. (XLI, 279 S.) Leipzig 886. Mendelssohn. n. 5. —; geb. n. 6. —

— Rheinlands schönste Sagen u. Geschichten. Für die Jugend bearb Mit 6 Lichtdr.-Bildern nach Originalen v. Louis H. E. Schmidt. gr. 8. (VIII, 248 S.) Berlin 886. Tonger & Greven. geb. 4. 50

Projekt f. die Anlage e. Stadtbahn in Wien. Im Auftrage d. Gemeinderathes der k. k. Reichshaupt- u. Residenzstadt Wien verf. v. dem Stadtbauamte im Febr. 1883. Mit e. (lith.) Uebersichtsplane. gr. 4. (40 S.) Wien 883. (Spielhagen & Schurich.) cart. n. 2. —

— für die Wienfluß-Regulirung in Verbindung m. der Stadtbahnfrage. Im Auftrage d. Gemeinderathes der k. k. Reichshaupt- u. Residenzstadt Wien verf. v. dem Stadtbauamte im Septbr. 1882. Mit 6 (lith. u. chromolith.) Taf. gr. 4. (101 S.) Ebend. 882. cart. n. 4. —

Projets de statuts d'une caisse locale de secours en cas de maladie ainsi que d'une caisse de secours d'entreprises industrielles [Betriebs-(Fabrik-)Krankenkasse] d'après la loi de l'empire du 15 juin 1883. 2. éd. 4. (37 S.) Strassburg 884. Schultz & Co. Verl. n. 1. —

Prökl, Vinz., Geschichte der königl. Stadt Karlsbad, historisch, statistisch u. topographisch dargestellt. gr. 8. (X, 379 S. m. eingedr. Holzschn. u. Taf.) Karlsbad 883. (Feller.) n. 5. —

Prokop, Gothenkrieg, } s.: Geschichtschreiber, die,
— Vandalenkrieg, } der deutschen Vorzeit.

Prokop, Aug., die Stadt Brünn in sanitärer, baulicher u. wirthschaftlicher Beziehung. Vortrag. gr. 8. (36 S.) Brünn 883. (Winkler.) n. — 50

Pröll, Karl, die Kämpfe der Deutschen in Oesterreich um ihre nationale Existenz. 8. (79 S.) Dresden 887. Pierson. n. 1. —

Pröll, Laurenz, die Herren v. Sonnberg, nebst e. übersichtl. Geschichte der Nachfolger derselben im Besitze v. Sonnberg, Oberhollabrunn u. Raschala. Im Anh. das Marktprivilegium v. Oberhollabrunn vom J. 1574 u. die Ordng. f. das Schuhmacherhandwerk v. Oberhollabrunn vom J. 1624. gr. 8. (96 S.) Wien 885. (Pichler's Wwe. & Sohn.) n. 2. —

Prollius, Frdr., Beobachtungen üb. die Diatomaceen der Umgebung v. Jena. gr. 8. (111 S.) Lüneburg 882. (Jena, Deistung.) n. 2. —

Proelß, Johs., Katastrophen. Poetische Bilder aus unserer Zeit. 12. (XII, 99 S.) Stuttgart 883. Bonz & Co. geb. m. Goldschn. n. ?

Proelß, Johs., trotz alledem! Gedichte. 8. (V, 218 S.) Frankfurt a/M. 886. Sauerländer. geb. n. 3. 50

Prölß, Rob., Geschichte der dramatischen Literatur u. Kunst in Deutschland von der Reformation bis auf die Gegenwart. 2 Bde. [Geschichte d. neueren Drama's. 3. Bd. 2 Abthlgn.] gr. 8. (VII, 468 u. V, 465 S.) Leipzig 883. Elischer. n. 22. 50; geb. n. 27. 50

— Heinrich Heine. Sein Lebensgang u. seine Schriften, nach den neuesten Quellen dargestellt. Mit Illustr. u. e. Handschrift-Fcsm. gr. 8. (394 S.) Stuttgart 886. Rieger. n. 4. 50; geb. n. 5. 60

Promnitz, Holzbau, s.: Hochbaukunst, die gesamte.

Propertii carmina, s.: Catullus.

— Elegieen, s.: Universal-Bibliothek.

Prophezeiung, aufgefundene, d. Einsiedlers „Bruder v. der blechernen Marder" im Nürnberger Reichswald † 1500 auf die 2. Jahreshälfte 1885 u. später. [2. Aufl.] gr. 8. (4 S.) Nürnberg 885. (Rüll.) n. — 10

— neueste, d. Schäfer Thomas d. Jüngeren auf die Jahre 1884 u. 1885. 8. (8 S.) Chemnitz 884. Hager. n. — 10

— dasselbe auf die Jahre 1886 u. 1887. 8. (8 S.) Ebend. 885. — 10

Präpper, L. v., s.: Kochbuch, kleines, f. Alleinstehende

— gute u. billige Volksküche od. wie ist gute Hausmannskost leicht, billig u. auf vielerlei Weise zu bereiten? Neue Ster.-Ausg. 8. (96 S.) Reutlingen 886. Enßlin & Laiblin. — 30

Propping, Geo., der Oldenburger Turnerbund. Eine Festschrift zum 25. Stiftungsfeste d. Vereins. Mit e. Einleitg. üb. die Entwickelg. d. Turnwesens in der Stadt Oldenburg v. Herm. Dümeland. 8. (82 S.) Oldenburg 884. Schulze. — 75

Propriété industrielle, la. Organe officiel du bureau international de l'Union pour la protection de la propriété industrielle. 1. année. 1885. gr. 4. (Nr. 1: 1 Bl.) Bern 885. (Jent & Reinert.) n. 4. —

Proprium festorum archidioecesis Monacensis et Frisingensis ad horas diurnas. Breviario romano accommodatum et festis novissimis auctum. Ed. II. 12. (50 S.) München 884. Stahl sen. n. 1. —

— Rottenburgense sive missae propriae sanctorum dioecesis Rottenburgensis unacum insertis recentiorum festorum missis. Jussu et auctoritate reverendissimi ordinarii Caroli Josephi, episcopi Rottenburgensis. Fol. (52 S.) Rottenburg a/N. 884. Bader. n. 3. 40

Prosaiker, griechische, in neuen Uebersetzungen. Hrsg. von C. N. Osiander u. G. Schwab. 6. 23. 38. 45. 95. 101. 109. 180. 275. 284. 345. 351. u. 353. Bdchn. gr. 16. Stuttgart, Metzler's Verl. à — 50

6. Thucydides, Geschichte d. Peloponnesischen Krieges, übers. von C. N. v. Osiander. 3. Bdchn. 5. Aufl. (S. 247—343.) 884.

23. Aeschines, d. Sokratikers, Gespräche, u. Cebes, d. Thebaners, Gemälde, übers. v. Karl Pfaff. 2. Aufl. (107 S.) 883.

38. Thucydides' Geschichte d. Peloponnesischen Krieges, übers. von C. N. v. Osiander. 5. Bdchn. 4. Aufl. (S. 475—950.) 884.

45. Herodot's v. Halikarnaß Geschichte, übers. v. Adf. Schöll. 3. Bdchn. 3. Aufl. (S. 289—394.) 884.

95. Xenophon's v. Athen Werke. 13. Bdchn. Hellenische Geschichte, übers. von C. N. v. Osiander. 1. Bdchn. 5. Aufl. (S. 1575—1661.) 884.

101. Herodot's v. Halikarnaß Geschichte, übers. v. Adf. Schöll. Unter Theilnahme d. Verf. neu durchgesehen v. Rhld. Köhler. 8. Bdchn. 7. Aufl. (S. 847—949.) 885.

109. Plutarch's Werke. 8. Bdchn. Vergleichende Lebensbeschreibgn., übers. v. J. G. Klaiber. 8. Bdchn. 2. Aufl. (S. 871—969.) 883.

180. Demosthenes' Werke, übers. v. Heinr. Aug. Pabst. 2. Bdchn. 4. Aufl. (S. 149—254.) 884.

275. Platon's Werke. 2. Gruppe: Gespräche prakt. Inhalts. 2. Bdchn. Protagoras, Schluß [Anmerkgn.], übers. v. Fr. Susemihl. Hippias der Kleinere u. Euthyphron, übers. v. L. Georgii. 2. Aufl. (S. 121—237.) 884.

284. Dasselbe. 1. Gruppe: Gespräche zur Verherrlichg. d. Sokrates. 6. Bdchn. Apologie u. Kriton, übers. v. L. Georgii. 5. Aufl. (S. 671—795.) 883.

345. Hypereides' erhaltene Reden, zum ersten Mal ins Deutsche übers. v. W. S. Teuffel. Lykurgos' Rede gegen Leokrates, übers. v. Carl Holzer. 2. Aufl. (144 S.) 883.

351. Die erhaltenen Reden d. Lysias, übers., erläutert u. m. Einleitgn. versehen v. Ferd. Baur. 2. Bdchn. 4. Aufl. (S. 137—252.) 884.

353 Dasselbe. 4. Bdchn. 3. Aufl. (S. 377—488.) 885.

Prosaiker, römische, in neuen Uebersetzungen hrsg. von C. N. v. Osiander u. G. Schwab. 4. 26. 27. 43. 56. 58. 60. 83. 86. 88. 91. 106. 114. 116. 121. 124. 125. u. 197. Bdchn. 16. Stuttgart, Metzler's Verl. à — 50

4. Marcus Tullius Cicero's Werke. 2. Bdchn. Tusculanische Unterredgn., übers. v. Frdr. Heinr. Kern. 2. Bdchn. 6. Aufl. (S. 99—188.) 885.

26. Titus Livius, römische Geschichte, übers. von C. F. v. Klaiber. 8. Bdchn. 3. Aufl. (S. 847—936.) 883.

27. Dasselbe. 9. Bdchn. 12. Aufl. (S. 1029—1144.) 886.

43. Marcus Tullius Cicero's Werke. 12. Bdchn. Drei Bücher üb. das Wesen der Gottheit. Uebers. von Geo. Heinr. v. Moser. 1. Bdchn. 2. Aufl. (S. 1411—1492.) 884.

56. Titus Livius, römische Geschichte, übers. v. C. F. v. Klaiber. 16. Bdchn. 3. Aufl. (S. 1987—2111.) 885.

58. Marcus Tullius Cicero's Werke. 15. Bdchn. Drei Bücher vom Redner, auf Grundlage der Uebersetzg. v. J. F. K. Dilthey neu bearb. 2. Bdchn. 3. Aufl. (S. 1857—2018.) 883.

60. Titus Livius, römische Geschichte, übers. von C. F. v. Klaiber. 17. Bdchn. 2. Aufl. (S. 2117—2208.) 885.

83. Marcus Tullius Cicero's Werke. 33. Bdchn. Reden, übers. von C. N. v. Osiander. 7. Bdchn. 4. Aufl. (1. Hälfte. S. 703—840.) 885.

86. Cajus Cornelius Tacitus' Werke. 6. Bdchn. Die Jahrbücher [Annalen] d. Tacitus, übers. v. H. Gutmann. 1. Bdchn. 6. Aufl. (S. 637—734.) 884.

88. Marcus Tullius Cicero's Werke. 19. Bdchn. Drei Bücher üb. die Pflichten. Uebers. v. G. G. Übelen. 1. Bdchn. 5. Aufl. (S. 2275—2388.) 884.

91. Dasselbe. 35. Bdchn. Reden, übers. von C. N. v. Osiander. 9. Bdchn. 5. Aufl. (S. 1105—1188.) 884.

106. Dasselbe. 38. Bdchn. Reden. 4. Bdchn. 6. Aufl. (S. 1471—1561.) 886.

114. Cajus Sallustius Crispus, Werke. Uebers. von Aug. v. Goeriz. 2. Bdchn. 5. Aufl. Der Krieg gegen Jugurtha. (120 S.) 884.

116. Caj. Jul. Caesar's Werke. 2. Bdchn. Denkwürdigkeiten d. gall. Krieges. Uebers. v. Ant. Baumstark. 2. Bdchn. 7. Aufl. (S. 89—204.) 883.

121. Marcus Tullius Cicero's Werke. 44. Bdchn. Reden, übers. von C. N. v. Osiander. 18. Bdchn. 3. Aufl. (S. 2179—2319.) 883.

124. Cajus Corn. Tacitus' Werke. 3. Bdchn. Die Jahrbücher [Annalen], übers. v. Strodtbeck u. Bauer. 3. Bdchn. 3. Aufl. (S. 395—1033.) 884.

125. Dasselbe. 9. Bdchn. Die Jahrbücher [Annalen] übers. v. H. Gutmann. 4. Bdchn. 2. Aufl. (S. 1039—1162.) 884.

197. Des Quintus Curtius Rufus noch vorhandene acht Bücher v. den Thaten Alexanders d. Großen, Königs v. Macedonien, übers. v. Adph. Heinr. Christian. 2. Bdchn. 3. Aufl. (S. 163—278.) 883.

Prosateurs français à l'usage des écoles. 29—55. 60—63. livr. 16. Bielefeld 883—85. Velhagen & Klasing. cart. 29. 20

29. Histoire de Sindbad le marin [Mille et une

nuits. Contes arabes] par Antoine Galland. Mit Anmerkgn. zum Schulgebrauch bearb. v. E. Schmid. (76 S.) — 50

30. Vie de Franklin par Mignet. Mit Anmerkgn. zum Schulgebrauch hrsg. von A. v. d. Velde. (175 S.) — 90

31. Histoire de Napoléon et de la grande armée en 1812 par le Comte de Ségur. In Auszügen m. Anmerkgn. zum Schulgebrauch hrsg. v. O. Schmager. 1. Tl. Mit e. (chromolith.) Übersichtskarte. (207 S.) 1. 20

32. Histoire de la revolution française depuis 1789 jusqu'en 1814. Par Mignet. In 2 Tln. In Auszügen m. Anmerkgn. zum Schulgebrauch hrsg. v. A. Seedorf. 2. Tl. (371 S.) 1. 80

33. Mes récapitulations. Par Jean-Nicolas Bouilly. Première époque 1774—1790. Mit Anmerkgn. zum Schulgebrauch hrsg. v. Frédéric d'Hargues. (140 S.) — 75

34. La campagne de Mayence en 1792/93. Récit historique tiré de l'histoire de la révolution française, racontée par un paysan, par Erckmann-Chatrian. Im Auszuge. Mit Anmerkgn. zum Schul- u. Privatgebrauch hrsg. v. K. Bandow. (218 S.) 1. 20

35. Quatre-Bras et Ligny par Thiers. Auszug aus Histoire du Consulat et de l'Empire. Mit Anmerkgn. zum Schulgebrauch hrsg. v. F. Fischer. (156 S.) — 80

36. Waterloo par Thiers. Auszug aus Histoire du Consulat et de l'Empire. Mit Anmerkgn. zum Schulgebrauch hrsg. v. F. Fischer. (187 S.) 1. —

37. Précis de l'histoire moderne par J. Michelet. In Auszügen m. Anmerkgn. zum Schulgebrauch hrsg. v. G. Th. Lion. 2. Tl. (152 S.) — 80

38. Aventures de Télémaque par Fénélon. In 3 Tln. In Auszügen m. Anmerkgn. zum Schulgebrauch hrsg. v. G. Jaep. 3. Tl. (180 S.) — 90; Wörterbuch zu allen 3 Tln. [16., 17. et 38. livr.] (66 S.) n. — 30

39. Histoire ancienne par M. le Comte de Ségur. 28 Geschichtsbilder. Mit Anmerkgn. zum Schulgebrauch hrsg. v. O. Schaumann. (219 S.) 1. 20; Wörterbuch (72 S.) n. — 30

40. Cinq semaines en ballon par Jules Verne. In Auszügen mit Anmerkgn. zum Schulgebrauch hrsg. v. W. Begemann. (196 S.) 1. —; Wörterbuch (88 S.) n. — 30

41. Le tour du monde en 80 jours par Jules Verne. In Auszügen m. Anmerkgn. zum Schulgebrauch bearb. v. K. Bandow. (235 S.) 1. 20; Wörterbuch (96 S.) n. — 30

42. Histoire de Charles I depuis son avènement jusqu' à sa mort. Par M. Guizot. Im Auszuge m. Anmerkgn. zum Schulgebrauch hrsg. v. K. Mayer. 1. Tl. (160 S.) — 80; Wörterbuch (36 S.) n. — 20

43. Voyage au centre de la terre. Par Jules Verne. In Auszügen m. Anmerkgn. zum Schulgebrauch hrsg. v. G. Opitz. (224 S.) 1. 20; Wörterbuch (87 S.) n. — 30

44. Itinéraire de Paris à Jérusalem par F. de Chateaubriand. In 2 Tln. In Auszügen m. Anmerkgn. zum Schulgebrauch hrsg. v. Otto Ritter. 2. Tl.: Voyage de Rhodes, de Jaffa, de Bethléem, de la Mer Morte et de Jérusalem. (178 S.) 1. —; Wörterbuch (57 S.) n. — 20

45. Histoire des croisades par Michaud. In 2 Tln. In Auszügen m. Anmerkgn. zum Schulgebrauch hrsg. v. E. Paetsch. 2. Tl. 3. croisade. Mit e. (lith.) Übersichtskarte. (183 S.) 1. —; Wörterbuch (40 S.) n. — 20

46. Histoire de Napoléon et de la grande-armée en 1812 par le Comte de Ségur. In Auszügen m. Anmerkgn. zum Schulgebrauch hrsg. v. O. Schmager. 2. Tl. Buch VIII u. XI. [Napoléon in Moskau u. Übergang üb. die Beresina.] Mit e. (chromolith.) Übersichtskarte. (204 S.) 1. 20

47. Louis XI par Franç. Guizot. In Auszügen aus Histoire de France raconté à mes petits-enfants. Mit Anmerkgn. zum Schulgebrauch hrsg. v. K. Bandow. (127 S.) — 75; Wörterbuch (31 S.) n. — 20

48. Jeunesse de Chateaubriand. Aus Mémoires d'outre-tombe par Chateaubriand. In Auszügen m. Anmerkgn. zum Schulgebrauch hrsg. v. Emil Grube. (190 S.) 1. —; Wörterbuch (61 S.) n. — 20

49. Voyage du jeune Anacharsis en Grèce dans le milieu du 4e siècle avant l'ère vulgaire par Barthélemy. II. Législation de Lycurgue. — Sur la nature et sur l'objet de la tragédie. Mit Anmerkgn. zum Schulgebrauch hrsg. v. O. Schulze. (136 S.) — 75; Wörterbuch (38 S.) n. — 20

50. L'invasion. Par Erckmann-Chatrian. In Auszügen. Mit Anmerkgn. zum Schul- u. Privatgebrauch hrsg. v. K. Bandow. (220 S.) 1. 20; Wörterbuch (67 S.) n. — 30

51. Zwei Erzählungen aus Les derniers paysans par Emile Souvestre. Mit Anmerkgn. zum Schulgebrauch hrsg. v. O. Hallbauer. (120 S.) — 60

52. Histoire de Charles Ier depuis son avènement jusqu' à sa mort. Par M. Guizot. Im Auszuge m. Anmerkgn. zum Schulgebrauch hrsg. v. K. Mayer. 2. Tl. (95 S.) — 50

53. Dasselbe. 3. Tl. Von der Schlacht bei Naseby bis zum Tode Karls I. (220 S.) 1. —

54. Histoire d'Ali Baba. Par Antoine Galland. Mit Anmerkgn. zum Schulgebrauch bearb. v. E. Schmid. (72 S.) — 50

55. La bibliothèque de mon oncle. Par Rodolphe Töpffer. Mit Anmerkgn. hrsg. v. Karl Bandow. (246 S.) 1. —

60. Voyage en Orient. Par A. de Lamartine. Im Auszuge m. Anmerkgn. zum Schulgebrauch hrsg. v. H. Lambeck. 1. Tl. Ausg. A. Mit Anmerkgn. unter dem Text. (206 S.) 1. —; Ausg. B. Mit Anmerkgn. in e. Anh. (160 u. 48 S.) 1. —

61. Napoléon à Sainte Hélène. Par Thiers. Auszug aus Histoire du Consulat et de l'Empire. Mit Anmerkgn. zum Schulgebrauch hrsg. v. Geo. Stern. Ausg. A. Mit Anmerkgn. unter dem Text. (172 S.) — 90; Ausg. B. Mit Anmerkgn. in e. Anh. (131 u. 46 S.) — 90

62. Biographies d'hommes célèbres de l'antiquité. Par Charles Rollin. Mit Anmerkgn. zum Schulgebrauch hrsg. v. Gerh. Franz. 1. Tl. Ausg. A. Mit Anmerkgn. unter dem Text. (141 S.) — 80

63. Expédition d'Egypte et campagne de Syrie. Par P. Lanfrey. Auszug aus Histoire de Napoléon Ier. Mit Anmerkgn. zum Schulgebrauch hrsg. v. E. Paetsch. Mit e. Uebersichtskarte. Ausg. A. Mit Anmerkgn. unter dem Text. (95 S.) — 75

Prosateurs français à l'usage des écoles. Wörterbuch zur 31., 33—35. livr. 12. Bielefeld 888. Velhagen & Klasing. n. — 90
31. 34. 35. (60, 47 u. 48 S.) à n. — 30. — 33. (69 S.) n. — 30

Prosch, Frz., die Grammatik als Gegenstand d. deutschen u. philosophisch-propädeutischen Unterrichtes. Zugleich Commentar zu einzelnen Punkten der neuen Instructionen f. den Gymnasialunterricht im Deutschen u. in der philosoph. Propädeutik. gr. 8. (IV, 70 S.) Wien 885. Hölder. n. 1. 92

Proschko, Hermine C., Habsburgs Kaiser-Frauen u. Herzoginnen. Ein Festgeschenk f. Oesterreichs Volk u. Jugend. 2. Aufl. 8. (158 S.) Wien 882. Sintenis. cart. n. 2. 40

— zwei Könige, s.: Familien-Bibliothek.

Proschko, Hermine C., ein Mann v. Wort; „zu spät!", s.: Universal-Bibliothek f. die Jugend.

— das Perlen-Concert, s.: Familien-Bibliothek.

Proschko, F., s.: Volks- u. Jugendschriften, österreichische, zur Hebung der Vaterlandsliebe.

Proschwitzer, Frz., katholisches Gesangbuch zum Gebrauche beim öffentlichen Gottesdienste f. die deutschen Kirchengemeinden Böhmens. 16. (XIV, 290 S. m. 1 Stahlst.) Prag 885. Cyrillo-Method'sche Buchh. geb. n. — 80

Proschwitzer, F., Sammlung drei- u. vierstimmiger Lieder f. österreichische Bürgerschulen. Auf Grundlage der h. Ministerial-Verordnung v. 8. Juni 1883 zusammengestellt. gr. 8. (III, 74 S.) Prag 884. Tempsky. n. — 60

Proske, Ludw., ausgeführte Central-Sicherungs-Anlagen auf den k. k. österreichischen Staatsbahnen. Vortrag, geh. am 13. Jänner 1885 im Club österreich. Eisenbahn-Beamten. gr. 8. (36 S. m. 7 Taf.) Wien 885. (Gerold & Co.) n. 1. 50

— Einrichtungen zur Sicherung d. durchgehenden Zugverkehres in Stationen. [Mit 4 Taf.] gr. 8. (56 S.) Wien 882. (Perles.) n. 2. 40

Prosky, M. v., das herzogl. Hoftheater zu Dessau. In seinen Anfängen bis zur Gegenwart. gr. 8. (190 S.) Dessau 885. Baumann. n. 4. —; geb. n. 5. —

Prosniz, Adf., Handbuch der Clavier-Literatur. Historisch-krit. Übersicht. 1. Bd. gr. 8. (XXVI, 157 S.) Wien 884. Wetzler. n. 2. —

Protestant, der österreichische. Red.: Geo. Burgstaller. 8—11. Jahrg. 1883—1886. à 24 Nrn. (à 1—2 B.) 4. Klagenfurt, Heyn. à Jahrg. n. 6. —

Protestantenblatt, deutsches. Hrsg. unter Mitwirkg. von Gesinnungsgenossen durch H. Frickhöffer, J. Kradolfer, A. Lammers, C. Manchot, R. Schramm, W. Sonntag u. J. Cropp, A. Glitza, J. R. Hanne, L. Klapp. 16—19. Jahrg. 1883—1886. à 52 Nrn. (B.) gr. 4. Bremen. (Roussell.) à Jahrg. n. 8. —

Protestanten-Gesangbuch, enth. die gebräuchlichsten deutschen Kirchenlieder in zeitgemäßer Bearbeitg., sowie e. Anzahl geistl. Dichtgn. der Neuzeit. Hrsg. v. Ernst Lüdemann. 8. (XVI, 640 S.) Bremen 886. Roussell. geb. n.n. 1. 20

Protestantenverein, der allgemeine deutsche, in seinen Statuten, den Ansprachen seines engern, weitern u. geschäftsführenden Ausschusses u. den Thesen seiner Hauptversammlungen 1865—1882. Für den 14. allgemeinen deutschen Protestantentag zu Neustadt a. H. am 16. u. 17. Mai 1883 zusammengestellt vom Bureau d. Vereines. gr. 8. (101 S.) Berlin 883. Haack. n. 1. —

Protest-Gemeinde, die evangelisch-lutherische, innerhalb der Landeskirche Augsburger Confession v. Elsaß-Lothringen. Nr. 1—3. gr. 8. (30, 29 u. 36 S.) Straßburg 885. (Bomhoff.) à n. — 40

Protokoll üb. die 1. ordentliche Versammlung der Mitglieder d. Central-Vorstandes deutscher Arbeiter-Colonien. gr. 8. (44 S.) Berlin 884. C. Heymann's Verl. n. — 60

— der 8. Bezirkssynode Celle 1883. gr. 8. (23 S.) Celle 884. (Schulze'sche Buchh.) — 30

— der 17. Sitzung der Central-Moor-Commission. 12—14. Dezbr. 1882. Anbei (2 lith.) Karten. gr. 8. (IV, 45; 64 u. 82 S. m. 1 Steint.) Berlin 883. Parey. n. 8. —

— dasselbe. 18—19. Dezbr. 1883. Anbei 1 (lith.) Karte, bestehend aus 8 Blättern. gr. 8. (IV, 69 u. 108 S.) Ebend. 884. n. 8. —

— dasselbe. 12., 13. u. 15. Dezbr. 1884. Anbei 2 (lith.) Karten. gr. 8. (IV, 176 S.) Ebend. 884. n. 8. —

— dasselbe, am 27. u. 28. Novbr. 1885 zu Bremen. gr. 8. (IV, 79 u. 216 S.) Ebend. 886. n. 8. —

— des 1. Handwerkertages der Prov. Hannover zu Goslar am Harz. [Nach stenograph. Niederschrift.] gr. 8. (20 S.) Goslar 882. Meyer's Verl. — 30

— nach stenograph. Aufzeichnungen verfasstes, d. am 3., 4., 5., 6., 7. Oktbr. 1885 in Budapest abgeh. internationalen landwirthschaftlichen Congresses. Hrsg. durch das Executiv-Comité. gr. 8. (XX, 275 S.) Budapest 886. (Wien, Frick.) n. 4. —

— der Verhandlungen d. Vereins deutscher Cement-Fabrikanten u. der Section f. Cement d. deutschen Vereins f. Fabrikation v. Ziegeln, Thonwaaren, Kalk u. Cement am 26. u. 27. Febr. 1886. gr. 8. (106 S.) Berlin 886. (Kühl.) n.n. 3. 50

Protokolle der Sitzungen d. Central-Ausschusses der königl. Landwirthschafts-Gesellschaft zu Celle. 55—58. Hft. gr. 8. Celle, Schulze'sche Buchh. n. 10. 50

55. Protokolle vom 14—17. Novbr. 1882. (VIII, 233 S.) 883. n. 2. 50

56. Protokolle vom 20—23. Novbr. 1883. (VIII, 314 S.) 884. n. 3. —

57. Protokolle vom 18—21. Novbr. 1884. (IV, 243 S.) 885. n. 2. 50

58. Protokoll vom 3. Septbr. 1885 u. Protokoll vom 17—20. Novbr. 1885. (IV, 298 S.) 886. n. 2. 50

— u. **Aktenstücke** der außerordentlichen Landessynode der evangelisch-lutherischen Kirche Hannovers im J. 1884. gr. 8. (IV, 148 u. IV, 57 S.) Hannover 884. Helwing's Verl. n. 2. —

Prout, John, lohnender Ackerbau ohne Vieh. Beschreibung e. 20jähr. Betriebes. Aus dem Engl. nach der 3. Aufl. übertr. v. A. Küster. Mit 2 (eingedr.) Flurplänen. gr. 8. (64 S.) Berlin 884. Parey. n. 1. —

Proviant-Offizier, der, f. das k. k Heer in der Blousentasche. 16. (VII, 139 S.) Teschen 886. Prochaska. geb. n. 2. 40

Provinzial-Handbuch, rheinisches. I. Thl.: Personalien. II. Thl.: Organisation der Behörden, der polit. u. kirchl. Korporationen, übersichtlich dargestellt v. G. A. Grotefend. 1. Jahrg. 1884. gr. 8. (XIII, 292 u. 76 S.) Trier 884. Lintz. cart. n. 6. —

— dasselbe. II. Jahrg. 1886—87. [Abgeschlossen 1. Aug. 1886.] Nach den Mittheilgn. der Reichs-, Staats- u. Communalbehörden in der Rheinprovinz bearb. gr. 8. (XVI, 320 S.) Ebend. 886. cart. n. 5. —

Provinzialordnung, die, f. die Prov. Hannover vom 7. Mai 1884. 2. unveränd. Aufl. gr. 8. (30 S.) Hannover 884. Meyer. n. — 50

Prowe, Leop., Nicolaus Coppernicus. 1. Bd.: Das Leben. 2 Thle. gr. 8. (XXVIII, 413 u. 576 S. m. 2 Lichtdr. u. 1 lith. color. Karte.) Berlin 883. Weidmann. n. 24. —

— dasselbe. 2. Bd. Urkunden. gr. 8. (VI, 552 S. m. 5 Facsm.-Taf.) Ebend. 884. n. 15. —

Prozeß Graef, verhandelt vom 29. Septbr. bis 7. Octbr. 1885 vor dem Geschwornengericht zu Berlin. Nebst den Portraits der Hauptangeklagten, Prof. Graef u. Bertha Rother. gr. 8. (IV, 74 S.) Berlin 885. (Leipzig, Milde.) — 50

— Graef u. die Mängel unseres Gerichtsverfahrens nach den Orig.-Berichten der Berliner Volks-Zeitung, nebst mehreren Leitartikeln derselben als Beilagen. 2. unveränd. Aufl. gr. 8. (110 S.) Leipzig 885. F. Duncker. n. — 80

— Hugstetten. Verhandlungen d. Landgerichts Freiburg wegen d. Eisenbahn-Unglücks vom 3. Septbr. 1882. Nach den Veröffentlichgn. d. Frankfurter Journals. 8. (162 S.) Frankfurt a/M. 883. Neumann. n. — 40

— Niederheiser. Verhandlungen vor dem Schwurgerichte in Mannheim am 18., 19., 20. u. 21. Dezbr. 1882. gr. 8. (75 S.) Mannheim 882. (Bensheimer's Verl.) — 50

— Stöcker wider die „Freie Zeitung". Nach stenograph. Aufzeichngn. vervollständigt. 8. (95 S.) Berlin 885. (Schildberger.) n. — 30

Prschewalski, N. v., Reisen in Tibet u. am obern Lauf d. Gelben Flusses in den J. 1879 bis 1880. Aus dem Russ. frei in das Deutsche übertr. u. m. Anmerkgn. versehen v. Stein-Nordheim. Mit zahlreichen Illustr u. 1 Karte in Farbendr. gr. 8. (XIV, 281 S.) Jena 884. Costenoble. n. 8. —

Pruckner, Caroline, Theorie u. Praxis der Gesangskunst. Handbuch f. angeh. Sänger u. Sängerinnen. Mit 22 Noten-Beispielen. 2. Aufl. gr. 8. (VII, 112 u. Notenbeilagen 55 S.) Berlin 883. Schlesinger'sche Buchh. n. 4. —

Prudhon's, Pierre Paul, Biographie, s.: Schmarsow, A.

Prüfung u. Vorprüfung, die ärztliche, im Deutschen Reiche. Bekanntmachungen d. Reichskanzleramtes vom 2. Juni 1883. 8. (30 S.) Würzburg 883. Stahel. — 50

Prüfungen, die, bei der Reichs-Post- u. Telegraphen-Verwaltung. Ein Handbuch f. Posteleven, Postgehülfen, Post- u. Telegraphen-Anwärter, Post- u. Telegraphen-Assistenten zur Vorbereitg. auf die Assistenten- u. Secretär-Prüfg., zugleich e. Leitfaden f. Officiere behufs Vorbereitg. zu der Stellg. als Post-Director. Bearb. v. mehreren Fachmännern. 1—4. Bd. 2. Aufl. gr. 8. Berlin 884. L. R. Schwarz. 13. 50

1. (VII, 68 S.) 1. 50. — 2. (III, 244 S.) 4. —. — 3. Mit 126 in den Text gedr. Holzschn. (IV, 284 S.) 5. —. 4. (VI, 376 S.) 3. —

— die theologischen, enth. die Instruktion pro licentia concionandi et pro ministerio vom 12. Febr. 1799, nebst allen bis zur Gegenwart ergangenen Ergänzgn., die Bestimmgn. üb. die Beaufsichtigg. u. Fortbildg. der Kandidaten, insbesondere die provinziellen Kandidaten-Ordngn., u. die Vorschriften üb. die wissenschaftl. Staatsprüfg. der Theologen, insbesondere das Gesetz üb. die Vorbildg. u. Anstellg. der Geistlichen vom 11. Mai 1873. 8. Aufl. gr. 8. (VI, 90 S.) Berlin 883. C. Heymann's Verl. n. 1. 20

Prüfungs-Aufgaben, die, f. den niedereren Finanzdienst im Königr. Bayern. I. Abtlg.: aus den J. 1882, 1884 u. 1885 u. II. Abtlg.: aus den J. 1875, 1880 u. 1886. gr. 8. (120 S.) München 886. Schweitzer. n. 2. 40

— an den Lehrerbildungs-Anstalten Bayerns. 1. u. 2. Lfg. 8. Würzburg 884. Stahel. n. 1. 75

1. Aufgaben bei Aufnahmsprüfungen an Präparandenschulen u. bei Seminarprüfungen. Zur Vorbereitg. f. die Präparandenschule u. als Uebungsstoff f. Seminaristen zusammengestellt v. e. Lehrer. (88 S.) n. — 75
2. Aufgaben bei Anstellungsprüfungen. Als Uebungsstoff f. Schuldienst-Exspectanten zusammengestellt v. e. Lehrer. (96 S.) 884. n. 1. —

Prüfungsordnung f. die Candidaten d. philologischen Lehramts. gr. 8. (11 S.) Tübingen 883. (Fues.) n.n. — 50

Prüfungs-Reglement f. die Kandidaten d. höheren Schulamts pro facultate docendi, üb. die Colloquia pro rectoratu u. die Ableistung d. Probejahrs. Ergänzungs-Heft, d. J. 1880—85 umfassend. 8. (IV, 36 S.) Neuwied 885. Heuser's Verl. n. — 50 (Reglement u. Ergänzungsheft: n. 1. 70)

Brugger, Martin, katholisches Lehr- u. Exempelbuch. Handbuch f. Prediger u. Katecheten, sowie Hausbuch f. das kathol. Volk. Neu hrsg. v. Joh. Baptist Buohler. Neue illustr. Aufl. (In 10 Hftn.) 1. Hft. 4. (VIII, 48 S. m. eingedr. Holzschn. u. 1 Stahlst.) Regensburg 886. Verlags-Anstalt. — 40

Brümer, Karl, de westfölsche Ulenspeigel. Lustige Historien för Unlustige. 3. Bdchn. 2. Aufl. 8. (VIII u. S. 233—332.) Norden 884. Soltau. n. 1. — (cplt.: n. 3. —; Einbd. n.n. — 40)

— dasselbe. 3. Aufl. 8. (VIII, 332 S.) Ebend. 886. n. 3. —; Einbd. n.n. — 40; in 3 Hftn. à n. 1. —

Brümers, R., s.: Urkundenbuch, pommersches.

Bruner, J. E., Lehrbuch der katholischen Moraltheologie, s.: Bibliothek, theologische.

Prusse, Ulr., Rudolf v. Habsburg. Historisches Schauspiel in 5 Acten. Mit freier Benutzg. v. Joh. Lad. Pyrker's gleichnam. epischer Dichtg. gr. 8. (76 S.) Berlin 886. (Rentzel.) n. 1. 50

Prüssing, Paul, üb. die Einwirkung v. Plenylcyanat auf aromatische Kohlenwasserstoffe. gr. 8. (34 S.) Göttingen 884. (Vandenhoeck & Ruprecht.) n. 1. —

Prutz, Hans, Kulturgeschichte der Kreuzzüge. gr. 8. (XXXI, 642 S.) Berlin 883. Mittler & Sohn. n. 14. —

— Malteser Urkunden u. Regesten zur Geschichte der Tempelherren u. der Johanniter. gr. 8. (IV, 128 S.) München 883. Th. Ackermann's Verl. n. 5. —

— Staatengeschichte d. Abendlandes im Mittelalter, s.: Geschichte, allgemeine, in Einzeldarstellungen.

Prutz, Rob., Buch der Liebe. 5. Aufl. 16. (VIII, 280 S.) Leipzig 883. Keil Nachf. geb. m. Goldschn. n. 5 25

Prütz, Gust., die Krankheiten der Haustauben u. ihre Heilung. Nach 30jähr. eigenen Erfahrgn. u. den Beobachtgn. hervorrag. Autoritäten der Taubenzucht beschrieben. gr. 4. (VIII, 117 S.) Hamburg 886. J. F. Richter. n. 3. —

— illustrirtes Mustertauben-Buch. Enth. das gesammte der Taubenzucht. Mit ca. 60 Pracht-Farbendr.-Blättern, direct nach der Natur aufgenommen v. Chrn. Förster, u. vielen Orig.-Text-Illustr. gr. 4. (XV, 438 S.) Hamburg 884—86. J. F. Richter. n. 48. —

Prütz, Gust., die Tümmler- u. Purzlertauben, s.: Dietz, H.

Pruzsinsky, Jos. de, de Propertii carminibus in libros distribuendis. Dissertatio philologica-critica. gr. 8. (37 S.) Budapest 886. Kilián. n. 1. —

Prym, Frdr., neue Theorie der ultraelliptischen Functionen. 2. Ausg. Mit nachträgl. Bemerkgn. u. (3) neuen Taf. gr. 4. (III, 117 S.) Berlin 885. Mayer & Müller. n. 3. 60

Przybilla, Carl, de praepositionum κατὰ et ἀνὰ usu Lucianeo. Part. I. gr. 8. (47 S.) Königsberg 883. (Beyer.) n. 1. 20

Przygode, Alfr., de eclogarum Vergilianarum temporibus. Dissertatio inauguralis. gr. 8. (61 S.) Berlin 885. W. Weber. n. 1. 20

Psalmen, die, Davids nach Martin Luthers Uebersetzung. 16. (318 S.) Elkhart, Ind., 1882. (Philadelphia, Schäfer & Koradi.) geb. n. 2. —

— die, Davids. Nach der kirchlich in Zürich eingeführten Uebersetzg. aufs Neue m. Sorgfalt durchgesehen. 16. (152 S.) Zürich 885. Dépôt der evangel. Gesellschaft. geb. in Leinw. n. — 35

— zum heiligsten Herzen Jesu. 16. (43 S.) Kempten 886. Kösel. n. — 20; geb. n. — 30

— auf den Namen des glorwürdigsten hl. Vaters Joseph. Eine geistl. Arznei, in allen schweren Anliegen d. Leibes u. der Seele m. größtem Nutzen zu gebrauchen. 16. (110 S.) Ebend. 884. — 30; geb. n. — 40

— geistvolle, zur Ehre der Mutter Gottes Maria. Eine geistl. Arznei, in allen schweren Anliegen d. Leibes u. der Seele m. größtem Nutzen zu gebrauchen. Aus d. heil. Bonaventura's Psalter gezogen. 16. (30 S.) Ebend. 884. — 15; geb. n. — 25

— de, na de plattdütsche Öwersettung vun Joh. Bugenhagen. gr. 8. (108 S.) Kropp 885. Buchh. „Eben-Ezer". n. — 60

Psalmenbund-Kalender. 1885. 24. (30 S.) Augsburg, Literar. Institut v. Dr. M. Huttler. n. — 10

Psalter u. Harfe. Geistliche Gesänge aus alter u. neuer Zeit f. gemischten Chor u. vierstimm. Männergesang. 1—3. Hft. gr. 8. Langensalza, Beyer & Söhne. à n. — 80

1. Leicht ausführbare Motetten u. geistliche Lieder f. gemischten Chor. Zusammengestellt u. zum Teil bearb. v. Ernst Rabich. 1. Hft. 2. Aufl. (V, 66 S.) 885.
2. Vier- u. achtstimmige Motetten f. gemischten Chor. Hrsg. v. A. H. Pfaff. (VI, 66 S.) 883.
3. Leicht ausführbare Motetten u. geistliche Lieder f. vierstimmigen Männergesang. Zusammengestellt u. zum Teil bearb. v. Ernst Rabich. (VI, 74 S.) 885.

Psalterium, das tironische, der Wolfenbütteler Bibliothek. Hrsg. vom königl. stenograph. Institut zu Dresden. Mit e. Einleitg. u. Übertragg. d. tiron. Textes v. Osk. Lehmann. gr. 8. (IV, 208 S. u. 120 autogr. Doppels.) Leipzig 885. Teubner. n. 10. —

Pscheidl, W., Bestimmung der Brennweite e. Concavlinse mittelst d. zusammengesetzten Mikroskopes. Lex.-8. (5 S.) Wien 886. (Gerold's Sohn.) n. — 20

Psychogonie. Die Abstammg. d. Menschengeistes u. der erst. Schritt zur Erkenntniß der wahren Ursachen, durch welche Hell-, Fern- u. Voraussehen, sowie andere myst. Erscheingn. d. geist. Gebiets vermittelt werden. Vom Verf. der „Kosmogonie". 4. (32 S.) Potsdam 883. (Döring.) n.n. 1. 50

Ptaschnik, J., Leitfaden beim Lesen der geographischen Karten. Für den geograph. Unterricht an Gymnasien entworfen. 9. Aufl. 8. (VIII, 200 S.) Wien 884. F. Beck. geb. n. 2. 10

Publication d. königl. preuss. geodätischen Institutes. Astronomisch-geodät. Arbeiten in den J. 1881 u. 1882. Instruction f. die Polhöhen- u. Azimuthbestimmgn. der astronom. Section d. geodät. Institutes. Bestimmung der Polhöhe u. d. Azimuthes auf den Stationen: Gollenberg, Thurmberg, Goldaper Berg, Springberg, Moschen, Schönsee u. Jauernick. gr. 4. (VII, 232 S.) Berlin 883. Friedberg & Mode. n n. 15. —

— dasselbe. Astronomisch-geodät. Arbeiten in den J.

1883 u. 1884. Bestimmung der Längendifferenzen Berlin—Swinemünde, Kiel—Swinemünde, Swinemünde—Königsberg, Königsberg—Warschau u. Berlin—Warschau. Bestimmung der Polhöhe d. Zeitballes in Swinemünde. gr. 4. (VI, 202 S.) Berlin 885. Friedberg & Mode. n.n. 13. 50

Publication d. königl. preuss. geodätischen Institutes. Das Mittelwasser der Ostsee bei Travemünde. Bearb. v. Wilh. Seibt. Mit 9 Taf. (V, 60 S.) Berlin 885. Friedberg & Mode. n.n. 8. —

— dasselbe. Gradmessungs-Nivellement zwischen Swinemünde u. Amsterdam. Unter directer Leitg. d. Präsidenten d. königl. geodät. Instituts u. d. Centralbureaus der europ. Gradmessg. Hrn. J. J. Baeyer bearb. v. Wilh. Seibt. Mit 2 (lith.) Taf. u. 1 (lith. u. color.) Übersichtskarte. gr. 4. (VI, 44 S.) Ebend. 883. n.n. 5. —

— dasselbe. Register der Protokolle, Verhandlungen u. Generalberichte f. die europäische Gradmessung vom J. 1861 bis zum J. 1880. Bearb. v. M. Sadebeck. gr. 4. (IV, 81 S.) Ebend. 883. n.n. 5. —
cf.: Veröffentlichung.

— der königl. württembergischen Commission f. europäische Gradmessung. Präcisions-Nivellement. Ausgeführt unter der Leitg. von v. Schoder. Ausgeglichen v. demselben. gr. 4. (VI, 68 S.) Stuttgart 885. (Metzler's Sort.) n.n. 2. —

Publications de la section historique de l'institut r. g.-d. de Luxemburg [ci-devant „société archéologique du grand-duché"]. Année 1883. XXXVI [XIV]. gr. 8. Luxemburg 883. (Bück.) n. 8. —
Archives de Clervaux, analysées et publiées par M. F. X. Würth-Paguet et N. van Werveke. (VI, 616 u. Reg. XCI S.)

— dasselbe. Année 1885. XXXVIII [XVI]. gr. 8. Ebend. 885. n. 6. —
Cartulaire du prieuré de Marienthal. 1. vol. 1231—1317. Publié d'après les documents originaux par N. van Werveke. (XXX, 372 S.)

Publikationen d. Centralvereins belgischer Architecten. Neue Folge. 1. u. 2. Bd. Fol. (à 48 Steintaf.) Berlin 886. Claesen & Co. in Mappe. à n. 28. —

— des astrophysikalischen Observatoriums zu Potsdam. Nr. 11—16 u. 20. [3. Bds. 3—5. Stück. 4. Bd. 1—3. Stück u. 5. Bd.] gr. 4. Potsdam. (Leipzig, Engelmann.) n. 45. —

11. Spectroskopische Beobachtungen der Sterne bis einschliesslich 7.5ter Grösse in der Zone von $-1°$ bis $+20°$ Declination v. H. C. Vogel, unter Mitwirkg. v. G. Müller. (S. 127—226.) 882. n. 6. —
12. Photometrische Untersuchungen v. Gustav Müller. (S. 227—292 m. 2 Steintaf.) n. 6. —
13. Abbildungen v. Sonnenflecken, nebst Bemerkgn. üb. astronom. Zeichngn. u. deren Vervielfältigg. Von O. Lohse. (S. 293—301 m. eingedr. Zinkotyp. u. 3 Steintaf.) 883. n. 4. —
14. Einige Beobachtungen m. dem grossen Refractor der Wiener Sternwarte, ausgeführt v. H. C. Vogel. (39 S. m. eingedr. Fig. u. 4 Steintaf.) 884. n. 6. —
15. Meteorologische Beobachtungen in den J. 1881 bis 1883. Bearb. v. P. Kempf. (107 S. m. 1 lith. Curventaf.) 885. n. 7. —
16. Ueber den Einfluss der Temperatur auf die Brechung des Lichtes in einigen Glassorten, im Kalkspath u. Bergkrystall. Von G. Müller. (68 S.) 885. n. 4. —
20. Bestimmung der Wellenlängen v. 300 Linien im Sonnenspectrum v. G. Müller u. P. Kempf. (VII, 281 S.) 886. n. 12. —

Nr. 17—19 erscheinen später.

— des Börsenvereins der deutschen Buchhändler. Neue Folge. A. u. d. T.: Archiv f. Geschichte d. deutschen Buchhandels. Hrsg. v. der histor. Commission d. Börsenvereins der deutschen Buchhändler. Red.: F. Hrm. Meyer. 8. Bd. gr. 8. (VI, 383 S.) Leipzig 883. (Exped. d. Börsenblattes.) n. 5. —

Publikationen des Börsenvereins der deutschen Buchhändler. Neue Folge. A. u. d. T.: Archiv f. Geschichte d. deutschen Buchhandels. Hrsg. v. der histor. Commission d. Börsenvereins der deutschen Buchhändler. Red.: F. Herm. Meyer. 9. Bd. gr. 8. (259 S.) Leipzig 884. (Exped. d. Börsenblattes.) n. 4. —

— der Gesellschaft f. Rheinische Geschichtskunde. I. 1. u. 2. Lfg. gr. 4. Bonn 884. 85. Weber. n. 12. 15
Kölner Schreinsurkunden d. 12. Jahrh. Quellen zur Rechts- und Wirthschaftsgeschichte der Stadt Köln, hrsg. v. Rob. Hoeniger. 1. Bd. 1. u. 2 Lfg. (X, 208 S.)

— dasselbe. II. gr. 8. Leipzig 886. A. Dürr. n. 11. 40; geb. n. 12. 30
Briefe v. Andreas Masius u. seinen Freunden 1538 bis 1573, hrsg. v. Max Lossen. (XX, 537 S.)

— der Wiener freiwilligen Rettungsgesellschaft. Nr. 1—6. gr. 8. Wien, (Huber & Lahme.) n. 1. 40

1. I. Von den Cholera-Mahdis. II. Zur Cholerafrage. III. Kurzer Bericht üb. die Cholera in Toulon u. Marseille 1884 vom Schriftführer. (22 S.) 884. n. — 20
2. Das elektrische Licht im Eisenbahnbetriebe zu Kriegszeiten. Vortrag, geh. im Club österreich. Eisenbahn-Beamten am 21. Octbr. 1884 vom Schriftführer. [Aus: „Oesterr. Eisenbahn-Ztg."] (16 S.) 884. n. — 20
3. Die Aufgaben der Sanitäts-Behörden u. der gemeinnützigen Vereine bei Choleragefahr. Gemeinverständlicher Vortrag, geh. im akadem. Gymnasium zu Wien, am 14. Novbr. 1884 durch den Schriftführer. (16 S.) 884. n. — 20
4. Ueber den Transport v. Kranken im Allgemeinen u. insbesondere zu Epidemiezeiten in grossen Städten, vom Schriftführer. [Gemeinverständlicher Vortrag, geh. im akadem. Gymnasium zu Wien am 21. Novbr. 1884.] Nach stenograph. Aufzeichngn. (13 S.) 884. n. — 20
5. Einiges üb. das freiwillige Rettungswesen in Europa u. Amerika. [Gemeinverständlicher Vortrag, geh. im akadem. Gymnasium zu Wien, am 12. Dezbr. 1884.] Nebst e. Anh.: Einige Belehrgn. u. Vorschriften bei Feuer- u. Wassersgefahr, sowie für erste Hilfeleistgn. u. Normen f. Eisenbahn-Unfälle, sowie die organ. Bestimmgn. f. die freiwill. Unterstützg. der Militär-Sanitätspflege im Kriege. Vom Schriftführer. Nach stenograph. Aufzeichngn. (39 S.) n. — 20
6. Einige Belehrungen u. Vorschriften bei Feuer- u. Wassergefahr, sowie f. erste Hilfeleistungen. (23 S.) n. — 40

— aus den preußischen Staatsarchiven. 16—26 Bd. gr. 8. Leipzig, Hirzel. n. 140. —

16. Lehns- u. Besitzurkunden Schlesiens u. seiner einzelnen Fürstenthümer im Mittelalter. Hrsg. v. C. Grünhagen u. H. Markgraf. (IV, 690 S.) 883. n. 14. —
17. Urkundenbuch d. Hochstifts Halberstadt u. seiner Bischöfe. Hrsg. v. Gust. Schmidt. (XII, 641 S. m. 6 Steintaf.) 883. n. 16. —
18. Preussen u. die katholische Kirche seit 1640. Nach den Acten d. geheimen Staatsarchives v. Max Lehmann. 4. Thl. Von 1768—1775. (V, 658 S.) 883. n. 14. —
19. Hessisches Urkundenbuch. 1. Abth. Urkundenbuch der Deutschordens-Ballei Hessen v. Arth. Wyss. 2. Bd. Von 1300 bis 1359. (VI, 662 S.) 884. n. 14. — (1. u. 2.: n. 27. —)
20. Geschichte von Hannover u. Braunschweig 1648 bis 1714 v. Adf. Köcher. 1. Thl. [1648—1668.] (VIII, 742 S.) 884. n. 16. —
21. Urkundenbuch d. Hochstifts Halberstadt u. seiner Bischöfe. Hrsg. v. Gust. Schmidt. 2. Thl. 1236—1303. Mit 6 Siegeltaf. (V, 671 S.) 884. n. 14. —
22. Unterhaltungen m. Friedrich dem Großen. Memoiren u. Tagebücher v. Heinr. de Catt, hrsg. v. Rhold. Koser. Mit 1 fcsm. Taf. (XXXII, 504 S.) 884. n. 9. —
23. Preußen im Bundestag 1851—1859. Documente der k. preuß. Bundestags-Gesandtschaft, hrsg. von H. Ritter v. Poschinger. 4. Thl. [1851—1858.] 2. Aufl. (XXI, 336 S.) 884. n. 9. — (1—4: n. 30. —)
24. Preussen u. die katholische Kirche seit 1640. Nach den Acten d. geheimen Staatsarchives v. Max Lehmann. 5. Thl. Von 1775 bis 1786. (V, 707 S.) 885. n. 16. —
25. Preussens Könige in ihrer Thätigkeit f. die

Landescultur. Von Rud. Stadelmann. 3. Thl. Friedrich Wilhelm II. (VIII, 235 S.) 885. n. 6. —

26. Briefwechsel der Herzogin Sophie v. Hannover m. ihrem Bruder, dem Kurfürsten Karl Ludwig v. der Pfalz, u. d. letzteren m. seiner Schwägerin, der Pfalzgräfin Anna. Hrsg. v. Ed. Bodemann. (XIX, 492 S.) 885. n. 12. —

Publikationen des statistischen Bureaus der Hauptstadt Budapest. XV. Bd. 3. Hft. Lex.-8. Berlin 883. Puttkammer & Mühlbrecht. n. 5. —
Die Hauptstadt Budapest im J. 1881. Resultate der Volksbeschreibg. u. Volkszählg. vom 1. Jan. 1881. Von Jos. Körösi. 3. Hft. Uebersetzung aus dem Ung. (IV, 267 S.)

— dasselbe. XVI—XVIII u. XX. Lex.-8. Ebend. n. 14. 40

XVI. Die öffentlichen Volksschulen der Hauptstadt Budapest in den Schuljahren 1873/74, 1874/75, 1875/76 u. 1876/77. Von Jos. Körösi. (79 S.) 883. n. 3. —

XVII. Dasselbe, in den Schuljahren 1877/78, 1878/79, 1879/80 u. 1880/81. (111 S.) 884. n. 3. —

XVIII. Die Sterblichkeit der Stadt Budapest in den J. 1876—1881 u. deren Ursachen. Von Jos. Körösi. Uebersetzung aus dem Ung. (XII, (330 S.) 885. n. 7. —

XX. Die Bauthätigkeit Budapest's in den J. 1875—1884. Von Jos. Körösi. Uebersetzung aus dem Ung. (V, 56 S.) 886. n. 1. 40

XIX. erscheint später.

— u. **Republicationen** der Königsberger literarischen Freunde. I. Lex.-8. Königsberg 886. Hartung. n. 10. —
G. C. Pisanski's Entwurf e. preußischen Literärgeschichte in 4 Büchern. Mit e. Notiz üb. den Autor u. sein Buch hrsg. v. Rud. Philippi. (XXIII, 722 S.)

Puchelt, Ernst Sigism., Kommentar zum allgemeinen deutschen Handelgesetzbuch. Mit besond. Berücksicht. der Rechtsprechg. d. Reichsgerichts u. d. vormal. Reichs-Oberhandelsgerichts. 3., in Folge der neuen Reichs-Justizgesetze vielfach umgearb. Aufl. 9—13. (Schluß-)Lfg. gr. 8. (2. Bd. III u. S. 209—490.) Leipzig 883. 85. Roßberg. à n. 1. 50 (cplt.: n. 19. 50; geb. n. 22. 50)

Puchta, Ant., analytische Bestimmung der regelmässigen convexen Körper im Raume v. vier Dimensionen, nebst e. allgemeinen Satz aus der Substitutionstheorie. [Mit 1 (lith.) Taf.] Lex.-8. (35 S.) Wien 884. (Gerold's Sohn.) n. 1. 20

— analytische Bestimmung der regelmässigen convexen Körper in Räumen v. beliebiger Dimension. Lex.-8. (18 S.) Ebend. 884. n. — 40

— über gewisse mechanisch erzeugbare Curven u. Flächen höherer Ordnung. [Mit 2 (lith.) Taf.] Lex.-8. (20 S) Ebend. 883. n. 1. 20

Puhlmann, O., die chemisch-mikroskopische Untersuchung d. Harns auf seine wichtigsten krankhaften Veränderungen. Zum Gebrauche f. pract. Aerzte u. Militär-Lazarethe zusammengestellt. 3. Aufl. 8. (39 S.) Berlin 885. Hirschwald. n. — 80

Pukl, Adf., Leitfaden f. den Unterricht im Pionnierdienste. Zum Gebrauch f. die k. k. Militär-Akademie zu Wiener-Neustadt, die Artillerie-Abthlg. der techn. Militär-Akademie zu Wien, f. die Infanterie-Kadetten-Schulen, die Kavallerie- u. Artillerie-Kadettenschule, dann f. Einjährig-Freiwillige. 2. Thl.: 6. Hauptstück. Mit 4 (lith.) Taf. gr. 8. (XVII—XXXI u. S. 235—353.) Wien 883. Seidel & Sohn. n. 2. 20

— dasselbe. (2. Bd.) Praktischer Thl.: III. Aufgaben u. Beispielsammlg. 52 Fig., auf 3 (lith.) Taf. Anh : Bautechnische Notizen [Elemente d. Hochbaues]. 36 Fig., auf 1 (lith.) Taf. gr. 8. (XXXIII—XL, 164 S.) Ebend. 884. n. 3. 60 (cplt.: n. 8. 90)

Pulgar, del Marques de Santillana, s.: Bibliothek, spanische.

Pulkowski, Dienst-Unterricht der Kanoniere der Fuß-Artillerie. Mit Genehmigg. der königl. General-Inspektion der Artillerie hrsg. 3. Aufl. Mit 91 Abbildgn. 16. (168 S.) Berlin 886. Eisenschmidt. n. — 60

Pulkowski, Leitfaden f. den theoretischen Unterricht der Ersatz-Reservisten der Fuß-Artillerie. Mit 50 Holzschn. 3. Aufl. 12. (108 S.) Berlin 886. Eisenschmidt. n. — 25

Pullwer, F. W., die rationell betriebene landwirthschaftliche Hühnerzucht. gr. 8. (30 S.) Koblenz 883. Groos. n. — 50

Puls, Krug u. **Pertzel**, der kleine Ornamentist f. Schmiedeeisen. Ein Auszug aus dem grösseren Werke: Ornamentik f. Schlosser u. Architekten. 36 Ornamente auf 28 (lith.) Taf. 2. Aufl. gr. 4. (1 Bl. Text.) Gera 885. Kanitz' Verl. n. 4. —

Puls, O., s.: Börsen-Handbuch, Frankfurter.

— die Börsensteuer. Gesetz betr. die Erhebg. der Reichsstempelabgaben in der Fassg. d. Gesetzes vom 29. Mai 1885. Mit den Ausführungs-Instruktionen d. Bundesraths, amtl. Entscheidgn., Kommissions- u. Reichstagsverhandlgn., Beschlüssen der Handelskammern rc. 2. Aufl. 8. (III, 186 S.) Frankfurt a/M. 885. (Neumann.) n. 1. 50

— systematische Darstellung d. Börsensteuergesetzes vom 29. Mai 1885 in seinen wesentlichen, die Effektenbörse betr. Bestimmungen, unter Mitwirkg. v. Sachverständigen der Börse hrsg. 8. (15 S.) Ebend. 885. n. — 50

Pulszky, Frz., die Kupfer-Zeit in Ungarn. Mit 149 Illustr. im Text. Deutsche Ausg. gr. 8. (103 S.) Budapest 884. Kilián. n. 3. —

— meine Zeit, mein Leben. 4. (Schluss-)Bd. Während der Verbanng. in Italien. Autoris. Uebersetzg. gr. 8. (311 S.) Pressburg 883. Stampfel. n. 5. — (cplt.: n. 24. 60)

Pulszky, K. v., s.: Landes-Gemälde-Galerie in Budapest.

Pult-Kalender f. 1885. schmal-Fol. (IV, 176 u. 71 S.) Lahr, Schauenburg. cart. 1. 50; geb. 2. —

Pummer's, E., Eisenbahn-Fahrordnung. Giltig vom 1. Juni 1886. qu. gr. 16. (24 S.) Klagenfurt 886. (Raunecker.) n. — 30

Puncta in judiciis terrestribus et castrensibus observanda anno 1544 conscripta. Abbreviatio processus juridici anno 1641 confecta. Nunc primum edita opera Mich. Bobrzyński. gr. 4. (S. 195—272.) Krakau 882. (Friedlein.) n. 4. —

Pünjer, Bernh., die Aufgaben d. heutigen Protestantismus. Akademische Rosenvorlesg. gr. 8. (23 S.) Jena 885. Deistung. n. — 50

Pünjer, G. Ch. Bernh., Geschichte der christlichen Religionsphilosophie seit der Reformation. [In 2 Bdn.] 2. Bd. Von Kant bis auf die Gegenwart. gr. 8. (VI, 399 S.) Braunschweig 883. Schwetschke & Sohn. n. 10. — (1. u. 2.: n. 20. —)

— Grundriss der Religionsphilosophie. gr. 8. (VIII, 71 S.) Ebend. 886. n. 1. 60

Pünjer, J., Lehr- u. Lernbuch der französischen Sprache. gr. 8. (VII, 311 S.) Hannover 886. Meyer. n. 2. 40; geb. n. 2. 80

Punktir-Buch, großes, d. weisen Arabers Osman Ben Ali od. Blicke in die Zukunft. 12. (26 S.) Landsberg a/W. 884. Bolger & Klein. — 25

— beliebtes, vom alten Omar Tsasmir, m. e. belust. Frag- u. Antwortspiel u. 35 Scherz- u. Räthselfragen. Zur angenehmen Unterhaltg. in gesell. Kreisen. 18. Aufl. 16. (32 S.) Quedlinburg 883. Ernst. — 10

— neues untrügliches. 768 unfehlbare Orakelsprüche auf alle die Zukunft betr. Fragen. Nebst e. Anleitg., betr. das Bleigießen in der Sylvesternacht. Nach den Papieren der berühmten Wahrsagerin Mlle. Lenormand. 5. Aufl. 12. (64 S.) Oberhausen 885. Spaarmann. — 25

Punktirbüchlein, kleines. 256 unfehlbare Orakelsprüche auf viele die Zukunft betreff. Fragen. Nebst Monatszettel [Planeten]. Nach den Papieren der berühmten Wahrsagerin Mlle. Lenormand. 16. (32 S.) Oberhausen 884. Spaarmann. — 15

Punktirkunst, vollkommene, oder: Neuestes Punktir-Büchlein zur angenehmen Unterhaltg. f. Jedermann. 10. Aufl. 16. (24 S.) Neutitschein 883. (Wien, Daberkow.) n. — 12

Punsch. Red.: Ludw. Krapf. 1. Jahrg. 1884. 52 Nrn. (B.) Fol Kaiserslautern, (A. Gotthold). n. 4. —

Punſch-Kalender, Wiener, ſ. d. J. 1887. Hrsg. v. C. Schönwald. 18. Jahrg. 8. (76 S. m. Illuſtr.) Wien, (Perles). n. — 80

Puntschart, V., die fundamentalen Rechtsverhältnisse d. römischen Privatrechts. Inductive Grundleggn. m. besond. Beziehg. auf die Fragen der Gefahrnormirg. bei Austauschobligationen. gr. 8. (XV, 498 S.) Innsbruck 885. Wagner. n. 9. 60

Pupikofer, J. A., Geſchichte d. Thurgaus. 2., vollſtändig umgearb. Ausg. 1—7. Lfg. gr. 8. (1. Bd. XVI, 894 S. u. 2. Bd. S. 1—160.) Frauenfeld 884—86. Huber. à n. 1. 60 (1. Bd. cplt.: n. 10. —)

Puppenſpiele, deutſche. Hrsg. v. Rich. Kralik u. Joſ. Winter. gr. 8. (X, 321 S.) Wien 885. Konegen. n. 4.—

Puppen-Theater. 1—12. Hft. 12. (à ca. 40 S.) Kattowitz 885. 86. Siwinna. à — 20

Purjesz, Ign, therapeutisches Recept-Taschenbuch f. venerische Krankheiten. 8. (VIII, 96 S.) Stuttgart 883. Enke. n. 1. 60

Purim-Almanach. Hrsg. v. A. Goldſchmidt. 2. Sammlg. gr. 8. Hamburg 886. A. Goldſchmidt. 1. —

Ein Purimabend, Luſtſpiel. Der verhängnißvolle Brief, parodiſt. Scene. Purim-Predigt, Parodie. Fleiſchwaaren, Soloſcene. Purim-Ballade, Parodie. (32 S.)

Puritz, Ludw., code-book of gymnastic exercises. Translated by O. Knofe and J. W. Macqueen. With 268 woodcut-illustrations. 16. (XXIII, 285 S.) Hannover 883. Hahn. cart. 1. 50

— Handbüchlein turneriſcher Ordnungs-, Frei-, Hantel- u. Stabübungen. Eine Sammlg., auf Grundlage v. J. C. Lions Leitfaden f. den Betrieb der Ordnungs- u. der Freiübgn. bearb. Mit 235 Holzſchn. 8. (XVI, 190 S.) Hof 884. Lion. geb. n. 2. 50

— 16 Leiter- u. Stuhl-Pyramiden f. Turner, s.: Lion, J. C.

— manuel de gymnastique. Traduit de l'allemand, sur la 6. éd., par Marc Senglet. Ouvrage accompagné de 268 figures sur bois. 16. (XXIV, 293 S.) Hannover 883. Hahn. cart. n. 1. 40

— Merkbüchlein f. Vorturner in oberen Klaſſen höherer Lehranſtalten u. in Turnvereinen. 7. verb. Aufl. Mit 276 Holzſchn. 16. (XXIV, 296 S.) Ebend. 884. cart. n. 1. —

— der hannoverſche Touriſt. Ein Führer bei Wandergn. in den Gebieten der Leine, Innerſte, Weſer u. im Teutoburger Walde. 5. Aufl. 12. (VIII, 150 S. m. 1 Karte.) Hannover 886. Schmorl & v. Seefeld. geb. n. 2. —

Purſchka, R., Bilder aus dem oberöſterreichiſchen Dorfleben, ſ.: Aus da Hoamát.

Purschke, Carl Arth., Clemmys sarmatica n. sp. aus dem Tegel v. Hernals bei Wien. [Mit 1 (lith.) Taf.] Imp.-4. (8 S.) Wien 885. (Gerold's Sohn.) n. 1. 20

Puſchkin, A. S., Boris Godunow, ſ.: Univerſal-Bibliothek.

— Eugen Onjägin, ſ.: Collection Manaſſewitſch.

— u. **Lermontow,** Dichtungen, in deutſcher Uebertragg. v. Andr. Aſcharin. 2. Aufl. 8. (VI, 327 S.) Reval 885. Kluge. n. 4. —

Puschl, Carl, üb. die latente Wärme der Dämpfe. Eine Theorie der Dampf- u. Gas-Form der Körper auf Grund der Aequivalenz v. Wärme u. Arbeit. Mit Schlussfolgergn. üb. den phys. Zustand der Sonne u. der Kometen. 3. Aufl. gr. 8. (IV, 76 S.) Wien 883. Hölder. n. 1. 60

Puschmann, Thdr., die Medicin in Wien während der letzten 100 Jahre. gr. 8. (VIII, 327 S. m. 1 Plan d. allg. Krankenhauses.) Wien 884. Perles. n. 8. —

Puſikan, die Helden v. Sempach. hoch 4. (82 S. m. 2 Steintaf., 21 color. Wappentaf., 1 Lichtdr. u. 1 chromolith. Plan) Zürich 886. (Bern, Jenni.) cart. n. 12. —

Putlitz, G. zu, brandenburgiſche Eroberungen, ſ.: Bloch's, E., Theater-Correſpondenz.

— mein Heim. Erinnerungen aus Kindheit u. Jugend. 2. Aufl. 8. (210 S.) Berlin 886. Gebr. Paetel. n. 3. —; geb. n.n. 4. 50

— Luſtſpiele. Einzel-Ausg. Nr. 1. 8. Berlin 883. Laſſar. n. 2. —

Das Schwert d. Damokles. Schwank in 1 Akt. 4. Aufl. (30 S.)

Putlitz, G. zu, das Maler-Majorle. Novelle. 8. (234 S.) Berlin 883. Gebr. Paetel. n. 4. —; geb. n. 5. 50

— Vergißmeinnicht. Eine Arabeske. 18. Aufl. 12. (79 S.) Ebend. 887. geb. m. Goldſchn. n. 3. —

— Walpurgis, } ſ.: Paetel's Miniatur-Ausgaben-Collection.
— was ſich der Wald erzählt,

Pütſch, Alb, Aphorismen üb. die Grundzüge f. den Entwurf e. Geſetzes üb. die Unfallverſicherung der Arbeiter. gr. 8. (14 S.) Berlin 884. Schettler's Erben, Verl. n. — 40

— das deutſche Patentgeſetz. Eine Paraphraſe. 12. (48 S.) Berlin 884. Polytechn. Buchh. n. 1. —

— die Sicherung der Arbeiter gegen die Gefahren f. Leben u. Gesundheit im Fabrik-Betriebe. Durch (eingedr.) Abbildgn. erläuterte Mittheilgn. v. bewährten Schutzvorrichtgn. u. Sicherheits-Massnahmen, sowie v. Regierungs-Verordngn., Betriebs-Vorschriften, Genehmigungs-Bedinggn., Fabrik-Ordngn. etc. Für den prakt. Gebrauch bearb. gr. 8. (XXX, 379 S.) Berlin 883. Schettler's Erben, Verl. n. 12. —

Putſche, K. E., ſ.: Schiller's Gedichte, ſ. das deutſche Volk erläutert.

Putſchögel, Emil, Predigten auf alle Sonn- u. Feſttage d. Kirchenjahres. 2. Jahrg. gr. 8. (523 S.) Wien 886. Kirſch. n. 3. 60

Püttlkow, H., Leſebuch f. die Mittel- u. Oberſtufe der katholiſchen Elementarſchulen. gr. 8. (420 S.) Freiburg i/Br. 883. Herder. n. 1. 15; Einbd. n.n. — 25

— daſſelbe, f. die Mittelſtufe der katholiſchen Elementarſchulen. 2. Aufl. gr. 8. (VI, 152 S.) Ebend. 885. n. — 50; Einbd. n.n. — 20

— daſſelbe, f. die Oberſtufe. gr. 8. (V u. S. 153—414.) Ebend. 885. n. — 80; Einbd. n.n. — 25

— daſſelbe, f. die Mittel- u. Oberſtufe der katholiſchen Elementarſchulen in Elſaß-Lothringen. gr. 8. (420 S.) Ebend. 883. n. — 80; Einbd. n.n. — 25; Mittelſtufe ap. (VI, 152 S.) n. — 35; Einbd. n.n. — 20; Oberſtufe ap. (VI u. S. 153—420.) n. — 60; Einbd. n.n. — 25

Pütter, A., Urtheile, Beſchlüſſe u. Verfügungen in bürgerlichen Rechtsſtreitigkeiten. Eine Anleitg. zur Anfertigg. derſelben, nebſt einigen Muſtern. 8. (VI, 145 S.) Berlin 884. Vahlen. n. 2. 50

Puttkamer, Alberta v., Dichtungen. 8. (IV, 172 S.) Leipzig 885. Schloemp. n. 3. —; geb. n. 5. —

— Kaiſer Otto der Dritte. Schauſpiel in 5 Aufzügen. 8. (153 S.) Glogau 883. Flemming. n. 2. —

Püttner, Eliſe, das Märchen vom Thorner Pfefferkuchen. Mit e. Titel-Illuſtr. 2. Aufl. 8. (59 S.) Danzig 885. Th. Bertling's Buchh. cart. n. 1. 25

Putz, Glieb., Blätter, Blüten, Früchte, Gedichte. 8. (401 S.) Meran 886. Pötzelberger. n. 4. —; geb. n. 5. 50

Pütz, H., üb. die Beziehungen der Tuberculose d. Menschen zur Tuberculose der Thiere, namentlich zur Perlsucht d. Rindviehes. Mit krit. Berücksicht. der Entdeckg. d. Tuberkelbacillus an der Hand eigener Versuche bearb. gr. 8. (64 S.) Stuttgart 883. Enke. n. 1. 60

— Compendium der Thierheilkunde. gr. 8. (XII, 622 S.) Ebend. 885. n. 12. —

— über die Milzbrandimpfungen Pasteur's, s.: Vorträge f. Thierärzte.

Pütz, J., graphische Darstellung der Metall-Preise der letztvergangenen 25 Jahre, nach amtl. Quellen bearb. u. hrsg. Chromolith. 2 Blatt. gr. Fol. Iserlohn 883. Bädeker. n. 1. 50

Pütz, Wilh., Grundriss der Geographie u. Geschichte der alten, mittleren u. neuern Zeit f. die oberen Klassen höherer Lehranstalten. 1. u. 2. Bd. Hrsg. v. H. Cremans. gr. 8. Leipzig, Bädeker. n. 4. 50

1. Das Alterthum. 11. Aufl. (VIII, 616 S.) 884. n. 2. 50
2. Das Mittelalter. 15. Aufl. (VI, 210 S.) 883. n. 2. —

— daſſelbe, f. die mittleren Klaſſen höherer Lehranſtalten. 1. u. 2. Abtlg. Hrsg. v. H. Cremans. gr 8. Ebend. 884 86. à n. 1. —

1. Das Altertum. 19. Aufl. (VI, 114 S.)
2. Das Mittelalter. 15. Aufl. Mit e. hiſtor. (lith.) Karte v. Deutſchland. (VI, 128 S.)

— Grundriß der deutſchen Geſchichte f. die mittleren Klaſſen höherer Lehranſtalten. 15. Aufl. Hrsg. v. H

Cremans. Mit 2 histor. (lith.) Karten. gr. 8. (VI, 172 S.) Leipzig 886. Bädeker. 1. 50; Einbd. n.n. — 25

Pütz, Wilh, Lehrbuch der vergleichenden Erdbeschreibung f. die oberen Klassen höherer Lehranstalten u. zum Selbstunterricht. 18., verb. Aufl., bearb. v. F. Behr. gr. 8. (XII, 372 S.) Freiburg i/Br. 884. Herder. n. 2. 80

— dasselbe, f. die unteren u. mittleren Klassen höherer Lehranstalten. 20. Aufl., bearb. v. F. Behr. 8. (X, 240 S.) Ebend. 885. n. 1. 20; Einbd. n.n. — 35

— Leitfaden bei dem Unterrichte in der Geschichte d. preußischen Staates. Mit e. histor. (lith. u. color.) Karte d. preuß. Staates. 12. Aufl. Hrsg. v. H. Cremans. gr. 8. (IV, 79 S.) Leipzig 885. Bädeker. cart. n. 1. —

— altdeutsches Lesebuch m. Sprach- u. Sach-Erklärungen f. höhere Lehranstalten u. zum Selbstunterricht. 6. Aufl. v. Conrads gr. 8. (VIII, 189 S.) Ebend. 886. n. 1. 80; Einbd. n.n. — 25

— Übersicht der Geschichte der deutschen Litteratur f. höhere Lehranstalten. 9. Aufl. v. F. W. Conrads. gr. 8. (V, 118 S.) Ebend. 886. cart. n — 80

Pyat, F., der Lumpensammler v. Paris, s.: Universal-Bibliothek.

Pyl, Beiträge zur pommerschen Rechtsgeschichte. 1. Hft. gr. 8. (80 S.) Greifswald 884. (Bindewald.) n. — 80

Pym, T., Bilder zum Coloriren f. unsere Kleinen. Mit Versen v. Helene Binder. 4. (32 Bl.) München 883. Stroefer. n. 1. 20

— kleine Blüten, kleine Blätter. Aus dem Engl. übers. u. ergänzt v. Helene Binder. qu. kl. 4. (36 Bl. m. farb. Illustr.) Ebend. 882. geb. n. 3. 50

— Fleiß bringt Fröhlichkeit u. Glück, Unart Trübsal, Mißgeschick. Bilder. Erzählungen nach dem Engl. v. E. Biller. kl. 4. (40 S. m. farb. Illustr.) Ebend. 882. geb. n. 3. —

Pypin, A. N., das serbisch-wendische Schriftthum in der Ober- u. Niederlausitz. Aus dem Russ. übertr. sowie m. Berichtiggn. u. Ergänzgn. versehen v. Traug. Pech. gr. 8. (64 S.) Leipzig 884. Brockhaus. n. 1. 25

— u. V. D. Spasović, Geschichte der slavischen Literaturen. Nach der 2. Aufl. aus dem Russ. übertr. v. Traug. Pech. Autoris. Ausg. 2. Bd. Geschichte der poln. Literatur. Cecho-Slaven, Lausitzer, Serben. Mit e. Vorwort v. A. N. Pypin. gr. 8. (XXVIII, 435 und VII, 509 S.) Ebend. 883. n. 19. —; geb. n. 22. — (cplt.: n. 30. —; geb. n. 31. 50)

Pyra, I. J., u. S. G. Lange, freundschaftliche Lieder, s.: Litteraturdenkmale, deutsche, d. 18. u. 19. Jahrh.

Q.

Quaglio, Jul., üb. feuerfeste Materialien. Vortrag geh. im Verein zur Beförderg. d. Gewerbfleisses zu Berlin am 1. März 1886. gr. 4. (12 S.) Berlin 886. (Polytechn. Buchh.) n. 1. —

Quandt, Emil, Erinnerungen an Verborgene. Für christl. Freunde mitgetheilt. 2. Aufl. gr. 8. (IV, 76 S.) Berlin 883. Deutsche Evangel. Buch- u. Tractat-Gesellschaft. n. — 50

— Festpredigten. Eine Sammlg. v. Predigten gläub. Zeugen der Gegenwart üb. Perikopen u. freie Texte. 1. Bd.: Ein evangel. Weihnachtsbuch. gr. 8. (VIII, 215 S.) Leipzig 886. Fr. Richter. n. 3. —; geb. m. Goldschn. n. 4. —

— Gethsemane u. Golgatha. Ein Passionsbuch in Predigten. 2. Aufl. gr. 8. (VIII, 208 S.) Halle 883. Strien. n. 2. 40; geb. n. 3. 40

— die Jünglinge der Bibel. Biblische Betrachtgn., frommen Jünglingen innerhalb u. außerhalb unserer evangel. Jünglingsvereine gewidmet. 2. Aufl. 8. (56 S.) Berlin 883. Hauptverein f. christl. Erbauungsschriften. cart. n. — 40

— die häusliche Liebe. Predigt am 6. Sonntag nach Epiphanias 1886 üb. Kolosser 3' 18—4, 1. 8. (12 S.) Berlin 886. Deutsche Evangel. Buch- u. Tractat-Gesellschaft. n. — 15

Quandt, Emil, die Reformation, gerechtfertigt durch ihre Kinder. Predigt üb. Evangelium Matthäi 11, 16—19. 8. (12 S.) Berlin 886. Deutsche Evangel. Buch- u. Tractat-Gesellschaft. n. — 15

— die Schlagworte unserer Zeit im Lichte d. Wortes Gottes. Vorträge üb. Fortschritt, Freiheit, Gleichheit, Brüderlichkeit, Bildung, Duldsamkeit, Heiterkeit, geh. im Saale d. Evang. Vereins. 2. Aufl. 8. (VI, 152 S.) Berlin 886. Hauptverein f. christl. Erbauungsschriften. cart. — 90

Quarck, Max, die Arbeiterschutzgesetzgebung im Deutschen Reiche. Eine sozialpolit. Studie f. die weitesten Kreise. 8. (89 S.) Stuttgart 886. Dietz. n. 1. —

Quaritsch, Compendium der Nationalökonomie. 3. Aufl. gr. 8. (IV, 125 S.) Berlin 886. W. Weber. n. 3. —

— Compendium d. deutschen Strafprocesses. 5. Aufl. gr. 8. (IV, 146 S.) Ebend. 886. n. 3. —

— Compendium d. deutschen Strafrechts. 5. Aufl. gr. 8. (IV, 118 S.) Ebend. 885. n. 3. —

— Compendium d. europäischen Völkerrechts. 4. Aufl. gr. 8. (IV, 123 S.) Ebend. 885. n. 3. —

Quartalblätter d. historischen Vereins f. das Grossherzogt. Hessen. Red: Ernst Wörner. Jahrg. 1883—1886. à 4 Nrn. gr. 8. (à ca. 42 S.) Darmstadt. (Klingelhoeffer). à Jahrg. n. 1. 50

Quartalschrift, theologische. In Verbindg. m. mehreren Gelehrten hrsg. von v. Kuhn, v. Himpel, v. Kober, Linsemann, Funk, Schanz u. Keppler. 65—68. Jahrg. 1883—1886. à 4 Hfte. gr. 8. (à Hft. 176 S.) Tübingen, Laupp. à Jahrg. n. 9. —

— theologisch-praktische. Hrsg. v. den Professoren der bischöfl. theol. Diöz.-Lehranstalt. Red.: Jos. Schwarz, Otto Schmid u. M. Hiptmaier. 36—39. Jahrg. 1883—1886. à 4 Hfte. gr. 8. (à Hft. 256 S.) Linz, Haslinger. à Jahrg. n. 7. —

— dasselbe. Ergänzungsheft zum Jahrg. 1885. gr. 8. Ebend. 885. n. 1. —

Franz Joseph Rudigier, Bischof v. Linz. Ein Bild seines großen Lebens u. erbaul. Sterbens. Hrsg. v. der Redaktion. (86 S.)

Quartier-Liste der Garnisonen u. Militärbehörden in Lothringen. Nr. 18. Novbr. 1886. Mit Angabe der Wohng. sämmtl. in Metz garnison. Offiziere u. Militärbeamten. gr. 8. (12 S.) Metz 886 Lang. n. — 50

— des deutschen Heeres. Unter Berücksicht. der Allerhöchst genehmigten Dislokationsveränderngn. Nachgetragen bis Ende Septbr. 1885. 32. Aufl. gr. 8. (48 S.) Berlin 885. Liebel. — 30

Quartiermachen, das, bei den Fusstruppen. 16. (32 S.) Metz 886. Scriba. n. — 45

Quatrelles, der erste April, s.: Theater-Repertoir, Wiener.

Quednow, M., Filippo Strozzi. Historischer Roman. 8. (446 S. m. 1 genealog Tab.) Gotha 884. F. A. Perthes. n. 6. —

Quehl, J., Hilfsbuch f. den naturkundlichen Unterricht in der Volksschule. 2. Tl.: Tierkunde. gr. 8. (IV, 256 S.) Zeitz 883. Huch. n. 2. — (1. u. 2.: n. 3. 20)

Queisner, R., s.: Wild, R.

Quellen zur Frankfurter Geschichte, hrsg. v. H. Grotefend. 1. Bd. Lex.-8. Frankfurt a/M. 884. Jügel's Verl. n. 10. —

Frankfurter Chroniken u. annalistische Aufzeichnungen d. Mittelalters, bearb. v. R. Froning. (XLIV, 492 S.)

— zur pommerschen Geschichte. Hrsg. v. der Gesellschaft f. pommersche Geschichte u. Alterthumskunde. I. Lex.-8. Stettin 885. Saunier. n. 5. —

Das älteste Stadtbuch der Stadt Garz auf der Insel Rügen. Bearb. von G. v. Rosen. (XIII, 163 S.)

— zur schweizer Geschichte. Hrsg. v. der allgemeinen geschichtforsch. Gesellschaft der Schweiz. 3. Bd. 2. Abth. u. 6. u. 7. Bd. gr. 8. Basel, Schneider. n. 21. 80 (I—VII: n. 56. 40)

III. Die ältesten Urkunden v. Allerheiligen in Schaffhausen, Rheinau u. Muri. Hrsg. v. F. L. Baumann, G. Meyer v. Knonau u. P. Mart.

Kiem. Mit 3 (chromolith.) Karten. 2. Abth. (V, 98 u. 206 S.) 883. n. 6. —
VI. Conradi Türst de situ confoederatorum descriptio. Balci descriptio Helvetiae. Fratris Felicis Fabri descriptio Sueviae. Johs. Stumpf, Reisebericht v. 1544. (VII, 372 S. m. 1 chromolith. Facs.-Karte.) 884. n. 7. 20
VII. Ulrici Campelli Raetiae alpestris topographica descriptio. Hrsg. auf Veranstaltg. der schweizer. geschichtforsch. Gesellschaft v. C. J. Kind. (XVI, 448 S.) 885. n. 8. 60

Quellen zur Geschichte der Stadt Worms, auf Veranlassg. u. m. Unterstützg. d. Hrn. C. W. Heyl, vormals Mitglied des Deutschen Reichstages, hrsg. durch H. Boos. 1. Thl. A. u. d. T.: Urkundenbuch der Stadt Worms. 1. Bd. 627—1300. Lex.-8. (XVI, 506 S.) Berlin 886. Weidmann. n. 16. —

— u. **Darstellungen** zur Geschichte Niedersachsens. Hrsg. vom histor. Verein f. Niedersachsen. 1. Bd. gr. 8. Hannover 883. Hahn. n. 6. 40
Die älteren Zunfturkunden der Stadt Lüneburg. Bearb. v. Ed. Bodemann. (LXXIX, 276 S.)

— u. **Forschungen** zur Sprach- u. Culturgeschichte der germanischen Völker. Hrsg. v. B. ten Brink, E. Martin, W. Scherer. 31., 50—59. Hft. gr. 8. Strassburg, Trübner. n. 43. 50
31. Nibelungenstudien v. Rud. Henning. (XI, 329 S.) 883. n. 6. —
50. Eraclius. Deutsches Gedicht d. 13. Jahrh. Hrsg. v. Harald Graef. (VII, 264 S.) 883. n. 5. —
51. Mythologische Forschungen aus dem Nachlasse v. Wilh. Mannhardt. Hrsg. v. Herm. Patzig. Mit Vorreden v. Karl Müllenhoff u. Wilh. Scherer. (XL, 382 S.) 884. n. 9. —
52. Laurence Minots Lieder, m. grammatisch-metr. Einleitg. hrsg. v. Wilh. Scholle. (XLVII, 45 S.) 884. n. 2. —
53. Der zusammengesetzte Satz bei Berthold v. Regensburg. Ein Beitrag zur mittelhochdeutschen Syntax v. Hub. Roetteken. (XI, 124 S.) 884. n. 2. 50
54. Konrads v. Würzburg Klage der Kunst v. Eug. Joseph. (X, 92 S.) 885. n. 2. —
55. I. Das friesische Bauernhaus in seiner Entwicklung während der letzten vier Jahrhunderte, vorzugsweise in der Küstengegend zwischen der Weser u. dem Dollart. Von Otto Lasius Mit 38 Holzschn. (III, 34 S.) 885. n. 3. —
II. Die deutschen Haustypen. Nachträgliche Bemerkungen v. Rud. Henning. (34 S.) 885. n. 1. —
56. Die galante Lyrik. Beiträge zu ihrer Geschichte u. Charakteristik von Max Frhrn. v. Waldberg. (XX, 152 S) 885. n. 4. —
57. Die altdeutsche Exodus, m. Einleitg. u. Anmerkgn. hrsg. v. Ernst Kossmann. (VII, 149 S.) 885. n. 3. —
58. Grundlagen d. mittelhochdeutschen Strophenbaus v. Rich. M. Meyer. (XI, 136 S.) 886. n. 3. —
59. Über die Sprache der Wandalen. Ein Beitrag zur german. Namen- u. Dialektforschung v. Ferd. Wrede. (VI, 119 S.) 886. n. 3. —

Quellenschriften zur neueren deutschen Litteratur, hrsg. v. Alex. Bieling. Nr. 1 u. 2. 8. Halle 886. Niemeyer. à n. 1. 60
1. Gottscheds Reineke Fuchs. Abdruck der hochdeutschen Prosa-Übersetzg. v. J. 1752. (VIII, 144 S.)
2. Lebensbeschreibung d. Herrn Gözens v. Berlichingen. Abdr. der Orig.-Ausg. v. Steigerwald, Nürnberg 1731. (X, 111 S.)

Quellwasser fürs deutsche Haus. Red.: Otto Schulze. 9—10. Jahrg. Octbr. 1884—Septbr. 1887. à 52 Nrn. (2 B. m. eingedr. Holzschn.) gr. 4. Leipzig, G. Wigand. à Jahrg. n. 6. —; in Monatsheften zu gleichem Preise.

Quensell, C. G. L., die Abstammung, Züchtung u. Arbeit d. Schweißhundes, f. hirschgerechte Jäger u. solche, die es werden wollen, zusammengestellt. 2. Aufl. der „Anleitg. zur Arbeit d. Schweißhundes". 8. (VII, 44 S.) Blasewitz-Dresden 884. Wolff. — 75

— Anleitung zur Züchtung, Erziehung u. Arbeit d. Gebrauchshundes zur Jagd. Aus eigener Erfahrg. unter Benutzg. der neuesten Werke v. Oswald, Hegewald u. A. dargestellt. 2. Aufl. 8. (X, 62 S.) Berlin 884. Baensch. 1. —

— die Hüttenjagd auf Raubzeug. Für die Jägerpraxis nach der Erfahrg. zusammengestellt. Mit 5 Fig. 8. (32 S.) Dresden-Blasewitz 885. Wolff. — 75

— der Jagdschutz. Ein Hilfsbuch f. Jagdbesitzer, Jagdverwalter u. Jagdschutzbeamte. gr. 8. (VII, 36 S.) Ebend. 886. — 60

Quensen, Carl, analytische Betrachtungen üb. die Raumformen, in welchen das Kongruenzaxiom gilt. gr. 8. (47 S.) Gandersheim 884. (Braunschweig, Goeritz.) n. 1. 20

Quenstedt, Frdr. Aug., die Ammoniten d. schwäbischen Jura. 1—12. Hft. Mit e. Atlas v. 56 (lith.) Taf. (in Fol. m. 56 Bl. Taf.-Erklärgn.). gr. 8. (608 S. m. eingedr. Holzschn.) Stuttgart 883—86. Schweizerbart. n. 125. —
(1. Bd. Der schwarze Jura (Lias) cplt.: n. 90. —)

— geologische Ausflüge in Schwaben m. besond. Berücksicht. d. Tübingens Umgebung. Mit Holzschn. u. 5 color. Taf. 2. Ausg. gr. 8. (IV, 377 S.) Tübingen 884. Laupp. geb. n. 3. —

— Handbuch der Petrefaktenkunde. 3. umgearb. u. verm. Aufl. Mit zahlreichen in den Text eingedr. Holzschn. u. e. Atlas v. 100 (lith.) Taf. m. Erklärg. Nebst vollständ. Register. 6—25. (Schluss-)Lfg Lex.-8. (VIII, S. 289—1239 m. je 4 Steintaf. u. 4 Bl. Taf.-Erklärgn.) Ebend. 883—85. à n. 2. — (cplt: n. 54. —)

— Petrefactenkunde Deutschlands. Der 1. Abth. 7. Bd. 3. Hft. Gasteropoden. 3—6. Hft. Hierzu e. Atlas in Fol. m. 22 Taf. in Tondr. (u. 10 Bl. Taf.-Erklärgn.). gr. 8. (VIII u. S. 321—867.) Leipzig 883. 84. Fues. n. 51. — (I, 1—7, III.: n. 499. —)

— populäre Vorträge üb. Geologie. Mit vielen Holzschn. u. 1 lith. Taf. 2. Ausg. gr. 8. (VIII, 288 S. m. eingedr. Holzschn. u. 1 color. Steintaf.) Tübingen 884. Laupp. cart. n. 2. —

— dasselbe. Neue Reihe. Mit zahlreichen Holzschn. u. 1 lith. Taf. 2. Ausg. gr. 8. (VIII, 322 S.) Ebend. 884. cart. n. 2. —

Quentin's, C. F., Fahrplanbuch f. den Eisenbahn- u. Dampfschiff-Verkehr in Deutschland, Holland, Oesterreich u. der Schweiz, m. allen Anschlüssen an Stationen in Frankreich, Italien, England, Oesterreich-Ungarn, Belgien etc. Mit e. (lith.) Uebersichtskarte. Nach amtl. Quellen bearb. 40. Jahrg. 1886. 8 Nrn. gr. 8. (Nr. 1. XXXII, 464 S) Frankfurt a/M. 886. Mahlau & Waldschmidt. 6. —; einzelne Nrn. à n. 1. —

— Taschen-Fahrplan f. Hessen-Nassau, Hessen-Darmstadt, den Rhein, die Pfalz etc. m. Frankfurt a/M. als Mittelpunkt. Winterdienst 1886. 8. (80 S.) Ebend. n. — 20

Quenzer, Phpp., Silber u. Myrte. Dichtung in 7 Gesängen. Mit 2 (Lichtdr.-)Illustr. v. E. Meyer. 8. (123 S.) Stuttgart 884. Metzler's Verl. geb. n. 2. 40

Quesneville, M. Geo., neue Methoden zur Bestimmung der Bestandtheile der Milch u. ihrer Verfälschungen. Deutsch v. Vict. Griessmayer. Mit 4 Holzschn. gr. 8. (VIII, 128 S.) Neuburg a/D. 885. Griessmayer. n. 3. —

Queva & Co., H., Turbinen-Bau. 5. Ausg. Mit 66 Abbildgn. hoch 4. (27 S.) Erfurt 885. (Berlin, Gaertner.) n. — 80

Quidde, Ludw., die Entstehung d. Kurfürstencollegiums. Eine verfassungsgeschichtl. Untersuchg. gr. 8. (119 S.) Frankfurt a/M. 884. Jügel's Verl. n. 2. 80

— der schwäbisch-rheinische Städtebund im J. 1384 bis zum Abschluss der Heidelberger Stallung. gr. 8. (V, 237 S.) Stuttgart 884. Cotta. n 6. —

— Studien zur deutschen Verfassung- u. Wirthschaftsgeschichte. 1. Hft. Studien zur Geschichte d. rhein. Landfriedensbundes v. 1524. gr. 8. (X, 54 S.) Frankfurt a/M. 885. Jügel's Verl. n. 1. 20

Quietmeyer, E., Kinderheimat, s.: Gölitz, G.

Quinby, zahnärztliche Praxis. Deutsch bearb. v. L. Hollaender. Mit 87 Abbildgn. gr. 8. (V, 165 S.) Leipzig 884. Felix. n. 4. 50; geb. n. 5. —

Quincey, Th. de, Bekenntnisse e. Opiumessers. Deutsch v. L. Ottmann. 8. (XII, 161 S.) Stuttgart 886. Lutz. n. 2. 40

Quincke, G., üb. elektrische u. magnetische Druckkräfte. [Vorgetragen u. durch Versuche erläutert in der Sitzg. vom 2. Mai 1884.] gr. 8. (7 S.) Heidelberg 884. C. Winter. n. — 40

Quincke, H., Schema der Krankenuntersuchung f. die Praktikanten der medicinischen Klinik zu Kiel. gr. 8. (16 S.) Leipzig 885. F. C. W. Vogel. n.n. — 50

Quintana, vida del Cid y de Cervantes, s.: Bibliothek, spanische.

Quintiliani, M. Fabii, declamationes quae supersunt CXLV. Rec. Const. Ritter. 8. (XXXII, 524 S.) Leipzig 884. Teubner. 4. 80

— institutionis oratoria libri XII. Ed. Ferd. Meister. Vol. I. Liber I—IV. 8. (XI, 289 S.) Prag 886. Tempsky. — Leipzig, Freytag. n. 1. 20

Quiquerez, Herm., das österreichische Militärtaxgesetz m. Bezug auf die daraus erwachsenden ämtlichen Manipulationen der Gemeinden, k. k. Steuerämter, polit. Landes- u. Bezirksbehörden m. Citirung aller Verordnungen u. Erlässe bis inclusive Jänner 1885. I. Bemessung. II. Einhebung. III. Verrechnung. gr. 8. (95 S.) Wien 885. Reidl. n. 2. —

Quirin, F. A., das Abendmahl, s.: Schriften d. protestantischen liberalen Vereins in Elsaß-Lothringen.

Quitten, die. Akademische Humoreske v. F. Idus. 8. (48 S.) Gießen 883. Roth. n. — 60

Quitzow, Wilh. Adf., das Kopfrechnen in systematischer Stufenfolge. gr. 8. (VI, 250 S.) Leipzig 883. Teubner. n. 3. —

— praktisches Rechenbuch f. Schulen in systematischer Stufenfolge. 1. u. 2. Tl. 8. Lübeck 885. 86. Quitzow. à n. — 50

1. 22. Aufl. (96 S.) — 2. enth. die Bruchrechnung. 18. Aufl. (72 S.)

Quousque tandem! 1. Bd. 1. Hft. gr. 8. Leipzig 886. Fr. Richter. n. — 50

Der jesuitische Versucher. Eine Schrift- u. Zeitbetrachtg. beim Ende d. Kulturkampfes. Allen deutschen Patrioten zur Beherzigg. vorgelegt v. e. preuß. Theologen. (III, 27 S.)

R.

Raab, Ludw., Schul-Naturgeschichte. Botanik, m. besond. Berücksicht. der Flora Bayerns. Für Realschulen, Seminarien, Präparanden- u. landwirthschaftl. Schulen bearb. gr. 8. (VII, 274 S.) Regensburg 884. Verlags-Anstalt. n. 2. 80

Raab, R., Bilder aus dem Reiche der geistigen Getränke. 2. Aufl. gr. 8. (VIII, 216 S.) Leipzig 883. (Keßler.) n. 2. 50

Raabe, Berthold, Kaiser-Lieder. 12. (28 S.) Berlin 884. Ißleib. n. — 60

Raabe, Wilh., die Chronik der Sperlingsgasse. Neue Ausg., m. Illustr. v. E. Bosch, in Holz geschnitten v G. Treibmann. 4. Aufl. 8. (193 S.) Berlin 883. Grote. cart. n. 3. —

— Prinzessin Fisch. Eine Erzählg. 8. (288 S.) Braunschweig 883. Westermann. n. 5. —

— unruhige Gäste. Ein Roman aus dem Saekulum. 8. (200 S.) Berlin 886. Grote. cart. n. 3. —; geb. n. 4. —

— der Hungerpastor. 4. durchgeseh. Aufl. 8. (396 S.) Berlin 886. Janke. n. 4. —

— zum wilden Mann, s.: Universal-Bibliothek.

— Pfisters Mühle. Ein Sommerferienheft. 8. (277 S.) Leipzig 884. Grunow. n. 4. —; in Leinw. geb. n.n. 5. 25 in Halbfrz. n.n. 6. 50

Raabe, Wilh., Villa Schönow. Eine Erzählg. 8. (276 S.) Braunschweig 884. Westermann. n. 6. —; Einbd. n.n. 1. 20

Rabbinovicz, Raph., variae lectiones in Mischnam et in Talmud babylonicum, quum ex aliis libris antiquissimis et scriptis et impressis tum e codice Monacensi praestantissimo collectae, annotationibus instructae. Pars 13 et 14. gr. 8. München, (Rosenthal). n. 11. — (I—XIV.: n. 82. 50)

13. Tractat Baba Mezia. (VIII, 312 S.) 883. n. 6. —
14. Tractat Sebachim. (VIII, 256 S.) 884. n. 5. —

Rabbinowicz, Israel Michel, Einleitung in die Gesetzgebung u. die Medicin d. Thalmuds. Aus dem Franz. übers. v. Sigm. Meyer. gr. 8. (XXIII, 272 S.) Leipzig 883. O. Schulze. n 5. —

Rabe, Edm., u. Ludw. **Burger**, die brandenburg.-preussische Armee in historischer Darstellung. Ihre Uniformirg. u. Bewaffng. vom Grossen Kurfürsten bis auf Kaiser Wilhelm. 200 kolor. maler. Einzelfiguren auf 20 (lith.) Querfol.-Taf. 5 Lfgn. qu. Fol. (à 4 Bl. m. 1 Bl. Text.) Berlin 885. Meidinger. à n. 15. —; Leinwand-Mappe dazu gratis.

Rabe, Mart., offener Brief an alle, welche Gesangunterricht in den Schulen zu erteilen haben. gr. 8. (14 S.) Berlin 883. Mewes Nachf. n. — 30

Rabener, Fr., Knallerbsen, od. Du sollst u. mußt lachen. Enth. 268 Anekdoten v. Künstlern, Gelehrten, Fürst Bismarck, Friedrich dem Großen u. dem Kaiser Wilhelm. Zur Unterhaltg. auf Reisen, bei Tafel u. in Gesellschaften. Nebst 16 kom. Vorträgen. 24. Aufl. 8. (180 S.) Quedlinburg 885. Ernst. n. 1. —

Rabenhorstii, L., bryotheca europaea et extraeuropaea. Die Laubmoose Europa's [u. anderer Erdtheile], unter Mitwirkg. mehrerer Freunde der Botanik gesammelt u. hrsg. v. G. Winter. Fasc. XXVIII et XXIX. Nr. 1351—1450. gr. 4. (1 Bl. Text.) Dresden 884. (Kaufmann's Sort.) cart. à n. 12. —

— fungi europaei et extraeuropaei exsiccati. Klotzschii herbarii vivi mycologici continuatio. Ed. nova. Series II. Centurio 8—14 [resp. Cent. 28—34]. Cura G. Winter. 4. (à 1 Bl. Text.) Ebend. 882—85. cart. à n. 24. —

— Kryptogamen-Flora v. Deutschland, Oesterreich u. der Schweiz 2. Aufl. 1. Bd.: Pilze v. G. Winter. 10—26. Lfg. gr. 8. (1. Abtl. VIII u. S. 625—922 u. 2. Abthl. S. 1—864 m. eingedr. Holzschn.) Leipzig 883—86. Kummer. à n. 2. 40 (1. Bd. 1. Abtl. cplt.: n. 31. 20)

— dasselbe. 2. Aufl. 1. Bd.: Pilze v. G. Winter. Register der I. Abth. [Lfg. 1—13.] Bearb. v. G. Oertel. gr. 8. (II, 68 S.) Ebend. 885. n. 2. 40

— dasselbe. 2. Aufl. 2. Bd.: Die Meeresalgen v. Ferd. Hauck. Mit Lichtdr.-Taf. u. zahlreichen Abbildgn. 2—10. (Schluss-) Lfg. gr. 8. (XXIV u. S. 65—576.) Ebend. 883—85. à n. 2. 80

— dasselbe. (2. Aufl.) 3. Bd.: Die Farnpflanzen od. Gefässbündelkryptogamen [Pteridophyta] v. Chr. Luerssen. 1—8. Lfg. gr. 8. (S. 1—512 m. eingedr. Holzschn.) Ebend. 884—86. à n. 2. 40

— dasselbe. (2. Aufl.) 4. Bd.: Die Laubmoose v. R. Gust. Limpricht. 5. Lfg. gr. 8. (S. 1—320 m. eingedr. Fig.) Ebend. 885. 86. à n. 2. 40

Raber, V., Sterzinger Spiele, s.: Neudrucke, Wiener.

Rabich, E., üb. den Gesang in der Volksschule. gr. 8. (19 S.) Gotha 883. Thienemann. n. — 80

— leicht ausführbare Motetten u. geistliche Lieder f. gemischten Chor, s.: Psalter u. Harfe.

— s.: Psalter u. Harfe.

Räbiger, J. F., kritische Untersuchungen üb den Inhalt der beiden Briefe d. Apostels Paulus an die korinthische Gemeinde m. Rücksicht auf die in ihr herrschenden Streitigkeiten. 2. nach den neuesten Forschgn. vervollständ. Ausg. gr. 8. (VIII, 319 S.) Breslau 886. Morgenstern Verl. n. 5. —

Rabinowitsch, J., zwei Predigten, s.: Schriften d. Institutum Judaicum in Leipzig.

Rabl, Carl, Beiträge zur Entwicklungsgeschichte der Prosobranchier. [Mit 2 (lith.) Taf.] Lex.-8. (16 S.) Wien 883. (Gerold's Sohn.) n. 1. —

Rabl, Jos., Curort Abbazia. Mit 2 Beilagen (1 photochem. Ansicht u. 1. chromolith. Plan). gr. 8. (28 S. m. 5 Grundrissen) Wien 886. (Bretzner & Co.) — 90

— zur Behandlung der skrophulösen Leiden, s.: Klinik, Wiener.

— illustrirter Führer durch Kärnten m. besond. Berücksicht. der Städte Klagenfurt u. Villach, sowie der kärntnerischen Seen u. ihrer Umgebungen. Mit 50 Illustr. u. 1 (chromolith.) Karte. 8. (XVI, 279 S.) Wien 884. Hartleben. geb. n. 3. 60

— illustrirter Führer durch Ober-Österreich u. die angrenzenden Theile d. Böhmerwaldes, Bayerns u. Salzburgs. Neuester Fremdenführer f. die Städte Linz, Steyr, Wels u. a., sowie f. die klimat. Curorte, Bäder u. Sommerfrischen Ischl, Bad Hall, Gmunden, Hallstatt, Mordsee, St. Wolfgang etc. Mit 50 Illustr. u. 6 Karten. 8. (XIV, 269 S.) Ebend. 886. geb. n. 3. 60

— illustrirter Führer durch Salzburg, das Salzkammergut u. Berchtesgadner-Land, m. besond. Berücksicht. der Umgebgn. v. Salzburg, Ischl, Berchtesgaden, der Salzkammergut-Seen u. d. Gebiets der Hohen Tauern. Mit 50 (Holzschn.-) Illustr. u. 1 (chromolith.) Karte. 12. (VII, 304 S.) Ebend. 883. geb. 3. 60

— Führer auf den Semmering u. Umgebung, s.: Silberhuber, A.

— illustrirter Führer durch Steiermark u. Krain m. besond. Berücksicht. der Alpengebiete v. Obersteiermark u. Oberkrain. Mit 50 Illustr. u. 2 Karten. 8. (XXX, 285 S) Wien 885. Hartleben. geb. n. 3. 60

— die Raxalpe,
— das Traisenthal u. das Pielachthal,
— Zwettl u. das Kampthal u. seine Umgebungen,
} s.: Touristen-Führer.

Raboud, Leonie Eine Blume f. den Himmel. Frei aus dem Franz. übers. 3. Aufl. 8. (64 S. m. Holzschn.-Bild.) Freiburg i/Schw. 886. (Donauwörth, Auer.) n. — 40

Rabow, S., Arzneiverordnungen zum Gebrauche f. Klinicisten u. angehende Aerzte. 11. Aufl. 12. (VII, 92 S.) Strassburg 886. Schmidt. geb. n. 2. 40

Rabus, A., Schema zum Einzeichnen f. chirurgische Operations-Curse u. topographische Anatomie, nach Angabe v. H. Maas u. Ph. Stöhr gezeichnet. Lith. gr. Fol. Würzburg 884. Staudinger. n. — 40

Raccolta delle leggi ed ordinanze contro l'invasione e la diffusione del pidocchio delle viti [phylloxera vastatrix] degli anni 1875 inclus. 1885 in ordine cronologico. Pubblicata per incarico dell' i. r. Ministero d'agricoltura dalla i. r. Luogotenenza pel Tirolo e Vorarlberg. 12. (VI, 73 S.) Innsbruck 886. Wagner. n. — 80

— di leggi ed ordinanze della monarchia austriaca. Vol. 7. 12. 14. 16. 18—24. 12. Innsbruck 883—85. Wagner. n. 60. 40

7. Manuale delle leggi, ordinanze e regolamenti sulle scuole popolari generali e civiche vigenti nei regni e paesi rappresentati al consiglio dell' Impero, compilato da Gio. Waller. Ed. II, che abbraccia tutte le disposizioni generali e provinciali sin qui emanate, compresavi la novella scolastica 2 Maggio 1883 e la corrispondente ordinanza esecutiva 8 successivo Giugno. (XX, 728 S.) n. 3. 20
12. Manuale delle leggi e regolamenti communali e provinciali nonchè delle varie altre leggi ed ordinanze ai medesimi attinenti valevoli per la contea principesca di Gorizia e Gradisca e pel margraviato d'Istria. Elaborato da Giovanni Waller. (XXIX, 529 S.) 886. n. 4. 80
14. Codice di Commercio generale con note di Edm. Ant. Peck. 2. ed. per cura de Basilio Giannella. (XVI, 754 S.) n. 5. 60
16. Manuale delle procedura civile contenziosa. 2 parti. 2. ed. 12. (XII, 1226 S.) n. 9. 60
18. Manuale illustrativo dell' ordinamento notarile austriaco di Vladimiro Pappafava. (IX, 344 S.) n. 3. 80
19. Manuale del codice penale generale austriaco del 27 Maggio 1852 corredato di tutte le leggi ed ordinanze sin qui emanate, al medesimo attinenti, relative ad azioni punibili demandate alla competenza dei giudizi penali. Compilato per cura di sostituto procuratore di stato Matteo Boscarolli. (XX, 688 S.) n. 5. 60
20. Regolamento di procedura penale [del 23 Maggio 1873, N. 119 b. l. i.] Con note del Basilio Giannella. 2 parti. (XXV, 861 u. 417 S.) n. 10. 40
21. Leggi sulle epizoozie colle corrispondenti ordinanze ed istruzioni dirette a prevenire e distruggere le malattie contagiose degli animali, coordinatamente esposte per l'uso pratico, aggiuntavi l'istruzione di servizio pei veterinari distrettuali governativi. (XII, 193 S.) n. 1. 60
22. La legislazione delle acque in Austria secondo la legge dell' Impero 30 Maggio 1869 e quella provinciale del Tirolo 28 Agosto 1870. Con appendice per l'applicabilità alle leggi provinziali del Litorale austro-illirico e della Dalmazia. Per cura di Commiss. distrett. Giulio Rizzoli. (XV, 486 S.) n. 4. 80
23. Il Regolamento sull' industria esposto con riguardo alle modificazioni e integrazioni introdottevi nel 1883, e corredato di tutte le leggi, ordinanze ed istruzioni al medesimo attinenti, per cura di Giovanni Waller. (XI, 410 S.) n. 3. 20
24. Commentario delle leggi del 16 marzo 1884 N, 35 e 36 B. L. I. sulla impugnazione di atti guiridici riguardanti la sostanza di un debitore insolvente e sulla modificazione di alcune disposizioni del regolamento concursuale e della procedura esecutiva del Emilio Steinbach. Versione dal tedesco di Matteo Boscarolli. (VIII, 318 S.) n. 2. 80

Rachel, G., Rechenbuch f. Volksschulen, Mittelschulen, Fortbildungsschulen rc. Mit eingehendster Berücksicht. d. dezimalen Münz-, Maß- u. Gewichtssystems bearb. 1. Tl. in 2 Hftn. u. 2. Tl. 8. Saarlouis Hausen. geb. n.n. 1. 80

I. Für die Mittelstufe der mehrklassigen u. den ganzen Kursus der einklassigen Schule. 2 Hfte. 4. Aufl. (II, 120 S.) 885. geb. à n.n. — 40; in 1 Bd. geb. n.n. — 70
II. Für die Oberstufe. 3. Aufl. (IV, 160 S.) 886. geb. n.n. 1. —

— Rechenfibel. Vorstufe zum Rechenbuch f. Volksschulen. 8. (62 S.) Ebend. 886. geb. n.n. — 40

Rachel, M., üb. die Freiberger Bibelhandschrift, nebst Beiträgen zur Geschichte der vorluther. Bibelübersetzg. Beigefügt sind Proben aus dem neuangelegten Handschriftenkatalog der Freiberger Gymnasialbibliothek. Von Rhardt. Kade. gr. 4. (31 S.) Freiberg 886. (Engelhardt.) n. 1. 25

Racine's, J., Werke, s.: Collection Spemann.

— sämtliche dramatische Werke, s.: Bibliothek, Cotta'sche der Weltlitteratur.

— Andromaque,
— Athalie,
} s.: Théâtre français.

— Esther. Im Versmasse d. Originals ins Deutsche übertr. v. Otto Kamp. Mit gegenüberstehe. französ. Texte. Neue Ausg. gr. 8. (VIII, 119 S.) Frankfurt a/M. 886. Mahlau & Waldschmidt. n. 1. —

— Esther. Trauerspiel in 3 Aufzügen. Wortgetreu aus dem Franz. in deutsche Prosa übers. nach H. R. Mecklenburg's Grundsätzen v. Herm. Dill. 2. (Schluß-)Hft. 32. (S. 65—110.) Berlin 885. H. R. Mecklenburg. n. — 25 (1. u. 2.: n. — 50)

— die Gerichtsfexen. [Die Proceßsüchtigen.] Lustspiel in 3 Acten. Uebers. v. Dora v. Gagern. gr. 8. (VII, 56 S) Wien 886. Manz. n. 1. 20

— Iphigénie,
— Phèdre,
} s.: Théâtre français.

— ausgewählte Tragödien. Aus dem Franz. v. Adf. Laun. 8. (320 S.) Leipzig 886. Bibliograph. Institut. geb. n. 1. —

Racinet, A., Geschichte d. Costüms in 500 Taf. in Gold-, Silber- u. Farbendr. Mit erläut. Text Deutsche Ausg., bearb. v. Adf. Rosenberg. 1. u. 2. Bd. 4. (à 100 Taf. m. 100 Bl. Text.) Berlin 883. 85. Wasmuth. à n. 40. —; Mappe dazu à n. 2. —

— dasselbe. 3. Bd. 1—4. Lfg. 4. (40 Taf. m. 38 Bl. Text.) Ebend. 885. 86. à n. 4. —

— das polychrome Ornament. 2. Serie. 120 Taf. in Gold-, Silber- u. Farbendr. Antike u. asiat. Kunst, Mittelalter—Renaissance, XVI. u. XVII. Jahrh. Historisch-prakt. Sammlg. m. erklär. Text. Deutsche Ausg. v. Carl Vogel. (In 40 Lfgn.) 1—31. Lfg. Fol. (66 Taf. m. 71 Bl. Text.) Stuttgart 885. 86. Neff. à n. 4. —

Rackwitz, R., zur Volkskunde v. Thüringen, insbesondere d. Helmegaus. [Mit e. (lith.) Kartenbeilage v. K. Meyer.] gr. 8. (26 S.) Halle 884. Tausch & Grosse. n. 1. 20

Racowitza, Helene v., geb. v. Dönniges, meine Beziehungen zu Ferdinand Lassalle. 11. Aufl. Mit dem Portr. u. Facsim. der Verf. 8. (188 S.) Breslau 883. Schottländer. n. 1. 50

Radda, K., Materialien zur Geschichte d. Protestantismus im Herzogth. Teschen. gr. 8. (42 S.) Teschen 885. (Wien, Pichler's Wwe. & Sohn.) n. 1. 20

Raddatz, der technische Telegraphendienst bei den vereinigten Verkehrsanstalten d. Reichs-Post- u. Telegraphen-Gebiets. Mit 58 erläut. Abbildgn. im Text. gr. 8. (IV, 101 S.) Frankfurt a/O. 885. Trowitzsch & Sohn. cart. 2. 25

Radde, Gust., die Fauna u. Flora d. südwestlichen Caspi-Gebietes. Wissenschaftliche Beiträge zu den Reisen an der persisch-russ. Grenze, unter Mitwirkg. v. O. Böttger, E. Reitter, Eppelsheim, A. Chevrolat, L. Ganglbauer, G. Kraatz, Hans Leder, Hugo Christoph u. G. v. Horvath. Mit 3 Taf. gr. 8. (IX, 425 S.) Leipzig 886. Brockhaus. n. 15. —; geb. n. 17. —

— Ornis caucasica. (In 20 Lfgn.) 1. Lfg. hoch 4. (32 S. m. 4 Chromolith.) Kassel 884. Fischer. Subscr.-Pr. n. 2. —; Ladenpr. n. 3. —; Subscr.-Pr. pro cplt. n. 40. —; Ladenpr. pro cplt. n. 60. —

— Reisen an der persisch-russischen Grenze. Talysch u. seine Bewohner. Mit 12 Abbildgn., 4 Taf. u. 1 Karte. gr. 8. (XVIII, 450 S.) Leipzig 886. Brockhaus. n. 15. —; geb. n. 17. —

Rade, M., Auswahl v. Ornamenten d. königl. historischen Museums zu Dresden. Zum prakt. Gebrauch hrsg. Fol. (100 Lichtdr.-Taf. m. 4 Bl. Text.) Dresden 883. Römmler & Jonas. n. 60. —

— dasselbe. 2. Bd. 6 Lfgn. Fol. (à 10 Lichtdr.-Taf.) Ebend. 884. à n. 6. —

Rade, Mart., bedarf Luther wider Janssen der Verteidigung? Vortrag. gr. 8. (36 S.) Leipzig 883. Hinrichs' Verl. — 75

— drei Reden üb. die Trunksucht, geh. am 12., 19. u. 31. Octbr. 1884 im Kretscham zu Schönbach. Hrsg. v. dem Dresdener Bezirksverein gegen den Mißbrauch geistiger Getränke. gr. 8. (VIII, 61 S.) Dresden 885. Minden. n.n. — 30

Radecki, Ernst v., e. Beitrag zur schärferen Begriffsbestimmung der Manie. gr. 8. (104 S.) Dorpat 885. (Karow.) n. 2. —

Radefeld, Thüringen, s.: Anding.

Rademacher, R., der Zeichenunterricht in den preußischen Lehrerseminaren u. Volksschulen. Beleuchtung der gleichnam. Schrift v. E. Menard. gr. 8. (88 S.) Essen 883. Bädeker. n. 1. 20

Radenhausen, C., die echte Bibel u. die falsche. gr. 8. (166 S.) Hamburg 885. O. Meissner's Verl. 1. 50

— Christenthum ist Heidenthum, nicht Jesu Lehre. 2. Ausg. gr. 8. (III, 395 S.) Ebend. 886. 1. 50

— Isis. Der Mensch u. die Welt. 3. Ausg. 4 Bde. gr. 8. (448, 458, 592 u. 517 S.) Ebend. 886. 6. —

— Osiris. Weltgesetze in der Erdgeschichte. 3 Bde. 2. Ausg. gr. 8. (II, 800; IV, 816 u. III, 794 S.) Ebend. 886. n. 6. —

— die Sozialdemokratie. Ihre Wahrheiten u. ihre Irrtümer. gr. 8. (240 S.) Hamburg 885. Hoffmann & Campe Verl. n. 2. 50

Raeder, Examinatorium d. französischen Civilrechts. 8. (III, 200 S.) Gebweiler 886. Boltze. n. 4. —

Räder, Alwill, 50 Jahre deutscher Bühnen-Geschichte 1836—1886. [Mit besond. Zugrundelegg. d. deutschen Bühnen-Almanachs.] 8. (VI, 234 S.) Berlin 886. Freund & Jeckel. n. 2. —

Räder, R., Unterlagen zur heiligen Geschichte Alten u. Neuen Testamentes m. erklär. Bemerkungen, Inhaltszusammenfassungen u. (3) veranschaulichenden (chromolith.) Karten u. Bildern (3 Holzschntaf.). Für den höhern Religionsunterricht u. kursor. Bibellesen bearb. gr. 8. (XXII, 228 S.) Leipzig 886. Neumann's Verl. n. 3. —

Radestock, C. G., u. C. F. **Richter,** Fibel u. erstes Lesebuch nach der Schreiblesemethode. 20. Aufl. 8. (120 S. m. Illustr.) Leipzig 886. B. Tauchnitz. — 30

Radestock, Paul, Genie u. Wahnsinn. Eine psycholog. Untersuchg. gr. 8. (VII, 79 S.) Breslau 884. Trewendt. n. 2. —

— die Gewöhnung u. ihre Wichtigkeit f. die Erziehung. Eine psychologisch-pädagog. Untersuchg. 2. Ausg. gr. 8. (XV, 107 S.) Berlin 884. Oehmigke's Verl. n. 1. —

Radics, P. v., Abbazia. Mit 1 (lith.) Karte der Umgebg. 8. (VIII, 62 S.) Wien 884. Braumüller. n. 1. 40

— das Warmbad Gallenegg [Valvasor-Heim] in Krain. 8. (VII, 35 S.) Ebend. 885. n. — 80

— Kaiser Karl VI. als Staats- u. Volkswirth. Nach zeitgenöss. Quellen dargestellt. Mit Portr. u. Facsm. der Unterschrift d. Kaisers. gr. 8. (VIII, 77 S.) Innsbruck 886. Wagner. n. 2. —

Radike, monatlicher Gartenkalender f. die östlichen Provinzen Deutschlands. [1. Der Landschafts- u. Blumengarten. 2. Der Obstgarten. 3. Der Gemüsegarten.] 12. (IV, 81 S.) Danzig 883. (Kafemann.) — 75

Radke, Otto, Verwaltungsgeschichte Frankreichs unter Ludwig XIV. gr. 8. (91 S.) Braunsberg 883. (Königsberg, Beyer.) n. 1. 60

Radlkofer, Ludw., üb. die Methoden in der botanischen Systematik, insbesondere die anatomische Methode. Festrede zur Vorfeier d. Allerh. Geburts- u. Namensfestes Sr. Maj. d. Königs Ludwig II. gr. 8. (64 S.) München 883. (Franz' Verl.) n n. 1. 50

Radlkofer, Otto, die Haftung d. dritten Besitzers nach dem bayerischen Hypothekengesetze. Eine partikularrechtl. Studie. gr. 8. (61 S.) München 885. Th. Ackermann's Verl. n. 1. —

Radloff, Wilh., Phonetik der nördlichen Türksprachen. Anderes Hft. Consonanten. gr. 8. (XXI—XLV u. S. 101—318.) Leipzig 883. T. O. Weigel. n. 6. — (cplt.: n. 9. —)

— das Schamanenthum u. s. Kultus. Eine Untersuchg. gr. 8. (67 S.) Ebend. 885. n. 1. —

— aus Sibirien. Lose Blätter aus dem Tagebuche e. reis. Linguisten. 2 Bde. Mit farb. Titelbilde, 31 Illustr.-Taf. u. 1 (lith. u. color.) Karte. gr. 8. (VII, 536 u. 489 S.) Ebend. 884. n. 14. 40

— die Sprachen der nördlichen türkischen Stämme. I. Abth.: Proben der Volkslitteratur. Gesammelt u. übers. 5. Thl.: Der Dialect der Kara-Kirgisen. Lex.-8. (XXVIII, 603 S.) St. Petersburg 885. Leipzig, Voss' Sort. n. 8. — (1—5.: n. 41. 10)

— ethnographische Uebersicht der Türkstämme Sibiriens u. der Mongolei. [Aus: „Vergl. Grammatik der nördlichen Türksprachen".] gr. 8. (29 S.) Leipzig 883. T. O. Weigel. n. — 80

Radloff, Wladimir, die Haftung d. Eigenthümers f. den durch Thiere angerichteten Schaden nach römischem Recht. 8. (92 S.) Ebend. 883. n. 1. 50

Radmacher, W., die Duellanten, s.: Dilettanten-Mappe.

Radomski, J., die Sprachgebrechen u. deren Heilung. 8. (23 S.) Graudenz 886. Selbstverlag d. Verf. n. — 50

Radtke, Materialien zum Übersetzen aus dem Deutschen ins Lateinische f. Gymnasial-Primaner u. Studierende der Philologie. Zusammengestellt u. m. e. Kommentar versehen. 2. Aufl. gr. 8. (VIII, 138 S.) Leipzig 884. Teubner. 1. 80

Radtke, Adf., Paritäts-Tabellen f. den Getreide-Handel [Export, Spedition u. russ. Commission]. 3. Aufl. 16. (IV, 92 S.) Königsberg 884. Braun & Weber. n. 9. —

Radzio, der Militär-Anwärter zur Subaltern-Beamtencarrière. Ein Lehrmittel zwecks sicherer Ablegg. d. betr. Examens. 6. Aufl. 8. (IV, 176 S.) Colberg 886. (Colbergermünde, Pickel.) n. 2. —

Raßfeldt, Rud., Beiträge zur Lehre vom Magenkrebs. gr. 8. (65 S.) Göttingen 884. (Vandenhoeck & Ruprecht.) n. 1. 60

Raffael's Gedichte, s.: Michelangelo.

— die Loggien im Vatikan zu Rom. 43 Taf. (in Lichtdr.) nach den Kupferstichen v. Volpato u. Ottaviani, m. e. Vorwort v. Adf. Rosenberg. Fol. (2 S. Text.) Berlin 884. Wasmuth. In Mappe. n. 40. —

— Madonnen u. heilige Familien, in Nachbildgn. nach Kupferstichen u. Photographien hrsg. v. Adf. Gutbier. Mit e. Einleitg. v. Wilh. Lübke. Lichtdr.

v. Martin Rommel in Stuttgart. gr. 4. (20 S. m. 44 Taf.) Dresden 881. Gutbier. cart. n. 30. —

Raffael, die Stanzen d. Vatikan, in Nachbildgn. nach Kupferstichen hrsg. v. Adf. Gutbier. Mit erläut. Text v. Wilh. Lübke. Lichtdr. v. Martin Rommel in Stuttgart. (In 9 Lfgn.) 1. Lfg. gr. 4. (4 Taf.) Dresden 883. Gutbier. Subscr.-Pr. n. 3. —

— u. **Anton**, Christus u. die Apostel. 13 Blätter, gestochen v. F. Ruscheweyh. gr. 8. (7 S. Text.) Regensburg 883. Verlags-Anstalt. n. 2. 80

Raffalovich, Arth., die russischen Finanzen seit dem letzten orientalischen Kriege 1876—1883. Deutsche Bearbeitg. m. e. Vorworte v. Mark Reischer. 8. (63 S.) Odessa 884. Verl. des russ. Merkur. n. 2. —

Raffay, Rob., die Memoiren der Kaiserin Agrippina. gr. 8. (V, 91 S.) Wien 884. Hölder. n. 2. 40

Raffenberg, Ant., die betende Mutter. Gebetbuch f. kathol. Mütter, welche ihre Kinder christlich erziehen wollen, zugleich Vereins-Gebetbuch f. die Mitglieder der Erzbruderschaft der christl. Mütter. 3. Aufl. 16. (XVI, 416 S.) Dülmen 883. Laumann. n. 1. —; geb. von n. 1. 50 bis n. 6. —

Ragionen-Buch, aargauisches, 1884. gr. 8. (93 S.) Aarau 884. Sauerländer. n. 1. —

— schweizerisches, [enth. ca. 30,000 Adressen], nach Kantonen geordnet. I. Thl.: Firmenregister. Lex.-8. Bern 883. 84. Nydegger & Baumgart. n. 27. 30

1. Basel-Stadt. Basel-Land. (Doppels. V, 28 S.) n. 1. 20
2. St. Gallen. Appenzell A.-Rh. Appenzell I.-Rh. (Doppels. 29—75.) n. 1. 50
3. Bern. (Doppels. 77—180.) n. 4. —
4. Aargau-Solothurn. (Doppels. 181—212.) n. 1. 20
5. Luzern. Uri. Schwyz. Obwalden. Nidwalden. Zug. (Doppels. 213—256.) n. 1. 50
6. Zürich. (Doppels. 257—346.) n. 3. 50
7. Thurgau. Schaffhausen. (Doppels. 347—383.) n. 1. 20
8. Neuenburg. (Doppels. 384—467.) n. 2. 50
9. Waadt. (Doppels. 468—569.) n. 3. 50
10. Freiburg u. Wallis. (Doppels. 570—607.) n. 1. 50
11. Genf. (Doppels. 608—687.) n. 3. —
12. Glarus u. Graubünden. (Doppels. 688—728.) n. 1. 50
13. Tessin. (Doppels. 729—759.) n. 1. 20

Schluss-Lfg. (XIII u. S. 761—788.) gratis

— dasselbe. 2. Thl.: Alphabetisches Register der Geschäftszweige, nach Kantonen u. Ortschaften geordnet. 1. u. 2. Lfg. Lex.-8. Ebend. 886. n. 4. 50

1. Aargau, Appenzell A.-Rh., Appenzell I.-Rh., Basel-Stadt, Basel-Land. (126 S.) n. 2. —
2. Freiburg, Genf, Glarus, Graubünden, Luzern, Neuenburg. (S. 127—296.) n. 2. 50

Rahewini gesta Friderici I. imperatoris, s.: Ottonis gesta etc.

Rahlf, H., u. E. **Ziese**, Geschichte Ahrensburgs. Nach authent. Quellen u. handschriftlichen Acten bearb. Mit 3 Illustr. u. e. Anh., enth.: Sagen, Märchen u. Erzählgn. aus dem Gute Ahrensburg u. dem Kreise Stormarn. 8. (XV, 190 S.) Ahrensburg 882. Ziese. n. 2. 80; geb. n. 3. 75

Raehlmann, E., Bericht üb. die Wirksamkeit der Universitäts-Augenklinik zu Dorpat f. den Zeitraum vom Septbr. 1881 bis Ende Decbr. 1882, nebst kürzeren ophthalmolog. Abhandlgn. gr. 8. (45 S.) Dorpat 883. (Schnakenburg.) n. 1. 20

— über Trachom, s.: Sammlung klinischer Vorträge.

Rahm, J. J., drei Flüge-n-uf ein Tätsch. Lustspiel in 1 Akt in Züricher Dialekt. 8. (40 S.) Zürich 884. Schmidt. n. — 80

— d'r Koneret ond s'Grethli oder: e gföhrlichi Wett. Charakterbild im Klettgauerdialekt in 5 Akten. 8. (71 S.) Schaffhausen 883. Rothermel. n. — 80

Rahm, M., u. J. K. **Däniker**, der bekehrte Gymnasialprofessor od. Nutzen der Stenographie. Lustspiel in 2 Aufzügen. 8. (15 S.) Wetzikon bei Zürich 884. (Bonn, Habicht.) n. — 40

Rahmer, M., hebräisches Gebetbüchlein f. die israelitische Jugend, zum ersten Unterricht im Uebersetzen methodisch eingerichtet, m. Vocabularium u. grammat. Vorbemerkgn. 1. Curs. 7. Aufl. 8. (44 S.) Frankfurt a/M. 885. Kauffmann. cart. n.n. — 65

Rahn, Lehrbuch der französischen Sprache f. höhere Mädchenschulen u. verwandte Anstalten. 1. Tl. gr. 8. (VI, 218 S.) Leipzig 886. Fues. geb. n.n. 1. 60

Rahn, G. B. C., Handbuch f. Schornsteinfeger u. Solche, die es werden wollen. 5. Ausg. 8. (XIV, 348 S. m. Holzschn.) Berlin 885. Rahn. 5. —

Rahn, J. Rud., Bericht üb. Gruppe 38 der schweizerischen Landesausstellung Zürich 1883: Alte Kunst. gr. 8. (67 S.) Zürich 884. Orell Füssli & Co. Verl. n. 1. —

— die Glasgemälde im gotischen Hause zu Wörlitz. gr. 4. (50 S.) Leipzig 885. Seemann. n. 3. —

— die Kirche v. Oberwinterthur u. ihre Wandgemälde, s.: Mittheilungen der antiquarischen Gesellschaft in Zürich.

— Kunst- u. Wanderstudien aus der Schweiz. 8. (VII, 399 S.) Wien 883. Faesy. n. 6. 40; geb. n. 8. —

Rahnenführer, Carl, üb. einige iso- u. terephtalylhaltige Derivate d. Hydroxylamins u. die Ueberführung der Isophtalsäure in Meta-, der Terephtalsäure in Paraphenylendiamin. 8. (36 S.) Königsberg 884. (Beyer.) n. 1. —

Raehse, Hugo, die christlichen Centralideen d. Reiches Gottes u. der Erlösung. Mit besond. Rücksicht auf Nichttheologen dargestellt. gr. 8. (48 S.) Halle 885. Niemeyer. n. — 80

— grammatisch geordnetes hebräisches Vocabularium. gr. 8. (IV, 42 S.) Ebend. 883. n. — 60

Rahstede, H. Geo., praktisches Hülfsbuch zur leichteren Erlernung der lateinischen unregelmäßigen Verben, zusammengestellt nach Berger, Ellendt-Seyffert, Kühner, Ostermann, Zumpt u. m. a. gr. 8. (V, 76 S.) Oeynhausen 886. (Zwickau, Konegen.) cart. n. — 75

— über La Bruyère u. seine Charaktere. Biographisch-krit. Abhandlg. gr. 8. (V, 68 S.) Oppeln 886. Franck. n. 2. —

Râjaçekhara, Pracaṇḍa pâṇḍava. Ein Drama, zum ersten Male hrsg. v. Carl Cappeller. gr. 8. (IX, 50 S.) Strassburg 885. Trübner. n. 3. 50

Raich, J. M., Shakespeare's Stellung zur katholischen Religion. gr. 8. (VII, 231 S.) Mainz 884. Kirchheim. n. 4. 50

Raiffeisen, F. W., kurze Anleitung zur Gründung v. Darlehnskassen-Vereinen, zugleich Uebersicht üb. deren Einrichtg. u. Organisation. 4. Aufl. gr. 8. (VIII, 70 S.) Neuwied 885. (Leipzig, Haessel.) n. — 60

— die Darlehnskassen-Vereine in Verbindung m. Consum-, Verkaufs-, Winzer-, Molkerei-, Viehversicherungs- etc. Genossenschaften als Mittel zur Abhilfe der Noth der ländlichen Bevölkerung. Praktische Anleitg. zur Gründg. u. Leitg. solcher Genossenschaften. 4. Aufl. gr. 8. (XX, 541 S.) Ebend. 883. n. 8. —

— Instruktion zur Geschäfts- u. Buchführung der Darlehnskassen-Vereine m. Erläuterung durch praktische Beispiele. [Aus: „Die Darlehnskassen-Vereine".] 4. Aufl. gr. 8. (III, 165 S.) Ebend. 883. geb. n. 2. —

— Statistik üb. 121 der im Anwaltschafts-Verbande befindlichen Darlehnskassen-Vereine pro 1881. gr. 4. (15 S.) Ebend. 883. n. — 80

Rall, Egon [Ed. Maria Schranka], Gedichte. 12. (VIII, 153 S.) Spandau 884. Neugebauer. n. 3. —; geb. m. Goldschn. n. 4. —

Raimund's, F., dramatische Werke,
— die gefesselte Fantasie,
— Moisasur's Zauberfluch,
} s.: National-Bibliothek, deutsch-österreichische.

Raimund, Ferd., zur Biographie desselben, s.: Frankl, L. A.

Raimund, Golo, Bauernleben. Erzählung. 3. Aufl. 8. (135 S.) Berlin 885. Janke. n. 1. —

— bürgerliches Blut. Roman. 3. Aufl. 8. (182 S.) Ebend. 883. 1. 50

— zwei Bräute. Roman. 3. Aufl. 8. (228 S.) Ebend. 883. 1. 50

— Schloß Elkrath. Roman. 3. Aufl. 8. (282 S.) Ebend. 885. n. 2. —

— ein Familienschmuck. Roman. 3. Aufl. 8. (199 S.) Ebend. 884. 1. 50

— Gesucht u. Gefunden. Erzählung. 3. Aufl. 8. (156 S.) Ebend. 884. n. 1. —

— von Hand zu Hand. Roman. 2. Aufl. 8. (311 S.) Ebend. 885. n. 2. —

Raimund, Golo, ein hartes Herz. Roman. 3. Aufl. 8. (208 S.) Berlin 884. Janke. 1. —
— Liebesfreud u. Liebesleid. Erzählung. 3. Aufl. 8. (120 S.) Ebend. 883. n. 1. —
— mein ist die Rache. Roman. 3. Aufl. 8. (312 S) Ebend. 885. n. 2. —
— zwei Menschenalter. Roman. 3. Aufl. 8. (267 S.) Ebend. 886. n. 2. —
— Gebrüder Spalding. Erzählung. 3 Aufl. 8. (140 S.) Ebend. 884. n. 1. —
— zweimal vermählt. Roman. 3. Aufl. 8. (293 S.) Ebend. 884. n. 2. —
— kein Vertrauen. Erzählung. 3. Aufl. 8. (136 S.) Ebend. 884. n. 1. —
— verwaist. Roman. 3. Aufl. 8. (310 S.) Ebend. 884. n. 2. —
— ein deutsches Weib. Erzählung. 5. Aufl. 8. (120 S.) Ebend. 886. n. 1. —

Raith, Jos., der Mensch u. seine Gesundheit. Ein prakt. Familienbuch, umfassend I. Das Urmenschengeschlecht. II. Die Gesundheitslehre u. Diätetik der organ. Lebensapparate. III. Degeneration der immunen menschl. Gesundheitsanlage. IV. Die Regeneration u. Regenerationscuren. 8. (IV, 116 S.) Wien 885. Teufen. n. 2. —

Raizner, Emil v., u. Jos. **Böhm**, die bewaffnete Macht der österreichisch-ungarischen Monarchie in Tabellenform. Imp.-Fol. (3-Tab.) Wien 884. (Seidel & Sohn.) n. 3. —

Ramanken. Christliches Volksblatt f. Belehrg. u. Unterhaltg., hrsg. v. Ludw. Grote u. Paul Müller. Red. in Vertretg.: Edgar Bauer. 1. Jahrg. 1883. 1. Quartal. 7 Nrn. ($^1/_2$ B.) Lex.-8. Hannover 883. (Dresden, H. J. Naumann) n. — 50
— dasselbe. 2—4. Quartal. 17 Nrn. ($^1/_2$ B.) Lex.-8. Ebend. 883. n. 3. —
Erscheint nicht mehr.

Ramann, A. M. B., das Gastmahl zu Rudolstadt. Schauspiel in 2 Aufzügen. 8. (47 S.) Dresden 884. v. Grumbkow. n. 1. 20
— eine schöne Geschichte. Lustspiel in 2 Aufzügen. gr. 8. (72 S.) Ebend. 884. n. 1. 50
— Mondscheingeschichten, s.: Bloch's, E., Theater-Correspondenz.
— ein Wachtstuben-Abenteuer. Lustspiel in 1 Aufzuge. gr. 8. (32 S.) Dresden 886. v. Grumbkow. n. 1. —
— eine Wunderkur, s.: Bloch's, E., Dilettanten-Bühne.

Ramann, L., Franz Liszt als Psalmensänger u. die früheren Meister. Zu e. musikal. Psalmenkunde. Mit Notenbeispielen. gr. 8. (VII, 72 S.) Leipzig 886. Breitkopf & Härtel. n. 1. 50

Rambaud, Alfr., Geschichte Rußlands von den ältesten Zeiten bis zum J. 1884. Von der französ. Akademie preisgekröntes Werk. Autoris. deutsche Ausg. v. E. Steineck. gr. 8. (XI, 842 S.) Berlin 886. Deubner. n. 9. —

Rambeau, A., die dem Trouvere Adam de la Hale zugeschriebenen Dramen, s.: Ausgaben u. Abhandlungen aus dem Gebiete der romanischen Philologie.
— der französische u. englische Unterricht in der deutschen Schule, m. besond. Berücksicht. d. Gymnasiums. Ein Beitrag zur Reform d. Sprachunterrichts. gr. 8. (VII, 51 S.) Hamburg 886. Nolte. n. 1. —

Ramberg, G., entweder — oder. Lebensbild in 5 Acten. Nach der gleichnam. Erzählg. v. Heinr. Laube f. die Bühne bearb. 8. (68 S.) Wien 884. Engel. n. 1. —
— der Justizrath. Schwank in 1 Act. Nach Marcussen. 8. (30 S.) Ebend. 884. n. — 50

Ramdohr, H. A., Arcachon, Biarritz, Pau, Amélie-les-Bains u. Hyères als Winterstationen f. Lungenkranke. Nach Reiseeindrücken geschildert. 8. (VIII, 53 S.) Leipzig 886. Bredow. n. 1. 20
— Arco u. die Riviera als Winterstationen f. Lungenkranke. 8. (VIII, 92 S.) Ebend. 886. n. 1. 80
— die Typhus-Epidemie im Königl. Sächs. 1. Ulanen-Regiment Nr. 17 zu Oschatz im Herbst 1882. Eine aetiolog. Studie, m. e. kurzen klin. Berichte als Anh. Mit 1 lith. Taf. u. 7 Abbildgn. gr. 8. (III, 64 S.) Ebend. 884. n. 1. 80

Ramdohr, Ludw., Feuerungskunde od. Theorie u. Praxis d. Verbrennungs-Processes u. der Feuerungs-Anlagen in allgemein verständlicher Darstellung. Mit 25 in den Text gedr. Abbildgn. gr. 8. (VI, 120 S.) Halle 887. Knapp. n. 2. —

Ramhorst, Frdr., das altenglische Gedicht vom heil. Andreas u. der Dichter Cynewulf. Untersuchungen. gr. 8. (72 S.) Leipzig 886. Fock. n. 1. 20

Ramière, H., die neun Dienste d. allerheiligsten Herzens Jesu, zum Gebrauche der Mitglieder d. Gebets-Apostolates. Aus dem Franz. m. Erlaubniß d. Verf. v. J. M. Röder. 16. (44 S.) Saarlouis 883. Stein. — 15

Ramm, Eberh., die Hagelversicherungsfrage in Württemberg. Mit 5 Beilagen u. 2 Karten. gr. 8. (VI, 142 S.) Tübingen 885. Laupp. n. 3. —

Rammelsberg, C. F., Elemente der Krystallographie f. Chemiker. Mit 151 Holzschn. gr. 8. (VIII, 208 S.) Berlin 883. Habel. n. 5. —
— Handbuch der Mineralchemie. Ergänzungshft. zur 2. Aufl. gr. 8. (III, 276 S.) Leipzig 886. Engelmann. n. 7. — (Hauptwerk m. Ergänzungshft.: n. 26. —)
— Leitfaden f. die qualitative chemische Analyse, f. Anfänger bearb. 7. Aufl. gr. 8. (VI, 166 S.) Berlin 885. Habel. n. 3. —
— Leitfaden f. die quantitative chem. Analyse, besonders der Mineralien u. Hüttenprodukte, durch Beispiele erläutert. 4. Aufl. gr. 8. (X, 242 S.) Ebend. 886. n. 6. —
— die chemische Natur der Mineralien. gr. 8. (89 S.) Ebend. 886. n. 3. —

Rammelt, Gust., üb. die zusammengesetzten Nomina im Hebraeischen. 8. (32 S.) Halis Sax. 883. (Leipzig, Fock.) n. 1. —

Rammers, F., Gertrud, s.: Bachem's Novellen-Sammlung.

Rammler's, Otto Frdr., deutscher-Reichs-Universal-Briefsteller od. Musterbuch zur Abfassg. aller in den allgemeinen u. freundschaftl. Lebensverhältnissen, sowie im Geschäftsleben vorkomm. Briefe, Dokumente u. Aufsätze. 16. Aufl. v. H. Th. Traut. gr. 8. (VIII, 572 S.) Leipzig 886. O. Wigand. 2. 50; geb. 3. 50

Ramsauer, die Ordnung d. Heils u. der Seligkeit. Ein Leitfaden f. den Confirmanden-Unterricht nach G. G. Fuhrmann frei bearb. 3. Aufl. 8. (24 S.) Oldenburg 885. Bültmann & Gerriets. cart. n.n. — 50

Ramsauer, Peter, Petroleum. Vortrag. 8. (47 S.) Oldenburg 886. Schulze. n. 1. 20
— das Project e. Eisenbahn von Jever nach Carolinensiel, zugleich e. Beitrag zur Lösg. der Frage der Lokalbahnen u. deren Finanzirg. Mit e. (autogr.) Übersichtskarte. 8. (61 S.) Jever 886. Mettcker & Söhne. n. — 60

Ramsay, Ebba de, guided step by step, a revised edition of the narratives „Step by step onward“; „A few more steps“ and „Steps in Sweden“, with 3 (lith.) prints. 16. (167 S.) Hamburg 884. Jenichen. cart. n. 1. —

Ramshorn, Carl, kleine Weltgeschichte f. Bürgerschulen. 6. Aufl. gr. 8. (III, 235 S.) Leipzig 884. Baumgärtner. cart. 1. 20

Ramshorn, Mor., elementi di grammatica tedesca attinti della lettura di luoghi classici scelti, accomodati alla ortografia odierna. 8. (VII, 266 S.) Altenburg 883. Wermann. n. 2. 40

Ramsler, Henry Wadsworth Longfellow. gr. 8. (61 S.) Tübingen 882. Fues. 1. 20

Randa, Ant., das Eigenthumsrecht nach österreichischem Rechte m. Berücksicht. d. gemeinen Rechtes u. der neueren Gesetzbücher. 1. Hälfte. gr. 8. (XII, 466 u. Beilage V S.) Leipzig 884. Breitkopf & Härtel. n. 9. —; geb. n.n. 10. 50

Randenschau. Volkstümliche Monatsschrift f. Geschichte, Sage, Kunst u. Naturschönheiten der vom Randen überblickten Landesgegenden. Hrsg. unter Mitwirkg. v. Freunden der Heimatkunde v. S. Pletscher. 1. Jahrg. 1886. 12 Nrn. (B.) gr. 8. Schaffhausen 886. Rothermel & Co. n. 4. 50

Randglossen in Bezug auf kavalleristische Ausbildung v.

M. J. R. gr. 8. (III, 99 S.) Hannover 884. Helwing's Verl. n. 2. —

Randow, Alb. v., die Landesverweisungen aus Preußen u. die Erhaltung d. Deutschthums an der Ostgrenze. gr. 8. (38 S.) Leipzig 886. Duncker & Humblot. n. — 80

Rangabé, Alex. Rizo, die Hochzeit d. Kutrulis. Lustspiel. Vom Autor selbst aus dem Neugriech. ins Deutsche übertr. 8. (VI, 141 S.) Breslau 883. Schottländer. n. 2. —; geb. n. 3. —

— Leïla, s.: Universal-Bibliothek.

— der Fürst v. Morea. Uebers. v. A. Ellissen u. vom Autor selbst revidirt. 8. (339 S.) Breslau 884. Schottlaender. n. 3. —; geb. n. 4. —

— Novellen. Vom Verf. autoris. Uebersetzg. aus dem Griech. 8. (301 S.) Ebend. 886. n. 4. 50; geb. n. 5. 50

— die dreißig Tyrannen. Schauspiel in 5 Aufzügen. Aus dem Griech. übers. 8. (VII, 258 S.) Ebend. 883. n. 4. —; geb. n. 5. —

— u. Dan. **Sanders**, Geschichte der neugriechischen Litteratur von ihren Anfängen bis auf die neueste Zeit. gr. 8. (V, 158 S.) Leipzig 884. Friedrich. n. 3. —

Rangliste der königl. sächsischen Armee [XII. Armee-Corps d. deutschen Heeres] vom J. 1886. 8. (XV, 417 S.) Dresden, (Warnatz & Lehmann. — Leipzig, F. Fleischer). cart. n.n. 2. 75

— der Baubeamten 1883. Enth.: I. Reichs-Baubeamte, II. Königl. Preuss. Baubeamte, III. Regierungs-Baumeister, als Anh. IV. Maschinen-Techniker u. höhere Verwaltungs-Beamte der Staatseisenbahnen. Bearb. in e. Kreise v. Betheiligten. Mit e. Vorwort v. Frz. Woas. 8. (XVI, 200 S.) Saarbrücken 884. (St. Johann-Saarbr., Bock & Seip.) n. 2. —

— der Baubeamten. Enth.: I. Reichs-Baubeamte, II. königl. preuss. Baubeamte, III. Regierungs-Baumeister. 1886. Hrsg. v. Frz. Woas. 8. (IV, 180 S.) Berlin 886. (Leipzig, Heitmann.) n. 3. —

Rang- u. Anciennetäts-Liste d. Offizier-Corps der Inspection der Jäger u. Schützen [inkl. Reserve- u. Landwehr-Offiziere sowie Portepee-Fähnriche] u. d. reitenden Feldjäger-Corps. 1885. [Fortsetzung der bezügl. Liste vom J. 1883.] Geschlossen am 15. Septbr. 1885. gr. 8. (37 S.) Berlin 885. Mittler & Sohn. n. 1. —

— der Reserve-Landwehr-Regimenter [1. u. 2. Berlin] Nr. 35. Abgeschlossen im Juni 1885. 8. (II, 94 S.) Berlin 885. Eisenschmidt. n.n. 1. —

Rang- u. Quartir-Liste der königl. preußischen Armee f. 1885. Nebst den Anciennetäts-Listen der Generalität u. der Stabs-Offiziere der Armee. Auf Befehl Sr. Maj. d. Kaisers u. Königs. Red.: Die königl. Geheime Kriegs-Kanzlei. gr. 8. (XII, 971 S. m. 1 Tab.) Berlin 885. Mittler & Sohn. n. 7. 40; cart. n. 8. 70; durchsch. n. 11. 30; in rothe Leinw. geb. n. 9. —

— — dasselbe f. 1886. Nachtrag. Die aus dem herzgl. braunschweig. Militär-Contingent in das königl. preuß. Heer eingereihten Truppentheile etc. enth. gr. 8. (8 S.) Ebend. n.n. — 25

— — des XIII. [königl. württembergischen] Armee-Corps f. 1886. Nebst Angabe der nicht im Armeecorps-Verband befindl. Offiziere, Militair-Behörden etc. 8. (IV, 120 S.) Stuttgart 886. Metzler's Verl. n.n. 1. 80

— — der kaiserlich deutschen Marine f. d. J. 1886. [Abgeschlossen am 1. Novbr. 1885.] Red.: Die kaiserl. Admiralität. gr. 8. (V, 123 S.) Berlin 885. Mittler & Sohn. n. 2. 50; Einbd. n.n. — 60

Rangs- u. Eintheilungs-Liste der k. k. Kriegs-Marine. Richtiggestellt bis 15. Mai 1886. 8. (126 S.) Wien 885. (Pola, Schmidt.) n. 1. 35

Rank, J., der Hauskobold, s.: National-Bibliothek, deutsch-österreichische.

Rank, Jos., kleines Taschenwörterbuch der böhmischen u. deutschen Sprache. 2 Thle. 2. Aufl. 12. (428 u. 432 S.) Prag 882. Haase. à n. 3. —

Ranke, Ernst, Chorgesänge zum Preis d. h. Elisabeth, aus mittelalterl. Antiphonarien m. Bearbeitg. der alten Tonsätze durch Müller, Odenwald u. Tomadini hrsg. [Festschrift zum 600. Jahrestage der Einweihg. der Elisabethkirche.] gr. 8. [VIII, 66 S. m. 1 Lichtdr.) Leipzig 883. Breitkopf & Härtel. n. 2. 40

Ranke, Ernst, Chorgesänge zum Preis d. h. Elisabeth aus mittelalterl. Antiphonarien m. Bearbeitg. der alten Tonsätze durch Müller, Odenwald u Tomadini hrsg. [Festschrift zum 600. Jahrestage der Einweihg. der Elisabethkirche.] 2. Abth. m. Beiträgen v. Commer. gr. 8. (S. 67—242.) Leipzig 884. Breitkopf & Härtel. n. 5. 60

Ranke, Frdr. Heinr., Jugenderinnerungen m. Blicken auf das spätere Leben. 2. Aufl. 8. (IV, 462 S.) Stuttgart 886. J. F. Steinkopf. n. 5. —; geb. n. 6. —

Ranke, H., zur Aetiologie der Diphtherie, s.: Zur Aetiologie der Infectionskrankheiten.

Ranke, J. A., Präparationen f. die Schullektüre griechischer u. lateinischer Klassiker, s.: Krafft.

Ranke, J. Fr., die Erziehung u. Beschäftigung kleiner Kinder in Kleinkinderschulen u. Familien. Anleitung, Kinder in den ersten Lebensjahren zu erziehen, durch Spielen, Arbeit u. Unterricht zu beschäftigen. Mit besond. Berücksicht. der Kleinkinderschule bearb. 7. Aufl. 8. (VII, 396 S.) Elberfeld 886. Bädeker. n. 3. —

— die Gründung, Unterhaltung u. Leitung v. Krippen, Bewahranstalten u. Kleinkinderschulen. [7., ganz umgearb. u. bedeutend erweit. Aufl. d. 3. Tls. der Erziehg. u. Beschäftigg. kleiner Kinder.] 8. (IV, 187 S.) Ebend. 887. n. 2. 40; geb. n. 3. —

— christliche Lieder f. Schule u. Haus. 2. Hft. 8., verm. [Ster.-]Aufl. qu. gr. 8. (49 S.) Ebend. 887. n. — 40

— geistliche u. weltliche Lieder m. leichter Klavierbegleitung. 115 Lieder aus „Christliche Lieder f. Schule u. Haus“, „Liederbuch f. Mädchenschulen“ u. „Liederbuch f. Kleinkinderschulen“. 3. Aufl. qu. gr. 8. (IV, 112 S.) Bielefeld 883. Velhagen & Klasing. cart. n. 1. 25

— Naturkunde f. kleine Kinder. Stoffe f. Anschauungs- u. Sprechübgn. in Unterklassen der Volksschulen u. Unterhaltgn. m. Kindern in der Kleinkinderschule. 1. u. 2. Tl. 8. Elberfeld, Bädeker. n. 3. 80

1. 3. Aufl. (VIII, 236 S.) 885. n. 1. 80
2. (VIII, 272 S.) 884. n. 2. —

— Stoffe zu Unterhaltungen m. kleinen Kindern im Anschluß an die Hey-Speckterschen Fabeln. Für Mütter, Kleinkinderlehrerinnen u. Lehrer an Unterklassen v. Elementarschulen. 2 Hfte. gr. 8. (IV, 394 S. m. Holzschn.) Gotha 883. 84. F. A. Perthes. à n. 2. —

Ranke, Johs., Beiträge zur physischen Anthropologie der Bayern. Mit 16 Taf. u. 2 Karten. Lex.-8. (X, 168; 296 u. 35 S.) München 883. Literar.-artist. Anstalt. cart. n. 16. —

— der Mensch. 1. u. 2. Bd. [Allgemeine Naturkunde 2. u. 5. Bd.] Lex.-8. Leipzig 886.87. Bibliograph. Institut. à n. 14. —; Einbd. à n. 2. —

1. Entwickelung, Bau u. Leben d. menschl. Körpers. Mit 583 Abbildgn. im Text u. 24 Aquarelltaf. v. Emil Eyrich, Geo. Klepzig, Gust. Mützel u. Adrian Walker u. a. (XIV, 616 S.)
2. Die heut. u. die vorgeschichtl. Menschenrassen. Mit 408 Abbildgn. im Text, 6 Karten u. 8 Aquarelltaf. v. Ernst Heyn, Geo. Klepzig, H. Magnussen etc. (X, 613 S.)

Ranke, L. F., Gedenkbüchlein f. meine lieben Konfirmanden. 2. Aufl. 12. (67 S.) Gütersloh 885. Bertelsmann. n. — 50

Ranke's, Leop. v., sämmtliche Werke. 3. Gesammtausg. 37. u. 38. Bd. gr. 8. Leipzig 885. Duncker & Humblot. à n. 5. —

Die römischen Päpste in den letzten vier Jahrhunderten. 1. u. 2. Bd. 8. Aufl. (XIV, 336 u. VI, 377 S.) Einzelpr. à n. 6. —

— Geschichten der romanischen u. germanischen Völker von 1494 bis 1514. Zur Kritik neuerer Geschichtschreiber. 3. Aufl. gr. 8. (XXX, 328 u. VIII, 174 S.) Ebend. 885. n. 10. —

— die römischen Päpste in den letzten vier Jahrhunderten. 3 Bde. 8. Aufl. gr. 8. (XIV, 336; VI, 377; VI, 208 u. Reg. etc. 330 S.) Ebend. 885. n. 18. —; in 1 Bd. geb. n. 21. —

— Weltgeschichte. 1—6. Thl. à 2 Abthlgn. gr. 8. Ebend. n. 113. —; in 6 Bde. geb. n. 131. —

1. Die älteste historische Völkergruppe u. die Griechen. 2 Abthlgn. 4. Aufl. (XII, 378 u. VI, 302 S.) 881. n. 18. —; in 1 Bd. geb. n. 21. —
2. Die römische Republik u. ihre Weltherrschaft. 2 Abthlgn. 4. Aufl. (VI, 415 u. VI, 416 S.) 887. n. 20. —; in 1 Bd. geb. n. 23. —
3. Das altrömische Kaiserthum. Mit krit. Erörtergn. zur alten Geschichte. 4. Aufl. (VIII, 551 u. VIII, 356 S.) 886. n. 21. —; geb. n. 24. —

4. Das Kaiserthum in Constantinopel u. der Ursprung romanisch-germanischer Königreiche. 2 Abthlgn. 3. Aufl. (VI, 445 u. VI, 368 S.) 883. n. 20. —; geb. n. 23. —

5. Die arabische Weltherrschaft u. das Reich Karls d. Großen. 2 Abthlgn. 3. Aufl. (VI, 326 u. VI, 306 S.) 884. n. 17. —; geb. n. 20. —

6. Zersetzung d. karolingischen, Begründung d. deutschen Reiches. 3. Aufl. (VI, 337 u. VI, 278 S.) 885. n. 17. —; geb. n. 20. —

Rankine, Will. John Macquorn, Handbuch der Bauingenieurkunst. Nach der 12. Aufl. d. engl. Orig.-Werkes deutsch bearb. v. Frz. Kreuter. Mit zahlreichen in den Text gedr. Illustr. 2. Ausg. 10 Lfgn. gr. 8. (XIV, 922 S.) Wien 883. Spielhagen & Schurich. à 1. 50

Rannow, Max., studia Theocritea. Dissertatio inauguralis. gr. 8. (53 S.) Berlin 886. (Mayer & Müller.) n. 1. 20

Rant, Matthias, Beschreibung der gewöhnlichsten der Obstzucht schädlichen Insekten. Den Obstzüchtern zur Belehrg. u. zum alltägl. Gebrauche. gr. 8. (59 S. m. Illustr.) Laibach 884. (Wien, Frick.) n. — 60

Räntsch, Ludw., die Wunder der Sympathie. Die Kunst durch Besprechg. allerlei Krankheiten zu heilen, nebst e. Anzahl sympathet. Mittel u. die Anwendg. d. animal. Magnetismus. 2. Aufl. 16. (54 S.) Oranienburg 884. Freyhoff. n. — 50

Raphael. Illustrirte Zeitschrift f. die reifere Jugend u. das Volk. Red.: L. Auer. 5—8. Jahrg. 1883—1886. à 52 Nrn. (B. m. eingedr. Holzschn.) gr. 4. Donauwörth, Auer. à Jahrg. n.n. 2. 50

Rapp, zur Reform d. neusprachlichen Unterrichts, zunächst an der lateinlosen Realschule. [Auszug aus e. Vortrag, geh. auf der diesjähr. Stuttgarter Reallehrerversammlung.] gr. 8. (18 S.) Tübingen 885. Fues. n. — 40

Rapp, Frdr., Taschenbuch f. den Bürger- u. Geschäftsmann vor Gericht. 8. Aufl. 8. (126 S.) Leipzig 884. Leiner. n. 1. —

Rapp, Gg., der Kampf Oesterreichs unter Erzherzog Karl gegen die Franzosen unter Jourdan in der Oberpfalz 1796 m. besond. Rücksichtnahme auf die Kriegslage in u. um Amberg u. Sulzbach. Ein Gedenkblatt f. das deutsche Volk aus seinen trübsten Tagen, bearb. nach gleichzeit. Quellen. gr. 8. (40 S.) Amberg 886. E. Pohl. n. — 80

Rapp, Mart., üb. die Phenyl- u. Kresylester der Phosphorsäure u. ihre Nitrirung. gr. 8. (57 S.) Tübingen 883. (Fues.) n. 1. 60

Rappard, Carl v., der Spiritismus u. sein Programm, dargelegt v. e. Deutschen. gr. 8. (58 S.) Leipzig 883. (Rübe.) n. — 50

Rappold, J., unsere Gymnasialreform. Kritische Bemerkgn., Erwäggn. u. Vorschläge zum revidierten Lehrplane vom J. 1884 nebst den dazu gehör. „Instructionen" u. zu den „Weisungen" vom J. 1885. gr. 8. (80 S.) Wien 886. Pichler's Wwe. & Sohn. n. 1. 20

— gymnasial-pädagogischer Wegweiser. Für Candidaten u. Anfänger d. Gymnasiallehramtes zusammengestellt. gr. 8. (31 S.) Ebend. 883. n. — 80

Rappoltstein, Alfr. de, l'Alsace-Lorraine. 1870—1884. gr. 8. (44 S.) Basel 884. Bernheim. n. 1. —

— Elsass-Lothringen 1870—1884. gr. 8. (42 S.) Ebend. 884. n. 1. —

Rapport trimestriel Nr. 39 du conseil fédéral suisse aux gouvernements des états, qui ont participé à la subvention de la ligne du St.-Gothard sur la marche de cette entreprise dans la période du 1er avril au 31 mai 1882. Fol. (28 S. m. 1 chromolith. Eisenbahnkarte.) Zürich 882. Orell Füssli & Co. Verl. n. 5. 60

— dasselbe. Nr. 40. Planches du rapport final. Fol. (16 lith. u. chromolith. Taf.) Ebend. 883. n. 16. —

— dasselbe. Table alphabétique de matières du dixième et dernier volume. Fol. (8 S.) Ebend. 883. n. 1. —

Rasch, Betty, unser'n Kleinen. Ein Bilderbuch. Mit Illustr. v. Heinr. Braun. 4. (15 Bl. in Chromo-Zinkogr.) München 886. Braun & Schneider. geb. n. 5. —

Rasch, Jul., das Freihaus am Dome. Roman aus der Mainzer Kurfürstenzeit. gr. 8. (350 S.) Wiesbaden 886. Bechtold & Co. n. 5. —; geb. n.n. 6. —

Rasch, Jul., aus dem Lande der Magyaren. Roman. 2. Aufl. 8. (446 S.) Wiesbaden 886. Kunze's Nachf. 3. 60

Rasch, Stef., deutsche Telegraphen-Kurzschrift. 12. (86 S.) Erfurt 883. Bartholomäus. n. — 60

Raschdorff, J. C., s.: Palast-Architektur v. Ober-Italien u. Toscana vom XV. bis XVII. Jahrh.

Rasche, Emil, kleine Handelsgeographie. Ein Leitfaden f. den geograph. Unterricht an Handelsschulen, landwirtschaftl. Schulen u. verwandten Lehranstalten. Mit 2 Karten: Welttelegraphenlinien. gr. 8. (119 S.) Breslau 885. F. Hirt. n. 1. 25

— kleine Schulgeographie, s.: Hennig, L.

Rascher, J. M., die Schweiz in der Staatsformfrage. Frei- u. Kleinstaatsideen. gr. 8. (III, 51 S.) Mülheim 886. Ziegenhirt. n. 1. 20

Raschke, W., üb. die Integration der Differentialgleichungen 1. Ordnung, in welchen die unabhängige Veränderliche explicite nicht vorkommt, durch eindeutige Functionen. gr. 8. (47 S.) Heidelberg 883. C. Winter. n. 1. 60

Rasmussen, Peter, den fuldkomne Dansker. Der perfekte Däne. Eine Anleitung, in 14 Tagen Dänisch richtig lesen, schreiben u. sprechen zu lernen. Mit beigefügter Aussprache. 16. (210 S.) Berlin 886. Berliner Verlags-Anstalt. n. — 80; geb. n. 1. 10

Rasmussen, Sara, Klöppelbuch. Eine Anleitg. zum Selbstunterricht im Spitzenklöppeln. Mit 10 Phototypien, 2 lith. Taf. u. zahlreichen Holzschn. 4. (48 S.) Kopenhagen 884. Höst & Sohn. n. 9. —

Rasmussen, Th., Kurrent-Rundschrift, e. Reform der Rundschrift f. Schule u. Korrespondenz. qu. gr. 4. (16 Steintaf. m. 1 Bl. Text.) Wolfenbüttel 886. Zwissler. n. 2. —

Raspe, Frdr., Heilquellen-Analysen, f. normale Verhältnisse u. zur Mineralwasserfabrikation berechnet auf zehntausend Theile. 2—20. Lfg. hoch 4. (IX—XXXV u. S. 25—510.) Dresden 883—85. Baensch. à n. 1. —

Rasser, Ferd., rationelle Wurstfabrikation. 8. (56 S.) Reutlingen 884. Enßlin & Laiblin. — 50

Ratzmann's Rechenbuch f. Handwerker-Fortbildungsschulen, sowie zum Privatgebrauche f. Bauhandwerker u. andere Gewerbtreibende. Auflösungen zu den sämtl. Aufgaben. 7. Aufl. v. Jul. Treuge. 8. (44 S.) Münster 885. Coppenrath. n. — 50

Rastrelmonti, Carl Maurizio, aggiunta alla teoria dell' istruzione educativa. Lezioni di greco fatte ai principianti del ginnasio con la lettura dell' Odissea di Omero secondo i principii etico-psicologici della pedagogia scientifica. Lex.-8. (IV, 96 S. m. 1 lith. Kartenskizze.) Leipzig 884. Teubner. n. 3. 60

Ratgeber, der gesetzkundige, in Ehe-, Erb- u. Vormundschafts-, Familien- u. Eigentums-Angelegenheiten, sowie in Schöffen- u. Schiedsgerichts-Sachen im Gebiete d. preuß. Landrechts. 5. Aufl. 8. (VIII, 210 S.) Mülheim 885. Bagel. 1. 60

— für Eltern, Lehrer u. Bibliothekvorstände bei der Auswahl v. Jugendschriften. Hrsg. v. der Jugendschriften-Kommission d. Lehrervereins zu Frankfurt a/M. Jahrg. 1883. gr. 8. (IV, 67 S.) Frankfurt a/M. 883. (Wilde.) n. — 50

— dasselbe. 3. Jahrg. 1884/85. 8. (51 S.) Ebend. 885. n. 1. —

Rath, Carl, Heimoathsd-Bliemeln. Gedichte in schles. Mundart. 16. (III, 128 S.) Waldenburg i/Schl. 884. Georgi. n. 1. —; geb. n. 1. 20

Rath, Frz., aus dem Leben Onkel Jacob's. Humoristische Genrebilder u. Erzählgn. 8. (204 S.) Hamburg 884. Kramer. 3. —

Rath, G. vom, Arizona, s.: Sammlung v. Vorträgen.

Rathay, E., u. B. **Haas,** üb. Phallus impudicus (L.) u. einige Coprinus-Arten. Lex.-8. (27 S.) Wien 883. (Gerold's Sohn.) n.n. — 50

Raether, M. F., der Manöveronkel. Humoristische Erzählg. aus dem Soldatenleben. 8. (75 S.) Baden-Baden 886. Sommermeyer. n. — 50

Rathgeber, christlicher, f. Dienende. 3. Aufl. 8. (126 S.) Bremen 885. (Morgenbesser.) n. — 60

Rathgeber auf der Eisenbahn. Wie reist man selbständig u. geschützt gegen Unfälle aller Art? Berather f. alle vorkomm. Verrichtgn. u. Verhaltungs-Maßregeln vor u. während der Reise. Gesetzliche Bestimmgn. üb. Rechte u. Pflichten der Eisenbahn-Reisenden. Abhandlung üb. die Sicherheit auf den Eisenbahnen. Allgemeine Sicherungsmaßregeln f. Eisenbahn-Reisende gegen Unglücksfälle. Rathschläge f. das Verhalten bei eintret. Unfällen. Bearb. v. e. Eisenbahn-Beamten. gr. 8. (24 S.) Gaildorf 883. (Schwäb.-Hall, German.) n. — 40

— fürs Hauswesen. [Gratisbeigabe zur „Monika".] 4. Jahrg. 1886. 12 Nrn. (½ B.) Lex.-8. Donauwörth, Auer. n. 1. —

— der praktische, im Obst- u. Gartenbau. Wochenschrift f. Gärtner, Gartenliebhaber u. Landwirte. Red.: Johs. Böttner. 1. Jahrg. 1886. 52 Nrn. (1½ B.) gr. 4. Frankfurt a/O., Trowitzsch & Sohn. n. 4. —

— der praktische, f. Geschäfts- u. Privatleute, zugleich e. Briefsteller, Hand- u. Nachschlagebuch f. alle im Leben vorkomm. Geschäfte u. Geschäftsaufsätze. Mit e. alphabet. Verzeichniß v. Fremdwörtern nach ihrer Bedeutg. im Geschäftsleben. 8. (IV, 132 S.) Leipzig 886. Reinboth. n. 1. —

Rathgeber, Jul., elsässische Geschichtsbilder aus der französischen Revolutionszeit. Ein Beitrag zur elsäss. Sittengeschichte. gr. 8. (V, 240 S.) Basel 886. Schneider. n. 4. —

— elsässische Reformationsgeschichte. Ein evangel. Hausbuch. gr. 8. (IV, 254 S. m. 2 Holzschn.-Porträts.) Straßburg 885. Schmidt. n. 4. —; geb. n. 4. 80

Rathke, A., Heimatskunde der Prov. Pommern. Mit Anh.: I. Abriß der Geographie. II. Bilder aus der vaterländ. Geschichte. 8. (40 S.) Potsdam 886. Rentel's Verl. n. — 20; m. lith. u. kolor. Kreiskarte n. — 25; Karte ap. n. — 10

Rathke's, Alb., Bibliothek f. Zucker-Interessenten. 1. u. 5. Bd. gr. 8. Magdeburg 886. Rathke. geb. n. 7. —
1. Verzeichniss der Rübenzuckerfabriken, Raffinerien u. Candisfabriken im Deutschen Reiche, sowie in Oesterreich-Ungarn, Holland, Belgien, Dänemark, Schweden, England, Italien u. Spanien. Nebst e. Adressbuch der Bezugsquellen v. Bedarfs-Artikeln f. Zuckerfabriken u. Empfehlungs-Anzeiger e. Anzahl Firmen, welche m. der Zuckerfabrikation in Verbindg. stehen. Mit 1 Karte der Zuckerfabriken u. Raffinerien d. Deutschen Reiches. III. Jahrg., Kampagne 1886/87. (III, 151 S.) n. 8. —; ohne Karte n. 4. —
5. Tabelle, enth.: den Nicht-Zucker-Gehalt, den Nicht-Zucker-Quotienten u. den Reinheits-Quotienten v. Rübensäften von 15° bis 20° Brix. Aufgestellt u. bearb. v. M. Schwarzer. (57 S.) n. 3. —

Rathke, H. W., mathematische Tabellen. 8. (18 S.) Hildburghausen 886. (Gadow & Sohn.) n. 1. —

Rathmann, J., neue Schreib-Lese-Fibel, s.: Bartels, F.

Rathmann, W., zur Beurteilung der Probebibel, s.: Zeitfragen d. christl. Volkslebens.

Rathschläge zur Erziehung der Jugend. Eltern u. Kinderfreunden gewidmet von M. v. M. 8. (III, 89 S.) München 886. Fritsch. n. 1. —; geb. n. 1. 60

— u. **Mittheilungen**, praktische, f. deutsche Einwanderer. Hrsg. v. der deutschen Gesellschaft der Stadt New York. Mit e. (lith.) Grundplane v. Castle Garden u. e. (lith.) Karte d. südl. Theiles der Stadt New York. 2. Ausg. 8. (IV, 51 S.) New York 883. (Steiger & Co.) gratis.

Räthsel, 100. Lösungsbeflissenen dargeboten v. dem Verf. der ausflieg. Worte. gr. 8. (96 S.) Neubrandenburg 884. Brünslow. n. 1. 20

Ratte, Wilh., die Verbreitung der Pflanzen im allgemeinen u. besonders in Bezug auf Deutschland. gr. 8. (VI, 135 S.) Hannover 884. Helwing's Verl. n. 2. —

Rätselschatz, neuer. Eine Sammlg. v. Rätseln zur Unterhaltg. v. Groß u. Klein. 1. Bdchn. 12. (48 S.) Leipzig 885. Rasch & Co. — 30

Ratte, Frz., e. Gebetswoche d. Marien-Verehrers, der sein ewiges Heil sicherstellen will. Vom hl. Kirchenlehrer Alphonsus. 5. Aufl. 24. (48 S.) Dülmen 885. Laumann. — 15

— christliche Lebensweisheit. Aus den Schriften d. heil. Franz v. Sales, Bischofs u. Kirchenlehrers. Mit dem wahren Bildnisse d. Heiligen. 2. Aufl. 16. (144 S.) Ebend. 886. n. — 40

— feurige Pfeile od. Liebesbeweise, die Jesus Christus uns im Werke der Erlösg. gegeben. M. e. Einleitg. üb. die himml. Kunst d. innern Gebetes u. e. Auswahl der schönsten Bittgebete d. hl. Kirchenlehrers Alphonsus. 2. Aufl. 16. (208 S.) Dülmen 886. Laumann. n. — 40; geb. n. — 65

Ratte, H., die Gnadenquelle d. Christen. Ein vollständ. kathol. Gebetbuch f. Kirche u. Haus. 16. (XVI, 528 S. m. chromolith. Titel u. 1 Stahlst.) Dülmen 884. Laumann. n. 1. 20; geb. von n. 2. — bis n. 20. —

Rattenfängerfest, das, in Hameln am 28. u. 29. Juni 1884, zur Feier des 600jähr. Gedenktages d. Auszugs der Hameln'schen Kinder. 2. Aufl. gr. 8. (22 S.) Hameln 884. (Fuendeling.) — 50

Raettig, A., Mecklenburg in geschichtlichen u. geographischen Bildern. 5. Aufl. gr. 8. (65 S.) Halle 884. Buchh. d. Waisenhauses. n. — 40; als Anh. zum Norddeutschen vaterländ. Lesebuch n.n. — 25

Rättig, Agnes [Frau A. Schlingmann], das Recht der Thiere. Berliner Mittheilungen [im Lichte des Thierschutzes]. gr. 8. (32 S.) Hannover 884. Schmorl & v. Seefeld. n. — 50

Rattke, W., Leitfaden f. den geometrisch-propädeut. Unterricht. gr. 8. (V, 29 S. m. eingedr. Fig. u. 2 Taf.) Hannover 886. Helwing's Verl. n. 1. —

Ratz, Th., praktische Anleitung zur Projektions-Lehre f. Kunst-, Gewerbe- u. Fach-Schulen, wie auch zum Selbstunterricht f. Bau-Eleven, Maurer, Zimmerleute ꝛc. Mit 8 (lith.) Fig.-Taf. 3. Aufl. gr. 4. (24 S.) Straßburg 883. Schultz & Co. 1. 50

— Geometrie f. Künstler u. Handwerker oder prakt. Anwendg. der Geometrie u. d. geometr. Zeichnens auf die techn. Gewerbe. Zum Gebrauch f. Bau-Eleven, Klempner, Kupferschmiede ꝛc. Ein Lehrbuch f. den Schul- u. zum Selbstunterricht. Mit 465 Fig. auf 22 (lith.) Taf. (in 1 Bd. cart.). 9. Aufl. gr. 8. (VIII, 120 S.) Ebend. 883. cart. n. 5. —

Ratzeburg, Jul. Thdr. Chrn., die Forst-Insecten od. Abbildg. u. Beschreibg. der in den Wäldern Preussens u. der Nachbarstaaten als schädlich od. nützlich bekannt gewordenen Insecten; in systemat. Folge u. m. besond. Rücksicht auf die Vertilgg. der schädlichen. 2. m. Zusätzen u. Berichtiggn. verm. Aufl. Neue billigere Ausg. 30 Lfgn. gr. 4. (XVI, 247; VIII, 252 u. VIII, 314 S. m. Holzschn. u. 55 Kpfr.- u. Steintaf.) Wien (1839—44), 885. Hölzel. à n. 1. 30

— die Waldverderber u. ihre Feinde, s.: Judeich, J. F., u. H. Nitsche, Lehrbuch der mitteleuropäischen Forstinsektenkunde.

Rätzel, Frdr., wider die Reichsnörgler. Ein Wort zur Kolonialfrage aus Wählerkreisen gr. 8. (32 S.) München 884. (Oldenbourg.) — 30

— Völkerkunde. 1. u. 2. Bd. [Allgemeine Naturkunde, 1. u. 2. Bd.] Lex.-8. Leipzig 886. Bibliograph. Institut. à n. 14. —; Einbd. à n.n. 2. —
1. Die Naturvölker Afrikas. Mit 494 Abbildgn. im Text, 10 Aquarelltaf. u. 2 Karten v. Rich. Buchta, Thdr. Grätz, Gust. Mützel ꝛc. (X, 96 u. 660 S.) 885.
2. Die Naturvölker Ozeaniens, Amerikas u. Asiens. Mit 391 Abbildgn. im Text, 11 Aquarelltaf. u. 2 Karten v. Rud. Cronau, Thdr. Grätz, Ernst Heyn ꝛc. (X, 815 S.)

Ratzenhofer, G., die praktischen Uebungen der Infanterie-Waffe. 4. verm. u. verb. Aufl. 8. (X, 193 S.) Teschen 885. Prochaska. n. 2. —; geb. n. 2. 60

Ratzinger, G., die Bierbrauerei in Baiern. gr. 8. (45 S.) Augsburg 885. Literar. Institut v. Dr. M. Huttler. n. — 40

— die Erhaltung d. Bauernstandes. Ein Reformprogramm d. hochsel. Grafen Ludwig zu Arco-Zinneberg, bearb. gr. 8. (XVI, 118 S.) Freiburg i/Br. 883. Herder. n. 1. 50

— Geschichte der kirchlichen Armenpflege. Gekrönte Preisschrift. 2. Aufl. gr. 8. (XIV, 616 S.) Ebend. 884. n. 8. —

Rätzsch, Heinr., Lehrbuch der deutschen Stenographie nach F. X. Gabelsbergers System. Mit Genehmigg. d. königl. sächs. Ministeriums d. Innern verf. Nach d. Verf. Tode hrsg. vom königl. stenograph. Institute in Dresden. Mit 87 stenograph. Taf. 12. neubearb. u. verm. Aufl. gr. 8. (XII, LIX, 228 S.) Dresden 886. G. Dietze. n. 6. —

Rätzsch, Heinr., Lehrgang der Stenographie [Korrespondenz- u. Debattenschrift] nach F. X. Gabelsberger's System. Mit 56 stenograph. Taf., 63 Übersetzungs- u. 64 Lese- aufgaben. Neu bearb. v. Rich. Rätzsch. 47. Aufl. 8. (VIII, 72 S.) Dresden 886. G. Dietze. n. 1. 50

Rätzsch, Rich., militairtechnische Ausdrücke, alphabetisch geordnet u. in stenograph. Schrift nach Gabelsberger's System übertr., nebst stenograph. Lesestücken militairstatist. u. propagandist. Inhalts. Unter Benutzg. d. v. seinem Vater verf. „Militairstenograph" bearb. u. hrsg. 8. (32 S.) Dresden 883. (G. Dietze.) n.n. — 30

— das System Arends, f. Kenner d. Gabelsberger'schen Systems im Auftrage d. königl. sächs. stenograph. Instituts bearb. u. kritisch beleuchtet. gr. 8. (XV, 48 autogr. S.) Ebend. 884. n. 1. —

Rau, Albr., die Theorien der modernen Chemie. 3. [Schluss-] Hft. Die Entwicklg. der modernen Chemie. Neue Folge. gr. 8. (XXVI, 349 S.) Braunschweig 884. Vieweg & Sohn. n. 7. — (cplt. n. 13. —)
Das 1. u. 2. Hft. bilden: Die Grundlage der modernen Chemie, n. 2. 40, u. Die Entwicklung der modernen Chemie, n. 3. 60.

Rau, Heribert, Beethoven. Ein Künstlerleben. Kulturhistorisch-biographisch geschildert. 2 Bde. 3. Aufl. 8. (IV, 327 u. IV, 386 S.) Leipzig 887. Thomas. n. 6. —; pro 2 Einbde. à n.n. 1. —

— das Evangelium der Natur. Ein Buch f. jedes Haus. 6. neu bearb. u. verb. Aufl. Mit vielen in den Text gedr. Abbildgn. u. dem Bildniß d. Verf 12 Lfgn. gr. 8. (V, 760 S.) Ebend. 885. 86. n. 6. —; Einbd. in Leinw. n.n. 1. —; in Hlbfrz. n.n. 1. 30

— s.: Freuden u. Leiden e. Commis Voyageur.

— Alexander v. Humboldt. 2. Aufl. gr. 8. (636 S.) Berlin 884. Janke. n. 1. —

— neue Stunden der Andacht. Zur Beförderg. wahrer Religiosität. Ein Buch zur Erbaug. u. Belehrg. f. denk. Christen. 3 Bde. 6. Aufl. 2. Abdr. 12. (527, 455 u. 512 S.) Leipzig 885. O. Wigand. n. 6. —; geb. n. 8. —

Rauber, A., üb. die Bedeutung der wissenschaftlichen Anatomie. Rede. gr. 8. (16 S.) Dorpat 886. Schnakenburg. — 80

Rauber, A., Homo sapiens ferus od. die Zustände der Verwilderten u. ihre Bedeutung f. Wissenschaft, Politik u. Schule. Biologische Untersuchg. gr. 8. (III, 134 S.) Leipzig 885. Denicke. n. 3. —

— Lehrbuch der Anatomie d. Menschen, s.: Hoffmann, C. E. E.

— Urgeschichte d. Menschen. Ein Handbuch f. Studirende. 1. u. 2. Bd. gr. 8. Leipzig 884. F. C. W. Vogel. n. 18. —
1. Die Realien. Mit 2 (Holzschn.-) Taf. (X, 486 S.) n. 10. —
2. Territorialer Ueberblick. Entwickelungsgeschichte der Gesellschaft. (XVI, 335 S.) n. 8. —

Rauch's English readings. Hrsg. v. Chr. Rauch. 1—31. Hft. 16. Berlin 883—86. Simion. cart. à n. — 50
1. The school for scandal. A comedy in 5 acts by R. B. Sheridan. Hrsg. u. m. Anmerkgn. zum Schulgebrauch versehen v. F. Fischer. (122 u. Wörterverzeichn. 34 S.)
2. Black sheep. A comedy in 3 acts by J. Stirling Goyne. Hrsg. v. Chr. Rauch. (106 u. Wörterverzeichn. 16 S.)
3. Money. A comedy in 5 acts by Bulwer. Hrsg. u. m. Anmerkgn. versehen v. F. Fischer. (123 u. Wörterverzeichn. 9 S.)
4. Enoch Arden and other poems by Alfr. Tennyson. Hrsg. u. erläutert v. O. Kutschera. (88 S.)
5. The lady of Lyons; or, love and pride. A comedy in 5 acts by Bulwer. Hrsg. u. erläutert v. Arndt. (88 u. Wörterverzeichn. 10 S.)
6. A christmas carol in prose. Being a ghost story of christmas. By Charles Dickens. Hrsg. u. m. Anmerkgn. versehen v. G. Wendt. (130 S.)
7. The rivals. A comedy in 5 acts by R. B. Sheridan. Hrsg. u. m. Anmerkgn. versehen v. F. Fischer. (117 u. Wörterverzeichn. 4 S.)
8. Society. A comedy in 3 acts by T. W. Robertson. Hrsg. u. m. Anmerkgn. versehen v. F. Fischer. (100 u. Wörterverzeichn. 10 S.)
9. The age of the Stuarts. Aus Chambers' information for the people. Hrsg. v. G. Wendt. (79 S.)
10. The courtship of Miles Standish by H. W. Longfellow, to which is added: The landing of the pilgrim fathers by Mrs. Hemans. Hrsg. u. erläutert v. W. Wright. (85 u. Wörterverzeichn. 10 S.)
11. Paradise and the Peri and the fire-worshippers from „Lalla Rookh" by Tom. Moore. Mit Anmerkgn. u. Wörterbuch versehen v. Ernst Schmid. (109 u. Wörterbuch 19 S.)
12. The rape of the lock and other poems by Alex. Pope. Hrsg. u. erläutert v. R. Palm. (85 u. Wörterbuch 18 S.)
13. Richelieu; or the conspiracy. A drama in 5 acts by Bulwer. Mit Anmerkgn. u. Wörterbuch versehen v. F. Arndt. (124 u. Wörterbuch 15 S.)
14. Sketches. By Dickens. Ausgewählt, m. Anmerkgn. u. Wörterverzeichniss versehen v. A. Matthias. (114 u. Wörterbuch 10 S.)
15. Paul Pry. A comedy in 2 acts by Douglas Jerrold. Opposite neighbours. An original farce in 1 act by Howard Paul. Erläutert u. m. Wörterverzeichn. versehen v. A. Matthias. (82 u. Wörterbuch 8 S.)
16. George Stephenson. By Samuel Smiles. Hrsg. u. erklärt v. F. J. Wershoven. (VI, 104 S)
17. The reign of queen Elizabeth by Dav. Hume. Mit erklär. Anmerkgn., Wörterverzeichnis u. Questions hrsg. v. F. J. Wershoven. (VI, 86 u. Wörterverzeichn. 24 S. m. 1 genealog. Tab.)
18—20. Tom Brown's school days. By an old boy. Mit Anmerkgn. u. e. Wörterbuch f. den Schulgebrauch versehen v. C. Thiem. 3 parts. (XII, 111, 103, 76 u. Wörterbuch 40 S.)
21. The cricket on the hearth. A fairy tale of home by Charles Dickens. Mit Anmerkgn. u. Wörterbuch versehen v. O. Kutschera. (135 u. Wörterb. 12 S.)
22. The tree cutters. By Captain Marryat. Mit Anmerkgn. u. Wörterbuch versehen v. A. Matthias. (94 u. Wörterb. 7 S.)
23. The corsair. A tale. By Lord Byron. Hrsg., erläutert u. m. Wörterbuch versehen v. O. Kutschera. (91 u. Wörterbuch 6 S.)
24. Evangeline. A tale of love in Acadia. By Henry Wadsworth Longfellow. Hrsg. u. erläutert v. F. Fischer. (100 S.)
25. Extracts from a tale of two cities by Charles Dickens. Ausgewählt u. m. Erläutergn. versehen v. A. Matthias. (112 S.)
26. The England of Shakespeare by E. Goadby. Mit erklär. Anmerkgn. v. F. J. Wershoven. (92 S.)
27. Milton. By T. B. Macaulay. Bearb. u. m. Anmerkgn. versehen v. Ernst Schmidt. (94 S.)
28. 29. Tales of a grandfather. By Sir Walter Scott. Ausgewählt u. erklärt v. G. Wendt. (194 S.)
30. Idylls of the king. Enid. By Alfred Tennyson. Hrsg. u. erläutert v. O. Kutschera. (90 S.)
31. The sketch-book. By Washington Irving. A selection. Erläutert u. m. Wörterbuch versehen v. A. Matthias. (89 u. 27 S.)

Rauch, Carl, üb. Leguminosen u. Legumin-Cacao. Monographie. gr. 8. (10 S.) Magdeburg 886. Wennhacke & Zincke. — 60

— die primordiale Verrücktheit [Paranoia primordialis]. Klinisch-psychiatr. Monographie f. Aerzte u. Irren-Aerzte. gr. 8. (VII, 123 S.) Neuwied 883. Heuser's Verl. n. 3. 20

Rauch, Christian, s.: Heinrich, W.

Rauchberg, Heinr., der Clearing- u. Giro-Verkehr. Ein statist. Beitrag zur Kenntniss d. volkswirthschaftl. Zahlungsprozesses. gr. 8. (V, 90 S.) Wien 886. Hölder. n. 2. —

— die Erkrankungs- u. Sterblichkeits-Verhältnisse bei der Allgemeinen Arbeiter-Kranken- u. Invaliden-Casse in Wien. gr. 8. (37 S.) Ebend. 886. n. 1. 40

Rauchfuss, E., Widerstand u. Maschinenleistung der Dampfschiffe. Abgeleitet v. den Versuchen m. dem „Greyhound". gr. 8. (61 S. m. eingedr. Fig. u. 3 Steintaf.) Kiel 886. Lipsius & Tischer. geb. n. 4. —

Raudnitz, Rob. W., die Findelpflege. gr. 8. (48 S.) Wien 886. Urban & Schwarzenberg. n. 2. —

— der Geheimmittelschwindel, s.: Sammlung gemeinnütziger Vorträge.

Raughton, H., üb. den menschlichen Charakter. Vortrag. gr. 8. (24 S.) Leipzig 885. Huth. n. — 80

— über das Gemüth. Vortrag. 8. (47 S.) Ebend. 886. n. — 80

Raum, Johs., Beiträge zur Entwickelungsgeschichte der Cysticercen. gr. 8. (45 S.) Dorpat 883. (Karow.) n. 1. —

Raumair, Arth., üb. die Syntax d. Robert v. Clary. gr. 8. (VIII, 65 S.) Erlangen 884. Deichert. n. 1. 80

Raumer, Karl v., die Erziehung der Mädchen. 4. Aufl. 12. (IV, 176 S.) Gütersloh 886. Bertelsmann. n. 2. —; geb. n. 2. 60

— die Frau der Socialdemokratie unter Klarlegung d. socialistischen Zukunftsstaates nach August Bebel. Beleuchtet. 8. (162 S.) Berlin 884. F. Luckhardt. n. 2. —

— Leitfaden f. Polizei-Beamte bei Vernehmungen üb. Sittlichkeits-Verbrechen u. Vergehen 2c. 8. (VI, 62 S.) Berlin 886. v. Decker. cart. n. 1. —

Raupach, E., der versiegelte Bürgermeister,
— der Degen; der Platzregen als Eheprocurator,
— vor hundert Jahren,
— Isidor u. Olga,
— der Müller u. sein Kind,
— der Nasenstüber,
— die Royalisten,
— der Schleichhändler,
— die Schule d. Lebens,
} s.: Universal-Bibliothek.

Rausch, Jul., Hilfstafeln zur Ermittlung d. Massengehaltes v. Blochen, Stämmen u. Stangen. Kubik-Meter u österreich. Kubik-Fuße zu den neuen wie zu den alten Maßzahlen. Für Forstbeamte, Holzhändler u. Baumeister bearb. 2. Aufl. gr. 8. (VIII, 72 S.) Berlin 886. Parey. cart. n. 2. —

Rausch, Valentin, Gedichte. 8. (88 S.) Frankfurt a/M. 884. (Keller.) n. 1. —

Rausch, Wilh., vollständiges Handbuch f. Sattler u. Riemer, s.: Schlüter, K.

— theoretisch-praktisches Handbuch f. Stellmacher u. Verfertiger v. Industrie- u. Arbeitswagen, ebenso v. Leichenwagen. 2. verm. u. verb. Aufl. Mit e. Atlas v. 24 (lith.) Foliotaf. gr. 8. (XV, 104 S.) Weimar 885. B. F. Voigt. 7. 50

— theoretisch-praktisches Handbuch f. Wagenfabrikanten u. alle beim Wagenbau beschäftigten Handwerker, wie auch f. Besitzer v. öffentl. u. Luxusfuhrwerken; unter besond. Angabe der renommiertesten Firmen Deutschlands zur Beschaffg. v. Hilfsmaschinen u. jedes Materials zum Wagenbau. 2. verm. u. verb. Aufl. Mit e. Atlas v. 30 (lith.) Foliotaf. (m. 4 S. Text), enth. die neuesten Zeichngn. v. Wagen, Wagenteilen u. der beim Wagenbau angewandten Maschinen. gr. 8. (XII, 168 S.) Ebend. 884. 9. —

Rauschen, Gerh., ephemerides Tullianae rerum inde ab exsilio Ciceronis [Mart. LVIII a. Chr.] usque ad extremum annum LIV gestarum. Dissertatio historica. gr. 8. (64 S.) Bonn 886. Behrendt. n. 1. 20

Rauschenbach, Frdr., üb. die Wechselwirkungen zwischen Protoplasma u. Blutplasma. Mit e. Anh., betr. die Blutplättchen v. Bizzozero. Eine Untersuchg.

aus dem physiolog. Institut zu Dorpat. 2. Aufl. gr. 8. (95 S.) Dorpat 883. Schnakenburg. n. 1. 20

Rauschenbusch, E., u. Fr. **Voigts,** Latomiablumen. Dichtergrüße, f. die Schwestern aller Freimaurer gesammelt. Neu hrsg. v. Herm. Walter. 2. Aufl. Neue Ausg. 8. (XV, 280 S.) Plauen 885. Neubert. n. 4. —; geb. n. 5. —

Rauschenbusch, W., der perfekte Deutsche. The perfect German. A guide to reading, writing and speaking correctly German. With a complete pronunciation, accentuation and translation of the German words. 16. (235 S.) Berlin 886. Berliner Verlags-Anstalt. n. 1. 50; geb. n. 1. 80

Rauschenplat, Adf., der cherubinische Wandersmann. gr. 8. (IX, 68 S.) Hamburg 885. (Döring) n. 2. —

Rauscher, Ferd. Em., der Handfertigkeits-Unterricht, seine Theorie u. Praxis. 1. Thl. gr. 8. (VI, 194 S.) Wien 885. Pichler's Wwe. & Sohn. n. 2. 40

— der heimatkundliche Lehrstoff im 3. Schuljahre. gr. 8. (VII, 74 S.) Ebend. 883. n. 1. —

Rausenberger, Otto, Lehrbuch der Theorie der periodischen Functionen e. Variabeln m. e. endlichen Anzahl wesentlicher Discontinuitätspunkte, nebst e. Einleitg. in die allgemeine Functionstheorie. Mit in den Text gedr. Fig. gr. 8. (VIII, 476 S.) Leipzig 884. Teubner. n. 10. 80

Rautenberg, E., Verbrennen u. Begraben bei unsern Vorfahren. Hrsg. auf Veranlassg. d. Vereins f. Leichenverbrenng. in Hamburg. gr. 8. (58 S.) Hamburg 885. Voß. — 75

Rautenfeld, Peter v., üb. die Ausscheidung des Strychnins. gr. 8. (44 S.) Dorpat 884. (Karow.) n. 1. —

Rauter, D., österreichisches Staats-Lexikon. Handbuch f. jeden Staatsbürger der Reichsrathsländer. 8. (IV, 326 S.) Wien 885. Perles. n. 8. 40; geb. n. 10. —

Râvanavaha od. Setubandha, Prâkrt u. deutsch hrsg. v. Siegfr. Goldschmidt. Mit e. Wortindex v. Paul Goldschmidt u. dem Hrsg. 2. Lfg.: Uebersetzung. gr. 4. (S. 195—330.) Strassburg 884. Trübner. n.n. 18. — (1. u. 2.: n.n. 43. —)

Ravenstein's Führer durch Frankfurt a. M. u. seine Umgebungen f. Einheimische u. Fremde. Hrsg. v. Karl Diefenbach. Mit 11 (lith.) Taf. Abbildgn., e. (lith.) Stadtplan u. e. (lith.) Umgebungskarte. 4. Aufl. 8. (III, 75 S.) Frankfurt a/M. 884. Ravenstein. n. 1. 50

Ravenstein, E. G., englischer Sprachführer. Konversations-Wörterbuch f. Reisende. 16. (VIII, 250 S.) Leipzig 884. Bibliograph. Institut. geb. n. 2. 50

Ravenstein, Ludw., Atlas d. Deutschen Reiches. 10 (chromolith.) Blätter, 1:850,000, m. vollständigem Register aller auf der Karte enthaltenen Namen, nebst 3 statist. Karten: der Bevölkerungstüchtigkeit, Konfessionen u. Gewerbthätigkeit in Deutschland, u. 16 Produktionskärtchen üb. Bodenkultur, Tierzucht, Nutzpflanzen u. nutzbare Mineralien; m. ausführl. statist. Übersichtstabellen. Fol. (35 S.) Leipzig 884. Bibliograph. Institut. cart. n. 5. —; geb. n. 6. —

Ravoth, Fr., die Unterleibsbrüche. Ihre Ursachen, Erkenntnis u. Behandlg. 2., v. G. Wolzendorff bearb. Aufl. Mit 28 in den Text gedr. Abbildgn. 8. (XII, 121 S.) Leipzig 886. Weber. n. 2. —; geb. n. 3. —

Rawald, G., aus meiner Festungszeit. 1—3. Hft. 8. (31, 29 u. 31 S.) Halle 885. Kaemmerer & Co. à n. — 50

— zwei deutsche Heldenkaiser, Begründer u. Wiederhersteller d. Deutschen Reichs, Friedrich I. Barbarossa u. Wilhelm der I. der Siegreiche. 8. (88 S.) Freiburg a/U. 885. Kellner. cart. n. — 50

Rawicz, M., der Traktat Megilla, nebst Tosafat, vollständig ins Deutsche übertragen. gr. 8. (IV, 117 S.) Ettenheim 883. (Frankfurt a/M., Kauffmann.) n. 2. 50

— der Traktat Rosch ha-Schanah, m. Berücksicht. der meisten Tosafat in's Deutsche übertr. gr. 8. (176 S.) Ebend. 886. n. 3. —

Reade, Ch., e. gefährliches Geheimnis, s.: Engelhorn's allgemeine Romanbibliothek.

— Readiana; comments of current events,
— Singleheart and Doubleface,
} s.: Collection of British authors.

Reading book in the Gä or Akra language, for the vernacular schools in the Akra and Adangme countries, Gold Coast. 8. (VIII, 148 S m. eingedr. Holzschn. u. 2 Holzschntaf.) Basel 883. Missionsbuchh. cart. n. 1. 60

Real's, S., Geschichte d. Dom Carlos, s.: Universal-Bibliothek.

Realencyklopädie, allgemeine, od. Conversationslexikon f. alle Stände. 4. Aufl. 61—132. Hft. gr. 8. (6. Bd. 1152, 7. Bd. 1124, 8. Bd. 1150, 9. Bd. 1050, 10. Bd. 1114 S. u. 11. Bd. S. 1—1142.) Regensburg 883. 86. . Verlags-Anstalt. à — 50

— der christlichen Alterthümer. Unter Mitwirkg. mehrerer Fachgenossen bearb. u. hrsg. v. F. X. Kraus. Mit zahlreichen, zum grössten Theil Martigny's Dictionnaire des antiquités chrétiennes entnommenen Holzschn. 8—18. (Schluss-)Lfg. Lex.-8. (2. Bd. 1019 S.) Freiburg i/Br. 883—86. Herder. à n. 1. 80 (cplt.: n. 32. 40; geb. n. 38. —)

— des Erziehungs- u. Unterrichtswesens nach katholischen Prinzipien. Unter Mitwirkg. v. geistl. u. weltl. Schulmännern f. Geistliche, Volksschullehrer, Eltern u. Erzieher bearb. u. hrsg. v. Herm. Rolfus u. Adph. Pfister. 5. Bd. Ergänzungsbd., bearb. v. Herm. Rolfus. gr, 8. (III, 404 S.) Mainz 884. Kupferberg. 5. 20 (cplt.: 33. 25)

— der gesammten Heilkunde. Medicinisch-chirurg. Handwörterbuch f. prakt. Aerzte. Hrsg. v. Alb. Eulenburg. Mit zahlreichen (eingedr.) Illustr. in Holzschn. 121—150. (Schluss-)Hft. Lex.-8. (13. Bd. 690, 14. Bd. 708 u. 15. Bd. 676 S.) Wien 883. Urban & Schwarzenberg. à n. 1. 50

— dasselbe. 2. Aufl. 1—70. Lfg. Lex.-8. (1. Bd. 726, 2. Bd. 715, 3. Bd. 711, 4. Bd. 707, 5. Bd. 723, 6. Bd. 707 u. 7. Bd. 706 S.) Ebend. 885. 86. à n. 1. 50

— der gesammten Pharmacie. Handwörterbuch f. Apotheker, Aerzte u. Medicinalbeamte. Unter Mitwirkg. v. Ascherson, v. Basch, Becker etc. Hrsg. v. Ewald Geissler u. Jos. Moeller. Mit zahlreichen Illustr. in Holzschn. 1—23. Lfg. gr. 8. (1. Bd. VI 718 S. u. 2. Bd. S. 1—384.) Ebend. 886. à n. 1. —

— für protestantische Theologie u. Kirche. Unter Mitwirkg. vieler protestant. Theologen u. Gelehrten in 2. durchgängig verb. u. verm. Aufl. begonnen v. J. J. Herzog u. G. L. Plitt, fortgeführt v. Alb. Hauck. 107—170. Hft. Lex.-8. (11. Bd. S. 465—806 u. 12. Bd. 804, 13. Bd. 806, 14. Bd. 806, 15. Bd. 850, 16. Bd. 869 u. 17. Bd. S. 1—789.) Leipzig 883—86. Hinrichs' Verl. à n. 1. —

Realgymnasium, das, zu Aschersleben unter dem Direktorate d. Hrn. Dr. Ludw. Hüser. Ein Erinnerungsblatt. 4. (109 S.) Aschersleben 885. (Schnock.) n. 1. 50

Realienbuch, illustriertes. Leitfaden f. Geschichte, Geographie, Naturgeschichte u. Naturlehre. Bearb. f. kathol. Volks- u. Bürgerschulen. Mit 182 in den Text gedr. Abbildgn. u. 3 Karten in Farbendr. 3 Tle. in 1 Bd. 3., resp. 28. u. 30. Aufl. gr. 8. (80, 64 u. 112 S.) Gera 886. Th. Hofmann. n. — 75; Einbd. n.n. — 25

— für katholische Volksschulen. In anschaulich-ausführl. Darstellg. Hrsg. v. mehreren Schulmännern. 4 Tle. gr. 8. Breslau 885. Goerlich. n. 1. 20; in 1 Bd. geb. n. 1. —; Einbd. n n. — 20

1. Geographische Bilder. (88 S.) n. — 30
2. Geschichtsbilder. (80 S.) n. — 30
3. Naturgeschichtliche Bilder. (104 S.) n. — 40
4. Naturlehre. (30 S.) n. — 20

— neues f. alle Volksschulen d. deutschen Reiches. 70., nach den neuesten Ministerial-Bestimmgn. üb. Rechtschreibg. verb. u. bedeutend verm. Aufl. 8. (64 S.) Potsdam 883. E. Stechert. n. — 30

Realschulen, die, in Bayern u. ihre Gegner. Ein Versuch zur Verständigg. üb. die Realschulfrage. gr. 8. (VII, 127 S. m. 1 Tab.) München 883. Kaiser. n. 1. 80

— die, in Bayern u. ihre Gegner. Ein Wort zum Schutze der Volksschulen. Hrsg. vom bayr. Volksschullehrer-Verein. 2. Aufl. gr. 8. (70 S.) Nürnberg 884. (Leipzig, Böhme.) n. — 50

Reatz, Carl Ferd., das gemeine deutsche Civilrecht auf römisch-rechtlicher Grundlage in Form e. Gesetzbuchs. 2. Bd. 4. Buch. Das Obligationenrecht. gr. 8. (XV, 302 S.) Darmstadt 886. Bergsträßer. n. 6. —

Der 1. Bd. u. 2. Bd. 1—3. Buch erscheinen später.

Reatz, Carl Ferd., das Seerecht, s.: Lewis.

Rebattu, A., Materialien f. liturgische Gottesdienste, s.: Haupt, C.

Rebau's, H., Naturgeschichte der Säugethiere. [Aus: „Naturgeschichte der 3 Reiche, 8. Aufl."] Bearb. v. G. Jäger u. Weinland. Mit 8 fein col. Taf. Lex.-8. (308 S.) Stuttgart 884. Thienemann. geb. n. 5. —

Rebbeling, Louis, theoretisch-praktisches Hülfsbuch f. e. methodischen Gesangunterricht in unteren Gymnasial-Klassen u. Bürgerschulen, od. 100 nach den Takt- u. Tonarten geordnete Lieder, verbunden m. ihrer musikal. Grundlage, bearb. u. zusammengestellt. 7. Aufl. 8. (86 S.) Braunschweig 885. Bruhn's Verl. n. — 60

Rebber, Wilh., allgemeine Gesichtspunkte f. das Entwerfen v. Maschinen u. Maschinenelementen, nebst e. Anh.: Das Maschinen-Zeichnen. Mit 14 lith. Taf. gr. 4. (IV, 28 S.) Ludwigslust 886. Hinstorff's Sort. n. 2. 80

Rebbert, Jos., Kardinal Johannes Fisher u. Großkanzler Thomas Morus, zwei Charakterbilder aus der englischen Reformationszeit. Ein Vortrag. 2. Aufl. Mit e. Nachtrage üb. Lutherfeier, St. Josephspfennig u. Gebetsverein f. Deutschland. 12. (56 S.) Paderborn 888. Bonifacius-Druckerei. — 25

— Neuregelung d. Dritten Ordens vom hl. Franciscus durch Papst Leo XIII. Wortlaut der päpstl. Konstitution vom 30. Mai 1883. Mit e. Schlußwort u. der neuen Formel f. die Generalabsolution. Ein Zusatzbüchlein zu allen seither erschienenen Regelbüchern. 16. (32 S.) Ebend. 883. — 15

Rebe, Maria, Aschenbrödel. Kurze Anleitg. zum Kochen f. einzelne in der Zeit beschränkte Leute. gr. 8. (24 S.) Karlsruhe 884. Reiff. n. — 30

— unter einem Dach. 8. (245 S.) Ebend. 883. n. 2. —; geb. n. 2. 75

— goldene Hauben. Federzeichnungen aus dem Elsaß. gr. 8. (134 S.) Gotha 884. F. A. Perthes. n. 1. 60

— die Haushaltungskunde u. ihre Stellung zu dem Unterricht in den weiblichen Handarbeiten, nebst e. Anh. speziell f. die Küche der Lehrerin. 2. Aufl. gr. 8. (XXVI, 184 S.) Ebend. 885. n. 3. —

— am Herd. Mit e. Einschaltg.: „Über Kinderpflege" v. Biedert. 8. (109 S.) Ebend. 886. n. 1. 20

— Schwarzbrot. Elsässer Erzählgn. f. Kinder. Mit 4 Illustr. 8. (VII, 152 S.) Ebend. 886. cart. n. 2. —

— am Strengbach. 8. (VII, 205 S.) Karlsruhe 886. Reiff. n. 2. —; geb. n. 2. 75

— Elsässer Zuckerdings f. kleine Schnäbelchen. Mit 11 Illustr. v. H. Schmidt. 8. (VII, 112 S.) Ebend. 886. cart. n. 3. —

Reben am Weinstock. Lebensbilder aus allen Zeiten der christl. Kirche. Hrsg. v. Gust. Peyer, Ernst Miescher, Carl Pestalozzi, Johs. Schnyder. 1. u. 2. Bdchn. 8. Basel 885. Detloff. à n. — 90

1. Die St. Gallische Kaufmannsfrau Anna Schlatter. Ein christl. Lebensbild v. Ernst Miescher. (VIII, 110 S. m. Lichtdr.-Portr.)
2. Stephan Serres u. Johanna Terrasson. Zwei Glaubenszeugen aus der Zeit der Hugenottenverfolgg. Von Gust. Peyer u. Carl Pestalozzi. (X, 120 S.)

Reben, E., das Summarverfahren, f. Nichtjuristen kurzgefaßt u. leichtverständlich besprochen. gr. 16. (40 S.) Wien 885. Künast. n. — 60

Reber, F. v., s.: Album der Ruinen Roms.

— Geschichte der neueren deutschen Kunst. Nebst Excursen üb. die parallele Kunstentwicklg. der übrigen Länder german. u. roman. Stammes. Unter Mitwirkg. v. F. Pecht bearb. 2. Aufl. 3 Bde. gr. 8. (VI, 374; 382 u. 499 S.) Leipzig 884. Haessel. n. 20 —; geb. n. 26. —

— Kunstgeschichte d. Mittelalters. gr. 8. (XXXIII, 652 S. m. 422 Abbildgn.) Leipzig 885. T. O. Weigel. n. 16. —

Reber, Osk., Taschenbuch d. bayerischen Fischereirechts.

16. (X, 186 S. m. 1 Tab.) München 885. Stahl sen. cart. n. 1. 60

Rebling, O., Lateinisches u. Romanisches. gr. 8. (5 S.) Wesel 882. (Kühler.) n. — 40

Rebs, Alex., Anleitung zum Lackiren v. Streichinstrumenten, sowie zur Herstellung der dabei zu verwendenden Beizen, Firnisse u. Lacke. gr. 8. (II, 41 S.) Leipzig 884. Exped. der Zeitschrift f. Instrumentenbau. n. — 75

Rebstein, J., Bericht üb. das Katasterwesen der Schweiz, s.: Amrein, K. C., Bericht üb. Gruppe 36 der schweizerischen Landesausstellung Zürich 1883: Kartographie.

Receptformeln der medicinischen Klinik zu Leipzig, nebst Maximaldosen, Curort- u. Heilquellen-Verzeichniss. 3. Aufl. 12. (XI, 26 S. m. 1 Tab.) Leipzig 883. Lorentz. geb. n. 1. —

Recept-Taschenbuch, klinisches, f. praktische Aerzte. Sammlung der an den Wiener Kliniken gebräuchl. u. bewährtesten Heilformeln. 3. Aufl. 16. (XIV, 230 S.) Wien 886. Urban & Schwarzenberg. geb. n. 2. —

Rechberger v. Rechkron, J. Ritter, spanischer Successions-Krieg, Feldzug 1709, s.: Feldzüge d. Prinzen Eugen v. Savoyen.

Rechen-Aufgaben f. Volksschulen. Hrsg. v. e. Vereine v. Lehrern. 3 Hfte. 8. Potsdam 885. Rentel's Verl. n. — 40

1. 15. Aufl. (16 S.) n. — 10. — 2. 10. Aufl. (16 S.) n. — 10. — 3. 8. Aufl. (33 S.) n. — 20

Rechenbuch, Essener, f. Volksschulen. Hrsg. vom Essen-Werden-Mülheimer Lehrer-Verein. 6 Hfte. 8. Essen 885. 86. (Bädeker.) geb. n.n. 2. 10

1. Für Unterklassen. 18. Aufl. (24 S.) n.n. — 20
2. Für Unterklassen. 23. Aufl. (34 S.) n.n. — 25
3. Für Mittelklassen. 1. Hft. 20. Aufl. (64 S.) n.n. — 35
4. Für Mittelklassen. 2. Hft. 16. Aufl. (S. 65—104.) n.n. — 30
5. Für Oberklassen. 1. Hft. 15. Aufl. (60 S.) n.n. — 45
6. Für Oberklassen. 2. Hft. 12. Aufl. (96 S.) n.n. — 55

— Kölner. Hrsg. vom Lehrervereine zu Köln. 1—4. Tl. 8. Köln, Du Mont-Schauberg. n. 2. 35; geb. n. 2. 85

1. 21. Aufl. (82 S.) 885. n. — 45; geb. n. — 55
2. 23. Aufl. (152 S.) 885. n. — 70; geb. n. — 85
3. 15. Aufl. (131 S.) 886. n. — 70; geb. n. — 85
4. 13. Aufl. (83 S.) 883. n. — 50; geb. n. — 60

— dasselbe. Antworten. 3. Aufl. 8. (VIII, 91 S.) Ebend. 884. n. 1. 30

— niederrheinisches, f. Volksschulen. Genehmigt v. der königl. Regierg. zu Düsseldorf. Hrsg. v. den vereinigten Lehrer-Wittwen-, Waisen- u. Unterstützungskassen zu Barmen, Duisburg-Ruhrort, Elberfeld, Gladbach-Grevenbroich, Mettmann, Moers, Mülheim-Kettwig, Remscheid, Solingen, Düsseldorf u. Duisburg. 1—4. Hft. 8. Ruhrort 885. (Andreae & Co.) geb. n.n. 1. 70

1. (40 S.) n.n. — 30. — 2. (64 S.) n.n. — 40. — 3. 4. (à 96 S.) à n.n. — 50

— dasselbe. Antworten zum 2—4. Hft. 8. Ebend. 886. geb. n. 1. 70

2. (8 S.) n. — 50. — 3. (32 S.) n. — 60. — 4. (24 S.) n. — 60

— Siegener. Nr. 1—3 u. 4a. 8. Siegen 884. Montanus. n. — 85

1. Rechenfibel. 1. Abtlg. 7. Aufl. (16 S.) n. — 15
2. Dasselbe. 2. Abtlg. 6. Aufl. (32 S.) n. — 25
3. Aufgaben f. das praktische Rechnen. 1. Hft. 6. Aufl. (28 S.) n. — 20
4a. Dasselbe. 2. Hft. 6. Aufl. (28 S.) n. — 25

— für Volksschulen. 1. u. 2. Hft. Hrsg. v. Lehrern Crefelds. 8. Crefeld 884. 86. (Klein.) geb. n.n. — 80

1. 7. Aufl. (56 S.) n.n. — 30. — 2. 5. Aufl. (96 S.) n.n. — 50

Rechenhelfer, der, von 1 Pfennig bis zu 3 Mark u. zwar von $^{1}/_{10}$ bis zu 3000 Stück, Meter, Kilogramm, Schicht, Tag od. sonst etwas, worin man sogleich finden kann, wie viel mehrere Stücke ꝛc. betragen, wenn der Preis e. Stückes ꝛc. so u. so viel ist. 12. (300 S.) Kattowitz 883. Siwinna. geb. 1. 50

Rechenknecht, vollständigster, zuverlässigster Schnell-Rechner u. Zinsen-Tabelle von 1—5000 Mark zu $^{1}/_{2}$—7 pro Cent f. Jahr, Monat u. Tag. Ein unentbehrl. Hülfsbuch f. alle Geschäfte u. alle Haushaltgn. gr. 16. (III, 111 S.) Breslau 885. Aderholz. n. 1. —

Rechnen, das, in der Elementarklasse. Die Zahlen von 1—20, im Anschluß an Lieb-Seyfferth-Tillmanns Rechenschule f. die Hand d. Lehrers bearb. 8. (IV, 86 S.) Nürnberg 886. Korn. n. — 80

Recht, das, auf Arbeit. Eine Wahlflugschrift v. H. M. v. N. 1—5. Tausend. gr. 8. (40 S.) Leipzig 884. Renger. n. — 60

— das, auf Arbeit u. seine Verwirklichung. Von e. Parteilosen. gr. 8. (45 S.) Leipzig 884. G. Wolf. n. 1. —

— auf Benützung der Wasser nach bayerisch-pfälzischer Gesetzgebung. Von e. pfälz. Juristen. gr. 8. (24 S.) Mannheim 885. Bensheimer. n. — 50

— das, der Frau. Das Vermächtniß e. Unglücklichen an ihre Mitschwestern. Gedanken u. Vorschläge aus dem Nachlaß e. Verstorbenen. gr. 8. (117 S.) Zürich 885. Verlags-Magazin. n. 1. 50

— das gute, der Schweiz auf die nordsavoyischen Provinzen. gr. 8. (15 S.) Leipzig 886. Duncker & Humblot. n. — 80

— dasselbe. 2. Aufl. gr. 8. (36 S.) Ebend. 886. n. — 80

— das historische, unserer evangelischen Kirche Augsb. Konfession gegenüber den Beeinträchtigungen dieses Rechts u. den falschen Behauptungen der Liberalen. 2. Aufl. gr. 8. (42 S.) Straßburg 883. (Bomhoff.) n. — 40

— das, der Minorität. Von Gf. L. W. gr. 8. (32 S.) Wien 884. Faesy. n. — 80

— das, der Wiedergewonnenen. gr. 8. Berlin 883. Walther & Apolant. n. 2. —

1. Kann e. im Deutschen Reiche erscheinenden Zeitung der Eintritt u. die Verbreitung in Elsaß-Lothringen nach dort geltendem Rechte versagt werden? — 2. Der s. g. Dictaturparagraph. — 3. Die Immunität. — 4. Anomalien. — 5. Vorbedingungen der Gleichstellung. — 6. Das Recht d. Reichslandes. (130 S.)

Rechte, die gegenwärtigen, der gewerblichen Arbeiter. [Gesellen, Gehilfen, Lehrlinge, Fabrik-Arbeiter.] Nebst e. Verzeichniß der Namen der deutschen Fabrik-Inspektoren u. Bergrevier-Beamten u. ihrer Aufsichts-Bezirke. 12. (40 S.) München 885. Ernst. — 15

Rechtsbeistand, der. Sammlung populärer Rechtsbücher. 1. Bd. 1—8. Lfg. gr. 8. Hannover 884—86. Norddeutsche Verlagsanstalt. à n. — 50

Das kaufmännische Recht d. Deutschen Reiches. Ein Hand- u. Lehrbuch f. Laien. Mit Beispielen, Mustern, Formularen, Registern ꝛc. Von C. Heuser. (X, 361 S.)

— der, im Geschäft u. Haus. Ein prakt. Rathgeber f. die deutsche Geschäftswelt in allen Angelegenheiten d. geschäftl. Verkehrs u. bei Prozessen ꝛc., m. allen zur Anwendg. komm. Formularen ꝛc. nach amtl. Quellen. gr. 8. (XXV, 1068 S. m. 199 S. Formularen.) Berlin 886. Bruer & Co. geb. n. 12. 75

Rechtsbuch f. Hausbesitzer. Die den Hausbesitzer betr. Rechts-Grundsätze d. Privat- u. öffentl. Rechts im Gebiete d. Allgemeinen Landrechts f. die Preuß. Staaten, dargestellt v. e. preuß. Amtsrichter. 2. Aufl. Mit Anh., enth. die Abändergn. d. Grundbuch- u. Hypothekenrechts durch das Gesetz vom 13. Juli 1883 betr. die Zwangsvollstreckg. in das unbewegl. Vermögen. 8. (VII, 173 S.) Breslau 884. Koebner. cart. n. 2. —

— für Landwirthe. Die den Landwirth betr. Rechts-Grundsätze d. Privat- u. öffentl. Rechts im Gebiete d. Allgemeinen Landrechts f. die preußischen Staaten, dargestellt v. e. preuß. Richter. 8. (VII, 222 S.) Ebend. 884. cart. n. 2. —

Rechtschreibebüchlein. Regel- u. Wörterverzeichnis f. die Rechtschreibg. u. Zeichensetzg. zur Erzielg. e. einheitl. Orthographie in den deutsch-schweizer. Schulen. Bearb. im Auftrage d. schweizer. Lehrervereins. 3. Aufl. gr. 8. (56 S.) St. Gallen 883. Scheitlin & Zollikofer. cart. n.n. — 50

— schweizerisches. Regeln u. Wörterverzeichnis. Mit steter Berücksicht. der Abweichgn. der preussisch-deutschen Orthographie. Hrsg. auf Veranlassg. d. Vereins schweizer. Buchdruckereibesitzer. gr. 8. (40 S.) Basel 886. Schwabe. cart. n.n. — 50

Rechtschreibung u. **Sprachlehre** in Beispielen, Regeln u. Übungen f. Elementarschulen. Ein Hilfsbüchlein f. die Schüler der Mittel- u. Oberstufe. Hrsg. vom Lehrer-Verein zu Köln. 5. Aufl. 8. (II, 83 S.) Köln 886. Du Mont-Schauberg. geb. n.n. — 50

Rechtsfälle ohne Entscheidungen. Ein jurist. Uebungsbuch zum akadem. Gebrauche wie f. das Selbststudium. gr. 8. (III, 82 S.) München 885. Th. Ackermann's Verl. n. 1. 40

Rechts-Kalender, neuer, der schweizerischen Eidgenossenschaft, enth.: die f. den Verkehr wichtigsten Vorschriften d. Civil- u. Prozessrechtes, das eidgenöss. Obligationenrecht, die Organisation der Justiz- u. Verwaltungsbehörden u. das Verzeichniss der praktizir. Rechtsanwälte. Hrsg. v. F. Schlatter. 2. Aufl. 5—8. [Schluss-]Lfg. gr. 8. (IV u. S. 385—746.) Zürich 883. Schulthess. à 1. 20 (cplt.: 8. 80)

Rechts- u. Gesetzes-Kalender, landwirthschaftl., d. Nassauischen Bauern-Vereins f. d. J. 1883. 2. Jahrg. 8. (96 S.) Rüdesheim 883. (Wiesbaden, Moritz & Münzel.) n n. — 30

Rechtsnormen, die, üb. den Verkehr der k. k. österreichischen Gerichte m. auswärtigen Behörden in Civilrechts-Angelegenheiten. Zusammengestellt im Auftrage d. k. k. österreich. Oberlandesgerichts-Präsidiums. 8. (145 S.) Wien 885. Manz. cart. n. 1. 20

Rechtsprechung, die, d. k. k. obersten Gerichtshofes aus dem J. 1883 in Civil-, Handels- u. Wechselsachen, einschliesslich der Advocaten- u. Notariatsordnung, gesammelt aus allen deutschen u. nichtdeutschen Fach-Zeitschriften. 2 Bde. 8. (X, 1654 S.) Wien 886. Perles. n. 18 —; geb. n. 21. —

— des deutschen Reichsgerichts in Strafsachen. Hrsg. v. den Mitgliedern der Reichsanwaltschaft. 5—8. Bd. à 24 Nrn. (2 B.) gr. 8. München 883—86. Oldenbourg. à Bd. n. 9. —

Rechts-Schutz. Freisinniges Organ zur Belehrg. u. Aufklärg. auf dem Gebiete d. Rechtswesens, sowie zur populären Beurtheilg. richterl. Entscheidgn. 2c. Red.: J. Fränkel. 5—8. Jahrg. 1883—1886. à 52 Nrn. (B.) gr. 4. Berlin, (Schildberger). à Jahrg. n. 6. —

— Organ d. internationalen Juristen-Vereins f. Oesterreich-Ungarn. Red. u. Hrsg.: Frz. v. Kreith. 1. Jahrg. 1884. 12 Nrn. (B.) gr. 8. Wien, C. Schmid. n. 8. —

Rechtsverhältniss der k. k. Postanstalt zu den Eisenbahnen in Österreich. Bearb. im Post-Cours-Bureau d. k. k. Handels-Ministeriums. 2. Aufl. gr. 8. (XXII, 159 S.) Wien 886. Hof- u. Staatsdruckerei. n. 1. 60

Rechtsverhältnisse, die, zwischen Herrschaft u. Gesinde. Die allgemeine Gesinde-Ordng. der preuß. Monarchie vom 8. Novbr. 1810, ergänzt durch die einschläg. Bestimmgn. der neueren Gesetze, Verordgn. u. Ministerial-Rescripte 2c. u. unter Berücksicht. der neuesten Rechtsprechg. 7. Aufl. Neu bearb. v. Alb. Bardenhorth. 8. (64 S.) Berlin 884. Grosser. cart. n. — 50

— die, der Pfälzischen Schule. gr. 8. (IV, 142 S.) Kaiserslautern 885. Crusius. cart. n. 1. 80

Recke, Baron C., die baltische Agrarreform u. Hr. Prof. Kawelin. gr. 8. (31 S.) Reval 883. Kluge. n. 1. —

Recke, Elisa v. der, s.: Brunier, L.

Recklinghausen, Frdr. v., die historische Entwicklung d. medicinischen Unterrichts, seine Vorbedingungen u. seine Aufgaben. Rede. Lex.-8. (32 S.) Strassburg 883. Schmidt. — Trübner. n. — 80

— Handbuch der allgemeinen Pathologie d. Kreislaufs u. der Ernährung, s.: Chirurgie, deutsche.

— Untersuchungen üb. die Spina bifida. Mit 2 Taf. u. 1 Zinkogr. gr. 8. (170 S.) Berlin 886. G. Reimer. n. 3. —

Recknagel, Geo., ebene Geometrie f. Schulen. 3. Aufl. gr. 8. (X, 208 S. m. Fig.) München 885. Th. Ackermann's Verl. n. 2. —

— Kompendium der Exerimental-Physik. 2. Aufl. 2 Tle. gr. 8. (1. Tl. XI, 365 S. m. Holzschn.) Kaiserslautern 887. Tascher. n. 15. —; in 1 Bd. geb. n. 17. —

1. Einzelpr. n. 6. 50. — 2. Einzelpr. n. 9. 50

— die Probe der Addition, Subtraktion, Multiplikation u. Division, f. Lehrer u. Schüler, Kaufleute, Beamte 2c. gemeinverständlich dargestellt. 8. (23 S.) Ebend. 884. n. — 50

Reclam, Carl, d. Weibes Gesundheit u. Schönheit. Aerztliche Rathschläge f. Frauen u. Mädchen. Mit zahlreichen Holzschn. 2. Aufl. gr. 8. (X, 472 S.) Leipzig 888. C. F. Winter. n. 5. —; geb. n.n. 6. 25

Recueil des dispositions actuellement en vigueur concernant la garantie et le contrôle officiels du titre des ouvrages d'or et d'argent en Suisse. Publication du département fédéral du commerce et de l'agriculture. 8. (III, 150 S.) Bern 885. Fiala. n. 1. 60

Recueil de renseignements sur le régime postal en vigueur dans le service interne des pays de l'union postale universelle. Publié par le bureau international des postes Mai 1882. Imp.-4. (VI, 69 S.) Bern 882. (Jenni.) n.n. 3. 20

— des traités et conventions conclus par l'Autriche avec les puissances étrangères, depuis 1763 jusqu'à nos jours. Par Leop. Neumann et Adolphe de Plason. Tome XVI et XVII. [Nouvelle suite tome X et XI.] gr. 8. Wien, Steyrermühl. 50. — (I—XVII.: n. 191.—)

XVI. (X, 1212 S.) 883. n. 30.— — XVII. (1227 S.) 884. n. 30.—

— manuel et pratique de traités et conventions, sur lesquels sont établis les relations et les rapports existant aujourd'hui entre les divers états souverains du globe, depuis l'année 1760 jusqu'à l'époque actuelle. Par Ch. de Martens et Ferd. de Cussy. 2. série par F. H. Geffcken. Tome 1. 1857—1869. gr. 8. (VIII, 663 S.) Leipzig 885. Brockhaus. n. 12. —

— dasselbe. Tome 2. 1870—1878. gr. 8. (799 S.) Ebend. 887. n. 15. — (I—II, 2.: n. 67. —)

— nouveau, général de traités et autres actes relatifs aux rapports de droit international. Continuation de grand recueil de G. Fr. de Martens par Charles Samwer et Jules Hopf. 2. série. Tome VII. 3. livr. gr. 8. (S. 513—727.) Göttingen 883. Dieterich's Verl. n. 8. — (Tome 7. cplt.: n. 28. —)

— dasselbe. 2. série. Tome VIII. gr. 8. (767 S.) Ebend. 883. n. 29. —

— dasselbe. 2. série. Tome IX. gr. 8. (774 S.) Ebend. 884. n. 30. —

— dasselbe. 2. série. Tome X. gr. 8. (IV, 823 S.) Ebend. 885. 86. n. 31. —

Redarès, M., die Kaninchenzucht od. Anleitg., m. geringen Kosten u. Raumersparnis durch rationelles Verfahren e. rentables Unternehmen zu begründen. Aus dem Franz. Bearb. u. nach neueren Quellen u. Erfahrgn. wesentlich umgestaltet v. Rob. Oettel. 6. Aufl. Mit 1 Taf. Abbildgn. 8. (IV, 109 S.) Weimar 885. B. F. Voigt. 1. 50

Reddersen, H. D., Erzählungen aus der biblischen Geschichte, s.: Müller, K.

— zur Reform der stadtbremischen Waisenpflege. gr. 8. (39 S.) Bremen 885. v. Halem. — 75

Reddie, Cecil, üb. das Verhalten d. Anhydroacetmetaparatoluylendiamins gegen Brom u. gegen Salpetersäure. gr. 8. (33 S.) Göttingen 884. (Vandenhoeck & Ruprecht.) n. — 80

Reden, ausgewählte, englischer Staatsmänner, s.: Schulbibliothek, französische u. englische.

— bei der Begräbniß-Feier d. General-Superintendenten v. Pommern Hrn. Dr. A. S. Jaspis am 23. Decbr. 1885, geh. v. Küper u. Brandt u. Rübesamen. 8. (22 S.) Stettin 886. v. der Nahmer. n. — 40

— zur Feier d. 400. Geburtsfestes Luthers, geh. bei Enthüllg. d. Reformations-Denkmals zu Leipzig von den Herren Georgi, Fricke, u. bei der Abendfeier auf dem Marktplatze daselbst v. Hrn. Evers am 10. Novbr. 1883, sowie bei den Festversammlgn. in den 3 Sälen d. Krystall-Palastes u. in dem Bonorand'schen Saale zu Leipzig am 11. Novbr. 1883 v. den Herren Baur, v. Criegern, Evers, Fricke, Hartung, Hempel, Luthardt, Pank, Pfalz, Alb. Richter, Richter, Suppe u. Vogel. 3. Aufl. Nach authent. v. den betr. Herren Rednern durchgesehenen Niederschriften. gr. 8. (96 S.) Leipzig 883. Hahn's Verl. n. — 60

— geh. am 25. Jänner 1884 in der XV. Plenar-Versammlung d. österreichischen Reformvereines zu Wien. gr. 8. (35 S.) Wien 884. Vetter. n. — 30

— u. Predigten beim Begräbnis J. W. G. Vilmar's, 1. Pfarrers der Gemeinde Melsungen u. Metropolitans der Klasse Melsungen, am 10. Decbr. 1884. gr. 8. (69 S.) Kassel 885. Klaunig. n. — 50

Redenbacher, Thdr., Angriff u. Abwehr bezüglich e. am 2. Novbr. 1884 in der St. Petrikirche zu Kulmbach geh. Reformationsfest-Predigt. 8. (18 S.) Kulmbach 885. Wanderer. n. — 20

Redenbacher, Wilh., Betrachtungen zu Leichenbegängnissen. 3. Aufl. gr. 8. (VII, 307 S.) Ansbach 885. Junge. n. 4. —; geb. n. 4. 75
— des englischen Kapitäns Cook berühmte drei Reisen um die Welt. Für die Jugend. 7. Aufl. 8. (VIII, 218 S). m. Illustr.) Eßlingen 886. Schreiber. geb. n. 2. —
— s.: Luther, Dr. Martin, od. kurze Reformations-Geschichte.
— kurze Reformations-Geschichte, erzählt f. Schulen u. Familien. Neue Aufl. m. 33 Illustr. 175. Tausend. gr. 8. (80 S.) Calw 884. Vereinsbuchh. n.n. — 50
Redenhall, E., der Präsident, s.: Novellen-Bibliothek, criminalistische.
Reder, Heinr. v., Feder-Zeichnungen aus Wald u. Hochland. 2. Aufl. 8. (XII, 227 S.) München 885. Heinrichs. geb. n.n. 5. —
Redes, Frz., die wahre Ursache der Vegetabilien-Krankheiten, insbesondere der Kartoffelkrankheit. Eine auf langjähr. Beobachtg. gegründete Untersuchg. 2. Aufl. gr. 8. (VIII, 111 S.) Berlin 884. (Nicolai's Verl.) n. 1. 50
Reding-Biberegg, Rud. v., üb. die Frage der Cultussteuern u. Vorschläge f. e. diesbezügliches Bundesgesetz, gestützt auf Art. 49 alinea 6 der schweizer. Bundesverfassg. Gekrönte Preisschrift. gr. 8. (III, 111 S.) Basel 885. Detloff. n. 2. —
Redlich, Jak., biblische Geschichte f. die israelitische Jugend der Volks- u. Bürgerschulen. 1. Thl. 2. Aufl. 8. (52 S.) Wien 884. Manz. cart. n. — 48
Redlich, O, die Traditionsbücher d. Hochstifts Brixen, s.: Acta Tirolensia.
Redtenbacher, Jos., vergleichende Studien üb. das Flügelgeäder der Insecten. Mit 12 lith. Taf. Lex.-8. (79 S. m. 12 Bl. Erklärgn.) Wien 886. Hölder. n. 10. —
— Übersicht der Myrmeleoniden-Larven. [Mit 7 (Lichtdr.-)Taf.] Imp.-4. (36 S.) Wien 884. (Gerold's Sohn.) n. 4. 60
Redtenbacher, Rud., die Architektonik der modernen Baukunst. Ein Hülfsbuch bei der Bearbeitg. architekton. Aufgaben. Mit 895 Fig. in Holzschn. Lex.-8. (XXVI, 299 S.) Berlin 883. Ernst & Korn. n. 10. —
— die Architektur der italiänischen Renaissance. Entwicklungsgeschichte u. Formenlehre derselben. Ein Lehr- u. Handbuch f. Architekten u. Kunstfreunde. gr. 8. (XVI, 568 S. m. Fig.) Frankfurt a/M. 886. Keller. In Leinw. cart. n. 8. 40
Reductions-Tabelle, kurze, der Maßstäbe, welche in der deutschen Reichsarmee gebräuchlich sind. 32. (7 S.) Metz 885. Scriba. n.n. — 20
Reductions-Tabellen v. deutschen Reichsmark in holländische Gulden u. umgekehrt. 8. (4 S. auf Carton.) Ruhrort 886. Andrae & Co. n. — 15
Redwitz, Osc. v., Amaranth. 36. Aufl. 8. (XXIV, 300 S.) Mainz 886. Kirchheim. geb. m. Goldschn. n. 5. 60
— ein deutsches Hausbuch. 5. Aufl. 8. (XX, 329 S.) Stuttgart 883. Cotta. geb. m. Goldschn. n. 6. —
— Odilo. 4., durch e. Einleitungsgedicht verm., Aufl. 8. (VIII, 362 S.) Ebend. 883. cart. n. 6. —
— Haus Wartenberg. Ein Roman. 5. Aufl. 8. (IV, 381 S.) Berlin 885. Hertz. n. 5. —; geb. n. 6. —
— Philippine Welser. Historisches Schauspiel in 5 Akten. 2. Aufl. 16. (160 S.) Mainz 883. Kirchheim. n. 2. 60; geb. n. 4. —
Redwood, Francis, die Gottheit Christi, bewiesen durch das Christenthum. Aus dem Engl. übers. v. Joh. Bapt. Hiendl. 8. (51 S.) Regensburg 883. Verlags-Anstalt. n. — 50
Rée, P. J., Peter Candid, sein Leben u. seine Werke, s.: Beiträge zur Kunstgeschichte.
Rée, Paul, die Entstehung d. Gewissens. gr. 8. (V, 253 S.) Berlin 885. C. Duncker. n. 4. —
— die Illusion der Willensfreiheit. Ihre Ursachen u. ihre Folgen. gr. 8. (III, 54 S.) Ebend. 885. n. 1. —
Reeb, Wilh., Rechenbuch. Für höhere Lehranstalten, Mittel- u. Bürgerschulen bearb. 1—3. Kurs. gr. 8. Mainz. Diemer n. 3. 40

1. 2. Aufl. (IV, 118 S.) 885 n. 1. —
2. 3. Aufl. (IV, 118 S.) 886. n. 1. —
3. 3. Aufl. (192 S.) 882. n. 1. 40

Reeck, G., Eisenbahn-Güter-Tarif f. Berlin, enth. die f. den Verkehr zwischen Berlin einerseits u. deutschen, sowie niederländischen Eisenbahnstationen andererseits bestehenden reglementarischen, tarifarischen Bestimmungen u. Frachtsätze. Nach amtl. Quellen bearb. 2. Ausg. Ausg. am 1. Decbr. 1885. gr. 8. (VI, LXVI, 171 S.) Berlin 886. (Rothacker.) n.n. 5. 50; geb. n.n 6. —
Reents, R., praktische Anweisungen f. Holz- u. Marmormalerei nach französischer Methode. Ein Handbuch f. Fachmänner. 8. (16 S.) Augsburg 883. (Wolff.) n.n. — 30
Reepschläger, C. G., Liederkranz. Eine Sammlg. v. 275 ein-, zwei- u. dreistimm. Liedern, Motetten u. Chorälen, nebst Vorbemerkgn. üb. die Tonschrift u. e. Anh., enth. die gebräuchlichsten liturg. Chöre, f. Schule u. Haus. 5. Aufl. gr. 8. (146 S.) Berlin 886. Oehmigke's Verl. n. — 50
Reese, Rud., die staatsrechtliche Stellung der Bischöfe Burgunds u. Italiens unter Kaiser Friedrich I. gr. 8. (VIII, 118 S.) Göttingen 885. Akadem. Buchhandlg. n. 2. —
Reetzke, W., lectures choisies. Poésie et prose. Französisches Lesebuch. Zum Schulgebrauch. Mit e. Wörterbuche. 1. Tl. 10. Aufl. gr. 8. (IV, 140 S.) Berlin 885. Haude & Spener. n. — 80; Einbd. n.n. — 20
Reeves, Mrs. H., s.: Mathers, H.
Refesch, A., aus e. frohen Zeit! Studentenlieder. 2. Aufl. 8. (47 S.) Hannover 885. Meyer. n. — 50
Reform. Organ f. die Gesammtinteressen der deutschen Buchdrucker. Hrsg. vom Verein Leipziger Buchdruckergehülfen. Red.: G. Schube. 1. Jahrg. 1883. 52 Nrn. (1/2 B.) gr. 4. Leipzig, (Findel). n. 2. 60
— dasselbe. Red.: L. Schumann. 2. Jahrg. 1884. 52 Nrn. (1/2 B.) gr. 4. Ebend. n. 3. —
— norddeutsche. Satyrisches, humorist.-lyr., kritisch-raisonnir. Wochenblatt. Hrsg.: Arnold Schröder. Jahrg. 1885 u. 1886. à 52 Nrn. (1/2 B.) gr. 4. Oldenburg. (Varel, Bültmann & Gerriets Nachf.). à Jahrg. n. 4. —
— pädagogische. Red.: Harro Köhncke. 7—10. Jahrg. 1883—1886. à 52 Nrn. (B.) Fol. Hamburg, Boysen. à Jahrg. n. 6. —
— protestantische. Central-Organ der kirchl. Volkspartei. Red.: Kalthoff. Neue Folge, 4. Jahrg. 1884. 24 Nrn. (B.) gr. 8. Berlin 884. Volks-Zeitung. 3. —
Nur durch die Post zu beziehen.
cf.: Korrespondenzblatt f. kirchliche Reform.
— Zeitschrift des allgemeinen Vereins f. vereinfachte deutsche Rechtschreibg. Begründet v. F. W. Fricke, hrsg. v. Ed. Lohmeyer. 7—10. Jahrg. 1883—1886. à 12 Nrn. (à 1/2—1 B.) gr. 8. Norden, Soltau. à Jahrg. n. 2. 40
— die, d. ungarischen Oberhauses. gr. 8. (15 S.) Wien 885. (Braumüller.) n. — 40
— die, der russischen Universitäten nach dem Gesetz vom 23. Aug. 1883. gr. 8. (VII, 246 S.) Leipzig 886. Duncker & Humblot. n. 5. —
— die zahntechnische. Monatsschrift f. die Gesammt-Interessen der deutschen Zahntechniker. Red. u. hrsg. v. Gust. H. Pawelz. 3—6. Jahrg. 1883—1886. à 12 Hefte. gr. 8. (1. Hft. 64 S.) Berlin, (Bohne). à Jahrg. n.n. 7. —
Reformations-Blätter. Hrsg. u. Red.: Otto Hahn. 1. Jahrg. Oktbr. 1885 bis Septbr. 1886. 12 Nrn. (B.) gr. 4. Reutlingen, (Palm). n. 2. 60
Reformatorenbilder. Historische Vorträge üb. kathol. Reformatoren u. Martin Luther v. Konstantin Germanus. gr. 8. (XII, 327 S.) Freiburg i/Br. 883. Herder. n. 4. —
Reformblätter. Aus dem Kreise der ostdeutschen freien religiösen Gemeinden. Hrsg.: Th. Prengel. 4. Jahrg. 1883. 24 Nrn. (3/4 B.) gr. 8. Königsberg, (Braun & Weber). n. 4. —
— dasselbe. 5—7. Jahrg. 1884—1886. à 12 Nrn. (B.) gr. 8. Ebend. à Jahrg. n. 3. —
— schweizerische. Hrsg. im Namen d. kirchl. Reformvereins v. Bern v. H. Frank. [Der Reform 12—14., der bern. Reformblätter 17—19. Jahrg.] 1883—1885. à 52 Nrn. (1/2 B.) gr. 8. Bern, Schmid, Francke & Co. à Jahrg. n. 3. 50

Reformblätter, schweizerische. Hrsg. im Namen d. kirchl. Reformvereins v. Bern v. H. Frank. 20. Jahrg. 1886. 26 Nrn. (B.) gr. 8. Bern, Schmid, Francke & Co. n. 3. 50

Reformgedanken, militärärztliche. Ein Project f. das 20. Jahrh.! gr. 8. (35 S.) Wien 886. Szelinski. n. — 80

Reform-Kalender, neuer Hamburger, auf d. J. 1886. 26. Jahrg. gr. 8. (66 S. m. Illustr.) Hamburg, J. F. Richter. n. — 20

Reform-Zeitung, stenographische. Central-Organ der Stenographen-Vereine f. Faulmann's System. Hrsg. u. Red.: Karl Faulmann. 5. Jahrg. Octbr. 1884—Septbr. 1885. 12 Nrn. (B.) 12. Wien, (Bermann & Altmann.) n. 3. —
cf.: Zeitschrift f. Faulmann'sche Stenographen.

Regel, die neue, d. 3. Ordens vom hl. Franciscus f. Weltleute. Nach der Constitution Sr. Heil. Papst Leo XIII. vom 30. Mai 1883. Nebst e. kurzen Unterricht üb. den 3. Orden. 16. (24 S.) Einsiedeln 883. Benziger & Co. pro Dutz. 1. 80

Regel, F., die Entwickelung der Ortschaften im Thüringerwald, s.: Petermann's, A., Mitteilungen aus Just. Perthes' geographischer Anstalt.

Regel, Paul, Helmold u. seine Quellen. Inaugural-Dissertation. gr. 8. (55 S.) Jena 883. (Deistung.) n. 1. —

Regel- u. Gebetbuch, seraphisches, f. die Mitglieder d. 3. Ordens d. hl. Vaters Franziskus nach Verordnung Sr. Heil. d. Papstes Leo XIII. 8. (XVI, 702 S.) Augsburg 884. (Literar. Institut v. Dr. M. Huttler.) 1. 50; geb. n. 3. —

Regelbüchlein, neuestes, f. die Mitglieder d. 3. Ordens d. heil. Vaters Franziskus. Nach der neuesten Verordng. d. Papstes Leo XIII. Von e. Mitglied d. Kapuziner-Ordens. 4. Aufl. Ausg. I. 32. (XVI, 120 S.) Mainz 883. Kirchheim. — 30; geb n.n. — 50; Ausg. II. m. Anh.: Tagzeiten Mariä (XVI, 256 S.) — 50; geb. n.n. — 75

— für Ministranten. 7. Aufl. 16. (58 S.) Freiburg i/Br 886. Herder. n. — 12; geb. n.n. — 25

Regel- u. Gebetbüchlein f. die Brüder u. Schwestern d. 3. Ordens d. hl. seraphischen Vaters Franciscus, die in der Welt leben. 3. Aufl. Mit 1 Stahlst. 16. (VIII, 365 S.) Mainz 883. Faber. n. 1. —; geb. n. 1. 50

Regelmann, Flächeninhalt der Flussgebiete Württembergs. Ein Beitrag zur Hydrographie d. Landes. Hrsg. v. dem königl. statistisch-topograph. Bureau. Mit e. hydrograph. Uebersichtskarte. Lex.-8. (48 S.) Stuttgart 883. Aue's Verl. n.n. 2. —

Regeln üb. die Aufnahme v. Freiwilligen aller drei Kategorien in den Militärdienst. gr. 8. (III, 16 S.) Riga 885. Deubner. n. 1. —

— goldene, f. Braut u. Bräutigam od. wie sich junge Eheleute vor, bei u. nach der Hochzeit aufzuführen haben. Mit den 10 Ehestandsgeboten. 16. (16 S.) Leipzig 886. Bieweg. — 15

— praktische, f. Hebammen. 2. Aufl. (16 S.) Reval 884. Wassermann. n. — 50

— einer parlamentarischen Ordnung f. Vereine u. Versammlungen. Bearb. u. hrsg. v. der parlamentar. Gesellschaft. 8. (16 S.) Dresden 885. Goldstein. — 25

— 60, zur schnellen u. sicheren Erlernung der deutschen Rechtschreibung. 3. Aufl. 8. (12 S.) Breslau 884. Morgenstern's Verl. n. — 10

— u. **Wörterverzeichnis** f. die deutsche Rechtschreibung zum Gebrauch in den sächs. Schulen. Im Auftrage d. königl. Ministeriums d. Kultus u. öffentl. Unterrichts hrsg. [Generalverordnung vom 9. Oktbr. 1880.] 19. Aufl. 8. (64 S.) Dresden 886. Huhle. n.n. — 25

— — für die deutsche Rechtschreibung zum Gebrauch in den Schulen der evang. Landeskirche A. B. in Siebenbürgen. Hrsg. vom Landeskonsistorium. 8. (59 S.) Hermannstadt 882. (Michaelis.) n. — 60

— — für die deutsche Rechtschreibung zum Gebrauch in den württembergischen Schulen. Im Dezbr. 1883 amtlich festgestellt. 2. Aufl. gr. 8. (64 S.) Stuttgart 885. Metzler's Verl. n.n. — 25

— — dasselbe zum Gebrauche in den k. k. Militär-Bildungs-Anstalten u. Cadetenschulen. 3. Aufl. gr. 8. (76 S.) Wien 886. Seidel & Sohn. n. — 48

Regelung d. Sanitätswesens. XIV. Gesetzartikel v. J. 1876. gr. 8. (55 S.) Budapest 876. Ráth. n. 1. 20

Regener's, Emil, Jagdmethoden u. Fanggeheimnisse. Ein Handbuch f. Jäger u. Jagdliebhaber. Mit vielen Wittergn. u. m. 60 in den Text gedr. Abbildgn. v. Fang-Apparaten, Wildfährten, Fährtenstellungen u. Geweihen. 7. Aufl. Durchgesehen u. verb. von C. v. Schlebrügge. gr. 8. (XII, 259 S.) Potsdam 884. Döring. n. 5. —

Regeneration, die, der Wiener Börse. Praktische Reformvorschläge e. Financiers. gr. 8. (12 S.) Wien 883. (Gerold's Sohn.) n. — 80

Regenhardt's, C., Fabrikanten- u. Exportwaren-Lexikon. Illustrirter Führer durch die gesammte Industrie in Deutschland, Oesterreich-Ungarn u. der Schweiz. Mit steter Rücksicht auf die Erzeugnisse d. Auslandes, soweit solche sich üb. die Grenzen der eigenen Heimat hinaus Eingang verschafft haben. Als Anh.: Die Colonialwaren, ihre jenseit. Producenten u. diesseit. Importeure. 4—13. Lfg. gr. 4. (1. Abth. S. 129—422 u. 2. Abth. 1—96.) Berlin 883. 84. Regenhardt. à n. 1. —

— dasselbe. Adressbuch der Fabrikanten u. Grosshandlungen in Deutschland, Oesterreich-Ungarn u. der Schweiz. Mit steter Rücksicht auf die Erzeugnisse d. Auslandes, soweit solche üb. die eigene Heimat hinaus Eingang gefunden haben. Mit e. Anh.: Die Colonialwaren, ihre jenseit. Ex- u. diesseit. Importeure. 3 Abthlgn. in 1 Bd. gr. 4. (XVI, 422; 306 u. 108 S.) Ebend. 885. In Halbldr. geb. n. 20. —

— Geschäftskalender f. den Reichsverkehr. Adressbuch der bewährtesten Bankfirmen u. Spediteure, der Gerichte, Advokaten u. Gerichtsvollzieher, sowie der Konsuln in allen nennenswerten Orten d. Reichs. Mit steter Berücksicht. der Zoll- u. Verkehrsanstalten. 1887. 9. Jahrg. gr. 16. (163 u. 192 S. m. 1 Karte.) Ebend. geb. n. 1. 80

— dasselbe, f. den Weltverkehr. 1887. 12. Jahrg. gr. 16. (336 u. 192 S.) Ebend. geb. n.n. 2. 60

— tägliches Notizbuch f. Kontore. 1887. 5. Jahrg. Ausg. ohne Adressen. schmal Fol. (224 S. m. 2 chromolith. Karten.) Ebend. cart. n.n. 1. —; Ausg. m. Adressen (285 S.) n. 2. —

— Pultmappe f. d. J. 1887. Fol. (68 S. u. 26 Sp. m. 1 chromolith. Eisenbahnkarte.) Ebend. 886. geb. n. 2. —

— Tagebuch f. 1887. 6. Jahrg. gr. 16. (190 S.) Ebend. geb. n. 1. —

Reger's, A., Dienstbuch f. bayerische Staatsverwaltungs- u. Gemeinde-Beamte. Bearb. v. J. Windstoßer. 6. Jahrg. 1887. 12. (VIII, 259 S.) Ansbach 886. Brügel & Sohn. geb. n. 1. 50

— das bayerische Gesetz üb. die öffentliche Armen- u. Krankenpflege vom 29. Apr. 1869. Erläutert u. m. den einschlägig. Vollzugsvorschriften hrsg. 8. (IV, 107 S.) Ebend. 886. cart. 1. 50

— das Gesetz üb. Heimat, Verehelichg. u. Aufenthalt vom 16. Apr. 1868, nebst den dazu ergangenen Novellen. Erläutert u. m. den einschläg. Vollzugsvorschriften hrsg. 8. (IV, 151 S.) Ebend. 884. cart. n. 1. 20

— das Reichsgesetz, betr. die Krankenversicherung der Arbeiter, s.: Reichsgesetzgebung, die, auf dem Gebiete der Arbeiter-Versicherung.

— kleinere Reichs-Verwaltungs-Gesetze nebst einschlägigen Staatsverträgen u. kgl. bayer. Vollzugserlassen. Mit Erläutergn. zu den Reichsgesetzen üb. Freizügigkeit u. üb. Bundes- u. Staatsangehörigkeit, sowie sonst. kurzen Noten hrsg. 8. (IV, 108 S.) Ansbach 885. Brügel & Sohn. cart. n. 1. 80

Reger, Ernst, die Gewehrschusswunden der Neuzeit. Eine Kritik der in neuerer Zeit m. Kleingewehrprojectilen angestellten Schiessversuche u. deren Resultate unter Berücksicht. der Prognose u. Behandlg. gleicher Kriegsverletzgn. Mit 32 Holzschn. u. 1 Phototypie. gr. 8. (160 S.) Strassburg 884. Schultz & Co. Verl. n. 5. —

Reger, St., Katechismus u. Leben. Ein Gebet-, Lehr- u. Betrachtungs-Büchlein f. die kathol. Jugend. 8. (688 S.

m. 1 Stahlst.) Dingolfing 886. (Landshut, Krüll.) geb. n.n. 1. 60

Regesta diplomatica nec non epistolaria Bohemiae et Moraviae. Pars III. Annorum 1311—1333. Opera Jos. Emler. [Sumtibus regiae scientiarum societatis Bohemiae.] 5 voll. gr. 4. (800 S.) Prag 883—85. (Valečka.) à n. 5. —

— dasselbe. Pars IV. Annorum 1333—1346. Opera Jos. Emler. [Sumtibus regiae scientiarum societatis Bohemiae.] Vol. 1—5. gr. 4. (808 S.) Ebend. 885, 86. à n. 5. —

— episcoporum Constantiensium. Regesten zur Geschichte der Bischöfe v. Constanz v. Bubulcus bis Thomas Berlower 517—1496. Hrsg. v. der bad. histor. Commission. 1. Bd. 1. Lfg. Unter Leitg. von Frdr. v. Weech bearb. v. Paul Ladewig. gr. 4. (80 S.) Innsbruck 886. Wagner. n. 4. —

Regesten u. **Urkunden**, Schleswig-Holstein-Lauenburgische. Im Auftrage der Gesellschaft f. Schleswig-Holstein-Lauenburgische Geschichte bearb. u. hrsg. v. P. Hasse. 1. Bd. [786—1250]. (In ca. 6 Lfgn.) 1—4. Lfg. hoch 4. (S. 1—312.) Hamburg 885. Voss. à n. 4. —

— — dasselbe. 2. Bd. [1250—1300]. 1—3. Lfg. hoch 4. (S. 1—240.) Ebend. 886. à n. 4. —

Regierungsblatt, großherzogl. hessisches. Jahrg. 1883—1886. gr. 4. (Nr. 1. 1/2 B.) Darmstadt, (Jonghaus). à Jahrg. n. 5. —

— dasselbe. Beilagen. Jahrg. 1883—1886. gr. 4. (Nr. 1. 1 B.) Ebend. à Jahrg. n. 3. 30

— für das Großherzogth. Sachsen-Weimar-Eisenach. Jahrg. 1883—1886. gr. 4. (Nr. 1. 1/4 B.) Weimar, Böhlau. à Jahrg. n.n. 2. 50

— für das Königr. Württemberg. Jahrg. 1886. gr. 4. (Nr. 1. 2 S.) Stuttgart, (Metzler's Sort.). n.n. 5. —

Register üb. „Lehre u. Wehre" Jahrg. I—XXVIII u. üb. die Synodal-Berichte vom J. 1847 bis zum J. 1881. gr. 8. (60 u. 22 S.) St. Louis, Mo. 884. (Dresden, H. J. Naumann.) cart. n. 1. —

— zum Regierungs-Blatt f. das Großherzogth. Mecklenburg-Schwerin, Jahrg. 1857—1879, zum Bundes-, bezw. Reichs-Gesetzblatt, Jahrg. 1867—1879, u. zum Central-Blatt f. das Deutsche Reich, Jahrg. 1873—1879. Mit Nachträgen bis auf die neueste Zeit. Hrsg. v. Chrn. Düberg. Fortgesetzt v. Raspe — Wismar. 11—14. (Schluß-)Lfg. Lex.-8. (Alphabet. Sachreg. X u. S. 861—1353.) Wismar 883. 84. Hinstorff's Verl. à n. 2. —

Registrande der geographisch-statistischen Abtheilung d. Grossen Generalstabes. 13. Jahrg. A. u. d. T.: Neues aus der Geographie, Kartographie u. Statistik Europa's u. seiner Kolonien. 13. Jahrg. Quellennachweise, Auszüge u. Besprechgn., zur lauf. Orientirg. bearb. vom Grossen Generalstabe, geographisch-statist. Abtheilg. gr. 8. (XIV, 657 S.) Berlin 883. Mittler & Sohn. n. 13. —

Reglement f. die taktische Ausbildung der russischen Fußtruppen u. Instruction f. das Verhalten der Compagnie u. d. Bataillons im Gefechte. Uebers. v. Otto Hubrich. 8. (XII, 177 u. 39 S. m. Holzschn. u. 13 Steintaf.) Teschen 883. Prochaska. n. 3. —

— für die taktische Ausbildung der russischen Kavallerie u. der Kosaken in der Formation zu Fuß. Uebers. v. Otto Hubrich. 8. (II, 74 S.) Ebend. 884. n. 1. 50

— für die infanteristische Ausbildung der Matrosen- u. Werftdivisionen, sowie der Matrosenartillerie-Abtheilungen. 16. (XII, 121 u. Signale u. Märsche 31 S.) Berlin 884. Mittler & Sohn. cart. n. 1. 20

— über die Bekleidung u. Ausrüstung der Armee im Kriege. Vom 8. Febr. 1877. 6. Anh. gr. 8. (3 S.) Ebend. 886. n.n. — 5

— über die Bekleidung u. Ausrüstung der Truppen im Frieden vom 30. Apr. 1868. 10. Anh. gr. 8. (8 S.) Ebend. 886. n.n. — 5

— dasselbe. §§ 154, 172 u. 175. gr. 8. (2 Bl.) Ebend. 886. n.n. — 5

— über die Ergänzung d. Personals f. den höheren Marine-Verwaltungsdienst. Genehmigt durch Allerhöchste Kabinets-Ordre vom 24. Aug. 1886. Lex.-8. (8 S.) Berlin 886. Mittler & Sohn. n.n. — 20

Reglement über die Ergänzung d. Sekretariats u. Registratur-Personals bei den Marine-Stationsintendanturen. gr. 8. (8 S.) Berlin 886. Mittler & Sohn. n. — 20

— revidirtes, der Feuersocietät der ostpreußischen Landschaft vom 1. Novbr. 1886. gr. 4. (46 S.) Königsberg 886. Hartung. n. — 50

— für die öffentlich anzustellenden Land-[Feld-]messer vom 2. März 1871, nebst Abänderg. dieses Reglements vom 26. Aug. 1885. 8. (16 S.) Berlin 886. v. Decker. n. — 20

— über die Naturalverpflegung der Truppen im Frieden. gr. 8. (VIII, 130 S.) Berlin 883. Bath. n.n. — 75

— für die Prüfungen der Candidaten d. höheren Schulamts, nebst den Bestimmungen üb. das Probejahr. gr. 8. (48 S.) Berlin 883. Hertz. n. — 60

— dasselbe, nebst der Prüfungsordng. f. Volksschullehrer, Lehrer an Mittelschulen u. Rektoren, den Vorschriften üb. die Aufnahmeprüfg. an den Schullehrerseminarien vom 15. Oktbr. 1872, der Prüfungsordng. f. Lehrerinnen u. Schulvorsteherinnen vom 24. Apr. 1874, den Prüfungsordngn. f. Zeichenlehrer u. Zeichenlehrerinnen vom 2. Oktbr. 1863 u. 25. Septr. 1878, den Prüfungsreglements f. Turnlehrer u. Turnlehrerinnen vom 10. Septbr. 1880 u. 21. Aug. 1875, den Prüfungsordngn. f. Lehrer u. Vorsteher an Taubstummenanstalten vom 27. Juni 1878 u. 11. Juni 1880, sowie sämmtl. Ergänzungsbestimmgn. u. Verordngn. üb. Anerkenng. der nicht in Preußen absolvirten Vorbereitgn. Mit Sachregister. 6. Aufl. gr. 8. (VII, 118 S.) Berlin 883. C. Heymann's Verl. n. 1. 20

— über die Remontirung der Armee vom 2. Novbr. 1876. Nachtrag II u. III. gr. 8. Berlin 884. Mittler & Sohn. n.n. — 40 (Hauptwerk u. Nachtrag II/III.: n.n. — 90)

II. (6 S.) — 15. — III. (24 S.) n.n. — 25
Nachtrag I ist in dem Hauptwerk selbst enthalten.

— für den Sanitäts-Dienst d. k. k. Heeres. 1. Thl. Sanitäts-Dienst bei den Militär-Behörden, Commanden, Truppen u. Heeresanstalten. 8. (VII, 208 S.) Wien 883. Hof- u. Staatsdruckerei. n. — 80

— über die Servis-Kompetenz der Truppen im Frieden vom 20. Febr. 1868. 9. Nachtrag. gr. 8. (11 S.) Berlin 886. Mittler & Sohn. n.n. — 10

— für die Verheirathung der Offiziere. Hrsg. v. Mikado. 8. (62 S.) Leipzig 884. Reißner. n. 1. —

Règlement pour les signaux pour les chemins de fer impériaux d'Alsace-Lorraine. 12. (75 S. m. z. Thl. color. Fig.) Berlin 883. C. Heymann's Verl. geb. n. 2. —

Reglements üb. Prüfung, Approbation u. Ausübung d. Gewerbes f. Aerzte, Zahnärzte u. Thierärzte; Heildiener u. Chirurgengehülfen; Hebammen; Hühneraugen-Operateure u. Bandagisten u. chirurgische Instrumentenmacher, nebst den Reglements f. das Kreisphysikats-Examen u. die Prüfg. als beamteter Thierarzt u. den Bestimmgn. üb. die Berechtigg. der Aerzte zum Selbstdispensiren homöopath. Arzneien. 3. Aufl. gr. 8. (IV, 79 S.) Berlin 883. C. Heymann's Verl. n. 1. 20

Regnault, Emil, e. christlicher Fürst. Heinrich v. Frankreich, Graf v. Chambord, geboren zu Paris am 29. Septbr. 1820, gestorben zu Frohsdorf in Niederösterreich am 24. Aug. 1883. Mit einigen Zusätzen frei aus dem Franz. übers. 8. (156 S.) Graz 885. Styria. n. 1. —

Regnet, C. A., München, s.: Städtebilder u. Landschaften aus aller Welt.

— Munich, s.: Towns and landscapes of all the world.

— Karl Rottmann, s.: Kunst u. Künstler d. 19. Jahrh.

Regnier, Ferd., die kleine Welt. Orig.-Zeichngn. u. Gedichte. 3 Bde. 4. (Mit eingedr. Text.) Trier 883. Paulinus-Druckerei. à n. 3. —

1. 10 Silhouetten. — 2. 3. à 10 helle Lichtdr.-Bilder.

Regulativ üb. Ausbildung, Prüfung u. Anstellung f. die unteren Stellen d. Forstdienstes in Verbindung m. dem Militärdienste im Jägercorps. Vom 15. Febr. 1879.

[Mit Berücksicht. der ministeriellen Verordng. vom 3. Febr. 1880 u. der Verfügg. vom 1. Apr. 1883.] 4. (43 S.) Berlin 885. Springer. n.n. — 60

Regulativ, das revidirte, üb. die Beleihung d. nicht inkorporirten ländlichen Grundeigenthums im Bereiche der schlesischen Landschaft vom 22. Novbr. 1867 in Verbindg. m den dasselbe abänd. u. ergänz. Bestimmgn. Amtliche Ausg. v. 1885. gr. 8. (54 S.) Breslau 885. Korn Verl. n. — 60

— vom 1. Mai 1883 betr. die juristischen Prüfungen u. die Vorbereitung zum höheren Justizdienst. gr. 8. (12 S.) Berlin 883. v. Decker. n. — 20

Rehbein, H., die Entscheidungen d. vormaligen preußischen Ober-Tribunals auf dem Gebiete d. Civilrechts. Für das Studium u. die Praxis bearb. u. hrsg. 1—7. Lfg. gr. 8. (1. Bd. VIII, 1109 S. u. 2. Bd. S. 1—917.) Berlin 883—86. H. W. Müller. n. 35. —
(1. Bd. cplt.: n. 18. —; geb. n. 19. 50)

— allgemeine deutsche Wechsel-Ordnung m. Kommentar in Anmerkungen u. der Wechselprozeß nach den Reichs-Justizgesetzen. 3. Aufl. gr. 8. (IV, 173 S.) Ebend. 886. cart. n. 3. 50

— u. O. **Reincke**, allgemeines Landrecht f. die Preußischen Staaten, nebst den ergänz. u. abänd. Bestimmgn. der Reichs- u. Landesgesetzgebg. Mit Erläutergn. 3. Aufl. 4 Bde. 8. (XIV, 659; IX, 578; VIII, 676 u. XII, 970 S.) Ebend. 885. à Bd. n. 7. 50;
Einbd. in Leinwd. à n.n. — 75; in Halbfrz. à n.n. 1. 50

Rehberg, Herm., Beiträge zur Naturgeschichte niederer Crustaceen [Cyclopiden u. Cypriden]. Mit 2 (lith.) Taf. Inaugural-Dissertation. gr. 8. (18 S.) Bremen 884. (Jena, Deistung.) n. 1. —

Rehle, Alb., der Einsturz d. Kirchthurmes in Baisweil in der Osternacht vom 24. auf 25. Apr. 1886 m. Abbildgn. gr. 8. (13 S.) Kaufbeuren 886. (Mayr.) n. — 20

Rehm, der getreue Eckart. Ein offener Brief an alle unsere jungen konfirmirten Christen. 3. Aufl. 8. (78 S.) Thorn 883. (W. Lambeck.) cart. n. — 60

Rehm, H., Ascomycetes Lojkani lecti in Hungaria, Transsylvania et Galicia. gr. 8. (IV, 70 S.) Budapestini 882. (Berlin, Friedländer & Sohn.) n. 2. —

Rehn, J. H., das Typhoid im Kindesalter, s.: Sonderabdrücke der Deutschen Medicinal-Zeitung.

Rehwald, Felix, die Stärke-Fabrikation u. die Fabrikation d. Traubenzuckers. Mit 28 erläut. Abbildgn. 2. Aufl. 8. (IV, 243 S.) Wien 885. Hartleben. 3. —

Reibmayr, Alb., die Activbewegungen im Anschlusse an die Massage. gr. 8. (40 S. m. Fig.) Wien 884. Toeplitz & Deuticke. n. 1. —

— Ischl als Terrain-Curort. Mit 2 Karten. 12. (VIII, 112 S.) Ebend. 886. n.n. 2. —

— die Massage u. ihre Verwerthung in den verschiedenen Disciplinen der praktischen Medicin. gr. 8. (III, 114 S.) Ebend. 883. n. 2. 50

— dasselbe. 3. Aufl. gr. 8. (155 S.) Ebend. 886. n. 3. —

— die Massage-Behandlung, populär dargestellt. 8. (III, 50 S.) Ebend. 883. n. 1. —

— die Technik der Massage. Mit 149 Holzschn. 2. ergänzte Aufl. gr. 8. (VII. 159 S.) Ebend. 886. n. 4. —

Reich, das russische, in Europa. Eine Studie. Lex.-8. (XVIII, 436 S.) Berlin 884. Mittler & Sohn. n. 9. —

Reich, A., u. J. **Fert**, Grundzüge der Heeres-Administration. Systematisch dargestellt. gr. 8. (VIII, 372 S.) Wien 885. Seidel & Sohn. n. 4. —

Reich, Adph., Berlin wie es lacht — u. lachte. Geschichten aus dem alten u. neuen Berlin. 6 Hfte. 8. Berlin 885. 86. Cronbach. à n. — 50

1. Der „Souveräne Lindenklub" im J. 1848. In der Damen-Conditorei. (37 S.)
2. Der alte Berliner Eckensteher. Geflügelte Berliner Phantasieen. Eine nächtliche Fastnachtsfahrt. (30 S.)
3. Was sich der „Fischer'sche Kunst-Keller" erzählte. Bei Mutter Gräbert. (47 S.)
4. Das Spuk-Haus in Berlin im J. 1848. (46 S.)
5. Ein Ständchen im Redaktionszimmer. Eine Sylvesternacht. (29 S.)
6. Aus den Memoiren e. Dienstmannes. Die Eselsdemonstration vor der einsamen Pappel. 1848. (47 S.)

— der Gratulant. Gratulations-Gedichte f. alle Gelegenheiten m. besond. Berücksicht. der Kinderwelt, nebst e. Sammlg. v. Gratulations-Telegrammen. 8. (124 S.) Berlin 884. Cronbach. 1. —

Reich, Adph., Phantastikon. Märchen, Novellen u. ästhet. Briefe. 8. (III, 362 S.) Berlin 885. Cronbach. n. 5. —

— der Salon-Humorist. Humoristische Orig.-Vorträge u. Vorlesgn. 3. Aufl. 8. (IV, 132 S.) Ebend. 886. 1. 25

Reich, Ant., die Organisation der Kriegsmacht der österreichisch-ungarischen Monarchie. Mit Rücksicht auf die Bedürfnisse d. Studiums bearb. 2. Aufl. gr. 8. (XII, 303 S.) Wien 884. Seidel & Sohn. n. 4. —

Reich, Ed., die Abhängigkeit der Civilisation v. der Persönlichkeit d. Menschen u. v. der Befriedigung der Lebensbedürfnisse. 2 Bde. gr. 8. Minden 883. Bruns. n. 12. 50

1. Die persönliche Entwickelung d. Menschen u. die Civilisation. (XXII, 291 S.) n. 6. 50
2. Die Lebensbedürfnisse d. Menschen u. die Civilisation. (XIII, 224 S.) n. 6. —

— social-medicinische Aufsätze. gr. 8. (XIII, 254 S.) Grossenhain 883. Baumert & Ronge. n. 5. —

— Blicke in das Menschenleben. Leidenschaften, Laster u. Verbrechen, deren Entstehg., Heilg. u. Verhütg. gr. 8. (XVI, 400 S.) Schaffhausen 886. Rothermel & Co. 10. —; geb. 12. —

— die Emancipation der Frauen, das Elend u. die geistige Ueberspannung. 8. (105 S.) Grossenhain 884. Baumert & Ronge. n. 2. —

— der Epilepsismus, aus dem Gesichtspunkte der Medicin, Straf-Rechtspflege u. Staatskunst betrachtet. gr. 8. (VIII, 91 S.) Berlin 886. Zimmer. n. 2. —

— die Erblichkeit der Gebrechen d. Menschen u. die Verhütung der Gebrechlichkeit. 2. Ausg. gr. 8. (VI, 235 S.) Ebend. 886. 4. 50; geb. n. 5. 60

— Gelehrte u. Literaten, wie auch studirte Geschäftsleute. Beiträge zur Sitten- u. Cultur-Geschichte, nebst Versuchen, grosse Uebelstände zu beseitigen u. deren Entstehg. zu verhüten. gr. 8. (XXIII, 412 S.) Minden 885. Bruns. n. 9. —

— die Geschichte der Seele, die Hygieine des Geisteslebens u. die Civilisation. gr. 8. (XX, 472 S.) Ebend. 884. n. 10. —

— Studien u. Betrachtungen üb. Oesterreich. [Aus: „Das 20. Jahrhundert".] 8. (45 S.) Grossenhain 884. (Baumert & Ronge.) n.n. 1. 20

— Vortrag üb. die Reform der Ernährung u. ihren Einfluß auf Körper u. Geist d. Menschen. Nach dem stenograph. Wortlaut referirt v. Eug. Liebich. [Flugblatt Nr. 1 d. Vereins f. naturgemäße Lebensweise (Vegetarier-Verein) zu Hamburg.] 12. (8 S) Hamburg 885. (Martens.) — 10

— Weltanschauung u. Menschenleben, Religion, Sittlichkeit u. Sprache. Betrachtungen üb. die Philosophie J. Frohschammer's. gr. 8. (V, 64 S.) Grossenhain 883. Baumert & Ronge. n. 1. 20

Reich, Em., das gratulierende Kind. Wunsch- u. Gratulations-Büchlein f. Kinder. Neue Aufl. 12. (48 S.) Oberhausen 885. Spaarmann. — 25

Reich, Lucian, Hieronymus. Lebens-Bilder aus der Baar u. dem Schwarzwalde, entworfen u. geschildert. Mit 25 Tonbildern v. J. Nepomuk Heinemann. 2. Aufl. gr. 8. (233 S.) Karlsruhe 884. 85. Bielefeld's Verl. 5. 25

Reich, Rhold., deutsches Sprachbuch. Für einfache Schulverhältnisse sowie zur Benutzg. bei häusl. Aufgaben bearb. 3. Aufl. 8. (32 S.) Gotha 886. Behrend. n. — 20

Reichard, W. v., Luft, Licht u. Schall in Bezug auf Schulhygiene. gr. 8. (VI, 96 S. m. 1 Steintaf.) Riga 884. (Kymmel.) n. 2. —

Reichardt, Bernh., vollständiges Präludienbuch zunächst zu dem Choralbuch f. die evangelisch-lutherische Landeskirche d. Königr. Sachsen. Eine Auswahl kirchlich-würdiger, kurzer u. leichtausführbarer Orgelsätze, aus Kompositionen bewährter Meister d. Choralvorspiels u. aus eigenen Arbeiten zusammengestellt u. hrsg. qu. gr. 4. (148 S.) Leipzig 883. Teubner. n. 4. 40

— über Schätzung u. Gebrauch d. Landeschoralbuchs. Vortrag, in der Diöcesan-Versammlg. der Ephorie

Glauchau geb. am 17. Octbr. 1883. gr. 8. (19 S.) Glauchau 883. (Peschke.) n. — 30

Reichardt, Erwin, die Grundzüge der Arbeiterwohnungsfrage m. besond. Berücksicht. der Unternehmungen, die Arbeiter zu Hauseigenthümern zu machen. gr. 8. (VI, 74 S.) Berlin 885. Puttkammer & Mühlbrecht. n. 1. 40

Reichardt, G., der Hausthier-Arzt od. zweckmäßige Wartung u. Pflege der Hausthiere in allen Krankheitsfällen. Mit 2 Abbildgn. 8. (95 S.) Reutlingen 883. Bardtenschlager. geb. — 75

Reichardt, Heinr., der deutsche Lehrer in England. Eine Warng. f. die deutsche Lehrer- u. Studentenschaft, sowie eine Mahng. an die engl. Nation. 2. Aufl. gr. 8. (66 S.) Berlin 884. Weidmann. n. 1. 60

— the ornaments of language. Arranged as a text-book for students and schools with a series of exercises and numerous quotations from celebrated authors. 8. (52 S.) Ebend. 885. n. 1. 20

Reichardt's, Luise, Leben, s.: Brandt, M. G. W.

Reiche, H. v., Anlage u. Betrieb der Dampfkessel. Lehrbuch f. angeh. u. Handbuch f. ausüb. Ingenieure, Rathgeber f. Industrielle u. Anweisg. f. Kesselwärter. [In 2 Bdn.] 1. Bd. Theorie der Dampfkessel-Anlagen u. Construction ihrer Feuergn. 3. Aufl. Nach d. Verf. Tode bearb. v. J. Reintgen. gr. 8. (XV, 212 S. m. Holzschn. u. 1 lith. Taf.) Leipzig 886. Felix. n. 7. —

— der Dampfmaschinen-Constructeur. Lehrbuch f. angeh. u. Handbuch f. ausüb. Ingenieure zur Berechng. u. Construction der Dampfmaschinen. 1. u. 2. Thl. gr. 8. Aachen, Mayer. à n. 16. —

1. Die Berechng. u. Construction der Transmissions-Dampfmaschinen. Mit e. Atlas v. 31 lith. Taf. 2., verb. Aufl. (IX, 187 S.) 886.

2. Die Berechnung u. Construction der wichtigsten Werkzeug-Dampfmaschinen u. zwar der Fördermaschinen, der Wasserhaltungen u. Pumpen u. der Gebläsemaschinen u. Compressoren. Mit e. Atlas v. 22 lith. Taf. (in qu. Fol.). (VIII, 258 S.) 885.

Reiche, K., kleiner Leitfaden der Mineralienkunde f. Schulen. gr. 8. (32 S.) Dresden 885. Huhle. n. — 20

Reichel, Alex., Gesetz, betr. Vereinfachung u. Abkürzung d. Civilprozeßverfahrens vom 2. Apr./8. Juni 1883. Textausg. m. Beifügg. der durch dieses Gesetz abgeänderten Bestimmgn. d. Verfahrens in Civilrechtsstreitigkeiten vom 31. Juli 1847. 8. (IV, 163 S.) Bern 884. Jenni. n. 3. —

Reichel, E., tesoro poético. Coleccion de poesias españolas. 64. (183 S.) Leipzig 883. Lenz. — 75; geb. n. 1. 25

Reichel, Eug., Aberglaube. Lustspiel in 1 Akt. 8. (27 S.) Berlin 883. Lassar. n. 2. —

— dasselbe, s.: Bloch's, E., Theater-Correspondenz.

— wer schrieb das „Novum organon" v. Francis Bacon? Eine krit. Studie. gr. 8. (82 S.) Stuttgart 886. Bonz & Co. n. 1. 20

— Shakespeare-Litteratur. gr. 8. (IX, 502 S.) Ebend. 887. n. 8. 50

Reichel, Herm., der menschliche Körper u. seine Pflege. Mit 8 Abbildgn. 2. Aufl. gr. 8. (31 S.) Dresden 886. Meinhold & Söhne. — 15

Reichel, Otto, die Grundlage der Arithmetik, unter Einführg. formaler Zahlbegriffe dargelegt. Hülfsbuch f. den Unterricht. 1. Tl. Natürliche, algebr., gebrochene Zahlen. gr. 8. (32 S.) Berlin 886. Haude & Spener. cart. n. 1. —

Reichel, P., der Anus praeternaturalis u. seine Behandlung,
— zur Diagnostik u. Therapie d. Ileus,
} s.: Sonderabdrücke der Deutschen Medicinal-Zeitung.

— die Lehre v. der Brucheinklemmung. Klinisch-experimentelle Studie unter Benutzg. v. 160 in der kgl. chirurg. Klinik zu Breslau beobachteten Fällen v. Brucheinklemmg. gr. 8. (III, 278 S.) Stuttgart 886. Enke. n. 8. —

Reichel, Rud., Abriss der steirischen Landesgeschichte. Für die Schüler höherer Lehranstalten u. f. Freunde der Geschichte entworfen. 2., gänzlich umgearb. u. verm. Aufl. Mit 7 Stammtaf. gr. 8. (IV, 173 S.) Graz 884. Leuschner & Lubensky. geb. n. 2. 40

Reichelt, Auguste, Blumenstudien. 24 (chromolith.) Blatt in 4 Lfgn. gr. 4. Leipzig 883. 84. (Baldamus' Sep.-Cto) à n. 6. —; einzelne Blätter à n. 1. 50

Eine Ausg. mit dem französ. Titel „Etudes de fleurs" ist zu gleichem Preise erschienen.

— dasselbe. 18 Chromolith. 2. Aufl. gr. 4. Ebend. 883. In Leinw.-Mappe. 22. —

— dasselbe. Kleine (Cabinet-)Ausg. 3 Lfgn. Lex.-8. (à 6 Chromolith. u. 6 Bl. Vorzeichngn. zum Nachmalen.) Ebend. 885. à n. 2. 50; einzelne Blätter à n. — 60

— neue grosse Blumenvorlagen [Rosen]. qu. gr. Fol. (4 Chromolith.) Ebend. 884. n. 20. —

— aus der Blumenwelt. Studien. 2 Lfgn. gr. Fol. (à 4 Chromolith.) Ebend. 884. à n. 10. —; einzelne Blätter à n. 3. 75

— Farren-Gruppen. 4 Blatt. Chromolith. qu. Fol. Ebend. 884. n. 4. —

— Rosen-Studien. 2 Lfgn. gr. Fol. (à 4 Chromolith.) Ebend. 884. à n. 10. —; einzelne Blätter à n. 3. 75

Reichelt, E., Bericht üb. die IV. Konferenz f. Idioten-Heil-Pflege. Hamburg, am 4—6. Septbr. 1883. gr. 8. (76 S.) Dresden 883. (Warnatz & Lehmann.) n. 1. —

Reichelt, Karl, Beiträge zur Geschichte d. ältesten Weinbaues in Deutschland u. dessen Nachbarländern bis zum J. 1000 n. Chr. Mit 1 Holzschn. gr. 8. (IV, 91 S.) Reutlingen 886. Kocher. n. 1. 20

Reichenau, Auguste v., der neue Bursche,
— Gastfreundschaft,
} s.: Bloch's, E., Theater-Gartenlaube.

— Gedichte u. Uebersetzungen. 8. (VIII, 216 S.) Frankfurt a/M. 885. Mahlau & Waldschmidt. n. 4. —; geb. m. Goldschn. n. 5. —

— dramatische Genre-Bilder. Der neue Bursche. Rosenketten. Gastfreundschaft. gr. 8. (40 S.) Berlin 885. Lassar. n. 2. —

— Rosenketten, s.: Bloch's, E., Theater-Gartenlaube.

Reichenau, Steph., der Tapezierer als Zimmer-Decorateur. Vorlagen zu Fensterbehängen, Kamin- u. Spiegel-Draperien, Portieren, Bett-Dekorationen, Toiletten, Fauteuils, Stühlen, Tabourets etc. im modernsten Stile. 8. u. 9. Reihenfolge. à 32 (lith.) Taf. qu. gr. 4. Weimar 884. 86. B. F. Voigt. à 4. 50

Reichenau, Wilh. v., die monistische Philosophie von Spinoza bis auf unsere Tage. Gekrönte Preisschrift. 2. Ausg. gr. 8. (XX, 348 S.) Leipzig 884. Mayer. n. 7. —

Reichenbach, A., der Eid u. die Eidesfrage in Deutschland, s.: Fragen, zeitbewegende.

Reichenbach, A., Kraft-Sprüche Dr. Martin Luthers. Aus der Orig.-Ausg. seiner Tischreden v. Johs. Aurifaber zusammengestellt u. m. erläut. Anmerkgn. versehen. 8. (IV, 67 S.) Leipzig 883. Rühle. — 75

— Martin Luther u. seine Zeit. Ein Geschichtsbild f. Unbefangene. 8. (V, 254 S. m. 1 Holzschn.-Portr.) Ebend. 883. 2. 40

— die Religionen der Völker. Nach den besten Forschungs-Ergebnissen bearb. (In 6 Büchern.) 1—3. Buch. 8. (230 u. 368 S.) München 886. Ernst. n. 6. 80

Reichenbach, A. v., kleines Gemälde der Welt. Leichtfaßliche Darstellg. der Grundzüge der Naturkunde m. besond. Rücksicht auf das Werden u. Sein unsrer Erde. 1. u. 2. Bd. gr. 8. Leipzig 885. Spamer. à n. 2. 50; cart. à n. 3. —

1. Rundschau auf den Gebieten der Physik, Chemie, Astronomie u. Naturgeschichte. Mit 189 Text-Illustr. u. 1 Titelbilde. (XIV, 254 S.)

2. Entstehung d. Weltalls u. Entwickelung der Erdoberfläche. Mit 95 Text-Illustr. u. 1 Titelbilde. (VIII, 219 S.)

Reichenbach, Heinr., Studien zur Entwickelungsgeschichte d. Flusskrebses. Mit 11 Quart- u. 8 Doppeltaf. in Ton- u. Farbendr. gr. 4. (VI, 137 S.) Frankfurt a/M. 886. (Diesterweg.) n. 36. —

Reichenbach fil., Heinr. Gust., xenia orchidacea. Beiträge zur Kenntniss der Orchideen. 3. Bd. 3. Hft. gr. 4. (S. 49—64 m. 10 Kpfrtaf., wovon 5 color.) Leipzig 883. Brockhaus. n. 8. — (I—III, 3.: n. 184. —)

Reichenbach, L., u. H. G. **Reichenbach** fil., Deutschlands Flora m. höchst naturgetreuen, charakteristischen Abbildungen in natürl. Größe u. Analysen. Als Beleg f. die Flora germanica excursoria u. zur Aufnahme u. Verbreitg. der neuesten Entdeckgn. innerhalb Deutschlands u. der angrenz. Länder. Nr. 287—292. gr. 4. (60 Kpfrtaf. m. 32 S. Text in gr. 8.) Leipzig 883—85. Abel. à n. 2. 50; color. à n. 4. 50

— — dasselbe. Wohlf. Ausg., halbcolor. I. Serie. 219—224. Hft. Lex.-8. (60 Kpfrtaf. m. 32 S. Text.) Ebend. 883—85. à n. 1. 60

— — icones florae germanicae et helveticae simul terrarum adjacentium ergo mediae Europae. Tom. XXII. Decas 17—28. gr. 4. (60 Kpfrtaf. m. 32 S Text.) Ebend. 883—85. à n. 2. 50; color. à n. 4. 50

Reichenbach, Gräfin M. v., böse Geister. Humoristische Erzählg. 2. Aufl. 8. (371 S.) Dresden 886. Pierson's Verl. n. 4. —

— goldene Sprüche. Lieder u. Bilder für's Haus. Dichtung u. Bibelwort in 12 Illustr. 2. Aufl. Farbendr. v. G. W. Seitz in Wandsbeck. 4. (50 S.) Leipzig 885. Zehl. geb. m. Goldschn. n. 20. —

— u. E. **Leistner-Beckendorff**, das Jahr in Bild u. Spruch. 12 (chromolith.) Monatsbilder nach Aquarellen. 4. Ebend. 886. In Umschlag. n. 4. —; in Papp-Mappe n. 4. 50

— u. Hermine **Stille**, Bibelworte in Blumenschmuck. 12 Spruchbilder in Aquarelldr. (Neue Ausg.) gr. 4. Ebend. 886. In Leinw.-Mappe. 9. —

Reichenbach, Mor. v., Coeurdamen. 2 Novellen. 8. (290 S.) Stuttgart 885. Deutsche Verlags-Anstalt. n. 5. —

— „Durch!" Roman. 2 Bde. 8. (257 u. 260 S.) Ebend. 884. n. 8. —

— zwei Novellen. [Részö. Sillery mousseux.] 8. (293 S.) Ebend. 883. n. 5. —

— auf Umwegen. Roman. 8. (209 S.) Leipzig 884. Friedrich. n. 3. —

Reichenlechner, Cyprian, der Karthäuser-Orden in Deutschland od. Lebens- u. Leidensbilder aus den deutschen Karthausen. 12. (V, 237 S.) Würzburg 885. Bucher. n. 1. 20

Reichenlechner, Joh. Bapt., der himmlische Hof od. die Gebetsweise der heil. Luitgard. 16. (64 S.) Würzburg 885. Bucher. n. — 15

— der himmlische Hof der heil. Luitgard. Auszug aus dem Luitgardenbuch. 16. (47 S.) Passau 883. Bucher. n. — 15

Reichenow, Ant., s.: Bericht üb. die Leistungen in der Naturgeschichte der Vögel.

— die Goldküste u. ihre Bewohner, s.: Universal-Bibliothek, geographische.

— s.: Handwörterbuch der Zoologie, Anthropologie u. Ethnologie.

— die deutsche Kolonie Kamerun. Landesbeschaffenheit, Pflanzen- u. Tierleben, Jahreszeiten, Eigenschaften u. Sitten der Eingeborenen u. europ. Handel in Kamerun. Nach eigener Anschaug. geschildert. Mit 1 (lith. u. color.) Karte. 2. Aufl. gr. 8. (51 S.) Berlin 885. Behrend. n. 1. —

— die Vögel der zoologischen Gärten. Leitfaden zum Studium der Ornithologie m. besond. Berücksicht. der in Gefangenschaft gehaltenen Vögel. Ein Handbuch f. Vogelwirthe. 2. Thl. gr. 8. (XIX, 456 S.) Leipzig 884. Kittler. n. 10. — (cplt.: n. 18. —)

— Vogelbilder aus fernen Zonen. Atlas der bei uns eingeführten ausländ. Vögel, m. erläut. Text. Allen Naturfreunden, insbesondere den Liebhabern ausländ. Stubenvögel u. Besuchern zoolog. Gärten gewidmet. 1. Thl.: Papageien. 10. u. 11. Lfg. Aquarelle v. G. Mützel. Fol. (à 3 Chromolith. m. 3 Bl. Text.) Kassel 882. 83. Fischer. In Mappe. à n. 5. —; einzelne Tafeln à n. 2. —; Pracht-Ausg. gr. Fol. (Taf. auf Cartonpap.) à n. 8. —; einzelne Taf. à n. 3. —

Reichensperger, Aug., zur Profan-Architektur. Mit besond. Berücksicht. der Erweiterg. der Stadt Köln. gr. 8. (86 S.) Köln 886. Bachem. n. 1. 20

Reicher-Kindermann, Hedwig, Erinnerungsblatt an dieselbe, s.: Bernhardt, A.

Reichert, C. v., Versuch e. Richard Wagner-Studie. gr. 8. (24 S.) München 884. Franz' Verl. n. — 60

Reicherter, E., neues, illustriertes Haus-Tierarzneibuch, s.: Strebel, V.

Reich-Gottes-Bote, Gemeinschaftsblatt d. evang. Vereins f. innere Mission augsb. Bekenntnisses in Baden. Red.: Gust. Stern. Jahrg. 1883. 52 Nrn. ($^1/_2$ B.) gr. 4. Karlsruhe 883. Reiff. n. 1. 50

— dasselbe. Jahrg. 1884—1886. à 52 Nrn. ($^1/_2$ B.) gr. 4. Karlsruhe, Reiff. à Jahrg. n. 2. —

Reichhold, K., geometrisches Ornament. 1. Lfg. gr. 4. (10 Steintaf.) Würzburg 886. Stuber's Verl. n. 1. —

Reichlin, Frhr. v., die Gemeindegesetzgebung in Elsaß-Lothringen. Zusammenstellung der betr. Gesetze, Verordngn., Ministerialverfüggn. etc. übers. u. erläutert. 2. Aufl. 8. (XII, 404 S.) Straßburg 885. Trübner. n. 5. —

Reichling, D., Ortwin Gratius. Sein Leben u. Wirken. Eine Ehrenrettg. gr. 8. (V, 107 S.) Heiligenstadt 885. Delion. n. 2. —

Reichmann, N., die Speisereste in den Faeces. Ein Beitrag zur Mikroskopie der Darmexcrete. Mit 3 chromolith. Taf. gr. 8. (15 S.) Leipzig 885. Stauffer. n. 1. —

Reichner, Klara, Aschenbrödel, } s.: Jugendschatz,
— Erzählungen, } deutscher.

— die Geschichte v. Wilhelm Tell. Mit 6 Farbendr.-Bildern v. G. Franz. gr. 4. (12 S.) Stuttgart 883. G. Weise. geb. n. 1. 50

— Gold u. Ehre, s.: Bibliothek, rothe.

— der rote Hof; die Schicksale e. Kindes, s.: Jugendschatz, deutscher.

— die guten Kameraden Mit 6 Farbendr.-Bildern v. F. Lipps. gr. 4. (12 S.) Stuttgart 884. G. Weise. geb. n. 1. 50

— der Kinder Zeitvertreib. Kleine Erzählgn. u. Gedichte m. 6 Farbendr.-Bildern v. F. Lipps. gr. 4. (6 Bl. Text.) Ebend. 885. cart. 1. 50; unzerreißbar, geb. 2. 50

— Kinderfrühling. Erzählungen m. 6 Farbendr.-Bildern v. F. Lipps. gr. 4. (12 S.) Ebend. 884. geb. n. 1. 50

— das Märchen v. der Zauberflöte. Mit 6 Farbendr.-Bildern v. Th. v. Pichler. gr. 4. (10 S.) Ebend. 883. cart. 1. 50

— eine dunkle That, s.: Bibliothek, rothe.

Reichs-Adreßbuch, allgemeines deutsches, auf d. J. 1883. gr. 8. (VI, 887 S.) Hoyerswerda, Wenzel. n. 10. —

Reichsbote, der, f. d. J. 1886. Mit 1 (chromolith.) Titelbilde u. zahlreichen Illustr. 12. (160 S.) Landsberg a/W., Volger & Klein. n. — 50

— deutscher. Kalender f. Stadt u. Land auf d. J. 1887. Mit dem Farbendr.-Bilde „Lasset die Kindlein zu mir kommen" v. Händler u. e. Wandkalender als Gratisbeilagen. 4. (78 S.) Bielefeld, Velhagen & Klasing. n. — 40

Reichsbürger-Kalender, deutscher, f. 1886. gr. 16. (258 S. m. 1 lith. Portr. d. Kaisers.) Hildburghausen, Gadow & Sohn. geb. n. — 80

Reichs-Commersbuch, allgemeines, f. deutsche Studenten. Begründet von Müller v. der Werra. Unter Mitwirkg. v. M. R. neu hrsg. v. Felix Dahn u. Carl Reinecke. 7. Aufl. Mit einem Titelbilde v. Ant. v. Werner. 12. (VIII, 578 S.) Leipzig 885. Breitkopf & Härtel. n. 3. —; geb. n. 4. —; m. Metallfüßen n.n. 4. 25

Reichsfechtschule, deutsche. Familien-Unterhaltungsblatt u. Organ d. gleichnam. Wohlthätigkeits-Vereins. Hrsg. v. der deutschen Reichs-Oberfechtschule, red. v. Carl Rode, K. Gosewitsch u. W. Forke. 3—6. Jahrg. 1883—1886. à 24 Nrn. (B.) gr. 4. Magdeburg, Faber. à Jahrg. n. 4. —

Reichsgesetz, betr. die Ausdehnung der Unfall- u. Krankenversicherung vom 28. Mai 1885. Textausg. m. ausführl. Sachregister. 16. (16 S.) Berlin 885. Vahlen. n. — 20

— das, üb. den Feingehalt der Gold- u. Silberwaaren. Vom 16. Juli 1884. Mit Erläutergn. u. den Materialien der Gesetzgebg. gr. 8. (29 S.) Schw. Gmünd 884. Schmid. n. — 60

Reichsgesetz über die eingeschriebenen Hülfskassen vom 7. Apr. 1876 unter Berücksicht. der Novelle vom 1. Juni 1884. 8. (19 S.) Leipzig 884. Roßberg. — 30

— vom 15. Juni 1883 betr. die Krankenversicherung der Arbeiter m. erläuternden Noten u. den einschlägigen Vollzugsbestimmungen. 8. (48 S.) Bamberg 884. Buchner. — 75

— dasselbe, nebst der ministeriellen Anweisg. zur Ausführg. dieses Gesetzes. gr. 8. (41 S.) Berlin 884. Haack. n. — 50

— dasselbe. Nebst dem Gesetz betr. Abänderg. vom 28. Jan. 1885. Textausg. m. Angabe der Parallelstellen u. e. ausführl. Sachregister. 16. (II, 64 S.) Berlin 885. Vahlen. cart. — 60

— dasselbe, nebst der Bad. Vollzugsverordnung u. den Musterstatuten f. e. Orts- u. e. Betriebs-[Fabrik-] Krankenkasse. Amtliche Ausg. gr. 8. (112 S.) Karlsruhe 884. Braun. n — 80

— dasselbe, vom 29. Mai 1883. gr. 8. (24 S.) Landsberg a/W., Volger & Klein. — 30

— dasselbe, vom 15. Juni 1883. Mit Inhaltsangaben üb. die einzelnen Paragraphen u. e. vollständ. Sachregister. 2. Aufl. 8. (III, 48 S.) Leipzig 883. Roßberg. n. — 40

— dasselbe, nebst e. Anh. enth. das Hülfskassengesetz vom 7. Apr. 1876. Text-Ausg. m. Erläutergn. u. ausführl. Sachregister. 8. (75 S.) Neuwied 884. Heuser's Verl. cart. — 75

— vom 7. Apr. 1869, betr. Maßregeln gegen die Rinderpest, nebst der revidirten Instruktion vom 9. Juni 1873 u. dem Reichsgesetz vom 21. Mai 1878, betr. Zuwiderhandlgn. gegen die zur Abwehr der Rinderpest erlassenen Vieh-Einfuhrverbote. 16. (32 S.) Nördlingen 881. Beck. n. — 40

— betr. die Unfallversicherung der Arbeiter vom 6. Juli 1884, nebst sämmtl. Ausführungsbestimmgn. Text-Ausg. m. vielen Anmerkgn., Inhaltsübersicht u. ausführl. Sach-Register. 8. (V, 135 S.) Neuwied 884. Heuser's Verl. cart. — 90

— betr. die Unfall- u. Krankenversicherung der in land- u. forstwirthschaftlichen Betrieben beschäftigten Personen. Vom 5. Mai 1886. Text-Ausg. m. Sachregister. 16. (IV, 99 S.) Berlin 886. Vahlen. cart. n. — 60

— das deutsche, vom 14. Mai 1879, betr. den Verkehr m. Nahrungsmitteln, Genußmitteln u. Gebrauchsgegenständen rc. Anh.: Untersuchungsanstalten f. Nahrungs- u. Genußmittel. Kgl. bayer. Verordng. vom 27. Jan. 1884 u. Bekanntmachg. vom 2. Febr. 1884. 8. (14 S.) Würzburg 884. Stahel. n. — 20

Reichs-Gesetzblatt. Hrsg. im Reichsamt d. Innern. Jahrg. 1883—1886. gr. 4. (Nr. 1. ¼ B.) Berlin, (Kortkampf. — Münnich. — Puttkammer & Mühlbrecht). à Jahrg. n.n. 2. —

— für die im Reichsrathe vertretenen Königreiche u. Länder. Jahrg. 1884—1886. gr. 4. (Nr. 1. ¼ B.) Wien, Hof- u. Staatsdruckerei. à Jahrg. n. 6. 65

Reichs-Gesetzbuch f. Industrie, Handel u. Gewerbe. Ein prakt. Nachschlagebuch üb. alle heute gült. sich auf das Geschäftsleben bezieh. Gesetzes-Bestimmgn. 12. Aufl. gr. 8. (XX, 1097 S.) Berlin 885. Bruer & Co. geb. 12. —

Reichsgesetze, deutsche. 1. Abth. Staats- u. Verwaltungsrecht. 18. u. 19. Lfg. 8. Würzburg 884. Stahel. — 45

18. Die Krankenversicherung der Arbeiter. Gesetz vom 15. Juni 1883. (31 S.) n. — 30
19. Feingehalt der Gold- u. Silberwaaren. Gesetz vom 16 Juli 1884. Abänderung der Maaß- u. Gewichts-Ordng. vom 17. Aug. 1868. Gesetz vom 11. Juli 1884. (4 S.) — 15

— dasselbe. 2. Abth. Finanzgesetze. 9. u. 11. Lfg. 8. Ebend. 885. 86. — 60

9. Die Erhebung v. Reichsstempelabgaben. Gesetz vom 1. Juli 1871 in seiner Aenderg. vom 29. Mai 1885, nebst Bekanntmachg. d. Reichskanzlers vom 3. Juni 1885. [Ausg. B.] (S. 261—275.) — 20
11. Ausführungsvorschriften zu dem Gesetze betr. die Erhebung v. Reichs-Stempelabgaben. (S. 305—332.) — 40

— dasselbe. 3. Abth. Privatrecht, Handelsrecht u. Civilprozeß. 16—20. Lfg. 8. Ebend. 883—84. 1. 95

16. Die Anfechtung von Rechtshandlungen e. Schuldners außerhalb d. Konkursverfahrens. Gesetz vom 21. Juli 1879. (2. Bd. S. 157—160.) 15
17. Die Unfallversicherung f. das deutsche Reich. Gesetz vom Juli 1884, nebst den Bekanntmachgn. d. Reichsversicherungsamtes, der bayer. Verordng. vom 14. u. 19. Juli 1884, u. der bayer. Ministerial-Entschließg. vom 23. Juli 1884. Mit Sachregister. (IV u. S. 165—229.) — 70
18. Die eingeschriebenen Hülfskassen. Gesetz vom 7. Apr. 1876 u. 1. Juni 1884. (S. 231—248.) — 25
19. Einführungsgesetz zum Allgemeinen deutschen Handelsgesetzbuche, sowie zur Allg. deutschen Wechselordnung u. den Nürnberger Wechselnovellen. Gesetz vom 5. Juni 1869. Die Kommanditgesellschaften auf Aktien u. die Aktiengesellschaften. Gesetz vom 11. Juni 1870 u. 18. Juli 1884. 2. Aufl. (S. 249—307.) — 70
20. Die Ausdehnung der Unfall- u. Krankenversicherung. Gesetz vom 28. Mai 1886. (8 S.) — 15

Reichsgesetze, deutsche. 4. Abth. Strafrecht u. Strafprozeß. 5—7. Lfg. 8. Würzburg 883. 84. Stahel. 1. 70

5. Verkehr m. Nahrungsmitteln, Genußmitteln u. Gebrauchsgegenständen. Gesetz vom 14. Mai 1879. (S. 237—240.) — 15
6. Verkehr m. Nahrungsmitteln, Genußmitteln u. Gebrauchsgegenständen, Gesetz vom 14. Mai 1879, nebst der Verordg. vom 24. Febr. 1882, das Verkaufen u. Feilhalten v. Petroleum betr. u. der Verordnung vom 1. Mai 1882, die Verwendung giftiger Farben betr. Erläuterungen nach den Motiven, Commissions- u. stenograph. Berichten d. Reichstags u. d. Reichsgerichts, sowie den Materialen zur techn. Begründg. d. Gesetzes, ausgearb. vom kaiserl. Gesundheitsamt u. e. ausführl. Sachregister. (III, 111 S.) 1. 40; cart. 1. 80
7. Der verbrecherische u. gemeingefährliche Verbrauch v. Sprengstoffen. Gesetz vom 9. Juni 1884. (4 S.) — 15

— deutsche, u. preußische Staatsgesetze betr. das Staatskirchenrecht. 2. Aufl. 8. (93 S.) Berlin 883. Moeser. 1. 25

— die deutschen, einschließlich der deutschen Reichsverfassung. Eine Sammlg. aller f. das Königr. Bayern gilt. Gesetze d. deutschen Reiches, sammt den dazu ergangenen k. b. Verordngn. u. Instruktionen. 9. Bd. 3—6. [Schluß-] Lfg. 8. (VII, u. S. 145—466.) Bamberg 883. Buchner. Subscr.-Pr. à n. 1. —

— dasselbe. 10. Bd. 7 Lfgn. (VIII, 549 S.) 8. Ebend. 884. Subscr.-Pr. à Lfg. n. 1. —

— dasselbe. 11. Bd. 8 Lfgn. 8. (VIII, 693 S.) Ebend. 884. 85. Subscr.-Pr. à Lfg. n. 1. —

— dasselbe. 12. Bd. 9 Lfgn. 8. (VIII, 717 S.) Ebend. 886. Subscr.-Pr. à Lfg. n. 1. —

— dasselbe. 13. Bd. 1—6. Lfg. 8. (488 S.) Ebend. 886. à n. 1. —

— für das Kaiserth. Oesterreich. Taschen-Ausg. Nr. 125—155. 8. Prag 883—86. Mercy. n. 28. 54

125 u. 126. Oesterreichische Reichs-Gesetze m. Motiven u. Erläuterungen. Jahrg. 1882. 8. u. 9. (Schluß-)Hft. (LXII u. S. 701—766, XXI u. S. 105—124 u. XX u. S. 133—246.) n. 2. 88

127—134. Dasselbe. Jahrg. 1883. (LV, 700; XV, 144 u. XVII, 200 S.) n. 7. —

135—143. Dasselbe. Jahrg. 1884. (LVI, 656; XX, 168 u. XVIII, 163 S. m. 2 Steintaf.) n. 7. —

144—150. Dasselbe. Jahrg. 1885. (VIII, 462; XV, 402 u. XVI, 151 S.) n. 6. —

151—155. Dasselbe. Jahrg. 1886. 1—5. Hft. (S. 1—468, 1—112 u. 1—56.) n. 5. 66

— die österreichischen. Commentirte Handausg. 6. Bd. 8. Ebend. 883. n. 4. 40; geb. n. 5. 20

Das allgemeine Strafgesetz vom 27. Mai 1852. Ergänzt durch die einschläg. Gesetze u. Verordngn. u. erläutert aus den grundsätzl. Entscheidgn. d. obersten Gerichts- u. Cassationshofes. Mit e. ausführl. alphabet. Sachregister. (VIII, 499 S.)

— u. **Ministerial-Verordnungen** zum Gebrauche f. die k. k. Gendarmerie. Jahrg. 1882—1885. gr. 8. (S. 609—800.) Wien 884—86. Hof- u. Staatsdruckerei. n. 1. —

— u. **Verordnungen**, die, üb. das Volksschulwesen f. die im Reichsrathe vertretenen Königreiche u. Länder einschließlich d. Gesetzes v. 2. Mai 1883, sammt der Durchführungsverordng. vom 8. Juni 1883. Erläutert durch die Entscheidgn. d. Reichsgerichtes u. Verwaltungsgerichtshofes, dann die Erlässe d. böhm. Landesschulrathes. Mit e. ausführl. alphabet., nach Schlagwörtern abgefaßten Materienregister. 4. Aufl. 8. (392 S.) Prag 884. Mercy. n. 2. 40; geb. n. 3. 20

Reichsgesetzgebung, die, in der V. Legislaturperiode 1881—1884. Im Auftrage der nationalliberalen Partei dargestellt. gr. 8. (102 S.) Berlin 884. Puttkammer & Mühlbrecht. n. 1. 40

— die, auf dem Gebiete der Arbeiter-Versicherung. Erläutert u. m. den f. das Reich u. f. Bayern gült. Vollzugsbestimmgn. hrsg. v. bayer. Verwaltungsbeamten. 1. Bdchn. 8. Ansbach 884. 85. Brügel & Sohn. cart. n. 6. 70

1. Das Reichsgesetz, betr. die Krankenversicherung der Arbeiter vom 15. Juni 1883, nebst dem bayer

Ausführungsgesetze vom 28. Febr. 1884. Erläutert u. m. den hierzu erlassenen Vollzugsvorschriften, sowie den im Reichskanzleramte ausgearb. Statutenentwürfen hrsg. v. A. Reger. 3. durch Beidruck d. Hülfskassengesetzes verm. Aufl. (VI, 261 S.) n. 2. —

2. Das Unfallversicherungs-Gesetz vom 6. Juli 1884, nebst dem Reichsgesetz üb. Ausdehng der Unfall- u. Krankenversicherg. vom 28. Mai 1885. Erläutert u. m. den hiezu erlassenen Vollzugsvorschriften, sowie dem vom Reichsversicherungsamt festgestellten Normalstatut f. Berufsgenossenschaften hrsg. v. C. Graef. (VII, 259 S.) n. 2. 70

3. Das Reichsgesetz, betr. die Unfall- u. Krankenversicherung der in land- u. forstwirthschaftlichen Betrieben beschäftigten Personen vom 5. Mai 1886. Erläutert v. C. Graef. (VII, 206 S.) 886. n. 2. —

Reichsgesetzgebung, die, auf dem Gebiete der Arbeiter-Versicherung. Erläutert u. m. den f. das Reich u. f. Bayern gült. Vollzugsbestimmgn. hrsg. v. bayer. Verwaltungsbeamten. 1. Ergänzungsbdchen. 8. Ansbach 886. Brügel & Sohn. cart. n. 1. 20 (1—3. u. Ergänzgsbdchn.: n. 7. 90)

Ergänzungsgesetze, Vollzugsbestimmungen u. sonstige Materialien zum Kranken- u. zum Unfallversicherungsgesetze aus der Zeit von Mitte Mai 1884 bis Ende Dezbr. 1885. (VIII, 162 S.)

— die, üb. Kranken- u. Unfallversicherung. Text-Ausg. m. Sachregister. gr. 8. (XI, 223 S.) Berlin 886. C. Heymann's Verl. n. 3. —

Reichs-Gewerbe-Ordnung, die, in der infolge d. Reichsgesetzes vom 1. Juli 1883 festgestellten Fassung, nebst den sämmtl. Ausführungsbestimmgn. Mit vielen erläut. Anmerkgn., sowie ausführl. Inhalts-Übersicht verseh. Text-Ausg. zum prakt. Gebrauche f. Beamte, Kaufleute u. Gewerbetreibende rc. v. e. Verwaltungsbeamten. 2. Aufl. 12. (IV, 208 S.) Neuwied 884. Heusers Verl. cart. 1. 50

— deutsche, nach den Gesetzen vom 21. Juni 1869, 12. Juni 1872, 2. März 1874, 8. Apr. 1876, 11. Juni 1878, 17. Juli 1878, 23. Juli 1879, 15. Juli 1880, 18. Juli 1881 u. den Bekanntmachgn. d. Reichskanzlers vom 26. Juli 1881, 31. Jan. u. 12. Juli 1882, m. Einführungs-Gesetz f. Bayern vom 12. Juni 1872 u. Vollzugsverordngn. vom 4. Dezbr. 1872, 8. Aug. 1879 u. 1. Aug. 1881, sowie Ergänzungs-Bestimmgn. u. ausführl. Sachregister. 8. (174 S.) Würzburg 883. Stahel. 1. 50; cart. 1. 80

— deutsche, in der Fassung vom 1. Juli 1883, nebst den bis Ende 1883 dazu ergangenen Ergänzungsbestimmgn. u. s. w. u. ausführl. Sachregister. 12. (170 S.) Würzburg 884. Stahel. 1. 15; cart. 1. 30

Reichs-Haftpflicht-Gesetz, das, betr. die Verbindlichkeit zum Schadenersatz f. die bei dem Betriebe v. Eisenbahnen, Bergwerken, Steinbrüchen, Gräbereien u. Fabriken herbeigeführten Tötungen u. Körperverletzungen vom 7. Juni 1871. Mit vielen Anmerkgn. verseh. Ausg. unter Berücksicht. der Gesetze betr. die Unfallversicherg. 8. (21 S.) Neuwied 886. Heuser's Verl. cart. — 30

Reichskalender, deutscher, f. d. J. 1884. Mit novellist. u. populärwissenschaftl., sowie humorist. Beiträgen. 13. Jahrg. Mit 2 imitirten Lichtdr.-Bildern, grösseren u. zahlreichen kleineren in den Text gedr. Illustr. 16. (LXXVIII, 122 S.) Berlin, Haack. n. — 50

— deutscher, f. d. J. 1884. Hrsg. v. der Gesellschaft f. Verbreitg v. Volksbildg. Mit vielen Illustr. 16. (202 S.) Berlin, Simion. n. — 50

Reichskanzler, der, u. die brennenden Fragen der Gegenwart. Eine ernste Mahng. zur Jahreswende an das deutsche Volk. Von e. Liberalen. gr. 8. (39 S.) Leipzig 883. E. M. Starke. n.n. — 50

Reichs-Kursbuch. Uebersicht der Eisenbahn-, Post- u. Dampfschiff-Verbindgn. in Deutschland, Oesterreich-Ungarn, Schweiz, sowie der bedeutenderen Verbindgn. der übrigen Theile Europas u. der Dampfschiff-Verbindgn. m. aussereurop. Ländern. Bearb. im Kursbureau d. Reichs-Postamts. Mit e. (lith.) Karte v. Deutschland u. Skizzen fremder Länder 1886. 8 Nrn. gr. 8. (Nr. 1. 577 S.) Berlin, Springer. à Nr. 2. —

Reichsplan, der, Gottes m. den Menschen. Freie Auffassg. auf Grund der hl. Schrift v. Siano. 8. (XII, 107 S.) Stuttgart 886. Greiner & Pfeiffer. n. 1. 50

Reichs-Post- u. Telegraphen-Kalender, f. d. J. 1886. Zum Dienstgebrauche f. Post- u. Telegraphenbeamte. 17. Jahrg. 12. (448 S.) Berlin, L. R. Schwarz. geb. n.n. 1. 50

— — deutscher, f. d. J. 1886. Von Gust. Lüdemann. 2 Thle. 16. Jahrg. gr. 16. (VI, 183 u. IV, 128 S.) Berlin, F. Luckhardt. geb. u. geh. n. 1. 50

Reichsrathsgutachten, Allerhöchst am 15. Jan. 1885 bestätigtes, betr. die ergänzende Besteuerung der Handels- u. industriellen Unternehmungen m. e. Procent- u. Repartitionssteuer, nebst der vom Finanzminister am 28. Juni 1885 bestätigten Instruction u. Allerhöchst am 20. Mai 1885 bestätigtes Reichsrathsgutachten betr. die Capitalrentensteuer. Uebers. v. C. Tschernow. 8. (58 S.) Reval 885. (Wassermann.) n.n. 2. —

Reichsraths-Wahlordnung, die, vom 2. Apr. 1873 m. Berücksicht. der durch das Gesetz vom 4. Octbr. 1882 getroffenen Abänderungen derselben. Die Gesetze üb. die Geschäftsordng. d. Reichsrathes u. üb. die Behandlg. umfangreicher Gesetze im Reichsrathe. Richtig gestellt bis in die jüngste Zeit. 8. (III, 59 S.) Wien 885. Manz. n. — 60

Reichstagsakten, deutsche. 5., 8. u. 9. Bd. Auf Veranlassg. Sr. Maj. d. Königs v. Bayern hrsg. durch die histor. Commission bei der königl. Academie der Wissenschaften. hoch 4. Gotha, F. A. Perthes. n. 114. — (1—5. 7—9.: n. 206. —)

5. Deutsche Reichstagsakten unter König Ruprecht. 2. Abth. 1401—1405. Hrsg. v. Jul. Weizsäcker. (XI, 853 S.) 885. n. 48. —

8. Deutsche Reichstagsakten unter Kaiser Sigmund. 2. Abth. 1421—1426. Hrsg. v. Dietr. Kerler. (VII, IV, 550 S.) 883. n. 30. —

9. Deutsche Reichstagsakten unter Kaiser Sigmund. 3. Abth. 1427—1431. Hrsg. v. Dietr. Kerler. (VIII, 645 S.) 887. n. 36. —

Reichstagssession, die, 1884 dargestellt f. freisinnige Wähler. [Zugleich als Nachtrag zum Neuen ABC-Buch.] gr. 8. (S. 389—544.) Berlin 884. Barthel. n.n. — 60

Reichs-Volksschul-Gesetz, nebst Durchführungs-Verordnung. Nachtrag zur Sammlg. der Gesetze u. Verordngn. betr. die allgemeinen Volksschulen in Kärnten. 8. (40 S.) Klagenfurt 883. (Heyn.) n. — 40

— das durch das Gesetz vom 2. Mai 1883 abgeänderte u. ergänzte, vom 14. Mai 1869 u. die dazu erlassenen Durchführungs-Verordnungen d. k. k. Ministeriums f. Cultus u. Unterricht. Nebst e. Geschichte u. Motivirg. d. neuen Reichs-Volksschul-Gesetzes. 2. Ausg. 8. (64 S.) Wien 883. Manz. n. — 60

— das neue. Gesetz vom 14. Mai 1869 m. den durch das Gesetz vom 2. Mai 1883 verfügten Ändergn. gr. 8. (26 S.) Wien 883. Pichler's Wwe. & Sohn. n. — 40

Reicke, H., die Kant-Bibliographie d. J. 1883 m. Nachträgen zu früheren Jahren. gr. 8. (8 S.) Königsberg 885. (Beyer.) n. — 40

— u. H. **Vaihinger**, die Kant-Bibliographie d. J. 1882 m. Nachträgen zu früheren Jahren. gr. 8. (7 S.) Ebend. 883. n. — 40

Reicke, Rud., aus Kant's Briefwechsel. Vortrag, geh. an Kant's Geburtstag den 22. Apr. 1885 in der Kant-Gesellschaft zu Königsberg. Mit e. Anh., enth. Briefe v. Jac. Sigism. Beck an Kant u. v. Kant an Beck. gr. 8. (73 S.) Königsberg 885. Beyer. n. 2. —

Reid, Mayne, die Kriegsfährte. Erzählung aus dem fernen Westen. Für die Jugend bearb. durch Dr. Hoffmann. Mit (5) Farbendr.-Illustr. nach Orig.-Zeichngn. v. C. Koch. 8. (219 S.) Berlin 883. Drewitz. geb. 2. 50

— die Skalpjäger. Erzählung aus dem fernen Westen. Für die Jugend bearb. v. Dr. Hoffmann. Mit (5) Farbendr.-Illustr. nach Orig.-Zeichngn. v. C. Koch. 3. Aufl. gr. 8. (219 S.) Ebend. 883. geb. 4. 50

Reidelbach, Hans, Lehr- u. Lesebuch f. die gewerblichen

Fortbildungsschulen Bayerns. Zugleich als Volksbuch hrsg. Mit 37 Illustr. u. 4 Karten. gr. 8. (XXVI, 784 S.) München 886. Th. Ackermann's Verl. n. 2. —; geb. n.n. 2. 60

Reidemeister, Hans, Jugurtha. Tragödie in 5 Aufzügen. 8. (VII, 151 S.) Braunschweig 886. Wagner. n. 2. —

Reidt, Fr., Anleitung zum mathematischen Unterricht an höheren Schulen. gr. 8. (X, 252 S.) Berlin 886. Grote. n. 4. —

— Aufgaben-Sammlung zur Arithmetik u. Algebra. gr. 8. (XII, 332 S.) Ebend. 884. n. 2. 80; Resultate. (III, 84 S.) n. — 80

— die Elemente der Mathematik. Ein Hilfsbuch f. den mathematischen Unterricht an höheren Lehranstalten. 2.—4. Tl. gr. 8. Ebend. 884. n. 4. —
2. Planimetrie. 7. Aufl. (VIII, 211 S. m. Fig.) n. 1. 80
3. Stereometrie. 4. Aufl. (IV, 118 S.) n. 1. 20
4. Trigonometrie. 4. Aufl. (IV, 88 S.) n. 1. —

— Sammlung v. Aufgaben u. Beispielen aus der Trigonometrie u. Stereometrie. 2 Tle. 3. Aufl. gr. 8. Leipzig, Teubner. n. 7. —
1. Trigonometrie. (VIII, 260 S.) 884. n. 4. —
2. Stereometrie. (VIII, 190 S.) 885. n. 3. —

— dasselbe. Resultate der Rechnungs-Aufgaben. 1. u. 2. Tl. 3. Aufl. gr. 4. Ebend. n. 2. 80
1. Trigonometrie. (84 S.) 885. n. 1. 80
2. Stereometrie. (48 S.) n. 1. —

Reif, Vikt. M., der Tanz als Mittel der körperlichen Erziehung der Jugend. gr. 8. (13 S.) Breslau 885. (Priebatsch.) n. — 40

Reif, Wilh., von Sedan bis Java. Ein Menschenleben in 8 poet. Genrebildern. 2. Aufl. 8. (31 S.) Meiningen 883. Keyßner. cart. n. — 70

Reifenkugel, Karl, die Bukowinaer Landesbibliothek u. die k. k. Universitäts-Bibliothek in Czernowitz. Geschichte u. Statistik. gr. 8. (IV, 65 S.) Czernowitz 885. (Pardini.) n.n. 1. 50

Reiff, F., die Arbeit u. ihr Segen. Vortrag. 2. Aufl. 8. (31 S.) Stuttgart 885. Buchh. der Evang. Gesellschaft. n. — 20

— die wahren Jugendideale. Ein Vortrag. 2. Aufl. gr. 8. (28 S.) Elberfeld 883. (Buchh. der Evangel. Gesellschaft.) n. — 35

— Luther, der deutsche Mann. Ein Vortrag. 8. (31 S.) Stuttgart 883. Buchh. der Evangel. Gesellschaft. n. — 20

Reiff, K., zur Kinematik der Potentialbewegung. gr. 8. (8 S.) Tübingen 886. Fues. n. — 20

Reiff, Rich., üb. die Probleme der Hydrodynamik. Vortrag. gr. 8. (13 S.) Tübingen 882. Fues. n. — 40

Reifferscheid, Aug., anecdotum Fulgentianum. 4. (10 S.) Breslau 883. (Köhler.) n. — 50

— quaestiones syntacticae. Schedae Basilicanae. 4. (11 S.) Ebend. 885. n. 1. —

Reigers, Frdr., geschichtliche Nachrichten üb. die Kirche Unserer Lieben Frau [jetzt Peterskirche genannt] u. das Minoritenkloster in Bocholt von der Gründung der Kirche bis zur Aufhebung des Klosters. 1310 bis 1811. Mit Urkunden. gr. 8. (VII, 229 S.) Münster 885. (Regensberg) n. 2. 50

Reile, E. v., die Zukunft der Polen u. ihre Politik in Rücksicht auf e. einstige Wiederherstellung d. Königreichs. gr. 8. (24 S.) Berlin 886. Stuhr. n. — 80

Reimann's Taschen-Fahrplan f. Oesterreich-Ungarn mit den Anschlüssen an das Ausland u. 1 (lith.) Eisenbahnkarte. Nach officiellen Angaben bearb. Jahrg. 1886. 6—8 Nrn. 16. (à 258 S.) Wien, Expedition der „Reimann's Reisebücher“. à — 50

Reimann, Heinr., Studien zur griechischen Musik-Geschichte. *A* u. *B*. gr. 4. (Leipzig, Fock.) à n. 1. —
A. Der *Nόμος* (24 S.) Ratibor 882.
B. Die Prosodien u. die denselben verwandten Gesänge der Griechen. (28 S.) Glatz 885.

Reimann's, M., Färber-Zeitung. Organ f. Färberei, Druckerei, Bleicherei, Appretur, Farbwaaren-, Buntpapierfabrikation u. Droguenhandel. Organ d. „Allgemeinen Färber-Vereins“ u. der „Färber-Akademie“ zu Berlin. Red. u. Hrsg.: M. Reimann. 14—17. Jahrg. 1883—1886. à 48 Nrn. (à ½—1 B. m. Stoffmustern u. lith. Taf.) gr. 8. Berlin, Expeb. à Jahrg. n. 20. —

Reimann, Max, die Sprache der mittelkentischen Evangelien [Codd. Royal 1 A 14 u. Hatton 38]. Ein Beitrag zur engl. Grammatik. gr. 8. (109 S.) Berlin 883. Weidmann. n. 3. —

Reimann, Max, zur Belehrung üb. die Ernährung der Säuglinge. 153. Aufl. Plakat. Fol. Kiel 886. Lipsius & Tischer. n. — 20

— die körperliche Erziehung u. die Gesundheitspflege in der Schule. Nebst e. Anh.: üb. das Erkennen ansteck. Krankheiten, zur Verhütg. deren Verbreitg. durch die Schule zum prakt. Gebrauch f. Schulbehörden, Lehrer u. Aerzte. gr. 8. (94 S.) Ebend. 885. n. 1. 80

Reimann, Wilh., Führer durch Waldenburg, Salzbrunn, Fürstenstein, Charlottenbrunn, Görbersdorf, Schlesierthal, Reimsbachthal u. das ganze Waldenburger Gebirge. Mit Berücksicht. der umlieg. Kreisstädte, sowie der Adersbacher u. Weckelsdorfer Felsen bearb. 5. Aufl. 16. (IV, 148 S.) Schweidnitz 886. Brieger & Gilbers. n. — 60

— Geschichte u. Sagen der Burgruinen im Kreise Waldenburg. Mit Benutzg. verschiedener Geschichtswerke, Documente, Localnachrichten u. Traditionen zusammengestellt. 8. (110 S.) Waldenburg i/Schl. 883, (Georgi). n. — 75

Reimar, F. L., doch, s.: Dilettanten-Mappe.

— Elisabeth u. andere Novellen. 2. Aufl. 8. (333 S.) Norden 886. Fischer Nachf. n. 4. —

Reimbüchlein, niederdeutsches, s.: Drucke d. Vereins f. niederdeutsche Sprachforschung.

Reim-Chronik d. Ruderclub Villach, vorgetragen beim Häringsschmause im Fasching 1884 u. 1885. 16. (47 S.) Villach 885. (Klagenfurt, Raunecker.) — 75

Reime e. Unbekannten. 3. Aufl. gr. 8. (130 S.) Wien 885. (Perles.) n. 1. 20

Reimer, Karl, u. Karl **Richter**, biblische Geschichte f. die Mittelstufe mehrklassiger Volksschulen. gr. 8. (IV, 132 S.) Leipzig 886. (M. Hesse.) geb. n.n. — 65

Reimers, Chrn., zur Steuer der Wahrheit! Ein Blick in die Einblicke d. Erzherzogs Johann, nebst Seitenblicke in den modernen Spiritismus u. Schulze u. Müllers Gedanken- u. Wortwechsel üb. denselben Gegenstand. gr. 8. (40 S.) Adelaide, Austr. 884. (Leipzig, Uhlig.) n. — 50

Reimers, J., zur Entwicklung d. dorischen Tempels. gr. 8. (44 S.) Berlin 884. Weidmann. n. 1. —

Reimspiele od. wie das Kind Verse macht u. selbst darüber lacht. Ein Bilderbuch f. die Kleinen. gr. 8. (48 color. Bilder auf 24 Steintaf. m. eingedr. u. 2 S. Text.) Stuttgart 885. Thienemann. geb. n. 1. 50

Rein, J. J., Japan. Nach Reisen u. Studien im Auftrag der kgl. preuss. Regierg. dargestellt. 2. Bd. Land- u. Forstwirthschaft, Industrie u. Handel. Mit 24 zum Thl. farb. Taf., 20 Holzschn. im Text u. 3 Kärtchen. gr. 8. (XII, 678 S.) Leipzig 886. Engelmann. n. 24. —; Einbd. n.n. 3. — (cplt.: n. 44. —)

Rein, K., wem viel vergeben ist, der liebt viel. 16. (16 S.) Gernsbach 884. Christlicher Kolportage-Verein. n. — 3

Rein, W., A. **Pickel** u. E. **Scheller**, Theorie u. Praxis d. Volksschulunterrichts nach Herbartischen Grundsätzen I, III—VIII. Ein theoretisch-prakt. Lehrgang f. Lehrer u. Lehrerinnen, sowie zum Gebrauch in Seminaren. gr. 8. Dresden, Bleyl & Kaemmerer. n. 20. 40
1. Das 1. Schuljahr. 3. Aufl. (XXVIII, 198 S.) 885. n. 3. —
3. Das 3. Schuljahr. 2. Aufl. (VII, 195 S.) 885. n. 2. 80
4. Das 4. Schuljahr. 2. Aufl. (VII, 236 S.) 884. n. 2. 80
5. Das 5. Schuljahr. 2. Aufl. (VII, 228 S.) 886. n. 3. —
6. Das 6. Schuljahr. 2. Aufl. (XII, 195 S.) 886. n. 3. —
7. Das 7. Schuljahr. (VII, 139 S.) 884. n. 2. 80
8. Das 8. Schuljahr. (VIII, 219 S.) 885. n. 3. —

Reinach, Salomon, Bénigne Emmanuel Miller. Gustave d'Eichthal. 2 nécrologues. gr. 8. (16 S.) Berlin 887. Calvary & Co. n. 1. 20

Reinbeck, Karl, üb. diejenigen Flächen, auf welche die Flächen 2. Grades durch parallele Normalen conform abgebildet werden. gr. 8. (47 S. m. 1 Taf.) Göttingen 886. (Vandenhoeck & Ruprecht.) n. 1. 20

Reinbeck, Leop. v., Salon-Gespräche. 78 anleit. Beispiele, um auf Bällen, in Gesellschaften, Konzerten u. im Theater, bei Besuchen, Diners u. Landpartien, auf der Straße, auf Promenaden, Reisen, sowie überhaupt unter den verschiedenartigsten Lebensverhältnissen auf e. pass., anzieh. u. interessante Weise e. Unterhaltg. anzuknüpfen, sowie m. Takt u. Gewandtheit fortzuführen. 2. Aufl. 8. (XIX, 187 S.) Weimar 886. B. F. Voigt. 1. 80

Reinbrecht, A., Polyhymnia, s.: Bösche, K.

Reincke, O., die deutsche Civilprozeßordnung. Für die Praxis erläutert. gr. 8. (VIII, 808 S.) Berlin 885. H. W. Müller. n. 14. —; geb. n. 16. 50

— allgemeines Landrecht f. die Preußischen Staaten, s.: Rehbein, H.

Reineck, Freiin M. v., das Eidbuch v. Köln. Im Moor. Historische Erzählgn. aus dem deutschen Mittelalter. 8. (117 u. 88 S.) Leipzig 884. Böhme. n. 2. —; geb. n. 2. 70

Reinecke's, Adf., Verdeutschungs-Wörterbuch. 1. Bd. 8. Berlin 886. Reinecke. cart. n. 3. —

Verdeutschungs-Wörterbuch der Kunst- u. Geschäftssprache d. deutschen Buchhandels u. der verwandten Gebiete. (XI, 186 S.)

Reinecke, Carl, auf hohen Befehl. Komische Oper in 3 Akten m. freier Benutzg. der Riehl'schen Novelle „Ovid bei Hofe". Regie-Buch. 8. (61 S.) Leipzig 886. M. Hesse. n. — 75; Textbuch. 12. (50 S.) n. — 50

— was sollen wir spielen? Briefe an e. Freundin. 12. (54 S.) Leipzig 886. Leuckart. n. 1. —

Reinecke, Ernst, die Diphtheritis in Göttingen während der J. 1878—82. gr. 8. (26 S.) Göttingen 884. (Vandenhoeck & Ruprecht.) n. — 60

Reinecke, H., die allgemeinen Bestimmungen d. königl. preußischen Ministers der geistl., Unterrichts- u. Medizinal-Angelegenheiten vom 15. Oktbr. 1872. Mit Inhaltsangabe der wichtigsten bis Ende 1885 zu denselben erlassenen Ministerial-Verfüggn., dem Schulaufsichtsgesetze u. der Prüfungs-Ordng. f. Taubstummenlehrer, Turnlehrer u. Zeichenlehrer. Nach amtl. Quellen zusammengestellt. 2. Aufl. gr. 8. (98 S.) Leipzig 886. Dürr'sche Buchh. cart. n. 1. —

— Bilder aus der Kirchengeschichte f. den Schulgebrauch bearb. 8. (31 S.) Hannover 884. Meyer. n. — 20

— der erste Brief Pauli an die Korinther. Für die evangel. Volksschullehrer unter Hinzufügg. e. genauen Übersetzg. aus dem Griechischen nach wissenschaftl. Quellen ausgelegt. gr. 8. (120 S.) Leipzig 886. Dürr'sche Buchh. n. 1. 80

— der 2. Brief Pauli an die Korinther. Für die evangel. Volksschullehrer unter Hinzufügg. e. genauen Übersetzg. aus dem Griech. nach wissenschaftl. Quellen ausgelegt. gr. 8. (91 S.) Ebend. 886. n. 1. 50

— der Brief Pauli an die Römer. Für evangel. Volksschullehrer unter Hinzufügg. e. genauen Übersetzg. aus dem Griech. nach wissenschaftl. Quellen ausgelegt. gr. 8. (116 S.) Ebend. 884. n. 1. 80

— Friedrich Fröbels Leben u. Lehre. 1. Bd. [Biographie von 1782—1826. Die kleineren Keilhauer Schriften. „Die Menschenerziehung".] gr. 8. (VIII, 276 S. m. Holzschn.-Portr.) Berlin 885. Oehmigke's Verl. n. 3. —

— biblische Geschichte f. die Mittel- u. Oberstufe. 2. Aufl. 8. (VIII, 237 S.) Hannover 884. Meyer. n. 1. —

— biblische Geschichten f. die Unterstufe. 2. Aufl. 8. (49 S.) Ebend. 884. n. — 30

— Handbuch zur methodischen Behandlung der biblischen Geschichte. 2. völlig umgearb. Aufl. gr. 8. (VIII, 442 S.) Ebend. 884. n. 4. 80; geb. n. 5. 40

Reinecke, H., vollständiger u. zuverlässiger Rechenhelfer od. Tabellen f. den Ein- u. Verkauf in deutscher Reichswährg. von 1 Pfennig aufsteigend bis 100 Mark f. Stück, Meter, Kilo, Liter &c., von 1 bis 3000 genau u. sicher berechnet. Nebst e. Anh., enth.: a. Zinstabelle von $^1/_4$% bis 6% f. Tag, Monat u. Jahr; b. Stempeltarif bei Wechseln in Reichsmarkwährg. 5. Aufl. 16. (145 S.) Harburg 884. Elkan. geb. 1. —

Reinecke, J. C., Ansatz der Gerichtskosten im Deutschen Reiche bezw. in Preußen. Taf. I bis XII. gr. 4. (III, 90 S.) Berlin 883. P. Lentz. n. 6. 50; Taf. I—VI ap. n. 3. —

— die polizeiliche Strafgewalt. Handbuch f. den prakt. Gebrauch bei der polizeil. Verfolgg. der Uebertretgn. m. besond. Berücksicht. d. Gebietes der allgemeinen Polizeiverwaltg. Nebst Formularen. 8. (VI, 210 S.) Berlin 883. P. Lentz. n.n. 1. 50; cart. n. 2. —

Reinecke, R., u. A. Bödiker, die Reichs-Civil-Prozeß-Ordnung, die bezüglichen Bestimmungen d. Gerichtsverfassungsgesetzes u. der Einführungsgesetze. Nach den Vorarbeiten d. R. R. hrsg. v. A. B. 3. Aufl. gr. 8. (XXIV, 528 u. 59 S.) Hannover 884. Helwing's Verl. n. 4. —

Reinecke, W., Excursionsflora d. Harzes. Nebst e. Einführg. in die Terminologie u. e. Anleitg. zum Sammeln, Bestimmen u. Konservieren der Pflanzen. schmal 8. (IV, 245 S.) Quedlinburg 886. Vieweg. n. 3. —

— Naturgeschichte f. gehobene Volks- u. mittlere Bürgerschulen. In 3 Kursen nach method. Grundsätzen bearb. 1. u. 2. Kurs. Mit besond. Berücksicht v. Leutemann's Tierbildern. 2. Aufl. gr. 8. (VII, 44 u. III, 50 S. m. Holzschn.) Ebend. 885. 86. à n. — 35; geb. à n. — 50

Reineke der Fuchs. Nach der niedersächs. Bearbeitg. [Lübeck 1498] d. fläm. Reinart v. Willem in's Hochdeutsche übertr. v. J. N. B. gr. 16. (VII, 177 S.) München 884. Literarisch-artist. Anstalt. n. 2. 40; geb. n. 3. —

Reiner, Joh. Jak., Liederkranz f. die Jugend, namentlich f. Sonntagsschulen, m. 224 sowohl f. 2- als f. 3stimm. Gesang eingerichteten Liedern. Im Einverständniß m. dem Kantonalkomité der Zürcher. Sonntagsschulen hrsg. 2. Aufl. 12. (VIII, 282 S.) Basel 883. Spittler. cart. n. 1. —

Reiners, Adam, die Pflanze als Symbol u. Schmuck im Heiligtume von den frühesten Zeiten bis jetzt, nebst prakt. Winken zur Anordng. u. Beschaffg. d. Blumenschmucks. gr. 8. (III, 223 S.) Regensburg 886. Verlags-Anstalt. n. 3. —

— die Pflanzenwelt in Poesie, Kunst u. Cultus, — die Springprozession zu Echternach, } s.: Broschüren, Frankfurter zeitgemäße.

— die Tropen-, Prosen- u. Präfations-Gesänge d. feierlichen Hochamtes im Mittelalter. Aus 3 Handschriften der Abteien Prüm u. Echternach, aufbewahrt in der Nationalbibliothek zu Paris, hrsg. gr. 8. (III, 124 S.) Luxemburg 884. (Schamburger.) n. 1. 60

Reinfeldt, Joh., baltischer Liederkranz. Ausgewählte Lieder zum Gebrauch f. den Gesangunterricht. 2. Aufl. 2 Tle. 8. (VIII, 192 S.) Reval 886. Kluge. à n. — 60; cplt. cart. n. 1. 20

Reinfels, H. v., im Negligé; in eigener Schlinge, s.: Universal-Bibliothek.

Reinhard u. v. **Bosse**, die Medicinal-Gesetze u. Verordnungen d. Königr. Sachsen. Systematisch geordnet u. m. Erläutergn. hrsg. Mit e. ausführl. Sachregister. 2. bis zur Gegenwart fortgeführte Aufl. 8. (VIII, 478 S.) Leipzig 887. Roßberg. n. 7. —; Einbd. n.n. 1. —

Reinhard, Aimé, Justinus Kerner u. das Kernerhaus zu Weinsberg. Gedenkblätter aus d. Dichters Leben. Mit Kerner's Bildniß, e. Ansicht seines Hauses, d. Denkmals u. 1 Facsm. 2. Aufl. 8. (X, 172 S.) Tübingen 886. Osiander. n. 2. —

Reinhard, Aug., Choralbuch f. das christliche Haus. 200 der gebräuchlichsten evangel. Choralgesänge, f. das Harmonium gesetzt u. m. beigefügten Texten hrsg. hoch 4. (IX, 258 S.) Quedlinburg 885. Vieweg. n. 4. 50; geb. n. 6. —

— die Kirchenhoheitsrechte d. Königs v. Bayern. Von der Juristen-Fakultät der Universität München m. dem Accessit gekrönte Preisschrift. gr. 8. (VI, 282 S.) München 884. Th. Ackermann. n. 5. 40

Reinhard's, Karl Frdr., Briefe an Ch. de Villers. gr. 8. (56 S.) Hamburg 883. O. Meissner. n. 1. —

Reinhard, R., Geschichte der Pfarrei Horw, s.: Heimathskunde f. den Kanton Luzern.

Reinhard, Rich., der landwirtschaftliche Bauernverein d. Saalkreises u. seine 25jährige Wirksamkeit. Eine Festschrift. gr. 8. (XI, 252 S. m. 1 Lichtdr.-Portr.) Berlin 884. Parey. n. 4. —

— eine Lebenswoche. Tagebuch aus den letzten Jahrzehnten der Geschichte. 8. (V, 200 S.) Halle 884. Kaemmerer & Co. n. 2. 40; geb. n. 3. 20

Reinhard, Rich., liturgische Ordnungen f. die wichtigsten Kirchenzeiten zum Gebrauche v. Landgemeinden. 8. (22 S.) Berlin 885. Parey. n. — 25

Reinhard, W., Reisebilder aus der Schweiz. 5 Aquarellen u. 3 Zeichngn. Chromolith. u. Lichtdr. gr. Fol. Berlin 884. Th. Ch. F. Enslin. In Leinw.-Mappe. 36. —

Reinhard, W., Lenchen im Zuchthause. Schilderung d. Strafverfahrens [Flagellantismus] in e. süddeutschen Zuchthause vor 1848. Ein Beitrag zur Sittengeschichte. 2. Aufl. 8. (IV, 292 S.) Leipzig 884. Glogau & Co. 8. —

Reinhardstoettner, C. v., Gedanken üb. das Studium der modernen Sprachen in Bayern an Hoch- u. Mittelschule. (1. Hft.) gr. 8. (39 S.) München 882. Lindauer. n.n. — 70

— weitere Gedanken üb. das Studium der modernen Sprachen in Bayern an Hoch- u. Mittelschule. 2. Hft.: Persönliches u. Sachliches. gr. 8. (56 S.) Ebend. 883. n. — 90

— Plautus. Spätere Bearbeitgn. plautin. Lustspiele. Ein Beitrag zur vergleich. Litteraturgeschichte. gr. 8. (XVI, 798 S.) Leipzig 886. Friedrich. n. 18. —

Reinhardt, Carl, die vier Jahreszeiten. Ein humorist. Kinderbuch. Mit 17 Bildern in Farbendr. 3. Aufl. gr. 4. Glogau 883. Flemming. cart. 2. 50

Reinhardt, Carl, Naturgeschichte der weißen Sclaven v. Tin-te-hohn-tse. Aus dem Chines. übers. u. m. 57 Illustr. versehen. 4. Aufl. 12. (188 S.) Leipzig 886. Werther. n. 1. 50

Reinhardt, Frz., zum Kopfzerbrechen. Eine Sammlg. v. allerlei Rätseln. Mit Orig.-Beiträgen. Nr. 1—3. 16. (54, 50 u. 55 S.) Berlin 884. Mode's Verl. à n. — 25

Reinhardt, Frdr., die causalsätze u. ire partikeln im Nibelungenliede. gr. 8. (35 S.) Halle 884. (Aschersleben, Huch.) n. 1. —

Reinhardt, Rob., Palast-Architektur v. Ober-Italien u. Toscana vom XV. bis XVII. Jahrh. 1. Thl. Genua. Mit Aufnahmen v. H. Halmhuber, F. Halmhuber, F. Schüle u. A. Widmann. 3—5. [Schluss-] Lfg. gr. Fol. (44 Taf., nebst Text 23 S. m. eingedr. Fig.) Berlin 884. 86. Wasmuth. à n. 28. —; cplt. 150. —

Reinhardt Fuchs, s.: Textbibliothek, altdeutsche.

Reinhold, s.: Keil, R.

Reinhold, Ferd., der Trödelvertrag. Studie. 8. (30 S.) Wien 884. Manz. n. — 60

Reinhold, Hans, de Schatzgräwer un sien Kind. 'Ne eenfach' Vertellung. 8. (155 S.) Neubrandenburg 884. Nahmmacher. n. 2. —

Reinhold, Karl Thdr., Fürst Bismarck als Reformator d. deutschen Geistes. Eine Festrede. gr. 8. (38 S.) Barmen 885. Wiemann. — 75

— das deutsche Volksthum u. seine nationale Zukunft, Betrachtungen e. Laien üb. e. nationale und pract. Politik der Gegenwart. gr. 8. (XX, 478 S.) Minden 884. Bruns. n. 6. —

Reinholdt, Alex. v., Geschichte der russischen Litteratur von ihren Anfängen bis auf die neueste Zeit. gr. 8. (XV, 848 S.) Leipzig 885. 86. Friedrich. n. 18. 50; Einbd. n.n. 1. —

Reinhorst, R., der Christ u. die Zeitung, s.: Fragen, zeitbewegende.

Reinick, Rob., Geschichten, Märchen u. Lieder. Für die Jugend gesammelte Dichtgn. Mit (5) Farbendr.-Illustr., gezeichnet v. O. Woite. gr. 8. (IV, 220 S.) Berlin 883. Drewitz. geb. 4. 50

— Märchen, Geschichten u. Lieder. Eine Auswahl aus dessen Dichtgn. f. die Jugend. Mit vielen Bildern. Neue Ausg. 8. (224 S.) Reutlingen 886. Enßlin & Laiblin. geb. 1. 20

— Märchen-, Lieder- u. Geschichtenbuch. Gesammelte Dichtgn. Reinicks f. die Jugend, zum erstenmal gesammelt u. hrsg. Mit zahlreichen Bildern. 3. Aufl. gr. 8. (IV, 280 S.) Bielefeld 886. Velhagen & Klasing. cart. n. 4. —

Reinicke, W., eine neue Methode der Sandboden-Cultur resp. Melioration unter Verwendung v. Feld-Stahlbahnen, nach eigenen Erfahrgn. dargestellt. 4. (56 S. m. Fig.) Bromberg 885. (Halle, Hofstetter.) n. 1. 20

Reinike, E., die klinischen Neubauten der Universität Bonn. Mit vielen in den Text eingedr. Holzschn. gr. 8. (32 S. m. 1 Taf.) Berlin 883. Ernst & Korn. cart. n. 3. —

Reininger, N., die Archidiacone, Offiziale u. Generalvicare d. Bisth. Würzburg. Ein Beitrag zur Diözesangeschichte. gr. 8. (265 S.) Würzburg 885. (Woerl.) n. 1. 50

Reinisch, Leo, die 'Afar-Sprache. I. Lex.-8. (112 S.) Wien 885. (Gerold's Sohn.) n. 1. 80

— die Bilin-Sprache. 1. Bd. A. u. d. T.: Texte der Bilin-Sprache. Mit Unterstützg. der kais. Akademie der Wissenschaften in Wien. gr. 8. (VIII, 322 S.) Leipzig 883. Th. Grieben. n. 10. —

— dasselbe. 2. Bd. Wörterbuch der Bilin-Sprache. gr. 8. (VI, 426 S.) Wien 887. Hölder. n. 20. —

— die Chamirsprache in Abessinien. I. u. II. [Mit 2 Uebersichtstab. Lex.-8. (127 u. 136 S.) Wien 884. (Gerold's Sohn.) n. 4. 80

— die Quarasprache in Abessinien. I. u. II. [Mit 1 Uebersichtstaf.] Lex.-8. (120 u. 152 S.) Ebend. 885. n. 6. —

Reinitz, Geo., Mittheilungen üb. e. bisher noch wenig bekannten Blasenwurm. gr. 8. (44 S. m. 1 Steintaf.) Dorpat 885. (Karow.) n. 1. 50

Reinitz, Max, das Rechtsverhältniss zwischen Staat u. Eisenbahnen in Österreich. gr. 8. (103 S.) Wien 884. Manz. n. 3. 20

Reinke, J., ein Beitrag zur physiologischen Chemie von Aethalium septicum,
— die Kohlenstoffassimilation im chlorophylllosen Protoplasma,
— über Turgescenz u. Vacuolenbildung im Protoplasma,
— u. L. **Kretschmar**, üb. das Vorkommen u. die Verbreitg. flüchtiger reducirender Substanzen im Pflanzenreiche,
s.: Untersuchungen aus dem botan. Laboratorium der Universität Göttingen.

Reinkens, J. H., deutsche Bischöfe vor 100 Jahren u. jetzt. Vortrag. gr. 8. (29 S.) Heidelberg 884. Weiß' Verl. n. — 50

— Lessing üb. Toleranz. Eine erläuternde Abhandlg. in Briefen. 8. (IV, 178 S.) Leipzig 883. Th. Grieben. n. 3. —

— Ursprung, Wesen u. Ziel d. Altkatholicismus. Vortrag. Geh. auf Wunsch d. kathol. Kirchenvorstandes der altkathol. Parochie Breslau am 30. Septbr. 1882. 8. (54 S.) Heidelberg 882. Weiß' Verl. n. — 30

— Vortrag, geh. in Essen am 31. Oktbr. 1882. gr. 8. (16 S.) Essen 883. (Bädeker.) n. — 40

Reinl, C., vergleichende Untersuchungen üb. den therapeutischen Werth der bekanntesten Moorbäder Oesterreichs u. Deutschlands. gr. 8. (34 S.) Prag 886. Tempsky. — Leipzig, Freytag. n. — 40

— die Wellenbewegung der Lebensprocesse d. Weibes, s.: Sammlung klinischer Vorträge.

Reinle, Phpp. J., reine Naturheilkunde im Gegensatze zu den sämmtlichen Richtungen d. bisherigen Heilwissens, in Form v. öffentl. Vorträgen behandelt. 1. Vortrag. 8. (48 S.) München 883. (Fritsch.) n. — 50

Reinöhl, Rainer v., die Hut der Sudetenländer durch den Deutschen Schulverein. gr. 8. (40 S.) Wien 886. Pichler's Wwe. & Sohn. n. — 80

— der tschechische Schulverein. Ein Weckruf an meine Stammesgenossen. gr. 8. (23 S.) Ebend. 885. n. — 30

Reinsch, Paul F., micro-palaeophytologia formationis carboniferae. Iconographia et dispositio synoptica plantularum microscopicarum omnium in venis carbonis formationis carboniferae hucusque cognitarum, eorumque illis proximorum corpusculorum natura vegetabilica non incerta, quae inveniuntur et in venis carbonis et in stratis formationum infra supraque carboniferam sequentium. 2 voll. gr. 4. (VIII, 66 u. IV, 55 S. m. 107 Stein- u. 2 Lichtdr.-Taf.) Erlangen 884. (Krische.) In Mappe. n n. 75. —

— Mikrophotographien üb. die Strukturverhältnisse u. Zusammensetzung der Steinkohle d. Carbon, entnommen v. mikroskop. Durchschnitten der Steinkohlen. Enth. 74 photogr. Darstellgn. gr. 4. (III, 13 S. m. 13 Taf.) Leipzig 883. T. O. Weigel. In Mappe. n.n. 60. —

Reinsdorff, G., zur Frage d. Militär-Strafprozesses u. seiner Reform. gr. 8. (III, 48 S.) Berlin 885. Liebel. n. — 75

Reinstein, Alwin, die Frage im Unterricht. Zugleich Versuch e. prakt. Logik. 4. Aufl. v. Chr. G. Scholz' Anleitg. zur Fragbildg. 8. (VIII, 167 S.) Leipzig 886. Leuckart. n. 1. 50

Reinwald, J., heimatliche Dichter, s.: Volksbücher, Kärntner.

Reinwarth, Mor., die bei den Wahlen der evang.-luther. Kirchenvorstände im Königr. Sachsen zu beobachtenden Vorschriften der Kirchenvorstands- u. Synodal-Ordnung, sowie der dazu gehörigen Verordnung vom 30. März 1868, unter Berücksicht. d. Kirchengesetzes vom 1. Decbr. 1876 nebst Ausführungsverordng. vom 12. Decbr. 1876. 8. (IV, 36 S.) Döbeln 886. Schmidt. n. — 50; cart. n. — 55

Reiprich, zur Geschichte d. ostgothischen Reiches in Italien. 4. (20 S.) Gross-Strelitz 885. (Wilpert.) n. 1. —

Reis, Frdr., Handbuch f. Gerichtsschreiber im Königreich Bayern. gr. 8. (VII, 282 S.) Kaiserslautern 882. Crusius. 1. 80

Reis, Jos., Bereitung der Brennerei-Kunsthefe. Auf Grundlage vieljähr. Erfahrgn. geschildert. 8. (48 S.) Wien 888. Hartleben. 1. 50; geb. 2. 30

Reis, Paul, Elemente der Physik, Meteorologie u. mathematischen Geographie. Hilfsbuch f. den Unterricht an höheren Lehranstalten. Mit zahlreichen Übungsfragen u. -Aufgaben. 3. Aufl. Mit 269 Fig. im Text. gr. 8. (VIII, 429 S.) Leipzig 886. Quandt & Händel. n. 4. 50

— Lehrbuch der Physik. (Einschließlich der Physik d. Himmels [Himmelskunde], der Luft [Meteorologie] u. der Erde [physikalische Geographie). Gemäß der neueren Anschaug. u. m. den neuesten Fortschritten. Für Gymnasien, Realschulen u. andere höhere Lehranstalten bearb. 6. Aufl. Mit 410 Holzschn. u. 849 Aufgaben nebst Lösgn. gr. 8. (VIII, 827 S.) Ebend. 885. n. 8. 40

— die periodische Wiederkehr v. Wassersnoth u. Wassermangel im Zusammenhang m. den Sonnenflecken, den Nordlichtern u. dem Erdmagnetismus. Mit 6 Holzschn. gr. 8. (VIII, 124 S.) Ebend. 883. n. 2. —

Reisch, Emil, de musicis Graecorum certaminibus capita IV. gr. 8. (124 S.) Wien 885. Gerold's Sohn. n. 4. —

Reischer, M., der internationale Getreide-Verkehr. Studien u. Skizzen. 1. Doppelbd. à 20 Hfte. 8. (1. Hft. 16 S.) Odessa 884. Russ. Merkur. n. 5. —; einzelne Hfte. à n. — 25

— Handbuch d. Odessaer Getreide-Verkehrs. 8. (88 S.) Ebend. 884. n. 10. —

— Rabatt. — Schleuderei od. Rückzahlung. Ein Wort an Verleger u. Sortimenter. 8. (30 S.) Ebend. 885. n.n. — 50

Reischle, W., deutscher Liederschatz. Auswahl der beliebtesten Volkslieder u. Gesänge f. Knaben- u. Mädchenschulen. 3 Hfte. gr. 8. Leipzig 885. M. Hesse. n. — 60

1. Unterstufe. (24 S.) n. — 15. — 2. Mittelstufe. (32 S.) n. — 20. — 3. Oberstufe. (44 S.) n. — 25

— u. C. Stein, Schul-Choralbuch f. die Prov. Sachsen. 61 der gebräuchlichsten Choräle, nach den Beschlüssen der Provinzialsynode ein-, zwei- u. dreistimmig bearb. u. hrsg. 8. (40 S.) Wittenberg 886. Herrosé Verl. n. — 25

Reischle, M., die einfache u. doppelte Buchhaltung, nach prakt. Verzeichng. erläutert f. Handelsschulen u. Handlungslehrlinge. 6. Aufl. gr. 8. (X, 291 S.) Augsburg 884. Rieger. n. 4. —

Reischle, Max, e. Wort zur Controverse üb. die Mystik in der Theologie. gr. 8. (69 S.) Freiburg i/B. 886. Mohr. n. 1. 60

Reise, die, S. M. Kanonenboot „Albatros" im Rothen Meere, in den ostindischen u. chinesischen Gewässern in den Jahren 1884—1885. Mit Benützg. der Berichte d. Commandos u. der Schiffs-Officiere bearb. v. der Red. der „Mittheilgn. aus dem Gebiete d. Seewesens". Mit 1 Karte u. 6 lith. Curs-Skizzen. Beilage zum 8. Hft. der „Mittheilgn". gr. 8. (64 S.) Pola 885. (Wien, Gerold's Sohn.) n. 2. 40

Reise, die, S. M. Corvette „Aurora" nach Brasilien u. den La Plata-Staaten in den J. 1884—1885. Mit Benützg. der Berichte d. Commandos der Corvette bearb. v. der Red. der „Mittheilgn. aus dem Gebiete d. Seewesens". Mit 1 Karte u. 2 lith. Taf. Beilage zu Hft. X 1885 der „Mittheilgn. aus dem Gebiete d. Seewesens". gr. 8. (56 S.) Pola 885. (Wien, Gerold's Sohn.) n. 2. —

— die, S. M. Corvette „Frundsberg" im Rothen Meere u. an der Ostküste Afrikas in den J. 1884—1885. Mit Benützg. der Berichte d. Commandos der Corvette bearb. v. der Red. der „Mittheilgn. aus dem Gebiete d. Seewesens". Mit 1 Karte u. 2 lith. Curs-Skizzen. Beilage zum 9. Hft. der „Mittheilgn." gr. 8. (80 S.) Ebend. 885. n. 2. 40

— die, S. M. Corvette „Helgoland" an der Westküste Afrikas in den J. 1884—1885. Mit Benützg. der Berichte d. Commandos der Corvette bearb. v. der Redaction der „Mittheilgn. aus dem Gebiete d. Seewesens". Mit 1 Karte. Beilage zu den „Mittheilgn. aus dem Gebiete d. Seewesens, 1885, 12. Hft." gr. 8. (65 S.) Ebend. 885. n. 2. —

— eine, in die Himmel; od. 5 Bilder ans der Höhe, gemalt v. Oculeus. 8. (79 S) Cleveland, O. 884. (Philadelphia, Schäfer & Koradi.) cart. n. 2. —

— die, m. Hindernissen. Abenteuer e. Stubenhockers auf klass. Boden. Mit üb. 100 Illustr. v. Gust. Doré. gr. 8. (152 S.) Leipzig 885. R. Bauer. n. 2. —; geb. n. 3. —

— die, durch Jahrhunderte. Aus der Plaudermappe e. Grenzenbummlers. Mit 115 Illustr. v. Gust. Doré. gr. 8. (114 S.) Ebend. 886. n. 2. —; geb. n. 3. —

— transoceanische, S. M. Corvette „Saida" in den J. 1884—1886. Zusammengestellt nach den Berichten d. Commandos der Corvette vom k. k. marine-techn. Comité. Mit 1 Karte. [Beilage zu den „Mittheilgn. aus dem Gebiete d. Seewesens".] gr. 8. (94 S.) Pola 886. Wien, (Gerold's Sohn). n. 3. —

— die, wider Willen. Empfindsam-launige Skizzen e. harmlosen Touristen. Mit üb. 200 Illustr. v. Gust. Doré. 2. umgearb. Aufl. gr. 8. (324 S.) Leipzig 885. R. Bauer. n. 4. 50; geb. n. 5. 50

Reisebegleiter f. die Schweiz. Fahrtenplan der Schweizer Eisenbahnen, Posten u. Dampfbote m. den Anschlüssen im Innern u. nach dem Ausland. Verzeichniss der Telegraphen-Bureaux der Schweiz. Nach den offiziellen Bekanntmachgn. zusammengestellt. Mit 2 (lith.) Eisenbahnkärtchen. 30. Jahrg. 1886. 2 Hfte. 16. (à Hft. 175 S.) Zürich, (Meyer & Zeller). à n.n. — 50

Reisebilder, illustrirte, aus Süddeutschland u. Schweiz. Nr. 1—4. 8. Zürich 883. 84. Schmidt. n. 3. 30

1. Der Rheinfall bei Schaffhausen v. Sam. Pletscher. (40 S. m. 3 Taf. u. 1 lith. u. color. Karte.) n. — 50
2. Zürich u. seine Umgebungen. Mit e. Anh. f. die Landesaustellg. 1883. Ein Führer f. Einheimische u. Fremde. Nach den neuesten Quellen bearb. Mit e. Plane der Stadt u. vielen Ansichten. (59 u. Anh. 33 S.) n. 1. 50; ohne Anh. n. 1. —
3. Lugano u. seine Umgebungen. Mit Plan der Stadt u. Ansichten. (31 S.) n. — 50
4. Die Seethalbahn [schweizerische normalspurige Strassenbahn] von Luzern nach Lenzburg. Ein Kulturbild aus der Centralschweiz. Für Touristen u. Naturfreunde v. M. (48 S.) n. — 80

Reisebücher, Thüringer. Nr. 1—4. 8. Gotha 883. 84. Stollberg. à n. — 75

1. Ilmenau u. seine Umgebung. Ein Führer u. Gedenkblatt f. Badegäste u. Touristen. Von Ernst Lausch. Des Gedenkblattes „Mein Ilmenau" 2. verm. Aufl. Mit 15 Illustr., 1 Spezial-, 1 Wege- u. 1 Eisenbahnkarte. (V, 36 S.)
2. Bad Elgersburg m. seiner nächsten u. weiteren Umgebg. v. Pelizaeus. 3. Aufl. Mit Illustr., 1 Spezial-, 1 Wege- u. 1 Eisenbahnkarte. (VIII, 42 S.)
3. 4. Friedrichroda u. seine Umgebung. Ein Führer u. Gedenkbuch f. Kurgäste u. Touristen

v. Rich. Roth. 3. gänzlich umgearb. Aufl. m. 28 Illustr., e. Specialkarte d. Thüringer Waldes, 4 Wegekarten, e. Stadtplan v. Friedrichroda, e. Eisenbahnkarte, Fahrplan, Tarifen etc. (IV, 175 S.)

Reisebüchlein, geistliches, f. die große u. alle kleinen Wanderungen d. Lebens. 2. Aufl. 16. (VIII, 312 S.) Karlsruhe 887. Evangel. Schriftenverein f. Baden. geb. n. 1. —

Reise-Courier, internationaler, f. Eisenbahn- u. Dampfschifffahrten v. Central-Europa. Enth. die authent. Fahrpläne sammt Fahrpreisen, Rundreise-Billets etc. der Eisenbahn- u. Dampfschifffahrten m. 1 (lith.) Eisenbahn-Karte v. Central-Europa. Hrsg.: Jos. Markbreiter. Red.: Max Hannbekh. 2. Jahrg. 1886. 10—12 Nrn. 8. (à ca. 157 u. 692 S.) Wien, Expedition, 1., Singerstr. 10. à n. 1. 50

Reiseeindrücke u. **Skizzen** aus Rußland von Th. v. Bayer*. Mit 6 chemigr. u. 2 Lichtdr.-Illustr. u. 2 (chromolith.) Karten. gr. 8. (X, 616 S.) Stuttgart 885. Cotta. n. 8. —

Reisegespräche König Friedrich d. Großen im J. 1779. Beim Besuch Seiner angelegten Colonien, v. dem O.-Amtm. Fromme, zu Fehrbellin aufgeschrieben u. nach 100 Jahren wieder an's Licht gestellt. Als Anh.: Friedrichs II. Stellg. als Christ im Leben u. Sterben. 8. (32 S.) Halle 886. Petersen. — 30

Reise-Handbuch f. den wandernden Gesellen. Ein Wegweiser u. Ratgeber f. die Wanderschaft m. 446 Reiserouten, nebst e. Gewerbe-Geographie sowie e. Beschreibg. v. üb. 900 Städten Deutschlands, Oesterreichs u. der Schweiz, m. Angabe aller in denselben besteh. Gesellen- u. Jünglings-Vereine, Herbergen „zur Heimat" rc. u. e. Anh. v. Wanderliedern u. Wandergedichten. 16. (VII, 336 S.) Aachen 885. Jacobi & Co. n. 1. 25

Reise-Harfe. Melodieenbüchlein zum Reisepsalter f. Pianoforte, Harmonium od. Orgel hrsg. v. C. Straube. 5. Aufl. gr. 8. (104 S.) Berlin 882. Hauptverein f. christl. Erbauungsschriften. geb. n. 2. 40

Reisenbichler, G. F., die Rettung der Landwirthschaft u. d. Bauernstandes durch Staats- u. Eigenhilfe. 8. (22 S.) Jena 886. Mauke. n. — 50

Reiseonkel. Authentisches Coursbuch u. Fremdenführer f. Berlin u. Umgegend m. 14 (eingedr.) Specialkarten. 1883. Sommer-Saison. 16. (160 S.) Berlin 883. Internationale Buchh. n. — 25

Reisepsalter, Melodienbüchlein dazu, s.: Reise-Harfe.

Reiser, Aug., Loreley. Sammlung auserlesener Männerchöre. 10., m. 20 Preis- u. andern treffl. Gelegenheits-Chören verm. Aufl. 8. (XII, 596 S.) Köln 883. P. J. Tonger. n. 2. —

Reiser, F. H., die Jahreszeiten. 4 Kinder-Gesangfeste m. verbind. Deklamation. Gedichtet von Hoffmann v. Fallersleben. Op. 33. 3. Aufl. gr. 8. (82 S.) Leipzig 884. Siegismund & Volkening. n. 1. 20

— Kinder-Gesangfeste. Dichtungen v. Hoffmann v. Fallersleben. Op. 33. 4 Hfte. 8. Ebend. 883. à — 30

1. Der Frühling. (16 S.) — 2. Der Sommer. (20 S.) — 3. Der Herbst. (16 S.) — 4. Der Winter. (16 S.)

Reiser, Heinr., im jungen Hausstand. Praktische Winke zur Begründg. d. häusl. Glückes u. wohlgemeinte Ratschläge in Beziehg. auf Kinderpflege u. Erziehg. Ein Buch f. sorgsame Mütter. 8. (VIII, 204 S.) Basel 883. Riehm. n. 1. 60; geb. n. 2. —

Reiser, Nic., u. Jos. **Spennrath,** Handbuch der Weberei zum Gebrauche an Webeschulen u. f. Praktiker. Mit vielen in den Text gedr. Holzschn. u. farb. Mustertaf. 1. Bd. Die Rohstoffe u. ihre Verarbeitg. zu Geweben. 1—8. Lfg. Lex.-8. (S. 1—240 m. 8 Chromolith.) München 885. 86. Callwey. à n. 1. 20

— — dasselbe. 2. Bd.: Die Compositionslehre u. die Appretur. 1—8. Lfg. Lex.-8. (S. 1—256 m. 9 Chromolith.) Ebend. 886. à n. 1. 20

— — Atlas zum Handbuch der Weberei. 1. Lfg. gr. 4. (8 Lichtdr.-Taf.) Ebend. 886. n. 1. 20

Reishaus, Th., Briefe aus Norwegen. gr. 8. (49 S.) Brandenburg 885. (Stralsund, Bremer.) n. — 60

Reisig, K., Vorlesungen üb. lateinische Sprachwissenschaft, s.: Calvary's philologische u. archaeologische Bibliothek.

Reisinger, L., s.: Statistik der deutschen Schulen im Reg.-Bez. Oberpfalz u. v. Regensburg.

Reiß, Paul, das Recht d. Actionärs auf seinen Antheil am Reingewinne nach dem Reichsgesetze vom 18. Juli 1884. gr. 8. (16 S.) Frankfurt a/M. 885. Auffarth. n.n. — 50

Reiss, W., and A. **Stübel,** the necropolis of Ancon in Peru. A series of illustrations of the civilisation and industry of the empire of the Incas. Being the results of excavations made on the spot. With the aide of the general administration of the royal museums of Berlin. 9—14. part. gr. Fol. (à 10 Chromolith. m. 10 Bl. Taf.-Erklärgn.) Berlin 883—86. Asher & Co. In Mappe. à n.n. 30. —

— das Todtenfeld v. Ancon in Perú. Ein Beitrag zur Kenntniss der Cultur u. Industrie d. Inca-Reiches. Nach den Ergebnissen eigener Ausgrabgn. Mit Unterstützg. der Generalverwaltg. der königl. Museen. 9—14. Lfg. gr. Fol. (à 10 Chromolith. m. 10 Bl. Taf.-Erklärgn.) Ebend. 883—86. In Mappe. à n.n. 30. —

Reissenberger, Ludw., die evangelische Pfarrkirche A. B. in Hermannstadt. Mit Holzschn., 4 Lith. u. 1 Kpfrst. gr. 4. (IV, 80 S.) Hermannstadt 884. Michaelis. n. 10. —

Reisser, K., u. Chr. **Braun,** Muster-Sammlg. f. die Sitz-Möbel-Industrie. 300 Musterblätter m. üb. 1000 Zeichngn. in elegantester u. einfacher Ausführg. Zum Gebrauch f. Möbelfabrikanten, Möbelhändler, Tapezierer u. Decorateure entworfen u. gezeichnet. In Lichtdr. ausgeführt v. C. Koch in Pforzheim. 1. Serie. 1—4. Lfg. qu. Fol. (à 10 Taf.) Stuttgart 886. A. Heinrich. à n. 3. 50

Reissert's Katechismus der verbesserten Landhühnerzucht. Nebst e. Anh. üb. das Truthuhn u. die Züchtg. u. Mästg. der Gänse u. Enten. In 3. Aufl. hrsg. v. E. Sabel. 8. (VI, 64 S.) Breslau 884. Korn. cart. n. — 70

Reissert, O., die syntaktische Behandlung d. zehnsilbigen Verses im Alexius- u. Rolandsliede, s.: Ausgaben u. Abhandlungen aus dem Gebiete der romanischen Philologie.

Reissmann, Aug., üb. Fortschritt in der Musik, s.: Fragen, zeitbewegende.

— Handlexikon der Tonkunst. Neue Ster.-Ausg. (In 18 Lfgn.) 1. Lfg. gr. 8. (32 S.) Berlin 885. Oppenheim. n. — 50

— Harmonie- u. Formenlehre f. Musiklehrer u. zum Selbstunterricht. Leichtfaßlich dargestellt. gr. 8. (IV, 124 S.) Berlin 884. Horrwitz. n. 3. —

— die Hausmusik. In ihrer Organisation u. kulturgeschichtl. Bedeutg. dargestellt. gr. 8. (VII, 322 S.) Berlin 884. Oppenheim. n. 6. —

— die sociale Lage der Musiker in der Gegenwart beleuchtet. I. Die Kritik. gr. 8. (45 S.) Breslau 884. Dienstsch. n. 1. —

— die Oper, in ihrer kunst- u. kulturhistorischen Bedeutung dargestellt. 8. (V, 298 S.) Stuttgart 885. Bonz & Co. n. 5. —; geb. n. 6. —

Reißner, E., Horaz, Persius, Juvenalis, die Hauptvertreter der röm. Satire, s.: Sammlung gemeinverständlicher wissenschaftlicher Vorträge.

Reiter, Hanns, die Consolidation der Physiognomik. Als Versuch e. Oekologie der Gewächse. Mit e. Anh.: Das System der Erdkunde. gr. 8. (XII, 258 S.) Graz 885. Leuschner & Lubensky. n. 6. 40

— der Entwicklungsgang der Wissenschaften v. der Erde u. sein Einfluss auf die Stellung derselben in der Gegenwart. Erste Vorlesg. üb. vergleich. Erd- u. Länderkunde, geh. zu Beginn d. Sommersemesters 1886. 8. (29 S.) Freiburg i/Br. 886. Wagner. n. 1. —

Reiter-Predigten, neue. Vergleichende Rückblicke auf einige Vorschriften der alten Reit-Instruction u. der Grundsätze e. wissenschaftl. begründeten Reitkunst. gr. 8. (VIII, 289 S.) Königsberg 885. Hartung. n. 4. —

Reitlechner, Carl, die Bestandtheile d. Weines. Mit 12 (eingedr. Holzschn.-) Abbildgn. 2. Aufl. der „Analyse d. Weines". 8. (VIII, 185 S.) Wien 883. Faesy. n. 3. 20

Reitler, Ant., Conrad Ferdinand Meyer. Eine litterarische Skizze zu d. Dichters 60. Geburtstage. gr. 8. (59 S.) Leipzig 885. Haessel. n. 1. —

Reitler, M. A., der Einnahmen-Verrechnungs- u. Revisionsdienst der Eisenbahnen, s.: Bibliothek d. Eisenbahnwesens.

Reitmayer, H. J., Gedanken üb. e. Reihe religiöser Zeitfragen, den gebildeten Ständen gewidmet. 8. (66 S.) Mainz 884. Kirchheim. — 90

Reitter, E., catalogus coleopterorum Europae et Caucasi, s.: Heyden, L. v.

— Uebersicht der bekannten Dasytiscus-Arten. gr. 8. (7 S.) Berlin 885. Friedländer & Sohn. n. — 50

Reitz, F. H., Fluthmesser System F. H. Reitz. Selbstwirkende Eintheilg., Registrirg. der Wasserstände u. Integrirg. f. die mittlere Höhe. Mit 2 (1 lith. u. 1 photolith.) Taf. Figuren. gr. 8. (16 S.) Hamburg 884. Friederichsen & Co. n. 1. 50

Reitz, W., Grundzüge der Physiologie, Pathologie u. Therapie d. Kindesalters. gr. 8. (XVI, 295 S.) Berlin 883. Hirschwald. n. 6. —

Reitzenstein, F. Frhr. v., u. E. Nasse, agrarische Zustände in Frankreich u. England, s.: Schriften d. Vereins f. Socialpolitik.

Reitzenstein, Karl Frhr. v., die ältesten bayerischen Regimenter zu Fuß. gr. 8. (VII, 91 S.) München 885. (Berlin, Mittler & Sohn.) n. 2. —

Reitzenstein, Rich., de scriptorum rei rusticae, qui intercedunt inter Catonem et Columellam, libris deperditis. gr. 8. (58 S.) Berlin 884. (Mayer & Müller.) n. 1. 20

Reitzenstein, Rich. Mich., der Eibsee bei Partenkirchen. [Bayerisches Hochland.] Mit Orientirungs-Karte u. 2 Ansichten. 12. (20 S.) München 885. Palm. n. — 75

Reitzert, A., lateinische Elementar-Grammatik. gr. 8. (IV, 146 S.) Neuwied 886. Heuser's Verl. n. 1. 80

Reitzner, B. v., Instruktion f. den Gebrauch der Schule der Terrainbarstellung; bestimmt f. den Schüler. 1. u. 2. Abth. gr. 8. Wien 884. Seidel & Sohn. n. 2. 88

1. Mit 27 Textfig. (36 S.) 881. n. — 48

2. Mit Textfig. u. 7 Taf. (45 S.) n. 2. 40

Relief-Bilderbuch f. Kinder zum Selbstanfertigen. 4. (16 S. m. eingedr. Illustr. u. Reliefbildchen in Mappe.) Dresden 884. Schwager. 2. 25

Religionslehre, katholische, f. die vier obersten Klassen der Gelehrtenschulen u. f. gebildete Männer. 4 Thle. gr. 8. Regensburg 884. Pustet. n. 2. 94

1. Glaubenslehre. (XVI, 142 S.) n. — 80

2. Sittenlehre. (136 S.) n. — 64

3. Gnaden- u. Sakramentenlehre. (153 S.) n. — 80

4. Kirchengeschichte. (136 S.) n. — 70

Religionsphilosophie auf modern-wissenschaftlicher Grundlage. Mit e. Vorwort v. Jul. Baumann. gr. 8. (VII, 230 S.) Leipzig 886. Veit & Co. n. 4. 60

Religionsprozeß, der Basler, vom J. 1884/85. Berichterstattung üb. den wegen Beschimpfg. der römisch-kathol. Religion gegen die „Basler Nachrichten" erhobenen u. vor den Basler Gerichten geführten Prozeß. gr. 8. (IV, 188 S.) Bern 885. Schmid, Francke & Co. n. 1. 60

Reliquien-Büchlein od. kurze Belehrungen üb. den hohen geistigen Werth der hl. Reliquien, Kreuze u. Agnus Dei. 16. (26 S.) Steyl 885. Missionsdruckerei. n. — 10

Rellstab, Ludw., Leitfaden f. den Unterricht in der Naturlehre an der kaiserl. Marineschule. gr. 8. (179 S.) Kiel 887. Universitäts-Buchh. n. 3. —

Relly, E., der gefüllte Pfannkuchen, s.: Bachem's Novellen-Sammlung.

— s.: Renß, E.

Rembe, Anatole, Hieroglyphen. 8. (46 S.) Leipzig 886. Friedrich. n. 1. —

— der Strohmann. Pillen. Zwei Lustspiele. gr. 8. (84 S.) Berlin 885. Zipf. n. 2. —

— dasselbe, s.: Dilettanten-Mappe.

Rembe, H., Geschichte der Buchdruckerkunst in der Stadt Eisleben. gr. 8. (79 S.) Halle 885. Krapp, Selbstverlag d. Verfassers. n. 1. 25

Rembe, H., die Grafen v. Mansfeld in den Liedern ihrer Zeit. Volkslieder aus dem XVI. u. XVII. Jahrh., gesammelt u. erläutert. Lex.-8. (VIII, 60 S.) Halle 885. Hendel. n. 1. —

Rembrandt, Stiche u. Radirungen, s.: Schongauer.

Rembrandt-Galerie, hrsg. von Alfr. v. Wurzbach. Eine Auswahl v. 100 Gemälden Rembrandts nach den vorzüglichsten Stichen, Radirgn. u. Schwarzkunst-Blättern. 60 Blätter in gr. Fol. u. 40 Text-Illustr. In Lichtdr. ausgeführt v. Martin Rommel & Co. Nebst Textbd. hoch 4. (104 S.) Stuttgart 886. Neff. geb. n. 80. —

Remelé, Adf., Untersuchungen üb. die versteinerungsführenden Diluvialgeschiebe d. norddeutschen Flachlandes m. besond. Berücksicht. der Mark Brandenburg. I. Stück. Allgemeine Einleitg., nebst Uebersicht der älteren balt. Sedimentgebilde. Untersilurische gekrümmte Cephalopoden. (In 2 Lfgn.) 1. Lfg. gr. 4. (CLII S. m. 1 Lichtdr. u. 1 lith. u. color. Karte.) Berlin 883. Springer. n. 16. —

Remele's, Phpp., kurzes Handbuch der Landschafts-Photographie m. besond. Berücksicht. d. Gelatintrockenplattenprocesses f. Fachphotographen, Liebhaber, Forschungs- u. Vergnügungsreisende. 3. Aufl., ergänzt v. H. W. Vogel. Mit 31 Holzschn. gr. 8. (IV, 195 S.) Berlin 884. Oppenheim. n. 3. —

Remié, Siegfr., seraphisches Regelbuch nach der Reform Sr. Heil. Papst Leo XIII. Ein Hand- u. Gebetbuch f. Priester u. Volk. 16. (X, 452 S.) Graz 884. Moser. geb. n. 1. 50

Remin, E., die Verschollene, s.: Engelhorn's allgemeine Roman-Bibliothek.

Remlein, Thdr., Lustschloß Nymphenburg's Vergangenheit u. Gegenwart. 2. Aufl. 8. (215 S. m. 10 Taf.) München 885. Kellerer. n. 2. —

Remmer, Herm., die bulgarische Situation. gr. 8. (37 S.) Berlin 886. H. S. Hermann. n. 1. —

Remsen, Ira, Einleitung in das Studium der Kohlenstoffverbindungen od. organische Chemie. Autoris. deutsche Ausg. 8. (X, 390 S.) Tübingen 886. Laupp. n. 5. —

Remy, Marie, kleine Vorlagen f. Blumen-Malerei. Zum Uebertragen auf Papier, Holz, Marmor, Alabaster, Elfenbein, Leder etc. Nach der Natur in Gouache ausgeführt. 2. Lfg. 6 (chromolith.) Blatt. 3. Aufl. 4. Leipzig 883. Zehl. n. 3. 60

Renan, Rabida, italienische Novellen. 8. (269 S.) Berlin 886. Eckstein Nachf. n. 4. —; geb. n.n. 5. —

Renaissance, deutsche. Eine Sammlg. v. Gegenständen der Architektur, Dekoration u. Kunstgewerbe in Orig.-Aufnahmen. Red. v. A. Scheffers. 151—206. Lfg. Fol. Leipzig 883—86. Seemann. à n. 2. 40

151. 11. Abth.: Brieg. Autogr. u. hrsg. v. M. Bischof. 3. (Schluss-) Hft. (10 Taf. m. 1 Bl. Text.)

152. 153. 48. Abth.: Erfurt u. Heldburg. Autogr. u. hrsg. v. G. Heuser. 1. u. 2. Hft. (20 Taf. m. 1 Bl. Text.)

154. 49. Abth.: Schloss Gottesau. Aufgenommen u. autogr. von E. v. Czihak. (10 Taf. m. 1 Bl. Text.)

155—157. 161. 162. 18. Abth.: München. Fortgesetzt v. Leop. Gmelin. 2—6. (Schluss-) Hft. (59 Taf. m. 10 S. Text.)

158—160. 50. Abth.: Mittelrhein. Reise-Aufnahmen der Studirenden der Architektur an der königl. techn. Hochschule zu Aachen unter Leitg. v. Ewerbeck. 3 Hfte. (30 autogr. Taf. m. 1 Blatt Text.)

163. 177. 43. Abth.: Lübeck. Aufgenommen u. hrsg. v. Th. Sartori. 4. u. 5. (Schluss-) Hft. (20 Bl. m. 2 Bl. Text.)

164—166. 181—183. 51. Abth.: Torgau. Aufgenommen v. den Studirenden der königl. Kun-

akademie zu Leipzig unter Leitg. v. A. Scheffers. 6 Hfte. (60 Bl. m. 5 Bl. Text.)
167. 168. 52. Abth.: Goslar. Reiseaufnahmen der Studirenden der Architektur an der königl. techn. Hochschule zu Aachen unter Leitg. v. Henrici. 2 Hfte. (20 Bl. m. 1 Bl. Text.)
169—172. 175. 176. 186. 53. Abth.: Breslau u. andere schlesische Orte. Aufgenommen u. hrsg. v. Max Bischof. 7 Hfte. (70 Bl. m. 7 Bl. Text.)
173. 174. 178—180. 18. Abth.: Franken. Unter Leitg. v. Fr. Ewerbeck, aufgenommen v. Studirenden der technischen Hochschule in Aachen. 5 Lfgn. (50 autogr. Taf. m. 5 Bl. Text.)
184. 55. Abth.: Die Chorstühle d. Münsters zu Bern. Aufgenommen v. C. Müller-Sommer. (10 autogr. Taf. m. 1 Bl. Text.)
185. 56. Abth.: Schloss Leitzkau. Aufgenommen u. hrsg. v. H. Ehlert. (10 autogr. Taf. m. 1 Bl. Text.)
187. 8. Abth. Suppl.: Das Thalhaus zu Halle a. S. Aufgenommen u. hrsg. v. H. Steffen. (10 autogr. Taf. m. 1 Bl. Text.)
188. 189. 57. Abth.: Frankfurt, Hanau u. Umgegend. Autogr. u. hrsg. v. J. Mittelsdorf. 1. u. 2. Hft. (20 autogr. Taf. m. 2 Bl. Text.)
190. 191. 58. Abth.: Saalfeld, Rudolstadt, Coburg. Autogr. u. hrsg. v. M. Bischof. 2 Hfte. (20 autogr. Taf. m. 2 Bl. Text.)
192. 193. 200. 201. 59. Abth.: Mecklenburg. A. Rostock. Autogr. u. hrsg. v. Studirenden der Leipziger Kunstakademie unter Leitg. v. A. Scheffers. 4 Hfte. (40 Taf. m. 4 Bl. Text.)
194. 195. 202—204. 60. Abth.: Ostfriesland. Reise-Aufnahmen der Studirenden der Architektur an der königl. Technischen Hochschule zu Aachen unter Leitg. v. Henrici. 5 Hfte. (50 autogr. Taf. m. 3 Bl. Text.)
196. 197. 10. Abth.: Zürich u. Wettingen. Autogr. u. hrsg. von H. E. v. Berlepsch. 2. u. 3. [Schluss-]Hft. (20 Taf. m. 1 Bl. Text.)
198. 199. 57. Abth.: Frankfurt, Hanau u. Umgegend. Autogr. u. hrsg. v. J. Mittelsdorf. 3. u. 4. [Schluss-]Hft. (20 Taf. m. 1 Bl. Text.)
205. 61. Abth.: Marburg. Aufgenommen u. hrsg. v. J. Mittelsdorf. (10 Taf. m. 1 Bl. Text.)
206. 59. Abth.: Mecklenburg. B. Doberan, Toitenwinkel. Aufgenommen u. autogr. v. Studirenden der Leipziger Kunstakademie unter specieller Leitg. d. Hrsg. A. Scheffer. (10 Taf. m. 2 Bl. Text.)

Renaissance, deutsche, in Oesterreich. Aufgenommen u. hrsg. v. Aug. Ortwein. 2—17. Lfg. Fol. Leipzig 883. 86. Seemann. à n. 2. 40
2. 3. 13. 2. Abth.: Böhmen. 1—3. Hft. (20 autogr. Taf. m. 3 Bl. Text.)
4—12. 1. Abth.: Steiermark. Aufgenommen u. hrsg. v. Rud. Bakalowits u. W. Schulmeister. 2—10. Hft. (90 autogr. Taf. m. 6 Bl. Text.)
14. 15. 16. 17. 3. Abth.: Oberösterreich. 1—4. Hft. (40 autogr. Taf. m. 2 Bl. Text.)

Renan, Ernest, Erinnerungen aus meiner Kindheit u. Jugendzeit. Autoris. Uebersetzg. v. Steph. Born. Mit e. Brief d. Verf. in Facsm. gr. 8. (XXIII, 407 S.) Basel 883. Bernheim. n. 9. —
— der Islam u. die Wissenschaft. Vortrag geh. in der Sorbonne am 29. März 1883. Kritik dieses Vortrags vom Afghanen Scheik Djemmal Eddin u. Ernest Renan's Erwiderg. Autoris. Uebers. gr. 8. (48 S.) Ebend. 883. n. 1. 20
— Judenthum u. Christenthum, ihre ursprüngl. Identität u. allmäl. Scheidg. Vortrag. gr. 8. (30 S.) Ebend. 883. n. 1. 20
— das Judenthum vom Gesichtspunkte der Rasse u. der Religion. Vortrag. gr. 8. (32 S.) Ebend. 883. — 80

Renans, Ernest, Vortrag üb. das Judenthum vom Gesichtspunkte der Rasse u. der Religion 1883 im Vergleich zu seinen früheren Aeußerungen üb. das Judenthum in den Werken: Histoire des origines du christianisme u. a. 1873—1879. 8. (22 S.) Berlin 884. F. Luckhardt. — 60

Renatus, Johs., Lebensskizzen aus ernsten u. heitren Tagen; erzählend gezeichnet. 2 Bde. 2. Aufl. 8. (V, 199 u. IV, 213 S.) Dresden 885. v. Zahn & Jaensch. n. 5. —; in 1 Bd. geb. n.n. 6. —
— die letzten Mönche vom Oybin. Eine Geschichte aus dem 16. Jahrh. 8. (VIII, 216 S.) Leipzig 887. Böhme. n. 2. 60; geb. n. 3. 50

Renaud, Achilles, rechtliche Gutachten. Aus dessen Nachlaß hrsg. v. Th. Hergenhahn. 2 Bde. gr. 8. (XIV, 559 u. V, 502 S.) Mannheim 886. Bensheimer's Verl. à n. 8. —; Einbd. à n.n. 2. —
— das Recht der stillen Gesellschaften u. der Vereinigungen zu einzelnen Handelsgeschäften f. gemeinschaftl. Rechnung. Hrsg. u. ergänzt v. Paul Laband. gr. 8. (VII, 248 S.) Heidelberg 885. C. Winter. n. 6. —

Rendschmidt, Felix, Lesebuch f. die mittlere Klasse katholischer Stadt- u. Landschulen. 25. Aufl. m. Abbildgn. Hrsg. v. Frz. Kühn. 8. (VIII, 336 S.) Breslau 883. Korn. n. 1. —
— dasselbe f. die obere Klasse. In neuer Bearbeitg. hrsg. v. Frz. Kühn. 21. verm. Aufl. 8. (VIII, 512 S.) Ebend. 883. n. 1. 25

René, Arth., aus Heimath u. Fremde. Studien u. Skizzen. 8. (IV, 332 S.) Berlin 884. Kamlah. n. 4. —

René, Guido, e. origineller Theaterskandal aus der II. Hälfte d. XIX. Jahrhunderts. gr. 8. (43 S.) Leipzig 885. (Brauns.) 1. 20

René, H., Herzensräthsel. Novellen. 2 Bde. 8. (203 u. 229 S.) Leipzig 885. Bergmann. n. 8. —

Renitenz, die hessische, ist die Rechtsstellung der hessischen Kirche gegenüber dem preußischen Kirchenregiment. [Eine Eingabe.] gr. 8. (22 S.) Kassel 884. Klaunig. n. — 25

Renk, F., öffentliche Bäder, — die Luft, } s.: Handbuch der speciellen Pathologie u. Therapie.

Renne, Ferd., Jagd-Manual. gr. 8. (III, 210 S. m. 1 Chromolith.) Münster 884. H. Schöningh. geb. in Leinw. n. 6. —; in Ldr. n. 7. 60

Rennebaum, Frz., die Athmungscurve d. neugeborenen Menschen. gr. 8. (30 S. m. 19 eingedr. Abbildgn.) Jena 884. (Neuenhahn.) n. 1. 35

Renner, die Kreis- u. Provinzial-Ordnung f. die Prov. Hessen-Nassau vom 7. u. 8. Febr. 1885 u. ihre Bedeutung f. die Selbstverwaltung d. Reg.-Bez. Cassel. gr. 8. (IV, 115 S.) Cassel 886. (Leipzig, Förster.) 1. 50

Renner, Realienbuch, s.: Hüttmann.

Renner, es ist e. köstlich Ding, daß das Herz fest werde. Konfirmationsrede üb. Hebr. 13, 9. Geh. in der Schloßkirche zu Wernigerode am 29. März 1885. gr. 8. (8 S.) Gotha 885. Schloeßmann. n. — 20
— Lebensbilder aus der Pietistenzeit. Ein Beitrag zur Geschichte u. Würdigg. d. späteren Pietismus. 8. (IX, 409 S.) Bremen 886. Müller. n. 5. —

Renner, F., Beantwortung d. Berufungsschrift zur Prozeßsache der königl. Regierung u. d. königl. Oberpräsidenten der Prov. Hessen-Nassau zu Cassel, in Vertretung d. Preußischen Staates Verklagte, hier Appellanten gegen Ihre Hochfürstl. Durchlauchten 1) den Hrn. Landgrafen Ernst Eugen Karl v. Hessen [Philippsthaler Linie], 2) den Hrn. Prinzen Carl Alexander v. Hessen [Philippsthaler Linie], 3) den Hrn. Landgrafen Alexis Wilhelm Ernst v. Hessen [Philippsthal-Barchfelder Linie], 4) den Hrn. Prinzen Wilhelm Friedrich Ernst v. Hessen [Philippsthal-Barchfelder Linie], Kläger hier Appellaten wegen Anerkennung u. Eintrags fideicommissarischer Rechte. gr. 4. (94 S.) Cassel 878. (Klaunig.) n. 2. 50
— Beantwortung der fiskalischen Berufungsschrift in der Prozeßsache der jüngeren [Philippsthaler] Linie d. Kurhauses Hessen gegen den preußischen Staat in Betreff d. Kurfürstl. Hausschatzes, eingereicht im Hohen Auftrage S. H. D. d. Hrn. Landgrafen Ernst und Prinzen Carl sowie d. Hrn. Landgrafen Alexis v. Hessen bei königl.

[illegible] in Grund am [illegible] Jan. 1878. gr. 4 (VI, 34 S.) Grund 879. [illegible] n. 2. 50

Renner, [illegible] Staats-[illegible]" Eine [illegible] der Schrift „Ein Beitrag zur [illegible] des [illegible] nach der [illegible] Staat [illegible] der [illegible] 1876." gr. 4. (36 S.) Grund 877. [illegible] n. 2. —

Renner, Gebr., [illegible] u. [illegible] Aufgaben f. [illegible] 8. (50 S.) Regensburg 886. Coppenrath. n. — 45

Renner, Herm., moderne Erziehung u. die [illegible] Verwilderung der Jugend unter dem Einflusse der socialen Übelstände. [illegible] Betrachtgn. Ein Buch f. Lehrer, Geistliche u. Eltern deutscher Nation. gr. 8. (IV, 161 S.) Gotha 885. Behrend. n. 1. 80

— Materialien f. den Anschauungsunterricht. Eine Sammlg. v. Dispositionen, Erzählgn., Gedichten u. Liedern zum Gebrauche bei den Anschauungs-, Denk- u. Sprechübgn. in den Volksschulen. 8. (VIII, 216 S.) Langensalza 883. Schulbuchh. 1. 80

— Menschenlehre. Bau u. Pflege d. menschl. Körpers u. das Notwendigste aus der Seelenlehre f. Volks- u. Bürgerschulen. 8. (48 S. m. Illustr.) Gotha 885. Behrend. n. — 30

Renner, J., der praktische Gemüsegärtner. Neue Ster.-Ausg. 8. (92 S.) Reutlingen 884. Enßlin & Laiblin. — 60

Renner, Jos., Gaudeamus. Sammlung fröhl. Lieder. 16. (128 S.) Regensburg 885. Pustet. n. — 20; geb. n. — 35

— Gesangfibel. Erster Gesangunterricht. Ausg. m. den musikal. Leseübgn. 8. (20 u. 32 S.) Ebend. 883. n. — 40

— 210 Männerquartette v. der Donau. Sammlung vierstimm. Männerchöre verschiedenen Inhalts. 7. Aufl. 8. (461 S.) Regensburg 886. Coppenrath. n. 1. 70

Renner, Ludw., die schönsten geistlichen Lieder aus alter u. neuer Zeit, zum Gebrauche beim öffentl. Gottesdienste f. Volks- u. Mittelschulen bearb. 1—3. Hft. 8. München 883. Exped. d. k. Zentral-Schulbücher-Verlages. n.n. — 20

1. 2. (16 S.) à n.n. — 6. — 3. (S. 17—36.) n.n. — 8

— Liederbuch f. Volksschulen. Ausg. ohne Noten. 5., verm. Aufl. [85 Volkslieder u. 26 Kirchengesänge enth.] 12. (52 S.) Regensburg 883. Coppenrath. n.n. — 10

Renner, Vict. v., Johann Andreas v. Liebenberg, der Römisch-kaiserl. Maj. Rat u. Bürgermeister v. Wien. Biographische Skizze. Lex.-8. (30 S. m. Illustr.) Wien 883. v. Waldheim. n. — 60

— Wien im J. 1683. Geschichte der zweiten Belagerg. der Stadt durch die Türken im Rahmen der Zeitereignisse. Aus Anlaß der 2. Säcularfeier verf. im Auftrage d. Gemeinderathes der k. k. Reichshaupt- u. Residenzstadt Wien. Lex.-8. (XVII, 487 S. m. Illustr.) Ebend. 883. cart. n. 9. —; Pracht-Ausg. gr. 4. geb. n. 20. —

Rennert, Beiträge zur Kenntniss v. den Missbildungen der Extremitäten beim Menschen. 1. Hft.: Der einfache Mangel der Extremitäten. Mit 4 lith. Taf. gr. 8. (32 S.) Frankfurt a/M. 882. Wilcke. n. 3. —

Renn-Kalender f. Deutschland. Hrsg. vom General-Sekretariat d. Union-Klub's. Jahrg. 1885. 8. (VIII, 376 S.) Berlin, (Kühl). n. 16. —

— österreichisch-ungarischer. Hrsg. v. der Red. d. „Sport". Jahrg. 1882. 8. (XXVI, 204 S. m. Tab.) Wien, (F. Beck). n. 6. —

— für Oesterreich-Ungarn. Hrsg. vom General-Secretariate d. Jockey-Clubs f. Oesterreich. Jahrg. 1885. 8. (XXI, 449 S.) Ebend. geb. n. 6. —

Renn-Vademecum f. 1883. 2. Jahrg. 16. (III, 196 S.) Wien 883. F. Beck. geb. n. 3. —

Rentsch, Johs. Geo., Geschichte der Kirche u. Kirchfahrt Kittlitz. 8. (VII, 80 S.) Bautzen 884. (Löbau, Walde.) n.n. — 75

Rentsch, Otto, neue Thüringer Klänge. Ernste u. humorist. Erzählgn. u. Gedichte in Volksmundart. 1. Bdchn. 12. (V, 64 S.) Jena 885. Mauke. n. — 75

Renz, B., [illegible] Roman. 8. (336 S.) Leipzig 885. Keil's Nachf. 4. 50; geb. n. 5. 50

— [illegible] f. Romanbibliothek der Gartenlaube.

Renz, Wilh. Thdr. v., üb. Krankheiten d. Rückenmarks in der Schwangerschaft. Vortrag. gr. 8. (VIII, 25 S.) Wiesbaden 886. Bergmann. n. 1.

— das Wildbad im württembergischen Schwarzwald u. [illegible] Thermalbad König-Karls-Bad, f. Kurgäste u. Aerzte beschrieben. 12. (X, 245 S. m. 1 [illegible] Karte.) Wildbad 883. Hase. geb. n. 3. —

— praktische Winke f. Kurgäste u. deren Pflege-Begleitung. 8. (30 S.) Stuttgart 886. Bonz & Co. geb. n. 1. —

Reorganisation, die, der bayerischen Staatsforstverwaltung. gr. 8. (40 S.) Berlin 884. Parey. n.n. — 50

Reparatur-Instruktion f. den Revolver M/83. 12. (III, 16 S.) Berlin 885. Mittler & Sohn. n. — 20; cart. n. — 27

Repertoir d. herzogl. Meiningen'schen Hof-Theaters. Officielle Ausg., nach dem Scenarium d. herzogl. Meiningen'schen Hoftheaters bearb. 14—19. u. 21—27. Bd. Leipzig, Conrad. à n. — 40

14. Iphigenie auf Tauris. Ein Schauspiel v. Goethe. (61 S.) 881.
15. Preciosa. Schauspiel in 4 Aufzügen v. Pius Alex. Wolff. 7. Aufl. (63 S.) 883.
16. Wallenstein's Lager. Ein dramat. Gedicht. Die Piccolomini. Von Frdr. v. Schiller. (113 S.) 881.
17. Wallenstein's Tod. Ein dramat. Gedicht v. Frdr. v. Schiller. (96 S.) 882.
18. Clavigo. Ein Trauerspiel von W. v. Goethe. (36 S.) 877.
19. Die Jäger. Ein ländl. Sittengemälde in 5 Aufzügen v. A. W. Iffland. (82 S.) 877.
21. 22. Die Hexe. Trauerspiel in 5 Aufzügen v. A. Fitger. (78 S.) 886.
23. Miß Sara Sampson. Ein Trauerspiel in 5 Aufzügen v. G. E. Lessing. (72 S.) 884.
24. Maria Stuart. Ein Trauerspiel von Frdr. v. Schiller. (102 S.) 884.
25. 26. Lord Byrons Marino Faliero. Übers. u. bearb. v. A. Fitger. (IV, 92 S.) 884.
27. Die Braut v. Messina. Ein Trauerspiel m. Chören von Frdr. v. Schiller. (70 S.) 886.

Das 20. Heft erscheint später.

Répertoire du théâtre français. Nr. 405. gr. 8. Berlin 883. Friedberg & Mode. — 30

La dame aux camélias. Drame en 5 actes et en prose par Alex. Dumas [fils]. Avec notes par A. W. Kastan. 2. éd. (71 S.)

Repertorium der analytischen Chemie f. Handel, Gewerbe u. öffentliche Gesundheitspflege. Organ d. Vereins analyt. Chemiker. Red.: J. Skalweit. 3—6. Jahrg. 1883—1886. à 24 Nrn. (B. m. eingedr. Fig.) gr. 8. Hamburg, Voss. à Jahrg. n. 18. —

— der periodischen Eingaben f. das Reichs-Kriegs-Ministerium. Anhang III. [a] zur Geschäftsordng. f. das k. k. Heer. 2. Aufl. gr. 4. (162 S.) Wien 884. Hof- u. Staatsdruckerei. n. 1. 40

— der kirchlichen u. staatlichen Gesetze u. Verordnungen einschließlich der besonderen f. Hohenzollern geltenden kirchlichen Vorschriften im Dienstkreis der katholischen Kirchenbehörden u. Seelsorger der Erzdiöcese Freiburg in Baden. gr. 8. (III, 86 S.) Tauberbischofsheim 884. Lang. n. 1. —

— über die noch geltenden Gesetze, Verordnungen u. instruktiven Bestimmungen f. das Königreich Bayern, enthalten in den bayer. Gesetzblättern, den Amtsblättern der k. Staatsministerien d. Innern, der Justiz, d. Kultus, der Finanzen u. d. Krieges u. den Reichsgesetzblättern der Jahrgänge 1878 bis 1882 incl. Bearb. v. e. Verwaltungsbeamten. Fortsetzung d. Keller'schen Repertoriums. gr. 8. (152 S.) München 883. Huber. n. 2. —

— der neben u. zu dem Kassenregulative u. den „Allgemeinen Vorschriften f. das Staatsrechnungswesen" in Gesetzen, Verordngn., Anweisgn., Taxordngn. rc. ertheilten Vorschriften üb. das Kassen- u. Kostenwesen der k. S. Gerichtsbehörden. Fortgeführt bis Jahresschluß 1882. Hrsg. v. e. Kassenbeamten. 8. (86 S.) Zwickau 883. Bär. n. — 80

— für Kunstwissenschaft. Red. v. Hub. Janitschek. 6—9. Bd. à 4 Hfte. gr. 8. (à Hft. ca. 111 S. m. 1 Heliograv.) Stuttgart 883—86. Spemann. à Bd. n. 16. —

Repertorium für Meteorologie, hrsg. v. der kaiserl. Akademie der Wissenschaften, red. v. Heinr. Wild. 8. Bd. Imp.-4. (IV, 476 S. m. 20 Taf.) St. Petersburg 883. Leipzig, Voss' Sort. n. 16. 70

— dasselbe. 9. Bd. Imp.-4. (530 S.) Ebend. 885. n. 19. —

— XIII—XX., der Militär-Journalistik [1. Jänner 1882 bis Ende Decbr. 1885.] gr. 8. (à 36 S.) Wien 883—86. (Seidel & Sohn.) à n. 1. —

— der periodischen Eingaben f. die Militär-Territorial-Commanden u. deren Intendanzen. Anh. III [b] zur Geschäftsordng. f. das k. k. Heer. 2. Aufl. gr. 4. (23 S.) Wien 886. Hof- u. Staatsdruckerei. n. — 40

— der Pädagogik. Central-Organ f. Unterricht, Erziehg. u. Literatur. Unter Mitwirkg. namhafter Pädagogen u. Schulmänner hrsg. v. Joh. Bapt. Heindl u. J. B. Schubert. Neue Folge. 17—21. Jahrg. [Der ganzen Folge 37—41. Jahrg.] 1883—1887. à 12 Hfte. gr. 8. (1. Hft. 80 S.) Ulm, Ebner. à Jahrg. n. 5. 40

— der Physik. Hrsg. v. F. Exner. 19. u. 20. Bd. Jahrg. 1883 u. 1884. à 12 Hfte. (4 B.) Lex.-8. München, Oldenbourg. à Bd. n. 24. —

— zur Rechtsprechung der Gerichte bei Anwendung d. Rheinischen Bürgerlichen Gesetzbuchs [Code civil], nebst e. Quellen- u. Sachregister. Hrsg. v. e. Mitgliede e. Rhein.-Preuß Landgerichts. 8. (VI, 444 S.) Trier 885. Lintz. n. 6. —; geb. n. 6. 50

— der Thierheilkunde. Angefangen von v. Hering, fortgesetzt v. Vogel. 44—47. Jahrg. 1883—1886. à 4 Hfte. 8. (à Hft. ca. 96 S.) Stuttgart, Schickhardt & Ebner. à Jahrg. n. 5. —

Repetir-Gewehre, die. Ihre Geschichte, Entwickelg., Einrichtg. u. Leistungsfähigkeit. Unter besond. Berücksicht. amtl. Schiessversuche u. m. Benutzg. v. Orig.-Waffen dargestellt. 2. Bd. 1—3. Hft. Mit 147 Holzschn. u. mehreren Tab. gr. 8. (VI, 308 S.) Darmstadt 884—86. Zernin. n. 8. 80 (I—II, 3.: n. 16. —)

Répétiteur, le. Journal instructif et amusant. Eine Zeitschrift f. Jeden, der die gründl. Kenntniss der französ. Sprache durch unterhalt. Lektüre erlangen will. Red.: Charles Oudin. 1. Jahrg. April—Decbr. 1884. 18 Nrn. (1/2 B.) Lex.-8. Nürnberg. Fürth, Essmann. 3. —

— dasselbe. 2—4. Jahrg. 1885—1887. à 24 Nrn. (1/2 B.) Lex.-8. Ebend. à Jahrg. 4. —

Repetitionsbuch, neues, f. die Militär-Schulen der deutschen Armee, sowie zum Selbstunterricht jedes Soldaten d. steh. Heeres, der Reserve u. der Landwehr. 8. (64 S.) Potsdam 883. E. Stechert. n. — 50

Repetitorium der alten Geographie u. zur Chronologie. gr. 8. (31 S.) Zürich 883. Schultheß n. — 60

— des Handelsrechts m. Einschluß d. Seerechts u. Wechselrechts f. Studirende u Prüfungs-Candidaten. 2. verb. u. unter besond. Berücksicht. d. Gesetzes vom 18. Juli 1884 betr. die Kommanditgesellschaften auf Aktien u. die Aktiengesellschaften verm. Aufl. 12. (VII, 263 S.) Berlin 885. C. Heymann's Verl. n. 3. —

— des Kirchenrechts f. Studirende u. Prüfungs-Candidaten. 2. Aufl. 16. (III, 165 S.) Ebend. 884. cart. n. 2. —

— zu Luthers Leben. Ein Auszug aus „Luthers Leben v. J. Köstlin“ zum Gebrauch f. die Mittelklassen höherer Lehranstalten. Für seine Schüler hergestellt v. e. Religionslehrer. 8. (44 S.) Göttingen 885. Vandenhoeck & Ruprecht's Verl. cart. n.n. — 50

— des österreichischen Strafrechtes in systematischer Darstellung, nach den besten Quellen f. Studirende u. Prüfungs-Candidaten bearb. 8. (IV, 121 S.) Leipzig 884. Roßberg. cart. n. 1. 50

— des preußischen Verwaltungsrechts, auf Grund der neuesten preußischen Verwaltungsreformgesetzgebung bearb. f. Studirende ꝛc. 12. (VI, 167 S.) Berlin 888. C. Heymann's Verl. cart. n. 2. —

Res gestae divi Augusti. Ex monumentis Ancyrano et Apolloniensi iterum ed. Th. Mommsen. Accedunt tabulae XI (photolith.). gr. 8. (XCVII, 223 S.) Berlin 883. Weidmann. n. 12. —

— dasselbe, in usum scholarum ed. Th. Mommsen. gr. 8. (39 S.) Ebend. 884. n. 1. 20

Resch jr., die Kultur der Band- u. Flechtweiden als höchster Ertrag d. Bodens. 8. (16 S.) Meerane 884. (Brodbeck.) n — 50

Resch, Helene, e. Appellation od. sofort zum Protest. Ein Lebensbild. 8. (63 S.) Bad Elster 884. (Lobenstein, Teich.) n. — 60

Resch, Max, Carol v. Bose u. die Gründung der Kirche zu Netzschkau i. V. Eine Erzählg. 12. (43 S.) Plauen 84. (Neupert.) n. — 60; cart. n. — 70; geb. n. 1. 20

Resch, Pet., die Aufeinanderfolge der Welthandelsherrschaften. Studie. 2. Aufl. 8. (III, 70 S.) Graz 885. Moser. n. 1. —

— die Entwickelungsstufen der Volkswirthschaft. Studie. 8. (VII, 246 S.) Ebend. 886. n. 3. —

— die Internationale. Studie. gr. 8. (IV, 48 S.) Ebend. 886. n. — 80

— das moderne Kriegsrecht der civilisirten Staatenwelt. Systematisch dargestellt. gr. 8. (X, 94 S.) Ebend. 885. n. 2. —

— das europäische Völkerrecht der Gegenwart Für Studirende u. Gebildete aller Stände systematisch dargestellt. gr. 8. (XVI, 294 S.) Ebend. 885. n. 5. 60

Residenz-Kalender, Dresdner, auf d. J. 1887. Enth. e. vollständ., bis auf die neueste Zeit ergänzte Genealogie der regier. Häuser Europas, sowie der Regentenhäuser europ. Abkunft, nebst e. Beigabe von Wappentafeln sächs. Adelsfamilien m. Erläutergn. Neue Folge. 79. Jahrg. 16. (174 S. m. 3 Steintaf.) Dresden, Warnatz & Lehmann. n. 1. 50; geb. n. 2. 25

Resl, Wladimir, Verhältnis der fünf ersten im platonischen Symposion vorkommenden Reden zur Rede d. Sokrates u. Alkibiades. Eine Abhandlg. gr. 8. (35 S.) Brody 886. (West.) n. 1. —

Resoconto sanitario dell' ospitale civico di Trieste per l'anno 1878—1881. Pubblico per cura della presidenza del collegio medico dell' ospitale civico. VI—X. annata. gr. 8. (132, 71, 83, 87 u. 87 S.) Triest 882—84. (Dase.) à n. — 80

Ressel's Familienfreund. [Früher: Reichenberger Familienfreund.] Illustrirte Blätter f. Unterhaltg. u. Aufklärg., hrsg. u. red. unter Mitwirkg der hervorragendsten Schriftsteller u. Publicisten Oesterreichs u. Deutschlands. 4. Jahrg. 1886. 24 Nrn. (2 B.) gr. 4. Reichenberg, Leipzig, (Fest). n. 8. —; in 12 Hftn à n. — 50

Restaurant-Hotel-Revue. Kosmopolitische Wochenschrift f. Gäste, Wirte, Hotel- u. Restaurant-Personal. Offizielles Organ d. Deutschen Kellner-Bundes. 7.—9. Jahrg. 1884—86. à 52 Nrn. (B.) Fol. Leipzig, Blüher. à Jahrg. n. 9. —

Resultate der Forstverwaltung im Reg.-Bez. Wiesbaden. Jahrg. 1883. Hrsg. v. der königl. Regierg. zu Wiesbaden. gr. 4. (35 S.) Wiesbaden 884. Bechtold & Co. 1. 50

Retcliff, Mara, die schöne Bulgarin, od. Geheimnisse v. Sofia. Historischer Roman aus der Gegenwart. (In ca. 70 Lfgn.) 1.—5. Lfg. gr. 8. (S. 1—128.) Dresden 886. Ad. Wolf. à — 10

Retcliffe's, Sir John, historisch-politische Romane. (Neue Band-Ausg.) 1. Bd. 8. Berlin 884. Kogge & Fritze. Subscr.-Pr. 3. —

Nena Sahib od. die Empörung in Indien. [In 3 Bdn.] 1. Bd. (688 S.)

Rething, M., die Tochter d. Malers. Erzählung. 8. (240 S.) Gotha 886. F. A. Perthes. n. 5. —

Rethwisch, Conr., der Staatsminister Frhr. v. Zedlitz u. Preußens höheres Schulwesen im Zeitalter Friedrich d. Großen. 2., durch einige auf Fragen der Gegenwart bezügl. Aktenstücke u. Anmerkgn. verm. Ausg. gr. 8. (VII, 234 S.) Berlin 886. Oppenheim. n. 8. —

— u. E. Schmiele, Geschichtstabellen f. höhere Schulen. gr. 8. (107 S.) Berlin 883. Gaertner. n. — 80

— — Geschichtstabellen f. Seminare, höhere Mädchen- u. Mittelschulen. gr. 8. (III, 108 S.) Ebend. 884. n. — 80

Rethwisch, Ernst, vom Grafen zum Kellner Lustspiel in 4 Acten. 8. (III, 45 S.) Norden 886. Fischer Nachf. n. 1. 20

Rethwisch, Ernst, die Inschrift v. Killeen Cormac u. der Ursprung der Sprache. 8. (38 S.) Norden 886. Fischer Nachf. n. 1. 20

— der Irrthum der Schwerkrafthypothese. Kritik u. Reformthesen. 2. Aufl. 8. (VII, 119 S.) Freiburg i/Br. 884. Kiepert. n. 2. —

— Jugendlieder. 2. Aufl. 8. (VIII, 186 S.) Norden 886. Fischer Nachf. n. 3. —

— Lichtbilder. Gedichte an deutsche Zeitgenossen. 2. Aufl. 8. (VII, 47 S.) Ebend. 886. n. 1. 20

— Ostsee-Novellen. [Morgenroth. Das Fischerkind. Corswand.] 2. Aufl. 12. (94 S.) Ebend. 885. n. 2. —

— Sängerfahrten. 2. Aufl. 8. (VII, 89 S.) Ebend. 886. n. 1. 50

— Schattenbilder. 8. (III, 183 S.) Ebend. 886. n. 3. —

— der Stein der Weisen. Roman. 8. (390 S.) Ebend. 886. n. 5. —

— zwei nationale Studien. Das Gericht der Nation üb. die Fortschrittspartei. Die Schädigung der kathol. Religion durch die Centrumspartei. gr. 8. (36 S.) Berlin 885. Wilhelmi. n. — 60

— Sünden u. Zukunft der nationalliberalen Partei. gr. 8. (20 S.) Ebend. 884. n. — 50

Rette deine Seele! Nur eins ist notwendig. Andenken an die heil. Uebgn., abgeh. zu Aachen, vom 16. bis 23. Dezbr. 1883 u. vom 3. bis 10. Februar 1884. 16. (4 S.) Aachen 884. Schweitzer. pro Hundert 2. 25

Rettich, Heinr., die völker- u. staatsrechtlichen Verhältnisse d. Bodensees, historisch u. juristisch untersucht. gr. 8. (X, 191 S.) Tübingen 884. Laupp. n. 4. —

Rettich, Hugo Edler v., die Luft als Ausgleichmittel der Seilgewichte bei Fördermaschinen. Untersuchung der bis jetzt im Gebrauch steh. Seilausgleichmittel bei der Verticalförderg. u. Vergleich derselben m. der vom Verf. patentirten Vorrichtg. gr. 8. (VII, 124 S. m. 3 Taf.) Wien 885. (Hölder.) n. 3. —

Rettig, Geo., Leitfaden der Bibliothekverwaltung, hauptsächlich f. Jugend- u. Volksbibliotheken bearb. 8. (60 S.) Bern 888. Schmid, Francke & Co. n. — 80

Rettig, Magdalena D., Hausköchin. 14. Aufl. 8. (VIII, 632 S. m. Portr. der Verf.) Prag 884. (Wien, Szelinski.) n. 3. —

Rettungshaus-Bote, der. Correspondenzblatt f. die Rettungshaussache. Red.: C. Lichtwark. 3. Jahrg. Octbr. 1882—Septbr. 1883. 4 Nrn. ($1^1/_4$ B.) gr. 8. Lübeck, (Grautoff). n.n. — 60

— dasselbe. 4—6. Jahrg. Oktbr. 1883—Septbr. 1886. à 6 Nrn. (B.) gr. 8. Ebend. à Jahrg. n. 1. —

Retzer, Wilh., die deutschen Süsswasserschwämme. Mit 2 lith. Taf. gr. 8. (30 S.) Tübingen 883. (Fues) n. 1. 40

Retzius, Gustaf, Finnland. Schilderungen aus seiner Natur, seiner alten Kultur u. seinem heut. Volksleben. Autorisirte Übersetzg. v. C. Appel. Mit 93 Holzschn. u. 1 (chromolith.) Karte v. Finnland. gr. 8. (VIII, 158 S.) Berlin 885. G. Reimer. n. 5. —

— das Gehörorgan der Wirbelthiere. Morphologisch-histolog. Studien. I. u. II. gr. 4. Stockholm 884. Samson & Wallin. geb. n. 250. —

I. Das Gehörorgan der Fische u. Amphibien. (II, 221 S. m. 35 Steintaf. u. 39 S. Erklärgn.) 881. n. 100. —
II. Das Gehörorgan der Reptilien, der Vögel u. der Säugethiere. (VIII, 368 S. m. 29 Steintaf. u. 30 Bl. Erklärgn.) n. 150. —

Retzsch, Mor., Umrisse zu Goethes Faust. 1. u. 2. Tl. (Neue Aufl.) qu Fol. (40 Kpfrtaf. m. 12 S. Text.) Stuttgart 884. Cotta. geb. 6. —

— Umrisse zu Schillers Lied v. der Glocke, nebst Andeutgn. (Neue Aufl.) qu. Fol. (43 Kpfrtaf. m. 16 S. Text.) Ebend. 884. geb. 6. —

Reubold, Bemerkungen üb. Adipocire. gr. 8. (7 S.) Würzburg 885. Stahel. — 40

— über Schluckbewegungen d. Foetus. gr. 8. (8 S.) Ebend. 885. — 40

Reuland, H. A., Geschichte d. Limburger Erbfolgestreites, s.: Herchenbach, W.

Reuleaux's, Carl, Dichtungen. Op. 7 u. 8. gr. 8. München 886. Kellner à n. 1. — (1—8.: n. 11. —)

7. Den Manen Ludwig d. Zweiten. (21 S.) — 8. Cypressen. Mit 1 Illustr. v. Frdr. Steub. (XVI, 78 S.) geb. n. 2. —

Reuleaux, F., der Konstructeur. Ein Handbuch zum Gebrauch beim Maschinen-Entwerfen. Mit zahlreichen in den Text eingedr. Holzst. 4. Aufl. 2. u. 3. Lfg. gr. 8. (S. 369—864.) Braunschweig 883. 85. Vieweg & Sohn. n. 9. 50 (1—3.: n. 16. 50)

— die Maschine in der Arbeiterfrage, s.: Zeitfragen, soziale.

— eine Reise quer durch Indien im J. 1881. Erinnerungsblätter. 2. Aufl. gr. 8. (XV, 288 S. m. eingedr. Holzschn. u. 2 Taf.) Berlin 885. Allgemeiner Verein f. deutsche Literatur. n. 5. —; geb. n. 6. —

— dasselbe, s.: Verein, allgemeiner, f. deutsche Literatur.

Reuling, W., u. W. **Loewenfeld,** die Rechtsverfolgung im internationalen Verkehr. Darstellung der Justizorganisation, d. Prozessrechts, d. Konkursrechts u. der Erbschaftsregulirg. in den Kulturstaaten d. Erdballs. Unter Mitwirkg. hervorrag. Juristen aller Länder hrsg. 1. Lfg. gr. 8. (160 S.) Leipzig 887. Veit & Co. n. 4. —

Reumont, A., die Behandlung der Syphilis in den Bädern v. Aachen u. Burtscheid. 8. (22 S.) Aachen 885. (Benrath & Vogelgesang.) — 50

— guide médical aux eaux thermales d'Aix-la-Chapelle et de Borcette, s.: Améry, C.

— die Thermen v. Aachen u. Burtscheid. Nach Vorkommen, Wirkgn. u. Anwendungsart beschrieben. Nebst e. historisch-topogr. Beschreibg. beider Städte u. deren Umgebg. v. Frdr. Haagen u. A. Mit 1 Städteplan u. 1 Karte der Umgebg. 5. Aufl. 8. (IV, 306 S.) Aachen 885. Benrath & Vogelgesang. geb. n. 3. 50

Reumont, Alfr. v., Aachener Liederchronik. Mit e. Chronologie der Geschichte Aachens. 2. Ausg. 8. (III, 235 S.) Aachen 885. Mayer. n. 2. —

— Charakterbilder aus der neueren Geschichte Italiens. 8. (VIII, 295 S.) Leipzig 886. Duncker & Humblot. n. 5. —

— aus König Friedrich Wilhelms IV. gesunden u. kranken Tagen. 2. Aufl. gr. 8. (XIII, 579 S.) Ebend. 885. n. 10. —; geb. n. 12. 40

— Lorenzo de' Medici il Magnifico. 2., vielfach veränd. Aufl. 2 Bde. gr. 8. (X, 437 u. VI, 499 S. m. 2 Porträts in Lichtdr.) Ebend. 883. n. 18. —; geb. n. 22. —

Reuning, Thdr., s.: Briefwechsel zwischen Justus v. Liebig u. Th. R. üb landwirthschaftliche Fragen.

Reuper, Jul., österreichischer Studenten-Führer. Die Organisation der österreich. Mittel-, Fach- u. Hochschulen, sowie die aus dem Besuche derselben entspring. Begünstiggn. u. Berechtiggn. Suppl.-Hft. gr. 8. (VIII, 88 S.) Mähr.-Ostrau 885. Prokisch. n. — 70

Reus, Franziskus v., kurze Lebensgeschichte der Dienerin Gottes Maria Agnes Klara Steiner v. der Seitenwunde Jesu. Aus dem Ital. übers. v. Peter Paul Außerer. 2. Aufl. 12. (XII, 344 S. m. 1 Stahlst.) Innsbruck 886. F. Rauch. n. 1. 20

Reusch, C., aus deutschem Walde. Zwei Dichtgn. 8. (VI, 86 S.) Leipzig 886. Friedrich. n. 2. —

Reusch, Fr. Heinr., der Index der verbotenen Bücher. Ein Beitrag zur Kirchen- u. Literaturgeschichte. 2 Bde. gr. 8. (XII, 624 u. XI, 1266 S.) Bonn 883. 85. Cohen & Sohn. n. 40. —

Reusch, Hans H., die Fossilien führenden krystallinischen Schiefer v. Bergen in Norwegen. Autoris. deutsche Ausg. v. Rich. Baldauf. Mit e. geolog. (chromolith.) Karte u. 92 Holzschn. gr. 8. (IV, 134 S.) Leipzig 883. Engelmann. n. 6. —

— über Vulkanismus, s.: Sammlung gemeinverständlicher wissenschaftlicher Vorträge.

Reuschert, F. W., die Sprachgebrechen u. deren Heilung. Ein Wegweiser zur zweckmäßß. Behandlg. der Taubstummen, Stotterer, Lispler, Stammler, Laller, sowie auch der Blödsinnigen, Idioten u. Kretinen. 8. (VII, 79 S.) Straßburg 883. Schultz & Co. Verl. n. 1. 50

Reuschle, C., graphisch-mechanischer Apparat zur Auflösung numerischer Gleichungen m. gemeinverständlichen Erläuterungen. Fol. (1 Steintaf. u. 1 Bl. Gelatinepap.) Mit Text. gr. 4. (10 S.) Stuttgart 885. Metzler's Verl. In Mappe. n. 2. 80
— die Deck-Elemente. Ein Beitrag zur descriptiven Geometrie. Mit 1 lith. Fig.-Taf. gr. 8. (IV, 37 S.) Ebend. 882. n. 1. 40
— graphisch-mechanische Methode zur Auflösung der numerischen Gleichungen. gr. 8. (IV, 64 S.) Ebend. 884. n. 1. 50
— Praxis der Kurvendiskussion. 1. Tl. Kurvendiskussion in Punktkoordinaten, m. e. Anh. üb. analytisch-geometr. Principien. Mit 72 Fig. im Text. gr. 8. (VII, 158 S.) Ebend. 886. n. 3. 80

Reusens, éléments d'archéologie chrétienne. 2. éd. revue et considérablement augmentée. 2 vols. Lex.-8. (576 u. 622 S. m. 261 eingedr. Holzschn.) Aachen 884. Barth. n. 20. —

Reuß, Ed., akademische Festrede, zur Feier d. 400jähr. Geburtstags Dr. Mart. Luther's am 9. Novbr. 1883. gr. 8. (20 S.) Straßburg 883. Schmidt. n. — 60

Reuß, Elly [E. Relly], erreichte Ziele. Ein Familien-Roman. 2 Bde. 2. Aufl. 8. (263 u. 238 S.) Bernburg 886. Bacmeister. n. 6. —; geb. n.n. 8. —

Reuß, Frz., Wiederholungskurs f. den Unterricht in der deutschen Grammatik. Ein Hilfsmittel zur Wiederholg. d. einschläg. Unterrichtsstoffes f. Schüler der höheren Klassen v. Mittel-, namentlich auch v. Präparandenschulen. gr. 8. (94 S.) Eichstätt 885. Stillkrauth. cart. n. — 60

Reuß, Herm., heiraten u. gut leben m. einer Mark täglich. Nach dem Engl. d. Will. Couchman. 4. Aufl. 16. (71 S.) Leipzig 885. Siegismund & Volkening. — 60; cart. — 80

Reuß, Herm., das Unfallversicherungsgesetz vom 6. Juli 1884. Ein Vortrag. 8. (20 S.) Ansbach 886. Brügel & Sohn. — 25

Reuß, M., Verordnung üb. das Verfahren von den auf Grund d. Unfall-Versicherungsgesetzes errichteten Schiedsgerichten vom 2. Novbr. 1885 m. Erläuterungen f. den prakt. Gebrauch. 12. (56 S.) Dortmund 886. Köppen. n. — 60

Reuss, Rud., l'affaire de Tisza-Eszlar. Un épisode de l'histoire de l'antisémitisme au 19. siècle. gr. 8. (53 S.) Strassburg 883. Treuttel & Würtz. n. — 70
— Geschichte d. Neuhofes bei Strassburg. Eine histor. Skizze nach ungedruckten Dokumenten d. Stadtarchivs. gr. 8. (108 S.) Strassburg 884. Schmidt. n. 1. —
— la justice criminelle et la police des moeurs à Strasbourg au 16e et au 17e siècle. Causeries historiques. 12. (286 S.) Strassburg 885. Treuttel & Würtz. n. 2. —
— vieux noms et rues nouvelles de Strasbourg. Causeries biographiques d'un flâneur, avec une préface. 8. (XIV, 442 S.) Ebend. 883. n. 3. —
— der Apostel Paulus, s.: Schriften d. protestantischen liberalen Vereins in Elsaß-Lothringen.
— A. Schillinger. Souvenirs pour ses amis. Avec des extraits du Journal de Schillinger pendant le siège de Strasbourg. 8. (XI, 292 S.) Strassburg 883. Treuttel & Würtz. n. 6. —
— die kirchlichen Wahlen zu Dingshoffen, s.: Schriften d. protestantischen liberalen Vereins in Elsaß-Lothringen.

Reuß, Zoë v., das Codicill. Roman. 8. (208 S.) Berlin 885. Engelmann. n. 3. —

Reuter, Adf., de Promethei Septem, Persarum, Aeschyli fabularum codicibus recentioribus. gr. 8. (32 S.) Cervimontii 883. (Leipzig, Fock.) n. — 80

Reuter, C., die Schule d. Tapezierers. 2. Aufl. Mit e. Atlas, enth. 22 (lith.) Foliotaf. gr. 8. (VIII, 119 S.) Weimar 884. B. F. Voigt. 7. 50

Reuter, Ch., Schelmuffsky, s.: Neudrucke deutscher Litteraturwerke d. XVI. u. XVII. Jahrh.

Reuter, Ed., de dialecto thessalica. gr. 8. (86 S.) Berlin 885. (Mayer & Müller.) n. 2. —

Reuter, Fr., Bomben u. Granaten aus gezogenen Kanonen od. Ihr sollt u. müßt lachen! Ein lust. Gesellschafter f. alle Welt zur Unterhaltg. u. Belustigg. in fröhl. Kreisen, bei Tafel u. auf Reisen. 1. u. 2. Bd. 16. Aufl. 8. (160 u. 144 S.) Berlin 885. Mode's Verl. à n. 1. —

Reuter, Fritz, sämmtliche Werke. 2—13. u. 15. Bd. 8. Wismar, Hinstorff's Verl. à n. 3. —; geb. à n. 4. —

2. Läuschen un Rimels. Neue Folge. Plattdeutsche Gedichte heiteren Inhalts in mecklenburgisch-vorpommerscher Mundart. 14. Aufl. (X, 259 S.) 884.
3. Die Reis' nah Belligen. Poetische Erzählg. in niederdeutscher Mundart. 12. Aufl. (XVIII, 294 S.) 883.
4. Olle Kamellen. 1. Thl. Twei lustige Geschichten. 1. Woans ik tau 'ne Fru kamm. 2. Ut de Franzosentid. Mit e. Titelbilde. (Holzschn.) 16. Aufl. (304 S.) 886.
5. Dasselbe. 2. Thl. Ut mine Festungstid. 14. Aufl. (VII, 350 S.) 886.
6. Schurr-Murr. Wat tausamen is schrapt ut de hochdütsche Schöttel, ut den plattdütschen Pott un den missingschen Ketel. 11. Aufl. (VII, 305 S.) 886.
7. Hanne Nüte un de lütte Pudel. 'Ne Vagel- u. Minschengeschicht. 13. Aufl. (301 S.) 884.
8—10. Olle Kamellen. 3—5. Thl. Ut mine Stromtid. 3 Thle. 16., resp. 15. u. 13. Aufl. (VI, 340; 342 u. 374 S.) 882—86.
11. Kein Hüsung. 10. Aufl. (222 S.) 885.
12. Olle Kamellen. 3. Thl. Dörchläuchting. 11. Aufl. (VIII, 327 S.) 886.
13. Dasselbe. 7. Thl. De meckelnbörgschen Montecchi un Capuletti od. de Reis' nah Konstantinopel. 10. Aufl. (VI, 378 S.) 885.
15. Nachgelassene Schriften. 2. Thl. Hrsg. v. Adf. Wilbrandt. (XII, 277 S.) 873.

— dasselbe. Volks-Ausg. in 7 Bdn. 3. Aufl. 8. (XXXII, 370; 442; VI, 438; 436; 448; 396 u. 443 S.) Ebend. 885. n. 21. —; geb. n. 26. 25
— Ergänzungsbände zu den sämmtlichen Werken. [Lustspiele u. Polterabend-Gedichte (Julklapp).] Volks-Ausg. in 2 Bdn. od. 4 Lfgn. 2. Aufl. 8. (VII, 165 u. VI, 185 S.) Leipzig 883. C. A. Koch. à Lfg. — 75; à Bd. 1. 50; cplt. 2 Bde. in 1 Bd. geb. 3. 75; mit rothem Schnitt 4. 20

Reuter, Jos., e. Beitrag zur Lehre vom Hermaphroditismus. Mit 1 lith. Taf. gr. 8. (48 S.) Würzburg 885. Stahel. n. 2. 60

Reuter, Karl, die Römer im Mattiakerland. Mit 2 Taf. v. Hoffmann. Lex.-8. (III, 50 S.) Wiesbaden 884. Niedner. n. 2. 40

Reuter, M., Trierische Fibel. Erstes Schreib-Lesebuch f. deutsche Volksschulen. 1. Tl. 4. Aufl. 8. (48 S.) Trier 885. Lintz. cart. n.n. — 35
— dasselbe. 2. Schreib-Lesebuch f. deutsche Volksschulen. 2. veränd. Aufl. 8. (IV, 112 S.) Ebend. 885. cart. n.n. — 60

Reuter, R., soziale Reform u. Verfassungsstaat, s.: Zeitfragen, soziale.

Reuter, Wilh., Garben u. Farben. Neue Gedichte. 16. (X, 253 S.) Münster 884. Theissing. n. 3. —; geb. m. Goldschn. n. 4. —
— Litteraturkunde, enth. Abriß der Poetik u. Geschichte der deutschen Poesie. Für höhere Lehranstalten, Töchterschulen u. zum Selbstunterrichte bearb. 12. Aufl. gr. 8. (VIII, 272 S.) Freiburg i/Br. 886. Herder. n. 1. 50; Einbd. n.n. — 40
— Poetik. Eine Vorschule f. die Geschichte der schönen Litteratur u. die Lektüre der Dichter. Für höhere Lehranstalten, Töchterschulen u. zum Selbstunterrichte. 2. Aufl. gr. 8. (VII, 135 S.) Ebend. 885. n. 1. 20
— Sinnen u. Singen. Neue Gedichte. [3. Sammlg.] 16. (VII, 176 S.) Münster 886. Theissing. n. 2. —; geb. m. Goldschn. n. 3. —

Fritz Reuter-Gallerie m. Bildern v. Conr. Beckmann u. Text v. Karl Thdr. Gaedertz. gr. 4. (IV, 64 S. m. eingedr. Holzschn. u. 12 Lichtdr.) München 885. Verlagsanstalt f. Kunst u. Wissenschaft. geb. m. Goldschn. n. 20. —

Reuttl, C., die Grund- u. Pfandbuchsordnung im Großherzogt. Baden Handbuch. gr. 8. (XXXII, 764 S.) Tauberbischofsheim 886. Lang. n. 10. —

Révai-Rosenberg, Ludw., der Sequestrationsprozeß der „Société de Berlin", aktenmäßig dargestellt m. e. Einleitg. Ein Beitrag zum Autorrechte. gr. 8. (41 S.) Budapest 884. Grimm. n. 1. —

Revanche-Geschichten. Aus dem Franz. übers. u. Armin Schwarz. Mit zahlreichen Illustr. 8. (110 S.) Budapest 887. Grimm. n. 2. —

Revisions-Kalender. 1885. Hrsg. v. freisinn. Männern. 4. (26 u. 55 S. m. Illustr. Bern. Jenni. n. — 40

Revolution, die electrotechnische. Populär-wissenschaftlich dargestellt u. m. erläut. eingedr. Illustr. versehen v. e. Fachmanne. 3. Aufl. 8. (96 S.) München 883. Vierecl. n. 2. —

Revolver-Kanone, die 3,7 cm. der Schiffs-Artillerie u. ihre Munition. Vorschriften üb. Behandlg. u. Instandhaltg. Neu bearb. 8. (IV, 51 S.) Berlin 885. Mittler & Sohn. n. — 75

Revolver-Schieß-Instruktion f. die Kavallerie u. Feld-Artillerie. gr. 16. (VI, 34 S.) Berlin 884. Mittler & Sohn. n.n. — 25

Revue antiphylloxerique internationale. Journal mensuel illustré pour combattre les ennemis de la vigne. Publié par L. Roesler avec le concours de M. Aimé Champin. 1. Année. Juillet 1882—Juin 1883. 12 nrs. gr. 8. (Nr. 1—10. 249 S.) Klosterneuburg, Selbstverl. d. Prof. Roesler. n. 12. —

— internationale, üb. die gesammten Armeen u. Flotten. Hrsg. von Ferd. v. Witzleben-Wendelstein. 1—5. Jahrg. Oktbr. 1882—Septbr. 1887. à 12 Hfte. gr. 8. (1—3. Hft. 388 S.) Cassel, Fischer. à Jahrg. n. 24. —

— bibliographique des langues et littératures romanes, publiée par Émile Ebering. Vol. III. 1885. 6 fasc. gr. 8. (1. u. 2. Fasc. 80 S.) Leipzig 885. K. Twietmeyer. n. 12. —

— deutsche, üb. das gesammte nationale Leben der Gegenwart. Hrsg. v. Rich. Fleischer. 8. Jahrg. 1883. 12 Hfte. gr. 8. (à Hft. ca. 152 S.) Breslau, Trewendt. à Hft. n. 2. —

— dasselbe. 9—11. Jahrg. 1884—1886. à 12 Hfte. u. 4 Kunsthfte. in Fol. gr. 8. (à Hft. ca. 136 S.) Ebend. à Jahrg. n. 24. —; Kunsthefte ap. à n. 4. —

— der Gerichtspraxis im Gebiete des Bundescivilrechts. 1. Bd. gr. 8. (IV, 105 S.) Basel 883. Detloff. n. 3. —

— dasselbe. 2. Bd. gr. 8. (146 S.) Ebend. 884. n. 4. —

— dasselbe. 3. u. 4. Bd. gr. 8. (à ca. 247 S.) Ebend. 885. 86. à Bd. n. 6. —

— industrielle. Red.: E. Nowák. 1. Jahrg. 1885. 24 Nrn. (1½ B. m. Illustr.) gr. 4. Leipzig 885. Verl. d. Maschinenbauer. n. 7. 20; pro Nr. n. — 30

— kroatische. Berichte üb. sociale u. literar. Verhältnisse der südslav. Völker. 2. Jahrg. 1886. 4 Hfte. (ca. 10 B.) gr. 8. Agram, Hartman's Verl. n. 12. —

— des modes parisiennes. Illustrirtes Familien-Journal. Red.: Mathilde Clasen-Schmid. 4—7. Jahrg. 1883—1886. à 24 Nrn. (2 B. m. eingedr. Holzschn. u. 2 color. Modekpfrn.) Fol. Leipzig, Hoffmann & Ohnstein. à Jahrg. n. 12. —

— der Fortschritte der Naturwissenschaften. Hrsg. unter Mitwirkg. hervorrag. Fachgelehrten v. der Red. der „Gaea" Herm. J. Klein. [12—14. Bd.] Neue Folge. 4—6. Bd. à 6 Hfte. 8. (à Hft. ca. 160 S.) Leipzig 883—85. Mayer. à Bd. n. 9. —

— österreichisch-ungarische. Hrsg. u. Red.: Joh. B. Meyer. Jahrg. 1886. 12 Hfte. gr. 8. (1. Hft. 80 S.) Wien, (Hölder). n. 18. —

— pädagogische, u. General-Anzeiger f. das gesamte Unterrichtswesen d. Deutschen Reiches, unter Red. v. Jul. Beeger. 1. Jahrg. Oktbr. 1885—Septbr. 1886. 12 Nrn. (B.) gr. 4. Leipzig-Reudnitz, Osw. Schmidt. 1. 20

— romänische. Hrsg.: Cornelius Diaconovich. 1. Jahrg. Juli—Decbr. 1885. 6 Hfte. gr. 8. (à Hft. ca. 64 S.) Budapest, Selbstverl. d. Herausgebers. n. 10. —

— dasselbe. 2. Jahrg. 1886. 12 Hfte. gr. 8. (1. Hft. 64 S.) Ebend. n. 20. —

— russische. Monatsschrift f. die Kunde Russlands. Hrsg. v. Carl Röttger. 12. Jahrg. 1883. 12 Hfte. gr. 8. (1. Hft. 96 S.) St. Petersburg, Schmitzdorff. n. 20. —

Revue, russische. Monatsschrift f. die Kunde Russlands. Hrsg. v. Carl Röttger. 13. Jahrg. 1884. 4 Hfte. gr. 8. (1. Hft. 136 S.) St. Petersburg, Schmitzdorff. n.n. 15. —

— dasselbe. Hrsg. v. R. Hammerschmidt. 14. u. 15. Jahrg. 1885 u. 1886. à 4 Hfte. gr. 8. (à Hft. ca. 128 S.) Ebend. à Jahrg. n. 16. —

— ungarische. Mit Unterstützg. der ungar. Akademie der Wissenschaften hrsg. v. Paul Hunfalvy u. Gust. Heinrich. Jahrg. 1883—1886. à 10 Hfte. gr. 8. (à Hft. ca. 80 S.) Budapest. (Leipzig, Brockhaus' Sort.) à Jahrg. n. 10. —

Rey, Erwin, Abriß der Geschichte der antiken Literatur. Mit besond. Berücksicht. der Langenscheidt'schen Bibliothek sämmtl. griech. u. röm. Klassiker in neueren deutschen Muster-Uebersetzgn. 33. Aufl. 8. (126 S.) Berlin 886. Langenscheidt. n. — 35; geb. n.n. — 50

Rex, Frdr. Wilh., fünfstellige Logarithmen-Tafeln. 2 Hfte. 11 Taf. Ster.-Druck. gr. 8. (XVI, 183 S.) Stuttgart 884. Metzler's Verl. n. 2. 60

— vierstellige Logarithmen-Tafeln. gr. 8. (64 S.) Ebend. 884. geb. n. 1. 20

Rey, Jak., Himmel u. Erde. Einführung in die Himmelskunde. Für die reifere Jugend. 2. Aufl. Mit 103 Text-Illustr. u. e. bunten Titelbilde. gr. 8. (VIII, 228 S.) Leipzig 885. Spamer. n. 2. —; cart. n. 2. 50

Reychler, A., les dérivés ammoniacaux des sels d'argent. Thèse. gr. 8. (VII, 70 S.) Berlin 884. Friedländer & Sohn. n.n. 1. 60

Reye, Thdr., die Geometrie der Lage. Vorträge. 1. Abth. Mit 82 Holzschn. im Text. 3. verm. Aufl. gr. 8. (XIV, 248 S.) Leipzig 886. Baumgärtner. n. 7. —; n. 9. —

— die synthetische Geometrie im Alterthum u. in der Neuzeit. Rede. gr. 8. (18 S.) Strassburg 886. (Heitz.) n. — 40

Reyer, Alex., Auslaute der italienishen, spanishen, französishen, englishen u. deutshen spräche u. der Anlaute im Italienishen u. Deutshen. Mit 1 lit. taf. gr. 8. (111 S. m. 1 Tab.) Wien 886. (Hölder.) n. 3. —

Reyer, E., aus Toskana. Geologisch-techn. u. kulturhistor. Studien. Mit 8 Fig. im Text u. 4 (chromolith.) Taf. gr. 8. (IV, 200 S.) Wien 884. Gerold's Sohn. n. 7. 20

Reyher, H., die Christblüthe. Eine Sammlg. v. 20 älteren u. neueren Weihnachtsliedern. 4. Aufl. 8. (17 S.) Eberswalde 886. Wolfram. n. — 20

Reyher, Hans, e. Beitrag zur Pathologie u. Therapie d. Diabetes mellitus. gr. 8. (157 S.) Dorpat 885. (Karow.) n. 2. —

Reyher, C., ärztlicher Rathgeber od. Belehrungen üb. Wesen u. erste Behandlung der häufigeren Krankheiten. 8. (V, 299 S.) Reudnitz-Leipzig 885. Payne. geb. n. 4. —

Reymann, Katechismus der Landwirthschaft. Mit 2 Abbildgn. (Holzschntaf.). 8. (VIII, 84 S.) Breslau 883. Korn. cart. n. — 80

Reymann, Fedr., der kleine Katechismus Dr. Mart. Luthers m. den f. die Schule unentbehrlichsten Erläuterungen. 19. Aufl. 8. (108 S.) Breslau 885. Dülfer. n. — 40; geb. n. — 55

Reymar, E., litterarischer Wegweiser f. Pädagogen. gr. 8. (IV, 59 S.) Leipzig 883. Siegismund & Volkening. n. — 60; cart. n. — 80; 1—3. Nachtrag. (40 S.) 884—86. à n. — 10

Reymond, M., fünf Bücher Häckel. Ein Reimbrevier der modernen Naturphilosophie. Mit Illustr. v. F. Steub. 16. (182, 242 u. 151 S.) Leipzig 882. Gartz. geb. n. 5. —

— Handelsgesetzbuch in Versen. 12. (VIII, 200 S.) Berlin 885. Thiel. n. 2. 40; geb. n. 3. 60

— der kleine Jäger, s.: Gesundheits-Bibliothek, humoristische.

— der poetische Reichsjurist in der Westentasche. Reichsgesetzsammlung in Gedächtnißversen. 1. Bd. 16. Leipzig 883. Gartz. n. 1. —; geb. n.n. 1. 60

Verfassung d. Deutschen Reiches in Gedächtnißversen. Mit e. Anh., enth. die Reichs-Gesetze üb. das Post- u. Telegraphenwesen, die Bundes- u. Staatsangehörigkeit, Freizügigk.

u. den Unterstützungswohnsitz, das Heerwesen u. die gemeingefährl. Bestrebgn. der Socialdemokratie. 3. Aufl. (168 S.)

Reymond, M., der kleine Schweninger od. kein Schmerbauch mehr. Ein Reimbrevier f. Dicke u. Solche, die es werden wollen. Illustr. v. Jul. Schlattmann u. Frz. Jüttner. 12. (62 S.) Berlin 886. M. Schulze. n. 1. —

— dasselbe, s.: Gesundheits-Bibliothek, humoristische.

Reymond-le Brun, G., zur Erinnerung an die feierliche Eröffnung der Kirchenfeldbrücke in Bern am 24. Septbr. 1883. 8. (64 S.) Bern 883. Nydegger & Baumgart. n. — 60

Reynolds, J. Emerson, Leitfaden zur Einführung in die Experimental-Chemie. Autoris. deutsche Ausg. v. G. Siebert. 1. u. 2. Tl. 12. (Mit eingedr. Holzschn.) Leipzig 883. C. F. Winter. geb. n. 5. —
1. Einleitung. (X, 146 S.) n. 2. —
2. Die Metalloide. (V, 282 S.) n. 3. —

Reysa, J. de, zu spät, s.: Unterhaltungsbibliothek.

Reyscher, A. L., Erinnerungen aus alter u. neuer Zeit [1802 bis 1880]. [Mit Reyschers Bildnis.] gr. 8. (VII, 323 S.) Freiburg i/Br. 884. Mohr. n. 6. —

Rezepte, 235 erprobte, zur Bereitung v. Weihnachtsbäckereien, Kaffee- u. Theegebäck. Von der Herausgeberin d. in 18 Auflagen erschienenen Regensburger Kochbuches. gr. 8. (126 S.) Regensburg 887. Coppenrath. n. 1. —; geb. n. 1. 50

Rhamm, A., die betrüglichen Goldmacher am Hofe d. Herzogs Julius v. Braunschweig. Nach den Proceßakten dargestellt. gr. 8. (IV, 128 S.) Wolfenbüttel 883. Zwißler. n. 2. —

Rhein, der, in 16 Radirungen. 4. Leipzig 885. Titze. In Leinw.-Mappe. 4. 50

— der, von den Quellen bis zum Meere. Bilder v. Kasp. Scheuren. Schilderungen v. Thdr. Gsell-Fels. 2. u. 3. Lfg. Imp.-4. (S. 17—48 m. je 1 Chromolith.) Lahr 883. Schauenburg. à n. 1. 25

Rhein, Joh., der geübte Bronzeur. Gründliche Anleitg. zum Bronzieren, Vergolden u. Versilbern auf chem.-techn. Wege. 2. Aufl. 16. (32 S.) Leipzig 885. Scholtze. cart. n. 1. 50

— Metallotechnik. Legierungen, Produktion, Geschichte u. Eigenschaften der Metalle. Geschichtliches der Formerei u. Gießerei, nebst diversen nützl. Anweisgn. Für Alle, welche in Metall arbeiten. 2. Aufl. 16. (64 S.) Ebend. 885. cart. n. 2. —

Rheincanal, der schiffbare, Strassburg—Rastatt—Leopoldshafen od. Germersheim. Nebst e. (autogr.) Uebersichtsskizze. gr. 8. (46 S.) Karlsruhe 883. Braun. n. 1. —

Rhein-Ems-Kanal, der. Denkschrift d. westdeutschen Fluß- u. Kanal-Vereins f. die Mitglieder beider hohen Häuser d. Landtages der Monarchie. gr. 8. (24 S. m. 1 Karte u. 1 Profil.) Münster 886. (Aschendorff.) n. 1. 50

Rheinhard, Aug., C. Jul. Caesar's Rheinbrücke. Eine technisch-krit. Studie. Mit 3 Abbildgn. Lex.-8. (16 S.) Stuttgart 883. Neff. n. — 50

Rheinhard, Herm., atlas orbis antiqui. In usum scholarum. Ed. VI. emendata et aucta. qu. gr. 4. (12 color. Karten.) Stuttgart 886. Schweizerbart. In Lex.-8. cart. n. 2. —

Rheinhardt, W., die moderne höhere Mädchenschule, s.: Broschüren, Frankfurter zeitgemäße.

Rheinholdt, Max, Baden-Baden als Kurort. Historisch-topograph. Skizze der Stadt Baden, ihrer Bäder u. Umgebg. Mittheilungen üb. die Badener Thermen nach Vorkommen, Wirkg. u. Anwendungsart. Aus älteren u. neueren geschichtl., geolog. u. balneolog. Schriften u. Werken f. Aerzte u. Laien gesammelt. 8. (XIV, 172 S.) Baden-Baden 887. Sommermeyer. n. 1. 20

Rheinisch, Albin, die Freunde der Frau. Lustspiel in 3 Akten. 8. (V, 98 S.) Berlin 883. Freund & Jeckel. n. 2. —

Rheinland, Wilh., das Kommen d. Herrn f. die Seinen. Eine Hinweisg. auf das Ziel der Hoffng. der an Christum Gläubigen. 2. Aufl. 12. (X, 199 S.) Basel 882. Spittler. n. — 80

Rheinländer, A., der fehlende Knopf, s.: Theater, kleines.

Rhein-Panorama, neues, nebst Odenwald u. Bergstrasse. 4. Ausg. Mit 25 Ansichten. Lith. schmal Fol. Leipzig 885. Lesimple. In Carton. n. 1. 25

Rheinstaedter, A., praktische Grundzüge der Gynaekologie. Mit 49 Fig. im Texte. gr. 8. (XV, 388 S.) Berlin 886. Hirschwald. n. 9. —

Rheinstädter, Ferd., der Ursprung der weltlichen Obrigkeit. Drei Königsgeburtstagsreden 1873, 1885, 18... gr. 8. (VI, 39 S.) Düsseldorf 886. Schwann. n. — 75

Rhenanus, B., s.: Briefwechsel.

Rhenus. Zeitschrift f. Geschichte d. Mittelrheins, in Verbindg. m. auswärtigen Forschern hrsg. vom Lahnsteiner Altertumsverein. Red.: G. Zülch. 3. Jahrg. 1886. 12 Nrn. (B.) Coblenz 886. W. Groos. n. 4. —

Rhode, P., üb. die Quellen der romanischen Weltchronik, s.: Denkmäler provenzalischer Literatur u. Sprache.

Rhoden, Emmy v., Lenchen Braun. Eine Weihnachtsgeschichte f. Kinder von 10—12 Jahren. Mit 4 Farbendr.-Bildern v. P. Wagner. gr. 8. (61 S.) Stuttgart 883. G. Weise. geb. n. 3. 50

— das Musikantenkind. Erzählung f. Kinder von 11—14 Jahren. Mit 6 Farbendr.-Bildern v. P. Wagner. gr. 8. (VIII, 109 S.) Ebend. 883. n. 4. 50

— der Trotzkopf. Eine Pensionsgeschichte f. erwachsene Mädchen. 3. Aufl. 8. (IV, 297 S. m. Holzschn.-Portr. der Verf.) Ebend. 887. geb. n. 4. 50

Rhoen, C., Aachen zur Zeit der Römer. 12. (17 S.) Aachen 886. (Cremer.) n. — 50

Ribbach, E., Geschichte der bildenden Künste, m. besond. Berücksicht. der Hauptepochen derselben dargestellt. Mit 166 Abbildgn. im Text u. 24 Vollbildern. Lex.-8. (XVI, 856 S.) Berlin 884. Friedberg & Mode. 15. —; geb. n. 20. —

Ribbeck, B., Erinnerungen an Ernst Friedrich Gabriel Ribbeck, früheren General-Superintendenten der evangel. Kirche zu Breslau, demnächst als Wirkl. Ober-Konsistorialrath a. D. zu Berlin verstorben am 6. Juni 1860, aus seinen Schriften. Als Mscr. hrsg. gr. 8. (L, 593 S.) Berlin 863. (Kiel, Haeseler's Verl.) n. 10. —

Ribbeck, Otto, Agroikos. Eine etholog. Studie. Lex.-8. (68 S.) Leipzig 885. Hirzel. n. 2. —

— Kolax. Eine etholog. Studie. Lex.-8. (114 S.) Ebend. 883. n. 4. —

Ribler, A., aus Fr. Chr. Schlosser's Weltgeschichte f. das deutsche Volk. Historisch-polit. Anschaugn. u. Urteile, zusammengestellt. 8. (V, 95 S.) Berlin 884. Seehagen. geb. n. 2. 50

Ricard, Anselm, Hilfstabellen f. die Konjugation der französischen regelmäßigen u. unregelmäßigen Zeitwörter. Vademecum f. Schüler u. Studierende aller Anstalten, Kandidaten der französ. Sprache, f. Korrespondenten, Litteraten, Bank- u. Büreaubeamte rc. Fol. (2 Tab. m. 1 S. Text in 8.) Prag 886. Neugebauer. n. — 20; auf Pappe gezogen n. — 50

— leçons françaises graduées, extraites des meilleurs auteurs, à l'usage des écoles et des familles, avec des notes pour les commençants. 3. éd. augmentée d'un vocabulaire français-allemand contenant l'interprétation de tous les mots et de toutes les locutions. gr. 8. (VIII, 391 S.) Prag 884. Fuchs. n. 3. 30

— lectures dramatiques. Extraites des auteurs tragiques et comiques depuis Corneille jusqu' à nos temps à l'usage des écoles et des familles. Nouvelle éd. 8. (IV, 327 S.) Prag 884. Neugebauer. n. 1. 80

— Lehrbuch der französischen Sprache f. Bürgerschulen, sowie zum Privatunterricht. 3 Thle. 2. Aufl. gr. 8. (XVI, 124, VI, 134 u. IV, 92 S.) Ebend. 884—86. à n. — 80; geb. à n.n. 1. 5

— französisches Lesebuch m. e. vollständigen Wörterverzeichnisse. 3. Aufl. gr. 8. (X, 167 S.) Ebend. 886. geb. n. 1. 40

— manuel d'exercices de style et de compositions littéraires à l'usage des maitres et des candidats. gr. 8. (80 S.) Ebend. 883. n. 1. 50

— manuel d'histoire de la littérature française, resumé encyclopédique à l'usage des maisons d'éducation et des aspirants au diplome de professeurs de français. 3. éd. 8. (VIII, 342 S.) Prag 886. Calve. cart. n. 3. —

Ricard, Anselm, premier vocabulaire français. Erstes französ. Vokabelbuch u. erster Unterricht im französisch Sprechen. Ausg. f. Deutschland. 2. Aufl. 8. (VIII, 58 S.) Prag 886. Neugebauer. n. — 40; cart. n. — 50

Rice, J., the golden butterfly,
— the captains' room,
— Ready-Money Mortiboy,
— all sorts and conditions of men,
— der Traukaplan d. Fleet,
} s.: Besant, W.

Richard's, Albert, Biographie, s.: Schachtler, J.

Richard, Clara, Frühlingsblumen. Gedichte. 12. (203 S.) Hagen 884. Risel & Co. n. 3. —

Richard, Elise, e. Königin. Der Strand. Zwei Novellen. gr. 16. (67 S.) Leipzig 884. Abel. n. 2. —

Richard, H., die Rauchverzehrungsfrage. Bericht der v. dem Karlsruher Bezirksverein deutscher Ingenieure zur Behandlg. der Rauchverzehrungsfrage ernannten Commission. gr. 8. (62 S.) Karlsruhe 884. (Bielefeld's Sort.) n.n. 1. 30

Richard, Herm., üb. die Lykinosdialoge d. Lukian. gr. 4. (54 S.) Hamburg 886. (Herold.) n.n. 2. 50

Richard, Paul, die Gastspiele d. herzogl. Meiningen'schen Hoftheaters während der Jahre 1874 u. 1883. Chronologisch-statist. Uebersicht. 8. (109 S.) Dresden 884. v. Grumbkow. n. 1. 50

Richard, R., Tunnelbau, s.: Mackensen, E.

Richard, R., die Regeneration d. geschwächten Nervensystems. 11. Aufl. 8. (VIII, 101 S.) Quedlinburg 883. Ernst. 1. 50

Richer, L., Pompei. Wandmalereien u. Ornamente. 1—3. Lfg. Fol. (à 6 Chromolith.) Berlin 886. Wasmuth. In Mappe. à n. 36. —

Richert, Gustaf, Tabellen zur Berechnung der Tragfähigkeit schmiedeeiserner Stäbe bei Beanspruchung auf Zerknicken. gr. 8. (29 S.) Gothenburg 886. Wettergren & Kerber. n. 1. —

Richter, der deutsche Protestantismus in seinem Verhältniß zum Papstthum in Rom. Vortrag, geh. auf dem 16. deutschen Protestantentag in Wiesbaden am 13. Oktbr. 1886. 8. (23 S.) Bremen 886. Roussell. n. — 30

Richter-Zorn, der Landwirt als Tierarzt. 2. Aufl., vollständig neu bearb. v. E. Zorn. Mit 207 Holzschn. gr. 8. (XI, 574 S.) Berlin 883. Parey. geb. n. 9. —

Richter's english journal for writers of Gabelsberger's shorthand system. 1. Vol. 1886. 24 Nrn. (1/4 autogr. B.) gr. 8. Elberfeld, Fassbender. n. 8. —

Richter, Geschichte d. 5. Westfälischen Infanterie-Regiments Nr. 53 während der ersten 25 Jahre seines Bestehens [4. Juli 1860 bis 4. Juli 1885], nach den Akten u. Kriegstagebüchern d. Regiments zusammengestellt. Mit 1 Portr., 7 Skizzen u. 3 Karten. gr. 8. (VIII, 437 S.) Berlin 885. Mittler & Sohn. n. 9. —

— Zusammenstellung der üb. Verwaltung, Aufbewahrung u. Instandhaltung d. Materials e. Feldbatterie c/73 gegebenen Bestimmungen. Mit 1 (lith.) Taf. Abbildg. gr. 8. (VIII, 172 S.) Ebend. 883. n. 3. —

Richter, A., die Technik der geklöppelten Spitze, s.: Jamnig, C.

Richter, A., zeitgemäße u. lohnende Nebenbeschäftigung d. Lehrers od. Winke u. Ratschläge, wie man sich seine Einkünfte wesentlich erhöhen kann. gr. 8. (144 S.) Leipzig 886. Siegismund & Volkening. n. 1. 20; cart. n. 1. 40

Richter, A., Merkbüchlein f. die Kinder beim Rechenunterricht in Volksschulen. 2. Aufl. 8. (24 S.) Wittenberg 883. Wunschmann. — 15

Richter, A., Johanna Fichte, s.: Sammlung v. Vorträgen.

Richter, Adph., das Wissenswertheste f. Destillateure u. Schankwirthe, welche unabhängig v. sogen. Fabrikanten äther. Oele ihre Liqueure, einfachen u. doppelten Branntweine, Rum's, Arac's, Cognac's, Nordhäuser Korn-Branntwein, comprimirte Grund-Essenzen, Tinkturen u. Farben u. zwar letztere nach den neuesten Erfahrgn. bedeutend billiger herzustellen beabsichtigen. gr. 8. (XIII, 71 S.) Berlin 883. (Allg. Verlags-Agentur.) n. 5. —

Richter, Alb., Götter u. Helden. Griechische u. deutsche Sagen. Als Vorstufe d. Geschichtsunterrichts bearb. 1—3. Bdchn. gr. 8. Leipzig, Brandstetter. n. 3. 60
1. 3. Aufl. (148 S.) 885. n. 1. 20. — 2. 2. Aufl. (96 S.) 884. n. 1. —. — 3. 3. Aufl. (191 S.) 886. n. 1. 40

Richter, Alb., deutsches Lesebuch f. die Oberklassen in Bürger- u. Landschulen, sowie f. Fortbildungsschulen. 3. Aufl. gr. 8. (VIII, 352 S.) Leipzig 884. Brandstetter. n. 1. 60

— Martin Luther. Sein Leben u. seine Werke. Mit 5 Holzschn. u. 1 Fksm. der Handschrift Luthers. 2. Aufl. gr. 8. (126 S.) Leipzig 883. M. Hesse. n. 1. —; geb. n. 1. 25

— Quellen im Geschichtsunterrichte, s.: Bericht d. Vereins Leipziger Lehrer.

— Quellenbuch. Für den Unterricht in der deutschen Geschichte zusammengestellt. gr. 8. (VI, 262 S.) Leipzig 885. Brandstetter. n. 2. 40

— zur Reallesebuchfrage. Ein Vortrag, geh. in der Versammlg. sächs. Schuldirektoren zu Pirna am 27. Septbr. 1886. gr. 8. (27 S.) Leipzig 887. M. Hesse. n. — 60

— Ziel, Umfang u. Form d. grammatischen Unterrichts in der Volksschule, s.: Hesse's, M., Lehrer-Bibliothek.

Richter, Alfr., Aufgabenbuch zu E. Frdr. Richter's Harmonielehre. 6. Aufl. gr. 8. (IV, 54 S.) Leipzig 886. Breitkopf & Härtel. n. 1. —; geb. n. 2. 20

Richter, Aem. Ludw., Lehrbuch d. katholischen u. evangelischen Kirchenrechts. Mit besond. Rücksicht auf deutsche Zustände. 8. Aufl. 6—9. (Schluß-)Lfg. Hrsg. v. Wilh. Kahl. gr. 8. (XVI u. S. 641—1410.) Leipzig 884—86. B. Tauchnitz. à 1. 80 (cplt.: n. 16. 20)

Richter, Arth., Luther als Prediger. Ein homilet. Charakterbild. Vortrag. gr. 8. (80 S.) Leipzig 883. Böhme. n. — 50

Richter, Bernh., üb. Konrektor Moritz Döring, den Dichter d. Bergmannsgrusses. Ein Beitrag zur sächs. Dichter- u. Gelehrtengeschichte. gr. 4. (52 S.) Freiberg 884. (Craz & Gerlach.) n. 1. 50

Richter, Boguslav, Vorschlag zur Beseitigung der Armuth u. zur Verwirklichung d. Rechtes auf Arbeit. gr. 8. (59 S.) Berlin 886. Puttkammer & Mühlbrecht. n. 1. 20

Richter, C., neueste Blumensprache. 7. Aufl. 8. (64 S.) Oberhausen 884. Spaarmann. — 25

Richter, C., Anleitung zum Gebrauch d. Lesebuches im Schulunterricht. 9. Aufl. gr. 8. (XII, 420 S.) Berlin 885. Stubenrauch. n. 3. 60

— dasselbe. 2. Tl. Beiträge zur Formenlehre der Poesie. 2. Aufl. gr. 8. (VIII, 196 S.) Ebend. 883. n. 2. —

— Schullesebuch, s.: Wetzel, F.

Richter, C. A. W., die Frauenkrankheiten in den Händen der „Spezialisten". Wichtige Enthüllgn. f. die Männerwelt. 8. (20 S.) Oranienburg 884. Freyhoff. n. — 50

Richter, Carl, Empfundenes u. Erlebtes. Dichtungen. Mit 1 Titelbilde v. Fritz Wolff. 12. (VI, 230 S.) Elberfeld 885. Bädeker. n. 3. 60; geb. m. Goldschn. n. 4. 50

Richter, E., das Creditsystem der modernen Mißwirthschaft u. die Mobilisirung d. Besitzes als Hauptquelle der socialen Gefahr, s.: Zeitfragen d. christlichen Volkslebens.

— die Handelsbilanz vom national- u. socialpolitischen Standpunkte,
— Sonntagsfeier u. Sonntagsunfug,
} s.: Lehmann's grüne Hefte.

Richter, E., die Alpen, nach H. A. Daniel's Schilderg. neu bearb. Nebst e. (eingedr.) Uebersichtskarte. gr. 8. (VIII, 96 S) Leipzig 885. Fues. n. 1. 60

— das Land Berchtesgaden, s.: Penck, A.

Richter, E., Bilder aus der vaterländischen Geschichte f. die Mittelstufe mehrklassiger Volksschulen u. f. einfache Schulverhältnisse. 8. (36 S.) Aachen 885. A. Jacobi & Co. n. — 20

— Geschichtsbilder f. katholische Elementarschulen. 8. (68 S.) Ebend. 885. n. — 30

— Hauptdaten der Weltgeschichte, sowie Aufgaben u. Fragen aus der Weltgeschichte. Ein Hilfsmittel zur Geschichtswiederholg. bei der Vorbereitg. f. die 1. u. 2. Lehrerprüfg. 2. Aufl. 8. (IV, 68 S.) Ober-Glogau 882. Handel. n. — 50

Richter, E. J., die Mörderbande, s.: Novellen-Bibliothek, criminalistische.

— ein toller Tag od. Einer vom Land. Schwank m. Gesang u. Tanz in 1 Akt. 16. (22 S.) Wien 882. (Korneuburg, Kühkopf.) n. — 80

Richter, Emil, Memorandum über den Schwindel m. Geheimmitteln in der 2. Hälfte d. 19. Jahrh. 8. (58 S.) Reichenberg 884. Schöpfer's Sort. n. — 80

Richter, Ernst Frdr., exercices pour servir à l'étude de l'harmonie pratique extraits du „Lehrbuch der Harmonie". Texte traduit de l'allemand et annoté par Gustavo Sandré. gr. 8. (IV, 46 S.) Leipzig 883. Breitkopf & Härtel. n. 1. —; geb. n. 2. 20

— Katechismus der Orgel. Erklärung ihrer Struktur, besonders in Beziehg. auf techn. Behandlg. beim Spiel. 3. Aufl. Mit 25 Abbildgn. 8. (III, 152 S.) Leipzig 885. Weber. geb. n. 1. 50

— Lehrbuch d. einfachen u. doppelten Contrapunkts. Praktische Anleitg. zu dem Studium desselben. Suppl. 2 Thle. in 1 Bd. gr. 8. Leipzig 884. Breitkopf & Härtel. n. 3. —; geb. n. 4. 20

1. Aufgabenbuch, bearb. v. Alfr. Richter. (VIII, 64 S.) Einzelpr. n. 1. 50

2. Nachtrag zum Lehrbuch bearb. v. Alfr. Richter. (III, 100 S.) Einzelpr. n. 2. —

— manual of harmony. A practical guide to its study, prepared especially for the conservatory of music at Leipsic. Translated by John P. Morgan. Revised from the latest german edition by Alfr. Richter [son of the author]. gr. 8. (XII, 208 S.) Ebend. 884. n. 4. —

— die praktischen Studien zur Theorie der Musik. In drei Lehrbüchern bearb. 1—3. Bd. gr. 8. Ebend. à n. 3. —; geb. à n. 4. 20; in Schulbd. à n. 3. 50

1. Lehrbuch der Harmonie. Praktische Anleitg. zu den Studien in derselben zunächst f. das königl. Konservatorium der Musik zu Leipzig bearb. 17. Aufl., m. Anmerkgn. u. Ergänzgn. versehen v. Alfr. Richter. (XII, 225 S.) 886.

2. Lehrbuch d. einfachen u. doppelten Contrapunkts. Praktische Anleitg. zu dem Studium desselben, zunächst f. das Conservatorium der Musik zu Leipzig bearb. 5. unveränd. Aufl. (VIII, 172 S.) 884.

3. Lehrbuch der Fuge. Anleitung zur Composition derselben u. zu den sie vorbereit. Studien in den Nachahmgn. u. in dem Canon, zunächst f. den Gebrauch am Conservatorium der Musik zu Leipzig bearb. 5. Aufl. (VIII, 190 S.) 886.

— traité d'harmonie théorique et pratique. Traduit de l'allemand par Gustave Sandré. 2. éd. revue et corrigée. gr. 8. (VIII, 200 S.) Ebend. 886. n. 4. —; geb. n. 5. 20

Richter, Eug., Dichterstimmen aus baltischen Landen. 8. (XIV, 188 S.) Leipzig 885. A. Naumann's Verl. n. 2. 20; geb. m. Goldschn. n. 3. —

Richter, F., die Neurasthenie u. Hysterie, s.: Sonderabdrücke der Deutschen Medicinal-Zeitung.

Richter, Fr., Festgabe zur 400jährigen Lutherfeier f. Lehrer, Schule u. Haus. 6. reich illustr. Aufl. 8. (48 S. m. Holzschn.) Eisleben 883. Mähnert. n. — 25

Richter, Frz., de thesauris Olympiae effossis. gr. 8. (46 S. m. 1 Grundriss.) Berlin 885. Weidmann. n. 2. —

Richter, Frdr., die Neurasthenie [Nervenschwäche], ihr Wesen, ihre Bedeutg. u. Behandlg., vom anatomisch-physiolog. Standpunkte f. Studirende u. Ärzte v. Rud. Arndt. Besprochen v. F. R. gr. 8. (16 S.) Berlin 885. Grosser. — 30

Richter, G., der Stand der Holzzoll-Bewegung. Vortrag. gr. 8. (27 S.) Dresden 883. G. Schönfeld's Verl. n. — 60

Richter, G., deutsches Lesebuch, s.: Haesters, A.

Richter, Geo., der geographische Unterricht in der Volksschule, erläutert durch Vortrag u. Lektionen im Anschluß an den Schulatlas d. Rössel. 2. u. 3. Hft. gr. 8. Döbeln, Schmidt. n. 4. 30 (cplt.: n. 5. 50)

2. Deutschland u. die angrenzenden Länder. (IV, 140 S.) 883. n. 1. 80

3. Die Erdteile. Globus [Skizze]. (V, 192 S.) 886. n. 2. 50

Richter, Gust., Annalen der deutschen Geschichte im Mittelalter. Von der Gründg. d. fränk. Reichs bis zum Untergang der Hohenstaufen. Mit durchgäng. krit. Erläuterg. aus den Quellen u. Literaturangaben. Ein Handbuch f. das wissenschaftl. Studium der deutschen Geschichte im Mittelalter. 2. Abtlg. 1. Hälfte. gr. 8. Halle 885. Buchh. des Waisenhauses. n. 4. 50 (I. u. II, 1.: n. 10. 50)

Annalen d. fränkischen Reichs im Zeitalter der Karolinger. 1. Hälfte. Von der Thronbesteigg. Pippins bis zum Tode Karls d. Grossen. Von Gust. Richter u. Horst Kohl. (VII, 207 S.)

Richter, Gust., Grundriss der allgemeinen Geschichte f. die oberen Klassen v. Gymnasien u. Realschulen. 1. u. 2. Tl. Als neue Bearbeitg. d. Grundrisses v. R. Dietsch. Des Grundrisses 9., der neuen Bearbeitg 2. Aufl. gr. 8. (VI, 187 u. X, 147 S.) Leipzig 883. 85. Teubner. à 1. 20

— Moritz Seebeck. Eine Gedächtnisrede. gr. 8. (90 S.) Jena 886. Fischer. n. 1. 60

Richter, Heinr., Blütenkalender. Anleitung zum Selbstbestimmen der phanerogam. Gewächse, auf Grund der Flora v. Augsburg zusammengestellt. 2. Aufl. 8. (VI, 300 S.) Augsburg 883. Rieger. n. 2. —; geb. n. 2. 50

Richter, Heinr., e. wohlverdienter Orden. Humoreske. (In Gab. stenograph. Schrift.) 8. (26 autogr. S.) Elberfeld 880. (Fassbender.) n. — 50

Richter, Heinr., die Feuersicherheit der Theater u. die gegen Feuersgefahr getroffenen Sicherheitsmaßregeln. Vorträge im polytechn. Zentralverein zu Würzburg geh. gr. 8. (25 S.) Würzburg 886. (Stuber's Verl.) n. — 80

Richter, Herm., Aufgaben aus dem bürgerlichen Geschäftsleben, insbesondere der einfachen Buchführung. Ein Hilfsbuch f. Schüler in Handwerker- u. Fortbildungsschulen. Zugleich als Ergänzg. d. Anhanges der v. demselben Verf. hrsg. „Lesebücher f. Fortbildungsschulen". gr. 8. (48 S.) Döbeln 885. Schmidt. n. — 25

— größeres Lesebuch f. Fortbildungsschulen in Stadt u. Land. 3. Aufl. gr. 8. (VIII, 384 S.) Ebend. 883. n. 1. 75

— kleineres Lesebuch f. Fortbildungsschulen in Stadt u. Land. 6. Aufl. gr. 8. (VIII, 208 S.) Ebend. 886. n. — 80

Richter, Herm. Eberh., Arzneitaschenbuch zur Pharmacopoea germanica. 5. Aufl. Nach der Pharmacopoea germanica, Ed. II, bearb. u. verm. v. Fr. Bachmann. 8. (VI, 178 S.) Berlin 885. Springer. geb. n. 4. —

Richter, Herm. Mich, Geschichte der deutschen Nation, nach den Grundzügen ihrer Entwickelg. dargestellt. Neue Ausg. m. den Portraits v. Kaiser Karl d. Gr., Rudolf v. Habsburg, Wilhelm I. u. Dr. Martin Luther. gr. 8. (VIII, 479 S.) Berlin 884. Seehagen. geb. n. 4. 50

Richter's, Jean Paul Frdr., Levana, nebst pädagog. Stücken aus seinen übrigen Werken u. dem Leben d. vergnügten Schulmeisterleins Maria Wuz in Auenthal. Mit Richter's Biographie hrsg. v. Karl Lange. gr. 8. (VI, XCIII, 341 S.) Langensalza 886. Beyer & Söhne. n. 3. 50; geb. n. 4. 50

— s.: Jean Paul Richter.

Richter, J. W. Otto, Auswahl aus den poetischen u. prophetischen Büchern d. alten Testamentes zum Gebrauche auf der Mittelstufe mittlerer u. höherer Schulen. 2. Aufl. gr. 8. (IV, 84 S.) Magdeburg 883. Creutz. n. — 90; cart. n. 1. —

— landschaftliche Charakterbilder der hervorragendsten Gegenden der Erde. Für Schule u. Haus zusammengestellt. Mit 160 in den Text gedr. Abbildgn. u. 1 Titelbilde. gr. 8. (X, 388 S.) Leipzig 885. Spamer. n. 6. —; geb. n. 7. 50

— Hilfsbuch f. den Religionsunterricht in den mittleren Klassen höherer Schulen u. verwandter Anstalten. 2. Aufl. gr. 8. (VI, 220 S.) Magdeburg 883. Creutz. n. 2. —

— Lehrbuch f. den Religionsunterricht in den oberen Klassen höherer Schulen u. verwandter Anstalten. 2. Aufl. gr. 8. (V, 183 S.) Ebend. 883. n. 1. 50

— Leitfaden f. den Unterricht in der Erdkunde auf höheren Unterrichtsanstalten u. Bürgerschulen in 3 aufeinander folgenden Kursen. Mit Kartenskizzen u. Abbildgn. 2. Aufl. gr. 8. (IV, 181 S.) Frankfurt a/M. 884. Jaeger. n. 1. 20

Richter, Jul., die Chroniken Bertholds u. Bernolds. Ein Beitrag zur Quellenkunde d. XI. Jahrh. gr. 8. (27 S.) Köln 882. (Du Mont-Schauberg) — 75

Richter, K., biblische Geschichte, s.: Reimer, K.

Richter, Karl, die botanische Systematik u. ihr Verhältniss zur Anatomie u. Physiologie der Pflanzen. Eine theoret. Studie. gr. 8. (VI, 173 S.) Wien 885. Faesy. n. 4. —

Richter, Karl, Zink, Zinn u. Blei. Eine ausführl. Darstellg. der Eigenschaften dieser Metalle, ihre Legirgn. untereinander u. m. anderen Metallen, sowie ihrer Verarbeitg. auf physikal. u. chem. Wege. Mit 8 Abbildgn. 8. (IV, 259 S.) Wien 883. Hartleben. 3. 25

Richter, Karl, D. Martin Luther. Gedächtnisrede zur Feier seines 400jähr. Geburtstages, nebst Aussprüchen Luthers üb. sich, sein Leben u. Wirken, insbesondere üb. Erziehg. u. Unterricht. Mit dem Stahlst.-Portr. d. Reformators. gr. 8. (96 S.) Leipzig 883. Siegismund & Volkening. n. 1. —; cart. n. 1. 20

Richter, L., s.: Aus dem Kinderleben.
— Regen u. Sonnenschein, s.: Bibliothek, rothe.

Richter, Louis, s. Lebenskunst. Winke u. Aphorismen. 16. (VI, 172 S.) Dresden 884. Pierson. n. 1. 20

Richter, Ludw., Altes u. Neues. 15 Orig.-Zeichngn. In Lichtdr. ausgeführt. 2. Aufl. Imp.-4. Leipzig 886. A. Dürr. In Mappe. n. 10. —
— unser tägliches Brod in Bildern. 2. Aufl. Volks-Ausg. gr. 4. (15 Holzschn.-Taf. m. Text.) Ebend. 883. cart. n. 5. —
— dasselbe. 8. Aufl. (Pracht-Ausg.) gr. 4. (15 Holzschntaf.) Ebend. 886. geb. n. 7. 50
— für's Haus. Gesammtausg. der „Jahreszeiten". 2. Aufl. gr. 4. (62 Holzschn.-Taf. m. eingedr. u. 2 Bl. Text.) Ebend. 883. geb. m. Goldschn. n. 20. —
— dasselbe. Herbst. 2. Aufl. gr. 4. (16 Holzschn.-Taf. m. Text.) Ebend. 883. cart. n. 6. —
— Lebenserinnerungen e. deutschen Malers. Selbstbiographie, nebst Tagebuchniederschriften u. Briefen. Hrsg. v. Heinr. Richter. 4. Aufl. gr. 8. (XI, 349 u. 224 S. m. Lichtdr.-Portr.) Frankfurt a/M. 886. Alt. n. 8. —; geb. in Leinw. n. 8. 75; in eleg. Leinwbd. n. 9. 60; in Halbfrz. n. 11. —
— Vater Unser in Bildern. 17. Aufl. Imp.-4. (8 Holzschntaf.) Leipzig 884. A. Dürr. cart. n. 6. —
— u. Wilh. Hey, Bilder u. Reime. Reime u. Bilder f. Kinder. Orig.-Zeichngn. v. L. R. Aufs Holz übertr. v. Alb. Zeh. Geschnitten v. Aug. Gaber. Mit Reimen v. W. H. Neue Aufl. 8. (31 Bl.) Stuttgart 883. Gundert. cart. n. 1. 20

Richter, M., die so im Elend sind, führe in dein Haus! Vortrag üb. die Arbeiter-Kolonieen u. die Natural-Verpflegungs-Stationen m. besond. Rücksicht auf die Prov. Schlesien. gr. 8. (19 S.) Breslau 884. (Dülfer.) n. — 20
— Leitfaden d. Konfirmanden-Unterrichtes. Eine Handreichg. f. Lehrende u. Lernende. 2. umgearb. Aufl. 8. (109 S.) Ebend. 883. n. 1. —
— „wir sahen seine Herrlichkeit". Predigten üb. freie Texte aus dem Evangelium St. Johannis, im Kirchenjahre 1884/85 geh. gr. 8. (VIII, 248 S.) Breslau 886. Korn. n. 2. 50
— stehe auf, gehe hin, dein Glaube hat dir geholfen! Predigt, bei Anwesenheit Sr. Maj. d. Kaisers u. Königs geh. gr. 8. (10 S.) Breslau 882. Dülfer. n. — 20
— wer nicht arbeiten will, der soll auch nicht essen. Bericht üb. die Beschaffg. v. Arbeit f. entlassene Gefangene u. Vagabunden, in der General-Versammlg. d. Gefängniß-Vereins f. Schlesien u. Posen. gr. 8. (27 S.) Ebend. 883. n. — 25

Richter, M. M., Tabellen der Kohlenstoff-Verbindungen, nach deren empirischer Zusammensetzung geordnet. gr. 8. (VIII, 517 S.) Berlin 884. Oppenheim. n. 11. —; geb. n. 12. —

Richter, Max, der unverwüstliche Gesellschafter, wie er sein muß! Ein unübertreffl. Rathgeber f. Jung u. Alt, Herren u. Damen, sich in Gesellschaften, im Zimmer u. auf Landpartieen zu belustigen. 17. Aufl. 8. (VIII, 168 S.) Berlin 886. Mode's Verl. 1. 50

Richter, Otto, lateinisches Lesebuch. 3. Aufl. gr. 8. (VII, 312 S.) Berlin 886. Nicolai's Verl. geb. n.n. 2. 80
— Rekonstruktion u. Geschichte der römischen Rednerbühne. Mit 2 Taf. gr. 8. (64 S.) Berlin 884. Weidmann. n. 1. 60

Richter, Otto, über antike Steinmetzzeichen. 45 Programm zum Winckelmannsfeste der Archäolog. Gesellschaft zu Berlin. Mit 3 (lith.) Taf. gr. 4. (58 S.) Berlin 885. G. Reimer. n. 3. —

Richter, Otto, das Verfahren nach der Reichs-Konkursordnung vom 10. Febr. 1877, erläutert an Beispielen. Ein Handbuch f. die gerichtl. Praxis u. f. Konkursverwalter. gr. 8. (VIII, 266 S.) Berlin 885. H. W. Müller. n. 4. 50

Richter, Otto, Verfassungs- u. Verwaltungsgeschichte der Stadt Dresden. Hrsg. im Auftrage d. Rathes zu Dresden. 1. Bd. Verfassungsgeschichte. gr. 8. (XII, 450 S.) Dresden 885. Baensch. n. 8. —

Richter, P., Versuch e. Dialektbestimmung d. Lai du corn u. d. Faubliau du mantel mautaillié, s.: Ausgaben u. Abhandlungen aus dem Gebiete der romanischen Philologie.

Richter, P. B., grammatikalische Regeln zur leichten u. sicheren Lösung der Aufgaben der einfachen u. zusammengesetzten Regeldetri, der Prozent-, Zins-, Rabatt-, Diskonto- u. Tara-Rechnung. gr. 8. (21 S.) Halle 883. Schmidt. n. — 40

Richter, Paul, Rabener u. Liscow. Ein Beitrag zur Litteraturgeschichte. gr. 4. (24 S.) Dresden 884. (Weise.) n. — 60

Richter, Paul, Staffage u. Architectur. 1. Hft. Fol. (4 Chromolith. m. 4 S. Text.) Leipzig 886. C. G. Naumann. Subscr.-Pr. 4. —; Einzelpr. 4. 50

Richter, Paul Emil, Verzeichniss der neuen Werke der königl. öffentlichen Bibliothek zu Dresden. 1882. Lex.-8. (55 S.) Dresden 883. Warnatz & Lehmann. n. 1. 20
— dasselbe. 1883. Lex.-8. (57 S.) Ebend. 884. n.n. 1. 20
— dasselbe. 1884. Lex.-8. (61 S.) Ebend. 885. n. 1. 20
— dasselbe. 1885. gr. 8. (70 S.) Ebend. 886. n.n. 1. 50
— Verzeichnis v. Forschern in wissenschaftlicher Landes- u. Volkskunde Mittel-Europas. Im Auftrage der Central-Kommission f. wissenschaftl. Landeskunde v. Deutschland bearb. Hrsg. vom Verein f Erdkunde zu Dresden. gr. 8. (VI, 207 S.) Dresden 886. (Huhle.) n. 3. —

Richter, R., was liesest du? Ein gutgemeintes Wort an Alle, die lesen gelernt haben u. gern etwas lesen. 12. (23 S.) Berlin 886. Deutsche Evangel. Buch- u. Tractat-Gesellschaft. — 9

Richter, Rich., Nekrolog f. Conrad Bursian in München. gr. 8. (13 S.) Berlin 884. Calvary & Co. n. 1. 20

Richter, V. v., Chemie der Kohlenstoffverbindungen od. organische Chemie. Mit Holzschn. 4. Aufl. 8. (XII, 921 S.) Bonn 885. Cohen & Sohn. n. 13. —
— Lehrbuch der anorganischen Chemie. Mit 80 Holzschn. u. e. Spectraltaf. 4. Aufl. 8. (XVI, 531 S. m. 1 Tab.) Ebend. 884. n. 8. —
— dasselbe. 5. Aufl. 8. (XVI, 488 S.) Ebend. 886. n. 9. —

Richter, W., die Sklaverei im griechischen Altertume. Ein Kulturbild nach den Quellen in gemeinfassl. Darstellg. gr. 8. (168 S.) Breslau 886. F. Hirt. n. 2. 50

Richters, Ferd., Beitrag zur Kenntniss der Crustaceenfauna d. Behringsmeeres. Mit 1 Taf. gr. 4. (6 S.) Frankfurt a/M. 884. (Diesterweg.) n. 1. 50

Richthofen, E. v., s.: Praetorius v. Richthofen, E. v.

Richthofen, Ferd. Frhr. v., Atlas v. China. Orographische u. geolog. Karten zu d. Verf. Werk: China, Ergebnisse eigener Reisen u. darauf gegründeter Studien. 1. Abth. Das nördl. China. Chromolith. qu. gr. Fol. (26 Taf. u. 20 Sp. Text.) Berlin 885. 86. D. Reimer. n. 52. —; geb. n. 60. —
— Aufgaben u. Methoden der heutigen Geographie. Akademische Antrittsrede. gr. 8. (72 S.) Leipzig 883. Veit & Co. n. 1. 80
— China. Ergebnisse eigener Reisen u. darauf gegründeter Studien. 4. Bd. Paläontologischer Thl., enth. Abhandlgn. v. Wilh. Dames, Eman. Kayser, G. Lindström, A. Schenk u. Conr. Schwager. Mit 15 Holzschn. u. 54 Taf. in Steindr. hoch 4. (XVI, 288 S. m. 54 Bl. Taf.-Erklärgn.) Berlin 883. D. Reimer. n. 32. —; geb. n. 36. —
Der 3. Bd. erscheint später.

Richthofen, Ferd. Frhr. v., Führer f. Forschungsreisende. Anleitung zu Beobachtgn. üb. Gegenstände der phys. Geographie u. Geologie. gr. 8. (XII, 745 S.) Berlin 886. Oppenheim. n. 16. —

Richthofen, Ebarb. Frhr. v., die apostolischen Gemeinden, ihre Entstehung, Verfassung u. Gottesdienste. Ein Zeugnis zunächst f. seine reformierten Mitchristen am Rhein. gr. 8. (IV, 104 S.) Augsburg 884. Preyß. n. 1. —

Richthofen, Karl Frhr. v., die älteren Egmonder Geschichtsquellen. gr. 8. (III, 219 S.) Berlin 886. Hertz. n. 7. —

— Untersuchungen üb. friesische Rechtsgeschichte. 2. Thl. 2 Bde. Mit 2 Karten üb. Friesland. gr. 8. (VII, 1325 S.) Ebend. 882. n. 35. —

— dasselbe. 3. Thl. 1. Abschn. Das Gau Kinnem od. Kennemerland. Mit 1 (lith. u. color.) Karte d. Gau Kinnem. gr. 8. (V, 114 S.) Ebend. 886. n. 4. — (I—III, 1.: n. 54. —)

Ricken, Heinr., französisches Lesebuch aus Herodot f. die Quarta u. Untertertia der Gymnasien u. Realgymnasien. 8. (VII, 96 S.) Bielefeld 885. Velhagen & Klasing. cart. n. 1. —; Wörterbuch dazu (46 S.) n. — 20

Ricken, Wilh., Elementarbuch der französischen Sprache. 1. Jahr. gr. 8. (VII, 80 S.) Oppeln 887. Franck. geb. n. 1. 20

— Untersuchungen üb. die metrische Technik Corneille's u. ihr Verhältnis zu den Regeln der französ. Verskunst. 1. Tl. Silbenzählung u. Hiatus. gr. 8. (67 S.) Berlin 884. Weidmann. n. 2. 60

Rickenbach, Heinr., Monte Cassino von seiner Gründung u. Gestaltung bis zu seiner höchsten Blüthe unter Abt Desiderius. gr. 4. (69 S.) Einsiedeln 884. 85. Benziger. n. 4. —

Rickert, Rede bei der Gedächtnisfeier f. Dr. Eduard Lasker am Sonnabend, den 16. Febr. 1884, im Berliner Handwerkerverein. gr. 8. (27 S.) Danzig 884. Kafemann. — 40

Rickmann, Ernst, in cumulandis epithetis quas leges sibi scripserint poetae graeci maxime lyrici. gr. 8. (44 S.) Cervimontii 884. (Leipzig, Fock.) n. 1. 20

Ride, Edward, neu entdeckte englische Sprachquelle, od. der schnellste u. sicherste Führer zur Erlerng. der englischen Sprache in 8 Lectionen. Theoretisch u. practisch bearb. f. Personen jeden Standes u. Alters. 5. Aufl. Rev. v. R. Clairborough u. bedeutend verm. v. Charles Smith. 16. (IV, 180 S.) Brünn 883. Karafiat's Verl. — 90

Riebe, A., mikro-photographischer Atlas f. Brennereien. Vorlagen zur mikroskop. Controle d. Brennerei-Betriebes. (In 5 Hftn.) 1. Hft. qu. Fol. (2 Lichtdr.-Taf. m. 1 Bl. Text.) Halle 884. Knapp. n. 2. 40

Riebe, O., das Brennerei-Betriebs-Verfahren. 2. Aufl. 8. (30 S.) Cölleda 885. (Brocke.) n.n. 15. —

Riebeck, Emil, die Hügelstämme v. Chittagong. Ergebnisse e. Reise im J. 1882. gr. Fol. (VII, 35 S. u. 16 Bl. Text m. eingedr. Holzschn., 19 Lichtdr.-, 2 chromolith. Taf. u. 1 chromolith. Karte.) Berlin 885. Asher & Co. In Mappe. n. 60. —

Riebeling, Wilh., Tanz-Album. Leitfaden zum besseren Verständnis der Gesellschafts-Tänze, nebst e. Beschreibung der modernen Rund- u. Touren-Tänze. Den Anforderngn. der neueren Zeit entsprechend bearb. 12. (78 S.) Cassel 886. Keßler. n. 1. —

Rieck, Carl Roman, Schüler-Herbarium. Zusammengestellt nach den gebräuchlichsten, in Oesterreich eingeführten Lehrbüchern d. Pflanzenreiches. 2. Aufl. gr. 8. (62 Blatt.) Wien 886. Kravani. n. — 80

Riecke, Adf., Cornelia. Eine Erzählg. aus Wimpfens Vorzeit. 8. (VII, 181 S.) Leipzig 886. Böhme. n. 2. —; geb. n. 2. 80

Riecke, Ed., zur Lehre v. der aperiodischen Dämpfung u. zur Galvanometrie. gr. 4. (46 S. m. 2 Steintaf.) Göttingen 883. Dietrich's Verl. n. 2. 40

Riecke, Frdr., kleiner Schul-Atlas f. die einfache Volks- u. Landschule. 5. verb. Aufl. 18 Karten in Farbendr. Neu bearb. gr. 4. Gera 885. Th. Hofmann, Sep.-Cto. n. — 50; m. Heimatkarte n. — 60

Riecke, G. A., Bilder u. Scenen aus dem Leben Martin Luthers. Für das Volk erzählt. Aus seinem Nachlaß hrsg. v. E. Riecke. 2. Aufl. 8. (VII, 172 S. m. Holzschn.-Portr.) Tübingen 883. Osiander. cart. n. 1. 20

Riecke, Karl, Altwirtembergisches aus Familienpapieren. Mit dem (Lichtdr.-)Bilde v. Karl Frdr. Haug. gr. 8. (112 S.) Stuttgart 886. Kohlhammer. n. 3. —

Rieckher, J., Themata zur griechischen Komposition, s.: Bäumlein, W.

Ried, P., nach zwanzig Jahren, s.: Bachem's Novellen-Sammlung.

— die Osteringen-Haldenstein, s.: Bachem's Roman-Sammlung.

— keine Wahl, s.: Bachem's Novellen-Sammlung.

Riedel's Naturgeschichte f. Volksschulen u. Fortbildungsklassen. I. u. II. Durchgesehen v. F. X. Lehmann. 8. Heidelberg 885. Weiß' Verl. à n. — 40
I. Tierkunde. Mit 7 Holzschn. 7. Aufl. (64 S.) — II. Pflanzenkunde. Mit 12 Holzschn. 5. Aufl. (60 S.)

Riedel's, v., Commentar zum bayerischen Gesetze üb. öffentliche Armen- u. Krankenpflege vom 29. Apr. 1869. Unter Berücksicht. der älteren bayer. Rechtsnormen dieses Betreffes, der einschläg. Reichsgesetze rc. in 3. Aufl. bearb. von Ludw. Aug. v. Müller. gr. 8. (XI, 292 S.) Nördlingen 883. Beck. n. 4. 20

Riedel, Alb., die Krippe d. Herrn, f. kleine u. große Kinder erklärt. 12. (VII, 64 S. m. Illustr.) Donauwörth 883. Auer. cart. — 90

Riedel-Ahrens, B., enthüllte Frauenherzen. Roman. 2. Aufl. 8. (436 S.) Leipzig 883. Friedrich. n. 4. —

Riedel, Emil, Schuldrama u. Theater. Ein Beitrag zur Theatergeschichte. gr. 8. (75 S.) Hamburg 885. Voß. n. 2. —

Riedel, H., Luther, der Gottesheld. Festgedicht in Rede u. Gesang f. d. deutschen evangelisch-luther. Schulen zur Feier d. 10. Novbr. 1883. Ausg. A f. den Lehrer. 8. (28 S. m. Holzschn.-Portr.) Apolda 883. Lauth. n. — 40; Ausg. B: Gesänge f. die Schüler (16 S.) — 15

Riedel, J., die Webe-Arbeit m. Hand-Apparat, s.: Dorn, A.

Riedel, Jos., die Luft u. das Grundwasser v. Wien in hygienischer Beziehung. Vortrag. [Mit e. (autogr.) Diagramm üb. die meteorolog., die Grundwasser- u. hygien. Verhältnisse v. Wien in den J. 1876—1882.] gr. 8. (28 S.) Wien 883. (Gerold & Co.) n. 1. —

— über Städtereinigung m. besond. Rücksichtnahme auf die Berliner Rieselanlagen u. das Marchfeld. Vortrag. Lex.-8. (12 S.) Ebend. 885. n. 1. —

Riedel, L., 's Bornkinnel. Eine Geschichte in vogtländ. Mundart. 8. (117 S.) Plauen 886. Neupert. n. 1. 20; cart. n. 1. 50; geb. n. 1. 80

— derham is derham. Gedichte in vogtländ. Mundart. 4. Aufl. 8. (VII, 96 S.) Ebend. 886. n. 1. 20; cart. n. 1. 50; geb. n. 1. 80

— in der Hutzenstum. Gedichte u. Erzählgn. in vogtländ. Mundart. 3. Aufl. 8. (VIII, 103 S.) Ebend. 885. n. 1. 20; cart. n. 1. 50; geb. n. 1. 80

Riedel, Otto, die monadologischen Bestimmungen in Kants Lehre vom Ding an sich. gr. 8. (46 S.) Hamburg 884. (Voss.) n. 1. —

Riedheim, Frhr. v., Aphorismen üb. Reitunterricht u. Pferdekunde. Mit 81 in den Text gedr. Abbildgn. 3. Aufl. 8. (III, 79 S.) Rudolstadt 885. Klinghammer. cart. n. 1. 50

Riedinger, üb. Kniegelenkresection. gr. 8. (3 S.) Würzburg 886. Stahel. n. — 20

— über Nervenchirurgie. [Mit Demonstration.] gr. 8. (4 S.) Ebend. 886. n. — 20

Riedl, Adf., die passagere Befestigung im Kriege u. ihr Einfluß auf die Kriegführung. Beleuchtet m. kriegsgeschichtl. Beispielen. gr. 8. (III, 51 S.) Wien 886. (Seidel & Sohn.) n. 1. 60

Riedl, Christine Charlotte, Lindauer Kochbuch, f. guten bürgerlichen u. feineren Tisch eingerichtet. 10. Aufl. Mit Angabe der neuen u. alten Maße u. Gewichte. gr. 8. (IV, 758 S. m. 8 Taf.) Lindau 886. Stettner. 3. 60; cart. n. 4. 20; geb. n. 4. 60

Riedl, Joh., ausgewählte leichtfaßliche Predigten in 3 Bdn. Aus dem Nachlasse d. Verf. zusammengestellt u. hrsg. v. Leop. Schuster. 3 Bde. gr. 8. Graz 885. 86. Moser. n. 11. 60

1. Predigten auf alle Sonn- u. Festtage d. Herrn. 2. Aufl. (XVI, 334 S.) n. 3. 60
2. Predigten auf die Feste d. Herrn, Mariens u. der Heiligen. 2. Aufl. (XII, 404 S.) n. 4. —
3. Leichtfaßliche Gelegenheits-Predigten bei verschiedenen Anlaßhandlgn. (XVI, 411 S.) n. 4. —

Riedl, Karl, Marie od. Gottvertrauen trägt Glück ein. Eine Erzählg. f. die Jugend u. das christl. Volk. Nach dem Franz. 3. Aufl. Mit 1 Stahlst. 8. (127 S.) Straubing 884. Volks- u. Jugendschriften-Verlag. cart. 1. 20

Riedl, Otto, Ludwig I., König v. Bayern. Eine biograph. Skizze. Mit dem Bildnis d. Königs in Lichtdr. 8. (VII, 108 S.) Freiburg i/Br. 886. Herder. n. 1. 20; geb. n. 1. 50

Riedle, Ign., der 3. Orden d. heil. Franziskus v. Assisi f. Weltleute nach der apostol. Constitution Misericors vom 30. Mai 1883. Vollständiges Regelbuch f. die Mitglieder d. III. Ordens. 2 Thle. in 1 Bd. 8. (43 u. 80 S.) München 884. Stahl sen. n. — 60

— Regelbuch d. dritten Ordens vom heil. Franziskus v. Assisi f. Weltleute, nach der apostol. Constitution Misericors vom 30. Mai 1883. Mit 1 Stahlst. 2., m. den kleinen marian. Tagzeiten u. allgemeinen Andachtsübgn. verseh. Aufl. 16. (VIII, 495 S) Ebend. 885. geb. n. 1. 60

— die Spendung d. heil. Sakramentes der Firmung nach dem römischen Pontifikale, m. besond. Berücksicht. der in der Erzdiözese München-Freising besteh. Verordgn. 8. (50 S.) Ebend. 886. n. — 60

Riedler, A., Dampfmaschinen m. feuerlosem Natronkessel v. Moritz Honigmann in Grevenberg bei Aachen. gr. 8. (11 S. m. eingedr. Fig.) Berlin 883. (Freiberg, Craz & Gerlach.) n. 1. —

Riefenstahl, Th., Bad Driburg, s.: Wanderbilder, europäische.

— die künstliche Ernährung des Kindes im ersten Lebensjahre. 2. verm. Aufl. Mit Abbildgn. 8. (86 S.) Paderborn 883. F. Schöningh. n. 1. 20

— aus der Krankenwelt. 8. (IV, 189 S.) Ebend. 884. n. 2. 25

Riegel, Ed., der erste geschichtliche Unterricht. 71 zusammenhäng. Bilder aus der deutschen Geschichte, f. die Hand der Schüler entworfen. 10. Doppelaufl. 8. (80 S.) Heidelberg 884. Weiß' Verl. n. — 40; cart. n. — 55

Riegel, F., üb. die diagnostische Bedeutung d. Venenpulses, s.: Sammlung klinischer Vorträge.

— Caffeïn bei Herzkrankheiten. Mit mehreren Taf. gr. 8. (38 S.) Wiesbaden 884. Bergmann. n. 2. —

— über Diagnostik u. Therapie der Magenkrankheiten, s.: Sammlung klinischer Vorträge.

Riegel, Herm., Peter Cornelius. Festschrift zu d. großen Künstlers 100. Geburtstage, 23. Septbr. 1883. Mit 4 Lichtdr. u. 4. Holzschn. gr. 8. (XXII, 457 S.) Berlin 883. v. Decker. n. 9. 50

— Geschichte der Wandmalerei in Belgien seit 1856. Nebst Briefen v. Cornelius, Kaulbach, Overbeck, Schnorr, Schwind u. Anderen an Godfried Guffens u. Jan Swerts. 8. (XIX, 250 S. m. 1 Portr.) Berlin 882. Wasmuth. n. 3. 60

— ein Hauptstück v. unserer Muttersprache. Mahnruf an alle national gesinnten Deutschen. gr. 8. (60 S.) Leipzig 883. Grunow. n. 1. —

Riegel, Herm., der allgemeine deutsche Sprachverein, als Ergänzg. seiner Schrift: Ein Hauptstück v. unserer Muttersprache. Mahnruf an alle national gesinnten Deutschen. gr. 8. (56 S.) Heilbronn 885. Henninger. n. 1. —

Rieger, üb. Behandlungen v. Lähmungen u. Contrakturen. gr. 8. (1 S.) Würzburg 886. Stahel. — 15

Rieger, C. H., Betrachtungen üb. das 6. Kap. d. Briefes St. Pauli an die Römer. 8. (12 S.) Gernsbach 884. Christl. Kolportage-Verein. n. — 3

Rieger, Conr., Grundriss der medicinischen Elektricitätslehre f. Aerzte u. Studirende. Mit 24 Fig. in Chromolith. gr. 8. (VIII, 62 S.) Jena 886. Fischer n. 2. 50

— der Hypnotismus. Psychiatrische Beiträge zur Kenntniss der sogenannten hypnot. Zustände. Mit 1 Curventaf. u. 4 Taf. in Lichtdr. Nebst e. physiognom. Beitrag v. Hans Virchow. gr. 8. (III, 151 S.) Jena 884. Fischer. n. 4. 50

Rieger, Conr., eine exacte Methode der Craniographie. Mit 4 Taf. in Lichtdr., 6 Holzschn. u. 7 Curvenblättern in Steindr. gr. 8. (VIII, 46 S.) Jena 885. Fischer. n. 4. 50

— u. **Max Tippel**, experimentelle Untersuchgn. üb. die Willensthätigkeit. Mit 8 Curventaf. u. 2 Taf. in Lichtdr. gr. 8. Ebend. 885. n. 2. 50
1. Eine Methode zur Untersuchung der Willensthätigkeit. Von K. Rieger (IV, 29 S.)
2. Ueber Wirkungen d. Amylnitrits u. seinen Einfluss auf die Willensthätigkeit. Von M. Tippel. (S. 30—48.)

Rieger, Karl, zu Goethe's Gedichten. Lex.-8. (16 S.) Wien 884. (Gerold & Co.) n. — 60

— Schillers Verhältnis zur französischen Revolution. Vortrag. gr. 8. (36 S.) Wien 885. Konegen. n. 1. —

Rieger, R., die Aufgaben u die Bedeutung der landwirtschaftlichen Winterschule als Fachschule, nebst e. Worte üb. Fachschulen im Allgemeinen. gr. 8. (VII, 71 S.) Breslau 885. Korn. n. 1. —

Riehemann, Jos., de litis instrumentis quae exstant in Demosthenis quae fertur oratione adversus Neaeram. gr. 8. (51 S.) Leipzig 886. Fock. n. 1. —

Riehl, Alois, üb. wissenschaftliche u. nichtwissenschaftliche Philosophie. Antrittsrede. gr. 8. (52 S.) Freiburg i/Br. 883. Mohr. n. 1. 60

Riehl, Ant., die Concursordnung, erläutert durch die Spruchpraxis, sammt allen Durchführungsverordnungen u. den Bestimmungen üb. den Genossenschaftsconcurs, alphabet. Register u. vollständ. Literaturangabe. Neue Folge, unter Mitwirkg. v. Frdr. Packl u. Karl Stromenger. [Mit dem Wortlaute der Gesetze vom 16. März 1884, Nr. 34 u. 35 R. G. B.] gr. 8. (91 S.) Wien 884. Hölder. n. 1. 60 (1 u. 2.: n. 7. 60)

— das allgemeine bürgerliche Gesetzbuch, erläutert durch die Spruchpraxis sammt allen ausführl. Citaten, einschläg. Gesetzesstellen u. doppeltem Register. 2. neu bearb., durch Benützg. der sämmtl. bisher veröffentlichten Entscheidgn. letzter Instanz ergänzte Aufl. in 4 Bdn. gr. 8. (XII, 1983 u. Reg. 136 S.) Wien 883. Manz. n. 28. —

— dasselbe. Suppl.-Bd. zur 2. Aufl., vermittelnd den Anschluß an das am 1. Jänner 1884 erschienene 1. Hft. der Zeitschrift „Die Spruchpraxis". gr. 8. (IV, 450 S.) Ebend. 885. n. 7. 20

— die Strafproceßordnung u. alle darauf bezüglichen Gesetze, Verordnungen, amtlichen Formularien rc., erläutert durch die Spruchpraxis, sammt ausführl. Literaturangaben, einschläg. Gesetzesstellen u. doppeltem Register. gr. 8. (XII, 661 S.) Ebend. 884. n. 8. 40

Riehl, Berthold, Geschichte der Sittenbilder in der deutschen Kunst bis zum Tode Pieter Brueghel d. Aelteren. gr. 8. (VIII, 144 S.) Stuttgart 884. Spemann. n. 2. 50

Riehl, W. H., die deutsche Arbeit. 3. Aufl. gr. 8. (X, 297 S.) Stuttgart 884. Cotta. n. 5. —

— die Naturgeschichte d. Volkes als Grundlage einer deutschen Social-Politik. 1. u. 2. Bd. 8. Aufl. gr. 8. Ebend. à n. 5. —
1. Land u. Leute. (XIV, 397 S.) 883.
2. Die bürgerliche Gesellschaft. (XIV, 394 S.) 885.

— musikalische Studienköpfe. Ein kunstgeschichtl. Skizzenbuch. 1. u. 2. Bd. 8. Ebend. 886. à 5. —
1. 7. Aufl. (XX, 306 S.)
2. 6. Aufl. (VII, 376 S.)

— freie Vorträge. 2. Sammlg. gr. 8. (XI, 532 S.) Ebend. 885. n. 7. 50

Riehm, Ed. C. Aug., Handwörterbuch d. biblischen Altertums f. gebildete Bibelleser. Hrsg. unter Mitwirkg. v. G. Baur, Beyschlag, Fr. Delitzsch rc. Mit vielen Illustr., Plänen u. Karten. 17—19. [Schluß-]Lfg. Lex.-8. (S. 1587—1849.) Bielefeld 888. Velhagen & Klasing. n. 3. 80 (cplt. n. 31. —; geb. in Leinw. n. 33. —; in Halbfrz. n. 37. —)

— Luther als Bibelübersetzer. Vortrag. gr. 8. (32 S.) Gotha 884. F. A. Perthes. n. — 60

— die messianische Weissagung. Ihre Entstehg., ihr zeitgeschichtl. Charakter u. ihr Verhältnis zu der neutestamentl. Erfüllg. 2. Aufl. gr. 8. (VI, 238 S.) Ebend. 885. n. 4. —

Riehm, J., Predigten üb. ausgewählte Psalmen f. jeden Sonntag d. Jahres. Aus dem Nachlaß hrsg. v. Heinr. Riehm. [„Predigten f. häusl. Erbaug.", 2. Jahrg.] gr. 8. (XI, 416 S.) Basel 885. Riehm. 3. —
Riehm, W., das Harmonium, sein Bau u. seine Behandlg. 2. Aufl. Mit 10 Fig.-Taf. gr. 8. (VII, 53 S.) Berlin 886. C. Simon. n. 1. 80; geb. n. 2. 20
Rieks, J., der Altkatholizismus in Baden. Eine Festschrift zur zehnjähr. Bestehungsfeier der bad. Gemeinden, insbes. der in Heidelberg, Ladenburg u. Schwetzingen, samt e. Mitglieder-Verzeichnis dieser. gr. 8. (VIII, 186 S.) Heidelberg 883. (Emmerling & Sohn.) n. 1. —
— die Angriffe auf den Altkatholizismus in dem bayerischen, preußischen u. badischen Abgeordnetenhause, beleuchtet. gr. 8. (III, 96 S.) Heidelberg 884. Weiß' Verl. n. 1. —
— Bibelkunde. Für höhere Lehranstalten u. zum Selbstunterricht. gr. 8. (IV, 124 S. m. 1 Tab.) Ebend. 885. n. 1. 20; Einbd. n.n. — 15
— Heuchelei u. Ketzerei der Ultramontanen. Der altkathol. u. der röm. Klerus Badens. gr. 8. (41 S.) Zürich 885. Verlags-Magazin. n. — 70
Rielech, F., lose Worte üb. die Bestimmungs-Mensuren der deutschen Couleurstudenten. Ein Schriftchen f. alle Studenten, die es lesen wollen. 8. (24 S.) Breslau 886. Zimmer. n. — 60
Riemann, observationum in dialectum Xenophonteam specimen primum. 4. (16 S.) Jever 883. (Mettker & Söhne.) n. 1 —
Riemann, G., s.: Erzählungen f. Taubstumme.
Riemann, Hugo, der Ausdruck in der Musik, s.: Sammlung musikalischer Vorträge.
— musikalische Dynamik u. Agogik. Lehrbuch der musikal. Phrasirg. auf Grund e. Revision der Lehre v. der musikal. Metrik u. Rhythmik. Lex.-8. (XI, 273 S.) Hamburg 884. Rahter. 7. 50
— Elementar-Musiklehre. Eingeführt am Konservatorium zu Hamburg. gr. 8. (VI, 76 S.) Hamburg 883. J. F. Richter. n. 1. 60
— Musik-Lexikon. Theorie u. Geschichte der Musik, die Tonkünstler alter u. neuer Zeit m. Angabe ihrer Werke, vollständige Instrumentenkunde. 2. Ster.-Ausg. m. Nachträgen. 18 Lfgn. 8. (VI, 1086 S.) Leipzig 883. 84. Bibliograph. Institut. à n. — 50
— dasselbe. 3. Aufl. (In 20 Lfgn.) 1—4. Lfg. 8. (S. 1—208.) Leipzig 887. M. Hesse. à n. — 50
— Opern-Handbuch. Ein nothwend. Supplement zu jedem Musiklexikon. Nachschlagebuch zur schnellen Orientirg. üb. die wichtigsten älteren u. neueren Opern, Operetten, Ballette u. Melodramen, unter besond. Berücksicht. verschiedener Bearbeitgn. derselben Stoffe. 1—19. Lfg. gr. 8. (S. 1—624.) Leipzig 884. 86. C. A. Koch. à n. — 50
— neue Schule der Melodik. Entwurf e. Lehre d. Contrapunkts nach e. gänzlich neuen Methode. gr. 8. (XIV, 222 S.) Hamburg 883. J. F. Richter. n. 4. 50
— u. Carl Fuchs, praktische Anleitung zum Phrasieren. Darlegung der f. die Setzg. der Phrasierungszeichen maßgeb. Gesichtspunkte mittels vollständ. themat., harmon. u. rhythm. Analyse klass. u. romant. Tonsätze. 8. (98 S.) Leipzig 886. M. Hesse. n. 1. 20; geb. n. 1. 50
Riemann, Otto, Fest- u. Feierstunden in der Schule. Schulreden, geb. u. nebst e. Textverzeichnis zu allerlei Schulkasualreden, sowie e. Lektionarium u. Gebeten f. Schulandachten hrsg. gr. 8. (VII, 118 S.) Magdeburg 886. Heinrichshofen's Verl. 1. 50
— „lasset die Kindlein zu mir kommen!" Taufreden-Sammlg. 2. Aufl. gr. 8. (IV, 175 S.) Leipzig 885. Bredow. n. 2. 40
— Leitfaden f. den evangelischen Religionsunterricht vorgerückter Schüler. 2. Aufl. 8. (136 S.) Magdeburg 884. Heinrichshofen's Verl. cart. n. 1. —
Riemenschneider, D., s.: Weber, A.
Riemer, G., Reise S. M. S. Stosch nach China u. Japan 1881—1883. Photographirt u. hrsg. Prämiirt vom Verein zur Pflege der Photographie u. verwandten Künste zu Frankfurt a/M. 1. u. 2. Bd. See- u. Schiffsbilder. qu. Fol. (à 19 Taf. m. 58 Bildern in Lichtdr. u. V, 8 S. Text.) Leipzig 885. 86. Brockhaus. geb. m. Goldschn. à n. 50. —
Rien v. der Marke, L., Jugendklänge. 8. (61 S. m. 2 Taf.) Bernburg 886. Bacmeister. geb. n. — 60
Rienau, H., ut dat Volk för dat Volk un ut de Lied för de Lieb. Plattdütsches Gedicht. 1. u. 2. Hft. 8. (à 64 S.) Preetz 884. 85. (Garding, Lühr & Dircks.) à n. — 50
Riepenhausen, F., u. I. **Riepenhausen,** Gemälde d. Polygnot zu Delphi (die Einnahme v. Troja u. die Abfahrt der Griechen darstellend). Gezeichnet u. gestochen nach der Beschreibg. d. Pausanias. 18 Photolith. qu. gr. Fol. Mit Text. 4. (4 S.) Leipzig 885. C. Hesse. geb. 15. —
Ries, E., die Simultanschule, s.: Zeitfragen, soziale.
Riesa, G. v., s.: Gedichte.
Riese's Wohnungsgärtnerei. Leichtfaßliche Anleitg., Blumen u. Blattpflanzen m. Erfolg ohne umständl. u. kostspiel. Einrichtgn. in unsren Wohnräumen zu halten, zu pflegen u. zu ziehen. Mit 216 Abbildgn. gr. 8. (VIII, 344 S.) Berlin 887. Parey. geb. n. 5. —
Riese, O., die Ingenieur-Bauwerke der Schweiz aus dem Gebiete d. Strassen-, Eisenbahnen- u. Brückenbaues neuerer Zeit. Bericht der auf Grund der Louis-Boissonnet-Stiftg. ausgeführten Studienreise V. Mit zahlreichen eingedr. Holzschn. u. e. Atlas v. 24 Taf. in Fol. (u. Mappe). gr. 8. (142 S.) Berlin 887. Ernst & Korn. n. 20. —
Riesel's, Carl, Reiseblätter. Organ f. den Reise-Verkehr. Hôtel- u. Bäder-Zeitg. 7. Jahrg. 1883. 52 Nrn. (à 1—3 B.) Fol. Berlin, Riesel's Selbstverl. n. 12. —
— Reise-Lexikon. Ein unentbehrl. Rathgeber in allen Reisefragen. 1884. 4. (38 S. m. 1 Karte.) Ebend. 884. 1. —
Riesenthal, O. v., Bilder aus der Tuchler Haide. Galgenhumoristische Gesänge, zur Erbaulichkeit aller Grünröcke u. ihrer Freunde gereimt, auch illustrirt. 2. Aufl. Lex.-8. (V, 19 Bl. m. Holzschn.) Trier 885. Lintz. n. 1. 20
— die Kennzeichen unserer Raubvögel, nebst kurzer Anleitg. zu Jagd u. Fang. Mit 18 Illustr. vom Verf. 2. Aufl. gr. 8. (IV, 48 S.) Charlottenburg 884. (Berlin, Friedländer & Sohn.) n. 1. —
— Vogelleben u. Vogelschutz. Schilderungen aus der uns umgeb. Vogelwelt. Allen, besonders aber der Jugend zugeeignet. gr. 8. (IV, 48 S.) Charlottenburg 884. (Trier, Lintz.) n. — 50
Riefer, M., Feierstunden, s.: Schmidt's, F., Jugendbibliothek.
Riess, Carl, Grabmonumente. Eine Sammlg. v. Grabsteinen, Stelen, Grabkreuzen, Obelisken etc. in verschiedenen Stilarten, entworfen u. gezeichnet. (In 10 Lfgn.) 1—7. Lfg. Fol. (à 5 Lichtdr.-Taf.) Stuttgart 884. 85. Wittwer's Verl. à n. 3. 60
— Schattierungskunde. Mit 10 Fig. im Text u. 3 Fig.-Taf. gr. 8. (26 S.) Stuttgart 884. Metzler's Verl. n. 1. 50
Rieß, Florian, nochmals das Geburtsjahr Jesu Christi, m. besond. Bezugnahme auf e. „Streitschrift" d. Dr. Peter Schegg in München. gr. 8. (X, 112 S.) Freiburg i/Br. 883. Herder. n. 1. 60
Rieß, Ludw., Geschichte d. Wahlrechts zum englischen Parlament. 1. Abth. Im Mittelalter. gr. 8. (XI, 115 S.) Leipzig 885. Duncker & Humblot. n. 2. 80
Rießer, J., Handelsrechts-Practicum. Zum Selbststudium, sowie zum academ. Gebrauche. 8. (XII, 160 S.) Freiburg i/Br. 885. Mohr. geb. n. 3. 60
Rieth, R., Berichtigungen, s.: Seling, E., Heeres-Organisation.
Rieth, R., volumetrische Analyse. Unter Zugrundelegg. der in die Pharmacopoea germanica ed. II aufgenommenen Titriermethoden. Ein Hand- u. Lehrbuch f. Apotheker u. Chemiker. Mit e. Vorwort v. A. Hilger. Mit 27 Fig. 8. (IX, 209 S.) Hamburg 883. Voss. n. 2. 50; geb. n. 3. —
Riethmüller, F., Rechenbuch f. höhere Mädchenschulen, s.: Högemeyer, G.
Rietschel, Ernst, s.: Heinrich, W.

Rietschel, G., Luther u. die Ordination, s.: Festschriften zur 400jährigen Jubelfeier der Geburt Dr. Martin Luthers.

— § 14 der Kirchengemeinde- u. Synodal-Ordnung u. die v. den Provinzialsynoden beantragte Änderung desselben, beleuchtet v. G. R. gr. 8. (55 S.) Wittenberg 885. Herrosé's Verl. n. — 80

— Predigt üb. Apostelgeschichte 16, 6—10, am Jahresfeste d. evangel. Missionsvereins in der Paulinerkirche zu Leipzig den 15. Novbr. 1885 geh. gr. 8. (15 S.) Leipzig 885. Fr. Richter. n. — 30

Rietschel, Herm., Lüftung u. Heizung v. Schulen. Ergebnisse im amtl. Auftrage ausgeführter Untersuchgn., sowie Vorschläge über Wahl, Anordng. u. Ausführg. v. Lüftungs- u. Heizungs-Anlagen f. Schulen. gr. 8. (VII, 95 S. m. 50 Tab. u. 56 graph. Steintaf.) Berlin 886. Springer. n. 9. —

Rietzsch, Frz., die Grundlagen der Lebens-, Aussteuer- u. Altersrenten-Versicherung, gemeinverständlich dargestellt. gr. 4. (28 S.) Dresden 883. (Kaufmann's Sort.) n. — 60

Riezler, Sigm., Geschichte d. fürstl. Hauses Fürstenberg u. seiner Ahnen bis zum J. 1509. Mit Abbildgn., Stammtaf. u. e. histor. Karte der achalmischen, urachischen, freiburgischen u. fürstenbergischen Lande in Schwaben. Lex.-8. (XXIV, 499 S.) Tübingen 883. (Laupp.) n.n. 10. —

Riezler, S., zum Schutz der neuesten Edition v. Aventins Annalen. gr. 4. (31 S.) München 886. (Franz' Verl.) n.n. — 90

Riff, F., sind wir noch Christen u. sind wir schon Christen, s.: Schriften d. protestantischen liberalen Vereins in Elsaß-Lothringen.

— Luther im schwarzen Bären bei Jena. 12. (16 S.) Eberbach 883. (Straßburg, Treuttel & Würtz.) — 15

— ein Selbstmörder, s.: Schriften d. protestantischen liberalen Vereins in Elsaß-Lothringen.

— das Vater Unser od. Dr. Blessig während d. Schreckenszeit. 8. (155 S.) Straßburg 883. Schmidt. cart. n. 1. 20

Riffert, Jul., Kaiser Heinrich der Vierte. Eine Trilogie. 3 Bde. 8. Leipzig 883. Reißner. à n. 2. —

1. Die Sachsen. Schauspiel in 5 Akten. Mit e. Vorspiel: Königswert. (153 S.)
2. König Heinrich u. Gregor. Schauspiel in 5 Akten. (114 S.)
3. Kaiser Heinrichs Tod. Trauerspiel in 5 Akten. (135 S.)

Riggenbach, Alb., Beobachtungen üb. die Dämmerung, insbesondere üb. das Purpurlicht u. seine Beziehungen zum Bishop'schen Sonnenring. Habilitationsschrift. gr. 8. (105 S.) Basel 886. Georg. n. 2. —

— zum Klima der Goldküste. Mit 1 Taf. gr. 8. (42 S.) Ebend. 885. n. 1. —

Riggenbach, Bernh., Frauengestalten aus der Geschichte d. Reiches Gottes. 7 Vorträge. 2. Aufl. 8. (VII, 188 S.) Basel 884. Detloff. In Leinw. brosch. n. 2. 40; geb. n. 3. 40

Riggenbach, C. J., Augustus u. Christus. Predigt üb. Luk. 2, 1—14. 8. (14 S.) Basel 882. Detloff. — 30

— die beiden Briefe Pauli an die Thessalonicher, s.: Auberlen, C. A.

Riggs, R. B., Diäthylparatoluidin u. Salpetersäure. gr. 8. (33 S.) Göttingen 883. Deuerlich. n. — 60

Rigveda, der, od. die heiligen Hymnen der Brâhmana. Zum 1. Male vollständig ins Deutsche übers., m. Commentar u. Einleitg. v. Alfr. Ludwig. 5. Bd. [Des Kommentars 2. Tl.] gr. 8. (V, 645 S.) Prag 883. Tempsky. — Leipzig, Freytag. n. 16. — (1—5.: n. 71. —)

Riha, C., zwei Feenmärchen, s.: Jugendbibliothek.

Riha, Ernst, Lehrbuch der französischen Sprache f. Bürgerschulen in 3 Stufen. gr. 8. Prag 885. Tempsky. n. 2. —; Einbd. à n.n. — 20

1. 5. Aufl. (III, 63 S.) n. — 60. — 2. 3. Aufl. (IV, 72 S.) n. — 60. — 3. 3. Aufl. (VI, 82 S.) n. — 80

— französisches Lesebuch f. Bürgerschulen. Mit e. vollständ. Wörterverzeichniß, grammat. Erläutergn. u. Questionnaires. gr. 8. (VI, 76 S.) Ebend. 884. n. — 80

Rikli, Arnold, Lehrbuch der Naturheilkunde. 1. Thl.: Die Fieberkrankheiten, m. besond. Berücksicht. der Blattern. Volksverständliche Abhandlg., speziell den schweizer. Kantonsräthen, sowie dem gesammten Lehrerstande Deutschlands u. der Schweiz gewidmet. gr. 8. (IV, 119 S.) Leipzig 886. Th. Grieben. n. 2. —

Riley, Edgar, Karte zur Konstruktion v. Zahnformen f. Ingenieure, Techniker, Konstrukteure, Maschinen-, Mühlenbauer, Modellschreiner u. Thurmuhrmacher. Mit 2 (lith.) Taf. u. 3 Holzschn. Neu bearb. u. hrsg. v. Gust. Thdr. Crusius. gr. 8. (16 S.) Leipzig 884. (Baumgärtner.) n. 1. 60

Rille, Alb., aus dem Bühnenleben Deutsch-Oesterreichs. Die Geschichte d. Brünner Stadttheaters [1734—1884]. gr. 8. (225 S.) Brünn 885. (Knauthe.) n. 2. —

Rilliet, L. E., à bâtons rompus. Heures de loisir pour les enfants. gr. 8. (120 S. m. Illustr.) Zürich 886. Orell Füssli & Co. Verl. geb. n. 4. —

Rimathé, J., Wein, s.: Bericht üb. Gruppe 26 der schweizerischen Landesausstellung Zürich 1883.

Rimmer, Frz., üb. die Nutation u. Wachsthumsrichtungen der Keimpflanzen. [Arbeiten d. pflanzenphysiol. Institutes d. Wiener Univ.] Lex.-8. (30 S.) Wien 884. (Gerold's Sohn.) n.n. — 50

Rimpler, O., die Berliner Bürgerwehr im J. 1848 von ihrer Organisation am 19. März bis zu ihrer Auflösung am 11. Novbr. Aus den hinterlassenen Papieren. Bearb. v. H. Schaffert. gr. 8. (97 S.) Brandenburg 883. Koch. n. 1. 50

Rinck, Heinr. Wilh., vom Zustand nach dem Tode. Biblische Untersuchgn., m. Berücksicht. der einschläg. alten u. neuen Litteratur. Neue wohlf. Volks-Ausg. m. dem Bildnis u. e. Lebensskizze d. Verf. 8. (XXVIII, 263 S.) Basel 885. Riehm. n. 1. 60

Rinckhardt, M., der Eislebische Christliche Ritter, s.: Neudrucke deutscher Litteraturwerke d. XVI. u. XVII. Jahrh.

Rinder-Racen, die österreichischen. Hrsg. vom k. k. Ackerbau-Ministerium. 1. Bd. 3. Hft. u. 2. Bd. 2. Hft. gr. 8. Wien 884. Frick. n. 9. 20 (I, 1—3. u. II, 1 u. 2.: n. 28. 60)

I. 3. Rinder der österreichischen Alpenländer. Von Ferd. Kaltenegger. Westliche Gruppe der gleichmäss. einfarb. Typen. 3. Hft. Etschthaler u. Wippthaler Typus in Tyrol. Mit e. Karte. (VII, 119 S.) n. 3. 20

II. 2. Rinder d. oberen Donauthales in Ober- u. Niederösterreich v. Frz. Zoepf. 2. Hft. Nieder-Oesterreich. Mit 2 Karten. (184 S.) n. 6. —

Rindfleisch, Ed., die Elemente der Pathologie. Ein natürl. Grundriss der wissenschaftl. Medicin. gr. 8. (X, 372 S.) Leipzig 883. Engelmann. n. 7. 60

— über e. Fall v. Melanose. gr. 8. (1 S.) Würzburg 885. Stahel. — 15

— Lehrbuch der pathologischen Gewebelehre m. Einschluss der pathologischen Anatomie. 6. Aufl. Mit 306 Fig. in Holzschn. u. 1 lith. Taf. gr. 8. (XII, 795 S.) Leipzig 886. Engelmann. n. 16. —; Einbd. n.n. 2. —

Rindfleisch, Geo. Heinr. Eine biograph. Skizze. 8. (90 S. m. Lichtdr.-Portr.) Halle 884. Niemeyer. n. 1. 60

Rindviehzucht, die, nach ihrem jetzigen rationellen Standpunkt. 2. Bd. gr. 8. Berlin 885. Parey. n. 18. —

Rassen, Züchtung u. Ernährung d. Rindes u. Milchwirtschaft. Von O. Rohde. 3. Aufl., vollständig neu bearb. u. hrsg. v. C. J. Eisbein. Mit 40 Rassebildern in Farbendr., 2 lith. Taf. u. 144 Textabbildgn. (VIII, 692 S.)

Ring, Max, auferstanden. Erzählung. 8. (174 S.) Berlin 886. Janke. 1. 50

— eine liebenswürdige Frau. Ein Lebensbild. 8. (136 S.) Ebend. 885. n. 1. —

— Frauenherzen, s.: Collection Spemann.

— Hanka. Eine Erzählg. aus den Bergen. 12. (205 S.) Berlin 884. Goldschmidt. n. 1. —

— das verkaufte Herz. Roman. 12. (224 S.) Ebend. 886. n. 1. —

— die deutsche Kaiserstadt Berlin u. ihre Umgebung. Mit ca. 300 (Holzschn.-)Illustr. 2—30. (Schluß-)Lfg. Fol. (1. Bd. VIII u. S. 13—182 u. 2. Bd. VIII, 176 S.) Leipzig 883. 84. Schmidt & Günther. à n. 1. —

Ring, Max, das Kind. Ein falscher Name. Zwei Stadtgeschichten. 8. (214 S.) Berlin 886. Reinecke. n. 4. 50; geb. n. 5. 50
— die liebe Mama. Humoristische Erzählg. 8. (76 S.) Berlin 885. Janke. n. — 50
— die Schützlinge d. Großen Kurfürsten. Historische Erzählg. 8. (187 S.) Ebend. 886. 1. 50
— Sieg der Liebe. Geschichtliche Erzählg. aus dem J. 1870. 8. (127 S.) Ebend. 886. n. 1. —
— die Spiritisten. Erzählung. 8. (131 S.) Ebend. 885. n. 1. —
— unterm Tannenbaum. Eine Weihnachtsgeschichte. 8. (208 S.) Berlin 885. A. Reinecke. n. 3. —; geb. n. 3. 80
— wahnsinnig auf Befehl. Erzählung. 8. (85 S.) Leipzig 885. Denicke. n. 2. —; geb. n. 3. 50
Ring, Vikt., der Maklergesetz-Entwurf. Betrachtungen u. Vorschläge. gr. 8. (56 S.) Berlin 886. C. Heymann's Verl. n. 1. —
— das Reichsgesetz, betr. die Kommanditgesellschaften auf Aktien u. die Aktiengesellschaften, m. e. Einleitg. u. Erläutergn. hrsg. gr. 8. (VI, 622 S.) Ebend. 884. n. 12. —
Ringel-Ringel-Reihe. Ein Leinwand-Bilderbuch f. Kinder. 2. Aufl. 2 Sorten. gr. 8. (6 Chromolith. m. eingedr. u. 2 S. Text) Wesel 884. Düms. geb. à — 75
Ringger, R., petit traité d'ornements polychromes, s.: Haeuselmann, J.
Ringholz, Odilo, d. Benedictinerstiftes Einsiedeln Thätigkeit u. die Reform deutscher Klöster vor dem Abte Wilhelm v. Hirschau. [Aus: „Studien u. Mittheilgn. aus d. Benedictiner- u. Cistercienser-Orden".] gr. 8. (58 S.) Freiburg i/Br. 886. (Herder.) n. 1. —
— der heilige Abt Odilo v. Cluny in seinem Leben u. Wirken. gr. 8. (VI, 126 u. Anmerkgn. 82 S.) Brünn 885. (Wien, Frick.) n.n. 3. —
Ringler, H., menschliche u. göttliche Erziehung, s.: Volksschriften, Berner.
Ringklib, H., statistisches Handbuch der Prov. Hannover. 5. Ausg. gr. 4. (310 S.) Hannover 885. Klindworth. geb. n.n. 10. —
Ringleb, A., Lehrbuch d. Steinschnittes der Mauern, Bogen, Gewölbe u. Treppen. Zum Selbstunterricht, sowie zum Gebrauch bei Vorträgen an techn. Lehranstalten. 2. Aufl. Neu bearb. v. C. Riess. 4 Lfgn. Fol. (III, 62 S. m. eingedr. Fig. u. 48 Steintaf. in qu. gr. Fol.) Stuttgart 883. Wittwer. à n. 6. —
Ringseis, Joh. Nepomuk v., Erinnerungen, gesammelt, ergänzt u. hrsg. v. Emilie Ringseis. 1. u. 2. Bd. Mit e. (Lichtdr.-) Portr. nach e. Photogr. v. Fr. Hanfstängl. gr. 8. (VII, 568 u. 360 S.) Amberg 886. Habbel. n. 8. —
Rinhart, K., Novellen. 8. (347 S.) Berlin 884. Boß. 3. 60
Rinhuber, Laurent, relation du voyage en Russie fait en 1684. Publiée pour la première fois d'après les manuscrits originaux, qui se conservent à la bibliothèque ducale publique de Gotha. gr. 8. (XVI, 276 S.) Berlin 883. Alb. Cohn. n. 8. —
Rinkart, Mart., Eislebisch-Mansfeldische Jubel-Comödie. [Indulgentiarius confusus.] Eisleben 1618. Mit Einleitg. u. Anmerkgn. hrsg. v. Heinr. Rembe. 8. (30 u. 195 S.) Eisleben 885. Winkler. n. 2. —
— geistliche Lieder, nebst e. in Verbindg. m. Heinr. Rembe nach den Quellen bearb. Darstellg. d. Lebens u. der Werke d. Dichters hrsg. v. Johs. Linke. 12. (X, 440 S.) Gotha 886. F. A. Perthes. n. 4. —
Rinn, Heinr., zum Gedächtniss Johannes Bugenhagen's. Festschrift der Gelehrtenschule d. Johanneums zur Feier d. 400. Geburtstages Johannes Bugenhagen's am 24. Juni 1885. gr. 8. (VI, 62 S.) Hamburg 885. (Nolte.) n.n. 2. —
— Kulturgeschichtliches aus deutschen Predigten d. Mittelalters. gr. 4. (38 S.) Ebend. 883. n.n. 2. 50
— Vortrag, s.: Bugenhagen-Feier, die, d. hamburgischen Johanneums.
Rinne, J. Karl Frdr., praktische Dispositionslehre in neuer Gestaltung u. Begründung od. kurzgefaßte Anweisg. zum Disponieren deutscher Aufsätze, nebst zahlreichen Beispielen u. Materialien zum Gebrauch f. Lehrer u. Schüler der oberen Klassen höherer Schulanstalten. 3. Aufl. gr. 8. (XXIV, 226 S.) Stuttgart 883. A. Koch. n. 3. 20
Rinne, J. Karl Frdr., theoretische deutsche Idealstillehre, philosophisch u. sprachlich neu entwickelt. Der Lehre vom deutschen Stil 2. Buch. 2. Ausg. gr. 8. (XII, 655 S.) Stuttgart 883 A. Koch. n. 4. 10
— Organismus der Stil- od. Aufsatzlehre. Ein Handbuch f. den theoret. deutschen Stilunterricht zunächst f. Gymnasien sowie auf anderen höheren Unterrichtsanstalten. 2. Ausg. (Neue wohlf. Ausg.) gr. 8. (X, 277 S.) Ebend. 883. n. 1. 80
— theoretische deutsche Realstillehre, philosophisch u. sprachlich neu entwickelt. Der Lehre vom deutschen Stil. 3. Buch. 2. Ausg. gr. 8. (X, 398 S.) Ebend. 883. n. 2. 60
— praktische Stillehre. Eine method. geordnete Sammlg. v. Aufgaben zu deutschen Aufsätzen, nebst Beispielen u. stilist. Bemerkgn. 2. Aufl. gr. 8. (VIII, 286 S.) Ebend. 884. n. 3. 20; geb. n. 3. 65
— methodisch-praktische Stil- od. Aufsatzlehre; e. methodisch- geordnete Sammlg. v. Musterstücken u. zahlreichen Aufgaben f. alle Stufen d. Gymnasialunterrichts sowie f. den Schulgebrauch zur organ. Ausbildg. der Fertigkeit in der schriftl. Darstellg., nebst den dazu nöth. kurzgefaßten Regeln u. method. Erläutergn. 2. Ausg. (Neue wohlf. Ausg.) gr. 8. (X, 336 S.) Ebend. 883. n. 2. 40
Rintelen, V., systematische Darstellung d. gesammten neuen Prozeßrechts einschließlich d. Gerichtsverfassungsrechts in seiner Gestaltung f. die ordentlichen Gerichte d. ganzen preußischen Staats u. f. das Reichsgericht auf Grund der Reichsgesetzgebung, der preußischen Landesgesetzgebung, sowie der Vorschriften der preuß. Landesjustizverwaltung. 3. Bd., enth. den besond. Theil. 2. Abth. Das Konkursrecht. Das Verfahren im Strafprozeß. gr. 8. (XVI, 536 S.) Breslau 883. Maruschke & Berendt. n. 11. — (cplt.: n. 45. —)
— die kirchenpolitischen Gesetze Preußens u. d. Deutschen Reichs in ihrer Gestaltung nach dem Abänderungsgesetz vom 21. Mai 1886. 5. Aufl. 8. (74 S.) Berlin 886. C. Heymann's Verl. cart. n. 1. —
Riotte, Herm., Pseudonym, s.: Bibliothek, neue, f. das deutsche Theater.
— der „Weiße-Hirsch-See". Ballade nach e. amerikan. Volkssage, nebst e. Vorbemerkg. u. e. Anh. 16. (40 S.) Leipzig 886. Vieweg. n. — 75; geb. n. 1. —
Ripberger, G., der gemiethliche Sachse in volksthümlichen Redensarten u. Witzwörtern. 2. Hft., enth. üb. 750 im sächs. Volksmunde gebräuchl., witz. Redensarten u. Lieblingsausdrücke. Aus freiwilligen Beiträgen gesammelt. 4. Aufl. 8. (40 S.) Dresden 883. Höckner. n. — 50
Ripke, Just. Nic., die Einführung der Reformation in den Baltischen Provinzen u. Dr. Martin Luther's persönliche Beziehungen zu derselben. Zum Andenken an die vor 400 Jahren erfolgte Geburt d. großen Reformators. Mit e. Anh., enth. Schriften u. Briefe Luther's in 12 Beilagen. gr. 8. (III, 67 S.) Riga 883. (Reval, Wassermann.) n. 1. 20
Rippel, Greg., die Schönheit der katholischen Kirche, dargestellt in ihren äußeren Gebräuchen in u. außer dem Gottesdienste f. das Christenvolk. Neu bearb. u. hrsg. v. Heinr. Himioben. 21. Aufl. gr. 8. (VIII, 479 S.) Mainz 885. Kirchheim. 2. 60
Rippl, W., das englische Wasserversorgungs-System in hygienischer u. technischer Beziehung auf Grundlage an Ort u. Stelle vorgenommener Studien. Vortrag. gr. 8. (27 S.) Wien 882. (Spielhagen & Schurich.) n. 1. 20
Rischbieter, Wilh., Aufgaben u. Regeln f. Harmonieschüler. 5. unveränd. Aufl. gr. 8. (IV, 82 S.) Berlin 884. Ries & Erler. 1. 50
— Erläuterungen u. Aufgaben zum Studium d. Contrapunkts. gr. 8. (48 S.) Ebend. 885. 1. 80
Rischbieth, Paul, üb. die Raffinose od. den sog. Pluszucker aus Melasse u. aus Baumwollensamen. gr. 8. (38 S.) Göttingen 886. (Vandenhoeck & Ruprecht.) n. 1. —

Rische, A., Friedrich Franz II., weil. Großherzog v. Mecklenburg-Schwerin. Lebensbild e. christl. Fürsten, volksthümlich dargestellt. 2. Aufl. Mit 6 Bildern. 8. (67 S.) Wismar 884. Hinstorff's Verl. n. — 50; cart. n. 1. —

Rischmüller, Heinr., üb. die Scharlachepidemie zu Göttingen im J. 1881/82. gr. 8. (37 S.) Göttingen 883. (Vandenhoeck & Ruprecht.) n. — 80

Rise's, Chr. Ad., neuer, vermehrter, fehlerfreier Faulenzer nach Mark u. Pfennig, nebst e. Anh. üb. das metr. System. Ein Hilfsbuch f. Jedermann. Bearb. v. Heubach. (Neue Aufl.) 8. (145 S.) Reutlingen 884. Fleischhauer & Spohn. cart. — 60

— neuer fehlerfreier Rechenknecht nach Mark u. Pfennig, zur Preisberechng. aller im Handel vorkomm. Gegenstände, von 1 Stück bis zu 1000 Stück u. von 1 Pfennig bis 100 Mark aufsteigend. Nebst ausführl. Münz-Umwandlungs- u. Übersichts-Tabellen, Fruchtrechng., Berechng. d. Klafter- u. Stammholzes u. der Zinsen; Belehrung üb. das Metersystem, Anleitg. zum Dezimalrechnen, sowie Vergleichungs- u. Umwandlungstabellen der früheren Maße u. Gewichte in das neue Metermaß. (Ausg. f. Norddeutschland.) Bearb. v. Fachmann. 8. (144 S.) Ebend. 886. cart. — 60

Rist, J., Dichtungen, s.: Dichter, deutsche, d. 17. Jahrh.

Rist's, Joh. Geo., Lebenserinnerungen. Hrsg. v. G. Poel. 2 Tle. 2. Aufl. gr. 8. (XLV, 477 u. VIII, 554 S.) Gotha 884. 86. F. A. Perthes. à n. 8. — (cplt. geb.: n. 18. —)

Ristow, H., Situationsplan d. Sitzungssaales d. Deutschen Reichstages m. Angabe der Namen der Mitglieder d. Reichstages auf ihren betreff. Plätzen. Ausg. f. die VI. Legislatur-Periode, 1. Session. Novbr. 1884. Color. Imp.-Fol. Berlin 885. (Puttkammer & Mühlbrecht.) n. 1. 50

Ritchie, Mrs. R., s.: Thackeray, Miss.

Ritschel, Albr., Geschichte d. Pietismus. 2. u. 3. Bd. Der Pietismus in der luther. Kirche d. 17. u. 18. Jahrh. 1. u. 2 Abth. gr. 8. (VIII, 590 u. IX, 469 S.) Bonn 886. A. Marcus. n. 17. — (cplt.: n. 26. 50)

— die christliche Lehre v. der Rechtfertigung u. Versöhnung. 2. Aufl. 2. u. 3. Bd. gr. 8. Ebend. n. 16. — (1—3.: n. 26. —)

2. Der biblische Stoff der Lehre. (VI, 384 S.) n. 6. —
3. Die positive Entwickelg. der Lehre. (VIII, 628 S.) n. 10. —

— Unterricht in der christlichen Religion. 3. verb. Aufl. gr. 8. (VIII, 87 S.) Ebend. 886. n. 1. 20

Ritschel, Otto, Cyprian v. Karthago u. die Verfassung der Kirche. Eine kirchengeschichtl. u. kirchenrechtl. Untersuchg. gr. 8. (VII, 250 S.) Göttingen 885. Vandenhoeck & Ruprecht's Verl. n. 5. 60

Ritsert, Carl, der Harzer Canarienvogel. Ein prakt. Leitfaden f. Liebhaber dieses gefiederten Sängers zu seiner Zucht u. Pflege. 2. Aufl. 8. (62 S.) Heilbronn 883. (Becker.) n. 1. —

Ritsert, Ernst Ludw., deutsche Sprachlehre m. zahlreichen Übungsaufgaben f. höhere u. niedere Volksschulen. Neu bearb. v. Fridolin Wagner. 18. Aufl. gr. 8. (VI, 150 S.) Darmstadt 881. Bergstraeßer. n. 1. 5

Ritsert, Fr., u. H. **Grotefend**, die Familie v. Eschborn u. ihr Zusammenhang m. der Familie v. Cronberg. Mit e. (photolith.) Siegeltaf. gr. 4. (III, 13 S.) Frankfurt a/M. 884. Völcker. n. 1. —

Rittelmeyer, Heinr., „Fürwahr, Du bist e. verborgener Gott!" Predigt üb. Jes. 45, V. 15, bei dem Trauergottesdienste f. weil. Se. Maj. König Ludwig II. v. Bayern, Freitag, den 25. Juni 1886 in der St. Johanniskirche zu Schweinfurt geh. gr. 8. (10 S.) Schweinfurt 886. Giegler. n. — 20

Ritter, die, d. königl. Preußischen Hohen Ordens vom Schwarzen Adler u. ihre Wappen. Imp.-4. (IV, 67 S. m. 75 Chromolith.) Berlin 881. Moeser. n. 60. —; geb. n.n. 65. —

Ritter's geograph-statistisches Lexicon üb. die Erdtheile, Länder, Meere, Buchten, Häfen, Seen, Flüsse, Inseln, Gebirge, Staaten, Städte, Flecken, Dörfer, Weiler, Bäder, Bergwerke, Kanäle, Eisenbahnen etc. f. Post-Bureaux, Behörden, Gerichtsämter etc. 7. durchaus umgearb., verm. u. verb. Aufl. Unter der Red. v. Heinr. Lagai. 1. Bd. 10—14. Lfg. u. 2. Bd. 16 Lfgn. Lex.-8. (1. Bd. S. 577—910 u. 2. Bd. VI, 992 S.) Leipzig 883. O. Wigand. à n. 1. — (cplt.: n. 30. —)

Ritter, s.: Missions-Vorträge, acht.

Ritter, A. G., zur Geschichte d. Orgelspiels im 14. bis 18. Jahrh. 2 Bde. Lex.-8. (IV, 225 u. 230 S.) Leipzig 884. M. Hesse. n. 20. —

Ritter, Alfr., aus der Gymnasialzeit. Humoresken. Mit Illustr. v. E. Horstig. 8. (74 S.) Berlin 884. Eckstein Nachf. n. 1. —

Ritter, Aug., Lehrbuch der analytischen Mechanik. 2. Aufl. Mit 193 Holzschn. gr. 8. (X, 285 S.) Leipzig 883. Baumgärtner. n. 8. —; geb. n.n. 11. —

— Lehrbuch der höheren Mechanik. 2. Aufl. 2. Thl. A. u. d. T.: Lehrbuch der Ingenieur-Mechanik. Mit 592 Holzschn. gr. 8. (XIII, 632 S.) Ebend. 885. n. 14. —

— Lehrbuch der technischen Mechanik. Mit 782 Holzschn. 5. Aufl. Lex.-8. (XIV, 754 S.) Ebend. 884. n. 16. —; geb. n.n. 18. —

Ritter, Bernh., Führer durch Jena u. Umgegend. Mit 1 (chromolith.) Stadtplan u. 1 (lith.) Karte der Umgegend. 8. (XIV, 61 S.) Gotha 885. Behrend. geb. n.n. 1. 50

Ritter, C. G., der Raub der Sabinerinnen. Trauerspiel. 8. (XVI, 164 S.) Leipzig 886. C. G. Naumann. n. 3. —

Ritter, Friederike, illustrirtes praktisches Kochbuch f. Alle, welche kochen, od. es erlernen wollen. Eine gründl. u. zuverläss. Anweisg., nach ca. 1700 selbst erprobten Rezepten alle Speisen ebenso schmackhaft, als billig herzustellen. Mit 100 Abbildgn. 20. Aufl. 2. Neudr. 12 Lfgn. 8. (XXXII, 560 S.) Dresden 883. Kaufmann's Verl. à n. — 25

Ritter, H., Jugend- u. Turnspiele. Nach den ministeriellen Bestimmgn. ausgewählt, bearb. u. m. method. Vorbemerkgn. versehen. Mit 21 Fig. 2. Aufl. 8. (80 S.) Breslau 883. Goerlich. n. — 60

— Leitfaden f. den theoretischen Turnunterricht. Für Elementarlehrer u. Seminaristen zusammengestellt u. bearb. Mit vielen Abbildgn. 2. Aufl. 8. (119 S.) Ebend. 884. n. — 80

— Naturgeschichte f. Stadt- u. Landschulen. Charakterbilder aus den drei Reichen der Natur. Zusammengestellt u. bearb. 1. Tl. f. Mittelklassen. Ausg. f. Lehrer m. e. method. Einleitg. u. e. Anh. betr. die Methode nach Fr. Junge. gr. 8. (IV, XXIV, 100 S.) Ebend. 886. n. — 80; Schüler-Ausg. (IV, 100 S.) n. — 60

— dasselbe. Unter teilweiser Berücksicht. der v. Fr. Junge aufgestellten Methode bearb. 2. Tl. f. Oberklassen m. 10 anatom. Abbildgn. Ausg. f. Lehrer u. Schüler. gr. 8. (IV, 168 S.) Ebend. 886. n. 1. 20

Ritter, H., et L. **Preller**, historia philosophiae graecae. Testimonia auctorum conlegerunt notisque instruxerunt H. R. et L. P. Pars I septimum edita. Physicorum doctrinae recognitae a Fr. Schultess. gr. 8. (VII, 180 S.) Gotha 886. F. A. Perthes. n. 3. 60

Ritter, Herm., Alpengrüsse. Dichterworte üb. die Hochgebirgs-Natur, gesammelt. 8. (XXXIX, 175 S.) Würzburg 886. Stahel. cart. n. 1. 80

— die Aesthetik der Tonkunst in ihren wichtigsten Grundzügen. 8. (96 S.) Ebend. 886. n. — 80

— populäre Elementartheorie der Musik f. gebildete Musikfreunde. 8. (120 S.) Leipzig 885. M. Hesse. 1. —; geb. n. 1. 30

— aus der Harmonielehre meines Lebens. Kleine Skizzen u. Aphorismen. 8. (88 S.) Würzburg 883. Stahel. n. — 60

— die Viola alta od. Altgeige. Ihr Name, ihre Geschichte, die Grundsätze ihres Baues, ihr Wesen u. ihre Bedeutg. als musikal. Ausdrucksmittel. Als Anh.: Brief R. Wagner's an den Verf. Aphorismen üb. die Viola alta. Die Bagatella'schen Geigenbauregeln. Hauptsächlichste Musik-Litteratur f. die Viola alta. 3. Aufl. gr. 8. (IV, 74 S. m. Holzschn. u. 2 Steintaf.) Leipzig 885. Merseburger. n. 2. —

Ritter, Herm., Perspectograph. Apparat zur mechan. Herstellg. der Perspective aus geometr. Figuren, sowie umgekehrt der Originalfiguren aus perspectiv.

Bildern. Lex.-8. (15 S. m. 1 autogr. u. 5 Lichtdr.-Taf.) Frankfurt a/M. 884. (Alt.) n. 3. —
Ritter, Herm., Perspectograph. Apparat zur mechan. Herstellg. der Perspective aus geometr. Figuren, sowie umgekehrt der Originalfiguren aus perspectiv. Bildern. 2. Aufl. Lex.-8. (15 S. m. 1 autogr. u. 5 Lichtdr.-Taf.) Frankfurt a/M. 884. (Alt.) n. 2. 40
Ritter, Imman. Heinr., Glaube u. Versöhnung. Zwei religiöse Reden. gr. 8. (16 S.) Berlin 887. Stuhr. n. — 50
— Mendelssohn u. Lessing. 2. Aufl. Nebst e. Gedächtnißrede auf Moses Mendelssohn zu dessen 100jähr. Todestage, geh. im akadem. Vereine f. jüd. Geschichte u. Literatur. gr. 8. (120 S.) Berlin 886. Steinthal. n. 2. —
— zum Verständniß d. Judenthums. 2 Vorträge üb. seinen Charakter u. seine Priesterlehre. gr. 8. (20 S.) Berlin 885. Speyer & Peters. n. 1. —
— ein Wort an Juden u. Christen. Rede am Neujahrstage. gr. 8. (13 S.) Berlin 883. Stuhr. n. — 50
Ritter, L., u. K. Holl, praktische Anleitung f. den elementaren Unterricht im Körperzeichnen. 8. (VIII, 55 S. m. 8 Taf.) Stuttgart 886. J. Hoffmann. cart. n. 1. 20
Ritter, M., deutsche Geschichte im Zeitalter der Gegenreformation u. d. 30jährigen Krieges, s.: Bibliothek deutscher Geschichte.
Ritter, Max, 100 Verse a la Klapphorn. 8. (30 S.) Wien 885. Neidl. n. — 60
Ritter, Otto, Besoldungswesen der evang. Geistlichkeit Deutschlands. I—IV. Tabelle. gr. 8. Gerstungen 882. (Eisenach, Rasch & Coch.) n. 1. —
I. Die Gehälter der activen Pfarrer. (16 S.)
II. Ruhegehälter der evang. Geistlichen. (16 S.)
III. Pensionen der Wittwen u. Waisen der evang. Geistlichen. (16 S.)
IV. Nachträge. (8 S.)
Ritter, Otto, Anleitung zur Abfassung v. englischen Briefen m. zahlreichen englischen Mustern u. deutschen Übungen. Für den Schul- u. Privat-Gebrauch. 2. Aufl. gr. 8. (X, 186 S.) Berlin 883. Simion. n. 1. 50; geb. n. 1. 70
— die Hauptregeln der englischen Formenlehre u. Syntax. 2. Aufl. gr. 8. (74 S.) Ebend. 883. n. — 60
— englisches Lesebuch f. höhere Lehranstalten. 4. verb. Aufl. 8. (VIII, 238 S.) Berlin 884. Haude & Spener. n. 1. 60; Einbd. n.n. — 20
Ritter, W., der elastische Bogen, berechnet m. Hülfe der graph. Statik. Mit 20 Textfig. u. 2 lith. Taf. gr. 8. (IV, 64 S.) Zürich 886. Meyer & Zeller. n. 2. 60
— die elastische Linie u. ihre Anwendung auf den continuirlichen Balken. Ein Beitrag zur graph. Statik. Mit 12 Textfig. u. 1 lith. Taf. 2. Aufl. gr. 8. (IV, 51 S.) Ebend. 883. n. 1. 60
Ritter, W., Fluth u. Ebbe, s.: Vorträge, öffentliche, geh. in der Schweiz.
Ritterfeld, Fel., die Cardinalfragen der Kosmologie u. Kant's Entstehung d. Weltalls. Eine populär-wissenschaftl. Abhandlg. gr. 8. (IV, 100 S.) Heidelberg 883. Weiss' Verl. n. 2. —
Ritterling, Emil, de legione Romanorum X gemina. gr. 8. (127 S.) Leipzig 885. (Fock.) n. 2. —
Rittershaus, Emil, Buch der Leidenschaften. 1. u. 2. Aufl. 8. (108 S.) Oldenburg 886. Schulze. n. 2. —; geb. n. 3. —
— Gedichte. 7. Aufl. 12. (448 S.) Breslau 884. Trewendt. geb. m. Goldschn. n. 6. —
— neue Gedichte. 5. Aufl. 12. (VIII, 316 S.) Leipzig 886. Keil's Nachf. geb. m. Goldschn. n. 6. 50
— für die Nothleidenden am Rhein. Lex.-8. (3 S.) Barmen 882. Taddel. — 25
— am Rhein u. beim Wein. Gedichte. 8. (IV, 88 S.) Leipzig 884. Keil's Nachf. n. 1. 50; geb. m. Goldschn. n. 2. 50
— dasselbe. 2. Ster.-Aufl. 3. Tausend. 8. (IV, 95 S.) Ebend. 885. n. 2. —; geb. m. Goldschn. n. 3. —
— aus den Sommertagen. 8. (VIII, 255 S.) Oldenburg 886. Schulze. n. 4. —; geb. n. 5. —
Rittig, J., Federzeichnungen aus dem amerikanischen Stadtleben, s.: Bilder aus dem amerikanischen Leben.
Rittmeyer, Karl, Geschmacksprüfungen. Inaugural-Dissertation. gr. 8. (28 S.) Helmstedt 885. (Göttingen, Vandenhoeck & Ruprecht.) n. — 80
Rittner, C. H., zur Pathologie des modernen Strafvollzuges. Zwei Abhandlgn. 8. (51 S.) Beuthen 883. H. Freund. n. — 60
Ritual, das, der Loge zur Hoffnung in Bern. Von A. S. 8. (34 S.) Bern 884. (Leipzig, Findel.) n. — 60
Ritus administrandi infirmorum sacramenta juxta rituale romanum. 16. (23 S.) Trier 885. Paulinus-Druckerei. — 15
Ritus, Abr., die Brandschaden-Regulirung. Handbuch, enth. Hülfsmittel aus der Theorie u. Praxis f. Feuerversicherungs-Beamte. 1. Thl. gr. 8. (184 S.) Berlin 884. (Leipzig, Gracklauer.) n.n. 10. —
Ritz, zur Schulhygiene, s.: Rohmeder.
Ritz, J., Untersuchungen üb. die Zusammensetzung der Klänge der Streichinstrumente. Physikalisch-musiktheoret. Abhandlgn. gr. 8. (VIII, 88 S.) München 883. (Franz' Verl.) n. 1. 50
Ritz, Jos., die schulhygienischen Bestrebungen unserer Zeit; in wie weit können u. sollen sich die Lehrer der Mittelschulen an denselben beteiligen? Vortrag. gr. 8. (IV, 63 S.) München 884. Th. Ackermann. n. 1. —
Ritzerow, Frieda, geb. Burmeister, mecklenburgisches Kochbuch. Ein Rathgeber f. Alle, welche der Kochkunst beflissen sind, speciell f. mecklenburg. Hausfrauen u. solche, die es werden wollen. Practische Anweisgn. u. selbsterprobte Recepte. 6. Aufl. 8. (XVI, 422 S.) Wismar 886. Hinstorff's Verl. 2. 75; geb. 3. 75
Ritzinger, J. B., die geheiligte Charwoche od. christl. Anleitg., diese Zeit durch Gebet u. Betrachtg. andächtig u. nützlich zuzubringen. Aus der heil. Schrift, den Kirchenvätern u. dem röm. Meßbuch zusammengetragen u. auf's Neue hrsg. 16. (VIII, 662 S. m. 1 Stahlst.) Salzburg 886. Pustet. 1. 50
Ritzmann, E., hygienische Rathschläge gegen das Überhandnehmen der Kurzsichtigkeit bei der Schuljugend. 8. (30 S.) Schaffhausen 883. (Schoch.) n. — 80
Rivers, Thom., die Obstbaumzucht in Töpfen od. Kübeln. [Topforangerie.] 3. Aufl. v. J. Hartwig. gr. 8. (IV, 51 S.) Weimar 885. B. F. Voigt. n. 1. —
Rivista bibliografica delle lingue e letterature romanze, pubblicata dal Emilio Ebering. Vol. III. 1885. 6 fasco. gr. 8. (1. u. 2. Fasc. 80 S.) Leipzig, E. Twietmeyer. n. 12. —
Rizzi, Vinz., Dorfgeschichten aus Kärnten. Hrsg. vom Grillparzer-Literatur-Verein. gr. 8. (81 S.) Wien 882. (Klagenfurt, Liegel.) n. 1. —
Rizzoli, G., la legislazione delle acque, s.: Raccolta di leggi ed ordinanze della monarchia austriaca.
Robbers, Wilh., Memoiren d. Hasen Löffelmann, in zierl. Reime gebracht. Mit Illustr. v. G. Marx. gr. 8. (88 S.) Düsseldorf 886. F. Bagel. 1. —; geb. 1. 50
Roeber, Frdr., Kaiser Friedrich der zweite. Tragödie. 8. (V, 149 S.) Iserlohn 883. Bädeker's Verl. n. 2. 50
— Litteratur u. Kunst im Wupperthale bis zur Mitte d. gegenwärtigen Jahrhunderts. 8. (VIII, 168 S.) Ebend. 886. n. 2. 50; geb. n. 3. 50
— das Märchen vom König Drosselbart. 8. (VIII, 84 S. m. 1. Titelbild in Tondr.) Ebend. 881. n. 1. 50
— Marionetten. Ein Roman. 2. Aufl. gr. 8. (IV, 325 S.) Ebend. 885. n. 4. —; geb. m. Goldschn. n. 5. 50
— Sophonisbe. Tragödie. 8. (VI, 111 S.) Ebend. 884. n. 2. 50; geb. m. Goldschn. n. 4. —
— Tristan u. Isolde. Tragödie in e. 2., neuen Bearbeitg. 8. (VIII, 156 S.) Ebend. 885. n. 3. —; geb. m. Goldschn. n. 4. 50
Robert, C., Gasparo Luigi Pacifico Spontini. Eine biograph. Skizze. 8. (VI, 66 S.) Berlin 883. Latte. n. 1. 20
Robert, Eug., la guérison du lepreux. Prédication sur Matth. VIII, 1—3. gr. 8. (12 S.) Frankfurt a/M. 884. Drescher. n. — 30
Robert, Frdr., das Problem der höchsten Wissenschaft. Ein erster Versuch zur Einführg. in e. neue Philosophie. gr. 8. (22 S.) Löbau Wpr. 884. Skrzeczek. n. — 50
Robert, Fritz, Afrika als Handelsgebiet. West-, Süd- u. Ost-Afrika. gr. 8. (X, 350 S.) Wien 883. (Gerold's Sohn.) n. 5. —

Robert, Fritz, die Triester Ausstellung. Studie üb. die Exportfähigkeit unserer Industrie. gr. 8. (IV, 92 S.) Wien 882. (Gerold's Sohn) n. 1. 20

Robert, Leo Paul, gefiederte Freunde. Bilder zur Naturgeschichte der nützl. Vögel Mittel-Europas, nach der Natur gemalt. Lith. v. Thurwanger. Farbendr. v. Lemercier & Co. in Paris. 3. (Schluss-) Serie. Fol. (20 Taf.) Nebst Textbd. von O. v. Riesenthal. gr. 8. (X, 162 S.) Leipzig 883. Arnold. n. 25. — (cplt. in 1 Halbfrzbd., Textbd. in Leinw. geb.: n. 80. —)

Robert's, Leop., Biographie, s.: Rosenberg, A.

Robert, Th., die Functionsheilmittel Dr. Schüßler's, s.: Haus-Bibliothek, homöopathische.

Robert, W., der Traum, als Naturnothwendigkeit erklärt. 2. Aufl. gr. 8. (53 S.) Hamburg 886. Seippel. n. 1. —

Roberts, A. Baron v., „Es" u. Anderes. 3., vom Verf. durchgeseh. Aufl. 8. (224 S.) Dresden 884. Minden. n. 3. —; geb. n. 4. —

— Kohinor. Mal' Occhio. Die Trovatella. Die Holzhauer. Novellen. 2. Aufl. 8. (288 S.) Ebend. 885. n. 3. 50; geb. n.n. 4. 50

— Lou. Roman. 3. Aufl. 8. (258 S.) Ebend. 886. n. 3. 50; geb. n.n. 4. 50

— die Pensionärin. 12. (127 S.) Ebend. 884. n. 2. —; geb. n.n. 3. —

— dasselbe. 2. wohlfeil. Ausg. gr. 16. (127 S.) Ebend. 886. n. 1. —; geb. n. 2. —

— Unmusikalisch u. Anderes. 8. (VII, 135 S.) Ebend. 886. n. 3. —; geb. n.n. 4. —

Roberts, Sophie, die Kartoffel-Küche. 238 Recepte zur Bereitg. v. Kartoffelspeisen. 8. (101 S.) Dresden 884. Barth & Schirrmeister. n. — 75

— praktisches Koch- u. Wirthschaftsbuch f. bürgerliche u. feine Haushaltung. 15—20. (Schluß-)Lfg. gr. 8. (XXII u. S. 465—652.) Stuttgart 883. J. Hoffmann. à — 25 (cplt. in Halbleinw. geb.: n. 5. —; in Leinw. n. 6. —)

— dasselbe. 2. Aufl. gr. 8. (XXII, 652 S.) Ebend. 885. geb. n. 6. —

— Schönheitspflege u. Schönheitsmittel. Rat u. Anleitg. f. Frauen u. Töchter. gr. 16. (48 S.) Eßlingen 885. Langguth. n. 1. —

Robertson, T., neuer Lehrgang der englischen Sprache nach e. praktischen, analytischen, theoretischen, synthetischen Methode. Für den Schul-, Privat- u. Selbstunterricht unter Benutzg. der neuesten engl. Sprachwerke, u. m. beständ. sehr vollständ. Angabe der german. u. französ. Analogien, nach der 6. Orig.-Aufl. zum Gebrauch f. Deutsche vollständig neu bearb. v. Aug. Boltz. 1—3. Tl. gr. 8. Berlin, Gaertner. n. 4. 50

1. 7. Aufl. (VI, 172 S.) 882. n. 1. 50
2. 3. 6. Aufl. (332 S.) 884. n. 3. —

Robertson, T. W., society, s.: Rauch's English readings.

— dasselbe, s.: Theatre, English.

Robertson, William, the history of Scottland during the reigns of queen Mary, and of king James VI. Im Auszuge erklärt v. Emil Grube. 1. u. 2. Tl. Mit 2 (lith. u. color.) Karten v. H. Kiepert. gr. 8. Berlin 885. Weidmann. 3. 30

1. (IV, 149 S.) n. 1. 50. — 2. (160 S.) n. 1. 80

Robert-tornow, Walter, Goethe in Heines Werken. 8. (90 S) Berlin 883. Haude & Spener. n. 2. —

Robespierre's Biographie, s.: Schumm, A.

Robinski, Severin, zur Kenntniss der Augenlinse u. deren Untersuchungsmethoden. gr. 8. (62 S.) Berlin 883. Grosser. n. 1. 50

Robinson. I. Robinson der Jüngere v. J. H. Campe. II. Robinsons Kolonie u. ihre ferneren Schicksale v. W. Herchenbach. Mit bunten Bildern. 2. Aufl. 8. (222 u. 128 S.) Mülheim 886. Bagel. geb. 3. —

Robinson Crusoë. Verwandlungs-Bilderbuch. 4. (12 S. m. 6 Chromolith.) Leipzig 883. Opetz. cart. 1. —

Robinson, H. P., der malerische Effect in der Photographie als Anleitung zur Composition u. Behandlung d. Lichtes in Photographien. Frei nach dem Engl. v. C. Schiendl. gr. 8. (VIII, 175 S. m. Illustr.) Halle 886. Knapp. n. 4. —

Robinson, P. H., das Glashaus u. was darin geschieht. Autoris. deutsche Ausg. Mit 32 Abbildgn. gr. 8. (IV, 130 S.) Düsseldorf 886. Liesegang. n. 2. 50

Robinson, L., die Zähne, ihre Behandlung im gesunden u. kranken Zustande, sowie ihr künstl. Ersatz. Populär dargestellt. 8. (VIII, 64 S.) Jena 885. Mauke. n. 1. 20

Robolsky, H., französische u. englische Handelskorrespondenz. Gesammelte Originale, hrsg. v. Frz. Meissner. Zum Gebrauche f. Schule, Kontor u. Selbstunterricht. 10 Lfgn. gr. 8. (à 3 B.) Leipzig 883. Renger. à n. — 50

Roboz, Zoltán v., Calcituba polymorpha nov. gen. nov. spec. [Aus dem zoolog. Institute der Universität Graz.] [Mit 1 (lith.) Taf.] Lex.-8. (12 S.) Wien 883. (Gerold's Sohn.) n. — 80

Rocca, Otto, die richtige Aussprache d. Hochdeutschen. Auf der Grundlage neuerer Forschgn. gemeinfaßlich dargestellt. gr. 8. (VIII, 116 S.) Rostock 886. Werther. n. 1. 60

— Lehrer u. Schule. Aufsätze u. Vorträge üb. pädagog. u. method. Gegenstände. gr. 8. (VI, 86 S.) Langensalza 886. Schulbuchh. — 90

— Schülerbuch der deutschen Sprache. Für einfache Schulverhältnisse bearb. 8. (48 S.) Hannover 885. (Feesche.) cart. n. — 35

— der Umgang in u. m. der Gesellschaft. Ein Handbuch d. guten Tons. 5. Aufl. gr. 8. (VIII, 390 S.) Halle 885. Hendel. 3. —; geb. n. 4. —

Rocco, Wilh., Großmudder Lührßen. Plattdütsche Geschichte. 8. (152 S. m. 1 Holzschn.-Portr.) Bremen 885. Rocco. n. 2. 50; geb. n. 3. —

Rochholz, E. L., Die Homberger Gaugrafen d. Frick- u. Sissgaues. Geschichte u. Urkunden v. 1041—1534. Mit dem Aufriss der Bergruine. gr. 8. (184 S.) Aarau 886. Sauerländer. n. 4. 20

— deutsche Volks- u. Heldenbücher. Für die Jugend hrsg. Mit 29 Textabbildgn. u. 6 Farbendr.-Bildern nach Orig.-Aquarellen v. C. Offterdinger. 4. Aufl. gr. 8. (III, 223 S.) Stuttgart 883. Loewe. geb. 3. —

Rocholl, C., Rechtsfälle aus der Praxis d. Reichsgerichts, besprochen. 3. Hft. gr. 8. (1. Bd. VI u. S. 335—536.) Breslau 883. Morgenstern's Verl. n. 3. — (1. Bd. cplt.: n. 7. —)

— dasselbe. 2. Bd. 1. Hft. [Der ganzen Reihe 4. Hft.] gr. 8. (220 S.) Ebend. 885. n. 3. 60

Rocholl, D., dunkle Bilder aus dem Wanderleben. Aufzeichnungen e. Handwerkers. 2. Aufl. gr. 8. (188 S.) Bremen 885. Wiegand. n. 2. —; geb. in Halbleinw. n. 2. 50; in Leinw. n. 3. —

Rocholl, Heinr., Luther-Erinnerungen im Lichte d. Wortes Gottes. gr. 8. (80 S. m. Holzschn.) Barmen 883. Wiemann. n. — 60

— was predigt die Socialdemokratie der Kirche? Ein Vortrag. gr. 8. (26 S.) Magdeburg 885. (Bonn, Schergens.) n. — 60

— die Sonntagsfrage der Gegenwart im Lichte christlicher Weltanschauung. Ein Vortrag. gr. 8. (34 S.) Karlsruhe 885. Evangel. Schriftenverein f. Baden. — 30

Rocholl, Heinr. Wilh., zum 400jährigen Luther-Jubiläum am 10. Novbr. 1883. Luther, „e. deutscher Mönch u. Reformator". gr. 8. (12 S.) Elberfeld 883. (Faßbender.) n. — 20

Rocholl, Meta, praktische Anleitung zum Maßnehmen, Schnittzeichnen, Zuschneiden u. Anfertigen weiblicher Garderobegegenstände, sowie zum besseren Verständnis der Modenzeitungen f. Schule u. Haus, nach e. leicht faßl. Methode auf Grund theoret. u. prakt. Studien bearb. u. durch Zeichngn. veranschaulicht. gr. 8. (80 S.) Kassel 884. Kay. n. 1. 80

Rocholl, R., Christophorus. Altes u. Neues aus Wald u. Haide. 4. Aufl. gr. 8. (381 S.) Hannover 885. Meyer. n. 3. —; geb. n. 4. 60; m. Goldschn. n. 5. —

Rocholl, R., Rupert v. Deutz. Beitrag zur Geschichte der Kirche im XII. Jahrh. Mit 1 Fcsm. in photolith. Lichtdr. gr. 8. (X, 335 S.) Gütersloh 886. Bertelsmann. n. 5. —

Rochow, Frdr. Eberh. v., s.: Korrespondenz, litterarische

Rochus-Büchlein. Lebensgeschichte d. heil Rochus, Schutzpatrons gegen Pest, Cholera u. ansteck. Krankheiten, nebst e. neuntäg. Andacht u einigen Gebeten zu Ehren dieses Heiligen, v. e. Priester der Diözese. 8. (32 S.) Luxemburg 884. Breisdorff. n.n. — 20

Rockel, Karl Johs., de allocutionis usu, qualis sit apud Thucydidem, Xenophontem, oratores atticos, Dionem, Aristidem. gr. 8. (56 S.) Königsberg 884. (Koch & Reiner.) n. 1. —

Rockinger, Ludw., Berichte üb. die Untersuchung v Handschriften d. sogenannten Schwabenspiegels. VII. Lex.-8. (82 S.) Wien 884. (Gerold's Sohn.) n. 1. 20

Die Abtheilungen I—VI sind nicht als Separat-Abdruck in den Buchhandel gelangt.

— der Könige Buch u. der sogenannte Schwabenspiegel. gr. 4. (102 S.) München 883. Franz's Verl. n.n. 3. —

Roeckl, G., Bericht üb. die internationale landwirthschaftliche Thier-Ausstellung in Hamburg 1883. 8. (17 S.) Stuttgart 883. Schickhardt & Ebner. n. — 50

— u. W. **Zipperlen,** Bericht üb. das Veterinärwesen in Württemberg f. d. J. 1881. gr. 8. (92 S.) Ebend. 885. n. 2. —

Röckner, Wilh., Komm u. siehe! Der Symbolschlüssel u. das Lebensgesetz in der Offenbarung Johannes. gr. 8. (60 S.) Tilsit 886. (Lohauß.) n. 1. 50

Rockstroh, H., Buch der Schmetterlinge u. Raupen. 6. Aufl. umgearb. v. E. L. Taschenberg. Mit 231 Abbildgn auf 16 naturgetreu color. (lith.) Taf. hoch 4. (VIII, 135 S.) Halle 883. Gesenius. cart. n. 8. —

Rococo-Haus-Kalender f. d. J. 1887. Monatsbilder u. Ornamente v. J. E. Nilson. 4. (52 S.) München, Knorr & Hirth. n. 1. —

Rodbertus, zwei verschollene staatswirthschaftliche Abhandlungen. Neu hrsg. u. eingeleitet v. Max Quarck. gr. 8. (41 S.) Wien 885. Pichler's Wwe. & Sohn. n. 1. —

Rodbertus-Jagetzow, C., zur Beleuchtung der socialen Frage, — das Kapital, } s.: Aus dem literarischen Nachlass v. Dr. Carl Rodbertus-Jagetzow.

Rode, F., Encyklika u. Syllabus, s.: Katholicismus, der römische, beleuchtet in Vorträgen.

— Luther. Oeffentlicher Vortrag. gr. 8. (16 S.) Hamburg 883. Seelig & Ohmann. — 30

Rode, G., Liederbuch, s.: Marr, K.

Rode, Roderich, akademische Novellen. 8. (205 S.) Berlin 884. Issleib. n. 2. —

Rode, Thdr., Leitfaden f. den theoretischen u. ersten Gesang-Unterricht auf Gymnasien, Real-Gymnasien, Ober-Real- u. sonstigen Schulen. I. u. II. 8. Berlin 883. H. W. Müller. n. 1. 50

I. 5., verb. u. verm. Aufl. (64 S.) n. — 80. — II. 4., verb. Aufl. (40 S.) n. — 70

Roedel, Benno, Krone um Krone. Drama in 5 Akten. gr. 8. (103 S.) München 884. (Fritsch.) n. 1. —; cart. n. 1. 50

— St. Ulrich, der Gottesmann, od. die Hunnenschlacht auf dem Lechfeld. Großes histor. Zeitgemälde m. Gesang u. 6 Tableaux in 5 Abtheilgn. Verf. zur 900jähr. St. Ulrichs-Jubiläumsfeier. 8. (62 S.) München 886. Literar. Institut v. Dr. M. Huttler & Co. n. — 50

— die sieben Todsünden der deutschen Bühne. Ein Beitrag zur Beleuchtg. der Regenerationsfrage d. Theaterwesens. Nebst e. Anh.: Das Theater am Gärtnerplatz in München u seine Domaine, die Bauernkomödie. gr. 8. (81 S.) München 887. (Fritsch.) n. — 60

Roedel, H., üb. die untere Temperaturgrenze, bei welcher niedere Thiere noch existieren können, s.: Sammlung naturwissenschaftlicher Vorträge.

Rodemeyer, A., Sammlung v. Beispielen üb. alle biblischen Hauptbegriffe in alphabetischer Reihenfolge. Ein Handbuch f. Geistliche, Lehrer, Sonntagsschullehr. u. die Familie. gr. 8. (XXVIII, 812 S.) Basel 886. Riehm. n. 6. —

Roedenbeck, Siegfr., der Zweikampf im Verhältnis zu Tötung u. Körperverletzung. gr. 8. (56 S.) Halle 883. Niemeyer. n. 1. 20

Rodenberg, Jul., Bilder aus dem Berliner Leben. 8. (VII, 248 S.) Berlin 885. Gebr. Paetel. n. 6. —; geb. n.n. 7. 50 — dasselbe. 2. Aufl. 8. (VII, 248 S.) Ebend. 886. n. 4. —; geb. n. 5. 50

Rodenstock, Jos., die Brille, deren Anschaffg. u. Gebrauch. gr. 8. (28 S.) Würzburg 883. Kellner. n. — 75

Rodenwaldt, R., die Fabel in der deutschen Spruchdichtung d. XII. u. XIII. Jahrh. 4. (27 S.) Berlin 885. Gaertner. n. 1. —

Roder, Schlosser u. Werdenberg, Missions-Vorträge, m. Sorgfalt gesammelt u. aufgezeichnet v. e. Freunde der Mission. 3. Aufl. 8. (IV, 400 S.) Leipzig 883. Wagner. n. 1. 50

Roder, Adf., Unterrichts-Briefe f. das Selbst-Studium der ungarischen Sprache. 3. Aufl. 30 Briefe. gr. 8. (486 S.) Leipzig 885. 86. Morgenstern. à n. — 50

Roder, G., considerationes pro reformatione vitae in usum sacerdotum, maxime tempore exercitiorum spiritualium. 16. (XII, 372 S.) Freiburg i/Br. 884. Herder. n. 1. —

Röder, B., u. H. Huth, Liedersammlung. Ernste u. heitere Gesänge f. Volks- u. Mittelschule. A. Unterstufe. 4. Aufl. 8. (48 S.) Langensalza 883. Hufschke. n. — 25

— dasselbe. B. Oberstufe. 4. Aufl. 8. (96 S.) Ebend. 883. n. — 40

Roeder, Ernst, Gedichte. 8. (VIII, 96 S.) Dresden 886. Pierson. n. 2. —

Roeder, Frdr., Synthese e. neuen m. der Itaconsäure isomeren Säure. gr. 8. (23 S.) Heidelberg 883. C. Winter. n. — 80

Roeder, Hans, Gedichte. 8. (VI, 103 S.) Berlin 884. Freund & Jeckel. n. 2. —

Roeder, Karl, praktischer Elementarkursus f. den Volksschulgesang. 8. (X, 85 S.) Trier 886. Stephanus. cart. n. 1. 20

Röder, Leonh., Elementarbuch der französischen Sprache zum Gebrauch f. den Anfangsunterricht an deutschen Mittelschulen. gr. 8. (IX, 224 S.) Nürnberg 887. v. Ebner. n. 2. 40

Roeder, Mart., aus dem Tagebuche e. wandernden Kapellmeisters. Musikalische Humoresken u. Denkwürdigkeiten. 8. (V, 137 S.) Berlin 883. Thiel. n. 2. —

Röder, Max., die beiden letzten in der St. Michaelskirche zu Fürth geh. Predigten. gr. 8. (26 S.) Fürth 884. Kühl. n. — 50

Roderfeld, H., G. Galilei u. die römischen Behörden, s.: Broschüren, Frankfurter zeitgemäße.

Roediger, Ernst, Statistik der in der Kieler chirurgischen Klinik vom 1. Juli 1868 bis Ende 1884 an der oberen Extremität ausgeführten grösseren Amputationen. Inaugural-Dissertation. gr. 8. (44 S.) Kiel 885. Lipsius & Tischer. n. 1. 20

Rödiger, Fritz, die natürlichen Ursachen der Maul- u. Klauenseuche u. deren Beseitigung. Vom land- u. volkswirthschaftl. Standpunkte aus nach vierzigjähr. Beobachtungen. Mit 2 Tab. u. 1 lith. Taf. gr. 8. (102 S.) Zürich 883. Schultheß. 1. 50

Roediger, Max., kritische Bemerkungen zu den Nibelungen. gr. 8. (VIII, 94 S.) Berlin 884. Weidmann. n. 2. 40

— Paradigmata zur altsächsischen Grammatik, im Anschluss an Müllenhoffs Paradigmata f. seine Vorlesgn. zusammengestellt gr. 8. (13 S.) Ebend. 883. — 30

Rödiger, Rich., griechisches Sigma u. Jota in Wechselbeziehung. gr. 4. (19 S.) Berlin 884. Gaertner. n. 1. —

Rodkinssohn, M. L., das ungesäuerte Brod u. die Anklage d. Blutgebrauchs im Passah-Feste. (In hebr. Sprache.) gr. 8. (VIII, 32 S.) Pressburg 883. (Wien, Lippe.) n. — 80

Rodler, Mor., deutsches Lesebuch f. die Gremial-Handels-Fachschule d. Wiener Handelsstandes u. f. verwandte Lehranstalten. 2. Aufl. gr. 8. (VIII, 252 S.) Wien 883. Gerold's Sohn. n. 3. 20

Rodowicz v. Oswiecinski, freie Betrachtungen e. Greises über Religion. Allen Selbstdenkern gewidmet. gr. 8. (V, 274 S.) Leipzig 883. Findel. n. 3. —

Rodt, Ed. v., das alte Bern. Nach Zeichngn. u. eigenen

Ricard, Anselm, premier vocabulaire français. Erstes französ. Vokabelbuch u. erster Unterricht im französisch Sprechen. Ausg. f. Deutschland. 2. Aufl. 8. (VIII, 58 S.) Prag 886. Neugebauer. n. — 40; cart. n. — 50

Rice, J., the golden butterfly,
— the captains' room,
— Ready-Money Mortiboy,
— all sorts and conditions of men,
— der Traukaplan d. Fleet,
} s.: Besant, W.

Richard's, Albert, Biographie, s.: Schachtler, J.

Richard, Clara, Frühlingsblumen. Gedichte. 12. (203 S.) Hagen 884. Risel & Co. n. 3. —

Richard, Elise, e. Königin. Der Strand. Zwei Novellen. gr. 16. (67 S.) Leipzig 884. Abel. n. 2. —

Richard, H., die Rauchverzehrungsfrage. Bericht der v. dem Karlsruher Bezirksverein deutscher Ingenieure zur Behandlg. der Rauchverzehrungsfrage ernannten Commission. gr. 8. (62 S.) Karlsruhe 884. (Bielefeld's Sort.) n.n. 1. 80

Richard, Herm., üb. die Lykinosdialoge d. Lukian. gr. 4. (54 S.) Hamburg 886. (Herold.) n.n. 2. 50

Richard, Paul, die Gastspiele d. herzogl. Meiningen'schen Hoftheaters während der Jahre 1874 u. 1883. Chronologisch-statist. Uebersicht. 8. (109 S.) Dresden 884. v. Grumbkow. n. 1. 50

Richard, R., Tunnelbau, s.: Mackensen, E.

Richard, R., die Regeneration d. geschwächten Nervensystems. 11. Aufl. 8. (VIII, 101 S.) Quedlinburg 883. Ernst. 1. 50

Richer, L., Pompei. Wandmalereien u. Ornamente. 1—3. Lfg. Fol. (à 6 Chromolith.) Berlin 886. Wasmuth. In Mappe. à n. 36. —

Richert, Gustaf, Tabellen zur Berechnung der Tragfähigkeit schmiedeeiserner Stäbe bei Beanspruchung auf Zerknicken. gr. 8. (29 S.) Gothenburg 886. Wettergren & Kerber. n. 1. —

Richter, der deutsche Protestantismus in seinem Verhältniß zum Papstthum in Rom. Vortrag, geh. auf dem 16. deutschen Protestantentag in Wiesbaden am 13. Oktbr. 1886. 8. (23 S.) Bremen 886. Roussell. n. — 30

Richter-Zorn, der Landwirt als Tierarzt. 2. Aufl., vollständig neu bearb. v. E. Zorn. Mit 207 Holzschn. gr. 8. (XI, 574 S.) Berlin 883. Parey. geb. n. 9. —

Richter's english journal for writers of Gabelsberger's shorthand system. 1. Vol. 1886. 24 Nrn. (¹/₄ autogr. B.) gr. 8. Elberfeld, Fassbender. n. 8. —

Richter, Geschichte d. 5. Westfälischen Infanterie-Regiments Nr. 53 während der ersten 25 Jahre seines Bestehens [4. Juli 1860 bis 4. Juli 1885], nach den Akten u. Kriegstagebüchern d. Regiments zusammengestellt. Mit 1 Portr., 7 Skizzen u. 3 Karten. gr. 8. (VIII, 437 S.) Berlin 885. Mittler & Sohn. n. 9. —

— Zusammenstellung der üb. Verwaltung, Aufbewahrung u. Instandhaltung d. Materials e. Feldbatterie c/73 gegebenen Bestimmungen. Mit 1 (lith.) Taf. Abbildg. gr. 8. (VIII, 172 S.) Ebend. 883. n. 3. —

Richter, A., die Technik der geklöppelten Spitze, s.: Jamnig, C.

Richter, A., zeitgemäße u. lohnende Nebenbeschäftigung d. Lehrers od. Winke u. Ratschläge, wie man sich seine Einkünfte wesentlich erhöhen kann. gr. 8. (144 S.) Leipzig 886. Siegismund & Volkening. n. 1. 20; cart. n. 1. 40

Richter, A., Merkbüchlein f. die Kinder beim Rechenunterricht in Volksschulen. 2. Aufl. 8. (24 S.) Wittenberg 888. Wunschmann. — 15

Richter, A., Johanna Fichte, s.: Sammlung v. Vorträgen.

Richter, Adph., das Wissenswertheste f. Destillateure u. Schankwirthe, welche unabhängig v. sogen. Fabrikanten äther. Oele ihre Liqueure, einfachen u. doppelten Branntweine, Rum's, Arac's, Cognac's, Nordhäuser Korn-Branntwein, comprimirte Grund-Essenzen, Tinkturen u. Farben u. zwar letztere nach den neuesten Erfahrgn. bedeutend billiger herzustellen beabsichtigen. gr. 8. (XIII, 71 S.) Berlin 883. (Allg. Verlags-Agentur.) n. 5. —

Richter, Alb., Götter u. Helden. Griechische u. deutsche Sagen. Als Vorstufe d. Geschichtsunterrichts bearb. 1—3. Bdchn. gr. 8. Leipzig, Brandstetter. n. 3. 60
1. 3. Aufl. (148 S.) 885. n. 1. 20. — 2. 2. Aufl. (96 S.) 884. n. 1. —. — 3. 3. Aufl. (191 S.) 886. n. 1. 40

Richter, Alb., deutsches Lesebuch f. die Oberklassen in Bürger- u. Landschulen, sowie f. Fortbildungsschulen. 3. Aufl. gr. 8. (VIII, 352 S.) Leipzig 884. Brandstetter. n. 1. 60

— Martin Luther. Sein Leben u. seine Werke. Mit 5 Holzschn. u. 1 Fksm. der Handschrift Luthers. 2. Aufl. gr. 8. (126 S.) Leipzig 883. M. Hesse. n. 1. —; geb. n. 1. 25

— Quellen im Geschichtsunterrichte, s.: Bericht d. Vereins Leipziger Lehrer.

— Quellenbuch. Für den Unterricht in der deutschen Geschichte zusammengestellt. gr. 8. (VI, 262 S.) Leipzig 885. Brandstetter. n. 2. 40

— zur Reallesebuchfrage. Ein Vortrag, geh. in der Versammlg. sächs. Schuldirektoren zu Pirna am 27. Septbr. 1886. gr. 8. (27 S.) Leipzig 887. M. Hesse. n. — 60

— Ziel, Umfang u. Form d. grammatischen Unterrichts in der Volksschule, s.: Hesse's, M., Lehrer-Bibliothek.

Richter, Alfr., Aufgabenbuch zu E. Frdr. Richter's Harmonielehre. 6. Aufl. gr. 8. (IV, 54 S.) Leipzig 886. Breitkopf & Härtel. n. 1. —; geb. n. 2. 20

Richter, Aem. Ludw., Lehrbuch d. katholischen u. evangelischen Kirchenrechts. Mit besond. Rücksicht auf deutsche Zustände. 8. Aufl. 6—9. (Schluß-)Lfg. Hrsg. v. Wilh. Kahl. gr. 8. (XVI u. S. 641—1410.) Leipzig 884—86. B. Tauchnitz. à 1. 80 (cplt.: n. 16. 20)

Richter, Arth., Luther als Prediger. Ein homilet. Charakterbild. Vortrag. gr. 8. (30 S.) Leipzig 883. Böhme. n. — 50

Richter, Bernh., üb. Konrektor Moritz Döring, den Dichter d. Bergmannsgrusses. Ein Beitrag zur sächs. Dichter- u. Gelehrtengeschichte. gr. 4. (52 S.) Freiberg 884. (Craz & Gerlach.) n. 1. 50

Richter, Boguslav, Vorschlag zur Beseitigung der Armuth u. zur Verwirklichung d. Rechtes auf Arbeit. gr. 8. (59 S.) Berlin 886. Puttkammer & Mühlbrecht. n. 1. 20

Richter, C., neueste Blumensprache. 7. Aufl. 8. (64 S.) Oberhausen 884. Spaarmann. — 25

Richter, C., Anleitung zum Gebrauch d. Lesebuches im Schulunterricht. 9. Aufl. gr. 8. (XII, 420 S.) Berlin 885. Stubenrauch. n. 3. 60

— dasselbe. 2. Tl. Beiträge zur Formenlehre der Poesie. 2. Aufl. gr. 8. (VIII, 196 S.) Ebend. 883. n. 2. —

— Schullesebuch, s.: Wetzel, F.

Richter, C. A. W., die Frauenkrankheiten in den Händen der „Spezialisten". Wichtige Enthüllgn. f. die Männerwelt. 8. (20 S.) Oranienburg 884. Freyhoff. n. — 50

Richter, Carl, Empfundenes u. Erlebtes. Dichtungen. Mit 1 Titelbilde v. Fritz Wolff. 12. (VI, 280 S.) Elberfeld 885. Bädeker. n. 3. 60; geb. m. Goldschn. n. 4. 50

Richter, E., das Creditsystem der modernen Mißwirthschaft u. die Mobilisirung d. Besitzes als Hauptquelle der socialen Gefahr, s.: Zeitfragen d. christlichen Volkslebens.

— die Handelsbilanz vom national- u. socialpolitischen Standpunkte,
— Sonntagsfeier u. Sonntagsunfug,
} s.: Lehmann's grüne Hefte.

Richter, E., die Alpen, nach H. A. Daniel's Schilderg. neu bearb. Nebst e. (eingedr.) Uebersichtskarte. gr. 8. (VIII, 96 S.) Leipzig 885. Fues. n. 1. 60

— das Land Berchtesgaden, s.: Penck, A.

Richter, E., Bilder aus der vaterländischen Geschichte f. die Mittelstufe mehrklassiger Volksschulen u. f. einfache Schulverhältnisse. 8. (36 S.) Aachen 885. A. Jacobi & Co. n. — 20

— Geschichtsbilder f. katholische Elementarschulen. 8. (68 S.) Ebend. 885. n. — 30

— Hauptdaten der Weltgeschichte, sowie Aufgaben u. Fragen aus der Weltgeschichte. Ein Hilfsmittel zur Geschichtswiederholg. bei der Vorbereitg. f. die 1. u. 2. Lehrerprüfg. 2. Aufl. 8. (IV, 68 S.) Ober-Glogau 882. Handel. n. — 50

Rohlfs, Gerh., quid novi ex Africa? gr. 8. (VII, 288 S.) Kassel 886. Fischer. n. 5. —

— Reise durch Marokko, Uebersteigung d. grossen Atlas, Exploration der Oasen v. Tafilet, Tuat u. Tidikelt u. Reise durch die grosse Wüste üb. Rhadames nach Tripoli. Mit e. Karte v. Nord-Afrika. 4. Ausg. 8. (VII, 278 S.) Norden 884. Fischer Nachf. n. 5. —

— von Tripolis nach Alexandrien. Beschreibung der im Auftrage Sr. Maj. d. Königs v. Preussen in den J. 1868 u. 1869 ausgeführten Reise. Mit 1 Photogr., 2 Karten, 4 Lith. u. 4 Tab. 2 Bde. 3. Ausg. 8. (III, 197 u. III, 148 S.) Ebend. 885. n. 10. 50

Rohlfs, Heinr., Geschichte der deutschen Medicin. 3. u. 4. Abth. A. u. d. T.: Die chirurg. Classiker Deutschland's. gr. 8. (VIII, 324 u. VIII, 411 S.) Leipzig 883. 85. Hirschfeld. n. 33. — (1—4.: n. 52. —)

— gemeinfaßliche Heilkunde u. Gesundheitslehre f. Schiffsoffiziere, sowie Gebildete aller Stände, denen e. Arzt nicht zu Gebote steht. Nebst e. Anleitg. zum Gebrauche der Schiffs- u. Hausapotheken. 4. Aufl. gr. 8. (XII, 275 S.) Halle 885. Gesenius. n. 5. 40; geb. n. 6. —

Rohling, Aug., meine Antworten an die Rabbiner. Oder: Fünf Briefe üb. den Talmudismus u. das Blut-Ritual der Juden. 3. Aufl. gr. 8. (106 S.) Prag 883. Cyrillo-Method'sche Buchh. n. — 80

— die Polemik u. das Menschenopfer d. Rabbinismus. Eine wissenschaftl. Antwort ohne Polemik f. die Rabbiner u. ihre Genossen. 5. Tausend. gr. 8. (77 S.) Paderborn 883. Bonifacius-Druckerei. n. 1. 60

Röhling, C., Fragemäulchen, s.: Lohmeyer, J.

— u. Heinr. **Seidel**, die Jahreszeiten. Ein Bilderbuch. 4. (48 S. m. eingedr. Chromolith.) Leipzig 886. Meißner & Buch. geb. n. 5. —

Röhm, J. B., der 1. Brief an die Thessalonicher. Übersetzt u. erläutert. gr. 8. (143 S.) Passau 885. Bucher. 3. —

— Gedanken üb. die Union. gr. 8. (24 S.) Hildesheim 883. Borgmeyer. n. — 50

— confessionelle Lehrgegensätze. (1. u. 2. Thl.) gr. 8. (X, 285 u. VIII, 586 S.) Ebend. 883. 84. n. 8. —

— zur protestantischen Polemik. gr. 8. (27 S.) Ebend. 883. n. — 40

— große Unwahrheiten v. u. üb. Luther. Besprochen. 8. (II, 158 S.) Ebend. 884. n. 1. 20

Röhm, Ph., Rechenbuch, s.: Haesters, A.

Röhmann, F., Beobachtungen an Hunden m. Gallenfistel. Habilitations-Schrift gr. 8. (28 S.) Bonn 882. (Breslau, Köhler.) n. 1. —

Rohmeder, Marzell u. **Rita**, zur Schulhygiene. gr. 8. (53 S. m. eingedr. Fig. u. 2 autogr. Taf.) München 885. (Th. Ackermann's Verl.) n. — 80

Rohmeder, Wilh., ohne Vaterlandsgeschichte keine Vaterlandsliebe! Zur Frage üb. den Geschichtsunterricht in den realist. Mittelschulen. 2. Aufl. gr. 8. (48 S.) München 884. Franz' Verl. n. — 80

— u. Gust. **Wenz**, methodischer Atlas f. bayerische Schulen. 1. Aufl. der Gesamtausg. 27 Karten in Farbendr. gr. 4. (2 Bl. Text.) München 884. Exped. d. k. Zentral-Schulbücher-Verlages. n.n. 2. —

Rohmer's, Frdr., Wissenschaft u. Leben. 2–4. Bd. gr. 8. Nördlingen 885. Beck. n. 19. 50 (1—4.: n. 25. 50)

2. 3. Wissenschaft vom Menschen. Auf Grund mündl. Ueberlieferg. u. schriftl. Aufzeichngn. bearb. v. Rud. Seyerlen. 2 Bde. [1. Die 16 Grundkräfte. 2. Die (Individual-)Psychologie.] (XIX, 491 u. XVIII, 388 S.) n. 12. —
4. Lehre v. den politischen Parteien u. ausgewählte kleine politische Schriften. Mit Vorwort u. Einleitg. v. H. Schulthess. (XII, 596 S.) n. 7. 50

Rohn, K., die Flächen 4. Ordnung hinsichtlich ihrer Knotenpunkte u. ihrer Gestaltung, s.: Preisschriften, gekrönt u. hrsg. v. der fürstl. Jablonowski'schen Gesellschaft zu Leipzig.

Rohn, Konr., Geschichtsstoff f. das VI. u. VII. Schuljahr. Nach den Bestimmngn. d. Lehrplans I der mittelfränk. Lehrordng. bearb. 2. Aufl. 8. Nürnberg 887. Korn. n. — 30

VI. (12 S.) n. — 10. — VII. (23 S.) n. — 20

Rohn, R. A., Geschichte, s.: Hirt's, F., Realienbuch.

— Regeln der deutschen Sprachlehre f. Volksschulen. 22. Aufl. 8. (32 S.) Leipzig 886. Peter. cart. n.n. — 25

Rohne, H., Beispiele u. Erläuterungen zu dem Entwurf der Schießregeln f. die Feld-Artillerie 1883. Suppl. zu d. Verf. Buch: „Das Schießen der Feld-Artillerie". gr. 8. (31 S.) Berlin 883. Mittler & Sohn. n. — 50

— die Feuerleitung großer Artillerieverbände, ihre Schwierigkeiten u. die Mittel sie zu überwinden. gr. 8. (40 S.) Ebend. 886. n. — 75

Rohner, Beat, Maria u. Joseph. Das Leben der allerseligsten Jungfrau u. ihres glorreichen Bräutigams, verbunden m. e. Schilderg. der vorzüglichsten Gnadenorte u. Verehrer Maria's. Mit e. Vorwort Sr. Exc. d. Hrn. Fürsterzbischof Dr. Frz. Alb. Eder. Neue Ausg. Mit 8 Orig.-Chromolith. in reichster Ausführg. u. 740 Holzschn. gr. 4. (XIV, 1019 S.) Einsiedeln 884. 85. Benziger & Co. n. 12. 50

Rohnert, W., die missourische Gnadenwahllehre u. ihre Bekenntniswidrigkeit. Kurz u. gemeinfaßlich dargestellt. 8. (24 S.) Schmalkalden 883. Wilisch. n. — 30

— Kirche, Kirchen u. Sekten, samt deren Unterscheidungslehren. Nach dem Worte Gottes u. den luther. Bekenntnisschriften dargestellt. 3. Aufl. gr. 8. (VIII, 248 S.) Leipzig 884. Böhme. n. 2. 40

— die Lehre v. den Gnadenmitteln. Nach dem Worte Gottes u. den luther. Bekenntnissen dargestellt. 8. (IV, 367 S.) Ebend. 886. n. 3. 60

— Spruchbuch zu Luthers kleinem Katechismus f. Schulen. 2. Aufl. 8. (31 S.) Schmalkalden 883. Wilisch. n. — 20

Rohon, Jos. Vict., zur Anatomie der Hirnwindungen bei den Primaten. Mit 2 (lith.) Taf. gr. 8. (42 S.) München 884. Stahl sen. n. 3. —

— zur anatomischen Untersuchungsmethodik d. menschlichen Gehirns. [Mit 1 (Lichtdr.-)Taf.] [Aus dem pathologisch-anatom. Laboratorium v. Kundrat.] Lex.-8. (11 S.) Wien 883. (Gerold's Sohn). n.n. — 70

Rohr, v., der Abriß der Geschichte d. Oldenburgischen Infanterie-Regiments Nr. 91. Auf dienstl. Veranlassg. bearb. Mit 2 (Lichtdr.-)Portraits u. 3 Gefechts-Skizzen. gr. 8. (V, 83 S.) Berlin 884. Mittler & Sohn. n. — 75

Rohr, e. Wort der Liebe an Neuconfirmirte. 10. Aufl. 12. (80 S.) Basel 883. Spittler. n. — 25

Rohr, v., Unfallversicherung. I. Unfallversicherungsgesetz vom 6. Juli 1884, Bekanntmachg. d. Bundesraths vom 22. Jan. 1885 u. Ausdehnungsgesetz vom 28. Mai 1885. Mit e. systemat. Darstellg, fortlauf. Erläutergn. u. dem gesammten amtl. Ausführungsmaterial. 2. Aufl. 8. (XI, 308 S.) Berlin 886. Siemenroth. geb. n. 8. —

— das Unfallversicherungsgesetz. Vom 6. Juli 1884. Mit e. Einführg. in das Gesetz, Anmerkgn., den Ausführungs-Verordngn. der Einzelstaaten u. den Bekanntmachgn. d. Reichs-Versicherungsamts. 8. (IX, 144 S.) Ebend. 884. n. 1. 50

Rohr, H. v., die Instruktion d. Kavalleristen im praktischen Felddienst. 2. neu bearb. Aufl. Mit 23 Abbildgn. 8. (IV, 73 S.) Berlin 883. F. Luckhardt. n. — 60

Rohr, K., die letzten Dinge u. das Jenseits. 5 Vorträge. 8. (IV, 132 S.) Basel 886. Spittler. n. 1. —

— der Ehestand e. Wohlstand od. e. Wehestand. Ein Wort f. Verlobte u. Neuvermählte. 8. (86 S.) Ebend. 885. n.n. — 50

Rohr, L., das Birkwild, dessen Hege u. Jagd im Gebirge. gr. 8. (71 S. m. 1 Holzschntaf.) Klagenfurt 885. Leon sen. n. 1. 50

Röhr, J. F., Dr. Martin Luthers Leben u. Wirken od. kurze Geschichte der Reformation f. Jedermann. [Neuer Abdr. als Jubelschrift.] Mit Luthers Portr. gr. 8. (V, 41 S.) Leipzig 883. Webel. n. — 40

Röhr, W., Strafgesetzgebung u. Strafverfahren in Bezug auf die Zuwiderhandlungen gegen die Zoll-, Steuer- u. Communicationsabgaben-Gesetze, u. die Proceß-Buchführung bei den Haupt-Zoll- u. Haupt-Steuer-Aemtern. Nach amtl. Quellen u. unter Berücksicht. der neuesten Zoll- u. Steuergesetze, Anweisgn. rc. bearb. 2. Aufl. gr. 8. (VIII, 275 S.) Breslau 885. Kern's Verl. n. 5. —; geb. n. 5. 60

Rohracher, Jos. A., die Hochwasser-Verheerungen im Pusterthale im J. 1882. Unter Mitwirkg. der Section Bruneck hrsg. v. der Section Hochpusterthal d. deutschen u. österr. Alpenvereines. Mit 4 Ansichten in

Zinkogr. 8. (VIII, 56 S.) Innsbruck 883. Wagner. n. 1. —

Rohrbach, Jul., das Seilergewerbe in seinem ganzen Umfange. 4. Aufl. v. Wölfer-Hartungs „Seilerhandwerk", in vollständ. Neubearbeitg. hrsg. Mit 6 Foliotaf., enth. 98 Abbildgn. 8. (X, 128 S.) Weimar 886. B. F. Voigt. 2. 25

Rohrbacher's Universalgeschichte der katholischen Kirche. 14., 17. u. 23. Bd. gr. 8. Münster, Theissing. Subscr.-Pr. à n. 4. 50

14. In deutscher Bearbeitg. v. Wilh. Tenst. (XXV, 690 S.) 886.
17. In deutscher Bearbeitg. v. B. Reteler. (XI, 353 S.) 885.
23. In deutscher Bearbeitg. v. Alois Knöpfler. (XXI, 488 S.) 883.

Rohrbeck, E., Vademecum f. Elektrotechniker. Praktisches Hilfs- u. Notizbuch f. Ingenieure, Elektrotechniker, Werkmeister, Mechaniker etc. Hrsg. unter Mitwirkg. v. Fr. Grünwald. 4. Jahrg. d. Kalenders f. Elektrotechniker. Mit vielen Holzschn. 12. (X, 220 S.) Halle 886. Knapp. n. 2. 50; m. Kalender u. Notizbuch geb. n. 3. 50

Rohrer, Fr., Feierabend. Kleine Sammlg. v. Gedichten. 8. (20 S.) Zürich 883. (Meyer & Zeller.) n. — 80

— der Rinne'sche Versuch u. sein Verhalten zur Hörweite u. zur Perception hoher Töne. Habilitations-Schrift. Monographie m. 1 chromolith. Darstellg. gr. 8. (40 S.) Ebend. 885. n. 4. —

— die Stellung der Ohrenheilkunde in der modernen medicinischen Wissenschaft. Probevorlesung, geh. am 12. Dezbr. 1885. gr. 8. (19 S.) Eben . 886. n. — 80

Röhrich, Rich., rätselhafte Dinge od. wie sich die Steine bewegen. Einführung in die Grundgesetze der Natur. Erlebnisse u. Schildergn. während e. Ferienreise. 2. Aufl. Mit 50 Text-Abbildgn. u. e. bunten Titelbilde. gr. 8. (VIII, 286 S.) Leipzig 885. Spamer. n. 2. 50; geb. n. 3. —

— wie sich die Steine bewegen. Eine lehrreiche Erzählg. f. die Jugend. 2. verb. Aufl. Mit 50 in den Text gedr. Abbildgn. u. e. bunten Titelbilde. gr. 8. (IX, 236 S.) Ebend. 885. n. 2. 50

Röhrich, W. A., diálogos castellanos, s.: Sauer, C. M.

Röhrich, Wilh., Abriß der Handelswissenschaft od. allgemeine Handelslehre. Zur Benutzg. in Handelsschulen wie zum Privatgebrauche f. Kaufleute u. Nichtkaufleute. 6., aufs neue durchges., gänzl. umgearb. u. verm. Aufl. m. besond. Bezugnahme auf Handels- u. Wechselgesetzgebg., sowie auf andere den Handel betreff. gesetzl. Vorschriften. gr. 8. (VIII, 172 S.) Stuttgart 886. Maier. n. 3. —

— das allgemeine deutsche Handelsgesetzbuch m. Ausschluß d. Seerechts in seiner Neugestaltung durch das Gesetz vom 18. Juli 1884 u. das Genossenschaftsgesetz m. besond. Berücksicht. der anderen auf diese Gesetze Bezug hab. Bestimmgn. hrsg. 12. (VIII, 183 S.) Stuttgart 885. Metzler's Verl. cart. n. 1. 80

— allgemeines Kontor-Wörterbuch, s.: Handbibliothek der gesamten Handelswissenschaften.

Röhricht, Rhold., Zusätze u. Verbesserungen zu Du Cange, Les familles d'outre mer [ed. E. Rey, Paris 1869]. gr. 4. (23 S.) Berlin 886. Gaertner. n. 1. —

Röhrig, E., Beiträge zum deutschen Unterrichte in den unteren u. mittleren Klassen höherer Lehranstalten. 4. (16 S.) Lingen 886. (van Acken.) n. — 50

Röhrig, Ernst, u. Joh. **Skalweit,** Bericht üb. die deutsche Brauerei-Ausstellung zu Hannover 1884. gr. 8. (16 S.) Hannover 884. Schmorl & v. Seefeld. n. 1. —

Rohtlieb, Johs. Glob., Antritts-Predigt, geh. bei seiner Einführg. in das Amt e. Pastors zu St. Jacobi am 25. Septbr. 1885. gr. 8. (23 S.) Hamburg 885. Boysen. n. — 40

Rohweder, J., Bemerkungen zur schleswig-holsteinischen Ornithologie nach e. Vortrag. gr. 8. (23 S. m. 1 graph. Steintaf.) Kiel 875. (Berlin, Schleiermacher.) n. 1. —

— die Vögel Schleswig-Holsteins u. ihre Verbreitung in der Provinz, nebst e. graph. Darstellg. ihrer Zug- u. Brutverhältnisse. gr. 4. (24 S.) Husum 876. Ebend. n. 2. 50

Roi, J. de le, der Prophet Elias, in Predigten behandelt. 3 Hfte. 8. (274 S.) Elberfeld 885. Buchh. der Evangel. Gesellschaft. n. 1. 75

Roi, J. F. A. de le, die evangelische Christenheit u. die Juden, unter dem Gesichtspunkte der Mission geschichtlich betrachtet. 1. Bd. In der Zeit der Herrschaft christl. Lebensanschaugn. unter den Völkern. Von der Reformation bis zur Mitte d. 18. Jahrh. gr. 8. (XVI, 440 S.) Karlsruhe 884. Reuther. n. 7. —

— das Institutum Judaicum in seiner Blüthezeit 1728—1760. gr. 8. (111 S.) Ebend. 884. n. 1. 20

Roitzsch, Max, das Particip bei Chrestien. gr. 8. (X, 104 S.) Leipzig 885. (Fock.) n. 1. 60

Roitzsch, Rich., die Entwickelungshypothese u. die durch sie hervorgerufene moderne Weltanschauung. Ein Vortrag. 8. (46 S.) Dresden 883. (Warnatz & Lehmann.) n. 1. —

Rokahr, G., welche Anforderungen müssen an e. gute Schulwandkarte gestellt werden? 8. (7 S.) Hameln 885. Fuendeling. — 10

Rokitansky, C. v., üb. die Geburt, Anästhesie bei der Geburt, Expression, Extraktion, Wendung, Zange, Kraniotomie u. Embryotomie, s.: Sonderabdrücke der deutschen Medicinal-Zeitung.

Roland, Paul, Henning Sturinger. Eine Geschichte aus dem 16. Jahrh. 8. (143 S.) Frankfurt a/O. 884. Waldmann. n. 2. —

Rolandslied, das altfranzösische, s.: Bibliothek, altfranzösische.

Rolfs, Sammlung v. Darstellungen aus der Geschichte, zum Übersetzen ins Franz. bearb. 1. Bdchn. 12. Köln 885. A. J. Tonger's Sort. n. — 75

Geschichte der französischen Revolution. I. Die Zeit von 1789 bis zum 21. Jan. 1793. (94 S.)

Rolfs, W., üb. die Gründung e. Instituts f. deutsche Philologen zum Studium d. Englischen in London. Eine Denkschrift, den deutschen Regiergn., Universitäten u. Städten vorgelegt. gr. 8. (63 S.) Berlin 884. Weidmann. n. 1. 60

Rolfus, Herm., Geschichte d. Reiches Gottes auf Erden od. christliche Kirchengeschichte von Erschaffung der Welt bis auf unsere Tage. Für kathol. Familien bearb. Mit dem Bildniß Leo's XIII. in Farbendr., Familien-Chronik u. 204 Holzschn. 2. Aufl. gr. 8. (VII, 1118 S.) Freiburg i/Br. 883. 84. Herder. 10. —

— s.: Real-Encyklopädie d. Erziehungs- u. Unterrichtswesens nach katholischen Prinzipien.

Röll, Jul., die 24 häufigsten essbaren Pilze, welche m. giftigen nicht leicht zu verwechseln sind, in natürl. Grösse dargestellt u. beschrieben m. Angabe ihrer Zubereitg. Mit 14 Taf. in Farbendr. 8. (VI, 46 S.) Tübingen 883. Laupp. n. 3. 60

Röll, M. F., Lehrbuch der Pathologie u. Therapie der Hausthiere. 5. Aufl. 1. u. 2. Bd. gr. 8. (IX, 719 u. VIII, 528 S.) Wien 885. Braumüller. n. 27. —

— Veterinär-Bericht f. d. J. 1880. Nach amtl., üb. Auftrag d. k. k. Ministeriums d. Innern aus den im Reichsrathe vertretenen Königreichen u. Ländern eingelangten Berichten bearb. gr. 8. (III, 94 S.) Wien 882. Hölder. n. 1. 80

— dasselbe f. d. J. 1881. gr. 8. (III, 158 S.) Ebend. 883. n. 3. —

— dasselbe f. d. J. 1882. gr. 8. (III, 140 S.) Ebend. 884. n. 3. —

— dasselbe f. d. J. 1883. gr. 8. (III, 155 S.) Ebend. 885. n. 3. 20

— dasselbe f. d. J. 1884. gr. 8. (III, 156 S.) Ebend. 886. n. 3. 20

Röll, Vict., österreichische Eisenbahngesetze. Sammlung der auf das Eisenbahnwesen Bezug hab. Gesetze, Verordngn. u. Judicate. Unter Mitwirkg. v. J. Messerklinger hrsg. gr. 8. (XII, 1576 S.) Wien 884. 85. Manz. n. 20. —

— österreichische Steuergesetze, s.: Gesetze, österreichische.

Rolland, Jean, das Gänsemädchen. Übers. v. A. Bernard. 8. (152 S.) Baden-Baden 883. Sommermeyer. n. 1. —

Rolle, Frdr., die hypothetischen Organismen-Reste in

Meteoriten. gr. 8. (16 S.) Wiesbaden 884. Bergmann. n. — 80

Rolle, Gust. Rob., Geschichte der Dörfer Domatschine u. Sibyllenort, Kreis Oels in Schlesien. gr. 8. (IV, 51 S.) Oels 884. Grüneberger & Co. n. — 50

Rolle, Herm., die Ortsschulaufsicht, insbesondere ob der Geistliche dabei beteiligt sein soll, oder: Die 15. allgemeine S. meiningsche Lehrerversammlg. in Pößneck am 1. Aug. 1883, kritisch beleuchtet u. zugleich m. Verbesserungsvorschlägen versehen. 8. (16 S.) Saalfeld 883. Riese. n. — 25

Roller, C., die mikroskopische Untersuchung d. Schweinefleisches auf Trichinen u. Finnen. Rathgeber f. Fleischschauer in populärer Darstellg. mit 21 Abbildgn. auf 6 lith. Taf. 2. Aufl. gr. 8. (84 S.) Trier 886. Stephanus. n. 1. 20

Roller, Heinr., vollständiger Lehrgang e. einfachen, in wenigen Stunden erlernbaren Stenographie f. den Schul-, Korrespondenz- u. parlamentarischen Gebrauch. Mit 8 stenogr. Lehr- u. Uebungs-Taf. 16. Aufl. 8. (III, 13 S.) Berlin 886. (Leipzig, Robolsky.) n. 1. —

Roller, Joh. E., Lieder-Schatz. Ein- u. zweistimm. Lieder f. Volks- u. Bürgerschulen. Gesammelt, bearb., methodisch geordnet u. hrsg. 3 Hfte. 6. Aufl. 8. Wien, Manz. n. — 68

1. Lieder f. das 1. u. 2. Schulj. (40 S.) 887. n. — 20
2. 3. Lieder f. das 3. u. 4., resp. 5. u. 6. Schulj. (50 u. 88 S.) 885. à n. — 24

Roller, Jos., systematische Anleitung f. den Elementar-Unterricht im freien Zeichnen an der Volksschule. Ein vom mähr. Gewerbevereine preisgekröntes Werk. Mit 51 Fig. 3. Aufl. gr. 8. (VIII, 87 S.) Brünn 885. Winiker. n. — 80

Rollet, Alex., zur Kenntniss d. Zuckungsverlaufes quergestreifter Muskeln. Mit 1 Curventaf. Lex.-8. (8 S.) Wien 884. (Gerold's Sohn.) n.n. — 50

— Untersuchungen üb. den Bau der quergestreiften Muskelfasern. 1. u. 2. Thl. [Mit 8 (lith.) Taf.] Imp.-4. (52 u. 48 S.) Ebend. 885. n. 8. 80

Rollet, Herm., die Goethe-Bildnisse, biographisch-kunstgeschichtlich dargestellt. 5. [Schluss-]Lfg. Mit 2 Radiergn. u. 8 (eingedr.) Holzschn. Imp.-4. (XII u. S. 257—311.) Wien 883. Braumüller. n. 8. — (cplt.: n. 40. —; geb. n. 45. —)

— Jucunda, s.: National-Bibliothek, deutsch-österreichische.

— Badener Neujahrsblätter 1885. Beiträge zur Chronik der Stadt Baden bei Wien. gr. 8. (XIV, 64 S.) Baden 885. Schütze. n. 2. —

Rollin, Charles, biographies d'hommes célèbres de l'antiquité, s.: Prosateurs français.

— hommes illustres de l'antiquité, s.: Bibliothèque française.

— dasselbe. Wörterbuch dazu, s.: Schwarze, F.

— berühmte Männer d. Altertums. Aus Histoire ancienne u. Histoire romaine. Wortgetreu nach H. R. Mecklenburg's Grundsätzen aus dem Franz. übers. v. R. T. 1—3. Hft. 32. (96 S.) Berlin 885. 86. H. R. Mecklenburg. à n. — 25

Rollinger, Leop., Vorträge üb. Festungskrieg. Mit 10 Taf. gr. 8. (IV, 224 S.) Wien 885. Seidel & Sohn. n. 6. —

Rollmann, A., Predigt üb. Röm. 3, 28, geh. am Lutherfest den 11. Novbr. 1883 in der evangel. Kirche zu Fulda. 8. (13 S.) Fulda 883. Nehrkorn. n.n. — 25

Roloff, F., thierärztliche Gutachten, Berichte u. Protokolle. gr. 8. (VII, 204 S.) Berlin 884. Hirschwald. n. 5. —

— der Milzbrand, seine Entstehung u. Bekämpfung. Im Auftrage d. deutschen Landwirthschaftsraths verf. gr. 8. (48 S.) Berlin 883. Parey. n. 1. —

Roeloffs, John Th. R. Erika. Eine Mär aus der Haide. 8. (133 S.) Leipzig 883. Most. geb. 3. 50

Rolph, W. H., biologische Probleme, zugleich als Versuch zur Entwicklg. e. rationellen Ethik. 2. Aufl. gr. 8. (VII, 238 S.) Leipzig 884. Engelmann. n. 4. —

Rom, das alte. Malerische Bilder der hervorragendsten Ruinen, nebst 2 reconstruirten Ansichten. 20 Blätter in Farbendr. Mit begleit. Texte. qu. gr. 4. (22 S.) Leipzig 884. T. O. Weigel. geb. n. 10. —

Rom u. der Freimaurerbund. gr. 8. (15 S.) Leipzig 883. Findel. n. — 20

Romahn, M., die Beweise der Unsterblichkeit, aus Naturgesetzen u. Kräften erwiesen. Ein Versuch, die Religion in Naturwissenschaft harmonisch zu leiten. 8. (VIII, 71 S.) Leipzig 883. Besser. n.n. — 90

Roman, le, des familles. Magasin hebdomadaire, publié sous la direction de G. van Muyden. 4—7. année. Octbr. 1883 — Septbr. 1887. à 48 nrs. (à 2—2½ B.) hoch 4. Berlin, Engelmann. à Jahrg. n. 16. —

— le, de Renart, publié par Ernest Martin. 2. vol. 2. partie du texte: Les branches additionnelles. gr. 8. (380 S.) Strassburg 885. Trübner. n. 8. — (1 et 2.: n. 18. —)

Romanbibliothek, deutsche, zu „Ueber Land u. Meer". Red.: Edm. Zoller, Otto Baisch u. Hugo Rosenthal-Bonin. 12—15. Jahrg. Oktbr. 1883 — Septbr. 1887. à 52 Nrn. (3 B.) hoch 4. Stuttgart, Deutsche Verlags-Anstalt. à Jahrg. n.n. 8. —; in 26 Hftn. à n.n. — 35

— englische. Sammlung der besten Novitäten hervorrag. engl. Autoren, hrsg. v. Paul Jüngling. Autoris. deutsche Ausg. 21—39. Bd. 8. Berlin, (Barthol & Co.). n. 70. —

21—25. Sonnenaufgang. Von Will. Black. 5 Bde. (VI, 188, 196, 191, 188 u. 199 S.) 882. 18. —
26. 27. Das Grubenmädchen. Von Frances Burnett. 2 Bde. (XVI, 223 u. 219 S.) 882. 8. —
28—32. Der Freihändler. Von Rich. Doddridge Blackmore. 5 Bde. (VII, 205, 208, 207, 202 u. 179 S.) 883. 18. —
33—35. Eine Traube v. den Dornen. Von James Payn. 3 Bde. (VII, 229, 232 u. 208 S.) 883. 12. —
36. Die schöne Barbarin v. Frances Burnett. Deutsch v. Agnes Ranke. (249 S.) 883. n 4. —
37—39. Eines Lebens Buße v. Dav. Christie Murray. 3 Bde. (199, 205 u. 175 S.) 883. n. 10. —

— der Gartenlaube. 1—91. Lfg. 8. Leipzig 883—86. à 1. 20

Elbe, A. v. der, Brausejahre. (1. Bd. S. 1—192.)
Godin, A., Mutter u. Sohn. 2 Bde. (247 u. 241 S.)
Heimburg, W., aus dem Leben meiner alten Freundin. (443 S.)
— Lumpenmüllers Lieschen. (S. 1—288.)
— Kloster Wendhusen. (S. 1—192.)
Hillern, Wilhelmine v., geb. Birch, aus eigener Kraft. (1. Bd. S. 1—192.)
Kayser, Stephanie, Fanfaro. (S. 1—80.)
— der Krieg um die Haube. Glockenstimmen. (S. 1—96.)
— der Muth zur Wahrheit. (S. 1—80.)
Marlitt, E., Amtmanns Magd. (S. 1—288.)
— die zweite Frau. 2 Bde. (284 u. 274 S.)
— das Geheimniß der alten Mamsell. 2 Bde. (240 u. 262 S.)
— Reichsgräfin Gisela. 2 Bde. (343 u. 324 S.)
— Goldelse. (399 S.)
— das Haideprinzeßchen. (1. Bd. 256 S. u. 2. Bd. S. 1—82.)
— im Hause d. Commerzienrathes. 2 Bde. (313 u. 312 S.)
Meyeren, G. v., Teuerdanks Brautfahrt. Romantisches Zeitbild aus dem 15. Jahrh. (352 S.)
Renz, B., feurige Kohlen. (S. 1—96.)
Schultz, K. Th., nach dem Leben. (S. 1—80.)
Werber, E., Feuerseelen. (463 S.)
Werner, E., am Altar. (1. Bd. 224 S. u. 2. Bd. S. 1—48.)
— gesprengte Fesseln. 2 Bde. (243 u. 220 S.)
— Frühlingsboten. (354 S.)
— Glück auf. (1. Bd. 286 S. u. 2. Bd. S. 1—96.)
— Vineta. 2 Bde. (299 u. 297 S.)

Romanbibliothek der Deutschen Illustrirten Zeitung. 1—7. Bd. 8. Berlin 886. Berliner Verlags-Comtoir. n. 32. —; Einbd. à Bd. n.n. 1. —
1. 2. Gänseliesel. Eine Hofgeschichte von Nataly v. Eschstruth. 2 Bde. 2. Aufl. (312 u. 295 S.) n. 10. —
3. Namenlos. Roman v. Ch. Lionheart-Zoeller. (290 S.) n. 5. —
4. Onkel Hermann. Novelle v. Emile Erhard. (171 S.) n. 3. —
5. Götz u. Gisela. Roman v. Wilh. Jensen. (429 S.) n. 6. —
6. Der Irrgeist d. Schlosses. Roman v. Nataly v. Eschstruth. (301 S.) n. 5. —
7. Humoresken. Von Nataly v. Eschstruth. (187 S.) n. 3. —

Romane, illustrirte, aller Nationen. Unterhaltungsblätter f. Jedermann. Red: Edm. Zoller, Otto Baisch u. Hugo Rosenthal-Bonin. 4—7. Jahrg. 1884—1887. à 52 Nrn. (2 B. m. Holzschn.) hoch 4. Stuttgart, Deutsche Verlags-Anstalt. à Jahrg. 5. —

— neue illustrirte. Unterhaltungsblätter f. alle Stände. 1. Serie. 52 Lfgn. hoch 4. (2 B. m. Holzschn.) Dresden 883. A. Wolf. à — 10; in 26 Hftn. à — 20

— dasselbe. 2. u. 3. Serie. à 60 Lfgn. hoch 4. (à 2 B. m. Holzschn.) Ebend. 884. à — 10

Romanes, G. John, die geistige Entwicklung im Tierreich. Nebst e. nachgelassenen Arbeit: Ueb. den Instinkt v. Charles Darwin. Autoris. deutsche Ausg. gr. 8. (VI, 456 S. m. 1 Tab.) Leipzig 885. E. Günther. n. 10. —

Roman-Zeitung, deutsche. Unter Mitwirkg. der namhaftesten deutschen Schriftsteller hrsg. Red. von Otto v. Leixner. 21—23. Jahrg. 1884—1886. à 52 Hfte. (5 B.) hoch 4. Berlin, Janke. à Jahrg. n. 14. —

Roman- u. Novellen-Zeitung. Unterhaltungs-Blatt f. Haus u. Familie. Begründet 1874 als „Deutsches Fünfpfennigblatt" v. Fr. Wilh. Wulff. 11. Jahrg. 1886. 52 Nrn. (B.) gr. 4. Hamburg, Jensen & Co. 2. 60
cfr.: Am deutschen Heerd.

Romanzen, die, vom Cid. Aus dem Span. v. Karl Eitner. 8. (248 S.) Leipzig 886. Bibliograph. Institut. geb. n. 1. —

Romberg, H., genäherte Örter der Fixsterne, v. welchen in den Astronom. Nachrichten Bd. 67 bis 112 selbstständ. Beobachtgn. angeführt sind, f. die Epoche 1855 hergeleitet u. nach den geraden Aufsteiggn. geordnet. Publication der Astronom. Gesellschaft XVIII. gr. 4. (52 S.) Leipzig 886. Engelmann. n. 4. —

Romen, C., Bleicherei, Färberei u. Appretur der Baumwollen- u. Leinen-Waaren. Ein Lehr- u. Handbuch, den Anfordergn. der Gegenwart gemäss entworfen u. unter Zugrundelegg. der im pract. Fabriksbetriebe gemachten Erfahrgn. bearb. Mit 250 eingeklebten Farb- u. Appretur-Proben u. zahlreichen Maschinen-Illustr. 23—35. Lfg. gr. 8. (1. Bd. S. 465—566 u. 2. Bd. S. 1—136.) Berlin 883—86. Burmester & Stempell. à n. 1. —

— Journal zur Veröffentlichung u. Besprechung der neuesten Entdeckungen u. Fortschritte auf dem Gebiete der Bleicherei, Färberei, Druckerei u. Appretur, der Farben-, Chemikalien- u. Buntpapier-Fabrikation. Central-Organ f. Fabrikanten, Coloristen, Chemiker, Techniker, Ingenieure u. Kaufleute obiger Branchen. Hrsg. u. Red.: C. Romen. 1. Jahrg. 1886. 24 Nrn. (à 3—4 B.) gr. 4. Charlottenburg, Exped. n. 20. —

Römer, A., Anleitung zur Pflege im Wochenbett. 8. (VIII, 55 S.) Tübingen 886. Laupp. n. 1. —

Römer, Adf., üb. die Homerrecension d. Zenodot. gr. 4. (84 S.) München 885. (Franz' Verl.) n.n 2. 40

Römer, Auguste v., das Christkind. Eine kleine Aufführg. f. Kinder zum Christfest. 8. (14 S.) Leipzig 885. Siegismund & Volkening. n. — 40; Ausg. f. Zuhörer, 12 Stück n. 1. 50

Römer, B., Grundriß der landwirtschaftlichen Tierzucht-Lehre, s.: Taschenbibliothek, deutsche landwirtschaftliche.

Römer, Ch., Kamerun. Land, Leute u. Mission. Mit e. Karte. 8. (32 S.) Basel 886. Missionsbuchh. n. — 20

Römer, Emil, kurzgefaßte griechische Formenlehre. gr. 8. (VI, 101 S.) Leipzig 884. Teubner. cart. n. 1. 20

Römer, F., biblische Geschichten alten u. neuen Testamentes, f. die Unterstufe der Volksschule erzählt u. m. vollständig ausgeführten Mustern, m. Erklärgn. der betr. Bilder, m. Zugaben, Erläutergn. u. m. pract. Anmerkgn. f. den Schulgebrauch versehen. 2. Aufl. gr. 8. (VI, 47 S.) Hofgeismar 885. (Berlin, Deutsche Evangel. Buch- u. Tractat-Gesellschaft.) n. — 50

Roemer, Ferd., die Knochenhöhlen v. Ojcow in Polen. Mit 12 (lith.) Taf. u. e. geograph. (lith.) Karten-Skizze. gr. 4. (43 S. m. 12 Bl. Taf.-Erklärgn.) Stuttgart 883. Schweizerbart. n. 40. —

— Lethaea erratica, s.: Abhandlungen, paläontologische.

— Lethaea palaeozoica, s.: Lethaea geognostica.

Roemer, Herm., der Gypsfussboden im Dome zu Hildesheim, e. nielloartiges Bildwerk aus dem XI. Jahrh. Fol. (3 Chromolith. m. 4 S. Text.) Hildesheim 886. Gerstenberg. n. 5. —

— die geologischen Verhältnisse der Stadt Hildesheim, s.: Abhandlungen zur geologischen Specialkarte v. Preussen u. den Thüringischen Staaten.

Römer, K., Anleitung zur landwirtschaftl. Buchführung f. Fortbildungsschulen u. landw. Winterschulen. Unter Mitwirkg. v. Gg. Scherer. 1. Tl. gr. 8. (XV, 240 S.) Tauberbischofsheim 886. Lang. n. 3. —

— die Selbsthilfe d. Landwirts,
— aus dem Tagebuche e. Landwirtschaftslehrers, } s.: Landmanns, d., Winterabende.

Römer, L., die volkstümlichen Dichtungsarten der altprovenzalischen Lyrik, s.: Ausgaben u. Abhandlungen aus dem Gebiete der romanischen Philologie.

Römer, M., Straßburg u. Zürich in den J. 1576 u. 1870. Historische Reminiscenzen, der Bogenschützengesellschaft der Stadt Zürich auf das Hauptgebot v. 1882 gewidmet. gr. 8. (39 S.) Zürich 884. (Schultheß.) n. 1. —

Römheld, C. J., Begleitbericht statt der Vorrede zu der biblischen Geschichte f. die unteren Klassen der Gymnasien, Realschulen u. verwandter Anstalten. gr. 8. (29 S.) Bielefeld 886. Velhagen & Klasing. n. — 25

— das heilige Evangelium in Predigten auf alle Sonn- u. Festtage d. Kirchenjahres, dem Volke erzählt u. ausgelegt. 7. Aufl. gr. 8. (VIII, 543 S.) Gotha 885. Schloeßmann. n. 5. —; geb. n. 6. —

— biblische Geschichte f. die unteren Klassen der Gymnasien, Realschulen u. verwandter Anstalten. Mit Holzschn. von Schnorr v. Carolsfeld, Jäger, Ludw. Richter, Strähuber u. andern, nebst 2 Karten v. Palästina u. 1 Plane v. Jerusalem. Lex.-8. (VI, 170 S.) Bielefeld 886. Velhagen & Klasing. n. — 80; Ausg. ohne Holzschn. 8. (VIII, 258 S.) n. — 60

— dasselbe, f. Schulen. Mit Holzschn. von Schnorr v. Carolsfeld, Jäger, Ludw. Richter, Strähuber u. a. 5. verb. Aufl. Mit 2 Karten v. Palästina u. 1 Plane v. Jerusalem. Ausg. A. f. luther. Schulen. Lex.-8. (VI, 174 S.) Ebend. 885. n. — 80; geb. n. 1. 10; Ausg. B. f. reformierte Schulen zu gleichen Preisen.

— dasselbe. Ausg. ohne Holzschn. 2. Aufl. Ausg. A. f. luther. Schulen. 8. (VIII, 248 S.) Ebend. 885. n. — 60; geb. n. — 85; Ausg. B. f. reformierte Schulen zu gleichen Preisen.

— die Verpflanzung der inneren Mission, insbesondere der weiblichen Diakonie, auf das Land. Ein Referat, zu Nidda auf der Synode gleichen Namens am 26. Septbr. 1882 erstattet. gr. 8. (III, 76 S.) Gotha 883. Schloeßmann. n. 1. —

— der Wandel in der Wahrheit, in Predigten üb. die Episteln d. Kirchenjahres dem evangel. Volke an's Herz gelegt. 2. u. 3. (Schluß-)Hft. gr. 8. (S. 193—706.) Ebend. 883. n. 4. 50 (cplt.: n. 6. 50)

— dasselbe. 3. Aufl. gr. 8. (VIII, 706 S.) Ebend. 883. n. 6. 50; geb. n. 7. 50

Romm, Geo., experimentell-pharmacologische Untersuchungen üb. das Evonymin. gr. 8. (55 S.) Dorpat 884. (Schnakenburg.) 1. —

Rommel, O., Frankreich gerichtet durch sich selbst. Deutsche autoris. Ausg. v. Au pays de la revanche. 8. (235 S.) Mannheim 886. Bender. n. 2. 70

— aus dem politischen Tagebuch e. Süddeutschen 1863

—1884. Festgabe zum 100jähr. Jubiläum d. Schwäbischen Merkurs. gr. 8. (VIII, 206 S.) Stuttgart 885. Kröner. n. 3. —

Rompe, Frz., Beitrag zur Kenntniss d. Glioma retinae. gr. 8. (31 S.) Helmstedt 884. (Göttingen, Vandenhoeck & Ruprecht.) n. — 80

Römpler, Herm. Fr., Handbuch f. Lehrer zur unterrichtlichen Behandlung biblischer Geschichten. 4. vollständig neu bearb. u. verm. Aufl. d. Handbuchs v. A. Schilbe, B. Menkel u. F. Jber. 1. Abtlg. gr. 8. (VIII, 214 S.) Plauen 887. Neupert. n. 2. 25

— die Katechese im Dienste d. erziehenden Unterrichts. Festschrift. gr. 8. (57 S.) Ebend. 885. n. — 75

— Mitteilungen üb. die Lehrer u. Schüler d. königl. Schullehrerseminars zu Plauen i. V. Anhang der zum Jubelfeste d. Seminars im Mai 1885 hrsg. Festschriften. 4. (48 S.) Ebend. 885. n. — 75

— Nachrichtliches üb. das königl. Schullehrerseminar zu Plauen i. V., nebst Mitteilgn. über seine Lehrer u. Schüler u. e. Abhandlg. üb. die Katechese im Dienste d. erzieh. Unterrichts, zu seinem Jubelfeste 1885. gr. 8. (130 S. m. 2 Steintaf.) Ebend. 885. n. 1. 50

— Rautenblätter. Erinnerungen an Sachsens Freud u. Leid, gesammelt u. m. Anmerkgn. versehen. 8. (VII, 176 S.) Ebend. 884. n. 1. 50; cart. n. 1. 80; geb. n. 2. 25

Romundt, Heinr., Grundlegung zur Reform der Philosophie. Vereinfachte u. erweiterte Darstellung v. Imman. Kants Kritik der reinen Vernunft. gr. 8. (VII, 264 S.) Berlin 885. Nicolai's Verl. n. 5. —

— die Herstellung der Lehre Jesu durch Kant's Reform der Philosophie. gr. 8. (34 S.) Bremen 883. Rouffell. n. 1. —

— ein neuer Paulus. Immanuel Kants Grundlegg. zu e. sicheren Lehre v. der Religion, dargestellt. gr. 8. (IX, 309 S.) Berlin 886. Nicolai's Verl. n. 5. —

— die Vollendung d. Sokrates. Immanuel Kants Grundlegung zur Reform der Sittenlehre, dargestellt v. H. R. gr. 8. (VII, 304 S.) Ebend. 885. n. 5. —

Rönne, Ludw. v., das allgemeine Berggesetz f. die Preußischen Staaten vom 24. Juni 1865, nebst Ergänzungen u. Erläuterungen durch Gesetzgebg. u. Wissenschaft. 8. (VIII, 361 S.) Berlin 887. v. Decker. geb. n. 4. 50

— s.: Ergänzungen u. Erläuterungen d. allgemeinen Landrechts f. die Preußischen Staaten.

— das Staatsrecht der Preußischen Monarchie. 4. Aufl. 12—20. Lfg. Lex.-8. (3. Bd. VIII u. S. 289—585 u. 4. Bd. 848 S.) Leipzig 883. 84. Brockhaus. à n. 2. — (1—4 Bd.: n. 40. —; geb. n. 46. —)

— Verfassung d. Deutschen Reichs. [Gegeben Berlin, den 16. Apr. 1871.] Text-Ausg. m. Ergänzgn., Anmerkgn. u. Sachregister. 5. Aufl. 16. (V, 233 S.) Berlin 886. Guttentag. cart. n. 1. —

Rönnefahrt, J. G., Schillers dramatisches Gedicht Wallenstein, aus seinem Inhalt erklärt. 2. Aufl. gr. 8. (VII, 143 S.) Leipzig 886. Dyk. n. 2. 80

Rönneke, Karl, Rom's christliche Katakomben nach den Ergebnissen der heutigen Forschung. 8. (78 S.) Leipzig 886. Böhme. n. 1. —

Röntgen, Paul, die Begriffsentwicklung in der Taubstummenschule. 8. (VIII, 133 S.) Aachen 886. Barth. n. 1. 50

Roos, E., Aschenbrödel. Lustspiel in 3 Akten, f. ihre Schülerinnen verf. u. zur Aufführg. in Privatkreisen geeignet. 8. (38 S.) Frankfurt a/M. 884. Koenitzer. n. — 60

Roos, E., die Einigkeit im Geist. Eph. 4, 3. Referat. 8. (16 S.) Gernsbach 883. Christl. Kolportage-Verein. n. — 4

Roos, Fr., die Geschichtlichkeit d. Pentateuchs, insbesondere seiner Gesetzgebung. Eine Prüfg. der Wellhausen'schen Hypothese. gr. 8. (168 S.) Stuttgart 883. J. F. Steinkopf. n. 2. 40

Roos, Magnus Frdr., christliches Hausbuch, welches Morgen- u. Abend-Andachten auf jeden Tag d. ganzen Jahres, nebst beigefügten [Hiller'schen] Liedern enthält. Nebst e. Anh. v. weiteren Gebeten f. zwei Wochen u. f. einige besondere Fälle. Mit dem Lebensabriß d. sel. Verf. eingeleitet v. seinem Urenkel Fr. Roos. Mit 1 Stahlst. 8. Aufl. gr. 8. (XVI, 1055 S.) Stuttgart 885. J. F. Steinkopf. n. 4. —; geb. n. 6. —; in 4 Lfgn. à n. 1. —

Roos, Magnus Frdr., wie kann man im Alter noch jung und fruchtbar u. selbst im Tode getrost sein? Auszug aus dessen Gesprächen „Ueber das Alter u. den Tod“, bearb. v. St. in B. 8. (54 S.) Reutlingen 886. Enßlin & Laiblin. n. — 20

Rooschüz, Paul, Owen. Seine Geschichte u. seine Denkwürdigkeiten. 8. (VIII, 191 S.) Stuttgart 884. Kohlhammer. n. 2. —

Röpe, Geo. Heinr., Antritts-Predigt üb. 1. Johannis 5, 4, am 29. Juni 1883 in der St. Jacobi-Kirche geh. gr. 8. (19 S.) Hamburg 883. Gräfe. — 30

— Konfirmationsstunden. Zur Befestigg. im christl. Glaubensleben f. die Gemeinde. gr. 8. (VIII, 352 S.) Ebend. 884. n. 3. 80; geb. m. Goldschn. n. 5. —

Roepell, Rich., Karl Wenceslaus v. Rotteck. Rede. gr. 8. (32 S.) Breslau 883. Koebner. n. 1. —

Ropp, G. Frhr. v. der, s.: Hanserecesse.

Roquette, Adb., de Xenophontis vita. gr. 8. (112 S.) Königsberg 884. (Gräfe & Unzer.) n.n. 2. —

Roquette, Otto, der Baum im Odenwald. Novelle. 8. (109 S.) Breslau 884. Schottländer. n. 1. 20; geb. n. 2. —

— das Eulenzeichen. Novelle. 8. (168 S.) Ebend. 884. n. 1. 80; geb. n. 2. 50

— große u. kleine Leute in Alt-Weimar. Novellen. 8. (VIII, 460 S.) Ebend. 887. n. 5. —; geb. n. 6 —

— neues Novellenbuch. [Das Eulenzeichen. Ein Baum im Odenwald. Wer trägt die Schuld? Die Tage d. Waldlebens. Unterwegs.] 8. (335 S.) Ebend. 884. n. 3. —; geb. n. 4. —

— Friedrich Preller. Ein Lebensbild. gr. 8. (XV, 343 S. m. heliogr. Portr.) Frankfurt a/M. 883. Literar. Anstalt. n. 7. —; geb. n. 7. 75

— die Tage d. Waldlebens. Novelle. 8. (117 S.) Breslau 884. Schottländer. n. 1. 80; geb. n. 2. 50

— unterwegs. Novelle. 8. (73 S.) Ebend. 884. n. 1. 20; geb. n. 2. —

— wer trägt die Schuld? Novelle. 8. (136 S.) Ebend. 884. n. 1. 80; geb. n. 2. 50

— über den Wolken u. andere Novellen. 8. (529 S.) Dresden 887. Pierson. n. 5. —; geb. n. 6. —

Roeren, Herm., practischer Handweiser. Kurze u. faßl. Darstellg. derjenigen Gesetze u. Verwaltungseinrichtgn., welche f. den Landwirth hauptsächlich v. Interesse sind. 2. Aufl. 8. (200 S.) Münster 884. Theissing. 1. 50

Rörig, Adf., 340 Jahre Geschichte der Kirche Unserer lieben Frauen [der Pfarrkirche] zu Frankenberg in Hessen. Mit Bezugnahme auf die Hauptmomente der relig. u. kirchl. Lebens in der Zeit von 1286—1626. Eine Gedenkschrift zur 6. Säkularfeier ihrer 1286 erfolgten Grundsteinlegg. Mit 1 (autotyp.) Abbildg. der Kirche. gr. 8. (III, 63 S.) Marburg 886. Elwert's Verl. n. 1. —

Rosa, Luigi della, das postembryonale Wachsthum d. menschlichen Schläfemuskels u. die m. demselben zusammenhängenden Veränderungen d. knöchernen Schädels. Eine anatom. Studie. Mit e. Kurventabelle u. 23 chemilith. Taf. hoch 4. (VII, 196 S.) Stuttgart 886. Enke. n. 16. —

Rosario, Streusand. 16. (XV, 200 S.) Parchim 883. Wehdemann. 2. 25; geb. n. 3. —; m. Goldschn. n. 3. 50

Rösch, Hugo, Sang u. Klang im Sachsen-Land. Eine Blumenlese heimatl. Volkslieder. Mit Bildern v. Krause, Lewin u. Will. 8. (XVI, 205 S.) Leipzig 887. Renger. n. 3. —; geb. n. 4. —

Rösch, J. G., Beiträge zum Orthographieunterricht. Mit besond. Betong. der sprachvergleich. Methode u. f. ältere Schüler bearb. gr. 8. (IV, 72 S.) Nürnberg 885. Korn. n. 1. —

Rösch, W., üb. den griechischen Accent. Vortrag auf der Lehrerversammlg. in Hall 13. Mai 1882. gr. 8. (17 S.) Tübingen 882. Fues. n. — 50

— neue Forschungen üb. das Wesen u. die Construction d. Infinitivs. Vortrag. gr. 8. (16 S.) Ebend. 880. n. — 40

— der Dichter Horatius u. seine Zeit, s.: Sammlung gemeinverständlicher wissenschaftlicher Vorträge.

Röschen, s.: Immergrün.

Röschen, Frdr. Aug., die Zauberei u. ihre Bekämpfung. 8. (111 S.) Gütersloh 886. Bertelsmann. n. 1. 20

Roscher, Carl, Postsparcassen u. Localsparcassen in Deutschland. gr. 8. (VIII, 100 S.) Dresden 885. v. Zahn & Jaensch. n. 1. —

Roscher, Wilh., System der Volkswirthschaft. Ein Hand- u. Lesebuch f. Geschäftsmänner u. Studierende. 4. Bd. 1. Abth. A. u. d. T.: System der Finanzwissenschaft. 2. Aufl. gr. 8. (X, 699 S.) Stuttgart 886. Cotta. n. 10. — (I—IV, 1.: n. 48. —)

— dasselbe. 2. Bd. gr. 8. Ebend. 885. n. 10. — Nationalökonomik d. Ackerbaues u. der verwandten Urproductionen. Ein Hand- u. Lesebuch f. Staats- u. Landwirthe. 11. Aufl. (X, 728 S.)

— Versuch e. Theorie der Finanz-Regalien. Lex.-8. (85 S.) Leipzig 884. Hirzel. n. 3. 60

— u. Rob. Jannasch, Kolonien, Kolonialpolitik u. Auswanderung. 3. Aufl. v. Roscher's Kolonien. gr. 8. (VI, 469 S.) Leipzig 885. C. F. Winter. n. 9. —

Roscher, W. H., s.: Lexikon, ausführliches, der griechischen u. römischen Mythologie.

— Nektar u. Ambrosia. Mit e. Anh. üb. die Grundbedeutg. der Aphrodite u. Athene. gr. 8. (VIII, 116 S.) Leipzig 883. Teubner. n. 3. 60

Roschmann-Hörburg, Jul., der Bodenwerth Oesterreichs. Eine volkswirthschaftl.-statist. Studie. gr. 8. (VI, 74 S.) Wien 885. Hölder. n. 2. —

Roscoe, H. E., Chemie. Deutsche Ausg., besorgt v. F. Rose. Mit Abbildgn. u. e. Anh. v. Fragen u. Aufgaben. 4. Aufl. 8. (XII, 136 S.) Straßburg 886. Trübner. geb. n. — 80

— u. C. **Schorlemmer**, ausführliches Lehrbuch der Chemie. 1. Bd. Nichtmetalle. 2. Aufl. Mit Holzst. gr. 8. (IX, 655 S.) Braunschweig 885. Vieweg & Sohn. n. 12. —

— — dasselbe. 3. Bd. Die Kohlenwasserstoffe u. ihre Derivate od. organ. Chemie. 2. Abth. gr. 8. (XI u. S. 625—1179.) Ebend. 884. n. 12. —

— — dasselbe. 4. Bd. 1. Abth. Die Kohlenwasserstoffe u. ihre Derivate od. organische Chemie. 2. Thl. Mit eingedr. Holzst. I. Abth. gr. 8. (336 S.) Ebend. 886. n. 6. 50

— — kurzes Lehrbuch der Chemie nach den neuesten Ansichten der Wissenschaft. Mit zahlreichen eingedr. Holzst. u. 1 Taf. in Farbendr. 8. verm. Aufl. 8. (XXII, 484 S.) Ebend. 886. n. 5. 50

Rose, die letzte, od. Erklärung d. Vater Unser nach Markus v. Weida—1501, u. Münzinger v. Ulm—1470 c. Nach den Drucken: Markus—1516. Strassburg. Folio, — u. Münzinger aus dem 14. Jahrh.; Druck v. c. 1470. [Memmingen?]. Bearb. v. Vinc. Hasak. gr. 8. (236 S.) Regensburg 883. Verlags-Anstalt. n. 3. 20

Rose, E., Delirium tremens u. Delirium traumaticum, s.: Chirurgie, deutsche.

— Herztamponade. Ein Beitrag zur Herzchirurgie. gr. 8. (III, 82 S.) Leipzig 884. F. C. W. Vogel. n. 2. —

Rose, Otto, der Adel Deutschlands u. seine Stellung im deutschen Reich u. in dessen Einzelstaaten. 8. (VIII, 167 S.) Berlin 883. H. W. Müller. n. 4. —

Roese, Carl, die Kunst, Hülfeleistungen f. Verwundete u. Kranke zu improvisiren. Concurrenzschrift. gr. 8. (56 S. m. 11 Steintaf.) Leipzig 884. Thieme. n. 3. 60

Röse, Otto, Revanche! Bilder aus Paris. 8. (XX, 341 S.) Berlin 884. Oppenheim. n. 5. —

Rosegger's, P. K., ausgewählte Schriften. 77—80. (Schluß-) Lfg. 8. Wien 883. Hartleben. à — 50
Der Gottsucher. Roman. (S. 97—412.)

— die Aelpler, in ihren Wald- u. Dorftypen geschildert. 4. Aufl. (Min.-Ausg.) 16. (560 S.) Ebend. 886. geb. m. Goldschn. n. 6. —

— Bergpredigten. Geh. auf der Höhe der Zeit unter freiem Himmel u. zu Schimpf u. Spott unseren Feinden, den Schwächen, Lastern u. Irrthümern der Cultur gewidmet. (Ausgewählte Schriften 20. Bd.) 8. (308 S.) Ebend. 885. n. 2. 50; geb. n. 3. 70

— das Buch der Novellen. 1. u. 2. Reihe. Min.-Ausg. 5. Aufl. gr. 16. (491 u. 520 S.) Ebend. 886. geb. m. Goldschn. à n. 6. —

Rosegger's, P. K., Erzählungen, s.: Volksbibliothek d. Lahrer hinkenden Boten.

— das Geschichtenbuch d. Wanderers. Neue Erzählgn. aus Dorf u. Berg, aus Wald u. Welt. 2 Bde. [Ausgewählte Schriften 18. u. 19. Bd.] 8. (334 u. 308 S.) Wien 885. Hartleben. n. 5. —; geb. n. 7. 40

— der Gottsucher. Ein Roman. 4. Aufl. (Min.-Ausg.) 16. (627 S.) Ebend. 886. geb. m. Goldschn. n. 6. —

— Heidepeter's Gabriel. Eine Geschichte in 2 Büchern. 4. Aufl. 16. (429 S.) Ebend. 886. geb. m. Goldschn. n. 6. —

— Höhenfeuer. Neue Geschichten aus den Alpen. (Ausgewählte Schriften. 21. Bd.) 8. (428 S.) Ebend. 887. n. 4. —; geb. n. 5. 20

— die Schriften d. Waldschulmeisters. Min.-Ausg. 6. Aufl. gr. 16. (424 S.) Ebend. 886. geb. m. Goldschn. n. 6. —

— dasselbe. 7. Aufl. 8. (336 S. m. Holzschn.-Portr. d. Verf.) Ebend. 886. n. 2. 50; geb. 3. 70

— ein Sterben im Walde, s.: Volksbibliothek d. Lahrer hinkenden Boten.

— Stoansteirisch. Vorlesungen in steier. Mundart. 8. (IV, 216 S.) Graz 885. Leykam. n. 3. —; geb. n. 4. —

— neue Waldgeschichten. (Ausgewählte Schriften 17. Bd.) 8. (336 S.) Wien 884. Hartleben. n. 2. 50; geb. n. 3. 70

— Waldheimat. Erinnerungen aus der Jugendzeit. 2 Bde. Min.-Ausg. 3. verm. Aufl. gr. 16. Ebend. 886. geb. m. Goldschn. à n. 6. —
1. Kindesjahre. (542 S.) — 2. Lehrjahre. (542 S.)

— Zither u. Hackbret. Gedichte in obersteier. Mundart. Mit e. Vorworte v. Rob. Hamerling. 3. Aufl. 8. (XVI, 304 S.) Graz 884. Leykam. n. 3. —; geb. n. 4. —

Rosegger's, P. K., Lebens- u. Charakter-Skizze, s.: Svoboda, A. V.

Röselmüller, W., Gottfried Arnold als Kirchenhistoriker, Mystiker u. geistlicher Liederdichter. Ein Beitrag zur Würdigg. G. Arnolds. gr. 4. (34 S.) Annaberg 884. (Graser.) n. 1. —

Rosen, G. v., das älteste Stadtbuch der Stadt Garz auf der Insel Rügen, s.: Quellen zur pommerschen Geschichte.

Rosen, H., wahlverwandt, s.: Wallner's allgemeine Schaubühne.

Rosen, Herm. v., chemische u. pharmacologische Untersuchungen üb. die Lobelia nicotianaefolia. gr. 8. (58 S.) Dorpat 886. (Karow.) n. 1. —

Rosen, J., e. Knopf, s.: Bloch's, E., Theater-Correspondenz.

Rosen, Kathinka Freifrau v., geb. v. Fabricius, die Kinder-Erziehung m. besond. Rücksichtnahme auf die Charakter-Bildung. Ein Leitfaden f. Eltern zur leibl. u. geist. Gesundheitspflege ihrer Kinder. 8. (V, 141 S.) Teschen 884. Prochaska. n. 2. 40

Rosen, W., Buchholz, } s.: Liebhaber-Bühne, neue.
— List üb. List, }

Rösen, K., der Altar u. der Chorraum. Nach den liturg. Vorschriften u. den Anforderg. der Kunst. gr. 8. (IV, 75 S.) Münster 885. Theissing. n. 1. —

Rosenbach, Frdr. Jul., Mikro-Organismen bei den Wund-Infections-Krankheiten d. Menschen. Mit 5 (4 chromolith. u. 1 lith.) Taf. gr. 8. (X, 122 S.) Wiesbaden 884. Bergmann. n. 6. —

— Untersuchungen üb. die Beziehungen kleinster lebender Wesen zu den Wund-Infectionskrankheiten d. Menschen. Vortrag. gr. 8. (24 S.) Ebend. 885. n. — 80

Rosenbach, O., üb. musikalische Herzgeräusche, s.: Klinik, Wiener.

Rosenberg, v., zusammengewürfelte Gedanken üb. unseren Dienst (Cavallerie). 2. Aufl. gr. 8. (109 S.) Rathenow 884. Haase. n. 3. —

Rosenberg, A., das Judenthum u. die Nationalitätsidee. Eine völkerpsycholog. Studie. 8. (31 S.) Kaposvár 882. (Wien, Perles.) n. — 60

Rosenberg, Adf., Geschichte der modernen Kunst. 3—6. Lfg. Lex.-8. (1. Bd. S. 193—483 u. 2. Bd. S. 1—96.) Leipzig 883—85. Grunow. à n. 2. —

Rosenberg, Adf., Th. Gériosault u. Eug. Delacroix, — François Rude, — Horace Vernet, Delaroche, Leop. Robert, } s.: Kunst u. Künstler d. 19. Jahrh.

Rosenberg, Alex., vergleichende Untersuchungen betr. das Alkalialbuminat, Acidalbumin u. Albumin. gr. 8. (39 S.) Dorpat 883. (Karow.) n. 1. —

Rosenberg, Emil, Untersuchungen üb. die Occipitalregion d. Cranium u. den proximalen Theil der Wirbelsäule einiger Selachier. Eine Festschrift. Mit 4 (2 lith. u. 2 Lichtdr.-)Taf. gr. 4. (26 S.) Ebend. 884. n. 4. —

Rosenberg, Emil, die Lyrik d. Horaz. Aesthetisch-kulturhistor. Studien. gr. 8. (X, 167 S.) Gotha 883. F. A. Perthes. n. 3. —

Rosenberg, Ludw., üb. Nervenendigungen in der Schleimhaut u. im Epithel der Säugethierzunge. [Mit 2 Taf.] [Aus dem physiolog. Institute der Universität Wien.] Lex.-8. (36 S.) Wien 886. (Gerold's Sohn.) n. 1. —

Rosenberg, Marc, alte kunstgewerbliche Arbeiten auf der Badischen Kunst- u. Kunstgewerbe-Ausstellung zu Karlsruhe 1881 unter dem Protektorate Sr. Königl. Hoh. d. Erbgroßherzogs. Hrsg. vom Haupt-Comité; in dessen Auftrag ausgewählt u. beschrieben. In Lichtdr. ausgeführt v. J. Baeckmann in Karlsruhe. 7—10. (Schluß-)Lfg. Fol. (à 5 Bl. m. 5 Bl. Text.) Frankfurt a/M. 883. Keller. à n. 5. —

— s.: Schloss, das, zu Heidelberg.

Rosenberg, Siegfr., üb. Mediastinaltumoren bei Kindern. gr. 8. (32 S.) Göttingen 884. (Vandenhoeck & Ruprecht.) n. — 80

Rosenberg, Thdr., Andeutungen zum weiteren Ausbau der Arends'schen Stenographie. 8. (14 autogr. S. in stenogr. Schrift.) Berlin 884. Stuhr. n. — 20

— Lehrgang der Arends'schen rationellen Stenographie, unter besond. Berücksicht. d. Arends'schen Leitfaden in 9 Unterrichtsstunden bearb. gr. 8. (III, 64 S.) Ebend. 883. n.n. — 75

— dasselbe. 2. Aufl. gr. 8. (IV, 58 S.) Ebend. 884. n. 1. 25

Rosenberger, Ferd., üb. die Genesis wissenschaftlicher Entdeckungen u. Erfindungen. Ein Vortrag. gr. 8. (29 S.) Braunschweig 885. Vieweg & Sohn. n. — 80

— die Geschichte der Physik in Grundzügen m. synchronistischen Tabellen der Mathematik, der Chemie u. beschreibenden Naturwissenschaften, sowie der allgemeinen Geschichte. 2. Thl. Geschichte der Physik in der neueren Zeit. gr. 8. (VII, 406 S.) Ebend. 884. n. 8. — (1. u. 2.: n. 11. 60)

Rosenberger, J. A., Exstirpation e. grossen Neubildung im Gesichte m. plastischer Deckung. gr. 8. (2 S.) Würzburg 886. Stahel. — 15

— über Resection im Handgelenke. gr. 8. (4 S.) Ebend. 886. n. — 20

Rosenblath, Will., üb. Typhus-Recidive. gr. 8. (44 S.) Göttingen 884. (Vandenhoeck & Ruprecht.) n. 1. 20

Rosenblätter od. Monatszettel, gewidmet den Rosen d. lebend. Rosenkranzes. Red.: Th. M. Leikes. 6—8. Jahrg. 1884—1886. à 12 Päckchen zu 15 einzelnen Geheimnissen. (Bl.) 16. Dülmen, Laumann. à Jahrg. n. 1. 5

Rosenbusch, H., mikroskopische Physiographie der Mineralien u. Gesteine. Ein Hülfsbuch bei mikroskop. Gesteinstudien. 1. Bd. Die petrographisch wichtigen Mineralien. 2. Aufl. Mit 177 Holzschn., 26 Taf. in Photographiedr. u. der Newton'schen Farbenskala in Farbendr. gr. 8. (XIV, 656 S.) Stuttgart 885. Schweizerbart. n. 24. —

Rosenfeld, Dionys, Mittel u. Zwecke der Erziehung. 8. (34 S.) Galatz 883. Selbstverlag. n. — 80

Rosenfeld, Geo., Beiträge zur Pathologie u. Therapie d. Diabetes mellitus. gr. 8. (50 S.) Breslau 885. (Köhler.) n. 1. —

— die Gefahren der Entfettungskuren. gr. 8. (32 S.) Stuttgart 886. Enke. n. 1. —

Rosenfeld, Margaretha Johanna, Nürnberger Kochbuch. Praktische Anweisg., alle Arten Speisen u. Getränke auf die schmackhafteste u. wohlfeilste Art zuzubereiten. 7. Aufl. Mit Angabe der neuen Maße u. Gewichte. 8. (XVI, 388 S) Nürnberg 886. Korn. n. 2. 50

Rosenfeld, Max, Leitfaden f. den ersten Unterricht in der anorganischen Chemie, auf rein experimenteller Grundlage. Mit e. Anh.: Chemie der Kohlenstoffverbindgn. Methodisch bearb. Mit 58 in den Text gedr. Abbildgn. gr. 8. (XII, 183 S.) Freiburg i/Br. 886. Herder. n. 2. 20; Einbd. n.n. — 35

Rosen-Garten-Kalender m. dem Wissenswerthesten üb. Rosen-Kultur, hrsg. v. Wilh Kölle & Comp. 1883. 8. (32 S.) Augsburg, Schmid's Verl. n. — 50

Rosenhagen, Gust., zur Geschichte der Reichsheerfahrt von Heinrich VI. bis Rudolf v. Habsburg. gr. 8. (93 S.) Leipzig 885. Fock. n. 1. 50

Rosenhain, Franziska, Akrosticha od. 300 neue Album-Verse als Denkmäler der Liebe u. Freundschaft in Albums od. Stammbücher f. Freunde, Freundinnen u. Confirmanden. Mit Auslegg. der Taufnamen. 11. Aufl. gr. 16. (120 S.) Quedlinburg 886. Ernst. n. 1. —

Rosenhain, K. E., der neue Doktor. Schwank m. Gesang in 3 Akten, m. freier Benutzg. e. Stoffes aus e. v. Winterfeld'schen Roman. Musik v. Fr. Richter. 8. (62 S.) Landsberg a/W. 883. Schaeffer & Co. n. 1. —

— vis-à-vis. Orig.-Schwank in 1 Akt. 8. (26 S.) Ebend. 884. n. — 60

Rosenhain, Sigism. E., Gedichte. 8. (89 S.) Stuttgart 884. Schröter & Meyer. n. 1. 20

Rosenheim, sein Alpenvorland u. seine Berge. Im Auftrage der Sektion Rosenheim v. Mitgliedern derselben verf. u. der XIII. Generalversammlg. d. D. u. Oe. Alpenvereins gewidmet. Mit e. neuen u. alten Abbildg. Rosenheims, 1 Stadtplane, 1 Kärtchen der Umgegend u. 1 Gebirgspanorama. 8. (IV, 190 S.) Rosenheim 886. (Huber.) n. 1. 50

Rosenjahrbuch. Hrsg. unter Mitwirkg. der bedeutendsten Rosisten Deutschlands, Oesterreichs u. Luxemburgs v. Frdr. Schneider II. 1. Jahrg. 1883. Mit 17 Holzschn. gr. 8. (VIII, 239 S.) Berlin, Parey. cart. n. 7. —

Rosenkranz, der hochheilige, zu Ehren des heiligsten Herzens Jesu. 16. (16 S.) Dülmen 884. Laumann. n. — 6

— der lebendige. 8. (24 S.) Lingen 885. van Acken. n. — 15

— der lebendige. 2. Aufl. 16. (31 S.) Osnabrück 883. Wehberg. n. — 10

Rosenkranz, G., s.: Klassiker-Bibliothek der bildenden Künste.

Rosenkranz, J. A. C., 24 (lith.) Blätter Schreibvorlagen f. Gothisch u. Fraktur. qu. 8. Hamburg 883. Kriebel. cart. n. 1. 80

Rosenkranz, P. H., der Indicator u. seine Anwendung für den prakt. Gebrauch bearb. 4. Aufl. Mit 7 lith. Taf. u. 135 Holzschn. gr. 8. (VIII, 160 S.) Berlin 885. Gaertner. geb. n. 7. —

Rosenkranzbüchlein, mein liebes. Allen treuen Dienern Mariä gewidmet. 8. Aufl. Mit 15 Illustr. u. e. Titelbild. gr. 16. (47 S.) Freiburg i/Br. 885. Herder. n. — 20; geb. n.n. — 25

Rosenmeyer, J., deutsches Sprachbuch. Ein methodisch geordneter Leitfaden f. den Unterricht in der neuen Rechtschreibg. zum Gebrauch in den deutschen Schulen. 1. Hft. Unterstufe. 8. (20 S.) Mainz 884. Müller. n. — 20

Rosenstein, Mor., e. Fall v. Nervendehnung bei Tabes dorsalis. gr. 8. (41 S.) Breslau 882. (Köhler.) n. 1. —

Rosenstein, Siegm., die Pathologie u. Therapie der Nierenkrankheiten. Klinisch bearb. 3. Aufl. Mit 13 Holzschn. u. 7 Taf. gr. 8. (XII, 688 S.) Berlin 886. Hirschwald. n. 20. —

Rosenstiel, Ed., die segensreiche Flucht od. e. Wanderung nach u. in Palästina. Eine Erzählg. f. die reifere Jugend u. das Volk. Mit 1 Lichtdr.-Bild. 8. (168 S.) Straubing 886. Volks- u. Jugendschriften-Verlag. cart. 1. 20

Rosenstiel, Frdr., de Xenophontis historiae graecae parte bis edita. gr. 8. (54 S.) Jenae 882. (Göttingen, Vandenhoeck & Ruprecht.) n. 1. 40

Rosenstock, Paul, de Donato, Terentii, et Servio, Vergilii explicatore, syntaxeos latinae interpretibus. gr. 8. (85 S.) Marggrabovae 886. (Königsberg, Koch & Reimer.) n. 1. 50

Rosenthal, A. C., 16 vorzügliche u. interessante Haselsträucher. gr. 8. (15 S.) Wien 883. Frick. n. 1. —

— vaterländische Obstsorten. Alphabetisches Verzeichniss der in Oesterreich-Ungarn heim. od. aus Oesterreich-Ungarn stamm. Aepfel, Birnen, Kirschen, Pflaumen, Pfirsiche u. Aprikosen. gr. 8. (24 S.) Ebend. 884. n. 1. —

Rosenthal, Ed., Beiträge zur deutschen Stadtrechtsgeschichte. 1. u. 2. Hft. Zur Rechtsgeschichte der Städte Landshut u. Straubing, nebst Mittheilgn. aus ungedr. Stadtbüchern. gr. 8. (IX, 337 S.) Würzburg 883. Stuber's Verl. n. 7. —

Rosenthal, F., vier apokryphische Bücher aus der Zeit u. Schule R. Akiba's: Assumptio Mosis, das 4. Buch Esra, die Apokalypse Baruch, das Buch Tobi. gr. 8. (IX, 150 S.) Leipzig 885. O. Schulze. n. 3. —

— die Erlässe Cäsars u. die Senatsconsulte im Josephus Alterth. XIV, 10, nach ihrem histor. Inhalte untersucht. gr. 8. (43 S.) Krotoschin 879. Ebend. n. — 75.

— ein jüdischer Roman aus dem 2. Jahrh. Vortrag. gr. 8. (9 S.) Beuthen O/S. 885. (Freund.) n. — 50

Rosenthal, Gust., zur Erinnerung an die Lützener Gustav-Adolf-Jubelfeier am 15. Septbr. 1882. Sammlung der am Festtage geh. Reden u. Ansprachen. gr. 8. (75 S.) Halle 882. Strien. n. 1. —

Rosenthal-Bonin, H., das Haus m. den zwei Eingängen. Roman. 8. (308 S.) Stuttgart 886. Deutsche Verlags-Anstalt. n. 5. —

— schwarze Schatten. Roman. 8. (284 S.) Ebend. 884. n. 4. 50

— Stromschnellen. Heitere Novellen. 8. (271 S.) Leipzig 886. Wartig's Verl. n. 4. —; geb. n. 5. —

— die Thierbändigerin. Roman. 8. (260 S.) Stuttgart 884. Deutsche Verlags-Anstalt. n. 4. 50

Rosenthal, J., u. M. **Bernhardt,** Elektrizitätslehre f. Mediziner u. Elektrotherapie. 3. Aufl. v. J. Rosenthal's Elektrizitätslehre f. Mediziner. Mit 105 Holzschn. gr. 8. (VI, 521 S.) Berlin 883. Hirschwald. n. 13. —

Rosenthal, L., der Charlottenschacht, s.: Volks-Erzählungen, kleine.

Rosenthal, Ludw. A., Lazarus Geiger. Seine Lehre vom Ursprunge der Sprache u. Vernunft u. sein Leben, dargestellt. gr. 8. (XII, 156 S.) Stuttgart 884. Scheible. n. 3. —

Rosenthal, M., Diagnostik u. Therapie der Rückenmarks-Krankheiten in 12 Vorlesungen. 2. Aufl. gr. 8. (VII, 192 S.) Wien 884. Urban & Schwarzenberg. n. 4. —; geb. n. 5. 50

— dasselbe,
— über den Einfluss v. Nervenkrankheiten auf Zeugung u. Sterilität,
— Kenntniss der basalen Schädelfissuren,
} s.: Klinik, Wiener.

— Magenneurosen u. Magencatarrh, sowie deren Behandlung. gr. 8. (VI, 193 S.) Wien 886. Urban & Schwarzenberg. n. 4. —; geb. n. 5. 50

Rosenthal, Max, die rechtliche Natur der Testamentsexekution u. in Sonderheit der Besitz d. Testaments-Exekutors an den Nachlassgegenständen. gr. 8. (41 S.) Breslau 883. (Köhler.) n. 1. —

Rosenthal, Thdr., üb. die β-Sulfopropionsäure. gr. 8. (28 S.) Halle 886. Tausch & Grosse. n. 1. —

Rosen-Zeitung. Organ d. Vereins deutscher Rosenfreunde. Hrsg. v. dessen Vorstand. Red. v. C. P. Strassheim. 1. Jahrg. 1886. 6 Hfte. (2 B. m. Chromolith.) hoch 4. Frankfurt a/M., Jäger's Verl. n. 5. —

— deutsche. Illustrirte Monatsschrift f. die Interessen deutscher Rosencultur. Hrsg. v. Ernst Sarfert. Red. v. E. Metz. 1. u. 2. Jahrg. Juli 1885—Juni 1887. à 12 Hfte. (1¼ B. m. Illustr. u. Taf.) hoch 4. Zwickau, (Werner). à Jahrg. n. 6. —; einzelne Hfte. n. — 50

Rosenzweig, Adf., das Jahrhundert nach dem babylonischen Exile, m. besond. Rücksicht auf die religiöse Entwicklg. d. Judenthums. gr. 8. (XVI, 240 S.) Berlin 885. Dümmler's Verl. n. 4. —

Rosenzweig, J., Adressbuch der Weinproducenten, Weinhändler, Champagnerfabriken, Weincommissionäre, Hoteliers u. Gastwirthe. 1. u. 2. Bd. gr. 8. Wien, Frick. cart. à n. 10. —

1. Oesterreich-Ungarn u. Deutsches Reich. Zusammengestellt nach officiellen Mittheilgn. der bez. hohen Ministerien, Landwirthschafts-Genossenschaften, Handelskammern, Bürgermeisterämtern, Genossenschaften der Gastwirthe etc. (VI, 385 S.) 883.
2. Frankreich, Schweiz, England u. Dänemark. Zusammengestellt nach officiellen Mittheilgn. der bez. hohen Ministerien, Landwirthschafts-Genossenschaften, Handelskammern, Bürgermeisterämtern, Genossenschaften der Gastwirthe etc. (VI, 253 S.) 884.

Roser, Karl, Beiträge zur Lehre vom Klumpfusse u. vom Plattfusse. gr. 8. (50 S.) Leipzig 885. G. Thieme. n. 1. 20

— Entzündung u. Heilung. Eine historisch-krit. Studie. gr. 8. (84 S.) Ebend. 886. n. 1. 80

Roser, W., Handbuch der anatomischen Chirurgie. 8. gänzlich umgearb. Aufl. Mit Holzschn. gr. 8. (XIII, 826 S.) Tübingen 883. Laupp. n. 16. —

— chirurgisch-anatomisches Vademekum f. Studierende u. Aerzte. 7. Aufl. Mit 133 Holzschn. 8. (VIII, 269 S.) Leipzig 886. Veit & Co. geb. n. 6. —

Rösiger, Alban, Neu-Hengstett, [Burset]. Geschichte u. Sprache e. Waldenser Colonie in Württemberg. gr. 8. (77 S.) Greifswald 883. Abel. n. 1. 50

Rosignoli, C. G., erbarmet euch der armen Seelen im Fegfeuer! Wunderbare Ereignisse aus dem Jenseits. Frei nach dem Ital. u. Franz. bearb. 6., verb. Aufl. 12. (440 S. m. 1 Stahlst.) Paderborn 886. Bonifacius-Druckerei. 1. 50

Rosin, Heinr., das Recht der öffentlichen Genossenschaft. Eine verwaltungsrechtl. Monographie. Zugleich e. Beitrag zur allgemeinen Lehre v. der Körperschaft. gr. 8. (XII, 210 S.) Freiburg i/Br. 886. Mohr. n. 4. 80

Roskoschny, Herm., Afghanistan u. seine Nachbarländer. Der Schauplatz d. jüngsten russisch-engl. Konflikts in Zentral-Asien. Nach den neuesten Quellen geschildert. Mit ca. 200 Abbildgn., vielen Karten u. Plänen, u. e. großen, in Farben ausgeführten Karte Afghanistans als Gratis-Beigabe. 21 Lfgn. hoch 4. (333 S.) Leipzig 885. Greßner & Schramm. à — 60

— die Braut vom Richtplatz, s.: Novellen-Bibliothek, criminalistische.

— Europas Kolonien. 5 Bde. Mit Holzschn. hoch 4. Leipzig, Greßner & Schramm. à 9. —; geb. à n. 10. —

1. West-Afrika vom Senegal zum Kammerun. (XII, 232 S.) 886.
2. Das Kongogebiet u. seine Nachbarländer. (V, 240 S.) 885.
3. Afrikas Ostküste u. das Seen-Gebiet. (IV, 240 S.) 885.
4. Süd-Afrika bis zum Sambesi u. Kap Frio. (IV, 240 S.) 886.
5. Die Deutschen in der Südsee. Ein Beitrag zur Geschichte deutschen Handels u. deutscher Kolonisation. (III, 242 S.) 886.

— Rußland, Land u. Leute. Unter Mitwirk. deutscher u. slav. Gelehrten u. Schriftsteller hrsg. 1. Abth.: Das europ. Rußland. 3—41. Lfg. gr. 4. (1. Bd. VIII u. S. 33—348 u. 2. Bd. IV, 320 S. m. Holzschn.) Ebend. 883. à 1. — (2 Bde. geb. m. Goldschn.: n. 60. —)

— dasselbe. 2. Abth.: Das asiat. Rußland. 36 Lfgn. (42—77. Lfg. d. ganzen Werks.) gr. 4. (575 S. m. Holzschn. u. e. Karte.) Ebend. 883. 84. à 1. — (Asiat. Rußland in 2 Bde. geb. n. 60. —)

Roskowska, M. v., im Strudel der Hauptstadt, s.: Bachem's Roman-Sammlung.

Rösler, Augustin, der katholische Dichter Aurelius Prudentius Clemens. Ein Beitrag zur Kirchen- u. Dogmengeschichte d. 4. u. 5. Jahrh. Mit e. Titelbild in Farbendr. Die Huldigg. der Magier, aus den röm. Katakomben, nach Liell. gr. 8. (XIV, 486 S.) Freiburg i/B. 886. Herder. n. 7. —

Roesler, J. K., systematische Anleitung zur einfachen Buchführung in Beispielen u. Aufgaben. Für den Schul- u. Selbstunterricht bearb. 2. Aufl. gr. 8. (VIII, 112 S.) Bremen 884. Schünemann. cart. 1. 80

Roesler, L., üb. die Anwendung der schwefligen Säure in der Kellerwirthschaft u. den Schwefelsäure-Gehalt d. Weines, s.: Mittheilungen der k. k. chemisch-physiologischen Versuchsstation f. Wein- u. Obstbau in Klosterneuburg.

Roesling, Ernst, Buchhandel u. Druckgewerbe in Ingolstadt in den letzten 100 Jahren. Festschrift zum 100jähr. Jubiläum der Krüll'schen Buchhandlg. gr. 8. (20 S.) Ingolstadt 886. Krüll. gratis.

Rosner, J., Jagd-Signale u. Fanfaren, zusammengestellt u. rhythmisch geordnet. 9. Aufl. 12° (31 S.) Pless 886. Krummer. cart. n. — 80

Rosoll, Alex., Beiträge zur Histochemie der Pflanze. [Arbeiten d. pflanzenphysiolog. Institutes der Wiener Universität XXVII.] Lex.-8. (14 S.) Wien 884. (Gerold's Sohn.) n.n. — 30

Ross, F. W., Leitfaden f. die Ermittelung d. Bauwerthes v. Gebäuden, sowie dessen Verminderg. m. Rücksicht auf Alter u. geschehene Instandhaltung. In leichtfassl. Weise dargestellt zum allgemeinen Gebrauche, besonders f. das Versicherungswesen. 2. Tausend. gr. 16. (78 S. m. Tab.) Hannover 884. (Schmorl & v. Seefeld.) n. 1. 50

Roß, O. C. Dalhousie, der Niedergang der Landwirthschaft u. des Handels. Seine Ursachen u. seine Abwehr. Geschrieben u. veröffentlicht vor den letzten engl. Parlamentswahlen. Ins Deutsche übertr. v. G. Zoeppritz jr. gr. 8. (23 S. m. 2 lith. Curventaf.) Stuttgart 886. Ulmer. n. — 35

Roßbach, A., die Festbauten d. VIII. deutschen Bundesschießens zu Leipzig 1884. Nach photogr. Aufnahmen u. Darstellgn., nebst Erläutergn. u. Bemerkgn. üb. die Hygiein. Anlagen. Mit 11 Lichtdr. aus der artist. Anstalt v. Römmler & Jonas in Dresden u. 10 lith. architekton. Plantaf. u. Detailzeichngn. Fol. (2 Bl. Text.) Leipzig 885. Gebhardt. In Mappe. n. 20. —

Rossbach, Aug., u. Rud. **Westphal,** Theorie der musischen Künste der Hellenen. Als 3. Aufl. der Rossbach-Westphalischen Metrik. 1. u. 2. Bd. gr. 8. Leipzig, Teubner. n. 14. —

1. Griechische Rhythmik. Von Rud. Westphal. Als 3. Aufl. der griech. Rhythmik u. der Fragmente u. Lehrsätze der griech. Rhythmiker. (XL, 305 S.) 885. n. 7. 20
2. Griechische Harmonik u. Melopoeie v. Rud. Westphal. 3. gänzlich umgearb. Aufl. (LIV, 240 S.) 886. n. 6. 80

Rossbach, Ferd., Beitrag zur Kenntniss oolithischer Kalksteine. gr. 8. (48 S.) Leipzig 886. Fock. n. 1. —

Rossbach, M. J., Cholera indica u. Cholera nostras, s.: Handbuch der speciellen Pathologie u. Therapie.

— Handbuch d. Arzneimittellehre, s.: Nothnagel, H.

— über den gegenwärtigen Stand der internen Therapie u. den therapeutischen Unterricht an den deutschen Hochschulen. Vortrag. gr. 8. (32 S.) Berlin 883. Hirschwald. n. — 80

Rossel, A., e. Beitrag zur Moorkultur in der Schweiz u. Bedeutung der Thomas-Schlacke als neuer Phosphorsäuredünger f. die Landwirthschaft. gr. 8. (31 S. m. 1 Steintaf.) Aarau 886. Wirz-Christen. n. — 80

— gesetzliche Bestimmungen üb. den Verkauf v. Kunstweinen in der Schweiz. Der natürl. Wein, das Chaptalisiren, das Gallisiren, das Petiotisiren u. der Hefewein. Vortrag, geh. in der Sitzg. d. schweizer. Weinbauvereins vom 22. Febr. 1885 in Winterthur. gr. 8. (19 S.) Frauenfeld 885. (Huber.) n. — 40

Rossel, Emmy, Leitfaden f. den Unterricht in den weiblichen Handarbeiten zum Gebrauch f. Schule u. Haus. Mit 13 lith. Taf. 4. Aufl. Lex.-8. (70 S.) Berlin 885. (Dümmler's Verl.) n. 3. —

Rossel, Virgile, manuel du droit civil de la Suisse romande [Cantons de Genève, Fribourg, Neuchatel, Tessin, Vaud, Valais et Berne (Jura Bernoise)], suivi d'un abrégé portant sur le droit commercial et la procédure. gr. 8. (XVI, 560 S.) Basel 886. Georg. n. 9. 60

Rössel, Th., Atlas f. sächsische Volksschulen. Ausg. I. f. einfache Volksschulen. A—D. Kreishauptmannschaften Bautzen, Dresden, Leipzig u. Zwickau. gr. 8. (à 7 chromolith. Karten m. 1 Bl. Text.) Döbeln 883. Schmidt. à n. — 75

— Wand-Atlas f. Volksschulen. 10 Schul-Wandkarten üb. alle Theile der Erde, m. e. Suppl. in 12 Lfgn. 1. u. 2. Lfg. 1:10,000,000. à 4 Blatt. Chromolith. Imp.-Fol. Gotha 883. Hellfarth. à n. 3. —; auf Leinw. m. Stäben. à n. 6. —

1. Afrika. — 2. Nord-Amerika.

Rossi, Ernesto, Studien üb. Shakespeare u. das moderne Theater, nebst e. autobiograph. Skizze. Aus dem Ital. übers. v. Hans Merian. 8. (IV, 313 S.) Leipzig 885. Schloemp. n. 4. —; geb. n. 5. —

Rossi, J. B. de, inscriptiones urbis Romae antiquae, s.: Corpus inscriptionum latinarum.

Rößler, Referat üb. unsere nationale Einheit u. kirchliche Zerrissenheit, s.: Verhandlungen d. IV. Vereinstags der landeskirchlichen evangelischen Vereinigung.

Rößler, Jul., Erläuterungen zu Goethe's Faust. I. u. II. Theil. Ein Leitfaden f. d. Besucher der Tragödie. 8. (63 S.) Berlin 885. E. Mecklenburg. (R. Mikisch.) n. — 50

Rößler, Rob., närr'sche Perle. Humoresken in schles. Mundart. 2. Aufl. 8. (147 S.) Berlin 884. Janke. n. 2. —

— mein erster Patient. Erzählung. 8. (144 S.) Ebend. 883. n. 1. —

Rossmanith, Const., die Elemente der Geometrie im constructiven Sinne. Lehr- u. Übungsbuch f. die II., III. u. IV. Realclasse. Mit 130 Fig., 1 Taf. u. zahlreichen Constructions- u. Rechenaufgaben. gr. 8. (VIII, 170 S.) Wien 883. Pichler's Wwe. & Sohn. n. 2. —

Roßmann, Wilh., Meister Lukas. Dramatisches Charakterbild in 2 Aufzügen. 2. Aufl. 8. (III, 53 S.) Oldenburg 883. Schulze. n. 1. 20; geb. n.n. 2. 20

— Luther u. die deutsche Nation. Festrede. gr. 8. (35 S.) Dresden 883. v. Zahn & Jaensch. n. 1. —

Rossmässler's Iconographie der europäischen Land- u. Süsswasser-Mollusken. Fortgesetzt v. W. Kobelt. Neue Folge. 1. Bd. 3—6. Lfg. Schwarze Ausg. Lex.-8. (IV u. S. 33—72 m. 20 Steintaf.) Wiesbaden 884. Kreidel. In Mappe. à n. 4. 60; color. Ausg. à n. 8. —

— dasselbe. Neue Folge. 2. Bd. 1—6. Lfg. Schwarze Ausg. Lex.-8. (V, 56 S. m. 30 Steintaf.) Ebend. 885. 86. In Mappe. à n. 4. 60; color. Ausg. à n. 8. —

Rossmässler, F. A., Fabrikation v. Photogen u. Schmieröl aus Baku'scher Naphtha. Mit 10 Holzschn. 4. (VIII, 25 S.) Halle 884. Knapp. n. 1. 50

— Lehrbuch der Verarbeitung der Naphtha od. d. Erdöles auf Leucht- u. Schmieröle. Mit 27 Abbildgn. 8. (VI, 106 S.) Wien 886. Hartleben. n. 2. —

Rossmoyne, s.: Collection of British authors.

Rossteuscher, A., ornamentale Glasmalereien d. Mittelalters u. der Renaissance, s.: Schäfer, C.

Roßteuscher, Ernst Adf., der Aufbau der Kirche Christi auf den ursprünglichen Grundlagen. Eine geschichtl. Darstellg. seiner Anfänge. 2. Aufl. gr. 8. (XI, 509 u. Beilage 95 S.) Basel 886. Schneider. n. 5. 20

Rost, B., praktische Anleitung zu e. richtigen u. vorteilhaften Betriebe der Gebrauchs- od. landwirtschaftlichen Pferdezucht, nebst Bemerkgn. üb. die Roßschlächterei u. die Verwendg. d. Pferdefleisches zur menschl. Nahrung. gr. 8. (III, 160 S.) Bremen 883. Heinsius. n. 2. 50

— praktischer Ratgeber f. Auswanderer. Nebst Angaben üb. die verschiedenen amerikan. Ansiedelungsverhältnisse ꝛc. gr. 8. (64 S.) Ebend. 883. n. — 80

Röstel, Knaben- u. Mädchenhorte. Vortrag. gr. 8. (19 S.) Landsberg a/W. 886. Schaeffer & Co. n. — 25

— freiwillige Sozialreformen. Vortrag. gr. 8. (27 S.) Ebend. 884. n. — 30

Rostin, E., Dominik Cartouche, genannt der Gaunerkönig v. Paris. Eine höchst interessante Kriminalgeschichte. 3 Bde. gr. 8. (512, 480 u. 602 S. m. 100 color. Lith.) Neusalza 884. Oeser. 10. —

Rotering, F., das Feld- u. Forstpolizeigesetz. Vom 1. Apr. 1880. Mit Kommentar. gr. 8. (VI, 105 S.) Berlin 887. Siemenroth. cart. n. 1. 50

Rotermund, H., Abraham a Sancta Clara. Vortrag. 8. (32 S.) Hannover 884. Feesche. n. — 40

Roth, A., Frageschatz der Rechtswissenschaft. Examinatorium üb. die gesammte Jurisprudenz m. Bezugnahme auf die gebräuchlichsten Lehrbücher. 2. Aufl. 2 Thle. gr. 8. (VIII, 163 u. IV, 174 S.) Berlin 886. C. Heymann's Verl. n. 6. —

— die badische Gemeindevoranschlagsanweisung u. Gemeindeberechnungsanweisung, s.: Müller, J. P.

Roth, C. F., üb. Tropëine, Glyoolïne u. Glycoleïne. gr. 8. (47 S.) Kiel 883. Lipsius & Tischer. n. 1. 60

Roth, C. F., gemeinverständlicher Rathgeber üb. die Rechte u. Pflichten d. Miethers u. Vermiethers, s.: Schultz, F.

Roth, Ch., plastisch-anatomischer Atlas zum Studium d. Modells u. der Antike. 2. Aufl. 24 Taf. in Holzschn., nebst 10 Erklärungstaf. u. Text. 16 Lfgn. Fol. (26 Bl. Text.) Stuttgart 886. Ebner & Seubert. à n. 1. 50 (cplt. in Mappe: n. 16. —)

Roth, E., additamenta ad conspectum florae europaeae editum a C. F. Nyman. — Beiträge zu C. F. Nyman's Conspectus florae europaeae. gr. 8. (46 S.) Berlin 886. Haude & Spener. n. 2. 20

Roth, Eman., die Thatsachen der Vererbung in geschichtlich-kritischer Darstellung. 2. Aufl. gr. 8. (VII, 147 S.) Berlin 885. Hirschwald. n. 3. 60

Roth, Emil, die Chemie der Rothweine. Für Weinproduzenten u. Kellermeister, sowie f. Oenologen nach wissenschaftl. Grundsätzen bearb. 2. Ausg. Mit 28 Holzschn. gr. 8. (VI, 228 S.) Heidelberg 884. C. Winter. n. 2. 40

Roth, F. W. E., die Druckerei zu Eltville im Rheingau u. ihre Erzeugnisse. Ein Beitrag zur Bibliografie d. 15. Jahrh. Mit e. Fcsm. d. Vocabularius ex quo de 1477. gr. 8. (31 S.) Augsburg 886. Literar. Institut v. Dr. M. Huttler. n. 1. 50

— das Gebetbuch der hl. Elisabeth v. Schönau. Nach der Orig.-Handschrift d. XII. Jahrh. hrsg. Ein Beitrag zur Geschichte der Liturgie, Musik u. Malerei. Mit Nachträgen zu d. Hrsg. Werk: „Die Visionen der heil. Elisabeth u. die Schriften der Aebte Ekbert u. Emecho v. Schönau". gr. 8. (76 S. m. 5 Taf.) Ebend. 886. n. 3. —

— Geschichte u. Beschreibung der königl. Landesbibliothek in Wiesbaden. Nebst e. Geschichte der Klosterbibliotheken Nassau's. gr. 8. (31 S.) Frankfurt a/M. 886. Koenitzer's Buchh. n. 1. 20

— Geschichte u. historische Topographie der Stadt Wiesbaden im Mittelalter u. der Neuzeit. gr. 8. (XVI, 674 S.) Wiesbaden 883. Limbarth. n. 8. —

— Geschichtsquellen aus Nassau. Die Geschichtsquellen d. Niederrheingau's. 4. Thl. Register zu Thl. I—III u. Nachträge. gr. 8.. (228 S.) Ebend. 884. n. 12. — (cplt.: n. 39. —)

— die Visionen der hl. Elisabeth u. die Schriften der Aebte Ekbert u. Emecho v. Schönau. Nach den Orig.-Handschriften hrsg. Mit histor. Abriss d. Lebens der hl. Elisabeth, der Aebte Ekbert u. Emecho v. Schönau. Ein Beitrag zur Mystik u. Kirchengeschichte. 2. Aufl. gr. 8. (CXXVIII, 423 S. m. 1 Steintaf.) Brünn 886. (Würzburg, Woerl.) n. 8. —

Roth, Fr., die praktische Bienenzucht od. leicht faßl. Anweisg., wie man auf die neueste, einfachste u. vortheilhafteste Weise die Bienenzucht betreiben soll. Unter Berücksicht. der Dzierzonschen u. anderer Methoden. 6. Aufl. 8. (147 S.) Berlin 883. Mode's Verl. 1. 50

Roth, Frdr., der Einfluss der Reibung auf die Ablenkung der Bewegungen längs der Erdoberfläche. gr. 8. (34 S.) Halle 886. Schmidt. n. — 80

— die Sonnenstrahlung auf der nördlichen im Vergleich mit derjenigen auf der südlichen Erdhälfte. Vortrag. gr. 8. (18 S.) Ebend. 885. n. — 50

Roth, Frdr., die Einführung der Reformation in Nürnberg 1517—1528. Nach den Quellen dargestellt. gr. 8. (IV, 271 S.) Würzburg 885. Stuber's Verl. n. 5. —

Roth, Hieronymus Ritter v., achtzig Tage in preußischer Gefangenschaft u. das Treffen bei Trautenau am 27. Juni 1866. gr. 8. (55 S.) Trautenau 884. Kreiml. n. 1. 20

Roth, Joh. Frdr. Wilh., die drei Perioden in der Entwickelung der Landwirthschaft unseres Jahrhunderts. Vortrag. gr. 8. (29 S.) Dresden 885. G. Schönfeld's Verl. n.n. — 50

Roth's, Jos., landwirthschaftliche Wandervorträge. [Populäre Flugschriften in Einzelheften.] 1. Hft. gr. 8. Znaim 883. (Fournier & Haberler.) n. — 40

Nutzen u. Nothwendigkeit der Zusammenlegung landwirthschaftlicher Grundstücke, nebst dem diesbezügl. Gesetze vom 7. Juni 1883.

Roth, Just., Beiträge zur Petrographie der plutonischen Gesteine, gestützt auf die von 1879—1883 veröffentlichten Analysen. gr. 4. (54 u. 88 S.) Berlin 884. (G. Reimer.) n. 7. 50

— die geologische Bildung der norddeutschen Ebene, s.: Sammlung gemeinverständlicher wissenschaftlicher Vorträge.

— allgemeine u. chemische Geologie. 2. Bd. 1. u. 2. Abth. gr. 8. Berlin, Hertz. n. 11. — (I.—II, 2.: n. 27. —)

1. Allgemeines u. ältere Eruptivgesteine. (210 S.) 887. n. 6. —
2. Jüngere Eruptivgesteine. (S. 209—387.) 885. n. 5. —

Roth v. Schreckenstein, Karl Heinr. Frhr., Herr Walther v. Geroldseck, Bischof v. Straßburg. [1261—1263.] 2. Ausg. gr. 8. (76 S.) Freiburg i/Br. 886. Mohr. n. 1. 20

— Geschichte der ehemaligen freien Reichsritterschaft in Schwaben, Franken u. am Rheinstrome, nach Quellen bearb. 2 Bde. 2. Ausg. gr. 8. (VIII, 670 u. VI, 649 S.) Ebend. 886. n. 15. —

— das Patriziat in den deutschen Städten, besonders Reichsstädten, als Beitrag zur Geschichte der deutschen Städte u. d. deutschen Adels. 2. Ausg. gr. 8. (XII, 620 S.) Ebend. 886. n. 5. —

— die Ritterwürde u. der Ritterstand. Historisch-polit. Studien üb. deutsch-mittelalterl. Standesverhältnisse auf dem Lande u. in der Stadt. gr. 8. (III, 735 S.) Ebend. 886. n. 18. —

— wie soll man Urkunden ediren? Ein Versuch. 2. Ausg. gr. 8. (54 S.) Ebend. 886. n. 1. 20

Roth, Karl Ludw., römische Geschichte, nach den Quellen erzählt. In 2. Aufl. hrsg. v. Adf. Westermayer. 2 Tle. gr. 8. Nördlingen, Beck. à n. 5. 20; cart. à n. 5. 80; in 1 Halbfrzbd. n. 11. 80

1. Von der Gründung der Stadt Rom bis zur Stiftg. d. 1. Triumvirats. Mit 15 Orig.-Abbildgn. in Tondr. u. e. (chromolith.) Karte v. Italien. (XII, 388 S.) 884.
2. Von Cäsar bis zum Untergang d. abendländ. Kaiserreichs. Mit 25 Orig.-Abbildgn. in Tondr., 3 Münztaf. u. 2 (chromolith.) Karten. (XI, 408 S.) 885.

Roth v. Telegd, L., Umgebungen v. Kismarton [Eisenstadt], s.: Erläuterungen zur geolog. Specialkarte der Länder der ungar. Krone.

Roth, M., the prevention of blindness. A reprint of a paper read on the 25th July, 1883, at the conference in York. gr. 8. (10 S. m. 1 color. Taf.) London 883. (Wiesbaden, Bergmann.) n.n. 1. 20

Roth, M., Andreas Vesalius Bruxellensis. Rektoratsrede. gr. 8. (35 S.) Basel 886. Schwabe. n. 1. —

Roth, Otto, die Arzneimittel der heutigen Medicin, f. die ärztl. Praxis zusammengestellt. 5. Aufl. Neu bearb. v. Greg. Schmitt. gr. 8. (IV, 242 S.) Würzburg 885. Stuber's Verl. n. 4. 50; geb. n. 5. 20

— klinische Terminologie. Zusammenstellung der hauptsächlichsten, zur Zeit in der klin. Medicin gebräuchl. techn. Ausdrücke, m. Erklärg. ihrer Bedeutg. u. Ableitg. 2. verm. u. verb. Aufl., besorgt v. Herm. Gessler. 8. (XII, 424 S.) Erlangen 884. Besold. n. 6. —; geb. n. 7. —

Roth, Paul v., System d. deutschen Privatrechts. 3. Thl. Sachenrecht. gr. 8. (XIII, 793 S.) Tübingen 886. Laupp. n. 15. — (1—3.: n. 33. —)

Roth, R., Friedrichroda u. seine Umgebung, s.: Reisebücher, Thüringer.

Roth, R., er führet es herrlich hinaus, — gesühnt, } s.: Trewendt's Jugendbibliothek.

— ein nordischer Held, s.: Universal-Bibliothek f. die Jugend.

— der Tigerjäger, — der Tolpatsch, } s.: Trewendt's Jugendbibliothek.

— treu u. rein wie Gold. Eine Erzählg. f. die Jugend u. ihre Freunde. Mit 4 Stahlst. 12. (103 S.) Stuttgart 885. Schmidt & Spring. cart. — 75

— Treuherz od. Trapper u. Indianer. Bilder u. Scenen aus Wald u. Prärie d. Westens v. Amerika. Erzählung f. Jugend u. Volk. Mit 6 Bunt- u. 6 Tondr.-Bildern. 2. Aufl. gr. 8. (III, 875 S.) Leipzig 886. Schwetschke's Verl. Sep.-Cto. cart. 4. —

Roth, Wilh., Grundriss der physiologischen Anatomie f. Turnlehrer-Bildungsanstalten. Nebst e. kurzen Anweisung zur ersten Hülfeleistg. bei Verletzgn. 4. Aufl. gr. 8. (XVIII, 218 S.) Berlin 885. Voss. n. 3. 50

— s.: Jahresbericht üb. die Leistungen u. Fortschritte auf dem Gebiete d. Militär-Sanitätswesens.

— das Militär- u. Marine-Sanitätswesen auf der allgemeinen deutschen Ausstellung f. Hygiene u. Rettungswesen zu Berlin 1883. Bericht. gr. 8. (IV, 108 S. m. Holzschn.) Braunschweig 884. Vieweg & Sohn. n. 2. 80

— die chronische Rachenentzündung. Eine anatomisch-klin. Studie. gr. 8. (III, 32 S.) Wien 883. Toeplitz & Deuticke. n. 1. —

Röth, Chrn., Geschichte v. Hessen. 2. Aufl. Hrsg. u. bis zum Untergange d. Kurfürstentums fortgesetzt v. C. v. Stamford. gr. 8. (VIII, 509 S.) Kassel 883—86. Freyschmidt. n. 6. —; geb. in Calico n. 7. —; in Halbfrz. n. 7. 75

Rothacker, J. B., auserlesene Märchen f. die Jugend. Mit 6 Bildern in Farbendr., gezeichnet u. lith. v. Chr. Botteler. 3. Aufl. 8. (263 S.) Nürnberg 883. Neugebauer. geb. 1. 50

Rothaug, J. G., Lehrbuch der Geographie f. Bürgerschulen in 3 Stufen. Mit Holzst. u. Kartenskizzen. gr. 8. Prag 885. Tempsky. à n. — 88; Einbd. à n.n. — 20

1. 6. Aufl. (IV, 104 S.) — 2. 4. verb. Aufl. (118 S.) — 3. 5., nach den neuen Lehrplänen ergänzte Aufl. (108 S.)

— dasselbe. Ausg. in 1 Bd. f. alle 3 Classen. Mit vielen in den Text gedr. Abbildgn. gr. 8. (IV, 256 S.) Ebend. 885. n. 1. 80

— österreichischer Schulatlas. Nach method. Grundsätzen bearb. gr. 8. (22 chromolith. Karten in qu. gr. 4. u. gr 8. m. 2 S. Text.) Prag 884. Tempsky. — Leipzig, Freytag. n.n. 1. 20

— Walhalla, s.: Jugendbibliothek,

Rothe, C., üb. die Entdeckung v. Elementen. gr. 8. (18 S.) Wien 885. (Pichler's Wwe. & Sohn.) n. — 40

Rothe, C. G., Compendium der Frauenkrankheiten. Zum Gebrauche f. Studirende u. Aerzte. Mit 54 Holzschn. 2. Aufl. 8. (XIV, 305 S.) Leipzig 884. Abel. n. 5. —; Einbd. n.n. — 75

— die Diphtherie. Ihre Entstehg., Verhütg. u. Behandlg. 2. Aufl. gr. 8. (VIII, 93 S.) Ebend. 884. geb. n. 2. 40

Rothe, Carl, vollständiges Verzeichniss der Schmetterlinge Oesterreich-Ungarns, Deutschlands u. der Schweiz. Nebst Angabe der Flugzeit, der Nährpflanzen u. der Entwicklungszeit der Raupen. Für Schmetterlingssammler zusammengestellt. gr. 8. (46 S.) Wien 886. Pichler's Wwe. & Sohn. n. — 80

Rothe, Edm., Poesie u. Medicin. Vortrag, geh. in der literar. Gesellschaft d. Bremer Künstlervereins. 8. (31 S.) Bremen 885. Rocco. n. 1. —

Rothe, G., e. Gedenkemein f. Konfirmanden als Nachruf in's Leben zum Leben. 2. Aufl. 12. (40 S.) Guben 883. (Berger.) n. — 20

— Trösteinsamkeit an Krankenbetten, an Gräbern u. in stillen Stunden. Eine Gabe an die innere u. äußere Mission. 2. verm. Aufl. 12. (112 S.) Ebend. 883. n. — 50; cart. n. — 60

Rothe, Karl, Methodik d. naturgeschichtlichen Unterrichtes, s.: Handbuch der speciellen Methodik.

— Naturgeschichte f. Mittelschulen, Bürgerschulen, höhere Töchterschulen u. verwandte Lehranstalten in 3 konzentr. Kreisen. 1—3. Stufe. gr. 8. Wien, Pichler's Wwe. & Sohn. n. 3. 60

1. Mit 170 Abbildgn. 15. Aufl. (142 S.) 884. n. 1. —
2. Mit 291 Abbildgn. 10. Aufl. (174 S.) 885. n. 1. 20
3. Mit 260 Abbildgn. 5. Aufl. (155 S.) 885. n. 1. 40

Rothe, L., historische Nachrichten der Stadt Zeitz. 2. Hft. 8. (133 S.) Zeitz 884. (Langenberg.) n. 1. 20 (1. u. 2.: n. 3. 70)

Rothe, Ludw., Krystallnetze zur Verfertigung der beim mineralogischen Anschauungsunterricht vorkommenden wichtigsten Kristallgestalten. 3 Taf. (in Fol.). 8. Aufl. 8. (4 S.) Wien 886. Pichler's Wwe. & Sohn. n. — 60

Rothe, Osc., das Vorschreiben. Anleitung zur Herstellg. der Schilder in den Apotheken. gr. 8. (16 S. m. Fig. u. 1 Steintaf.) Remscheid 883. Schmidt. n. 1. —

Rothe's, Rich., Entwürfe zu den Abendandachten üb. die Pastoralbriefe u. andere Pastoraltexte. Geh. im Prediger-Seminar zu Wittenberg. Aus Rich. Rothe's handschriftl. Nachlaß hrsg. v. Karl Palmié. 2 Bde. 2. Aufl. gr. 8. Bremen 886. Heinsius. à n. 5. —

1. Die Briefe Pauli an den Timotheus u. Titus, nebst e. Anh.: Luthers Gedächtnistage. (XVIII, 387 S.)
2. Der 1. Brief Johannis, die Geschichte d. Herrn, die Bergpredigt, Festtexte u. andere Pastoraltexte. (XX, 416 S.)

— gesammelte Vorträge u. Abhandlungen aus seinen letzten Lebensjahren. Eingeleitet v. Frdr. Nippold. gr. 8. (XVI, 208 S.) Elberfeld 886. Friderichs. n. 4. —

Rothen, s.: Bericht üb. physikalische Industrie.

Rothenbach, J. Emil, Sänge u. Klänge. Gedichte. 12. (XVI, 320 S.) Bern 881. K. J. Haller-Goldschach. n. 3. 40

Rothenbücher, Adf., Handbuch der Moral. 8. (III, 225 S.) Cottbus 883. Differt. n. 1. 80

— Hauptregeln der französischen Syntax, nebst Uebungsbeispielen. 8. (V, 70 S.) Ebend. 885. n. — 80

— das Ideal e. höheren Mädchenschule. 2. Aufl. 8. (27 S.) Ebend. 885. n. — 50

— der Philosoph f. die Welt. 8. (VI, 130 S.) Ebend. 885. n. 1. —

— phrases et récits français. 3. Aufl. 16. (VI, 114 S) Ebend. 884. cart. n. — 90

— französische Schulgrammatik. 2 Tle. gr. 8. Ebend. 886. n. 3. 30; in 1 Bd. geb. n. 3. 50

1. Hauptregeln der französischen Formenlehre mit zusammenhängendem französischem Text u. deutschen Uebungsstücken. (204 S.) n. 2. —; geb. n. 2. 20
2. Hauptregeln der Syntax. (V, 139 S.) n. 1. 30; geb. n. 1. 50

Rothenburg, Adelheid v., geb. v. Zastrow, der Bienenkönig. Die verschwundene Kriegskasse. Ein Sommertag. Drei neue Novellen. 8. (339 S.) Frankfurt a/M. 884. Calw, Vereinsbuchh. n. 3. —; geb. n. 3. 60

— drei Erzählungen. 8. Herborn 886. Buchh. d. Nassauischen Colportagevereins. n. 1. 60; in 1 Bd. geb. n. 2. 40

1. Die Hochzeitsreise. (90 S.) n. — 50
2. Das Käthchen v. Riedbach. (117 S.) n. — 70
3. Eine Geschichte aus der Hinkelsgasse. (68 S. n. — 40

— verworrenes Garn. Roman. 2. Aufl. 8. (642 S.) Gotha 886. F. A. Perthes. n. 7. —; geb. n. 8. —

— jenseits der Grenze. 2 Tle. gr. 8. (493 u. 587 S.) Ebend. 886. n. 12. —; geb. n. 14. —

— Hildegards Liebe. Ein Stückchen Leben. Elfride. Drei Novellen. 8. (351 S.) Frankfurt a/M. 884. Calw, Vereinsbuchh. n. 3. —; geb. n. 3. 60

— die Nähterin v. Stettin. Eine Erzählung aus der Zeit der Thränen u. Wunder. 2. Aufl. 8. (395 S.) Gotha 885. F. A. Perthes. n. 6. —

— aus dem Tagebuche e. Haushälterin. 2. Aufl. 8. (482 S.) Ebend. 885. n. 6. —

— aus der Tiefe. Erzählung. 8. (480 S.) Ebend. 886. n. 6. —; geb. n. 7. —

Rothenfels, E. v., Haideblume. Roman. 3. Aufl. 3 Thle. in 1 Bde. 8. (544 S.) Berlin 885. Janke. n. 4. —

Rothenfluh, E. v., das Grab d. Verschollenen, s.: Bachem's Novellen-Sammlung.

Rothenhäusler, Konr., die Abteien u. Stifte d. Herzogth. Württemberg im Zeitalter der Reformation. gr. 8. (XVI, 289 S.) Stuttgart 886. Deutsches Volksblatt. n. 3. —

— Standhaftigkeit der württembergischen Klosterfrauen im Reformations-Zeitalter. 8. (194 S.) Ebend. 884. n.n. 1. 50; geb. 2. 70

Rother, König, s.: Textbibliothek, altdeutsche.

Rother, Osk., üb. Capillaritätsbestimmungen v. Salzlösungen u. deren Gemischen. gr. 8. (51 S. m. 2 lith. Curventaf.) Löwenberg 883. (Breslau, Köhler.) n. 1. —

Rother, R., Gott führet alles wohl, } s.: Trewendt's Jugendbibliothek.
— die Wallfahrt nach Ebersdorf, }

Rothert, W., Zugabe, s.: Erk's Spruchbuch.

Rothert, Wladyslaw, vergleichend-anatomische Untersuchungen üb. die Differenzen im primären Bau der Stengel u. Rhizome krautiger Phanerogamen, nebst einigen allgemeinen Betrachtgn. histolog. Inhalts. gr. 8. (130 S.) Dorpat 885. (Berlin, Friedländer & Sohn.) n. 2. —

Rothkäppchen u. **Aschenbrödel.** 2 Märchen. Verwandlungs-Bilderbuch. 4. (12 S. m. 6 Chromolith.) Leipzig 888. Opetz. cart. 1. —

Rothmund, A. v., üb. den gegenwärtigen Standpunkt der Lehre v. den infektiösen Erkrankungen d. Auges, s.: Zur Aetiologie der Infectionskrankheiten.

Rothpletz, E., die Gefechtsmethode der drei Waffengattungen u. deren Anwendung. I. u. III. 12. Aarau 886. Sauerländer. geb. n. 4. 80

1. Geschichtliche Entwicklung. (VII, 256 S.) n. 3. —
3. Die Kavallerie. (IV, 89 S.) n. 1. 80

— die Terrainkunde. 12. (X, 324 S. m. eingedr. Fig.) Ebend. 885. geb. n. 3. 60

Rothschild's, L., Taschenbuch f. Kaufleute, insbesondere f. Zöglinge d. Handels. Enth. das Ganze der Handelswissenschaft in gedrängter Darstellg. Hrsg. unter Mitwirkg. v. A. E. Amthor, Alb. Braune, O. Delitsch ꝛc. 30. Aufl. Mit zahlreichen Uebersichten u. Tabellen. gr. 8. (X, 643 u. 384 S.) Leipzig 886. Gloeckner. n. 7. —; geb. n. 8. —; Prachtausg. in 2 Halbfrzbdn. n. 12. —

Rothschütz, Th. v., Allerlei aus dem Leben. I—III. 12. (à 32 S.) Anklam 885. (Leipzig, Buchh. d. Vereinshauses.) cart. à n. — 20

— Alpenveilchen. 12. (VII, 97 S.) Ebend. 886. cart. n. 1. —; geb. n. 1. 20

— mein Blaubuch. gr. 8. (177 S.) Ebend. 886. n. 3. —; geb. n. 4. —: m. Goldschn. n. 5. —

— führe uns nicht in Versuchung. Gerettet. Der Apothekergehülfe. Erzählungen. 12. (32 S.) Ebend. 885. cart. n. — 20

— Gabriels Heirat. Wider Wind u. Wellen. 2 Erzählgn. 12. (89 S.) Ebend. 885. cart. n. — 30

— bei Gott ist kein Ding unmöglich! Erzählung. 12. (33 S.) Ebend. 885. cart. n. — 20

— Gottes Wege nicht unsere Wege! Eine Erzählg. 16. (54 S.) Frankfurt a/M. 883. Drescher. n. — 60; cart. n. — 70

— kurze Kinderpredigten. 16. (64 S.) Berlin 884. Deutsche Evangel. Buch- u. Tractat-Gesellschaft. n. — 40

— in Kriegsgefangenschaft. Erzählung. 12. (32 S.) Anklam 886. (Leipzig, Buchh. d. Vereinshauses.) cart. n. — 20

— durch Nacht zum Licht. Erzählung. 12. (27 S.) Ebend. 885. cart. n. — 20

— Näh-Gustel. Eine Erzählg. 8. (24 S.) Berlin 884. Deutsche evang. Buch- u. Traktat-Gesellsch. n. — 20

— die Pantoffel-Lene. Eine Sonntagsschulgeschichte. Mit 1 Farbendr.-Bild. 12. (19 S.) Barmen 883. Klein. n. — 40; Ausg. ohne Bild — 15

— von der Schlange gebissen. Eine Erzählg. 12. (12 S.) Berlin 885. Deutsche Evangel. Buch- u. Tractat-Gesellschaft. — 8

— zwei Sommernächte u. ein Wintertag. Erzählung. 12. (71 S.) Anklam 885. Leipzig, Buchh. d. Vereinshauses. n. — 40

— ein Testament. Erzählung. 12. (115 S.) Ebend. 885. geb. n. 1. 20

— Treu. Eine Erzählg. f. d. Jugend u. ihre Freunde. 12. (59 S.) Basel 885. Spittler. — 30

— unfehlbar. gr. 8. (II, 357 S.) Barmen 885. Klein. n. 4. 40; geb. n. 5. 40

— Vergißmeinnicht. Ein neuer Märchen- u. Geschichtenstrauß f. Kinder. Mit 4 bunten Bildern v. Marie Stüler. 8. (150 S.) Breslau 886. Trewendt. geb. n. 3. —

— die Witwe v Sarepta. Was Gott thut, das ist wohlgethan. Keinen Namen nennen! Erzählungen. 12. (31 S.) Barmen 885. Klein. cart. n. — 20

— die Wunderblume. Ein Märchen. Ein Sonntag-Nachmittag. Eine Erzählg. Ebend. 885. cart. n. — 20

Rothwell, J. S. S., deutsch-englischer Briefsteller. Muster zu Briefen jeder Art. Mit der gegenübergedruckten engl. Übersetzg. Zum Gebrauch beim Unterricht u. f. Personen, welche engl. u. deutsche Aufsätze abzufassen haben. Mit e. vollständ. Handelskorrespondenz u. Formularen zu Geschäftsaufsätzen, Zeitungsanzeigen ꝛc. 3. Aufl. 8. (VIII, 368 S.) Stuttgart 885. Neff. 2. 25; geb. n. 2. 75

Rothwell, J. S. S., neue englische u. deutsche Gespräche m. beigefügter Aussprache nach den besten Orthoëpisten Englands, stetem Bezug auf die Regeln der Grammatik, Sprichwörtern, Anglicismen ꝛc. Zur Erleichterg. d. Studiums beider Sprachen. 14. Aufl 8. (XIII, 350 S.) München 885. Grubert. 2. 30; geb. 2. 70

— vollständige, theoretisch-praktische Grammatik der englischen Sprache nach dem gegenwärtigen Standpunkte der Wissenschaft. Mit vielen, das gründl. Studium außerordentlich erleichternden prakt. Beispielen, erklär. Anmerkgn. u. Aufgaben nebst beigefügter engl. Aussprache. Für Lehranstalten u. zum Selbststudium. Nach e. neuen Systeme bearb. 13. Aufl. gr. 8. (XXIV, 598 S.) Ebend. 883. 4. 60

— vereinfachte theoretisch-praktische Schulgrammatik der englischen Sprache. Nach e. neuen System bearb., durch zahlreiche Beispiele erläutert u. m. vielen Aufgaben ꝛc. zur Erleichterg. d. Studiums versehen. Mit beigefügter engl. Aussprache. Für das Privatstudium, besonders aber f. Gymnasien, höhere Mädchenschulen u. andere Lehranstalten. 8. Aufl. gr. 8. (XVI, 290 S.) Ebend. 885. 2. 50

Rotteck, K. W. v., Rede üb. ihn, s.: Roepell, R.

Rotteck, Tuiscon, Geographie v. Thüringen. Für die thüring. Volksschulen bearb. 8. (38 S.) Hildburghausen 886. Gadow & Sohn. n. — 20

— katechetische Unterredungen üb. ausgewählte Psalmen f. die Volksschule. Ein prakt. Handbuch f. Seminaristen u. Volksschullehrer. 1. u. 2. Hft. 8. (IV, 76 u. IV, 68 S.) Ebend. 884. 85. à n. — 60

— Unterredungen üb. 17 f. die Volksschule ausgewählte Gleichnisreden Jesu. Ein prakt. Handbuch f. Seminaristen u. Volksschullehrer. 8. (VIII, 125 S.) Ebend. 883. n. 1. 20

Roetteken, H., der zusammengesetze Satz bei Berthold v. Regensburg, s.: Quellen u. Forschungen zur Sprach- u. Culturgeschichte der germanischen Völker.

Rotter, Emil, die Behandlung Verunglückter bis zur Ankunft d Arztes. Anweisung f. Heilgehilfen, Polizei- u. Gemeindebedienstete, Schutz- u. Feuerwehrmannschaft, überhaupt f. diejenigen, welche die erste Hilfe bei Verunglückten leisten. Mit Holzschn. 6. Aufl. 12. (30 S.) Nürnberg 883. v. Ebner. n. — 50

Rotter, Rich., Andreas Ritter v. Wilhelm. Biographischer Beitrag zur österreich. Schul- u. Staatsgeschichte in den letzten 75 Jahren. gr. 8. (XVI, 327 S. m. chemigr. Portr.) Wien 884. Graeser. n. 6. —

Röttger, R., das Wetter u. die Erde. Eine Witterungskunde nach neuen Grundsätzen u. Entdeckgn., begründet durch zahlreiche Einzelbeweise u. durch die seit 1878 thatsächlich eingetretenen Katastrophen unseres Erdkörpers. Mit Illustr. gr. 8. (VI, 602 S.) Jena 885. Costenoble. n. 13. 50

Röttig, Jul., kurzer Abriß der Kirchengeschichte. Ein Leitfaden f. den Unterricht in evangel. Gymnasien. 2. Aufl. gr. 8. (34 S.) Halle 884. Strien. cart. n. — 60

Röttiger, W., der Tristran d. Thomas, e. Beitrag zur Kritik u. Sprache desselben. gr. 8. (56 S.) Göttingen 883. (Peppmüller.) n. 1. 20

Rottleuthner, Wilh., die alten Localmasse u. Gewichte nebst den Aichungsvorschriften bis zur Einführung d. metrischen Mass- u. Gewichtssystems u. der Staatsaichämter in Tirol u. Vorarlberg. gr. 8. (IV, 157 S.) Innsbruck 883. Wagner. n. 2. 40

Rottmann, Ant. Ewald, neues Börsensteuer-Gesetz. Gesetz, betr. die Erhebg. v. Reichsstempelabgaben vom 1. Juli 1881 u. 29. Mai 1885. Textausg. nach der Bekanntmachg. d. Reichskanzlers vom 3. Juni 1885 m. Tabellen, nach den durch die Beschlüsse d. Bundesraths festgestellten Mittelwerthen berechnet. 8. (39 S.) Bremen 885. (Rühle & Schlenker.) n. 1. 50; m. Tabellen u. ohne Ausführungsbestimmg. n. 1. —; ohne Tabellen u. Ausführungsbestimmg. n.n. — 50

Rottmann's, Karl, Biographie, s.: Regnet, C. A.

Rottmann, P. J., Gedichte in Hunsrücker Mundart. 6. Aufl. Mit dem Bildniß u. e. Lebensskizze d. Verf. v. Herm.

Grieben. 8. (XXII, 360 S.) Trier 883. Lintz. n. 2. 80; geb. n. 4. —

Rottok, Lehrbuch der Planimetrie. Zum Gebrauche an höheren Lehranstalten u. zum Selbst-Unterricht. 2. Aufl. [Mit 57 Fig. im Text.] gr. 8. (X, 74 S.) Leipzig 883. H. Schultze's Verl. cart. n. 1. 40

— Lehrbuch der Stereometrie. Zum Gebrauche an höheren Lehranstalten u. zum Selbstunterricht. 2. Aufl. [Mit 27 Fig. im Text.] gr. 8. (V, 59 S.) Ebend. 883. cart. n. 1. 25

Röttscher, A., Melchior v. Diepenbrock, } s.: Broschüren, Frankfurter zeitgemäße.
— die Psalmen,
— die Segnungen der Reformation,
— Unionsversuche zwischen Katholiken u. Protestanten Deutschlands,

Rougemont, de, avant, pendant et après, s.: Scribe.

Rouslane, B., der Jude v. Sofievka. Roman. Einzige autoris. Uebers. v. Adf. Schulze. 8. (224 S.) Berlin 884. F. Luckhardt. n. 3. —

Rousseau, H. M., Erhebungen d. Geistes u. Herzens üb. die Geheimnisse d. h. Rosenkranzes od. Betrachtgn. u. fromme Lesgn. f. den Monat Oktober, die Fastenzeit, den Maimonat u. die hauptsächlichsten Feste d. Jahres. Aus dem Franz. übers. v. Bertha Arndts. 16. (380 S. m. 1 Stahlst.) Paderborn 885. Schöningh's Sort. n. 1. 40; geb. n. 2. —

Rousseau, J. J., übers. u. erläutert v. E. v. Sallwürk. Mit e. Biographie Rousseau's v. Thdr. Vogt. 2. Aufl. 2 Bde. gr. 8. (XX, CXXIII, 268 u. VIII, 405 S.) Langensalza 883. Beyer & Söhne. à n. 3. —

— Werke, s.: Collection Spemann.

— Bekenntnisse. Aus dem Franz. v. Levin Schücking. 2 Thle. 8. (330 u. 470 S.) Leipzig 886. Bibliograph. Institut. geb. à n. 1. —

— der Gesellschaftsvertrag, s.: Universal-Bibliothek.

Rousseau, J. J., als Musiker, s.: Jansen, A.

Roux, Ludw. Caes., die Hiebfechtkunst. Eine Anleitg. zum Lehren u. Erlernen d. Hiebfechtens aus der verhangenen und steilen Auslage m. Berücksicht. d. akad. Comments. Mit 100 nach photograph. Aufnahmen hergestellten Tondr.-Bildern. gr. 8. (XVI, 120 S.) Jena 885. Pohle. n. 4. 50; geb. 6. —

Roux, Wilh., üb. die Bedeutung der Kerntheilungsfiguren. Eine hypothet. Erörterg. gr. 8. (19 S.) Leipzig 883. Engelmann. n. — 60

— Beiträge zur Morphologie der functionellen Anpassung. 2. Ueber die Selbstregulation der morpholog. Länge der Skeletmuskeln. gr. 8. (70 S.) Jena 883. Fischer. n. 2. —

Der 1. Beitrag u. d. T.: „Ueber die Structur e. hochdifferenzirten bindegewebigen Organes [der Schwanzflosse d. Delphin]" ist im Archiv f. Anatomie u. Entwicklungsgeschichte Jahrg. 1883 enthalten.

— über die Zeit der Bestimmung der Hauptrichtungen des Froschembryo. Eine biolog. Untersuchg. gr. 8. (28 S. m. 1 Taf.) Leipzig 883. Engelmann. n. 1. —

Rovetta, G., unter dem Wasser, s.: Universal-Bibliothek.

Rowel, M., Briefe aus der Hölle. Frei nach dem Dän. 30. Tausend. gr. 8. (353 S.) Leipzig 885. Fr. Richter. n. 3. —; geb. n. 4. —; m. Goldschn. n. 4. 20

cfr.: Briefe aus der Hölle.

— unter Christi Kreuz. Erzählungen. Aus dem Dän. v. Osk. Rothnagel. 2. Aufl. 8. (III, 205 S.) Ebend. 885. n. 3. —; geb. n. 4. —; m. Goldschn. n. 4. 20

Roy, J. J. E., Geschichte der Johanna v. Arc, genannt die Jungfrau v. Orleans. Für die reifere christl. Jugend aus dem Franz. 4. Aufl. Mit e. Stahlst. 8. (VIII, 264 S.) Regensburg 883. Verlags-Anstalt. 2. —

Rozinay, Stef. v., die Bauten v. Budapest. In Lichtdr. ausgeführt v. Carl Divald. (In 10–12 Lfgn. à 10 Blatt.) 1. Lfg. Fol. (6 Lichtdr.- u. 4 Steintaf. m. 1 Bl. ungar., französ. u. deutschen Text.) Eperies 883. Divald. n. 10. —

Rózsahegyi, A. v., hygienische Grundsätze bei der Reconstruction v. Städten m. besond. Rücksicht auf Szegedin. Ein Vortrag. gr. 8. (39 S.) Leipzig 884. G. Thieme. n. 1. —

Rübel, K., s.: Urkundenbuch, Dortmunder.

Rubens, Peter Paul, antike Charakterköpfe. Eine Sammlg. v. 12 Bildnissen, nach antiken Büsten gezeichnet v. R., in Kpfr. gestochen v. L. Vorstermann, P. Pontius, H. Withous u. S. à Bolswert. Fcsm.-Reproduction. Fol. (1 Bl. Text.) München 884. Hirth. n. 2. 50

Rubens', P. P., Biographie, s.: Goeler v. Ravensburg, F. Frhr.

Rübenstrunk, Ad., wider die falschen Lutherverehrer. Allen Festgenossen im Jubelj. 1883 zur Beherzigg. gewidmet. gr. 8. (64 S.) Leipzig 883. Böhme. n. — 60

Ruber, Ign. Edler v., Beiträge zur Geschichte d. Vormundschaftsrechtes in Mähren. gr. 8. (VIII, 271 S.) Brünn 883. Winiker. n. 4. —

— Beiträge zur Geschichte d. Vormundschaftsrechtes in Mähren. 2. Aufl. gr. 8. (X, 271 S.) Ebend. 885. n. 4. —

— Streifzüge durch die Rechtsgeschichte Mährens. 1. Abth.: Geschichte d. landrechtlichen Verfahrens. 1. u. 2. Hft. gr. 8. (III, 163 u. III, 92 S.) Wien 885. 86. Ebend. à n. 2. —

Rübesamen, s.: Reden bei der Begräbnißfeier d. Gen.-Superint. Dr. Jaspis.

Rübezahl, seine Begründung in der deutschen Mythe, seine Idee und die ursprünglichen Rübezahlmärchen. Hrsg. vom Oesterreich. Riesengebirgs-Verein. gr. 8. (IV, 170 S.) Hohenelbe 884. (Prag, Dominicus.) n. 3. —

— u. der Rattenfänger v. Hameln. Mit 12 (chromolith.) Bildern v. Frz. Gehrts. 4. (11 S. Text.) Düsseldorf 884. A. Bagel. geb. 1. 80

Rubinstein, Susanna, psychologisch-ästhetische Essays. 2. Folge. Mit dem (Lichtdr.-)Bildniß der Verf. gr. 8. (279 S.) Heidelberg 884. C. Winter. n. 3. — (1. u. 2.: n. 14. —)

Rübner, C., Kaiserlied, s.: Bierbaum, J.

Rubricae generales et speciales Breviarii et Missalis romani reformatae. 8. (60 S.) Kempten 884. Kösel. — 50

Rubriken-Ordnung u. **Nomenclatur** d. k. k. Train-Materiales. 8. (XII, 140 S.) Wien 884. Hof- u. Staatsdruckerei. n. 1. 60

Rückblicke auf die ersten 25 Lebensjahre d. Architekten- u. Ingenieur-Vereins in Hamburg. gr. 8. (108 S. m. 1 Curventaf.) Hamburg 884. O. Meißner's Verl. cart. n. 2. —

— kritische. Eine Erwiderg. auf die „Gedanken üb. das Pferd" v. Osw. Graf Wolkenstein. Von A. v. M. gr. 8. (25 S.) Wien 886. Verl. der Allg. Sport-Zeitg. n. 1. —

— allgemeine, auf den Kulturkampf in seinen verschiedenen Phasen vom religiös-politischen Standpunkte. Eine Widmg. f. das deutsche Volk zur Erinnerg. an das Lutherjubiläum v. Wahrlieb Freimut. gr. 8. (64 S.) Barmen 883. Wiemann. n. 1. —

Rücker's, Jul., deutscher Geschäfts- u. Notizkalender f. 1885. 9. Jahrg. 16. (259 S.) Minden, Bruns. geb. n. — 80

— deutscher Schul-Kalender f. Lehrer u. Lehrerinnen, Seminarien u. Präparanden-Anstalten Deutschlands, Oesterreichs u. der Schweiz. 1885. 15. Jahrg. 2 Tle. 16. (232 u. 27 S.) Ebend. In 1 Bd. geb. n. 1. —

Rücker, Jul., Gesang- u. Gebetbuch f. katholische Christen zum Gebrauch beim Gottesdienste, bei Begräbnissen zc. Nebst e. kurzen Heiligenlegende. 3. Aufl. 16. (XX, 276 S.) Breslau 884. Aderholz. geb. m. Rothschn. n.n. — 75; m. Goldschn. n. 1. —

— Handbuch f. den Unterricht in der Geschichte, Erdkunde, Menschenkunde, Naturbeschreibung u. Naturlehre. Nebst e. Anh. aus deutscher Sprache, Rechnen u. Raumlehre. Für kathol. mehrklass. Elementarschulen. 3. Aufl. Mit 123 Abbildgn. 8. (68, 59, 72, 48 u. 33 S.) Aachen 885. A. Jacobi & Co. n. 1. 20

— der heil. Kreuzweg. Aus dem Gebetbuche: „Hochgelobt u. gebenedeit sei die allerheiligste Dreifaltigkeit" abgedr. u. m. Kreuzweggliedern versehen. 16. (32 S.) Habelschwerdt 883. Franke. n. — 8

Rücker, Jul., Naturlehre. Hilfsmittel f. den Naturlehr-Unterricht in den deutschen Elementar- u. Fortbildungsschulen. 8. (48 S.) Aachen 885. A. Jacobi & Co. n.n. — 25

— deutsche Sprache, Rechnen u. Raumlehre. Hilfsmittel zum Gebrauch in den deutschen Elementar- u. Fortbildungsschulen. 8. (33 S.) Ebend. 885. n.n. — 25

— der Unterricht u. die Erziehung nicht vollsinniger Kinder: der Idioten, Tauben u. Blinden. Für Volksschule u. Haus bearb. 2. Aufl. 8. (85 S.) Trier 885. Stephanus. n. — 80; cart. n. 1. —

Ruckert, Alois Jos., mir gemüatli! Neue Gedichte in unterfränk. Mundart. gr. 8. (114 S.) Würzburg 887. Stuber's Verl. n. 1. 20; auf feinerem Pap. geb. n. 2. 50

— Lachtäuwli. Gedichte in unterfränk. Mundart. [Der „Toganachtsveichali" 2. Bd.] 2. Aufl. gr. 8. (XIV, 97 S.) Ebend. 888. n. 1. 20

— Toganachtsveichali. Lustia u. arnsta Gadichter nach fränkisch'n Garäib. 1. Bd. 6. Aufl. gr. 8. (98 S.) Ebend. 883. n. 1. 10

— schlichte Weisen. Gedichte. 12. (VIII, 128 S.) Leipzig 886. Brauns. n. 1. 60; geb. m. Goldschn. 2. 50

Rückert, Frdr., Gedichte. Auswahl d. Verf. Mit Zugaben. 21. Aufl. Mit dem Bildnis des Verf. 8. (VIII, 636 S.) Frankfurt a/M. 884. Sauerländer. n. 5. —

— dasselbe. Neue Auswahl. 22. Aufl. Min.-Ausg. gr. 16. (XI, 575 S. m. Lichtdr.-Portr.) Ebend. 886. geb. m. Goldschn. n. 7. —

— Liebesfrühling. Min.-Ausg. 12. Aufl. 16. (XVI, 335 S.) Ebend. 888. geb. m. Goldschn. n. 4. 60

— die Weisheit d. Brahmanen. Ein Lehrgedicht. 12. Aufl. 8. (702 S.) Leipzig 886. Hirzel. n. 6. —; geb. n.n. 7. 50

Rückert, Frdr., u. das Regentenhaus v. S. Coburg-Gotha, s.: Beyer, C.

Rückert, J., zur Keimblattbildung bei Selachiern. Ein Beitrag zur Lehre von Parablast. gr. 8. (58 S.) München 885. Rieger. n. 1. 20

Rückert, K. Th., nach Nord-Afrika. Nach seinem Tagebuch geschildert. Mit vielen Illustr. u. 1 Karte. gr. 16. (XI, 596 S.) Würzburg 884. Woerl. n. 5. —

Rückert, Otto, der geschäftliche Aufsatz. Für die Fortbildungsschule bearb. 4. Aufl. 8. (28 S.) Hildburghausen 886. Gadow & Sohn. n. — 10

Ruckteschell, Nicolai v., die Diakonie d. Neuen Testaments im Hinblick auf die Diaconissenfrage. gr. 8. (63 S.) Riga 883. (Dorpat, Karow.) n. 1. 60

Rückwardt, Herm., die königl. Technische Hochschule Berlin-Charlottenburg. Photographische Orig.-Aufnahmen nach der Natur, Lichtdr. u. hrsg. v. H. R. gr. Fol. (19 Taf. m. 5 S. Text.) Berlin 885. Rückwardt. In Mappe. 90. —

— Cölner Neubauten. Eine Sammlg. d. schönsten Façaden der in der Neuzeit in Cöln a/Rh. ausgeführten Bauten. [Sep.-Ausg. der Architecton. Studienblätter.] Photogr. Orig.-Aufnahmen nach der Natur, in Lichtdr. u. hrsg. v. H. R. 1. Serie. 30 Taf. Fol. Berlin 886. Claesen & Co. In Mappe. n. 36. —

Rude's, François, Biographie, s.: Rosenberg, A.

Rüdel, Otto, systematische Zusammenstellung der Thätigkeit der 8 bayer. Aerztekammern in den 10 ersten Jahren ihres Bestehens von 1872 bis 1881, f. die mittelfränk. Aerztekammer zusammengestellt. gr. 8. (24 S.) Nürnberg 883. (v. Ebner.) n. — 75

Ruder- u. Segel-Almanach f. 1886. Mit Berücksicht. der verwandten Sportzweige Schwimmen u. Eislauf. Begründet vom Norddeutschen Regatta-Verein. Red. u. hrsg. v. der Redaktion des „Wassersport". 11. Jahrg. 16. (294 S.) Berlin, Wassersport (C. Otto). geb. n. 1. 50

Ruderers, d., Freud' u. Leid. 8. (57 S. m. Illustr.) Wien 884. Verl. der „Allg. Sport-Zeitg." 2. —

Rüdgisch, v., die Terrain-Rekognoszirung m. Rücksicht auf die Truppenführung, nebst Anleitg. zum Krokiren u. Abfassen der Berichte. 2. Aufl. Mit 6 Fig.-Taf. gr. 8. (XI, 187 S.) Metz 886. Lang. n. 3. —

Rüdiger, v., die Concessionirung gewerblicher Anlagen in Preußen. Sammlung aller darauf bezügl. Reichs- u. preuß. Gesetze, Ausführungs-Bestimmgn., Ministerial-Verordngn., u. techn Anleitgn., nebst Beispielen zu Concessions-Gesuchen u. Concessions-Urkunden. 8. (XXVII, 452 S.) Berlin 886. Guttentag. n. 6. —; geb. n. 6. 50

Rüdiger, A., der Kirchenbau-Verein Kaiserslautern u. mein Verhältniß zu demselben. 8. (14 S.) Kaiserslautern 883. A. Gotthold's Verl. n. — 20

Rüdiger, Adf., die Rechtslehre vom Lebensversicherungsvertrag, aus den wirtschaftl. Grundlagen d. Geschäfts entwickelt u. unter besond. Berücksicht. der Ergebnisse der Rechtsprechg. bearb. gr. 8. (IX, 348 S.) Berlin 885. Mittler & Sohn. n. 8. —

Rüdiger, E, Christblumen. Weihnachtslieder u. Geschichten f. kleine u. große Kinder. gr. 8. (VIII, 166 S.) Cannstatt 884. Bosheuyer. cart. 1. 50

Rüdiger, Otto, die letzten Marienbilder. Eine Lübecker Künstlererzählg. 8. (262 S.) Hamburg 886. Voß. n. 3. 50; geb. n. 4. 50

Rudigier's, geistliche Reden. Hrsg. von Frz. Doppelbauer. 1. Bd.: Sonntags-Predigten. [Aus der vorbischöfl. Periode.] gr. 8. (XVI, 454 S.) Linz 886. (Wien, Mayer & Co.) n. 4. —

Rudigier, **Franz Josef**. Ein Abriß seines Lebens u. Wirkens v. der Jugend bis zum Grabe. Von J. G. B. 8. (VI, 111 S. m. Holzschnportr.) Innsbruck 885. Vereins-Buchh. u. Buchdr. n. — 60

— Lebens- u. Sterbensbild, s.: Quartal-Schrift, theologisch-praktische, Ergänzungsheft zum Jahrg. 1885.

Rüdinger, N., zur Anatomie der Prostata, d. Uterus masculinus u. der Ductus ejaculatorii beim Menschen. Mit 3 Taf. in Farbendr. Lex.-8. (23 S.) München 883. Rieger. n. 3. 60

Rudio, F., Leonhard Euler, s.: Vorträge, öffentliche, geh. in der Schweiz.

Rudloff, G., gothaisches Kirchen- u. Pastoralrecht. Sammlung aller auf die gothaische Landeskirche u. die Berufsstellg. d. gothaischen Geistlichen bezügl. u. noch gegenwärtig gültig erschein. Gesetze u. Verordngn. In Gemeinschaft m. R. Felsberg u. G. Thielemann hrsg. gr. 8. (VII, 184 S.) Gotha 883. Thienemann. n. 4. 50

— Materialien f. liturgische Gottesdienste, s.: Haupt, C.

— D. Carl Schwarz. Eine Lebensskizze. gr. 8. (68 S.) Gotha 887. Thienemann. n. 1. 20

Rudnick, W., Chorgesänge f. Sopran, Alt, Tenor u. Baß. 5. Aufl. gr. 8. (32 S.) Leipzig 885. Verlags-Institut. n. — 50

Rudolf, ronprinz Erzherzog, Jagden u. Beobachtungen. grK8. (IV, 692 S.) Wien 887. Künast. n. 8. —; geb. n.n. 10. —

— eine Orientreise. Illustrirt nach Orig.-Zeichngn. von Frz. v. Pausinger. Mit 37 Radirgn. v. J. Klaus u. 100 Holzschn. v. F. W. Bader. Fol. (VII, 170 S.) Wien 884. Hof- u. Staatsdruckerei. n. 72. —; geb. n. 80. —

— dasselbe. Populäre Ausg. hoch 4. (III, 364 S. m. Holzschn. u. Tondr.-Bildern.) Ebend. 885. n. 7. 50; geb. n. 10. —

— fünfzehn Tage auf der Donau. Jagd-Tagebuch. Mit höchstdessen Bewilligg. in stenograph. Uebertragg. hrsg. v. Jos. Fuchs. 2. Aufl. gr. 8. (VI, 174 S) Wien 885. Braumüller. n. 3. —

Rudolf, E., die gesammte Indigo-Küpenblau-Färberei, Reservage- u. Aetz-Druckerei [Blaudruck] auf Baumwolle u. Leinen. (VI, 104 S.) Leipzig 885. G. Weigel. n. 6. —

Rudolph v. Ems, Barlaam u. Josaphat, s.: Stecher, Ch., deutsche Dichtung.

Rudolph, A., neuer Führer durch Danzig u. Umgegend. Mit e. Plan der Stadt. 2. Aufl. 16. (32 S.) Danzig 885. Axt. — 75

Rudolph, A., üb. die Vengeance Fromondin, s.: Ausgaben u. Abhandlungen aus dem Gebiete der romanischen Philologie.

Rudolph, Ernst, die Berufswahl unserer Söhne m. besond. Berücksicht. der gewerblichen Berufsarten. gr. 8. (VII, 192 S.) Wittenberg 885. Herrosé Verl. n 1. 50

Rudolph, Ludw., praktisches Handbuch f. den Unterricht in deutschen Stilübungen. 1. u. 2. Tl. 8. Berlin, Nicolai's Verl. n. 4. —
1. 8. Aufl. (XIV, 176 S.) 886. n. 1. 50
2. 6. Aufl. (VII, 270 S.) 887. n. 2. 50

— über Luthers Verdienste um unsere Muttersprache. Drei Vorträge, während der Sommermonate d. J. 1883 in dem Berliner Verein f. höhere Töchterschulen geh. [Aus: „Rhein. Blätter f. Erziehg. u. Unterricht".] gr. 8. (47 S.) Frankfurt a/M. 884. Diesterweg. n. — 40

Rudolph, M., Lieder f. die Jugend. Zum Gebrauche f. Schule u. Haus ausgewählt und zum Theil neu bearb. 1. Hft. 74 zweistimm. Lieder, nebst e. Anh., enth. 18 Canons. 3. Aufl. 8. (IV, 76 S.) Riga 886. Kymmel's Verl. cart. n. — 75

Rudolph, Max., für wen? Gedichte. 12. (280 S.) Leipzig 886. Baldamus. geb. m. Goldschn. n. 4. —

Rudorff, E., Onkel Born, s.: Bachem's Novellen-Sammlung.

— unterwegs, s.: Collection Meinhold.

— verloren, s.: Bachem's Novellen-Sammlung.

— am Ziel, s.: Collection Meinhold.

Rudorff, O., die deutschen Klagenverjährungsgesetze. Eine Zusammenstellg. sämmtl. in Deutschland gelt. Gesetze üb. die Verjährg. persönl. Ansprüche, besonders zum Gebrauche im Falle der sogenannten Kollision der Statuten. gr. 8. (IV, 196 S.) Düsseldorf 883. Schwann. n. 3. —

— das hannoversche Privatrecht. Eine systemat. Zusammenstellg. der in der Prov. Hannover gelt. Partikulargesetze unter Berücksicht. der hannov. Rechtsprechg. u. Litteratur. gr. 8. (XXXII, 572 S.) Hannover 884. Norddeutsche Verlagsanstalt. n. 12. —; geb. n. 13. —

— die Zwangsvollstreckung in das unbewegliche Vermögen im Geltungsgebiete der preußischen Grundbuchordnung. gr. 8. (XIV, 366 S.) Berlin 883. H. W. Müller. n. 6. —; cart. n. 6. 50

Rüdorff, Fr., Anleitung zur chemischen Analyse f. Anfänger, besonders f. den Unterricht an höheren Lehranstalten. 7. Aufl. gr. 8. (46 S.) Berlin 886. H. W. Müller. n. — 60; Einbd. n.n. — 20

— Grundriss der Chemie f. den Unterricht an höheren Lehranstalten. Mit Holzschn. u. 1 (chromolith.) Spektraltaf. 8. Aufl. gr. 8. (VIII, 280 S.) Ebend. 884. n. 3. 70

— Grundriss der Mineralogie f. den Unterricht an höheren Lehranstalten. Mit Holzschn. 4. Aufl. gr. 8. (IV, 98 S.) Ebend. 884. n. 1. 20

Rüdorff, Hans, Strafgesetzbuch f. das deutsche Reich. Nebst den gebräuchlichsten Reichs-Strafgesetzen [Post, Impfen, Presse, Markenschutz, Personenstand, Sozialdemokratie, Wucher, Nahrungsmittel, Schankgefäße, Sprengstoffe etc.]. Text-Ausg. m. Anmerkgn. 13. Aufl. 16. (XXXII, 252 S.) Berlin 885. Guttentag. cart. n. 1. —

Rudow, C. Fr. W., Verslehre u. Stil der rumänischen Volkslieder. gr. 8. (48 S.) Leipzig 886. Fock. n. 1. —

Rudow, W., Martin, der Maschinenführer. Ein Sang aus dem Westen. 2. Aufl. 12. (78 S.) Leipzig 886. Huth. geb. n. 2. —

Rudrata's Çrṅgâratilaka and **Ruyyaka's** Sahrdayalîlâ, with an introduction and notes edited by Pischel. gr. 8. (135 S.) Kiel 886. C. F. Haeseler. n. 6. —

Rüdt, Frau Sophie v., Probleme beim Rettungswerk an den gefallenen Töchtern unseres Volkes. gr. 8. (8 S.) Carlsruhe 886. Evangel. Schriften-Verein f. Baden. — 5

Rueff, A. v., das Äussere d. Pferdes u. seine Fehler. 8 lith. Taf. qu. gr. 4. Mit Text. gr. 8. (IV, 56 S.) Stuttgart 885. Ulmer. In Mappe. n. 4. —

— die Farrenhaltung in Württemberg. Das Gesetz vom 16. Juni 1882 m. Vollzugsverfügg. vom 30. Octbr. desselben Jahres u. zwei Mustern f. Farrenhaltungs-Verträge. Nebst erläut. Anmerkgn. u. e. Anh.: Praktisch-thierärztl. Rathgeber zur richt. Auswahl u. Behandlg. der Zuchtstiere in den Gemeinden. 16. (XII, 133 S.) Stuttgart 883. Metzler's Verl. n. 1. —

— praktischer Rathgeber f. die m. der Aufsicht üb. die Farrenhaltung beauftragten Behörden u. die Gemeindefarrenhalter. Ueber Bedeutg. der Farrenhaltg. f. die

Landesviehzucht u. das Nationalvermögen, die verschiedenen Nutzungszwecke, die Rassen. Ueber Vererbg., Behandlg. der Farren im Stall u. bei der Zuchtverwendg. Einrichtg. der Farrenställe u. Sprungplätze. Geschlechtskrankheiten, Verhalten bei Seuchen in Rücksicht auf das Reichsseuchengesetz etc. 16. (IV, 79 S.) Stuttgart 883. Metzler's Verl. n. — 80

Rueff, A. v., Wandtafeln zur Beurteilung d. Aeusseren d. Pferdes u. seiner Fehler. 2 (lith.) Taf. qu. gr. Fol. (auf Leinw.). Mit Text. gr. 8. (IV, 56 S.) Stuttgart 885. Ulmer. In Mappe. n. 5. 60

Rüefli, J., Anhang zu den kleinen Lehrbüchern der Geometrie u. Stereometrie. gr. 8. (12 S.) Bern 884. Schmid, Francke & Co. n. — 40

— Leitfaden der mathematischen Geographie. Für den Unterricht an mittlern Schulanstalten, sowie zum Selbststudium bearb. 8. (IV, 96 S. m. eingedr. Holzschn.) Ebend. 884. cart. n. 1. 80

Rüeger, J. J, Chronik der Stadt u. Landschaft Schaffhausen. 2. Hälfte. 2 Thle. Hrsg. vom historisch-antiquar. Verein d. Kantons Schaffhausen. gr. 4. (1. Thl. S. 409—784.) Schaffhausen 884. (Schoch.) n. 14. — (cplt.: n. 28. —)

Rüegg, H. R., pädagogische Bausteine. Für Volksschullehrer u. Schulbehörden. 8. (IV, 216 S.) Bern 886. Schmid, Francke & Co. n. 1. 60

— Fibel in Rundschrift f. schweizerische Elementarschulen. Des 1. Sprachbüchlein's 27. Aufl. 8. (51 S. m. Illustr.) Zürich 883. Orell Füssli & Co. Verl. cart. n. — 40

— Fibel. Erstes Sprachbüchlein f. schweizerische Elementarschulen. 27. Ster.-Aufl. 8. (44 S. m. eingedr. Holzschn.) Ebend. 883. cart. n.n. — 40

— Lehr- u. Lesebuch f. die mittlern Klassen schweizerischer Volksschulen. [In 3 Tln.] 1. Tl., 3. Aufl., u. 3. Tl. 8. (IV, 170 u. 204 S.) Ebend. 883. geb. à n.n. — 90

— die Normalwörtermethode. Ein Begleitwort zur Fibel. 2. Aufl. 8. (70 S.) Ebend. 884. n. 1. —

— zweites u. drittes Sprachbüchlein f. schweizerische Elementarschulen. 8. Mit eingedr. Holzschn. Ebend. cart. n.n. 1. 40
2. 18. Aufl. (132 S.) 885. n.n. — 60
3. 16. Aufl. (174 S.) 884. n.n. — 80

— 2. u. 3. Sprachbüchlein f. schweizerische Elementarschulen. Ausg. in Rundschrift. 3. Aufl. 8. (122 S.) Ebend. 883. cart. à n.n. — 60

Rüegg, Rhld., Blätter zur Feier d. 50jähr. Jubiläums d. Zürcher Stadttheaters am 10. u. 11. Novbr. 1884. gr. 8. (III, 100 S.) Zürich 884. (Verlags-Magazin.) n.n. 1. 30

Ruf, der, der Kirche. Trost- u. Mahnworte d. kathol. Episcopats. Neue Folge. 1—10. Hft. gr. 8. (S. 1—486.) Würzburg 885. 86. Woerl. à n. — 50

— dasselbe. Neue Folge. 2. Bd. 1—3. Hft. gr. 8. (S. 1—144.) Ebend. 886. à n. — 50

Ruff, Jos., illustrirtes Gesundheits-Lexikon. Ein populäres Handbuch f. Jedermann zur Belehrg. u. Berathung in gesunden u. kranken Tagen. Mit 430 Abbildgn. 4. Aufl. m. Suppl. gr. 8. (XX, 807 S.) Straßburg 886. Schultz & Co. 8. 80; geb. n. 11. —

— dasselbe. Suppl. zur 1—3. Aufl. gr. 8. (S. 729—807.) Ebend. 887. cart. n. 1. —

— das Stottern, s.: Hausbücher, medicinische.

Rüffer, F., die Braut, s.: Bibliothek, neue, f. das deutsche Theater.

Rüffert, F. W., mikroskopische Fleischbeschau. 2., verb. u. stark verm. Aufl. Mit 40 in den Text gedr. Abbildgn. 8. (XII, 87 S.) Leipzig 887. Weber. geb. n. 1. 20

— Katechismus der Uhrmacherkunst. 3., vollständig neu bearb. Aufl. Mit 229 Abbildgn. u. 7 Tab. 8. (VIII, 228 S.) Ebend. 885. geb. n. 4. —

Rugard, M., Verlauf u. psychisches Gemälde e. Nervenleidens. Ein Beitrag zur Nervenkunde. 8. (123 S.) Breslau 886. (Schottländer.) n. 1. 50

Ruge's, Arnold, Briefwechsel u. Tagebuchblätter aus den J. 1825 1880. Hrsg. v. Paul Nerrlich. 2 Bde.

Mit 1 Portr. gr. 8. (XXXIX, 442 u. VIII, 456 S.) Berlin 886. Weidmann. à n. 10. —

Ruge, Geo., Untersuchungen üb. die Gesichtsmuskulatur der Primaten. Mit 8 lith. Taf. Imp.-4. (III, 130 S.) Leipzig 887. Engelmann. cart. n. 24. —

Ruge, S., Geographie insbesondere f. Handels- u. Realschulen. 9. Aufl. gr. 8. (VIII, 358 S.) Dresden 885. G. Schönfeld's Verl. n. 3. 60

— kleine Geographie. Für die untere Lehrstufe in 3 Jahreskursen entworfen. 2. Aufl. 8. (VIII, 258 S.) Ebend. 884. n. 2. —

— Geschichte d. Zeitalters der Entdeckungen, s.: Geschichte, allgemeine, in Einzeldarstellungen.

Rüger, C., üb. Glauben u. Religion, gestützt auf „Nathan der Weise" v. Lessing. Vortrag. 8. (35 S.) Elberfeld 885. (Bädeker.) n. — 50

Ruhemann, Alfr., Joseph Viktor v. Scheffel. Sein Leben u. Dichten. Mit J. V. v. Scheffels Portr., in Lichtdr. ausgeführt, 1 Facsim. u. 7 in den Text gedr. Illustr. 8. (VIII, 364 S.) Stuttgart 887. Bonz & Co. n. 3. 60; geb. n. 4. 80

— Julius Wolff u. seine Dichtungen, s.: Dichter, deutsche, der Gegenwart.

Ruhemann, J., die Hysterie. Ihr Wesen u. ihre Behandlg. Populäre Darstellg. gr. 8. (50 S.) Berlin 886. Steinitz. n. 1. 50

Rühl, E., 100 Kirchenlieder aus dem evangelischen Gesangbuche f. die Prov. Sachsen, nebst Luthers Katechismus u. Gebeten. Zum Schulgebrauch zusammengestellt. 8. (88 S.) Wittenberg 883. Wunschmann. n.n. — 25

Rühl, Fritz, Glaubensstreit u. Liebe. Historische Erzählg. aus der Zürcher Reformationszeit. Nach Geschichtsquellen u. unedirten Manuscripten bearb. Zugleich als offene Antwort gegen die Verdächtiggn. der Schweizer, beziehungsweise der Zürcher Frauen u. Jungfrauen durch e. Italiener. 12. (117 S.) Zürich-Hottingen 882. Selbstverlag. 1. 50

Rühl, Hugo, ein Beitrag zur Schulturnfrage. gr. 4. (19 S.) Stettin 882. (Hof, Lion.) n. 1. —

Ruhland, G., die Lösung der landwirthschaftlichen Kreditfrage im System der agrarischen Reform. Im Auftrage der XXVI. Wanderversammlg. bayer. Landwirthe verf. gr. 8. (VI, 161 S.) Tübingen 886. Laupp. n. 3. —

— agrarpolitische Versuche vom Standpunkt der Socialpolitik. gr. 8. (XVI, 168 S.) Ebend. 883. n. 3. —

— das natürliche Werthverhältniss d. landwirthschaftlichen Grundbesitzes, in seiner agrar. u. socialen Bedeutg. untersucht. gr. 8. (VII, 156 S.) Ebend. 885. n. 3. —

Rühle, Frdr., das deutsche Schäferspiel d. 18 Jahrh. gr. 8. (VI, 44 S.) Halle 885. (Niemeyer.) n. 1. 20

Rühlemann, G. A., Album f. Krankenträger, [erste Hilfe bei Verletzungen]. Internationale Ausg. qu. 12. (55 S. in deutscher, holländ., engl., französ., span. u. russ. Sprache m. eingedr. Photozinkogr.) Leipzig 882. (Exped. d. Reichs-Medicinal-Anzeigers.) n. 1. —

— Album f. Krankenträger u. Samariterschulen. Erste Hilfe bei Unglücksfällen. 6. Aufl. qu. 16. (22 Taf. m. eingedr. Text u. 1 S. Text.) Leipzig 883. (Dresden, Höckner.) n.n. — 25

— Leitfaden f. den Unterricht der freiwilligen Krankenträger der Kriegervereine, s.: Starcke.

— erste Nächstenhilfe bei Unglücksfällen im Frieden u. Verwundungen im Kriege. [Album f. Krankenträger.] 16. (72 S. m. eingedr. Illustr.) Leipzig 885. (Dresden, Höckner.) n.n. — 50

— Tafel f. Polizei- u. Feuerwehrwachen, Eisenbahnstationen, Turnhallen, Fabriken, Bergwerke etc. zur Anleitg. üb. die erste Hülfe bei Unglücksfällen. Lith. Imp.-Fol. Leipzig 883. Kössling. Auf Leinw. n. 1. 35

Rühlmann, A., Worte zu den am 10., 11., 12. u. 13. Novbr. 1884 unter Leitung d. Malers L. Krause in Torgau dargestellten lebenden Bildern aus Dr. Martin Luthers Geschichte. 2. Aufl. gr. 8. (15 S.) Torgau 885. Jacob. n. — 40

Rühlmann, Mor., allgemeine Maschinenlehre. Ein Leitfaden f. Vorträge, sowie zum Selbststudium d. heut. Maschinenwesens m. besond. Berücksicht. seiner Entwickelg. Für angeh. Techniker, Cameralisten, Landwirthe u. Gebildete jeden Standes. 2. Aufl. 4. Bd. 1. Lfg. gr. 8. (272 S. m. 223 Holzschn.) Leipzig 885. Baumgärtner. n. 7. 60 (I—IV, 1.: n. 52. 60)

Rühlmann, Mor., Vorträge üb. Geschichte der theoretischen Maschinenlehre u. der damit in Zusammenhang stehenden mathematischen Wissenschaften. Zunächst f. techn. Lehranstalten bestimmt. Mit zahlreichen Holzschn.-Illustr. u. 5 Portraits in Stahlst. Zugleich als Suppl. zu d. Verf. Werk: „Allgemeine Maschinenlehre". 2. Hälfte. gr. 8. (XII u. S. 193—553.) Braunschweig 883. 85. Schwetschke & Sohn. n. 9. — (I. Thl. cplt. geb.: n. 14. —)

— u. Mor. Rich. **Rühlmann,** logarithmisch-trigonometrische u. andere f. Rechner nützliche Tafeln. Zunächst f. Techniker, sowie f. den Schulgebrauch u. f. prakt. Rechner überhaupt. 9. Aufl. 12. (XXXVIII, 320 S.) Leipzig 883. Arnold. n. 2. —; geb. n. 2. 50

Rühlmann, Rich., Handbuch der mechanischen Wärmetheorie. Mit eingedr. Holzst. 2. Bd. 3. Lfg. gr. 8. (XVIII u. S. 609—1001.) Braunschweig 885. Vieweg & Sohn. n. 10. — (cplt.: n. 46. —)

Ruhnke, Carl, üb. die Einwirkung v. Alkyljodüren auf Triazobenzoesäure [Diazobenzoesäureimid]. gr. 8. (36 S.) Göttingen 882. (Vandenhoeck & Ruprecht.) n. 1. —

Rührig, Wilhelmine, praktisches Frankfurter Kochbuch. 6. Aufl. gr. 8. (V, 344 S.) Frankfurt a/M. 885. Jaeger. cart. 2. 50; geb. 3. —

Ruhsam, J., Rechenbuch, s.: Hartmann, B.

— praktisches Rechenbuch f. landwirtschaftliche Schulen. 1. Tl. Für die Unterklasse. 2., umgearb., verkürzte Aufl. gr. 8. (VIII, 112 S.) Hildburghausen 886. Kesselring. geb. n. 1. 25

— Rechenschule nach dem deutschen Münz-, Maß-, Gewichtssystem f. Stadt- u. Landschulen. In 4 konzentrisch sich erweit. Kursen hrsg. Ausg. A f. die höhere u. mittlere Volksschule. 5—7. Hft. 4. Aufl. 8. Ebend. 883. n. — 55

5. 3. Kurs. 1. Hälfte. Für das 5. Schuljahr. (48 S.) — 15
6. 3. Kurs. 2. Hälfte. Für das 6. Schuljahr. (60 S.) n. — 20
7. 4. Kurs. 1. Hälfte. Für das 7. Schuljahr. (84 S.) n. — 20

Ruhstrat, E., die negotiorum gestio d. dritten Kontrahenten. gr. 8. (III, 64 S.) Hannover 883. Helwing's Verl. n. 1. —

Ruith, M., der k. bayerische Militär-Max-Joseph-Orden. Kriegsgeschichtliche Skizze. 8. (XI, 153 S.) Ingolstadt 883. (Ganghofer.) n. 1. 20

Rul, M., vier Jahre in Gräfenberg. Zusammenstellung der hygienisch-hydropath. Methode nach hinterlassenen Papieren d. Priessnitz. Aus dem Franz. 5. unveränd. Aufl. 16. (XVI, 172 S.) Freiwaldau 884. Blažek. n. 1. 20

Ruland, C., die Luther-Ausstellung d. großherzogl. Museums zu Weimar. Mit Beiträgen d. Sachsen-Ernestin. Gesammt-Archivs, der großherzogl. Bibliothek u. a. zusammengestellt. Portraits — Medaillen — Handschriften — Erste Drucke — Moderne Darstellungen. gr. 8. (VIII, 52 S. m. Portr. Luthers.) Weimar 883. Böhlau. n. 1. 60

Ruland, N., praktische Anleitung zum gründlichen Unterricht in der Buchstabenrechnung. Ausführliche Auflösg. der in Dr. Ed. Heis' Sammlg. v. Beispielen enthaltenen Aufgaben. 1. u. 2. Tl. gr. 8. Bonn 885. Cohen & Sohn. n. 13. —

1. Die allgemeine Arithmetik u. Algebra. Zum Selbstunterricht bestimmt. 5. Aufl. (X, 504 S.) 885. n. 6. —
2. Die Gleichgn. u. Progressionen. Zum Selbstunterricht bestimmt. 6. verb. Aufl., bearb. v. Karl Ruland. (VIII, 592 S.) 887. n. 7. —

Rulf, F., Maria Theresia u. die österreichische Volksschule, s.: Sammlung gemeinnütziger Vorträge.

— der österreichische Strafprozeß, unter Berücksicht. d. Rechtsprechg. d. Cassationshofes systematisch dargestellt. 8. (VIII, 258 S.) Prag 884. Tempsky. — Leipzig, Freytag. n. 4. —; Einbd. n.n. 1. —

Rulf, Paul, üb. das Verhalten der Gerbsäure bei der Keimung der Pflanzen. gr. 8. (31 S.) Halle 884. Tausch & Grosse. n. — 80

Rülf, J., Aruchuras Bas-Ammi. Israels Heilung. Ein ernstes Wort an Glaubens- u. Nichtglaubensgenossen. gr. 8. (IV, 95 S.) Frankfurt a/M. 883. Kauffmann. n. 1. —

Rüling, Louis Bernh., Grüße an die Gemeinde. Ein Jahrgang Predigten aus den J. 1855 bis 1866, zusammengestellt. 3. wohlf. Ausg. 8 Lfgn. gr. 8. (2 Thle. X, 329 u. IV, 388 S.) Leipzig 886. Hinrichs' Verl. à n. — 50 (cplt. in 1 Bd. geb.: n. 5. —)

— s.: Predigt u. Vorträge, geh. bei der 25jähr. Jubelfeier der Meißner Konferenz.

— der Synodalabschied unseres himmlischen Bischofs ist die Verheißung d. heiligen Geistes. Predigt üb. 2. Corinther 3, 17, zum Schlusse der 4. ordentl. Landessynode f. die evangelisch-luther. Kirche im Königr. Sachsen am 9. Juni 1886 in der evangel. Hofkirche zu Dresden geh. gr. 8. (16 S.) Dresden 886. v. Zahn & Jaensch. — 25

— das irdische u. das himmlische Zion. Zehn Predigten aus den letzten Jahren. 8. (VIII, 188 S.) Dresden 885. J. Naumann. 2. 60; geb. n. 3. 60

Rumbauer, M., römische Mosaik. Schilderungen aus dem Volks-, Gesellschafts- u. Kunstleben in Italien. Roma Neapolis. Atelier-Geheimnisse. 2. Aufl. 8. (VIII, 229 S.) Berlin 884. Internationale Buchh. n. 3. —

Rumbold, B., Wappenbuch d. Königr. Ungarn u. seiner Nebenländer, s.: Altenburger, G.

Rümelin, A., Luther als deutscher Schriftsteller, s.: Vorträge, öffentliche, zur Feier d. 400jähr. Geburtstages D. Martin Luthers geh.

Rümelin, Gust., die Bevölkerungsstatistik d. Königr. Württemberg. gr. 8. (VIII, 143 S.) Stuttgart 884. Kohlhammer. n. 2. —

— die Theilung der Rechte. gr. 8. (VII, 277 S.) Freiburg i/B. 883. Mohr. n. 8. —

Rümelin, Max, zur Geschichte der Stellvertretung im römischen Civilprocess. Tübinger jurist. Inaugural-Dissertation. gr. 8. (X, 154 S.) Freiburg i/Br. 886. Mohr. n. 4. —

Rummler, Herm., der Bau u. die Construktion der Treppen u. Dachschiffungen ohne höhere mathematische Vorkenntnisse. Nebst e. Anh. erklär. Formeln f. die Baupraxis. Leichtfaßliches Lehrbuch zum Selbstunterricht f. Bauhandwerker. Mit e. Vorwort v. Hrn. Mothes. 2. Aufl. Fol. (16 S. m. 12 Steintaf.) Halle 885. Hoffstetter. 2. 50

Rumohr, K. F. v., Jos. Königs Geist der Kochkunst, s.: Universal-Bibliothek.

— Schule der Höflichkeit. Für Alt u. Jung. 2. Aufl. 8. (163 S.) München 884. Leipzig, Unflad. n. 2. —; geb. n. 2. 80

Rumpel, Joa., lexicon Pindaricum. gr. 8. (498 S.) Leipzig 883. Teubner. n. 12. —

Rumpelt, E. A. F., gen. Emil Walther, Bruchsteine zum Bau. Zusammengetragen zum Gebrauche f. Zünftige u. Unzünftige. 8. (VII, 278 S.) Leipzig 882. Zechel. n. 4. —; Einbd. n.n. 1. —

Rumpelt, H. B., Elemente der Poetik. Ein Leitfaden f. Schulen. 6. Aufl. [Mit Berücksicht. der neuen deutschen Rechtschreibg.] Hrsg. v. Fel. Köhler. gr. 8. (IV, 80 S.) Neisse 885. Graveur's Verl. n. 1. —

Rumpf, C., der preußische Steuerbeamte, s.: Schütze, O.

Rümpler, Th., Kultur u. Beschreibung der amerikanischen Weintrauben, s.: Babo, A. Frhr. v.

— die Zimmergärtnerei. Anleitung zur Zucht u. Pflege der f. die Unterhaltg. in bürgerl. Wohnräumen geeignetsten Ziergewächse. 2. neubearb. Aufl. Mit 70 Holzschn. 8. (V, 236 S.) Berlin 884. Parey. geb. n. 2. 50

Rundschau. Zeitschrift f. Blinde. Unter güt. Mitwirkg. vieler Blindenlehrer u. Blinden hrsg. v. Wittig. 1. u. 2. Jahrg. 1884 u. 1885. à 12 Hfte. gr. 8. (1. Hft. 18 Bl.) Bromberg, (Mittler). à Jahrg. n. 16. —

— architektonische. Skizzenblätter aus allen Gebieten der Baukunst, hrsg. v. Ludw. Eisenlohr u. Carl Weigle. 1. u. 2. Jahrg. 1885 u. 1886. à 12 Lfgn. Fol. (à Lfg. 8 autotyp. Taf. m. 1 Bl. Text.) Stuttgart, Engelhorn. à Lfg. n. 1. 50

— bautechnische. Zeitschrift f. die Fortschritte im Gebiete d. Baufaches, zugleich Organ d. Allgemeinen deutschen Techniker-Vereins. Hrsg. v. Hittenkofer. 2—4. Jahrg. 1883—1885. à 24 Nrn. (B.) Imp.-4. Buxtehude. (Leipzig, Scholtze.) à Jahrg. n. 7. —

— dasselbe. 5. Jahrg. 1886. 1—3. Quartal. 18 Nrn. Ebend. n. 5. 25

Rundschau, bibliographische, auf dem Gebiete der Theologie, f. Geistliche u. das christliche Haus zusammengestellt v. Max Schorß. 1. Jahrg. 1886. 12 Nrn. (à $^3/_4$—1 B.) gr. 8. Neubrandenburg, Brünslow. n. 1. 50

— deutsche. Hrsg. v. Jul. Rodenberg. 10—13. Jahrg. Octbr. 1883—Septbr. 1887. à 12 Hfte. gr. 8. (à Hft. ca. 160 S.) Berlin, Gebr. Paetel. à Jahrg. 24. —; in Halbmonatsheften à n. 1. —

— dasselbe. Generalregister zu Bd. 1—40 [I—X. Jahrg.]. Nebst systemat. Uebersicht der Hauptartikel. gr. 8. (XX, 160 S.) Ebend. 885. n. 5. —; Einbd. n.n. 2. —

— dasselbe. Autoren- u. Sachregister zum 1—29. Bd. v. W. M. Griswold, A. B. [Harvard.] gr. 8. (13 S.) Bangor, Maine 882. (Berlin, Liepmannssohn.) n. 4. —

— über die Diaspora der Juden u. die Judenmission der Kirche. Beiblatt zu „Saat auf Hoffnung". Hrsg.: Gustaf Marx. 1. Jahrg. 5 Nrn. gr. 8. (Nr. 1 u. 2.: 36 S.) Erlangen 886. Deichert. n. — 50

— elektrotechnische. Illustrirte Zeitschrift zur Verbreitg. nützl. Kenntnisse aus dem Gebiete der angewandten Elektrizitätslehre m. besond. Berücksicht. der elektr. Beleuchtg., der Kraftübertragg. u. der ärztl. Elektrotechnik. Red.: Th. Stein. 1. Jahrg. Oktbr. 1883—Decbr. 1884. 15 Hfte. (2 B.) hoch 4. Halle, Knapp. n. 7. 50

— dasselbe. 2. u. 3. Jahrg. 1885 u. 1886. à 12 Hfte. (2 B.) hoch 4. Ebend. à Jahrg. n. 6. —

— deutsche, f. Geographie u. Statistik. Unter Mitwirk. hervorrag. Fachmänner hrsg. v. Frdr. Umlauft. 6. Jahrg. Oktbr. 1883—Septbr. 1884. 12 Hfte. (3 B. m. Holzschn. u. Karten.) gr. 8. Wien, Hartleben. n. 8. —; einzelne Hfte. à n. — 70

— dasselbe. 7—9. Jahrg. Oktbr. 1884—Septbr. 1887. à 12 Hfte. (3 B. m. Holzschn. u. Karten.) gr. 8. Ebend. à Jahrg. n. 10. —; einzelne Hfte. à n. — 85

— homöopathische. Monatsschrift f. prakt. Heilkunde u. homöopath. Journalistik d. Auslandes. Red.: H. Goullon jun. 6. Jahrg. 1883. 12 Nrn. (à 1—$1^1/_2$ B.) gr. 4. Leipzig, Schwabe. n. 3. —

Erscheint nicht mehr.

— humoristische, s.: Wochenblatt, humoristisches.

— hygienische. Monatsblätter f. Gesundheits- u. Krankenpflege. Organ d. Vereins „Hygiea". Hrsg. v. Herm. Guttmann. 1. u. 2. Jahrg. 1884 u. 1885. à 12 Nrn. ($^1/_2$ B.) gr. 8. Berlin, Steinitz. à Jahrg. n. 4. —

Erscheint nicht mehr.

— illustrirte, üb. die litterarischen Erscheinungen d. J. 1886. Zugleich e. Weihnachts-Almanach f. Bücherfreunde. 2. Jahrg Unter Mitwirkg. v. Rud. Doehn, Johs. Emmer, Paul Förster etc. hrsg. v. Gust. Moldenhauer. gr. 8. (IV, 124 S.) Weimar 886. Weissbach. — 75

— juristische, f. das katholische Deutschland, hrsg. durch den kathol Juristenverein zu Mainz. 3—13. Hft. gr. 8. (1. Bd. S. 81—330 u. 2. Bd. S. 1—170.) Frankfurt a/M. 883—86. Foesser Nachf. à n. — 75

— landwirthschaftliche. Organ f. die Interessen der Landwirthe. Red.: Rob. Teßmer. 1. Jahrg. 1886. 24 Nrn. (B.) gr. 4. Berlin, Teßmer. n. 3. —

— literarische, f. das katholische Deutschland. Hrsg. v. H. B. Stamminger. 9. u. 10. Jahrg. 1883 u. 1884. à 24 Nrn. (2 B.) gr. 4. Freiburg i/Br., Herder. à Jahrg. n. 12. —

— dasselbe. Hrsg. v. C. Krieg. 11. u. 12. Jahrg. 1885 u. 1886. à 12 Nrn. (2 B.) gr. 4. Ebend. à Jahrg. n. 9. —

— über die Fortschritte u. Leistungen der Maschinentechnik u. der mechanischen Technologie im In- u. Auslande. Hrsg. v. E. Nowák. 2—5. Jahrg. 1883—1886. à 24 Nrn. gr. 4. (Nr. 1. $1^1/_2$ B. m. Fig. u. 1 Taf.) Leipzig, Verl. d. Maschinenbauer. à Jahrg. n. 12. —

— medicinisch-chirurgische. Monatsschrift f. die gesammte prakt. Heilkunde. Unter Mitwirkg. v. Bing, Englisch, Eppinger etc. hrsg. v. W. F. Loebisch. 24—27. Jahrg. 1883—1886. à 12 Hfte. gr. 8. (à Hft. 80 S.) Wien, Urban & Schwarzenberg. à Jahrg. n. 12. —

— monatliche. Sammlung v. Entscheidgn. der Gerichte

Mit 1 Portr. gr. 8. (XXXIX, 442 u. VIII, 456 S.) Berlin 886. Weidmann. à n. 10. —

Ruge, Geo., Untersuchungen üb. die Gesichtsmuskulatur der Primaten. Mit 8 lith. Taf. Imp.-4. (III, 130 S.) Leipzig 887. Engelmann. cart. n. 24. —

Ruge, S., Geographie insbesondere f. Handels- u. Realschulen. 9. Aufl. gr. 8. (VIII, 358 S.) Dresden 885. G. Schönfeld's Verl. n. 3. 60

— kleine Geographie. Für die untere Lehrstufe in 3 Jahreskursen entworfen. 2. Aufl. 8. (VIII, 258 S.) Ebend. 884. n. 2. —

— Geschichte d. Zeitalters der Entdeckungen, s.: Geschichte, allgemeine, in Einzeldarstellungen.

Rüger, C., üb. Glauben u. Religion, gestützt auf „Nathan der Weise" v. Lessing. Vortrag. 8. (35 S.) Elberfeld 885. (Bädeker.) n. — 50

Ruhemann, Alfr., Joseph Viktor v. Scheffel. Sein Leben u. Dichten. Mit J. V. v. Scheffels Portr., in Lichtdr. ausgeführt, 1 Fksm. u. 7 in den Text gedr. Illustr. 8. (VIII, 364 S.) Stuttgart 887. Bonz & Co. n. 3. 60; geb. n. 4. 80

— Julius Wolff u. seine Dichtungen, s.: Dichter, deutsche, der Gegenwart.

Ruhemann, J., die Hysterie. Ihr Wesen u. ihre Behandlg. Populäre Darstellg. gr. 8. (50 S.) Berlin 886. Steinitz. n. 1. 50

Rühl, E., 100 Kirchenlieder aus dem evangelischen Gesangbuche f. die Prov. Sachsen, nebst Luthers Katechismus u. Gebeten. Zum Schulgebrauch zusammengestellt. 8. (88 S.) Wittenberg 883. Wunschmann. n.n. — 25

Rühl, Fritz, Glaubensstreit u. Liebe. Historische Erzählg. aus der Zürcher Reformationszeit. Nach Geschichtsquellen u. unedirten Manuscripten bearb. Zugleich als offene Antwort gegen die Verdächtiggn. der Schweizer, beziehungsweise der Zürcher Frauen u. Jungfrauen durch e. Italiener. 12. (117 S.) Zürich-Hottingen 882. Selbstverlag. 1. 50

Rühl, Hugo, ein Beitrag zur Schulturnfrage. gr. 4. (19 S.) Stettin 882. (Hof, Lion.) n. 1. —

Ruhland, G., die Lösung der landwirthschaftlichen Kreditfrage im System der agrarischen Reform. Im Auftrage der XXVI. Wanderversammlg. bayer. Landwirthe verf. gr. 8. (VI, 161 S.) Tübingen 886. Laupp. n. 3. —

— agrarpolitische Versuche vom Standpunkt der Socialpolitik. gr. 8. (XVI, 168 S.) Ebend. 883. n. 3. —

— das natürliche Werthverhältniss d. landwirthschaftlichen Grundbesitzes, in seiner agrar. u. socialen Bedeutg. untersucht. gr. 8. (VII, 156 S.) Ebend. 885. n. 3. —

Rühle, Frdr., das deutsche Schäferspiel d. 18. Jahrh. gr. 8. (VI, 44 S.) Halle 885. (Niemeyer.) n. 1. 20

Rühlemann, G. A., Album f. Krankenträger, [erste Hilfe bei Verletzungen]. Internationale Ausg. qu. 12. (55 S. in deutscher, holländ., engl., französ., span. u. russ. Sprache m. eingedr Photozinkogr.) Leipzig 882. (Exped. d. Reichs-Medicinal-Anzeigers.) n. 1. —

— Album f. Krankenträger u. Samariterschulen. Erste Hilfe bei Unglücksfällen. 6. Aufl. qu. 16. (22 Taf. m. eingedr. Text u. 1 S. Text.) Leipzig 883. (Dresden, Höckner.) n.n. — 25

— Leitfaden f. den Unterricht der freiwilligen Krankenträger der Kriegervereine, s.: Starcke.

— erste Nächstenhilfe bei Unglücksfällen im Frieden u. Verwundungen im Kriege. [Album f. Krankenträger.] 16. (72 S. m. eingedr. Illustr.) Leipzig 885. (Dresden, Höckner.) n.n. — 50

— Tafel f. Polizei- u. Feuerwehrwachen, Eisenbahnstationen, Turnhallen, Fabriken, Bergwerke etc. zur Anleitg. üb. die erste Hülfe bei Unglücksfällen. Lith. Imp.-Fol. Leipzig 883. Kössling. Auf Leinw. n. 1. 35

Rühlmann, A., Worte zu den am 10., 11., 12. u. 13. Novbr. 1884 unter Leitung d. Malers L. Krause in Torgau dargestellten lebenden Bildern aus Dr. Martin Luthers Geschichte. 2. Aufl. gr. 8. (15 S.) Torgau 885. Jacob. n. — 40

Rühlmann, Mor., allgemeine Maschinenlehre. Ein Leitfaden f. Vorträge, sowie zum Selbststudium d. heut. Maschinenwesens m. besond. Berücksicht. seiner Entwickelg. Für angeh. Techniker, Cameralisten, Landwirthe u. Gebildete jeden Standes. 2. Aufl. 4. Bd. 1. Lfg. gr. 8. (272 S. m. 223 Holzschn.) Leipzig 885. Baumgärtner. n. 7. 60 (I—IV, 1.: n. 52. 60)

Rühlmann, Mor., Vorträge üb. Geschichte der theoretischen Maschinenlehre u. der damit in Zusammenhang stehenden mathematischen Wissenschaften. Zunächst f. techn. Lehranstalten bestimmt. Mit zahlreichen Holzschn.-Illustr. u. 5 Portraits in Stahlst. Zugleich als Suppl. zu d. Verf. Werk: „Allgemeine Maschinenlehre". 2. Hälfte. gr. 8. (XII u. S. 193—553.) Braunschweig 883. 85. Schwetschke & Sohn. n. 9. — (I. Thl. cplt. geb.: n. 14. —)

— u. Mor. Rich. **Rühlmann,** logarithmisch-trigonometrische u. andere f. Rechner nützliche Tafeln. Zunächst f. Techniker, sowie f. den Schulgebrauch u. f. prakt. Rechner überhaupt. 9. Aufl. 12. (XXXVIII, 320 S.) Leipzig 883. Arnold. n. 2. —; geb. n. 2. 50

Rühlmann, Rich., Handbuch der mechanischen Wärmetheorie. Mit eingedr. Holzst. 2. Bd. 3. Lfg. gr. 8. (XVIII u. S. 609—1001.) Braunschweig 885. Vieweg & Sohn. n. 10. — (cplt.: n. 46. —)

Ruhnke, Carl, üb. die Einwirkung v. Alkyljodüren auf Triazobenzoesäure [Diazobenzoesäureimid]. gr. 8. (36 S.) Göttingen 882. (Vandenhoeck & Ruprecht.) n. 1. —

Rührig, Wilhelmine, praktisches Frankfurter Kochbuch. 6. Aufl. gr. 8. (V, 344 S.) Frankfurt a/M. 885. Jaeger. cart. 2. 50; geb. 3. —

Ruhsam, J., Rechenbuch, s.: Hartmann, B.

— praktisches Rechenbuch f. landwirtschaftliche Schulen. 1. Tl. Für die Unterklasse. 2., umgearb., verkürzte Aufl. gr. 8. (VIII, 112 S.) Hildburghausen 886. Kesselring. geb. n. 1. 25

— Rechenschule nach dem deutschen Münz-, Maß-, Gewichtssystem f. Stadt- u. Landschulen. In 4 konzentrisch sich erweit. Kursen hrsg. Ausg. A f. die höhere u. mittlere Volksschule. 5—7. Hft. 4. Aufl. 8. Ebend. 883. n. — 55

5. 3. Kurs. 1. Hälfte. Für das 5. Schuljahr. (48 S.) — 15
6. 3. Kurs. 2. Hälfte. Für das 6. Schuljahr. (60 S.) n. — 20
7. 4. Kurs. 1. Hälfte. Für das 7. Schuljahr. (84 S.) n. — 20

Ruhstrat, E., die negotiorum gestio d. dritten Kontrahenten. gr. 8. (III, 64 S.) Hannover 883. Helwing's Verl. n. 1. —

Ruith, M., der k. bayerische Militär-Max-Joseph-Orden. Kriegsgeschichtliche Skizze. 8. (XI, 153 S.) Ingolstadt 883. (Ganghofer.) n. 1. 20

Rul, M., vier Jahre in Gräfenberg. Zusammenstellung der hygienisch-hydropath. Methode nach hinterlassenen Papieren d. Priessnitz. Aus dem Franz. 5. unveränd. Aufl. 16. (XVI, 172 S.) Freiwaldau 884. Blažek. n. 1. 20

Ruland, C., die Luther-Ausstellung d. großherzogl. Museums zu Weimar. Mit Beiträgen d. Sachsen-Ernestin. Gesammt-Archivs, der großherzogl. Bibliothek u. a. zusammengestellt. Portraits — Medaillen — Handschriften — Erste Drucke — Moderne Darstellungen. gr. 8. (VIII, 52 S. m. Portr. Luthers.) Weimar 883. Böhlau. n. 1. 60

Ruland, N., praktische Anleitung zum gründlichen Unterricht in der Buchstabenrechnung. Ausführliche Auflösg. der in Dr. Ed. Heis' Sammlg. v. Beispielen enthaltenen Aufgaben. 1. u. 2. Tl. gr. 8. Bonn 885. Cohen & Sohn. n. 13. —

1. Die allgemeine Arithmetik u. Algebra. Zum Selbstunterricht bestimmt. 5. Aufl. (X, 504 S.) 885. n. 6. —
2. Die Gleichgn. u. Progressionen. Zum Selbstunterricht bestimmt. 6. verb. Aufl., bearb. v. Karl Ruland. (VIII, 592 S.) 887. n. 7. —

Rulf, F., Maria Theresia u. die österreichische Volksschule, s.: Sammlung gemeinnütziger Vorträge.

— der österreichische Strafprozeß, unter Berücksicht. de. Rechtsprechg. d. Cassationshofes systematisch dargestellt. 8. (VIII, 258 S.) Prag 884. Tempsky. — Leipzig, Freytag. n. 4. —; Einbd. n.n. 1. —

Rulf, Paul, üb. das Verhalten der Gerbsäure bei der Keimung der Pflanzen. gr. 8. (31 S.) Halle 884. Tausch & Grosse. n. — 80

Rülf, J., Aruchuras Bas-Ammi. Israels Heilung. Ein ernstes Wort an Glaubens- u. Nichtglaubensgenossen. gr. 8. (IV, 95 S.) Frankfurt a/M. 883. Kauffmann. n. 1. —

gleichseitigen Hyperbeln. Lex.-8. (10 S.) Wien 882. (Gerold's Sohn.) n.n. — 25

Ruppert, P., les lois et règlements sur l'organisation politique, judiciaire et administrative du Grand-Duché de Luxembourg, recueillis par P. R. 2. éd. entièrement remaniée et complétée jusqu'au 31 décembre 1885. gr. 8. (XII, 924 S.) Luxemburg 885. (Bück.) geb. n. 18. 50

Ruppert, Ph., Geschichte der Mortenau. 1. Tl. Geschichte d. Hauses u. der Herrschaft Geroldseck. gr. 8. (II, 501 S. m. 2 Steintaf. u. lith. Titelbl.) Achern 883. (Mannheim, Nemnich.) n.n. 12. —

Ruppius, Otto, gesammelte Erzählungen aus dem deutschen u. deutsch-amerikanischen Volksleben. 2. Gesammt-Ausg. in 16 Bdn. 1.—3. Bd. 8. Erfurt 886. Leipzig, Heitmann. geb. à n. 1. —

1. Der Pedlar. Der Sep.-Ausg. 6. Aufl. (228 S.)
2. Das Vermächtniß d. Pedlars. Der Sep.-Ausg. 6. Aufl. (S. 229—479.)
3. Heimchen. Der Sep.-Ausg. 6. Aufl. (S. 483—616.)

Rueppreeht, Chrn., Herzog Albrecht V. v. Baiern u. seine Stände. gr. 8. (39 S.) München 883. (Kaiser.) n. 1. —

— der Mensch u. seine Wohnung in ihrer Wechselbeziehung. Eine kulturgeschichtl. Skizze. 12. (24 S.) München 885. (Th. Ackermann's Verl.) n. — 50

Ruppricht, S., der Arzt als Hausfreund. 10. Aufl. gr. 8. (XVI, 484 S.) Glogau 886. Flemming. geb. n. 3. 50

Ruprecht, Ernst, die Buchhaltung. Eine Erklärg. ihrer Grundsätze u. Formen. 2. Aufl. gr. 8. (IV, 54 S.) Bielitz 884. (Wien, Graeser.) n. 1. —

— die Geschäftsaufsätze d. Gewerbetreibenden. Ein Leitfaden f. den Unterricht an den gewerbl. Fortbildungsschulen u. zugleich Handbuch f. Gewerbtreibende. Im Auftrage u. m. Unterstützg. d. hohen k. k. Ministeriums f. Cultus u. Unterricht hrsg. gr. 8. (IV, 209 S.) Ebend. 884. n.n. — 60

— die gewerblichen Geschäfts-Aufsätze, s.: Lehrtexte f. die österreichischen gewerblichen Fortbildungsschulen.

Ruprecht, Wilh., die Wohnungen der arbeitenden Klassen in London. Mit besond. Berücksicht. der neueren engl. Gesetzgebg. u. ihrer Erfolge. gr. 8. (IV, 144 S.) Göttingen 884. Vandenhoeck & Ruprecht's Verl. n. 2. 80

Ruprich, Wenzel, Handbuch f. Bankbeamte, Contoristen u. Lernende. 2. Aufl. gr. 8. (III, 122 S.) Brünn 884. Winiker. n. 3. —

Rusch, G., Methodik d. geographischen Unterrichtes, } s.: Handbuch der speciellen Methodik.
— Methodik d. Unterrichtes in der Geschichte, }

Ruske, Loth., de A. Gellii noctium atticarum fontibus quaestiones selectae. gr. 8. (72 S.) Glaciae 883. (Breslau, Köhler.) n. 1. —

Ruß, Karl, Bilder aus der Vogelstube. Schilderungen aus dem Leben fremdländ. u. einheim. Stubenvögel. Mit 4 Holzschn. nach Zeichngn. v. Rob. Kretschmer u. 1 (Holzschn.-)Bilde, gezeichnet v. Karl Gerber. 2. Aufl. 8. (X, 404 S.) Magdeburg 885. Creutz. n. 4. —

— das Huhn als Nutzgeflügel f. die Stadt- u. Landwirthschaft. 8. (XII, 193 S.) Ebend. 884. n. 2. —

— der Kanarienvogel. Seine Naturgeschichte, Pflege u. Zucht. 4. Aufl. 8. (XV, 216 S.) Ebend. 883. n. 2. —

— die fremdländischen Stubenvögel, ihre Naturgeschichte, Pflege u. Zucht. 4. Bd.: Lehrbuch der Stubenvogelpflege, -Abrichtung u. -Zucht. 3—7. Lfg. Lex.-8. (S. 209—784.) Ebend. 883—86. à n. 3. —

— dasselbe. 2. Ausg. (In ca. 37 Lfgn.) 1—3. Lfg. Lex.-8. (3. Bd. S. 1—64 m. 2 Chromolith.) Ebend. 883. à n. 3. —

— Vögel der Heimat. Unsere Vogelwelt, in Lebensbildern geschildert. Mit 120 Abbildgn. in Farbendr. (In ca. 16 Lfgn.) 1—9. Lfg. gr. 8. (S. 1—272 m. 20 Chromolith.) Prag 886. Tempsky. — Leipzig, Freytag. à n. 1. —

— die Webervögel u. Widafinken. Ihre Naturgeschichte, Pflege u. Zucht. Mit 18 Holzschn. 8. (XIV, 218 S.) Magdeburg 884. Creutz. n. 3. —

— der Wellensittich. Seine Naturgeschichte, Pflege u. Zucht. 2. Aufl. 8. (IV, 113 S.) Ebend. 886. n. 1. 50

Ruß, Vikt., e. Schifffahrtsstraße Donau-Moldau-Elbe. An das österreich. Abgeordnetenhaus erstatteter Bericht seines Ausschusses f. Wasserstraßen. Nebst den Gutachten: v. Czedik, Steingraber, Deutsch, Oelwein u. Pták. gr. 4. (139 S.) Wien 884. (Konegen.) n. 2. —

— der Sprachenstreit in Oesterreich. Ein Beitrag zur sprachl. Ordng in der Verwaltg. gr. 8. (91 S.) Ebend. 884. n. 2. 40

Russell, W. C., the „Lady Maud": schooner yacht, } s.: Collection of British authors.
— a sea queen, }

Russes, les, peints par eux-mêmes. Par un Russe. 3. éd. 12. (186 u. 230 S.) Würzburg 885. Kressner. n. 3. —

Russland, das, der Gegenwart u. Zukunft. Politische u. nationalökonom. Skizzen, gesammelt während meines langjähr. Aufenthaltes u. auf vielen Reisen in dem grossen Reich v. H. N……er. gr. 8. (XV, 272 S.) Leipzig 883. Unflad. n. 5. —

— u. **Deutschland** v. e. Engländer. gr. 8. (59 S.) Stuttgart 883. Grüninger. n. 1. —

Rußler, Jac., die Kunst der Obstbaumzucht u. Beerenobstkultur. 8. (115 S.) Berlin 886. Mode's Verl. 1. 50

Rußwurm, Carl, Nachrichten üb. Alt-Pernau. Unterstützt v. dem Rathe der Stadt Pernau u. der Gesellschaft f. Geschichte u. Alterthumskunde der russ. Ostseeprovinzen in Riga. Mit 2 lith. Taf. gr. 8. (VI, 117 S.) Reval 880. (Riga, Kymmel's Verl.) n. 2. 50

Rußwurm, J., Festpredigt, am 2. Septbr. 1884 in der St. Petrikirche zu Ratzeburg geh. Hrsg. vom Ratzeburger Sedankomité. gr. 8. (14 S.) Ratzeburg 885. (Schmidt.) n. — 20

Rust & Co., J. H., Vorlagen v. Monogrammen f. Gewerbe u. Industrie in verschiedenen vollständigen Garnituren. 1. Hft. Lex.-8. (30 Bl.) Wien 883. Spielhagen & Schurich. n. 8. —

Rustеberg u. **Wespy**, Statistik d. höheren u. mittleren Mädchen-Schulwesens beider Mecklenburg. 8. (55 S.) Wismar 883. Hinstorff's Verl. n. — 80

Rustebuef's Gedichte. Nach den Handschriften der Pariser National-Bibliothek hrsg. v. Adf. Kressner. gr. 8. (VI, 305 S.) Wolfenbüttel 885. Zwissler. n. 10. —

Rüstig, Sigismund, der Bremer Steuermann. Ein neuer Robinson, nach Kapit. Marryat frei f. die deutsche Jugend bearb. 18. Aufl. Mit 94 Bildern in 1 Bde. 8. (XI, 381 S.) Leipzig 883. Teubner. geb. 2. 40

Rustler, Mich., das sogenannte Chronicon Universitatis Pragensis. Mit e. Vorwort v. Adf. Bachmann. gr. 8. (IV, 44 S.) Leipzig 886. Veit & Co. n. 1. 20

Rustmann, W., die Prov. Hannover. Heimatkunde f. Schule u. Haus. Mit 1 Karte. 8. (IV, 306 S.) Osnabrück 885. Veith. n. 2. 40

— alte Steine in neuer Fassung. Bilder u. Sagen aus der Prov. Hannover. 8. (VIII, 191 S.) Hannover 886. Meyer. n. 2. 40; geb. n. 3. 40

Rüstow, W., Geschichte der Infanterie. 2 Bde. Mit 132 Holzschn. 3. Ausg. gr. 8. (VII, 382 u. V, 400 S.) Leipzig 884. Förstemann. n. 6. —

Ruatri, A., Ernst Kossak. Eine Schilderg. seines Lebens u. seiner Werke. Mit e. Bildnisse Kossak's im Lichtdr. 8. (128 S.) Berlin 884. Eckstein Nachf. n. 2. —

Ruete, Edm., die Correspondenz Ciceros in den J. 44 u. 43. Historische Dissertation. gr. 8. (V, 122 S.) Marburg 883. Elwert's Verl. n. 2. 40

Ruete, Herm., Ludw. Heinr. Christoph Hölty. Sein Leben u. Dichten, dargestellt. gr. 8. (IV, 77 S.) Guben 883. Berger. 1. 50

Rutenberg, E., die heilige Elisabeth. gr. 8. (VII, 184 S.) Gotha 884. F. A. Perthes. n. 3. —; geb. n. 4. 80

— Sanct Nepomuk. Tragödie in 5 Acten. gr. 8. (143 S.) Wien 884. Rosner. n. 3. —

Ruth. Erzählung aus Erzbischof Otto's Zeiten v. Caritas. 8. (267 S.) Halle 885. Fricke's Verl. n. 2. —

Ruth, s.: Volumina, quinque.

Ruthe, E., u. C. **Harwig**, Lese- u. Übungsbuch f. Gabelsbergische Stenographen. gr. 8. (32 autogr. S.) Braunschweig 886. (Schulbuchhandlung.) n.n. — 25

Rutherford, W. Gunion, zur Geschichte d. Atticismus. 2 Abhandlgn. Übersetzt v. A. Funck. gr. 8. (45 S.) Leipzig 883. Teubner. n. 1. —

Rütimeyer, L., Beiträge zu e. natürlichen Geschichte der Hirsche. 2 Thle. Mit 10 Taf. gr. 4. (95 u. 122 S.) Zürich 881 u. 83. (Berlin, Friedländer & Sohn.) n.n. 20. —

— der Rigi. Berg, Thal u. See. Naturgeschichtliche Darstellg. der Landschaft. Mit e. Karte in Farbendr. u. 14 Illustr., nach Skizzen d. Verf. auf Holz gezeichnet v. A. Stieler, geschnitten v. A. Cloß. 4. (VII, 160 S.) Basel 877. Georg. geb. n. 16. —

Rutishauser, Carl Alb., 24 Wochen im Gebirge! Ein Bild aus dem Prätigauer Natur- u. Volksleben als Beitrag zur Characteristik dieses Theiles unseres Alpengebietes. gr. 8. (157 S.) Luzern 880. (Chur, Rich.) n. 1. 50

Rütli, das. Ein Liederbuch f. Männergesang. 3. Sammlg. 2. Bdchn., enth. 115 Orig.-Compositionen. 8. (VIII u. S. 177—608.) St. Gallen 883. Sonderegger. n. 2. — (I—III, 2.: n. 6. 40)

Rutsch, Wilh., Buchführung f. Handwerker. Ein in Form e. Aufgabe gehaltener kurzer Entwurf f. das Tischler- u. Schlosser-Gewerbe zum Gebrauch in Handwerkerschulen u. zum Selbstunterricht. 8. (V, 60 S.) Brieg 883. (Kroschel.) n. — 80

— dasselbe. Schul-Auszug, enth. Inventuren u. Geschäftsvorfälle d. 2. Thls, betr. das Schlosser-Gewerbe. 8. (18 S.) Ebend. 883. n. — 20

— dasselbe. Schul-Auszug f. d. Tischler-Gewerbe. 8. (14 S.) Ebend. 883. n. — 20

Ruetschi, Gebr., üb. Anschaffung u. Unterhalt v. Kirch-Geläuten. Anleitung f. die tit. Kirchenvorsteherschaften. gr. 8. (50 S. m. 10 Taf.) Aarau 883. (Christen.) n. 1. 80

Rutte, Frz., historisch-geographisches Wörterbuch zum Schulgebrauche. gr. 8. (III, 67 S.) Wien 885. Hölder. n. — 96

Rüttenauer, Benno, Siebenschön. Ein April-Mai-Märchen in Reimen. 12. (VII, 116 S.) Leipzig 884. Liebeskind. n. 2. —

Rütter, Arnold, die Pflanzenwelt im Dienste der Kirche f. Geistliche u. Laien. 1—3. Thl. gr. 8. Regensburg, Pustet. à n. 1. 40

1. Die Pflanzenwelt als Schmuck d. Heiligthumes u. Frohnleichnamsfestes im Allgemeinen u. Besondern f. Geistliche u. Laien. Mit 52 Abbildgn. 2. verm. Aufl. (X, 150 S.) 886.
2. Die besten Altarblumen im Topf u. ihre Specialcultur. Mit 68 Abbildgn. 2. Aufl. (VIII, 156 S.) 886.
3. Die besten Altarblumen im Garten u. ihre Cultur u. Verwendung. Mit 110 Abbildgn. (VIII, 173 S.) 886.

Ruß, J., Luther-Jubiläums-Reden, s.: Christa, E.

Ruetz, Otto, Anleitung zur Prüfung v. Trinkwasser u. Wasser zu technischen Zwecken, nebst Methoden zur Beurtheilg. d. Trinkwassers. 2. Aufl. 8. (VI, 38 S.) Berlin 885. Zimmer. 1. —

— Verfälschungen der Nahrungs-, Genussmittel u. Consumartikel leicht u. sicher nachzuweisen. Eine Anleitg. zur Untersuchg. derselben nach leichten Methoden u. wissenschaftl. Grundsätzen, nebst den Gutachten d. Reichsgesundheitsamtes. Mit vielen Abbildgn., f. Apotheker, Droguisten, Chemiker etc. 2. Aufl. gr. 8. (VIII, 125 S.) Ebend. 885. 3. —

— die wissenschaftlichen u. gewerblichen Ziele der deutschen Pharmazie. Eine soziale u. wirtschaftliche Studie, nebst Interpretation der Reichs- u. Landesgesetze, sowie früherer Bestimmgn. gr. 8. (84 S.) Leipzig 884. E. Günther. n. 1. 50

Ružička-Ostoić, Camilla, Transcription d. türkisch bearbeiteten Lustspieles Ajjar-i Hamza. Nach dem Molière'schen Lustspiele: Les fourberies de Scapin. Mit Wiedergabe der arab. Schrift durch latein. Buchstaben, nebst e. Anh. v. türkisch-deutschen Wörtern. 8. (90 S.) Wien 883. Lechner's Verl. n. 2. 40

— Transcription der ins Türkische übersetzten „Evangelisten“, d. h. Wiedergabe der arab. Schrift durch latein. Buchstaben, nebst e. Anh. v. türkisch-deutschen Wörtern. I. Matthäus. Nach der Ausg. der englisch-amerik. Bibel-Gesellschaft v. 1877 u. 1878. 8. (XIV, 104 S.) Ebend. 883. n. 2. 40

— Transcription d. v. der k. u. k. orientalischen Akademie in Wien hrsg. osmanischen Lesebuches u. Briefstellers. gr. 8. (15 S.) Wien 882. Lechner's Verl. n. — 80

Ryan, P. J., some of the causes of modern religious skepticism. A lecture, delivered in St. John's church, St. Louis, on Sunday evening, Dec. 17th, 1882. 8. (52 S.) St. Louis 883. Freiburg i/Br., Herder. 1. 20

Rychner, A., l'architecture en Suisse aux différentes époques, s.: Lambert, A.

Ryck, Rich., die Lehre v. den Schuldverhältnissen nach gemeinem deutschen Recht. Mit Rücksicht auf particulare u. fremdländ. Gesetzgebg. systematisch dargestellt. I. gr. 8. (V, 128 S.) Berlin 883. v. Decker. n. 2. 50

Rydberg, V., Singoalla, s.: Universal-Bibliothek.

Ryle, J. C., brauchst Du e. Freund? 8. (20 S.) Barmen 883. (Wiemann.) — 12

Ryssel, V., e. Brief Georgs, Bischofs der Araber, an den Presbyter Jesus, aus dem Syr. übers. u. erläutert. Mit e. Einleitg. üb. sein Leben u. seine Schriften. gr. 8. (118 S.) Gotha 883. F. A. Perthes. n. 3. —

Ryß, Dan. Albr., Carl Albrecht Reinhold Baggesen, Pfarrer am Münster zu Bern, e. Lebens- u. Zeitbild aus der bernischen Kirche, vorzugsweise auf Grund seines schriftl. Nachlasses entworfen. Mit e. einleit. Vorwort v. H. Gelzer. Mit Baggesen's (Holzschn.-)Portr. gr. 8. (XII, 318 S.) Basel 884. Riehm. n. 4. 50

Rytz, L., née Dick, la bonne cuisinière bourgeoise ou instruction pour préparer de la meilleure manière les mets usités soit dans la vie ordinaire, soit pour les occasions de fêtes, accompagnée d'un tableau représentant la manière d'arranger les plats sur la table. 10. éd. 8. (XX, 401 S.) Bern 886. Wyss. cart. n. 3. 40

Rzehak, A., Ergebnisse der mikroskopischen Untersuchung d. Trinkwassers der Stadt Brünn. Mit 1 Taf. gr. 8. (28 S.) Brünn 886. Knauthe. — 60

— die geologischen Verhältnisse der Umgebung v. Brünn, s.: Makowsky, A.

Rzepecki, Jan v., üb. die bis jetzt unbekannt gebliebenen Gedichte v. Zbigniew Morsztyn. gr. 8. (69 S.) Posen 884. (Breslau, Köhler.) n. 1. —

Říha, Frz., Studien üb. Steinmetz-Zeichen. [Mit 69 (lith.) Taf. u. 46 Text-Illustr.] gr. 4. (59 S.) Wien 883. (Gerold's Sohn.) n. 10. —

S.

Sá de Miranda, Francisco de, poesias. Edição feita sobre cinco manuscriptos ineditos e todas as edições impressas, acompanhada de um estudo sobre o poeta, variantes, notas, glossario e um retrato por Carolina Michaëlis de Vasconcellos. gr. 8. (16, CXXXVI, 949 S. m. 1 Tab. u. Portr. d. Verf.) Halle 885. Niemeyer. n. 30. —; Ausg. auf Büttenpap. in Halbfrzbd. 45. —

Saadia Al-fajûmi's arabische Psalmenübersetzung. Nach e. Münchener Handschrift hrsg. u. ins Deutsche übertragen v. S. H. Margulies. 1. Thl. gr. 8. (IV, 51 u. 26 S.) Breslau 884. (Preuss & Jünger.) n. 2. 40

Saalfeld, Günther Alex. E. A., Feuer, Wind u. Rauch, } s.: Sammlung gemeinnütziger Vorträge.
— über die Fremdwörter, besonders im Deutschen, }

— deutsch-lateinisches Handbüchlein der Eigennamen aus der alten, mittleren u. neuen Geographie, zunächst f. den Schulgebrauch zusammengestellt. gr. 8. (XII, 738 Sp.) Leipzig 885. C. F. Winter. n. 4. —

— Haus u. Hof in Rom im Spiegel griechischer Kultur. Kulturgeschichtliche Beiträge zur Beurteilg. d. klass. Alterthums, an der Hand der Sprachwissenschaft gewonnen. gr. 8. (VII, 274 S.) Paderborn 884. F. Schöningh. n. 4. —

— der Hellenismus in Latium. Kulturgeschichtliche Beiträge zur Beurteilg. d. klass. Altertums, an der Hand der Sprachwissenschaft gewonnen. Lex.-8. (VII, 281 S.) Wolfenbüttel 883. Zwissler. n. 6. —

— Küche u. Keller in Alt-Rom, s.: Sammlung gemeinverständlicher wissenschaftlicher Vorträge.

Saalfeld, Günther Alex. E. A., die Lautgesetze der griechischen Lehnwörter im Lateinischen, nebst Hauptkriterien der Entlehnung. Sprachwissenschaftliche Untersuchg. gr. 8. (XI, 131 S.) Leipzig 884. C. F. Winter. n. 2. —

— die neue deutsche Rechtschreibung, s.: Zeitfragen d. christlichen Volkslebens.

— Straßenpflaster u. Kutschwagen, s.: Sammlung gemeinnütz. Vorträge.

— tensaurus italograecus. Ausführliches historisch-krit. Wörterbuch der griech. Lehn- u. Fremdwörter im Lateinischen. gr. 8. (IV, 1184 Sp.) Wien 884. Gerold's Sohn. n. 20. —

— griechisches Vokabularium systematisch f. die Schule bearb. gr. 8. (XI, 161 S.) Paderborn 884. F. Schöningh. n. 1. 80

— Wegweiser auf dem Gebiete der Eigennamen [deutsch-lateinisch u. lateinisch-deutsch] aus der alten, mittleren u. neuen Geographie, f. die unteren u. mittleren Stufen der höheren Lehranstalten bearb. nach dem „Deutsch-latein. Handbüchlein" etc. 8. (IV, 146 S.) Leipzig 885. C. F. Winter. n. — 60

Saar, Ferd. v., Thassilo. Tragödie in 5 Akten. 8. (141 S.) Heidelberg 886. Weiß' Verl. n. 2. 40

— eine Wohlthat. Volksdrama in 4 Acten. 8. (125 S.) Ebend. 885. n. 2. 20

Saat auf Hoffnung. Zeitschrift üb. die Mission der Kirche an Israel, hrsg. v. Frz. Delitzsch. Organ d. evangelisch-luther. Centralvereins f. die Mission unter Israel. 20—23. Jahrg. 1883—1886. à 4 Hfte. gr. 8. (à Hft. 76 S.) Erlangen, Deichert. à Jahrg. n. 1. 50

— u. Ernte. Erzählung f. die Jugend u. ihre Freunde. 1—3., 8., 9., 14. u. 15. Bdchn. 12. Elberfeld, Buchh. d. Erziehungs-Vereins. geb. à 1. 25

1. Der Klausner od. die geraubte Tochter. Erzählung aus der Zeit d. 30jähr. Krieges v. W. B. 3. Aufl. (255 S.) 875.
2. Der Vater Tim od. die Hugenotten u. ihre Kämpfe. Ein histor. Gemälde aus dem 16. Jahrh. v. W. B. 3. Aufl. (300 S.) 875.
3. Antoine Perrier od. der Aufstand in den Cevennen. Ein histor. Gemälde aus dem 18. Jahrh. v. W. B. (247 S.) 879.
8. Der Löwe aus Juda. Eine Erzählg. f. die reifere Jugend u. ihre Freunde. Frei nach dem Engl. v. W. B. 2. Aufl. (220 S.) 884.
9. Die beiden Helden od. der Alte vom Rheingrafenstein. Ein Blatt aus der Geschichte der Reformation v. W. B. 2. Aufl. (214 S.) 884.
14. Trübe Zeiten. Eine Erzählg. aus dem Revolutionsjahre 1848 v. W. B. (294 S.) 879.
15. Eigene Wege. Eine Erzählg. nach geschichtl. Thatsachen von W. v. Österau. (231 S.) 884.

Saatzer, Jos., das erste Schuljahr. Specielle Methodik d. Unterrichtes in der Elementarclasse. 3. Aufl. gr. 8. (VIII, 186 S.) Prag 885. Tempsky. — Leipzig, Freytag. n. 1. 40; Einbd. n.n. — 30

— das zweite Schuljahr. Specielle Methodik d. Unterrichtes auf der zweiten Stufe der Volksschule. [Der speciellen Methodik d. Volksschulunterrichtes 2. Thl.] 2. Aufl. gr. 8. (III, 184 S.) Ebend. 883. n. 1. 60

— das dritte Schuljahr. Specielle Methodik d. Unterrichtes auf der 3. Stufe der Volksschule. 2., den neuen Lehrplänen angepaßte Aufl. [Der speciellen Methodik d. Volksschulunterrichtes 3. Thl.] gr. 8. (VI, 256 S.) Ebend. 886. n. 2. 20; Einbd. n.n. — 30

— das vierte Schuljahr. Specielle Methodik d. Unterrichtes auf der 4. Stufe der Volksschule. [Der speciellen Methodik d. Volksschulunterrichtes 4. Thl.] gr. 8. (VI, 332 S.) Ebend. 885. n. 2. 80; Einbd. n.n. — 40

— das fünfte Schuljahr. Specielle Methodik d. Unterrichtes auf der 5. Stufe der Volksschule. gr. 8. (VII, 426 S.) Ebend. 886. n. 3. 20; Einbd. n.n. — 40

— Sprachbücher. 1—4. Hft. Aufgabensammlung zur schriftl. Verarbeitg. d. grammat. Stoffes f. die 2—5. Unterrichtsstufe der Volksschule. Im Anschlusse an d. Verf. 2—5. Thl. der speciellen Methodik d. Volksschulunterrichtes. gr. 8. Ebend. n.n. 1. 92

1. Für die 2. Stufe. (56 S.) 884. n.n. — 32
2. Für die 3. Stufe. (80 S.) 884. n.n. — 40
3. 4. Für die 4. u. 5. Stufe. (90 u. 111 S.) 885. à n.n. — 60

Ṣabbâg's, Mîhâ'îl, Grammatik der arabischen Umgangssprache in Syrien u. Aegypten. Nach der Münchener Handschrift hrsg. v. H. Thorbecke. gr. 8. (X, 80 S.) Strassburg 886. Trübner. n. 4. —

Sabetti, Aloys., compendium theologiae moralis, a P. Joa. Petro Gury, S. J., primo exaratum et deinde a P. Ant. Ballerini ejusdem societatis adnotationibus auctum, nunc vero ad breviorem formam redactum atque ad usum seminariorum hujus regionis accomodatum. gr. 8. (VIII, 956 S.) Woodstock, Maryland 884. Einsiedeln, Benziger & Co. n. 20. —; geb. n. 25. —

Sabinchen, unser, s.: Kühling's, A., Volks-Schaubühne.

Saccardo, P. A., fungi italici autographice delineati. [Additis nonnulis extra-italicis asterisco notatis.] Fasc. 33—38 (Finis). [Tab. 1281—1500.] gr. 4. (25 autogr. u. color. Bl.) Patavii 883. 86. Berlin, Friedländer & Sohn.) n. 24. — (cplt.: n. 152. —)

— genera Pyrenomycetum schematice delineata. Illustratio adcommodata ad usum sylloges Pyrenomycetum ejusdem auctoris. gr. 8. (14 Steintaf. m. 8 S. Text.) Ebend. 883. n. 6. —

— sylloge fungorum omnium hucusque cognitorum. Vol. II—IV. gr. 8. Ebend. n.n. 131. 20 (I—IV.: n.n. 171. 20)

II. Pyrenomycologiae universae continuatio et finis. (813 S., Nachträge LXIX Bl. u. Reg. 77 S.) 883. n.n. 48. —
III. Sphaeropsideae et Melanconieae. (860 S.) 884. n.n. 43. 20
IV. Hyphomycetes. (807 S.) 886. n.n. 40. —

Sach, Aug., Geographie der Prov. Schleswig-Holstein u. d. Fürstent. Lübeck. Für 2 Stufen. 6. Aufl. der Grünfeld'schen Geographie. 8. (80 S.) Schleswig 886. Bergas. cart. n. — 60

— die deutsche Heimat. Landschaft u. Volkstum. Mit Abbildgn. nach Orig.-Aufnahmen u. Zeichngn. v. F. Knab, A. Lewy u. F. Lindner, in Holz gest. vom xylograph. Institut v. O. Roth in Leipzig. gr. 8. (XII, 660 S.) Halle 885. Buchh. d. Waisenhauses. 7. 50; Einbd. n.n. 2. —

— Graf Friedrich v. Reventlou u. Wilhelm Hartwig Beseler. Ein Vortrag. gr. 8. (36 S.) Schleswig 886. Bergas. n. 1. —

— Schleswig-Holstein in geschichtlichen u. geographischen Bildern. 11. Aufl. gr. 8. (64 S.) Halle 885. Buchh. d. Waisenhauses. n. — 40; als Anh. zu dem Vaterländischen u. Norddeutschen Lesebuch n.n. — 20

Sachau, Ed., Reise in Syrien u. Mesopotamien. Mit 2 (chromolith.) Karten v. Heinr. Kiepert, 18 Abbildgn. u. 22 Lichtdr.-Bildern. gr. 8. (X, 478 S.) Leipzig 883. Brockhaus. n. 20. —; geb. n. 22. —

— kurzes Verzeichniss der Sachau'schen Sammlung syrischer Handschriften auf der königl. Bibliothek zu Berlin. Nebst Übersicht d. alten Bestandes. gr. 8. (XXVIII, 35 S.) Berlin 885. (Asher & Co.) n. 2. —

Sacher-Masoch, L. v., der kleine Adam; Sascha u. Saschka, s.: Collection Spemann.

— Amor m. dem Korporalstock u. Eine Frau auf Vorposten. 2 Novellen aus den russ. Hofgeschichten. 8. (94 S.) Berlin 885. Jacobsthal. n. 1. —

— die Bluthochzeit zu Kiew. Ariella. Zwei Liebesgeschichten. 8. (82 S.) Ebend. 886. n. 1. —

— ein Damen-Duell. Eine russ. Hofgeschichte. 8. (76 S.) Ebend. 885. n. 1. —

— das Erntefest. Die Toden sind unersättlich. Zwei Novellen. 8. (98 S.) Ebend. 886. n. 1. —

— Frauenrache u. Eine weibliche Schildwache. 2 russ. Hofgeschichten. 8. (77 S) Ebend. 885. n. 1. —

— galizische Geschichten. Novellen. 2. Aufl. 8. (261 S.) Ebend. 886. n. 3. —

— polnische Ghetto-Geschichten. 8. (VIII, 180 S.) München 886. Franz' Verl. n. 3. —

— Gläubiger als Heirathsstifter. Humoristische Novelle. 8. (71 S.) Berlin 886. Jacobsthal. n. 1. —

— falscher Hermelin. Kleine Geschichten aus der Bühnenwelt. 3. Aufl. m. 7 Illustr. v. Klič. 8. (298 S.) Ebend. 884. n. 3. —

— dasselbe. Neue Folge. 2. Aufl. 8. (VIII, 343 S.) Ebend. 884. n. 4. —

Sacher-Masoch, L. v., Wiener Hofgeschichten. Novellen. 8. (201 S.) Berlin 885. Jacobsthal. n. 2. —
— Basil Hymen. Novelle. 8. (169 S.) Leipzig 882. Morgenstern. geb. n. 2. 50
— ewige Jugend u. andere Geschichten. 8. (113 S.) Berlin 886. Jacobsthal. n. 1. —
— eine Kaiserin beim Profoß u. Nero im Reifrock. 2 russ. Hofgeschichten. 8. (94 S.) Ebend. 885. n. 1. —
— die Kunst geliebt zu werden u. Nur die Todten kehren nicht wieder. 2 Erzählgn. aus den russ. Hofgeschichten. 8. (93 S.) Ebend. 885. n. 1. —
— Liebesgeschichten aus verschiedenen Jahrhunderten. Novellen. 3. Aufl. 8. (256 S.) Ebend. 884. n. 3. —
— dasselbe. 2. Sammlg. 8. (265 S.) Ebend. 886. n. 3. —
— Magaß, der Räuber. Zwei galiz. Geschichten. 8. (75 S.) Ebend. 885. n. 1. —
— gute Menschen u. ihre Geschichten. Ein Novellenbuch. [Gläubiger als Heirathsstifter. Die verliebte Redaction. Aus e. anderen Welt.] 8. (281 S.) Ebend. 886. n. 3. —
— die Messalinen Wiens. Geschichten aus der guten Gesellschaft. 2 Bde. 3. Aufl. 8. (159 u. 175 S.) Ebend. 884. n. 4. —
— kleine Mysterien der Weltgeschichte. 8. (82 S.) Leipzig-Reudnitz 886. O. Schmidt. n. 1. —
— das Paradies am Dniester. Novelle. 8. (84 S.) Leipzig 882. Morgenstern. geb. n. 2. 50
— der neue Paris u. Eine Hochzeit im Eispalast. 2 russ. Hofgeschichten. 8. (110 S.) Berlin 885. Jacobsthal. n. 1. —
— die verliebte Redaction. Humoristische Novelle. 8. (121 S.) Ebend. 886. n. 1. —
— eine Schlittenfahrt u. andere Geschichten. 8. (91 S.) Ebend. 886. n. 1. —
— die Seelenfängerin. Roman. 2 Bde. 8. (308 u. 328 S.) Jena 886. Costenoble. n. 9. —
— zwei Soiréen der Eremitage. Diderot in Petersburg. Zwei russ. Hofgeschichten. 8. (105 S.) Berlin 886. Jacobsthal. n. 1. —
— Frau v. Soldan. 8. (248 S.) Leipzig 884. Morgenstern. geb. n. 1. —
— die letzten Tage Peter d. Großen. Eine russ. Hofgeschichte. 8. (126 S.) Berlin 886. Jacobsthal. n. 1. —
— Ungnade um jeden Preis. Eine russ. Hofgeschichte. 8. (74 S.) Ebend 886. n. 1. —
— Venus u. Adonis u. Das Märchen Potemkins. 2 russ. Hofgeschichten. 8. (79 S.) Ebend. 885. n. 1. —
— aus e. andern Welt. Eine Novelle. 8. (87 S.) Ebend. 886. n. 1. —
— Sabbathai Zewy. Die Judith v. Bialopol. 2 Novellen. 8. (76 S.) Ebend. 886. n. 1. —

Sacher-Masoch's „Auf der Höhe". Ein Beitrag zur Charakteristik der philosemit. Presse. Von ***. gr. 8. (16 S.) Leipzig 885. (Lemme.) n. — 30

Sachs, v., üb. die Keimung der Cocospalme. gr. 8. (3 S.) Würzburg 886. Stahel. — 20
— über die Wirkung d. durch e. Chinin-Lösung gegangenen Lichts auf die Blüthenbildung. [Vorläufige Mittheilg.] gr. 8. (1 S.) Ebend. 886. — 15

Sachs, Alb., zur Kenntnis der Magendrüsen bei krankhaften Zuständen. gr. 8. (VII, 64 S. m. 1 Steintaf.) Breslau 886. (Köhler.) n. 1. —

Sachs, H., Betrachtungen üb. Schrift u. Stenographie. Ein Vortrag. gr. 8. (60 S. m. 2 Taf.) London 886. Leipzig, Hartmann. n. 1. —
— die gesprochenen Laute der englischen Sprache u. die Schriftzeichen, welche zur Darstellung derselben benutzt werden. Eine umfass. u. naturgemäße wissenschaftl. Behandlg. der gesamten modernen Aussprache d. Englischen. 8. (XII, 400 S.) Ebend. 882. n. 3. 50

Sachs, Hans, Werke, s.: National-Litteratur, deutsche.
— Dichtungen, s.: Dichter, deutsche, d. 16. Jahrh.
— sämmtliche Fastnachtspiele, s.: Neudrucke deutscher Litteraturwerke d. XVI. u XVII. Jahrh.
— die Wittenbergische Nachtigall, die man jetzt höret überall. Ein allegor. Gedicht. Sprachlich erneuert u. m. Einleitg. u. Anmerkgn. versehen v. Karl Siegen. Mit dem Holzschn., sowie m. Luther's (chromolith.) Wappen u. facsm. Handschrift. gr. 8. (84 S.) Jena 883. Mauke. n. 1. 50

Sachs, Herm., de quattuor panegyricis qui ab Eumenio scripti esse dicuntur. gr. 8. (33 S.) Halis Sax. 885. (Berlin, Mayer & Müller.) n. 1. —

Sachs, Hugo, Untersuchungen üb. den Processus vaginalis peritonei als prädisponirendes Moment f. die äussere Leistenhernie. gr. 8. (151 S. m. 4 Steintaf.) Dorpat 885. (Karow.) n. 3. —

Sachs, M. E., Untersuchungen üb. das Wesen der Tonarten. gr. 8. (91 S.) Demmin 884. Frantz. n. 2. —; geb. n. 2. 40

Sachs, Mich., Festgebete der Israeliten m. vollständigem, sorgfältig durchgesehenem Texte. Neu übers. u. erläutert. (Nach poln. Ritus.) 9 Thle. gr. 8. Breslau 886. Koebner. 14. —; für deutschen Ritus zu gleichem Preise.
1—4. 17. Aufl. (368, 333, 140 u. 565 S.) — 5—9. 13. Aufl. (393, 346, 367, 403 u. 431 S.)
— das Gebetbuch der Israeliten m. vollständigem, sorgfältig durchgesehenem Texte. Neu übers. u. erläutert. 15. Aufl. gr. 8. (VI, 502 S.) Ebend. 886. 2. 40; Einbd. n.n. — 70; m. Goldschn. n.n. 1. 20; Velin-Ausg. 3. 50; Einbd. m. Goldschn. n.n. 1. 20

Sachse, die Aufsatzthemen in der Volksschule. Vortrag. gr. 8. (16 S.) Leipzig 886. (O. Klemm.) n.n. — 25

Sachse, [illegible], Kaiser Wilhelm-Anekdoten. Humoristische u. ernste Episoden aus dem Leben d. Kaisers Wilhelm. Gesammelt u. bearb. 8. (IV, 79 S.) Leipzig 886. Zangenberg & Himly. n. 1. —

Sachse, Ghold., üb. die 30. Rede d. Lysias. 4. (43 S.) Leipzig 886. Fock. n. 1. 50

Sachse, J. J., die deutsche Grammatik in ihren Grundzügen. Ein zugleich f. den Selbstunterricht bestimmtes Hand- u. Übungsbuch zum Gebrauche an Mittelschulen, Präparanden-Anstalten, Schullehrer-Seminarien u. den unteren u. mittleren Klassen höherer Lehranstalten. 1. Kurs. Allgemeine Wort- u. Satzlehre. 2. Aufl. gr. 8. (VII, 47 S.) Freiburg i/Br. 883. Herder. n. — 40
— Mathematik f. deutsche Lehrerbildungs-Anstalten u. Lehrer. 1. Tl.: Elementares Rechnen. 2. Aufl. gr. 8. (295 S.) Leipzig 885. Siegismund & Volkening. n. 3. —; geb. n. 3. 60
— dasselbe. 5. Tl. 3. u. 4. Hft. gr. 8. Ebend. 884. à n. 2. —; geb. à n. 2. 60
3. Das landwirthschaftliche Rechnen. (141 S.)
4. Das technische Rechnen. (160 S.)
— Übungsbuch f. e. praktischen, geistbildenden u. erziehlichen Rechenunterricht. 4 Hfte. 8. Osnabrück 886. Wehberg. n.n. 1. 15
1. (50 S.) n.n. — 25
2—4. (72, 72 u. 84 S.) à n.n. — 30
— Übungsbuch f. e. praktischen, geistbildenden u. erziehlichen Unterricht in der Raumlehre. 8. (65 S. m. Fig.) Ebend. 886. n.n. — 50
— der praktische, geistbildende u. erziehliche Unterricht im Rechnen u. in der Raumlehre. 1. u. 2. Tl. gr. 8. Ebend. 886. n. 5. —
1. Allgemeine Methodik d. Rechnens. (XV, 231 S. m. 2 Steintaf.) n. 2. 25
2. Didaktik d. Rechenunterrichts. (VIII, 272 S.) n. 2. 75

Sachse, P., die Diphtheritis, s.: Hausbücher, medicinische.

Sachse, R., E. H. **Angaryd** u. E. **Harzanger**, die Fortschritte der losen Wollen- u. Wollengarn-Färberei [unecht u. walkecht] seit 1881. Ergänzungen zu Sachse, die Wäscherei, Bleicherei u. Färberei v. Wollengarnen f. Walkwaaren. Mit 39 Farbproben auf 5 Taf., deren Farbtöne m. den gegebenen Vorschriften übereinstimmen. gr. 8. (V, 101 S.) Leipzig 886. G. Weigel. n. 7. 50
— — — die Wäsche, Bleicherei u. Färberei v. loser Wolle u. Wollengarnen, unecht sowie walkecht, in ihrem ganzen Umfange. Ein systemat. Hilfs- u. Lehrbuch f. Färberei-Techniker u. Wollenwaaren-Fabrikanten, Filz- u. Hutfabriken. 2. verb. u. verm. Aufl. v. Sachse, die Wäscherei, Bleicherei u. Färberei v. Wollengarnen f. Walkwaaren. Mit 135 gefärbten Proben auf 17 Taf., deren Farbtöne m. den gegebenen Färbvorschriften übereinstimmen. gr. 8. (V, 100 u. 104 S.) Ebend. 886. n. 17. 50; geb. n. 19. 50

Sachsen, das Königr. Schulgeographie, f. die Hand der

Kinder hrsg. v. e. prakt. Schulmanne. Mit Rössel's (chromolith.) Karte v. Sachsen u. Krug's (chromolith.) Karte der betr. Kreishauptmannschaft. gr. 8. (16 S.) Meißen 884. Schlimpert. n. — 25

Sachsen-Kalender, allgemeiner, 1885. Große Ausg. 4. (88 S. m. 4 Holzschntaf. u. 1 Chromolith.) Meißen, Schlimpert. — 50; mittle Ausg. (58 S. m. 4 Holzschntaf.) — 38; kleine Ausg. (40 S.) n. — 25

Sachsenspiegel, neuer. Volks-Kalender f. d. J. 1887. Mit 2 farb. Bildern, vielen Holzschn., doppeltem Märkteverzeichnis u. reichhalt. Statistik. 8. (159 S. m. 1 Wandkalender.) Neuhaldensleben, Besser. n. — 50; kleine Ausg. (111 S.) — 30

Sachsse, Eug., Abschiedspredigt, s.: Festwoche, e., der evangel. Gemeinde Hamm.

— die ewige Erlösung. Evangelische Predigten. gr. 8. (III, 148 S.) Gütersloh 885. Bertelsmann. n. 2. 20

— Festpredigt, s.: Achelis.

— Festrede, s.: Luther-Tage, die, in Herborn.

— Ursprung u. Wesen d. Pietismus. gr. 8. (VI, 382 S.) Wiesbaden 884. Niedner. n. 6. —

Sachsse, R., e. Sängerfahrt in's Riesengebirge. Ein Cyklus v. 15 Gesängen m. verbind. Dichtg. Für Männergesang komponirt v. Wilh. Tschirch. 13. bericht. Aufl. Textbuch. gr. 8. (15 S.) Bunzlau 884. A. Appun's Buchh. n. — 20

Sack, Ed., Schlaglichter zur Volksbildung. (In 10 Hftn.) 1. Hft. 8. (80 S.) Nürnberg 885. Wörlein & Co. — 60

Sack, J., der Druck-Telegraph Hughes. Seine Behandlg. u. Bedieng. Speciell f. Telegraphen-Beamte. Mit 48 Abbildgn. 2. Aufl. gr. 8. (VIII, 144 S.) Wien 884. Hartleben. n. 2. 25

— die Verkehrs-Telegraphie der Gegenwart, s.: Bibliothek, elektro-technische.

Sack, Israel, die Religion Altisraels, nach den in der Bibel enthaltenen Grundzügen dargestellt. 8. (VII, 178 S.) Leipzig 885. Friedrich. n. 3. —

Sacken, Ed. Frhr. v., Katechismus der Baustile od. Lehre der architekton. Stilarten von den ältesten Zeiten bis auf die Gegenwart. Nebst e. Erklärg. der im Werke vorkomm. Kunstausdrücke. 8. Aufl. Mit 103 Abbildgn. 8. (XII, 196 S.) Leipzig 886. Weber. geb. n. 2. —

— Katechismus der Heraldik. Grundzüge der Wappenkunde. 4., verb. Aufl. Mit 202 in den Text gedr. Abbildgn. 8. (XVI, 142 S.) Ebend. 885. geb. n. 2. —

Sack-Kalender f. d. J. 1885. 32. (64 S.) Innsbruck 885. Wagner. n.n. — 25

Sackreuter, Karl Ludw., kurze Geschichte der christlichen Religion u. Kirche zum Gebrauche in Volksschulen u. anderen Lehranstalten. 12. Aufl. 2. Ausg. Durchgesehen u. m. den nöth. Zusätzen versehen von Karl Zimmermann. 8. (VI, 66 S.) Dillenburg 883. Seel. n. — 45

Sackur, Ernst, Richard, Abt v. St. Vannes. gr. 8. (98 S.) Breslau 886. (Köhler.) n. 1. —

Sackville, Th., Gorboduc, s.: Norton, Th.

Sadebeck, M., Register der Protokolle, Verhandlungen u. Generalberichte f. die europäische Gradmessung 1861—1880, s.: Publication d. königl. preussischen geodätischen Instituts.

Sadtler, P., die Gewinnung d. Theers u. Ammoniakwassers. Vortrag. Aus dem Englischen übers. u. m. e. Anh. versehen v. Geo. Bornemann. Mit 10 Fig. im Text u. 2 Taf. gr. 8. (III, 42 S.) Leipzig 886. Quandt & Händel. n. 2. —

Saffray, die Kunst recht lange zu leben. Grundzüge der Hygieine. Mit 52 in den Text gedr. Holzschn. Autoris. Uebersetzg. 12. (VII, 154 S.) Minden 885. Bruns. n. 1. 50

Sage, die, v. dem Verschwinden der Leiche Dr. Martin Luthers zu Ende d. Schmalkalder Krieges, auf's Neue an das Licht gezogen u. erörtert v. e. Geschichtsfreunde. 8. (8 S.) München 883. (Wenger's Sort.) — 30

Sagemehl, M., Verzeichniss der in Est-, Liv- u. Curland bisher gefundenen Bienen. gr. 8. (20 S.) Dorpat 882. (Leipzig, K. F. Köhler.) n.n. — 50

Sagen, die schönsten, d. Rheins. Gesammelt u. hrsg. v. Otto Lehmann u. a. Mit (5) feinen Farbendr.-Bildern. 2. Aufl. 8. (240 S.) Mülheim 884. Bagel. geb. 2. 50; in 3 Hftn. (à 80 S.) à n. — 50

Sagen, thüringische, u. Nibelungen. Historisches Lesebuch f. das 3. u. 4. Schuljahr. Von den Verf. der „Schuljahre". gr. 8. (III, 58 S.) Dresden 885. Bleyl & Kaemmerer. n. — 50

Sager, Herm., leichtfassliche u. gründliche Anleitung zum Malen m. Wasserfarben m. besond. Berücksicht. der Farbenmischgn. u. Schattirgn. f. den Schul- u. Selbstunterricht. 8 (24 S.) Zürich 886. Orell Füssli & Co. Verl. n. 1. —

Saegert, Carl, pädagogisch-didaktische Erläuterungen zur Frage d. höheren Schulwesens. gr. 8. (V, 84 S.) Schleswig 883. Bergas. n. 1. 50

Saggau, Chr., offene Antwort auf das an mich gerichtete offene Sendschreiben d. Hrn. Sem.-Dir. Lange in Segeberg. gr. 8. (21 S.) Altona 883. Send. n. — 50

Sagorski, Ernst, die Rosen der Flora v. Naumburg a/S., nebst den in Thüringen bisher beobachteten Formen. 4. (48 S. m. 4 Steintaf.) Naumburg 885. (Leipzig, Fock.) n. 2. —

Sailer, C., der Komet. Populäre Darstellg. üb. phys. Beschaffenheit u. Bewegg. der Kometen, sowie der Sonne, der Planeten, d. Mondes u. der Meteorite. 2. Aufl. 8. (48 S.) Regensburg 886. Verlags-Bureau. n. — 50

Sailer, F., Bismarck-Anthologie. Aus Reden, Briefen u. Staatsschriften d. Fürsten Reichskanzlers zusammengestellt. 2. Aufl. 8. (VI, 199 S.) Berlin 884. Wilhelmi. n. 2. —; geb. n. 3. —

— der preußische Staatsrath u. seine Reactivirung. Unter Benutzg. archival. Quellen. Mit 18 Anlagen. 2. Aufl. gr. 8. (III, 142 S.) Berlin 884. Deubner. n. 2. 50

Sailer, J. M., üb. Erziehung f. Erzieher, s.: Schriften, ausgewählte, berühmter Pädagogen.

Sailer, Ludw., die Bau- u. Kunstdenkmäler weil. Sr. Maj. König Ludwig II. v. Bayern. Ein Begleiter u. Andenken f. den Besucher der königl. Schlösser Chiemsee, Linderhof, Neuschwanstein, Hohenschwangau u. Berg. Mit 5 Orig.-Photogr., 3 Grundrissen u. 1 Routenkärtchen. 8. (54 S.) München 886. Fritsch. n. 1. 20

— Bilder aus dem bayerischen Hochgebirge, nebst Beschreibg. der hervorragendsten Orte nach ihrer älteren u. neueren Geschichte, ihrer culturhistor. Bedeutg. in Vergangenheit u. Gegenwart. (1. Hft.) Aibling u. dessen Umgebg. 8. (48 S. m. eingedr. Illustr., 2 Taf. u. 1 lith. Plan.) München 883. Augsburg, Haug. n.n. — 50

— dasselbe. (4. Hft.) Berchtesgaden. 8. (272 S. m. eingedr. Illustr. u. 2 Steintaf.) München 884. (Fritsch.) n. 3. —

— dasselbe. 5. Hft. Traunstein u. dessen Umgebg. 8. (116 S. m. Illustr. u. 2 Karten.) Ebend. 886. n. 1. 50

Sailler, Auguste, der Krankentisch. Eine Zusammenstellg. wohlerprobter Speisen u. Getränke, nebst e. Anleitg. zum Einsieden v. Säften u. Einmachen v. Früchten f. Kranke u. Genesende. Von e. renommirten, rationellen, prakt. Arzte u. mehreren in der Krankenpflege u. Kochkunst wohl erfahrenen Hausfrauen durchgesehen, geprüft u. als sehr empfehlenswerth anerkannt. 3. Aufl. gr. 8. (VIII, 232 S.) Wien 883. Hartleben. geb. 3. —

Saintine, X. B., Picciola, s.: Collection Spemann.

— dasselbe, s.: Universal-Bibliothek.

Saint-Omer, Ed., das Marienkind nach dem heil. Alfons v. Liguori, Kirchenlehrer u. Stifter der Congregation vom allerheiligsten Erlöser. Aus dem Franz. Mit e. Stahlst. 16. (96 S.) Dülmen 883. Laumann. n. — 20

— die Schlüssel d. Paradieses od. die gutverrichtete Beicht. Nach dem hl. Alphons v. Liguori, Kirchenlehrer, u. einigen anderen Verfassern. Autoris. Uebersetzgg. 16. (VII, 328 S. m. 1 Stahlst.) Ebend. 884. n. — 80; geb. n. 1. 20

Saint-Pierre, Bernardin de, Paul et Virgine. Nouvelle éd., augmentée d'une préface et de notes historiques et grammaticales par Mad. P. Blanchard. 8. (120 u. Wörterverzeichn. 47 S.) Leipzig 885. Wilfferodt. n. 1 —

— dasselbe. Aus dem Franz. neu übers. v. A. Kaiser. Mit vielen Holzschn. nach Orig.-Zeichngn. v. H. Bürkner rc.

12. Aufl. 8. (212 S.) Dresden 886. Dieckmann. geb. n. 2. 80

Saint-Pierre, Bernardin de, Paul u. Virginie. Mit 2 Titelbildern v. Emilie Weißer. 2. Aufl. 16. (183 S.) Stuttgart 885. Rieger. geb. m. Goldschn. 2.—

— dasselbe, s.: Collection Spemann. — Meyer's Volksbücher. — Universal-Bibliothek f. die Jugend.

Saint-Simon, Herzog v., Memoiren, s.: Collection Spemann.

Sakrament, das heilige, der Firmung. Unterricht u. Gebet f. Firmlinge. Von e. Priester der Diözese Breslau. 8. (23 S.) Breslau 883. Görlich. n. — 10

Sakuntala. Ballet in 2 Acten u. 5 Bildern. Nach Kalidasa's Dichtung v. *. Musik v. S. Bachrich. In Scene gesetzt v. Carl Telle. 12. (16 S.) Wien 884. Künast. n. — 50

Salaba, A., die graphische Ausmittlung der Centrifugalregulatoren m. maximaler Energie. Imp.-4. (17 S. m. 2 autogr. Taf.) Prag 883. Řivnáč. n. 1. 80

Salaman, Edith, vier weibliche Charakterköpfe. 4 Chromolith. gr. 4. Leipzig 886. (Baldamus Sep.-Cto.) n. 4. —

Salamon, Frz., Ungarn im Zeitalter der Türkenherrschaft. Ins Deutsche übertr. v. Gust. Jurány. Vom Verf. autoris. Übersetzg. gr. 8. (XVI, 407 S.) Leipzig 887. Haessel. n. 6. —

Salazar, Frz. v., bekehret euch zum Herrn v. eurem ganzen Herzen! Ein Gebet u. Erbauungsbuch, enth. die ergreif. Betrachtgn. üb. die ewigen Wahrheiten. Nach der 13. Aufl. d. span. Originals aus dem Franz. übers. v. e. Kuratpriester. 16. (415 S.) Paderborn 883. Bonifacius-Druckerei. — 75

Salbuch d. Stiftes Niedermünster in Regensburg. Hrsg. v. Frz. Chrn. Höger. gr. 8. (171 S.) Freising 885. (Wölfle.) n. 3. —

Saldern, Th. v., das Margaretenbuch. Eine Erzählg. f. die jüngere Mädchenwelt. 7. Aufl. 8. (436 S.) Wolfenbüttel 884. Zwißler. n. 4. —; geb. n. 5. —; m. Goldschn. n. 6. —

Sales, Frz. v., sämmtliche Werke. Nach der neuesten verm. französ. Orig.-Ausg. übers. 5—7. Bd. A. u. d. T.: Briefe: 3—5. (Schluß-)Bd. 12. (XX, 495; XVI, 488 u. XV, 532 S.) Regensburg 883. Verlags-Anstalt. à 3. —

— Anweisung an die Beichtväter zur Verwaltung d. heil. Bußsakramentes. 8. (37 S.) Stuttgart 886. Schott. n. — 20

— der geistliche Führer frommer Seelen, oder: Goldkörner, gesammelt aus den Schriften d. hl. F. v. S. Neue, verb. Aufl. 12. (XII, 164 S.) Regensburg 884. Verlags-Anstalt. — 90

— Grundsätze u. Ratschläge. Ins Deutsche übertr. nach der engl. Uebersetzg. der Miß Ella Mc. Mahon. 16. (182 S.) Landshut 885. Krüll. geb. n. 1. 20

— Neujahrswünsche. Uebers. v. e. Mitgliede d. Kapuzinerordens. 16. (80 S.) Dülmen 883. Laumann. n. — 25

— Philothea od. Anleitung zum gottseligen Leben. Nebst e. Zugabe der gewöhnl. Andachten aus den Schriften d. hl. Frz. v. Sales. Verb. Ausg. v. J. B. Kempf. 16. (576 S. m. 1 Stahlst. u. Chromo-Titel.) Einsiedeln 884. Benziger. — 80

— dasselbe. Uebers. v. Jak. Brucker. Nebst e. Anh. v. Gebeten. 16. (XII, 507 S.) Paderborn 885. Bonifacius-Druckerei. — 75

— dasselbe. Neu übers. v. Fr. Permanne. 2. Aufl. m. e. Gebetsanh. 16. (XVI, 376 u. Anh. 137 S. m. 2 Holzschn.) Augsburg 885. Literar. Institut v. Dr. M. Huttler. n. 2. 40

— dasselbe. Aus dem Franz. übers. v. Heinr. Schröder. 5. Aufl., m. 1 Titelbild in Farben. [Neue Ausg. Nr. 8.] 16. (XVI, 575 S.) Freiburg i/Br. 886. Herder. 1. —

Sales, Pierre, e. dunkle That. [Bilder aus dem Pariser Leben.] Roman. Nach dem Franz. Bearb. v. Edm. Pfaff. 8. (349 S.) Mannheim 886. Bensheimer's Verl. n. 4. —

Saliger, W., üb. das Olmützer Stadtbuch d. Wenzel v. Iglau, s.: Monumenta rerum bohemico-moravicarum et silesiacarum.

Salignac de la Mothe, F. v., s.: Fenelon.

Saling's Börsen-Jahrbuch f. 1883/84. Ein Handbuch f. Bankiers u. Kapitalisten. Bearb. v. W. L. Hertslet. gr. 8. (IV, 1129 S.) Berlin 883. Haude & Spener. n. 9. —; geb. n. 10. —

— Börsen-Papiere. 1. [allgemeiner] Thl. 5. Aufl. gr. 8. Ebend. 887. n. 5. —; geb. n. 6. —
Die Börse u. die Börsengeschäfte. Ein Handbuch f. Bankiers, Juristen u. Kapitalisten. Hrsg. v. R. Siegfried. (VIII, 396 S.)

— dasselbe. 2. [finanzieller] Tl. 10. Aufl. Saling's Börsen-Jahrbuch f. 1886/87. Ein Handbuch f. Bankiers u. Kapitalisten. Bearb. v. W. L. Hertslet. 8. (VII, 1180 S.) Ebend. 886. n. 9. —; geb. n. 10. —

Salinger, Eug., die tolle Braut. Roman. 8. (267 S.) Frankfurt a/M. 885. Sauerländer. n. 3. 50

— allerlei Herzensgeschichten. Novellen u. Studien. 2. Aufl. 8. (335 S.) Ebend. 885. n. 3. —

— Schicksalstragödie. Roman. 8. (271 S.) Breslau 883. Schottländer. n. 3. —; geb. n. 4. —

— aus meiner Studien-Mappe. 3 neue Erzählgn. [Capitän Werner. Donna Elvira. Frühling im Winter.] 8. (197 S.) Frankfurt a/M. 885. Sauerländer. n. 3. —; geb. n. 4. —

Salingré, H., die Afrikanerin in Kalau, s.: Bloch's, E., Dilettanten-Bühne.

— einberufen, s.: Bloch's, E., Theater-Correspondenz.

— des Friseurs letztes Stündlein, s.: Bloch's, E., Dilettanten-Bühne.

— das Gespenst um Mitternacht, } s.: Bloch's, E., Theater-Correspondenz.
— was sich die Kaserne erzählt, }

Salis, Arnold v., Agrippa d'Aubigné. Eine Hugenottengestalt. gr. 8. (XII, 128 S.) Heidelberg 885. C. Winter. n. 2. 40; geb. n. 3. 50

— Grifone. Die Bluthochzeit der Baglionen. Historisches Trauerspiel in 5 Aufzügen. 8. (XIV, 182 S.) Leipzig 884. Haessel. n. 3. —; geb. n. 4. —

Salis, J. G. v., s.: National-Bibliothek. — National-Litteratur, deutsche.

Salis, L. R. v., Beiträge zur Geschichte d. persönlichen Eherechts in Graubünden. gr. 8. (VII, 108 S.) Basel 886. Detloff. n. 2. —

Salis-Marschlins, Meta v., die Zukunft der Frau. 8. (132 S.) Zürich 886. (München, Buchholz & Werner.) n. 2. 50

Salisch, Heinr. v., Forstästhetik. 8. (XII, 248 S.) Berlin 885. Springer. n. 4. —

Salkowski, Carl, Lehrbuch der Institutionen u. der Geschichte d. römischen Privatrechts f. den akademischen Gebrauch. 4. Aufl. gr. 8. (XX, 524 S.) Leipzig 883. B. Tauchnitz. 7. 50

Sallaš, Karl, die Cultur u. Bearbeitung der Weiden. Vortrag. 8. (51 S.) Böhm.-Leipa 886. (Prag, Reinwart.) n. — 50

Salles, Felix, annales de l'Ordre Teutonique ou de Sainte-Marie-de-Jérusalem depuis son origine jusqu'à nos jours et du service de santé volontaire avec les listes officielles des chevaliers et des affiliés. gr. 8. (XI, 583 S.) Wien 887. Braumüller. n. 12. —

Sallet, Alfr. v., Luther als Junker Georg. Holzschnitt v. Lukas Cranach. 4. (11 S. m. 1 Chemigr.) Berlin 883. Weyl. n. 1. —

Sallis, Joh. G., die Massage u. ihre Bedeutung als Heilmittel. Eine populäre Abhandlg. 1. u. 2. Hft. gr. 8. Strassburg 886. Heinrich. n. 1. 80
1. (35 S. m. 1 Taf.) n. — 80. — 2. Die chronischen Verdauungsstörungen u. ihre Behandlung durch Massage. Mit 6 lith. Taf. (27 S.) n. 1. —

Sallmann, Caroline F., dialogues et poésies à l'usage de l'enfance 12. éd. Revue et augmentée. 8. (108 S.) Halle 886. Buchh. d. Waisenhauses. n. — 80; cart. n. — 90

Sallmann, K., deutsches Lesebuch f. höhere Lehranstalten. 1. u. 2. Tl. gr. 8. Reval, Kluge. n. 5. 80
1. 3. Aufl. (XIV, 308 S.) 886. n. 2. 80
2. 2. Aufl. (XII, 366 S.) 883. n. 3. —

Sallustius Crispus, d. Cajus, Werke. Übers. u. erläutert v. C. Cleß. 2. Lfg. Der Krieg gegen Jugurtha. 2. Lfg. 3. Aufl. 8. (S. 49—96.) Berlin 886. Langenscheidt. à n. — 35

— dasselbe, s.: Prosaiker, römische.

— bellum Catilinae. Rec. Augustinus Scheindler. 8. (VIII, 33 S.) Leipzig 885. Freytag. n. — 35

— dasselbe. Für den Schulgebrauch erklärt v. J. H. Schmalz. 2. verb. Aufl. Ausg. A. Kommentar unterm Text. gr. 8. (VI, 93 S.) Gotha 885. F. A. Perthes. n. 1. —; Ausg. B. Text u. Kommentar getrennt in 2 Hftn. (VI, 35 u. 57 S.) n. 1. —

— bellum Catilinae u. bellum Jugurthinum. Schulausg. v. Ign. Prammer. gr. 8. (XL, 110 S.) Wien 886. Hölder. n. 1. 20

— dasselbe. Ex historiis quae extant orationes et epistolae. Rec. Aug. Schneider. Accedunt incertorum rhetorum suasoriae ad Caesarem Senem de re publica et invectivae Tulli et Sallusti personis tributae. gr. 8. (XVI, 130 u. VI S.) Prag 883. Tempsky. — Leipzig, Freytag. n. 1. —

— dasselbe. Ex historiarum libris V deperditis, orationes et epistulae. Erklärt v. Rud. Jacobs. 9. Aufl. v. Hans Wirz. gr. 8. (290 S.) Berlin 886. Weidmann. 1. 80

— dasselbe. Schulausg. m. Anmerkgn. v. Karl Kappes. I. u. II. gr. 8. Paderborn 885. F. Schöningh. n. 1. 60
   I. De Catilinae coniuratione liber. (IV, 63 S.) n. — 60
   II. De bello Jugurthino. (120 S.) n. 1. —

— bellum Jugurthinum. Rec. Augustinus Scheindler. 8. (VII, 64 S.) Leipzig 885. Freytag. n. — 50

— dasselbe. Für den Schulgebrauch erklärt v. J. H. Schmalz. 2. verb. Aufl. Ausg. A. Kommentar unterm Text. gr. 8. (VI, 146 S.) Gotha 886. F. A. Perthes. 1. 20; Ausg. B. Text u. Kommentar getrennt in 2 Hftn. (VI, 66 u. 77 S.) 1. 20

— de Catilinae coniuratione, de bello Jugurthino liber. Schulausg. v. Karl Kappes. 8. (105 S.) Paderborn 885. F. Schöningh. — 45; Einbd. n.n. — 25

Sallwürk, E. v., Handel u. Wandel der pädagogischen Schule Herbart's. Eine historisch-krit. Studie. 2. Aufl. gr. 8. (VIII, 75 S.) Langensalza 886. Beyer & Söhne. n. 1. —

Salm, die sämmtlichen Freiübungen in zehn Gruppen. Für alle Waffengattgn. Stufenweise zusammengestellt. 5. Aufl. 16. (12 S.) Berlin 885. Mittler & Sohn. n.n. — 10

— die sämmtlichen Frei- u. Gewehrübungen. In Gruppen u. Zettel stufenweise zusammengestellt. 5. Aufl. 16. (20 S.) Ebend. 884. n.n. — 15

Salmonowitz, Salomon, Beiträge zur Kenntniss der Alcaloide d. Aconitum Lycoctonum. II. Myoctonin. gr. 8. (59 S.) Dorpat 885. (Schnakenburg.) n. 1. —
   Den I. Thl. bildet: Jacobowsky, G., Beiträge etc. I. Lycaconitin.

Salmonsen's Kopenhagen u. seine Umgegend. Topisch-geschichtl. Fremdenführer. Mit 2 (lith.) Karten. 3. Aufl. 8. (93 S.) Kopenhagen 883. Berlin, Mode's Verl. 2. —

Saloman, Geskel, üb. die Plinthe der Venus v. Milo. Eine archäolog. Untersuchg. gr. 8. (41 S) Stockholm 884. (Leipzig, Brockhaus' Sort.) n. 1. —

Salomon, Carl, Deutschlands winterharte Bäume u. Sträucher, systematisch geordnet zum Gebrauche f. Landschaftsgärtner u. Baumschulenbesitzer. gr. 8. (VIII, 233 S.) Leipzig 884. H. Voigt. n. 4. 50

— Nomenclatur der Gefässkryptogamen od. alphabet. Aufzählg. der Gattgn. u. Arten der bekannten Gefässkryptogamen m. ihren Synonymen u. ihrer geograph. Verbreitg. Nach den neuesten Quellen bearb. gr. 8. (X, 385 S.) Ebend. 883. n. 7. 50

— Wörterbuch der botanischen Gattungsnamen m. Angabe der natürlichen Familie, der Artenzahl, der geograph. Verbreitg. u. den Zeichen der Dauer. 12. (IV, 292 S.) Stuttgart 887. Ulmer. n. 2. 50

— Wörterbuch der botanischen Kunstsprache für Gärtner, Gartenfreunde u. Gartenbauzöglinge. 2. Aufl. 12. (IV, 92 S.) Ebend. 886. geb. n. 1. —

Salomon, Karl, die Zuckersteuerfrage. Ein Votum zur Lösg. d. Problems. gr. 8. (41 S. m. 1 Tab.) Leipzig 883. Roßberg. n. — 80

Salomon, Ludw., Geschichte der deutschen Nationalliteratur d. 19. Jahrh. 2. Aufl. (In 20 Lfgn.) 1—6. Lfg. gr. 8. (S. 1—208 m. Holzschn.-Taf.) Stuttgart 886. Levy & Müller. à n. — 50

Salomon, Max, Biographien hervorragender Aerzte. 1. Hft. gr. 8. (IV, 62 S.) München 885. J. A. Finsterlin. n. 1. 50

— die Entwickelung d. Medicinalwesens in England m. vergleichenden Seitenblicken auf Deutschland u. Reformvorschlägen. Historische Skizze. gr. 8. (48 S.) Ebend. 884. n. 1. 20

— Handbuch der speciellen internen Therapie. Für Aerzte u. Studierende. 8. (XVI, 456 S) Berlin 885. Dümmler's Verl. n. 7. 50; geb. n. 8. 50

Salomon, Max, üb. Doppeldenken. [Aus der Provinzial-Irrenheilanstalt zu Leubus.] gr. 8. (42 S.) Breslau 885. (Köhler.) n. 1. —

Salomon, Otto, Handfertigkeitsschule u. Volksschule. Bericht üb. die Theorie u. Praxis d. Arbeitsunterrichts in Schweden. In Gemeinschaft m. dem Verf. übers. u. f. deutsche Leser bearb. v. W. Gärtig. gr. 8. (VII, 86 S.) Leipzig 883. Matthes. n. 1. 50

Salomon's, Siegm., Comptoirhandbuch. Eine prakt. Unterweisg. in der einfachen u. doppelt-italien. Buchführg. f. das Waren- u. Bankgeschäft, sowie f. Aktien-Gesellschaften, unter Hinweis auf die Bestimmgn. d. allgemeinen deutschen Handelsgesetzbuchs; in der Wechsel- u. Konkurs-Ordng., in der Wechsel-Kurs-Berechng. aller Börsenplätze u. in der kaufmänn. Korrespondenz. Für die Bedürfnisse d. Comptoirs u. zum Gebrauch in Handelslehranstalten. 8. Aufl. gr. 8. (VIII, 228 S.) Berlin 885. Seehagen. n. 4. —; geb. n. 4. 50

— praktisches Lehrbuch zum Selbstunterricht im Buchführen u. in der Einrichtung der Bücher. Für Handwerker u. Fortbildungsschulen bearb. 11. Aufl. gr. 8. (IV, 76 S.) Ebend. 884. cart. n. — 80

— kaufmännisches Rechenbuch f. das Waren- u. Bank-Geschäft. Zum Selbstunterricht u. f. Handelsschulen bearb. 5. verb. Aufl. gr. 8. (IV, 210 S.) Ebend. 883. n. 4. —; geb. n. 4. 50

Salomons, C. T., praktische Winke f. Gasconsumenten. Mit Genehmigg. d. Verf. aus dem Holl. übers. v. Frdr. Lux. 3. Aufl. gr. 8. (72 S.) Mainz 885. Diemer. n. 2. —

Salon, der Bukarester. Illustrirte rumän. Rundschau. Hrsg. v. J. Bettelheim. 1. Jahrg. Mai 1883—April 1884. 12 Hfte. Lex.-8. (6. Hft. S. 247—287 m. 1 Musikbeilage u. 1 Lichtdr.) Bukarest. (Wien, Szelinski.) n. 32. —

— der, f. Literatur, Kunst u. Gesellschaft. Hrsg. u. Red.: Frz. Hirsch. Jahrg. 1883—1885. à 12 Hfte. gr. 8. (à Hft. 128 S. m. Holzschn) Reudnitz-Leipzig, Payne. à Hft. n. 1. —

Salon-Bibliothek. Nr. 1—12. 16. Oberhausen 883. Spaarmann. à — 50
   1. Leitsterne auf der Lebensfahrt. Ein Gedenk- u. Bedenk-Büchlein f. alle Tage d. Jahres. (63 S.)
   2. Liebesgrüße. Ein Blütenstrauß der schönsten Liebeslieder. (64 S.)
   3. Hochzeitsstrauß. Lieder u. Glückwünsche zu Verlobungs- u. Hochzeitsfesten. (64 S.)
   4. Die Fächersprache. Ein Toilettengeschenk f. Damen. Nebst e. reichhalt. Anhang f. sinnige scherzhafte Unterhaltg., gesellschaftl. Konversation, Tournüre rc. (64 S.)
   5. Der feine Ton im gesellschaftlichen Leben. Handbüchlein zur Aneigng. feinen Benehmens. Von A. v. Horn. (64 S.)
   6. Schelmische Lieder f. draußen u. daheim. (64 S.)
   7. Polterabend-Scherze. Heitere Gedichte, Vorträge u. Szenen zur Unterhaltg. u. Belustigg. am Polterabend. (64 S.)
   8. Die Blumensprache. Der Liebe u. Freundschaft gewidmet. Mit e. Anh., enth. Blumen-Orakel, Blumen-Uhr, Orakel der Ringelblume, Zeichensprache. (64 S.)
   9. Souvenir. Auswahl der besten Stammbuchverse, Denksprüche, Akrosticha u. Devisen. (64 S.)
   10. Der Maître de plaisir f. heitere Gesellschaften. Taschenbüchlein f. gesell. Vergnügen. (61 S.)
   11. Gesellschafts-Spiele. Reichhaltige Sammlg. der beliebtesten u. interessantesten Gesellschafts- u. Pfänderspiele im Zimmer u. im Freien. Für gesellschaftl. Unterhaltgn. u. Vergnüggn. (64 S.)
   12. Neues Tanz- u. Ball-Album. Kontre-Tänze, Kotillon-Touren, neckische Tanzgespräche rc. (64 S.)

Salon-Bibliothek, musikalische. Hrsg. v. Otto Keller. 1. Bd. 32. Wien 885. (Huber & Lahme.) n. 1. —
Beethoven. Eine biograph. Skizze. Hrsg. v. Otto Keller. (62 S.)

Salquin, A., die militärische Fussbekleidung f. das Technische unter Mitwirkg. der Gebr. Giacomo u. Stefano Tirone in Turin. Mit e. Vorwort v. F. Lecomte, nebst 20 Fig.-Taf. im Text. gr. 8. (125 S.) Bern 883. (Basel, Georg.) n. 2. —

Salter, William Mackintire, die Religion der Moral. Vorträge, geh. in der Gesellschaft f. moral. Kultur in Chicago. Vom Verf. genehmigte Uebersetzg., hrsg. von Geo. v. Gizycki. gr. 8. (VII, 363 S.) Leipzig 885. Friedrich. n. 3. —

Saltykow-Schtschedrin, die Herren Golowljew, s.: Universal-Bibliothek.

Salvator- u. Bock-Lieder. gr. 8. (8 S.) Würzburg 886. Dornauer. n. — 10

Salvisberg, Paul, kunsthistorische Studien. 1. u. 2. Hft. gr. 8. Stuttgart 884. (Bonz' Erben, Buchdr.) à n. 3. —
1. I. Paris u. die französische Kunst. Allgemeine Characteristik. II. Courbet u. der moderne Impressionismus in der französischen Malerei. Anh.: Ueber die Gründg. e. deutsch-schweizer. Ateliers m. Auskunftsstelle u. Lesezimmer f. junge Architecten, Künstler, Kunstforscher u. Techniker in Paris. (III, 64 S.)
2. III. Die französische Wandmalerei. Ihre Entwicklg. seit den ältesten Zeiten bis auf die gegenwärt. Malereien im Pantheon zu Paris. Anh.: Weiteres üb. die Gründg. e. deutsch-schweizer. Ateliers m. Auskunftsstelle u. Lesezimmer f. junge Architekten, Künstler, Kunstforscher u. Techniker in Paris. (S. 65—138.)

Salzano, T. M., der Rosenkranzmonat. Betrachtungen üb. die Geheimnisse d. heil. Rosenkranzes f. jeden Tag d. Monats October. Nach dem Ital. bearb. v. P. Rota. Uebers. v. Leonard Kropp. 16. (VII, 227 S.) Dülmen 885. Laumann. n. — 50; geb. n. — 75

Salzberg, J. v., Muster moderner Monogramme, s.: Muster altdeutscher Alphabete.

Salzbrunn, A., e. Abendessen bei Papa Jones, | s.: Familien-Bibliothek.
— im Erlenthal, |

Salzbrunn, Alfr., die Anstellung der versorgungsberechtigten Unteroffiziere der deutschen Armee u. Marine im Civildienst. Mit Genehmigg. der vorgesetzten Militair-Behörde zusammengestellt auf Grund gesetzl. Vorschriften u. amtl. Bestimmgn. 2. Aufl. 8. (VIII, 99 S.) Schweidnitz 886. Brieger & Gilbers. n. 1. 25

— der Selbstunterricht zum Zweck der Vorbereitung f. die Beamten-Vorprüfungen. Ein Handbuch für civilversorgungsberechtigte Militärpersonen, welche die Beamtenlaufbahn einzuschlagen beabsichtigen. gr. 8. (IV, 77 S.) Ebend. 886. n. 1. —

Salzer, Joh. Mich., zur ältesten Geschichte d. Mediascher Kapitels. Eine Festgabe d. Mediascher evang. Kapitels A. B. in Siebenbürgen zur 400jähr. Gedächtnissfeier der Geburt Dr. Martin Luthers. gr. 8. (28 S.) Hermannstadt 883. Michaelis. n. — 72

Salzer, R., Beiträge zu e. Biographie Ottheinrichs. Festschrift der Realschule in Heidelberg zur 500jähr. Jubelfeier der Universität. 4. (IV, 91 S.) Heidelberg 886. (Weiss' Verl.) n. 3. —

Salzig, Siegebert, Deutschlands Zukunft. Träumereien e. sonderbaren Schwärmers. gr. 8. (35 S.) Zürich 886. Verlags-Magazin. n. — 60

Salzmann, Geschichte des Oberschlesischen Feld-Artillerie-Regiments Nr. 21 u. seiner Stamm-Truppentheile. Auf dienstl. Veranlassg. zusammengestellt. gr. 8. (XI, 217 S.) Berlin 886. Mittler & Sohn. n. 5. —

Salzmann, Chrn. Gthilf., Ameisenbüchlein od. Anweisung zu e. vernünftigen Erziehung der Erzieher. 3. Aufl. gr. 8. (75 S.) Leipzig 886. Dürr'sche Buchh. n. — 80

— auserlesene Gespräche d. Boten aus Thüringen, s.: Volksschriften.

— über die Gesundheit u. die Mittel, sie zu erhalten, s.: Guts Muths, J. Ch. F., üb. vaterländische Erziehung.

— der Himmel auf Erden. Neue Ausg. Hrsg. v. Aug. Roth. gr. 8. (XVI, 217 S.) Minden 885. Bruns. n. 2. 50

— Konrad Kiefer. Bearb. u. m. Erläutergn. versehen v. Karl Richter. gr. 8. (XVI, 166 S.) Leipzig 885. Siegismund & Volkening. n. 1. 50; cart. n. 1. 70

Salzmann, Chrn. Gthilf., Krebsbüchlein od. Anweisung zu e. unvernünftigen Erziehung der Kinder. Neue Ausg. 3. Aufl. gr. 8. (IV, 111 S.) Leipzig 886. Dürr'sche Buchh. n. 1. 50

— pädagogische Schriften, s.: Klassiker, pädagogische.

Salzmann, Ernst, hinter Klostermauern. Eine Erzählg. aus Grafenheim. 8. (II, 362 S.) Tübingen 886. Osiander. n. 3. 60; geb. n. 4. 80

— u. Kommerell, das Bad Liebenzell u. seine Umgebung. Mit 10 Vollbildern nach Orig.-Aufnahmen v. Peters. 8. (82 S. m. 1 Karte.) Stuttgart 886. Hänselmann. cart. n n. 1. 50

Samarow, Greg., der Adjutant der Kaiserin. Roman. 4 Bde. 8. (283, 249, 249 u. 256 S.) Stuttgart 885. Deutsche Verlags-Anstalt. n. 15. —

— auf der Brautschau. Roman. 8. (329 S.) Ebend. 887. n. 5. —

— s.: Meding, O.

— Plewna. Roman. 3 Bde. 8. (220, 244 u. 224 S.) Stuttgart 884. Deutsche Verlags-Anstalt n. 12. —

— die Römerfahrt der Epigonen. Zeit-Roman. 3. Aufl. 3 Thle. in 1 Bde. 8. (412 S.) Berlin 883. Janke. n. 2. —

— die Saxoborussen. Roman. 3 Bde. 8. (276, 259 u. 253 S.) Stuttgart 885. Deutsche Verlags-Anstalt. n. 12. —

— schwere Wahl. Roman. 4 Bde. (223, 227, 226 u. 241 S.) Ebend. 883. n. 15. —

Samberger, Karl Maria, c. Kirchenjahr. E. Stillbach's Kritiken u. Sentenzen in Poesie u. Prosa üb. Liturgie u. Musik in der kathol. Kirche. Zu Nutz u. Frommen aller Kirchenmusiker u. kirchlich gesinnten Christen. 2. Ausg. d. Werkes u. d. T.: Gereimtes u. Ungereimtes. 8. (VII, 195 S.) Regensberg 886. Coppenrath. n. 2. —; geb. n. 2. 70

Samelson, Isaak, üb. das Jalapin u. dessen Spaltungsprodukte durch verdünnte Salzsäure. gr. 8. (26 S.) Breslau 883. (Köhler.) n. 1. —

Samhaber, E. Dido, s.: Bibliothek, neue, f. das deutsche Theater.

Sammel-Mappe hervorragender Concurrenz-Entwürfe. 7—13. Hft. Fol. Berlin, Wasmuth. n. 120. — (1—13: n. 264. 50)
7. Rathhaus in Wiesbaden. (32 Lichtdr.-Taf. m. 1 Bl. Text.) 883. n. 20. —
8. Hasselbach-Brunnen f. Magdeburg. (10 Lichtdr.-Taf. m. 1 Bl. Text.) 885. n. 6. —
9. Stadt-Theater f. Halle a. d. S. (40 Lichtdr.-Taf. m. 2 Bl. Text.) 885. n. 28. —
10. Kaiser-Wilhelm-Strasse zu Berlin. (23 Lichtdr.-Taf.) 885. n. 16. —
11. Christus-Kirche f. Barmen. (27 Lichtdr.-Taf. m. 1 Bl. Text.) 885. n. 20. —
12. Volks-Schule f. Frankfurt a/M. (24 Lichtdr.-Taf. m. 2 Bl. Text.) 885. n. 18. —
13. Städtisches Museum, Kestner-Museum f. Hannover. (16 Lichtdr.-Taf. m. 2 Bl. Text.) 886. n. 12. —
2—6. Hft. bilden: 2. Centralbahnhof zu Frankfurt a. M. 38 Taf. n. 20. —
3. Wilhadi-Brunnen f. Bremen. 12 Taf. n. 6. —
4. Parlamentsgebäude f. den deutschen Reichstag zu Berlin vom J. 1872. 27 Taf. n. 18. —
5. Kauf- u. Wohnhaus d. Frhrn. v. Faber zu Berlin. 30 Taf. n. 18. —
6. Auswahl aus den Entwürfen zum deutschen Reichstagsgebäude 1882. [Mit den 10 angekauften Projecten.] Hrsg. v. K. E. O. Fritsch. 100 Taf. n 70. —

Sammler, der. Organ f. die allgemeinen Angelegenheiten. d. Sammelwesens jeder Art u. Richtg. Hrsg.: Hans Brendicke. 7. u. 8. Jahrg. 1885 u. 1886. à 24 Nrn. (B.) hoch 4. Berlin, Brendicke. à Jahrg. n. 6. 80

Sammler, A., Studierlampe. 8. (IV, 47 S.) Rochlitz 886. Pretzsch. cart. n. 1. 20

Sammlung v. Ablaß-Gebeten insbesondere zum Gebrauche bei den Kirchenbesuchen zur Gewinnung d. Jubiläums-Ablasses im J. 1886. 4. Aufl. 16. (52 S.) Brixen 886. Weger. n. — 20

— amtliche, der älteren eidgenössischen Abschiede. Hrsg. auf Anordng. der Bundesbehörden unter Leitg. v. Jak. Kaiser. 6. Bd. 2. Abth. 2 Thle. gr. 4. Einsiedeln 882 u. 83. (Basel, Schneider.) n. 24. —
Die eidgenössischen Abschiede aus dem Zeitraume

von 1681 bis 1712. Bearb. v. Mart. Kothing u. Joh. B. Kälin. 2 Thle. (XXVI, 2628 u. Register 169 S.)

Sammlung, amtliche, der Acten aus der Zeit der helvetischen Republik [1798—1803] im Anschluss an die Sammlung der ältern eidg. Abschiede. Hrsg. auf Anordng. der Bundesbehörden. Bearb. v. Joh. Strickler. 1. Bd.: Octbr. 1797 bis Ende Mai 1798. gr. 4. (XVI, 1244 S.) Bern 886. (Basel, Schneider.) n. 14. —

— arithmetischer u. geometrischer Aufgaben zur Vorbereitung auf die Lehrerinnen-Prüfung. Auf Grund der Prüfung. Auf Grund der Prüfungs-Ordng. vom 24. Apr. 1874 bearb. v. e. ehemal. Mitgliede zweier preuß. Prüfungs-Kommissionen f. Lehrerinnen an Volks-, mittleren u. höheren Mädchenschulen. 4. Aufl. 8. (IV, 68 S.) Düsseldorf 884. Deiters. n. 1. —

— der ergänzenden Bestimmungen zur Estländischen Bauer-Verordnung vom J. 1856 u. anderer Gesetze, betr. die Estländischen Bauern. Zusammengestellt in Folge d. vom 23. März 1876 datirten Antrags d. Hrn. Ministers der inneren Angelegenheiten an den Estländ. Gouverneur. Lex.-8. (137 S.) Reval 877. (Wassermann.) n. 2. —

— der schönsten Bilder der Dresdener Gemälde-Gallerie u. d. Berliner Museums in vorzüglichen Photographiedruck-Reproductionen nach Hoffmann'schen Originalen. Mit Künstler-Biographien. (In 40 Lfgn.) 1. u. 2. Lfg. gr. 8. (à 6 Bl. m. Text S. 1—8.) Berlin 883. Toussaint. à n. 1. —

— bernischer Biographien. Hrsg. v. dem histor. Verein des Kantons Bern. 1—6. Hft. gr. 8. (480 S.) Bern 885. 86. Schmid, Francke & Co. à n. 1. 20

— illustrirter Biographien deutscher Fürsten u. großer deutscher Männer. 1. u. 2. Bd. 12. Berlin 885. M. Schulze. à n. — 50

1. Fürst Bismarck 1815—1885. Eine Festschrift f. das deutsche Volk v. W. Wohlgemuth. 2. Aufl. (96 S.)

2. Zwei Feldmarschälle. Eine Erinnerungsschrift an zwei deutsche Helden f. das deutsche Volk v. W. Wohlgemuth. Mit 24 Illustr. v. Jul. Schlattmann. (93 S.)

— von Darstellungen aus der Geschichte, zum Uebersetzen ins Französische bearb. v. Rolfs. 3. Bdchn. 12. Köln 886. A. J. Tonger's Sort. n. — 75

Der Seeweg nach Ost-Indien im XV. u. XVI. Jahrh. (78 S.)

— der griechischen Dialect-Inschriften v. F. Bechtel, A. Bezzenberger, F. Blass, H. Collitz, W. Deecke, A. Fick, G. Hinrichs, R. Meister, hrsg. v. Herm. Collitz. 1. Bd. 4 Hfte. 2. Bd. 1. Hft. u. 4. Bd. 1. Hft. gr. 8. Göttingen, Vandenhoeck & Ruprecht's Verl. n. 22. 60

I. 1. Die griechisch-kyprischen Inschriften in epichorischer Schrift. Text u. Umschreibg. m. e. (autogr.) Schrifttaf. v. Wilh. Deecke. (80 S.) 883. n. 2. 50

2. Die aeolischen Inschriften v. Fritz Bechtel. [Anh.: Die Gedichte der Balbilla v. Herm. Collitz.] Die thessalischen Inschriften v. Aug. Fick. (S. 81—143.) 883. n. 2. —

3. Die boeotischen Inschriften v. Rich. Meister. (S. 145—309.) 884. n. 5. —

4 Die eleischen Inschriften v. Frdr. Blass. Die arkadischen Inschriften v. Fritz Bechtel. Die pamphylischen Inschriften v. Adb. Bezzenberger. Nachträge zu den äolischen Inschriften v. Fritz Bechtel. Nachträge zu den thessalischen Inschriften v. Aug. Fick. Nachträge u. Berichtigungen zu den böotischen Inschriften v. Rich. Meister. (1. Bd. VI u. S. 314—410.) 884. n. 4. 50

II. 1. Die epirotischen, akarnanischen, aetolischen, aenianischen u. phthiotischen Inschriften v. Aug. Fick. Die lokrischen u. phokischen Inschriften v. Fritz Bechtel. (80 S.) 885. n. 3. 60

IV. 1. Wortregister zum 1. Bde. v. Rich. Meister. (IV, 106 S.) 886. n. 5. —

Sammlung schweizerischer Dialektstücke. Nr. 5—7 u. 10. 8. Zürich, Schmidt. n. 3. 30

5. De Vetter Lieberli. E Lustspiel i 4 Ufzüge vom Ulr. Farner. (68 S.) 885. n. 1. 20

6. „De Gast". Lustspiel in 2 Akten v. Aug. Corrodi. Für die Jugend bestimmt. (28 S.) 885. n. — 60

7. Drei dramatische Stücke v. Aug. Corrodi. [Haube u. Pantoffel. Scherz bei der Hochzeitstafel f. 2 größere Mädchen. — E Sprechstund. Vorspiel in 1 Akt. — Vor em Bal. Lustspiel in 1 Akt.] (48 S.) 885. n. 1. —

10. De rächt Herr Meyer od. wer ander Lüt aschwärzt, wird selber schwarz. Schwank in 1 Aufzug v. Ulr. Farner. (24 S.) 887. n. — 50

— von Aufgaben bei niederen Dienstprüfungen im Departement d. Innern. 16. (V, 103 S.) Stuttgart 883. Kohlhammer. n. 1. —

— der wichtigsten Diözesan-Verordnungen, welche v. der fürstbischöflichen u. bischöflichen Behörde zu Fulda von dem J. 1730—1885 erlassen worden sind. [Im Auftrage d. bischöfl. General-Vikariates.] gr. 4. (III, 196 S.) Fulda 886. (Maier.) n. 4. —

— von gesetzlichen u. reglementarischen Bestimmungen f. die Eisenbahnen Deutschlands. 3. Aufl. gr. 8. (271 S.) Berlin 886. C. Heymann's Verl. cart. n. 4. —

— reglementarischer Bestimmungen f. die Eisenbahnen Deutschlands. Durchgesehen im Reichs-Eisenbahn-Amt. 12. (43, 19, 57, 23 u. 24 S.) Berlin 886. Ernst & Korn. cart. n.n. 3. —

— englischer Denkmäler in kritischen Ausgaben. 4. u. 5. Bd. gr. 8. Berlin, Weidmann. n. 13. —; Ausg. auf Kupferdr.-Pap. n. 19. — (1—5.: n. 29. 60)

4. Wulfstan. Sammlung der ihm geschriebenen Homilien, nebst Untersuchgn. üb. ihre Echtheit hrsg. v. Arth. Napier. 1. Abtlg. Text u. Varianten. (X, 318 S.) 883. n. 7. —; Ausg. auf Kupferdr.-Pap. n. 10. —

5. Floris and Blauncheflur. Mittelenglisches Gedicht aus dem 13. Jahrh., nebst litterar. Untersuchg. u. e. Abriss üb. die Verbreitg. der Sage in d. europ. Litteratur hrsg. v. Emil Hausknecht. (XX, 252 S.) 885. n. 6. —; Ausg. auf Kupferdr.-Pap. n. 9. —

— gediegener interessanter Werke der englischen Litteratur, begründet v. P. Weeg, fortgesetzt v. J. H. Schmick. 1, 9., 19. u. 20. Bdchn. 8. Leipzig, Lenz. 5. 15

1. A christmas carol by Charles Dickens, f. den Schul- u. Privatunterricht bearb. v. P. Weeg, in 3. Aufl. m. Vorbemerkgn., durchgreif. Berichtiggn. u. vielen zusätzl. Erklärgn. versehen v. J. H. Schmick. (VII, 98 S.) 883. — 90

9. Tales of the Alhambra. By Washington Irving. Für den Schul- u. Privatunterricht bearb. v. P. Weeg. 2. Aufl., rev. u. vielfach verb. v. J. H. Schmick. (VII, 160 S.) 884. 1. 50

19. Proben englischer Beredtsamkeit als Lesestoff in der Prima der Realgymnasien u. Oberrealschulen, erläutert v. J. H. Schmick. 1. Bdchn. (VI, 74 S.) 883. — 75

20. Masterman Ready. By Captain Fr. Marryat, für den Schul- u. Privatgebrauch bearb. v. J. H. Schmick. (V, 212 S.) 885. n. 2. —

— von Entscheidungen d. obersten Landesgerichtes f. Bayern in Gegenständen d. Civilrechtes u. Civilprozesses. Unter Aufsicht u. Leitg. d. königl. Justizministeriums hrsg. 9. Bd. 5. u. 6. Hft. gr. 8. (XXVII u. S. 599—820.) Erlangen 883. Palm & Enke. n. 3. 28; (9. Bd. cplt.: n. 11. 28)

— dasselbe. 10. Bd. gr. 8. (664 S.) Ebend. 883. n. 12. 32

— dasselbe. 11. Bd. 1. u. 2. Hft. gr. 8. (S. 1—305.) Ebend. 886. n. 6. 70

— dasselbe, in Gegenständen d. Strafrechtes u. Strafprozesses. 2. Bd. 2—4. Hft. gr. 8. (III u. S. 151—635.) Ebend. 883. 84. n. 8. 32 (2. Bd. cplt.: n. 10. 32)

— dasselbe. 3. Bd. gr. 8. (III, 670 S.) Ebend. 884—86. n. 12. 47

Sänger's Lust! Allgemeines deutsches Liederbuch. Eine reiche Sammlg. der besten u. beliebtesten Volks=, Commers=, Soldaten=, Wander=, Gesellschafts= u. vieler anderer Lieder. Mit Angabe der Dichter, Komponisten u. Melodieen. Große vollständ. Ausg. 16. (XVI, 368 S.) Dresden 886. Kaufmann's Verl. geb. n. 1. —

— dasselbe. Billige Ausg. [Auszug aus der großen vollständ. Ausg.] 2. Aufl. 16. (VIII, 184 S.) Ebend. 886. cart. n. — 50

Sänger, A., Theorie der stationären electrischen Ströme auf Grundlage der Kirchhoff'schen Untersuchungen. gr. 8. (42 S. m. 1 Taf.) Innsbruck 885. (Wien, Pichler's Wwe. & Sohn.) n. 1. —

Sänger, J. G., die Obstbaumzucht. Ein Lehr= u. Lesebüchlein f. Schule u. Haus. 2. Aufl. 8. (X, 76 S. m. 1 Taf.) Schopfheim 884. Uehlin. n. — 80

Sänger-Gruß. Organ d. christl. Sänger=Bundes. [337 Vereine m. 8159 Mitgliedern.] Red.: E. Gebhardt. Jahrg. 1884/87. à 12 Nrn. (1/2 B.) hoch 4. Mit je 3 Notenbeilagen f. gemischten u. f. Männerchor. gr. 8. Bonn, Schergens. à Jahrg. n. 1. —

Sängerhalle, die. Allgemeine deutsche Gesangvereinszeitg. f. das In= u. Ausland. Officielles Organ d. deutschen Sängerbundes. Red. v. Heinr. Pfeil. 23—26. Jahrg. 1883—1886. à 36 Nrn. (B.) gr. 4. Leipzig, Siegel. à Jahrg. 5. —

Sängerrunde. Eine Sammlg. vierstimm. Männerchöre. 8. Aufl. 12. (V, 292 S.) Lahr 884. Schauenburg. cart. n. 2. —; geb. n. 2. 25

Sanitäts-Bericht, statistischer, üb. die k. k. Kriegs-Marine f. d. J. 1882. Im Auftrage d. k. k. Reichs-Kriegs-Ministeriums [Marine-Section] zusammengestellt v. Alexius Uhlik. Lex.-8. (195 S.) Wien 883. (Braumüller.) n. 4. 80

— dasselbe f. d. J. 1883. Lex.-8. (121 S.) Ebend. 884. n. 4. —

— dasselbe f. d. J. 1884. Lex.-8. (173 S.) Ebend. 885. n. 4. 80

— des k. k. Landes-Sanitätsrathes f. Mähren f. d. J. 1881. II. Jahrg. Imp.-4. (III, 144 S. m. 1 Tab.) Brünn 883. Winiker. n. 5. 60

— dasselbe f. d. J. 1882. III. Jahrg. gr. 4. (III, 142 S. m. 1 Tab.) Ebend. 884. n. 5 —

— dasselbe f. d. J. 1883. Verf. v. Eman. Kusý. 4. Jahrg. gr. 4. (III, 137 S. m. 1 Tab.) Ebend. 885. n. 5. —

— dasselbe f. d. J. 1884. 5. Jahrg. gr. 8. (III, 132 S. m. 6 Tab.) Ebend. 886. n. 4. —

— d. k. k. Landes-Sanitätsrathes f. Tirol u. Vorarlberg f. d. J. 1882. Mit 7 (lith.) Taf. u. 10 Tab. gr. 4. (IV, 80 S.) Innsbruck 884. (Wagner.) n. 5. 35

— statistischer, üb. die königl. preussische Armee u. das XIII. [königl. württembergische] Armeekorps f. das Rapportj. vom 1. Apr. 1881 bis 31. März 1882. Bearb. v. der Militär-Medicinal-Abtheilg. d. königl. preuss. Kriegsministeriums. Mit 22 bildl. Darstellgn. gr. 4. (VI, 121 u. Tab. 83 S.) Berlin 884. Mittler & Sohn. n. 5. 50

Sanitätsdienst, der öffentliche. [Beilage zum kärntner. Gemeinde=Blatt.] gr. 8. (24 S.) Klagenfurt 885. (Heyn.) n. — 60

St. Benedikts-Stimmen. Tabernakel u. Fegfeuer. Monats=Schrift. Hrsg. u. red. v. Anselm Hohenegger. 7. u. 8. Jahrg. 1883 u. 1884. à 12 Hfte. (2 B.) gr. 8. Lambach. (Leipzig, H. Lorenz.) à Jahrg. n. 1. 80

— dasselbe. Monats=Schrift. Hrsg. v. der Abtei Emaus in Prag. Red. v. Odilo Wolf. 9. u. 10. Jahrg. 1885 u. 1886. à 12 Hfte. (2 B.) gr. 8. Prag. (Würzburg, Woerl.) à Jahrg. n. 2. —

St.-Bruno-Kalender od. katholischer Kirchen= u. Volks=Kalender zunächst f. Sachsen auf das J. 1887. 37. Jahrg. 8. (272 S. m. eingedr. Illustr. u. 1 Lichtdr.=Bild.) Dresden, (Warnatz & Lehmann). n.n. — 75

St. Bonifacius-Kalender, Berliner, f. d. J. 1887. Hrsg. v. E. Müller. 8. (186 S. m. Abbildgn.) Berlin, Germania. n. — 50

Sankt Francisci-Glöcklein. Monatsschrift f. die Mitglieder d. III. Ordens d. heil. Franciscus. Red. u. hrsg. v. Arsenius Niedrist. 6—8. Jahrg. 1883/86. à 12 Hfte. (2 B.) gr. 8. Innsbruck, F. Rauch. à Jahrg. n. 1. 20

St. Franciscus-Blatt. Monatsschrift f. Mitglieder d. III. Ordens d. hl. Franciscus. Red.: Müller. 5—8. Jahrg. 1883—1886. à 12 Nrn. (B.) 8. Montabaur. (Hachenburg, Dietrich.) à Jahrg. n. 1. —

St. Franziskus-Büchlein, od. kurzgefaßte Lebensbeschreibung d. heil. Franziskus v. Assisi. Nach dem Ital. Nebst e. Anh. üb. die gegenwärt. Regel d. 3. Orden d. hl. Franziskus. Mit 8 Bildern (eingedr. Holzschn. u. 1 Lichtdr.) 2. Aufl. 12. (233 S.) Steyl 882. Missionsdruckerei. n.n. — 70

St. Franziskus-Kalender f. Mitglieder d. 3. Ordens, sowie aller anderer frommen Bruderschaften u. Vereine zur religiösen Erbauung u. Belehrung f. d. J. 1887. Von M. Müller. 8. (50 S.) Limburg. (Hachenburg, Dietrich.) n. — 20

St. Franziskus-Monat, enth. 31 Erwäggn. nebst Gebeten auf die einzelnen Tage d., der Verhrg. d. hl. Franziskus v. Assisi geweihten Monats Oktober. Zunächst f. die Mitglieder d. 3. Ordens. 12. (270 S. m. 1 Titelbild.) Steyl 885. Missionsdruckerei. n.n. — 70; geb. n.n. 1. 10

St. Hedwigs-Blatt, neues. Homiletische Monatsschrift. Hrsg. v. Jul. Hirschberger. 24. Jahrg. 1883. 12 Hfte. gr. 8. (1. Hft. 100 S.) Breslau, Görlich. n. 6. —
Erscheint nicht mehr, dafür der „Katholische Kanzelredner".

St. Hedwigs-Kalender f. 1887. 14. Jahrg. d. Breslauer Volks=Kalenders. Mit Titelbild (in Lichtdr.): Raphaels Sixtinische Madonna u. e. Wandkalender. 4. (78 S. m. Illustr.) Breslau, Goerlich. — 50

St. Hubertus. Red.: P. Lassig. 3. Jahrg. 1885. 24 Nrn. (B.) gr. 4. Berlin. (Leipzig, Bauer.) n. 5. —
Erscheint nicht mehr.

St. Johannis-Kloster, das, in Hamburg. Grundrisse u. Abbildgn. m. erläut. Texte v. C. F. Gaedechens, Mart. Gensler u. Karl Koppmann. Hrsg. v. der „Bürgermeister Kellinghusen's Stiftung". gr. 4. (IX, 218 S. m. Titel in Lichtdr. u. 24 lith., Lichtdr.= u. Kupfer=Taf.) Hamburg 884. (Gräfe.) cart. in Leinw.=Mappe. n. 20. —

St. Josefs-Kalender. Katholischer illustrirter Haus= u. Schreibkalender f. 1886, m. astronom. Angaben versehen v. St. Stengel, O. S. B. 4. (59 S. m. Illustr. u. 1 Wandkalender.) Augsburg, Schmid's Verl. — 30

— 1887. 17. Jahrg. des Steir. Volks=Kalenders m. Abbildgn. 4. (150 S.) Graz, Styria. cart. n. — 80

— Aachener, f. christliche Familien. 3. Jahrg. 1887. gr. 8. (115 S. m. Illustr. u. 1 Wandkalender.) Aachen, Schweitzer. n. — 40; cart. n. — 60

— Breslauer, f. 1887. 14. Jahrg. d. Breslauer Volks=Kalenders. Mit Titelbild (in Lichtdr.): Raphaels Sixtinische Madonna u. e. Wandkalender. 4. (78 S. m. Illustr.) Breslau, Goerlich. — 50

— Katholischer illustrirter Haus= u. Schreibkalender f. 1887, hrsg. v. Herm. Koneberg. 4. (58 S. m. 1 Wandkalender.) Augsburg, Schmid's Verl. — 30

Sankt Joseph-Büchlein. Andachts=Uebungen zur Verehrg. d. heil. Joseph f. alle kathol. Christen. Nebst den gewöhnl. Gebeten. Mit Autoris. d. Verf. aus dem Franz. übers. v. e. Mitgliede d. Kapuziner=Ordens. 16. (288 S. m. 1 Holzschn.) Einsiedeln 884. Benziger & Co. — 75

— od. kurze Gebetsübungen zu Ehren d. hl. Vaters Joseph. 2. Aufl. 16. (24 S. m. 1 Holzschn.) Steyl 884. Missionsdruckerei. n. — 10

St. Joseph-Sendboten-Kalender, 1885. Hrsg. u. red. v. Jos. Deckert. 6. Jahrg. 12. (XXXII, 57 S. m. 1 Holzschn.) Wien, (Kirsch). n. — 50

St.-Kassian-Kalender, illustrirter, f. d. J. 1887. 3. Jahrg. [Des Brixner Schreibkalender 66. Jahrg.] 4. (80 S.) Brixen, Weger. n. — 50

Sankt Katharina-Büchlein. Vollständiges Andachtsbuch f. alle frommen Verehrer der heil. Jungfrau u. Martyrin Katharina. Von e. kathol. Priester. 16. (120 S. m. 1 Stahlst.) Paderborn 886. Junfermann. n. — 60

St. Michaelis-Kalender f. christliche Familien auf d. J. 1887. Hrsg. v. Kolbe. 8. (160 S. mit Illustr. u. 1 Wandkalender.) Steyl, Missionsdruckerei. n. — 50

dem schleswig-holstein. Gesangbuch abgedr. Aufl. 8. (VIII, 88 S.) Flensburg 885. Westphalen. geb. n.n. — 50

Sammlung v. Kinderschriften. Hrsg. G. Chr. Dieffenbach. 1—30. Bdchn. 8. Gotha 883—86. F. A. Perthes. cart. à n. 2. —; geb. à n. 3. 20

1. Großmütterchen. Eine Erzählg. f. Kinder von 8—12 J. Von Molesworth. Autoris. Übersetzg. v. M. Ranke. (195 S.)
2. Rubine u. Perle od. Die Kinder auf Schloß Almer. Eine Erzählg. f. Kinder von 9—13 J. v. E. Marshall. Autoris. Übersetzg. v. L. Willigerod. (212 S.)
3. Die Kuckucksuhr. Eine Erzählg. f. Kinder v. 8—12 J. v. Molesworth. Autoris. Uebersetzg. v. L. Willigerod. (164 S.)
4. Erzählungen e. Mutter. Für Kinder von 7—10 J. Von Eva. Autoris. Uebersetzg. v. L. Fehr. (188 S.)
5. Das kranke Hannchen. Eine Erzählg. f. Kinder v. 8—12 J. v. Erich Norden. (152 S.)
6. Eddy od. treu u. standhaft. Eine Erzählg. f. Knaben v. 9—14 J. v. F. Palmer. Autoris. Uebersetzg. v. L. Willigerod. (216 S.)
7. Der verzogene kleine Erich. Eine Erzählg. f. Kinder von 8—11 J. v. Darley Dale. Autoris. Uebersetzg. v. M. Dieffenbach. (129 S.)
8. In Waldheim od. der Kindheit Leid u. Freud. Eine Erzählg. f. Mädchen von 11—14 Jahren v. L. Schneider. (240 S.)
9. Heinz der Lateiner. Eine Schulgeschichte f. Kinder v. 10—14 Jahren v. E. Biller. (201 S.)
10. Aus der Kinderwelt. Erzählungen f. Kinder von 8—12 Jahren v. Fanny Luzen [Eva]. Autoris. Uebersetzg. v. L. Fehr. (226 S.)
11. Zwei kleine Verlassene. Eine Erzählg. f. Kinder von 7—11 Jahren v. Mag Molesworth. Autoris. Uebersetzg. v. Lilli Reuter. (240 S.)
12. Zwei Erzählungen f. Knaben von 8—14 Jahren. Hänschens erste Stelle v. Emma Leslie. Lorenz Bronsons Sieg. Autoris. Uebersetzg. v. Marie Dieffenbach. (202 S.)
13. Kleine Geschichten f. kleine Leute. Erzählt v. Aurelie. (187 S.)
14. Großvaters Zuversicht. Von der Verf. v. „Ein lieber Junge" rc. Deutsche autoris. Ausg. v. M. Karstens. (V, 202 S.)
15. Das alte Hinterzimmer od. das Licht der Mutterliebe. Erzählg. f. Kinder von 9—14 Jahren v. Jenny Harrison. Frei nach dem Engl. v. Lilly Willigerod. (VI, 222 S.)
16. Allerlei Geschichten u. Märchen f. Kinder von 8—10 Jahren v. Goebel, Hanz, Moe, Walther rc. (V, 178 S.)
17. Geschichten f. Kinder zum Vor- u. Nacherzählen u. Gedichte zum Auswendiglernen. Dargestellt v. H. Herzog. (VI, 154 S.)
18. Die kleinen Flüchtlinge u. die Zigeuner. Erzählung f. Kinder von 9—14 Jahren. Aus dem Engl. übertragen v. J. Clark (V, 207 S.)
19. Lieschen u. ihre Mutter. Zwei Geschichten f. Kinder v. 8—12 Jahren. Von Lisa v. Engelhardt. (VII, 199 S.)
20. Rikens Tagebuch. Von L. Schneider. Fortsetzung der Geschichte: „In Waldheim". (V, 175 S.)
21. Märchen u. Erzählungen f. Kinder von 13—14 Jahren v. Zacharias Topelius. Autoris. Uebersetzg. v. L. Fehr. (184 S.)
22. Ein warmes Haus im Norden. Eine Kindergeschichte aus den balt. Landen. Für Kinder von 10—14 Jahren. Von Lisa v. Engelhardt. (VIII, 196 S.)
23. Lady Anna. Aus dem Engl. übertr. v. J. Clark. (183 S.)
24. Ruth u. ihre Freunde. Eine Erzählg. f. Mädchen von 11 bis 14 Jahren. Autoris. Uebersetzg. v. Marie Dieffenbach. (191 S.)
25. 29 Erzählungen f. unsere Kleinsten. Von H. v. Ziegler. (IV, 166 S.)
26. Etwas f. die Kleinsten. Von Arabella v. Camphausen. (IV, 199 S.)
27. 28. Käthe. Eine Geschichte f. kleine Mädchen von E. v. Wasmer. 2 Tle. (174 u. 202 S.)
29. Schmierkätzchen u. Eierkätzchen. Erzählungen f. kleine Kinder von Louise Schneider. (VIII, 188 S.)
30. Kinderleben. Erzählungen f. Kinder v. 6—10 Jahren. Von M. v. Eschen. (165 S.)

Sammlung katholischer Kirchenlieder f. die Schuljugend. 3. Aufl. gr. 8. (31 S.) Triest 885. Dase. n. — 48

— von katholischen Kirchenliedern. Methodisch geordnet zum Schulgebrauch. gr. 8. (20 S.) Breslau 883. Woywod. n. — 20

— moderner Ladenvorbaue u. Hausthüren aus Gräf's Journal f. Bau- u. Möbel-Tischler. 1. u. 2. Bd. qu. Fol. (à 30 Steintaf.) Erfurt 884. 85. Bartholomäus. In Mappe. à n. 6. —

— geistlicher Lieder f. vierstimmigen Männergesang. Mit besond. Rücksicht auf Jünglingsvereine bearb. u. hrsg. v. einigen Freunden in Basel. Mit e. Vorwort v. Riggenbach. 5. Aufl. 8. (VIII, 223 S.) Basel 885. Spittler. n. 1. —

— einiger der schönsten Lieder von dem allerheiligsten Altarssacramente, v. der heil. Mutter Gottes u. andern Heiligen. Zum kirchl. Gebrauche [besonders auch f. Mitglieder d. Vereins der hl. Kindheit]. Ein Anh. zu jedem kathol. Gesangbuch 16. (72 S.) Dülmen 886. Laumann. — 30

— von hundert geistlichen Liedern zunächst f. Schule u. Kinderlehre. Neue Aufl. (136 S.) Iserlohn 885. Bädeker's Verl. cart. n. — 50

— deutscher Lust- u. Schauspiele, zum Uebersetzen in das Englische bearb. Nr. 4. 8. Dresden 883. Ehlermann. cart. n. 1. —

Zopf u. Schwert. Lustspiel in 5 Aufzügen v. Karl Gutzkow. Bearb. v. H. Plate. 4. Aufl. (96 S.)

— beliebter spanischer Lust- u. Schauspiele, zur Vervollkommng. u. Unterhaltg. im Spanischen hrsg. u. m. deutschen Anmerkgn. versehen v. Giuseppe Aquenza. 1—3. Bdchn. 12. Leipzig 885. Gloeckner. à n. — 60

1. Partir a tiempo [Zu rechter Zeit abreisen]. Comedia en 1 acto de Don Mariano de Larra. (52 S.)
2. Tu amor ó la muerte [Deine Liebe od. den Tod]. Comedia en 1 acto de Don Mariano de Larra. (56 S.)
3. Un desafio [Ein Zweikampf]. Comedia en 3 actos de Don Mariano de Larra. (66 S.)

— von Männerchören für den bernischen National-Gesangverein. Eine Auswahl aus den Bezirksheftn. laut Beschluß der Abgeordnetenversammlg. vom 4. Juli 1875. Hrsg. vom Vorstand. 12. (VIII, 248 S.) Bern 877. R. F. Haller-Goldschach. geb. n. 2. —

— milchwirthschaftlicher Vorträge, geh. an den Käserkursen in Zollikofen u. auf der Rütti [Ct. Bern]. [1884.] Hrsg. vom Verein der bernischen Interessenten f. Milchwirthschaft u. Käseindustrie. Lex.-8. (XIV, 64 S.) Bern 885. Wyß. n. 1. —

— der schönsten Miniaturen d. Mittelalters aus dem 14. u. 15. Jahrh., der Blüthezeit jener Meister-Miniatoren, deren Werke in den berühmtesten geistl. u. weltl. Bibliotheken Deutschlands als Unica aufbewahrt u. bewundert werden. 7 Hfte. gr. 8. (70 Chromolith.) Wien 867. (Bermann & Altmann). n. 20. —

— nationalökonomischer u. statistischer Abhandlungen d. staatswissenschaftlichen Seminars zu Halle a. d. S., hrsg. v. Joh. Conrad. 2. Bd. 7. u. 8. Hft. 3. Bd. 1—3. Hft. u. 4. Bd. 1—4 Hft. gr. 8. Jena, Fischer. n. 32. 90

II. 7. Die Hausindustrie in Thüringen. Wirthschaftsgeschichtliche Studien v. Eman. Sax. 1. Thl. Das Meininger Oberland. 2. Aufl. (XII, 164 S.) 885. n. 2. 50

8. Dasselbe. 2. Thl. Ruhla u. das Eisenacher Oberland. (IX, 100 S.) 884. n. 2. —

Sarwey, O. v., allgemeines Verwaltungsrecht, s.: Handbuch d. öffentlichen Rechts.

Saß, F., der Schauspiel-Direktor, s.: Theater-Repertoir, Wiener.

Saß', J. B., Rechenbuch in Heften. 6 Hfte. 8. Altona, (Schlüter). cart. n. 3. 20
1. 3. Aufl. (64 S.) 886. n. — 40. — 2. 2. Aufl. (88 S.) 886. n. — 60. — 3. 4. 2. Aufl. (à 64 S.) 886. à n. — 40. — 5. 2. Aufl. (80 S.) 885. n. — 60. — 6. (144 S. m. Fig.) 886. n. — 80

— dasselbe. Resultate zum 3—6. Heft. 8. Ebend. 885. n. — 55
3. (14 S.) n. — 10. — 4. (15 S.) n. — 10. — 5. (13 S.) n. — 15. — 6. (19 S.) n. — 20

— 1. u. 2. Übungsbuch fürs schriftliche Rechnen. Mit besond. Berücksicht. e. naturgemäßen Verbindg. d. mündl. u. schriftl. Rechnens bearb. 8. Ebend. 886. n. 1. 60
1. 121. Aufl. (142 S.) n. — 60. — 2. 69. Aufl. (IV, 244 S.) n. 1. —

— dasselbe. Resultate zum 2. Übungsbuche. 8. (29 S.) Ebend. 886. n. — 20

Sasse, J. W., vollständige Rektionslehre od. das Regieren der Haupt-, Verhältnis-, Eigenschafts- u. Zeitwörter. Ein Hülfsbuch beim Unterrichte in der deutschen Sprache f. Kinder in Bürger- u. Volksschulen. 4. Aufl. gr. 8. (80 S.) Hannover 884. Meyer. n. — 60

Sasse, L., die Lehre vom ersten u. größten Gebote d. Christentums, nach seiner dreifachen Beziehung. Ein Beitrag zur Darstellg. der christl. Sittenlehre. 8. (VIII, 426 S.) Paderborn 885. Bonifacius-Druckerei. 2. —

Sassenfeld, J., trierische Flora. Anleitung zum Bestimmen der Gefässpflanzen im Reg.-Bez. Trier. Zum Gebrauche in Schulen, beim Selbstunterricht u. auf Excursionen bearb. Mit Holzschn. 8. (IV, 164 S.) Trier 884. Linz. cart. n. 2. 70

Sattig, Fritz, Darstellung u. Kritik d. protagoreischen Sensualismus u. seiner Um- u. Fortbildung durch die sokratische Begriffsphilosophie. I. Darstellung d. protagoreischen Sensualismus, insbesondere an der Hand d. platon. Theaetet. gr. 8. (49 S.) Halle 885. (Breslau, Köhler.) n. 1. —
Die folgenden Abschnitte erscheinen in der „Zeitschrift für Philosophie u. philosoph. Kritik".

Sattler, Orts-Register, s.: Urkundenbuch zur Geschichte der Herzöge v. Braunschweig u. Lüneburg u. ihrer Lande.

Sattler, A., Leitfaden der Physik u. Chemie. Für die oberen Klassen v. Bürger- u. höheren Mädchenschulen in 2 Kursen bearb. 4. Aufl. Mit 180 Holzst. gr. 8. (IV, 100 S.) Braunschweig 885. Vieweg & Sohn. n. — 80

Sattler, Ernst, y Gomeryd, d. i.: Grammatik d. Kymraeg od. der keltowälischen Sprache. 8. (XVI, 418 S.) Zürich 886. Alb. Müller. n. 10. —

Sattler, Fr., e. Ende m. Schrecken. Eine wahre Geschichte. 8. (23 S.) Stuttgart 885. Buchh. der Evang. Gesellschaft. n. — 10

Sattler, Heinr., zwei- u. dreistimmige Gesänge religiösen u. weltlichen Inhalts f. kleinere Kirchenchöre, Seminare, höhere Töchterschulen, Lehrerinnen-Seminare u. Singkränzchen. Mit Begleitg. d. Pianoforte, Harmoniums od. der Orgel. 1. u. 2. Hft. gr. 8. Quedlinburg 885. Vieweg. n. 1. 50
1. Religiöse Gesänge. Op. 44. (48 S.) n. — 90
2. Weltliche Lieder. Op. 44. (20 S.) n. — 60

— Schul-Choralbuch, enth. sämtl. oberlich festgestellte Choral-Melodieen f. die evangelisch-luther. Gemeinden d. Herzogt. Oldenburg, nebst 24 rhythm. Gesängen. Zum Gebrauch in der Kirche, in Schule u. Haus. Zwei- u. dreistimmig bearb. 8. (63 S.) Oldenburg 883. Schmidt's Sort. geb. n. — 80

Sattler, Magnus, das Büchlein vom heil. Berge Andechs. Auszug aus der Chronik d. M. S. Mit 34 Holzschn. 3. Aufl. 12. (100 S.) Donauwörth 886. (Auer.) n. 1. —

Sattler, Max Vinc., Abriß der Kirchengeschichte f. die katholische Jugend u. f. alle gebildete Christen. 8. (VIII, 176 S.) München 884. Lindauer. n. 1. 80

— Auszug aus der Kirchengeschichte. 8. (VIII, 61 S.) Ebend. 886. n. — 60

— Geschichte der Stadt Jerusalem u. ihrer merkwürdigsten Gebäude nach den Berichten d. jüd. Geschichtschreibers Flavius Josephus. Mit 3 Plänen zu den Tempeln u. 1 separat zu bezieh. Kunstblatte in Lichtdr., „die Stadt Jerusalem zur Zeit Christi darstellend". gr. 8. (34 S.) München 884. Piloty & Loehle. n. 2. —; das Kunstblatt n. 3. —

Sauer, Aug., Frauenbilder aus der Blütezeit der deutschen Litteratur. Mit 15 Orig.-Portraits (in Lichtdr.). 4. (XI, 106 S.) Leipzig 885. Titze. geb. m. Goldschn. n. 10. —

Sauer, Augustin, Rom u. Wien im J. 1683. Ausgewählte Actenstücke aus röm. Archiven, zur II. Säcularfeier der Befreig. Wiens als Festgabe d. unter allerhöchstem Protectorate steh. Priestercollegiums v. Campo Santo zu Rom hrsg. Lex.-8. (VIII, 195 S.) Wien 883. Hof- u. Staatsdruckerei. n. 6. —

Sauer, Charles Marquard, Italian conversation-grammar, a new and practical method of learning the Italian language. 5. ed. gr. 8. (X, 432 S.) Heidelberg 886. J. Groos. geb. n. 5. —;
Key. 3. ed. (IV, 60 S.) 883. n. 1. 60

— Spanish conversation-grammar. Key. 2. ed. gr. 8. (III, 56 S.) Ebend. 880. cart. n. 1. 60

— Geschichte der italienischen Litteratur von ihren Anfängen bis auf die neueste Zeit. gr. 8. (VII, 629 S.) Leipzig 883. Friedrich. n. 9. —; Einbd. n.n. 1. —

— spanische Konversations-Grammatik. Durchgesehen v. Wilh. Ad. Röhrich. 4. Aufl. gr. 8. (XI, 410 S.) Heidelberg 885. J. Groos. n. 4. —; geb. n. 4. 60

— italienische Schul- u. Konversations-Grammatik. Gänzlich durchgesehen v. G. Cattaneo. 8. verb. Aufl. g. 8. (XIX, 406 S.) Ebend. 885. n. 3. —; geb. n. 3. 60

— kleine italienische Sprachlehre, bearb. nach dem Plane der italien. Konversations-Grammatik. 3. Aufl. gr. 8. (VII, 208 S.) Ebend. 883. n. 1. 60

— u. G. C. **Kordgien**, Rections-Liste der gebräuchlichsten spanischen Zeitwörter, Bei- u. Hauptwörter. Ein Hilfsbuch zur span. Grammatik. gr. 8. (IV, 60 S.) Ebend. 887. cart. n. 1. 60

— u. Wilh. Ad. **Röhrich**, diálogos castellanos. Spanische Gespräche. Ein Hilfsbuch zur Übg. in der span. Umgangssprache. 2. Aufl. gr. 8. (VIII, 174 S.) Ebend. 885. geb. n. 1. 80

Sauer, F. A., der Bombardier im Feuer, s.: Album f. Liebhaber-Bühnen.

Sauer, Fritz, catalogus plantarum in Canariensibus insulis sponte et subsponte crescentium. gr. 8. (78 S.) Halis Sax. 880. (Berlin, Schleiermacher.) (?) n. 2. —

Sauer, H., der Brief St. Pauli an die Galater, übersetzt u. erklärt f. ev. Religionslehrer u. bibelforsch. Christen. 8. (V, 194 S.) Gotha 884. Schloeßmann. n. 3. —

— selig sind, die Gottes Wort hören u. bewahren. Predigten f. d. 2. Hälfte d. Kirchenjahres. gr. 8. (VIII, 328 S.) Cottbus 885. Differt. n. 3. —; geb. n. 4. —

Sauer, J., Geschichtszahlen f. Volksschüler. Nach Massgabe d. mittelfränk. Lehrplanes zusammengestellt. 3 Serien. 32. Nürnberg 884. Büching. n. — 27
1. Für die 4. u. 5. Klasse. (8 S.) n. — 6
2. Für die 6. Klasse. (8 S.) n. — 6
3. Für die 7. Klasse. (24 S.) n. — 15

Sauer, Jos., e. Fall v. traumatischer Hypoglossus- u. Accessoriuslähmung. gr. 8. (65 S.) Aschaffenburg 885. (Göttingen, Vandenhoeck & Ruprecht.) n. 1. 60

Sauer, Karl v., üb. Angriff u. Vertheidigung fester Plätze. Mit 8 Tab. gr. 8. (VI, 357 S.) Berlin 885. Wilhelmi. n. 8. —

— recherches tactiques sur les formes nouvelles de la fortification. gr. 8. (III, 34 S.) Ebend. 886. n. 1. —

— taktische Untersuchungen üb. neue Formen der Befestigungskunst. 2. Aufl. gr. 8. (VII, 40 S.) Ebend. 886. n. 1. —

Sauer, P. A., acht Capitel Daredl-Knittel. 8. (32 S.) Wien 884. Roßner. n. — 60

Sauer, W., s.: Codex diplomaticus Nassoicus.

Sauerbrei, Guido, Turnbuch f. Schulen. Kurzgefaßte Anleitg. f. den Turnunterricht. Mit 42 in den Text gedr.

der [† 1864]. Mit Anh. üb. — die vorsündfluthl. Gestalt der Erde. (530 u. Register zum 1. u. 2. Thl. 120 S.) 882. n. 7. —

2. Außerordentliche Kundgebungen u. Eröffnungen üb. die naturmäßige u. geistige Beschaffenheit u. Wesenhaftigkeit der Sonne u. deren correspondirende Seins- u. Eigenschaftlichkeits-Beziehungen zu u. auf den 7 Haupt-Planeten ꝛc. Hrsg. aus innerstgeist. Beruf f. Gegenwart u. Zukunft v. Johs. Busch. (270 S.) 864. n. 3. —

3. Die geistige Sonne. Lebenswahre Eröffngn. u. Belehrgn. üb. Zustände im Jenseits, besonders auch üb. das Kinderreich, m. himml. Erklärg. der 12 göttl. Lebensregeln; vorgeführt in 10 Geister-Sphären, u. v. da aus Einblicke in unsere Zustände auf Erden. Kundgegeben vom HErrn durch e. dazu erwähltes Werkzeug — Jak. Lorber [† 1864]. Erstmals hrsg. v. Johs. Busch, Dresden 1870. 2. Abdr., m. e. Inhalts-Verzeichniß bereichert. (IV, 732 S.) 884. n. 9. —

4. Nacherinnerungen [zur geistigen Sonne], das sind Schrift-Text-Erklärgn. aus dem Munde d. himml. Vaters Jesus, [wer es annehmen will] Lebensbrod f. die Hungrigen nach lauterer Kost — od. f. die reiferen v. uns Zöglingen Seiner Kleinkinderschule: „Erde". (IV, 100 S.) 884. n. 1. 30

5. Außerordentliche Eröffnungen üb. die natürliche u. metaphysische od. geistige Beschaffenheit der Erde u. ihres Mittelpunctes, m. besond. Bezug auf das Grundsein, so wie auf Bestimmg., Leben u. Ziel der in, auf u. in den Luft- u. Aether-Regionen — üb. ihr befindl. Wesen ꝛc., hrsg. v. Johs. Busch. (VIII, 264 u. XXVI S.) 856. n. 3. —

6. Naturgemäße u. spirituelle Verhältnisse d. Mondes, m. e. Nachtrage üb. das magnet. Fluidum u. e. Vorworte üb. den eigentl. Sinn v. St. Matth. XXIV, 30 u. den geist. Frühling. Für Astronomen, Gelehrte u. e. wißbegier. Publikum im Allgemeinen. Mit e. Vorrede versehen u. zum Druck befördert durch Chas. F. Zimpel. (34 S.) 852. n. — 50

7. Außerordentliche Eröffnungen üb. die natürliche u. geistige Beschaffenheit d. Planeten Saturnus nebst dessen 3-getheiltem Ring' u. 7 Monden, so wie üb. die Beschaffenheit, das Grundsein u. Leben der darauf befindl. Wesen ꝛc., hrsg. v. Johs. Busch. (XII, 164 u. XIV S.) 855. n. 2. —

8. Die Fliege. Ein Naturerzeugniß zur Beleuchtg. der ewigen Wahrheit: Gott ist die Liebe! Kundgegeben durch † Jak. Lorber [gest. 1864]. 2. Aufl. [Erstmals gedruckt Triest 1864.] (43 S.) 881. n. — 70

9. Das Evangelium d. Jakobus, enth. die Jugendgeschichte unseres Heilands Jesu Christi. Neu empfangen vom Herrn durch Jak. Lorber [† 1864]. 3. Aufl., zum Druck befördert durch C. A. Schöbel [† 1868] in Söbrigen [Sachsen]. (XIII, 420 S.) 885. n. 3. —; geb. n.n. 4. —

10. Die Drei-Tages-Szene im Tempel zu Jerusalem, zwischen dem 12jähr. Jesus u. der jüdisch-röm. Prüfungskommission, [quasi Confirmation Jesu] v. Ihm Selbst kundgegeben durch e. Gottbegeisterten [Jak. Lorber, geb. 1800, gest. 1864]. 3. Aufl. (84 S.) 882. n. 1. —

11. 12. 14—16. Das aus der „großen Zeit der Zeiten" verheißenermaßen u. im inneren Sinne enthüllt'st erklärte Evangelium St. Johanni's, hrsg. v. Johs. Busch. (In 7 Bdn.) 1., 2., 4—6. Bd. 2. Aufl. (II, 626, IV, 623, XV, 464, XIX, 458 u. XXIII, 496 S.) 871. 72. 85. 86. n. 21. 30

17b. Anhang od. Supplemente zum Johanneswerke, enth. Winke üb. die Persönlichkeiten d. Lazarus, Pilatus u. der Evangelisten, sowie Erklärgn. der Widersprüche in den 4 Evangelien; u. Näheres üb. die histor. Orte in Palästina, welche im großen Evangelium vorkommen, nebst e. Inhalts-Verzeichniß d. Anhanges, sowie d. ganzen Werkes. (102 S.) 883. n. 1. 40

18. [Zugleich e. Thl. vom Passionsgärtlein bildend.] Die 7 Worte Christi am Kreuz, v. Ihm Selbst erklärt, u. deren besond. Bedeutg. f. unsere Zeit u. die jetz. geist. Zustände in vollem Ernste gezeigt. Nebst entsprech. Anh. Empfangen vom HErrn durch A. G. G. 3. [rev.] Abdr. (16 S.) 884. n. — 20

18b. Dasselbe. Taschen-Ausg. qu. gr. 16. (32 S.) 884. n. — 20

19. Jesu Briefwechsel m. Abgarus, König zu Edessa. 2., bill. [weil vereinfachte] Ausg. m. Anh. (16 S.) 882. n. — 25

20. Verloren gegangener Brief d. Apostels Paulus an die Gemeinde zu Laodicea [s. Coloss. 4, 16]. 2., bill. [weil vereinfachte u.] verb. Ausg. (16 S.) 882. — 22

21. Der große Advent. Gesammelte Blätter zum Verständniß der Wiederkunft Jesu Christi. Mit Anh. üb. den Begriff d. Antichrist, das tausendjähr. Reich u. die Schlußfrage der Menschheit, als Licht u. Trost f. die sich danach Sehnenden. 2. Aufl. (90 S.) 881. n. 1. 15

22. Die zwölf Stunden. Hrsg. v. Johs. Busch. 2. Ausg. (64 S.) 864. n. — 75

23. Winke üb. Unsterblichkeit der Menschenseele u. vom Wiedersehen Jenseits. Licht- u. Trostworte. Empfangen vom HErrn durch Jak. Lorber. Nebst e. Anh. aus älteren theosoph. Schriften. 3. Aufl. (32 S.) 882. n. — 40

24. Wort d. Wort's aus der Höhe der Höhen an Einen Erwählten am 11. Aug. 1862. Ein Nota bene zur Aufklärg. u. Erkenntniß der geistl. Verhältnisse der Zeit aus u. im Lichte d. Lichts. Hrsg. v. Einem im Geist Berufenen, am 25. Aug. 1863. (20 S.) 868. n. — 20

25. Geist-seelisch-wahres Licht-Wort üb. das geistig erscheinende Tischrücken, Tischklopfen u. Schreiben. Nebst Beifuge d. „Schlüssels zur Correspondenz m. sel. Geistern" ꝛc, f. Jetztzeit u. Zukunft hrsg. durch Johs. Busch. (26 S.) 869. — 25

26. Psalmen u. Gedichte in Dictaten vom Geiste der Wahrheit aus der Höhe der Höhen. Niedergeschrieben durch e. hierzu Erwählten, u. hrsg. in innerst vernommenem Beruf v. Johs. Busch. (114 S.) 870. n. 1. —

27. Belehrungen der ewigen Liebe u. Weisheit üb. das lebendige Wort, die Wiedergeburt d. Geistes, den Geist u. die Materie. Hrsg. v. Johs. Busch. (100 S.) 856. 1. 20

28. [Triestiner Schule, A.] Eröffnung vieler Lebens-Geheimnisse als neue Gnaden-Gaben aus der Hand der Ewigen Liebe. Empfangen durch Gfr. Mayerhofer. 2. Aufl. m. Inhaltsangabe. (204 S.) 884. n. 2. —

29. [Triestiner Schule, B.] Weitere Kundgabe der Wahrheit, besonders üb. Gegenstände der Schöpfung im Lichte der Liebe. Empfangen vom Herrn durch Gfr. Mayerhofer. 2. Aufl. m. Inhaltsangabe. (225 S.) 882. n. 2. 70

31. Kleine Perlen u. Nüsse. Mit Vignetten. (28 S.) 884. — 30

32a—c. 33—35. Passionsgärtlein m. 7 Beeten perennirender Blumen u. Kräuter v. erquickendem u. belebendem Duft. Den Liebhabern zu gesegneter Benützg. erstmals eröffnet. (120 S.) 882. n. 1. 50

36. Pfingstsegen als Licht u. Trost für's Leben. (55 S.) 884. n. — 70

37. Dreieinigkeit od. vom Wesen d. HErrn. (81 S.) 884. n. 1. —

38. Liebe, das Grundgesetz alles Lebens, erläutert vom Herrn als Hauptschlüssel zum Himmelreich od. Nächstenliebe, die Bedingg. wahrer Wohlfahrt. (136 S.) 882. n. 1. 70

39. Allgemeine u. besondere Lebenswinke f. innere u. äußere Verhältnisse u. Zustände. Empfangen vom Meister d. Lebens. (292 S.) 882. n. 3. —

40a. Reichstes Betrachtungsbuch, zusammengestellt aus neuen Eröffngn. d. Herrn. A. Festgarten. (IV, 428 S.) 883. n. 5. 50

40b. Dasselbe. B. Lebensgarten. (759 S.) 883. n. 9. —

41a. Betrachtungen am Allerseelentag. Die Wahrheit üb. Spiritismus, das ist Verkehr m. dem Jenseits, u. Winke üb. Vegetarianismus. Leichtfaßliche Darlegg. der Licht- u. Schattenseiten dieser denkwürd. Erscheingn. unserer Zeit. (174 S.) 881. n. 2. 10

41b. Die Wahrheit üb. Spiritismus. [Im Auszug.] qu. gr. 16. (40 S.) 881. — 30

41c. Die Wahrheit üb. Vegetarianismus. qu. gr. 16. (31 S.) 881. — 25

42. Von den letzten Dingen: Sterben u. Hinübergehen od. das Scheiden der Seele vom Diesseits u. deren Anlanden im Jenseits in Beispielen gezeigt. Empfangen vom HErrn durch Jak. Lorber. (65 S.) 882. n. — 85

43. Von den Kennzeichen unsrer Zeit. Winke der Wahrheit f. die Freunde derselben zur Erweiterg. der Erkenntniß behufs gesegneter Darnachachtg. (102 S.) 882. 1. 25

44. Betrachtungen an Weihnachten, nebst Worten zum Jahreswechsel, Erscheinungsfest, Geburtstag, Carneval, Tanz u. Frühling. (86 S.) 881. 1. 10

45a—f. Vater-Briefe. Für empfängl. Gemüther e. lautere Milch zu geist. Gedeihen. 6 Hfte. (88 S.) 882—86. à — 75

46. Evangelium der Berge. A. Der Großglockner. Ein weiteres Naturzeugniß zur Bestätigg. der heil. Grundwahrheit: Gott ist die Liebe! m. einigen köstl. Beispielen zum Belege, daß bei Gott nichts unmöglich ist. Empfangen vom HErrn durch Jak. Lorber 1841. (56 S.) 882. n. — 80

47. Kleinere Natur-Zeugnisse od. Natur-Evangelien, als schöne Belege zur Bestätigg. der heil. Grundwahrheit: Gott ist die Liebe! Mit verschiedenen Einflechtgn., um uns auf die geist. Höhe der Erkenntniß u. Liebe Gottes zu führen. Empfangen vom HErrn durch Jak. Lorber. (152 S.) 883. n. 1. 90

48. Heil-, Diät- u. physiologische Winke m. Beleuchtung der Schutzpocken-Impfung u. s. w. [Luk. 10, 21.] (132 S.) 883. n. 1. 65

49. Gesamt-Inhalts-Verzeichniß unserer Schriften [soweit dieselben bis jetzt gedruckt sind]. Zur Erleichterg. der Einsichtnahme f. Neulinge u. zur Bequemlichkeit der Liebhaber dieser eigenart. Werke v. unschätzbarem Werthe [besonders f. unsere Zeit.] Unter Mitwirkg. v. Freunden ausgearb. vom derzeit. Herausgeber. (380 S.) 884. n. 2. —

Sammlung von Übungen zum Übersetzen ins Französische. 1. Hft. gr. 8. Wolfenbüttel 884. Zwißler. n. — 80
Lessing's drei Bücher Fabeln, zum Übersetzen ins Französische m. stilist. Anmerkgn. u. grammat. Hinweisen versehen v. Boelkel. (VI, 70 S.)

— von Verträgen, welche sich auf den Betrieb der v. der kaiserl. General-Direktion der Eisenbahnen in Elsass-Lothringen verwalteten Bahnen beziehen. Zusammengestellt im Mai 1883. 2 Thle. gr. 8. 263 u. 191 S.) Strassburg 883. (Schultz & Co.) In 1 Bd. geb. n.n. 10. —

— von kirchlichen u. staatlichen Vorschriften f. die altkatholischen Kirchengemeinschaften. Nachtrag. Amtliche Ausg. gr. 8. (41 S.) Bonn 882. (Neusser.) n. 1. — (Hauptwerk u. Nachtrag: n. 4. —)

— gemeinnütziger Vorträge. Hrsg. vom Deutschen Vereine zur Verbreitg. gemeinnütz. Kenntnisse in Prag. Nr. 80—114. gr. 8. Prag, Deutscher Verein. n. 8. 70

80. Ueber die Fremdwörter, besonders im Deutschen. Von Günther Alex. Saalfeld. (15 S.) 883. n. — 20

81. Der Venusdurchgang. Von Rhold. Schmidt. (18 S. m. eingedr. Fig.) 883. n. — 20

82. Die Sprachgebiete Europas am Ausgange d.

Sammlung

Mittelalters, verglichen m. den Zuständen der Gegenwart. Von F. Blumentritt. (22 S.) 883. — 30
83. Maria Theresia u. die österreichische Volksschule. Von F. Rulf. (19 S.) 883. — 30
84. Warum sollen wir Schiller feiern? Zu Schiller's Todestag [9. Mai]. Von J. B. Hauptmann. (15 S.) 883. n. — 20
85. Die Gesetze der Preisbildung. Von Karl Eppinger. (16 S.) 883. n. — 20
86. Zum 100jährigen Jubiläum d. Luftballons. Kurze Geschichte der ersten Ballonfahrten im J. 1783. Von Rhold. Schmidt. (19 S.) 883. n. — 20
87. Die großen Volkskrankheiten sonst u. jetzt u. deren Verhütung. Von Felix Beetz. (21 S.) 883. n. — 20
88. Der Antisemitismus. Von Jul. Lippert. (17 S.) 883. n. — 20
89. Straßenpflaster u. Kutschwagen. Eine culturgeschichtl. Skizze v. Günther Alex. E. A. Saalfeld. (16 S.) 884. n. — 20
90. Die Wiesen u. ihre Kultur. Von Karl Tragau. (24 S.) 884. — 30
91. Das deutsche Räthsel. Von Alois Hruschka. (19 S.) 884. — 30
92. Die Lieder der Landsknechte u. die Soldatenlieder. Von W. Toischer. (26 S.) 884. — 30
93. Ueber Credit- u. Bankwesen. Von Jos. Ulbrich. (16 S.) 884. n. — 20
94. Der Geheimmittelschwindel. Von R. W. Raudnitz. (15 S.) 884. n. — 20
95. Feuer, Wind u. Rauch. Eine cultur-histor. Skizze v. Günther Alex. E. A. Saalfeld. (20 S.) 884. n. — 20
96. Die Choleragefahr. Von M. Popper. (16 S.) 884. n. — 20
97. Die Kartoffel u. ihre Kultur. Von Karl Tragau. (23 S.) 884. — 30
98. Die Buchführung f. Gewerbetreibende u. kleinere Handelsleute. Von Heinr. W. Stein. (22 S.) 884. — 30
99. Die Deutschen in Brasilien. Von A. v. Eye. (22 S.) 884. — 30
100. Germanen u. Slaven. Die geschichtl. Entwicklg. der Gegensätze ihres Volkswesens. Von Jul. Lippert. (23 S.) 885. — 30
101. Die Geflügelzucht. Ein ertragreicher Nebenerwerbszweig der Landwirthschaft. Von Karl Tragau. (27 S. m. 6 eingedr. Holzschn.) 885. n. — 40
102. Die Deutschen in Rußland. Von Wilh. Hendel. (15 S.) 885. n. — 20
103. Ueber epidemische Geisteskrankheiten. Von Arth. Leppmann. (14 S.) 885. n. — 20
104. Die Eigenschaften u. Wirkungen d. electrischen Stromes. Mit 14 Illustr. Von Max. Weinberg. (32 S.) 885. n. — 40
105. Die deutsche Stenographie. Nach Geschichte u. Bedeutg. kurz zusammengefaßt v. Hans Moser. (14 S.) 885. n. — 40
106. Die Geflügelzucht. Ein ertragreicher Nebenerwerbszweig der Landwirthschaft. Von Karl Tragau. II. (16 S.) 886. n. — 20
107. Die Kunst im Handwerk. Von G. Kalb. (16 S.) 886. n. — 20
108. Das Schön-Sprechen. Von Senff-Georgi. (18 S.) 886. n. — 20
109. Das Pflanzengrün. Von Alex. Weinberg. (18 S.) 886. n. — 20
110. Die Brüder Grimm. Zum 100jähr. Gedächtnißtage der Geburt Wilhelm Grimm's. Von W. Toischer. (19 S.) 886. n. — 20
111. Die Frau im nationalen Wirthschaftsleben. Von Leop. Hirschberg. (16. S.) 886. n. — 20
112. Der Getreidebau auf wissenschaftlich-praktischer Grundlage. Von Karl Tragau. (18 S.) 886. n. — 20
113. Der Oelbaum. Eine culturhistor. Skizze v. A. Hedinger. (14 S.) 886. n. — 20

Sammlung

114. Die Siebenbürger Sachsen. Von Alb. Schiel. (24 S.) 886. n. — 40

Sammlung gemeinverständlicher wissenschaftlicher Vorträge, hrsg. v. Rud. Virchow u. Fr. v. Holtzendorff. 402—430. Hft. [17. Serie. 18—24. Hft. u. 18—20. Serie. à 24 Hfte.] gr. 8. Hamburg, J. F. Richter. Subscr.-Pr. à n. — 50; Einzelpr. n. 113. 55
402. Das Sehen u. der Blick. Von Herm. v. Meyer. (39 S) 883. n. — 80
403. 404. Die Idee d. ewigen Völkerfriedens. Von Frz. v. Holtzendorff. (72 S.) 883. n. 1. 20
405. Ueber Zahl u. Maß. Von F. Bessell. (36 S.) 883. n. — 60
406. Die Beherrscher der Gläubigen. Von A. Müller. (47 S.) 883. n. 1. —
407. Die gesunde Wohnung. Von M. Alsberg. (44 S.) 883. n. — 80
408. Die National-Oekonomie als Wissenschaft u. ihre Stellung zu den übrigen Disziplinen. Rede. Von Frdr. Kleinwächter. (36 S.) 883. n. — 80
409. 410. Die Farbenwelt. Ein neuer Versuch zur Erklärg. der Entstehg. u. der Natur der Farben, nebst e. prakt. Anleitg. zur Auffindg. gesetzmäß. harmon. Farbenverbindgn. Von Max Schasler. 1. Abth.: Die Farben in ihrer Beziehg. zu einander u. zum Auge. Mit e. (lith.) Fig.-Taf. (102 S.) 883. n. 2. —
411. Schriftsprache u. Volksmundart. Von H. Osthoff. (40 S.) 883. n. — 80
412. Die Entstehung der deutschen Burschenschaft. Von Edm. Bayer. (48 S.) 883. n. 1. —
413. 414. Tibur. Eine röm. Studie. Von Ludw. Meyer. (80 S.) 883. n. 1. 40
415. Die Farbenwelt. Ein neuer Versuch zur Erklärung der Entstehg. u. der Natur der Farben, nebst e. prakt. Anleitg. zur Auffindg. gesetzmäß. harmon. Farbenverbindgn. Von Max Schasler. 2. Abth.: Das Gesetz der Farbenharmonie in seiner Anwendg. auf das kunstindustrielle Gebiet. Mit e. Farbentaf. (48 S.) 883. n. 1. 60
416. Der leere Raum, die Constitution der Körper u. der Aether. Von E. Gerland. (40 S.) 883. n. — 80
417. Küche u. Keller in Alt-Rom. Von Günther Alex. E. A. Saalfeld. (48 S.) 883. n. 1. —
418. Die Entwickelung der altgriechischen Heilkunde. Von J. Uffelmann. (32 S.) 883. n. — 60
419. Die Anfänge menschlicher Industrie. Von Karl v. Scherzer. (32 S.) 883. n. — 60
420. Ueber ethnologische Untersuchungen d. Farbensinnes. Von Hugo Magnus. (36 S.) 883. n. — 80
421. Die Socialisten der Reformationszeit. Von Alfr. Stern. (36 S.) 883. n. — 75
422. Die Tonkunst nach Ursprung u. Umfang ihrer Wirkung. Von Ferd. Schultz. (40 S.) 883. n. — 80
423. Elementares Leben. Von J. Kollmann. (36 S.) 883. n. — 75
424. Ueber Vulkanismus. Vortrag v. Hans H. Reusch. Nach dem Mscr. d. Verf. aus dem Norweg. übertr. v. M. Otto Herrmann. Mit 7 (eingedr.) Holzschn. (35 S.) 883. n. 1. —
425. Ueber Keilinschriften. Von Carl Bezold. (31 S.) 883. n. — 60
426. Zur Geschichte der Liebig'schen Mineraltheorie. Von Aug. Vogel. (44 S.) 883. n. 1. —
427. Thier- u. Pflanzengeographie im Lichte der Sprachforschung. Mit besond. Rücksicht auf die Frage nach der Urheimat der Indogermanen v. Otto Schrader. (32 S.) 884. n. — 60
428. Unsere Freunde unter den niederen Pilzen. Vortrag, geh. in der Aula der Universität Rostock den 5. Febr. 1883 v. F. Reelsen. (32 S.) 884. n. — 60
429. Das französische Drama in unserem Jahrhundert. Vortrag v. Jos. Sarrazin. (40 S.) 884. n. — 80
430. 431. Die elektrischen Fische im Lichte der Des-

cendenzlehre. Von Gust. Fritsch. Mit 7 Holzschn. (64 S.) 884. n. 1. 60
432. Heinrich I. u. Otto I. od. die Politik der beiden ersten Herrscher aus dem sächsischen Hause. Von Boesch. (32 S.) 884. n. — 60
433. 434. Die Durchquerungen Afrikas. 2 Vorträge v. P. Treutlein. Mit e. (lith.) Karte. (94 S.) 884. n. 2. —
435. 436. Die Vorfahren unserer Eisenbahnen u. Dampfwagen. Von Hugo Marggraff. Mit 20 in den Text gedr. Abbildgn. (64 S.) 884. n. 1. 60
437. Ueber die Impfung. Historisch-statist. Mittheilgn. üb. Pocken-Epidemien u. Impfg., nebst e. Theorie der Schutzimpfg. Ein Vortrag v. S. Wolffberg. (47 S.) 884. n. 1. —
438. Luther's Entwicklung vom Mönch zum Reformator. Von Mor. Schwalb. (32 S.) 884. n.— 60
439. Ueber das Vorkommen u. die Entstehung d. Erdöls. Von V. Uhlig. Mit 2 in den Text eingedr. Holzschn. (44 S.) 884. n. 1. —
440. Unsere Kaisersage. Vortrag v. Jos. Häußner. (56 S.) 884. n. 1. —
441. 442. Aus der Vorzeit der Fischerei. Vortrag v. Ernst Friedel. (63 S.) 884. n. 1. 20
443. Der Gottesdienst in Olympia. Vortrag v. Ludw. Weniger. (35 S.) 884. n. — 75
444. Ueber die Grenzen zwischen psychischer Gesundheit u. Geistesstörung. Eine Studie von C. Pelman. (36 S.) 884. n. — 75
445. Horaz, Persius, Juvenal, die Hauptvertreter der römischen Satire. Vortrag v. E. Reißner. (40 S.) 884. n. — 80
446. Das Brot u. dessen diätetischer Werth. Vortrag v. J. Uffelmann. (36 S.) 884. n. — 75
447. Poetische Turniere. Vortrag v. Gust. Dierck8. (32 S.) 884. n. — 60
448. Die Bedeutung d. Athmungsprozesses f. das Leben d. thierischen Organismus. Vortrag von G. Herm. v. Meyer. (32 S.) 884. n. — 60
449. Hugo Grotius 1583—1645. Von L. Neumann. (31 S.) 884. n. — 60
450. Die Vertheilung der Menschen üb. die Erde u. die Ursachen der verschiedenartigen Volksverdichtungen in den einzelnen Erdtheilen. Oeffentlicher Vortrag v. Wilh. Botsch. (47 S.) 884. n. 1. —
451. Der General v. Scharnhorst. Von Aug. Kluckhohn. (39 S.) 884. n. — 80
452. Aristoteles' Anschauung v. Freundschaft u. v. Lebensgütern. Von Rud. Eucken. (44 S.) 884. n. 1. —
453. Ueber die gegenseitigen Beziehungen der Pflanzenorgane. Vortrag v. K. Goebel. (31 S.) 884. n. — 60
454. Ueber elementare Ereignisse im Alterthume. Von Herm. Hagen. (43 S.) 884. n. 1. —
455. Ueber Zwerg- u. Riesenwuchs. Vortrag v. Otto Bollinger. Mit 3 Holzschn. (32 S.) 884. n.—80
456. Von der deutschen Hansa. Eine histor. Skizze v. H. Denicke. (36 S.) 884. n. — 80
457. Die Trauer um die Todten bei den verschiedenen Völkern. Von E. Wasmannsdorff. (44 S.) 885. n. 1. —
458. Galilei. Von Ludwig Pilgrim. (44 S.) 885. n. 1. —
459. Die Nialssage e. Epos u. das germanische Heidenthum in seinen Ausklängen im Norden. Vortrag v. Wilh. Goetz. (32 S.) 886. n. — 60
460. Marco Polo, e. Weltreisender d. XIII. Jahrh. Von K. Schumann. (32 S.) 885. n. — 60
461. Die Stellung Friedrichs d. Großen zur Humanität im Kriege. Vortrag. Von H. Hetzel. (32 S.) 885. n. — 60
462. Die Pflege der Irren sonst u. jetzt. Vortrag v. E. Engelhorn. (32 S.) 885. n. — 60
463. Der Dichter Horatius u. seine Zeit. Vortrag v. W. Rösch. (40 S.) 885. n. — 80
464. Der Einfluß der Natur auf die Kulturentwicklung der Menschen. Vortrag v. F. Hoffmann. (36 S.) 885. n. — 75
465. Ein Bild aus der Zeit der Gegenreformation in Siebenbürgen. Vortrag v. Frdr. Czekelius. (40 S.) 885. n. — 80
466. Schlaf u. Traum. Vortrag, geh. im Apr. 1883 v. Frensberg. (32 S.) 885. n. — 60
467. Giacomo Leopardi. Vortrag v. F. Zschech (31 S.) 885. n. — 60
468. Das Wunderland am Yellowstone. Vortrag v. K. A. v. Zittel. (32 S.) 885. n. — 60
469. Aus dem geselligen Leben d. 17. Jahrh. Von Frz. Eyssenhardt. (39 S.) 885. n. — 80
470. Das Thermometer. Von E. Gerland. (48 S.) 885. n. 1. —
471. Das geistliche Schauspiel in Süditalien. Von Th. Trede. (48 S.) 885. n. 1. —
472. Das Blei bei den Völkern d. Alterthums. Von K. B. Hofmann. (48 S.) 885. n. 1. —
473. Mischsprachen u. Sprachmischungen. Von M. Grünbaum. (48 S.) 885. n. 1. —
474. Die Liebe der Blumen. Von A. Nagel. Mit 10 Holzschn. (36 S.) 885. n. 1. —
475. Politische Wandlungen der Stadt Zürich. Von J. J. Treichler. (36 S.) 885. n. — 75
476. 477. Die Anfänge d. Eisenkultur. Von Mor. Alsberg. (71 S.) 885. n. 1. 50
478. Kaiser Otto III. Von Dondorf. (40 S.) 885. n. — 80
479. Die Glacialbildung der norddeutschen Tiefebene. Von W. Dames. (44 S.) 885. n. 1. —
480. Die positive Philosophie August Comte's. Von Hugo Sommer. (48 S.) 885. n. 1. —

Sammlung gemeinverständlicher wissenschaftlicher Vorträge, hrsg. v. Rud. Virchow u. Fr. v. Holtzendorff. 3., 30., 41., 100., 111. u. 132. Hft. gr. 8. Hamburg, J. F. Richter. n. 4. 85
3. Der Kreislauf d. Wassers auf der Oberfläche der Erde. Von H. W. Dove. 3. Aufl. (39 S.) 883. n. — 75
30. Ueber den Einfluß d. Klimas auf den Menschen. Von Z. Oppenheimer. 2. Aufl. (36 S.) 884. n. — 75
41. Ueber den Alkohol. Vortrag v. J. Möller. 2. Aufl. (40 S.) 883. n. — 80
100. Der ärztliche Beruf. Von Rob. Volz. 2. Aufl. (47 S.) 886. n. 1. —
111. Die geologische Bildung der norddeutschen Ebene. Von Just. Roth. 2. Aufl. (36 S.) 885. n. — 75
132. Die Beweise f. die Bewegung der Erde. Vortrag v. F. Bessell. 2. Aufl. (44 S.) 884. n. — 80

— dasselbe. Neue Folge. 1—12. Hft. [1. Serie. 1—12. Hft.] gr. 8. Ebend. 886. Subscr.-Pr. à n. — 50; Einzelpr. n. 9. 70
1. Ueber das Vorhersagen von Naturerscheinungen. Von Arnold Schafft. (40 S.) n. — 80
2. Victor Hugo. Literarisches Portrait m. besond. Berücksicht. der Lehrjahre d. Dichters. Von Gust. Dannehl. (48 S.) n. 1. —
3. Peter Vischer u. das alte Nürnberg. Von Rob. Bauer. (36 S.) n. — 75
4. Eine wissenschaftliche Alpenreise im Winter 1882. Vortrag v. J. Buchheister. (32 S.) n. — 60
5. Die technischen Hochschulen. Von R. Baumeister. (36 S.) n. — 75
6. Cajus Marius als Reformator d. römischen Heerwesens. Von Wilh. Botsch. (48 S.) n. 1. —
7. Die Photographie, ihre Geschichte u. Entwicklung. Vortrag, geh. im Verein f. Kunst u. Wissenschaft zu Hildesheim v. Wilh. Schmidt. (40 S.) n. — 80
8. Altnordisches Kleinleben u. die Renaissance. Vortrag v. Wilh. Goetz. (44 S.) n. — 80
9. Die Hawai-Inseln. Von R. Neuhauß. (48 S.) n. 1. —
10. Die Todtschlagsühne d. deutschen Mittelalters. Von Paul Frauenstädt. (32 S.) n. — 60
11. Die Pflanzenwelt Norddeutschlands in den ver-

schiedenen Zeitepochen, besonders seit der Eiszeit. Von H. Potonié. (32 S.) n. — 60
12. Franz Lieber, e. Bürger zweier Welten. Von Hugo Preuß. (44 S.) n. 1. —

Sammlung klinischer Vorträge, in Verbindg. m. deutschen Klinikern hrsg. v. Rich. Volkmann. Nr. 225—290. Lex.-8. Leipzig, Breitkopf & Härtel. Subscr.-Pr. à — 50; Einzelpr. à — 75

225. Ueber Pessarien. Von L. Prochownik. (48 S.) 883.
226. Der Typhusbacillus u. die intestinale Infection. Von C. J. Eberth. (18 S.) 883.
227. Ueber die diagnostische Bedeutung d. Venenpulses v. Frz. Riegel. (32 S. m. eingedr. Holzschn.) 883.
228. Ueber Fracturen der Schädelbasis. Von Ed. v. Wahl. (26 S. m. eingedr. Holzschn.) 883.
229. Ueber Polyneuritis acuta [multiple Neuritis]. Von R. H. Pierson. (20 S.) 883.
230. Die Tuberkulose d. Kehlkopfes u. ihre Behandlung. Von Ph. Schech. (20 S.) 883.
231. Ueber einige Indicationen zur Cranioclasextraction. Von Heinr. Fritsch. (14 S.) 883.
232. Die Filaria-Krankheit. Von B. Scheube. (16 S.) 883.
233. 234. Die Histogenese u. Histologie der Sarkome. Von Th. Ackermann. (70 S.) 883.
235. Zur Behandlung der Placenta praevia. Von Herm. Jungbluth. (20 S. m. Lichtdr.) 883.
236. Ueber Hysterie u. deren Behandlung. Von C. Liebermeister. (20 S.) 883.
237. Ueber Wesen u. Behandlung der chronischen Morphiumvergiftung. Von R. Burkart. (42 S.) 883.
238. Arthritis deformans u. chronischer Gelenkrheumatismus v. Wilh. Waldmann. (26 S.) 884.
239. Die Rückenmarksdehnung. Ein Beitrag zur mechanischen Behandlung der Nervenkrankheiten. Von Alfr. Hegar. (16 S.) 884.
240. Ueber Influenza. Von Otto Seifert. (18 S.) 884.
241. Zur Behandlung der Fehlgeburten. Von E. Schwarz. (22 S.) 884.
242. Zur Diagnostik u. Therapie gewisser Erkrankungen der mittleren u. unteren Nasenmuscheln. Von Eug. Fraenkel. (24 S.) 884.
243. Die Wellenbewegung der Lebensprocesse d. Weibes. Von Carl Reinl. Mit 18 lith. Curventaf. (34 S.) 884.
244. Ueber den gegenwärtigen Stand der Kropfbehandlung v. P. Bruns. (20 S.) 884.
245. Zur Behandlung schwerer Formen v. Hysterie u. Neurasthenie v. R. Burkart. (48 S.) 884.
246. Ueber Gesichtsfeldmessung u. deren allgemeine diagnostische Bedeutung v. Oswald Baer. (32 S.) 884.
247. Unser Hebammenwesen u. das Kindbettfieber v. B. S. Schultze. (16 S.) 884.
248. Ueber neuere Kaiserschnitt-Methoden. Von H. Fehling. (18 S.) 884.
249. Untersuchungen über ischaemische Muskellähmungen u. Muskelcontracturen. Von Edm. Leser. (28 S. m. 2 Holzschntaf.) 885.
250. Ein Wort gegen die jetzt übliche Art der Anwendung d. Sublimats in der Geburtshilfe. Von W. Thorn. (18 S.) 885.
251. Die antiseptische Wundbehandlung m. Sublimat. Von Max Schede. (38 S.) 885.
252. Ueber medicinische Seifen v. P. G. Unna. (20 S.) 885.
253. Ueber paranephritische Abscesse. Von H. Fischer. (42 S.) 885.
254. Ueber Endometritis decidua. Von J. Veit. (16 S.) 885.
255. 256. Ueber Ankylostoma duodenale u. Ankylostomiasis. Von Adph. Lutz. (56 S. m. 1 Holzschntaf.) 885.
257. Beiträge zur Entstehung der Carcinome aus chronisch entzündlichen Zuständen der Schleimhäute u. Hautdecken. Von Karl Schuchardt. (44 S.) 885.
258. Die Diagnose der Arterienverletzung. Von Ed. v. Wahl. (20 S. m. 10 eingedr. Holzschn.) 885.
259. Zur Lehre v. der Entzündung v. Alb. Landerer. (31 S.) 885.
260. Ueber Kehlkopfexstirpation v. Eug. Hahn. (48 S.) 885.
261. Ueber die Reflexe als diagnostisches Hilfsmittel bei schweren Erkrankungen d. centralen Nervensystems v. A. Vetter. (48 S.) 885.
262. Ueber Laparotomie bei Magen- u. Darmperforation v. J. Mikulicz. (28 S.) 885.
263. Ueber Trachom. Von E. Raehlmann. (38 S.) 885.
264. Ueber das Einpressen d. Kopfes in den Beckenkanal zu diagnostischen Zwecken. Von P. Müller. (20 S.) 885.
265. Ueber Ankylostoma duodenale u. Ankylostomiasis. II. Von Adph. Lutz. (40 S. m. 1 Tab.) 885.
266. Beiträge zur Lehre v. der Eclampsie u. Uraemie. Von C. Osthoff. (34 S.) 886.
267. 268. Ueber Harnblasengeschwülste u. deren Behandlung. Von Ernst Küster. (70 S.) 886.
269. Mittheilungen über den Puls u. die vitale Lungencapacität bei Schwangeren, Kreissenden u. Wöchnerinnen. Von Pericles Vejas. (14 S.) 886.
270. Ueber den Begriff u. die Behandlung der Deflexionslagen. Von Heinr. Bayer. (24 S.) 886.
271. 272. Die Behandlung der complicirten Schädelfracturen. Von W. Wagner. (106 S.) 886.
273. Ueber Syphilis hereditaria tarda. Von A. Wolff. (16 S.) 886.
274. Ueber Perimetritis. Von J. Veit. (24 S.) 886.
275. Zur Kenntnis der nervösen Erkrankungen am Harnapparat d. Mannes v. F. M. Oberländer. (44 S.) 886.
276. Die Methoden zur Erforschung d. Faserverlaufs im Centralnervensystem. Von Frdr. Martius. (44 S.) 886.
277. 278. Die Behandlung der Rückgratsverkrümmungen mittelst d. Sayre'schen Gypscorsets u. „Jury-masts" u. im „Holzcuirass" d. Phelps v. H. Nebel. (94 S. m. eingedr. Fig.) 886.
279. Die gonorrhoische Infektion beim Weibe. Von E. Schwarz. (42 S.) 886.
280. Ueber Hypersekretion u. Hyperacidität d. Magensaftes. Von Rhard. v. den Velden. (12 S.) 886.
281. Das Lustgas u. seine Verwendbarkeit in der Chirurgie. Von Carl Schrauth. (22 S.) 886.
282. Ueber die Entzündungen der weiblichen Brustdrüsen. Von E. Bumm. (22 S.) 886.
283. Die nervöse Dyspepsie u. ihre Folgekrankheiten v. Joh. Ihring. (18 S.) 886.
284. Beitrag zur Behandlung der Gesichtslagen v. Rob. Ziegenspeck. (20 S.) 886.
285. Ueber hochgelegene Mastdarmstrikturen v. Herm. Kümmel. (20 S.) 886.
286. Ueber Heilgymnastik u. Massage. Nach e. im ärztl. Verein in Hamburg geh. Vortrage. Von H. Nebel. (20 S.) 886.
287. Ueber die Behandlung der puerperalen Sepsis v. Max Runge. (22 S.) 886.
288. Ueber die Verwendung der Jodoformgaze in der Gynäkologie. Von Heinr. Fritsch. (22 S.) 886.
289. Ueber Diagnostik u. Therapie der Magenkrankheiten. Von Frz. Riegel. (38 S.) 886.
290. Die Ernährung d. Fötus. Von M. Wiener. (28 S.) 886.

Sammlung kunstgewerblicher u. kunsthistorischer Vorträge. Nr. 7—12. gr. 8. Leipzig, Schloemp. n. 7. —

7. Richard Wagner u. die deutsche Kultur. Ein

Vortrag von Hans v. Wolzogen. (40 S.) 883. n. 1. —

8. Geschichte der Seidenwebekunst vom Mittelalter bis zum Rokoko v. Eug. Kalesse. (37 S.) 883. n. 1. 50

9. Das arabische Ornament. Vortrag v. Gust. Diercks. (32 S.) 883. n. 1. —

10. Die Reorganisation der Berliner Kunstakademie als Kunstlehranstalt v. M. Schasler. (48 S.) 884. 1. —

11. Kunst u. Industrie in Indien v. A. Kisa. (46 S.) 885. n. 1. 50

12. Hans Makart u. seine bleibende Bedeutung. Von Rob. Stiassny. Mit e. Radirg. v. W. Hecht. (32 S.) 886. n. 1. —

Sammlung musikalischer Vorträge. Hrsg.: Paul Graf Waldersee. Nr. 49—62. Lex.-8. Leipzig, Breitkopf & Härtel. Subscr.-Pr. à — 75; Einzelpr. à 1. —

49. Die Söhne Sebastian Bach's. Von C. H. Bitter. (40 S.) 883.

50. Der Ausdruck in der Musik. Von Hugo Riemann. (24 S.) 883.

51. Die Symphonie in ihrer historischen Entwickelung. Von E. Bagge. (24 S.) 883.

52. Giovanni Pierluigi da Palestrina u. die Gesammt-Ausgabe seiner Werke. Von Paul Graf Waldersee. (32 S.) 883.

53. 54. Richard Wagner. Von Rich. Pohl. (78 S.) 883.

55. 56. Georg Friedrich Händel. Von Herm. Kretzschmar. (88 S.) 883. Einzelpr. n. 2. 50

57. Giacomo Meyerbeer. Sein Leben u. seine Werke. Von A. Niggli. (38 S.) 884.

58. Carl Loewe, e. ästhetische Beurtheilung. Von Max Runze. (32 S.) 884.

59. 60. Ueber Johann Jacob Froberger's Leben u. Bedeutung f. die Geschichte der Klaviersuite. Von Frz. Beier. (42 S.) 884.

61. 62. Die musikalische Lage u. der Volksunterricht in Frankreich v. Johs. Weber. Deutsch v. L. Ramann. (72 S.) 884.

— naturwissenschaftlicher Vorträge, hrsg. v. Ernst Huth. 1—5. Hft. gr. 8. Berlin 886. Friedländer & Sohn. n. 3. 30

1. Das periodische Gesetz der Atomgewichte u. das natürliche System der Elemente v. Ernst Huth. Mit 1 farb. Taf. (18 S.) n. 1. —

2. Darstellung der verschiedenen Theorien der Sonnenflecken v. H. Dreger. (26 S.) n. — 60

3. Ameisen als Pflanzenschutz. Verzeichniss der bisher bekannten myrmekophilen Pflanzen, bearb. v. Ernst Huth. Mit 3 Fig.-Taf. (15 S.) n. — 50

4. Ueber die untere Temperaturgrenze, bei welcher niedere Thiere noch existieren können. Von Hugo Roedel. (36 S.) n. — 60

5. Geschichtliche Entwickelung unserer Kenntniss der Ptomaine u. verwandter Körper v. Wiebecke. (22 S.) n. — 60

— populär-wissenschaftlicher Vorträge u. Abhandlungen. Hrsg. v. Alfr. Brennwald. 1—4. Hft. gr. 8. Thalweil, Brennwald. n. 1. 30

1. Ein dunkler Punkt in unsern Wohnräumen. Von Jenny. (27 S.) 884. n. — 30

2. 3. Türkenglaube u. Türkensitte. Von Hermann. (22 u. 24 S.) à n. — 30

4. Ueber Einführung d. Patent- u. Musterschutzes. Vortrag, von J. Schäppi. 2. Aufl. (26 S.) 885. n. — 40

— von Vorträgen, geh. im Mannheimer Altertumsverein. 1. Serie. gr. 8. (II, 20; 32; 24 u. 19 S. m. 3 Karten.) Mannheim 885. Löffler. n. 1. 50

— von Vorträgen. Hrsg. v. W. Frommel u. Friedr. Pfaff. 8. Bd. 9. u. 10. Hft. 8. Heidelberg 883. C. Winter. à n. — 80

9. Annette v. Droste-Hülshoff. Ein Lebens- u. Literaturbild v. Rob. Koenig. (48 S.)

10. Die Kulturzustände der Restaurationsepoche in England. Vortrag v. Gfr. Kinkel jun. (33 S.)

Sammlung von Vorträgen. Hrsg. v. W. Frommel u. Friedr. Pfaff. 9. Bd. 10 Hfte. 8. Heidelberg 883. C. Winter. pro Bd. v. 10 Hftn. n. 4. —; Einzelpr. n. 6. 40

1. Die naturwissenschaftliche Schöpfungsgeschichte im Vergleich m. der biblischen. Ein Vortrag v. U. Stutz. (28 S.) n. — 60

2. Die Wohnungsverhältnisse in den größeren Städten. Von P. Chr. Hansen. (52 S.) n. — 60

3. Über den Unsterblichkeitsglauben. Ein Vortrag v. C. Schaarschmidt. (34 S.) n. — 60

4. 5. Das Verbrechertum. 3 Vorträge v. Karl Fulda. [1. Ursachen, Zunahme u. Bekämpfg. 2. Die Vagabundenfrage. 3. Die Deportationsfrage. — Anhang.] (80 S.) n. 1. 60

6. Die Religion der alten Aegypter. Von L. Krummel. (29 S.) n. — 60

7. Die ersten Märtyrer d. evangelischen Glaubens in der Schweiz. Von Rud. Staehelin. (31 S.) n. — 60

8. 9. Die königl. landwirthschaftliche Gesellschaft v. England [Royal Agricultural Society of England] u. ihr Werk. Von Max Eyth. (55 S.) n. 1. —

10. Die revidierte Lutherbibel. Von P. Kleinert. (37 S.) n. — 80

— dasselbe. 10. Bd. 10 Hfte. 8. Ebend. 883. pro Bd. v. 10 Hftn. n. 4. —; Einzelpr. n. 6. —

1. Die Gegensätze unserer Zeit. Von Rud. Sohm. (36 S.) n. — 80

2. 3. Peter Paul Rubens als Gelehrter, Diplomat, Künstler u. Mensch. Ein Charakterbild v. Frdr. Goeler v. Ravensburg. (68 S.) n. 1. 20

4. Das jetzige Klassenturnen u. die Bewegungsspiele. Von H. Wortmann. (24 S.) n. — 60

5. Ein Jahr aus Luthers Leben. [1525.] Vortrag v. Rob. Kübel. (41 S.) n. — 80

6. 7. Irland u. Sicilien. Von A. v. Lasaulx. (50 S.) n. 1. —

8. Was ist religiöse Schwärmerei? Vortrag, geh. v. A. Schlatter. (29 S.) n. — 60

9. 10. Parzival u. Parsifal. Vortrag v. H. F. Müller. (52 S.) n. 1. —

— dasselbe. 11. Bd. 10 Hfte. 8. Ebend. 884. pro Bd. v. 10 Hftn. n. 4. —; Einzelpr. n. 6. 60

1. Kolonieen als Bedürfnis unserer nationalen Entwickelung. Von Timotheus Fabri. (26 S.) n. — 40

2. 3. Ein parlamentarisches Votum üb. das Aktienwesen. Von Fr. Perrot. (96 S.) n. 1. 60

4. Das geistliche Schauspiel v. den zehn Jungfrauen. Ein Vortrag v. G. Bossert. (36 S.) n. — 80

5. 6. Dr. M. Luthers Ansichten üb. Ehe, Haus, Erziehung u. Unterricht, m. besond. Berücksicht. der neuesten kathol. Polemik. Vortrag v. G. F. Fuchs. (60 S.) n. 1. —

7. Die deutsche Druckschrift u. ihr Verhältnis zum Kunststil alter u. neuer Zeit. Vortrag v. Rhold. Bechstein. (32 S.) n. — 60

8. Alte u. neu deutsche Renaissance an u. in unserer Wohnung. Von Thdr. v. Huber-Liebenau. (40 S.) n. — 80

9. Das Armenwesen in Baden. Referat f. die Pfarrconferenz der Diözese Oberheidelberg. Von H. Schmitthenner. (27 S.) n. — 60

10. Johanna Fichte. Ein Lebensbild. Vortrag v. Arth. Richter. (34 S.) n. — 80

— dasselbe. 12. Bd. 10 Hfte. 8. Ebend. 884. pro Bd. v. 10 Hftn. n. 4. —; Einzelpr. n. 6. 60

1. Die Grenzen der Sichtbarkeit. Von Frdr. Pfaff. (88 S.) n. — 80

2. Norwegen. Ein geograph. Charakterbild. Vortrag v. Theobald Fischer. (48 S.) n. — 80

3. Deutsches Städteleben am Schluß d. Mittelalters. Von K. Lamprecht. (36 S.) n. — 80

4. 5. Wie das Siebengebirge entstand. Vortrag, geh. am 1. März 1884 zu Bonn von A. v. Lasaulx. (55 S.) n. 1. —

6. Das Differenzgeschäft. Von D. Lahusen. (27 S.) n. — 60

7—9. Das Hinterland v. Walfischbai u. Angra Pequena. Eine Uebersicht der Kulturarbeit deutscher Missionare u. der seither. Entwicklg. d. deutschen Handels in Südwestafrika. Von C. G. Büttner. (124 S.) n. 2. —

10. Ueber den deutschen Orden u. seine Berufung nach Preußen. Von Adf. Koch. (81 S.) n. — 60

Sammlung von Vorträgen. Hrsg. v. W. Frommel u. Frdr. Pfaff. 13. Bd. 10 Hfte. gr. 8. Heidelberg 885. C. Winter. pro Bd. v. 10 Hftn. n. 4. —; Einzelpr. n. 6. 40

1. Die Bedeutung der Philosophie f. die Erfahrungswissenschaften. Vortrag v. J. Kreyenbühl. (24 S.) n. — 60

2. 3. Die Darstellung d. Schmerzes in der Plastik. Von Gust. Portig. (80 S.) n. 1. 60

4. 5. Die Prov. Rio Grande do Sul, Brasilien, u. die deutsche Auswanderung dahin. Von Wilh. Breitenbach. (75 S.) n. 1. —

6. 7. Die Probebibel. Beleuchtet v. L. Krummel. Vortrag. (70 S.) n. 1. —

8. Kolonialpolitik u. Christentum, betrachtet m. Hinblick auf die deutschen Unternehmungen in Südwestafrika v. C. G. Büttner. (47 S.) n. — 80

9. Der altchinesische Monotheismus. Vortrag v. B. v. Strauß u. Torney. (28 S.) n. — 60

10. Die deutsche Sprachgrenze in den Alpen. Von Ludw. Neumann. (36 S. m. 1 autogr. u. color. Karte.) n. — 80

— dasselbe. 14. Bd. 10 Hfte. 8. Ebend. 885. pro Bd. v. 10 Hftn. n. 4. —; Einzelpr. n. 7. 80

1—3. Die afrikanische Konferenz u. der Congostaat. Von C. A. Patzig. (120 S.) n. 2. —

4. Ueber vergleichende Mythologie. Von J. Mähly. (38 S.) n. — 80

5. Die deutsche Auswanderung. Von K. Th. Eheberg. (34 S.) n. — 80

6. Der evangelische Kirchenbau. Vortrag v. R. Baumeister. Mit 10 Abbildgn. (45 S.) n. — 80

7. 8. Arizona. Studien u. Wahrnehmgn. Nach Vorträgen v. G. vom Rath. (112 S.) n. 1. 80

9. Die Zigeuner. Vortrag von Rob. Frhr. v. Kittlitz. (44 S.) n. — 80

10. Justus Möser, der deutsche Patriot, als Apologet d. Christentums. Von Frz. Blanckmeister. (42 S.) n. — 80

— dasselbe. 15. Bd. 10 Hfte. 8. Ebend. 886. pro Bd. v. 10 Hftn. n. 4. —; Einzelpr. n. 6. 20

1. 2. Die Gletscher der Alpen, ihre Bewegung u. Wirkung. Von Frdr. Pfaff. Mit 7 Abbildgn. (82 S.) n. 1. 20

3. 4. Das religiöse Leben d. deutschen Volkes am Ausgange d. Mittelalters. Von Rich. Weitbrecht. (58 S.) n. 1. —

5. Geisteskrankheit u. Charakter. Vortrag v. Ferd. Karrer. (27 S.) n. — 60

6—8. Babylonien, das reichste Land in der Vorzeit u. das lohnendste Kolonisationsfeld für die Gegenwart. Ein Vorschlag zur Kolonisation d. Orients v. A. Sprenger. Mit e. Anh.: Metrologie der Araber u. 1 Kärtchen v. Babylonien, Mesopotamien u. Syrien. (128 S.) n. 2. —

9. Romantik u. germanische Philologie. Vortrag v. Frdr. Pfaff. (33 S.) n. — 60

10. Die öffentliche Meinung in England u. ihr Ausdruck im 16—17. Jahrh. Kulturhistorischer Vortrag v. K. Böddeker. (40 S.) n. — 80

— von Vorträgen aus dem Gebiete der Stenographie, hrsg. vom königl. stenogr. Institut zu Dresden. Nr. 5—9. Dresden, G. Dietze. à n.n. — 25

5. Zum 25jährigen Jubiläum der Dresdner Beschlüsse. Rede v. Ed. Oppermann. (18 S.) 883.

6. Die Stenographie im Eisenbahndienst. Denkschrift, dem königl. preuss. Ministerium der öffentl. Arbeiten überreicht am 8. Septbr. 1883 v. Ed. Uhl [Berlin]. (14 S.) 884.

7. Prozess d. Neustolzeaners Max Bäckler-Berlin gegen den Gabelsbergerianer Dr. Max Weiss-Dresden, Stenograph d. deutschen Reichstags. Auf Grund e. v. Dr. Weiss in den erweit. Sitzgn. d. k. stenogr. Instituts geh. Vortrags hrsg. vom königl. stenograph. Institut. (35 S.) 885.

8. Das erste Decennium d. Damen-Vereins f. Gabelsberger'sche Stenographie zu Dresden. Vortrag, geh. v. Maria Schmidt. (15 S.) 885.

9. Das stenographische Vereinswesen. Vortrag, geh. bei der XXIV. Generalversammlg. d. Gesammtvereins der Gabelsberger'schen Stenographenvereine im Königr. Sachsen zu Leisnig am 21. Juni 1885 v. Hugo Häpe. (13 S.) 885.

Sammlungen, die, d. historischen Vereines f. Oberbayern. 3. Abth.: Münzen. Medaillen. Siegel. Antiquarische Gegenstände. 3. Hft.: Antiquarische Gegenstände [Alterthums-Sammlg.]. A. u. d. T.: Die Alterthums-Sammlg. d. histor. Vereines v. Oberbayern nach ihrem Bestande am 1. Febr. 1884. Beschrieben durch J. Würdinger. (VII, 60 S.) München 884. (Franz' Verl.) n.n. 2. 30

— für Liebhaber christlicher Wahrheit u. Gottseligkeit. Jahrg. 1883—1886. à 12 Nrn. (2 B.) 8. Basel, Spittler. à Jahrg. n. 1. 40

— von Zeichnungen f. die Hütte. Jahrg. 1882. 40 Bl. in color. Kpfrst. Imp.-Fol. Berlin 882. (Ernst & Korn.) n. 24. —; Notizen dazu. 4. (17 S.) n.n. 1. 50

Sammter, A., der Rabbi v. Liegnitz. Historische Erzählg. aus der Hussitenzeit. gr. 8. (156 S.) Berlin 887. Pinn. n. 1. 50

Samson, H. v., an K. D. Kawelin. Entgegnung. gr. 8. (43 S.) Dorpat 883. Karow. n. 1. —

— „vom Lande". Vergleichende agrarpolit. Studie üb. Mittelrussland u. Livland. gr. 8. (176 S.) Ebend. 883. n. 3. 60

Samson-Himmelstjerna, Jac. v., üb. leukämisches Blut, nebst Beobachtungen betr. die Entstehung d. Fibrinfermentes. gr. 8. (44 S.) Dorpat 885. (Karow.) n. 1. —

Samson, Pet. Heinr., die Entwickelung der Freien u. Hansestadt Hamburg von der Entstehung bis auf die Gegenwart in geschichtl. Grundzügen, Sagen u. Biographien, nach den Quellen chronologisch geordnet. 2. Aufl. gr. 8. (VIII, 119 S. m. 1 chromolith. Karte.) Hamburg 886. Stefanski. cart. n. 2. 50

— Heimatkunde der Freien u. Hansestadt Hamburg. Ein Führer durch das Hamburger Gebiet u. die Grenznachbarschaft, in elementarer Entwickelg. der geograph. Grundbegriffe, nebst e. Anh. enth. Fragen üb. den Globus. 2., auch durch Pläne u. Karten verb. u. verm. Aufl. gr. 8. (VIII, 56 S.) Ebend. 885. cart. n. 1. 50

— Lehrstoff f. den Anschauungsunterricht im 1. u. 2. Schuljahre. Zugleich e. Vorstufe f. den Unterricht in der Heimatkunde. gr. 8. (IV, 28 S.) Hamburg 883. Kriebel. n. — 50

Samsreither, J. B., der Wohlanstand. Belehrungen u. Regeln üb. Menschenkenntniß, Anstand, Höflichkeit, Artigkeit, feine Lebensart u. Lebensweisheit. gr. 8. (XII, 256 S.) Altona 883. (Send.) n. 3. —

Samter, Heinr., Theorie d. Gaussischen Pendels m. Rücksicht auf die Rotation der Erde. gr. 8. (99 S.) Greifswald 886. (Berlin, Mayer & Müller.) n. 1. 60

Samtleben, Gust., Geulincx, e. Vorgänger Spinozas. gr. 8. (48 S.) Halle 885. (Schmidt.) n. 1. 20

Samuel, S., die subkutane Infusion als Behandlungsmethode der Cholera. gr. 8. (75 S.) Stuttgart 883. Enke. n. 2. —

Samuely, J., üb. Massage. Für die Bedürfnisse d. prakt. Arztes bearb. gr. 8. (68 S.) Wien 883. Braumüller. n. 1. 60

— über akute u. chronische Myositis u. ihre Behandlung in den Badeorten. Vortrag. 8. (16 S.) Berlin 883. Grosser. n. — 50

— das Sünden-Register d. Curgastes u. die normale Diätetik f. Badecuren. 12. (48 S.) Prag 883. Dominicus. n. — 80

— der Curort Teplitz-Schönau in Böhmen. Ein

von 1681 bis 1712. Bearb. v. Mart. Kothing u. Joh. B. Kälin. 2 Thle. (XXVI, 2628 u. Register 169 S.)

Sammlung, amtliche, der Acten aus der Zeit der helvetischen Republik [1798—1803] im Anschluss an die Sammlung der ältern eidg. Abschiede. Hrsg. auf Anordng. der Bundesbehörden. Bearb. v. Joh. Strickler. 1. Bd.: Octbr. 1797 bis Ende Mai 1798. gr. 4. (XVI, 1244 S.) Bern 886. (Basel, Schneider.) n. 14. —

— arithmetischer u. geometrischer Aufgaben zur Vorbereitung auf die Lehrerinnen-Prüfung. Auf Grund der Prüfung. Auf Grund der Prüfungs-Ordng. vom 24. Apr. 1874 bearb. v. e. ehemal. Mitgliede zweier preuß. Prüfungs-Kommissionen f. Lehrerinnen an Volks-, mittleren u. höheren Mädchenschulen. 4. Aufl. 8. (IV, 68 S.) Düsseldorf 884. Deiters. n. 1. —

— der ergänzenden Bestimmungen zur Estländischen Bauer-Verordnung vom J. 1856 u. anderer Gesetze, betr. die Estländischen Bauern. Zusammengestellt in Folge d. vom 23. März 1876 datirten Antrags d. Hrn. Ministers der inneren Angelegenheiten an den Estländ. Gouverneur. Lex.-8. (137 S.) Reval 877. (Wassermann.) n. 2. —

— der schönsten Bilder der Dresdener Gemälde-Gallerie u. d. Berliner Museums in vorzüglichen Photographiedruck-Reproductionen nach Hoffmann'schen Originalen. Mit Künstler-Biographien. (In 40 Lfgn.) 1. u. 2. Lfg. gr. 8. (à 6 Bl. m. Text S. 1—8.) Berlin 883. Toussaint. à n. 1. —

— bernischer Biographien. Hrsg. v. dem histor. Verein des Kantons Bern. 1—6. Hft. gr. 8. (480 S.) Bern 885. 86. Schmid, Francke & Co. à n. 1. 20

— illustrirter Biographien deutscher Fürsten u. großer deutscher Männer. 1. u. 2. Bd. 12. Berlin 885. M. Schulze. à n. — 50

1. Fürst Bismarck 1815—1885. Eine Festschrift f. das deutsche Volk v. W. Wohlgemuth. 2. Aufl. (96 S.)
2. Zwei Feldmarschälle. Eine Erinnerungsschrift an zwei deutsche Helden f. das deutsche Volk v. W. Wohlgemuth. Mit 24 Illustr. v. Jul. Schlattmann. (98 S.)

— von Darstellungen aus der Geschichte, zum Uebersetzen ins Französische bearb. v. Rolfs. 3. Bdchn. 12. Köln 886. A. J. Tonger's Sort. n. — 75

Der Seeweg nach Ost-Indien im XV. u. XVI. Jahrh. (78 S.)

— der griechischen Dialect-Inschriften v. F. Bechtel, A. Bezzenberger, F. Blass, H. Collitz, W. Deecke, A. Fick, G. Hinrichs, R. Meister, hrsg. v. Herm. Collitz. 1. Bd. 4 Hfte. 2. Bd. 1. Hft. u. 4. Bd. 1. Hft. gr. 8. Göttingen, Vandenhoeck & Ruprecht's Verl. n. 22. 60

I. 1. Die griechisch-kyprischen Inschriften in epichorischer Schrift. Text u. Umschreibg. m. e. (autogr.) Schrifttaf. v. Wilh. Deecke. (80 S.) 883. n. 2. 50

2. Die aeolischen Inschriften v. Fritz Bechtel. [Anh.: Die Gedichte der Balbilla v. Herm. Collitz.] Die thessalischen Inschriften v. Aug. Fick. (S. 81—143.) 883. n. 2. —

3. Die boeotischen Inschriften v. Rich. Meister. (S. 145—309.) 884. n. 5. —

4 Die eleischen Inschriften v. Frdr. Blass. Die arkadischen Inschriften v. Fritz Bechtel. Die pamphylischen Inschriften v. Adb. Bezzenberger. Nachträge zu den äolischen Inschriften v. Fritz Bechtel. Nachträge zu den thessalischen Inschriften v. Aug. Fick. Nachträge u. Berichtigungen zu den böotischen Inschriften v. Rich. Meister. (1. Bd. VI u. S. 314—410.) 884. n. 4. 50

II. 1. Die epirotischen, akarnanischen, aetolischen, aenianischen u. phthiotischen Inschriften v. Aug. Fick. Die lokrischen u. phokischen Inschriften v. Fritz Bechtel. (80 S.) 885. n. 3. 60

IV. 1. Wortregister zum 1. Bde. v. Rich. Meister. (IV, 106 S.) 886. n. 5. —

Sammlung schweizerischer Dialektstücke. Nr. 5—7 u. 10. 8. Zürich, Schmidt. n. 3. 30

5. De Vetter Liederli. E Lustspiel i 4 Ufzüge vom Ulr. Farner. (68 S.) 885. n. 1. 20
6. „De Gast". Lustspiel in 2 Akten v. Aug. Corrodi. Für die Jugend bestimmt. (28 S.) 885. n. — 60
7. Drei dramatische Stücke v. Aug. Corrodi. [Haube u. Pantoffel. Scherz bei der Hochzeitstafel f. 2 größere Mädchen. — E Sprechstund. Vorspiel in 1 Akt. — Vor em Bal. Lustspiel in 1 Akt.] (48 S.) 885. n. 1. —
10. De rächt Herr Meyer od. wer ander Lüt aschwärzt, wird selber schwarz. Schwank in 1 Aufzug v. Ulr. Farner. (24 S.) 887. n. — 50

— von Aufgaben bei niederen Dienstprüfungen im Departement d. Innern. 16. (V, 103 S.) Stuttgart 883. Kohlhammer. n. 1. —

— der wichtigsten Diözesan-Verordnungen, welche v. der fürstbischöflichen u. bischöflichen Behörde zu Fulda von dem J. 1780—1885 erlassen worden sind. [Im Auftrage d. bischöfl. General-Vikariates.] gr. 4. (III, 196 S.) Fulda 886. (Maier.) n. 4. —

— von gesetzlichen u. reglementarischen Bestimmungen f. die Eisenbahnen Deutschlands. 3. Aufl. gr. 8. (271 S.) Berlin 886. C. Heymann's Verl. cart. n. 4. —

— reglementarischer Bestimmungen f. die Eisenbahnen Deutschlands. Durchgesehen im Reichs-Eisenbahn-Amt. 12. (43, 19, 57, 23 u. 24 S.) Berlin 886. Ernst & Korn. cart. n.n. 3. —

— englischer Denkmäler in kritischen Ausgaben. 4. u. 5. Bd. gr. 8. Berlin, Weidmann. n. 13. —; Ausg. auf Kupferdr.-Pap. n. 19. — (1—5.: n. 29. 60)

4. Wulfstan. Sammlung der ihm geschriebenen Homilien, nebst Untersuchgn. üb. ihre Echtheit hrsg. v. Arth. Napier. 1. Abtlg. Text u. Varianten. (X, 318 S.) 883. n. 7. —; Ausg. auf Kupferdr.-Pap. n. 10. —
5. Floris and Blauncheflur. Mittelenglisches Gedicht aus dem 13. Jahrh., nebst litterar. Untersuchg. u. e. Abriss üb. die Verbreitg. der Sage in d. europ. Litteratur hrsg. v. Emil Hausknecht. (XX, 252 S.) 885. n. 6. —; Ausg. auf Kupferdr.-Pap. n. 9. —

— gediegener interessanter Werke der englischen Litteratur, begründet v. P. Weeg, fortgesetzt v. J. H. Schmick. 1, 9., 19. u. 20. Bdchn. 8. Leipzig, Lenz. 5. 15

1. A christmas carol by Charles Dickens, f. den Schul- u. Privatunterricht bearb. v. P. Weeg, in 3. Aufl. m. Vorbemerkgn., durchgreif. Berichtiggn. u. vielen zusätzl. Erklärgn. versehen v. J. H. Schmick. (VII, 98 S.) 883. — 90
9. Tales of the Alhambra. By Washington Irving. Für den Schul- u. Privatunterricht bearb. v. P. Weeg. 2. Aufl., rev. u. vielfach verb. v. J. H. Schmick. (VII, 160 S.) 884. 1. 50
19. Proben englischer Beredtsamkeit als Lesestoff in der Prima der Realgymnasien u. Oberrealschulen, erläutert v. J. H. Schmick. 1. Bdchn. (VI, 74 S.) 883. — 75
20. Masterman Ready. By Captain Fr. Marryat, für den Schul- u. Privatgebrauch bearb. v. J. H. Schmick. (V, 212 S.) 885. n. 2. —

— von Entscheidungen d. obersten Landesgerichtes f. Bayern in Gegenständen d. Civilrechtes u. Civilprozesses. Unter Aufsicht u. Leitg. d. königl. Justizministeriums hrsg. 9. Bd. 5. u. 6. Hft. gr. 8. (XXVII u. S. 599—820.) Erlangen 883. Palm & Enke. n. 3. 28; (9. Bd. cplt.: n. 11. 28)

— dasselbe. 10. Bd. gr. 8. (664 S.) Ebend. 883. n. 12. 32

— dasselbe. 11. Bd. 1. u. 2. Hft. gr. 8. (S. 1—305.) Ebend. 886. n. 6. 70

— dasselbe, in Gegenständen d. Strafrechtes u. Strafprozesses. 2. Bd. 2—4. Hft. gr. 8. (III u. S. 151—635.) Ebend. 883. 84. n. 8. 32 (2. Bd. cplt.: n. 10. 32)

— dasselbe. 3. Bd. gr. 8. (III, 670 S.) Ebend. 884—86. n. 12. 47

Sammlung der Evangelien, welche in den katholischen Schulen erklärt zu werden pflegen. 38. Aufl. 8. (48 S.) Breslau 883. Korn. — 15

— von Formeln aus dem Gebiete der Algebra, Geometrie, Stereometrie, Trigonometrie, Mechanik u. Astronomie, zusammengestellt f. den Schulgebrauch. Mit 11 (eingedr.) Phototypien. 8. (16 S.) Würzburg 885. Stahel. n. — 50

— der wichtigeren im Königr. Württemberg giltigen Forst- u. Jagdgesetze, nebst Vollzugsvorschriften, sowie Beispiele üb. schriftl. Ausfertiggn. der k. Forstwächter. 12. (IV, 231 S.) Stuttgart 881. (Metzler's Sort.) n. 1. 60

— französischer Neudrucke, hrsg. v. Karl Vollmöller. Nr. 6. 8. Heilbronn 883. Henninger. n. 2. 60
  Rob. Garnier, les tragedies. Treuer Abdruck der 1. Gesammtausg. [Paris 1585], m. den Varianten aller vorhergeh. Ausgaben u. e. Glossar hrsg. v. Wendelin Foerster. 4. [Schluss-] Bd.: Bradamante, Glossar. (XIX—XLI u. S. 555—680.) (cplt.: n. 11. 80.)

— gemeinnütziger Original-Vorträge u. Abhandlungen auf dem Gebiete d. Gartenbaues. Organ der freien geist. Vereinigg. zur Hebg. u. Wahrg. der gesamten gärtner. Interessen, sowohl in polit. als auch in geschäftl. u. kultureller Beziehg. Hrsg. v. Fr. Sensenhauser, unter Mitwirkg. tücht. Fachmänner. 5. u. 6. Serie. à 12 Hfte. [49—72. Hft. der ganzen Reihe.] (2 B.) gr. 8. Berlin 883. Sensenhauser. à Serie n. 3. —; einzelne Hfte. à n. — 25

— christlichkatholischer Gebete u. Lieder zum Gebrauch beim öffentlichen Gottesdienste. Entnommen dem Leitmeritzer Diözesan-Gesangbuche. 5. Aufl. 8. (VI, 112 u. 120 S. m. 1 Stahlst.) Brüx 887. Kunz. n. — 50; geb. n. — 70

— von Gebeten u. Kirchenliedern zum Gebrauche der katholischen Schüler an Gymnasien u. höheren Bürgerschulen. Mit Berücksicht. d. neuen Lehrplanes f. den kathol. Religionsunterricht an Mittelschulen. 8. (38 S.) Freiburg i/Br. 884. Herder. n. — 25

— germanistischer Hilfsmittel f. den praktischen Studienzweck. 2—5. Bd. 8. Halle, Buchh. d. Waisenhauses. n. 9. 60
  2. Kudrun, hrsg. v. Ernst Martin. Textabdruck m. den Lesarten der Handschrift u. Bezeichng. der echten Texte. (XXXIV, 207 S.) 883. n. 2. 40
  3. Die gotische Bibel d. Vulfila, nebst der Skeireins, dem Kalender u. den Urkunden hrsg. v. Ernst Bernhardt. Textabdr. m. Angaben der handschriftl. Lesarten, nebst Glossar. (VII, 334 S.) 884. n. 3. —
  4. Kurzgefasste gotische Grammatik. Anh. zur got. Bibel d. Vulfila [Sammlg. germanist. Hilfsmittel, Bd. III] v. Ernst Bernhardt. (VIII, 120 S.) 885. n. 1. 80
  5. Walther v. d. Vogelweide. Textausg. v. W. Wilmanns. (VIII, 192 S.) 886. n. 2. 40

— gesellschaftswissenschaftlicher Aufsätze. 1. Hft. gr. 8. München 885. Ernst. n. — 40
  Die Philosophie in der Sozialdemokratie. Von Johs. Huber. Zuerst veröffentlicht in der Beilage zur „Allgemeinen Zeitung" 1878. (32 S.)

— der in Bayern geltenden Gesetze u. Erlasse üb. Maaß- u. Gewichtswesen. Ergänzende Erlasse. 5. Folge. Amtlich rev. Ausg. gr. 8. (36 S.) München 884. Th. Ackermann Verl. n. — 50 (1—5: n. 2. 90)

— der Gesetze u. Verordnungen f. Bosnien u. die Hercegovina. 1878—1880. Generalregister. Lex.-8. (15 S.) Wien 882. Hof- u. Staatsdruckerei. n. — 40

— der in Elsaß-Lothringen geltenden Gesetze. Auf Anregg. v. Möller bearb. u. hrsg. in Verbindg. m. anderen reichsländ. Juristen v. F. Althoff, R. Förtsch, A. Harseim, A. Keller u. Leoni. 3. u. 4. Bd. Lex.-8. Straßburg, Trübner. n.n. 42. — (1—4. n.n. 78. —)
  3. Deutsche Einzelgesetze. (1188 u. Registerbd. 181 S.) 881. n.n. 24. —
  4. Gesetze aus der Zeit von 1881 bis 1886 m. alphabet. Register f. alle 4 Bde. Bearb. v. R. Förtsch. (XXXII, 815 S.) 886. n.n. 18. —; geb. n.n. 20. —

— auf die Polizei-Verwaltung Bezug habender Gesetze u. Vorschriften, sowie der f. die Stadt Hagen i. W. erlassenen Local-Polizei-Verordnungen. Nach amtl. Quellen zusammengestellt. 8. (XII, 516 S.) Hagen 886. Risel & Co. n. 6. —

Sammlung der Gesetze u. Verordnungen in Kirchen- u. Schulsachen f. das Fürstenth. Schwarzburg-Rudolstadt. gr. 8. (X, 292 S.) Rudolstadt 886. Hofbuchdr. geb. n. 3. 50

— der Gesetze u. Verordnungen gegen die Einschleppung u. Verbreitung der Reblaus [Phylloxera vastatrix] aus den J. 1875 bis 1885 inclusive, chronologisch geordnet. Hrsg. im h. Auftrage d. k. k. Ackerbau-Ministeriums v. der k. k. Statthalterei f. Tirol u. Vorarlberg. 12. (VI, 74 S.) Innsbruck 886. Wagner. n. — 80

— der Gesetze u. Verordnungen betr. den See- u. Hafendienst in der österreichisch-ungarischen Monarchie, hrsg. v. den Seebehörden in Triest u. Fiume. 3 Bde. u. Beilagenbd. (Deutsch u. italienisch.) Lex.-8. (XI, 538; IX, 815 u. IX, 382 S.) Triest 883—86. (Schimpff.) n. 32. —

— der f. die österreichischen Universitäten giltigen Gesetze u. Verordnungen, hrsg. im Auftrage u. m. Benützung der amtl. Quellen d. k. k. Ministeriums f. Cultus u. Unterricht. 2. Suppl.-Bd., red. von Frdr. Frhrn. v. Schweickhardt. gr. 8. (VI u. S. 755—1109.) Wien 883. (Manz.) n. 6. — (Hauptwerk m. 1. u. 2. Suppl.: n. 20. —)

— dasselbe. 2. Aufl. 2 Bde. gr. 8. (VII, 1109 S.) Ebend. 885. n.n. 18. —

— von Gesetzen u. Verordnungen betr. die Verfassung u. die Verwaltung v. Elsaß-Lothringen. Hrsg. vom Büreau d. Landesausschusses v. Elsaß-Lothringen. 2. Aufl. m. den seit 1880 eingetretenen Verändergn. 8. (60 S.) Straßburg 883. (Schultz & Co.) n. 1. —

— von Gesetzen, Verordnungen, u. Geschäftsordnung d. Landesausschusses v. Elsaß-Lothringen Erlassen u. Verfügungen betr. die Justizverwaltung in Elsaß-Lothringen. Im amtl. Auftrage bearb. 7—10. Bd. gr. 8. Ebend. n.n. 38. — (1—10.: n.n. 86. —)
  7. [Nr. 1262—1432.] (XXXI, 400 S.) 883. n. 9. —. — 8. [Nr. 1433—1595.] (XXIV, 440 S.) 884. n.n. 10. —. — 9. [Nr. 1596—1767.] (XXVIII, 521 S.) 885. n.n. 11. —. — 10. [Nr. 1768—1926.] (XXIV, 312 S.) 886. n.n. 8. —

— dasselbe. General-Register zum 1—9. Bd. gr. 8. (298 S.) Ebend. 885. n. 10. —

— kurzer Grammatiken germanischer Dialecte. Hrsg. v. Wilh. Braune. Ergänzungsreihe I—V. gr. 8. Halle, Niemeyer. n. 17. 80
  I. Nominale Stammbildungslehre der altgermanischen Dialecte v. Frdr. Kluge. (XII, 108 S.) 886. n. 2. 60
  II. Mittelhochdeutsche Grammatik v. Herm. Paul. 2. Aufl. (VII, 162 S.) 884. n. 2. 60
  III. Angelsächsische Grammatik. Von Ed. Sievers. 2. Aufl. (XII, 228 S.) 886. n. 4. 20
  IV. Altnordische Grammatik. I. Altisländische u. altnorwegische Grammatik unter Berücksicht. d. Urnordischen v. Adf. Noreen. (XII, 212 S.) 884. n. 3. 80
  V. Althochdeutsche Grammatik v. Wilh. Braune. (XVI, 260 S.) 886. n. 4. 60

— von Heizungs- u. Lüftungsanlagen, ausgeführt durch das Eisenwerk Kaiserslautern. Hrsg. gelegentlich der Ausstellg. auf dem Gebiete der Hygiene in Berlin 1883. qu. Fol. (27 Chromolith.) Nebst erläut. Text. gr. 4. (40 S.) Berlin 883. (Polytechn. Buchh.) In Mappe. n.n. 9. —

— historischer Bildnisse u. Trachten aus dem Stammbuch der Katharina v. Canstein. Unter Mitwirkg. d. Frhr. C. R. v. Canstein hrsg. v. F. Warnecke. 10 Lfgn. Fol. (à 12 Lichtdr.-Taf.) Berlin 885. 86. H. S. Hermann. Subscr.-Pr. à n. 7. 50; Sammelkasten dazu n.n. 10. —

— wissenschaftlicher Abhandlungen aus dem Gebiete der Homöopathie. Hrsg. v. Carl Heingke. 3. Serie. 6 Hfte. gr. 8. (1. u. 2. Hft. 104 S.) Leipzig 883. Dr. W. Schwabe. n. 5. —

— von 60 evangelischen Kernliedern, m. beigedruckten Melodien u. 29 Memorier- u. Melodienversen, nebst Gebetbüchlein f. Schulen u. Unterrichtsanstalten. 2. nach

Kinder hrsg. v. e. prakt. Schulmanne. Mit Rössel's (chromolith.) Karte v. Sachsen u. Krug's (chromolith.) Karte der betr. Kreishauptmannschaft. gr. 8. (16 S.) Meißen 884. Schlimpert. n. — 25

Sachsen-Kalender, allgemeiner, 1885. Große Ausg. 4. (88 S. m. 4 Holzschntaf. u. 1 Chromolith.) Meißen, Schlimpert. — 50; mittle Ausg. (58 S. m. 4 Holzschntaf.) — 38; kleine Ausg. (40 S.) n. — 25

Sachsenspiegel, neuer. Volks-Kalender f. d. J. 1887. Mit 2 farb. Bildern, vielen Holzschn., doppeltem Märkteverzeichnis u. reichhalt. Statistik. 8. (159 S. m. 1 Wandkalender.) Neuhaldensleben, Besser. n. — 50; kleine Ausg. (111 S.) — 30

Sachsse, Eug., Abschiedspredigt, s.: Festwoche, e., der evangel. Gemeinde Hamm.

— die ewige Erlösung. Evangelische Predigten. gr. 8. (III, 148 S.) Gütersloh 885. Bertelsmann. n. 2. 20

— Festpredigt, s.: Achelis.

— Festrede, s.: Luther-Tage, die, in Herborn.

— Ursprung u. Wesen d. Pietismus. gr. 8. (VI, 382 S.) Wiesbaden 884. Niedner. n. 6. —

Sachsse, R., e. Sängerfahrt in's Riesengebirge. Ein Cyklus v. 15 Gesängen m. verbind. Dichtg. Für Männergesang komponirt v. Wilh. Tschirch. 13. bericht. Aufl. Textbuch. gr. 8. (15 S.) Bunzlau 884. A. Appun's Buchh. n. — 20

Sack, Ed., Schlaglichter zur Volksbildung. (In 10 Hftn.) 1. Hft. 8. (80 S.) Nürnberg 885. Wörlein & Co. — 60

Sack, J., der Druck-Telegraph Hughes. Seine Behandlg. u. Bedieng. Speciell f. Telegraphen-Beamte. Mit 48 Abbildgn. 2. Aufl. gr. 8. (VIII, 144 S.) Wien 884. Hartleben. n. 2. 25

— die Verkehrs-Telegraphie der Gegenwart, s.: Bibliothek, elektro-technische.

Sack, Israel, die Religion Altisraels, nach den in der Bibel enthaltenen Grundzügen dargestellt. 8. (VII, 178 S.) Leipzig 885. Friedrich. n. 3. —

Sacken, Ed. Frhr. v., Katechismus der Baustile od. Lehre der architekton. Stilarten von den ältesten Zeiten bis auf die Gegenwart. Nebst e. Erklärg. der im Werke vorkomm. Kunstausdrücke. 8. Aufl. Mit 103 Abbildgn. 8. (XII, 196 S.) Leipzig 886. Weber. geb. n. 2. —

— Katechismus der Heraldik. Grundzüge der Wappenkunde. 4., verb. Aufl. Mit 202 in den Text gedr. Abbildgn. 8. (XVI, 142 S.) Ebend. 885. geb. n. 2. —

Sack-Kalender f. d. J. 1885. 32. (64 S.) Innsbruck 885. Wagner. n.n. — 25

Sackreuter, Karl Ludw., kurze Geschichte der christlichen Religion u. Kirche zum Gebrauche in Volksschulen u. anderen Lehranstalten. 12. Aufl. 2. Ausg. Durchgesehen u. m. den nöth. Zusätzen versehen von Karl Zimmermann. 8. (VI, 66 S.) Dillenburg 883. Seel. n. — 45

Sackur, Ernst, Richard, Abt v. St. Vannes. gr. 8. (98 S.) Breslau 886. (Köhler.) n. 1. —

Sackville, Th., Gorboduc, s.: Norton, Th.

Sadebeck, M., Register der Protokolle, Verhandlungen u. Generalberichte f. die europäische Gradmessung 1861—1880, s.: Publication d. königl. preussischen geodätischen Instituts.

Sadtler, P., die Gewinnung d. Theers u. Ammoniakwassers. Vortrag. Aus dem Englischen übers. u. m. e. Anh. versehen v. Geo. Bornemann. Mit 10 Fig. im Text u. 2 Taf. gr. 8. (III, 42 S.) Leipzig 886. Quandt & Händel. n. 2. —

Saffray, die Kunst recht lange zu leben. Grundzüge der Hygieine. Mit 52 in den Text gedr. Holzschn. Autoris. Uebersetzg. 12. (VII, 154 S.) Minden 885. Bruns. n. 1. 50

Sage, die, v. dem Verschwinden der Leiche Dr. Martin Luthers zu Ende d. Schmalkalder Krieges, auf's Neue an das Licht gezogen u. erörtert v. e. Geschichtsfreunde. 8. (8 S.) München 883. (Wenger's Sort.) — 30

Sagemehl, M., Verzeichniss der in Est-, Liv- u. Curland bisher gefundenen Bienen. gr. 8. (20 S.) Dorpat 882. (Leipzig, K. F. Köhler.) n.n. — 50

Sagen, die schönsten, d. Rheins. Gesammelt u. hrsg. v. Otto Lehmann u. a. Mit (5) feinen Farbendr.-Bildern. 2. Aufl. 8. (240 S.) Mülheim 884. Bagel. geb. 2. 50; in 3 Hftn. (à 80 S.) à n. — 50

Sagen, thüringische, u. Nibelungen. Historisches Lesebuch f. das 3. u. 4. Schuljahr. Von den Verf. der „Schuljahre". gr. 8. (III, 58 S.) Dresden 885. Bleyl & Kaemmerer. n. — 50

Sager, Herm., leichtfassliche u. gründliche Anleitung zum Malen m. Wasserfarben m. besond. Berücksicht. der Farbenmischgn. u. Schattirgn. f. den Schul- u. Selbstunterricht. 8 (24 S.) Zürich 886. Orell Füssli & Co. Verl. n. 1. —

Saegert, Carl, pädagogisch-didaktische Erläuterungen zur Frage d. höheren Schulwesens. gr. 8. (V, 84 S.) Schleswig 883. Bergas. n. 1. 50

Saggau, Chr., offene Antwort auf das an mich gerichtete offene Sendschreiben d. Hrn. Sem.-Dir. Lange in Segeberg. gr. 8. (21 S.) Altona 883. Send. n. — 50

Sagorski, Ernst, die Rosen der Flora v. Naumburg a/S., nebst den in Thüringen bisher beobachteten Formen. 4. (48 S. m. 4 Steintaf.) Naumburg 885. (Leipzig, Fock.) n. 2. —

Sailer, C., der Komet. Populäre Darstellg. üb. phys. Beschaffenheit u. Beweg. der Kometen, sowie der Sonne, der Planeten, d. Mondes u. der Meteorite. 2. Aufl. 8. (48 S.) Regensburg 886. Verlags-Bureau. n. — 50

Sailer, F., Bismarck-Anthologie. Aus Reden, Briefen u. Staatsschriften d. Fürsten Reichskanzlers zusammengestellt. 2. Aufl. 8. (VI, 199 S.) Berlin 884. Wilhelmi. n. 2. —; geb. n. 3. —

— der preußische Staatsrath u. seine Reactivirung. Unter Benutzg. archival. Quellen. Mit 18 Anlagen. 2. Aufl. gr. 8. (III, 142 S.) Berlin 884. Deubner. n. 2. 50

Sailer, J. M., üb. Erziehung f. Erzieher, s.: Schriften, ausgewählte, berühmter Pädagogen.

Sailer, Ludw., die Bau- u. Kunstdenkmäler weil. Sr. Maj. König Ludwig II. v. Bayern. Ein Begleiter u. Andenken f. den Besucher der königl. Schlösser Chiemsee, Linderhof, Neuschwanstein, Hohenschwangau u. Berg. Mit 5 Orig.-Photogr., 3 Grundrissen u. 1 Routenkärtchen. 8. (54 S.) München 886. Fritsch. n. 1. 20

— Bilder aus dem bayerischen Hochgebirge, nebst Beschreibg. der hervorragendsten Orte nach ihrer älteren u. neueren Geschichte, ihrer culturhistor. Bedeutg. in Vergangenheit u. Gegenwart. (1. Hft.) Aibling u. dessen Umgebg. 8. (48 S. m. eingedr. Illustr., 2 Taf. u. 1 lith. Plan.) München 883. Augsburg, Haug. n.n. — 50

— dasselbe. (4. Hft.) Berchtesgaden. 8. (272 S. m. eingedr. Illustr. u. 2 Steintaf.) München 884. (Fritsch.) n. 3. —

— dasselbe. 5. Hft. Traunstein u. dessen Umgebg. 8. (116 S. m. Illustr. u. 2 Karten.) Ebend. 886. n. 1. 50

Sailler, Auguste, der Krankentisch. Eine Zusammenstellg. wohlerprobter Speisen u. Getränke, nebst e. Anleitg. zum Einsieden v. Säften u. Einmachen v. Früchten f. Kranke u. Genesende. Von e. renommirten, rationellen, prakt. Ärzte u. mehreren in der Krankenpflege u. Kochkunst wohl erfahrenen Hausfrauen durchgesehen, geprüft u. als sehr empfehlenswerth anerkannt. 3. Aufl. gr. 8. (VIII, 232 S.) Wien 883. Hartleben. geb. 3. —

Saintine, X. B., Picciola, s.: Collection Spemann.

— dasselbe, s.: Universal-Bibliothek.

Saint-Omer, Ed., das Marienkind nach dem heil. Alfons v. Liguori, Kirchenlehrer u. Stifter der Congregation vom allerheiligsten Erlöser. Aus dem Franz. Mit e. Stahlst. 16. (96 S.) Dülmen 883. Laumann. n. — 20

— die Schlüssel d. Paradieses od. die gutverrichtete Beicht. Nach dem hl. Alphons v. Liguori, Kirchenlehrer, u. einigen anderen Verfassern. Autoris. Uebersetzgg. 16. (VII, 328 S. m. 1 Stahlst.) Ebend. 884. n. — 80; geb. n. 1. 20

Saint-Pierre, Bernardin de, Paul et Virgine. Nouvelle éd., augmentée d'une préface et de notes historiques et grammaticales par Mad. P. Blanchard. 8. (120 u. Wörterverzeichn. 47 S.) Leipzig 885. Wilfferodt. n. 1 —

— dasselbe. Aus dem Franz. neu übers. v. A. Kaiser. Mit vielen Holzschn. nach Orig.-Zeichngn. v. H. Bürkner 2c.

12. Aufl. 8. (212 S.) Dresden 886. Dieckmann. geb. n. 2. 80

Saint-Pierre, Bernardin de, Paul u. Virginie. Mit 2 Titelbildern v. Emilie Weißer. 2. Aufl. 16. (188 S.) Stuttgart 886. Rieger. geb. m. Goldschn. 2.—

— dasselbe, s.: Collection Spemann. — Meyer's Volksbücher. — Universal-Bibliothek f. die Jugend.

Saint-Simon, Herzog v., Memoiren, s.: Collection Spemann.

Sakrament, das heilige, der Firmung. Unterricht u. Gebet f. Firmlinge. Von e. Priester der Diözese Breslau. 8. (23 S.) Breslau 883. Görlich. n. — 10

Sakuntala. Ballet in 2 Acten u. 5 Bildern. Nach Kalidasa's Dichtung v. *. Musik v. S. Bachrich. In Scene gesetzt v. Carl Telle. 12. (16 S.) Wien 884. Künast. n. — 50

Salaba, A., die graphische Ausmittlung der Centrifugalregulatoren m. maximaler Energie. Imp.-4. (17 S. m. 2 autogr. Taf.) Prag 883. Řivnáč. n. 1. 80

Salaman, Edith, vier weibliche Charakterköpfe. 4 Chromolith. gr. 4. Leipzig 886. (Baldamus Sep.-Cto.) n. 4. —

Salamon, Frz., Ungarn im Zeitalter der Türkenherrschaft. Ins Deutsche übertr. v. Gust. Jurány. Vom Verf. autoris. Übersetzg. gr. 8. (XVI, 407 S.) Leipzig 887. Haessel. n. 6. —

Salazar, Frz. v., bekehret euch zum Herrn v. eurem ganzen Herzen! Ein Gebet u. Erbauungsbuch, enth. die ergreif. Betrachtgn. üb. die ewigen Wahrheiten. Nach der 13. Aufl. d. span. Originals aus dem Franz. übers. v. e. Kuratpriester. 16. (415 S.) Paderborn 883. Bonifacius-Druckerei. — 75

Salbuch d. Stiftes Niedermünster in Regensburg. Hrsg. v. Frz. Chrn. Höger. gr. 8. (171 S.) Freising 885. (Wölfle.) n. 3. —

Saldern, Th. v., das Margaretenbuch. Eine Erzählg. f. die jüngere Mädchenwelt. 7. Aufl. 8. (436 S.) Wolfenbüttel 884. Zwißler. n. 4. —; geb. n. 5. —; m. Goldschn. n. 6. —

Sales, Frz. v., sämmtliche Werke. Nach der neuesten verm. französ. Orig.-Ausg. übers. 5—7. Bd. A. u. d. T.: Briefe: 3—5. (Schluß-)Bd. 12. (XX, 495; XVI, 488 u. XV, 532 S.) Regensburg 883. Verlags-Anstalt. à 3. —

— Anweisung an die Beichtväter zur Verwaltung d. heil. Bußsakramentes. 8. (37 S.) Stuttgart 886. Schott. n. — 20

— der geistliche Führer frommer Seelen, oder: Goldkörner, gesammelt aus den Schriften d. hl. F. v. S. Neue, verb. Aufl. 12. (XII, 164 S.) Regensburg 884. Verlags-Anstalt. — 90

— Grundsätze u. Ratschläge. Ins Deutsche übertr. nach der engl. Uebersetzg. der Miß Ella Mc. Mahon. 16. (182 S.) Landshut 885. Krüll. geb. n. 1. 20

— Neujahrswünsche. Uebers. v. e. Mitgliede d. Kapuzinerordens. 16. (80 S.) Dülmen 883. Laumann. n. — 25

— Philothea od. Anleitung zum gottseligen Leben. Nebst e. Zugabe der gewöhnl. Andachten aus den Schriften d. hl. Frz. v. Sales. Verb. Ausg. v. J. B. Kempf. 16. (576 S. m. 1 Stahlst. u. Chromo-Titel.) Einsiedeln 884. Benziger. — 80

— dasselbe. Uebers. v. Jak. Brucker. Nebst e. Anh. v. Gebeten. 16. (XII, 507 S.) Paderborn 885. Bonifacius-Druckerei. — 75

— dasselbe. Neu übers. v. Fr. Permanne. 2. Aufl. m. e. Gebetsanh. 16. (XVI, 376 u. Anh. 137 S. m. 2 Holzschn.) Augsburg 885. Literar. Institut v. Dr. M. Huttler. n. 2. 40

— dasselbe. Aus dem Franz. übers. v. Heinr. Schröder. 5. Aufl., m. 1 Titelbild in Farben. [Neue Ausg. Nr. 8.] 16. (XVI, 575 S.) Freiburg i/Br. 886. Herder. 1. —

Sales, Pierre, e. dunkle That. [Bilder aus dem Pariser Leben.] Roman. Nach dem Franz. Bearb. v. Edm. Pfaff. 8. (349 S.) Mannheim 886. Bensheimer's Verl. n. 4. —

Saliger, W., üb. das Olmützer Stadtbuch d. Wenzel v. Iglau, s.: Monumenta rerum bohemico-moravicarum et silesiacarum.

Salignac de la Mothe, F. v., s.: Fenelon.

Saling's Börsen-Jahrbuch f. 1883/84. Ein Handbuch f. Bankiers u. Kapitalisten. Bearb. v. W. L. Hertslet. gr. 8. (IV, 1129 S.) Berlin 883. Haude & Spener. n. 9. —; geb. n. 10. —

— Börsen-Papiere. 1. [allgemeiner] Thl. 5. Aufl. gr. 8. Ebend. 887. n. 5. —; geb. n. 6. —
Die Börse u. die Börsengeschäfte. Ein Handbuch f. Bankiers, Juristen u. Kapitalisten. Hrsg. v. R. Siegfried. (VIII, 396 S.)

— dasselbe. 2. [finanzieller] Tl. 10. Aufl. Saling's Börsen-Jahrbuch f. 1886/87. Ein Handbuch f. Bankiers u. Kapitalisten. Bearb. v. W. L. Hertslet. 8. (VII, 1180 S.) Ebend. 886. n. 9. —; geb. n. 10. —

Salinger, Eug., die tolle Braut. Roman. 8. (267 S.) Frankfurt a/M. 885. Sauerländer. n. 3. 50

— allerlei Herzensgeschichten. Novellen u. Studien. 2. Aufl. 8. (335 S.) Ebend. 885. n. 3. —

— Schicksalstragödie. Roman. 8. (271 S.) Breslau 883. Schottländer. n. 3. —; geb. n. 4. —

— aus meiner Studien-Mappe. 3 neue Erzählgn. [Capitän Werner. Donna Elvira. Frühling im Winter.] 8. (197 S.) Frankfurt a/M. 885. Sauerländer. n. 3. —; geb. n. 4. —

Salingré, H., die Afrikanerin in Kalau, s.: Bloch's, E., Dilettanten-Bühne.

— einberufen, s.: Bloch's, E., Theater-Correspondenz.

— des Friseurs letztes Stündlein, s.: Bloch's, E., Dilettanten-Bühne.

— das Gespenst um Mitternacht, } s.: Bloch's, E.,
— was sich die Kaserne erzählt, } Theater-Correspondenz.

Salis, Arnold v., Agrippa d'Aubigné. Eine Hugenottengestalt. gr. 8. (XII, 128 S.) Heidelberg 885. C. Winter. n. 2. 40; geb. n. 3. 50

— Grifone. Die Bluthochzeit der Baglionen. Historisches Trauerspiel in 5 Aufzügen. 8. (XIV, 182 S.) Leipzig 884. Haessel. n. 3. —; geb. n. 4. —

Salis, J. G. v., s.: National-Bibliothek. — National-Litteratur, deutsche.

Salis, L. R. v., Beiträge zur Geschichte d. persönlichen Eherechts in Graubünden. gr. 8. (VII, 108 S.) Basel 886. Detloff. n. 2. —

Salis-Marschlins, Meta v., die Zukunft der Frau. 8. (132 S.) Zürich 886. (München, Buchholz & Werner.) n. 2. 50

Salisch, Heinr. v., Forstästhetik. 8. (XII, 248 S.) Berlin 885. Springer. n. 4. —

Salkowski, Carl, Lehrbuch der Institutionen u. der Geschichte d. römischen Privatrechts f. den akademischen Gebrauch. 4. Aufl. gr. 8. (XX, 524 S.) Leipzig 883. B. Tauchnitz. 7. 50

Salläš, Karl, die Cultur u. Bearbeitung der Weiden. Vortrag. 8. (51 S.) Böhm.-Leipa 886. (Prag, Reinwart.) n. — 50

Salles, Felix, annales de l'Ordre Teutonique ou de Sainte-Marie-de-Jérusalem depuis son origine jusqu'à nos jours et du service de santé volontaire avec les listes officielles des chevaliers et des affiliés. gr. 8. (XI, 583 S.) Wien 887. Braumüller. n. 12. —

Sallet, Alfr. v., Luther als Junker Georg. Holzschnitt v. Lukas Cranach. 4. (11 S. m. 1 Chemigr.) Berlin 883. Weyl. n. 1. —

Sallis, Joh. G., die Massage u. ihre Bedeutung als Heilmittel. Eine populäre Abhandlg. 1. u. 2. Hft. gr. 8. Strassburg 886. Heinrich. n. 1. 80
1. (35 S. m. 1 Taf.) n. — 80. — 2. Die chronischen Verdauungsstörungen u. ihre Behandlung durch Massage. Mit 6 lith. Taf. (27 S.) n. 1. —

Sallmann, Caroline F., dialogues et poésies à l'usage de l'enfance 12. éd. Revue et augmentée. 8. (108 S.) Halle 886. Buchh. d. Waisenhauses. n. — 80; cart. n. — 90

Sallmann, K., deutsches Lesebuch f. höhere Lehranstalten. 1. u. 2. Tl. gr. 8. Reval, Kluge. n. 5. 80
1. 3. Aufl. (XIV, 308 S.) 886. n. 2. 80
2. 2. Aufl. (XII, 366 S.) 883. n. 3. —

Holzschn. 8. (144 S.) Gera 886. Th. Hoffmann. n. 1. 20; geb. n. 1. 40

Sauerland, E., Ganelon u. sein Geschlecht im altfranzösischen Epos, s.: Ausgaben u. Abhandlungen aus dem Gebiete der romanischen Philologie.

Sauerland, H. V., Wernher v. Elmendorf. gr. 8. (58 S.) Berlin 885. (Frankfurt a/M., Boselli.) n. 1. —

Sauerländer's, H. R., Unterhaltungs-Bibliothek. 4. u. 5. Bd. 12. Aarau, Sauerländer. à — 90
Heinr. Zschokke's humoristische Novellen. 3. u. Bd. (393 u. 402 S.)

Sauerländer, R., Reinrich Zschokke-Ausstellung zu Ehren der Jahresversammlung der Schweiz. Gemeinnützigen Gesellschaft in Aarau 1884. Catalog. 8. (31 S.) Aarau 884. Sauerländer. n. — 50

Sauerteig, Alb., Fest-Predigt, geh. am Tage der 100jähr. Jubelfeier in der Stadtkirche zu Hildburghausen, am 24. Novbr. 1885. gr. 8. (12 S.) Hildburghausen 885. Gadow & Sohn. n.n. — 20

Sauerwein, F., s.: Neubauten zu Frankfurt a/M.
— s.: Schloss, das, zu Heidelberg.

Saunders, J., a noble wife, s.: Collection of British authors.

Sauppe, Herm., commentatio de Atheniensium ratione suffragia in iudiciis ferendi. gr. 4. (13 S.) Göttingen 883. (Dieterich's Verl.) n. — 80
— commentatio de phratriis atticis. gr. 4. (18 S.) Ebend. 886. n. — 80
— emendationes plutarcheae. 4. (15 S.) Ebend. 883. n. — 80
— quaestiones criticae. 4. (21 S.) Ebend. 886. n. — 80

Saure, Heinr., Auswahl englischer Gedichte f. Schule u. Haus. gr. 8. (VIII, 160 S.) Berlin 885. Herbig. n. 1. 80; Einbd. n.n. — 20
— Auswahl französischer Gedichte f. Schule u. Haus. gr. 8. (VIII, 142 S.) Ebend. 885. n. 1. 50; Einbd. n.n. — 20
— histoire grecque et romaine par époques, tirée des meilleurs historiens français. Ein Beitrag zur Lektüre der mittleren Klassen, zugleich e. Hilfsbuch f. die mündl. Vorträge der Schüler der oberen Klassen. gr. 8. (VIII, 136 S.) Ebend. 886. n. 1. —
— deutsches Lesebuch f. höhere Mädchenschulen. 1—4. Tl. Ausg. A. (Für höhere Mädchenschulen evangel. Bekenntnisses.) gr. 8. Ebend. 886. geb. n. 10. 50; Ausg. B. (Für höhere Mädchenschulen gemischten Bekenntnisses.) Zu gleichen Preisen.
1. II. Schulj. (XII, 160 S.) n. 1. 40
2. III. u. IV. Schulj. (XXIII, 320 S.) n. 2. 40
3. V. u. VI. Schulj. (XVII, 482 S.) n. 3. —
4. VII. u. VIII. Schulj. (XXVII, 649 S.) n. 3. 70
— englisches Lesebuch f. höhere Lehranstalten. 3 Tle. gr. 8. Ebend. 885. n. 4. 70; Einbde. n.n. — 55
1. (IX, 138 S.) 883. n. 1. 50; Einbd. n.n. — 20
2. 3. (VII, 446 u. V, 126 S.) 884. n. 3. 20; Einbd. in 1 Bd. n.n. — 35
— dasselbe, f. höhere Mädchenschulen, nebst Stoffen zur Übg. im mündl. Ausdruck. 2 Tle. 2. Doppel-Aufl. gr. 8. Cassel 886. Kay. n. 4. 40
1. (X, 224 S.) n. 1. 40
2. (IX, 544 S.) n. 3. —
— französisches Lesebuch f. höhere Lehranstalten. 3 Tle. gr. 8. (X, 145 S.) Berlin, Herbig. n. 4. 70
1. (X, 145 S.) 883. n. 1. 50
2. 3. (VII, 478 u. 108 S.) n. 3. 20
— dasselbe, f. höhere Mädchenschulen, nebst Stoffen zur Übg. im mündl. Ausdruck. 2 Tle. 2. Doppel-Aufl. gr. 8. Kassel, Kay. n. 5. 20; geb. n. 6. —
1. (VII, 125 u. Lesestoffe IV, 145 S.) 885. n. 2. —; geb. n. 2. 40
2. (X, 556 S.) 886. n. 3. 20; geb. n. 3. 60
— englische Lesestoffe insbesondere zur Übung im mündlichen Ausdruck. 2. Aufl. gr. 8. (IX, 158 S.) Berlin 886. Herbig. geb. n. 1. 40
— französische Lesestoffe insbesondere zur Übung im mündlichen Ausdruck. 2. Aufl. gr. 8. (IX, 145 S.) Ebend. 886. geb. n. 1. 40
— le théâtre français classique. Das klass. Drama der Franzosen. Für Schulen bearb. u. m. Anmerkgn. versehen. 1. u. 2. Tl. gr. 8. (VI, 185 u. 170 S.) Ebend. 884. à n. 1. 25; Einbd. à n.n. — 20

Saurem, J., Gewitterbüchlein. Enth. Belehrgn., Schutzmittel u. Gebete. 16. (88 S.) Salzburg 885. Pustet. cart. — 40
— das hl. Haus zu Loreto u. die lauretanischen Gnadenorte in deutschen Landen. Historisch bearb. 2., gänzlich umgearb. Aufl. Mit 14 Illustr. u. 2 Plänen. 16. (XVI, 255 S.) Einsiedeln 883. Benziger & Co. cart. 2. —; geb. m. Goldschn. 2. 80

Saurma-Jeltsch, Hugo Frhr. v., schlesische Münzen u. Medaillen. Namens d. Vereins f. das Museum schles. Alterthümer hrsg. 2 Thle. gr. 4. (IV, 79 S. m. 55 Holzschntaf.) Breslau 883. (Woywod.) n.n. 10. —

Saussure, Thdr. v., Jenatsch od. Graubünden während d. 30jährigen Krieges. Ein historisch-dramatisches Gedicht in 5 Aufzügen. 8. (VI, 90 S.) Chur 886. (Hitz.) n. 2. —

Sauter, zur Hexenbulle 1484. Die Hexerei m. besond. Berücksicht. Oberschwabens. Eine culturhistor. Studie. gr. 8. (82 S.) Ulm 884. Ebner. 1. 50

Sautter de Blonay, D., in Sachen der Heilsarmee! Antwortschreiben an die Frau Gräfin Gasparin. Autoris. Uebersetzg. nach der 3. Aufl. d. Franz. v. Hans Tharau. 12. (30 S.) Bonn 883. Schergens. n. — 20

Sauvage, le gant et l'éventail, s.: Bayard.

Savaëte, Florent, petit manuel du Chrétien ou recueil de prières choisies. — Kleines Handbuch d. Christen od. Sammlung ausgewählter Gebete. (Französisch u. deutsch. 16. (415 S.) Augsburg 884. Schmid. 2. —; geb. n. 3. —

Savage, M. J., die Religion im Lichte der Darwin'schen Lehre. In deutscher Uebersetzg. m. Genehmigg. d. Verf. hrsg. v. R. Schramm. gr. 8. (VII, 190 S.) Leipzig 886. O. Wigand. 3. —

Saville, L. v., die Dienstboten, s.: Bloch's, E., Theater-Correspondenz.

Savonarola, Girolamo, s.: Für die Feste u. Freunde d. Gustav-Adolf-Vereins.

Savonnerie, la. Revue spéciale de l'huilerie, la savonnerie et la stéarinerie. Réd.: Alwin Engelhardt. 1. Année. Octbr. 1883—Septbr. 1884. 24 nrs. (2 B.) gr. 4. Leipzig, (Stauffer). n. 40. —

Sax, Emil, die Hausindustrie in Thüringen, s.: Sammlung nationalökonomischer u. statistischer Abhandlungen d. staatswissenschaftlichen Seminars zu Halle a/S.
— das Wesen u. die Aufgaben der Nationalökonomie. Ein Beitrag zu den Grundproblemen dieser Wissenschaft. gr. 8. (VII, 104 S.) Wien 884. Hölder. n. 3. —

Sax, Jul., die Bischöfe u. Reichsfürsten v. Eichstätt 745—1806. Versuch e. Deutg. ihres Waltens u. Wirkens, nach den neuesten Quellen zusammengestellt. 2 Bde. gr. 8. (IV, 781 u. Reg. 43 S.) Landshut 884. 85. Krüll. à n. 4. —

Säxinger, Joh., üb. die Entwicklung d. medizinischen Unterrichts an der Tübinger Hochschule. Rede zum Geburtsfest Sr. Maj. d. Königs, am 6. März 1883 im Namen der Eberhard-Karls-Universität geh. gr. 8. (33 S.) Tübingen 883. Fues. n. 1. —

Saxonia. Patriotische Unterhaltungs-Blätter f. die Armee, sowie Militärvereine u. deren Freunde. Red.: F. Kießling. 1. Jahrg. 1883/84. 28 Hfte. gr. 8. (1. u. 2. Hft. 64 S. m. je 2 Chromolith.) Leipzig, Bergmann. n.n. 8. —; einzelne Hefte à n.n. — 30

Saxonis, Grammatici, gesta Danorum, hrsg. v. Alfr. Holder. gr. 8. (LXXXVIII, 724 S.) Strassburg 886. Trübner. n. 12. —

Saxo-Saxonen, die, v. Samar Gregorow. 16. Aufl. 8. (63 S.) Berlin 885. Eckstein Nachf. n. — 50

Sayce, A. H., alte Denkmäler im Lichte neuer Forschungen. Ein Ueberblick üb. die durch die jüngsten Entdeckgn. in Egypten, Assyrien, Babylonien, Palästina u. Kleinasien erhaltenen Bestätiggn. bibl. Tatsachen. Deutsche vom Verf. rev. Ausg. gr. 8. (VIII, 232 S.) Leipzig 886. O. Schulze. cart. n. 2. 50

Sayre, Lewis A., die Spondylitis u. die seitlichen Verkrümmungen der Wirbelsäule u. deren Behandlung durch Suspension u. Gypsverband. Deutsch hrsg. v. J. H. Gelbke. Mit 62 Abbildgn. im Text u. 4 (Lichtdr.-)Taf. gr. 8. (VII, 116 S.) Leipzig 883. F. C. W. Vogel. n. 4. —

Sayre, Lewis A., Vorlesungen üb. orthopädische Chirurgie u. Gelenk-Krankheiten. 2. Aufl. Autoris. deutsche Ausg. v. F. Dumont. Mit 265 Holzschn. gr. 8. (XVI, 395 S.) Wiesbaden 886. Bergmann. n. 12. —

Sazepin, B., üb. den histologischen Bau u. die Vertheilung der nervösen Endorgane auf den Fühlern der Myriopoden, s.: Mémoires de l'académie impériale des sciences de St.-Pétersbourg.

Scala, Rud. v., Geschichte u. Dichtung. Ein Vortrag. Hrsg. vom Deutschen Club in Linz. gr. 8. (30 S.) Linz 885. (Leipzig, Fock.) n. — 80

— der pyrrhische Krieg. Als Dissertation verf. gr. 8. (VIII, 183 S.) Berlin 884. Parrisius. n. 4. 50; Karte dazu: Roms Garnisonssystem im J. 281. Autogr. Fol. — 30

— Vortrag üb. die wichtigsten Beziehungen d. Orientes zum Occidente im Alterthum. Geh. im Oriental. Museum am 9. Decbr. 1885. gr. 8. (35 S.) Wien 886. (Leipzig, Fock.) n. — 80

Scapulier, das fünffache, in der hl. römisch-katholischen Kirche, e. reiche Quelle vieler Gnaden u. Ablässe. Kurzgefaßter Unterricht f. die Mitglieder der vier Scapulier-Bruderschaften u. die Inhaber d. v. Papst Pius IX. im J. 1847 gutgeheißenen u. m. Ablässen versehenen rothen od. Passionsscapuliers. Von e. Pfarrer der Erzdiöcese Köln. 7. Aufl. 16. (24 S.) Dülmen 885. Laumann. n. — 10

— die fünf hh. Von e. Priester der Diöcese Paderborn, dem Verf. der Belehrg. üb. das Scapulier vom Berge Carmel. 4. Aufl. 8. (117 S.) Paderborn 885. F. Schöningh. n. — 48

Scatspieler, der regelrechte. Eine Anweisg., in kurzer Zeit regelrecht Scat spielen zu lernen. Nach den bewährtesten Regeln bearb. von S. v. F. 4. Aufl. 12. (IV, 52 S.) Quedlinburg 884. Ernst. — 50

Schaab, Rob., W. Bartmuß, Karl Seitz, Sangesblüten f. deutsche Mädchen. 250 ausgewählte ein- u. mehrstimm. Lieder f. Schule u. Haus. In 3 Hftn. geordnet u. hrsg. 1. u. 3. Hft. 2. Aufl. 8. Leipzig, Klinkhardt. n. — 80
1. (56 S.) 884. n. — 30. — 3. (110 S.) 885. n. — 50

Schaack u. **Genin,** deutsche Schreib-Lesefibel u. erstes Lesebuch f. Schulen französisch sprechender Gemeinden in Elsaß-Lothringen. 2. Aufl. 8. (64 S.) Metz 882. Gebr. Even. geb. n. — 50

Schaaffhausen, Herm., der Schädel Raphaels. Zur 400jähr. Geburtstagsfeier Raphael Santi's. gr. 4. (31 S. m. 2 Steintaf.) Bonn 883. Cohen & Sohn. n. 3. —

— anthropologische Studien. gr. 8. (IX, 677 S.) Bonn 885. Marcus. n. 12. —

Schaar, Geo. F., kurzer Abriss üb. die Fortschritte in der Construction der Apparate f. die Gasfabrikation. 4. (III, 26 S. m. eingedr. Fig.) Halle 884. Knapp. n. 2. —

— das Liegel'sche Sparfeuerungs-System. Deutsches Reichs-Patent. 4. (12 S. m. 14 Fig.) Ebend. 885. n. 1. —

Schaarschmidt, C., üb. den Unsterblichkeitsglauben, s.: Sammlung v. Vorträgen.

Schaarschmidt, G., biblische Geschichten im Zusammenhange m. dem Bibellesen zu Lebens- u. Geschichtsbildern zusammengestellt. Nebst Anh. 3. Aufl. 8. (134 u. 36 S.) Braunschweig 885. Bruhn's Verl. geb. n. 1. —

Schabinger, Ludw., Abälard u. Heloise. Eine Geschichte aus dem 12. Jahrh. 8. (VII, 257 S.) Karlsruhe 887. Reiff. n. 2. —; geb. n. 3. —

Schachert, Paul, die überseeische Kohlenausfuhr Deutschlands. gr. 8. (31 S.) Köln 885. DuMont-Schauberg. n. — 70

Schaching, O. v., die Königstochter v. Kippen, s.: Unterhaltungs-Bibliothek.

Schach-Katechismus, enth. die übl. Spiel-Eröffngn., v. Hugo. gr. 16. (29 S.) Berlin 885. (R. Kühn.) n. — 60

Schacht, F., die Ausbildung d. Landwirts in Lehre u. Studium, wie sie ist u. wie sie sein sollte. Zwei Fragen v. hoher fach- u. volkswirtschaftl. Bedeutg. Mit e. Tabelle als Führer f. die Studirenden auf deutschen Hochschulen. gr. 8. (64 S.) Kiel 884. Biernatzki. n. 2. 50

Schacht, Heinr., aus dem Vogelleben der Heimat. Ornithologische Vorträge. 8. (II, 303 S.) Detmold 885. Hinrichs. n. 3. —

Schacht, Herm., Seemanns Liedertafel. 10. Aufl. 16. (202 S.) Hamburg 885. Kramer. cart. — 60

Schacht's, Thdr., Schulgeographie. 16. Aufl. Bearb. v. Wilh. Rohmeder. 8. (VIII, 280 S.) Wiesbaden 883. Kunze's Nachf. n. 1. 35

Schachtler, J., Albert Richard. Ein schweizer. Nationaldichter. Biographisch-litterar. Studie. gr. 8. (68 S.) Aarau 883. Sauerländer. n. 1. —

Schachzeitung, deutsche. Organ f. das gesammte Schachleben. Hrsg. v. J. Minckwitz. 38—41. Jahrg. 1883—1886. à 12 Hfte. (2 B.) gr. 8. Leipzig, Veit & Co. à Jahrg. n. 9. —

Schack, Gr. v., die Unterweisung d. Königs Amenemhat I. 1. Hälfte. hoch 4. (21 autogr. S.) Paris 883. Vieweg. n. 4. —

Schack, Graf Adf. Frdr. v., gesammelte Werke. 4—30. [Schluß-]Lfg. 8. (1. Bd. S. 305—466; 2. Bd. 500, 3. Bd. 457, 4. Bd. VII, 486, 5. Bd. 540 u. 6. Bd. 570 S. m. Lichtdr.-Portr.) Stuttgart 883. Cotta. à n. — 50

— dasselbe. [In 6 Bdn.] 2. Aufl. 8. (468, XI, 580; IV, 591; 520, 504 u. 557 S.) Ebend. 884. 85. à n. 2. 50; geb. à n. 3. 35

— Gaston. Trauerspiel in 5 Acten u. e. Vorspiel. 8. (III, 148 S.) Ebend. 883. n. 3. —; geb. n. 4. —

— meine Gemäldesammlung. 3. veränd. Aufl. Nebst e. Anh., enth. e. vollständ. Verzeichnis der Gemäldesammlg. nach Nummern. 8. (VIII, 371 S.) Ebend. 884. n. 3. —; geb. n. 4. —

— Lotosblätter. Neue Gedichte. 2. Aufl. 8. (V, 258 S.) Ebend. 883. n. 3. —; geb. n. 4. —

— Memnon. Eine Mythe. 8. (IV, 163 S.) Ebend. 885. n. 3. —; geb. n. 4. —

— die Plejaden. Ein Gedicht in 10 Gesängen. 4. Aufl. Mit e. Titelbilde v. Jul. Naue (in Lichtdr.), darstellend die Rückkehr v. Kallias u. Arete aus der Schlacht v. Salamis. gr. 8. (221 S.) Ebend. 883. n. 3. —; geb. n. 4. —

— Tag- u. Nachtstücke. gr. 8. (IV, 322 S.) Ebend. 884. n. 4. —; geb. n. 5. —

Schack, Graf A. F. v., ein litterarisches Portrait desselben, s.: Zabel, E.

— litterarische Skizze ihn betr., s.: Rogg, F. W.

Schack v. Igar, El. [Elfriede Jatsch], Conflicte. Roman. 2 Bde. 2. Aufl. 8. (272 u. 263 S.) Stuttgart 884. Metzler's Verl. 4. —

— Licht, mehr Licht! Ein livländ. Roman in 3 Bdn. 8. (298, 285 u. 347 S.) Breslau 885. Schottländer. n. 12. —; geb. n. 15. —

Schack, Frdr., anatomisch-histologische Untersuchung v. Nephthys coeca Fabricius. Ein Beitrag zur Kenntnis der Fauna der Kieler Bucht. gr. 8. (38 S. m. 1 Steintaf.) Kiel 886. Lipsius & Tischer. n. 2. —

Schack, Hans v., Beiträge zur Geschichte der Grafen u. Herren v. Schack. I. 300 Schack-Estorff'sche Urkunden aus der Zeit von 1162—1303. Lex.-8. (IX, 193 S. m. 3 Lichtdr.-Taf. u. 1 genealog. Tab.) Berlin 884. Baensch. n. 10. —

Schack, Otto, Huldreich Zwingli. Vortrag. gr. 8. (16 S.) Klagenfurt 884. Heyn. n. — 40

Schade, Osk., Paradigmen zur deutschen Grammatik, gotisch, althochdeutsch, mittelhochdeutsch, neuhochdeutsch, f. Vorlesungen. 4. Aufl. gr. 8. (101 S.) Halle 884. Buchh. d. Waisenhauses. n. 1. 50

Schadek, Mor., a bisserl was. Gedichte in niederösterreich. Mundart. 8. (109 S.) Wien 887. Konegen. n. 1. 20

Schädelin, E., Jeremia, der Prophet, s.: Volksschriften, Berner.

Schader, Frdr., üb. den Rechenunterricht an höheren Schulen. [Entwurf e. method. Leitfadens. 1. Abschnitt.] gr. 4. (32 S.) Hamburg 884. (Nolte.) n.n. 1. 25

Schädla, Ernst, üb. die Endresultate der Empyembehandlung unter dem Einflusse der Antiseptik. Bericht üb. 28 Fälle v. Empyem aus der chirurg. Klinik zu

Göttingen. gr. 8. (28 S.) Leipzig 884. (Göttingen, Vandenhoeck & Ruprecht.) n. — 80

Schaedler, Alb., Ragatz-Pfäfers. Die Heilwirkgn. seiner Therme. Lage u. Klima. Mit Ansichten u. Karten. 8. (64 S.) St. Gallen 886. Scheitlin & Zollikofer. 1. 50
Ausgaben in engl. u. französ. Sprache zu gleichem Preise.

Schaedler, Carl, kurzer Abriss der Chemie der Kohlenwasserstoffe. Zugleich e. Repetitorium f. studir. u. prakt. Chemiker, Techniker, Apotheker etc. gr. 8. (202 S.) Leipzig 885. Baumgärtner. n. 5. —

— die Technologie der Fette u. Oele der Fossilien [Mineralöle], sowie der Harzöle u. Schmiermittel. Mit zahlreichen Textillustr. u. mehreren Taf. (In ca. 7 Lfgn.) 1—5. Lfg. gr. 8. (S. 1—624.) Ebend. 884. 86. à n. 4. —

— die Technologie der Fette u. Oele d. Pflanzen- u. Thierreichs. Mit zahlreichen in den Text gedr. Holzschn. 4—6. [Schluss-]Lfg. gr. 8. (S. 465—784.) Ebend. 883. 13. 50 (cplt.: n. 26. —; geb. n. 28. —)

Schadow, Gfr., Handzeichnungen, hrsg. v. der königl. Akademie der Künste zu Berlin. Text v. E. Dobbert. 40 Taf. Farbenlichtdr. v. Alb. Frisch. Fol. (12 S.) Berlin 886. Bette. In Leinw.-Mappe. n. 50. —

— Polyclet od. v. den Maassen d. Menschen nach dem Geschlechte u. Alter, mit Angabe der wirklichen Naturgrösse nach dem rheinländ. Zollstocke u. Metermaasse. Mit 1 Atlas v. 30 Taf. (Fol. cart.) 4. Aufl. Neuer Abdr. gr. 8. (96 S.) Berlin 886. Wasmuth. n. 20. —

— dasselbe. Mit 1 Atlas v. 30 Taf. (in gr. 4. cart.). 5. Aufl. gr. 8. (96 S.) Ebend. 886. n. 10. —

Schaefer, das deutsche Viehseuchengesetz u. die dazu erlassene Instruktion, nach ihren wichtigsten Bestimmgn. f. Landwirthe u. Thierbesitzer besprochen, nebst Beschreibg. der einschläg. Krankheiten. gr. 8. (24 S.) Darmstadt 886. (Waitz.) n. — 50

Schaefer, A., Hilfsbuch f. den Geschichtsunterricht in Sexta u. Quinta der Gymnasien u. Realgymnasien. Für den Schulgebrauch bearb. gr. 8. (64 S.) Hannover 885. Meyer. n. — 75

Schaefer, Alb., historisches u. systematisches Verzeichnis sämtlicher Tonwerke zu den Dramen Schillers, Goethes, Shakespeares, Kleists u. Körners. Nebst einleit. Text u. Erläutergn. f. Darsteller, Dirigenten, Spieler u. Hörer der Werke, unter besond. Berücksicht. der Zwischenaktsmusik. gr. 8. (VIII, 192 S.) Leipzig 886. Merseburger. 3. —

Schaefer, Arnold, Abrisz der Quellenkunde der griechischen u. römischen Geschichte. 2. Abtlg. Römische Geschichte bis auf Justinian. 2. Aufl., besorgt v. Heinr. Nissen. gr. 8. (X, 208 S.) Leipzig 885. Teubner. n. 3. 20

— Demosthenes u. seine Zeit. 2. rev. Ausg. 1. u. 2. Bd. gr. 8. (XVI, 528 u. VII, 566 S. m. 1 Holzschntaf.) Ebend. 885. 86. à n. 10. —

— Geschichtstabellen zum Auswendiglernen. Mit Geschlechtstafeln. 16. Aufl. Hrsg. v. Jul. Asbach. gr. 8. (VI, 68 S.) Leipzig 885. Arnold. n. — 50

— Tabelle zur preussischen Geschichte. Mit e. Geschlechtstaf. 3. Aufl., hrsg. v. Jul. Asbach. gr. 8. (16 S.) Ebend. 885. n. — 20

Schaefer, Arnold, Nekrolog f. ihn, s.: Asbach, J.

Schaefer, Arth., staatsrechtliche Beziehungen Böhmens zum Reiche von der Zeit Karls d. Grossen bis zum J. 1212. gr. 8. (36 S.) Jena 886. (Neuenhahn.) n. 1. —

Schäfer, B., das Diluvium in der Bibel. gr. 8. (26 S.) Frankfurt a/M. 883. Foesser Nachf. n. — 50

— das Diluvium in der Geologie, } s.: Broschüren,
— das Diluvium in der Tradition } Frankfurter
der Völker, } zeitgemäße.

Schäfer, C., üb. das deutsche Haus. Vortrag. gr. 8. (23 S.) Berlin 883. Ernst & Korn. n. — 80

— u. A. **Rossteuscher,** ornamentale Glasmalereien d. Mittelalters u. der Renaissance, nach Orig.-Aufnahmen in Farbendr. hrsg. (In 3 Lfgn.) 1. u. 2. Lfg. gr. Fol. (à 15 Taf.) Berlin 885. 86. Wasmuth. In Mappe. à n. 50. —

Schäfer, C. Otto, Erklärung biblischer Geschichten d. Neuen Testamentes in Form v. Erzählungen f. Schule u. Haus. [In Anschluß an dessen „Lehrbuch f. den evang. Religionsunterricht" u. „Biblische Geschichte".] gr. 8. (XVI, 452 S.) Frankfurt a/M. 886. Calw, Vereinsbuchh. In Leinw. cart. n. 4. 50; geb. n. 5. 40

— Lehrbuch f. den evangelischen Religionsunterricht in seiner stufenmäßigen Entwickelung. 1. u. 2. Tl. gr. 8. Frankfurt a/M., Diesterweg. n. 2. 30
1. Biblische Geschichten f. untere Klassen. 3. Aufl. (VII, 104 S.) 886. n. — 60; Einbd. n.n. — 25
2. Lehrbuch u. Leitfaden f. den bibl. Unterricht, obere Stufe I., planmäßig geordnet u. m. Rücksicht auf Bibelkunde, Katechismus, christl. Kirchenjahr u. die evang. kirchl. Perikopen bearb. Mit 8 Abbildgn. u. 1 Karte. 2. Aufl. (VIII, 200 S.) 883. geb. n. 1. 70

— kleineres Lehrbuch f. den evangelischen Religionsunterricht. Biblische Geschichte, Bilder aus der Kirchengeschichte u. Bibelkunde, m. Rücksicht auf bibl. Geographie u. christl. Kirchenjahr. Auszug aus dessen Lehrbuch f. den evangel. Religionsunterricht in 3 Tln. (Ausg. B. m. Anh.) 2. Aufl. Mit e. Karte v. Palästina. gr. 8. (VIII, 256 S.) Ebend. 884. n. 1. —; Einbd. n.n. — 25

— biblisches Spruchbuch f. den evangelischen Religionsunterricht in Kirche u. Schule. gr. 8. (50 S.) Ebend. 883. n. — 40; cart. n. — 45

Schaefer, Curt, die wichtigsten syntaktischen Alterthümlichkeiten in der französischen Litteratursprache d. 17. Jahrh. 4. (30 S.) Hamburg 882. (Jena, Deistung.) n. 1. 40

— Elementarbuch f. den französischen Unterricht. gr. 8. (98 u. Begleitwort: Die vermittelnde Methode, 24 S.) Berlin 885. Winkelmann & Söhne. n. 1. —

— französische Schulgrammatik f. die Oberstufen. 1. Tl.: Formenlehre. 2. Aufl. gr. 8. (VIII, 104 S.) Ebend. 886. n. 1. —

— Uebungsbuch zum Uebersetzen aus dem Deutschen ins Französische, im Anschluß an die französ. Schul-Grammatik f. die Oberstufen. 1. Tl.: Formenlehre. 8. (VII, 179 S.) Ebend. 885. n. 1. 20

Schäfer, Dietr., die Hanse u. ihre Handelspolitik. Vortrag. gr. 8. (32 S.) Jena 885. Fischer. n. — 75

— deutsches Nationalbewußtsein im Licht der Geschichte. Akademische Antrittsrede. gr. 8. (32 S.) Ebend. 884. n. — 75

Schäfer, Edm., Leitfaden beim Unterricht in der deutschen Sprache f. die unteren Klassen höherer Lehranstalten. 12. Aufl. gr. 8. (IV, 172 S.) Köln 886. Du Mont-Schauberg. n. 1. 60

Schäfer, Ernst, Nepos-Vokabular. 3 Tle. gr. 8. (VI, 38; IV, 43 u. 38 S.) Leipzig 885. 86. Teubner. cart. à n. — 40

Schäfer, G., General-Tarif f. Kohlenfrachten. Aufgestellt nach officiellen Quellen. 9—12. Jahrg. 1883—1886. à 3 Nrn. 4. (Nr. 1. IV, 481 S.) Elberfeld, Bädeker. à Jahrg. n. 25. —; einzelne Nrn. à n. 12. —

Schaefer, G., les bains de Krankenheil-Toelz dans l'Oberland Bavarois, s.: l'Europe illustrée.

— Bad Krankenheil-Tölz im bayerischen Hochlande, s.: Wanderbilder, europäische.

Schäfer, G. S., der Verein f. die Reform der Schule u. Erziehung nach seinen Prinzipien, seiner Geschichte u. nationalen Bedeutung. gr. 8. (V, 70 S.) Berlin 885. (Rubenow.) n. 1. —

Schäfer, Gust., Katechismuslehre. Lehrbuch der christl. Religion nach Ordng. d. kleinen Luther. Katechismus f. Religionslehrer, Seminaristen u. Präparanden. gr. 8. (VI, 330 S.) Langensalza 885. Beyer & Söhne. n. 3. 60

Schäfer, H., der graue Star u. seine Behandlung, s.: Sonderabdrücke der Deutschen Medicinal-Zeitung.

Schäfer, J., Boileau l'art poétique, metrisch übers., erklärt u. m. Parallelstellen aus Horaz. 4. (24 S.) Attendorn 881. (Leipzig, Fock.) n. 1. —

Schäfer, J. C., die homöopathische Thierheilkunst. 13. Aufl. Mit e. Abbildg. gr. 8. (XII, 199 S.) Leipzig 884. W. Schwabe. 2. 25

Schaefer, Jak., bunte Schildereien. Erzählende Gedichte. Mit 10 (Holzschn.-)Bildern. 8. (132 S.) Einsiedeln 885. Benziger & Co. geb. m. Goldschn. 4. —

Schaefer's, Joh. Wilh., Geschichte der deutschen Literatur d. XVIII. Jahrh. in übersichtlichen Umrissen u. biographischen Schilderungen. 2., verm. u. vollständig umgearb. Aufl., hrsg. v. Frz. Muncker. Neue Ausg. in 10 Hftn. 8. Leipzig 885. T. O. Weigel. à n. — 50 (cplt.: n. 5. —; geb. n. 6. —)

1. Innere Geschichte der Literatur. Hagedorn u. Haller. (69 S.)
2. Die vorzüglichsten Dichter der Leipziger Schule. (S. 70—142.)
3. Friedrich Gottlieb Klopstock. (S. 143—203.)
4. Die vorzüglichsten Dichter der Vereine zu Halle, Halberstadt u. Berlin. (S. 204—254.)
5. Gotthold Ephraim Lessing. (S. 255—331.)
6. Christoph Martin Wieland. (S. 332—387.)
7. Innere Geschichte der Literatur bis zu Schillers Tode. Göttinger Dichterbund. (S. 388—508.)
8. Johann Gottfried Herder. (S. 509—597.)
9. Johann Wolfgang Goethe. (S. 598—674.)
10. Johann Christoph Friedrich Schiller. (S. 675—770.)

Schäfer, Martha, die junge Hausfrau, od. die Kunst gut hauszuhalten. Anleitung zur vortheilhaften Führg. der bürgerl. Haushaltg. 8. (72 S.) Oberhausen 884. Spaarmann. — 40

— Hausmannskost. Neues bürgerl. Kochbuch. 8. (VIII, 72 S.) Ebend. 884. — 40

Schäfer, Phil. Otto, Brüderchen u. Schwesterlein auf Reisen, m. Text v. Agnes Schäfer. 4. (10 Chromolith.) Stuttgart 882. G. Weise. cart. 1. 50

— dasselbe. Leinwand-Bilderbuch. 4. (10 Chromolith.) Ebend. 884. geb. 2. —

Schaefer, Rich., welch' e. Wendung durch Gottes Führung! Festpredigt zum 25jähr. Regierungsjubiläum Sr. Maj. d. Königs v. Preußen u. Kaisers v. Deutschland. gr. 8. (11 S.) Halle 886. Strien. n. — 20

Schaefer, Th., Führer durch Nord-Böhmen, m. Berücksicht. der sächs. Schweiz u. d. Zittauer Gebirges. Mit 2 (lith.) Eisenbahn-Uebersichtskarten u. e. Situationsplan der Umgebg. v. Dittersbach. 3. Aufl. 8. (XVIII, 295 S.) Dresden 883. Meinhold & Söhne. geb. n. 3. —

— neues Wanderbuch durch Sachsen. 1. u. 2. Thl. 2. Aufl. 8. Ebend. cart. 3. 30

1. Fremdenführer durch die Sächsische Schweiz u. die angrenzenden Gebiete. Mit 9 Karten-Beilagen. (XII, 185 S.) 884. 1. 80
2. Dresdens Umgebg. in 101 Ausflügen. Mit 2 Karten-Beilagen. (X, 218 S.) 885. 1. 50

Schaefer, Thdr., was ist Freimaurerei? Eine Darlegg. d. Inhalts der Freimaurerei u. deren Bedeutg. f. die Gegenwart f. Nicht-Maurer. gr. 8. (X, 76 S.) Berlin 885. Mittler & Sohn. n. 1. 50

Schäfer, Thdr., die weibliche Diakonie, in ihrem ganzen Umfange dargestellt. Vorträge. 3. (Schluß-)Bd. A. u. d. T.: Die Diakonissin u. das Mutterhaus. gr. 8. (XIII, 357 S.) Stuttgart 883. Gundert. n. 4. 50 (cplt.: n. 12. 60)

— dasselbe. 2. Aufl. 1. Bd. Die Geschichte der weibl. Diakonie. gr. 8. (XVI, 328 S.) Ebend. 887. n. 4. 50

— zur Erinnerung an die Diakonissen-Einsegnung. 8. (X, 125 S.) Gütersloh 884. Bertelsmann. n. 1. 40; geb. n. 1. 80

Schaefer, W., die Nationalökonomie u. die neuere deutsche Gesetzgebung. Von der philosoph. Fakultät der Universität Breslau gekrönte Preisschrift. gr. 8. (95 S.) Hannover 886. Schmorl & v. Seefeld. n. 1. 50

— die Verstaatlichung d. Feuerversicherungswesens, insbesondere der Mobiliarversicherung. gr. 8. (88 S.) Ebend. 884. n. 1. —

Schäfer, Wilh., Lehrbuch der Hauswirtschaft. Ein Leitfaden f. den Unterricht an Haushaltungsschulen u. zweckverwandten Lehranstalten, u. f. die oberen Mädchenklassen an Volksschulen, sowie e. Anleitg. zur Erlerng. u. Führg. der Hauswirtschaft. Mit 90 Holzschn. gr. 8. (VII, 263 S.) Stuttgart 886. Ulmer. n. 3. 80

— Lehrbuch der Milchwirtschaft. 2. Aufl. Mit 104 Holzschn. gr. 8. (XII, 158 S.) Ebend. 883. n. 2. 80

Schaff, Phpp., August Neander. Erinnerungen. Mit e. Bildnis. gr. 8. (VII, 76 S.) Gotha 886. F. A. Perthes. n. 1. 60

Schäff, Ernst, Untersuchungen üb. das Integument der Lophobranchier. [Aus dem zoolog. Institut zu Kiel.] gr. 8. (34 S. m. 1 Steintaf.) Kiel 886. Lipsius & Tischer. n. 1. 20

Schaffe in mir, Gott, e. reines Herz. 4 Lilien auf grünem Grunde. Chromolith. 16. Leipzig 883. (Baldamus Sep.-Cto.) n. — 70

Schaffer, Frz. Jos., die Weg-, Brücken- u. Fährten-Mauthvorschriften m. Einschluß der Bestimmungen üb. die Einrichtung d. Fuhrwerkes, die Verpachtgn., Behandlg. der Cautionen, Einhebg. der Mauthgebühren im Aerarial-Regie u. in Sequestration. 3. Aufl. 8. (III, 111 S.) Wien 885. Manz. n. 1. 60

Schaffer, H., Anrede bei der feierlichen Einweihung d. „Notburga-Heim", e. Zufluchts-, Wohn- u. Lernstätte f. weibl. Dienstboten, geh. in Ratibor am Ostermontage 1886. gr. 8. (8 S.) Breslau 886. (Goerlich.) — 30

— Geschichte e. schlesischen Liebfrauengilde seit dem J. 1343. Ein Beitrag zu der Geschichte der Gilden u. religiösen Bruderschaften. Nach Urkunden u. handschriftl. Quellen verf. Mit 2 Abbildgn. in Lichtdr. gr. 8. (XXXVI, 319 S.) Ratibor 883. Ebend. n. 4. 50; geb. n. 6. —

— für Treu u. Glauben! Gedichte, nach besond. Auswahl hrsg. 8. (215 S.) Ratibor 886. Lindner. geb. m. Goldschn. n. 3. 25

Schaffer, Ludw., zur Behandlung der ansteckungsfähigen Formen der Bindehaut-Erkrankungen. Als Beitrag, um vor Allem die noch gebräuchl. Lapisätzgn. zeitgemäss zu ersetzen. gr. 8. (52 S.) Wien 883. Seidel & Sohn. n. 1. —

— die Hygiene u. Aesthetik d. menschlichen Fusses. gr. 8. (V, 132 S.) Wien 886. Braumüller. n. 3. —

— die Theer-Imprägnirung im Massenquartiere. gr. 8. (32 S.) Ebend. 886. n. — 80

Schaeffer, üb. den Gebrauch d. Accusativs bei Herodot. gr. 4. (18 S.) Gross-Strehlitz 884. (Wilpert.) n.n. 1. —

Schaeffer, A., auf der Neige d. Lebens od. v. dem gegenwärt. u. dem zukünft. Leben. Deutsche, vom Verf. autoris. Ausg. gr. 8. (XXXIV, 254 S.) Gotha 884. F. A. Perthes. n. 5. —

Schäffer, C., Leitfaden f. den Unterricht in den Orthographie, nebst e. Verzeichnisse: die Schreibg. u. Bedeutg. der gebräuchlichsten Fremdwörter. 13. Aufl. gr. 8. (IV, 192 S.) Leipzig 885. Klinkhardt. n. 1. —

Schäffer, E., der Kriegs-Train d. deutschen Heeres in seiner gegenwärtigen Organisation, nebst e. Anh.: Das Feldverpflegungs- u. Transportwesen in den letzten deutschen Kriegen. gr. 8. (VI, 117 S.) Berlin 883. Mittler & Sohn. n. 2. —

Schaeffer, Jul., Choralbuch f. die Prov. Sachsen, im Auftrage d. königl. Consistoriums zu Magdeburg bearb. qu. 4. (XII, 137 S.) Wittenberg 886. Herrosé Verl. n. 6. —; geb. n.n. 7. 50

Schäffer, Ludw., der Raum. Studie zu e. kineto-monist. Weltanschaug. gr. 8. (16 S.) Wien 884. (Konegen.) n. — 60

Schaeffer, Max, chirurgische Erfahrungen in der Rhinologie u. Laryngologie aus den J. 1875—1885. Mit 7 Abbildgn. gr. 8. (VIII, 99 S.) Wiesbaden 885. Bergmann. n. 3. 60

Schäffle, Alb. E. Fr., gesammelte Aufsätze. (In 2 Bdn.) 1. Bd. gr. 8. (VII, 298 S.) Tübingen 885. Laupp. n. 6. —

— die Aussichtslosigkeit der Socialdemokratie. Drei Briefe an e. Staatsmann zur Ergänzg. der „Quintessenz d. Socialismus". 2. Aufl. gr. 8. (III, 112 S.) Ebend. 885. n. 1. 80

— Entwurf e. vollständigen Hülfskassen-Reichsgesetzes. gr. 8. (IV, 92 S.) Ebend. 884. n. 2. —

— der korporative Hülfskassenzwang. 2. durch den Entwurf e. vollständ. Hülfskassen-Reichsgesetzes verm. Ausg. gr. 8. (IV, 216 S.) Ebend. 884. n. 4. —

— die Inkorporation des Hypothekarkredits. gr. 8. (III, 159 S.) Ebend. 883. n. 3. —

— die Quintessenz d. Sozialismus. 8. Aufl. [9. Abdr.] gr. 8. (V, 69 S.) Gotha 885. F. A. Perthes. n. 1. 20

— vereinigter Versicherungs- u. Spardienst bei Zwangshülfskassen. gr. 8. (III, 88 S.) Tübingen 884. Laupp. n. 2. —

Schäffler, A., Würzburg's Entwickelung bis in die Zeit d.

30jährigen Krieges. gr. 8. (17 S.) Würzburg 886. Stuber's Verl. n. — 50

Schaffroth, J. G., der Reformator Nikolaus Manuel v. Bern. Freier Vortrag. 8. (51 S.) Basel 885. Schwabe. n. — 80

Schafft, Arnold, Übersichtstafeln zum Unterricht in der anorganischen Chemie u. Mineralogie. Für die Schule u. das erste Studium. gr. 8. (VIII, 100 z. Tl. color. S.) Bielefeld 886. Velhagen & Klasing. cart. n. 2. 60

Schafft, A., üb. das Vorhersagen v. Naturerscheinungen, s.: Sammlung gemeinverständl. wissenschaftl. Vorträge.

Schafhäutl, Karl Emil v., e. physiologisch-medizinisches Räthsel. Die Wassertrinkerin Jungfrau Marie Furtner aus Frasdorf in Oberbayern, welche 50 Jahre hindurch ausschließlich vom Wasser lebte. Mit Portr., nach Photographie mittelst Autotypieverfahren hergestellt. Wahrhafter Bericht nach gewissenhaften Beobachtgn., welche m. derselben im Krankenhaus zu München vorgenommen wurden. gr. 8. (15 S.) München 885. Wenger's Sort. n. — 60

Schafheitlin, Adf., Visionäre. Gedichte. 8. (VIII, 124 S.) Zürich 886. Verlags-Magazin. n. 1. 50

Schäfler, J., die sogenannten syntaktischen Graecismen bei den augusteischen Dichtern. gr. 8. (95 S.) Amberg 884. E. Pohl's Verl. n. 1. 60

Schaible, Karl Heinr., Geschichte der Deutschen in England von den ersten germanischen Ansiedelungen in Britannien bis zum Ende d. 18. Jahrh. gr. 8. (XVIII, 488 S.) Strassburg 885. Trübner. n. 9. —

— deutsche Stich- u. Hieb-Worte. Eine Abhandlg. üb. deutsche Schelt-, Spott- u. Schimpfwörter, altdeutsche Verfluchgn. u. Flüche. 2. unveränd. Ausg. gr. 8. (IX, 91 S.) Ebend. 885. n. 2. —

Schäkel, J., deutsches Schulliederbuch, s.: Martens, W.

Schalch, geologische Beschreibung der Kantone St. Gallen, Thurgau u. Schaffhausen, s.: Gutzwiller, A.

Schalk. Blätter f. deutschen Humor. Hrsg. v. M. Reymond. 6—8. Jahrg. Octbr. 1883—Septbr. 1886. à 52 Nrn. (à 1—2 B. m. Illustr.) gr. 4. Berlin. Leipzig, E. Herrmann sen. à Jahrg. n. 10. —

Schalk's Bücherey. Nr. 2. 8. Berlin-Friedenau 883. Thiel. à n. 1. 50

Der Pfaffe Amis. Ein Schelmenlied. Aus dem Mittelhochdeutschen übertr. von Ant. Ohorn. (VIII, 89 S. m. eingedr. Illustr.)

Schalk, Gust., Doktor Biedermann u. sein Zögling. Roman in 4 Büchern. gr. 8. (410 S.) Leipzig 886. Dürselen. n. 6. —; geb. n. 7. —

— Heldenfahrten, s.: Schmidt's, F., Jugendbibliothek.

— die schönsten Märchen, Sagen u. Schwänke. Mit vielen Abbildgn. gr. 8. (304 S.) Kreuznach 886. Voigtländer's Verl. geb. n. 2. 50

Schalk-Kalender 1887. 7. Jahrg. 8. (110 S. m. Illustr.) Berlin. Friedenau, Thiel. n. 1. —

Schallenfeld, Agnes, praktische Anweisung zur Erteilung d. Handarbeitsunterrichts nach der Schallenfeld'schen Methode. 1—4. Stufe. 6. Aufl., rev. v. Albertine Hall. Mit Holzschn. gr. 8. Frankfurt a/M. 884. 85. Diesterweg. n. 3. 20

1. Das Stricken. [Nebst Anh.: Lehrplan f. den Unterricht in den weibl. Handarbeiten.] (V, 34 S.) n. — 80
2. Das Häkeln. Mit 3 lith. Taf. (30 S.) n. — 80
3. 4. Das Nähen. [Einschließlich das Zeichnen, Sticken, Zuschneiden, Stopfen u. Ausbessern der Wäsche.] Mit 6 lith. Taf. (70 S.) n. 1. 60

Schallenfeld, Rosalie, u. Agnes **Schallenfeld,** der Handarbeits-Unterricht in Schulen. Wert, Inhalt, Lehrgang u. Methodik desselben. Mit e. Vorwort v. Karl Bormann. 7. Aufl. Rev. v. Albertine Hall. gr. 8. (80 S.) Frankfurt a/M. 885. Diesterweg. n. 1. —

Schaller, Alfr., wer hat Recht? Eine Erzählg. 12. (14 S.) Straßburg 886. Heitz. — 15

Schaller, E. Joh., Studien-Blätter f. Decorationsmalerei. Ornamentale, figürl. u. allegor. Darstellgn., Skizzen u. ausgeführte Entwürfe, vorwiegend v. neuen Meistern. Orig.-Aufnahmen nach der Natur u. Lichtdr. v. Herm. Rückwardt. (In 12 Lfgn.) 1—6. Lfg. gr. Fol. (à 10 Bl.) Berlin 885. 86. Rückwardt. In Mappe. à 12. —; einzelne Lfgn. à 15. —

Schaller-Fischer, L., verwaist aber nicht verlassen. 8. (72 S.) Straßburg 887. Heitz. n. — 80

Schallop, E., der 1. u. 2. Kongress d. deutschen Schachbundes. Leipzig 1879 — Berlin 1881. Mit dem (Lichtdr.-)Bildniss v. H. Zwanzig. gr. 8. (VIII, 228 S.) Leipzig 883. Veit & Co. n. 5. —

— dasselbe, der 3. Kongress. Nürnberg 1883. (Mit dem (Lichtdr.-)Bildnis v. A. Roegner. gr. 8. (VIII, 303 S. m. eingedr. Diagrammen.) Ebend. 884. n. 6. —

— der Schachwettkampf zwischen Wilh. Steinitz u. J. H. Zukertort. Anfang 1886. Mit Erläutergn. hrsg. gr. 8. (48 S. m. Diagrammen.) Ebend. 886. n. 1. —

Schambach, C., das Staatsrecht d. Fürstenth. Schwarzburg-Sondershausen, s.: Handbuch d. öffentlichen Rechts der Gegenwart.

Schambach, O., Liederhalle f. Deutschlands Jugend. 12. (VIII, 152 S.) Altenburg 883. Bonde's Verl. geb. n 1. —

Schandorph, S., ohne innern Halt. [Uden Midtpunkt.] Erzählung. Aus dem Dän. v. J. D. Ziegler. 3. Aufl. 8. (392 S) Norden 885. Fischer Nachf. n. 5. —

— ein Witwenstand, s.: Universal-Bibliothek.

Schandri, Marie, Regensburger Kochbuch. 18. Aufl. Wohlf. Ausg. Mit Anh.: Die vollständ. Fastenküche v. Anna Huber. 14. Aufl. gr. 8. (XVI, 498 u. Anh. VIII, 132 S.) Regensburg 886. Coppenrath. 2. —; Einbd. in Halbleinw. n.n. — 50; in Leinw. n.n. — 80; feine Ausg. 3. 30; Einbd. in Leinw. n.n. 1. —; ohne Anh. 2. 50; Einbd. in Leinw. n.n. 1. —

Schank-Gesellschaften, die schwedischen u. norwegischen. Bericht der Reise-Commission d. Deutschen Vereins gegen den Mißbrauch geistiger Getränke. gr. 8. (50 S.) Bremen 888. (Bonn, Strauß.) n. 1. —

Schanz, Carl, Elsasser Bauern-Krieg. Dramatische Skizzen in 5 Akten. 8. (IV, 84 S.) Zabern 885. Mallinckrodt. n. 1. —

Schanz, Frz., das Erbfolgeprinzip d. Sachsenspiegels u. d. Magdeburger Rechts. Eine rechtsgeschichtl. Studie. gr. 8. (V, 124 S.) Tübingen 884. Fues. n. 2. 40

Schanz, Frida, Blumen u. Früchte. Erzählungen f. Mädchen von 6—9 Jahren. Mit 4 Farbdr.-Bildern nach Aquarellen v. P. Wagner. gr. 8. (136 S.) Stuttgart 886. G. Weise. geb. 4. 50

— in der Feierstunde. Erzählungen f. Mädchen von 8—12 Jahren. Mit 4 Farbdr.-Bildern nach Aquarellen v. P. Wagner. gr. 8. (144 S.) Ebend 886. geb. 4. 50

— unser Hausglück, s.: Lohmeyer, J.

Schanz, G., zur Geschichte der Colonisation u. Industrie in Franken, s.: Wirtschafts- u. Verwaltungsstudien, bayerische.

Schanz, Hugo, kleine Sammlung v. Vorträgen, die äußere Mission betr., samt Anhang. gr. 8. (VIII, 140 S.) Gotha 885. Schloeßmann. n. 2. 40

Schanz, M., s.: Beiträge zur histor. Syntax.

Schanz, Paul, Commentar üb. das Evangelium d. heil. Johannes. gr. 8. (IV, 599 S.) Tübingen 885. Fues. n. 8. —

Schanz, Pauline, Gedichte. 8. (V, 197 S.) Leipzig 885. Friedrich. n. 3. —

Schanz, Uli, Sängers Erdenwallen. Lehr- u. Wanderjahre. Zwei Bücher deutscher Dichtg., gesammelt u. hrsg. v. Rud. Kortenbach. 2. Aufl. 1. Lfg. gr. 8. (48 S.) Leipzig 885. (Theile.) n. — 50

Schanze, J., praktische Geometrie m. 185 geometrischen Rechenaufgaben f. Handwerker-Fortbildungsschulen u. die Oberklassen mehrklassiger Volksschulen. gr. 8. (32 S. m. Fig.) Eschwege 886. (Roßbach.) n. — 30

— u. Th. Jäger, Rechenheft f. die Handwerker-Fortbildungsschulen. gr. 8. (51 S.) Ebend. 886. n. — 35

Schanzenbach, O., aus der Geschichte d. Eberhard-Ludwigs-Gymnasiums in Stuttgart, s.: Festschrift zur Jubelfeier desselben.

Schaper, F., Hauptregeln der lateinischen Syntax, nebst Musterbeispielen dazu zum Auswendiglernen. Im Anschluß an die Grammatik v. Ellendt-Seyffert ausgearb. 2. Aufl. gr. 8. (47 S.) Berlin 884. Bornträger. n. — 40

Schaper, Herm., sechs Vorträge üb. Gesundheitspflege. Geh. im Frauenbildungsverein zu Hannover. Mit e.

(chromolith.) Titelbilde u. 6 Abbildgn. im Texte. 8. (136 S.) Hannover 884. Klindworth. geb. n. 2. —

Schaper, Ludw., die 17. Division im Feldzug 1870—71. gr. 8. (88 S.) Guben 884. (Berger.) n. 1. 50

— Geschichte der socialen Frage. gr. 8. (63 S.) Braunschweig 885. Sommermeyer. n. — 80

— Militaria. Ein Buch vom deutschen Heere f. Alt u. Jung. [1. Das Heer im Frieden. — 2. Das Heer im Kriege.] 8. (VIII, 216 S. m. 6 Kartenskizzen.) Ebend. 885. n. 3. 50; geb. n. 4. 50

Schaper, W., Beschreibung der erdmagnetischen Station zu Lübeck, s.: Mittheilungen der geographischen Gesellschaft zu Lübeck.

Schapira, Herm., Erweiterung der Begriffe der arithmetischen Grundoperationen u. der allgemeinen Confunctionen. 2 Vorträge, geh. in der mathemat. Sektion der 55. Versammlg. deutscher Naturforscher u. Aerzte zu Eisenach am 19. Septbr. 1882. gr. 4. (20 S.) Eisenach 882. (Leipzig, Teubner.) n. 1. —

— Grundlage zu e. Theorie allgemeiner Confunctionen. Vortrag, geh. in der mathemat. Section der 54. Versammlg. deutscher Naturforscher u. Aerzte zu Salzburg am 19. Septbr. 1881. gr. 4. (20 S.) Wien 881. Ebend. n. 1. 20

Schäppi, J., üb. Einführung d. Patent- u. Musterschutzes, s.: Sammlung populär-wissenschaftlicher Vorträge u. Abhandlungen.

— dasselbe, s.: Zeit- u. Streitfragen.

— der Handfertigkeitsunterricht u. die Volksschule. Vortrag, geh. im Schulkapitel Zürich. 8. (30 S.) Außersihl 884. (Zürich, Meyer & Zeller.) n. — 40

— Reform u. Ausbau der Volksschule u. deren Verhältniß zu den gewerblichen Bildungsanstalten. 8. (79 S.) Zürich 886. Orell Füßli & Co. Verl. n. 1. 80

Schäppi, Sophie, der Tante Sophie Bilderbuch, m. Versen v. L. Z., gezeichnet v. S. Sch. gr. 4. (22 Bl.) Winterthur 885. Kieschke. cart. n. 3. 60

Schär, E., aus der Geschichte der Gifte, s.: Vorträge, öffentliche, geh. in der Schweiz.

Scharanz, Carl Frhr. v., die Bekehrten. Ein Lebensgemälde. Mit e. Vorwort v. Frdr. W. Ebeling. 2 Bde. 8. (VIII, 279 u. 262 S.) Leipzig 885. Böhme. n. 7. 50; geb. n. 9. —

Scharbusch, Frz. [Fritz Vorstell], lustige Geschichten, plattdütsch in Versen un Rimels vertellt. Neue Ausg. 8. (XVI, 207 S.) Aschersleben 884. Buch. cart. n. 2. —; geb. 3. —

Schardt, H., étude paléontologique et stratigraphique des couches à Mytilus des Alpes Vaudoises, s.: Loriol, P. de.

Scharenberg, Mecklenburg-Strelitzische Gesetze, Verordnungen u. Verfügungen in Kirchen- u. Schulsachen. Fortsetzung d. 1 Tls. der Gesetzsammlg. f. die Mecklenburg-Strelitzischen Lande [m. Ausnahme d. Fürstent. Ratzeburg]. gr. 8. (VI, 273 S.) Neustrelitz 885. (Barnewitz.) n.n. 5. —

Schärer, Karl, vollständige Sammlung v. Musteraufsätzen f. alle im bürgerlichen Leben vorkommenden Rechtsgeschäfte, zum Beispiel: Käufe, Bürgschaften, Mieth- u. Pachtverträge, Schuldschriften, letzte Willensverordngn., Gesuche an Behörden, Betreibungsvorkehren etc., als nothwend. Ergänzg. der Sammlg. der Civil- u. Civilprozeßgesetze d. Kantons Bern v. R. Niggeler u. Emil Vogt, hrsg. 4., nach dem schweiz. Obligationenrecht umgearb. Aufl. gr. 8. (87 S.) Bern 884. Jenni. n. 2. —

Schärer, R., Anleitung zum Schwingen u. Ringen. 2. Aufl. Anh.: Das Massen-Schwingen. Leitfaden zu prakt. Gebrauch f. Vorturner, bearb. v. Edm. Umstein. Mit 24 lith. Abbildgn. 12. (VIII. 101 S.) Bern 883. Jent & Reinert. n. 2. 80

Scharlach, J. C. F., Aufgaben zu Übungen im schriftlichen Rechnen f. Bürger- u. Volksschulen. 1., 4. u. 5. Hft. 8. Halle, Schrödel & Simon Verl. n. 1. —

1. 10. Aufl. (56 S.) 885. n. — 30
4. 7. Aufl. (48 S.) 883. n. — 30
5. 6. Aufl. (78 S.) 882. n. — 40

— dasselbe. Auflösungen. 4. u. 5. Hft. 8. Ebend. 883. n. — 90

4. 5. Aufl. (56 S.) n. — 40
5. 6. Aufl. (60 S.) n. — 50

Scharlach, J. C. F. u. L. Haupt, Fibel f. den vereinigten Anschauungs-, Zeichen-, Schreib- u. Leseunterricht 31. Aufl. gr. 8. (IV, 96 S. m. Holzschn.) Halle 886. Schrödel & Simon Verl. n. — 80; Einbd. n.n. — 10

— — Lesebuch f. Bürger- u. Volksschulen. Ober-, Mittel- u. Unterstufe. gr. 8. Ebend. 886. n. 2. 80; Einbd. à n.n. — 20

Oberstufe. 7. Aufl. (VIII, 350 S.) n. 1. 10. — Mittelstufe. 8. Aufl. m. Anh. (VIII, 280 S.) n. — 90. — Unterstufe. 12. Aufl. (XII, 260 S.) n. — 80

— — Volksschullesebuch m. besond. Rücksicht auf die Prov. Sachsen. 18. Aufl. gr. 8. (XII, 428 S.) Ebend. 886. n. — 90; Einbd. n.n. — 25

— — dasselbe. Ausg. in 2 Abtlgn. gr. 8. Ebend. 885. 86. n. 1 50; Einbd. n.n. — 45

Mittelstufe. 7. Aufl. (VIII, 192 S.) n. — 60; Einbd. n.n. — 20. — Oberstufe. 5. Aufl. (VIII, 344 S.) n. 1. —; Einbd. n.n. — 75

Scharling, Henrik, meine Frau u. ich. Erzählung. Vom Verf. autoris. Uebersetzg. v. E. Duncker. 3. Aufl. 8. (337 S.) Norden 888. Fischer Nachf. n. 5. —; geb. n. 6. —

— Uffe Hjaelm's u. Palle Löve's Erlebnisse. Deutsch v. W. Reinhardt. 3 Bde. 3. Ausg. 8. (VII, 436; III, 388 u. III, 388 S.) Ebend. 884. n. 13. 50

— Johannes Hus. Historisches Drama in 5 Akten. Deutsch v. P. J. Willatzen. Autoris. Uebersetzg. 2. Aufl. 8. (V, 157 S.) Bremen 886. Heinsius. n. 2. 25; geb. n. 2. 80

— s.: Nicolai.

Scharnhorst, militärische Schriften, s.: Klassiker, militärische, d. In- u. Auslandes.

Scharnhorst, der General v., s.: Klućkhohn, A.

— Leben, s.: Lehmann, M.

Scharowsky, C., Musterbuch f. Eisen-Constructionen. Hrsg. vom Verein deutscher Eisen- u. Stahlindustrieller. 1. Tl. (In 4 Lfgn.) 1. Lfg. Fol. (40 S. m. Illustr.) Leipzig 887. Spamer. n. 1. 50

Scharrer, Johs., zum Andenken an ihn, s.: Hagen, R.

Schaschl, J., die Galvanostegie, s.: Bibliothek, elektrotechnische.

Schasler, M., Ästhetik, s.: Wissen, das, der Gegenwart.

— die Farbenwelt, s.: Sammlung gemeinverständlicher wissenschaftlicher Vorträge.

— über dramatische Musik u. das Kunstwerk der Zukunft, s.: Zeit- u. Streit-Fragen, deutsche.

— die Reorganisation der Berliner Kunstakademie als Kunstlehranstalt, s.: Sammlung kunstgewerblicher u. kunsthistorischer Vorträge.

— das System der Künste aus e. neuen, im Wesen der Kunst begründeten Gliederungsprincip. 2. Aufl. gr. 8. (XV, 264 S.) Leipzig 885. Friedrich. n. 6. —

Schatten, mancherlei, u. Ein Licht. Von dem Verf. der „Tröstungen u. Rathschläge aus der Erfahrung". Aus dem Franz. übers. v. R. H.-S. Mit e. Vorwort v. Bernh. Riggenbach. gr. 16. (IV, 48 S.) Basel 886. Detloff. n. — 40

Schattenmann, P. Fr., d. Herrn Wort bleibet in Ewigkeit! Predigt üb. 1. Petri 1, 24 u. 25, geh. am Bibelfeste zu Nürnberg in der St. Aegidienkirche am 13. Juni 1883. 2. Aufl. gr. 8. (12 S.) Nürnberg 883. Raw. n. — 20

Schatz, der, im Brunnen od. die Entstehung der Pyrmonter Heilquellen. Ein Märchen v. e. Freundin Pyrmonts. 2. Aufl. 16. (73 S.) Hannover 884. Brandes. cart. m. Goldschn. 1. 50

Schatz, E., exotische Schmetterlinge, s.: Staudinger, O.

Schatz, Frdr., Entwurf e. Hebammen-Ordnung f. das Grossherzogth. Mecklenburg-Schwerin. gr. 8. (IV, 104 S.) Rostock 883. Werther's Verl. n. 2. —

Schatzkammer deutscher Illustratoren, enth. Orig.-Zeichngn. zu beliebten Dichtgn. 18—27. Lfg. Fol. (à 5 Lichtdr.) München 883. 84. Ab. Ackermann. à 4. —

18. 16. 18. 5. Bd.: Die letzten Tage v. Pompeji. 20 Tuschzeichngn. zu E. Bulwer's Erzählg. v. Frank Kirchbach. 2—4. (Schluß-)Hft.

30jährigen Krieges. gr. 8. (17 S.) Würzburg 886. Stuber's Verl. n. — 50

Schaffroth, J. G., der Reformator Nikolaus Manuel v. Bern. Freier Vortrag. 8. (51 S.) Basel 885. Schwabe. n. — 80

Schafft, Arnold, Übersichtstafeln zum Unterricht in der anorganischen Chemie u. Mineralogie. Für die Schule u. das erste Studium. gr. 8. (VIII, 100 z. Tl. color. S.) Bielefeld 886. Velhagen & Klasing. cart. n. 2. 60

Schafft, A., üb. das Vorhersagen v. Naturerscheinungen, s.: Sammlung gemeinverständl. wissenschaftl. Vorträge.

Schafhäutl, Karl Emil v., e. physiologisch-medizinisches Räthsel. Die Wassertrinkerin Jungfrau Marie Furtner aus Frasdorf in Oberbayern, welche 50 Jahre hindurch ausschließlich vom Wasser lebte. Mit Portr., nach Photographie mittelst Autotypieverfahren hergestellt. Wahrhafter Bericht nach gewissenhaften Beobachtgn., welche m. derselben im Krankenhaus zu München vorgenommen wurden. gr. 8. (16 S.) München 885. Wenger's Sort. n. — 60

Schafheitlin, Adf., Visionäre. Gedichte. 8. (VIII, 124 S.) Zürich 886. Verlags-Magazin. n. 1. 50

Schäfler, J., die sogenannten syntaktischen Graecismen bei den augusteischen Dichtern. gr. 8. (95 S.) Amberg 884. E. Pohl's Verl. n. 1. 60

Schaible, Karl Heinr., Geschichte der Deutschen in England von den ersten germanischen Ansiedelungen in Britannien bis zum Ende d. 18. Jahrh. gr. 8. (XVIII, 488 S.) Strassburg 885. Trübner. n. 9. —

— deutsche Stich- u. Hieb-Worte. Eine Abhandlg. üb. deutsche Schelt-, Spott- u. Schimpfwörter, altdeutsche Verfluchgn. u. Flüche. 2. unveränd. Ausg. gr. 8. (IX, 91 S.) Ebend. 885. n. 2. —

Schäfel, J., deutsches Schulliederbuch, s.: Mertens, W.

Schalch, geologische Beschreibung der Kantone St. Gallen, Thurgau u. Schaffhausen, s.: Gutzwiller, A.

Schalk. Blätter f. deutschen Humor. Hrsg. v. M. Reymond. 6—8. Jahrg. Octbr. 1883—Septbr. 1886. à 52 Nrn. (à 1—2 B. m. Illustr.) gr. 4. Berlin. Leipzig, E. Herrmann sen. à Jahrg. n. 10. —

Schalk's Bücherey. Nr. 2. 8. Berlin-Friedenau 883. Thiel. à n. 1. 50

Der Pfaffe Amis. Ein Schelmenlied. Aus dem Mittelhochdeutschen übertr. von Ant. Ohorn. (VIII, 89 S. m. eingedr. Illustr.)

Schalk, Gust., Doktor Biedermann u. sein Zögling. Roman in 4 Büchern. gr. 8. (410 S.) Leipzig 886. Dürselen. n. 6. —; geb. n. 7. —

— Heldenfahrten, s.: Schmidt's, F., Jugendbibliothek.

— die schönsten Märchen, Sagen u. Schwänke. Mit vielen Abbildgn. gr. 8. (304 S.) Kreuznach 886. Voigtländer's Verl. geb. n. 2. 50

Schalk-Kalender 1887. 7. Jahrg. 8. (110 S. m. Illustr.) Berlin. Friedenau, Thiel. n. 1. —

Schallenfeld, Agnes, praktische Anweisung zur Erteilung d. Handarbeitsunterrichts nach der Schallenfeld'schen Methode. 1—4. Stufe. 6. Aufl., rev. v. Albertine Hall. Mit Holzschn. gr. 8. Frankfurt a/M. 884. 85. Diesterweg. n. 3. 20

1. Das Stricken. [Nebst Anh.: Lehrplan f. den Unterricht in den weibl. Handarbeiten.] (V, 34 S.) n. — 80
2. Das Häkeln. Mit 3 lith. Taf. (30 S.) n. — 80
3. 4. Das Nähen. [Einschließlich das Zeichnen, Sticken, Zuschneiden, Stopfen u. Ausbessern der Wäsche.] Mit 6 lith. Taf. (70 S.) n. 1. 60

Schallenfeld, Rosalie, u. Agnes **Schallenfeld,** der Handarbeits-Unterricht in Schulen. Wert, Inhalt, Lehrgang u. Methodik desselben. Mit e. Vorwort v. Karl Bormann. 7. Aufl. Rev. v. Albertine Hall. gr. 8. (80 S.) Frankfurt a/M. 885. Diesterweg. n. 1. —

Schaller, Alfr., wer hat Recht? Eine Erzählg. 12. (14 S.) Straßburg 886. Heitz. — 15

Schaller, E. Joh., Studien-Blätter f. Decorationsmalerei. Ornamentale, figürl. u. allegor. Darstellgn., Skizzen u. ausgeführte Entwürfe, vorwiegend v. neuen Meistern. Orig.-Aufnahmen nach der Natur u. Lichtdr. v. Herm. Rückwardt. (In 12 Lfgn.) 1—6. Lfg. gr. Fol. (à 10 Bl.) Berlin 885. 86. Rückwardt. In Mappe. à 12. —; einzelne Lfgn. à 15. —

Schaller-Fischer, L., verwaist aber nicht verlassen. 8. (72 S.) Straßburg 887. Heitz. n. — 80

Schallop, E., der 1. u. 2. Kongress d. deutschen Schachbundes. Leipzig 1879 — Berlin 1881. Mit dem (Lichtdr.-)Bildniss v. H. Zwanzig. gr. 8. (VIII, 228 S.) Leipzig 883. Veit & Co. n. 5. —

— dasselbe, der 3. Kongress. Nürnberg 1883. (Mit dem (Lichtdr.-)Bildnis v. A. Roegner. gr. 8. (VIII, 308 S. m. eingedr. Diagrammen.) Ebend. 884. n. 6. —

— der Schachwettkampf zwischen Wilh. Steinitz u. J. H. Zukertort. Anfang 1886. Mit Erläutergn. hrsg. gr. 8. (48 S. m. Diagrammen.) Ebend. 886. n. 1. —

Schambach, C., das Staatsrecht d. Fürstenth. Schwarzburg-Sondershausen, s.: Handbuch d. öffentlichen Rechts der Gegenwart.

Schambach, O., Liederhalle f. Deutschlands Jugend. 12. (VIII, 152 S.) Altenburg 883. Bonde's Verl. geb. n 1. —

Schandorph, S., ohne innern Halt. [Uden Midtpunkt.] Erzählung. Aus dem Dän. v. J. D. Ziegler. 3. Aufl. 8. (392 S.) Norden 885. Fischer Nachf. n. 5. —

— ein Witwenstand, s.: Universal-Bibliothek.

Schandri, Marie, Regensburger Kochbuch. 18. Aufl. Wohlf. Ausg. Mit Anh.: Die vollständ. Fastenküche v. Anna Huber. 14. Aufl. gr. 8. (XVI, 498 u. Anh. VIII, 132 S.) Regensburg 886. Coppenrath. 2. —; Einbd. in Halbleinw. n.n. — 50; in Leinw. n.n. — 80; feine Ausg. 3. 30; Einbd. in Leinw. n.n. 1. —; ohne Anh. 2. 50; Einbd. in Leinw. n.n. 1. —

Schank-Gesellschaften, die schwedischen u. norwegischen. Bericht der Reise-Commission d. Deutschen Vereins gegen den Mißbrauch geistiger Getränke. gr. 8. (50 S.) Bremen 883. (Bonn, Strauß.) n. 1. —

Schanz, Carl, Elsaſſer Bauern-Krieg. Dramatische Skizzen in 5 Akten. 8. (IV, 84 S.) Zabern 885. Mallinckrodt. n. 1. —

Schanz, Frz., das Erbfolgeprinzip d. Sachsenspiegels u. d. Magdeburger Rechts. Eine rechtsgeschichtl. Studie. gr. 8. (V, 124 S.) Tübingen 884. Fues. n. 2. 40

Schanz, Frida, Blumen u. Früchte. Erzählungen f. Mädchen von 6—9 Jahren. Mit 4 Farbdr.-Bildern nach Aquarellen v. P. Wagner. gr. 8. (136 S.) Stuttgart 886. G. Weise. geb. 4. 50

— in der Feierstunde. Erzählungen f. Mädchen von 8—12 Jahren. Mit 4 Farbdr.-Bildern nach Aquarellen v. P. Wagner. gr. 8. (144 S.) Ebend 886. geb. 4. 50

— unser Hausglück, s.: Lohmeyer, J.

Schanz, G., zur Geschichte der Colonisation u. Industrie in Franken, s.: Wirtschafts- u. Verwaltungsstudien, bayerische.

Schanz, Hugo, kleine Sammlung v. Vorträgen, die äußere Mission betr., samt Anhang. gr. 8. (VIII, 140 S.) Gotha 885. Schloeßmann. n. 2. 40

Schanz, M., s.: Beiträge zur histor. Syntax.

Schanz, Paul, Commentar üb. das Evangelium d. heil. Johannes. gr. 8. (IV, 599 S.) Tübingen 885. Fues. n. 8. —

Schanz, Pauline, Gedichte. 8. (V, 197 S.) Leipzig 885. Friedrich. n. 3. —

Schanz, Uli, Sängers Erdenwallen. Lehr- u. Wanderjahre. Zwei Bücher deutscher Dichtg., gesammelt u. hrsg. v. Rud. Kortenbach. 2. Aufl. 1. Lfg. gr. 8. (48 S.) Leipzig 885. (Theile.) n. — 50

Schanze, J., praktische Geometrie m. 185 geometrischen Rechenaufgaben f. Handwerker-Fortbildungsschulen u. die Oberklassen mehrklassiger Volksschulen. gr. 8. (32 S. m. Fig.) Eschwege 886. (Roßbach.) n. — 30

— u. Th. Jäger, Rechenheft f. die Handwerker-Fortbildungsschulen. gr. 8. (51 S.) Ebend. 886. n. — 35

Schanzenbach, O., aus der Geschichte d. Eberhard-Ludwigs-Gymnasiums in Stuttgart, s.: Festschrift zur Jubelfeier desselben.

Schaper, F., Hauptregeln der lateinischen Syntax, nebst Musterbeispielen dazu zum Auswendiglernen. Im Anschluß an die Grammatik v. Ellendt-Seyffert ausgearb. 2. Aufl. gr. 8. (47 S.) Berlin 884. Bornträger. n. — 40

Schaper, Herm., sechs Vorträge üb. Gesundheitspflege. Geh. im Frauenbildungsverein zu Hannover. Mit e.

20 (photolith.) Taf. Fol. (2 S. Text.) Weimar 885. B. F. Voigt. 7. —

Schaupert, Karl, der Landtischler. Entwürfe zu einfachen Möbeln f. das Haus d. Bürgers u. Landmannes. 29 Foliotaf. m. beschreib. Text. gr. 4. (8 S.) Weimar 887. B. F. Voigt. In Mappe. 6. —

— Plafonds-Dekorationen. Entwürfe zur Verzierg. der Decken v. Zimmern u. Sälen. Hauptwerk u. Details. 2. Aufl. gr. 4. Ebend. 887. In Mappe. 12. 50
Hauptwerk. (30 Taf. m. 6 S. Text.) 7. 50
Details in natürlicher Grösse. (15 Bog. in Imp.-Fol.) 5. —

— Zimmer-Einrichtungen. Entwürfe in bürgerl. Ausstattg. zu den hauptsächlichsten Möbeln f. das Wohn-, Schlaf- u. Speisezimmer, den Salon u. das Arbeitszimmer m. besond. Rücksicht auf deren bill. u. prakt. Ausführg. 2. Aufl. 24 (photolith.) Taf. Fol. (1 Bl. Text.) Ebend. 885. In Mappe. 6. —

Schauta, Frdr., Grundriss der operativen Geburtshilfe f. praktische Aerzte u. Studirende. Mit 30 Holzschn. gr. 8. (XII, 259 S.) Wien 885. Urban & Schwarzenberg. n. 6. —; geb. n. 7. 50

Schawaller, Fritz, Johann Georg Hamann als Pädagog. 8. (III, 24 S.) Darkehmen 886. (Insterburg, Roddewig.) n. — 50

Schäzler, Const. v, die Bedeutung der Dogmengeschichte, vom kathol. Standpunkt aus erörtert. Hrsg. v. Thom. Esser. gr. 8. (VIII, 166 S.) Regensburg 884. Verlags-Anstalt. n. 2. 80

Scheck, Ph., die Erkrankungen der Nebenhöhlen der Nase u. ihre Behandlung. Lex.-8. (19 S.) München 883. Rieger. n. 1. —

— die Krankheiten der Mundhöhle, d. Rachens u. der Nase. Mit Einschluss der Rhinoskopie u. der local-therapeut. Technik f. prakt. Aerzte u. Studierende. Mit 5 Abbildgn. gr. 8. (VI, 242 S.) Wien 885. Toeplitz & Deuticke. n. 6. —

— die Tuberkulose d. Kehlkopfes u. ihre Behandlung, s.: Sammlung klinischer Vorträge.

Scheck, R., Anleitung zur Ausführung u. Veranschlagung der Faschinenbauten. Für den Gebrauch auf der Baustelle u. zum Selbststudium. 8. (VIII, 148 S. m. 6 Steintaf.) Berlin 885. Polytechn. Buchh. n. 2. 75

Scheda-Steinhauser's Hand-Atlas der neuesten Geographie. 1. Abth. Blatt 4. Afrika. Ausg. 1885. Kpfrst. u. color. qu. Fol. Wien 885. Artaria & Co. n. — 80

Scheda, Jul., Erläuterungen zur Gemeindeordnung. Hrsg. auf Veranlassg. d. hohen oberösterreich. Landesausschusses. Lex.-8. (XII, 448 S.) Linz 884. Fink. n. 10. —

Schede, M., die antiseptische Wundbehandlung m. Sublimat, s.: Sammlung klinischer Vorträge.

Schedel, J., s.: Studien üb. Regeneration der Gewebe.

Schedlich, H., die Kerochromatographie. Aquarellmalerei, Colorir- u. Aquarellirverfahren, an ihrer Unterart der Photokerochromatographie gezeigt. 8. (80 S.) Leipzig 885. Garte. n. — 60

Scheeben, M. J., Handbuch der katholischen Dogmatik, s.: Bibliothek, theologische.

— die Herrlichkeiten der göttlichen Gnade, nach Eusebius Nieremberg, frei bearb. 4. Aufl. 8. (XVI, 596 S.) Freiburg i/Br. 885. Herder. n. 3. —

Scheel, J. J., zur Frage der Ueberbürdung in der deutschen Volksschule. Vortrag. gr. 8. (38 S.) Hamburg 883. Boysen. n. — 60

Scheel, Joh. Nep., Honigbüchlein. Der große Wert u. die mannigfalt. Verwendg. d. Honigs in gesunden u. kranken Tagen. Mit mehr als 100 Rezepten. 12. (VIII, 75 S.) Leutkirch 885. Roth. cart. n. — 80

Scheele, die Zustellung im Civilprozeß. 8. (82 S.) Hamm 886. Grote. n. — 80

Schéele, K. H. Gez. v., die kirchliche Katechetik, in allgemeinen Grundzügen dargestellt als Leitfaden f. den Religionsunterricht. Mit Bewillig. d. Verf. nach der 4. Aufl. d. Originals ins Deutsche übers. durch Al. Michelsen u. P. E. Schumacher. gr. 8. (VIII, 227 S.) Leipzig 886. Fr. Richter. n. 2. 80

— theologische Symbolik. Aus dem Schwed. Mit Vorwort v. O. Zöckler. 2. Ausg. 3 Thle. in 1 Bd. gr. 8. (VIII, 218; III, 217 u. III, 228 S.) Leipzig 886. Fr. Richter. n. 12. —; geb. n. 14. —

Scheele, Wilh., Vorschule zu den lateinischen Klassikern. Eine Zusammenstellg. v. Lern- u. Uebungsstoff f. die erste u. mittlere Stufe d. Unterrichts in der lateinischen Sprache. 1. Tl. Formenlehre u. Lesestücke. 20. Aufl. 8. (VI, 215 S.) Berlin 886. Friedberg & Mode. n. 1. 20; Einbd. n.n. — 25

Scheer, G., Statistik der deutschen Schule im Kreise Unterfranken u. Aschaffenburg, s.: Grübel, B.

Scheer, J. W., Leitfaden f. den Sänger. Die nothwendigsten Kenntnisse, welche jeder Sänger haben muß, um nach Noten singen zu können. 16. (62 S.) M. Gladbach 881. Schellmann. n. — 50

Schefer, Leop., Laienbrevier. 18. Aufl. Mit Leop. Schefer's Bildniß. 12. (538 S.) Leipzig 884. Veit & Co. geb. in Goldschn. n. 6. —

Schefer, Leop., Monographie üb. ihn, s.: Brenning, E.

Scheff, Gfr., Krankheiten der Nase, ihrer Nebenhöhlen u. d. Rachens u. ihre Untersuchungs- u. Behandlungsmethoden. Mit 35 Holzschn. gr. 8. (X, 249 S.) Berlin 886. Hirschwald. n. 6. —

Scheff jun., Jul., Lehrbuch der Zahnheilkunde f. praktische Aerzte u. Studirende. 2. Aufl. Mit 171 Holzschn. gr. 8. (X, 452 S.) Wien 884. Urban & Schwarzenberg. n. 8. —; geb. n. 10. —

Scheffel, Jos. Vict. v., Frau Aventiure. Lieder aus Heinrich v. Ofterdingens Zeit. 14. Aufl. 8. (XV, 248 S.) Stuttgart 886. Bonz & Co. n. 5. —; geb. m. Goldschn. n. 6. —

— Bergpsalmen. Dichtung. Bilder von Ant. v. Werner. Holzschn. der xylograph. Anstalt v. A. Cloß. 3. Aufl. gr. 4. (V, 52 S. m. eingedr. Holzschn. u. 6 Holzschntaf.) Ebend. 883. geb. m. Goldschn. n. 12. —

— dasselbe. (6) Bilder v. Ant. v. Werner. Lichtdr. v. J. Schober in Karlsruhe. 4. Aufl. 8. (80 S.) Ebend. 883. n. 5. —; geb. m. Goldschn. n. 6. —

— fünf Dichtungen. 8. (128 S.) Ebend. 887. geb. m. Goldschn. n. 4. —

— Ekkehard. Eine Geschichte aus dem 10. Jahrh. 2 Bde. 3. Aufl. gr. 8. (XVII, 294 u. V, 314 S.) Ebend. 886. geb. n. 10. —

— Festgedicht zum Jubiläum der Universität Heidelberg. 1386—1886. Mit e. Illustr. von Ant. v. Werner. gr. 4. (5 fcsm. S.) Ebend. 886. — Lahr, Schauenburg. n. — 80; m. Composition v. Vinz. Lachner (12 S.) 1. —

— Gaudeamus! Lieder aus dem Engeren u. Weiteren. Mit Illustr., Vignetten u. Titelbild von Ant. v. Werner. gr. 8. (VII, 228 S.) Stuttgart 885. Bonz & Co. geb. m. Goldschn. n. 10. —

— dasselbe. Heidelberger Jubiläums-Ausg. Mit 1 (Lichtdr.-) Illustr. von Ant. v. Werner. 8. (VII, 217 S.) Ebend. 886. geb. m. Goldschn. n. 6. —

— der Heini v. Steier. Dichtung. Durch 9 Orig.-Tuschzeichngn. (in Lichtdr.) illustrirt v. Karl Fröschl. Fol. (9 Bl. Text.) München 888. Adf. Ackermann. geb. m. Goldschn. n. 20. —

— Hugideo. Eine alte Geschichte. 4. Aufl. gr. 16. (37 S.) Stuttgart 885. Bonz & Co. geb. m. Goldschn. n. 2. —

— Juniperus. Geschichte e. Kreuzfahrers, illustrirt von Ant. v. Werner. Mit 28 (eingedr.) Holzschn. 4. Aufl. 8. (XV, 123 S.) Ebend. 883. n. 6. —; geb. m. Goldschn. n. 7. —

— der Trompeter v. Säkkingen. Ein Sang vom Oberrhein, m. Illustr. von Ant. v. Werner. 2. Aufl. gr. 8. (275 S.) Ebend. 886. geb. m. Goldschn. n. 12. —

— Waldeinsamkeit. Dichtung zu 12 landschaftlichen Stimmungsbildern v. Jul. Marak. Die Bilder nach den Radirgn. v. Ed. Willmann in Lichtdr. ausgeführt v. J. Schober in Karlsruhe. 4. Aufl. 8. (V, 47 S.) Ebend. 884. geb. m. Goldschn. n. 8. —

Scheffel, Jos. Vict. v., Erinnerungen an ihn, s.: Zernin, G.

— Leben u. Dichten, s.: Ruhemann, A.

Scheffel, Frau Josephine, u. Alberta v. **Freydorf**, in der Geisblattlaube. Mit Portr. u. Handschriftprobe. Ein

14. 25—27. 6. Bd. Deutsche Volks- u. Liebesdichtung in 20 Zeichnungen v. Wold. Friedrich, Karl Fröschl, George Hahn, Adf. Lüben, Karl Rickelt, Ewald Thiel. 4 Hfte. (à 5 Lichtdr.-Taf.)

15. 17. 3. Bd.: Ekkehard. 15 Tuschzeichngn. zu Jos. Vict. v. Scheffel's Geschichte v. Ed. Kämpffer. 2. u. 3. Hft.

19—24. 4. Bd. Das Nibelungen-Lied. 37 Fresko-Gemälde der königl. Residenz zu München von Jul. Schnorr v. Karolsfeld. 6 Lfgn.

Schatzkästlein. 6 Erzählgn. f. die reifere Jugend. Von M. v. Lindemann, J. Staacke, A. Carolis. 2 Thle. in 1 Bd. Mit 1 bunten u. 3 schwarzen Bildern. 8. (126 u. 122 S.) Dresden 883. Meinhold & Söhne. geb. n. 1. —

— fürsorglicher Frauen. Hrsg. vom ersten allgemeinen Beamten-Vereine der österr.-ungar. Monarchie. 12. (VIII, 123 S.) Wien 886. Manz. n. — 40

— goldenes, für's Leben. Oder: erprobte Regeln, um stets gesund zu bleiben u. e. hohes glückl. Alter zu erreichen. Preisgekrönte Schrift, hrsg. v. J. v. H. 8. (78 S.) Neutitschein 865. (Wien, Daberkow.) n. — 40

— mein. [Matthäus, 13, 44.] Das Evangelium v. Jesu Christo, unserm Herrn, zur tägl. Erbaug. eingeteilt. gr. 8. (VIII, 710 S.) Frankfurt a/M. 886. (Drescher.) geb. n. 3. 50

— wohlgefülltes, deutschen Scherzes u. Humors, s.: Collection Spemann.

Schätzler, G., in Feindesland, s.: Dilettanten-Mappe.

— v. Plumperwitz, s.: Deklamatorium f. Ernst u. Scherz.

— der astronomische Schuster, s.: Jäger, R.

— s.: Vereins- u. Haus-Theater.

Schatzmann, J., nach Amerika. Praktischer Rathgeber u. Führer f. Auswanderer. In Verbindg. m. anderen Amerikareisenden hrsg. Nebst ausführl. englisch-deutschen Gesprächbuch u. beigefügter Aussprache jedes engl. Wortes. 8. (IV, 176 S.) St. Gallen 883. Wirth. n. 2. —

Schatzmann, R., Erfahrungen üb. Einmachen v. Grünfutter 1883. Bericht an das Tit. schweiz. Departement d. Handels u. der Landwirthschaft in Bern. Mit 5 Holzschn. gr. 8. (IV, 142 S.) Aarau 884. (Christen.) n. 1. 60

— immerwährende Grünfütterung m. besond. Berücksicht. der Gebirgsgegenden. Eine Volksschrift. 3. Aufl. Mit e. Abbildg. gr. 8. (20 S.) Ebend. 883. n. — 50

— s.: Jahresbericht, 12., der schweizer. Milchversuchsstation.

— Käserei-Büchlein od. Anleitg. zum Betrieb der Käserei. Eine Volksschrift. 4. Aufl. der Anleitg. zum Betrieb der Sennerei. Mit 25 (Holzschn.-) Abbildgn. u. 3 (lith.) Plantaf. gr. 8. (V, 171 S.) Aarau 885. Christen. n. 1. 80

— Milchwirthschaft, s.: Bericht üb. Gruppe 26 der schweizerischen Landesausstellung Zürich 1883.

Schatzmayer, E., der klimatische Curort Görz u. seine Umgebung. Mit 1 Karte. 8. (VII, 103 S.) Wien 886. Braumüller. n. 1. 60

Schatzstück, e., d. Museums f. Völkerkunde in Berlin. Zur Eröffng. Septbr. 1886. gr. 8. (64 S.) Berlin 886. Simion. n. 1. —

Schaubach, A., Wörterbuch zu Siebelis' Tirocinium poeticum. 7. Aufl. gr. 8. (IV, 47 S.) Leipzig 885. Teubner. — 45

Schaubeck's illustrirtes Briefmarken-Album. Auf Grund der neuesten Aufl. v. Alfr. Moschkau's Handbuch f. Postmarken-Sammler neu bearb. v. Rich. Senf. Illustrirt m. 3170 Marken- u. 55 Wasserzeichen-Abbildgn., 89 Länderwappen u. 38 Portraits regier. Staats-Oberhäupter. Mit e. farb. Titelbilde, das Briefmarkensammelwesen allegorisch darstellend. 6. Aufl. gr. 4. (246 Bl.) Leipzig 884. Gebr. Senf. Ausg. I. cart. 6. 50; Ausg. II. Halbleinwbd. 7. —; Ausg. III. Calicobd. 7. 75; Ausg. IV m. Goldschn. u. Schloss 12. —

— dasselbe. Illustrirt m. 29 Portraits, 75 Länderwappen u. ca. 1600 Marken-Abbildgn. Kleine illustr. Ausg. [Auszug aus der grossen Quart-Ausg.] 6. Aufl. qu. Fol. (96 S.) Leipzig 885. Gebr. Senf. cart. 3. —; geb. 3. 50 u. 4. —

Schaubeck's illustrirtes Briefmarken-Album auf Grund der neuesten Aufl. v. Alfr. Moschkau's Handbuch f. Postmarken-Sammler neu bearb. v. Rich. Senf. Illustrirt m. ca. 30 Portraits, 70 Wappen u. üb. 1000 Marken-Abbildgn. Enth. Raum f. ca. 2300 Briefmarken; ergänzt bis auf die neueste Zeit. qu. gr. 8. (96 S.) Leipzig 886. Gebr. Senf. cart. n. 1. 80; geb. in Halbleinw. n. 2. 25; in Leinw. n. 2. 50

Schäublin, J. J., Choräle u. geistliche Gesänge aus älter u. neuer Zeit. Dreistimmig bearb. 3. Aufl. 8. (VII, 88 S.) Basel 885. Detloff. cart. n.n. — 60

— Gesanglehre f. Schule u. Haus. 6. Aufl. 8. (87 S.) Ebend. 883. geb. n. — 80

— Kinderlieder f. Schule u. Haus. 18. Aufl. 12. (IV, 139 S.) Ebend. 885. cart. n.n. — 65

— Lieder f. Jung u. Alt. 57. Aufl. 12. (VIII, 272 S.) Ebend. 885. cart. n.n. — 90

Schauenburg's kleiner badischer Schulatlas. Hrsg. v. A. Armbruster u. J. I. Kettler. 5., vielfach verb. Aufl. qu.-4. (24 chromolith. Karten m. 1 Bl. Text.) Lahr 886. Schauenburg. n. — 75; geb. n. 1. —

— kleiner hanseatischer Schul-Atlas. Hrsg. v. J. I. Kettler u. W. Wolkenhauer. qu. gr. 4. (28 chromolith. Karten.) Ebend. 883. n. — 75; geb. n. 1. —

Schauenburg, Ed., u. Frdr. Erk, Schulgesangbuch f. höhere Lehr-Anstalten. 6. Ster.-Aufl. 8. (79 S.) Wiesbaden 885. Gestewitz. n. — 80; geb. n. 1. —

— u. Rich. **Hoche,** deutsches Lesebuch f. die Oberklassen höherer Schulen. 1. Tl., bearb. v. R. Hoche. 4. Aufl. gr. 8. (VIII, 334 S.) Essen 884. Bädeker. n. 3. 20

Schauer, Fr., Geschichte der Vogtei v. Weidenau. gr. 8. (50 S.) Weidenau 885. (Wien, Pichler's Wwe. & Sohn.) n. — 50

Schauerte, F., Abraham a sancta Clara, — die Conversion der Prinzessin Elisabeth Christina von Braunschweig-Lüneburg-Wolfenbüttel, — die Doppelehe e. Grafen v. Gleichen, } s.: Broschüren, Frankfurter zeitgemäße.

Schaufert, Ludw. Rud., König Ludwig II., Bayerns Stolz u. Bayerns Schmerz. Ein Lebensbild. Dem bayer. Volk u. allen Verehrern d. Königs dargestellt u. erzählt. 8. (144 S. m. Illustr.) Kaiserslautern 886. A. Gotthold's Verl. geb. n. 1. 50

Schaufuss, L. W., Giorgone's Werke, unter Berücksicht. der neuesten Forschgn. v. Crowe u. Cavalcaselle, Jordan, Lermolieff untersucht. Mit 7 Abbildgn. u. 2 Taf. in Lichtdr. gr. 8. (88 S.) Leipzig 884. T. O. Weigel. n. 2. 40

Schau-in's-Land! Allerlei vitzierung u. auch geschrieb'ner ding, an tag gegeben vom Breisgau-Verein „Schau-in's-Land" zu Freiburg i/B. 10. Jahrlauf 1883. gr. 4. (1. Lfg. 14 S. m. eingedr. Fig. u. 1 lith. Beilage.) Freiburg i/B., (Stoll & Bader.). n.n. 7. —

Schaumberg, G., e. gründliche Kur, s.: Album f. Liebhaber-Bühnen.

Schaumberger, Heinr., gesammelte Werke. 1., 4. u. 8. Bd. 8. Wolfenbüttel, Zwißler. à n. 2. —; geb. à n. 3. —

1. Im Hirtenhaus. Eine oberfränk. Dorfgeschichte. 5. Aufl. (VIII, 259 S.) 884.
4. Zu spät. Ein Dorfroman. 3. Aufl. (309 S.) 883.
8. Vater u. Sohn. Eine oberfränk. Dorfgeschichte. 3. Aufl. (214 S.) 885.

Schaumlöffel, M., die Kriegszüge Cäsars in Gallien. Ein Uebungsbuch zum Uebersetzen aus dem Deutschen ins Lateinische f. die mittleren Klassen höherer Lehranstalten, im Anschlusse an Cäsars Kommentare üb. den gall. Krieg. gr. 8. (VII, 112 S.) Berlin 884. Parrisius. n. 2. —

Schaupert, Karl, gemalte Firmen-Schilder. Eine Sammlg. v. Entwürfen zur Verzierg. v. auf den Hausgrund gemalten Firmenschildern, nebst zwei vollständ. Alphabeten verzierter großer Anfangsbuchstaben. 1. Folge.

20 (photolith.) Taf. Fol. (2 S. Text.) Weimar 885. B. F. Voigt. 7. —
Schaupert, Karl, der Landtischler. Entwürfe zu einfachen Möbeln f. das Haus d. Bürgers u. Landmannes. 29 Foliotaf. m. beschreib. Text. gr. 4. (8 S.) Weimar 887. B. F. Voigt. In Mappe. 6. —
— Plafonds-Dekorationen. Entwürfe zur Verzierg. der Decken v. Zimmern u. Sälen. Hauptwerk u. Details. 2. Aufl. gr. 4. Ebend. 887. In Mappe. 12. 50
Hauptwerk. (30 Taf. m. 6 S. Text.) 7. 50
Details in natürlicher Grösse. (15 Bog. in Imp.-Fol.) 5. —
— Zimmer-Einrichtungen. Entwürfe in bürgerl. Ausstattg. zu den hauptsächlichsten Möbeln f. das Wohn-, Schlaf- u. Speisezimmer, den Salon u. das Arbeitszimmer m. besond. Rücksicht auf deren bill. u. prakt. Ausführg. 2. Aufl. 24 (photolith.) Taf. Fol. (1 Bl. Text.) Ebend. 885. In Mappe. 6. —
Schauta, Frdr., Grundriss der operativen Geburtshilfe f. praktische Aerzte u. Studirende. Mit 30 Holzschn. gr. 8. (XII, 259 S.) Wien 885. Urban & Schwarzenberg. n. 6. —; geb. n. 7. 50
Schawaller, Fritz, Johann Georg Hamann als Pädagog. 8. (III, 24 S.) Darkehmen 886. (Insterburg, Robbewig.) n. — 50
Schäzler, Const. v., die Bedeutung der Dogmengeschichte, vom kathol. Standpunkt aus erörtert. Hrsg. v. Thom. Esser. gr. 8. (VIII, 166 S.) Regensburg 884. Verlags-Anstalt. n. 2. 80
Scheeh, Ph., die Erkrankungen der Nebenhöhlen der Nase u. ihre Behandlung. Lex.-8. (19 S.) München 883. Rieger. n. 1. —
— die Krankheiten der Mundhöhle, d. Rachens u. der Nase. Mit Einschluss der Rhinoskopie u. der local-therapeut. Technik f. prakt. Aerzte u. Studierende. Mit 5 Abbildgn. gr. 8. (VI, 242 S.) Wien 885. Toeplitz & Deuticke. n. 6. —
— die Tuberkulose d. Kehlkopfes u. ihre Behandlung, s.: Sammlung klinischer Vorträge.
Scheck, R., Anleitung zur Ausführung u. Veranschlagung der Faschinenbauten. Für den Gebrauch auf der Baustelle u. zum Selbststudium. 8. (VIII, 148 S. m. 6 Steintaf.) Berlin 885. Polytechn. Buchh. n. 2. 75
Scheda-Steinhauser's Hand-Atlas der neuesten Geographie. 1. Abth. Blatt 4. Afrika. Ausg. 1885. Kpfrst. u. color. qu. Fol. Wien 885. Artaria & Co. n. — 80
Scheda, Jul., Erläuterungen zur Gemeindeordnung. Hrsg. auf Veranlassg. d. hohen oberösterreich. Landesausschusses. Lex.-8. (XII, 448 S.) Linz 884. Fink. n. 10. —
Schede, M., die antiseptische Wundbehandlung m. Sublimat, s.: Sammlung klinischer Vorträge.
Schedel, J., s.: Studien üb. Regeneration der Gewebe.
Schedlich, H., die Kerochromatographie. Aquarellmalerei, Colorir- u. Aquarellirverfahren, an ihrer Unterart der Photokerochromatographie gezeigt. 8. (30 S.) Leipzig 885. Garte. n. — 60
Scheeben, M. J., Handbuch der katholischen Dogmatik, s.: Bibliothek, theologische.
— die Herrlichkeiten der göttlichen Gnade, nach Eusebius Nieremberg, frei bearb. 4. Aufl. 8. (XVI, 596 S.) Freiburg i/Br. 885. Herder. n. 3. —
Scheel, J. J., zur Frage der Ueberbürdung in der deutschen Volksschule. Vortrag. gr. 8. (38 S.) Hamburg 883. Boysen. n. — 60
Scheel, Joh. Nep., Honigbüchlein. Der große Wert u. die mannigfalt. Verwendg. d. Honigs in gesunden u. kranken Tagen. Mit mehr als 100 Rezepten. 12. (VIII, 75 S.) Leutkirch 885. Roth. cart. n. — 80
Scheele, die Zustellung im Civilprozeß. 8. (32 S.) Hamm 886. Grote. n. — 80
Schéele, K. H. Gez. v., die kirchliche Katechetik, in allgemeinen Grundzügen dargestellt als Leitfaden f. den Religionsunterricht. Mit Bewillig. d. Verf. nach der 4. Aufl. d. Originals ins Deutsche übers. durch Al. Michelsen u. P. E. Schumacher. gr. 8. (VIII, 227 S.) Leipzig 886. Fr. Richter. n. 2. 80
— theologische Symbolik. Aus dem Schwed. Mit Vorwort v. O. Zöckler. 2. Ausg. 3 Thle. in 1 Bd. gr. 8. (VIII, 218; III, 217 u. III, 228 S.) Leipzig 886. Fr. Richter. n. 12. —; geb. n. 14. —
Scheele, Wilh., Vorschule zu den lateinischen Klassikern. Eine Zusammenstellg. v. Lern- u. Uebungsstoff f. die erste u. mittlere Stufe d. Unterrichts in der lateinischen Sprache. 1. Tl. Formenlehre u. Lesestücke. 20. Aufl. 8. (VI, 215 S.) Berlin 886. Friedberg & Mode. n. 1. 20; Einbd. n.n. — 25
Scheer, G., Statistik der deutschen Schule im Kreise Unterfranken u. Aschaffenburg, s.: Grübel, B.
Scheer, J. W., Leitfaden f. den Sänger. Die nothwendigsten Kenntnisse, welche jeder Sänger haben muß, um nach Noten singen zu können. 16. (62 S.) M. Gladbach 881. Schellmann. n. — 50
Schefer, Leop., Laienbrevier. 18. Aufl. Mit Leop. Schefer's Bildniß. 12. (538 S.) Leipzig 884. Veit & Co. geb. in Goldschn. n. 6. —
Schefer, Leop., Monographie üb. ihn, s.: Brenning, E.
Scheff, Gfr., Krankheiten der Nase, ihrer Nebenhöhlen u. d. Rachens u. ihre Untersuchungs- u. Behandlungsmethoden. Mit 35 Holzschn. gr. 8. (X, 249 S.) Berlin 886. Hirschwald. n. 6. —
Scheff jun., Jul., Lehrbuch der Zahnheilkunde f. praktische Aerzte u. Studirende. 2. Aufl. Mit 171 Holzschn. gr. 8. (X, 452 S.) Wien 884. Urban & Schwarzenberg. n. 8. —; geb. n. 10. —
Scheffel, Jos. Vict. v., Frau Aventiure. Lieder aus Heinrich v. Ofterdingens Zeit. 14. Aufl. 8. (XV, 248 S.) Stuttgart 886. Bonz & Co. n. 5. —; geb. m. Goldschn. n. 6. —
— Bergpsalmen. Dichtung. Bilder von Ant. v. Werner. Holzschn. der xylograph. Anstalt v. A. Closs. 3. Aufl. gr. 4. (V, 52 S. m. eingedr. Holzschn. u. 6 Holzschntaf.) Ebend. 883. geb. m. Goldschn. n. 12. —
— dasselbe. (6) Bilder v. Ant. v. Werner. Lichtdr. v. J. Schober in Karlsruhe. 4. Aufl. 8. (80 S.) Ebend. 883. n. 5. —; geb. m. Goldschn. n. 6. —
— fünf Dichtungen. 8. (128 S.) Ebend. 887. geb. m. Goldschn. n. 4. —
— Ekkehard. Eine Geschichte aus dem 10. Jahrh. 2 Bde. 3. Aufl. gr. 8. (XVII, 294 u. V, 314 S.) Ebend. 886. geb. n. 10. —
— Festgedicht zum Jubiläum der Universität Heidelberg. 1386—1886. Mit e. Illustr. von Ant. v. Werner. gr. 4. (5 fcsm. S.) Ebend. 886. — Lahr, Schauenburg. n. — 80; m. Composition v. Vinz. Lachner (12 S.) 1. —
— Gaudeamus! Lieder aus dem Engeren u. Weiteren. Mit Illustr., Vignetten u. Titelbild von Ant. v. Werner. gr. 8. (VII, 223 S.) Stuttgart 885. Bonz & Co. geb. m. Goldschn. n. 10. —
— dasselbe. Heidelberger Jubiläums-Ausg. Mit 1 (Lichtdr.-) Illustr. von Ant. v. Werner. 8. (VII, 217 S.) Ebend. 886. geb. m. Goldschn. n. 6. —
— der Heini v. Steier. Dichtung. Durch 9 Orig.-Tuschzeichngn. (in Lichtdr.) illustrirt v. Karl Fröschl. Fol. (9 Bl. Text.) München 883. Abf. Ackermann. geb. m. Goldschn. n. 20. —
— Hugideo. Eine alte Geschichte. 4. Aufl. gr. 16. (37 S.) Stuttgart 885. Bonz & Co. geb. m. Goldschn. n. 2. —
— Juniperus. Geschichte e. Kreuzfahrers, illustrirt von Ant. v. Werner. Mit 28 (eingedr.) Holzschn. 4. Aufl. 8. (XV, 123 S.) Ebend. 883. geb. m. Goldschn. n. 6. —; n. 7. —
— der Trompeter v. Säkkingen. Ein Sang vom Oberrhein, m. Illustr. von Ant. v. Werner. 2. Aufl. gr. 8. (275 S.) Ebend. 886. geb. m. Goldschn. n. 12. —
— Waldeinsamkeit. Dichtung zu 12 landschaftlichen Stimmungsbildern v. Jul. Marak. Die Bilder nach den Radirgn. v. Ed. Willmann in Lichtdr. ausgeführt v. J. Schober in Karlsruhe. 4. Aufl. 8. (V, 47 S.) Ebend. 884. geb. m. Goldschn. n. 8. —
Scheffel, Jos. Vict. v., Erinnerungen an ihn, s.: Zernin, G.
— Leben u. Dichten, s.: Ruhemann, A.
Scheffel, Frau Josephine, u. Alberta v. Freydorf, in der Geisblattlaube. Mit Portr. u. Handschriftprobe. Ein

Märchenstrauß. 8. (295 S.) Dresden 886. Meinhold & Söhne. n. 3. —; geb. n. 4. —

Scheffler, Alb., de Mercurio puero. 8. (53 S.) Königberg 884. (Beyer.) n. 1. 20

Scheffler, Herm., die Naturgesetze u. ihr Zusammenhang m. den Prinzipien der abstrakten Wissenschaften. Für Naturforscher, Mathematiker, Logiker, Philosophen u. alle mathematisch gebildeten Denker. 3. Suppl. zum 2. Thle. der Naturgesetze. gr. 8. Leipzig 883. Förstar. n. 3. — (I—IV. u. Suppl. 1—3.: n. 83. —)

Die Theorie d. Lichtes, physikalisch u. physiologisch m. spezieller Begründg. der Farbenblindheit. Mit 3 (lith.) Fig.-Taf. (VIII, 168 S.)

— die Welt nach menschlicher Auffassung. gr. 8. (XVI, 683 S.) Ebend. 885. n. 13. —

Scheffler, Wilh., die französische Volksdichtung u. Sage. Ein Beitrag zur Geistes- u. Sittengeschichte Frankreichs. 2 Bde. gr. 8. (XIV, 332 u. VIII, 296 S.) Leipzig 884. 85. Elischer. n. 18. —

Scheffner, Joh. George, Nachlieferungen zu meinem Leben nach bestem Wissen u. Gewissen, stets m. kräft. Wollen, oft m. schwachem Können. 8. (151 S.) Leipzig 884. Reißner. n. 3. —

Schegg, Peter, Jakobus, der Bruder d. Herrn, u. sein Brief. Uebersetzt u. erklärt. gr. 8. (VIII, 279 S.) München 883. Stahl. n.n. 5. —

— das hohe Lied Salomo's v. der heiligen Liebe. Für e. größeren Leserkreis dramatisch bearb u. erklärt. 8. (VIII, 136 S.) Ebend. 885. n. 2. 70; cart. n. 3. 20

Scheibel, H., die Feier d. Reformations-Festes. Anleitg. u. Material zunächst f. Volksschullehrer, dann aber auch f. Eltern, welche die Feier d. Reformationsfestes im Kreise ihrer Familie begehen wollen. Hrsg. zur Feier d. 400jähr. Geburtstages Dr. Martin Luthers. gr. 8. (32 S.) Crossen a/O. 883. Appun. — 30

Scheibel, Dr. Johann Gottfried. Lebensbild zu seinem 100jähr. Geburtstage. 12. (107 S.) Cottbus 883. Gotthold-Expedition. — 30

Scheibert, J., die Befestigungskunst u. die Lehre vom Kampfe. Nachträge zu den Streiflichtern. 3. Thl. Weitere Entwickelungen u. Ueberblicke. gr. 8. (III, 51 S.) Berlin 886. F. Luckhardt. n. 3. — (1—3.: n. 12. —)

— Offizier-Brevier. Ein Festgeschenk f. den jungen Kameraden v. e. alten Soldaten. 2. Aufl. 8. (VI, 171 S.) Ebend. 884. n. 4. —; geb. n. 5. —

— der Taschenpionier. Ein illustrirtes Handbuch f. die Offiziere u. Unteroffiziere der Infanterie u. Cavallerie. 2. Aufl. 12. (47 S.) Berlin 884. Feicht. n. — 75

— Unteroffizier-Brevier Ein Festgeschenk. 2. Aufl. 12. (IV, 108 S.) Berlin 885. Luckhardt. geb. n. 1. 20

Scheibler, Karl, zwölf Geschichten, f. die Jugend erzählt. Mit 4 (Holzschn.-)Illustr. 8. (III, 174 S.) Hamburg 884. (J. F. Richter.) n. 1. 50

Scheibler, Sophie Wilhelmine, allgemeines deutsches Kochbuch f. alle Stände. Mit vielen erläut. Abbildgn. u. e. Anh., enth. die Herstellg. der flüss. Küchengewürze ꝛc. v. A. Woldt. 28. Aufl. gr. 8. (LII, 528 S.) Leipzig 883. Amelang. 3. —; geb. 4. —

Scheibner, L., neues praktisches Kochbuch f. bürgerliche Haushaltungen, m. besond. Rücksicht auf Anfängerinnen u. weniger Geübte zusammengestellt. Anh.: 1) Die Resterküche. 2) Nützliches f. jeden Haushalt. 3) Speisetabelle f. alle Monate. 3. Aufl. 8. (III, 240 S.) Dresden 883. Kaufmann's Verl. geb. n. 2. —

Scheicher, Jos., der Klerus u. die soziale Frage. Moralsoziolog. Studie. gr. 8. (VI, 150 S.) Innsbruck 884. F. Rauch. n. 1. 20

— allgemeine Moraltheologie. Systematisch dargestellt u. m. zeitgemäß prakt. Beispielen erläutert. gr. 8. (VIII, 588 S.) Regensburg 885. Verlags-Anstalt. n. 7. —

Scheichl, Frz., Aufstand der protestantischen Salzarbeiter u. Bauern im Salzkammergut 1601 u. 1602. gr. 8. (VII, 104 S.) Linz 885. Ebenhöch. n. 1. 60

— ein Beitrag zur Geschichte d. gemeinen Arbeitslohnes vom J. 1500 bis auf die Gegenwart. Eine culturgeschichtliche Studie im Anschluss an die Zimmerleut- u. Maurerlöhngn. in Oberösterreich. Lex.-8. (49 S.) Wien 885. Pichler's Wwe. & Sohn. n. 1. —

Scheidel, Gust., Franz Karl Leopold Freiherr v. Seckendorff in seinen literarischen Beziehungen, hauptsächlich zum Weimarschen Dichterkreise, nach e. ungedruckten Korrespondenz. Vortrag. gr. 8. (39 S.) Nürnberg. 885. (Heerdegen-Barbeck.) n. 1. 50

Scheidemauer, die, in der Heiliggeistkirche zu Heidelberg. Eine histor. Erinnerg. zum Universitäts-Jubiläum 1886. gr. 8. (20 S.) Heidelberg 886. Koester. — 30

Scheifele, Joh. Geo. [vulgo Jörg v. Spitzispui], Gedichte in schwäbischer Mundart. 5. Aufl. 16. (XVI, 350 S. m. Lichtdr.-Portr.) Lindau 883. Stettner. n. 2. —; cart. n. 2. 50

Scheiff, Alf., das Dynamitgesetz vom 9. Juni 1884. Eine systemat. Darstellg. als Beitrag zur Frage nach der Revision d. Gesetzes. gr. 8. (VII, 70 S.) Berlin 886. Siemenroth. n. 1. 40

Scheiger, Edle v., s.: Prato, K.

Scheimpflug, Max, die Heilstätten f. scrophulöse Kinder. Mit 16 Illustr. gr. 8. (VII, 87 S.) Wien 887. Urban & Schwarzenberg. n. 1. 60

Scheiner, Jul., Untersuchungen üb. den Lichtwechsel Algols nach den Mannheimer Beobachtungen v. Schönfeld in den J. 1869 bis 1875. gr. 8. (31 S.) Bonn 882. (Behrendt.) n. 1. —

Scheinigg, Joh., die Assimilation im Rosenthaler Dialect. Ein Beitrag zur kärntisch-sloven. Dialectforschg. gr. 8. (27 S.) Klagenfurt 882. (Wien, Pichler's Wwe. & Sohn.) n. — 50

Scheinmann, J., was kann u. soll e. Jeder thun, um sich u. seine Umgebung während e. Epidemie vor der Erkrankung zu schützen? Ein Versuch, den Einzelnen, besonders die Frauen, mit heranzuziehen zur Bekämpfg. e. beginn. Epidemie. 8. (IV, 40 S.) Hagen 886. Risel & Co. n. — 50

Scheins, M., lateinische Formenlehre f. Quinta. Im engsten Anschlusse an das Uebungsbuch v. Meiring. gr. 8. (VI, 122 S.) Düsseldorf 885. Schwann. cart. n. 1. 60

— dasselbe f. Sexta. gr. 8. (VI, 48 S.) Ebend. 884. n. — 75

— Geschichte der Jesuitenkirche zum hl. Michael in Aachen. Aus authent. Quellen zusammengestellt. gr. 8. (51 S.) Aachen 884. (Barth.) n. 1. 20

Scheit, Max, die Wasserbewegung im Holze. gr. 8. (III, 58 S.) Jena 886. Fischer. n. 1. 60

Scheitz, Benno, zur psychologischen Würdigung der Darwinischen Descendenztheorie. gr. 8. (36 S.) Wien 885. (Pichler's Wwe. & Sohn.) n. — 80

Scheleroff, üb. vierdimensionale Wesen, e. Beitrag zur Aufklärg. üb. den Spiritismus. 12. (16 S.) Wien 884. Teufen. n. — 50

Schelhorn, E. v., die königl. bayerische Kriegsschule in den ersten 25 Jahren ihres Bestehens. Lex.-8. (V, 249 S.) München 883. Th. Ackermann's Verl. n. 5. —

— zum 25jährigen Todestage d. Königs Dom Pedro V. v. Portugal, Herzogs zu Sachsen. Lex.-8. (34 S.) Ebend. 886. n. 1. —

Schell, A. v., der Detachementsführer. gr. 8. (54 S.) Berlin 886. Bath. n. — 80

Schell, Ant., die Methoden der Tachymetrie bei Anwendung e. Ocular-Filar-Schrauben-Mikrometers. Mit 11 Holzschn. gr. 8. (V, 49 S. m. 4 Tab.) Wien 883. Seidel & Sohn. n. 1. 60

Schell, Herm., das Wirken d. dreieinigen Gottes. gr. 8. (XV, 624 S.) Mainz 885. Kirchheim. n. 8. —

Schell, Wilh., die Gewerbe-Ordnung f. das Deutsche Reich in der auf Grund d. Gesetzes vom 1. Juli 1883 veröffentlichten Fassung, nebst den zugehör. preuß. Gesetzen, unter Berücksicht. der zu derselben ergangenen bundesrätl., ministeriellen u. sonst. Ausführungs-Verordngn., sowie der Motive. Mit vollständ. Sachregister. Für den prakt. Gebrauch bearb. gr. 8. (VII, 226 S.) Düsseldorf 883. Schwann. n. 2. 50

Schellbach, Carl Heinr., üb. den Inhalt u. die Bedeutung d. mathematischen u. physikalischen Unterrichts auf unseren Gymnasien. 2. Aufl. gr. 4. (22 S.) Berlin 883. Mayer & Müller. n. 1. 20

Schellbach, Carl Heinr., üb. mechanische Quadratur. 2. Aufl. gr. 4. (26 S.) Berlin 884. Mayer & Müller. n. 1. 50

Schellbach, Paul, üb. die Methoden, den Stickstoffgehalt in Nitroverbindungen zu bestimmen. Mit Holzschn. gr. 4. (26 S.) Berlin 884. Gaertner. n. 1. —

Schellen, H., Aufgaben f. das theoretische u. praktische Rechnen. 1. Tl. Zum Gebrauche beim Rechenunterrichte f. die Schüler der Gymnasien, Realgymnasien, Oberrealschulen, Realschulen, Seminarien u. anderer höherer Lehranstalten ähnl. Richtg. 17. Aufl., unter Berücksicht. der Cirkularverfügg. d. königl. preuß. Ministers der geistl., Unterrichts- u. Medizinal-Angelegenheiten vom 31. März 1882, die revidierten Lehrpläne f. die höheren Schulen betr., bearb. v. H. Lemkes. gr. 8. (VI, 246 S.) Münster. 884. Coppenrath. n. 2. —

— Aufgaben f. den Unterricht im Rechnen. 2. Tl. Für die mittleren u. oberen Klassen der Realschulen, Seminarien u. kaufmänn. Lehranstalten bearb. 5. Aufl., bearb. v. H. Lemkes. gr. 8. (IV, 154 S.) Ebend. 885. n. 2. —

— die magnet- u. dynamo-elektrischen Maschinen, ihre Construction u. prakt. Anwendg. zur elektr. Beleuchtg. u. Kraftübertragg. Mit zahlreichen in den Text eingedr. Abbildgn. 3., unter Mitwirkg. d. Vict. Wietlisbach bearb. u. sehr verm. Aufl. gr. 8. (XVI, 1916 S.) Köln 883. DuMont-Schauberg n. 19. —

— methodisch geordnete Materialien f. den Unterricht im theoretischen u. praktischen Rechnen, nebst e. Anh. üb. die Flächen- u. Körper-Berechngn. 1. Tl. Ein Handbuch nach geistbild. Grundsätzen u. m. besond. Berücksicht. d. Kopfrechnens f. Lehrer zum Gebrauche beim Rechenunterrichte an Gymnasien, Realgymnasien, Oberrealschulen, Realschulen, Seminarien u. anderen höheren Lehranstalten ähnl. Richtg. 9. Aufl., unter Berücksicht. der Cirkularverfügg. d. königl. preuß. Ministers der geistl., Unterrichts- u. Medizinal-Angelegenheiten vom 31. März 1882, die revidierten Lehrpläne f. die höheren Schulen betr., bearb. v. H. Lemkes. gr. 8. (XIV, 300 S.) Münster 884. Coppenrath. n. 4. —

— Materialien f. den Unterricht im Rechnen. 2. Tl. Ein Handbuch f. Lehrer u. zur Selbstbelehrg. angeh. Kaufleute, sowie zum Gebrauche beim Rechenunterrichte in den mittleren u. oberen Klassen an Realschulen, Seminarien u. kaufmänn. Lehranstalten. 4. Aufl., bearb. v. H. Lemkes. gr. 8. (VI, 243 S.) Ebend. 885. n. 3. 60

Schellen, H., die Spectralanalyse in ihrer Anwendung auf die Stoffe der Erde u. die Natur der Himmelskörper. Gemeinfasslich dargestellt. 3. durchaus umgearb. u. sehr verm. Aufl. 2 Bde. u. Atlas. Mit 362 Fig. in Holzschn. u. 8 farb. Taf. im Text, 2 Lith., 1 Photogr., 1 farb. u. 12 Kpfrdr.-Taf. im Atlas. gr. 8. (XV, 518 u. XI, 456 S.) Braunschweig 883. Westermann. n. 32. —

— der elektromagnetische Telegraph in den Hauptstadien seiner Entwickelung u. seiner in gegenwärtigen Ausbildung u. Anwendung, nebst e. Anh. üb. den Betrieb der elektr. Uhren. Ein Handbuch der theoret. u. prakt. Telegraphie f. Telegraphenbeamte, Physiker, Mechaniker u. das gebildete Publicum. Bearb. v. Jos. Kareis. 6. Aufl. Mit Holzst. 3—5. Lfg. gr. 8. (S. 321—860.) Braunschweig 883—85. Vieweg & Sohn. n. 13. 70 (1—5.: n. 17. 70)

Schellenberg, A., die Einführung neuer u. die Verbesserung bestehender Industrien in der Schweiz, s.: Meyer-Nägeli, E.

Scheller, E., Theorie u. Praxis d. Volksschulunterrichts nach Herbartischen Grundsätzen, s.: Rein, W.

Schellhammer, H., Construction v. Gasanalysenapparaten f. die praktische Verwendung in Hüttenwerken u. Fabriken. Mit 1 lith. Taf. gr. 8. (24 S.) Leipzig 884. Felix. n. — 80

Schellhammer, J., Congregationsbuch f. die Mitglieder der marianischen Congregation, errichtet zur Ehre der seligsten Jungfrau u. Mutter Gottes Maria in der hochfürstl. Stifts- u. Pfarrkirche zu dem hl. Jakob in Hechingen. Neu bearb. u. hrsg. 12. (376 S.) Hechingen 881. (Walther.) geb. n. 1. 60

Schellhass, K., das Königslager vor Aachen u. vor Frankfurt in seiner rechtsgeschichtlichen Bedeutung, s.: Untersuchungen, historische.

Schellhorn, F., 120 auserlesene Geburts- u. Namenstags-, Hochzeits-, Jubiläums-, Neujahrs- u. Abschieds-Gedichte, nebst Polterabendscherzen, wie auch Grabversen, Stammbuchsversen, Trinksprüchen u. Räthseln. 16. verb. Aufl. 8. (VIII, 216 S.) Quedlinburg 885. Ernst. 1. 50

Schelling, Ferd., der beliebte Deklamator. Sammlung der besten u. wirkungsvollsten Gedichte u. Vorträge ernster u. heiterer Art. 8. (96 S.) Oberhausen 886. Spaarmann. n. — 50

Schelling, J., kurzes Lehrbuch der Welt- u. Schweizergeschichte im Zusammenhang. Zum Zwecke der Vereinfachg. d. Geschichtsunterrichts u. zur Erzielg. e. bessern Verständnisses der vaterländ. Geschichte f. schweiz. Sekundar-, Real- u. Bezirksschulen. 3., verb., m. Marginalen versehene u. m. histor. Karten ausgestattete Aufl. gr. 8. (XV, 327 S.) St. Gallen 885. Huber & Co. n. 2. 60

Schellner, Karl, deutsches Schreib-Lesebuch f. Kinder von 4 bis 7 Jahren. 3., verb. u. verm. Aufl. Mit 53 Illustr. gr. 8. (24 S.) Wien 884. (Sallmayer.) n. — 48

— Zeichen-Vorlagen f. Kindergarten, Schule u. Haus. 1. Stufe. 1—7. Hft. Das stigmograph. Zeichnen. gr. 8. (à 8 Bl.) Ebend. 884. à n. — 20

Schellwien, Rob., optische Häresien. gr. 8. (IV, 99 S.) Halle 886. Pfeffer. n. 2. 50

Schelme, kleine, od. glückliche Kinder. Lustige Geschichten aus dem Familienleben der balt. Lande. Für Kinder u. Kinderfreunde v. Tante Alice. gr. 8. (120 S.) Dorpat 884. Schnakenburg. 2. 60; cart. 3. —

Schelmuffsky's wahrhafftige, curiöse u. sehr gefährliche Reisebeschreibung zu Wasser u. zu Lande, u. zwar die allervollkommenste u. accurateste Edition in hochdeutscher Frau Mutter Sprache eigenhändig u. sehr artig an den Tag gegeben v. E. S. 2 Thle. in 1 Bd. 8. (VIII, 104 u. VIII, 55 S.) München 883. Leipzig, Unflad. n. 3. —

Schemata zum Einzeichnen v. Befunden bei Untersuchung der Brust- u. Bauch-Organe m. Skeletteinzeichnung. gr. 8. (48 Taf.) Tübingen 883. Laupp. n. — 60

— zum Einzeichnen v. Befunden bei gerichtsärztlichen Untersuchungen am Gehirn. gr. 8. (48 Taf.) Ebend. 883. n. — 60

— zum Einzeichnen v. Befunden bei gerichtsärztlichen Untersuchungen am Schädel. gr. 8. (48 Taf.) Ebend. 883. n. — 60

— zum Einzeichnen v. Befunden bei gynaekologischen Untersuchungen. gr. 8. (32 Steintaf.) Ebend. 884. n. — 60

— zum Einzeichnen v. Befunden bei laryngo-rhinoskopischen Untersuchungen. gr. 8. (48 Taf.) Ebend. 883. n. — 60

— zum Einzeichnen v. Befunden bei ophthalmiatrischen Untersuchungen. gr. 8. (48 Taf.) Ebend. 883. n. — 60

— zu Temperatur-, Puls- u. Respirations-Curven, nebst Temperaturtabellen. gr. 8. (48 Taf.) Ebend. 883. n. — 60

Schematismus d. Bisth. Breslau [preußischen Antheils] u. seines Delegatur-Bezirks f. d. J. 1884. Hrsg. im Auftrage d. hochwürdigsten Ordinariates v. A. Knoff. gr. 8. (151 S.) Breslau 884. (Goerlich's Verl.) cart. n. 2. —

— der k. k. Cadeten-Schulen f. 1884. gr. 8. (III, 32 S.) Wien 884. Seidel & Sohn. n. — 50

— der Civil- u. Militär-Aerzte, der medicinischen Behörden u. Unterrichts-Anstalten im Königr. Bayern. Hrsg. nach den zur Verfügg. gestellten amtl. Quellen. Red. v. F. Beetz. 9. Jahrg. 1886. gr. 8. (IV, 96 S.) München 886. Rieger. n. 1. —

— der öffentlichen evangelischen Elementarschulen Schlesiens. [Statistik, Adressbuch.] Eine übersicht

Zusammenstellg. aller evangel. Schulen unter Angabe der Post, der eingeschulten Ortschaften, d. Lehrer-berufungsberechtigten, Revisors, Lehrers, Gehalts etc., nebst Mittheilgn. üb. Privat-Schulen, Waisenhäuser u. Schulanstalten f. die noch nicht schulpflicht. Jugend. Bearb. v. Jul. Herold. 3. Aufl. gr. 8. (IV, 239 S.) Breslau 884. (Priebatsch.) n. 3. —

Schematismus der protokollirten Firmen in der österreichisch-ungarischen Monarchie. I—III. Bearb. im Generalsekretariate der österreichisch-ungar. Bank. hoch 4. Wien, (Hölder). cart. n. 22. 40
I. Niederösterreich. (VI, 223 S.) 882. n. 4. 40
II. Ungarn, Kroatien u. Slavonien. (XV, 647 S.) 884. n. 10. —
III. Böhmen, Mähren, Schlesien, Galizien u. die Bukowina. (XXIII, 525 S.) 886. n. 8. —

— der Geistlichkeit d. Bisth. Augsburg f. d. J. 1886. Mit e. Uebersicht d. Personal-Standes der Frauen-Klöster u. klösterl. Institute der Diözese, nebst chronolog. Notizen vom J. 1885. gr. 8. (IV, 290 S.) Augsburg 886. (Schmid's Verl.) n. 2. —

— der Geistlichkeit d. Erzbisth. Bamberg 1886., gr. 8. (292 S.) Bamberg 886. Schmid. cart. n. 4. —

— der Geistlichkeit d. Bisth. Eichstätt f. d. J. 1885. gr. 8. (104 S.) Eichstätt 885. (Stillkrauth.) cart. n.n. 2. —

— der Geistlichkeit der Diözese Linz 1885. gr. 8. (299 S.) Linz 885. (Ebenhöch.) n. 3. 50

— der Geistlichkeit der Diözese Osnabrück f. d. J. 1886. 12. (20 S.) Osnabrück 886. Veith. n. — 70

— der Geistlichkeit d. Bisth. Regensburg f. d. J. 1886. Mit einigen chronolog. Notizen. 8. (XXII, 203 S.) Regensburg 886. (Coppenrath.) n. 2. —

— des k. k. Heeres der k. k. Kriegsmarine u. beider Landwehren. Richtiggestellt bis 30. Apr. 1885. 16. (82 S.) Teschen 885. Prochaska. n. — 40

— neuester, der Herrschaften, Güter u. Zuckerfabriken in Mähren, sowie der auf den Gütern bestehenden Bräuereien, Brennereien u. sonstigen Industrien, deren Besitzer, Pächter u. der dabei angestellten Beamten. Nebst e. Anh.: Besitztitel der landtäfl. Güter in Mähren. 4. Jahrg. gr. 8. (III, 246 S.) Brünn 884. Karafiat. n. 2. 80; geb. n. 3. 20

— der k. k. Landwehr u. der k. k. Gendarmerie der im Reichsrathe vertretenen Königreiche u. Länder f. 1886. gr. 8. (IV, 307 S.) Wien 886. Hof- u. Staatsdruckerei. geb. n.n. 2. 40

— des Lehr-Personals an den deutschen Volksschulen im Reg.-Bez. Niederbayern. 1886. Lex.-8. (IV, 178 S.) Landshut, (Krüll). cart. n. 1. 60

— des sämmtlichen Lehrpersonals der Volksschulen in Oesterreich ob der Enns. Zusammengestellt u. hrsg. v. Frz. Paul Ambäck. 8. (187 S.) Linz 883. (Ebenhöch.) n. 2. 65

— des Lehrpersonals an den Volksschulen im Reg.-Bez. Schwaben u. Neuburg, nach dem Stande vom Mai 1886. Hrsg. vom Ausschusse d. Kreislehrervereins v. Schwaben u. Neuburg. gr. 8. (208 S.) Augsburg 886. (Schmid's Verl.) n. 2. 70

— der k. k. Militär-Erziehungs- u. Bildungs-Anstalten u. k. k. Cadetten-Schulen f. 1885. gr. 8. (53 S.) Wien 885. Seidel & Sohn. n. — 50

— der Schulbehörden, Lehrerbildungs-Anstalten, sowie auch der Volks- u. Bürgerschulen in Mähren. 1884. Nach amtl. Quellen zusammengestellt v. Frz. Charvát. (Deutsch u. böhmisch.) 8. (IV, 299 S. m. 1 Tab.) Brünn 884. Winkler. n. 2. 40

— der Schulbehörden, Lehrer-Bildungsanstalten u. Volksschulen in Schlesien, nebst e. Verzeichnisse üb. die schles. Lehrer- u. Schulpfennig-Vereine. 1883. 8. (99 S.) Troppau 883. Buchholz & Diebel. n. 1. —

— der Secular- u. Regular-Geistlichkeit der Diözese Brixen. 1884. 68. Ausg. 8. (VIII, 219 S.) Brixen 884. Weger. n. 1. 70

— des Bisth. Trier f. d. J. 1885. gr. 8. (234 S.) Trier 885. Paulinus-Druckerei. n. 2. 50

— der Diözese Würzburg m. Angabe der statistischen Verhältnisse. Hrsg. f. d. J. 1883. gr. 8. (IV, 211 S.) Würzburg 883. (Bucher.) n. 2. 40

Schenck, F., Jahresbericht f. 1883 u. 1884 üb. die auf Selbsthilfe gegründeten deutschen Erwerbs- u. Wirthschaftsgenossenschaften. Fol. (XIV, 104 u. XIV, 110 S.) Leipzig 884. 85. Klinkhardt. à n. 8. —
— dasselbe, f. 1885. Fol. (XV, 127 S.) Ebend. 886. n. 9. —
cfr.: Schneider, F.

Schenck, H., die Biologie der Wassergewächse. Mit 2 (lith.) Taf. gr. 8. (IV, 162 S.) Bonn 886. Cohen & Sohn. n. 5. —

Schenck, Luise, lose Blätter aus Brasilien. 8. (418 S.) Hamburg 885. (Gräbener's Sort.) n. 3. —; geb. n. 4. 50

Schendel, Leop., Grundzüge der Algebra nach Grassmann'schen Prinzipien. gr. 8. (VIII, 161 S.) Halle 885. Schmidt. n. 2. 50

Schenk, A., s.: Handbuch der Botanik.

Schenk, E., Flora v. Deutschland, s.: Schlechtendal, D. F. L. v.

Schenk, E. v., Albrecht Dürer in Venedig, s.: Dilettanten-Bühne, katholische.

Schenk, Fel., zur Aetiologie der Skoliose. Vortrag, geh. in der chirurg. Section der 58. Versammlg. deutscher Naturforscher u. Aerzte zu Strassburg i/E. Erweitert durch Beschreibg. e. Thoracographen, sowie e. Apparates zur Untersuchg. u. graph. Darstellg. der Schreibhaltg. bei Schulkindern. Beitrag zur Lösg. der Subsellienfrage. Mit 10 Abbildgn. hoch 4. (16 S.) Berlin 885. (G. Winkelmann.) n. 1. 60

Schenk, Fritz, Ernstes u. Launiges aus dem Miesbacher Bezirk. 8. (183 S.) Miesbach 885. (Leipzig, Streller.) n.n. 2. 25

Schenk, H., vergleichende Anatomie der submersen Gewächse, s.: Bibliotheca botanica.

Schenk, Rud., offizieller Festführer zum eidgenössischen Schützenfest 1885 in Bern. Mit 13 Illustr. u. 2 Plänen. 8. (49 S.) Bern 885. Nydegger & Baumgart. n. — 50

Schenk, S. L., Grundriss der normalen Histologie d. Menschen f. Aerzte u. Studirende. Mit 178 Holzschn. gr. 8. (VIII, 308 S.) Wien 885. Urban & Schwarzenberg. n. 8. —

Schenkel, J. J., Dr. Martin Luthers Lehre vom Glauben. Oeffentlicher Vortrag. 8. (30 S.) Basel 884. Spittler. n. — 25

Schenkel, K., die deutsche Gewerbe-Ordnung, nebst Vollzugsvorschriften. Systematisch dargestellt u. ausführlich erläutert unter besond. Berücksicht. d. Großherzogth. Baden. gr. 8. (VIII, 652 S.) Tauberbischofsheim 884. Lang. n. 8. —
— das badische Jagdrecht, enth. das Gesetz vom 2. Dezbr. 1850, die Ausliefg. der Jagd betr., in der Fassg. der Bekanntmachg. vom 6. Novbr. 1886, nebst den Vollzugsvorschriften u. sonst. jagdrechtl. Bestimmgn. Systematisch dargestellt u. erläutert. gr. 8. (VI, 168 S.) Ebend. 886. n. 2. 20
— das Staatsrecht d. Großherzogth. Baden, s.: Handbuch d. öffentlichen Rechts der Gegenwart.
— das Unfallversicherungs-Gesetz. Vortrag, geh. im Karlsruher Gewerbeverein am 14. Apr. 1886. gr. 8. (30 S.) Karlsruhe 886. (Braun.) n. — 50

Schenkel, Mor., wir können es ja nicht lassen. Predigt, auf dem Missionsfeste zu Tharand 14. Sonntag nach Trinitatis 1886 üb. Apostelgeschichte 4. 20 geh. gr. 8. (17 S.) Dresden 886. J. Naumann. n. — 20

Schenkendorf's, Max v., Biographie, s.: Heinrich, E.

Schenker-Amlehn, L., Kinderspiele, s.: Kinder-Theater.

Schenkl, Karl, Chrestomathie aus Xenophon, aus der Anabasis, der Kyrupädie, den Erinnergn. an Sokrates zusammengestellt u. m. erklär. Anmerkgn. u. e. Wörterbuche versehen. 8. Aufl. Mit 1 Karte u. 16 Illustr. im Text. gr. 8. (XX, 340 S.) Wien 885. Gerold's Sohn. n. 3. 60; geb. n. 4. —
— griechisches Elementarbuch nach den Grammatiken v. Curtius u. Kühner bearb. 12. Aufl. gr. 8. (IV, 228 S.) Prag 884. Tempsky. n. 2. —; Einbd. n.n. — 40
— dasselbe, s.: Vocabularium zu den Uebungsbeispielen.
— deutsch-griechisches Schul-Wörterbuch. 4. Aufl. Lex.-8. (X, 1130 S.) Leipzig 884. Teubner. 9. —

Schenkl, Karl, griechisch-deutsches Schulwörterbuch. 8. Abdr. Lex.-8. (IX, 910 S.) Wien 886. Gerold's Sohn. n. 8. —

— vocabolario greco-italiano per uso dei ginnasj, dal vocabolario greco-tedesco tradotto da Francesco Ambrosoli. Ed. 9. gr. 8. (V, 972 S.) Wien 886. Gerold's Sohn. n. 10. —

Schenkling, Karl, Etiketten f. Käfer-Sammlungen. gr. 8. (14 Bl.) Leipzig 884. Leiner. n. 1. —

— die deutsche Käferwelt. Allgemeine Naturgeschichte der Käfer Deutschlands, sowie e. prakt. Wegweiser, die deutschen Käfer leicht u. sicher bestimmen zu lernen. (11 Lfgn.) gr. 8. (XXXVIII, 434 S. m. 20 Chromolith.) Ebend. 884—86. à n. 1. 25; cplt. n. 14. —; geb. in Halbfrzbd. n.n. 16. 50; in Frisbd. n.n. 17. —

— Taschenbuch f. Käfersammler. Mit 750 Käfer-Beschreibgn. u. 1 Fig.-Taf. 16. (IV, 216 S.) Ebend. 888. geb. n. 2. —

Schenz, Wilh., Einleitung in die kanonischen Bücher d. alten Testamentes. Lex.-8. (XV, 480 S.) Regensburg 887. Coppenrath. n. 6. —

Schenzl, Guido, üb. die Niederschlags-Verhältnisse in den Ländern der ungarischen Krone. Mit 1 Regenkarte. (Ungarisch u. deutsch.) gr. 4. (85 S.) Budapest 885. (Kilián.) n.n. 3. —

Schepers, Gerh., der hochwürdige P. Bernard Hafkenscheid, der erste holländische Redemptorist. Ein Lebensbild aus der Mitte d. 19. Jahrh. Frei nach dem Niederländ. d. M. J. A. Lans. Nebst Stahlst.-Portr. gr. 8. (IV, 327 S.) Regensburg 884. Pustet. n. 2. 60

— Leben d. heil. Bischofs u. Kirchenlehrers Alfons M. v. Liguori u. Gründung der Congregation d. allerheiligsten Erlösers. Nach dem Franz. d. Saintrain, frei bearb. Mit e. Bilde d. Heiligen in Stahlst. gr. 8. (VIII, 408 S.) Ebend. 883. n. 3. —

— der wahre Verehrer Mariens. Gebete, Betrachtgn. u. Lieder zu Ehren Mariens, insbesondere f. den Maimonat. Nach den „Herrlichkeiten Mariens" d. heil. Alphons Maria v. Liguori. 12. (XII, 346 S. m. 1 Stahlst.) Ebend. 883. n. — 80

Schepss, Geo., Priscillian, e. neuaufgefundener lat. Schriftsteller d. 4. Jahrh. Vortrag. Mit 1 Bl. in Orig.-Grösse, Fksm.-Druck d. Manuskriptes. gr. 8. (26 S.) Würzburg 886. Stuber's Verl. n. 1. 50

Scherber, Jak., Bilanzen nach buchhalterisch-juridischen Gesichtspunkten. Bilanzmäßige Schätzgn. u. Bilanzrevisionen nebst Bemängelungsverfahren f. alle Berufsstände, welche Bilanzen zu verfassen, zu prüfen od. darüber zu judiciren haben. 8. (X, 193 S.) Wien 885. (Manz.) geb. n. 4. —

Scherenberg, Chrn. Frdr., u. das literarische Berlin von 1840 bis 1860, s.: Fontane, Th.

Scherenberg, Ernst, Fürst Bismarck. Ein Charakterbild f. das deutsche Volk. 2. Aufl. 8. (112 S. m. 1 Holzschn.-Portr.) Elberfeld 885. Bädeker. — 50; feine Ausg. — 75; geb. 1. 50

— Germania. Dramatische Dichtg. 12. (96 S.) Ebend. 885. geb. m. Goldschn. n. 3. —

Scherer, A., Bibliothek f. Prediger, fortgeführt v. Conventualen d. Stiftes Fiecht. Neue Folge. 3. Bd. [Des ganzen Werkes 11. Bd.] 5—7. Lfg. gr. 8. Innsbruck 883. 84. Wagner. à 1. 20

Exempel-Lexikon f. Prediger u. Katecheten. 3. Bd. 5—7. Lfg. Der neuen Folge 19—21. Lfg. (S. 641—1132.)

— dasselbe. Neue Folge. 4. Bd. [Des ganzen Werkes 12. Bd.] 1—3. Lfg. gr. 8. Ebend. 885. 86. à 1. 20

Exempel-Lexikon f. Prediger u. Katecheten. 4. Bd. 1—3. Lfg. Der neuen Folge 22—24. Lfg. (S. 1—480.)

Scherer, Chrn., de Olympionicarum statuis. gr. 8. (58 S. m. 1 eingedr. Grundriss.) Göttingen 885. (Vandenhoeck & Ruprecht.) n. 1. 60

Scherer, F., verschlungene Wege, s.: Bibliothek f. Ost u. West.

Scherer, F. J., griechische Sprachlehre, s.: Schnorbusch, H. A.

— Vademecum, enth. Realien aus Mythologie u. Sage, Geschichte u. Geographie, Wetter u. Arzneikunde, Rechts- u. Religionswissenschaft in Gedächtnisversen u. Sprüchen. Nebst e. Anh. m. Ana- u. Epigrammen u. grammat. Spielereien. Zur Belehrg. u. Erheiterg. f. jung u. alt zusammengestellt. 2. Aufl. 12. (VI, 108 S.) Paderborn 886. F. Schöningh. n. 1. —

Scherer, F. J., u. H. A. **Schnorbusch,** Uebungsbuch nebst Grammatik f. den griechischen Unterricht der Tertia. 3. verb. Aufl. gr. 8. (V, 361 S.) Paderborn 885. F. Schöningh. n. 2. 40

Scherer, Geo., deutscher Dichterwald. Lyrische Anthologie. Mit vielen Porträts u. Illustr. v. F. Defregger, K. Häberlin, Th. Hosemann rc. 11. Aufl. 12. (VIII, 572 S.) Stuttgart 885. Deutsche Verlags-Anstalt. geb. m. Goldschn. 7. —

— die Jahreszeiten. Ein Kinderbuch in Bildern u. Liedern. 8. (118 S. m. 12 Chromolith.) Wandsbeck 883. Seitz. geb. 6. —

Scherer, Geo., Rechen-Aufgaben f. das 4. u. 5. Schuljahr. 2. Aufl. gr. 8. (84 S.) Tauberbischofsheim 884. Lang. n. — 20

— Rechen-Aufgaben f. Volksschulen. Ausg. f. Schulen m. 1 u. 2 Lehrern. 3 Hfte. 6. Aufl. gr. 8. (34, 42 u. 42 S.) Ebend. 883. à n. — 20

— dasselbe. Ausg. f. Schulen m. 3 u. mehr Lehrern. 1. u. 2. Hft. gr. 8. Ebend. 884. à n. — 20

1. Für das 6. Schulj. 6. Aufl. (26 S.)
2. Für das 7. Schulj. (26 S.)

Scherer, Heinr., Geographie u. Statistik d. Großherzogt. Hessen. Zugleich Handbuch zur Frommann'schen Karte v. Hessen. 20. Aufl. gr. 8. (VI, 177 S. m. 1 lith. Karte.) Gießen 883. Roth. n. 2. 50; geb. n.n. 3. —

Scherer, M., der Vertragsschluß unter Abwesenden nach rheinisch-französischem u. italienischem Recht. gr. 8. (84 S.) Mannheim 885. Bensheimer. n. 1. 40

— die Zwangsvollstreckung in das unbewegliche Vermögen im rheinischen Rechtsgebiet, einschließlich Bayern n. Frankreich, nebst e. Anh. üb. den preuß. Entwurf e. Gesetzes, betr. die Zwangsvollstreckg. in das unbewegl. Vermögen. gr. 8. (VII, 200 S.) Mainz 883. Diemer. n. 4. —

Scherer, P., deutsche Sprachlehre in Beispielen, Lehrsätzen u. Übungsaufgaben f. Volksschulen u. Unterklassen höherer Lehranstalten. gr. 8. (IV, 119 S.) Metz 883. Gebr. Even. geb. n. — 75

— kleine deutsche Sprachlehre in Beispielen, Lehrsätzen u. Übungsaufgaben f. Volksschulen. gr. 8. (IV, 83 S.) Ebend. 884. geb. n. — 50

Scherer, Rud. Ritter v., Handbuch d. Kirchenrechtes. 1. Bd. gr. 8. (XIV, 687 S.) Graz 885. 86. Moser. n. 14. —

Scherer, W., das rheinische Recht u. die Reichsgesetzgebung. gr. 8. (XV, 287 S.) Mannheim 885. Bensheimer's Verl. n. 5. —

Scherer, Wilh., Aufsätze üb. Goethe. gr. 8. (VII, 355 S.) Berlin 886. Weidmann. n. 6. —; geb. n. 8. —

— Emanuel Geibel. 8. (31 S.) Ebend. 884. n. 1. —

— Geschichte d. Elsaß, s.: Lorenz, O.

— Geschichte der deutschen Litteratur. 8. u. 9. (Schluß-) Hft. gr. 8. (XII u. S. 545—814.) Berlin 883. Weidmann. à n. 1. —

— dasselbe. 2. u. 3. Aufl. gr. 8. (XII, 814 S.) Ebend. 884. 85. n. 9. —; geb. in Leinw. n. 10. —; in Halbfrz. n. 11. —

— Jacob Grimm. 2. verb. Aufl. gr. 8. (VIII, 361 S.) Ebend. 885. n. 5. —

Scherf, H., die Theilnahme der großh. hessischen [25.] Division an dem Feldzug 1870/71 gegen Frankreich. Auf allerh. Veranlassg. Sr. königl. Hoh. d. Großherzogs Ludwig IV. v. Hessen u. bei Rhein u. auf Grund officieller Acten dargestellt. Nach dessen Tod hrsg. v. A. Draudt. 9—14. Lfg. Vom 20. Decbr. 1870 bis incl. 31. Juli 1871. Mit 8 (lith.) Skizzen. gr. 8. (2. Bd. VI u. S. 573—932 u. Beilagen S. 101—201 u. 3. Bd. S. 1—208 u. Beilagen S. 1—248.) Darmstadt 883. 84. Jonghaus. à n.n. 1. 70

Scherff, W. v., v. der Kriegführung, zugleich 2., umgearb. Aufl. der Lehre v. der Truppenverwendung als Vorschule zur Kunst der Truppenführung. gr. 8. (XVI, 759 S.) Berlin 883. Bath. n. 10. —

Scherfig, Emil, der Begriff der Bildung nach seinen psychischen Momenten u. pädagogischen Konsequenzen. Ein Vortrag. 8. (IV, 58 S.) Leipzig 885. Matthes. n. 1. —

Scherfig, Emil, der psychische Wert d. Einzel- u. d. Classenunterrichtes. Eine psychologisch-pädagog. Monographie. gr. 8. (56 S.) Leipzig 882. (Fock.) n. 1. —

Scherf, der kleine Pole od. die Kunst, die polnische Sprache in einigen Tagen verstehen, lesen, schreiben u. sprechen zu lernen. 9. Aufl. 16. (IV, 124 S.) Berlin 884. Friedberg & Mode. 1. 25; geb. 1. 50

Scherk, H. F., Gedächtnissschrift an ihn, s.: Weyer, G. D. E.

Scherler, Joh., die Sage vom Schloßberg bei Zoppot. Ein episches Gedicht. gr. 8. (31 S.) Danzig 883. (Weber.) n.n. — 75

Scherling, Chr., Grundriß der Experimentalphysik f. höhere Unterrichtsanstalten. Mit 202 Holzschn. 4., unter Mitwirkg. v. W. Schaper umgearb. Aufl. gr. 8. (VIII, 308 S.) Leipzig 884. Haessel. n. 4. —

Schermann, zur Frage: Heranbildung der Lehrer d. höheren Schulamtes. gr. 8. (21 S.) Tübingen 883. Fues. n. — 60

Schermann, J. E., das Verbum u. der lateinische Elementarunterricht. gr. 8. (IV, 39 S.) Ravensburg 886. Dorn. n. — 90

Schermaul, J., die Alpenpflanzen, s.: Seboth, J.

Scherpf, A., theoretisch praktische, nach pädagogischen Grundsätzen verfaßte Gesangschule f. Studienanstalten u. Präparandenschulen, sowie zum Privatunterricht. 2. Aufl. gr. 8. (XV, 145 S.) Speyer 884. Kleeberger. cart. n. 2. 20

Scherr, Frau, s.: Kübler, M. S.

Scherr, Joh., Bildersaal der Weltliteratur. 3. Aufl. 30 Lfgn. (3 Bde.) Lex.-8. (544, 597 u. 406 S.) Stuttgart 884. 85. Kröner. à — 60 (cplt.: n. 18. —; geb. n. 24. —)

— Germania. Zwei Jahrtausende deutschen Lebens, kulturgeschichtlich geschildert. 4. Aufl. Prachtausg. 34 Lfgn. Fol. (XI, 374 S. m. eingedr. Holzschn. u. Holzschntaf.) Stuttgart 883. 84. Spemann. à n. 1. 50

— dasselbe. 5., wohlf. Aufl. (In 40 Hftn.) 1. Hft. hoch 4. (12 S. m. eingedr. Holzschn.) Ebend. 885. n. — 40

— Gestalten u. Geschichten. 2. Aufl. gr. 8. (XXVI, 380 S.) Ebend. 886. n. 9. —

— Haidekraut. Ein neues Skizzen- u. Bilderbuch. 8. (298 S.) Teschen 883. Prochaska. n. 4. 50

— neues Historienbuch. 8. (394 S.) Leipzig 884. O. Wigand. n. 5. —

— die Nihilisten. 3. Aufl. 8. (223 S.) Ebend. 885. n. 4. —; geb. n. 5. —

— Porkeles u. Porkelessa. Eine böse Geschichte. 3. Aufl. 8. (XI, 248 S.) Stuttgart 886. Spemann. n. 3. —

— menschliche Tragikomödie. Gesammelte Studien, Skizzen u. Bilder. 1—12. Bd. 8. (130, 145, 166, 135, 142, 138, 161, 149, 177, 155, 139 u. 104 S.) Ebend. 884. 85. à n. 1. —

1—10. 3. Aufl. — 11. 12. 2. Aufl.

Scherrer, Hans, Übersicht der vaterländischen deutschen Geschichtschreibung. gr. 8. (IV, 95 S.) Heidelberg 886. Weiß' Verl. n. 1. 80

Scherrer, J., der angehende Mikroskopiker od. das Mikroskop im Dienste der höheren Volks- u. Mittelschule. Ein populärer Leitfaden für Studirende, Lehramtskandidaten, Lehrer an höhern Volks- u. Mittelschulen, sowie f. Dilettanten. Mit 134 in den Text gedr. Holzschn. [z. Thl. Orig.-Abbildgn.]. gr. 8. (XV, 203 S.) Speicher 885. (St. Gallen, Scheitlin & Zollikofer.) n. 4. 50

— das Pinakoskop u. seine Anwendung f. den naturwissenschaftlichen, geographischen u. kunstgeschtl. Anschauungs-Unterricht an Volksschulen, höhern Lehranstalten u. in öffentl. Vorträgen, sowie zu belehr. u. unterhalt. Vorstellgn. in Familien, Gesellschaften u. Bildungsvereinen. Eine populäre Abhandlg. Mit 30 Fig. in Holzschn. gr. 8. (61 S.) Ebend. 886. n. 2. —

Scherrer, J., das Werk d. protestantisch-kirchlichen Hülfsvereins in der Schweiz. Geschichtlich dargestellt. Mit (Lichtdr.-)Portr. v. Wilh. Le Grand. 8. (VIII, 244 S.) St. Gallen 883. Huber & Co. cart. n. 2. 20

Scherz u. **Ernst.** Allerlei Witze, Schwänke u. Merkwürdigkeiten in zwanglosen Liefergn. 1. Hft. 12. (160 S.) Paderborn 885. Bonifacius-Druckerei. — 45

Scherz, C. F., die Nordseeinsel Juist u. ihr Seebad. Nebst e. Karte der Reisewege zu den Nordseebädern an der ostfries. Küste. 8. (VII, 96 S.) Norden 886. Soltau. n. 1. 50

Scherz, J. G., s.: Sammlung ausgeführter Stilarbeiten.

Scherzer, G., Nürnberger Wanderbuch, s.: Dittmar, F.

Scherzer, K. v., die Anfänge menschlicher Industrie, s.: Sammlung gemeinverständlicher wissenschaftlicher Vorträge.

— die Buchdruckerkunst u. der Kulturfortschritt der Menschheit, s.: Zeitfragen, volkswirthschaftliche.

— das wirthschaftliche Leben der Völker. Ein Handbuch üb. Production u. Consum. Lex.-8. (XI, 756 S.) Leipzig 885. A. Dürr. n. 18. 50; geb. n. 20. 50

Schettler, C., die fünf Hauptstücke d. lutherschen Katechismus. Mit erklär. Anmerkgn. u. fortlauf. Berücksicht. v. Spruchbuch, bibl. Geschichte u. Kirchenlied. gr. 8. (54 S.) Köthen 883. Schettler's Verl. n. — 40

Schettler, O., Turnschule f. Mädchen. 2. Tl. Stufe IV u. V.: Das Turnen der Mädchen vom 12—14. [bez. 13—15.] Lebensjahre. [Mit 65 Holzschn.] 4. Aufl. gr. 8. (IV, 147 S.) Plauen 883. Hohmann. n. 2. —

— Turnspiele f. Mädchen u. Knaben. [3. Tl. der Mädchen- u. Knabenturnschule.] 5. Aufl. gr. 8. (VIII, 83 S.) Plauen i/V. 885. Hohmann. n. 1. —

Scheu, G., Rechenaufgaben, } s.: Schönmann, H.
— Rechenbuch, }

Scheube, B., die Ainos. Mit 9 lith. Taf. Fol. (32 S. m. 2 Tab.) Yokohama 882. (Leipzig, Lorentz.) n. 2. 50

Scheube, Botho, die Filaria-Krankheit, s.: Sammlung klinischer Vorträge.

— klinische Propädeutik. Ein Lehrbuch der klin. Untersuchungsmethoden. Mit 109 Abbildgn. gr. 8. (VIII, 415 S.) Leipzig 884. F. C. W. Vogel. n. 8. —

Scheubeck, F. X., Trauerrede auf den Allerdurchlauchtigsten, großmächtigsten König Ludwig II. v. Bayern. gr. 8. (16 S.) Regensburg 886. Amberg, Habbel. n. — 20

Scheuren, K., s.: Rhein, der.

Scheurl, Adf. v., die bevorstehende Lutherfeier. Ein Vortrag. 2. Abdr. gr. 8. (16 S.) Nürnberg 883. Löhe. — 30

— der christliche Staat. Ein Vortrag. gr. 8. (23 S.) Ebend. 885. n. — 30

— zur Verfassungsfrage in der protestantischen Landeskirche Bayerns diesseits d. Rheins. gr. 8. (31 S.) Freiburg i/Br. 883. Mohr. n. — 50

Scheurl, Ch. G. Adf. v., weitere Beiträge zur Bearbeitung d. römischen Rechts. 1. u. 2. Hft. gr. 8. Erlangen, Deichert. n. 6. —

1. Teilbarkeit als Eigenschaft v. Rechten. (118 S.) 884. n. 2. —
2. Zur Lehre vom römischen Besitzrecht. (283 S.) 886. n. 4. —

— Lehrbuch d. Institutionen. 8. Aufl. gr. 8. (XIV, 432 S.) Ebend. 883. n. 6. —

Schebe, v., zur Aufstellung der Schußtafeln f. Wurffeuer u. Tafeln f. das indirekte u. Wurffeuer bis zu 41° Abgangswinkel u. f. Anfangsgeschwindigkeiten v. 240 m an abwärts. Unter Uebersetzg. e. italien. Abhandlg. v. Siacci bearb. u. aufgestellt. Mit 1 Taf. gr. 8. (76 S.) Berlin 886. Mittler & Sohn. n. 1. 75

— die Geschütz-Bedienung der Fuß-Artillerie. Ein Hülfsbuch f. die Ausbildg. am Geschütz. 1. Hft.: Die Bedieng. e. Geschützes m. Fachkeil-Verschluß in Belagerungs-Laffete. gr. 8. (VIII, 124 S.) Berlin 882. Voß. n. 1. 20

— leichtfaßliche Methode zur Lösung ballistischer Aufgaben f. flache Flugbahnen, s.: Braccialini, S.

Schebe, Gust., Katechismus der Phrenologie. Mit Titelbild u. 18 Abbildgn. 7. Aufl. 8. (VIII, 107 S.) Leipzig 884. Weber. geb. n. 2. —

Schetten, B. v., unsere Knaben u. ihre Spiele. Ein Wort an Eltern, Lehrer u. Freunde der Jugend, nebst Beschreibg. der beliebtesten Knabenspiele. 2. Aufl. gr. 8. (51 S.) Berlin 886. Oehmigke's Verl. n. — 60

Schey, Jos. Frhr. v., Begriff u. Wesen der Mora creditoris im österreichischen u. im gemeinen Rechte. Eine civilist. Untersuchg. gr. 8. (VI, 132 S.) Wien 884. Manz. n. 3. —

Scheyer, Jos., üb. pseudocardiale u. pseudopericardiale Geräusche gr. 8. (41 S.) Breslau 884. (Köhler.) n. 1. —

Scheyring, Seb., der heilige Wundersmann Antonius v. Padua u. seine Verehrung durch die 9 Dienstage. Getreu u. nach authent. Quellen bearb. 3. Aufl. 16. (IV, 296 S. m. 1 Farbendr.) Innsbruck 885. F. Rauch. — 80

Schian, R., neues Ehestandsbüchlein zu Nutz u. Frommen aller Christenleute, die ehelich sind od. es werden wollen. Gekrönte Preisschrift. Hrsg. vom Evangel. Verein zu Hannover. 5. Aufl. 8. (32 S.) Hannover 885. Feesche. n. — 25

— die Innere Mission in Schlesien, ihre Aufgaben u. ihre Arbeit. 6. Aufl., dem 24 Kongresse f. Innere Mission in Breslau gewidmet vom Schles. Provinzialverein f. Innere Mission u. in dessen Auftrage bis in die Gegenwart fortgeführt v. Herm. Göbel. 8. (96 S.) Liegnitz 886. (Breslau, Dülfer.) n. — 80

Schiavi, Lorenzo, manuale didattico-storico della letteratura italiana con annessi svariati saggi di scelti autori ad esercizio di lettura e memoria per la scolaresca. Testo ad uso delle classi ginnasiali superiori e d'altre scuole. Ed. II. riveduta dall' autore ed arricchita di classici brani. Vol. I—III contenente la parte I—III. gr. 8. (V, 636 S.) Triest 884. 85. Dase. à n. 2. 80

Schiche, Th., zu Ciceros Briefen an Atticus. II. gr. 4. (24 S.) Berlin 883. Gaertner. n. 1. —
Die I. Abth. ist in der „Festschrift d. Friedrichs-Werder'schen Gymnasiums" S. 225 ff. enthalten.

Schick, E., Katechismus der Warenkunde. 5. Aufl., neu bearb. v. G. Heppe. 8. (VIII, 398 S.) Leipzig 886. Weber. geb. n. 3. —

Schick, Fritz, guide to Homburg and its vicinity, the upper Taunus, Feldberg, Altkönig, Königstein, Soden etc., and Frankfort on Main. Translated from the german. 11. ed. 12. (IV, 99 S.) Homburg 885. Schick. n. 1. 50; m. Karten n. 2. 50

— Homburg u. Umgegend, der obere Taunus, Feldberg, Altkönig, Königstein, Soden etc., Frankfurt a. M. 14. Aufl. 12. (IV, 98 S.) Ebend. 885. n. 1. 20; m. Karten n. 2. —

Schicker, K., die Gewerbe-Ordnung f. das Deutsche Reich in der auf Grund d. Gesetzes vom 1. Juli 1883 veröffentlichten Fassung, nebst den Ausführungsvorschriften d. Reichs. Erläutert v. K. S. gr. 8. (IX, 393 S.) Stuttgart 884. Kohlhammer. n. 5. —

— dasselbe. Nebst den Ausführungsvorschriften d. Reichs u. Württembergs. gr. 8. (IX, 550 S.) Ebend. 884. n. 6. —

— die Reichsgesetze üb. die Krankenversicherung der Arbeiter u. üb. die eingeschriebenen Hülfskassen m. Erläuterungen, den württemberg. Vollzugsvorschriften u. Musterstatuten. gr. 8. (XII, 434 S.) Ebend. 884. n. 4. —

Schicksale e. geraubten Knaben u. der dornige Lebenspfad e. braven Familie. 2 Erzählgn. f. die Jugend u. ihre Freunde. 3. Aufl., umgearb. u. bevorwortet v. Emil Frommel. 8. (III, 104 S.) Barmen 885. Wiemann. cart. n. — 75

Schider, Ed., Gastein f. Curgäste u. Touristen. 6. Aufl. Nebst e. Uebersichts- u. Reisekarte v. Gastein u. Umgebg. v. Fr. Keil. 12. (68 S.) Salzburg 886. Mayr. geb. n. 1. —

Schiebe u. **Odermann,** Auswahl deutscher Handelsbriefe f. Handlungslehrlinge, m. e. französ., engl. u. italien. Übersetzg. der in den Briefen vorkomm. Fachausdrücke, schwierigeren Wendgn. u. Sätze. Zum 7. Male hrsg. v. Carl Gust. Odermann. 8. verb. Aufl. gr. 8. (VIII, 209 S.) Leipzig 885. Gebhardt. n. 1. 80; geb. n.n. 2. 10

Schieferstein, Hans, Intarsien. Kunstvolle eingelegte Ornamente aus dem XVI. Jahrh. 14 (Lichtdr.-)Taf. Fol. Berlin 886. Claesen & Co. In Mappe. n. 16. —

Schiefertafelzeichnen, das, f. Schule u. Haus. Eine Festgabe f. Kinder von 6 bis 9 Jahren. 20 (lith.) Blatt. Hrsg. vom Bezirks-Lehrerverein Regensburg [Stadt]. qu. 4. (2 S. Text.) München 886. Oldenbourg. In Umschlag. n. 2. —

Schiel, A., die Siebenbürger Sachsen, s.: Sammlung gemeinnütziger Vorträge.

Schieler, K., Magister Johannes Nieder aus dem Orden der Prediger-Brüder. Ein Beitrag zur Kirchengeschichte d. 15. Jahrh. gr. 8. (XVI, 428 S.) Mainz 885. Kirchheim. n. 7. —

Schiemann, Thdr., Charakterköpfe u. Sittenbilder aus der baltischen Geschichte d. 16. Jahrh. 2. Titelausg. gr. 8. (IV, 151 S.) Hamburg 885. Behre. n. 2. 50

— historische Darstellungen u. archivalische Studien. Beiträge zur balt. Geschichte. gr. 8. (VII, 264 S.) Ebend. 886. n. 5. —

— die ältesten schwedischen Kataster Liv- u. Estlands. Eine Ergänzg. zu den balt. Güterchroniken. Im Auftrage der Felliner liter. Gesellschaft hrsg. Mit 2 Schriftproben in Facsm. gr. 8. (XVI, 110 S.) Reval 882. Kluge. n. 1. 80

— die Reformation Alt-Livlands. Vortrag, geh. im Saale der Canutigilde zu Reval. gr. 8. (32 S.) Ebend. 884. n. — 80

— Revals Beziehungen zu Riga u. Russland in den Jahren 1483—1505. Briefregesten u. Briefe aus e. Conceptbuche d. Revaler Rathes. Der Gesellschaft f. Geschichte u. Alterthumskunde der Ostsee-Provinzen Russlands zu ihrem Jubelfeste dargebracht v. der estländ. literar. Gesellschaft. gr. 8. (72 S.) Ebend. 885. n. 2. —

— Rußland, Polen u. Livland bis ins 17. Jahrh., s.: Geschichte, allgemeine, in Einzeldarstellungen.

Schier, Benj., der Vereins-Humorist. Sammlung heiterer Vorträge u. Scenen im Wiener Genre. 1. u. 2. Hft. 8. (à 32 S.) Wien 886. Klinaſt. à n. — 60

Schierhorn, J. A. Fr., Schreiblesefchule, f. den vereinigten Lese-, Schreib-, Zeichen-, Sprach- u. Anschauungs-Unterricht bearb. 12. verb. Aufl. [Ster.-Ausg.] 8. (V, 68 S. m. 1 Bog. Abbildgn. u. Schreibschrift.) Brandenburg, Wiesike. n. — 40; Einbd. n.n. — 15

Schies, Aug., Leitfaden zum Anschauungsunterricht im Französischen. Einprägen e. Wortschatzes, welcher im Vorstellungskreise der Kinder liegt. Für deutsche Schulen bearb. 8. (28 S.) Freiburg i/Br. 883. Herder. n. — 30

— Lesefibel u. erstes Uebungsbuch der französischen Sprache f. deutschredende Kinder. 8. (144 S.) Ebend. 884. cart. n. 1. —

Schiessl, Jos., Dramen in Prosa: Sedan, Trauerspiel. Irredenta, Schauspiel. Die Landesvertheidiger, Trauerspiel. Der Illuminant, Lustspiel. Heidelbeerwein, humorist. Epos. gr. 8. (V, 193 S.) Regensburg 885. (Coppenrath.) n. 3. —

Schieß-Instruktion. Bestimmungen üb. die Schieß-Uebungen der Infanterie. Anhang zu Parseval, „Der bayer. Infanterist". 8. (50 S. m. 3 Taf.) München 885. Oldenbourg. n. — 25

— für die Jäger u. Schützen. 16. (VII, 128 u. Anh. 26 S. m. Tab. u. 5 Steintaf.) Berlin 885. Mittler & Sohn. cart. n. — 80

— für die Infanterie. 12. (VII, 114 u. Anh. IV, 26 S. m. 5 Steintaf.) Ebend. 884. n. — 80; cart. n. 1. —

— für Kadetten. gr. 16. (IV, 67 S.) Bern 884. (Aarau, Sauerländer.) cart. n. — 80

Schieß- u. Correctur-Regeln. 8. (23 S.) Wien 885. Hof- u. Staatsdruckerei. n. — 12

— dasselbe, f. die Gebirgs-Artillerie. 8. (20 S.) Ebend. 885. n. — 12

Schießl, Max, System der Stilistik. Eine wissenschaftl. Darstellg. u. Begründg. der „stilist. Entwicklungstheorie". gr. 8. (XXII, 376 S.) Straubing 884. Attenkofer. n. 4. 50

Schießtafeln f. stahlbronzene Kanonen d. Belagerungs-Artillerie-Parkes, dann f. Minimalscharten-Kanonen M. 1880. 8. (148 S.) Wien 885. Hof- u. Staatsdruckerei. cart. n. 1. 20

— für 15 cm, 24 cm u. 28 cm Küstenkanonen, dann f. 28 cm Minimalschartenkanonen. 8. (III, 26 S.) Ebend. 885. cart. n. — 80

Schiff, das. Zeitung f. die gesammten Interessen der Schifffahrt. Red.: R. Ebert. Hrsg. unter Mitwirkg. von Arth. v. Studnitz. Große Ausg. 5—7. Jahrg. 1884—1886. à 52 Nrn. (à 1—3 B.) gr. 4. Dresden, Expeb. à n. 12. —; Rhein-Ausg. u. Elbe-Ausg. à n. 4. 80

Schiff, Jos., e. neue systemgerechte Consonanten-Verschmelzung in der deutschen Stenographie Gabelsberger's. Die Stellg. der Anlautkürzgn. im Gabelsberger'schen Satzkürzungssystem. Aus den Vorträgen, geh. im Gabelsberger Stenographen-Central-Verein u. im stenograph. Club der „Deutschen Lesehalle" an der Technik in Wien. gr. 8. (11 S.) Wien 882. (Edm. Schmid.) n. — 40

— Handbuch der geschäfts-stenographischen Praxis. Ein Leitfaden zur prakt. Ausbildg. in der Gabelsberger'schen Stenographie f. Correspondenten, Geschäftsreisende, Comptoiristen, Handlungseleven etc. Theorie — Praxis — Faulenzer. 2. Ausg. gr. 8. (V, 133 S.) Wien 884. Hölder. n. 2. 40

— Kammersigel der Gabelsberger'schen Stenographie, nebst Anh.: Logische Kürzgn. bei Fixierg. bestimmter Redewendgn. im formellen Geschäftsgange parlamentar. Debatten. [Auszug aus den Orig.-Stenogrammen der „Stenograph. Protokolle" d. Herrenhauses u. d. Abgeordnetenhauses d. österreich. Reichsrathes vom 16. März 1886.] 12. (16 S.) Wien 886. Bermann & Altmann. n. — 45

— theoretisch-praktischer Lehrgang der stenographischen Correspondenzschrift [Wortbildungs- u. Wortkürzungslehre] nach Gabelsberger's System. Für Schul-, Privat- u. Selbstunterricht. Mit 42 stenograph. Taf. 4. Aufl. 8. (V, 48 S.) Ebend. 884. n. 1. 70

— theoretisch-praktischer Lehrgang der stenographischen Satzkürzung nach Gabelsberger's System. Für Schul-, Privat- u. Selbstunterricht. Mit 16 lith. Taf. 2. Ausg. 8. (31 S.) Ebend. 885. n. 1. 30

— theoretisch-praktischer Lehrgang der Stenographie nach Gabelsberger's System. Für Schul-, Privat- u. Selbstunterricht. 2 Thle. in 1 Bd. I. Correspondenzschrift. II. Satzkürzung. 2. Aufl. Mit 56 stenograph. Taf. 8. (VII, 48 u. 31 S.) Ebend. 887. n. 2. 80; 1. Thl. 5. Aufl. ap. n. 1. 60

— stenographisches Lese-Cabinet. Eine Auswahl interessanter Werke deutscher u. ausländ. Classiker in stenographisch. Schrift nach Gabelsberger's System. 2. 4—6. Hft. Schlüssel. 12. Ebend. n. 4. 90

II. Peter Schlemihl's wundersame Geschichte. Von Chamisso. (56 S.) 883. n. — 40
IV. Spiel d. Schicksals v. Schiller. In stenograph. Schrift m. Anwendg. d. Satzkürzg. sammt dem Orig.-Text als „Schlüssel". (16 u. 15 S.) 884. n. — 60
V. Esaias Tegnér's Frithjofs-Sage. In Mohnike's Uebersetzg. u. Zoller's Bearbeitg. In stenograph. Correspondenzschrift. (128 S.) 885. n. 2. —
VI. Michael Kohlhaas von Heinr. v. Kleist. In stenograph Schrift m. Auwendgn. der Satzkürzung. (115 autograph. S.) 886. n. 1. 90

— Sigel u. Vereinfachungen der stenographischen Correspondenzschrift. Mit e. Biographie Gabelsberger's. 4. Aufl. 16. (32 S.) Wien 886. (Edm. Schmid.) n. — 30

— stenographisches Uebungsbuch [nach Gabelsberger System]. 2 Thle. in 1 Bde. [I. Correspondenzschrift. — II. Satzkürzung.] 8. (105 autogr. S.) Wien 884/85. (Bermann & Altmann.) n. 1. 70; Schlüssel. gr. 8. (59 S.) n. — 70

— dasselbe. Schlüssel. 3. Ausg. gr. 8. (58 S.) Ebend. 886. n.n. — 70

Schiffel, Adb., zur forstlichen Ertragsregelung. gr. 8. (71 S.) Görz 884. Dase. n. 2. —

Schiffer, Sinai, das Buch Kohelet. Nach der Auffassg. der Weisen d. Talmud. u. Midrasch u. der jüd. Erklärer d. Mittelalters. 1. Thl. Von der Mischna bis zum Abschluss d. babyl. Talmud. Von 200—500 n. d. g. Z. Nebst zahlreichen krit. Noten u. e. grösseren Abhandlg.: Ueber den Abschluss d. alttestamentl. Kanon u. die Abfassungszeit d. Buches Kohelet. gr. 8. (VIII, 140 S.) Leipzig 884. O. Schulze. n. 3. —

Schifffahrts-Canal, der oberrheinische, Straßburg-Speyer. Ein Vorschlag im Interesse d. Verkehrs u. der Landescultur. Hrsg. vom Canal-Comité Speyer. Mit e. (lith.) Uebersichts-Karte. gr. 8. (III, 52 S.) Speyer 883. (Kleeberger. — Lang. — Neidhard.) n. 1. —

Schiffmann, G. A., offener Brief an Hrn. Dr. Nielsen, Prof. der Kichengeschichte in Copenhagen, als Antwort auf seine Schrift Freimaurerthum u. Christenthum. 8. (52 S.) Leipzig 883. Zechel. n. — 80

Schiffner, V., üb. Verbascum-Hybriden u. einige neue Bastarde d. Verbascum pyramidatum M. B., s.: Bibliotheca botanica.

Schiffsunfälle, die, an der deutschen Küste in den J. 1878 bis 1882. Mit (chromolith.) Wrackkarte. Hrsg. vom kaiserl. statist. Amt. Imp.-4. (87 S.) Berlin 883. Puttkammer & Mühlbrecht. n. 1. 50

Schifkorn, Ferd., Kulturbilder aus dem Osten. 8. (VI, 486 S.) Leipzig 887. Peterson. n. 6. —

Schild, Festschrift zur Aufführung d. Luther-Festspiels v. Hans Herrig am 26., 27., 30. u. 31. Oktbr. 1886 zu Wittenberg. 12. (52 S. m. eingedr. Holzschn.) Wittenberg 886. (Wunschmann.) n. — 60

Schild, Wolfg., auf treuer deutscher Wacht. Eine Erzählg. aus dem nationalen Leben der Deutschböhmen. 1—14. Lfg. gr. 8. (1. Bd. IV, 450 S. u. 2. Bd. S. 1—124.) Leipzig 886. Leiner. à n. — 40

Schildberger, Max, Zinsen-Berechnungstafel. Fol. Berlin 883. Schildberger. — 75

Schildt, F. C. J., Geschichte d. Dorfes Büschow im mecklenburgischen Domanialamte Warin. gr. 8. (V, 97 S.) Schwerin 884. (Stiller.) n. 1. 50

Schilgen, Frdr. v., das kirchliche Vermögensrecht u. die Vermögensverwaltung in den katholischen Kirchengemeinden der gesamten preußischen Monarchie. Ein Handbuch f. Geistliche, Kirchenvorstände, Gemeindevertretungen, Juristen u. Verwaltungsbeamte. gr. 8. (VI, 219 S.) Paderborn 885. Bonifacius-Druckerei. 2. 10

Schill, Andr., die Vermählung m. der Kirche. Festpredigt, den am 2. Aug. 1859 ordinirten Priestern der Erzdiözese zur Feier ihres silbernen Jubiläums in der Convictskirche zu Freiburg am 5. Aug. 1884 geh. gr. 8. (27 S.) Freiburg i/Br. 884. Herder. n. — 30

Schiller, Carl, Stimmen üb. die Bauten u. Kunstwerke Rotenburg's ob der Tauber, gesammelt. 8. (64 S.) Würzburg 885. (Stuber's Verl.) n. 1. —

Schiller, Ed., Grundzüge der Cacteenkunde. gr. 8. (IV, 128 S.) Breslau 886. Leipzig, Gracklauer. n. 4. 50

Schiller's, Frdr. v., sämtliche Werke in 12 Bdn. 8. (307, 324, 251, 226, 296, 252, 227, 298, 332, 316, 330 u. 261 S.) Berlin 886. Warschauer. geb. in 4 Bde. 6. —; in 6 Bde. 7. 50

— dasselbe, s.: Bibliothek, Cotta'sche, der Weltlitteratur.

— Werke. 3—9. Bd. 8. Berlin 883. Friedberg & Mode Sep.-Cto. geb. à n. 1. 50

3. Wallensteins Lager. Die Poccolomini. Wallensteins Tod. Wilhelm Tell. Jungfrau v. Orleans. (116, 119, 97 u. 107 S.)
4. Don Carlos. Braut v. Messina. Phädra. Der Neffe als Onkel. Der Menschenfeind. Huldigung der Künste. (179, 86, 52, 44, 21 u. 10 S.)
5. Iphigenie in Aulis. Szenen aus den Phönizierinnen. Macbeth. Turandot. Der Parasit. Nachlaß. (66, 22, 74, 80, 64 u. 85 S.)
6. Geschichte d. Abfalls der vereinigten Niederlande. (312 S.)
7. Geschichte d. dreißigjährigen Krieges. (336 S.)
8. Prosaische Schriften. (332 S.)
9. Kleine Schriften vermischten Inhalts. (616 S.)

— dasselbe. Illustrirt v. ersten deutschen Künstlern. 3. Aufl. 65 Lfgn. Lex.-8. (4 Bde. XIX, 435; VIII, 447; VIII, 450 u. VIII, 423 S. m. eingedr. Holzschn. u. 1 Holzschn.-Bildniß.) Stuttgart 884—86. Deutsche Verlags-Anstalt. à n. — 50; cplt. 4 Bde. geb. n. 48. —

— dasselbe, s.: National-Litteratur, deutsche.

— ausgewählte Werke. Auswahl f. Volk u. Schule m. kurzen Erläutergn. 2 Bde. gr. 16. (VII, 482 u. 500 S.) Münster 884. Aschendorff. n. 1. 80

— über Anmut u. Würde, s.: Meyer's Volksbücher.

— historische Aufsätze, s.: Volksbibliothek f. Kunst u. Wissenschaft.

— Balladen. Mit 8 Stahlst. nach Zeichngn. v. A. Noack u. Ph. v. Foltz. 2. Aufl. 8. (IX, 62 S.) Kaiserslautern 885. A. Gotthold's Verl. geb. m. Goldschn. n. 8. —

— dasselbe, s.: Universal-Bibliothek.

— die Braut v. Messina, s.: Classiker, deutsche, f. den

Schulgebrauch. — Lektüre, gewählte, f. Schule u. Haus. — Repertoire d. herzogl. Meiningen'schen Hof-Theaters. — Schulausgaben classischer Werke. — Stecher, Ch., deutsche Dichtung f. die christl. Familie u. Schule.

Schiller's Frdr. v., Don Carlos, Infant v. Spanien, f.: Schulausgaben classischer Werke.
— dasselbe, f.: Meyer's Volksbücher.
— über naive u. sentimentalische Dichtung, f.: Classiker f. den Schulgebrauch. — Schulausgaben classischer Werke.
— lyrisch-didaktische Dichtungen, f. die Schule ausgewählt u. erläutert von A. v. Sanden. 1. Tl. Das Lied v. der Glocke. Der Spaziergang. 8. (IV, 107 S.) Breslau 885. Morgenstern's Verl. n. 1. —
— Erzählungen, f.: Meyer's Volksbücher.
— der Gang nach dem Eisenhammer; der Taucher, f.: Volksbibliothek d. Lahrer Hinkenden Boten.
— Gedichte. 8. (IV, 296 S.) Halle 886. Hendel. geb. m. Goldschn. 1. 30
— dasselbe. (Neue Min.-Ausg.) 16. (VIII, 507 S.) Stuttgart 883. Cotta. geb. m. Goldschn. n. 3. 50
— dasselbe. (Neue Aufl.) 8. (VIII, 427 S.) Ebend. 885. n. 1. 10
— dasselbe. Für das deutsche Volk erläutert u. m. ausführl. Namen- u. Wortregister versehen v. Karl Ed. Putsche. Mit Schillers (Holzschn.-)Portr. 8. (XII, 339 S.) Leipzig 884. Wartig's Verl. n. 2. 40; geb. n. 3. —
— dasselbe, f.: Bibliothek der Gesamt-Litteratur d. In- u. Auslandes. — Lektüre, gewählte, f. Schule u. Haus. — Museum. — Schulausgaben classischer Werke.
— dasselbe, travestirt. Beiträge zu komisch-humorist. Vorträgen. Eine Anthologie. 1. u. 2. Bdchn. 12. Erfurt, Körner. 1. 50
1. 3. Aufl. (128 S.) 886. n. — 50. — 2. 2. Aufl. (128 S.) 885. n. 1. —
— Gedichte u. Dramen. Ausgewählt u. m. erläut. Anmerkgn. versehen f. die deutsche Jugend u. unser Volk v. A. Hentschel u. K. Linke. 16. (V, 716 S. m. Holzschn.-Portr.) Leipzig 883. Peter. n. 2. —; geb. n. 3. —
— der Geisterseher, f.: Meyer's Volksbücher. — Volksbibliothek f. Kunst u. Wissenschaft.
— das Ideal u. das Leben. Zum Schulgebrauch erklärt v. Emil Grosse. Mit e. Anh. gr. 8. (88 S.) Berlin 886. Weidmann. n. 1. 60
— die Jungfrau v. Orleans. Eine romant. Tragödie. Mit ausführl. Erläutergn. f. den Schulgebrauch u. das Privatstudium v. A. Funke. 8. (172 S.) Paderborn 886. F. Schöningh. n. 1. 20; geb. n. 1. 50
— dasselbe, f.: Bibliothek der Gesamt-Litteratur d. In- u. Auslandes. — Classiker, deutsche, f. den Schulgebrauch. — Haus-Bibliothek f. Stolze'sche Stenographie. — Schulausgaben classischer Werke.
— Kabale u. Liebe, f.: Meyer's Volksbücher.
— der Kampf m. dem Drachen; die Bürgschaft, f.: Volksbibliothek d. Lahrer Hinkenden Boten.
— Klockenlied. Plattdütsch van Willem Täpper. 3. Oplage. 8. (16 S.) Bochum 884. (Hengstenberg.) n. n. — 25
— das Lied v. der Glocke. Deutsch u. englisch. 8. (29 S.) Philadelphia 885. Schäfer & Koradi. n. — 40
— dasselbe, s.: Büchersammlung, Gabelsberger stenographische. — Volksbibliothek d. Lahrer Hinkenden Boten.
— Maria Stuart. Ein Trauerspiel. Mit ausführl. Erläutergn. f. den Schulgebrauch u. das Privatstudium v. Heinr. Heskamp. 8. (193 S.) Paderborn 884. F. Schöningh. n. 1. 35
— dasselbe, f.: Bibliothek der Gesamt-Litteratur d. In- u. Auslandes. — Classiker, deutsche, f. den Schulgebrauch. — Lektüre, gewählte, f. Schule u. Haus. — Meyer's Volksbücher. — Repertoire d. herzogl. Meiningen'schen Hof-Theaters. — Schulausgaben classischer Werke.
— die Räuber, f.: Meyer's Volksbücher.
— kleine Schriften vermischten Inhalts, } f.: Museum.
— prosaische Schriften, }
— Spiel d. Schicksals, s.: Schiff, J., stenographisches Lese-Cabinet.

Schiller's, Frdr. v., Wilhelm Tell. Schauspiel in 5 Aufzügen. Mit ausführl. Erläutergn. f. den Schulgebrauch u. das Privatstudium v. A. Funke. Mit 1 Kärtchen. 3. Aufl. 8. (V, 170 S.) Paderborn 886. F. Schöningh. n. 1. 20
— dasselbe, f.: Bibliothek der Gesamt-Litteratur d. In- u. Auslandes. — Classiker, deutsche, f. den Schulgebrauch. — Dichtungen, klassische deutsche, m. kurzen Erläuterungen f. Schule u. Haus. — Meyer's Volksbücher. — Plays, german classical. — Schulausgaben deutscher Klassiker. — Stecher, Ch., deutsche Dichtung f. die christl. Familie u. Schule.
— der Verbrecher aus verlorner Ehre. Hrsg. in Stolze'scher Stenographie v. W. Dieckmann. gr. 8. (34 autogr. S.) Elberfeld 885. Fassbender. n. — 90
— dasselbe, s.: Büchersammlung, Gabelsberger stenographische.
— die Verschwörung des Fiesko zu Genua, f.: Meyer's Volksbücher.
— Wallenstein. Ein dramat. Gedicht. Mit ausführl. Erläutergn. f. den Schulgebrauch u. das Privatstudium v. A. Funke. 8. (334 S.) Paderborn 886. F. Schöningh. n. 1. 80
— dasselbe, f.: Bibliothek der Gesamt-Litteratur d. In- u. Auslandes. - Classiker, deutsche, f. den Schulgebrauch. — Lektüre, gewählte, f. Schule u. Haus. — Meisterwerke unserer Dichter. — Meyer's Volksbücher. — Plays, German classical.
— Wallensteins Lager; } f.: Repertoire d. herzogl.
die Piccolomini, } Meiningen'schen
— Wallenstein's Tod, } Hof-Theaters.

Schiller, Frdr., f.: Weltrich, R.

Schiller, Herm., Geschichte der römischen Kaiserzeit. 1. Bd. 2. Abth.: Von der Regierg. Vespasians bis zur Erhebg. Diokletians. gr. 8. (IV u. S. 497—980.) Gotha 883. F. A. Perthes. n. 9. — (I, 1. u. 2.: n. 18. —)
— Handbuch der praktischen Pädagogik f. höhere Lehranstalten. gr. 8. (XI, 604 S.) Leipzig 886. Fues. n. 10. —
— Nekrolog auf Prof. Wilh. Clemm in Giessen. 8. (12 S.) Berlin 884. Calvary & Co. n. 1. 20

Schiller, Hugo, der Infinitiv bei Chrestien. Abhandlung. gr. 8. (V, 69 S.) Oppeln 883. Franck. n. 1. 80

Schiller, J., üb. Shakespeares Entwicklungsgang, f.: Zeitfragen d. christlichen Volkslebens.

Schiller, Karl, Leitfaden zum Unterrichte in der deutschen Sprache f. die Unterabtheilung der I. Classe der Gremial-Handelsfachschule zu Wien u. f. verwandte Lehranstalten. gr. 8. (240 S.) Wien 884. Gerold's Sohn. n. 3. —
— deutsches Lesebuch f. Mittelschulen. 2. Thl. 3. Aufl., der Schreibg. d. k. k. Schulbücher-Verlags angepaßt. gr. 8. (235 S.) Wien 883. Pichler's Wwe. & Sohn. n. 2. 20
— Umrisse e. Handels-Geographie f. die Gremial-Handels-Fachschule d. Wiener Handelsstandes, sowie f. Industrie- u. kaufmänn. Fortbildungsschulen. Mit Tabellen üb. die bedeutendsten Fund- u. Fabriksorte der wichtigsten Handelsartikel der Erde. 4. Aufl. gr. 8. (284 S.) Wien 885. Gerold's Sohn. geb. n. 3. 60

Schiller, Rud., Aufgaben-Sammlung f. Handels-Lehranstalten. 3 Thle. gr. 8. Wien 883. 84. Pichler's Wwe. & Sohn. n. 5. 70
1. Aufgaben f. einfache u. doppelte Buchhaltung. (IV, 96 S.) n. 1. 20
2. Aufgaben f. Correspondenz u. Comptoirarbeiten. (IV, 125 S.) n. 1. 50
3. Aufgaben f. kaufmännisches Rechnen. (III, 236 S.) n. 3. —; Resultate (30 S.) n. — 50
— theoretische u. praktische Darstellung der Comptoirarbeiten. A. Warengeschäft. B. Waren- u. Bankgeschäft. C. Fracht-, Speditions- u. Assecuranz-Geschäft. D. Bankgeschäft. 2. Aufl. gr. 4. (VIII, IV, 56; X, 94; IV, 31 u. IV, 31 S.) Ebend. 884. n. 5. —

Schiller, Sigm., Materialien zu e. Flora d. Pressburger Comitates. Vortrag geh. in der Sitzg. d. Vereines f. Natur- u. Heilkunde zu Pressburg am 20. Febr. 1884. gr. 8. (50 S.) Pressburg 884. (Steiner.) n. 1. 60

Schiller-Gallerie nach Orig.-Cartons von W. v. Kaulbach, C. Jäger, A. Müller, Th. Pixis, R. Beyschlag, W. Lindenschmit. Mit erläut. Text v. E. Förster. Neue Ausg.

4. (21 Photogr. m. 42 S. Text.) München 885. Verlags-Anstalt f. Kunst u. Wissenschaft. geb. m. Goldschn n. 20.—

Schilling, A., die Reichsherrschaft Justingen. Ein Beitrag zur Geschichte v. Alb u. Oberschwaben. Nach urkundl. u. andern authent. Quellen zusammengestellt u. bearb. gr. 8. (V, 162 S.) Stuttgart 881. (Anheißer.) n. 1. 20

Schilling, G., Daniel, der Bergknappe, s.: Groschen-Bibliothek f. das deutsche Volk.

Schilling, Gust. Adf., üb. die Herstellung e. homogenen magnetischen Feldes an der Tangentenboussole zur Messung intensiverer Ströme. [Mit 5 Holzschn.] Lex.-8. (23 S.) Wien 886. (Gerold's Sohn.) n.n. — 45

Schilling, H., der kleine Rothschild. Ein Handbuch der prakt. Handelswissenschaft f. angeh. Kaufleute sowie auch f. Gewerbetreibende. 8. (III, 280 S.) Leipzig 884. G. Weigel. 2. 40

Schilling, Hugo, König Aelfred's angelsächsische Bearbeitung der Weltgeschichte d. Orosius. gr. 8. (61 S.) Halle 886. Niemeyer. n. 1. 60

Schilling, J., praktische Anleitung zum mündlichen u. schriftlichen Verkehr im Spanischen. gr. 8. (VII, 128 S.) Leipzig 885. Gloeckner. geb. n. 3. —

— spanische Grammatik m. Berücksicht. d. gesellschaftlichen u. geschäftlichen Verkehrs. 3. Aufl. gr. 8. (VIII, 351 S.) Ebend. 886. n. 4. —; geb. n. 5. —

Schilling, J. Fr., die Unterscheidungslehren der christlichen Confessionen, zum Gebrauch f. die oberste Klasse der Schulen zusammengestellt. Zur 400jähr. Gedenkfeier d. Geburtstages Luthers. gr. 8. (31 S.) Riga 883. Deubner. n. — 75

Schilling, Max, Quellenbuch zur Geschichte der Neuzeit. Für die oberen Klassen höherer Lehranstalten bearb. gr. 8. (XVI, 487 S.) Berlin 884. Gaertner. n. 5. —

Schilling's, N. H., statistische Mittheilungen üb. die Gasanstalten Deutschlands, Oesterreichs u. der Schweiz, sowie einige Gasanstalten anderer Länder. Bearb. v. Lothar Diehl. 4. Aufl. Lex.-8. (VIII, 837 S.) München 885. Oldenbourg. geb. n. 15. —

Schilling, Otto, die gemeinsame Gemeinde-Krankenversicherung im Sinne d. Reichsgesetzes, betr. die Krankenversicherung der Arbeiter, vom 15. Juni 1883. Statuten-Entwurf f. e. gemeinsame Gemeinde-Krankenversicherg. u. Vorschläge zur Einrichtg. der Buchführg. bei denselben, nebst e. Auszuge aus dem Reichsgesetze vom 15. Juni 1883, e. Abdruck der königl. sächs. Ausführungs-Verordng. vom 28. Septbr. 1883 u. e. Anh., den Statuten-Entwurf f. e. gemeinsame Dienstboten-Krankencasse enth. 4. Aufl. gr. 8. (91 S.) Dresden 884. Warnatz & Lehmann. n. 1. 20

Schilling's, Sam., Grundriß der Naturgeschichte der drei Reiche. 1 Tl. u. 2. Tl. Ausg. A u. B. gr. 8. Breslau 885. F. Hirt. à n. 3. —

1. Das Tierreich. 15., vielseitig verb. u. bereich. Bearbeitg. Mit 800 in den Text gedr. (Holzschn.-)Abbildgn. nach Orig.-Zeichngn. (VI, 344 S.)
2. Das Pflanzenreich. Ausg. A: Anordnung desselben nach dem Linné'schen System m. Hinweisg. auf das natürl. System. Nebst e. Abriß der Pflanzengeschichte u. Pflanzengeographie. Mit 824 in den Text gedr. (Holzschn.-)Abbildgn. Neue 13. Bearbeitg. (IV, 301 S.) 882. — Ausg. B: Anordnung nach dem natürl. System. Begründet v. Frdr. Wimmer. 14. Aufl., bearb. v. F. C. Noll. Mit 808 Abbildgn. (314 S.) 884.

Schilling, W., Stoffe f. den Sprachunterricht in der Fortbildungsschule m. 3 aufsteigenden Stufen. gr. 8. (III, 62 S.) Leipzig 886. Klinkhardt. n. — 75

Schillingsbücher. Erzählungen u. Lebensbilder. Neue Ausg. m. Bildern u. in bunten Umschlägen. Nr. 4—6. 8—12. 17. 19—22. 25. 28—30. 33. 34. 37—43. 51—53. 63. 64. 70. 73. 74. 79. 84. 85. 97. 105. 112—115. 133. 134. Hamburg 883—86. Agentur d. Rauhen Hauses. à n. — 10

4. Der Weihnachtsstern. Von Erich Norden. (16 S.)
5. 6. Ein alter treuer Freund u. Weltverbesserer aus dem deutschen Volke (Dr. M. Luther), demselben freundlichst in Erinnerg. gebracht im J. 1883 v. Adf. Krüger. 5. Aufl. (47 S.)
8. Gottes Wege. (24 S.)
9. Durch Nacht zum Licht. Von Erich Norden. (24 S.)
10. Die Geschichte vom Joseph. (24 S.)
11. Die württembergische Tabea. Die schwedische Kinderfreundin. (24 S.)
12. Eine Falle, um e. Sonnenstrahl einzufangen. 9. Aufl. (24 S.)
17. Die gute Frau Gerhard od. zwei Tage in Herrestad. Eine Weihnachtsgeschichte. 7. Aufl. (24 S.)
19. Drei u. noch Einer. (16 S.)
20. Ein armer Sünder. (24 S.)
21. Trachtet nach dem, was droben ist. Erzählung v. Martin Claudius. (24 S.)
22. Pastors Mariechen. Von J. Boy. (16 S.)
25. Stillleben der Vorstadt. 5. Aufl. (24 S.)
28. Lieder u. Sprüche. (24 S.)
29. Schwester Gertrud. (16 S.)
30. Pastor, Ratsherr u. General. (24 S.)
33. Eure Lindigkeit lasset kund werden jedermann. Eine Weihnachtsgeschichte. (24 S.)
34. Eva Maria, die Dorfdiakonissin. (16 S.)
37. Anna Biguet, e. Mutter der Gefangenen. (24 S.)
38. Du bist gesund geworden. Von E. Freyer. (24 S.)
39. Was Gott zusammengefügt hat, das soll der Mensch nicht scheiden. (24 S.)
40. Vergieb uns unsere Schuld, wie wir vergeben unsern Schuldigern. Von J. Boy. (16 S.)
41. Der Schiffer v. Helgoland. Von Frdr. Oldenberg. 6. Aufl. (24 S.)
42. Die alte Botenlise. (24 S.)
43. Ohne Gott kein Segen. Hilfe in großer Not. (24 S.)
51. Ein Weihnachtsfeuer. Von Erich Norden. (24 S.)
52. Liebe um Liebe. (24 S.)
53. Kashane od. Blutzeuge Christi. (24 S.)
63. Das Mägblein v. Vierlanden. Von J. Boy. (24 S.)
64. Aus e. Soldatenleben. (24 S.)
70. Von e. Knaben in Thüringen. 4. Aufl. (24 S.)
73. Regina od. e. Schäflein Seiner Weide. (24 S.)
74. Am Rande d. Abgrundes. (24 S.)
79. Kindergebete u. Lieder. (24 S.)
84. Vergiß deinen Stand nicht Von J. Boy. (24 S.)
85. Verborgene Wege. Von C. Kreutzer. (24 S.)
97. Wege des Herrn. Von Armin Stein. 2. Aufl. (24 S.)
105. Ein seliges Weihnachtsfest. Von M. Petzel. 4. Aufl. (23 S.)
112. Soll ich meines Bruders Hüter sein? Von Erich Norden. (24 S.)
113. Seegeschichten. (16 S.)
114. Ein Weihnachtssegen. Von B. Loesche. (24 S.)
115. Ein Weihnachtsabend der Heimatlosen. Von B. Loesche. (16 S.)
133. Friede auf Erden. Eine Weihnachts-Dorfgeschichte. (23 S.)
134. Das Heidekräutchen. Eine altmärk. Dorfgeschichte v. J. Boy. (24 S.)

Schillmann, H., neues Berliner Lesebuch, s.: Schmidt, O. F.

Schillmann, Rich., Bilder aus der Geschichte der märkischen Heimat. 1. u. 2. Bdchn. 8. Berlin, Oehmigke's Verl. à n. 2. —

1. Bis zum Anfang d. 16. Jahrh. (VIII, 176 S.) 883.
2. Bis zum Tode Friedrichs d. Großen. (III, 200 S.) 886.

— Leitfaden f. den Unterricht in der deutschen Geschichte. 13. verb. Aufl. gr. 8. (IV, 156 S.) Berlin 886. Nicolai's Verl. geb. n.n. — 75

— Vorschule der Geschichte, Sagen u. Geschichten. Für den Schulgebrauch [Sexta u. Quinta] bearb. 4. Aufl. 8. (VI, 276 S.) Ebend. 886. geb. n. 1. 60

Schima, Frz., Studien u. Erfahrungen im Eisenbahnwesen. IV. Ueber die vortheilhafteste Ausführg. u. Einrichtg. der Eisenbahnanlagen. gr. 8. (259 S.) Prag 885. (Řivnáč). n. 7. 20 (I—IV.: n. 14. 80)

— über Umladevorrichtungen der Eisenbahnen u. ihren Einfluss auf den Transport u. auf die Preise der Materialien, speciell d. Getreides, im Zusammenhange m. anderen einschläg. Factoren. Vortrag. gr. 8. (30 S. m. eingedr. Fig.) Ebend. 884. n. 1. —

Schimák, Jos., das Rechnungswesen in Doppelposten, die Ertragsbilanzirung im Ganzen u. der einzelnen Ertragszweige, die Revision u. die Ertragsprojectirung auf Großgrundbesitzungen. gr. 8. (VIII, 119 S.) Prag 885. Calve. n. 5. —

Schimmelmann I., A. v., Geschichte d. 8. westfälischen Infanterie-Regiments Nr. 57. 1860—1882. Im Auftrage d. Regiments bearb. Mit e. Titelbild (in Lichtdr.) u. 4 Karten in Steindr. gr. 8. (V, 325 S.) Berlin 883. Mittler & Sohn. n. 7. —

Schimmer, G., österreichische Vaterlandskunde, s.: Gindely, A.

Schimmer, G. A., Erhebungen üb. die Farbe der Augen, der Haare u. der Haut bei den Schulkindern Oesterreichs, s.: Mittheilungen der Anthropologischen Gesellschaft in Wien, Suppl. I. 1884.

Schimming, Geo., die Beurtheilung der Dampfkessel. Grundlagen f. prakt. Untersuchgn. Mit 45 Abbildgn. gr. 8. (VII, 158 S.) Leipzig 886. Felix. n. 5. 50

Schimper, A. F. W., Anleitung zur mikroskopischen Untersuchung der Nahrungs- u. Genussmittel. Mit 79 Holzschn. gr. 8. (VIII, 140 S.) Jena 886. Fischer. n. 3. —

— Taschenbuch der medicinisch-pharmaceutischen Botanik u. pflanzlichen Drogenkunde. 8. (VII, 214 S.) Strassburg 886. Heitz. geb. n. 3. —

Schimpf, Carl, Hänschen in den Kinderschuhen. Ein Bilderbuch f. brave Kinder. 4. (6 Chromolith. m. eingedr. Text.) Wien 885. Edm. Schmid. geb. n. 2. 40

— neues Märchenbuch f. die Kinderwelt. 4. (6 Chromolith. m. eingedr. Text.) Ebend. 885. geb. n. 2. 40

— zum Scherz u. für's Herz. Ein Bilderbuch f. brave Kinder. 4. (6 Chromolith. m. eingedr. Text.) Ebend. 885. geb. n. 2. 40

Schindl, Rud., Lehrbuch der Geschichte d. Alterthums f. die unteren Classen der Mittelschulen. Mit 18 Holzschn. 3. Aufl. gr. 8. (XII, 163 S.) Wien 884. Pichler's Wwe. & Sohn. n. 1. 20

— Lehrbuch der Geschichte d. Mittelalters f. die unteren Classen österreichischer Mittelschulen. Mit 19 Holzschn. 2. Aufl. gr. 8. (VII, 108 S.) Ebend. 882. n. 1. —

— Lehrbuch der Geschichte der Neuzeit f. die unteren Classen österreichischer Mittelschulen. Mit 15 Holzschn. gr. 8. (VIII, 127 S.) Ebend. 883. n. 1. 20

Schindler-Barnay, d. Verfettungs-Krankheiten. 3. Aufl. gr. 8. (VII, 84 S.) Wien 883. Perles. n. 2. —

Schindler-Escher, C., „Klein, aber Mein". 7 Projekte f. einzeln steh. Häuschen m. Stall im Werthe v. 4 bis 5000 Franken [den im Juni 1886 prämiirten Arbeiten entnommen.] Mit e. Abhandlg. „Ueber die Wahl der Baustelle" v. El. Landolt u. „Ueber den Anbau e. Gemüsegartens u. e. Stück Pflanzlandes" v. Lutz. 1. Hft. 3. Aufl. gr. 4. (31 S. m. 13 Taf.) Zürich 886. (Meyer & Zeller.) n.n. 2. —

Schindler, C. F., die Cavallerie Deutschlands. 24 (lith. u.) color. Abbildgn., betr. die Uniformirg. u. Ausrüstg., sowie die Abzeichen der verschiedenen deutschen Regimenter. Mit wohlwoll. Unterstützg. vieler Herren Offiziere, den neuesten Bestimmgn. gemäß zusammengestellt, gezeichnet u. lith. 4 Lfgn. gr. 4. (à 6 Bl.) Steglitz b/Berlin 883. 84. C. F. Schindler. à n. 12. —; Leinw.-Mappe dazu n. 5. —

Schindler, C. F., üb. den Begriff d. Guten u. Nützlichen bei Spinoza. gr. 8. (42 S.) Jena 885. (Neuenhahn.) n. 1. —

Schindler, E., die Elemente der Planimetrie in ihrer organischen Entwickelung. Lehrbuch f. jede Schule. In 4 Stufen. gr. 8. (Mit eingedr. Fig.) Berlin 883. Springer. cart. n. 6. 40

1. Die wirkliche Größe der Grund-Gebilde der Planimetrie. (XVI, 71 S.) n. 1. 20
2. Die wirkliche Größe der Umfänge der Figuren. (VII, 63 S.) n. 1. —
3. Die scheinbare Größe der ebenen Gebilde. Die Fläche der Figuren. (VIII, 132 S.) n. 1. 80
4. Die meßbaren Beziehungen der Figuren. Die Entwickelung der Analyse. (IX, 173 S.) n. 2. 40

Schindler, Frz., Physik u. Chemie für Bürgerschulen. In 3 concentr. Lehrstufen. 1. u. 2. Stufe. Mit je 94 Abbildgn. gr. 8. (VII, 96 u. IV, 128 S.) Prag 885. Tempsky. à n. — 80; Einbd. à n.n. — 20

Schindler, H., poetische Musterstücke, s.: Baron, M.

— s.: Muttersprache, die.

— deutsche Sprachschule, s.: Baron, M.

Schindler, Jos., der heilige Wolfgang in seinem Leben u. Wirken. Quellenmäßig dargestellt. gr. 8. (VIII, 204 S.) Prag 885. Rohlíček & Sievers. n. 2. —

Schindler, Karl, die Forste der in Verwaltung d. k. k. Ackerbau-Ministeriums stehenden Staats- u. Fondsgüter. Im Auftrage Sr. Exc. d. Hrn. k. k. Ackerbau-Ministers Jul. Grafen v. Falkenhayn dargestellt. Hrsg. vom k. k. Ackerbau-Ministerium. 1. Thl. Mit e. Atlas, enth. 41 Karten (Fol. in Mappe.). Lex.-8. (VI, 487 S.) Wien 885. Hof- u. Staatsdruckerei. n. 60. —

Schindler, O., die Jagd im Hause, s.: Kühling's, A., Album f. Liebhaber-Bühnen.

Schindowski, Rob., die Blumenzucht im Zimmer. Anleitung zur Zucht u. Pflege der Zimmerpflanzen. 16. (61 S.) Danzig 885. Axt. n. — 50

— der Gemüsegarten. Kurze Anleitg. zur Anlage u. Einrichtg. desselben, sowie zur Erziehg. der verschiedenen Küchenkräuter u. Gemüsearten. gr. 8. (47 S.) Ebend. 885. n. — 50

Schinkel, Jul., quaestiones Silianae. gr. 8. (77 S.) Leipzig 884. (Fock.) n. 1. 50

Schinmeier, Joh. Chrph., kumm mit [Vademecum]. Biblisches Spruch- u. Schatzkästlein, worinnen über 400 Sprüche der heil. Schrift m. den geistreichsten u. nachdrücklichsten Worten d. sel. Lutheri erkläret worden. Zu allgemeiner Erbaug. zusammen getragen. Neue Ausg. 3. Aufl. 16. (VI, 410 S.) Hermannsburg 885. Missionshausdruckerei. n. 1. —

Schinzinger, die Jodoformbehandlung. gr. 8. (43 S.) Stuttgart 883. Enke. n. 1. 20

Schjörring, J., die Tochter d. Meeres, s.: Engelhorn's allgemeine Roman-Bibliothek.

Schipfer, Aug., betrogene Betrüger. Schauspiel in 4 Acten. gr. 8. (100 S.) Mainz 883. Diemer. n. 1. 20

Schippel, Max, das moderne Elend u. die moderne Uebervölkerung. Ein Wort gegen Kolonien. gr. 8. (110 S.) Leipzig 883. F. Duncker. n. 1. 20

— dasselbe, s.: Wirth, M., Bismarck, Wagner, Rodbertus.

— staatliche Lohnregulirung u. die sozialreformatorischen Bestrebungen der Gegenwart, s.: Zeitfragen, soziale.

Schipper, J., William Dunbar. Sein Leben u. seine Gedichte in Analysen u. ausgewählten Uebersetzgn., nebst e. Abriß der altschott. Poesie. Ein Beitrag zur schottisch-engl. Literatur- u. Culturgeschichte. gr. 8. (XVIII, 412 S.) Berlin 884. Oppenheim. n. 7. —; geb. n. 8. —

Schirdewahn, Geo., üb. das Umkehrproblem der hyperelliptischen Integrale. 3. Gattung u. 1. Ordnung. gr. 8. (30 S.) Leipzig 886. (Oels, Grüneberger & Co.) n. 1. —

Schirlitz, C., de Platonis Parmenide. gr. 4. (26 S.) Neustettin 884. (Berlin, Calvary & Co.) n. 1. 60

Schirmacher, Ernst, die diluvialen Wirbelthierreste der Provinzen Ost- u. Westpreussen. gr. 8. (52 S. m. 5 autogr. Taf.) Königsberg 882. (Beyer.) n. 1. 60

Schirmeisen, R., katholisches Gebet- u. Gesang-Buch. Neu bearb. u. verm. 16. (CXII, 124 S.) Beuthen O/S. 883. Waeldner. geb. n. — 50

Schirmeister, Heinr., üb. Triazobenzol [Diazobenzolimid] u. einige Umsetzungen desselben. gr. 8. (32 S.) Hildesheim 883. (Göttingen, Vandenhoeck & Ruprecht.) n. — 80

Schirmer, A., auf der Erholungsreise, — Papagena, — Punkt drei Uhr, } s.: Liebhaber-Bühne, neue.

Schirmer, C., Contre u. Quadrille à la cour, nebst den nothwendigsten Anstandsregeln beim Tanzen. 2. Aufl. 16. (34 S.) Leipzig 883. C. A. Koch. n. — 40

Schirmer, E., gesiegt. Roman. 8. (214 S.) Leipzig 886. Mutze. n. 4. —

Schirmer, Gust., die Kreuzeslegenden im Leabhar Breac. gr. 8. (90 S.) Leipzig 886. Fock. n. 1. 50

Schirmer, J. W., Aquarelle u. Kohle-Zeichnungen.

Unveränderliche Phototypien. gr. Fol. (5 Bl. m. 1 Bl. Text.) München 885. Verlagsanstalt f. Kunst u. Wissenschaft. n. 20. —

Schirmer, W., Maximilian, Kaiser v. Mexico, s.: Jugendbibliothek.

Schirmer, Wilh., Heimatkunde d. Herzogth. Schlesien. 3. Aufl. Rev. Ausg. der 2. Aufl. gr. 8. (IV, 61 S.) Neiße 885. Graveur's Verl. n. — 80

— Veilchen. Auswahl deutscher Gedichte. 12. (115 S.) Ebend. 885. geb. m. Goldschn. n. 2. —

Schirmeyer, Ferd., Beitrag zur Kenntniss der progressiven Muskelatrophie. gr. 8. (48 S.) Osnabrück 884. (Göttingen, Vandenhoeck & Ruprecht.) n. 1. 20

Schirmeyer, L., Namen- u. Sachregister, s.: Archiv f. mikroskopische Anatomie.

Schirmmacher-Zeitung, deutsche. Fachblatt f. die Interessen der Schirmfabrikation unter Mitwirkg. namhafter Fachmänner. Offizielles Vereins- u. Publikations-Organ „deutscher Schirmmacher-Vereine" u. d. Vereins „Berliner Schirmfabrikanten" 2c. Central-Insertionsorgan der Schirmindustrie u. deren Nebenzweige. Chef.-Red.: Hugo v. Hagen. Red.: J. Achtelstetter. 3. Jahrg. 1886. 24 Nrn. (à 1—1½ B. m. Illustr.) gr. 4. Leipzig, Kufs & Achtelstetter. n. 8. —

Schirren, C., Quellen zur Geschichte d. Untergangs livländischer Selbständigkeit, s.: Archiv f. die Geschichte Liv-, Est- u. Curlands.

Schirrmacher, Frdr. Wilh., Johann Albrecht I. Herzog v. Mecklenburg. 2 Thle. gr. 8. (XVI, 775 u. 403 S.) Wismar 885. Hinstorff's Verl. n. 20. —

Schkopp, v., die Detailausbildung e. Infanterie-Compagnie im Felddienst. 8. (IV, 79 S.) Berlin 883. F. Luckhardt. n. 1. 20

Schlaberg, Adf., die Dame als Reiterin. Informirung üb. die Reitkunst der Damen. Mit 30 Holzschn. 8. (VII, 84 S.) Berlin 884. Parey. geb. n. 3. —

Schlacht, die erste, im Zukunftskriege. Berichte aus dem Hauptquartier. Mit 1 Karte. 2. Aufl. gr. 8. (42 S.) Hannover 886. Helwing's Verl. n. 1. 20

Schlachten-Atlas d. 19. Jahrh. Zeitraum: 1820 bis zur Gegenwart. Pläne der wichtigsten Schlachten, Gefechte u. Belagergn. m. begleit. Texte, nebst Uebersichts-Karten m. compendiösen Darstellgn. d. Verlaufes der Feldzüge in Europa, Asien u. Amerika. Nach amtl. Quellen bearb. (In ca. 30 Lfgn.) 1—5. Lfg. Fol. (10 lith. u. color. Karten m. 42 Bl. Text.) Iglau 886. Bäuerle. Subscr.-Pr. à n. 2. 60

Schlachthaus, das. Organ der Fleisch-Industrie. Produktion, Technik, Handel, Konsum, Neben-Artikel.] Fachzeitung f. Fleischer. Fleisch-Konserven- u. Wurst-Fabrikanten etc. 1. Jahrg. Jan.—März 1884. 13 Nrn. (à 1—2 B.) Fol. Leipzig 884. Blüher. n. 2. —

Seit dem 1. April mit der „Internationalen Fleischer-Zeitung" verschmolzen.

Schlachthaus-Frage, die. Ein Versuch zur Nachweisg. ihrer großen gemeinnütz. Bedeutgn., zur Widerlegg. der dagegen sich geltend mach. Bedenken u. zur Darlegg. der Ausführbarkeit der Errichtg. allgemeiner öffentl. Schlachthäuser auch f. kleinere Städte, zur unbefangenen Prüfg. u. Beherzigg. verstellt vom Vorstande d. Tierschutz-Vereins zu Neubrandenburg. gr. 8. (23 S.) Neubrandenburg 884. (Brünslow.) n. — 30

Schlack, E., das eiserne Kreuz od. Ahnen u. Enkel vor Paris. Militärisches Festspiel in zwei Bildern aus der deutschen Kriegsgeschichte. 8. (31 S.) Berlin 885. Liebel. n. — 75

— Soldatenleben od. wie Gottlieb Schulze e. Mensch wurde. Schwank in 4 Bildern. Mit Musikbeilage. 2. Aufl. 8. (32 S.) Ebend. 886. n. 1. —

Schladebach, Hugo, das Elucidarium d. Honorius Augustodunensis u. der französische metrische Lucidaire d. XIII. Jahrh. v. Gillebert de Cambray. gr. 8. (63 S.) Leipzig 884. (Fock.) n. 1. 20

Schläfke, W., General-Register, s.: Graefe's, A. v., Archiv f. Ophthalmologie.

Schlafwagen-Bibliothek, 1. Bd. 8. München 883. Adf. Ackermann. n. 1. 50

Die Gymnastik d. Zwergfells f. Misanthropen u. Magenkranke, ausgeübt in Künstlerkreisen. Mit 60 Vignetten. (75 S.)

Schlägel, Max v., die Alpensängerin. Eine Erzählg. aus Tirol. 12. (97 S.) Berlin 885. Goldschmidt. n. — 50

— hartes Holz. Novellen. [Böser Leumund. Alpe Fee. Der Thurm des Jochemus.] 8. (320 S.) Breslau 886. Schottländer. n. 4. 50; geb. n. 5. 50

— der baumwollene Husar u. andere Novellen. 8. (100 S.) Berlin 883. Goldschmidt. n. — 50

— neue Novellen. [Gregor. Die Communarden. Die Weltumsegler.] 8. (V, 300 S.) Breslau 886. Schottländer. n. 4. 50; geb. n. 5. 50

Schläger, E., die Bedeutung d. Wagner'schen Parsival in u. f. unsere Zeit. gr. 8. (26 S.) Minden 884. Bruns. n. — 50

— the significance of Wagner's Parsifal in and for our times. Translated by Miss Coleman. gr. 8. (23 S.) Ebend. 884. n. — 50

Schlagintweit, Uebersicht der in den bedeutenderen Armeen seit Annahme der Rückladung zur Einführung gelangten Gewehr-Verschlüsse u. Repetiersysteme. Zusammengestellt u. erläutert. Fol. (4 S.) München 886. Th. Ackermann's Verl. n. — 40

Schlagintweit, R. v., die Eisenbahn zwischen den Städten New-York u. Mexiko, s.: Universal-Bibliothek, geographische.

— die pacifischen Eisenbahnen in Nordamerika, s.: Petermann's, A., Mitteilungen aus J. Perthes' geographischer Anstalt.

— neue Pfade vom Missouri-Strom zum Stillen Meere. Ein Wegweiser durch Kansas, Colorado, Neu-Mexiko u. Arizona nach Californien. gr. 8. (41 S. m. 20 eingedr. Holzschn. u. 2 Karten.) Köln 883. Mayer. n. — 80

— die Santa Fe- u. Südpacificbahn in Nordamerika. Mit zahlreichen Karten, Vollbildern u. Textillustr. gr. 8. (XVI, 400 S. m. 2 Karten.) Ebend. 884. n. 8. —

Schlampp, K. Wilh., das Dispensirrecht der Thierärzte, nebst den f. Thierärzte wissenswerthen Abschnitten der Apotheken-Gesetzgebg., f. Studirende der Thiermedicin, Thierärzte, Apotheker u. Beamte. Mit e. Vorwort v. J. Feser. gr. 8. (X, 155 S.) Wiesbaden 886. Bergmann. n. 2. 70

Schläpfer, J. J., Pfarrer Joh. Heinrich Schieß. Ein Lebensbild. Mit dem (Lichtdr.-)Bildniß d. Verstorbenen. 8. (III, 80 S.) Basel 886. Detloff. n. — 80

Schläfinger, der gemüthliche. Hauskalender f. die Prov. Schlesien. Hrsg. v. Max Heinzel. 1887. 5. Jahrg. Mit 1 Oeldr.-Bild u. 1 Wand-Kalender. gr. 8. (80 S. m. Illustr.) Schweidnitz, Heege. n. — 50

Schlatter, A., Ehestandsbüchlein. Hrsg. v. der Wupperthaler Tractat-Gesellschaft. 8. (16 S.) Barmen 883. Wiemann. n. — 8

— der Glaube im Neuen Testament. Eine Untersuchg. zur neutestamentl. Theologie. Eine v. der Haager Gesellschaft zur Vertheidigg. der christl. Religion gekrönte Preisschrift. gr. 8. (V, 591 S.) Leiden 885. Brill. n.n. 9. —

— der Römerbrief. Ein Hilfsbüchlein f. Bibelleser. 8. (208 S.) Calw 887. Vereinsbuchh. n. 1. 50

— was ist religiöse Schwärmerei, s.: Sammlung v. Vorträgen.

Schlatter, F., s.: Rechts-Kalender, neuer, der schweizerischen Eidgenossenschaft.

Schlatter, Th., kritische Uebersicht üb. die Gefässpflanzen der Kantone St. Gallen u. Appenzell, s.: Wartmann, B.

Schlebach, W., üb. Landeskultur in Elsass-Lothringen, Belgien, Holland, Bremen, Hannover, Bayern u. Hessen-Kassel. Reisebericht. Mit 10 Abbildgn. gr. 8. (IV, 73 S.) Stuttgart 884. Wittwer's Verl. n. 2. 50

Schlecht, J. Th., die Poesie d. Sozialismus. Ein Beitrag zur deutschen Literaturgeschichte im letzten Jahrzehnt. gr. 8. (VI, 70 S.) Würzburg 883. Woerl. n. 1. —

Schlechtendahl, G. A., gemeinfaßliche Darstellung der Währungs-Frage. gr. 8. (32 S.) Berlin 883. Walther & Apolant. — 30

— dasselbe m. e. Anh.: Der gegenwärt. Stand der Währungsfrage u. ihre Bedeutg. f. die Landwirthschaft. 3. Aufl. 8. (56 S.) Ebend. 885. n. — 40

Schlechtendal, D. F. L. v., L. E. **Langethal,** u. Ernst **Schenk,** Flora v. Deutschland. 5. Aufl. Rev., verb. u. nach den neuesten wissenschaftl. Erfahrgn. bereichert v. Ernst Hallier. 75—196 Lfg. 8. (12. Bd. S. 33—372, 13. Bd. 224, 14. Bd. 264, 15. Bd. 239, 16. Bd. 288, 17. Bd. 374, 18. Bd. 464, 19. Bd. 362, 20. Bd. 282, 21. Bd. 304, 22. Bd. 284, 23. Bd. 336, 24. Bd. 264, 25. Bd. 352 u. 26. Bd. 199 S. m. 1630 Chromolith.) Gera 883—86. öhler. à n. 1. —

Schlechter, Max, Beiträge zur alten Geschichte d. Obergailthales in Kärnten. gr. 8. (70 S.) Wien 885. Künast. n. 1. 60

Schlee, Ernst, etymologisches Vocabularium zum Cäsar, eingerichtet zum Nachschlagen u. zum Auswendiglernen. Nebst e. Sammlg. v. latein. Beispielen u. e. Zusammenstellg. der Konjunktionen zur Repetition der Syntax. 2. Aufl. gr. 8. (IV, 54 S.) Altona 885. Harder. n. — 80; geb. n. 1. —

Schlegel, A. W. v., üb. dramatische Kunst u. Literatur, s.: Volksbibliothek f. Kunst u. Wissenschaft.

— Vorlesungen üb. schöne Litteratur u. Kunst, s.: Litteraturdenkmale, deutsche, d. 18. u. 19. Jahrh.

Schlegel, E., die Heirath auf Befehl. Lustspiel in 2 Acten nach e. histor. Stoff aus der Zeit Friedrich Wilhelm I. gr. 8. (31 S.) Berlin 883. Entrich. n. 1. —

Schlegel, Emil, die Stellung der Homöopathie zu den Grundfragen der Heilkunde. Eine allgemeine Einleitg. in die Lehren Hahnemanns besonders f. Aerzte u. Studierende der Medicin. gr. 8. (90 S.) Kiel 883. Lipsius & Tischer. n. 2. —

— Wissen u. Können der modernen Medicin. Kritische Betrachtgn. u. prakt. Vorschläge. gr. 8. (32 S.) Ebend. 884. n. 1. —

Schlegel's, Herm., Lebensbild, s.: Köhler, H.

Schlegel, Vict., üb. Entwickelung u. Stand der n-dimensionalen Geometrie, m. besond. Berücksicht. der vierdimensionalen. [Aus: „Leopoldina".] gr. 4. (15 S.) Halle 886. (Leipzig, Engelmann) n. — 75

— über die gegenwärtige Krisis im höheren Schulwesen Deutschlands. Eine Rede. gr. 8. (24 S.) Waren 888. (Wismar, Hinstorff's Sort.) n. — 50

— Theorie der homogen zusammengesetzten Raumgebilde. Mit 9 (lith.) Taf. gr. 4. (119 S.) Halle 883. (Leipzig, Engelmann.) n. 12. 50

Schlegtendal, elf Laparotomien. gr. 8. (22 S.) Berlin 886. Heuser's Verl. n. 1. —

Schleich, Ant., üb. Castration bei Myofibromen d. Uterus. gr. 8. (53 S.) Tübingen 884. (Fues.) n. 1. —

Schleich, G., der Augengrund d. Kaninchen u. d. Frosches, beschrieben u. gezeichnet. Mit 3 lith. Taf. gr. 8. (71 S.) Tübingen 885. Laupp. n. 2. —

Schleich, Mart., der Einsiedler [Jude v. Cäsarea]. Nachgelassener humorist. Roman. Bearb. u. hrsg. v. M. G. Conrad. 8. (VII, 314 S.) München 886. Franz' Verl. n. 6. —

Schleiden, M. J., das Meer. 3. Aufl., unter Mitwirkg. hervorrag. Fachgelehrten bearb. u. hrsg. v. Ernst Voges. Mit dem Portr. Schleidens in Lichtdr., farb. Taf. u. Vollbildern, üb. 300 Holzschn. u. 1 Karte. (In ca. 14 Lfgn.) 1—6. Lfg. Lex.-8. (S. 1—238.) Braunschweig 884. 86. Salle. à n. 1. —

Schleiden, Rud., Jugenderinnerungen e. Schleswig-Holsteiners. Mit dem Bildniß der Mutter d. Verf. in Heliogravüre. gr. 8. (X, 310 S.) Wiesbaden 886. Bergmann. n. 5. 20; geb. n. 6. 30

Schleiermacher's, Frdr., sämmtliche Werke. 1. Abth. Zur Theologie. 12. Bd. gr. 8. Berlin 884. G. Reimer. n. 6. —

Die christliche Sitte, nach den Grundsätzen der evangel. Kirche im Zusammenhange dargestellt. Aus Schleiermacher's handschriftl. Nachlasse u. nachgeschriebenen Vorlesgn. hrsg. v. L. Jonas. 2. Aufl. (XXX, 706 u. Beilagen 192 S.)

— der christliche Glaube nach den Grundsätzen der evangelischen Kirche, im Zusammenhange dargestellt. 6. Ausg. 1. u. 2. Bd. gr. 8. (X, 453 u. VIII, 513 S.) Ebend 884. n. 8. —

— Räthsel u. Charaden. 3. verm. Aufl. m. e. Anh. v. Räthseln u. Charaden Ph. Buttmann's. 12. (101 S.) Berlin 883. Hertz. n. 1. 20; geb. n. 2. —

Schleifer, A., die Schlacht bei Hohenlinden am 3. Dezbr. 1800 u. die vorausgegangenen Heeresbewegungen. Nach den besten Quellen bearb. Mit e. Legende u. color. Karte. gr. 8. (VII, 48 S.) Rathenow 885. Babenzien. n. 3. 50; Broschüre ap. n. 1. 50; Karte u. Legende ap. n. 1. 50

Schleiniger, Nik., Grundzüge der Beredsamkeit, m. e. Auswahl v. Musterstellen aus der klass. Litteratur der ältern u. neuern Zeit. 4. Aufl. gr. 8. (XV, 440 S.) Freiburg i/Br. 883. Herder. n. 3. 20

Schleinitz, Frhr. v., Beispiele f. den Patrouillendienst der Infanterie. Mit e. (lith.) Skizze. gr. 8. (71 S.) Berlin 884. Mittler & Sohn. n. 1. 50

Schleifiek, A., Liederbuch f. ein- u. mehrklassige Volksschulen u. die unteren Klassen höherer Lehranstalten. 2 Hfte. 3. Aufl. 8. Uetersen 886. Koopmann. n. — 55
1. Unter- u. Mittelstufe. (48 S.) n. — 25
2. Oberstufe. (58 S.) n. — 30

Schlemm, Osk., üb. gymnasiale Erziehung. Lex.-8. (31 S.) Chemnitz 883. Schmeitzner. n. 1. —

Schlemmer, Karl, Mainzer Blut. Preisgekrönte Carnevalsposse in 4 Aufzügen. 12. (96 S.) Mainz 884. Müller. — 80

Schlemüller, Wilh., Grundzüge e. Theorie der kosmischen Atmosphären m. Berücksicht. der irdischen Atmosphäre. Bearb. auf Grund der dynam. Gastheorie. gr. 8. (50 S.) Prag 885. Dominicus. n. 1. 20

Schlenker, G., botanische Studie auf dem Torfmoor. gr. 8. (12 S.) Tübingen 885. Fues. n. — 20

Schlenker, M., Untersuchungen üb. die Verknöcherung der Zahnnerven, ihre Ursachen, Erscheingn., Folgen u. Behandlg. Für Aerzte u. Zahnärzte. Preisschrift. Mit 31 photo-xylogr. Fig. gr. 8. (VII, 88 S.) Leipzig 883. (Felix.) n. 2. 40

— illustrirte Zahn- u. Mundpflege. Mit 45 photo-xylogr. Fig. gr. 8. (VII, 182 S.) St. Gallen 883. Ebend. n. 4. —

Schlenther, Paul, Frau Gottsched u. die bürgerliche Komödie. Ein Kulturbild aus der Zopfzeit. gr. 8. (VIII, 267 S.) Berlin 886. Hertz. n. 5. —; geb. n. 6. 20

— Botho v. Hülsen u. seine Leute. Eine Jubiläumskritik üb. das Berliner Hofschauspiel. 2. Aufl. gr. 8. (64 S.) Berlin 883. Internationale Buchh. n. 1. —

Schlepper, H., s.: Lesebuch f. Volksschulen.

— die Lutherfeier der evangelischen Bürgerschule zu Hildesheim am 10. Novbr. 1883. Beschreibung der Feier u. Festpredigt d. Hrn. Hahn. gr. 8. (32 S.) Hildesheim 884. Gube. cart. n. — 40

Schlepps, F., August Reichensperger u. die christlich-germanische Baukunst. gr. 8. Greifenberg i. P. 884. (Leipzig, Scholtze.) n. 2. —

Schlesien in Sage u. Brauch. Geschildert v. Philo vom Walde. Mit e. Vorwort von Carl Weinhold. gr. 8. (XII, 160 S.) Berlin 883. A. Senff. n. 3. —

Schlesiens Vorzeit in Bild u. Schrift. 52—62. Bericht d. Vereines f. das Museum schles. Altertümer. Hrsg.: H. Luchs. gr. 8. (4. Bd. S. 187—572 m. Taf.) Breslau 883—86. (Trewendt.) à n. 1. —

Schlesinger, Jos., substantielle Wesenheit d. Raumes u. der Kraft. Motive f. die nothwend. Umgestaltg. der gegenwärtig zur wissenschaftl. Erklärg. der Naturerscheingn. dien. Grundlagen. [Nach dem am 1. März 1884 in der Wochen-Versammlg. d. österr. Ingenieur- u. Architekten-Vereines geh. Vortrage.] gr. 8. (VIII, 52 S.) Wien 885. (Hölder.) n. 1. 20

Schlesinger, Isidor, der Eiskellerbau in Massiv- u. Holz-Construction in u. üb. der Erde. Eine Sammlg. ausgeführter Eisbehälter m. Vor- u. Bierlager-Räumen nach den neuesten Constructioneh. Nebst Erläutergn. u. e. Anleitg. zum Bau v. Eisbehältern u. Eiskellern m. Lagerräumen. Für Maurer- u. Zimmermeister, Landwirthe u. Brauereibesitzer. 2. Aufl. Mit 60 Holzschn. gr. 8. (39 S.) Berlin 886. Ernst & Korn. cart. n. 3. —

Schlesinger, L., die Nationalitäts-Verhältnisse Böhmens, s.: Forschungen zur deutschen Landes- u. Volkskunde.

Schlesinger, Otto, üb. conjugirte binäre Formen. gr. 8. (57 S.) Breslau 882. (Köhler.) n. 1. —

Schlessing, A., Handels-Artikel d. Weltverkehrs, nebst den darauf bezügl. techn. u. kaufmänn. Bezeichngn., nach Geschäftszweigen eingetheilt u. alphabetisch geordnet. Deutsch-englisch-französisch. Hrsg. unter Mitwirkg. bewährter Fachleute. gr. 8. (IV, 532 S.) Wien 883. Perles. n. 10. —; geb. n. 12. —

— dasselbe. 2. Aufl. 16 Lfgn. gr. 8. (IV, 532 S.) Ebend. 884. 85. à n. — 60

Schlessinger, Jos., Kataster der Reichs-Haupt- u. Residenzstadt Wien. Handbuch f. Aemter, Advokaten, Architekten, Baumeister, Bauunternehmer, Credit-Institute, Hausbesitzer, Kapitalisten, Notare etc. Mit Plänen der 10 Bezirke Wiens, vollständig neu bearb. unter der Leitg. d. Wiener Stadtbauamtes. gr. 4. (VIII, 585 S.) Wien 885. Lechner's Sort. n.n. 30. —; pro Einbd. u. Aufziehen der Pläne n.n. 14. —; Nachtrag u. Berichtiggn. Enth.: Nachträge aus den J. 1884, 1885, 1886. (IV, 124 S.) 886. n. 6. —; geb. n. 8. —

Schletterer, H. M., Chorgesangschule f. Männerstimmen. Op. 20. 2. Aufl. gr. 8. (X, 108 S.) Kaiserslautern 884. Tascher. n. 1. 80

— Studien zur Geschichte der französischen Musik. I—III. gr. 8. Berlin, Damköhler. n. 15. 80
I. Geschichte der Hofcapelle d. französischen Könige. (XII, 236 S.) 884. n. 6. —
II. Geschichte der Spielmannszunft in Frankreich u. der Pariser Geigerkönige. (IX, 152 S.) 884. n. 4. 50
III. Vorgeschichte u. erste Versuche der französischen Oper. (VIII, 199 S.) 885. n. 4. 80

Schleusner, G., Fürst Bismarck 1815—1885. Ein Sonettenkranz. 8. (16 S.) Wittenberg 885. Wunschmann. — 50

— Paulus Gerhardt, der evangelische Bekenner in Leid u. Lied, e. Lebens- u. Charakterbild im Sinne u. Geiste Luthers, nebst erwedl. Mitteilgn. aus der Segensgeschichte der Gerhardt'schen Lieder im Lutherjubiläumsjahre dem deutschen evangel. Volke dargeboten. 8. (70 S.) Ebend. 883. — 75

— gebet dem Kaiser, was d. Kaisers ist, u. Gott, was Gottes ist. Eine Zeit- u. Volkspredigt. gr. 8. (8 S.) Ebend. 886. n. — 20

— Luther als Dichter, insonderheit als Vater d. deutschen evangelischen Kirchenliedes. Eine Lutherjubiläumsgabe. gr. 8. (VIII, 224 S.) Ebend. 883. n. 2. 40

Schleussinger, Aug., Studie zu Caesars Rheinbrücke. gr. 8. (40 S.) München 884. Lindauer. n. — 80

Schleyer, Joh. Mart., Christus, der göttliche Knabe u. Jüngling. Weihnachts-Gedichte. 2. Aufl. 8. (63 S.) Ueberlingen 883. Schoy. n. 1. —; cart. n.n. 1. 25; geb. n.n. 1. 60

— Volapük. [Weltsprache.] Grammatik der Universalsprache f. alle gebildeten Erdbewoner. 3. Aufl. 8. (V, 171 S.) Ebend. 884. cart. n. 2. 30

— dasselbe nebst kurzem Wörterbuche. 4. Aufl. 8. (VII, 116 S.) Ebend. 884. n. 1. 50; geb. n. 1. 75

— dasselbe. Wörterbuch der Universalsprache f. alle gebildeten Erdbewoner. 2. Aufl. 8. (256 S.) Ebend. 882. cart. n. 4. —

Schlief, F., juristisches Hausbuch. Handbuch der wichtigsten Rechts- u. Verwaltungsbestimmngn. f. Jedermann. Für den Geltungsbereich d. Allgemeinen Landrechts f. die Preuß. Staaten zusammengestellt. Mit Formularen u. Sachregister. gr. 8. (V, 313 S.) Breslau 883. Koebner. cart. n. 2. —

— Rechtsbuch f. Kaufleute. Handbuch der wichtigsten Rechts-Bestimmngn. f. den deutschen Kaufmannsstand. Mit Sach-Register. gr. 8. (VIII, 411 S.) Ebend. 885. cart. n. 2. 50

Schlicht, Jos., Altbayernvolk. [2. Aufl.] 8. (VIII, 297 S.) Augsburg 886. Liter. Institut v. Dr. M. Huttler. n. 2. —; geb. n. 3. —

Schlichtegroll, Felix v., stürmisch u. still. Gedichte. 12. (VIII, 177 S.) Hagen 883. Risel & Co. n. 3. —; geb. n. 4. —

Schlichting, M., chemische Versuche einfachster Art, e. erster Kursus in der Chemie f. höhere Schulen u. zum Selbstunterricht, ausführbar ohne besond. Vorkenntnisse u. m. möglichst wenigen Hülfsmitteln. 8. Aufl. m. e. organ. Tl., nach den neueren chem. Ansichten bearb. v. A. Wilke. Mit 17 Abbildgn. in Holzschn. gr. 8. (VIII, 313 S.) Kiel 885. Homann. n. 2. 60

Schlickum, O., die wissenschaftliche Ausbildung d. Apothekerlehrlings u. seine Vorbereitung zum Gehilfenexamen. Mit Rücksicht auf die neuesten Anfordergn. bearb. 4. Aufl. Mit 560 Holzschn. gr. 8. (X, 708 S.) Leipzig 885. E. Günther. n. 10. —

— Bereitung u. Prüfung der in der Pharmacopoea germanica ed. II. nicht enthaltenen Arzneimittel. Zugleich e. Suppl. zu allen Ausgaben u. Kommentaren der deutschen Reichs-Pharmacopoe. Zum prakt. Gebrauche bearb. Mit Holzschn. gr. 8. (520 S.) Ebend. 884. n. 10. —

— Kommentar zur 2. Aufl. der Pharmacopoea Germanica. Nebst Übersetzg. d. Textes, sowie e. Anleitg. zur Massanalyse. Zum prakt. Gebrauche bearb. Mit Holzschn. 2—4. (Schluss-)Lfg. gr. 8. (S. 129—519.) Ebend. 883. Subscr.-Pr. à n. 2. — (cplt.: n. 10. —; geb. n. 12. —)

— dasselbe. 2. Aufl. Mit Holzschn. gr. 8. (V, 540 S.) Ebend. 886. n. 10. —

Schliedmann, E., Handbuch der Staatsforstverwaltung in Preußen. Geordnete Darstellg. der bezügl. Gesetze, Kabinets-Ordres, Verordngn., Regulative u. Ministerialverfüggn. m. Quellenangabe. 2 Thle. gr. 8. Berlin 883. Grote. n. 13. 50; geb. n. 15. 50
1. Die Behörden u. Beamten. (VII, 340 S.) n. 6. —; geb. n. 7. —
2. Die Verwaltung. (VII, 340 S.) n. 7. 50; geb. n. 8. 50

— dasselbe. 2. Folge der Nachträge u. Veränderngn. f. Thl. I. u. II. gr. 8. (III, 58 S.) Ebend. 886. n. 1. 20

Schlieder, Sophie Louise, die Majolika-Malerei. Anleitung f. den Selbst-Unterricht. Lex.-8. (31 S. m. 6 Taf.) Berlin 886. Bette. 3. —

Schliemann, Heinr., Tiryns. Der prähistor. Palast der Könige v. Tiryns. Ergebnisse der neuesten Ausgrabgn. Mit Vorrede v. F. Adler u. Beiträgen v. W. Dörpfeld. Mit 188 Abbildgn., 24 Taf. in Chromolith., 1 Karte u. 4 Plänen. Lex.-8. (LXVIII, 487 S.) Leipzig 886. Brockhaus. n. 32. —; geb. n. 35. —

— Troja. Ergebnisse meiner neuesten Ausgrabgn. auf der Baustelle v. Troja, in den Heldengräbern, Bunarbaschi u. andern Orten der Troas im J. 1882. Mit Vorrede v. A. H. Sayce. Mit 150 Abbildgn. in Holzschn. u. 4 Karten u. Plänen in Lith. gr. 8. (XLV, 462 S.) Ebend. 884. n. 30. —; geb. n. 32. 50

Schliep, s.: Baden-Baden u. seine Kurmittel.

Schlieper, Paul, üb. e. seltenere Complication der Tabes dorsalis. gr. 8. (35 S.) Breslau 884. (Preuss & Jünger.) n. — 80

Schliephake, F. W. Th., Geschichte v. Nassau von den ältesten Zeiten bis auf die Gegenwart, auf der Grundlage urkundl. Quellenforschg. Fortgesetzt v. Karl Menzel. 6. Bd. gr. 8. Wiesbaden 884. Kreidel. n. 7. — (I—VI.: n. 35. 90)
Geschichte v. Nassau von der Mitte d. 14. Jahrh. bis zur Gegenwart. Von Karl Menzel. 2. Bd. (XIV, 566 S.)

Schlimbach, G., Fibel. Mit 42 in den Text eingedr. Abbildgn. 37. Aufl. Unter Zugrundelegg. der Kehr-Schlimbach'schen Methodik d. sprachl. Elementar-Unterrichtes. 7. Aufl. v. C. Kehr. 8. (77 S.) Gotha 884. Thienemann. cart. n. — 50

— Wandtafeln zur Fibel. Unter Zugrundelegg. der Kehr-Schlimbach'schen Methodik d. sprachl. Elementar-Unterrichtes. 7. umgearb. Aufl. v. C. Kehr. Taf. 1. Chromolith. Imp.-Fol. Ebend. 883. Auf Shirting gebr. n. 2. —

Schlipf's populäres Handbuch der Landwirthschaft. Gekrönte Preisschrift. 10. Aufl. Mit 405 Holzschn. gr. 8. (VIII, 670 S.) Berlin 885. Parey. geb. n. 6. 50

Schlippenbach, Alb. Graf v., Gedichte. 8. (XII, 335 S.) Berlin 883. A. Duncker. n. 5. —

Schlitte, Bruno, die Zusammenlegung der Grundstücke in ihrer volkswirthschaftlichen Bedeutung u. Durchführung. 3 Abthlgn. gr. 8. (XVIII, 1385 S.) Leipzig 886. Duncker & Humblot. n. 28. —

Schlitter, Hanns, die Berichte d. k. k. Commissärs Bartholomäus Frhrn. v. Stürmer aus St. Helena zur Zeit der dortigen Internirung Napoleon Bonaparte's 1816—1818. Lex.-8. (210 S.) Wien 886. (Gerold's Sohn.) n. 8. —

— die Beziehungen Österreichs zu Amerika. 1. Thl.: Die Beziehgn. Österreichs zu den Vereinigten Staaten [1778—1787]. gr. 8. (XII, 236 S.) Innsbruck 885. Wagner. n. 4. 40

Schlitzberger, S., e. Beitrag zur Kenntniss der Pilzflora in der Umgegend v. Cassel, s.: Bericht, 32. u. 33., d. Vereines f. Naturkunde zu Cassel.

Schlockow, der preussische Physikus. Anleitung zum Physikatsexamen, zur Geschäftsführg. der Medicinalbeamten u. zur Sachverständigen-Thätigkeit der Aerzte überhaupt, zugleich e. Hilfsbuch f. Richter u. Verwaltungsbeamte. gr. 8. (XVII, 597 S.) Berlin 886. Th. Ch. F. Enslin. n. 15. —; geb. n.n. 16. 50

Schlögl, Frdr., üb. Ferdinand Sauter, den Dichter u. Sonderling. Erinnerungen u. Aufzeichngn. Mit F. Sauter's (Holzschn.-)Portr. 8. (31 S.) Wien 884. Engel. n. — 35

— Wien, s.: Städte-Bilder u. Landschaften aus aller Welt.

— vom Wiener Volkstheater. Erinnerungen u. Aufzeichngn. 8. (IX, 173 S.) Teschen 884. Prochaska. n. 2. 50; Einbd. n.n. — 50

— Wienerisches. Kleine Kulturbilder aus dem Volksleben der alten Kaiserstadt an der Donau. Neue Folge v. „Wiener Blut" u. „Wiener Luft". Mit dem (Holzschn.-)Portr. d. Verf. 2. Abdr. gr. 8. (X, 504 S.) Ebend. 883. n. 6. —

Schlömilch, Osk., Grundzüge e. wissenschaftlichen Darstellung der Geometrie d. Masses. Ein Lehrbuch. 1. u. 2. Hft. 6. Aufl. gr. 8. Leipzig 883. Teubner. n. 3. 60

1. Planimetrie. Mit in den Text gedr. Holzschn. (VI, 162 S.) n. 2. —

2. Ebene Trigonometrie. Mit in den Text gedr. Holzschn. (VI, 97 S.) n. 1. 60

— Lehrbuch der analytischen Geometrie, s.: Fort, O.

— fünfstellige logarithmische u. trigonometrische Tafeln. Galvanoplast. Ster. Wohlf. Schulausg. 9. Aufl. 8. (IV, 151 S.) Braunschweig 886. Vieweg Sohn. n. 1. —

Schlomka, Ernst, Kurfürst Moritz u. Heinrich II. v. Frankreich von 1550—1552. gr. 8. (46 S.) Halle 884. Niemeyer. n. 1. 20

Schloss, das, zu Heidelberg. Hrsg. v. Frdr. Sauerwein. Mit Text v. Marc Rosenberg. Nach photograph. Aufnahmen in Lichtdr. ausgeführt. gr. Fol. (96 Lichtdr.- u. 4 Steintaf. m. 1 Bl. Text.) Frankfurt a/M. 883. Keller. In Mappe. n. 100. —; in 20 Lfgn. à n. 5. —

Schlossar, Ant., steiermärkische Bäder u. Luft-Curorte. Topographisch-histor. Skizzen. gr. 8. (VII, 292 S.) Wien 883. Braumüller. n. 3. —

— Bibliotheca historico-geographica stiriaca. Die Litteratur der Steiermark in histor., geograph. u. ethnograph. Beziehg. Ein Beitrag zur österreich. Bibliographie. Mit Unterstützg. d. hohen steiermärk. Landtages u. d. hochlöbl. Gemeinderathes der Landeshauptstadt Graz. gr. 8. (XII, 171 S.) Graz 886. Goll. cart. n. 6. —

— Cultur- u. Sittenbilder aus Steiermark. Skizzen, Studien u. Beiträge zur Volkskunde. 8. (IV, 220 S.) Ebend. 885. n. 3. —; geb. n. 4. —

Schlossberger, v., neuaufgefundene Urkunden üb. Schiller u. seine Familie. 8. (VIII, 69 S.) Stuttgart 884. Cotta. n. 2. —

Schlossberger, A. v., s.: Briefwechsel der Königin Katharina u. d. Königs Jérome v. Westphalen, sowie d. Kaisers Napoleon I. m. dem König Friedrich v. Württemberg.

Schlosser, A., Rechenübungen f. Fortbildungsschulen. Auf Grund d. Lehrplanes vom 18. Oktbr. 1881 bearb. 7. Aufl. gr. 8. (72 S.) Dresden 886. Huhle. n. — 30

— Rechenübungen f. Volksschulen, s.: Thieme, O.

Schlosser's, Fr. Chr., Weltgeschichte f. das deutsche Volk. 3. Ausg. Mit 26 histor. Karten in Farbendr. Mit der Fortsetzg. bis auf die Gegenwart. Unter Zugrundelegg. der Bearbeitg. v. G. L. Kriegk besorgt v. Osc. Jäger u. Th. Creizenach. 19. Ster.-Aufl. 35—54. (Schluß-) Lfg. gr. 8. (12. Bd. S. 193—560; 13. Bd. 560, 14. Bd. 572, 15. Bd. 692, 16. Bd. 578, 17. Bd. 574 u. 18. Bd. 598 S.) Berlin 883. Seehagen. à n. 1. —

— dasselbe. 19. [Register-]Bd. gr. 8. (352 S.) Ebend. 883. n. 3. —

— dasselbe. 4. Ausg. Von neuem durchgesehen u. ergänzt v. Osk. Jäger u. Frz. Wolff. 20. Aufl. (In ca. 75 Lfgn.) 1—71. Lfg. gr. 8. (1. Bd. 554, 2. Bd. 580, 3. Bd. 696, 4. Bd. 602, 5. Bd. 522, 6. Bd. 628, 7. Bd. 528, 8. Bd. 528, 9. Bd. 556, 10. Bd. 548, 11. Bd. 610, 12. Bd. 521, 13. Bd. 560, 14. Bd. 586, 15. Bd. 713, 16. Bd. 588 u. 17. Bd. 586 S. m. Lichtdr.-Portr., 24 Taf. u. 20 chromolith. Karten.) Ebend. 884—86. à n. 1. —

Schlosser, G., kurze Darstellung der Thätigkeiten der inneren Mission in Frankfurt a/M., s.: Jahresfest, das, f. innere Mission zu Frankfurt a/M.

— dieser ist der wahrhaftige Gott u. das ewige Leben. Predigt, am 3. Weihnachtsfeiertag 1885 geh. in der St. Peterskirche zu Frankfurt a/M. üb. Evangelium St. Johannis 1, 1—18. 8. (16 S.) Frankfurt a/M. 886. Drescher. n. — 20

— Missions-Vorträge, s.: Rober.

— die Revolution v. 1848. Erinnerungen. 8. (III, 212 S.) Gütersloh 883. Bertelsmann. n. 2. 40

— was ist Sünde? Vortrag. 8. (24 S.) Frankfurt a/M. 885. Drescher. n. — 40

Schlosser, J., die freiere u. richtige Bewegung bei dem Anbau der Kulturpflanzen u. die naturgesetzliche Ernährung derselben, als die sichersten Mittel zur Erzielg. e. größeren Reinertrages bei stetiger Verbesserg. d. Bodens. Nach Maßgabe d. gegenwärt. Fortschrittes in den Naturwissenschaften, begleitet m. Erläutergn. u. Beispielen aus der Praxis. gr. 8. (IV, 140 S.) Breslau 887. Dülfer. n. 1. 80

Schlosser, M., die Nager d. europäischen Tertiärs, nebst Betrachtgn. üb. die Organisation u. die geschichtl. Entwickelg. der Nager überhaupt. Mit 8 (lith.) Taf. gr. 4. (143 S. m. 10 Bl. Erklärgn.) Stuttgart 884. Schweizerbart. n. 60. —

Schlosser, Max, u. Rich. **Glocker,** Zeichnungen v. leicht ausführbaren, modernen u. stilgerechten Aufnahmen u. Entwürfen v. Grabdenkmälern, f. Bildhauer u. Steinmetzen hrsg. (In 10 Hftn.) 1—3. Hft. Fol. (à 6 Steintaf.) Ravensburg 884. Dorn. à 1. 50

— u. Eug. **Zink,** dasselbe. 4—10. (Schluss-)Hft. Fol. (à 6 Steintaf.) Ebend. 884. 85. à 1. 50 (cplt. in Mappe: n. 16. —)

Schlösser, E., die Münztechnik. Ein Handbuch f. Münztechniker, Medaillenfabrikanten, Gold- u. Silberarbeiter, Graveure u. techn. Chemiker. Mit 121 Illustr. gr. 8. (VIII, 251 S.) Hannover 884. Hahn. n. 7. —

— u. A. **Ernst,** Verfahren u. Vorrichtung zur Gewinnung d. Flugstaubes in den Rauchkanälen u. Condensationsräumen v. Hüttenwerken, Fabriken, Dampfkessel- u. sonstigen Feuerungs-Anlagen. gr. 8. (8 S. m. 1 Steintaf.) Hannover 885. (Freiberg, Craz & Gerlach.) n. 1. 25

Schloesser, H., Anleitung zur statischen Berechnung v. Eisenconstruktionen. Mit Holzschn. u. 1 (lith.) Plan. gr. 8. (VI, 140 S.) Berlin 885. Springer. geb. n. 6. —

Schlosser- u. Schmiede-Kalender, deutscher. Ein praktisches Hilfs- u. Nachschlagebuch f. Schlosser, Schmiede, Werkführer, Monteure u. Metallarbeiter aller Art. Hrsg. v. Ulr. R. Maerz. 6. Jahrg. 1887. Mit 1 Eisenbahnkarte u. 124 Textfig. gr. 16. (IV, 151 u. 56 S.) Leipzig, Baumgärtner. geb. n. 3. —; in Brieftascheneinbd. n. 5. —

Schlosser-Zeitung, deutsche. Fachblatt f. Maschinenbau, Schlosserei u. verwandte Zweige. Organ der Schlosser-, Sporer-, Büchsen- u. Windenmacher-Inng. zu Berlin. Unter Mitwirkg. bewährter Ingenieure u. anderer Fachmänner hrsg. u. red. v. E. Gubatz. 2. u. 3. Jahrg. 1884 u. 1885. à 24 Nrn. (2 B. m. Illustr.) gr. 4. Berlin. (Leipzig, Ehrlich.) à Jahrg. n. 6. —

Schlosser=Zeitung, deutsche. Fachblatt f. Maschinenbau, Schlosserei u. verwandte Zweige. Organ der Schlosser=, Sporer=, Büchsen= u. Windenmacher=Inng. zu Berlin. Unter Mitwirkg. bewährter Ingenieure u. anderer Fachmänner hrsg. Red.: E. Japing. 4. Jahrg. 1886. 24 Nrn. (2 B. m. Illustr.) gr. 4. Dresden, Bloem. n. 6. —

Schlössing, F. H., Handbuch der Münz-, Mass- u. Gewichtskunde, — Handbuch der allgemeinen Waarenkunde, s.: Handbibliothek der gesamten Handelswissenschaften.

— Hand= u. Lehrbuch der deutschen Handelssprache als Norm zur Abfassg. grammatisch richtiger Geschäftsbriefe f. angehende Kaufleute u. Gewerbetreibende. Unter Zugrundelegg. der neuen Orthographie bearb. 2. Aufl. gr. 8. (VIII, 139 S.) Stuttgart 884. R. Hahn. n. 1. 50

— Handelsgeographie, Kultur= u. Industrie=Geschichte, s.: Handbibliothek der gesammten Handelswissenschaften.

— Hülfsbuch der englischen Handels-Correspondenz f. den Comptoirgebrauch, m. e. Anh.: Vergleichende Regeln üb. den Satzbau der deutschen u. engl. Sprache. 8. (IV, 180 S.) Stuttgart 884. R. Hahn. n. 1. 50

— der Kaufmann auf der Höhe der Zeit als Buchhalter, Börsenrechner u. Korrespondent der neueren Sprachen. Mit e. Anh.: Verdeutschung kaufmänn. Fremdwörter, sowie Regeln= u. Wörterverzeichnis f. die deutsche Rechtschreibg. 6. Aufl. (In 10 Lfgn.) 1—5. Lfg. gr. 8. (S. 1—304.) Berlin 886. Regenhardt. à n. — 50

Schloßmacher, J., die öffentlich=rechtliche Unfallversicherung im Zusammenhange der Sozialreform, s.: Zeitfragen, soziale.

Schlott, G., illustrirte biblische Geschichten. Unsern lieben Kindern in Haus u. Schule erzählt. 8. (VIII, 64 S. m. Holzschn. u. 15 Chromolith.) Braunschweig 885. Wollermann. cart. n. 1. —

— das vereinigte Kopf= u. Tafelrechnen. Dreistufige Rechenschule f. einfache Schulverhältnisse [1= bis 6klass. Volksschulen]. 4 Hfte. 8. (40, 34, 36 u. 36 S.) Ebend. 884. à n. — 25

Schlotterbeck, B., Friedrich Franz II., Großherzog v. Mecklenburg=Schwerin. Gedenkbüchlein f. Mecklenburgs Volk u. Jugend. 8. (56 S.) Schwerin 883. Hildebrand's Verl. n. — 60

— Knacknüsse f. Freunde d. Rechnens. 3. Aufl. 8. (IV, 212 S.) Langensalza 886. Schulbuchh. 1. 50

— Materialien f. den Rechenunterricht in Mittel= u. Oberklassen. Im Anschluß an die „1050 Rechenaufgaben" f. die Hand der Kinder entworfen. 8. (147 S.) Ebend. 886. — 90; Antworten (18 S.) — 15

— 1050 Rechenaufgaben aus Schule u. Leben, nebst einfachen Lösgn. Zum Gebrauch f. alle, die denkend rechnen lernen od. e. zum Denken anreg. Rechenunterricht erteilen wollen. 8. (V, 386 S.) Ebend. 883. 3. 30

— 3 Hfte f. das schriftliche Rechnen. Zum Gebrauch f. einfache Schulverhältnisse entworfen. 1. Hft. 1. Hälfte. 2. Aufl. 8. (38 S.) Wismar 886. Hinstorff's Verl. n. — 25

— grundlegendes Wörterverzeichnis zur neuen deutschen Rechtschreibung. 2. Aufl. 8. (16 S.) Ebend. 885. n. — 10

Schlottmann, Konst., wider Kliefoth u. Luthardt. In Sachen der Lutherbibel. gr. 8. (108 S.) Halle 885. Strien. n. 1. 50

— die Osterbotschaft u. die Visionshypothese. gr. 8. (49 S.) Halle 886. Buchh. d. Waisenhauses. n. 1.—

Schlözer, Karl v., aus Dur u. Moll. Concertstücke ohne Noten Mit 54 Illustr. nach Orig.=Zeichngn. v. Paul Klette, Herm. Prell, Rich. Scholz u. e. Radirg. v. Max Klinger. gr. 8. (143 S.) Berlin 885. Stilke. n. 5. —; geb. m. Goldschn. n. 5. —

Schlüren, Karl Frdr., Postanarchie im deutschen Reiche! Ein Mahnwort an alle Reichsbürger. gr. 8. (40 S.) Berlin 886. Bartels. n. — 30

Schlüssel zur Berechnung der Grundsteuer à $22^{7}/_{10}$ % d. Reinertrages. schmal Fol. (7 S.) Wien 883. Hof= u. Staatsdruckerei. n. — 10

— geometrischer, zur Rectification der Kreislinie. 8. (12 S. m. 1 Steintaf.) Meiningen 886. (Keyßner.) n. 1. 50

— u. **Vorlageblätter** f. den Situations-Zeichnungs-Unterricht in 4 Hftn. Mit Genehmigg. d. k. k. Reichs-Kriegs-Ministeriums zusammengestellt u. hrsg. vom k. k. militär-geograf. Institute. qu. Fol. Wien 882. (Lechner's Sort.) In Mappe. n.n. 20. —

1. Schlüssel zur Darstellung u. Beschreibung militärischer Aufnahmen, nebst Bezeichng. v. Kriegsbauten u. Truppen in 9 (lith., z. Thl. farb.) Blättern m. Erläuterg. 8. (19 S.) n.n. 4. —
2. Vorlagen f. das Situationszeichnen der Ebene in 5 (lith., z. Thl. farb.) Blättern. n.n. 4. —
3. Vorlagen zu den Uebungen f. die Darstellung d. Terrainunebenheiten in 7 (lith., z. Thl. farb.) Blättern. n.n. 4. —
4. Vorlagen f. das Situationszeichnen der verschiedenen Terrain-Charakteristiken in 9 (chromolith.) Blättern. n.n. 8. —

Schlüter, C., die regulären Echiniden der norddeutschen Kreide, s.: Abhandlungen zur geologischen Specialkarte v. Preussen u. den Thüringischen Staaten.

Schlüter, Chrph. B., Schwert u. Palme. Ein Sonettenkranz aus den J. 1847—1860. Hrsg. v. J. Hertkens u. E. Dehne. Mit dem Bildniß Schlüter's. 8. (XIII, 413 S.) Steyl 886. Missionsdruckerei. 4. —

Schlüter, Jos., Fürst Bismarck, der deutsche Reichskanzler. Ein Lebens= u. Charakterbild, dargestellt in e. Festrede zum 60. Geburtstage d. Fürsten, geh. im Saale der Lesegesellschaft zu Köln am 1. Apr. 1875. 3. Ausg. 8. (32 S.) Norden 885. Fischer Nachf. n. — 40; große Ausg., m. e. Anh. v. Liedern u. Gedichten. 2. Ausg. (40 S.) n. 1. —

— für Kaiser u. Reich. Drei Festreden. 2. Ausg. 8. (VII, 96 S.) Ebend. 885. n. 1. —

Schlüter's, Karl, Lebensbild, s.: Lehrs, M.

Schlüter, Karl, u. Wilh. **Rausch**, vollständiges Handbuch f. Sattler u. Riemer. Enth. e. ausführl. Beschreibg. aller in diesen Fächern vorkomm. Arbeiten. 9. Aufl. Mit e. Atlas v. 30 (lith.) Foliotaf. gr. 8. (XIV, 171 S.) Weimar 884. B. F. Voigt. 9. —

Schlutter, Herm., Beitrag zur Geschichte d. syntaktischen Gebrauchs d. Passé défini u. d. Imparfait im Französischen. gr. 8. (50 S.) Halle 884. (Jena, Dabis.) n. — 80

Schmachtenberg, C., en Freud on Leid. Plattdeutsche Gedichte in niederberg. Mundart. 8. (VIII, 238 S.) Langenberg 883. Joost. geb. n. 4. 50

Schmaderer, Jos. Wilh., Fragen zur Geographie d. Königr. Bayern, zunächst im Anschluß an das betr. Arendts'sche Werkchen zusammengestellt, jedoch auch zu jedem andern Leitfaden geeignet. 8. (16 S.) Ingolstadt 884. (Krüll.) n.n. — 25

— die lateinischen Genusregeln in Reimen. In ganz neuer Fassg. m. der deutschen Bedeutg. gr. 8. (14 S.) Ebend. 885. n. — 20

Schmager, Osk., zur Methodik d. französischen Anfangsunterrichts. gr. 8. (34 S.) Gera 886. Nugel. n. — 60

Schmahl, H., d. v. dem Orgelbaumeister Ch. H. Wolfsteller in Hamburg neu aufgebaute Orgel in der St. Thomaskirche am Billwärder=Ausschlag in Hamburg; die frühere, nach dem großen Hamburger Brande v. J. G. Wolfsteller neu erbaute Orgel der St. Petri=Kirche in Hamburg. Als e. Denkmal d. soliden Orgelbaues e. Hamburger Orgelbauers, aus der 1. Hälfte d. 19. Jahrh., der Hamburger Kirche erhalten u. beschrieben. gr. 8. (16 S.) Hamburg 885. Nolte. n. — 50

Schmalenbach, Marie, Tropfen aus dem Wüstenquell. Gedichte. 12. (IV, 260 S.) Gütersloh 884. Bertelsmann. n. 3. —; cart. m. Goldschn. n. 3. 60

Schmalenbach, Th., stille halbe Stunden. 1. u. 2. Bdchn. 12. Gütersloh, Bertelsmann. à n. 1. —; geb. à n. 1. 50

1. 4. Abdr. (111 S.) 886. — 2. (VIII, 80 S.) 885.

Schmalhausen, J., Beiträge zur Tertiärflora Süd-West-Russlands, s.: Abhandlungen, palaeontologische.

— die Pflanzenreste der Steinkohlenformation am östlichen Abhange d. Uralgebirges, s.: Mémoires de l'académie impériale des sciences de St. Pétersbourg.

Schmaltz, B., vier Predigten, gedruckt zum Andenken f. die Gemeine u. Freunde d. Heimgegangenen. 8. (38 S.) Teterow 883. (Güstrow, Opitz & Co.) n. — 40

Schmaltz, Heinr., die Taubstummen im Königr. Sachsen. Ein Beitrag zur Kenntniss der Aetiologie u. Verbreitg. der Taubstummheit. Mit 2 (lith.) Taf. gr. 8. (IV, 195 S.) Leipzig 884. Breitkopf & Härtel. n. 6. —

Schmarje, J., Geschäftsaufsätze in kalligraphischer Ausführung zum Gebrauche in Volks- u. Fortbildungsschulen. 23 lith. Blatt. 4. Flensburg 883. Westphalen. In Umschlag. n. 2. —

— Methodik d. Schreibunterrichts. Mit 4 lith. Taf. 2. Aufl. gr. 8. (48 S. m. 4 Steintaf.) Ebend. 886. n. 1. 20

— Postheft f. Schule u. Haus. 2. Aufl. 4. (32 S.) Ebend. 885. n. — 40

— Rundschrift, f. Schule u. Haus bearb. 3. Aufl. 4. (40 lith. S.) Ebend. 886. n. — 40

— Schule der Rundschrift f. gehobene Volksschulen, Gewerbeschulen u. höhere Lehranstalten. 1. u. 2. Hft. 4. (à 24 lith. S.) Hamburg 884. J. F. Richter. à n. — 30

— methodische Vorlagen zum Schönschreiben in deutscher u. lateinischer Schrift. 72 (lith.) Blatt. 4. Flensburg 883. Westphalen. In Umschlag. n. 4. —

— Wandtafeln zur „Schule der Rundschrift". Imp.-Fol. (5 Steintaf.) Hamburg 884. J. F. Richter. n. 2. 50; auf Pappe n. 7. 50

Schmarsow, Aug., Donatello. Eine Studie üb. den Entwicklungsgang d. Künstlers u. die Reihenfolge seiner Werke. Festgabe zum 500jähr. Jubiläum der Geburt Donatello's. Mit 3 Lichtdr.-Taf. nach e. verloren geglaubten Werke d. Meisters. Publication d. Vereins f. Geschichte der bild. Künste zu Breslau 1886. hoch 4. (IV, 56 S.) Leipzig 886. (Breitkopf & Härtel.) n. 4. —

— J.-A.-D. Ingres, s.: Kunst u. Künstler d. 19. Jahrh.

— Melozzo da Forli. Ein Beitrag zur Kunst- u. Kulturgeschichte Italiens im XV. Jahrh. Imp.-4. (VIII, 403 S. m. 27 Taf.) Stuttgart 886. Spemann. n. 100. —

— Pierre Paul Prudhon, s.: Kunst u. Künstler d. 19. Jahrh.

Schmeckebier, O., Abriss der deutschen Verslehre u. der Lehre v. den Dichtungsarten. Zum Gebrauch beim Unterricht. 2. Aufl. gr. 8. (28 S.) Berlin 886. Weidmann. cart. n. — 40

— deutsche Verslehre. gr. 8. (VI, 148 S.) Ebend. 886. n. 3. —

Schmeding, T., die klassische Bildung in der Gegenwart. gr. 8. (VII, 204 S.) Berlin 885. Bornträger. n. 3. —

— die Reform d. höheren Unterrichtswesens in Deutschlands Nachbarländern, speziell in der belgischen Kammer. gr. 8. (20 S.) Duisburg 883. (Ewich.) n. — 40

Schmeidler, Johs., die religiösen Anschauungen Friedrich Fröbels, s.: Zeit- u. Streit-Fragen, deutsche.

— der Glaube an die göttliche Vorsehung. Ein Gang durch die Bibel. Vortrag. gr. 8. (16 S.) Berlin 886. Haack. — 80

— Gotteskindschaft u. Geistesfreiheit. 12 Predigten u. Reden. gr. 8. (V, 98 S.) Ebend. 884. n. 2. —

— wer Dr. Martin Luther war u. was die deutschen Protestanten nach 400 Jahren v. ihm lernen sollen. Ein Lebensbild. 8. (132 S.) Berlin 883. Burmester & Stempell. n. — 40

Schmeier, Bernh., de translationibus ab homine petitis apud Aeschylum et Pindarum commentatio. gr. 8. (78 S.) Königsberg 882. (Beyer.) n. 1. 20

Schmeil, Rob., Lutherlieder. Jubiläumsgabe an Lutherfreunde. 8. (VI, 138 S.) Leipzig 883. Buchh. d. Vereinshauses. n. 1. 80; geb. n. 2. 80

Schmeißer, Ernst, Hilfsbuch zur Befestigung d. Unterrichts in Geographie, Geschichte, Naturgeschichte u. Naturlehre f. die 6. u. 7. Klasse der Volksschule. Nach den Bestimmgn. der mittelfränk. Lehrordng. v. 1877 bearb. 2. Aufl. 8. (III, 87 S.) Fürth 887. Eßmann. n. — 60

Schmeisser, Geo., Beiträge zur Kenntnis der Technik der etruskischen Haruspices. I. Zur Erklärg. u. Deutung der Prodigien. gr. 4. (9 S.) Landsberg a/W. 884. (Schaeffer & Co.) n. 1. —

— die spanischen u. portugiesischen Kontingente in der Armee d. 1. Kaiserreichs. 4. (18 S.) Ebend. 886. n. 1. —

— le régiment de Prusse. Eine militärgeschichtl. Skizze aus der napoleon. Zeit. 4. (12 S.) Ebend. 885. n. 1. —

Schmekel, Aug., de Ovidiana Pythagoreae doctrinae adumbratione. gr. 8. (87 S.) Gryphiswaldensiae 885. (Berlin, W. Weber.) n. 1. 20

Schmeling, Carl, das Ausstopfen u. Konservieren der Vögel u. Säugetiere. Eine Anleitg., das Ausstopfen der Vögel u. Säugetiere durch Selbstunterricht zu erlernen. Mit 34 Holzschn. 6. Aufl. 8. (94 S.) Berlin 883. Mode's Verl. 1. 50

Schmeller, J. A., s.: Carmina Burana.

— die Ephesier. Drama in 3 Akten. Als Festgabe d. k. Wilhelmsgymnasiums in München zu Schmellers Säkularfeier aus dem literar. Nachlasse desselben veröffentlicht v. Johs. Nicklas. gr. 8. (XIII, 58 S.) München 885. (Rieger.) n. 1. 20

Schmeller, Joh. Andr., Denkrede auf ihn, s.: Hofmann, K.

— Leben u. Wirken, s.: Nicklas, J.

Schmeltzl, W., Samuel u. Saul, s.: Neudrucke, Wiener.

Schmelz, Rhard., 14 Grabgesänge f. Männerchöre, ausgewählt u. hrsg. gr. 8. (31 S.) Philadelphia 885. Schäfer & Koradi. 1. —; geb. 1. 50

Schmelzeis, Joh. Phil., Rüdesheim im Rheingau von seinen Anfängen bis zur Gegenwart. 12. (IV, 228 S.) Rüdesheim 881. (Wiesbaden, Moritz & Münzel.) n.n. 1. —

Schmelzer, das Schulberechtigungswesen, s.: Schriften d. Liberalen Schulvereins Rheinlands u. Westfalens.

Schmelzer, A., Erzählungen aus der Sage u. Geschichte d. Altertums. Mit üb. 100 Abbildgn. im Text u. 20 Einschaltbildern v. H. Knackfuß. gr. 8. (XIV, 646 S.) Bielefeld 887. Velhagen & Klasing. geb. n. 8. —

— Leitfaden f. den Geschichts-Unterricht in Mittelschulen u. den unteren Klassen höherer Lehranstalten. 7. Aufl. 8. (VIII, 400 S.) Ebend. 886. geb. n. 1. 80

— Leitfaden f. den Geschichts-Unterricht in mehrklassigen Volksschulen. 2. Aufl. 8. (144 S.) Minden 886. Hufeland. cart. n. 1. —

— die deutsche Reformation. Dem protestant. Volke geschildert. 8. (V, 256 S. m. Luther's Holzschn.-Portr.) Merseburg 883. Rößner's Buchdr. n. 1. —

Schmelzer, Carl, e. Verteidigung Platos. Studie. gr. 8. (34 S.) Bonn 885. Cohen & Sohn. n. — 60

Schmelzer, Herm., Notizen, Tabellen u. Accorde aus dem Maschinenbau. Eine Sammlg. v. Beispielen, Resultaten u. Erfahrgn. aus der Praxis, zur Anwendung bei Constructionen, Festsetzg. v. Accorden u. Veranschlaggn. v. Maschinen u. Maschinentheilen. Für Fabrikanten, Betriebsleiter, Ingenieure, Werkmeister etc. u. m. besond. Berücksicht. der Bedürfnisse v. Zuckerfabriken. Mit e. Atlas v. 26 (autogr.) Taf. (in qu. Fol.). gr. 8. (VIII, 188 S.) Leipzig 883. Baumgärtner. n. 6. —

— die Werkstätten-Buchführung f. den Maschinenbau. Eine pract. Anleitg. zur zweckmäss. Einrichtg. u. Führg. aller f. den rationellen Betrieb v. Eisengiessereien u. Maschinenfabriken nothwend. Bücher. Für Fabrikanten, Betriebsleiter, Ingenieure, Werkmeister etc. verf. 2. Aufl. gr. 8. (IV, 72 S.) Ebend. 884. n. 2. —

Schmelzkopf, J., u. A. Ulrich, Rechenaufgaben. 1., 2. u. 4. Hft. 8. (44 S.) Bremen, Heinsius. n.n. 2. 40
1. 5. Aufl. (44 S.) 885. n. — 60. — 2. 6. Aufl. (72 S.) 884. n. — 80. — 4. 5. Aufl. (51 S.) 886. n.n. 1. —

— — dasselbe. Antworten zum 4—6. Hft. 8. Ebend. n. 1. 60
4. (16 S.) 881. n. — 40. — 5. (8 S.) 881. n. — 40. — 6. (18 S.) 883. n. — 80

Schmerz, Leop., unsere Kinder. Ein Beitrag zur Förderung einträcht. Wirkens v. Schule u. Elternhaus. gr. 8. (III, 319 S.) Wien 882. Pichler's Wwe. & Sohn. 3. 60; cart. n. 4. —

Schmerzensschrei, der, der „Ausgestoßenen" Londons. Eine Untersuchg. üb. die Lebensverhältnisse der elenden Armen. Aus dem Engl. übers. Lex.-8. (16 S.) Wien 884. (Pichler's Wwe. & Sohn.) n. — 40

Schmetterlingsjagd, die. Ein unterhalt. Bilderbuch m. 5 ziehbaren (chromolith.) Bildern f. artige Knaben. 4. (5 Bl. Text.) Fürth 885. Schaller & Kirn. geb. 1. 30

Schmetz, Paul, Dom Pothier's liber gradualis [Tournayer Ausg.], seine histor. u. prakt. Bedeutg. Mit 7 Fcsms. e. vor dem J. 1379 geschriebenen Pergamenthandschrift. Allen Freunden d. gregorian. Gesanges, insbesondere auch denjenigen, welche die v. der hl. Congregation der Riten besorgte Ausg. der Choralbücher bereits gebrauchen, gewidmet vom Verf. 8. (V, 47 S.) Mainz 884. Kirchheim. n. 1. 20

Schmick, J. H., Proben englischer Beredsamkeit, s.: Sammlung gediegener u. interessanter Werke der englischen Litteratur.

— hundert deutsche Texte, zur Übersetzg. ins Englische in der Oberklasse der Realgymnasien u. Ober-Realschulen entworfen u. m. zugehör. Wörtersammlg. versehen. gr. 8. (VII, 154 S.) Köln 883. Du Mont-Schauberg. n. 1. 80

— die Unsterblichkeit der Seele, naturwissenschaftlich u. philosophisch begründet. 2. Aufl. der Schrift: „Ein Wissen f. e. Glauben". 8. (VIII, 202 S.) Leipzig 886. Reißner. n. 2. 40

Schmick, P., s.: Denkschrift betr. die bessere Ausnützung d. Wassers u. die Verhütung v. Wasserschäden.

Schmid, das Schwein, s.: Junghanns.

Schmid, Anmerkungen zu Corneille's Cinna. 4. (37 S.) Grimma 885. (Gensel.) n. 1. —

Schmid, der braunschweigische Erbhuldigungseid. gr. 8. (23 S.) Braunschweig 886. Wagner's Verl. n. — 40

Schmid, A., Marie, die Tochter d. Regiments. Eine histor. Erzählg. f. das Volk. 8. (64 S.) Reutlingen 883. Bardtenschlager. — 25

Schmid, A. C. J., systematisches u. alphabetisches General-Register, s.: Seuffert's, J. A., Archiv f. Entscheidungen der obersten Gerichte in den deutschen Staaten.

Schmid, Bernh., Grundlinien der Patrologie. 2. Aufl. 8. (XI, 155 S.) Freiburg i/Br. 886. Herder. n. 1. 60

Schmid, Chrn. Frdr., biblische Theologie d. Neuen Testamentes. Hrsg. v. C. Weizsäcker. 5. Aufl., besorgt durch A. Heller. gr. 8. (XXXI, 595 S.) Leipzig 886. Fr. Richter. n. 9. —; geb. n. 10. 50

Schmid, Christofine, wie die Kinder es treiben. Kleine Erzählgn. 8. (VII, 88 S.) Cannstatt 884. Bosheuyer. cart. n. — 50

Schmid, Chrph. v., gesammelte Schriften. Orig.-Ausg. v. letzter Hand. Illustr. unveränd. Aufl. (in neuer Orthogr.). 18 Bdchn. Mit 130 Text-Illustr. u. 18 Titelbildern in Farbendr. 12. (240, 232, 232, 228, 236, 252, 202, 282, 226, 223, 248, 210, 210, 216, 297, 202, 272 u. 221 S.) München 883. L. Finsterlin. à n. 1. —; geb. à n. 1. 50

— dasselbe. Vollständige Ausg. 28 Bde. Mit je 1 Titelkpfr. 8. Regensburg 885. Verlags-Anstalt. à 1. —; geb. à 1. 20

1. Heinrich v. Eichenfels. Der Weihnachtsabend. Die Ostereier. Mit 1 Autogr. d. Verf. (240 S.)
2. Der Kanarienvogel. Das Johanniskäferchen. Das Täubchen. Das Vergißmeinnicht. Die Kapelle bei Wolfsbühl. Die Krebse. Der Kuchen. Der Diamantring. Das Marienbild. (247 S.)
3. Ludwig, der kleine Auswanderer. Das Lämmchen. Das hölzerne Kreuz. (233 S.)
4. Gottfried, der junge Einsiedler. Das Vogelnestchen. Das stumme Kind. Die Waldkapelle. Die Wasserfluth am Rheine. (222 S.)
5. Die Hopfenblüthen. Das Rothkehlchen. Kupfermünzen u. Goldstücke. Das alte Raubschloß. Das Margarethablümchen. Die Feuersbrunst. (231 S.)
6. Das Blumenkörbchen. Die zwei Brüder. (252 S.)
7. Rosa v. Tannenburg. (208 S.)
8. Der Rosenstock. Die Kirschen. Die Melone. Die Nachtigall. Der Wasserkrug. Die roten u. die weißen Rosen. (240 S.)
9. Ferdinand. Angelika. (230 S.)
10. Timotheus u. Philemon. Das Kartäuserkloster. (227 S.)
11. Der gute Fridolin u. der böse Dietrich. (279 S.)
12. Klara od. die Gefahren der Unschuld. Das beste Erbteil. Die Edelsteine. (215 S.)
13. Genovefa. Anselmo. (224 S.)
14. Eustachius. (208 S.)
15. Josaphat. Drei Parabeln Barlaams. Titus u. seine Familie. (208 S.)
16. Kurze Erzählungen in 4 Abteilungen. (248 S.)
17. Blüten, dem blüh. Alter gewidmet. Die kleine Lautenspielerin. (216 S.)
18. Die Erdbeeren. Der kleine Kaminfeger. Der Blumenkranz. Der Eierdieb. Emma od. die kindliche Liebe. (218 S.)
19. Adelheid v. Thalheim. Mathilde u. Wilhelmine. Der Brautring. (233 S.)
20. Pauline. Paul Arnold. Die Himbeeren. (234 S.)
21. Die Blumenfreunde. Die Aehrenleserin. Gottlieb Reinhold. Der alte Weidenbaum. 4 Erzählgn. (224 S.)
22. Waldomir. Der Wunderarzt. Florentin Walther. Der Druckfehler. Das beschädigte Gemälde. 5 Erzählgn. (244 S.)
23. Der Jahrmarkt. Ehrlichkeit geht üb. Geld u. Gut. Die heil. Idda. Gräfin v. Toggenburg. 3 Schauspiele. (222 S.)
24. Lehrreiche Erzählungen. (254 S.)
25. Deutsche Frauen der christlichen Vorzeit. (224 S.)
26. Blumen der Wüste. Erzählungen aus dem Leben der ersten christl. Einsiedler. — Geistliche Vergißmeinnicht. Eine Auswahl der schönsten u. geistreichsten Sinnreime v. Angelus Silesius. (247 S.)
27. 28. Die Apostel Deutschlands. Eine Geschichte der Einführg. u. Verbreitg. der Religion Jesu Christi in Deutschland, aus glaubwürd. Lebensbeschreibgn. der Heiligen zusammengestellt. 3 Thle. in 1 Bd. (437 S.)

Schmid, Chrph. v., sämtliche Schriften. (In 40 Hftn.) 1—3. Hft. gr. 8. (80, 60 u. 59 S. m. eingedr. Holzschn.) Leipzig 885. Exped. der Chr. v. Schmid'schen Schriften. à — 40

— ausgewählte Schriften f. die Jugend. Hrsg. v. Jos. Kraft. Illustr. nach Orig.-Zeichngn. v Ernst Peßler. 17 Lfgn. 8. (à 4 B.) Wien 885. Graeser. à — 50; in 2 Bde. geb. n. 8. —

— dasselbe. 8 Bdchn. 8. Ebend. 885. geb. à n. — 80

1. Kurze Erzählungen u. Gedichte. (IV, 114 S.)
2. Heinrich v. Eichenfels. Gott macht alles wohl. Die Ostereier. (113 S.)
3. Die Margarethablümchen. Johanniskäferchen. Sanct Menrad. Gottfried, der junge Einsiedler. (112 S.)
4. Die Kirschen. Das gelbe Haar. Das Täubchen. Ludwig, der kleine Auswanderer. (144 S.)
5. Der Kanarienvogel. Das hölzerne Kreuz. Der Weihnachtsabend. (160 S.)
6. Das beste Erbtheil. Das Lämmchen. (120 S.)
7. Das Marienbild. Emma od. die kindliche Liebe. Die Hopfenblüten. (152 S.)
8. Waldomir. Im Anh.: Christof v. Schmid. Ein Lebensbild v. J. Kraft. (148 S.)

— die Ährenleserin. Eine Erzählg. Nebst e. kurzen Lebensbild v. Chrph. Schmid. 8. (43 S.) Stuttgart 886. Gundert. n. — 20

— zum Andenken. Ein Kranz v. kurzen Erzählgn. f. die Jugend u. Jugendfreunde. Aus dessen Nachlasse hrsg. Mit 1 Stahlst. u. vielen (eingedr.) Holzschn.-Bildern. 8. (204 S.) Regensburg 883. Verlags-Anstalt. 1. 50

— Anselmo. Der Druckfehler. 2 Erzählgn. Neue Ausg. m. e. Vorwort v. Frdr. Braun. 8. (44 S.) Stuttgart 886. Gundert. n. — 20

— Betbüchlein f. die katholische Jugend. [Mit e. Anh.: Etliche ältere u. neuere Morgen-, Abend-, Tisch-, Fest- u. Marienlieder.] 16. (80 u. Anh. 46 S. m. 2 Illustr.) Augsburg 884. Literar. Institut v. Dr. M. Huttler. n.n. — 50; geb. n.n. 1. —

— Blumen der Wüste. Erzählungen aus dem Leben der ersten christl. Einsiedler. Mit Titelbild (in Stahlst.). (120 S.) Regensburg 886. Verlags-Anstalt. n. — 50

— das Blumenkörbchen. Eine Erzählg., dem blüh. Alter gewidmet. Neue Ausg. m. e. Vorwort v. Frdr. Braun. 8. (108 S.) Stuttgart 885. Gundert. cart. n. — 50

— dasselbe, s.: Erzählungen f. Taubstumme — Universal-Bibliothek.

— dasselbe. Die zwei Brüder. 2 Erzählgn. Orig.-Ausg. v. letzter Hand. Mit Illustr. (eingedr. u. 1 Chromolith.). 12. (252 S.) München 885. L. Finsterlin's Verl. n. 1. —; geb. n. 1. 50

— dasselbe. Mit (4 chromolith. u. eingedr. Holzschn.-) Bildern. Neue Ster.-Ausg. 8. (192 S.) Reutlingen 885. Enßlin & Laiblin. geb. 1. 50; cart. ohne Chromolith. n. — 50

— Blüten, dem blüh. Alter gewidmet. Lieder u. Erzählgn. in Versen. — Die kleine Lautenspielerin. Ein Schauspiel m. Gesang. Orig.-Ausg. v. letzter Hand. Mit Illustr. (eingedr. u. 1 Chromolith.). 12. (216 S.) München 885. L. Finsterlin's Verl. n. 1. —; geb. n. 1. 50

Schmid, Chrph. v., die zwei Brüder. Eine Erzählg. f. Eltern u. Kinder. Neue Ausg. m. e. Vorwort v. Frdr. Braun. 8. (47 S.) Stuttgart 886. Gundert. n. — 20

— dasselbe. 8. (48 S.) Reutlingen 885. Enßlin & Laiblin. — 15

— ehrlich währt am längsten od. die Hopfenblüthen. Eine Erzählg. f. alt u. jung. 8. (64 S.) Ebend. 885. — 20

— wie Heinrich v. Eichenfels zur Erkenntnis Gottes kam. Eine Erzählg. f. Kinder u. Kinderfreunde. 8. (42 S. m. 1 Chromolith.) Lahr 886. Schauenburg. cart. n. — 40; geb. n. — 60

— dasselbe. 8. (48 S.) Reutlingen 885. Enßlin & Laiblin. — 15

— dasselbe. Neue Ausg. m. e. Vorwort v. Frdr. Braun. 8. (47 S.) Stuttgart 885. Gundert. n. — 20

— dasselbe. Der Weihnachtsabend. Die Ostereier. 3 Erzählgn. Orig.-Ausg. v. letzter Hand. Mit Illustr. (eingedr. u. 1 Chromolith.). 12. (240 S.) München 885. L. Finsterlin's Verl. n. 1. —; geb. n. 1. 50

— dasselbe. Der Weihnachtsabend. Die Ostereier. Drei Erzähign. f. die Jugend. Mit (4 chromolith. u. eingedr. Holzschn.-)Bildern. Neue Ster.-Ausg. 8. (191 S.) Reutlingen 885. Enßlin & Laiblin. geb. 1. 50; cart. ohne Chromolith. n. — 50

— das beste Erbteil. Eine Erzählg. f. Eltern u. Kinder. Neue Ausg. m. e. Vorwort v. Frdr. Braun. 8. (44 S.) Stuttgart 886. Gundert. n. — 20

— Erzählungen, s.: Volks- u. Jugendschriften, ausgewählte.

— auserlesene Erzählungen. Mit Illustr. (eingedr. Holzschn. u. 2 Chromolith.) 2 Abtlgn. gr. 8. (VI, 375 u. VI, 344 S.) Ravensburg 885. Dorn. geb. à n. 3. —; in 1 Bd. geb. n. 5. 50; in 16 Hftn. à n. — 30

— ausgewählte Erzählungen. Neu hrsg. v. Jos. Ambros. Mit zahlreichen Illustr. 31 Hfte. 12. (à 5 B.) Wien 885. Pichler's Wwe. & Sohn. à — 40; cplt. geb. in 4 Bdn. à n. 4. —

— dasselbe. 1—36. Bdchn. 12. (Mit 1—2 Bildern.) Ebend. 885. cart. 16. 70

1. Heinrich v. Eichenfels. (51 S.) — 40
2. Die Ostereier. (54 S.) — 40
3. Der Kanarienvogel. Das Johanneskäferchen. (48 S.) — 40
4. Das Täubchen. Das Vergißmeinnicht. (46 S.) — 40
5. Die Kirschen. Der Wasserkrug. (51 S.) — 40
6. Die Feuersbrunst. Das Rothkehlchen (50 S.) — 40
7. Der Diamantring. Das Marienbild. (52 S.) — 40
8. Kupfermünzen u. Goldstücke. Das alte Raubschloß. (48 S.) — 40
9. Das hölzerne Kreuz. Das Margaretablümchen. (48 S.) — 40
10. Das stumme Kind. Die Melone. (51 S.) — 40
11. Die Wasserflut am Rhein. Der Kuchen. (56 S.) — 40
12. Die Kapelle bei Wolfsbühl. Das Vogelnestchen. (44 S.) — 40
13—16. Kleine Erzählungen. 4 Abthlgn. (44, 48, 56 u. 56 S.) à — 40
17. Die Nachtigall. (52 S.) — 40
18. Der Rosenstock. (44 S.) — 40
19. Das beste Erbtheil. (52 S.) — 40
20. Der Edelstein. (56 S.) — 40
21. Die rothen u. weißen Rosen. Die Fliege. (48 S.) — 40
22. Anselmo. Titus u. seine Familie. (56 S.) — 40
23. Der Alte v. den Bergen. (48 S.) — 40
24. Die Blumenfreunde. Das glückliche Wiederfinden. (56 S.) — 40
25. Waldomir. (62 S.) — 40
26. Die zwei Brüder. (62 S.) — 40
27. Der Weihnachtsabend. (80 S.) — 50
28. Die Hopfenblüten. (82 S.) — 50
29. Das Lämmchen. (64 S.) — 40
30. Ludwig, der kleine Auswanderer. (82 S.) — 50
31. Gottfried, der junge Einsiedler. (58 S.) — 50
32. Die ungleichen Schwestern. (68 S.) — 50
33. Das Blumenkörbchen. (130 S.) — 80
34. Pauline, die Stifterin e. Bewahranstalt. (120 S.) — 70
35. Rosa v. Tannenburg. (163 S.) — 90
36. Der gute Fridolin u. der böse Dietrich. (192 S.) 1. —

— dasselbe, s.: Universal-Bibliothek f. die Jugend.

— drei Erzählungen: Die Ostereier, Heinrich v. Eichenfels, der Weihnachtsabend, m. 2 Farbendr.-Bildern u. (eingedr.) Illustr. u. dem Bildnis d. Verf. gr. 8. (140 S.) Leipzig 885. Exped. der Chr. v. Schmid'schen Schriften. cart. n. 1. 60

— 5 Erzählungen f. Kinder u. Kinderfreunde. [Gottfried der junge Einsiedler. Das Vogelnestchen. Das stumme Kind. Die Waldkapelle. Die Wasserflut am Rheine.] Orig.-Ausg. v. letzter Hand. Mit Illustr. (eingedr. u. 1 Chromolith.) 12. (228 S.) München 885. L. Finsterlin's Verl. n. 1. —; geb. n. 1. 50

Schmid, Chrph. v., 190 kleine Erzählungen f. die Jugend. Mit Bildern. Neue Ster.-Ausg. 8. (176 S.) Reutlingen 886. Enßlin & Laiblin. cart. n. — 50

— kurze Erzählungen in 4 Abteilungen. Orig.-Ausg. v. letzter Hand. Mit Illustr. (eingedr. u. 1 Chromolith.). 12. (248 S.) München 885. L. Finsterlin's Verl. n. 1. —; geb. n. 1. 50

— 150 kurze Erzählungen f. die Jugend. Neue Ausg. m. e. Vorwort v. Frdr. Braun. 8. (144 S) Stuttgart 886. Gundert. cart. — 75

— 9 Erzählungen f. Kinder u. Kinderfreunde. [Der Kanarienvogel. Das Johanniskäferchen. Das Täubchen. Das Vergißmeinnicht. Die Kapelle bei Wolfsbühl. Die Krebse. Der Kuchen. Der Diamantring. Das Marienbild.] Orig.-Ausg. v. letzter Hand. Mit Illustr. (eingedr. u. 1 Chromolith.). 12. (232 S.) München 885. L. Finsterlin's Verl. n. 1. —; geb. n. 1. 50

— schönste Erzählungen f. die Jugend. 1—6. Bdchn. 12. (à 80 S. m. je 1 Chromolith.) Mülheim 885. Bagel. cart. à n. — 50

1. Die Ostereier. Das Rothkehlchen.
2. Heinrich v Eichenfels. Die Kirschen.
3. Das Täubchen. Der Kanarienvogel.
4. Das Lämmchen. Das Vergißmeinnicht. Das Johanniskäferchen.
5. Der Weihnachtsabend.
6. Die Feuersbrunst. Der Wasserkrug.

— dasselbe. 1—4. Bd. 8. (à 240 S. m. Chromolith.) Ebend. 886. geb. à 1. 50

— 6 Erzählungen f. Kinder u. Kinderfreunde. [Der Rosenstock. Die Kirschen. Die Melone. Die Nachtigall. Der Wasserkrug. Die roten u. die weißen Rosen.] Orig.-Ausg. v. letzter Hand. Mit Illustr. (eingedr. u. 1 Chromolith.). 12. (232 S.) München 885. L. Finsterlin's Verl. n. 1. —; geb. n. 1. 50

— 6 Erzählungen f. Kinder u. Kinderfreunde. [Die Hopfenblüten. Das Rotkehlchen. Kupfermünzen u. Goldstücke. Das alte Raubschloß. Die Margaretablümchen. Die Feuersbrunst.] Orig.-Ausg. v. letzter Hand. Mit Illustr. (eingedr. u. 1 Chromolith.). 12. (236 S.) Ebend. 885. n. 1. —; geb. n. 1. 50

— dasselbe. Mit (4 chromolith. u. eingedr. Holzschn.-)Bildern. Neue Ster.-Ausg. 8. (192 S.) Reutlingen 885. Enßlin & Laiblin. geb. 1. 50; cart. ohne Chromolith. n. — 50

— Eustachius. Eine Geschichte der christl. Vorzeit, neu erzählt. Orig.-Ausg. v. letzter Hand. Mit Illustr. (eingedr. u. 1 Chromolith.). 12. (202 S.) München 885. L. Finsterlin's Verl. n. 1. —; geb. n. 1. 50

— Ferdinand. Die Geschichte e. jungen Grafen aus Spanien. Für Eltern u. Kinder erzählt. Neue Ausg. 8. (64 S.) Stuttgart 886. Gundert. n. — 20

— dasselbe. Angelica. 2 Erzählgn. Orig.-Ausg. v. letzter Hand. Mit Illustr. (eingedr. u. 1 Chromolith.). 12. (227 S.) München 885. L. Finsterlin's Verl. n. 1. —; geb. n. 1. 50

— Die Feuersbrunst. Eine Erzählg. f. alt u. jung. 8. (32 S.) Reutlingen 885. Enßlin & Laiblin. — 12

— der gute Fridolin u. der böse Dietrich. Eine lehrreiche Geschichte f. Aeltern u. Kinder. 7., einzig. rechtmäß. Orig.-Aufl. Mit e. Stahlst. 8. (174 S.) München 883. L. Finsterlin's Verl. 1. 20; geb. 1. 50

— dasselbe. Orig.-Ausg. v. letzter Hand. Mit Illustr. (eingedr. u. 1 Chromolith.). 12. (272 S.) Ebend. 885. n. 1. —; geb. n. 1. 50

— dasselbe. Neue Aufl. Mit 1 Stahlst. 8. (279 S.) Regensburg 885. Verlags-Anstalt. 1. —; geb. n. 1. 20

— dasselbe. Neue illustr. Orig.-Aufl. Mit 1 Stahlst. u. vielen Illustr. gr. 8. (238 S.) Ebend. 885. 1. 95; cart. 2. 40; geb. 2. 85

— dasselbe. Neue Ausg. 8. (172 S.) Stuttgart 886. Gundert. cart. — 75

— Genovefa. Frei bearb. von A. v. Schönhausen. 16. (128 S.) Mülheim 884. Bagel. cart. n. — 50

— dasselbe. Neu erzählt f. alle guten Menschen, besonders f. Mütter u. Kinder. Neue Ausg. m. e. Vorwort v. Frdr. Braun. 8. (108 S.) Stuttgart 885. Gundert. cart. n. — 50

— dasselbe. Anselmo. Orig.-Ausg. v. letzter Hand. Mit Illustr. (eingedr. u. 1 Chromolith.). 12. (210 S.) München 885. L. Finsterlin's Verl. n. 1. —; geb. n. 1. 50

Schmid, Chrph. v., Gottfried, der junge Einsiedler. Eine Erzählg. f. alt u. jung. 8. (62 S.) Reutlingen 885. Enßlin & Laiblin. — 20

— dasselbe. Neue Ausg. m. e. Vorwort v. Frdr. Braun. 8. (47 S.) Stuttgart 886. Gundert. n. — 20

— dasselbe. 7. Orig.-Aufl. 12. (156 S.) Regensburg 885. Verlags-Anstalt. — 50

— dasselbe. Das Vogelnestchen. Das stumme Kind. Die Wasserflut am Rheine. Vier Erzählgn. f. die Jugend. Mit (4 Chromolith. u. eingedr. Holzschn.-)Bildern. Neue Ster.-Ausg. 8. (176 S.) Reutlingen 885. Enßlin & Laiblin. geb. 1. 50; cart. ohne Chromolith. n. — 50

— biblische Geschichte f. katholische Volksschulen. Neu bearb. v. Alb. Werfer. 2 Tle. 8. München 884. R. Oldenbourg. n.n. — 75; Einbd. 2 Tle. in 1 Bd. n.n. — 24

1. Altes Testament. (150 S.) n.n. — 35
2. Neues Testament. (160 S.) n.n. — 40

— die Hopfenblüten. Eine Erzählg. f. Kinder u. Kinderfreunde. Neue Ausg. m. e. Vorwort v. Frdr. Braun. 8. (47 S.) Stuttgart 886. Gundert. n. — 20

— Josaphat, Königssohn v. Indien. Drei Parabeln Barlaams. Titus u. seine Familie. Orig.-Ausg. v. letzter Hand. Mit Illustr. (eingedr. u. 1 Chromolith.). 12. (207 S.) München 885. L. Finsterlin's Verl. n. 1. —; geb. n. 1. 50

— Jugendschriften, s.: Volks- u. Jugendschriften, ausgewählte.

— ausgewählte Jugendschriften. 4 Bde. 8. (483, 432, 467 u. 420 S. m. je 3 Illustr.) Stuttgart 887. Gundert. geb. 8. —

— der Kanarienvogel. Eine Erzählg. f. jung u. alt. Neue Ster.-Ausg. 8. (30 S.) Reutlingen 886. Enßlin & Laiblin. — 12

— dasselbe. Das Johanniskäferchen. 2 Erzählgn. f. Kinder u. Kinderfreunde. Neue Ausg. m. e. Vorwort v. Frdr. Braun. 8. (40 S.) Stuttgart 885. Gundert. n. — 20

— die Kapelle bei Wolfsbühl. Der Kuchen. 2 Erzählgn. f. Kinder u. Kinderfreunde. Neue Ausg. m. e. Vorwort v. Frdr. Braun. 8. (40 S.) Ebend. 886. n. — 20

— das stumme Kind. Eine Erzählg. f. alt u. jung. 8. (32 S.) Reutlingen 885. Enßlin & Laiblin. — 12

— das verlorene Kind. Das Rotkehlchen. 2 Erzählgn f. Kinder u. Kinderfreunde. Neue Ausg. m. e. Vorwort v. Frdr. Braun. 8. (40 S.) Stuttgart 886. Gundert. n. — 20

— ausgewählte Kinderschriften. 12 Bde. Neue Ausg. m. e. Vorwort v. Frdr. Braun. 8. (Mit je 1 Holzschn.) Ebend. 885. 86. geb. à n. 1. —

1. Die Ostereier. Rosa v. Tannenburg. (184 S.)
2. Der Weihnachtsabend. Das Lämmchen. Heinrich v. Eichenfels. (163 S.)
3. Das Blumenkörbchen. Der Kanarienvogel. Das Johanniskäferchen. (143 S.)
4. Genovefa. Das Täubchen. (143 S.)
5. Der gute Fridolin u. der böse Dietrich. Eine lehrreiche Geschichte f. Eltern u. Kinder. (172 S.)
6. 150 kurze Erzählungen f. die Jugend. (144 S.)
7. Das hölzerne Kreuz. Der Wunderarzt. Ludwig, der kleine Auswanderer. Blüten, dem blüh. Alter gewidmet. (160 S.)
8. Das alte Raubschloß. Waldomir, e. böhm. Sage. Die Wasserflut am Rhein. Die Feuersbrunst. Die Hopfenblüten. 5 Erzählungen. (163 S.)
9. Das verlorene Kind. Das Rotkehlchen. Der Wasserkrug. Das beschädigte Gemälde. Gottfried, der junge Einsiedler. 5 Erzählgn. (127 S.)
10. Der Rosenstock. Das Vogelnestchen. Die zwei Brüder. Die Nachtigall. 4 Erzählgn. (140 S.)
11. Ferdinand, Geschichte e. jungen Grafen aus Spanien. Die Kirschen. Das stumme Kind. Die Wolfskapelle. Der Kuchen. 5 Erzählgn. f. Mütter u. Kinder. (144 S.)
12. Anselmo. Der Druckfehler. Das beste Erbteil. Die Aehrenleserin. 4 Erzählgn. (131 S.)

— die Kirschen. Das stumme Kind. 2 Erzählgn. f. Kinder u. Kinderfreunde. Neue Ausg. m. e. Vorwort v. Frdr. Braun. 8. (40 S.) Ebend. 886. n. — 20

— Klara od. die Gefahren der Unschuld. Das beste Erbteil. Die Edelsteine. 3 Erzählgn. Orig.-Ausg. v. letzter Hand. Mit Illustr. (eingedr. u. 1 Chromolith.). 12. (210 S.) München 885. L. Finsterlin's Verl. n. 1. —; geb. n. 1. 50

— dasselbe. Mit 1 Stahlst. Neue Aufl. 8. (119 S.) Regensburg 885. Verlags-Anstalt. — 75; geb. n. — 90

— dasselbe. Neue, illustr. Orig.-Aufl. Mit 1 Stahlst. u. vielen Illustr. gr. 8. (132 S.) München 885. L. Finsterlin's Verl. 1. 20; cart. 1. 45; geb. 1. 70

Schmid, Chrph. v., das hölzerne Kreuz. Eine Erzählg. f. alt u. jung. 8. (33 S.) Reutlingen 885. Enßlin & Laiblin. — 12

— dasselbe. Der Wunderarzt. Ein Märchen zum Ostergeschenk. Neue Ausg. m. e. Vorwort v. Frdr. Braun. 8. (56 S.) Stuttgart 886. Gundert. n. — 20

— Kupfermünzen u. Goldstücke. Eine Erzählg. 8. (16 S.) Reutlingen 885. Enßlin & Laiblin. — 10

— das Lämmchen. Eine Erzählg. f. alt u. jung. 8. (60 S.) Ebend. 885. — 20

— dasselbe. Mit (4 chromolith. u. eingedr. Holzschn.-)Bildern. Neue Ster.-Ausg. 8. (192 S.) Ebend. 885. geb. 1. 50; cart. ohne Chromolith. n. — 50

— dasselbe. Neue Ausg. m. e. Vorwort v. Frdr. Braun. 8. (52 S.) Stuttgart 885. Gundert. n. — 20

— Ludwig, der kleine Auswanderer. Eine Erzählg. f. alt u. jung. 8. (69 S.) Reutlingen 885. Enßlin & Laiblin. — 25

— dasselbe. Blüten, dem blüh. Alter gewidmet. Neue Ausg. m. e. Vorwort v. Frdr. Braun. 8. (104 S.) Stuttgart 886. Gundert. cart. n. — 50

— dasselbe. Das Lämmchen. Das hölzerne Kreuz. 3 Erzählgn. Orig.-Ausg. v. letzter Hand. Mit Illustr. (eingedr. u. 1 Chromolith.). 12. (232 S.) München 885. L. Finsterlin's Verl. n. 1. —; geb. n. 1. 50

— die Nachtigall. Eine Erzählung f. Kinder u. Kinderfreunde. Neue Ausgabe m. e. Vorwort v. Frdr. Braun. 8. (44 S.) Stuttgart 886. Gundert. n. — 20

— dasselbe. Die roten u. die weißen Rosen. Die zwei Brüder. Erzählungen f. das blüh. Alter. Neue, illustr. Orig.-Aufl. Mit e. Titelbild u. vielen Illustr. 8. (228 S.) Regensburg 886. Verlags-Anstalt. 1. 30

— die Ostereier. Eine Erzählg. zum Ostergeschenke f. Kinder. 8. (47 S. m. 1 Chromolith.) Lahr 886. Schauenburg. cart. n. — 40; geb. n. — 60

— dasselbe 8. (46 S.) Reutlingen 885. Enßlin & Laiblin. — 15

— dasselbe. Neue Ausg. m. e. Vorwort v. Frdr. Braun. 8. (48 S.) Stuttgart 885. Gundert. n. — 20

— dasselbe, s.: Volksbibliothek d. Lahrer Hinkenden Boten.

— dasselbe u. fünf andere Erzählungen f. die liebe Jugend. Mit 6 feinen Farbdr.-Bildern nach Aquarellen v. C. Offterdinger. 4. (III, 120 S.) Stuttgart 886. Loewe. geb. 3. —

— dasselbe; der Weihnachtsabend, s.: Universal-Bibliothek.

— das alte Raubschloß. Eine Erzählg. 8. (16 S.) Reutlingen 885. Enßlin & Laiblin. — 10

— dasselbe. Waldomir. Eine böhm. Sage. Neue Ausg. m. e. Vorwort v. Frdr. Braun. 8. (64 S.) Stuttgart 886. Gundert. n. — 20

— Rosa v. Tannenburg. Eine Geschichte d. Altertums f. Eltern u. Kinder. 8. (140 S. m. 1 Chromolith.) Lahr 886. Schauenburg. cart. n. — 75; geb. n. 1. —

— dasselbe. Frei bearb. von A. v. Schönhausen. 16. (128 S.) Mülheim 884. Bagel. cart. n. — 50

— dasselbe. Orig.-Ausg. v. letzter Hand. Mit Illustr. (eingedr. u. 1 Chromolith.). 12. (203 S.) München 885. L. Finsterlin's Verl. n. 1. —; geb. n. 1. 50

— dasselbe. Neue Ster.-Ausg. Mit (4 chromolith. u. eingedr. Holzschn.-)Bildern. 8. (172 S.) Reutlingen 885. Enßlin & Laiblin. geb. 1. 50; cart. ohne Chromolith. n. — 50

— dasselbe. Neue Ausg. m. e. Vorwort v. Frdr. Braun. 8. (136 S.) Stuttgart 885. Gundert. cart. n. — 50

— dasselbe, s.: Universal-Bibliothek.

— der Rosenstock. Angelika. Das Kartäuserkloster. Erzählungen f. das blüh. Alter. Neue, illustr. Orig.-Aufl. Mit e. Titelbild u. vielen Illustr. 8. (212 S.) Regensburg 886. Verlags-Anstalt. 1. 30

— dasselbe. Das Vogelnestchen. 2 Erzählgn. Neue Ausg. m. e. Vorwort v. Frdr. Braun. 8. (48 S.) Stuttgart 886. Gundert. n. — 20

— das Rotkehlchen. Eine Erzählg. 8. (16 S.) Reutlingen 885. Enßlin & Laiblin. — 10

Schmid, Chrph. v., kleine Schauspiele f. Familienkreis. Hrsg. v. Jos. Kraft. 1. u. 2. Bdchn. 8. Wien 886 Graeser. geb. à n. 1 — 80
1. Die Erdbeeren. Der kleine Kaminfeger. (75 S.
2. Die kleine Lautenschlägerin. (77 S.

— dasselbe. [Die Erdbeeren. Der kleine Kaminfeger. Der Blumenkranz. Der Fischer. Emma od. die kindl. Liebe.] Orig.-Ausg. v. letzter Hand. Mit Illustr. (eingedr. u. 1 Chromolith.). 12. (221 S. München 885. L. Finsterlin's Verl. n. 1 —; geb. n. 1. 50

— das Täubchen. Eine Erzählg. f. Kinder u. Kinderfreunde. Neue Ausg. m. e. Vorwort v. Frdr. Braun. 8. (35 S. Stuttgart 885. Gundert. n. — 20

— Adelheid v. Thalheim. Eine denkwürd. u. rühr. Geschichte aus dem vor. Jahrh. Der blüh. Alter gewidmet. Mit 1 Stahlst. Neue Aufl. 8. (144 S. Regensburg 885. Verlags-Anstalt. — 75; geb. n. — 90

— dasselbe. Neue, illustr. Ausg. Mit 1 Stahlst. u. vielen Illustr. gr. 8. (160 S. Esslingen 885. 1. 20; cart. 1. 45; geb. 1. 70

— Timotheus u. Philemon. Das Karthäuserkloster. 2 Erzählgn. Orig.-Ausg. v. letzter Hand. Mit Illustr. (eingedr. u. 1 Chromolith.). 12. (255 S. München 885. L. Finsterlin's Verl. n. 1 —; geb. n. 1. 50

— das Vogelnestchen. Eine Erzählg. 8. (16 S. Reutlingen 885. Ensslin & Laiblin. — 10

— Waldomir, e. alte Sage. Nebst 2 kleineren Erzählgn. aus neuerer Zeit. Mit 1 Stahlst. Neue Aufl. 8. (144 S. Regensburg 885. Verlags-Anstalt. — 75; geb. n. — 90

— dasselbe. Neue illustr. Ausg. Mit 1 Stahlst. u. vielen Illustr. gr. 8. (168 S. Esslingen 885. 1. 20; cart. n. 1. 45; geb. 1. 70

— Florentin Waltner, e. verständiger u. rechtschaffener Bauersmann. Erzählung. Neue Aufl. Mit 1 Stahlst. 8. (144 S. Esslingen 885. — 75; cart. n. — 90

— dasselbe. Neue, illustr. Ausg. Mit 1 Stahlst. u. vielen Illustr. gr. 8. (160 S. Esslingen 885. 1. 20; cart. 1. 45; geb. 1. 70

— die Wasserflut am Rheine. Eine Erzählg. f. alt u. jung. 8. (32 S. Reutlingen 885. Ensslin & Laiblin. — 12

— dasselbe. Die Feuersbrunst. Aus den Briefen e. Frn. Aloys Mai an seine Mutter. Neu Ausg. m. e. Vorwort v. Frdr. Braun. 8. (52 S. Stuttgart 886. Gundert. n. — 20

— der Wasserkrug. Das beschädigte Gemälde. 2 Erzählgn. Neue Ausg. m. e. Vorwort v. Frdr. Braun. 8. (40 S. Esslingen 886. n. — 20

— der Weihnachtsabend. Eine Erzählg. zum Weihnachtsgeschenke f. Kinder. 8. (68 S. m. 1 Chromolith. Bahr 886. Schauenburg. cart. n. — 40; geb. n. — 60

— dasselbe. 11. Orig.-Aufl. 12. (152 S. Regensburg 885. Verlags-Anstalt. — 55

— dasselbe. 8. (65 S. Reutlingen 885. Ensslin & Laiblin. — 20

— dasselbe. Neue Ausg. m. e. Vorwort v. Frdr. Braun. 8. (64 S. Stuttgart 88[illegible]. Gundert. n. — 20

Schmid, E., Wörterbuch zu Shakespeare's Julius Caesar. Für Schüler hrsg. gr. 8. (20 S. Danzig 884. Saunier. n. — 20

— dasselbe zum Merchant of Venice. gr. 8. (21 S. Ebenda. 884. n. — 20

— dasselbe zu A midsummer-night's dream. gr. 8. (23 S. Ebenda. 884. n. — 20

Schmid, Ernst, Kindergarten-Lieder. Eine Sammlg. v. neuen Gelegenheits-, Spiel- u. Kosliedern f. den Kindergarten, zum Gebrauche in Schule u. Familie. Mit e. Einleit. v. [illegible] Ging. 2. Aufl. gr. 8. (XXVI, 142 S. Wien 885. Graeser. geb. n. 2. 80

Schmid, Ferd., [illegible] deutschen Reichs-strafrecht. gr. 8. (11 S. Jena 885. [illegible] n. 2. 20

Schmid, Fernand, Rückblick auf verunglückte Colonisations-Versuche in Brasilien. 8. (59 S. Rio de Janeiro 88[illegible] (Hamburg, Seitz & Co.) n. 1. —

Schmid-Schwarzenberg, Fr., bekannte Schriften. 2 Aufl. 12. (III, 268 S.) Wien, 885. Pichler's Wwe. & Sohn. 2. 40

Schmid-Schwarzenberg, Fr., Katechismus der Gerechtigkeit f. Staatsbürger. 12. (VI, 106 S.) Wien 885. Pichler's Wwe. & Sohn. n. 1 —

Schmid, Fr. Xaver, Gebet- u. Erbauungsbuch f. katholische Christinnen. 8. Aufl. Mit 1 Stahlst. 12. (528 S. Regensburg 884. Verlags-Anstalt. 2. 40

Schmid, Fr., de inspiratione bibliorum vi et ratione. gr. 8. (X, 445 S. Brixen 885. Weger. n. 7. 20

Schmid, Geo., das höhere Mädchenschulwesen Russlands. gr. 8. (72 S. Leipzig 885. Fues. n. 1. 60

Schmid, Geo., Euripidea. Diss. inaug. gr. 8. (50 S. Leipzig 884. Fues. n. 1. 20

Schmid's, H., Lehrbuch der Dogmengeschichte. 4. Aufl. neu bearb. v. Alb. Hauck. (In 4—5 Lfgn.) 1. Lfg. gr. 8. (96 S. Nördlingen 887. Beck. n. 1. 50

Schmid, H. T., Von Californien bis zur chinesischen Mauer. Aus dem Reisetagebuch e. Wieners. gr. 8. (V, 225 S. Wien 885. Seidel & Sohn. n. 4 —

Schmid's, Herm., gesammelte Schriften. Volks- u. Familien-Ausg. 82—106 Hft. [Neue Folge 13—39 Hft.] 8. Leipzig 885. 84. Keil's Nachf. à — 30
38—45. Bd. [Neue Folge 6—? Bd.] Mütze u. Krone. (? Bd. S. 17—142 u. ? Bd. 142 u. ? Bd. 155 S.
44. Bd. [Neue Folge 7. Bd.] Concordia. Eine deutsche Kaisergeschichte aus Baiern. 1. Bd. 162, 2. Bd. 200, 3. Bd. 182, 4. Bd. 158 u. 5. Bd. 137 S.
47. Bd. [Neue Folge 15. Bd.] Auszögl. Eine bair. Bauerngeschichte. (13? S.
48. Bd. [Neue Folge 16. Bd.] Ledige Kinder. Erzählung aus dem oberbair. Gebirg. (124 S.
49. u. 50. Bd. [Neue Folge 17. u. 18. Bd.] Die Türken in München. Roman. 1. Bd. 172 S. u. 2. Bd. 18? S.

Schmid, J., hydrologische Untersuchungen an den öffentlichen Flüssen im Königr. Bayern. 1. Thl. Mit e. Tabellenanh. u. 12 lith. Taf. gr. 4. (VI, 20 u. Anh. 22 S. m. eingedr. Fig. München 884. Th. Ackermann's Verl. n. 20. —

Schmid, K. A., Geschichte der Erziehung vom Anfang an bis auf unsere Zeit, bearb. in Gemeinschaft m. e. Anzahl v. Gelehrten u. Schulmännern. (In 4 Bdn.) 1. Bd. Lex.-8. Stuttgart 884. Cotta. n. 10. —
Die vorchristliche Erziehung, bearb. v. K. A. Schmid u. G. Baur. (VI, 333 S.

— pädagogisches Handbuch f. Schule u. Haus. Auf Grundlage der Encyklopädie d. gesammten Erziehungs- u. Unterrichtswesens vornehmlich f. die Volks-, Bürger-, Mittel- u. Fortbildungs-Schulen in alphabet. Ordng. bearb. 2. Aufl. 2 Bde. in 58 Lfgn. gr. 8. (964 u. 1352 S. Leipzig 885. 84. Fues. à Lfg. n. — 50

Schmid, L., Lesebuch f. die Volksschule. 1—3. Th. gr. 8. Chur, Kellenberger. cart. n. n. 1. 95
1. Fibel. 5. Aufl. (VIII, 64 S. m. Illustr.) 885. n. n. — 5
2. 2. Aufl. (IV, 12? S.) 882. n. n. — 6
3. 2. Aufl. (IV, 162 S.) 88?. n. n. — 7?

Schmid, L., die älteste Geschichte d. erlauchten Gesammthauses der königl. u. fürstl. Hohenzollern. (In 3 Thln.) 1. Th. 2. u. 3. Th. Der Urstamm der Hohenzollern u. seine Verzweigungen. Mit 1 lith. Karte. gr. 8. (XII, 340 S. Tübingen 884. Laupp. n. 7. 60. Ausg. auf holländ. Handpap. geb. n. 10. —

Schmid, M., Aufsatzübungen f. die untere u. mittlere Stufe der Volks-, Mittel- u. Bürgerschulen m. Andeutung d. Lehrverfahrens. 1. Th. gr. 8. (200 S. Esslingen 885. Langguth. cart. n. 2. —

— Geographie v. Deutschland, f. Volks- u. Mittelschulen, sowie f. Präparanden-Anstalten bearb. 8. (32 S. m. 3 Karten. Ebend. 885. n. — 30; ohne Karten n. — 20

— Geographie v. Württemberg. Mit e. beigegebenen (autograph.) Kärtchen f. den Schulgebrauch ausgearb. 8. (20 S. Ebend. 884. n. — 20

— der elektrische Telegraph u. die mathematische Geographie. Mit vielen Abbildgn. Für Volks- u. Mittelschulen. 8. (1? S. Ebend. 884. n. — 20

Schmid, N., Schwaben, s.: Baiern, G.

Schmid, Th., das Kunstwerk der Zukunft u. sein Meister Richard Wagner. 8. (VI, 205 S. Freiburg i. B. 885. Herder. 2. —

Schmidag, E. A., christliche Religionslehre nach Dr. Martin Luther's kleinem Catechismus auf Grundlage der h. Schrift erläutert u. als Leitfaden f. den Religions- u. Confirmanden-Unterricht in evangel. Volksschulen bearb.

u. dargeboten. I. u. II. Ordng. in neuer verm. Aufl. u. m. hinzugefügtem Anh. gr. 8. (111 S.) Oberwart 885. (Klagenfurt, Heyn.) geb. n. 1. —

Schmidlin, E., Handels-Adreßbuch f. das Königr. Württemberg auf den Stand vom Dezbr. 1882, nach den amtl. Handels-Registern bearb., nebst Waaren- u. Orts-Verzeichniß. 5. Aufl. gr. 8. (IV, 323 S.) Stuttgart 883. Kohlhammer. n. 4. —; geb. n. 4. 60

Schmidlin, E., illustrirte populäre Botanik od. gemeinfaßl. Anleitg. zum Studium der Pflanze u. d. Pflanzenreichs. 4. Aufl. v. O. E. R. Zimmermann. 8—16. (Schluß-)Lfg. gr. 8. (2. Bd. IV, 663 S. m. eingedr. Holzschn. u. 26 z. Thl. color. Steintaf.) Leipzig 883. 84. Oehmigke's Verl. à n. 1. — (cplt.: n. 16. 50; geb. n. 20. —)

— die wichtigsten Futter-Gräser, nebst Angabe ihrer Kultur, ihres Nutzens u. der vorkomm. Samen-Fälschgn. u. -Vermischgn. Mit 53 getreu nach der Natur gezeichneten u. kolor. Abbildgn. 4., umgearb. Aufl., unter Mitwirkg. v. Wilh. Schüle sen. hrsg. v. Wilh. Schüle jun. gr. 4. (VII, 32 S.) Stuttgart 887. Ulmer. cart. n. 6. —

— die wichtigsten Futter- u. Wiesenkräuter, nebst Angabe ihrer Kultur u. ihres Nutzens, sowie deren Samen-Verunreiniggn. u. Fälschgn. Mit 53 getreu nach der Natur gezeichneten u. kolor. Abbildgn. 4. Aufl., unter Mitwirkg. v. Wilh. Schüle sen. hrsg. v. Wilh. Schüle jun. gr. 4. (VII, 34 S.) Ebend. 887. cart. n. 6. —

Schmidlin, U., Lehrbuch der englischen Sprache. Anleitung zur Erlerng. der engl. Umgangs- u. Geschäftssprache in 4 Stufen. 3. Stufe. Die wichtigsten Regeln der Syntax. gr. 8. (103 S.) Zürich 886. Schmidt. n. 1. —; cart. n. 1. 25 (1—3.: n. 3. 20)

Schmidt's Jahrbücher der in- u. ausländischen gesammten Medicin. Red. v. Adf. Winter, F. J. Möbius u. H. Dippe. Jahrg. 1883—1886. 197—212. Bd. à 3 Hfte. Lex.-8. (197. Bd. 1. Hft. 112 S.) Leipzig 883—86. O. Wigand. à Jahrg. n. 36. —

— dasselbe. General-Register. Nr. IX. Ueber Bd. 161—180. Lex.-8. (233 S.) Ebend. 885. n. 12. —

Schmidt's alphabetisches Kursbuch der Eisenbahnen, Posten u. Dampfschiffe f. die Schweiz, nebst Hauptrouten in die benachbarten Länder. Nr. 2. Sommer 1886. 12. (230 S. m. 1 Karte.) Zürich 886. Schmidt. n. — 50

Schmidt, meine Reise in Usaramo u. den deutschen Schutzgebieten Central-Ostafrikas. gr. 8. (36 S.) Berlin 886. Engelhardt(?) n. — 80

Schmidt-Weißenfels, Charakterbilder aus Spanien. 8. (VII, 339 S.) Stuttgart 885. Göschen. n. 5. —

— Engel u. Teufel. Lustspiel in 4 Akten. gr. 8. (IV, 87 S.) Oldenburg 885. Schulze. n. 1. 60

— deutsche Handwerker-Bibliothek. 5 Bde. 12. (643, 666, 664, 626 u. 652 S. m. Taf.) Halle 883. Abenheim. n. 20. —
Früher erschienen in 20 Thln. u. d. T.: „Zwölf Schneider" rc.

— der Kampf e. Frau. Roman. 8. (303 S.) Karlsruhe 887. Gebr. Vollmann. 4. 50

— zwölf Klempner. Historisch-novellist. Bilder. (Meister-Ausg.) 12. (VII, 146 S.) Halle 883. Abenheim. n. 1. —; cart. n. 1. 20; wohlf. Ausg. n. — 60

— die Meineidigen. Roman. 8. (280 S.) Berlin 886. Behrend. n. 2. —

Schmidt, A., Zeichen-Schule, s.: Brenner, G.

Schmidt, A., Bestimmung der Theilungsfehler am Pistor'schen Meridiankreise der Berliner Sternwarte, s.: Beobachtungen, astronomische, auf der königl. Sternwarte zu Berlin.

Schmidt, A., die elementare Behandlung d. Kreiselproblems. gr. 8. (15 S.) Tübingen 886. Fues. n. — 40

Schmidt, A. B., die Grundsätze üb. den Schadenersatz in den Volksrechten, — das Recht d. Überhangs u. Überfalls, } s.: Untersuchungen zur deutschen Staats- u. Rechtsgeschichte.

Schmidt, A. F. Wilh., Hilfsbuch f. den Unterricht in der Weltgeschichte, in der deutschen Nationallitteratur u. in der Kirchengeschichte an höheren Mädchen-, Mittelschulen u. verwandten Anstalten [Lehrer- u. Lehrerinnenseminarien rc.]. gr. 8. (68 S.) Neumünster 883. Brumby. n. — 75

Schmidt, Adf., Geologie d. Münsterthales im badischen Schwarzwald. 1. Thl.: Das Grundgebirge. Mit e. geognost. Karte. gr. 8. (IV, 151 S.) Heidelberg 886. C. Winter. n. 4. 80

— über die Verwendung v. Wasserdampf in Gas-Generatoren. gr. 8. (6 S.) Ebend. 884. — 30

Schmidt, Adf., Atlas der Diatomaceen-Kunde. In Verbindg. m. Gründler, Grunow, Janisch u. Witt hrsg. 21—26. Hft. Fol. (8 Lichtdr.-Taf. m. 8 Bl. Erklärgn.) Aschersleben 885. 86. Leipzig, Fues. à n. 6. —

— dasselbe. 2. Aufl. 1—16. Hft. Fol. (à 4 Lichtdr.-Taf. m. 4 Bl. Erklärgn.) Ebend. 885. 86. à n. 6. —

Schmidt-Mülheim, Adf., Handbuch der Fleischkunde. Eine Beurtheilungslehre d. Fleisches unserer Schlachtthiere m. besond. Rücksicht auf die Gesundheitspflege d. Menschen u. die Sanitätspolizei f. Studirende, Thierärzte, Aerzte, Sanitätsbeamten u. Verwaltungsbehörden. Mit 36 (eingedr.) Holzschn. gr. 8. (X, 320 S.) Leipzig 884. F. C. W. Vogel. n. 6. —

Schmidt, Adf. Fr., Catechetica homiletica! Oder: Kurze Entwürfe zu Reden üb. die Christenlehrstoffe u. das Confirmations-Büchlein. Ein Beitrag zur evangel. Topik. gr. 8. (368 S.) Reutlingen 884. Kocher. n. 3. 20

Schmidt, Alb., Grundriss der Geschichte der europäischen Litteraturen. 1. u. 2. Bdchn. gr. 8. Leipzig 885. Hucke. geb. à n. 2. 50
1. Grundriss der Geschichte der italienischen Litteratur. (214 S.)
2. Grundriss der Geschichte der niederländischen Litteratur. (136 S.)

— dänische Unterrichtsbriefe, s.: Pedersen, H.

— holländische Unterrichts-Briefe, s.: Hoefmaert, J. F.

— Unterrichtsbriefe f. das Selbst-Studium der italienischen Sprache nach der Methode Toussaint-Langenscheidt, s.: Buonaventura, G.

— portugiesische Unterrichts-Briefe, s.: Bastos, J.

— schwedische Unterrichts-Briefe, s.: Hjerta, G.

Schmidt, Alex., Shakespeare-Lexicon. A complete dictionary of all the English words, phrases and constructions in the works of the poet. 2. ed. 2 vols. Lex.-8. (XI, 1451 S.) Berlin 886. G. Reimer. n. 24. —; geb. n.n. 29. —

Schmidt, Alex., e. Verzeichniss v. Vorlage-Werken f. decorative Malerei u. Bildhauerei, vom keram. Gesichtspunkt aus betrachtet u. besprochen. 1. Thl. gr. 8. (47 S.) Berlin 885. Claesen & Co. n. — 50

Schmidt, Alwin, üb. das Alexanderlied d. Alberic v. Besançon u. sein Verhältnis zur antiken Ueberlieferung. gr. 8. (82 S.) Bonn 886. (Behrendt.) n. 1. 20

Schmidt's, Andr., Moden-Zeitung f. Herren- u. Kinder-Garderobe, Livree rc. Hrsg.: Andr. Schmidt. 1—3. Jahrg. Octbr. 1883—Septbr. 1886. à 12 Nrn. (B. m. Modentableaux, Schnittmustertaf. rc.) Fol. Leipzig, Expedition, Gartenstr. 17. à Jahrg. n. 12. —

— die praktische Zuschneidekunst der gesammten Herren-garderobe. Ein Lehrbuch zum Selbstunterricht. Imp.-4. (VIII, 44 S. m. 81 Taf. u. 1 Proportionstab.) Ebend. 885. n. 12. —; geb. n. 15. —

Schmidt, Aug., sicherer Rathgeber über Pflege u. Erhaltung der Zähne. Eine populäre Anweisg., wie das Beginnen u. Fortschreiten der Zerstörg. der Zähne verhindert, u. schon theilweise zerstörte Zähne bis ins höchste Alter erhalten werden können. gr. 8. (32 S. m. 2 Steintaf.) München 883. Fritsch. n. — 80

Schmidt, Aug., „thue Recht u. scheue Niemand!" Der Höllenbrand od. d. Qual d. Gottlosen. 7. Aufl. 8. (32 S.) Berlin 885. Deutsche Evangel. Buch- u. Traktat-Gesellschaft. n. — 15

Schmidt, Aug., der Groß-Böttcher. Ein Hand- u. Lehrbuch f. Faßbinder. Mit 78 Abbildgn. 2. Ausg. gr. 8. (XII, 255 S.) Elberfeld 886. Loewenstein's Verl. 2. 40

Schmidt, B., Urkundenbuch der Vögte v. Weida, Gera u. Plauen, sowie der Hausklöster Mildenfurth, Cronschwitz, Weida u. z. h. Kreuz bei Saalburg, s.: Geschichtsquellen, thüringische.

Schmidt, Bernh., kurzgefaßte lateinische Stilistik. Für den Schulgebrauch bearb. 3. Aufl. 8. (VI, 74 S.) Leipzig 886. Teubner. geb. n. 1. 10

Schmidt, C., die Thermalwasser Kamtschatka's, s.: Mémoires de l'académie impériale des sciences de St.-Pétersbourg.

Schmidt, C., Hilfsbuch f. den evangelischen Religionsunterricht in den mittleren u. oberen Klassen v. Gymnasien u. Realgymnasien. 8. (IV, 100 S.) Breslau 885. Trewendt. cart. n. 1. 40

Schmidt, C., Wegweiser f. das Verständniss der Anatomie beim Zeichnen nach der Natur u. Antike. 2. Aufl. gr. 8. (IV, 47 S. m. Fig.) Tübingen 885. Laupp. n. 1. 60

Schmidt, C. v., s.: Im Zeichen des rothen Kreuzes.

Schmidt, C. A., Rettung der Eisenbahnpassagiere bei Unglücksfällen. Rathschläge in Bezug auf das Verhalten der Passagiere: a) während der Fahrt, b) beim Anhalten des Zuges, u. c) bei vorkomm. Unglücksfällen. Mit 21 Holzschn. 8. (31 S.) St. Petersburg 885. (Hoenniger.) n. 1. —

Schmidt, C. A., der rationelle Hufbeschlag, in Wort u. Bild dargestellt. Nebst Abdruck d. Gesetzes vom 18. Juni 1884 betr. den Betrieb d. Hufbeschlage-Gewerbes, der Prüfungs-Ordng. f. Hufschmiede, u. d. Statuts der Hufbeschlags-Lehranstalt d. landwirtschaftl. Central-Vereins f. Schlesien zu Breslau. Mit 74 Holzschn. 8. (VIII, 158 S.) Breslau 885. Korn. cart. n. 2. —

Schmidt, C. M., die Cholera-Epidemie zu Riga im J. 1871, nebst e. Rückblick auf die früheren Cholera-Ausbrüche daselbst, nach Zählkarten der Gesellschaft prakt. Aerzte u. deren Protocollen, dargestellt. Veröffentlicht durch die Rigasche Sanitäts-Commission. gr. 8. (19 S. m. 3 Tab. u. 1 color. Plan.) Riga 886. (Kymmel's Sort.) n. 1. —

Schmidt, C. M., 130 Alphabete, Verzierungen, Einfassungen, Initialen in Conturen, f. technische Arbeiten etc. zusammengestellt. qu. 4. (82 Steintaf.) Berlin 885. (Eberswalde, Rust's Nachf.) n. 3. —

Schmidt, C. W. O., die zeichnerische Ausführung der Bauzeichnungen m. bezug auf die farbige Darstellung u. die Schraffirung. Als Lehrbuch f. die Studierenden d. Baufaches u. die Schüler der Baugewerks- u. Handwerkerschulen, sowie zum prakt. Gebrauch f. Bau-, Maurer- u. Zimmermeister bearb. Mit 59 Fig. auf 11, teils in Farben dargestellten Zeichentaf. Lex.-8. (24 S.) Leipzig 886. Gebhardt. n. 2. 80

Schmidt, Carl, das Empyema pleurae. Statistische Untersuchgn. u. casuist. Mittheilgn. [Beobachtungen aus dem allgem. Krankenhaus zu Riga.] 4. (106 u. Anh. 40 S.) Dorpat 883. (Karow.) n. 2. —

Schmidt, Carl, u. Rosalie **Schmidt**, methodische Anleitung f. geometrische Zuschnittlehre, Weißnähen, Maschinennähen u. praktisches Kleidermachen, nebst 50 Illustr. u. Tabellen f. mehr als 100 Muster. Zum Schul- u. Hausgebrauch. 2. Aufl. gr. 8. (VI, 81 S.) München 883. Lindauer. n. 3. 50

Schmidt, Carl v., Instruktionen, betr. die Erziehung, Ausbildung, Verwendung u. Führung der Reiterei v. dem einzelnen Manne u. Pferde bis zur Kavallerie-Division. Auf Veranlassg. Sr. Königl. Hoheit d. General-Feldmarschalls Prinzen Friedrich Karl v. Preußen, Inspekteur der Kavallerie, geordnet u. in wortgetreuer Wiedergabe der Originalien zusammengestellt durch v. Vollard-Bockelberg, eingeleitet durch Kähler. 2. Aufl. Mit dem (Lichtdr.-)Bildniß d. Generals v. Schmidt. gr. 8. (XXV, 372 S.) Berlin 885. Mittler & Sohn. n. 6. —

Schmidt, Carl Ed., Parallel-Homer od. Index aller homerischen Iterati in lexikalischer Anordnung. gr. 8. (VIII, 250 S.) Göttingen 885. Vandenhoeck & Ruprecht's Verl. n. 6. —

Schmidt, Carl Heinr., technologisches Skizzenbuch. Eine systematisch geordnete Zusammenstellg. skizzirter Zeichngn. der Oefen, Maschinen u. Werkzeuge, welche bei der Darstellg. v. Roheisen, Schmiedeeisen, Stahl, Zinn, Zink, Blei u. Kupfer, sowie bei Verarbeitg. der Metalle, Hölzer u. Gespinnstfasern vorzugsweise in Anwendg. kommen. Zum Gebrauch f. techn. Lehranstalten u. Universitäten, sowie zum Selbststudium f. Techniker u. Gewerbetreibende bearb. 54 (lith.) Taf. m. 1055 Fig. Neue Ausg. qu. Fol. Stuttgart 883. A. Koch. n. 8. —

Schmidt, Curt, üb. Kernveränderung in den Secretionszellen. [Aus dem physiolog. Institut zu Breslau.] gr. 8. (39 S.) Breslau 882. (Köhler.) n. 1. —

Schmidt, D., v. der Gnadenwahl. Predigt, am 20. Sonntag nach Trinitatis 1883 üb. Matthäi 22, 1—14 geh. gr. 8. (16 S.) Elberfeld 883. (Bädeker.) n. — 30

— Lutherus redivivus od. was würde Luther heute thun? Festrede bei der Feier d. 400jährigen Geburtstages Dr. Martin Luthers in der evangelisch-lutherischen Gemeinde zu Cöln am 4. Nov. 1883 geh. gr. 8. (27 S.) Ebend. 883. n. — 50

— „Philister üb. dir, Simson!" Ansprache, geh. am 2. Novbr. 1884 beim Jahresfest d. evang.-luther. Jünglingsvereins zu Köln. gr. 8. (15 S.) Köln 884. Roemke & Co. n. — 30

Schmidt, E., die Entwicklung d. naturgeschichtlichen Unterrichts an höheren Lehranstalten. gr. 8. (IV, 52 S.) Berlin 886. Friedberg & Mode. n. 1. —

Schmidt's, E. A., Grundriß der Weltgeschichte f. Gymnasien, höhere Lehranstalten u. zum Selbstunterricht. 3. Tl.: Die neue Zeit. 10. Aufl., besorgt v. G. Diestel. gr. 8. (VII, 184 S.) Leipzig 886. Teubner. 1. 50

Schmidt, Erich, Charakteristiken. gr. 8. (VII, 498 S.) Berlin 886. Weidmann. n. 8. —; geb. n. 10. —

— Lessing. Geschichte seines Lebens u. seiner Schriften. 1. Bd. u. 2. Bd. 1. Abth. gr. 8. Ebend. n. 12. —
I. (VII, 487 S. m. rad. Portr.) 884. n. 7. —
II. (VI, 346 S.) 886. n. 5. —

Schmidt, Ernst, de Ciceronis commentario de consulatu graece scripto a Plutarcho in vita Ciceronis expresso. gr. 8. (44 S.) Lubecae 884. (Jena, Deistung.) n. — 60

Schmidt, Ernst, Anleitung zur qualitativen Analyse. Zum Gebrauch im pharmaceutisch-chem. Laboratorium zu Marburg bearb. 2. Aufl. gr. 8. (IV, 70 S.) Halle 885. Tausch & Grosse. cart. n. 2. —

— ausführliches Lehrbuch der pharmaceutischen Chemie. Mit Holzst. u. e. farb. Spectraltaf. [In 2 Bdn.] 2. Bd. Organische Chemie. 2. u. 3. Abth. gr. 8. (XXVIII u. S. 513—1295.) Braunschweig 882. Vieweg & Sohn. n. 15. — (cplt.: n. 43. —)

Schmidt, F., Anleitung f. Lehrerinnen in Töchterschulen zur Ertheilung d. Schul-Unterrichtes in der Maschinen-Nähtunde f. den häusl. Bedarf. 8. (20 S.) Berlin 886. Harrwitz Nachf. — 75

Schmidt, F., der moderne Materialismus. Dargestellt u. kritisch beleuchtet. gr. 8. (IV, 68 S.) Greifswald 884. Abel. n. 1. 20

Schmidt, F., Behandlung deutscher Musterstücke. Ein Hilfsbuch f. Lehrer u. Seminaristen. gr. 8. (VII, 191 S.) Breslau 883. Aderholz. n. 1. 80; geb. n. 2. —

Schmidt, F., der Hausgarten, m. e. Anh. üb. Blumen- u. Blumenzwiebelcultur, nach prakt. Erfahrgn. bearb. 8. (80 S.) Reutlingen 883. Bardtenschlager. — 75

Schmidt, F., Adelhaide v. Nuret od. die Verbannung im Kloster. Harte Schicksale e. tugendhaften Mädchens. Eine Erzählg. aus dem vor. Jahrh. 8. (64 S.) Reutlingen 883. Bardtenschlager. — 25

Schmidt, F., miscellanea silurica, — Revision der ostbaltischen silurischen Trilobiten, } s.: Mémoires de l'académie impériale des sciences de St.-Pétersbourg.

Schmidt, F., die junge Griechin am Hofe d. Kaisers Nero, s.: Spiegelbilder aus dem Leben u. der Geschichte der Völker.

Schmidt-Warneck, F., die Nothwendigkeit e. social-politischen Propädeutik. 2. Aufl. m. dem Ergänzungskapitel: Volkheit u. Volkhaftigkeit. gr. 8. (227 S.) Berlin 885. Puttkammer & Mühlbrecht. n. 6. —

— die Sociologie Fichte's. gr. 8. (215 S.) Ebend. 884. n. 5. 50

— die Volksseele u. die politische Erziehung der Nation. Lex.-8. (471 S.) Ebend. 884. n. 9. —

Schmidt, F. G. A., Handelsgesellschaften in den deutschen Stadtrechtsquellen d. Mittelalters, s.: Untersuchungen zur deutschen Staats- u. Rechtsgeschichte.

Schmidt, F. W., kritische Studien zu den griechischen Dramatikern, nebst e. Anh. zur Kritik der Anthologie. 1. Bd. Zu Aeschylos u. Sophokles. gr. 8. (XIV, 282 S.) Berlin 886. Weidmann. n. 8. —

Schmidt, Ferd., an elementary German grammar and reading book. 8. (VIII, 145 S.) Wiesbaden 884. Bergmann. geb. n. 2. 70

Schmidt, Ferd., es giebt e. Wiedersehen. Dichter- u. Denker-Stimmen aus alter u. neuer Zeit üb. die Unsterblichkeit u. Trostworte an Gräbern. 8. (XIV, 172 S.) Jena 884. Costenoble. n. 1. 50; geb. n. 2. 65

Schmidt, Ferd., Bilder aus den Freiheitskriegen [1813—1815]. 8. (124 S. m. 1 Titelbild.) Düsseldorf 884. F. Bagel. cart. 1. —

— Bilder aus d. Zeit Friedrich Wilhelms III. u. Luisens [1800—1809]. 8. (114 S. m. 2 Bildern.) Ebend. 883. cart. 1. —

— Fürst Bismarck 1815—1885. 8. (60 S. m. 1 Holzschn.-Portr.) Augsburg 885. Reichel. n. — 50

— Buch deutscher Märchen. Für Schule u. Haus gesammelt. 4. Aufl. Mit 4 farb. Bildern v. Offterdinger. gr. 8. (V, 230 S.) Berlin 885. Haack. geb. n. 3. —

— der Cisterzienser. Eine Erzählg. aus der Zeit d. Markgrafen Otto I. v. Brandenburg. 8. (120 S. m. 2 Bildern.) Düsseldorf 886. F. Bagel. cart. 1. —

— Egilbert. Eine Erzählg. aus der Zeit Albrechts d. Bären. 8. (128 S. m. 2 Bildern.) Ebend. 886. cart. 1. —

— frei vom Dänenjoche! Erzählung aus den J. 1863 u. 1864. 8. (121 S. m. 1 Titelbild.) Ebend. 884. cart. 1. —

— der Götterhimmel der Germanen. 8. (VIII, 132 S.) m. 1 Holzschntaf.) Wittenberg 886. Herrosé's Verl. n. 1. 60; geb. n. 2. 40

— Homers Iliade u. Odyssee. Illustriert von W. v. Kaulbach u. Flaxman. 8. Aufl. 2 Bde. 8. (VIII, 194 u. 208 S.) Leipzig 885. Oehmigke's Verl. In 1 Bd. geb. n. 4. —; einzeln cart. à n. 1. 50

Schmidt's, Ferd., deutsche Jugendbibliothek, begründet v. Ferd. Schmidt, fortgeführt [v. Bd. 62 an] durch Jul. Lohmeyer u. Ferd. Schmidt. 3—7. 10. 11. 13—15. 25. 28—30. 32. 33. 35. 36. 41. 42. 45. 47. 49. 50. 53—57. 60—73. Bd. 12. Kreuznach 883—86. Voigtländer's Verl. à n. — 75; geb. à n. 1. —

3. Richard's Fahrt nach dem heiligen Lande. Ein histor. Gemälde v. Ferd. Schmidt. 6. Aufl. (172 S.)
4. Hermann u. Thusnelda. Ein geschichtl. Gemälde aus der deutschen Vorzeit f. Jung u. Alt v. Ferd. Schmidt. 6. Aufl. (117 S.)
5. Die Nibelungen. Eine Heldendichtg. Für Jung u. Alt erzählt v. Ferd. Schmidt. 8. Aufl. (408 S.)
6. Herder als Knabe u. Jüngling. Für Jung u. Alt erzählt v. Ferd. Schmidt. 9. Aufl. (164 S.)
7. Die Türken vor Wien. Ein histor. Gemälde. Für Jung u. Alt erzählt v. Ferd. Schmidt. 6. Aufl. (108 S.)
10. Der Christbaum. Eine Erzählg. f. Jung u. Alt v. Ferd. Schmidt. Als Anh.: Weihnachten. Ein ländl. Gedicht v. A. Merget. 6. Aufl. (166 S.)
11. Der Köhler u. die Prinzen. Der schönste Weihnachtsbaum. 2 Erzählgn. Für Jung u. Alt hrsg. v. Ferd. Schmidt. 6. Aufl. (158 S.)
13. Johann Gottlieb Fichte. Ein Lebensbild f. Jung u. Alt v. Ferd. Schmidt. 4. Aufl. (86 S.)
14. Epheuranken. Erzählungen u. Märchen. Eine Gabe f. die Jugend v. Ferd. Schmidt. 6. Aufl. (123 S.)
15. Gudrun. Eine Erzählg. aus der deutschen Heldenzeit. Für Jung u. Alt v. Ferd. Schmidt. 6. Aufl. Mit 4 Illustr. (110 S.)
25. Aus der Jugendzeit d. großen Kurfürsten. Ein histor. Gemälde v. Ferd. Schmidt. 5. Aufl. (159 S.)
28. König Lear. Eine Erzählg. v. Ferd. Schmidt. 4. Aufl. (151 S.)
29. Der Kaufmann v. Venedig. Macbeth. 2 Erzählgn. f. Jung u. Alt v. Ferd. Schmidt. 3. Aufl. (100 S.)
30. Walther u. Hildegunde. Der Rosengarten. 2 Heldensagen. Für Jung u. Alt erzählt v. Ferd. Schmidt. 6. Aufl. (92 S.)
32. Die Frithiof-Sage v. Ferd. Schmidt. 6. Aufl. (89 S.)
33. Goethe's Jugend u. Jünglingszeit. Ein Lebensbild für Jung u. Alt v. Ferd. Schmidt. 4. Aufl. (141 S.)
35. 42. Deutsche Kriege 1864. 1866. 1870—71. Von Ferd. Schmidt. 2 Bde. 3., resp. 4. gänzlich umgearb. Aufl. Mit je 1 Illustr. (à 139 S.)
36. Georg Washington. Ein Lebensbild f. Jung u. Alt v. Ferd. Schmidt. 4. Aufl. (146 S.)
41. Gewalt u. List Frankreichs gegen Deutschland seit 300 Jahren. Geschichtsbilder v. Ferd. Schmidt. 3. Aufl. (VI, 124 S. m. Titelbild.)
45. Moses Mendelssohn. Ein Lebensbild v. Ferd. Schmidt. 3. Aufl. Mit Portr. (115 S.)
47. Gotthold Ephraim Lessing. Ein Lebensbild v. Ferd. Schmidt. 3. Aufl. (122 S.)
49. Unter deutscher Flagge. Von R. Palm. 2. Aufl. (100 S.)
50. Eriwulf. Eine Erzählg. aus der Zeit der Völkerwanderg. v. W. Schmidt. 2. Aufl. (130 S.)
53. Indianer-Geschichten. Sagen u. Erzählgn. von Fr. C. v. Wickede. 2. Aufl. (95 S.)
54. Manfred v. Tarent. Eine histor. Erzählg. f. die Jugend v. Ludw. Fern. 2. Aufl. (128 S.)
55. Die sicilianische Vesper. Eine histor. Erzählg. für die Jugend v. Ludw. Fern. 2. Aufl. (128 S.)
56. 57. Aus alten Tagen. Kinderbriefe u. Märchen v. Luise Firle. 2. Aufl. Mit 8 Farbendr.-Bildern. 2 Tle. in 1 Bd. (à 146 S.)
60. Albrecht Dürer. Ein deutsches Künstlerleben. Von Rud. Pfleiderer. Mit 4 Abbildgn. (156 S.)
61. Kloster u. Abt. Ein Kulturbild aus der Zeit vor der Reformation. Zur Erinnerg. an Johannes Trithemius, Abt v. Sponheim. Von M. Schneegans. Mit 4 Holzschn. nach alten Originalen. (156 S.)
62. Geschichte u. Dichtung. Vier Erzählgn. von Joh. v. Wildenradt. Mit 6 Holzschn. nach Zeichngn. v. Wold. Friedrich, Johs. Gehrts u. Aug. Klimsch. (160 S.)
63. Erzählungen aus Sage u. Geschichte. Von Adf. Frey. Mit 5 Holzschn. nach Zeichngn. v. Wold. Friedrich, Johs. Gehrts, Aug. Klimsch u. J. Kotschenreuther. (145 S.)
64. Lust u. Lehre. 5 Erzählgn. f. die Jugend v. Wilh. Fischer. Mit 10 Holzschn. nach Zeichngn. v. Aug. Klimsch, K. Offterdinger u. Jul. Kleinmichel. (188 S.)
65. Bunter Strauß. Erzählungen. Märchen u. Erinnerungsblätter v. Jul. Lohmeyer. Mit 6 Holzschn. nach Zeichngn. v. Aug. Klimsch. (147 S.)
66. 67. Thier- u. Jagdgeschichten. Schilderungen f. junge Leser v. A. W. Grube. Mit e. Titelbild in Farbendr. u. 16 Holzschn. (291 S.) In 1 Leinw.-Bd. n. 2. 80
68. 69. Kämpfe u. Helden. Schilderungen aus der deutschen Geschichte von Feod. v. Köppen. Mit e. Titelbild in Farbendr. u. 18 Holzschn. (325 S.) In 1 Leinw.-Bd. n. 2. 80
70. 71. Sang u. Sage. Erzählungen aus Deutschlands Vorzeit v. Wilh. Osterwald. Mit e. Titelbild in Farbendr. u. 17 Holzschn. (378 S.) In 1 Leinw.-Bd. n. 2. 80
72. Heldenfahrten. Erzählungen aus Deutschlands Vorzeit. Von Gust. Schalk. Mit 1 Titelbild. (168 S.)
73. Feierstunden. Erzählungen f. junge Mädchen. Von M. Rieser. Mit 1 Titelbild. (162 S.)

Schmidt's, Ferd., Jugendschriften. Ausg. in Serien. 1. u. 2. Serie in à 6 Bdchn. 8. Mit je 2 Bildern. Düsseldorf 885. F. Bagel. cart. in Futteral à Serie 5. —; einzeln à Bdchn. 1. —

I. 1. Wilhelm v. Zesen. Eine Erzählg. aus der Zeit König Friedrichs I. (123 S.)
2. Der Hülfsschreiber d. Königs. Eine Erzählg. aus der Regierungszeit Friedrich Wilhelms I. v. Preußen. (106 S.)
3. Der Rittmeister. Eine Erzählg. aus der Zeit Friedrichs d. Großen. (124 S.)
4. Ein verlorener Sohn. Eine Erzählg. aus der Zeit König Friedrich Wilhelm II. (126 S.)
5. Bilder aus der Zeit Friedrich Wilhelm III. u. Luisens [1800 bis 1809]. (114 S.)
6. Nacht u. Morgen. Eine Erzählg. aus den J. 1812 u. 1813. (124 S.)

II. 1. Bilder aus den Freiheitskriegen. [1813—1815.] (124 S.)
2. Künstler u. Handwerker. Eine Erzählg. aus der Zeit von 1815 bis 1830. (124 S.)
3. Frei vom Dänenjoche. Erzählung aus den J. 1863 u. 1864. (121 S.)
4. Drei eiserne Männer. (124 S.)
5. Königgrätz. (119 S.)
6. Ans Vaterland, ans teure, schließ' dich an. Eine Erzählg. aus den J. 1866 bis 1871. (110 S.)

— für jüngere Knaben u. Mädchen. Erzählungen u. Märchen. Mit 6 eleganten Farbendr.-Bildern. 8. Aufl. 8. (283 S.) Leipzig 885. Oehmigke. geb. n. 3. —

— der siebenjährige Krieg. 5., verm. Aufl. Mit 10 Text-Abbildgn. u. e. Titelbild nach Zeichngn. v. Ludw. Burger u. a. 8. (VI, 96 S.) Leipzig 883. Spamer. n. 1. —; geb. n. 1. 25

— deutsche Kriege 1864. 1866. 1870—71. Mit 7 Illustr. 12. (279 S.) Kreuznach 883. Voigtländer's Verl. geb. 2. 50

— Künstler u. Handwerker. Eine Erzählg. aus der Zeit von 1815 bis 1830. 8. (124 S. m. 1 Titelbild.) Düsseldorf 884. F. Bagel. cart. 1. —

— Martin Luther. Ein Lebensbild. Ausg. zur 400jähr. Lutherfeier. 8. (VIII, 128 S.) Leipzig 883. Fr. Richter. geb. n. 1. —

— Nacht u. Morgen. Eine Erzählg. aus den J. 1812 u. 1813. 8. (124 S. m. 2 Bildern.) Düsseldorf 883. F. Bagel. cart. 1. —

— Preußens Geschichte in Wort u. Bild. Ein Hausbuch f. Alle. 3. sehr verb. Aufl. Mit gegen 700 Text-Illustr., zahlreichen Tonbildern, Bildnissen m. Facsms. v. Namensunterschriften, Karten ꝛc. Nach Zeichngn. v. Ludw

de l'académie impériale des sciences de St. Pétersbourg.

Schmaltz, B., vier Predigten, gedruckt zum Andenken f. die Gemeine u. Freunde d. Heimgegangenen. 8. (38 S.) Teterow 883. (Güstrow, Opitz & Co.) n. — 40

Schmaltz, Heinr., die Taubstummen im Königr. Sachsen. Ein Beitrag zur Kenntniss der Aetiologie u. Verbreitg. der Taubstummheit. Mit 2 (lith.) Taf. gr. 8. (IV, 195 S.) Leipzig 884. Breitkopf & Härtel. n. 6. —

Schmarje, J., Geschäftsaufsätze in kalligraphischer Ausführung zum Gebrauche in Volks- u. Fortbildungsschulen. 23 lith. Blatt. 4. Flensburg 883. Westphalen. In Umschlag. n. 2. —

— Methodik d. Schreibunterrichts. Mit 4 lith. Taf. 2. Aufl. gr. 8. (48 S. m. 4 Steintaf.) Ebend. 886. n. 1. 20

— Postheft f. Schule u. Haus. 2. Aufl. 4. (32 S.) Ebend. 885. n. — 40

— Rundschrift, f. Schule u. Haus bearb. 3. Aufl. 4. (40 lith. S.) Ebend. 886. n. — 40

— Schule der Rundschrift f. gehobene Volksschulen, Gewerbeschulen u. höhere Lehranstalten. 1. u. 2. Hft. 4. (à 24 lith. S.) Hamburg 884. J. F. Richter. à n. — 30

— methodische Vorlagen zum Schönschreiben in deutscher u. lateinischer Schrift. 72 (lith.) Blatt. 4. Flensburg 883. Westphalen. In Umschlag. n. 4. —

— Wandtafeln zur „Schule der Rundschrift". Imp.-Fol. (5 Steintaf.) Hamburg 884. J. F. Richter. n. 2. 50; auf Pappe n. 7. 50

Schmarsow, Aug., Donatello. Eine Studie üb. den Entwicklungsgang d. Künstlers u. die Reihenfolge seiner Werke. Festgabe zum 500jähr. Jubiläum der Geburt Donatello's. Mit 3 Lichtdr.-Taf. nach e. verloren geglaubten Werke d. Meisters. Publication d. Vereins f. Geschichte der bild. Künste zu Breslau 1886. hoch 4. (IV, 56 S.) Leipzig 886. (Breitkopf & Härtel.) n. 4. —

— J.-A.-D. Ingres, s.: Kunst u. Künstler d. 19. Jahrh.

— Melozzo da Forli. Ein Beitrag zur Kunst- u. Kulturgeschichte Italiens im XV. Jahrh. Imp.-4. (VIII, 408 S. m. 27 Taf.) Stuttgart 886. Spemann. n. 100. —

— Pierre Paul Prudhon, s.: Kunst u. Künstler d. 19. Jahrh.

Schmeckebier, O., Abriss der deutschen Verslehre u. der Lehre v. den Dichtungsarten. Zum Gebrauch beim Unterricht. 2. Aufl. gr. 8. (28 S.) Berlin 886. Weidmann. cart. n. — 40

— deutsche Verslehre. gr. 8. (VI, 148 S.) Ebend. 886. n. 3. —

Schmeding, T., die klassische Bildung in der Gegenwart. gr. 8. (VII, 204 S.) Berlin 885. Bornträger. n. 3. —

— die Reform d. höheren Unterrichtswesens in Deutschlands Nachbarländern, speziell in der belgischen Kammer. gr. 8. (20 S.) Duisburg 883. (Ewich.) n. — 40

Schmeidler, Johs., die religiösen Anschauungen Friedrich Fröbels, s.: Zeit- u. Streit-Fragen, deutsche.

— der Glaube an die göttliche Vorsehung. Ein Gang durch die Bibel. Vortrag. gr. 8. (16 S.) Berlin 886. Haack. — 30

— Gotteskindschaft u. Geistesfreiheit. 12 Predigten u. Reden. gr. 8. (V, 98 S.) Ebend. 884. n. 2. —

— wer Dr. Martin Luther war u. was die deutschen Protestanten nach 400 Jahren v. ihm lernen sollen. Ein Lebensbild. 8. (132 S.) Berlin 883. Burmester & Stempell. n. — 40

Schmeier, Bernh., de translationibus ab homine petitis apud Aeschylum et Pindarum commentatio. gr. 8. (78 S.) Königsberg 882. (Beyer.) n. 1. 20

Schmeil, Rob., Lutherlieder. Jubiläumsgabe an Lutherfreunde. 8. (VI, 138 S.) Leipzig 883. Buchh. d. Vereinshauses. n. 1. 80; geb. n. 2. 80

Schmeißer, Ernst, Hilfsbuch zur Befestigung d. Unterrichts in Geographie, Geschichte, Naturgeschichte u. Naturlehre f. die 6. u. 7. Klasse der Volksschule. Nach den Bestimmgn. der mittelfränk. Lehrordng. v. 1877 bearb. 2. Aufl. 8. (III, 87 S.) Fürth 887. Eßmann. n. — 60

Schmeisser, Geo., Beiträge zur Kenntnis der Technik der etruskischen Haruspices. I. Zur Erklärg. u. Deutung der Prodigien. gr. 4. (9 S.) Landsberg a/W. 884. (Schaeffer & Co.) n. 1. —

— die spanischen u. portugiesischen Kontingente in der Armee d. 1. Kaiserreichs. 4. (18 S.) Ebend. 886. n. 1. —

— le régiment de Prusse. Eine militärgeschichtl. Skizze aus der napoleon. Zeit. 4. (12 S.) Ebend. 885. n. 1. —

Schmekel, Aug., de Ovidiana Pythagoreae doctrinae adumbratione. gr. 8. (87 S.) Gryphiswaldensiae 885. (Berlin, W. Weber.) n. 1. 20

Schmeling, Carl, das Ausstopfen u. Konservieren der Vögel u. Säugetiere. Eine Anleitg., das Ausstopfen der Vögel u. Säugetiere durch Selbstunterricht zu erlernen. Mit 34 Holzschn. 6. Aufl. 8. (94 S.) Berlin 883. Mode's Verl. 1. 50

Schmeller, J. A., s.: Carmina Burana.

— die Ephesier. Drama in 3 Akten. Als Festgabe d. k. Wilhelmsgymnasiums in München zu Schmellers Säkularfeier aus dem literar. Nachlasse desselben veröffentlicht v. Johs. Nicklas. gr. 8. (XIII, 58 S.) München 885. (Rieger.) n. 1. 20

Schmeller, Joh. Andr., Denkrede auf ihn, s.: Hofmann, K.

— Leben u. Wirken, s.: Nicklas, J.

Schmeltzl, W., Samuel u. Saul, s.: Neudrucke, Wiener.

Schmelz, Rhard., 14 Grabgesänge f. Männerchöre, ausgewählt u. hrsg. gr. 8. (31 S.) Philadelphia 885. Schäfer & Koradi. 1. —; geb. 1. 50

Schmelzeis, Joh. Phil., Rüdesheim im Rheingau von seinen Anfängen bis zur Gegenwart. 12. (IV, 228 S.) Rüdesheim 881. (Wiesbaden, Moritz & Münzel.) n.n. 1. —

Schmelzer, das Schulberechtigungswesen, s.: Schriften d. Liberalen Schulvereins Rheinlands u. Westfalens.

Schmelzer, A., Erzählungen aus der Sage u. Geschichte d. Altertums. Mit üb. 100 Abbildgn. im Text u. 20 Einschaltbildern v. H. Knackfuß. gr. 8. (XIV, 646 S.) Bielefeld 887. Velhagen & Klasing. geb. n. 8. —

— Leitfaden f. den Geschichts-Unterricht in Mittelschulen u. den unteren Klassen höherer Lehranstalten. 7. Aufl. 8. (VIII, 400 S.) Ebend. 886. geb. n. 1. 80

— Leitfaden f. den Geschichts-Unterricht in mehrklassigen Volksschulen. 2. Aufl. 8. (144 S.) Minden 886. Hufeland. cart. n. 1. —

— die deutsche Reformation. Dem protestant. Volke geschildert. 8. (V, 256 S. m. Luther's Holzschn.-Portr.) Merseburg 883. Rößner's Buchdr. n. 1. —

Schmelzer, Carl, e. Verteidigung Platos. Studie. gr. 8. (34 S.) Bonn 885. Cohen & Sohn. n. — 60

Schmelzer, Herm., Notizen, Tabellen u. Accorde aus dem Maschinenbau. Eine Sammlg. v. Beispielen, Resultaten u. Erfahrgn. aus der Praxis, zur Anwendung bei Constructionen, Festsetzg. v. Accorden u. Veranschlaggn. v. Maschinen u. Maschinentheilen. Für Fabrikanten, Betriebsleiter, Ingenieure, Werkmeister etc. u. m. besond. Berücksicht. der Bedürfnisse v. Zuckerfabriken. Mit e. Atlas v. 26 (autogr.) Taf. (in qu. Fol.). gr. 8. (VIII, 188 S.) Leipzig 888. Baumgärtner. n. 6. —

— die Werkstätten-Buchführung f. den Maschinenbau. Eine pract. Anleitg. zur zweckmäss. Einrichtg. u. Führg. aller f. den rationellen Betrieb v. Eisengiessereien u. Maschinenfabriken nothwend. Bücher. Für Fabrikanten, Betriebsleiter, Ingenieure, Werkmeister etc. verf. 2. Aufl. gr. 8. (IV, 72 S.) Ebend. 884. n. 2. —

Schmelzkopf, J., u. A. Ulrich, Rechenaufgaben. 1., 2. u. 4. Hft. 8. (44 S.) Bremen, Heinsius. n.n. 2. 40

1. 5. Aufl. (44 S.) 885. n. — 60. — 2. 6. Aufl. (72 S.) 884. n. — 80. — 4. 5. Aufl. (51 S.) 886. n.n. 1. —

— — dasselbe. Antworten zum 4—6. Hft. 8. Ebend. n. 1. 60

4. (16 S.) 881. n. — 40. — 5. (8 S.) 881. n. — 40. — 6. (18 S.) 883. n. — 80

hauptsächlichster Kostenfactor in Civilstreitigkeiten. gr. 8. (IV, 86 S.) Leipzig 884. Roßberg. n. 2. —

Schmidt, Johs., Jugenderinnerungen, nebst pädagog. u. kulturhistor. Exkursionen u. Reflexionen. Der deutschen Lehrerwelt zur Erholg., Vergleichg. u. Anregg. gewidmet. gr. 8. (218 S.) Leipzig 884. Siegismund & Volkening. n. 2. —

Schmidt, Jos., Lehrbuch d. preuß. Rechts u. Prozesses m. Rücksicht auf die Reichsgesetzgebung, das gemeine Recht u. den gemeinrechtlichen Prozeß. 7. v. e. höheren Justizbeamten bis auf die Neuzeit ergänzte Aufl. 1. Bd. Landrecht. 2—12. (Schluß-)Lfg. gr. 8. (X u. S. 81—960.) Breslau 883. Maruschke & Berendt. à n. 1. 50

— dasselbe. 2. Bd. Familien- u. Erbrecht. 4 Lfgn. gr. 8. (307 S.) Ebend. 883. à n. 1. 50

— dasselbe. 8. bis auf die Neuzeit ergänzte Aufl. 3. Bd., enth. den speciellen Theil d. Handelsrechts einschließlich d. Seerechts, das Wechsel-, Lehn-, Kirchen-Recht, c. kurzen Abriß d. preuß. u. deutschen Verfassungsrechts u. die Hinterlegungsordng. vom 14. März 1879. gr. 8. (VIII, 184 u. Anh. 36 S.) Ebend. 884. n. 3. —

— dasselbe. 7. Aufl. 4. Bd. Konkurs-Ordng., Strafrecht u. Strafprozeß-Ordng. gr. 8. (IV, 208; IV, 78 u. VII, 312 S.) Ebend. 883. n. 11. —

— dasselbe. 5. Bd. Civilprozeßordnung. gr. 8. (XII, 536 S.) Ebend. 883. n. 10. —

— dasselbe. Ergänzungsheft. Die Zwangsvollstreckung in das unbewegliche Vermögen nach dem Gesetz vom 13. Juli 1883. gr. 8. (VI, 107 S.) Ebend. 884. n. 1. 60

Schmidt, Julian, Geschichte der deutschen Litteratur von Leibniz bis auf unsere Zeit. (In 5 Bdn.) 1. u. 2. Bd. 1670—1783. gr. 8. (XVI, 341 u. VIII, 352 S.) Berlin 886. Hertz. à n. 7. —; geb. in Leinw. à n. 8. —; in Halbldr. à n. 10. —

Schmidt, Jul., Weihnachtsfreuden in der Kinderstube. Ein hübsches (Zieh-)Bilderbuch f. artige Kinder. 4. (6 Chromolith. m. 6 S. Text.) Fürth 885. Schaller & Kirn. geb. n. 3. —

Schmidt, K. A., Klassen-Wand-Tabelle, welche populär erklärt, wie man richtig sitzen, stehen u. gehen soll, ohne seinen Organismus übermässig anzustrengen. Der lern. Jugend gewidmet. Mit 29 gravirten Zeichnungen. Imp.-Fol. St. Petersburg 883. (Schmitzdorff.) — 75

Schmidt, K. Alb. L., der Unterrichtsstoff aus der deutschen Grammatik, f. Bürgerschulen ausgewählt u. nach Stufen zusammengestellt. 3. Aufl. 8. (IX, 119 S.) Frankfurt a/O. 882. Harnecker & Co. geb. n. 1. —

Schmidt's, Karl, Geschichte der Erziehung u. d. Unterrichts. Für Schul- u. Predigtamts-Candidaten, f. Volksschullehrer, f. gebildete Eltern u. Erzieher übersichtlich dargestellt. 4. Aufl. v. Wichard Lange. gr. 8. (XI, 566 S.) Köthen 883. Schettler's Verl. n. 5. —

— Geschichte der Pädagogik, dargestellt in weltgeschichtl. Entwicklg. u. im organ. Zusammenhange m. dem Culturleben der Völker. 4., vielfach verm. u. verb. Aufl. v. Wichard Lange. 3. Bd.: Die Geschichte der Pädagogik von Luther bis Pestalozzi. gr. 8. (XVI, 830 S.) Ebend. 883. n. 9. —

Schmidt, Karl, lateinische Schulgrammatik. 6. verb. u. verkürzte Aufl. gr. 8. (VIII, 270 S.) Wien 883. Hölder. geb. n. 2. 90

Schmidt, Karl, slavische Geschichtsquellen zur Streitfrage üb. das Jus primae noctis. gr. 8. (34 S.) Posen 886. Jolowicz. n. 1. 20

— der § 830 der deutschen Strafprozeßordnung. Erläutert u. beurtheilt. gr. 8. (III, 72 S.) Mannheim 885. Bensheimer's Verl. n. 1. —

Schmidt-Beauchez, L., die Kunst, die französische Sprache zu erlernen, s.: Kunst, die, der Polyglottie.

Schmidt, Leop., das akademische Studium d. künftigen Gymnasiallehrers. Rede. 2. Aufl. gr. 8. (22 S.) Marburg 883. Elwert's Verl. n. — 50

Schmidt, Ludw., zur Geschichte der Langobarden. gr. 8. (80 S.) Leipzig 885. Fock. n. 1. 20

Schmidt, Ludw., Offenbach am Main, sonst u. jetzt. Mit e. Ansicht in Farbendr.: Offenbach im J. 1783. gr. 8. (26 S.) Offenbach 885. Heß. n. — 50

Schmidt-Stoltenburg, Ludw., sieben Freier im Hause. Lustspiel in 5 Aufzügen. 8. (III, 168 S.) Dresden 886. Pierson's Verl. n. 2. —

Schmidt, Ludw. Heinr., Repetitorium d. Handels-, See- u. Wechselrechts f. Studirende u. Prüfungs-Candidaten. Bearb. nach den gebräuchl. neuesten Lehrbüchern u. hrsg. 2. durch Einarbeitg. d. neuen Actienrechts verm. Ausg. 8. (VI, 152 S.) Leipzig 886. Roßberg. cart. n. 2. —

— Repetitorium d. Kirchenrechts. Nach den neuesten Lehrbüchern u. unter Berücksicht. der jüngsten Begebenheiten auf diesem Gebiete bearb. u. hrsg. 8. (VIII, 267 S.) Ebend. 884. cart. n. 2. —

— Repetitorium der National-Oekonomie, nebst kurzgefaßter Darstellg. ihres Entwicklungsganges, f. Studirende u. Prüfungs-Candidaten. 2., neu bearb. u. den neuesten Forschgn. gemäß verm. Aufl. 8. (IV, 153 S.) Ebend. 886. cart. n. 1. 50

— Repetitorium der Pandekten. Nach den neuesten Lehrbüchern, besonders v. Windscheid u. Arndts. 8. (VIII, 375 S.) Ebend. 883. cart. n. 2. 40

— Repetitorium der Rechtsphilosophie [Naturrecht]. Nach den neuesten betr. Werken bearb. u. hrsg. 8. (VIII, 147 S.) Ebend. 884. cart. n. 2. —

— Repetitorium der deutschen Reichs- u. Rechtsgeschichte f. Studirende u. Prüfungs-Candidaten. Bearb. nach den gebräuchlichsten Lehrbüchern. 4. Aufl. 8. (XI, 271 S.) Ebend. 885. cart. n. 2. —

— Repetitorium d. allgemeinen Staatsrechts f. Studirende u. Prüfungs-Candidaten. Bearb. nach den gebräuchl. Lehrbüchern. 3. Aufl. 8. (VIII, 152 S.) Ebend. 886. cart. n. 1. 50

— Tabellen zur römischen u. deutschen Reichs- u. Rechtsgeschichte, fortgeführt bis auf die neueste Zeit. Für Studirende, besonders der Jurisprudenz zusammengestellt. 8. (III, 272 S.) Ebend. 885. n. 2. —

Schmidt, M., Triangulirung III. Ordnung im Freiberger Revier. Hierzu (lith.) Taf. III u. IV, sowie e. besondere Kartenbeilage (in Aubeldr.): Situations-Aufnahmen im Bergrevier Freiberg, Haupt-Dreiecksnetz u. Blatteintheilg. Section Freiberg. gr. 8. (33 S.) Freiberg 883. (Graz & Gerlach.) n. 2. —

— über die Verbesserung der m. Schnur u. Gradbogen gewonnenen Messungsresultate u. e. Schachtlothungsverfahren m. fixirten Lothen. Mit 1 lith. Taf. gr. 8. (22 S.) Ebend. 884. n. 1. 50

Schmidt, M., das erste Decenium d. Damen-Vereins f. Gabelsberger'sche Stenographie zu Dresden, s.: Sammlung v. Vorträgen aus dem Gebiete der Stenographie.

Schmidt, M. W., tabellarische Zusammenstellungen üb. Elb-Wasserstands-Verhältnisse in Böhmen u. Sachsen zum Gebrauche bei Hochfluthen. gr. 4. (6 S. m. 1 chromolith. Karte.) Dresden 886. Urban. n. — 60

Schmidt, Marie, die Perle vom Königstein. Poetische Erzählg. gr. 8. (31 S.) Wiesbaden 885. (Moritz & Münzel.) n.n. 1. —

Schmidt, Max, die Münzen u. Medaillen der Herzöge v. Sachsen-Lauenburg, nebst einleit. Mitteilgn. üb. das Münzwesen u. das Wappen d. Herzogtums. Mit 6 (5 Lichtdr.- u. 1. color. Stein-)Taf. u. 1 Stammbaum-Tab. hoch 4. (V, 65 S.) Ratzeburg 884. Schmidt. n. 6. —

Schmidt, Max., die Aquarell-Malerei. Bemerkungen üb. die Technik derselben in ihrer Anwendung auf die Landschafts-Malerei. Mit e. Abhandlg. üb. Ton u. Farbe in ihrer theoret. Bedeutg. u. in ihrer Anwendg. auf Malereri. 5. Aufl. Mit e. Farbenkreis. 8. (79 S.) Leipzig 884. Th. Grieben. n. 2. —

Schmidt, Max, Geschichts-Tabellen f. die mittleren Klassen höherer Lehranstalten. gr. 8. (II, 52 S) Greifswald 883. Bindewald. n. — 60; cart. n. — 70

Schmidt, Max C. P., Schulwörterbuch zu Max C. P. Schmidt's Q. Curti Rufi historiae Alexandri Magni. 8. (V, 169 S.) Prag 887. Tempsky. — Leipzig, Freytag. n. 1. 40

Schmidt's, Max., gesammelte Werke. 1. u. 2. Bd. Mit dem Portr. d. Verf. in Holzschn. 8. München, Callwey. n. 7. 60; geb. n. 9. 50

1. Hochlandsbilder. (XII, 312 S.) 886. n. 3. 60; geb. n. 4. 50
2. Die Blinde v. Kunterweg u. andere Erzählungen. (306 S.) 886. n. 4. —; geb. n. 5. —

Schmidt, Max., 's Alpenstummerl, s.: Universal-Bibliothek.

— Altboarisch. G'schicht'ln u. Gedicht'ln. 8. (IV, 124 S.) München 884. Callwey. cart. n. 2. 50

— Culturbilder aus dem bayerischen Walde. 8. (283 S.) Breslau 885. Schottländer. n. 4. —; geb. n. 5. —

— die Fischerrosl v. St. Heinrich. Lebensbild vom Starnbergersee. 8. (III, 192 S.) München 885. Callwey. 2. —; geb. 3. —

— der Georgi-Thaler. Lebensbild aus dem Chiemgau im bayer. Hochlande. 2. Aufl. 8. (212 S.) Ebend. 884. 2. —

— Glasmacherleut', s.: Collection Spemann.

— Humoresken. 1—3. Bd. 8. München 886. Callwey. à n. — 50

1. Lustige Haft. (72 S.)
2. Die Bärenritter. (78 S.)
*. Die Feldherrnhalle. (64 S.)

— Johannisnacht. Dorfgeschichte aus den bayer. Vorbergen. 2. Aufl. 8. (224 S.) Ebend. 884. 2. —

— die Knappenlisl vom Rauschenberg. Erzählung aus d. bayer. Hochgebirge. 2. Aufl. 8. (220 S.) Ebend. 884. 2. —

— die Schwanjungfrau. Erzählung aus dem Berchtesgadnerlandl. 8. (188 S.) Ebend. 885. 1. 50; geb. 2. 50

Schmidt, Meinhard, ärztlicher Ratgeber f. Schiffsführer. Mit Genehmigg. d. hamburg. Medicinal-Kollegiums bearb. u. hrsg. Mit 9 Abbildgn. 8. (III, 120 S.) Hamburg 885. Voss. cart. n. 3. —

Schmidt, Mor., üb. die Einwirkung v. Phenylcyanat auf Phenole u. Phenoläther bei Gegenwart v. Aluminiumchlorid. gr. 8. (54 S.) Osterode a/H. 886. (Göttingen, Vandenhoeck & Ruprecht.) n. 1. 60

Schmidt, O., Descendenzlehre u. Darwinismus,
— die Säugethiere in ihrem Verhältniss zur Vorwelt,
} s.: Bibliothek, internationale wissenschaftliche.

Schmidt, Osk., Leitfaden der Zoologie, zum Gebrauche an Gymnasien u. Realschulen. 4. Aufl. Mit 190 Holzschn. gr. 8. (IV, 256 S.) Wien 883. Gerold's Sohn. n. 3. —

Schmidt, Osw. Glob, Luther's Bekanntschaft m. den alten Classikern. Ein Beitrag zur Lutherforschg. gr. 8. (VII, 64 S.) Leipzig 883. Veit & Co. n. 1. 20

Schmidt, Otto, praktische Baukonstruktionslehre. 1. Bd. Die Eindeckung der Dächer u. die Konstruktion der Dachrinnen m. Berücksicht. aller neueren Erfahrgn. u. Erfindgn. Lehrbuch f. höhere u. niedere bautechn. Anstalten u. zum prakt. Gebrauche f. Baumeister, Architekten, Maurer- u. Zimmermeister bearb. Mit eingedr. Illustr. u. 37 autogr. Taf. in Fol. m. ca. 450 Fig. gr. 4. (VI, 122 S.) Jena 885. Costenoble. n. 13. —

— Comptoir-Handbuch f. Architekten, Maurer- u. Zimmermeister, sowie für Handwerksmeister u. Gewerbetreibende, enth. die einfache u. die doppelte Buchführg. f. Baugeschäfte, sowie e. Anleitg. üb. die Wechselordng., Quittgn., Reverse, Bauverträge zc. u. alle neueren Gesetze u. Erlasse bezüglich der Gewerbeordng., d. Krankenkassen- u. Unfallgesetzes, der Reichscivilprozeß- u. Konkursordng. zc. Als Lehrbuch f. Fachschulen u. zum Selbstunterricht bearb. 3. Aufl. gr. 8. (VIII, 271 S.) Karlsruhe 887. Bielefeld's Verl. geb. n. 4. —

— Handbuch enth. e. Abriß d. Hochbaues m. besond. Berücksicht. der Feuerungs-Anlagen, f. die Studirenden d. Maschinenbaues, der Chemie, d. Straßen- u. Eisenbahnbaues, der Landwirthschaft u. d. Baufaches, als Lehrbuch f. techn. Unterrichts-Anstalten u. zum Selbstunterricht bearb. Mit 564 Holzschn. 2. Aufl. gr. 8. (X, 514 S.) Ebend. 885. n. 5. —

Schmidt, Otto Ed., die letzten Kämpfe der römischen Republik. 1. Tl. Historische Studien. gr. 8. (62 S.) Leipzig 884. Teubner. n. 1. 60

— die schönsten Sagen der Griechen. Ein Hülfsbuch zur Einführg. in die Mythologie f. Unterklassen höherer Schulen. 8. (45 S.) Dresden 886. Höckner. n. — 40

— u. Osk. **Enderlein**, Erzählungen aus Sage u. Geschichte d. Altertums. Ein Hilfsbuch f. den ersten Geschichtsunterricht auf höheren Lehranstalten. 8. (94 S.) Ebend. 886. geb. n.n. — 75

Schmidt, Otto F., u. Herm. **Schillmann**, neues Berliner Lesebuch f. mehrklassige Schulen. 1—3. Tl. gr. 8. Berlin u. Leipzig 886. Klinkhardt. geb. n. 2. 10

1. Unterstufe. Oberabteilung. [5. Klasse der Berliner Gemeindeschule.] (XII, 100 S.) n. — 55
2. Mittelstufe. Unterabteilung. [4. Klasse der Berliner Gemeindeschule.] (IV, 156 S.) n. — 65
3. Mittelstufe. Oberabtheilung. [3. Klasse der Berliner Gemeindeschule.] (IV, 218 S.) n. — 90

Schmidt, P., Gewalt od. Geist? s.: Zeit- u. Streit-Fragen, deutsche.

Schmidt, Paul, der erste Thessalonicherbrief, neu erklärt. Nebst e. Excurs üb. den zweiten gleichnam. Brief. gr. 8. (128 S.) Berlin 885. G. Reimer. n. 4. —

Schmidt, Paul v., der Beruf d. Unteroffiziers. Zusammenstellung e. Reihe v. Artikeln aus der Unteroffizier-Zeitg. 2. Aufl. 8. (91 S.) Berlin 885. Liebel. n. — 60

— Dienst-Unterricht f. die zur Uebung eingezogenen Ersatz-Reservisten der Infanterie. Auszug aus v. Dossow's Dienstunterricht. 6. Ausg. [18. Druckaufl.] Mit 34 Abbildgn. im Text. 8. (72 S.) Ebend. 886. n.n. — 25

— Instruktion f. die zur Uebung eingezogenen Ersatz-Reservisten der Infanterie. Auszug aus v. Dossow's Dienst-Unterricht. 4. verm. u. verb. Aufl. [13. u. 14. Druckaufl.] Mit 33 Abbildgn. im Text. 8. (72 S.) Ebend. 884. n.n. — 25

— Schießausbildung, Feuerwirkung u. Feuerleitung f. die Unteroffiziere der deutschen Infanterie. 2. im Anschluß an die Schieß-Instruktion v. 1884 umgearb. Aufl. Mit 30 Fig. im Text u. e. Fig.-Taf. gr. 8. (80 S.) Ebend. 885. n. 1. —

Schmidt, Paul B., poetischer Festgruß, s.: Benz, lasset uns säen zc.

— aus vollem Herzen. Gedichte. 8. (108 S.) Leipzig 883. Böhme. n. 1. 30

— libellus historico-criticus in quo quomodo ultimis a. Chr. saeculis judaismus cum paganismo coaluerit Philonis theosophiae ratione sub finem habita. gr. 8. (81 S.) Ebend. 884. n. 1. 25

Schmidt, R., zum 100jährigen Jubiläum d. Luftballons,
— der Venusdurchgang,
} s.: Sammlung gemeinnütziger Vorträge.

Schmidt-Cabanis, Rich., auf der Bacillen-Schau! Zeitgeistliche Forschgn. durch's satyr. Mikroskop. 8. (IV, 197 S.) Dresden 885. Leipzig, Dürselen. n. 3. —; geb. n. 4. —

— Brumm-Stimmen der Zeit. Lustiges u. Unlustiges aus Papa Kronos' Liederfibel. 8. (X, 213 S.) Berlin 886. Eckstein Nachf. n. 2. 50

— Erzählungen, s.: Universal-Bibliothek.

— die Jungfernrede. Eine trag. Reichstagswahlgeschichte ohne Politik. Mit Illustr. v. H. Scherenberg. 3. Aufl. 8. (III, 60 S.) Berlin 884. Eckstein Nachf. n. 1. —

— neueste Kinder-Bühne. Nr. 1—12. 4. (à 16 S. Text m. 1 chromolith. Fig.-Taf.) Leipzig 885. 86. Görlitz, Foerster's Verl. à — 50

1. Aschenbrödel. Märchen in 5 Akten.
2. Dornröschen. Märchen in 3 Akten.
3. Der Freischütz. Romantisches Schauspiel in 4 Akten.
4. Der gestiefelte Kater. Märchen in 3 Akten.
5. Die Nibelungen. Trauerspiel in 4 Aufzügen.
6. Rotkäppchen. Märchen in 3 Akten.
7. Rübezahl. Märchen in 4 Akten.
8. Schneewittchen u. die sieben Zwerge. Märchen in 5 Akten.
9. Aladdin od. die Wunderlampe. Zaubermärchen in 5 Aufzügen. (20 S.)
10. Genoveva. Schauspiel in 4 Aufzügen. (18 S.)
11. Reineke Fuchs. Tierfabel in 4 Aufzügen. (14 S.)
12. Wilhelm Tell. Schauspiel in 5 Aufzügen. (16 S.)

Schmidt, Rich., de Hymenaeo et Talasio dis veterum nuptialibus. gr. 8. (95 S.) Kiel 886. (Lipsius & Tischer.) n. 2. —

Schmidt, Rob., Equisetaceae selectae Germaniae mediae. Ausgewählte mitteldeutsche Schafthalme. 1. Hft. Fol. (5 Bl. m. aufgeklebten Pflanzen.) Jena 884. Deistung. In Mappe. n. 2. 40

— Filices selectae Germaniae mediae. Ausgewählte mitteldeutsche Farn in getrockneten Exemplaren. 1. u. 2. Hft. Fol. (à 5 Bl. m. aufgeklebten Pflanzen.) Ebend. 884. In Mappe. à n 2. 40

— lichenes selecti Germaniae mediae. Ausgewählte mitteldeutsche Flechten in getrockneten Exemplaren. 2. Hft. Fol. (4 Bl. m. aufgeklebten Pflanzen.) Ebend. 883. In Mappe. n. 2. 40 (1. u. 2.: n. 4. 80)

Schmidt, Rud., Bericht üb. Gruppe 24 der schweizerischen Landesausstellung Zürich 1883: Waffen. gr. 8. (145 S.) Zürich 884. Orell Füssli & Co. Verl. n. 3. —
— Neuerungen im Bewaffnungswesen der Infanterie d. In- u. Auslandes. Stand auf Ende 1884. Mit 1 (autogr.) Abbildg. d. Lee-Repetirgewehres. 12. (36 S. m. 2 Tab.) Basel 885. Schwabe. n. — 80

Schmidt, S., die Zwangsvollstreckung in das unbewegliche Vermögen [neue Subhastationsordnung]. Gesetz vom 13. Juli 1883. Nebst dem Gesetz betr. die Gerichtskosten bei Zwangsversteigergn. u. Zwangsverwaltgn. v. Gegenständen d. unbewegl. Vermögens. Vom 18. Juli 1883. Gemeinfaßlich dargestellt. gr. 8. (IV, 82 S.) Minden 884. Bruns. n. 1. —

Schmidt's, Th., Compendium der speciellen Chirurgie. Zum Gebrauch f. Studirende u. Aerzte [zugleich als 2. Bd. zu Krüche's allgemeiner Chirurgie u. Operationslehre dienend] vollständig neu umgearb. v. Arno Krüche. Mit 48 Abbildgn. 8. (X, 337 S.) Leipzig 883. Abel. n. 6. —; Einbd. n.n. — 75

Schmidt, Thdr., u. Matthäus Grüninger, Übungsbuch f. den Rechenunterricht an unteren u. mittleren Klassen v. Gelehrten-, Real- u. Bürgerschulen, nach O. v. Fischers method. Grammatik d. Schulrechnens bearb. 1. u. 2. Bdchn. 2. Aufl. 8. Stuttgart, J. F. Steinkopf. cart. n. 1. 80
1. Für 8—10jähr. Schüler. (Rechnen m. ganzen Zahlen.) (VIII, 74 S.) 884. n. — 80
2. Für 10- bis 12jähr. Schüler. [Bruchrechnen u. Bruchsatz untere Stufe.] (151 S.) n. 1. —

Schmidt's, W., Aufgaben zum schriftlichen Rechnen f. die Volksschule. Neu bearb. v. H. Eifert. 4 Hfte. 8. Gera, Th. Hofmann. n. — 90; Einbd. à n.n. — 5
1. 39. Aufl. (32 S.) 886. n. — 15. — 2. 39. Aufl. (32 S.) 885. n. — 20. — 3. 17. Aufl. (52 S.) 886. n. — 30. — 4. 10. Aufl. (44 S.) 883. n. — 25

Schmidt, W., Eriwulf, s.: Schmidt's, F., deutsche Jugendbibliothek.

Schmidt, W., Leben d. heil. Meinolph, Diakonus an der Kirche zu Paderborn, Stifters d. Klosters Böddeken. [793—857.] Nach Quellen dargestellt. 2. Aufl. gr. 16. (88 S.) Paderborn 884. Bonifacius-Druckerei. — 30

Schmidt, W., s.: Predigt u. Vorträge, geh. bei der 25jähr. Jubelfeier der Meißner Konferenz.

Schmidt, W., das neue Lehrerpensionsgesetz für Preußen, m. e. Anh.: Zusammenstellung der in den verschiedenen preuß. Provinzen in Bezug auf das Pensionswesen der Volksschullehrer gelt. Normen u. Grundsätze. Ergänzt u. erläutert auf Grund der amtl. Motive u. der Berichte u. Verhandlgn. d. Landtags. 2. Aufl. gr. 8. (30 S.) Berlin 885. Burmester & Stempell. n. — 25

Schmidt, W., zum deutschen Lesebuch f. die Volksschulen d. Reg.-Bez. Wiesbaden. 60 Lesestücke, sach- u. sprachlich erläutert. 1—3. Hft. 8. Frankfurt a/M. Jäger. n. 2. 80
1. (VII, 54 S.) 881. n. 1. —. — 2. (60 S.) 882. n. 1. —. — 3. (III, 36 S.) n. — 80

Schmidt, W., die Photographie, ihre Geschichte u. Entwickelung, s.: Sammlung gemeinverständlicher wissenschaftlicher Vorträge.

Schmidt, Wilh., die mechanische Tischlerwerkstätte. Praktisches Lehrbuch zur Selbstherstellg. u. vortheilhaften Benutzg. der im Kleingewerbe unerläßlich nöt. Holzbearbeitungsmaschinen zum Handbetrieb f. die gesamte Tischlerei. 2. Aufl. Hierzu e. Atlas, enth. 17 (lith.) Taf. m. Abbildgn. v. Maschinen u. deren einzelnen Teilen, sowie sonst. erläut. Zeichngn. zum prakt. Betriebe. gr. 8. (VIII, 58 S.) Weimar 883. B. F. Voigt. 4. 20

Schmidt, Wilh., Beschreibung e. Telluriums, construirt v. W. S. gr. 8. (20 S. m. 1 Steintaf.) Wien 884. Hölzel. n. — 40

Schmidt, Wilh., interessante Formschnitte d. 15. Jahrh. aus dem kgl. Kupferstichkabinet zu München. Ein Beitrag zur Geschichte d. Holzschnitts. Mit 3 Taf. in Phototypie. gr. 4. (16 S.) München 886. Verlagsanstalt f. Kunst u. Wissenschaft. n. 4. —

Schmidtborn, H., die Ursachen der Athembewegungen u. ihre Bedeutung f. den Kreislauf. Nach der Lehre v. Alex. Diesterweg. gr. 8. (52 S.) Wiesbaden 886. Bergmann. n. 1. 60

Schmied, Ant. Adam, die Bodenlehre. Ein Handbuch f. die Theorie u. Praxis. Zum Gebrauche an landwirthschaftl. Lehranstalten, sowie zum Selbstunterrichte. Nach den neuesten wissenschaftl. Fortschritten u. prakt. Erfahrgn. bearb. Lex.-8. (VIII, 374 S.) Prag 886. Calve. n. 9. 60

Schmiedeberg im Riesengebirge u. seine Umgebungen. Ein Führer f. Besucher d. Eglitz- u. Lomnitz-Thales. 8. (58 S.) Schmiedeberg 884. Sommer. n. — 50

Schmiedeberg, Oswald, Grundriss der Arzneimittellehre. gr. 8. (VIII, 279 S.) Leipzig 883. F. C. W. Vogel. n. 5. —

Schmiedeberg, R. v., der deutsche Vorstehhund. Mit 6 ganzseit. Abbildgn. nach Zeichngn. v. Ludw. Beckmann u. H. Sperling. gr. 4. (62 S.) Leipzig 884. E. Twietmeyer. n. 2. 25

Schmiedeknecht, H. L. Otto, apidae europaeae [die Bienen Europa's] per genera, species et varietates dispositae atque descriptae. Accedunt tabulae lapidi incisae. Fasc. 5—12. gr. 8. (5. Fasc. S. 315—1073.) Gumperda 883. 85. (Berlin, Friedländer & Sohn.) n. 28. — (1—12.: n. 42. —)

Schmiedekunst, die, nach Originalen d. 15. bis 18. Jahrh. 1—7. Lfg. gr. Fol. (à 10 Steintaf.) Berlin 884—86. Wasmuth. à n. 4. —

Schmiedel, M. J., Rechenaufgaben aus dem prakt. Leben. Für die Oberklassen der Werktags- sowie f. Sonntagsschulen zusammengestellt. 12. Aufl. 8. (35 S.) Würzburg 886. (Stuber's Verl.) n. — 20; Ergebnisse. 11. Aufl. (12 S.) n. — 10

Schmieden, Dekoration innerer Raume, }
— das neue Universitätsgebäude in Kiel, } s.: Gropius.

Schmieder, Edm., die einfache Buchführung f. Gewerbtreibende. Zum Selbstunterricht theoretisch u. praktisch ausgearb. u. hrsg. gr. 8. (V, 75 S. m. 1 Tab.) Dresden 883. Jaenicke. n. 1. —
— die doppelte, italienische Buchführung. Zum Selbstunterricht theoretisch u. praktisch ausgearb. u. hrsg. (In 10 Lfgn.) 1. Lfg. gr. 8. (IV, 32 S.) Ebend. 886. n. — 50

Schmieder, H., Luther, der Gottesmann, s.: Festschriften zur 400jähr. Jubelfeier der Geburt Dr. Martin Luthers.

Schmieder, Pius, matricula episcopatus Passaviensis saeculi XV. Auf Grund der Handschriften hrsg. 1. Thl. Text. gr. 8. (X, 71 S.) Wels 885. Trauner. n. 3. —

Schmiede-Zeitung, deutsch-österreichische. Organ f. die Interessen d. gesammten Schmiedehandwerks. Red.: G. Grützner. 1. Jahrg. Juli 1883—Juni 1884. 36 Nrn. (B. m. Illustr.) gr. 4. Berlin, (E. Mecklenburg). n. 8. —

Schmiedl, A., Sanftinnim. Betrachtungen zu den fünf Büchern Mosis, nach Ordng. der Wochenabschnitte. Zur Verbreitg. erhöhter Kunde u. Würdigg. d. Judenthums, sowie zur Förderg. religiöser Wärme u. Innigkeit. 2. Aufl. gr. 8. (VIII, 336 S.) Prag 885. Brandeis. n. 2. 40; geb. n.n. 3. 40

Schmiele, E., Geschichtstabellen f. höhere Schulen, s.: Rethwisch, C.

Schmithof, C., der Liebesbrief, s.: Bloch's, E., Dilettanten-Bühne.

Schmitt, Chrn., Blumen am Wege. Ein Liederstrauß aus dem Elsaßlande. Gedichte. 8. (XV, 157 S.) Straßburg 887. Heitz. n. 2. 50

Schmitt, E., Übungsbuch f. den französischen Anfangsunterricht, s.: Ehretsmann, J.

Schmitt, E., Fundamente, }
— Gestüte u. Marstall-Gebäude, } s.: Handbuch der Architektur.
— Magazine, Vorraths- u. Handelsspeicher f. Getreide, s.: Engel, F.
— Markthallen u. Marktplätze, s.: Osthoff, G.

Schmitt, Greg., medicinische Statistik der Stadt Würzburg f. die J. 1880 u. 1881. Mit 2 lith. Taf. gr. 8. (79 S.) Würzburg 883. Stahel. n. 2. 80

Schmitt, Heinr. Ludw., quaestiones chronologicae ad Thucydidem pertinentes. gr. 8. (105 S.) Leipzig 882. (Teubner.) n. 1. 60

Schmitt, Jak., Anleitung zur Erteilung d. Erstkommunikanten-Unterrichts. 7. Aufl. gr. 8. (VIII, 357 S.) Freiburg i/Br. 884. Herder. n. 2. 40
— Erklärung d. mittleren Deharbeschen Katechismus zunächst f. die mittlere u. höhere Klasse der Elementarschulen. 3 Bde. 6. Aufl. 8. Ebend. n. 15. —
1. Von dem Glauben. (XVI, 612 S.) 885. n. 4. 60
2. Von den Geboten. (IX, 686 S.) 885. n. 5. —
3. Von den Gnadenmitteln. (X, 703 S.) 886. n. 5. 40
— manna quotidianum sacerdotum sive preces ante et post missae celebrationem, cum brevibus meditationum punctis pro singulis anni diebus. Preces ed., meditationum puncta composuit, appendicem adjecit J. S. 3 tomi. 12. (XII, 470, XII, 629, XII, 687 u. Anh. LV S.) Ebend. 883. 84. à n. 3. —; geb. à n. 4. —
Schmitt, Joh. Jos. Herm., lateinische Sprichwörter, Redensarten, Musterstellen u. Musterverse, zum Memorieren f. Schüler gesammelt. gr. 8. (107 S.) Edenkoben 886. Kreiselmeyer. n. 1. —; geb. n. 1. 30
Schmitt, L., das deutsche Volkslied, s.: Broschüren, Frankfurter zeitgemäße.
Schmitt, R., s.: Ministerialblatt f. die gesammte innere Verwaltung in den königl. preuß. Staaten. Haupt- u. Sachregister.
— Mittheilungen aus der Verwaltung der directen Steuern im preußischen Staate. gr. 8. (VIII, 135 S.) Hagen 883. Risel & Co. n. 2. —
Schmitt, Rich., Prinz Heinrich v. Preußen als Feldherr im 7jährigen Kriege. I. Die Kriegsjahre 1756—59. gr. 8. (III, 157 S.) Greifswald 885. Abel. n. 3. —
Schmitthenner, A., s.: Familien-Bibel d. Neuen Testamentes.
Schmitthenner, H., das Armenwesen in Baden, s.: Sammlung v. Vorträgen.
Schmitthenner, Joh. Heinr. Aug., Genealogie der Familie Schmitthenner. gr. 8. (VIII, 64 S.) Heidelberg 884. C. Winter. n. 3. 4.
Schmitz, Lieder f. die Volksschule. 8. (80 S.) Dülmen 886. (Horstmann.) geb. n.n. — 30
Schmitz, Alf., Lehrbuch der Arithmetik. 8. (VIII, 124 S.) Neuburg a/D. 885. Grießmayer. n. 1. 20; cart. n.n. 1. 50
Schmitz, Bernh., Anleitung f. Schulen zu den ersten Sprechübungen in der französischen u. engl. Sprache. Ein Übungsbuch hauptsächlich f. Realschulen u. höhere Töchterschulen, nebst e. methodolog. Einleitg. 3. Aufl. gr. 8. (80 S.) Leipzig 885. C. A. Koch. n. 1. —
— französisches Elementarbuch, nebst Vorbemerkgn. üb. Methode u. Aussprache. 1. u. 2. Tl. gr. 8. Berlin, Dümmler's Verl. n. 3. —
1. Vorschule der französischen Sprache. 9. Aufl. Besorgt v. Adf. Neumann. (XXXII, 100 S.) 887. n. 1. 20
2. Grammatik u. Übungsbuch f. mittlere Klassen. 6. Aufl. (XVI, 200 S.) 884. n. 1. 80
— dasselbe. Uebungsbeispiele zum II. Tl., s.: Klapp, A.
— deutsch-französische Phraseologie in systematischer Ordnung, nebst e. Vocabulaire systématique. Ein Übungsbuch f. jedermann, der sich im freien Gebrauch der französ. Sprache vervollkommnen will. 7. Aufl. gr. 8. (VII, 179 S.) Berlin 887. Langenscheidt. n. 2. —; geb. n. 2. 50
— französische Synonymik, nebst e. Einleitg. in das Studium der Synonyma überhaupt. 3. Aufl. Besorgt v. Aug. Kesseler. gr. 8. (XXXVI, 272 S.) Leipzig 883. C. A. Koch. n. 4. 50
Schmitz, F. J., portugiesische Grammatik m. Berücksicht. d. gesellschaftl. u. geschäftl. Verkehrs. gr. 8. (VII, 251 S.) Leipzig 884. Glöckner. n. 4. 50; Schlüssel (52 S.) 885. n. 1. 50
Schmitz, Fr., die Vegetation d. Meeres. Ein Vortrag. gr. 8. (21 S.) Bonn 883. Strauß. n. — 80
Schmitz, H. J., der Bettler v. Assisi u. das Ritterthum, die Poesie u. Kunst seiner Zeit, s.: Broschüren, Frankfurter zeitgemäße.
— die Bussbücher u. die Bussdisciplin der Kirche. Nach handschriftl. Quellen dargestellt. gr. 8. (XVI, 864 S.) Mainz 883. Kirchheim. n. 15. —
Schmitz, J. Lebensfrühling, } s.: Glas-
— Rechenbuch, } macher, J.

Schmitz, J., die Arbeiter-Versicherung. Handbuch f. die Berufsgenossenschaften, Vorstände u. Rechnungsführer v. Krankenkassen aller Art. Nach den Reichsgesetzen vom 15. Juni 1883, 6. Juli 1884, 28. Mai 1885 u. 5. Mai 1886 dargestellt. (In 12 Hftn.) 1. u. 2. Hft. Lex.-8. (80 S.) Neuwied 887. Heuser's Verl. à — 60
— die sämtlichen Ausführungs-Verordnungen zum Krankenversicherungsgesetz. Nebst e. vergleich. Übersicht u. e. Nachweisg. üb. die in den Krankenversicherungs-Angelegenheiten zuständ. Behörden. gr. 8. (VIII, 239 S.) Ebend 886. n. 3. —
— die Bürgermeisterei- u. Amts-Verwaltung. Ein Handbuch f. Stadt- u. Gemeindeverwaltungs-, sowie Gemeinde-Aufsichts-Beamte. 1—11. Lfg. gr. 8. (1. Tl. XII, 697 S.) Ebend. 883—86. à 1. —
— die Gemeinde-Ordnung f. die Rheinprovinz vom 23. Juli 1845, nebst dem an gehör. Stelle eingeschalteten Gesetze vom 15. Mai 1856, sowie den dazu ergangenen Instruktionen, Deklarationen, Ober-Tribunals- u. Appellationsgerichts-Erkenntnissen ꝛc. u. nach den Reichs- u. Landesgesetzen erläutert. 3. Aufl. 8. (VI, 128 S.) Ebend. 885. cart. n. 2. —
— Geschäfts-Anweisung zur Führung der Verwaltung, insbesondere d. Kassen- u. Rechnungswesens der Krankenkassen. gr. 8. (8 S.) Ebend. 885. — 30
— die Invaliden-, Wittwen- u. Waisen-Versorgung der Arbeiter, nebst Normal-Statuten f. Kassen dieser Art. Unter Berücksicht. d. Krankenversicherungsgesetzes vom 15. Juni u. d. Gesetzes betr. die Unfallversicherg. der Arbeiter vom 6. Juli 1884. gr. 8. (28 S.) Ebend. 885. n. 1. —
— wie sind die Krankenkassen zu errichten u. ältere Kasseneinrichtungen nach dem Kranken-Versicherungsgesetze vom 15. Juni 1883 umzuändern? Eine prakt. Anleitg. f. die Staats- u. Gemeinde-Verwaltungs-Behörden, Industriellen, nebst den vom Bundesrathe veröffentlichten Entwürfen zu Statuten f. Orts- u. Betriebs- [Fabrik-]Krankenkassen, e. Normalstatut f. Baukrankenkassen u. e. Musterstatut üb. die Erweiterg. d. Versicherungszwanges, sowie auch Formularen zur Einrichtg. der Buchführg. f. sämmtl. Krankenkassen. 1. Lfg. gr. 8. (IV, 236 S.) Ebend. 884. 1. —
— das Reichsgesetz betr. die Ausdehnung der Unfall- u. Krankenversicherung vom 28. Mai 1885. Textausg. m. ausführl. Erläutergn., den einschläg. Bestimmgn. d. Gesetzes vom 6. Juli 1884 u. den Ausführungsbestimmgn. 8. (86 S.) Ebend. 885. cart. n. — 80
— Reichs-Gesetz betr. die Krankenversicherung der Arbeiter vom 15. Juni 1883, nebst den die Krankenversicherg. betr. Bestimmgn. d. Ausdehnungs-Gesetzes vom 28. Mai 1885 u. den einschläg. Bekanntmachgn. d. Reichsversicherungsamtes. Text-Ausg. m. Berücksicht. der v. den Centralbehörden der einzelnen Bundesstaaten erlassenen Verordngn. sowie den ergangenen gerichtl. Entscheidgn. 3. Aufl. 12. (III, 110 S.) Ebend. 886. — 75
— Reichsgesetz betr. die Unfall- u. Kranken-Versicherung der in land- u. forstwirtschaftlichen Betrieben beschäftigten Personen vom 5. Mai 1886, nebst Ausführungsverordngn. Textausg. m. Anmerkgn. u. ausführl. Sachregister versehen. 12. (134 S.) Ebend. 887. cart. — 90
— Uebersicht der f. die sämmtlichen deutschen Bundesstaaten in Gemäßheit des § 8 d. Reichsgesetzes betr. die Krankenversicherung der Arbeiter vom 15. Juni 1883 festgestellten ortsüblichen Tagelöhne gewöhnlicher Tagearbeiter. gr. 4. (VI, 66 S.) Berlin 886. Ebend. n.n. 6. —
Schmitz, Jos., de φυσεως apud Aristotelem notione ejusque ad animam ratione. gr. 8. (42 S.) Bonn 884. (Rhein. Buch- u. Kunst-Antiquariat.) n. 1. —
Schmitz, L., der Mensch u. dessen Gesundheit. Hygieinisches Lehrbuch f. jeden Gebildeten. Speziell bearb. als Unterrichtsbuch zum Gebrauche in mittleren u. höheren Lehranstalten sowie in Lehrerseminarien. Mit 100 Abbildgn. gr. 8. (XII, 367 S.) Freiburg i/Br. 884. Herder. n. 4. —; Einbd. n.n. — 60
Schmitz, L., u. H. Zander, die Bleibergwerke bei Mechernich u. Commern. Nach handschriftl. u. gedruckten Quel-

len beschrieben. 12. (60 S.) Mechernich 883. (Schumacher.) n.n. — 75
Schmitz, Luise, die Hütte am Teich. Eine Erzählg. f. die reifere Jugend. 12. (142 S.) Basel 885. Spittler. n.n. — 70
Schmitz, Max., Kaiserin Augusta. Ihr Leben u. ihre Bedeutg. f. das deutsche Volk. Mit Titelbild (in Holzschn.). 8. (48 S.) Wolfenbüttel 884. Zwißler. n. — 50; bill. Ausg. — 40
— Friedrich Wilhelm, Kronprinz des deutschen Reiches u. v. Preußen. Mit Titelbild (in Holzschn.). 8. (54 S.) Ebend. 884. n. — 50; bill. Ausg. — 40
— Prinz Karl v. Preußen, der Herrenmeister der Johanniter. Ein Erinnerungsblatt. Mit Titelbild (in Holzschn.). 8. (38 S.) Ebend. 884. n. — 50; bill. Ausg. — 40
— Fürst Karl Anton v. Hohenzollern. Ein Erinnerungsblatt u. Mahnruf. gr. 8. (47 S.) Düsseldorf 885. Schwann. — 75
— Fürst Karl Anton v. Hohenzollern u. seine Familie. Zur goldenen Hochzeitsfeier entworfen. Mit Titelbild (in Holzschn.). 8. (34 S.) Wolfenbüttel 884. Zwißler. n. — 50; bill. Ausg. — 40
— Luise, Großherzogin v. Baden. Mit Titelbild (in (Holzschn.). 8. (31 S.) Ebend. 884. n. — 50; bill. Ausg. — 40
— Kaiser Wilhelm. Ein Lebensbild. Mit e. Anh.: Wilhelm unser Heldenkaiser. Eine Liedertrias v. Ghold. Kreyenberg. 8. (32 S. m. eingedr. Holzschn.) Elberfeld 883. Lucas. n. — 40
Schmitz, Max., der englische Investiturstreit. Als Anh.: Die Quellen u. ihr Abhängigkeitsverhältnis. gr. 8. (VI, 116 S.) Innsbruck 884. Wagner. n. 2. 80
Schmitz, Rich., Erfahrungen üb. Bad Neuenahr. 3. Aufl. 8. (32 S.) Ahrweiler 882. (Bonn, Hochgürtel.) n. — 80
Schmitz-Aurbach, Therese v., Leitfaden der französischen Sprache f. höhere Mädchenschulen. Nach der analyt. Methode bearb. 1—4. Schuljahr. gr. 8. Karlsruhe 884—86. Bielefeld's Verl. cart. n. 2. 95
1. (32 S.) n. — 30. — 2. (48 S.) n. — 45. — 3. (72 S.) n. — 70. — 4. (135 S.) n. 1. 50
Schmitz, W., s.: Monumenta tachygraphica codicis Parisiensis latini 2718.
Schmöger, K. E., Leben der gottseligen Anna Katharina Emmerich. Im Auszuge bearb. v. e. Priester derselben Congregation. Mit 1 Stahlst. nach Ed. Steinle. gr. 8. (VIII, 583 S.) Freiburg i/Br. 885. Herder. n. 4. —
— himmlisches Manna f. heilsbegierige Seelen. Aus den Offenbargn. der heil. Brigitta gesammelt u. nach der röm. Ausg. vom J. 1628 aus dem Lat. übers. 8. (XVI, 416 S. m. 1 Portr.) Regensburg 883. Pustet. n. 2. —
Schmöger, Karl Eberhard, aus der Congregation d. allerheiligsten Erlösers. Ein Lebensbild. gr. 8. (52 S. m. Portr. in Holzschn.) Regensburg 883. Pustet. n. — 40
Schmöger, M., s.: Versuche üb. die Verdaulichkeit der Weizenkleie etc.
Schmölcke, J., Handbuch f. Hochbautechniker zur Benutzung beim Entwerfen u. Veranschlagen v. Hochbauten aller Art. 2. Aufl. Mit Holzschn. u. 3 (lith.) Taf. gr. 8. (XII, 348 S.) Holzminden 883. Müller. n. 7. 50; geb. n. 8. 50
— das Wohnhaus d. Arbeiters. Eine Anleitg. zur Herstellg. bill., solider u. gesunder Arbeiterwohngn. in den Städten u. auf dem Lande. Preisgekrönt durch den Verein „Concordia". 12 lith. Taf., enth. 9 Orig.-Entwürfe, Situationspläne u. Details. 2. Aufl. gr. 4. Nebst beschreib. Text. gr. 8. (IV, 76 S.) Bonn 885. Strauß. In Mappe. n. 8. 50
Schmölder, R., die Strafen d. deutschen Strafgesetzbuchs u. deren Vollzug. Eine krit. Studie. gr. 8. (63 S.) Berlin 885. Vahlen. n. 1. 20
— zur Wiedereinführung der Schuldhaft. gr. 8. (40 S.) Köln 883. Rommerskirchen. — 90
Schmölders, Paul, das Eigentum an den in e. Gebäude verwandten Baumaterialien. gr. 8. (50 S.) Breslau 885. (Köhler.) n. 1. —

Schmolke's, Benj., Gott geheiligte Morgen- u. Abendandachten f. Gesunde u. Kranke, nebst Gebeten u. Liedern f. besond. Veranlassgn. Ferner enth.: Scrivers Betaltar frommer Christen, Lieder v. Hirsch, Seiz, Munz, Bezzel u. a., u. e. Anh. v. Wettergebeten. Angefertigt durch Frdr. Roth-Scholz. 8. (364 S. m. 1 Holzschn.) Reutlingen 886. Fleischhauer & Spohn. — 60; Einbd. — 60
— dasselbe. 8. (349 S.) Ducherow 884. (Leipzig, Buchh. d. Vereinshauses.) geb. n.n. — 90
— das himmlische Vergnügen in Gott. Vollständiges Gebet-Buch auf alle Zeiten, f. alle Stände u. bei allen Gelegenheiten. 11. Abdr. Mit e. Vorrede üb. den Mißbrauch, sowie üb. den rechten Gebrauch der Gebetbücher. gr. 8. (XVI, 815 S. m. 1 Holzschn.) Basel 886. Spittler. n. 2. 40; geb. n. 3. 60
Schmolling, Ernst, üb. den Gebrauch einiger Pronomina auf attischen Inschriften. 2 Tle. gr. 4. (21 u. 20 S.) Stettin 1882 u. 85. (Berlin, Weidmann.) à n. 1. —
Schmueckling, Aug., üb. Pseudohypertrophia musculorum. gr. 8. (35 S.) Helmstedt 883. (Göttingen, Vandenhoeck & Ruprecht.) n. — 80
Schmued, L., e. deutsche Antwort auf Dr. Eduard Reich's: „Studien u. Betrachtungen üb. Oesterreich". 2. Aufl. 8. (14 S.) Salzburg 884. (Dieter.) n. — 20
Schmude, Thdr., heil. Johannes v. Nepomuk! Bitte f. uns! Geschichte d. Lebens u. der öffentl. Verehrg. d. ersten Martyrers d. Beichtsiegels, nebst Gebetbuch. 16. (VIII, 336 S. m. 1 Stahlst.) Innsbruck 883. F. Rauch. n. 1. —
Schmuggler, der, s.: Volks-Erzählungen, kleine.
Schmülling, Th., Sonn- u. Festtags-Predigten. 2. Bd. A. u. d. T.: Predigten f. die Fastenzeit. Aus dem Nachlasse d. Verf. hrsg. v. Heinr. Kömstedt. gr. 8. (624 S.) Münster 882. Theissing. 6. —
— dasselbe. 4. Bd. 1. Lfg. A. u. d. T.: Predigten f. die Sonn- u. Festtage nach Dreifaltigkeit bis zum Schlusse d. Kirchenjahres. Aus dem Nachlasse d. Verf. hrsg. v. Heinr. Kömstedt. gr. 8. (1132 S.) Ebend. 883. 9. — (cplt.: 27. —)
Das Sachregister zum ganzen Werke wird gratis nachgeliefert.
— dasselbe. 2. Aufl. 4 Bde. gr. 8. Ebend. 884. 27. —
1. Predigten f. die Advents- u. Weihnachtszeit. (VI, 712 S.) 6. —
2. Predigten f. die Fastenzeit. (624 S.) 6. —
3. Predigten f. die Oster- u. Fronleichnamszeit. (VIII, 657 S.) 6. —
4. Predigten f. die Sonn- u. Festtage nach Dreifaltigkeit bis zum Schlusse d. Kirchenjahres. (1156 S.) 9. —
Schnabel, Herm. Phpp., Krankentrost. Sammlung v. Schriftlectionen, geistl. Liedern u. Gebeten. Eine Handreichung f. die Krankenseelsorge. 8. (VII, 240 S.) Heilbronn 886. Henninger. n. 2. —; geb. n. 2. 50
Schnabel, T., kurzgefaßte schlesische u. brandenburg-preußische Geschichte. Ein Leitfaden f. Schüler in den kathol. Elementar-Schulen Schlesiens. 8. Aufl., durchgesehen u. bis auf die neueste Zeit fortgeführt v. Frz. Schmidt. 8. (VI, 122 S.) Leipzig 884. Leuckart. n. — 60
Schnabl, Leop., Buenos-Ayres. Land u. Leute am silbernen Strome. Mit besond. Rücksicht auf europ. Einwanderg., Handel u. Verkehr. gr. 8. (III, 261 S.) Levy & Müller. n. 5. —; geb. n. 6. 20
Schnablegger, J., Leitfaden der allgemeinen Hüttenkunde, nebst dem Wichtigsten aus der Hüttenmaschinenlehre. Verf. f. Hüttenschulen, Hüttenaufseher u. Arbeiter. Mit 38 Orig.-Illustr. gr. 8. (IV, 75 S.) Wien 885. Hölder. n. 2. —
Schnackenburg, die Freikorps Friedrich d. Großen, s.: Beiheft zum Militär-Wochenblatt.
Schnapp, Frdr., die Testamente der zwölf Patriarchen, untersucht. gr. 8. (88 S.) Halle 884. Niemeyer. n. 2. —
Schnapper-Arndt, G., fünf Dorfgemeinden auf dem Hohen Taunus, s.: Forschungen, staats- u. socialwissenschaftliche.
Schnaps, der. Eine Schrift für's Volk. Hrsg. v. e. Commission d. Verbandes „Arbeiterwohl". 8. (48 S.) Köln 83. Bachem. n. — 20
Schnars, Carl Wilh., Baden-Baden u. Umgegend. Neuester zuverläss. Führer. Mit 1 neuen Plan der Stadt, 1 Karte der Umgegend, sowie e. Karte d.

Schmidt, Bernh., kurzgefaßte lateinische Stilistik. Für den Schulgebrauch bearb. 3. Aufl. 8. (VI, 74 S.) Leipzig 886. Teubner. geb. n. 1. 10

Schmidt, C., die Thermalwasser Kamtschatka's, s.: **Mémoires** de l'académie impériale des sciences de St.-Pétersbourg.

Schmidt, C., Hilfsbuch f. den evangelischen Religionsunterricht in den mittleren u. oberen Klassen v. Gymnasien u. Realgymnasien. 8. (IV, 100 S.) Breslau 885. Trewendt. cart. n. 1. 40

Schmidt, C., Wegweiser f. das Verständniss der Anatomie beim Zeichnen nach der Natur u. Antike. 2. Aufl. gr. 8. (IV, 47 S. m. Fig.) Tübingen 885. Laupp. n. 1. 60

Schmidt, C. v., s.: Im Zeichen des rothen Kreuzes.

Schmidt, C. A., Rettung der Eisenbahnpassagiere bei Unglücksfällen. Rathschläge in Bezug auf das Verhalten der Passagiere: a) während der Fahrt, b) beim Anhalten des Zuges, u. c) bei vorkomm. Unglücksfällen. Mit 21 Holzschn. 8. (31 S.) St. Petersburg 885. (Hoenniger.) n. 1. —

Schmidt, C. A., der rationelle Hufbeschlag, in Wort u. Bild dargestellt. Nebst Abdruck d. Gesetzes vom 18. Juni 1884 betr. den Betrieb d. Hufbeschlags-Gewerbes, der Prüfungs-Ordng. f. Hufschmiede, u. d. Statuts der Hufbeschlags-Lehranstalt d. landwirtschaftl. Central-Vereins f. Schlesien zu Breslau. Mit 74 Holzschn. 8. (VIII, 158 S.) Breslau 885. Korn. cart. n. 2. —

Schmidt, C. M., die Cholera-Epidemie zu Riga im J. 1871, nebst e. Rückblick auf die früheren Cholera-Ausbrüche daselbst, nach Zählkarten der Gesellschaft prakt. Aerzte u. deren Protocollen, dargestellt. Veröffentlicht durch die Rigasche Sanitäts-Commission. gr. 8. (19 S. m. 3 Tab. u. 1 color. Plan.) Riga 886. (Kymmel's Sort.) n. 1. —

Schmidt, C. M., 130 Alphabete, Verzierungen, Einfassungen, Initialen in Conturen, f. technische Arbeiten etc. zusammengestellt. qu. 4. (82 Steintaf.) Berlin 885. (Eberswalde, Rust's Nachf.) n. 3. —

Schmidt, C. W. O., die zeichnerische Ausführung der Bauzeichnungen m. bezug auf die farbige Darstellung u. die Schraffirung. Als Lehrbuch f. die Studierenden d. Baufaches u. die Schüler der Baugewerks- u. Handwerkerschulen, sowie zum prakt. Gebrauch f. Bau-, Maurer- u. Zimmermeister bearb. Mit 59 Fig. auf 11, teils in Farben dargestellten Zeichentaf. Lex.-8. (24 S.) Leipzig 886. Gebhardt. n. 2. 80

Schmidt, Carl, das Empyema pleurae. Statistische Untersuchgn. u. casuist. Mittheilgn. [Beobachtungen aus dem allgem. Krankenhaus zu Riga.] 4. (106 u. Anh. 40 S.) Dorpat 883. (Karow.) n. 2. —

Schmidt, Carl, u. Rosalie **Schmidt,** methodische Anleitung f. geometrische Zuschnittlehre, Weißnähen, Maschinennähen u. praktisches Kleidermachen, nebst 50 Illustr. u. Tabellen f. mehr als 100 Muster. Zum Schul- u. Hausgebrauch. 2. Aufl. gr. 8. (VI, 81 S.) München 883. Lindauer. n. 3. 50

Schmidt, Carl v., Instruktionen, betr. die Erziehung, Ausbildung, Verwendung u. Führung der Reiterei v. dem einzelnen Manne u. Pferde bis zur Kavallerie-Division. Auf Veranlassg. Sr. Königl. Hoheit d. General-Feldmarschalls Prinzen Friedrich Karl v. Preußen, Inspekteur der Kavallerie, geordnet u. in wortgetreuer Wiedergabe der Originalien zusammengestellt durch v. Bollard-Bockelberg, eingeleitet durch Kähler. 2. Aufl. Mit dem (Lichtdr.-)Bildniß d. Generals v. Schmidt. gr. 8. (XXV, 372 S.) Berlin 885. Mittler & Sohn. n. 6. —

Schmidt, Carl Ed., Parallel-Homer od. Index aller homerischen Iterati in lexikalischer Anordnung. gr. 8. (VIII, 250 S.) Göttingen 885. Vandenhoeck & Ruprecht's Verl. n. 6. —

Schmidt, Carl Heinr., technologisches Skizzenbuch. Eine systematisch geordnete Zusammenstellg. skizzirter Zeichngn. der Oefen, Maschinen u. Werkzeuge, welche bei der Darstellg. v. Roheisen, Schmiedeisen, Stahl, Zinn, Zink, Blei u. Kupfer, sowie bei Verarbeitg. der Metalle, Hölzer u. Gespinnstfasern vorzugsweise in Anwendg. kommen. Zum Gebrauch f. techn. Lehranstalten u. Universitäten, sowie zum Selbststudium f. Techniker u. Gewerbetreibende bearb. 54 (lith.) Taf. m. 1055 Fig. Neue Ausg. qu. Fol. Stuttgart 883. A. Koch. n. 3. —

Schmidt, Curt, üb. Kernveränderung in den Secretionszellen. [Aus dem physiolog. Institut zu Breslau.] gr. 8. (39 S.) Breslau 882. (Köhler.) n. 1. —

Schmidt, D., v. der Gnadenwahl. Predigt, am 20. Sonntag nach Trinitatis 1883 üb. Matthäi 22, 1—14 geh. gr. 8. (16 S.) Elberfeld 883. (Bädeker.) n. — 30

— Lutherus redivivus od. was würde Luther heute thun? Festrede bei der Feier d. 400jährigen Geburtstages Dr. Martin Luthers in der evangelisch-lutherischen Gemeinde zu Cöln am 4. Nov. 1883 geh. gr. 8. (27 S.) Ebend. 883. n. — 50

— „Philister üb. dir, Simson!" Ansprache, geh. am 2. Novbr. 1884 beim Jahresfest d. evang.-luther. Jünglingsvereins zu Köln. gr. 8. (15 S.) Köln 884. Roemke & Co. n. — 30

Schmidt, E., die Entwicklung d. naturgeschichtlichen Unterrichts an höheren Lehranstalten. gr. 8. (IV, 52 S.) Berlin 886. Friedberg & Mode. n. 1. —

Schmidt's, E. A., Grundriß der Weltgeschichte f. Gymnasien, höhere Lehranstalten u. zum Selbstunterricht. 3. Tl.: Die neue Zeit. 10. Aufl., besorgt v. G. Diestel. gr. 8. (VII, 184 S.) Leipzig 886. Teubner. 1. 50

Schmidt, Erich, Charakteristiken. gr. 8. (VII, 498 S.) Berlin 886. Weidmann. n. 8. —; geb. n. 10. —

— Lessing. Geschichte seines Lebens u. seiner Schriften. 1. Bd. u. 2. Bd. 1. Abth. gr. 8. Ebend. n. 12. —
I. (VII, 487 S. m. rad. Portr.) 884. n. 7. —
II. (VI, 346 S.) 886. n. 5. —

Schmidt, Ernst, de Ciceronis commentario de consulatu graece scripto a Plutarcho in vita Ciceronis expresso. gr. 8. (44 S.) Lubecae 884. (Jena, Deistung.) n. — 60

Schmidt, Ernst, Anleitung zur qualitativen Analyse. Zum Gebrauch im pharmaceutisch-chem. Laboratorium zu Marburg bearb. 2. Aufl. gr. 8. (IV, 70 S.) Halle 885. Tausch & Grosse. cart. n. 2. —

— ausführliches Lehrbuch der pharmaceutischen Chemie. Mit Holzst. u. e. farb. Spectraltaf. [In 2 Bdn.] 2. Bd. Organische Chemie. 2. u. 3. Abth. gr. 8. (XXVIII u. S. 513—1295.) Braunschweig 882. Vieweg & Sohn. n. 15. — (cplt.: n. 43. —)

Schmidt, F., Anleitung f. Lehrerinnen in Töchterschulen zur Ertheilung d. Schul-Unterrichtes in der Maschinen-Nähkunde f. den häusl. Bedarf. 8. (20 S.) Berlin 886. Harrwitz Nachf. — 75

Schmidt, F., der moderne Materialismus. Dargestellt u. kritisch beleuchtet. gr. 8. (IV, 68 S.) Greifswald 884. Abel. n. 1. 20

Schmidt, F., Behandlung deutscher Musterstücke. Ein Hilfsbuch f. Lehrer u. Seminaristen. gr. 8. (VII, 191 S.) Breslau 883. Aderholz. n. 1. 80; geb. n. 2. —

Schmidt, F., der Hausgarten, m. e. Anh. üb. Blumen- u. Blumenzwiebelcultur, nach prakt. Erfahrgn. bearb. 8. (80 S.) Reutlingen 883. Bardtenschlager. — 75

Schmidt, F., Adelhaide v. Muret od. die Verbannung im Kloster. Harte Schicksale e. tugendhaften Mädchens. Eine Erzählg. aus dem vor. Jahrh. 8. (64 S.) Reutlingen 883. Bardtenschlager. — 25

Schmidt, F., miscellanea silurica, — Revision der ostbaltischen silurischen Trilobiten, } s.: **Mémoires** de l'académie impériale des sciences de St.-Pétersbourg.

Schmidt, F., die junge Griechin am Hofe d. Kaisers Nero, s.: Spiegelbilder aus dem Leben u. der Geschichte der Völker.

Schmidt-Warneck, F., die Nothwendigkeit e. socialpolitischen Propädeutik. 2. Aufl. m. dem Ergänzungskapitel: Volkheit u. Volkhaftigkeit. gr. 8. (227 S.) Berlin 885. Puttkammer & Mühlbrecht. n. 6. —

— die Sociologie Fichte's. gr. 8. (215 S.) Ebend. 884. n. 5. 50

— die Volksseele u. die politische Erziehung der Nation. Lex.-8. (471 S.) Ebend. 884. n. 9. —

Schmidt, F. G. A., Handelsgesellschaften in den deutschen Stadtrechtsquellen d. Mittelalters, s.: Untersuchungen zur deutschen Staats- u. Rechtsgeschichte.

Schmidt, F. W., kritische Studien zu den griechischen Dramatikern, nebst e. Anh. zur Kritik der Anthologie. 1. Bd. Zu Aeschylos u. Sophokles. gr. 8. (XIV, 282 S.) Berlin 886. Weidmann. n. 8. —

Schmidt, Ferd., an elementary German grammar and reading book. 8. (VIII, 145 S.) Wiesbaden 884. Bergmann. geb. n. 2. 70

Schmidt, Ferd., es giebt e. Wiedersehen. Dichter- u. Denker-Stimmen aus alter u. neuer Zeit üb. die Unsterblichkeit u. Trostworte an Gräbern. 8. (XIV, 172 S.) Jena 884. Costenoble. n. 1. 50; geb. n. 2. 65

Schmidt, Ferd., Bilder aus den Freiheitskriegen [1813—1815]. 8. (124 S. m. 1 Titelbild.) Düsseldorf 884. F. Bagel. cart. 1. —

— Bilder aus d. Zeit Friedrich Wilhelms III. u. Luisens [1800—1809]. 8. (114 S. m. 2 Bildern.) Ebend. 883. cart. 1. —

— Fürst Bismarck 1815—1885. 8. (60 S. m. 1 Holzschn.-Portr.) Augsburg 885. Reichel. n. — 50

— Buch deutscher Märchen. Für Schule u. Haus gesammelt. 4. Aufl. Mit 4 farb. Bildern v. Offterdinger. gr. 8. (V, 230 S.) Berlin 885. Haack. geb. n. 3. —

— der Cisterzienser. Eine Erzählg. aus der Zeit d. Markgrafen Otto I. v. Brandenburg. 8. (120 S. m. 2 Bildern.) Düsseldorf 886. F. Bagel. cart. 1. —

— Egilbert. Eine Erzählg. aus der Zeit Albrechts d. Bären. 8. (128 S. m. 2 Bildern.) Ebend. 886. cart. 1. —

— frei vom Dänenjoche! Erzählung aus den J. 1863 u. 1864. 8. (121 S. m. 1 Titelbild.) Ebend. 884. cart. 1. —

— der Götterhimmel der Germanen. 8. (VIII, 132 S.) m. 1 Holzschntaf.) Wittenberg 886. Herrosé's Verl. n. 1. 60; geb. n. 2. 40

— Homers Iliade u. Odyssee. Illustriert von W. v. Kaulbach u. Flaxman. 8. Aufl. 2 Bde. 8. (VIII, 194 u. 208 S.) Leipzig 885. Oehmigke's Verl. In 1 Bd. geb. n. 4. —; einzeln cart. à n. 1. 50

Schmidt's, Ferd., deutsche Jugendbibliothek, begründet v. Ferd. Schmidt, fortgeführt [v. Bd. 62 an] durch Jul. Lohmeyer u. Ferd. Schmidt. 3—7. 10. 11. 13—15. 25. 28—30. 32. 33. 35. 36. 41. 42. 45. 47. 49. 50. 53—57. 60—73. Bd. 12. Kreuznach 883—86. Voigtländer's Verl. à n. — 75; geb. à n. 1. —

3. Richard's Fahrt nach dem heiligen Lande. Ein histor. Gemälde v. Ferd. Schmidt. 6. Aufl. (172 S.)
4. Hermann u. Thusnelda. Ein geschichtl. Gemälde aus der deutschen Vorzeit f. Jung u. Alt v. Ferd. Schmidt. 6. Aufl. (117 S.)
5. Die Nibelungen. Eine Heldendichtg. Für Jung u. Alt erzählt v. Ferd. Schmidt. 8. Aufl. (408 S.)
6. Herder als Knabe u. Jüngling. Für Jung u. Alt erzählt v. Ferd. Schmidt. 9. Aufl. (164 S.)
7. Die Türken vor Wien. Ein histor. Gemälde. Für Jung u. Alt erzählt v. Ferd. Schmidt. 6. Aufl. (108 S.)
10. Der Christbaum. Eine Erzählg. f. Jung u. Alt v. Ferd. Schmidt. Als Anh.: Weihnachten. Ein ländl. Gedicht v. A. Merget. 6. Aufl. (166 S.)
11. Der Köhler u. die Prinzen. Der schönste Weihnachtsbaum. 2 Erzählgn. Für Jung u. Alt hrsg. v. Ferd. Schmidt. 6. Aufl. (158 S.)
13. Johann Gottlieb Fichte. Ein Lebensbild f. Jung u. Alt v. Ferd. Schmidt. 4. Aufl. (86 S.)
14. Epheuranken. Erzählungen u. Märchen. Eine Gabe f. die Jugend v. Ferd. Schmidt. 6. Aufl. (123 S.)
15. Gudrun. Eine Erzählg. aus der deutschen Heldenzeit. Für Jung u. Alt v. Ferd. Schmidt. 6. Aufl. Mit 4 Illustr. (110 S.)
25. Aus der Jugendzeit d. großen Kurfürsten. Ein histor. Gemälde v. Ferd. Schmidt. 5. Aufl. (159 S.)
28. König Lear. Eine Erzählg. v. Ferd. Schmidt. 4. Aufl. (151 S.)
29. Der Kaufmann v. Venedig. Macbeth. 2 Erzählgn. f. Jung u. Alt v. Ferd. Schmidt. 3. Aufl. (100 S.)
30. Walther u. Hildegunde. Der Rosengarten. 2 Heldensagen. Für Jung u. Alt erzählt v. Ferd. Schmidt. 6. Aufl. (92 S.)
32. Die Frithiof-Sage v. Ferd. Schmidt. 6. Aufl. (89 S.)
33. Goethe's Jugend u. Jünglingszeit. Ein Lebensbild für Jung u. Alt v. Ferd. Schmidt. 4. Aufl. (141 S.)
35. 42. Deutsche Kriege 1864. 1866. 1870—71. Von Ferd. Schmidt. 2 Bde. 3., resp. 4. gänzlich umgearb. Aufl. Mit je 1 Illustr. (à 139 S.)
36. Georg Washington. Ein Lebensbild f. Jung u. Alt v. Ferd. Schmidt. 4. Aufl. (146 S.)
41. Gewalt u. List Frankreichs gegen Deutschland seit 300 Jahren. Geschichtsbilder v. Ferd. Schmidt. 3. Aufl. (VI, 124 S. m. Titelbild.)
45. Moses Mendelssohn. Ein Lebensbild v. Ferd. Schmidt. 3. Aufl. Mit Portr. (115 S.)
47. Gotthold Ephraim Lessing. Ein Lebensbild v. Ferd. Schmidt. 3. Aufl. (122 S.)
49. Unter deutscher Flagge. Von R. Palm. 2. Aufl. (100 S.)
50. Eriwulf. Eine Erzählg. aus der Zeit der Völkerwanderg. v. W. Schmidt. 2. Aufl. (130 S.)
53. Indianer-Geschichten. Sagen u. Erzählgn. von Fr. C. v. Wickede. 2. Aufl. (95 S.)
54. Manfred v. Tarent. Eine histor. Erzählg. f. die Jugend v. Ludw. Fern. 2. Aufl. (128 S.)
55. Die sicilianische Vesper. Eine histor. Erzählg. für die Jugend v. Ludw. Fern. 2. Aufl. (128 S.)
56. 57. Aus alten Tagen. Kinderbriefe u. Märchen v. Luise Firls. 2. Aufl. Mit 8 Farbendr.-Bildern. 2 Tle. in 1 Bd. (à 146 S.)
60. Albrecht Dürer. Ein deutsches Künstlerleben. Von Rud. Pfleiderer. Mit 4 Abbildgn. (156 S.)
61. Kloster u. Abt. Ein Kulturbild aus der Zeit vor der Reformation. Zur Erinnerg. an Johannes Trithemius, Abt v. Sponheim. Von M. Schneegans. Mit 4 Holzschn. nach alten Originalen. (156 S.)
62. Geschichte u. Dichtung. Vier Erzählgn. von Joh. v. Wildenradt. Mit 6 Holzschn. nach Zeichngn. v. Wold. Friedrich, Johs. Gehrts u. Aug. Klimsch. (160 S.)
63. Erzählungen aus Sage u. Geschichte. Von Adf. Frey. Mit 5 Holzschn. nach Zeichngn. v. Wold. Friedrich, Johs. Gehrts, Aug. Klimsch u. J. Kotschenreuther. (145 S.)
64. Lust u. Lehre. 5 Erzählgn. f. die Jugend v. Wilh. Fischer. Mit 10 Holzschn. nach Zeichngn. v. Aug. Klimsch, K. Offterdinger u. Jul. Kleinmichel. (188 S.)
65. Bunter Strauß. Erzählungen. Märchen u. Erinnerungsblätter v. Jul. Lohmeyer. Mit 6 Holzschn. nach Zeichngn. v. Aug. Klimsch. (147 S.)
66. 67. Thier- u. Jagdgeschichten. Schilderungen f. junge Leser v. A. W. Grube. Mit e. Titelbild in Farbendr. u. 16 Holzschn. (291 S.) In 1 Leinw.-Bd. n. 2. 80
68. 69. Kämpfe u. Helden. Schilderungen aus der deutschen Geschichte von Feod. v. Köppen. Mit e. Titelbild in Farbendr. u. 18 Holzschn. (325 S.) In 1 Leinw.-Bd. n. 2. 80
70. 71. Sang u. Sage. Erzählungen aus Deutschlands Vorzeit v. Wilh. Osterwald. Mit e. Titelbild in Farbendr. u. 17 Holzschn. (378 S.) In 1 Leinw.-Bd. n. 2. 80
72. Heldenfahrten. Erzählungen aus Deutschlands Vorzeit. Von Gust. Schalk. Mit 1 Titelbild. (168 S.)
73. Feierstunden. Erzählungen f. junge Mädchen. Von M. Rieser. Mit 1 Titelbild. (162 S.)

Schmidt's, Ferd., Jugendschriften. Ausg. in Serien. 1. u. 2. Serie in à 6 Bdchn. 8. Mit je 2 Bildern. Düsseldorf 885. F. Bagel. cart. in Futteral à Serie 5. —; einzeln à Bdchn. 1. —

I. 1. Wilhelm v. Zesen. Eine Erzählg. aus der Zeit König Friedrichs I. (123 S.)
2. Der Hülfsschreiber d. Königs. Eine Erzählg. aus der Regierungszeit Friedrich Wilhelms I. v. Preußen. (106 S.)
3. Der Rittmeister. Eine Erzählg. aus der Zeit Friedrichs d. Großen. (124 S.)
4. Ein verlorener Sohn. Eine Erzählg. aus der Zeit König Friedrich Wilhelm II. (126 S.)
5. Bilder aus der Zeit Friedrich Wilhelm III. u. Luisens [1800 bis 1809]. (114 S.)
6. Nacht u. Morgen. Eine Erzählg. aus den J. 1812 u. 1813. (124 S.)

II. 1. Bilder aus den Freiheitskriegen. [1813—1815.] (124 S.)
2. Künstler u. Handwerker. Eine Erzählg. aus der Zeit von 1815 bis 1830. (124 S.)
3. Frei vom Dänenjoche. Erzählung aus den J. 1863 u. 1864. (121 S.)
4. Drei eiserne Männer. (124 S.)
5. Königgrätz. (119 S.)
6. Ans Vaterland, ans teure, schließ' dich an. Eine Erzählg. aus den J. 1866 bis 1871. (110 S.)

— für jüngere Knaben u. Mädchen. Erzählungen u. Märchen. Mit 6 eleganten Farbendr.-Bildern. 8. Aufl. 8. (283 S.) Leipzig 885. Oehmigke. geb. n. 3. —

— der siebenjährige Krieg. 5., verm. Aufl. Mit 10 Text-Abbildgn. u. e. Titelbild nach Zeichngn. v. Ludw. Burger u. a. 8. (VI, 96 S.) Leipzig 883. Spamer. n. 1. —; geb. n. 1. 25

— deutsche Kriege 1864. 1866. 1870—71. Mit 7 Illustr. 12. (279 S.) Kreuznach 883. Voigtländer's Verl. geb. 2. 50

— Künstler u. Handwerker. Eine Erzählg. aus der Zeit von 1815 bis 1830. 8. (124 S. m. 1 Titelbild.) Düsseldorf 884. F. Bagel. cart. 1. —

— Martin Luther. Ein Lebensbild. Ausg. zur 400jähr. Lutherfeier. 8. (VIII, 128 S.) Leipzig 883. Fr. Richter. geb. n. 1. —

— Nacht u. Morgen. Eine Erzählg. aus den J. 1812 u. 1813. 8. (124 S. m. 2 Bildern.) Düsseldorf 883. F. Bagel. cart. 1. —

— Preußens Geschichte in Wort u. Bild. Ein Hausbuch f. Alle. 3. sehr verb. Aufl. Mit gegen 700 Text-Illustr., zahlreichen Tonbildern, Bildnissen m. Facsms. d. Namensunterschriften, Karten ꝛc. Nach Zeichngn. v. Ludw

Burger u. A. 46—51. (Schluß-)Hft. Lex.-8. (3. Bd. XII u. S. 449—666.) Leipzig 883. Spamer. à n. — 50

Schmidt, Ferd., Reinecke Fuchs. Mit zahlreichen Holzschn. u. bunten Bildern. 11. Aufl. 8. (165 S.) Leipzig 886. Oehmigke. geb. n. 2. 50

— deutsche Sagen. 2 Bde. Mit 18 Illustr. 12. (300 u. 199 S.) Kreuznach 883. Voigtländer's Verlag. geb. 4. 50

— ein verlorener Sohn. Eine Erzählg. aus der Zeit König Friedrich Wilhelm II. 8. (126 S. m. 2 Bildern.) Düsseldorf 883. F. Bagel. cart. 1. —

Schmidt, Ferd., deutsches Lesebuch f. die unteren u. mittleren Klassen höherer Lehranstalten. gr. 8. (XVI, 736 S.) Wiesbaden 887. Limbarth. n. 4. 50

Schmidt, Frz., Lesebuch f. mittlere Klassen katholischer Elementarschulen. Mit zahlreichen Illustr. nach Zeichngn. v. A. Lent, Ludw. Richter, F. Specht u. A. gr. 8. (VII, 208 S.) Leipzig 885. Leuckart. n. — 60

Schmidt, Frz. Xav., Jesus meine Liebe. Vollständiges Gebet- u. Andachtsbuch f. kathol. Christen. 24. (220 S. m. 1 Stahlst.) Dülmen 883. Laumann. n. 1. 20; geb. n. 2. —

Schmidt, Frdr., das neue Wiener Rathhaus. Publicirt v. P. Bambach u. M. Grebner. (In 6 Hftn.) 1. Hft. Fol. (11 Lichtdr.-Taf. m. 1 Bl. Text.) Wien 884. Administration der Wiener Bauindustrie-Zeitung. n. 10. —

Schmidt-Hennigker, Frdr., Bismarck-Anekdoten. Heitere Scenen, Scherze u. charakterist. Züge aus dem Leben d. deutschen Reichskanzlers. Nach gegebenen Quellen gesammelt u. bearb. 5 Hfte. 8. (VIII, 152 S.) Leipzig 885. (Zangenberg & Himly.) à n. — 40 (cplt. geb. n. 2. 50)

— Humor Friedrichs d. Großen. Anekdoten, heitere Scenen u. charakterist. Züge aus dem Leben König Friedrich II. 5 Lfgn. Feine Ausg. 8. (VIII, 152 S.) Leipzig 886. Leiner. à n. — 40; geb. n. 2. 60; Volksausg. n. 1. —; geb. 1. 60

Schmidt, G., päbstliche Urkunden u. Regesten aus den J. 1295—1352, die Gebiete der heutigen Prov. Sachsen u. deren Umlande betr., s.: Geschichtsquellen der Prov. Sachsen u. angrenzender Gebiete.

— Urkundenbuch d. Hochstifts Halberstadt u. seiner Bischöfe, s.: Publicationen aus den k. preuß. Staatsarchiven.

Schmidt, Geo., die Mitthäterschaft. Eine strafrechtl. Studie. gr. 8. (46 S.) Worms 882. (Kräuter.) n. 2. —

Schmidt, Gust., die Hirten v. Bethlehem u. die Weisen vom Morgenland. Zwei bibl. Bilder, christl. Familien zur Unterhaltung unterm Weihnachtsbaum vorgestellt. 8. (IV, 101 S.) Greiz 880. Schlemm. cart. n. 1. 20

Schmidt, Gust. Wilh. Carl, kleine Landeskunde v. Thüringen. [Sächsisch-ernest., schwarzburg. u. reuß. Staaten.] Nebst Abriß der Geographie v. Deutschland. Für Volks- u. höhere Schulen, sowie f. alle Freunde d. Thüringer Landes. Mit 2 (1 eingedr. u. 1 chromolith.) Karte. gr. 8. (32 S.) Leipzig 883. Peter. cart. n.n. — 25 (1. u. 2.: n. 5. —; geb. n.n. 7. 40)

Schmidt, H., hurrah, vier Könige, s.: Theater-Album, militairisches.

Schmidt, H., Baukunst d. Mittelalters, s.: Klassiker-Bibliothek der bildenden Künste.

Schmidt-Pecht, H., Entwürfe f. Diplome, Adressen, Plakate etc. in verschiedenen Stilarten. Mit Beiträgen erster deutscher Künstler. Zusammengestellt v. H. S.-P. (In 4 Lfgn.) 1. Lfg. Fol. (5 Taf.) Wien 885. Heim. 4. 50

Schmidt, Heinr., Streif-Lichter üb. die Stellung d. Arztes in der Gegenwart u. sein Verhältniss zur Praxis od. die Medicin, was sie ist, was sie kann, u. was sie will. gr. 8. (44 S.) Berlin 884. Dreyer. n. 1. —

Schmidt, Heinr., 7 vaginale Totalexstirpationen d. Uterus. gr. 8. (30 S.) Jena 885. (Pohle.) — 75

Schmidt, Heinr., die deutsche Grundcredit-Bank zu Gotha u. deren Reorganisation. Beitrag zur Orientierg. der Actionaire u. Pfandbriefbesitzer der Bank. gr. 8. (III, 96 S.) Berlin 884. Puttkammer & Mühlbrecht. n. 1. 20

Schmidt, Henriette, in Backfischchens Kaffeekränzchen. Vier Erzählgn. Mit 4 Farbdr.-Bildern nach Aquarellen v. R. E. Kepler. gr. 8. (164 S.) Stuttgart 886. Hänselmann. geb. n. 3. —

Schmidt, Herm., das Pronomen bei Molière im Vergleich zu dem heutigen u. dem altfranzösischen Sprachgebrauch. gr. 8. (58 S.) Kiel 885. Lipsius & Tischer. n. 1. 60

Schmidt, Herm., der Antrag v. Hammerstein u. das Manifest d. Protestantenvereins. Ein Wort zur Einigg. der positiv gesinnten Glieder der evangel. Kirche. gr. 8. (40 S.) Breslau 886. Dülfer. n. — 60

— die Kirche. Ihre bibl. Idee u. die Formen ihrer geschichtl. Erscheing. in ihrem Unterschiede v. Sekte u. Häresie. Eine dogmat. u. dogmengeschichtl. Studie. gr. 8. (VIII, 267 S.) Leipzig 884. Dörffling & Franke. n. 4. —

Schmidt, Herm., messianische Psalmen u. Weissagungen, in Predigten ausgelegt f. die christl. Gemeinde. Eine Winterpostille. Bevorwortet v. E. Riehm. 2. Thl. Passions- u. Oster-Psalmen d. Alten Bundes. Vom Sonntag Septuagesimä bis Pfingsten. 8. (VIII, 278 S.) Bremen 883. Müller. n. 3. —; geb. n.n. 4. 20 (cplt.: n. 5. —; geb. n.n. 7. 40)

Schmidt, Herm., Elementarbuch der lateinischen Sprache. 1. Tl. Die Formenlehre f. die beiden untersten Klassen d. Gymnasiums. 9. Aufl. Völlig neu bearb. v. Leonh. Schmidt. gr. 8. (VI, 332 S.) Halle 886. Gesenius. n. 2. —

Schmidt-Rimpler, Herm., Augenheilkunde u. Ophthalmoskopie. Für Aerzte u. Studirende bearb. 2. Aufl. Mit 163 Abbildgn. in Holzschn. u. e. Farbentaf. gr. 8. (XIII, 642 S.) Braunschweig 886. Wreden. n. 14. —

Schmidt v. Preuschen, Hermine, stille Winkel. Storm. Heyse. Lenbach. Geibel. Menzel. Liszt. Ibsen. Boecklin. Ebers. Wagner. Mit begleit. Text v. D. Duncker. gr. 4. (28 S. m. 11 Chromolith.) Berlin 886. Hofmann & Co. geb. m. Goldschn. n. 36. —

Schmidt, J., de seviris Augustalibus, s.: Dissertationes philologicae Halenses.

Schmidt, J., die Steinbildwerke v. Copán u. Quiriguá, s.: Meye, H.

Schmidt, J., die Wehr- u. Heer-Ordnung in der jetzigen Fassung unter Hinzufügung der zu denselben erlassenen Verfügungen, Deklarationen rc. Handbuch f. die Truppen- u. Bezirks-Kommandos, sowie f. die Ersatz-Behörden. gr. 8. (XII, 358 S.) Bremen 886. (v. Halem.) n. 4. —

Schmidt, J. A. E., vollständiges russisch-deutsches u. deutsch-russisches Wörterbuch zum Gebrauche beider Nationen. 2 Thle. in 1 Bd. 3. gänzlich umgearb. Ster.-Ausg. 2. Aufl. gr. 8. Leipzig 884. Holtze. 9. —
1. Russisch-deutsch. (IV, 559 S.)
2. Deutsch-russisch. (484 S.)

Schmidt, J. H. Heinr., Synonymik der griechischen Sprache. 4. Bd. gr. 8. (XIV, 875 S.) Leipzig 886. Teubner. n. 16. — (cplt.: n. 54 —)

Schmidt, J. P., die Elemente der Algebra, f. höhere Lehranstalten bearb. 5. Aufl. gr. 8. (VI, 323 S.) Trier 886. Lintz. n. 3. —

Schmidt, Imman., Lehrbuch der englischen Sprache. 1. u. 2. Tl. 8. Berlin, Haude & Spener. n. 4. 60
1. Elementarbuch zum Schul- u. Privatunterricht. 9. Aufl. (VIII, 327 S.) 886. n. 1. 60
2. Grammatik der engl. Sprache f. obere Klassen höherer Lehranstalten. 3. Aufl. (XII, 585 S.) 883. n. 3. —

— englische Schulgrammatik. 3., vollständig umgearb. Aufl. 8. (VIII, 319 S.) Ebend. 884. n. 1. 80; Einbd. n.n. — 20

— Uebungsbeispiele zur Einübung der englischen Syntax f. höhere Klassen. 3. Aufl. 8. (IV, 285 S.) Ebend. 884. n. 1. 60; Einbd. n.n. — 20

Schmidt, Joa., Ulixes posthomericus. Part. I. gr. 8. (88 S.) Berlin 885. Calvary & Co. n. 4. 50

Schmidt, der Heidenmissionar Joh., e. Märtyrer d. 19. Jahrh. Merkwürdige Lebensgeschichte, f. die Jugend u. das Volk dargestellt v. e. Missionär unter den Heiden. 8. (IV, 56 S. m. 3 Illustr.) Frankfurt a/M. 886. Drescher. n. — 60

Schmidt, Johs., Kerne u. Sterne aus dem Propheten Jesajas. 8. (24 S.) Basel 886. Spittler. 15 —

Schmidt, Johs., der Werth d. Streitgegenstandes als

hauptsächlichster Kostenfactor in Civilstreitigkeiten. gr. 8. (IV, 86 S.) Leipzig 884. Roßberg. n. 2. —

Schmidt, Johs., Jugenderinnerungen, nebst pädagog. u. kulturhistor. Exkursionen u. Reflexionen. Der deutschen Lehrerwelt zur Erholg., Vergleichg. u. Anregg. gewidmet. gr. 8. (218 S.) Leipzig 884. Siegismund & Volkening. n. 2. —

Schmidt, Jos., Lehrbuch d. preuß. Rechts u. Prozesses m. Rücksicht auf die Reichsgesetzgebung, das gemeine Recht u. den gemeinrechtlichen Prozeß. 7. v. e. höheren Justizbeamten bis auf die Neuzeit ergänzte Aufl. 1. Bd. Landrecht. 2—12. (Schluß-)Lfg. gr. 8. (X u. S. 81—960.) Breslau 883. Maruschke & Berendt. à n. 1. 50

— dasselbe. 2. Bd. Familien- u. Erbrecht. 4 Lfgn. gr. 8. (307 S.) Ebend. 883. à n. 1. 50

— dasselbe. 8. bis auf die Neuzeit ergänzte Aufl. 3. Bd., enth. den speciellen Theil d. Handelsrechts einschließlich d. Seerechts, das Wechsel-, Lehn-, Kirchen-Recht, e. kurzen Abriß d. preuß. u. deutschen Verfassungsrechts u. die Hinterlegungsordng. vom 14. März 1879. gr. 8. (VIII, 184 u. Anh. 36 S.) Ebend. 884. n. 3. —

— dasselbe. 7. Aufl. 4. Bd. Konkurs-Ordng., Strafrecht u. Strafprozeß-Ordng. gr. 8. (IV, 208; IV, 78 u. VII, 312 S.) Ebend. 883. n. 11. —

— dasselbe. 5. Bd. Civilprozeßordnung. gr. 8. (XII, 536 S.) Ebend. 883. n. 10. —

— dasselbe. Ergänzungsheft. Die Zwangsvollstreckung in das unbewegliche Vermögen nach dem Gesetz vom 13. Juli 1883. gr. 8. (VI, 107 S.) Ebend. 884. n. 1. 60

Schmidt, Julian, Geschichte der deutschen Litteratur von Leibniz bis auf unsere Zeit. (In 5 Bdn.) 1. u. 2. Bd. 1670—1783. gr. 8. (XVI, 341 u. VIII, 352 S.) Berlin 886. Hertz. à n. 7. —; geb. in Leinw. à n. 8. —; in Halbldr. à n. 10. —

Schmidt, Jul., Weihnachtsfreuden in der Kinderstube. Ein hübsches (Zieh-)Bilderbuch f. artige Kinder. 4. (6 Chromolith. m. 6 S. Text.) Fürth 885. Schaller & Kirn. geb. n. 3. —

Schmidt, K. A., Klassen-Wand-Tabelle, welche populär erklärt, wie man richtig sitzen, stehen u. gehen soll, ohne seinen Organismus übermässig anzustrengen. Der lern. Jugend gewidmet. Mit 29 gravirten Zeichnungen. Imp.-Fol. St. Petersburg 883. (Schmitzdorff.) — 75

Schmidt, K. Alb. L., der Unterrichtsstoff aus der deutschen Grammatik, f. Bürgerschulen ausgewählt u. nach Stufen zusammengestellt. 3. Aufl. 8. (IX, 119 S.) Frankfurt a/O. 882. Harnecker & Co. geb. n. 1. —

Schmidt's, Karl, Geschichte der Erziehung u. d. Unterrichts. Für Schul- u. Predigtamts-Candidaten, f. Volksschullehrer, f. gebildete Eltern u. Erzieher übersichtlich dargestellt. 4. Aufl. v. Wichard Lange. gr. 8. (XI, 566 S.) Köthen 883. Schettler's Verl. n. 5. —

— Geschichte der Pädagogik, dargestellt in weltgeschichtl. Entwicklg. u. im organ. Zusammenhange m. dem Culturleben der Völker. 4., vielfach verm. u. verb. Aufl. v. Wichard Lange. 3. Bd.: Die Geschichte der Pädagogik von Luther bis Pestalozzi. gr. 8. (XVI, 830 S.) Ebend. 883. n. 9. —

Schmidt, Karl, lateinische Schulgrammatik. 6. verb. u. verkürzte Aufl. gr. 8. (VIII, 270 S.) Wien 883. Hölder. geb. n. 2. 90

Schmidt, Karl, slavische Geschichtsquellen zur Streitfrage üb. das Jus primae noctis. gr. 8. (34 S.) Posen 886. Jolowicz. n. 1. 20

— der § 830 der deutschen Strafprozeßordnung. Erläutert u. beurtheilt. gr. 8. (III, 72 S.) Mannheim 885. Bensheimer's Verl. n. 1. —

Schmidt-Beauchez, L., die Kunst, die französische Sprache zu erlernen, s.: Kunst, die, der Polyglottie.

Schmidt, Leop., das akademische Studium d. künftigen Gymnasiallehrers. Rede. 2. Aufl. gr 8. (22 S.) Marburg 883. Elwert's Verl. n. — 50

Schmidt, Ludw., zur Geschichte der Langobarden. gr. 8. (80 S.) Leipzig 885. Fock. n. 1. 20

Schmidt, Ludw., Offenbach am Main.sonst u. jetzt. Mit e. Ansicht in Farbendr.: Offenbach im J. 1783. gr. 8. (26 S.) Offenbach 885. Heß. n. — 50

Schmidt-Stoltenburg, Ludw., sieben Freier im Hause. Lustspiel in 5 Aufzügen. 8. (III, 168 S.) Dresden 886. Pierson's Verl. n. 2. —

Schmidt, Ludw. Heinr., Repetitorium d. Handels-, See- u. Wechselrechts f. Studirende u. Prüfungs-Candidaten. Bearb. nach den gebräuchl. neuesten Lehrbüchern u. hrsg. 2. durch Einarbeitg. d. neuen Actienrechts verm. Ausg. 8. (VI, 152 S.) Leipzig 886. Roßberg. cart. n. 2. —

— Repetitorium d. Kirchenrechts. Nach den neuesten Lehrbüchern u. unter Berücksicht. der jüngsten Begebenheiten auf diesem Gebiete bearb. u. hrsg. 8. (VIII, 267 S.) Ebend. 884. cart. n. 2. —

— Repetitorium der National-Oekonomie, nebst kurzgefaßter Darstellg. ihres Entwicklungsganges, f. Studirende u. Prüfungs-Candidaten. 2., neu bearb. u. den neuesten Forschgn. gemäß verm. Aufl. 8. (IV, 153 S.) Ebend. 886. cart. n. 1. 50

— Repetitorium der Pandekten. Nach den neuesten Lehrbüchern, besonders v. Windscheid u. Arndts. 8. (VIII, 375 S.) Ebend. 883. cart. n. 2. 40

— Repetitorium der Rechtsphilosophie [Naturrecht]. Nach den neuesten betr. Werken bearb. u. hrsg. 8. (VIII, 147 S.) Ebend. 884. cart. n. 2. —

— Repetitorium der deutschen Reichs- u. Rechtsgeschichte f. Studirende u. Prüfungs-Candidaten. Bearb. nach den gebräuchlichsten Lehrbüchern. 4. Aufl. 8. (XI, 271 S.) Ebend. 885. cart. n. 2. —

— Repetitorium d. allgemeinen Staatsrechts f. Studirende u. Prüfungs-Candidaten. Bearb. nach den gebräuchl. Lehrbüchern. 3. Aufl. 8. (VIII, 152 S.) Ebend. 886. cart. n. 1. 50

— Tabellen zur römischen u. deutschen Reichs- u. Rechtsgeschichte, fortgeführt bis auf die neueste Zeit. Für Studirende, besonders der Jurisprudenz zusammengestellt. 8. (III, 272 S.) Ebend. 885. n. 2. —

Schmidt, M., Triangulirung III. Ordnung im Freiberger Revier. Hierzu (lith.) Taf. III u. IV, sowie e. besondere Kartenbeilage (in Aubeldr.): Situations-Aufnahmen im Bergrevier Freiberg, Haupt-Dreiecksnetz u. Blatteintheilg. Section Freiberg. gr. 8. (33 S.) Freiberg 883. (Graz & Gerlach.) n. 2. —

— über die Verbesserung der m. Schnur u. Gradbogen gewonnenen Messungsresultate u. e. Schachtlothungsverfahren m. fixirten Lothen. Mit 1 lith. Taf. gr. 8. (22 S.) Ebend. 884. n. 1. 50

Schmidt, M., das erste Decenium d. Damen-Vereins f. Gabelsberger'sche Stenographie zu Dresden, s.: Sammlung v. Vorträgen aus dem Gebiete der Stenographie.

Schmidt, M. W., tabellarische Zusammenstellungen üb. Elb-Wasserstands-Verhältnisse in Böhmen u. Sachsen zum Gebrauche bei Hochfluthen. gr. 4. (6 S. m. 1 chromolith. Karte.) Dresden 886. Urban. n. — 60

Schmidt, Marie, die Perle vom Königstein. Poetische Erzählg. gr. 8. (31 S.) Wiesbaden 885. (Moritz & Münzel.) n.n. 1. —

Schmidt, Max, die Münzen u. Medaillen der Herzöge v. Sachsen-Lauenburg, nebst einleit. Mitteilgn. üb. das Münzwesen u. das Wappen d. Herzogtums. Mit 6 (5 Lichtdr.- u. 1. color. Stein-)Taf. u. 1 Stammbaum-Tab. hoch 4. (V, 65 S.) Ratzeburg 884. Schmidt. n. 6. —

Schmidt, Max., die Aquarell-Malerei. Bemerkungen üb. die Technik derselben in ihrer Anwendung auf die Landschafts-Malerei. Mit e. Abhandlg. üb. Ton u. Farbe in ihrer theoret. Bedeutg. u. in ihrer Anwendg. auf Malereri. 5. Aufl. Mit e. Farbenkreis. 8. (79 S.) Leipzig 884. Th. Grieben. n. 2. —

Schmidt, Max, Geschichts-Tabellen f. die mittleren Klassen höherer Lehranstalten. gr. 8. (II, 52 S.) Greifswald 883. Bindewald. n. — 60; cart. n. — 70

Schmidt, Max C. P., Schulwörterbuch zu Max C. P. Schmidt's Q. Curti Rufi historiae Alexandri Magni. 8. (V, 169 S.) Prag 887. Tempsky. — Leipzig, Freytag. n. 1. 40

Schmidt's, Max., gesammelte Werke. 1. u. 2. Bd. Mit dem Portr. d. Verf. in Holzschn. 8. München, Callwey. n. 7. 60; geb. n. 9. 50

1. Hochlandsbilder. (XII, 312 S.) 886. n. 3. 60; geb. n. 4. 50
2. Die Blinde v. Kunterweg u. andere Erzählungen. (306 S.) 886. n. 4. —; geb. n. 5. —

Schmidt, Max., 's Alpenstummerl, s.: Universal-Bibliothek.
— Altboarisch. G'schicht'ln u. Gedicht'ln. 8. (IV, 124 S.) München 884. Callwey. cart. n. 2. 50
— Culturbilder aus dem bayerischen Walde. 8. (283 S.) Breslau 885. Schottländer. n. 4. —; geb. n. 5. —
— die Fischerrosl v. St. Heinrich. Lebensbild vom Starnbergersee. 8. (III, 192 S.) München 885. Callwey. 2. —; geb. 3. —
— der Georgi-Thaler. Lebensbild aus dem Chiemgau im bayer. Hochlande. 2. Aufl. 8. (212 S.) Ebend. 884. 2. —
— Glasmacherleut', s.: Collection Spemann.
— Humoresken. 1—3. Bd. 8. München 886. Callwey. à n. — 50

1. Lustige Haft. (72 S.)
2. Die Bärenritter. (78 S.)
3. Die Feldherrnhalle. (64 S.)

— Johannisnacht. Dorfgeschichte aus den bayer. Vorbergen. 2. Aufl. 8. (224 S.) Ebend. 884. 2. —
— die Knappenlisl vom Rauschenberg. Erzählung aus d. bayer. Hochgebirge. 2. Aufl. 8. (220 S.) Ebend. 884. 2. —
— die Schwanjungfrau. Erzählung aus dem Berchtesgadnerlandl. 8. (188 S.) Ebend. 885. 1. 50; geb. 2. 50

Schmidt, Meinhard, ärztlicher Ratgeber f. Schiffsführer. Mit Genehmigg. d. hamburg. Medicinal-Kollegiums bearb. u. hrsg. Mit 9 Abbildgn. 8. (III, 120 S.) Hamburg 885. Voss. cart. n. 3. —

Schmidt, Mor., üb. die Einwirkung v. Phenylcyanat auf Phenole u. Phenoläther bei Gegenwart v. Aluminiumchlorid. gr. 8. (54 S.) Osterode a/H. 886. (Göttingen, Vandenhoeck & Ruprecht.) n. 1. 60

Schmidt, O., Descendenzlehre u. Darwinismus, — die Säugethiere in ihrem Verhältniss zur Vorwelt, s.: Bibliothek, internationale wissenschaftliche.

Schmidt, Osk., Leitfaden der Zoologie, zum Gebrauche an Gymnasien u. Realschulen. 4. Aufl. Mit 190 Holzschn. gr. 8. (IV, 256 S.) Wien 883. Gerold's Sohn. n. 3. —

Schmidt, Osw. Glob., Luther's Bekanntschaft m. den alten Classikern. Ein Beitrag zur Lutherforschg. gr. 8. (VII, 64 S.) Leipzig 883. Veit & Co. n. 1. 20

Schmidt, Otto, praktische Baukonstruktionslehre. 1. Bd. Die Eindeckung der Dächer u. die Konstruktion der Dachrinnen m. Berücksicht. aller neueren Erfahrgn. u. Erfindgn. Lehrbuch f. höhere u. niedere bautechn. Anstalten u. zum prakt. Gebrauche f. Baumeister, Architekten, Maurer- u. Zimmermeister bearb. Mit eingedr. Illustr. u. 37 autogr. Taf. in Fol. m. ca. 450 Fig. gr. 4. (VI, 122 S.) Jena 885. Costenoble. n. 13. —
— Comptoir-Handbuch f. Architekten, Maurer- u. Zimmermeister, sowie für Handwerksmeister u. Gewerbetreibende, enth. die einfache u. die doppelte Buchführg. f. Baugeschäfte, sowie e. Anleitg. üb. die Wechselordng., Quittgn., Reverse, Bauverträge 2c. u. alle neueren Gesetze u. Erlasse bezüglich der Gewerbeordng., d. Krankenkassen- u. Unfallgesetzes, der Reichscivilprozeß- u. Konkursordng. 2c. Als Lehrbuch f. Fachschulen u. zum Selbstunterricht bearb. 3. Aufl. gr. 8. (VIII, 271 S.) Karlsruhe 887. Bielefeld's Verl. geb. n. 4. —
— Handbuch enth. e. Abriß d. Hochbaues m. besond. Berücksicht. der Feuerungs-Anlagen, f. die Studirenden d. Maschinenbaues, der Chemie, d. Straßen- u. Eisenbahnbaues, der Landwirthschaft u. d. Baufaches, als Lehrbuch f. techn. Unterrichts-Anstalten u. zum Selbstunterricht bearb. Mit 564 Holzschn. 2. Aufl. gr. 8. (X, 514 S.) Ebend. 885. n. 5. —

Schmidt, Otto Ed., die letzten Kämpfe der römischen Republik. 1. Tl. Historische Studien. gr. 8. (62 S.) Leipzig 884. Teubner. n. 1. 60
— die schönsten Sagen der Griechen. Ein Hülfsbuch zur Einführg. in die Mythologie f. Unterklassen höherer Schulen. 8. (45 S.) Dresden 886. Höckner. n. — 40
— u. Osk. Enderlein, Erzählungen aus Sage u. Geschichte d. Altertums. Ein Hilfsbuch f. den ersten Geschichtsunterricht auf höheren Lehranstalten. 8. (94 S.) Ebend. 886. geb. n.n. — 75

Schmidt, Otto F., u. Herm. **Schillmann,** neues Berliner Lesebuch f. mehrklassige Schulen. 1—3. Tl. gr. 8. Berlin u. Leipzig 886. Klinkhardt. geb. n. 2. 10

1. Unterstufe. Oberabteilung. [5. Klasse der Berliner Gemeindeschule.] (XII, 100 S.) n. — 55
2. Mittelstufe. Unterabteilung. [4. Klasse der Berliner Gemeindeschule.] (IV, 156 S.) n. — 65
3. Mittelstufe. Oberabtheilung. [3. Klasse der Berliner Gemeindeschule.] (IV, 218 S.) n. — 90

Schmidt, P., Gewalt od. Geist? s.: Zeit- u. Streit-Fragen, deutsche.

Schmidt, Paul, der erste Thessalonicherbrief, neu erklärt. Nebst e. Excurs üb. den zweiten gleichnam. Brief. gr. 8. (128 S.) Berlin 885. G. Reimer. n. 4. —

Schmidt, Paul v., der Beruf d. Unteroffiziers. Zusammenstellung e. Reihe v. Artikeln aus der Unteroffizier-Zeitg. 2. Aufl. 8. (91 S.) Berlin 885. Liebel. n. — 60
— Dienst-Unterricht f. die zur Uebung eingezogenen Ersatz-Reservisten der Infanterie. Auszug aus v. Dossow's Dienstunterricht. 6. Ausg. [18. Druckaufl.] Mit 34 Abbildgn. im Text. 8. (72 S.) Ebend. 886. n.n. — 25
— Instruktion f. die zur Uebung eingezogenen Ersatz-Reservisten der Infanterie. Auszug aus v. Dossow's Dienst-Unterricht. 4. verm. u. verb. Aufl. [13. u. 14. Druckaufl.] Mit 33 Abbildgn. im Text. 8. (72 S.) Ebend. 884. n.n. — 25
— Schießausbildung, Feuerwirkung u. Feuerleitung f. die Unteroffiziere der deutschen Infanterie. 2. im Anschluß an die Schieß-Instruktion v. 1884 umgearb. Aufl. Mit 30 Fig. im Text u. e. Fig.-Taf. gr. 8. (80 S.) Ebend. 885. n. 1. —

Schmidt, Paul B., poetischer Festgruß, s.: Benz, lasset uns säen 2c.
— aus vollem Herzen. Gedichte. 8. (108 S.) Leipzig 883. Böhme. n. 1. 30
— libellus historico-criticus in quo quomodo ultimis a. Chr. saeculis judaismus cum paganismo coaluerit Philonis theosophiae ratione sub finem habita. gr. 8. (81 S.) Ebend. 884. n. 1. 25

Schmidt, R., zum 100jährigen Jubiläum d. Luftballons, — der Venusdurchgang, s.: Sammlung gemeinnütziger Vorträge.

Schmidt-Cabanis, Rich., auf der Bacillen-Schau! Zeitgeistliche Forschgn. durch's satyr. Mikroskop. 8. (IV, 197 S.) Dresden 885. Leipzig, Dürselen. n. 3. —; geb. n. 4. —
— Brumm-Stimmen der Zeit. Lustiges u. Unlustiges aus Papa Kronos' Liederfibel. 8. (X, 213 S.) Berlin 886. Eckstein Nachf. n. 2. 50
— Erzählungen, s.: Universal-Bibliothek.
— die Jungfernrede. Eine trag. Reichstagswahlgeschichte ohne Politik. Mit Illustr. v. H. Scherenberg. 3. Aufl. 8. (III, 60 S.) Berlin 884. Eckstein Nachf. n. 1. —
— neueste Kinder-Bühne. Nr. 1—12. 4. (à 16 S. Text m. 1 chromolith. Fig.-Taf.) Leipzig 885. 86. Görlitz, Foerster's Verl. à — 50

1. Aschenbrödel. Märchen in 5 Akten.
2. Dornröschen. Märchen in 3 Akten.
3. Der Freischütz. Romantisches Schauspiel in 4 Akten.
4. Der gestiefelte Kater. Märchen in 3 Akten.
5. Die Nibelungen. Trauerspiel in 4 Aufzügen.
6. Rotkäppchen. Märchen in 3 Akten.
7. Rübezahl. Märchen in 4 Akten.
8. Schneewittchen u. die sieben Zwerge. Märchen in 5 Akten.
9. Aladdin od. die Wunderlampe. Zaubermärchen in 5 Aufzügen. (20 S.)
10. Genoveva. Schauspiel in 4 Aufzügen. (18 S.)
11. Reineke Fuchs. Tierfabel in 4 Aufzügen. (14 S.)
12. Wilhelm Tell. Schauspiel in 5 Aufzügen. (16 S.)

Schmidt, Rich., de Hymenaeo et Talasio dis veterum nuptialibus. gr. 8. (95 S.) Kiel 886. (Lipsius & Tischer.) n. 2. —

Schmidt, Rob., Equisetaceae selectae Germaniae mediae. Ausgewählte mitteldeutsche Schafthalme. 1. Hft. Fol. (5 Bl. m. aufgeklebten Pflanzen.) Jena 884. Deistung. In Mappe. n. 2. 40
— Filices selectae Germaniae mediae. Ausgewählte mitteldeutsche Farn in getrockneten Exemplaren. 1. u. 2. Hft. Fol. (à 5 Bl. m. aufgeklebten Pflanzen.) Ebend. 884. In Mappe. à n 2. 40
— lichenes selecti Germaniae mediae. Ausgewählte mitteldeutsche Flechten in getrockneten Exemplaren. 2. Hft. Fol. (4 Bl. m. aufgeklebten Pflanzen.) Ebend. 883. In Mappe. n. 2. 40 (1. u. 2.: n. 4. 80)

Schmidt, Rud., Bericht üb. Gruppe 24 der schweizerischen Landesausstellung Zürich 1883: Waffen. gr. 8. (145 S.) Zürich 884. Orell Füssli & Co. Verl. n. 3. —

— Neuerungen im Bewaffnungswesen der Infanterie d. In- u. Auslandes. Stand auf Ende 1884. Mit 1 (autogr.) Abbildg. d. Lee-Repetirgewehres. 12. (36 S. m. 2 Tab.) Basel 885. Schwabe. n. — 80

Schmidt, S., die Zwangsvollstreckung in das unbewegliche Vermögen [neue Subhastationsordnung]. Gesetz vom 13. Juli 1883. Nebst dem Gesetz betr. die Gerichtskosten bei Zwangsversteigergn. u. Zwangsverwaltgn. v. Gegenständen d. unbewegl. Vermögens. Vom 18. Juli 1883. Gemeinfaßlich dargestellt. gr. 8. (IV, 82 S.) Minden 884. Bruns. n. 1. —

Schmidt's, Th., Compendium der speciellen Chirurgie. Zum Gebrauch f. Studirende u. Aerzte [zugleich als 2. Bd. zu Krüche's allgemeiner Chirurgie u. Operationslehre dienend] vollständig neu umgearb. v. Arno Krüche. Mit 48 Abbildgn. 8. (X, 337 S.) Leipzig 883. Abel. n. 6. —; Einbd. n.n. — 75

Schmidt, Thdr., u. Matthäus **Grüninger,** Übungsbuch f. den Rechenunterricht an unteren u. mittleren Klassen v. Gelehrten-, Real- u. Bürgerschulen, nach O. v. Fischers method. Grammatik d. Schulrechnens bearb. 1. u. 2. Bdchn. 2. Aufl. 8. Stuttgart, J. F. Steinkopf. cart. n. 1. 80

1. Für 8.—10 jähr. Schüler. (Rechnen m. ganzen Zahlen.) (VIII, 74 S.) 884. n. — 80
2. Für 10- bis 12 jähr. Schüler. [Bruchrechnen u. Bruchsatz untere Stufe.] (151 S.) n. 1. —

Schmidt's, W., Aufgaben zum schriftlichen Rechnen f. die Volksschule. Neu bearb. v. L. Eisert. 4 Hfte. 8. Gera, Th. Hofmann. n. — 90; Einbd. à n.n. — 5

1. 39. Aufl. (32 S.) 886. n. — 15. — 2. 39. Aufl. (32 S.) 885. n. — 20. — 3. 17. Aufl. (52 S.) 886. n. — 30. — 4. 10. Aufl. (44 S.) 883. n. — 25

Schmidt, W., Eriwulf, s.: Schmidt's, F., deutsche Jugendbibliothek.

Schmidt, W., Leben d. heil. Meinolph, Diakonus an der Kirche zu Paderborn, Stifters d. Klosters Böddeken. [793—857.] Nach Quellen dargestellt. 2. Aufl. gr. 16. (88 S.) Paderborn 884. Bonifacius-Druckerei. — 30

Schmidt, W., s.: Predigt u. Vorträge, geh. bei der 25 jähr. Jubelfeier der Meißner Konferenz.

Schmidt, W., das neue Lehrerpensionsgesetz für Preußen, m. e. Anh.: Zusammenstellung der in den verschiedenen preuß. Provinzen in Bezug auf das Pensionswesen der Volksschullehrer gelt. Normen u. Grundsätze. Ergänzt u. erläutert auf Grund der amtl. Motive u. der Berichte u. Verhandlgn. d. Landtags. 2. Aufl. gr. 8. (80 S.) Berlin 885. Burmester & Stempell. n. — 25

Schmidt, W., zum deutschen Lesebuch f. die Volksschulen d. Reg.-Bez. Wiesbaden. 60 Lesestücke, sach- u. sprachlich erläutert. 1—3. Hft. 8. Frankfurt a/M. Jäger. n. 2. 80

1. (VII, 54 S.) 881. n. 1. —. — 2. (60 S.) 882. n. 1. —. — 3. (III, 36 S.) n. — 80

Schmidt, W., die Photographie, ihre Geschichte u. Entwickelung, s.: Sammlung gemeinverständlicher wissenschaftlicher Vorträge.

Schmidt, Wilh., die mechanische Tischlerwerkstätte. Praktisches Lehrbuch zur Selbstherstellg. u. vorteilhaften Benutzg. der im Kleingewerbe unerläßlich nöt. Holzbearbeitungsmaschinen zum Handbetrieb f. die gesamte Tischlerei. 2. Aufl. Hierzu e. Atlas, enth. 17 (lith.) Taf. m. Abbildgn. v. Maschinen u. deren einzelnen Teilen, sowie sonst. erläut. Zeichngn. zum prakt. Betriebe. gr. 8. (VIII, 58 S.) Weimar 883. B. F. Voigt. 4. 20

Schmidt, Wilh., Beschreibung e. Telluriums, construirt v. W. S. gr. 8. (20 S. m. 1 Steintaf.) Wien 884. Hölzel. n. — 40

Schmidt, Wilh., interessante Formschnitte d. 15. Jahrh. aus dem kgl. Kupferstichkabinet zu München. Ein Beitrag zur Geschichte d. Holzschnitts. Mit 3 Taf. in Phototypie. gr. 4. (16 S.) München 886. Verlagsanstalt f. Kunst u. Wissenschaft. n. 4. —

Schmidtborn, H., die Ursachen der Athembewegungen u. ihre Bedeutung f. den Kreislauf. Nach der Lehre v. Alex. Diesterweg. gr. 8. (52 S.) Wiesbaden 886. Bergmann. n. 1. 60

Schmied, Ant. Adam, die Bodenlehre. Ein Handbuch f. die Theorie u. Praxis. Zum Gebrauche an landwirthschaftl. Lehranstalten, sowie zum Selbstunterrichte. Nach den neuesten wissenschaftl. Fortschritten u. prakt. Erfahrgn. bearb. Lex.-8. (VIII, 374 S.) Prag 886. Calve. n. 9. 60

Schmiedeberg im Riesengebirge u. seine Umgebungen. Ein Führer f. Besucher d. Eglitz- u. Lomnitz-Thales. 8. (53 S.) Schmiedeberg 884. Sommer. n. — 50

Schmiedeberg, Oswald, Grundriss der Arzneimittellehre. gr. 8. (VIII, 279 S.) Leipzig 883. F. C. W. Vogel. n. 5. —

Schmiedeberg, R. v., der deutsche Vorstehhund. Mit 6 ganzseit. Abbildgn. nach Zeichngn. v. Ludw. Beckmann u. H. Sperling. gr. 4. (62 S.) Leipzig 884. E. Twietmeyer. n. 2. 25

Schmiedeknecht, H. L. Otto, apidae europaeae [die Bienen Europa's] per genera, species et varietates dispositae atque descriptae. Accedunt tabulae lapidi incisae. Fasc. 5—12. gr. 8. (5. Fasc. S. 315—1073.) Gumperda 883. 85. (Berlin, Friedländer & Sohn.) n. 28. — (1—12.: n. 42. —)

Schmiedekunst, die, nach Originalen d. 15. bis 18. Jahrh. 1—7. Lfg. gr. Fol. (à 10 Steintaf.) Berlin 884—86. Wasmuth. à n. 4. —

Schmiedel, M. J., Rechenaufgaben aus dem prakt. Leben. Für die Oberklassen der Werktags- sowie f. Sonntagsschulen zusammengestellt. 12. Aufl. 8. (35 S.) Würzburg 886. (Stuber's Verl.) n. — 20; Ergebnisse. 11. Aufl. (12 S.) n. — 10

Schmieden, Dekoration innerer Raume, } s.: Gropius.
— das neue Universitätsgebäude in Kiel, } s.: Gropius.

Schmieder, Edm., die einfache Buchführung f. Gewerbtreibende. Zum Selbstunterricht theoretisch u. praktisch ausgearb. u. hrsg. gr. 8. (V, 75 S. m. 1 Tab.) Dresden 883. Jaenicke. n. 1. —

— die doppelte, italienische Buchführung. Zum Selbstunterricht theoretisch u. praktisch ausgearb. u. hrsg. (In 10 Lfgn.) 1. Lfg. gr. 8. (IV, 32 S.) Ebend. 886. n. — 50

Schmieder, H., Luther, der Gottesmann, s.: Festschriften zur 400 jähr. Jubelfeier der Geburt Dr. Martin Luthers.

Schmieder, Pius, matricula episcopatus Passaviensis saeculi XV. Auf Grund der Handschriften hrsg. 1. Thl. Text. gr. 8. (X, 71 S.) Wels 885. Trauner. n. 3. —

Schmiede-Zeitung, deutsch-österreichische. Organ f. die Interessen d. gesammten Schmiedehandwerks. Red.: G. Grützner. 1. Jahrg. Juli 1883—Juni 1884. 36 Nrn. (B. m. Illustr.) gr. 4. Berlin, (E. Mecklenburg). n. 8. —

Schmiedl, A., Saadia Alfajûmi u. die übrigen ... — **Schmiedl,** A., Sanfinnim. Betrachtungen zu den fünf Büchern Mosis, nach Ordng. der Wochenabschnitte. Zur Verbreitg. erhöhter Kunde u. Würdigg. d. Judenthums, sowie zur Förderg. religiöser Wärme u. Innigkeit. 2. Aufl. gr. 8. (VIII, 336 S.) Prag 885. Brandeis. n. 2. 40; geb. n.n. 3. 40

Schmiele, E., Geschichtstabellen f. höhere Schulen, s.: Rethwisch, C.

Schmithof, C., der Liebesbrief, s.: Bloch's, E., Dilettanten-Bühne.

Schmitt, Chrn., Blumen am Wege. Ein Liederstrauß aus dem Elsaßlande. Gedichte. 8. (XV, 157 S.) Straßburg 887. Heitz. n. 2. 50

Schmitt, E., Übungsbuch f. den französischen Anfangsunterricht, s.: Ehretsmann, J.

Schmitt, E., Fundamente, } s.: Handbuch der Architektur.
— Gestüte u. Marstall-Gebäude, } s.: Handbuch der Architektur.

— Magazine, Vorraths- u. Handelsspeicher f. Getreide, s.: Engel, F.

— Markthallen u. Marktplätze, s.: Osthoff, G.

Schmitt, Greg., medicinische Statistik der Stadt Würzburg f. die J. 1880 u. 1881. Mit 2 lith. Taf. gr. 8. (79 S.) Würzburg 883. Stahel. n. 2. 80

Schmitt, Heinr. Ludw., quaestiones chronologicae ad Thucydidem pertinentes. gr. 8. (105 S.) Leipzig 882. (Teubner.) n. 1. 60

Schmitt, Jak., Anleitung zur Erteilung d. Erstkommunikanten-Unterrichts. 7. Aufl. gr. 8. (VIII, 357 S.) Freiburg i/Br. 884. Herder. n. 2. 40

— Erklärung d. mittleren Deharbeschen Katechismus zunächst f. die mittlere u. höhere Klasse der Elementarschulen. 3 Bde. 6. Aufl. 8. Ebend. n. 15. —
1. Von dem Glauben. (XVI, 612 S.) 885. n. 4. 60
2. Von den Geboten. (IX, 686 S.) 885. n. 5. —
3. Von den Gnadenmitteln. (X, 703 S.) 886. n. 5. 40

— manna quotidianum sacerdotum sive preces ante et post missae celebrationem, cum brevibus meditationum punctis pro singulis anni diebus. Preces ed., meditationum puncta composuit, appendicem adjecit J. S. 3 tomi. 12. (XII, 470, XII, 629, XII, 687 u. Anh. LV S.) Ebend. 883. 84. à n. 3. —; geb. à n. 4. —

Schmitt, Joh. Jos. Herm., lateinische Sprichwörter, Redensarten, Musterstellen u. Musterverse, zum Memorieren f. Schüler gesammelt. gr. 8. (107 S.) Edenkoben 886. Kreiselmeyer. n. 1. —; geb. n. 1. 30

Schmitt, L., das deutsche Volkslied, s.: Broschüren, Frankfurter zeitgemäße.

Schmitt, R., s.: Ministerialblatt f. die gesammte innere Verwaltung in den königl. preuß. Staaten. Haupt- u. Sachregister.

— Mittheilungen aus der Verwaltung der directen Steuern im preußischen Staate. gr. 8. (VIII, 135 S.) Hagen 883. Risel & Co. n. 2. —

Schmitt, Rich., Prinz Heinrich v. Preußen als Feldherr im 7jährigen Kriege. I. Die Kriegsjahre 1756—59. gr. 8. (III, 157 S.) Greifswald 885. Abel. n. 3. —

Schmitthenner, A., s.: Familien-Bibel d. Neuen Testamentes.

Schmitthenner, H., das Armenwesen in Baden, s.: Sammlung v. Vorträgen.

Schmitthenner, Joh. Heinr. Aug., Genealogie der Familie Schmitthenner. gr. 8. (VIII, 64 S.) Heidelberg 884. C. Winter. n. 2. —

Schmitz, Lieder f. die Volksschule. 8. (80 S.) Dülmen 886. (Horstmann.) geb. n.n. — 30

Schmitz, Alf., Lehrbuch der Arithmetik. 8. (VIII, 124 S.) Neuburg a/D. 885. Grießmayer. n. 1. 20; cart. n.n. 1. 50

Schmitz, Bernh., Anleitung f. Schulen zu den ersten Sprechübungen in der französischen u. engl. Sprache. Ein Übungsbuch hauptsächlich f. Realschulen u. höhere Töchterschulen, nebst e. methodolog. Einleitg. 3. Aufl. gr. 8. (80 S.) Leipzig 885. C. A. Koch. n. 1. —

— französisches Elementarbuch, nebst Vorbemerkgn. üb. Methode u. Aussprache. 1. u. 2. Tl. gr. 8. Berlin, Dümmler's Verl. n. 3. —
1. Vorschule der französischen Sprache. 9. Aufl. Besorgt v. Adf. Neumann. (XXXII, 100 S.) 887. n. 1. 20
2. Grammatik u. Übungsbuch f. mittlere Klassen. 6. Aufl. (XVI, 200 S.) 884. n. 1. 80

— dasselbe. Uebungsbeispiele zum II. Tl., s.: Klapp, A.

— deutsch-französische Phraseologie in systematischer Ordnung, nebst e. Vocabulaire systématique. Ein Übungsbuch f. jedermann, der sich im freien Gebrauch der französ. Sprache vervollkommnen will. 7. Aufl. gr. 8. (VII, 179 S.) Berlin 887. Langenscheidt. n. 2. —; geb. n. 2. 50

— französische Synonymik, nebst e. Einleitg. in das Studium der Synonyma überhaupt. 3. Aufl. Besorgt v. Aug. Kesseler. gr. 8. (XXXVI, 272 S.) Leipzig 883. C. A. Koch. n. 4. 50

Schmitz, F. J., portugiesische Grammatik m. Berücksicht. d. gesellschaftl. u. geschäftl. Verkehrs. gr. 8. (VII, 251 S.) Leipzig 884. Glöckner. n. 4. 50; Schlüssel (52 S.) 885. n. 1. 50

Schmitz, Fr., die Vegetation d. Meeres. Ein Vortrag. gr. 8. (21 S.) Bonn 883. Strauß. n. — 30

Schmitz, H. J., der Bettler v. Assisi u. das Ritterthum, die Poesie u. Kunst seiner Zeit, s.: Broschüren, Frankfurter zeitgemäße.

— die Bussbücher u. die Bussdisciplin der Kirche. Nach handschriftl. Quellen dargestellt. gr. 8. (XVI, 864 S.) Mainz 883. Kirchheim. n. 15. —

Schmitz, J. Lebensfrühling, } s.: Glas-
— Rechenbuch, } macher, J.

Schmitz, J., die Arbeiter-Versicherung. Handbuch f. die Berufsgenossenschaften, Vorstände u. Rechnungsführer v. Krankenkassen aller Art. Nach den Reichsgesetzen vom 15. Juni 1883, 6. Juli 1884, 28. Mai 1885 u. 5. Mai 1886 dargestellt. (In 12 Hftn.) 1. u. 2. Hft. Lex.-8. (80 S.) Neuwied 887. Heuser's Verl. à — 60

— die sämtlichen Ausführungs-Verordnungen zum Krankenversicherungsgesetz. Nebst e. vergleich. Übersicht u. e. Nachweisg. üb. die in den Krankenversicherungs-Angelegenheiten zuständ. Behörden. gr. 8. (VIII, 239 S.) Ebend 886. n. 3. —

— die Bürgermeisterei- u. Amts-Verwaltung. Ein Handbuch f. Stadt- u. Gemeindeverwaltungs-, sowie Gemeinde-Aufsichts-Beamte. 1—11. Lfg. gr. 8. (1. Tl. XII, 697 S.) Ebend. 883—86. à 1. —

— die Gemeinde-Ordnung f. die Rheinprovinz vom 23. Juli 1845, nebst dem an gehör. Stelle eingeschalteten Gesetze vom 15. Mai 1856, sowie den dazu ergangenen Instruktionen, Deklarationen, Ober-Tribunals- u. Appellationsgerichts-Erkenntnissen ꝛc. u. nach den Reichs- u. Landesgesetzen erläutert. 3. Aufl. 8. (VI, 128 S.) Ebend. 885. cart. n. 2. —

— Geschäfts-Anweisung zur Führung der Verwaltung, insbesondere d. Kassen- u. Rechnungswesens der Krankenkassen. gr. 8. (8 S.) Ebend. 885. — 30

— die Invaliden-, Wittwen- u. Waisen-Versorgung der Arbeiter, nebst Normal-Statuten f. Kassen dieser Art. Unter Berücksicht. d. Krankenversicherungsgesetzes vom 15. Juni u. d. Gesetzes betr. die Unfallversicherg. der Arbeiter vom 6. Juli 1884. gr. 8. (28 S.) Ebend. 885. n. 1. —

— wie sind die Krankenkassen zu errichten u. ältere Kasseneinrichtungen nach dem Kranken-Versicherungsgesetze vom 15. Juni 1883 umzuändern? Eine prakt. Anleitg. f. die Staats- u. Gemeide-Verwaltungs-Behörden, Industriellen, nebst den vom Bundesrathe veröffentlichten Entwürfen zu Statuten f. Orts- u. Betriebs-[Fabrik-]Krankenkassen, e. Normalstatut f. Baukrankenkassen u. e. Musterstatut üb. die Erweiterg. d. Versicherungszwanges, sowie auch Formularen zur Einrichtg. der Buchführg. f. sämmtl. Krankenkassen. 1. Lfg. gr. 8. (IV, 236 S.) Ebend. 884. 1. —

— das Reichsgesetz betr. die Ausdehnung der Unfall- u. Krankenversicherung vom 28. Mai 1885. Textausg. m. ausführl. Erläutergn., den einschläg. Bestimmgn. d. Gesetzes vom 6. Juli 1884 u. den Ausführungsbestimmgn. 8. (86 S.) Ebend. 885. cart. n. — 80

— Reichs-Gesetz betr. die Krankenversicherung der Arbeiter vom 15. Juni 1883, nebst den die Krankenversicherg. betr. Bestimmgn. d. Ausdehnungs-Gesetzes vom 28. Mai 1885 u. den einschläg. Bekanntmachgn. d. Reichsversicherungsamtes. Text-Ausg. m. Berücksicht. der v. den Centralbehörden der einzelnen Bundesstaaten erlassenen Verordngn. sowie den ergangenen gerichtl. Entscheidgn. 3. Aufl. 12. (III, 110 S.) Ebend. 886. — 75

— Reichsgesetz betr. die Unfall- u. Kranken-Versicherung der in land- u. forstwirtschaftlichen Betrieben beschäftigten Personen vom 5. Mai 1886, nebst Ausführungsverordngn. Textausg. m. Anmerkgn. u. ausführl. Sachregister versehen. 12. (134 S.) Ebend. 887. cart. — 90

— Uebersicht der f. die sämmtlichen deutschen Bundesstaaten in Gemäßheit des § 8 d. Reichsgesetzes betr. die Krankenversicherung der Arbeiter vom 15. Juni 1883 festgestellten ortsüblichen Tagelöhne gewöhnlicher Tagearbeiter. gr. 4. (VI, 66 S.) Berlin 886. Ebend. n.n. 6. —

Schmitz, Jos., de φυσεως apud Aristotelem notione ejusque ad animam ratione. gr. 8. (42 S.) Bonn 884. (Rhein. Buch- u. Kunst-Antiquariat.) n. 1. —

Schmitz, L., der Mensch u. dessen Gesundheit. Hygieinisches Lehrbuch f. jeden Gebildeten. Speziell bearb. als Unterrichtsbuch zum Gebrauche in mittleren u. höheren Lehranstalten sowie in Lehrerseminarien. Mit 100 Abbildgn. gr. 8. (XII, 367 S.) Freiburg i/Br. 884. Herder. n. 4. —; Einbd. n.n. — 60

Schmitz, L., u. H. **Zander,** die Bleibergwerke bei Mechernich u. Commern. Nach handschriftl. u. gedruckten Quellen beschrieben. 12. (60 S.) Mechernich 883. (Schumacher.) n.n. — 75

Schmitz, Luise, die Hütte am Teich. Eine Erzählg. f. die reifere Jugend. 12. (142 S.) Basel 885. Spittler. n.n. — 70

Schmitz, Max., Kaiserin Augusta. Ihr Leben u. ihre Bedeutg. f. das deutsche Volk. Mit Titelbild (in Holzschn.). 8. (48 S.) Wolfenbüttel 884. Zwißler. n. — 50; bill. Ausg. — 40

— Friedrich Wilhelm, Kronprinz des deutschen Reiches u. v. Preußen. Mit Titelbild (in Holzschn.). 8. (54 S.) Ebend. 884. n. — 50; bill. Ausg. — 40

— Prinz Karl v. Preußen, der Herrenmeister der Johanniter. Ein Erinnerungsblatt. Mit Titelbild (in Holzschn.). 8. (38 S.) Ebend. 884. n. — 50; bill. Ausg. — 40

— Fürst Karl Anton v. Hohenzollern. Ein Erinnerungsblatt u. Mahnruf. gr. 8. (47 S.) Düsseldorf 885. Schwann. — 75

— Fürst Karl Anton v. Hohenzollern u. seine Familie. Zur goldenen Hochzeitsfeier entworfen. Mit Titelbild (in Holzschn.). 8. (34 S.) Wolfenbüttel 884. Zwißler. n. — 50; bill. Ausg. — 40

— Luise, Großherzogin v. Baden. Mit Titelbild (in Holzschn.). 8. (31 S.) Ebend. 884. n. — 50; bill. Ausg. — 40

— Kaiser Wilhelm. Ein Lebensbild. Mit e. Anh.: Wilhelm unser Heldenkaiser. Eine Liedertrias v. Ghold. Kreyenberg. 8. (32 S. m. eingedr. Holzschn.) Elberfeld 883. Lucas. n. — 40

Schmitz, Max., der englische Investiturstreit. Als Anh.: Die Quellen u. ihr Abhängigkeitsverhältnis. gr. 8. (VI, 116 S.) Innsbruck 884. Wagner. n. 2. 80

Schmitz, Rich., Erfahrungen üb. Bad Neuenahr. 3. Aufl. 8. (32 S.) Ahrweiler 882. (Bonn, Hochgürtel.) n. — 80

Schmitz-Aurbach, Therese v., Leitfaden der französischen Sprache f. höhere Mädchenschulen. Nach der analyt. Methode bearb. 1—4. Schuljahr. gr. 8. Karlsruhe 884—86. Bielefeld's Verl. cart. n. 2. 95
1. (32 S.) n. — 30. — 2. (48 S.) n. — 45. — 3. (72 S.) n. — 70. — 4. (135 S.) n. 1. 50

Schmitz, W., s.: Monumenta tachygraphica codicis Parisiensis latini 2718.

Schmöger, K. E., Leben der gottseligen Anna Katharina Emmerich. Im Auszuge bearb. v. e. Priester derselben Congregation. Mit 1 Stahlst. nach Ed. Steinle. gr. 8. (VIII, 583 S.) Freiburg i/Br. 885. Herder. n. 4. —

— himmlisches Manna f. heilsbegierige Seelen. Aus den Offenbargn. der heil. Brigitta gesammelt u. nach der röm. Ausg. vom J. 1628 aus dem Lat. übers. 8. (XVI, 416 S. m. 1 Portr.) Regensburg 883. Pustet. n. 2. —

Schmöger, Karl Eberhard, aus der Congregation d. allerheiligsten Erlösers. Ein Lebensbild. gr. 8. (52 S. m. Portr. in Holzschn.) Regensburg 883. Pustet. n. — 40

Schmöger, M., s.: Versuche üb. die Verdaulichkeit der Weizenkleie etc.

Schmölcke, J., Handbuch f. Hochbautechniker zur Benutzung beim Entwerfen u. Veranschlagen v. Hochbauten aller Art. 2. Aufl. Mit Holzschn. u. 3 (lith.) Taf. gr. 8. (XII, 348 S.) Holzminden 883. Müller. n. 7. 50; geb. n. 8. 50

— das Wohnhaus d. Arbeiters. Eine Anleitg. zur Herstellg. bill., solider u. gesunder Arbeiterwohngn. in den Städten u. auf dem Lande. Preisgekrönt durch den Verein „Concordia". 12 lith. Taf., enth. 9 Orig.-Entwürfe, Situationspläne u. Details. 2. Aufl. gr. 4. Nebst beschreib. Text. gr. 8. (IV, 76 S.) Bonn 885. Strauß. In Mappe. n. 8. 50

Schmölder, A., die Strafen d. deutschen Strafgesetzbuchs u. deren Vollzug. Eine krit. Studie. gr. 8. (63 S.) Berlin 885. Vahlen. n. 1. 20

— zur Wiedereinführung der Schuldhaft. gr. 8. (40 S.) Köln 883. Rommerskirchen. n. — 90

Schmölders, Paul, das Eigentum an den in e. Gebäude verwandten Baumaterialien. gr. 8. (50 S.) Breslau 885. (Köhler.) n. 1. —

Schmolke's, Benj., Gott geheiligte Morgen- u. Abendandachten f. Gesunde u. Kranke, nebst Gebeten u. Liedern f. besond. Veranlassgn. Ferner enth.: Scrivers Betaltar frommer Christen, Lieder v. Hirsch, Seiz, Munz, Bezzel u. a., u. e. Anh. v. Wettergebeten. Angefertigt durch Frdr. Roth-Scholz. 8. (364 S. m. 1 Holzschn.) Reutlingen 886. Fleischhauer & Spohn. — 60; Einbd. — 60

— dasselbe. 8. (349 S.) Ducherow 884. (Leipzig, Buchh. d. Vereinshauses.) geb. n.n. — 90

— das himmlische Vergnügen in Gott. Vollständiges Gebet-Buch auf alle Zeiten, f. alle Stände u. bei allen Gelegenheiten. 11. Abdr. Mit e. Vorrede üb. den Mißbrauch, sowie üb. den rechten Gebrauch der Gebetbücher. gr. 8. (XVI, 815 S. m. 1 Holzschn.) Basel 886. Spittler. n. 2. 40; geb. n. 3. 60

Schmolling, Ernst, üb. den Gebrauch einiger Pronomina auf attischen Inschriften. 2 Tle. gr. 4. (21 u. 20 S.) Stettin 1882 u. 85. (Berlin, Weidmann.) à n. 1. —

Schmueckiag, Aug., üb. Pseudohypertrophia musculorum. gr. 8. (35 S.) Helmstedt 883. (Göttingen, Vandenhoeck & Ruprecht.) n. — 80

Schmued, L., e. deutsche Antwort auf Dr. Eduard Reich's: „Studien u. Betrachtungen üb. Oesterreich". 2. Aufl. 8. (14 S.) Salzburg 884. (Dieter.) n. — 20

Schmude, Thdr., heil. Johannes v. Nepomuk! Bitte f. uns! Geschichte d. Lebens u. der öffentl. Verehrg. d. ersten Martyrers d. Beichtsiegels, nebst Gebetbuch. 16. (VIII, 336 S. m. 1 Stahlst.) Innsbruck 883. F. Rauch. n. 1. —

Schmuggler, der, s.: Volks-Erzählungen, kleine.

Schmülling, Th., Sonn- u. Festtags-Predigten. 2. Bd. A. u. d. T.: Predigten f. die Fastenzeit. Aus dem Nachlasse d. Verf. hrsg. v. Heinr. Kömstedt. gr. 8. (624 S.) Münster 882. Theissing. 6. —

— dasselbe. 4. Bd. 1. Lfg. A. u. d. T.: Predigten f. die Sonn- u. Festtage nach Dreifaltigkeit bis zum Schlusse d. Kirchenjahres. Aus dem Nachlasse d. Verf. hrsg. v. Heinr. Kömstedt. gr. 8. (1132 S.) Ebend. 883. 9. — (cplt.: 27. —)
Das Sachregister zum ganzen Werke wird gratis nachgeliefert.

— dasselbe. 2. Aufl. 4 Bde. gr. 8. Ebend. 884. 27. —
1. Predigten f. die Advents- u. Weihnachtszeit. (VI, 712 S.) 6. —
2. Predigten f. die Fastenzeit. (624 S.) 6. —
3. Predigten f. die Oster- u. Fronleichnamszeit. (VIII, 657 S.) 6. —
4. Predigten f. die Sonn- u. Festtage nach Dreifaltigkeit bis zum Schlusse d. Kirchenjahres. (1155 S.) 9. —

Schnabel, Herm. Phpp., Krankentrost. Sammlung v. Schriftlectionen, geistl. Liedern u. Gebeten. Eine Handreichung f. die Krankenseelsorge. 8. (VII, 240 S.) Heilbronn 886. Henninger. n. 2. —; geb. n. 2. 50

Schnabel, T., kurzgefaßte schlesische u. brandenburg-preußische Geschichte. Ein Leitfaden f. Schüler in den kathol. Elementar-Schulen Schlesiens. 8. Aufl., durchgesehen u. bis auf die neueste Zeit fortgeführt v. Frz. Schmidt. 8. (VI, 122 S.) Leipzig 884. Leuckart. n. — 60

Schnabl, Leop., Buenos-Ayres. Land u. Leute am silbernen Strome. Mit besond. Rücksicht auf europ. Einwanderg., Handel u. Verkehr. gr. 8. (III, 261 S.) Levy & Müller. n. 5. —; geb. n. 6. 20

Schnablegger, J., Leitfaden der allgemeinen Hüttenkunde, nebst dem Wichtigsten aus der Hüttenmaschinenlehre. Verf. f. Hüttenschulen, Hüttenaufseher u. Arbeiter. Mit 38 Orig.-Illustr. gr. 8. (IV, 75 S.) Wien 885. Hölder. n. 2. —

Schnackenburg, die Freikorps Friedrich d. Großen, s.: Beiheft zum Militär-Wochenblatt.

Schnapp, Frdr., die Testamente der zwölf Patriarchen, untersucht. gr. 8. (88 S.) Halle 884. Niemeyer. n. 2. —

Schnapper-Arndt, G., fünf Dorfgemeinden auf dem Hohen Taunus, s.: Forschungen, staats- u. socialwissenschaftliche.

Schnaps, der. Eine Schrift für's Volk. Hrsg. v. e. Commission d. Verbandes „Arbeiterwohl". 8. (48 S.) Köln 83. Bachem. n. — 20

Schnars, Carl Wilh., Baden-Baden u. Umgegend. Neuester zuverläss. Führer. Mit 1 neuen Plan der Stadt, 1 Karte der Umgegend, sowie e. Karte d.

Schwarzwaldes u. Anleitg. zu 11 grösseren Tages-Ausflügen: Badener Höhe, Murgthal, Herrenalb u. Wildbad, Bühlerthal, Mummelsee u. Hornisgrinde, Allerheiligen u. Renchthal, Renchthal-Bäder u. Rippoldsau, Schwarzwaldbahn, Strassburg, Freiburg u Höllenthal, Karlsruhe u. Rastatt. 5. Aufl. 12. (VII, 160 S.) Baden-Baden 886. Wild. geb n. 2. —

Schnars, Carl Wilh., neuester kleiner Führer durch den Schwarzwald. Mit besond. Berücksicht. v. Baden-Baden, Freiburg, Konstanz u. der Schwarzwaldbahn. 4. neu bearb. Aufl. Mit 1 Karte d. Schwarzwaldes. 8. (VI, 210 S.) Heidelberg 885. C. Winter. geb. n. 2. —

— die badische Schwarzwaldbahn von Offenburg üb. Triberg nach Singen [Konstanz, Schaffhausen u. Sigmaringen]. Mit Angabe der bautechn. Verhältnisse der Bahn nach offiziellen Mitteilgn. Nebst 1 Übersichtskarte, 1 Bahn-Längenprofil, 20 Ansichten u. dem Plan v. Konstanz. 3. bis 1883 bericht. Ausg. 12. (XII, 216 S.) Ebend. 883. geb. n. 2. —

— neuester Schwarzwaldführer. 2 Thle. 6. bis 1883 bericht. Aufl. 12. Ebend. 883. geb. à n. 4. —
1. Der nördliche Schwarzwald. Mit 3 Karten u. dem Plan v. Konstanz. (XVI, 314 S.)
2. Der südliche Schwarzwald. Mit 3 Karten, dem Plan v. Freiburg u. e. Alpenpanorama v. Höchenschwand aus. (XVI, 330 S.)

— dasselbe. 7. Aufl. Mit 10 Karten u. Plänen. 8. (VI, 407 S.) Ebend. 885. geb. n. 6. —

Schnatter, J., éléments de la langue grecque. 3. cours. Les formes du dialecte épique. 2. éd. 8. (36 S.) Berlin 886. Herbig. n. — 50

Schnauß, Jul., Katechismus der Photographie od. Anleitg. zur Erzeugg. photograph. Bilder. Nebst e. alphabet. Verzeichniß der deutschen, latein., französ. u. engl. Benenngn. photograph. Chemikalien u. Naturproducte. 3. Aufl. Mit e. Nachtrag: Das Gelatine-Emulsions-Verfahren. Mit 28 Abbildgn. 8. (VIII, 212 S.) Leipzig 885. Weber. geb. n. 2. —

— der Licht-Druck u. die Photolithographie. Nach eigenen Erfahrgn. u. denen der ersten Autoritäten practisch bearb. 3. Aufl. gr. 8. (VIII, 157 S. m. Illustr. u. 3 Taf.) Düsseldorf 886. Liesegang. n 4. —

— Recept-Taschenbuch f. Photographen. 270 Vorschriften u. Mittheilgn. aus der photograph. Praxis. 2. Thl. 8. (VII, 72 S.) Halle 883. Knapp. n. 1. 20 (1. u. 2.: n. 4. 20)

Schnedermann, zur Geschichte der Emder Rüstkammer. Mit 4 Taf. Abbildgn. in Lichtdr. u. beschreib. Texte v. Starcke. gr. 8. (19 S.) Emden 883. Haynel. n. 2. 50

Schnedermann, Geo., der christliche Glaube u. die heilige Schrift. Habilitations-Vorlesg. gr. 8. (42 S.) Basel 884. Detloff. n. 1. 20

— das Judenthum u. die christliche Verkündigung in den Evangelien. Ein Beitrag zur Grundlegg. der bibl. Theologie u. Geschichte. gr. 8. (V, 282 S.) Leipzig 884. Hinrichs' Verl. n. 5. 60

Schnee, der, ist gangen, der Lenz ist da, die Blumen prangen, Halleluja! 4 Wald- u. Wiesenblumen. Chromolith. 12. Leipzig 883. (Baldamus Sep.-Cto.) n. 1. 20

Schnee, Rud., de Aristophanis manuscriptis quibus Ranae et Aves traduntur. gr. 4. (13 S.) Hamburg 886. (Herold.) n.n. 1. 25

Schneebeli, s.: Bericht üb. physikalische Industrie.

Schneebeli, J. J., Verfassungsstunde in elementarer Form. 2. Aufl. gr. 8. (VIII, 32 S.) Zürich 886. Orell Füßli & Co. Verl. n. — 80

Schneeberger, F., Schweizer-Lieder. Volks-, Natur- u. Vaterlandslieder der Schweiz, nebst mehreren Orig.-Beiträgen f. Männerchor bearb. u. hrsg. 8. (VII, 224 S.) Bern 883. Wyss. n. 1. 60

Schneegans, A., aus fernen Landen. Novellen. [San Pancrazio v. Evolo. Eurikleia. Sirenengold. Auge um Auge.] 8. (288 S.) Breslau 886. Schottländer. n. 4. —; geb. n. 5. —

Schneegans, M., Kloster u. Abt, s.: Schmidt's, F., deutsche Jugendbibliothek.

Schneegans, W., Kreuznach, Münster a. Stein u. das Nahethal, nebst Ausflügen an den Rhein u. in die Pfalz. Führer f. Badegäste u. Touristen. Die medizin. Anleitg. ist v. Welsch. Mit 4 Karten u. 18 Illustr. 4. Aufl. 8. (VIII, 155 S.) Kreuznach 887. Schmithals. geb. n. 2. —

Schneege, Gerhard, de relatione historica, quae intercedat inter Thucydidem et Herodotum. gr. 8. (60 S.) Breslau 884. (Koehler.) n. 1. —

Schneele, Kasp., die römischen Päpste in chronologischer Aufeinanderfolge, nach den Zierden der histor. Literatur dargestellt. 8. (64 S.) Lippach 882. (Ravensburg, Dorn.) n. — 80

Schneer, Jos., Alassio u. seine Umgebung. Eine Skizze üb. Land u. Leute m. meteorolog. Beobachtgn. u. 3 Tabellen. 8. (XII, 85 S.) Wiesbaden 886. Bergmann. n. 1. 60

Schneid, Mathias, die philosophische Lehre v. Zeit u. Raum. gr. 8. (125 S.) Mainz 886. Kirchheim. n. 1. 50

Schneidewind, Gust. Heinr., der Auszug nach Kahla. Eine Studentengeschichte aus vergangenen Tagen. 8. (IV, 364 S.) Jena 886. Dabis. n. 4. —; geb. n. 5. 50

— Jenenser Leben. Gedichte. 8. (XI, 167 S.) Jena 883. Costenoble. n. 1. 60; geb. n. 2. —

— der Strike. Eine Geschichte aus dem socialen Leben der Gegenwart. 12. (74 S.) Berlin 886. Eckstein Nachf. n. 1. 50

Schneidemühl, Geo., Entstehung, Erkennung u. Tilgung der Lungenseuche nebst Vorbauungsmaßregeln gegen dieselbe unter gleichzeit. Berücksicht. der gesetzl. Bestimmungen. Ein Vortrag. gr. 8. (38 S.) Osterwieck 885. Zickfeldt. n. — 75

— Lage der Eingeweide bei den Haussäugethieren, nebst Anleitg. zur Exenteration f. anatom. u. pathologisch-anatom. Zwecke, f. Studirende u. Thierärzte bearb. 8. (VIII, 173 S.) Hannover 884. Schmorl & v. Seefeld. geb. n. 3. —

— die Lupinen-Krankheit der Schafe, s.: Vorträge f. Thierärzte.

— Repetitorium der Muskellehre bei den Haussäugethieren, gleichzeitig e. Leitfaden f. die Präparirübgn., f. Studierende u. Thierärzte bearb. 8. (IV, 67 S.) Hannover 884. Schmorl & v. Seefeld. n. 1. —

— die Schafräude. Eine gemeinfaßl. Darstellg. der Entstehg., Heilg., Feststellg. u. Tilgg. derselben. Mit e Anh. der gesetzl. Bestimmgn. 2. Aufl. gr. 8. (27 S.) Osterwieck 886. Zickfeldt. n. — 50

— die Tuberculose d. Rindviehs, deren Erkennung u. Verhütung m. besond. Rücksicht auf die Stierhaltung. Ein Vortrag, geh. am 19. Decbr. 1881 in Rendsburg in der Hauptversammlg. d. schleswig-holstein. Generalvereins. gr. 8. (26 S.) Ebend. 885. n. — 60

— das Verwerfen der Kühe unter besond. Berücksicht. d. seuchenartigen Auftretens. Ein Vortrag. 8. (32 S.) Ebend. 885. n. — 50

Schneider, s.: Baden-Baden u. seine Kurmittel.

Schneider, A., s.: Beiträge, zoologische.

Schneider, A., Beiträge zu dem Bau e. Eisenbahn in den Harz. Vortrag. Mit 5 (autogr.) Beilagen. 4. (38 S.) Blankenburg a/H. 882. (Brüggemann.) n. 3. —

Schneider, A., das schweizerische Obligationenrecht, sammt den Bestimmungen d. Bundesgesetzes betr. die persönliche Handlungsfähigkeit m. allgemeinfaßlichen Erläuterungen. Unter Mitwirkg. v. H. Fick. 4—7. [Schluß-] Lfg. gr. 8. (S. 257—668.) Zürich 882. Schultheß. à n. 1. — (cplt. geb.: n. 8. 20)

— dasselbe. 2. Aufl. (In 3 Bdchn.) 1. Bdchn. gr. 8. (192 S.) Ebend. 883. n. 2. —

— der Schutz d. musikalischen Kunstwerks in der Schweiz. gr. 8. (19 S.) Zürich 885. Gebr. Hug. n. — 40

Schneider, Alb., der praktische Erheber der Zölle u. indirekten Steuern. Ein Rathgeber f. Beamte, welche zur Verwaltg. e. Zoll- od. Steuer-Amtes berufen werden. gr. 8. (XI, 103 S.) Minden 886. Schneider. n. 2. —

— die gesammte Zucker-Zoll- u. Steuer-Gesetzgebung im deutschen Reich, nebst älteren u. neueren Ausführungsbestimmgn., Bundesrathsbeschlüssen, Dienstanweisgn. ꝛc. Bearb. u. eingeleitet durch e. histor. Rückblick auf den Entwickelungsgang der Gesetzgebg. 8. (V, 100 S.) Ebend. 886. n. — 80; cart. n. 1. —

Schouppe, F. X., Thatsachen aus der Geschichte zur Erläuterung d. Dogma's v. der Hölle. Autoris. Uebersetzg. aus dem Franz. v. Lohmann. 16. (141 S.) Gülpen 882. (Aachen, Jacobi & Co.) n. — 40

Schoute, P. H., einige Bemerkungen üb. das Problem der Glanzpunkte. Lex.-8. (39 S.) Wien 885. (Gerold's Sohn.) n. — 60

Schrader, Aug, was alles in der Welt zu sehen ist. Ein hübsches (Verwandlungsbilder-)Buch f. Kinder. 8. (6 S. m. 6 Chromolith.) Leipzig 883. Opetz. — 60

— wie man's treibt, so geht's. Ein hübsches (Verwandlungsbilder-)Buch f. Kinder. 8. (6 S. m. 6 Chromolith.) Ebend. 883. — 60

Schrader, Bruno, Toggenburg u. Roswitha. [der sieg d. idealen.] musikdrama in 1 aufzuge. 16. (44 S.) Jena 885. (Leipzig, Schloemp.) n. 1. —

Schrader, Eb., zur Frage nach dem Ursprunge der altbabylonischen Cultur. gr. 4. (49 S.) Berlin 884. (G. Reimer.) n. 3. —

— Gedächtnissrede auf Justus Olshausen. Gelesen am Leibniz'schen Jahrestage den 28. Juni 1883. gr. 8. (21 S.) Ebend. 883. n. 1. —

— die Keilinschriften am Eingange der Quellgrotte d. Sebeneh-Su. Mit 1 (Lichtdr.-)Taf. gr. 4. (31 S.) Ebend. 885. n. 3. —

— die Keilinschriften u. das Alte Testament. Mit e. Beitrage v. Paul Haupt. 2. Aufl. Nebst chronolog. Beigaben, 2 Glossaren, Registern u. e. (lith.) Karte. gr. 8. (VII, 618 S.) Giessen 883. Ricker. n. 16. —

Schrader, Fr., methodisch geordneter Unterrichtsstoff f. das elementare Freihandzeichnen in Schulen, nebst method u. sachl. Erläutergn. 3 Stufen in 4 Abtlgn. 4. Hildesheim 886. Borgmeyer. cart. n. 6. 60; Erläutergn. gr. 8. (IV, 57 S.) n. — 60

I. Die gerade Linie. a. Vorstufe: Netzzeichnen. (48 Steintaf.) n. 1. 50. — b. Zeichnen ohne Hilfsmittel. (40 Steintaf.) n. 1. 25
II. Die gebogene Linie. (49 Steintaf.) n. 1. 60
III. Blätter, Blüten u. vollständige pflanzliche Ornamente. (77 Steintaf.) n. 2. 25

Schrader, Gerh., der tausendjährige Rosenstock am Dome zum Hildesheim. 8. (46 S. m. Fig.) Hildesheim 884. Borgmeyer. cart. n. — 60

Schrader, Herm., quaestionum peripateticarum particula. gr. 4. (11 S.) Hamburg 884. (Nolte.) n.n. 1. —

Schrader, Herm., der Bilderschmuck der deutschen Sprache. Einblick in den unerschöpfl. Bilderreichthum unserer Sprache u. ein Versuch wissenschaftl. Deutg. gr. 8. (VII, 379 S.) Berlin 886. Dolfuß. n. 6. —

Schrader, K., s.: Beiträge, kritische, zur herrschenden Wirthschaftspolitik.

Schrader, Ludw., üb. Isopropylderivate d. Pyridins u. Reductionsproducte derselben. Ein Beitrag zur Erkenntniss d. Zusammenhanges zwischen Pyridin- u. Piperidinbasen. gr. 8. (33 S.) Kiel 884. (Lipsius & Tischer.) n. 1. 20

Schrader, O., linguistisch-historische Forschungen zur Handelsgeschichte u. Warenkunde. 1. Tl. gr. 8. (XII, 291 S.) Jena, Costenoble. n. 8. —

— Thier- u. Pflanzengeographie im Lichte der Sprachforschung, s.: Sammlung gemeinverständlicher wissenschaftlicher Vorträge.

— Sprachvergleichung u. Urgeschichte. Linguistisch-histor. Beiträge zur Erforschg. d. indogerman. Altertums. gr. 8. (X, 490 S.) Jena 883. Costenoble. n. 11. —

Schrader, Wilh., der evangelische Charakter unserer Volksschule. Vortrag. gr. 8. (23 S.) Halle 886. Strien. n. — 60

— dasselbe, s.: Verhandlungen d. VI. Vereinstags der landeskirchlichen evangelischen Vereinigung.

— Karl Gustav v. Goßler, Kanzler d. Königr. Preußen. Ein Lebensbild. 8. (125 S.) Berlin 886. Dümmler's Verl. n. 2. 40

Schram, Karl, die Habsburger. Roman-Cyklus. Mit vielen Orig.-Illustr. (In ca. 80 Hftn.) 1. u. 2. Hft. gr. 8. (1. Abth.: Die Kaisergeige. [Leopold I.] S. 1—64.) Wien 886. Anger. à — 30

Schram, Rob., Beitrag zur Hansen'schen Theorie der Sonnenfinsternisse. Lex.-8. (15 S.) Wien 886. (Gerold's Sohn.) n.n. — 35

— Darlegung der in den „Hilfstafeln f. Chronologie“ zur Tabulirung der jüdischen Zeitrechnung angewandten Methode. Lex.-8. (43 S.) Ebend. 883. n. — 80

— über die christliche Festrechnung u. die in den „Hilfstafeln f. Chronologie“ m. Kalenderzahl bezeichnete Grösse. Imp.-4. (24 S.) Ebend. 883. n. 1. 20

— Hilfstafeln f. Chronologie. Imp.-4. (72 S.) Ebend. 883. n. 4. 80

Schram, Wilh. C., Brünner Chronik. [1800—1850.] Eine Sammlg. der denkwürdigsten Ereignisse, die sich in der ersten Hälfte d. 19. Jahrh. in Brünn zugetragen haben. 8. (IV, 79 S.) Brünn 885. Karafiat's Verl. n. — 80

Schraml's Adreß-Buch der Industriellen, Kaufleute, Gewerbetreibenden, Aerzte, Advokaten, Notare, Großgrund-Besitzer, Banken u. Credit-Institute, Versicherungs-Gesellschaften, Verkehrs-Anstalten, nach Branchen geordnet. 1. u. 2. Tl. Lex.-8. Linz 885. (Winter.) n. 5. —

1. Oesterreich ob der Enns. (179 S.) n. 3. —
2. Salzburg. (55 S.) n. 2. —

Schramm, C., der Hagelschaden. Praktische Anleitg. zur sachgemäßen Beurtheilg. u. Regulirg. v. Hagelschäden. 3. Aufl. gr. 8. (IV, 73 S.) Zürich 885. Verlags-Magazin. n. 1. 20

— zur Hagelversicherungsfrage in der Schweiz. gr. 8. (26 S.) Ebend. 886. n. — 40

Schramm-Macdonald, Hugo, das Feuerversicherungswesen m. Bezug auf den Erlaß d. preußischen Handelsministers Fürsten v. Bismarck vom 19. März 1883. gr. 8. (44 S.) Dresden 883. v. Zahn & Jaensch. n. 1. 50

Schramm, R., unser Glaube. Ein Wegweiser auf religiösem Gebiet f. denk. Christen. 2. Aufl. gr. 8. (XII, 448 S.) Leipzig 884. Barth. n. 6. —; geb. n. 7. 50

— die Grenzen der Lehrfreiheit. Vortrag. gr. 8. (39 S.) Bremen 884. Roussel. n. — 80

— das Heer der Seligmacher od. die Heilsarmee in England, s.: Zeit- u. Streitfragen, deutsche.

— der Schriftglaube. Ein ausführl. Spruchbuch, nach der Ordng. d. kleinen Luther'schen Katechismus zusammengestellt. 4. Aufl. 8. (IV, 108 S.) Berlin 883. Staude. cart. n. — 60

— die wahre Toleranz. Vortrag, geh. im Protestanten-Verein zu Bremen u. Hamburg. gr. 8. (27 S.) Bremen 886. Roussell. n. — 30

Schramm, Rich., Garibaldi, der kühne Freischaarenführer. Schilderung seines Lebens u. seiner Abenteuer. 2—6. Hft. gr. 8. (S. 33—192.) Striegau 883. Hoffmann. à — 20

Schrammen, J., üb. die Bedeutung der Formen d. Verbum. gr. 8. (143 S.) Heiligenstadt 884. Delion. n. 2. —

Schrammen, Johs., Alldeutschland. Bilder aus der Götter- u. Heldensage, aus der Geschichte u. der Kulturentwickelg. d. deutschen Volkes. 6—15. (Schluß-)Lfg. gr. 8. (1. Bd. XV u. S. 356—515 u. 2. Bd. IX, 55 S. m. 1 Lichtdr.) Leipzig 883. E. H. Mayer. à — 80; cplt. n. 12. —; geb. n. 15. —

— nordisch-germanische Götter- u. Heldensagen. Hilfsbuch zur Verbreitg. der alten Mythen u. zur Erklärg. der aus denselben geflossenen Neuschöpfgn. gr. 8. (186 S. m. 1 Lichtdr.) Ebend. 884. cart. n. 2. 40; geb. n. 3. —

— Grundriß der Weltgeschichte, s.: Gehrke, A.

— Zollernfrauen. Charakterbilder aus der Sage u. der Geschichte d. preuß. Herrscherhauses. Mit vielen Illustr. Lex.-8. (VI, 814 S.) Wolfenbüttel 884. 85. Zwißler. n. 10. —; geb. n. 12. –; feinere Ausg. geb. n. 20. —

Schrank, Jos., die Prostitution in Wien in historischer, administrativer u. hygienischer Beziehung. 2 Bde. gr. 8. (VIII, 434 u. VII, 345 S.) Wien 886. (Toeplitz & Deuticke.) n.n. 12. —

Schranka, E. M., s.: Rail, E.

Schranz, Jul., ärztliche Plaudereien. Aus dem Volk für das Volk geschrieben. 8. (III, 89 S.) Innsbruck 884. Wagner. n. — 80

— unsere Zeit u unsere Nerven. Ein Beitrag zur Patho-

[illegible]

[illegible] [illegible]

[illegible]

Schneidewin, Max, drei populär-philosophische Essays. 2. Aufl. gr. 8. Hameln 883. Fuendeling. n. — 75
1. Arthur Schopenhauer u. Eduard v. Hartmann Eine Parallele zwischen der philosoph. u. menschl. Persönlichkeit Beider.
2. Adolph Steudel, e. Philosoph der Gegenwart.
3. Eins der geflügelten Worte d. Goethe'schen Faust als harmonische Lösungsformel d. modernen Lebens. (52 S.)

— die homerische Naivetät. Eine ästhetisch-culturgeschichtl. Studie. 2. Aufl. 8. (VII, 156 S.) Hameln 884. Brecht. n. 2. 75

— deutsch u. lateinisch gefaßte disponierende Übersicht der Ciceronianischen Miloniana u. Sestiana. 8. (47 S.) Ebend. 884. n. — 90

— homerisches Vocabularium sachlich geordnet. gr. 8. (VIII, 111 S.) Paderborn 883. F. Schöningh. n. 1. 35

Schneidewind, E., das Lutherhaus in Eisenach. Ein Beitrag zu Luthers Jugendgeschichte. 8. (46 S.) Eisenach 883. Baerecke. n. 1. —

— der tugendhafte Schreiber am Hofe der Landgrafen v. Thüringen. Eine Festschrift d. Karl-Friedrich-Gymnasiums in Eisenach. gr. 8. (VII, 24 S.) Gotha 886. F. A. Perthes. n. — 60

Schneitler, F. H, Lehrgang der englischen Sprache f. Kaufleute u. Vorschule zur englischen Handelskorrespondenz [speciell zu Feller's New mercantile correspondence, 5th ed. 1886]. Für Handelsschulen, kaufmänn. Fortbildungsschulen u. ähnl. Schulen, sowie f. den Selbstunterricht bearb. gr. 8. (XIV, 429 S.) Leipzig 886. Baumgärtner. geb. 3. —

— Lehrgang der französischen Sprache f. Kaufleute u. Vorschule zur französischen Handelskorrespondenz [speziell zur Correspondance commerciale par P. Brée, 9. Aufl. 1884]. gr. 8. (VIII, 181 S.) Ebend. 884. geb. 1. 20

Schnell, Eug., Sanct Nicolaus, der heil. Bischof u. Kinderfreund, sein Fest u. seine Gaben. Eine kirchen- u. kulturgeschichtl. Abhandlg. u. Beitrag zur Klärg. der christl. u. heidn. Mythologie, zugleich als Lesebuch f. die reifere Jugend u. als Festgeschenk zu Sanct Nicolaus u. Weihnachten. 1—5. Hft. gr. 8. Brünn. (Ravensburg, Dorn.) n. 6. 25
1. Das deutsche Reich u. die Schweiz. (82 S.) 883. n. 1. —
2. Oesterreich-Ungarn. (79 S.) 884. n. 1. —
3. Oesterreich-Ungarn. 2. Abth.: Salzburg, Tirol u. Vorarlberg. (109 S.) 884. n.n. 1. 25
4. Oesterreich-Ungarn. 2. Abth.: Salzburg, Tirol u. Vorarlberg. Fortsetzung u. Schluß. (143 S.) 885. n.n. 1. 50
5. Belgien, Holland m. Luxemburg, England m. Irland, Frankreich, Italien, Spanien u. Portugal. Mit 3 Bildern, v. Holland u. Italien. (151 S.) 885. n.n. 1. 50

Schnell, H., üb. den Abfassungsort der Miracles de Nostre Dame par personages, — Untersuchungen üb. die Verfasser der Miracles de Nostre Dame par personnages, } s.: Ausgaben u. Abhandlungen aus dem Gebiete der romanischen Philologie.

Schnelle, K., Aufgabensammlung zum Übersetzen ins Griechische, s.: Wendt, G.

Schneller, üb. Lesen u. Schreiben. Vortrag, geh. in der naturforsch. Gesellschaft in Danzig. 8. (44 S. m. eingedr. Holzschn. u. 2 Taf.) Danzig 884. Saunier. n. 1. —

Schnellküche, neueste gute, f. Gesunde u. Kranke. Auf eigenes, bewährtes Verfahren gegründete Anleitg., gesunde u. schmackhafte Gerichte in kürzester Zeit herzustellen. Von Frau v. Sz. 2. Aufl. gr. 8. (XVI, 462 S.) Düsseldorf 884. Dietz. 4. —; geb. 5. —

Schnepf, Ant., 31 Marien-Predigten f. alle Tage d. Monates Mai, nebst e. Schluß-Betrachtg. Geh. in der Domkirche zu St. Pölten. gr. 8. (VI, 229 S.) St. Pölten 884. (Linz, Haslinger.) n. 3. —

Schneppendahl, Th., die Bewegung der Wärme! 12. (IV, 94 S.) Hagen 885. Risel & Co. n. 1. —

Schnepper, College, od. die Höllensteinpupille. Species dramaticae in 2 Aufgüssen f. Aerzte, Apotheker u. Naturforscher beider Hemisphären. Von Supinator Longus. 2. Aufl. 8. (64 S.) Berlin 883. F. Ch. Th. Enslin. n. 1. —

Schnetter, J., zur Dyspepsiefrage. Eine Festschrift zur Eröffng. d. neuen deutschen Dispensary in New-York. gr. 8. (42 S.) New-York 884. (Westermann & Co.) — 75

Schnetzler, Karl, u. Frz. **Neumann,** die Geheimmittel u. die Heilschwindler. Nach den amtl. Materialien d. Ortsgesundheitsraths Karlsruhe geschildert. 3. Aufl. v. „Die medicin. Geheimmittel, ihr Wesen u. ihre Bedeutg." gr. 8. (VIII, 108 S.) Karlsruhe 883. Bielefeld's Verl. n. 1. 20

Schneuwly, petite géographie illustrée de la Suisse avec un aperçu général sur les 5 parties du monde à l'usage des écoles primaires. Nouvelle éd. 8. (64 S. m. Holzschn. u. farb. Titel.) Einsiedeln 884. Benziger. cart. n.n. — 35

— petite histoire illustrée de la Suisse à l'usage des écoles primaires. Nouvelle éd. 8. (88 S. m. eingedr. Holzschn. u. farb. Titel.) Ebend. 886. cart. n.n. — 50

Schneyer, Ferd., Kinderlust, e. Lesebuch f. Kinder von 7 bis 8 Jahren. 4. Aufl. gr. 8. (112 S.) Coburg 885. Sendelbach. geb. n. — 80

Schneyer, Johs., Gedichte in Hildburghäuser Mundart. Gesammelt u. hrsg. v. M. Werner. (3. Aufl.) 8. (V, 88 S.) Hildburghausen 883. (Kesselring.) n. 1. 20

Schnitter, Alb., Schön-Lieschen. Eine Weihnachtsgeschichte in Versen. 12. (61 S.) Graz 885. Pechel. n. 1. 20

Schnitter, Wilh., dramatische Festgabe. 3 Lustspiele. 8. (90 S.) Berlin 885. (Scheller.) n. 1. —

Schnittmusterbuch. Anleitung zum Wäsche-Zuschneiden f. Schule u. Haus. Mit 35 Taf., erläut. Texte, Massstäben u. Vorwort. Mit Unterstützg. d. k. k. Ministeriums f. Cultus u. Unterricht hrsg. vom Wiener Frauen-Erwerb-Verein. 5. Aufl. gr. 4. (4 S.) Wien 886. v. Waldheim. n. 1. 80

Schnitzel & Spähne aus der medizinischen Praxis. Zusammengestellt u. hrsg. v. Komos. 1. Bdchn. 8. (88 S.) Beerfelden 886. Meinhard. n. 1. —

Schnitzer, J., Muzeddin. Romantisch-kom. Oper in 2 Aufzügen. Musik v. S. Bachrich. 8. (66 S.) Wien 883. Künast. n. — 70

Schnorbusch, H. A., Übungsbuch nebst Grammatik f. den griechischen Unterricht der Tertia, s.: Scherer, F. J.

— u. F. J. **Scherer,** griechische Sprachlehre f. Gymnasien. 4. Aufl. gr. 8. (XIV, 376 S.) Paderborn 885. F. Schöningh. n. 2. 80

Schnorr's Biographie, s.: Valentin, V.

Schnorr v. Carolsfeld, Frz., Katalog der Handschriften der königl. öffentlichen Bibliothek zu Dresden. Im Auftrage der Generaldirection der königl. Sammlgn. f. Kunst u. Wissenschaft bearb. 2. Bd. [Enth. die Abtheilgn. I—M.] gr. 8. (IX, 588 S.) Leipzig 883. Teubner. n. 15. — (1. u. 2. Abth.: n. 30. —)

Schnorr v. Carolsfeld, Jul., Bilder aus der biblischen Geschichte f. den Anschauungs-Unterricht. Nach Orig.-Zeichngn. in Photolith. ausgeführt. Auswahl v. 30 Blatt f. die Unterstufe der Volksschulen. 2 Sammlgn. Color. Ausg. Imp.-Fol. Leipzig 883. G. Wigand. à n. 16. —

— Briefe aus Italien, geschrieben in den J. 1817 bis 1827. Ein Beitrag zur Geschichte seines Lebens u. der Kunstbestrebgn. seiner Zeit. Mit Portr. gr. 8. (555 S.) Gotha 886. F. A. Perthes. n. 10. —; geb. n. 11. 20

— Fresko-Gemälde üb. das Nibelungen-Lied, — das Nibelungen-Lied, } s.: Schatzkammer deutscher Illustratoren.

Schnyder, H., Bad u. Kuranstalt Weissenburg in der Schweiz. gr. 8. (73 S. m. 2. Holzschntaf. u. 1 chromolith. Plan.) Basel 884. Schwabe. n. 2. —

Schober, Alfr., üb. das Wachsthum der Pflanzenhaare an etiolierten Blatt- u. Axenorganen. gr. 8. (25 S.) Halle 886. Tausch & Grosse. n. — 80

Schober, Anna, vollständiges Lehr- u. Hilfsbuch zum Selbstunterricht f. Damen in der Herstellung e. guten Toilette. Neu hrsg. u. verb. v. ihrer langjähr. Mitarbeiterin. 9., m. den neuesten Schnittmustern verm. Aufl., enth. die neuesten Taillen, Jaquets, Mantelets, Aermelschnitte u. Jupons in allen Arten. 8. (35 S. m. 11 Taf.) Wien 884. Daberkow. cart. n. 4. —; geb. n. 4. 80

Schober, Anna, aus dem Mädchenleben. 3 Erzählgn. f. die reifere weibl. Jugend. 8. (265 S.) Berlin 884. Ißleib. geb. 3. —

Schober, Joh., Aschaffenburg u. seine Umgebung. Führer durch die Stadt u. Umgegend m. Ansichten, 1 Stadtplan u. Wegeskizzen. 12. (VIII, 91 S.) Aschaffenburg 886. Krebs' Verl. cart. n. 1. 20
— Führer im Spessart. Im Auftrage d. Vereins f. Spessartfreunde in Aschaffenburg hrsg. 8. (73 S.) Würzburg 884. Stahel. geb. n. — 80
— die Satzkürzungslehre nach Gabelsberger's System, zum Gebrauch f. Fortbildungskurse in der Gabelsbergerschen Stenographie bearb. u. m. Erzählgn. aus dem Leben deutscher Frauen versehen. 4. Aufl. 8. (IV, 40 S.) Aschaffenburg 886. Elberfeld, Fassbender. n. — 60

Schober, Joh., deutsche Sprachlehre f. Lehrer u. Schüler. 3 Thle. 8. Wien, Graeser. n. 3. 8
1. Erster Unterricht in der deutschen Sprache f. Lehrer u. Schüler. 41. Aufl. (96 S.) 885. n. — 84
2. Erweiterter Unterricht in der deutschen Sprache f. Lehrer u. Schüler. 36. Aufl. (175 S.) 885. n. 1. 40
3. Deutsche Satzlehre. 28. Aufl. (96 S.) 885. n. — 84
— u. Wladimir Łabler, Liederhain f. österreichische Bürgerschulen. Im Anschlusse an das „Lesebuch f. österreich. Volks- u. Bürgerschulen". [Ausg. in 8 Thln.] v. Geo. Ullrich, W. Ernst u. Frz. Branky bearb. u. hrsg. 2. Aufl. gr. 8. (146 S.) Prag 884. Tempsky. n. 1. 20; Einbd. n.n. — 20
— — dasselbe f. österreichische Volksschulen. Ausg. in 5 Thln. 3. u. 4. Hft. 2. Aufl. gr. 8. (79 S.) Ebend. n. — 84
3. (33 S.) 886. n. — 24
4. (79 S.) 885. n. — 60

Schober, Karl, üb. die Construction der Halbschattengrenzen der Flächen 2. Grades unter Voraussetzung v. Kugelbeleuchtung. gr. 8. (40 S. m. 2 Steintaf.) Wien 885. (Pichler's Wwe. & Sohn.) n. 1. 30
— Heimatskunde v. Nieder-Oesterreich. Zum Gebrauche an Lehrerbildungsanstalten u. als Handbuch f. Volks- u. Bürgerschullehrer. gr. 8. (VI, 247 S.) Wien 884. Hölder. n. 2. 48
— Quellenbuch zur Geschichte der österreichisch-ungarischen Monarchie. Ein historisches Lesebuch f. höhere Schulen u. f. jeden Gebildeten. 1. Thl. Von der ältesten Zeit bis zum Aussterben der Babenberger. Aus den Quellen zusammengestellt u. m. Uebersetzgn. sowie m. erläut. Noten versehen. gr. 8. (VIII, 314 S.) Ebend. 886. n. 3. 20

Schöberl, Frz. X., der katholische Schul-Katechismus in seiner Geschichte, in seiner Theorie u. Praxis. Eine katechet. Abhandlg. in spezieller Rücksicht auf die Schulverhältnisse in Bayern u. auf die neuesten Verbessergn. d. kleinen u. mittleren Eichstätter Diözesan-Katechismus. gr. 8. (170 S.) Kempten 885. Kösel. 1. 80

Schobloch, J. Ant., üb. Beta- u. Gammafunctionen. gr. 4. (11 S.) Halle 884. Nebert. n. — 60

Schoch, A., Artikel 59 der schweiz. Bundesverfassung vom 29. Mai 1874, betr. den Schutz d. Schuldners beim Richter seines Wohnorts. Dargestellt. gr. 8. (XI, 198 S.) Zürich 882. (Schulthess.) n. 3. —

Schoch, C., das Ehe-Pantöffelchen, s.: Bloch's, E., Dilettanten-Bühne.

Schoch, Emil, wohin? Praktischer Rathgeber f. alle, welche außer Landes wollen. Mit spezieller Berücksicht. v. Spanisch-Amerika. gr. 8. (63 S.) Bern 886. Nydegger & Baumgart. n. — 75

Schoch, R., s.: Idiotikon, schweizerisches.

Schod, H., ein' feste Burg ist unser Gott, — mein Zoar, } s.: Immergrün.

Schodherr, Jul., der Großgrundbesitzer als Patronatsherr. Handbuch f. Großgrundbesitzer u. Patronatsherren, dann f. Domänenbeamte u. Kirchenrechnungsführer in den im Reichsrathe vertretenen Königreichen u. Ländern. [A. u. d. T.: Archiv f. Landwirthschaft, hrsg. v. Hugo H. Hitschmann. III.] gr. 8. (VIII, 163 S.) Wien 884. (Gerold's Sohn.) n. 3. 40

Schoedler, Frdr., das Buch der Natur, die Lehren der Physik, Astronomie, Chemie, Mineralogie, Geologie, Botanik, Zoologie u. Physiologie umfassend. Allen Freunden der Naturgeschichte, insbesondere den Gymnasien, Realschulen u. höheren Bürgerschulen gewidmet. 22. Aufl. m. dem (Holzschn.-)Portr. d. Verf. In 2 Thln. Mit üb. 1000 in den Text eingedr. Holzst., Sternkarten, Mondkarte, Spectraltaf. u. e. geognost. Taf. in Farbendr. gr. 8. Braunschweig, Vieweg & Sohn. à n. 4. 80
1. Physik, Astronomie u. Chemie. (XXXIV, 546 S.) 884.
2. Mineralogie, Geologie, Botanik, Zoologie u. Physiologie. (XXXIV, 623 S.) 886.

Schöffl, Jos., der Saazer Hopfenbau nach mehr als 50jährigen Erfahrungen u. Beobachtungen. 2. Aufl. Mit 52 Holzschn. 8. (VII, 202 S.) Saaz 884. Ippoldt. n. 2. 50

Schöffler u. **Smolarz**, die Elektricität u. der Magnetismus in ihrer Anwendung zu praktischen Zwecken. Populär bearb. Mit 109 Abbildgn. im Texte. 2. Aufl. gr. 8. (VIII, 109 S.) Wien 884. (Teufen.) n. 2. —
— — das elektrische Gewehr, elektrische Minenzündung, elektrische Distanzmesser u. das Gastroskop. Populär bearb. Mit 17 Abbildgn. gr. 8 (17 S.) Ebend. 884. n. — 50

Schoel, Alb., Johann Friedrich Herbart's philosophische Lehre v. der Religion, quellenmässig dargestellt. Ein Beitrag zur Beantwortg. der religiösen Frage der Gegenwart. gr. 8. (V, 254 S.) Dresden 884. Bleyl & Kaemmerer. n. 5. —

Scholastika. Dramatischer Scherz in 2 Aufzügen, den Alten u. Jungen d. plauenschen Seminars zur Erinnerg. an dessen 75jähr. Jubiläum 1885 gewidmet v. E. O. Dem. gr. 8. (38 S.) Plauen 885. (Neupert.) n. — 30

Scholderer, E., Lehrbuch d. Französischen. 1. Tl. gr. 8. (VIII, 265 S.) Frankfurt a/M. 884. Jaeger. n. 1. 80

Scholefield, Osc., 5 Fälle v. transitorischer Amblyopie u. Amaurose beobachtet in der Kieler Augenklinik. gr. 8. (15 S.) Kiel 886. (Lipsius & Tischer). n. — 80

Schoeler u. **Uhthoff**, Beiträge zur Pathologie d. Sehnerven u. der Netzhaut bei Allgemeinerkrankungen, nebst e. Operations-Statistik 1882/83 als Anh. gr. 8. (102 S. m. Holzschn.) Berlin 884. H. Peters. n. 2. —

Schöler, Charlotte v., Mattias v. Zwifalten. Erzählung. 8. (296 S.) Berlin 885. F. Luckhardt. n. 5. —
— der Rathsherr v. Trier. Ein Blatt aus e. alten Familien-Chronik. 8. (IV, 250 S.) Ebend. 885. n. 5. —

Scholim, Paul, üb. e. geometrische Verwandtschaft u. deren Ergebnisse in Ebne u. Raum. gr. 8. (26 S.) Breslau 884. (Köhler.) n. 1. —

Scholl, Carl, dem Andenken e. deutschen Frau, der Gattin Ludwig Feuerbach's — Bertha, geb. Löw — gestorben am 19. Juni 1883. Worte, gesprochen an ihrem Grabe, Nürnberg, den 21. Juni 1883. gr. 8. (16 S.) Leipzig 883. Friese. — 30
— nach Kamerun! Aus den hinterlassenen Papieren meines in Kamerun gestorbenen Sohnes. Der deutschen Jugend gewidmet. gr. 8. (VII, 104 S. m. Portr. in Lichtdr.) Leipzig 886. Cavael. geb. n. 2. —
— es werde Licht! Beiträge zur Förderg. der Religion der Humanität. 14. u. 15. Jahrg. Oktbr. 1883—Septbr. 1885. à 12 Nrn. (B.) gr. 8. Nürnberg. Leipzig, Friese. à Jahrg. 2. —
— meine Sterne. Stunden der Weihe. Eine Sammlg. auserlesner Gedichte u. Denksprüche. Mit 1 Titelbilde (in Lichtdr.). gr. 8. (XI, 373 S.) Leipzig 885. Cavael. geb. m. Goldschn. n. 6. —

Scholl's, C. F., Führer des Maschinisten. Ein Hand- u. Hülfsbuch f. Heizer, Dampfmaschinenwärter, angeh. Maschinenbauer, Ingenieure, Fabrikherren, Maschinenbauanstalten, techn. Lehranstalten und Behörden. Nach d. Verf. Tode bearb. v. Ernst A. Brauer. 10. verb. u. verm., unter Mitwirkg. v. F. Reuleaux hrsg. Aufl. Mit 422 Holzst. 8. (XII, 699 S.) Braunschweig 883. Vieweg & Sohn. n. 9. —

Schöll, Adf., gesammelte Aufsätze zur klassischen Literatur alter u. neuerer Zeit. gr. 8. (IX, 394 S.) Berlin 884. Hertz. n. 7. —; geb. in Leinw. n. 8. 20; in Halbkalbldr. n. 10. —

Schöll, Fritz, Adolf Schöll, weil. Geh. Hofrath u. Oberbibliothekar in Weimar. gr. 8. (39 S.) Berlin 883. Calvary & Co. n. 1. 20

Schoell, R., s.: Anecdota varia graeca et latina.

Scholle, Frdr., üb. Imprägnationsverfahren als Schutzmaßregel gegen Feuersgefahr. gr. 8. (19 S.) Dresden 883. (Meinhold & Söhne.) n. — 50

Scholle, W., Laurence Minot's Lieder, s.: Quellen u. Forschungen zur Sprach- u. Culturgeschichte der germanischen Völker.

Schollen, M., Allaf Oche en wen et versönk! 3 einact. Lustspiele in Aachener Mundart. 8. (VI, 65 S.) Aachen 886. Schweitzer. n. 1. —

— Handbuch f. die Polizei-Verwaltung u. Strafrechtspflege im Reg.-Bez. Aachen. 1. Suppl.-Hft. Unter Zugrundelegg. d. m. Genehmigg. der königl. Regierg. zu Aachen benutzten amtl. Materials bearb. 8. (VIII, 202 S.) Aachen 885. Barth. n. 2. —; geb. n. 2. 70 (Hauptwerk u. 1. Suppl.: n. 8. —; geb. n. 9. 90)

— die Verrichtungen der Bürgermeister, Polizei-Commissäre, Amts- u. Gemeinde-Vorsteher x. in ihrer Eigenschaft als Hülfsbeamte der Staatsanwaltschaft. Auf Grund der Reichs-Justiz-Gesetze, der einschläg. preuß. Gesetze, Ministerial-Rescripte x. bearb. 2. Aufl. 12. (VIII, 81 S.) Düsseldorf 883. Schwann. cart. n. 1. —

Schollenbruch, H. R., biblische Geschichten f. die Oberstufe evangelischer Elementarschulen, nebst Auszügen aus den Lehrbüchern der heil. Schrift. Nach Maaßgabe d. Normal-Lehrplans f. die Elementarschulen in Elsaß-Lothringen bearb. 3. Aufl. gr. 8. (IV, 283 S.) Straßburg 883. Schultz & Co. cart. n. 1. 50

Scholler, K. Ph., Dramen. 8. (154 S.) Heidelberg 886. Petters. n. 2. 40

Schollmeyer, F., die Compensationseinrede im deutschen Reichs-Civilproceß. gr. 8. (V, 176 S.) Berlin 884. Guttentag. n. 4. —

Schollmeyer, Gust., M. Hieronymus Tilesius, der Reformator Mühlhausens. Eine Skizze seines Lebens m. den v. Ludw. Helmbold, Donatus Groß u. Vitus Kleinschmidt auf seinen Tod verfaßten Trauergesängen. 8. (VIII, 103 S. m. Lichtdr. Portr.) Halle 883. Fricke's Verl. n. 1. 20

Scholten, J. H., die Taufformel. Aus dem Holl. m. Genehmigg. d. Verf. übers. v. Max Gubalke. gr. 8. (VII, 88 S.) Gotha 885. Windaus. n. 1. 80

Scholtz, A., die Fachschule d. Maurers. Ein Leitfaden zum prakt. Gebrauch u. zum Unterricht an Fachschulen, Baugewerk- u. Fortbildungsschulen. 1. Abtlg. Mit 135 Holzschn. u. 2 Taf. in Farbendr. gr. 8. (102 S.) Leipzig 886. Gebhardt. n. 3. 50

Scholtz, L., f.: Lesebuch, deutsches, f. die II. Klasse der Volksschulen.

Scholtz, Wilh., zur Lehre v. der Paralysis spinalis spastica. Aus der Krankenabtheilg. d. städt. Armenhauses [Hr. Prof. Dr. Berger]. gr. 8. (43 S.) Breslau 885. (Köhler.) n. 1. —

Scholtze, A., die Anfänge d. deutschen Realschulwesens. Vortrag. 8. (34 S.) Frankenberg i/S. 886. (Rossberg.) n. — 40

Scholz, Fest-Predigt, geh. am 4. Aug. 1886 in Naumburg. Zum Jahresfest d. Haupt-Vereins der evangel. Gustav-Adolfs-Stiftg. f. die Prov. Sachsen. 8. (16 S.) Wittenberg 886. Wunschmann. n. — 30

Scholz, Ant., Commentar zum Buche d. Propheten Joel. gr. 8. (92 S.) Würzburg 885. Woerl. n. 2. —

— das Buch Judith — e. Prophetie. Ein Vortrag in der histor.-philolog. Gesellschaft zu Würzburg, geh. am 11. Novbr. 1884. gr. 8. (48 S.) Ebend. 885. n. 1. —

Scholz, Aug., russische Herrscher u. Charakterköpfe. Anekdoten u. Skizzen, nach russ. Skizzen zusammengestellt. — Drei Erzählungen. 12. (59 u. 64 S.) Leipzig 886. Werther. n. — 75

Scholz, Edm., Andachtsbüchlein f. die Besuchungen der heil. Gräber am Charfreitage u. Charsamstage, enth.: Verehrungen d. heiligsten Altarssakraments, der 9 schmerzhaften Gänge d. leid. Heilands, der heiligsten 5 Wunden, der heiligsten Glieder Jesu, der 7 Blutsvergießgn. x., Kreuzwegandacht u. Andacht zur schmerzhaften Mutter Gottes. 2. Aufl. 8. (64 S. m. 1 Stahlst.) Habelschwerdt 883. Franke. n. — 30

— Betrachtungen, Gebete u. Lieder am Osterfeste f. die Mitglieder der „Schwesterschaft am heil. Grabe Christi", welche am Ostermorgen den auferstandenen Heiland verehren, ebenso f. die Privat-Andacht. 8. (48 S.) Habelschwerdt 883. Franke. n. — 25

Scholz, Edm., Handbüchlein f. den Empfang der heil. Firmung, enth. Unterricht u. Gebete f. Firmlinge. 12. (32 S.) Habelschwerdt 883. Franke. n. — 10

Scholz, Ehrenfried, 100 Motive f. Kunst-Schmiedearbeiten. 1. Sammlg. gr. 4. (30 Steintaf. m. 1 Bl. Text.) Berlin 884. Polytechn. Buchh. n. 8. —

— practische Vorlagen f. kunstgewerbliche Metall-Arbeiten. Silber—Bronze—Zink—Eisen. 1. Abth. Fol. (10 z. Thl. farb. Steintaf. m. 1 Bl. Text.) Berlin 884. Schmidt & Sternaux. n. 12. —

Scholz, Fr., naturgemäße Gesundheitslehre auf physiologischer Grundlage. 17 Vorträge. Mit 7 Abbildgn. 8. (VIII, 307 S.) Leipzig 884. Weber. n. 3. —; geb. n.n. 4. —

Scholz, Frdr., die Handschrift u. ihre characteristischen Merkmale. Vortrag. 8. (30 S.) Bremen 885. Rocco. n. 1. 60

— Leitfaden der Gesundheitslehre. Für Schulen. gr. 8. (IV, 124 S. m. Fig.) Leipzig 886. Klinkhardt. n. 1. —

— die Physiologie d. Menschen als Grundlage e. naturgemäßen Gesundheitslehre. 16 Vorträge. Mit 58 Abbildgn. 8. (X, 259 S.) Leipzig 883. Weber. n. 2. —; geb. n.n. 3. —

Scholz, G. P., neue klinische Beobachtungen üb. die Wirkung kohlensäurereicher Stahlbäder bei chronischen Herzkrankheiten. Vortrag. gr. 8. (24 S.) Berlin 883. Grosser. n. — 50

Scholz, Gust., die wichtigsten Bilder aus der schlesischen Geschichte m. e. Anh., enth. Züge aus dem Leben unseres Kaisers u. Kronprinzen, nebst dem Wissenswürdigen aus der Geographie v. Schlesien u. e. Zeittafel. Für die schles. Schuljugend unter Benutzg. zuverläss. Werke methodisch bearb. 2. Aufl. gr. 8. (80 S.) Liegnitz 886. Zippel. n. — 50

Scholz's, H., Abriss der hebräischen Laut- u. Formenlehre, nach Gesenius-Kautzsch' Grammatik umgearb. v. E. Kautzsch. 5., nach der 24. Aufl. der Grammatik rev. Aufl. gr. 8. (IV, 34 S.) Leipzig 885. F. C. W. Vogel. n.n. — 75

Scholz, Herm., zehn Predigten. 8. (VI, 120 S.) Merseburg 883. Stollberg. n. 1. —

Scholz, J., Anleitung zur Erteilung d. Unterrichtes in der Kalligraphie. gr. 8. (60 S. m. 6 Bl. Vorlagen.) Breslau 886. Goerlich. n. — 80

— 100 Dispositionen zu Lehrproben in der Volksschule. gr. 8. (IV, 98 S.) Ebend. 886. n. 1. —

— Verzeichnis der Lektüre beim Unterrichte im Deutschen in den Lehrer-Bildungsanstalten zu Ziegenhals. gr. 8. (31 S.) Ziegenhals 886. Roelle. n. — 60

Scholz, J. Chr. Frdr., das Wissenswürdigste aus der Mineralogie. Für Schullehrer-Seminare, Präparanden-Anstalten, Bürger- u. Mittelschulen bearb. 5. Aufl. Hrsg. v. E. Leisner. 8. (VIII, 96 S.) Breslau 885. Maruschke & Berendt. n. — 75

Scholz, Rhold., üb. Magenkrebs im jugendlichen Alter. gr. 8. (34 S.) Breslau 886. (Köhler.) n. 1. —

Scholz, W., der Eisenbahn-Werkmeister, f.: Bock, J.

Schomacker, Jos., Beitrag zum forensisch-chemischen Nachweise d. Resorcin u. Brenzcatechin im Thierkörper. gr. 8. (45 S.) Dorpat 886. Schnakenburg. n. 1. 20

Schomann, Paul, die Brieftaube. Ihre Geschichte, Zucht, Pflege u. Dressur, sowie ihre Verwendg. zu militär. u. anderen Zwecken. In freier Uebertragg. d. Werkes v. La Perre de Roo u. nach eigener Erfahrg. bearb. Mit 23 Abbildgn. gr. 8. (VI, 224 S.) Rostock 883. Werther. n. 3. 60

Schömann, G. F., der attische Process, s.: Meier, M. H. E.

Schomberg, L., u. W. Schomberg, Gedanken bei Behandlung der biblischen Geschichte in der Oberklasse der evangelischen Volksschulen. 2 Tle. gr. 8. (VIII, 151 u. IV, 178 S.) Wittenberg 886. Herrosé Verl. à n. 1. 80

Schomberg, W., geometrische Aufgabensammlung. [Konstruktionen u. Berechngn.] Für den Elementar-Unterricht in der Raumlehre zusammengestellt. 8. (42 S.) Bernburg 886. Bacmeister. n. — 40

Schoen, Hans, Hinemoa. Eine neuseeländ. Sage. 8. (94 S.) Leipzig 886. Unflad. n. 2. —
Schoen, Joh. G., üb. Strassen- u. Wasserbau der Alten. Rede. gr. 8. (37 S.) Wien 885. (Hölder.) n. 1. —
Schön, Max, das Mennonitenthum in Westpreußen. Ein kirchen- u. kulturgeschichtl. Beitrag zur Belehrg. üb. das Wesen d. Mennonitenthums. 8. (VIII, 88 S.) Berlin 886. F. Luckhardt. n. 1. 20
Schoen, Wilh., Beiträge zur Dioptrik d. Auges. Mit 11 lith., 1 phototyp. Taf. u. 23 Holzschn. Fol. (V, 114 S.) Leipzig 884. Engelmann. cart. n. 30. —
Schönaich-Carolath, Prinz Emil zu, Geschichten aus Moll. 8. (VII, 181 S.) Stuttgart 884. Göschen. n. 3. 40; geb. n. 4. 40
Schönbach, Ant. E., die Brüder Grimm. Ein Gedenkblatt zum 4. Jan. 1885. 8. (60 S.) Berlin 885. Dümmler's Verl. — 75
— s.: Predigten, altdeutsche.
Schoenbeck, Rich., Reithandbuch f. berittene Offiziere der Fußtruppen, sowie f. jeden Besitzer e. Reitpferdes. Nach Erfahrgn. aus der Praxis zusammengestellt. Mit e. Titelbild u. 59 Abbildgn v. den Verf. 2. wesentlich verm. Aufl. von: „Das berittene Pferd". gr. 8. (X, 133 S.) Leipzig 884. Bredow. n. 5. —; geb. n. 6. —
— die Zäumung d. Pferdes in Theorie u. Praxis. Ein Beitrag zur Frage u. Lehre der Zäumg. Mit 11 Zeichngn. v. dem Verf. u. 28 Abbildgn. nach alten Kupfern. gr. 8. (VIII, 122 S.) Berlin 883. Mittler & Sohn. n. 3. —
Schönberg-Cotta, die Familie. Ein Character- u. Sittengemälde aus der Reformationszeit. Autoris. Uebersetzg. aus dem Engl. v. Charlotte Philippi. 8. Aufl. 8. (IV, 532 S.) Basel 884. Schneider. n. 3. —
Schönberg, G., s.: Handbuch der politischen Oekonomie.
Schönberg, Gust. v., die Socialpolitik d. Deutschen Reiches. Rede zum Geburtsfest Sr. Maj. d. Königs, am 6. März 1886 im Namen der Eberhard-Karls-Universität geh. gr. 8. (38 S.) Tübingen 886 Laupp. n. 1. 60
Schönberg, J., s.: Hitopadescha, der.
— Kshemendra's Kavikanthâbharana. Lex.-8. (29 S.) Wien 884. (Gerold's Sohn.) n.n. — 50
Schönbold, F., die wichtigsten Anstandsregeln f. die Zöglinge höherer Lehranstalten, zunächst f. die Candidaten d. geistl. Standes, aus bewährten Quellen zusammengetragen u. geordnet. 5. Aufl. 16. (128 S.) Regensburg 885. Pustet. cart. n. — 60
Schönborn, A. G., lateinisches Lesebuch, lateinisches Vokabularium dazu, s.: Kühner, R.
Schönborn, Th., das höhere Unterrichtswesen in der Gegenwart, s.: Zeit- u. Streitfragen, deutsche.
Schoendoerffer, Otto, die genuina Catonis de agricultura libri forma. Part. I. De syntaxi Catonis. gr. 8. (89 S.) Königsberg 885. (Koch & Reimer.) n. 1. —
Schoene, Gust., griechische, römische, deutsche Mythen u. Sagen f. den Unterricht in den unteren u. mittleren Klassen höherer Schulen. 7. Aufl. 8. (64 S.) Iserlohn 884. Bädeker. n. — 50
Schoene, Heinr., Flor u. Maske. Roman. 16. (308 S.) Hannover 885. Weichelt. n. 2. —
Schöne, Otto, Beitrag zur Statistik der Entozoen im Hunde. gr. 8. (24 S.) Leipzig 886. (H. Voigt.) n. — 50
Schöne, Selma, praktisches Lehrbuch f. Wäschezuschneiden nach direktem Maß. Für Schule u. Haus. gr. 4. (9 Taf. m. 12 Bl. Text.) Leipzig 884. M. Hesse. n. 1. 50; geb. n. 1. 80
Schönemann, Marie, vom Adlersberge u. der finstern Erle. Ein Sang aus alter Zeit. 12. (72 S.) Suhl 886. Kaufmann. n. 1. —
Schönemann, Paul, die mechanische Verwandlung der Polygone. gr. 8. (24 S. m. 2 Steintaf.) Soest 884. Nasse. n. — 80
Schönemann, Paul, Bilder aus dem Leben der Königin Luise. 16. (37 S.) Brandenburg 886. Wiesike. — 40
Schoenen, Lehrplan f. mehr- [3- bis 6-] klassige Schulen. 2 Tle. gr. 4. Köln 886. Du Mont-Schauberg. n.n. 4. —
1. Einleitung, Normal-Stundenpläne u. Bemerkungen üb. den Unterrichts-Betrieb der einzelnen Lehrgegenstände. (XI, 79 S.) n.n. 1. 50
2. Pensenaufstellung f. die einzelnen Klassen u. Abtheilungen in allen Lehrgegenständen. Zugleich als Schultagebuch zum Nachweis der behandelten Lehrpensa eingerichtet. (112 S.) n.n. 1. 50
Schoenen, Lehrplan f. den Religions-Unterricht in mehr- [3- bis 6-] klassigen evangelischen Schulen. 4. (19 S.) Köln 886. Du Mont-Schauberg. n.n. — 60
— der katholische Religions-Unterricht. 4. (23 S.) Ebend. 886. n.n. — 50
Schönenberger, E., Bericht üb. Unterrichtswesen, s.: Wettstein, H.
Schöner, R., das Farnese-Schloß im Ciminischen Walde. gr. 8. (31 S.) München 886. (Rom, Loescher & Co.) n.n. — 50
Schöner, R., Handbuch in Gemeinheitstheilungs-, Auseinandersetzungs-, Reallasten-Ablösungs-, Rentenbank-, Abgaben-Regulirungs- u. Rente-Vertheilungs-Angelegenheiten, nebst den entsprech. Rente-Berechnungs- u. Amortisationstabellen zum Gebrauch f. die betr. Verwaltungsbehörden, Magistrate, Gemeinde-Vertretgn., desgl. f. Auseinandersetzungs-, Rentenbank- u. Kataster-, auch Grundbuch-Beamte u. Kreissteuerkassen, sowie zur Orientirg. u. Belehrg. f. Reallasten-Berechtigte u. Verpflichtete, Rentenpflichtige u. Rentenbrief-Inhaber, nebst e. Anh. üb. das Subhastations-, Zwangsvollstreckungs- u. Concursverfahren u. 3 weiteren Abschnitten, enth.: 1. Pensionsgesetze u. Tabellen, 2. Vorschriften üb. Klassen- u. klassificirte Einkommensteuer u. 3. Gemeinnütziges f. Beamte u. Laien. gr. 8. (VI, 809 S.) Breslau 883. Schottländer. n. 9. —; geb. n. 11. —
Schönermark, G., s.: Darstellung, beschreibende, der älteren Bau- u. Kunstdenkmäler der Prov. Sachsen u. angrenzender Gebiete.
Schönfeld, das preußische Forstdiebstahlgesetz vom 15. Apr. 1878, bearb. 12. (VIII, 118 S.) Berlin 884. H. W. Müller. cart. n. 1. 50
— der preußische Gerichtsvollzieher. Eine Zusammenstellg. der ministeriellen Vorschriften u. der Gebührengesetze, nebst Erläutergn. 12. (VIII, 176 S.) Gnesen 885. Baensch & Wnukowski. n. 2. —
Schönfeld, 1. Gesammtbericht üb. das öffentliche Gesundheitswesen im Reg.-Bez. Arnsberg, insbesondere die J. 1880 u. 1882 umfassend. gr. 8. (VII, 320 S.) Arnsberg 884. Becker. n. 4. —
Schönfeld, Ed., astronomische Beobachtungen auf der Sternwarte der königl. rheinischen Friedrich-Wilhelms-Universität zu Bonn, angestellt u. hrsg. 8. Bd. gr. 4. Bonn 886. A. Marcus. n. 20. —
Bonner Sternverzeichniss. 4. Section, enth. die genäherten mittleren Oerter f. den Anfang d. J. 1885 v. 133659 Sternen zwischen 2 u. 23 Grad südl. Declination u. 1173 diesen Grenzen benachbarten. (56 u. 459 S.)
Schönfeld, Geo., de Taciti studiis Sallustianis. gr. 8. (59 S.) Leipzig 884. (Fock.) n. 1. —
Schönfeld, Otto, der rationelle Ackersmann od. das ABC e. rationellen Ackerwirtschaft. 2. Aufl. gr. 8. (66 S. m. Fig.) Oranienburg 881. (Freyhoff.) cart. n. 1. 50
— der rationelle Anbau der Luzerne, der Königin der Futterkräuter. Nebst e. Anh. v. Futter-Recepten f. Milchkühe. gr. 8. (31 S.) Ebend. 880. cart. n. — 60
— ein Blick in die Zukunft d. deutschen Bauernhofes. gr. 8. (16 S.) Ebend. 885. n. — 30
— der rationelle Düngersmann od. das A-B-C e. rationellen Düngerwirtschaft, nebst Anh. üb. 1. Saat, Pflege zwischen Saat u. Ernte u. Erntemetoden, 2. Einleitung zur landwirtschaftl. Buchführg. 2. Aufl. gr. 8. (34 S.) Ebend. 885. cart. n. 1. 50
— der rationelle Futtersmann, od. prakt. Wegweiser zur rationellen Fütterg. 3. Aufl. gr. 8. (66 S. m. 2 color. Taf. in Fol.) Wriezen 878. Ebend. cart. n. 2. 50
— der Grubber als billigstes Mittel zur Tiefcultur. 8. (24 S.) Ebend. 881. n. — 30
— der Hof- u. Feld-Verwalter od. pract. Wegweiser f. e. pflichttreuen, jungen Landwirth zur Einführg. in den rationellen d. h. naturgesetzl. Wirthschafts-Betrieb. gr. 8. (57 S.) Ebend. 882. cart. n. 1. 50
— das naturgesetzliche Leben der Culturpflanzen m. Anwendung auf unsere Praxis, nebst e. Anh. üb. Pflanzen-Krankheiten u. Wiesen-Cultur. 2. Aufl. gr. 8. (32 S.) Ebend. 881. cart. n. — 50
— ein Lebenswort an den ehrenwerten Bauernstand

zur Beherzigung als Führer durch Land- u. Volkswirtschaft zur Einigkeit. 8. (77 S. m. 1 farb. Taf.) Oranienburg 884. (Freyhoff.) cart. n. 1. —

Schönfeld, Otto, die Volkswirthschaft im Bauernhofe od. das ABC der Volkswirthschaftslehre. 2. Aufl. gr. 8. (94 S.) Oranienburg 881. (Freyhoff.) n. 1. 50

— der praktische Züchter od. die Grundzüge e. rationellen Viehwirthschaft. 2. umgearb. Aufl. 8. (56 S.) Breslau 886. Korn. cart. n. — 80

Schönfeld, Paul, Satiren u. Epigramme. gr. 8. (264 S.) Kaiserslautern 886. A. Gotthold's Verl. n. 5. —; geb. n. 6. —

Schönfeld, Wilh., üb. erysipelatöse Pneumonie. gr. 8. (40 S.) Darmstadt 885. (Waitz.) n. 1. —

Schoenflies, Arth., Geometrie der Bewegung in synthetischer Darstellung. Mit Fig. im Text. gr. 8. (VI, 194 S.) Leipzig 886. Teubner. n. 4. —

Schongauer, Dürer, Rembrandt, Stiche u. Radirungen. In heliograph. Nachbildg. nach Originalen d. königl. Kupferstichkabinets zu Berlin. Mit begleit. Text v. J. Janitsch u. A. Lichtwark. [3 Tle. à 5 Lfgn.] 1. Thl. 1—5. Lfg. gr. Fol. (à 5 Taf. m. 5 Bl. Text.) Berlin 885. Grote. In Mappe. à n. 10. — (1. Thl. cplt. in Mappe: n. 50. —)

Schönhage, Aug., die Gräfinnen v. Stein. Einaktiges Lustspiel f. stenograph. Kreise. 8. (23 S.) Elberfeld 886. Faßbender. n. — 50

Schoenhardt, Carl, Alea. Ueber die Bestrafg. d. Glücksspiels im älteren röm. Recht. Eine strafrechtsgeschichtl. Studie. gr. 8. (VIII, 103 S.) Stuttgart 885. Enke. n. 3. 60

Schönheit, die, d. Mädchens u. der Frau in allen Lebensstufen zu bewahren. 8. (35 S.) München 883. (Arnold.) n. — 60

Schönherr, Geo., Jorge de Montemayor, sein Leben u. sein Schäferroman, die „siete Libros de la Diana", nebst e. Übersicht der Ausgaben dieser Dichtg. u. bibliograph. Anmerkgn. hrsg. gr. 8. (88 S.) Halle 886. Niemeyer. n. 2. 40

Schönholzer, Gfr., die religiöse Reformbewegung in der reformirten Schweiz. Vortrag. 2. Aufl. 8. (48 S.) St. Gallen 886. Huber & Co. n. — 40

Schöning, v., Geschichte d. 2. Brandenburgischen Ulanen-Regiments Nr. 11 von seiner Stiftung bis zum 1. Jan. 1885. Auf Befehl d. königl. Regiments zusammengestellt. Mit 1 Portr., 1 Uniformbilde u. 3 Karten. gr. 8. (VI, 196 S.) Berlin 885. Mittler & Sohn. n. 5. —

Schönke, K. A., kleine Schul-Naturgeschichte. 11. Aufl., verm. durch e. Pflanzenübersicht nach Linné. Ausg. m. Abbildgn. im Text. gr. 8. (IV, 212 S.) Gütersloh 885. Bertelsmann. n. 1. 40; geb. n. 1. 60

Schönlank, B., die österreichische Fabrikgesetzgebung, s.: Zeit- u. Streit-Fragen, social-politische.

— Hartley u. Priestley, Begründer d. Associationismus in England. gr. 8. (56 S.) Halle 882. (Leipzig, Fock.) n. 1. 60

— die Haus-Industrie im Kreise Sonneberg, s.: Zeit- u. Streitfragen, sozialpolitische.

Schonlau, H., geschichtliche Notizen üb. Volksschulen vom 9. bis 14. Jahrh. gr. 8. (67 S.) Paderborn 885. Bonifacius-Druckerei. — 75

Schoenlaub, Jos., Musterblätter f. technische Schulen. Fol. (36 Taf. auf Carton m. 4 S. Text.) München 883. R. Oldenbourg. In Mappe. n.n. 6. —

Schoenlein, K., üb. das Verhalten der Wärmeentwickelung in Tetanis verschiedener Reizfrequenz. gr. 8. (48 S. m. 2 Steintaf.) Halle 883. Niemeyer. n. 2. —

Schönmann, A., die Aufsatz- u. Sprachübgn. der Volksschule, s.: Krauß, A.

— Rechenaufgaben f. ein- u. zweiklassige Volksschulen, m. gleichmäß. Berücksicht. d. Kopf- u. Tafelrechnens. 2 Hfte. 8. Ebend. 885. 86. n. — 61

1. 10. Aufl. (47 S.) n. — 25
2. 18. unveränd. Aufl. (82 S.) n. — 36

— Rechenbuch f. deutsche Volks-, Mittel-, Töchter- u. Fortbildungsschulen. 2—7. Hft. 8. Ebend. 886. n. 2. 25

2. 9. Aufl. (34 S.) n. — 20
3. 17. Aufl. (46 S.) n. — 25
4. 29. Aufl. (44 S.) n. — 25
5. 25. Aufl. (62 S.) n. — 30
6. 33. Aufl. (82 S.) n. — 45
7. Raumlehre od. Geometrie in Verbindung m. Flächen- u. Körperberechnungen. 4. verb. u. verm. Aufl. (78 S. m. eingedr. Fig. u. 1 Steintaf.) n. — 30; cart. n. — 90

Schönmann, A., Rechenbuch f. deutsche Volks-, Mittel-, Töchter- u. Fortbildungsschulen. Ausg. f. den Lehrer. 5. Aufl. 8. (223 S.) Ebend. 883. cart. n. 2. 20

— dasselbe, m. den Antworten. Lehrer-Ausg. 4. u. 5. Hft. 8. (72 u. 98 S.) Ebend. 886. cart. à n. 1. 20

Schönthan, F. v., kleine Hände, s.: Universal-Bibliothek.

— Roderich Heller. Lustspiel in 4 Akten. 8. (122 S.) Wien 884. Künast. n. 3. —

— Krieg im Frieden, s.: Moser, G. v., Lustspiele.

— der Schwabenstreich. Lustspiel in 4 Akten. 8. (VIII, 140 S.) Berlin 883. Freund & Jeckel. n. 2. —; geb. n. 3. —

— die goldne Spinne,
— Villa Blancmignon,
— u. P. v. Schönthan, kleine Humoresken,
} s.: Universal-Bibliothek.

— — der Raub der Sabinerinnen. Schwank in 4 Akten. 8. (110 S. m. Portr. in Holzschn.) Berlin 885. Lassar. n. 4. —

Schönthan, P. v., Kindermund, s.: Universal-Bibliothek.

— der Maskenball u. andere heitere Geschichten. 8. (111 S.) Berlin 885. Steinitz. n. 1. —

— Zimmer Nr. 18, s.: Theater, neues Wiener.

Schönwandt, D., die moderne Illustration. Kurze Uebersicht aller jetzt praktisch angewandten Verfahren zur Herstellg. v. Abbildgn. 8. (28 S. m. 1 Taf.) Leipzig-Reudnitz 885. Rühle. — 60

— vollständiges Lehrbuch der einfachen u. doppelten Buchführung, angewandt f. alle Zweige d. Buchhandels, in 25—30 Unterrichts-Briefen. 1—9. Brief. gr. 8. (S. 1—152 m. Formularen.) Ebend. 886. à n.n. 1. —

Schoop, A., Verfassungsgeschichte der Stadt Trier v. den ältesten Immunitäten bis zum J. 1260, s.: Zeitschrift, westdeutsche, f. Geschichte u. Kunst.

Schoop, U., italienische Flachornamente, f. den Schulzeichenunterricht gesammelt u. geordnet. gr. 4. (24 Chromolith. m. 4 S. Text.) Frauenfeld 885. Huber. In Mappe. n. 7. —

— wie ist das Kunstgewerbe in der Schweiz zu heben u. zu pflegen? Referat f. die Jahresversammlg. der thurg. gemeinnütz. Gesellschaft in Steckborn am 6. Juni 1884. gr. 8. (III, 58 S.) Ebend. 884. n. 1. —

— das farbige Ornament. Stilisirte Blatt- u. Blüthenformen m. Beispielen üb. deren Verwendg. f. den Schulzeichenunterricht. 24 Blätter in monochromem u. polychromem Farbendr. m. e. kurzen Farbenlehre. 3. Aufl. Fol. (17 S.) Zürich 884. Orell Füssli & Co. Verl. In Mappe. n. 8. —

Schooft, Otto, Luther, e. deutscher Mann. Vortrag. gr. 8. (20 S.) Hamburg 883. Seelig & Ohmann. — 30

— die katholische Propaganda u. ihre Erfolge, s.: Katholicismus, der römische, beleuchtet in Vorträgen.

Schopenhauer, Arth., Aphorismen zur Lebensweisheit. [Aus: „Parerga u. Paralipomena".] 2 Bdchn. 8. (XIII, 137 u. XIII, 144 S.) Leipzig 886. Brockhaus. à n. 2. —; geb. à n. 3. —

— le monde comme volonté et comme représentation. Traduit en français pour la première fois par J. A. Cantacuzène. 2 vols. gr. 8. (XLI, 663 u. 983 S.) Ebend. 886. n. 20. —

— über den Tod u. sein Verhältniß zur Unzerstörbarkeit unsers Wesens an sich. Leben der Gattung. Erblichkeit der Eigenschaften. 8. (XV, 119 S.) Ebend. 886. n. 2. —; geb. n. 3. —

— die Welt als Wille u. Vorstellung. 6. Aufl. Hrsg. v. Jul. Frauenstädt. 2 Bde. gr. 8. (XXXVI, 633 u. VI, 743 S.) Ebend. 886. n. 12. —; geb. n. 15. —; auch in 12 Lfgn. à n. 1. —

Schopenhauer, A., Lichtstrahlen aus seinen Werken, s.: Frauenstädt, J.

Schopenhauer, J., Jugendleben u. Wanderbilder, s.: Gedanensia.

Schoepf, Adf., 1861—1886. Gedenkblätter zum 25jährigen Stiftungsfest d. zoologischen Gartens zu Dresden. gr. 4. (36 S. m. eingedr. Fig. u. 6 Lichtdr.-Taf.) Dresden 886. Warnatz & Lehmann. n.n. 1. 20

Schöpf, J. A., e. Wilderer-Predigt. Vorgetragen am 25. Octbr. 1885 in der heil. Kreuzkirche Guggenthals. gr. 8. (8 S.) Klagenfurt 886. Leon sen. f. 10 Explre. n. — 60

Schöpf, Joh., Dorfgeschichten. Neue Reihe. 8. (477 S.) Regensburg 884. Verlags-Anstalt. 3. — (1—3.: 8. 10)

Schöpff, W., Grundsätze u. Beispiele. Zur Revision der Lutherbibel. gr. 8. (21 S.) Dresden 885. Tamme. n. — 40

Schoppe, Amalie, Briefsteller f. Damen. 7. Aufl., neu bearb. u. verm. durch Briefe berühmter Frauen v. Karoline S. J. Milde. 8. (XII, 475 S.) Leipzig 884. Amelang. 4. —; geb. 5. —

— hundert kleine Geschichten. Das allerliebste Buch f. gute kleine Kinder. Mit 6 kolor. Abbildgn. nach Entwürfen v. Adf. Schmitz. 6. Aufl. 8. (IV, 220 S.) Düsseldorf 884. A. Bagel. cart. 2. —

Schoppe, H., zur künstlichen Ernährung der Säuglinge in den drei ersten Lebensmonaten. Experimentell klin. Untersuchg. gr. 8. (82 S.) Tübingen 884. Laupp. n. 1. 60

Schorer's Bildermappen. 2. Sammlg. 6. Lfg. [Der ganzen Folge 18. Lfg.] Fol. (3 Holzschntaf. m. 2 Bl. Text.) Berlin 886. Schorer. n. — 80

— Familienblatt. Bisher: Deutsches Familienblatt. Eine illustr. Zeitschrift. 4. Bd. Jahrg. 1883. 52 Nrn. (2½ B. m. eingedr. Holzschn.) gr. 4. Berlin, Schorer. n. 6. 40

— dasselbe. Red.: Ernst Otto Hopp. 5—7. Bd. Jahrg. 1884—1886. à 52 Nrn. (à 2½—3 B. m. eingedr. Holzschn.) gr. 4. Ebend. à Jahrg. n. 8. —; in 18 Hftn. à n. — 50

— dasselbe. Salon-Ausg. Red.: Frz. Hirsch. 1. u. 2. Jahrg. Juli 1885—Juni 1887. à 12 Hfte. gr. 8. (à Hft. ca. 152 S.) Ebend. à Hft. — 75

Schorer, Thdr., chemische Untersuchungen zur Feststellung d. Einflusses der Sielleitungen der Stadt Lübeck auf die umgebenden Gewässer, ausgeführt im Auftrage d. Medicinalcollegiums. gr. 4. (III, 40 S. m. 1 Karte.) Lübeck 883. Grautoff. n. 2. —

Schorlemmer, C., kurzes Lehrbuch der Chemie, s.: Roscoe, H. E.

— Lehrbuch der Kohlenstoffverbindungen od. der organischen Chemie. Zugleich als 2. Bd. v. Roscoe-Schorlemmer's kurzem Lehrbuch der Chemie. 3. Aufl. Mit Holzst. 1. Hälfte. 8. (471 S.) Braunschweig 885. Vieweg & Sohn. n. 7. —

Schormaier, Mich., u. Jos. **Baumann**, Telegraph u. Telephon in Bayern. Ein Handbuch zum Gebrauch f. Staats- u. Gemeinde-Behörden, Beamte u. die Geschäftswelt. Mit 44 in den Text gedr. Abbildgn. u. 1 Karte d. kgl. b. Eisenbahn- u. Telegraphennetzes. gr. 8. (IX, 312 S.) München 886. (Oldenbourg.) geb. n. 7. —

Schorn, Aug., Geschichte der Pädagogik in Vorbildern u. Bildern. 12. Aufl., m. Holzschn. aus dem orbis pictus u. dem Elementarwerk, hrsg. u. m. pädagog. Lesestücken versehen v. Herm. Reinecke. gr. 8. (VIII, 366 S.) Leipzig 885. Dürr'sche Buchh. n. 4. —; Einbd. n. n. — 40

Schorn, Hub., laudate Hominum! Kirchengesänge nebst Gebeten zum Gebrauche beim kathol. Gottesdienste höherer Lehranstalten. Mit 1 Titelbild (Stahlst.). gr. 16. (XII, 271 S.) Freiburg i/Br. 884. Herder. n. 1. 40

Schorn, O. v., Geschichte d. Kunstgewerbes in Einzeldarstellungen, s.: Blümner, H.

— die Textilkunst, s.: Wissen, das, der Gegenwart.

Schornstein, Rich., die Ueberbürdungsfrage u. die höhere Mädchenschule, im Anschluß an die Jahresberichte besprochen. gr. 8. (29 S.) Leipzig 883. Teubner. — 45

Schornsteinfeger-Kalender, deutscher, f. 1885. 3. Jahrg. Hrsg.: G. W. C. Rahn. 16. (64 u. 228 S.) Berlin, Rahn. geb. n. 1. 50

Schort, Lucas, od. die Kraft d. Wortes Gottes. 8. (4 S.) Barmen 883. (Wiemann.) — 3

Schoetensack, Heinr. Aug., Beitrag zu e. wissenschaftlichen Grundlage f. etymologische Untersuchungen auf dem Gebiete der französischen Sprache. gr. 8. (XIV, 626 S.) Bonn 883. (Strauss.) n. 10. —

Schott, Anselm, das Meßbuch der hl. Kirche [Missale Romanum] lateinisch u. deutsch m. liturgischen Erklärungen. Für die Laien bearb. Mit 1 Stahlst. 16. (XII, 492 u. Anh. 186 S.) Freiburg i/Br. 884. Herder. n. 2. —

Schott, Clara, Frühlingsreif. Zwei Erzählgn. Mit e. Vorwort v. Max Oberbreyer. 8. (VI, 107 S.) Stuttgart 886. Glaser & Co. n. 1. 50; geb. n. 2. —

— die Heimath der Frau. Ein Brautgeschenk f. Deutschlands Töchter, unter Mitwirkg. hervorrag. Frauen. 8. (XII, 294 S. m. 1 Lichtdr.) Zeitz 887. Leop. Müller. geb. m. Goldschn. n. 6. —

— der Verfall d. Staates durch den Staat. Beitrag zur socialen Frage. 8. (23 S.) Leipzig 885. Pfau. n. — 50

Schott, K. J., zur Befestigungsfrage. Mit 1 Blatt Skizzen. gr. 8. (27 S.) Berlin 886. Wilhelmi. n. 1. —

Schott, O., warum ist die Bekehrung der Heiden so schwer? 8. (20 S.) Basel 883. Missionsbuchh. n. — 10

Schott, Siegm., üb. Beweislast bei der subsidiären Kirchenbaupflicht. gr. 8. (25 S.) Tübingen 884. Fues. n. — 50

— zur Frage vom obrigkeitlichen Erkenntniß üb. e. beim Verkauf anbedungene Realdienstbarkeit. gr. 8. (12 S.) Ebend. 884. n. — 20

Schott, Th., die Aufhebung d. Ediktes v. Nantes, s.: Schriften d. Vereins f. Reformationsgeschichte.

— die Bartholomäusnacht, s.: Für die Feste u. Freunde d. Gustav-Adolf-Vereins.

— deutsche Fürsten im Zeitalter der Reformation. Vortrag. gr. 8. (29 S.) Stuttgart 884. Krabbe. n. — 50

— D. Martin Luther u. die deutsche Bibel. Festschrift zum Lutherjubiläum am 10. Novbr. 1883, im Auftrag der Privileg. Württ. Bibelanstalt verf. [Mit e. Fcsm. v. Luthers Handschrift.] gr. 8. (48 S.) Stuttgart 883. (Leipzig, Buchh. d. Vereinshauses.) — 25

— unsere Zeit, im Lichte d. Gemüthslebens betrachtet, s.: Zeitfragen d. christlichen Volkslebens.

Schotte, F., s.: Bericht üb. die Prüfung v. Locomobilen.

Schotte, W., Statistik d. Kreises Schleusingen im kgl. preuß. Reg.-Bez. Erfurt. Nach amtl. Quellen bearb. gr. 4. (III, 185 S.) Schleusingen 882. (Glaser.) n. 4. —

Schottelius, Carl, Dichtungen. 8. (VII, 158 S.) Hameln 886. Fuendeling. n. 2. 25; geb. n. 3. —

Schottin, Ed., die diphtheritische Allgemein-Erkrankung u. deren Behandlung. gr. 8. (III, 84 S.) Berlin 885. Hirschwald. n. 2. —

Schottin, Ernst, Clytia. Eine Begegnung. 8. (136 S. m. 1 Lichtdr.) Wiesbaden 885. Feller & Gecks. n. 2. 50; geb. n. 3. 50

Schottky, Rich., Beiträge zur Kenntniss der Diluvial-Ablagerungen d. Hirschberger Thales. Mit 1 (autogr.) Karte. gr. 8. (71 S.) Breslau 885. Koebner. n. 2. 40

Schottlaender, Herm., e. stenographisches Haus. Lustspiel in 1 Act. 8. (24 S.) Berlin 884. Cronbach. n. 1. —

Schöttle, Gust., der Telegraph in administrativer u. finanzieller Beziehung. gr. 8. (327 S.) Stuttgart 883. Kohlhammer. n. 8. —

Schöttle, Joh. Evang., Geschichte v. Stadt u. Stift Buchau samt dem stiftischen Dorfe Kappel. gr. 8. (XIII, 476 S. m. 3 Lichtdr.) Waldsee 884. Liebel. geb. 5. 20

Schöttler, F. W., Anleitung zu e. rationellen Anbau der Zucker-Rübe. 2. Aufl. 8. (16 S.) Braunschweig 884. Goeritz. n. — 40

Schottmüller, Adf., Luther. Ein deutsches Heldenleben. Neue Ausg. 8. (267 S.) München 884. Th. Ackermann's Verl. geb. n. 2. 40

Schottmüller, Alfr., Nekrolog f. ihn, s.: Hirschfelder, W.

Schoultz v. Ascheraden, gen. de Terra, Max Frhr., Bothwell. Trauerspiel in 5 Acten. 8. (104 S.) Wiesbaden 885. (Rodrian.) n. 1. 50

Schouppe, F. X., Thatsachen aus der Geschichte zur Erläuterung d. Dogma's v. der Hölle. Autoris. Uebersetzg. aus dem Franz. v. Lohmann. 16. (141 S.) Gülpen 882. (Aachen, Jacobi & Co.) n. — 40

Schoute, P. H., einige Bemerkungen üb. das Problem der Glanzpunkte. Lex.-8. (39 S.) Wien 885. (Gerold's Sohn.) n. — 60

Schrader, Aug., was alles in der Welt zu sehen ist. Ein hübsches (Verwandlungsbilder-)Buch f. Kinder. 8. (6 S. m. 6 Chromolith.) Leipzig 883. Opetz. — 60

— wie man's treibt, so geht's. Ein hübsches (Verwandlungsbilder-)Buch f. Kinder. 8. (6 S. m. 6 Chromolith.) Ebend. 883. — 60

Schrader, Bruno, Toggenburg u. Roswitha. [der sieg d. idealen.] musikdrama in 1 aufzuge. 16. (44 S.) Jena 885. (Leipzig, Schloemp.) n. 1. —

Schrader, Eb., zur Frage nach dem Ursprunge der altbabylonischen Cultur. gr. 4. (49 S.) Berlin 884. (G. Reimer.) n. 3. —

— Gedächtnissrede auf Justus Olshausen. Gelesen am Leibniz'schen Jahrestage den 28. Juni 1883. gr. 8. (21 S.) Ebend. 883. n. 1. —

— die Keilinschriften am Eingange der Quellgrotte d. Sebeneh-Su. Mit 1 (Lichtdr.-)Taf. gr. 4. (31 S.) Ebend. 885. n. 3. —

— die Keilinschriften u. das Alte Testament. Mit e. Beitrage v. Paul Haupt. 2. Aufl. Nebst chronolog. Beigaben, 2 Glossaren, Registern u. e. (lith.) Karte. gr. 8. (VII, 618 S.) Giessen 883. Ricker. n. 16. —

Schrader, Fr., methodisch geordneter Unterrichtsstoff f. das elementare Freihandzeichnen in Schulen, nebst method u. sachl. Erläutergn. 3 Stufen in 4 Abtlgn. 4. Hildesheim 886. Borgmeyer. cart. n. 6. 60; Erläutergn. gr. 8. (IV, 57 S.) n. — 60
I. Die gerade Linie. a. Vorstufe: Netzzeichnen. (48 Steintaf.) n. 1. 50. — b. Zeichnen ohne Hilfsmittel. (40 Steintaf.) n. 1. 25
II. Die gebogene Linie. (49 Steintaf.) n. 1. 60
III. Blätter, Blüten u. vollständige pflanzliche Ornamente. (77 Steintaf.) n. 2. 25

Schrader, Gerh., der tausendjährige Rosenstock am Dome zum Hildesheim. 8. (46 S. m. Fig.) Hildesheim 884. Borgmeyer. cart. n. — 60

Schrader, Herm., quaestionum peripateticarum particula. gr. 4. (11 S.) Hamburg 884. (Nolte.) n.n. 1. —

Schrader, Herm., der Bilderschmuck der deutschen Sprache. Einblick in den unerschöpfl. Bilderreichthum unserer Sprache u. ein Versuch wissenschaftl. Deutg. gr. 8. (VII, 379 S.) Berlin 886. Dolfuß. n. 6. —

Schrader, K., s.: Beiträge, kritische, zur herrschenden Wirthschaftspolitik.

Schrader, Ludw., üb. Isopropylderivate d. Pyridins u. Reductionsproducte derselben. Ein Beitrag zur Erkenntniss d. Zusammenhanges zwischen Pyridin- u. Piperidinbasen. gr. 8. (33 S.) Kiel 884. (Lipsius & Tischer.) n. 1. 20

Schrader, O., linguistisch-historische Forschungen zur Handelsgeschichte u. Warenkunde. 1. Tl. gr. 8. (XII, 291 S.) Jena, Costenoble. n. 8. —

— Thier- u. Pflanzengeographie im Lichte der Sprachforschung, s.: Sammlung gemeinverständlicher wissenschaftlicher Vorträge.

— Sprachvergleichung u. Urgeschichte. Linguistisch-histor. Beiträge zur Erforschg. d. indogerman. Altertums. gr. 8. (X, 490 S.) Jena 883. Costenoble. n. 11. —

Schrader, Wilh., der evangelische Charakter unserer Volksschule. Vortrag. gr. 8. (23 S.) Halle 886. Strien. n. — 60

— dasselbe, s.: Verhandlungen d. VI. Vereinstags der landeskirchlichen evangelischen Vereinigung.

— Karl Gustav v. Goßler, Kanzler d. Königr. Preußen. Ein Lebensbild. 8. (125 S.) Berlin 886. Dümmler's Verl. n. 2. 40

Schram, Karl, die Habsburger. Roman-Cyklus. Mit vielen Orig.-Illustr. (In ca. 80 Hftn.) 1. u. 2. Hft. gr. 8. (1. Abth.: Die Kaisergeige. [Leopold I.] S. 1–64.) Wien 886. Anger. à — 30

Schram, Rob., Beitrag zur Hansen'schen Theorie der Sonnenfinsternisse. Lex.-8. (15 S.) Wien 886. (Gerold's Sohn.) n.n. — 35

— Darlegung der in den „Hilfstafeln f. Chronologie" zur Tabulirung der jüdischen Zeitrechnung angewandten Methode. Lex.-8. (43 S.) Ebend. 883. n. — 80

— über die christliche Festrechnung u. die in den „Hilfstafeln f. Chronologie" m. Kalenderzahl bezeichnete Grösse. Imp.-4. (24 S.) Ebend. 883. n. 1. 20

— Hilfstafeln f. Chronologie. Imp.-4. (72 S.) Ebend. 883. n. 4. 80

Schram, Wilh. C., Brünner Chronik. [1800–1850.] Eine Sammlg. der denkwürdigsten Ereignisse, die sich in der ersten Hälfte d. 19. Jahrh. in Brünn zugetragen haben. 8. (IV, 79 S.) Brünn 885. Karafiat's Verl. n. — 80

Schraml's Adreß-Buch der Industriellen, Kaufleute, Gewerbetreibenden, Aerzte, Advokaten, Notare, Großgrundbesitzer, Banken u. Credit-Institute, Versicherungs-Gesellschaften, Verkehrs-Anstalten, nach Branchen geordnet. 1. u. 2. Tl. Lex.-8. Linz 885. (Winter.) n. 5. —
1. Oesterreich ob der Enns. (179 S.) n. 3. —
2. Salzburg. (55 S.) n. 2. —

Schramm, C., der Hagelschaden. Praktische Anleitg. zur sachgemäßen Beurtheilg. u. Regulirg. v. Hagelschäden. 3. Aufl. gr. 8. (IV, 73 S.) Zürich 885. Verlags-Magazin. n. 1. 20

— zur Hagelversicherungsfrage in der Schweiz. gr. 8. (26 S.) Ebend. 886. n. — 40

Schramm-Macdonald, Hugo, das Feuerversicherungswesen m. Bezug auf den Erlaß d. preußischen Handelsministers Fürsten v. Bismarck vom 19. März 1883. gr. 8. (44 S.) Dresden 883. v. Zahn & Jaensch. n. 1. 50

Schramm, R., unser Glaube. Ein Wegweiser auf religiösem Gebiet f. denk. Christen. 2. Aufl. gr. 8. (XII, 448 S.) Leipzig 884. Barth. n. 6. —; geb. n. 7. 50

— die Grenzen der Lehrfreiheit. Vortrag. gr. 8. (39 S.) Bremen 884. Roussel. n. — 80

— das Heer der Seligmacher od. die Heilsarmee in England, s.: Zeit- u. Streitfragen, deutsche.

— der Schriftglaube. Ein ausführl. Spruchbuch, nach der Ordng. d. kleinen Luther'schen Katechismus zusammengestellt. 4. Aufl. 8. (IV, 108 S.) Berlin 883. Staude. cart. n. — 60

— die wahre Toleranz. Vortrag, geh. im Protestanten-Verein zu Bremen u. Hamburg. gr. 8. (27 S.) Bremen 886. Roussell. n. — 30

Schramm, Rich., Garibaldi, der kühne Freischaarenführer. Schilderung seines Lebens u. seiner Abenteuer. 2–6. Hft. gr. 8. (S. 33—192.) Striegau 883. Hoffmann. à — 20

Schrammen, J., üb. die Bedeutung der Formen d. Verbum. gr. 8. (143 S.) Heiligenstadt 884. Delion. n. 2. —

Schrammen, Johs., Alldeutschland. Bilder aus der Götter- u. Heldensage, aus der Geschichte u. der Kulturentwickelg. d. deutschen Volkes. 6–15. (Schluß-)Lfg. gr. 8. (1. Bd. XV u. S. 356–515 u. 2. Bd. IX, 56 S. m. 1 Lichtdr.) Leipzig 883. C. H. Mayer. à — 80; cplt. n. 12. —; geb. n. 15. —

— nordisch-germanische Götter- u. Heldensagen. Hilfsbuch zur Verbreitg. der alten Mythen u. zur Erklärg. der aus denselben geflossenen Neuschöpfgn. gr. 8. (186 S. m. 1 Lichtdr.) Ebend. 884. cart. n. 2. 40; geb. n. 3. —

— Grundriß der Weltgeschichte, s.: Gehrke, A.

— Zollernfrauen. Charakterbilder aus der Sage u. der Geschichte d. preuß. Herrscherhauses. Mit vielen Illustr. Lex.-8. (VI, 814 S.) Wolfenbüttel 884. 85. Zwißler. n. 10. —; geb. n. 12. —; feinere Ausg. geb. n. 20. —

Schrank, Jos., die Prostitution in Wien in historischer, administrativer u. hygienischer Beziehung. 2 Bde. gr. 8. (VIII, 434 u. VII, 345 S.) Wien 886. (Toeplitz & Deuticke.) n.n. 12. —

Schranka, E. M., s.: Rail, E.

Schranz, Jul., ärztliche Plaudereien. Aus dem Volk für das Volk geschrieben. 8. (III, 89 S.) Innsbruck 884. Wagner. n. — 80

— unsere Zeit u. unsere Nerven. Ein Beitrag zur Pathologie der Menschheit. 8. (III, 112 S.) Innsbruck 884. Wagner. n. 1. 20

Schraep, J., Lese- u. Lehrbuch. 1. Tl. [Fibel.] Nach method. Grundsätzen f. Stadt- u. Landschulen bearb. 15. Aufl. 8. (92 S. m. Illustr.) Wismar 886. Hinstorff's Verl. n. — 40; Einbd. n.n. — 10

— dasselbe. 2. Tl. [in 2 Abtlgn.]. gr. 8. Ebend. n.n. 1. 80; Einbd. n.n. — 50

1. 5. Aufl. (200 S.) 887. n.n. — 50; Einbd. n.n. — 20
2. (404 S. m. Holzschn. u. 2 color. Steintaf.) 884. n.n. 1. 30; Einbd. n.n. — 30

— Schreiblese-Fibel nach methodischen Grundsätzen der Schreiblesemethode. 7. Aufl. gr. 8. (94 u. 4 lith. S.) Ebend. 886. n. — 40; Einbd. n.n. — 10

Schrattenholz, J., das National-Denkmal am Niederwald, s.: Wanderbilder, europäische.

Schrattenthal, Karl, deutsche Dichterinnen u. Schriftstellerinnen in Böhmen, Mähren u. Schlesien. Ein Beitrag zur Geschichte der deutschen Dichtg. in Oesterreich-Ungarn. 8. (IV, 89 S.) Brünn 885. Irrgang. n. 2. —

Schratz, W., urkundliche Beiträge zur Geschichte bayer. Lande. gr. 8. (IV, 36 S.) Amberg 885. Habbel. n. 1. —

Schraut, M., die Organisation d. Kredits. gr. 8. (VII, 158 S.) Leipzig 883. Duncker & Humblot. n. 3. 20

— System der Handelsverträge u. der Meistbegünstigung. gr. 8. (X, 121 S.) Ebend. 884. n. 2. 40

Schrauth, C., das Lustgas u. seine Verwendbarkeit in der Chirurgie, s.: Sammlung klinischer Vorträge.

Schreber, Dan. Glob. Mor., die Wasser-Heilmethode in ihren Grenzen u. ihrem wahren Werthe. Nach der Summe der bis jetzt gelieferten Resultate wissenschaftlich-praktisch geprüft. 2. Aufl. Umgearb. u. hrsg. v. Gust. Voigt. 8. (IV, 112 S.) Leipzig 885. Th. Grieben. n. 1. 50

— ärztliche Zimmergymnastik od. System der ohne Geräth u. Beistand überall ausführbaren heilgymnast. Freiübgn. als Mittel der Gesundheit u. Lebenstüchtigkeit f. beide Geschlechter, jedes Alter u. alle Gebrauchszwecke. Mit 45 Abbildgn. im Texte. 21. Aufl. gr. 8. (112 S.) Leipzig 886. F. Fleischer. cart. n. 3. —

Schreckenstag, der, v. Katharinenfeld. 2. Aufl. 8. (64 S.) Basel 883. Missionsbuchh. n. — 30

Schreckenstein, die Burgruine, u. ihre Sage. Mit 5 (Holzschn.- u. chromolith.) Abbildgn. nach E. G. Dorell. 2. Aufl. 16. (124 S.) Aussig a/E. 883. Grohmann. n. — 80

Schreib-Almanach. 16. (208 S.) Düsseldorf 883. F. Bagel. geb. n. 1. —

Schreiber's Bilderbücher auf Leinwand m. Lack-Anstrich. Nr. 4, 5 u. 25. 4. Eßlingen 883. Schreiber. geb. n. 8. —

4. Acht feine (chromolith.) Kinderbilder m. Verschen. n. 2. 50
5. ABC-Buch. (8 Chromolith.) n. 1. 50
25. 16 feine (chromolith.) Kinderbilder m. Verschen. n. 4. —

— Bilder-Werke f. den Anschauungs-Unterricht in Schule u. Haus. Volks-Ausg. 1—8. Bd. Fol. Ebend. 883. cart. à n. 3. —

1. Verschiedenartige Gegenstände. Für das früheste Jugendalter. (4 S. m. 30 color. Steintaf.)
2. Arbeitsstätten u. Werkzeuge der wichtigsten Handwerker. (38 S. m. 24 color. Steintaf.)
3. Die Jahreszeiten in Bildern. (27 S. m. 30 color. Steintaf.)
4. Die wichtigsten Giftgewächse u. einheimische Culturpflanzen. (12 S. m. 30 color. Steintaf.)
5. Ausländische Culturpflanzen. (34 S. m. 36 color. Steintaf.)
6. Wilde Tiere aller Zonen. (20 S. m. 60 color. Steintaf.)
7. Geologische Bilder der Vorwelt u. der Jetztzeit. (37 S. m. 24 color. Steintaf.)
8. Die Physik in Bildern. (IV, 18 S. m. 30 color. Steintaf.)

— Leinwand-Bilderbücher m. Lackanstrich. Nr. 1, 2, 4—7, 9, 13, 17, 20, 21 u. 24. 4. Ebend. 884—86. n. 23. —

1. Allerlei Spielzeug f. kleine Kinder. Neue Aufl. (8 Chromolith. m. Text.) n. 2. —
2. Wie das Kind sein soll. Neue Aufl. (8 Chromol.) n. 1. 50
4. Das bunte Buch. (8 Chromolith. m. Text.) n. 2. 50
5. ABC-Buch. Neue Aufl. (8 Chromolith.) n. 1. 50
6. Dasselbe. Neue Aufl. (8 Chromolith.) n. 2. 50
7. Unsere Lieblingstiere. Neue Aufl. (8 Chromolith. m. Text.) n. 2. 50
9. Der unzerreißbare Struwwelpeter. (8 Chromolith. m. Text.) n. 1. 50
13. Auf dem Lande. Neue Aufl. (6 Chromolith.) n. 2. —
17. Bildergeschichten. (12 Chromolith. m. Text.) n. 2. —
20. 21. Kinderscenen. (à 8 Chromolith. m. Text.) à n. 1. 50
24. Bilder aus dem Tierleben. (7 Chromolith.) n. 2. —

Schreiber, Bacillen u. Tuberculose. Staatshilfe u. Selbsthilfe. 16. (18 S.) Meran 886. Pötzelberger. n. — 20

Schreiber, die Bodenverhältnisse Magdeburgs, s.: Verhandlungen u. Mittheilungen d. Vereins f. öffentliche Gesundheitspflege in Magdeburg.

Schreiber, Grundriss der Chemie u. Mineralogie. Ein Leitfaden f. den Unterricht in Realgymnasien, Ober-Realschulen u. höheren Bürgerschulen. 4. Aufl. gr. 8. (VIII, 162 S.) Berlin 886. Grote. geb. n. 2. —

Schreiber, Rede, s.: Blätter der Erinnerung an das 300jährige Jubiläum d. Collegiums bei St. Anna in Augsburg.

Schreiber, A. [J. Krüger], der Jesuit u. sein Zögling, s.: Universal-Bibliothek.

Schreiber, A., zur Charakteristik der rheinischen Missionsgebiete. gr. 8. (56 S.) Barmen 883. Wiemann. n. — 40

— Lebensbilder aus der Rheinischen Mission f. Missionsstunden. 8. (128 S.) Ebend. 884. cart. n. 1. —

Schreiber, Aug., zur Lehre v. den complicirten Luxationen u. deren Behandlung. gr. 8. (IV, 106 S.) Tübingen 883. Laupp. n. 2. —

Schreiber, Bernh., Volksschulgesetz f. das Herzogt. Gotha. Textausg. m. sämtl. nachträglich erschienenen Zusatzgesetzen, Verordngn., Dekreten ꝛc. u. e. Sachregister. Unter Benutzg. d. vom Herzogl. S. Staatsministerium zu Gotha zur Verfügg. gestellten aktenmäß. Materials. gr. 8. (VI, 122 S.) Gotha 885. Engelhard-Reyher'sche Hofbuchdr. n. 2. 70

Schreiber, C., die neuen preußischen Verwaltungsgesetze m. Erläuterungen f. die Prov. Hessen-Nassau. gr. 8. (IV, 498 S.) Marburg 886. Elwert's Verl. Subscr.-Pr. n.n. 4. 50; geb. n.n. 5. —

— die Verwaltungsreform in Hessen-Nassau. gr. 8. (45 S.) Ebend. 883. n. 1. —

Schreiber, Guido, Lehrbuch der Perspektive. Mit e. Anh. üb. den Gebrauch geometr. Grundrisse. Zum Vortrag u. zum Selbststudium. 3. Aufl. Durchgesehen v. A. F. Viehweger. Bevorwortet v. Ludw. Nieper. Mit 180 Holzschn. u. 13 lith. Taf. bildl. Darstellgn. Lex.-8. (XII, 212 S.) Leipzig 886. Oehmigke. n. 10. —

Schreiber, J., manuel de la langue Tigraï parlée au centre et dans le nord de l'Abyssinie. gr. 8. (VII, 93 S.) Wien 887. Hölder. n. 6. —

Schreiber, J. F., das Tarifwesen der Eisenbahnen, s.: Bibliothek d. Eisenbahnwesens.

Schreiber, Joh. Max., Schrift u. Sprache. Regelung der deutschen Orthographie. gr. 8. (III, 104 S.) Wien 883. (Pichler's Wwe. & Sohn.) n. 1. 60

Schreiber, Jos., praktische Anleitung zur Behandlung durch Massage u. methodische Muskelübung. 2. Aufl. Mit 117 Holzschn. gr. 8. (XXIV, 272 S.) Wien 884. Urban & Schwarzenberg. n. 6. —

— das medicinische Paris. gr. 8. (IV, 172 S.) Ebend. 883. n. 3. —

Schreiber, K., üb. Schadenersatz nach österreichischem Recht, s.: Schuster, M.

Schreiber, Paul, Beitrag zur Frage der Reduction v. Barometerständen auf e. anderes Niveau. gr. 4. (18 S.) Halle 884. Leipzig 885. (Engelmann.) n. 1. 20

— Handbuch der barometrischen Höhenmessungen. Anleitung zur Berechng. der Höhen aus barometr., thermometr. u. hygrometr. Messgn., sowie zur Anstellg. sämmtl. bei den Höhenmessgn. nöth. Beobachtungen, unter besond. Berücksicht. der Surrogate f. das Quecksilberbarometer [Aneroide, Thermobarometer], f. Ingenieure, Forschungsreisende, Meteorologen, Mitglieder der Alpenvereine etc. Mit e. Atlas v. 18 Grossfoliotaf., enth. zahlreiche Karten u. Fig. 2. Ausg. gr. 8. (XX, 307 S.) Weimar 883. B. F. Voigt. 4. 50

Schreiber, Thdr., die Athena Parthenos d. Phidias u. ihre Nachbildungen. Ein Beitrag zur Kunstgeschichte. Mit 4 (Lichtdr.-)Taf. Lex.-8. (100 S.) Leipzig 883. (Hirzel.) n. 6. —

— s.: Bilderatlas, kulturhistorischer.

Schreiber, W., Tabellen zum Auftragen der Gewölbestützlinien nach Ordinaten. Ein Hülfsmittel sowohl zum Nachbilden der Gewölbe u. Widerlager nach vorher aufgetragener Stützlinie, als auch zum Einzeichnen der Stützlinien bei gegebener Form der Wölblinie, sowie zum Berechnen der Gewölbestärken u. Widerlager. gr. 8. (31 S.) Strassburg 884. Schultz & Co. Verl. cart. n.n. 2. 40

Schreibershofen, Hans v., die Wandlungen der Mariendarstellung in der bildenden Kunst. gr. 8. (97 S.) Heidelberg 886. C. Winter. n. 2. 80

Schreib-Kalender auf d. J. 1887. gr. 16. (168 S.) Berlin, Trowitzsch & Sohn. geb. u. durchsch. n. 1. 75

— für d. J. 1887. gr. 16. (272 S.) Düsseldorf, F. Bagel. geb. n. 1. 20

— für d. J. 1886. 8. (272 S.) Gotha, Engelhard-Reyher'sche Hofbuchdr. geb. n.n. 1. —

— auf d. J. 1887. Zum Gebrauch f. alle Stände. Mit e. Eisenbahnkarte v. Mittel-Thüringen. 8. (IV, 131 S.) Hildburghausen, Gadow & Sohn. geb. n.n. — 90

— neuester, f. Advokaten u. Notare auf d. J. 1885. Vormerk-, Geschäfts- u. Auskunfts-Buch auch f. Amtsvorsteher, Geistliche, Staats- u. Communalbeamte etc. 94. Jahrg. 4. (280 S.) Graz, Leykam. cart. n. 2. 40

— für Damen 1887. Mit dem Gruppenbilde der Söhne d. Prinzen Albrecht v. Preußen, Regenten v. Braunschweig. 26. Jahrg. 32. (287 S.) Berlin, v. Decker. geb. m. Goldschn. n. 2. 50

— gemeinnützlicher, auf d. J. 1887. Für Kanzleien, Gerichtsstellen, Rentämter, Gerichtsvollzieher, Comptoirs, f. die Haus- u. Landwirthschaft, sowohl f. Katholiken als Protestanten eingerichtet. 85. Jahrg. 4. (147 S.) Würzburg, Stahel. cart. n. 1. —; m. Schreibpap. durchsch. n. 1. 60

— Grazer, f. d. J. 1885. Ein Familien-Hausbuch m. e. reichen Auswahl v. Aufsätzen zur Belehrg. u. Orientirung des Staatsbürgers, Geschäftsmannes u. Oekonomen, sowie f. Handel u. Industrie, nebst Erzählgn. u. Illustr. 4. (128 S.) Graz, Leykam. n. — 80; cart. n. — 90

— Hamburgischer, auf d. J. 1884 zum täglichen Gebrauch. 8. (160 S.) Hamburg, Nestler & Melle. geb. u durchsch. n. 1. 80

— Ingolstädter, f. d. J. 1887. 4. (35 S. m. Illustr.) Ingolstadt, Ganghofer. n. — 20

— für elsass-lothringische Lehrer auf d. J. 1886. 7. Jahrg. Hrsg. v. Ant. Ph. Largiadèr. gr. 16. (203 S.) Strassburg, Schmidt. geb. n.n. 1. 20

— neuer, f. d. J. 1887. 4. (48 S.) Wien, Perles. n. — 40; cart. n. — 60

— Nürnberger, f. d. J. 1885. 84. Jahrg. gr. 16. (160 S.) Nürnberg, Korn. cart. n. 1. —; geb. u. durchsch. n. 1. 40

— für Tirol u. Vorarlberg auf d. J. 1885. 4. (44 S.) Innsbruck, Wagner. n. — 40

— u. Geschäfts-Taschenbuch, Münchener, f. d. J. 1886. gr. 16. (VIII, 245 S.) München, Franz' Verl. n. — 90; geb. in Halbleinw. n. 1. 20; in Leinw. n. 2. 5; in Ldr. n.n. 3. —

Schreib- u. Hülfskalender f. Geistliche auf d. J. 1887. 14. Jahrg. Mit 1 Eisenbahnkarte v. Mittel-Europa. 16. (232 S.) Bielefeld, Velhagen & Klasing. geb. n. 1. 20

— für Rektoren u. Schulinspektoren auf d. J. 1885. Hrsg. v. Fr. Polack u. B. Schreiber. 3. Jahrg. gr. 16. (318 S.) Wittenberg 884. Herrosé Verl. geb. n. 1. 80

— dasselbe auf d. Schulj. 1886/87. Hrsg. v. Fr. Polack u. B. Schreiber. 4. Jahrg. 12. (327 S.) Kassel, Fischer. geb. n. 1. —

Schreib- u. Notizkalender, badischer [Bureau-Kalender], f. d. J. 1884. Zum Gebrauche f. die Canzleien der Gerichtsstellen, Notare, Anwälte, Rentämter. Ein Jahrbuch f. Comptoirs der Kaufleute, Handwerker u. Landwirthe. 4. (180 S.) Tauberbischofsheim, Lang. cart. n. 1. 30

— praktischer, auf d. J. 1887. Ein nützl. Tagebuch sowohl f. Behörden, Anwälte, Bürgermeister u. Rechnungsführer, als auch f. Comptoirs, bürgerl. u. landwirthschaftl. Haushaltgn., m. dem Kalendarium f. Protestanten, Katholiken u. Israeliten. 4. (112 S.) Marburg, Elwert's Verl. cart. n. 1. —

Schreib- u. Termin-Kalender f. Kommunal- u. Verwaltungs-Beamte auf d. J. 1883 v. Berthold Brunkow. gr. 16. (134 u. 168 S. m. 1 lith. Eisenbahnkarte.) Berlin, Kroll. geb. n. 2. 50

Schreiblesefibel. Hrsg. vom hannov. Lehrerverein. 8. Aufl. 8. (48 S. m. Illustr.) Hannover 885. Hahn. geb. n.n. — 30

Schreib-Lese-Unterricht, der. Eine Anleitung zur Erteilg. desselben unter Berücksicht. der Crüwell'schen Fibel. gr. 8. (IV, 88 S. m. 47 Fig. im Text.) Warendorf 886. Börstener. n. 1. —

Schreibmüller, Ph., Lesebuch f. das 1. Schuljahr, s.: Bauer, N.

Schreib-Vorlagen f. Fortbildungs- u. Bürger-Schulen, enth. 42 verschiedene Geschäftsaufsätze: Briefe, Rechngn., Quittgn., Schuldscheine, Eingaben an Behörden, Verträge, sowie Vorlagen zur gewerbl. Buchführg. etc. als Fortsetzg. der Schönschreibhefte deutscher u. latein. Schrift. 3. Aufl. 4. (42 lith. Bl.) Apolda 884. Lauth. In Mappe. n. 2. —

— griechische. Zum Schul- u. Privatgebrauch. qu. gr. 8. (3 Steintaf.) Wien 885. Kravani. n. — 25

Schreiner, J. N., orthographisches Lehr- u. Uebungsbuch zum Gebrauch an Volks- u. Mittelschulen. 8. (139 S.) Passau 885. Waldbauer. cart. n. — 60

Schreiner, Joh. Ev., Aufgabensammlung aus der Algebra. Für Lehrerbildungsanstalten u. zur Selbstbelehrg. bearb. gr. 8. (VII, 109 S.) Eichstätt 884. Stillkrauth. n. 1. 20

— Festschrift zum 50jährigen Jubiläum d. königl. Schullehrer-Seminars Eichstätt. gr. 8. (III, 96 S. m. Illustr. u. 1 Tab.) Donauwörth 885. (Auer.) n. 2. —

— Lehrbuch der Algebra. Für Lehrerbildungsanstalten u. zur Selbstbelehrg. methodisch bearb. gr. 8. (VI, 248 S.) Eichstätt 883. Stillkrauth. n. 3. —

Schreiner, Rupert, zur Würdigung der Trachiniai d. Sophokles. gr. 8. (80 S.) Znaim 885. (Wien, Pichler's Wwe. & Sohn.) n. 3. —

Schreiner-Zeitung, illustrierte. Möbel- u. Bauarbeiten in prakt. Beispielen f. einfache u. reichere Ausführg., zum Gebrauch der Möbel- u. Bauschreiner, der Drechsler u. Tapezierer; der Architekten, Werkmeister, Bauunternehmer, der Zeichenschulen etc., unter Mitwirkg. v. Paul Wallot, A. Linnemann, Hans Grisebach etc. hrsg. v. F. Luthmer. 2—4. Bd. à 12 Hfte. (½ B. m. 4 autogr. Taf.) Fol. Stuttgart 883—86. Spemann. à Hft. n. 3. —

Schreinsurkunden, Kölner, d. 12. Jahrh., s.: Publicationen der Gesellschaft f. Rheinische Geschichtskunde.

Schreyer, Aug., deutsche Uebungen in konzentrischen Kreisen im Anschluß an das deutsche Lesebuch m. Bildern v. Gabriel u. Supprian. [Ausg. in 2 Tln.] Vorwort u. 5 Hfte. 8. Bielefeld 884. Velhagen & Klasing. n. 1. 20
Vorwort u. Inhaltsverzeichnis. (8 S.) n. — 10
1—3. (22, 24 u. 24 S.) à n. — 20
4. 5. (à 30 S.) à n. — 25

— dasselbe. Ausg. in 2 Hftn. 8. Ebend. 885. n. — 70
1. Für die Mittelstufe der Volksschule. (47 S.) n. — 30
2. Für die Oberstufe der Volksschule. (89 S.) n. — 40

— dasselbe. Ausg. in 1 Hft. Für die Oberstufe der Volksschule. 8. (72 S.) Ebend. 885. n. — 40

Schrey, Ferd., Lehrbuch der Debattenschrift nach Gabelsbergers System zum Gebrauche in Unterrichtskursen u. zum Selbstunterricht. Als 2. Tl. zu seinem „Kurzen Lehrgang der Stenographie". 2. Aufl. gr. 8. (74 S., wovon 14 autogr.) Barmen 885. Klein. n. 1. 60; Schlüssel. (33 S.) 886. n. 1. —

— kurzer Lehrgang der Stenographie nach Gabelsbergers System zum Schul-, Privat- u. Selbstunterricht. 1. Tl. Korrespondenzschrift. 6. Aufl. gr. 8. (IV, 44 S., wovon 16 autogr.) Ebend. 885. n. 1. 20; Schlüssel. 4. Aufl. (IV, 14 S.) 886. n. — 80

— Lesebuch zum kurzen Lehrgang der Stenographie

nach Gabelsbergers System. 2. Aufl. gr. 8. (III, 24 autogr. S.) Barmen 884. Klein. n. — 80

Schrey, Ferd., das Neustolzesche Stenographie-System. Eine krit. Studie. gr. 8. (32 S.) Barmen 886. Klein. n. 1. —

Schreyer, Frz., Strand- u. Dünenbilder v. Norderney. 12 Lichtdr. nach Zeichngn. v. F. S. qu. gr. 4. Norden 883. Braams. In Leinw.-Mappe. n. 10. —

Schreyer, Herm., Nausikaa. Trauerspiel in 5 Aufzügen in freier Ausführg. d. Goethe'schen Entwurfs. Nebst e. Anh.: Nausikaa bei Homer, Sophokles u. Goethe. 8. (151 S.) Halle 884. Buchh. d. Waisenhauses. n. 1. 60

Schreyer, Otto, erdmagnetische Beobachtungen im Königr. Sachsen. gr. 4. (40 S. m. 3 autogr. Taf.) Freiberg 886. (Engelhardt.) n. 1. 60

Schreyer, Wilh., Landeskunde d. Königr. Sachsen. Ausg. A. Ein method. Handbuch f. die Lehrer. gr. 8. (II, 196 S.) Meißen 886. Schlimpert. n. 2. —

— dasselbe. Ausg. B. Ein Repetitionsheft f. Schüler der oberen Volksschulklassen, Fortbildungsschulen u. höheren Lehranstalten. gr. 8. (32 S.) Ebend. 886. n.n. — 25

— dasselbe. Ausg. C. Ein Repetitionsheft f. Schüler in mittleren Klassen der Volksschule. gr. 8. (28 S.) Ebend. 885. n. — 20

— dasselbe, s.: Hummel, A., kleine Erdkunde.

Schreyvogel, Jos., Waldner v. Wildenstein. Der letzte elsäss. Ritter. Eine Erzählung aus dem 30jähr. Kriege. gr. 8. (174 S.) Mülhausen i/E. 881. (Detloff.) n. 1. 20

Schricker, A., Kaiser-Wilhelms-Universität Strassburg. 15 Ansichten in Lichtdr. v. J. Kraemer. Mit Text v. A. S. qu. gr. 4. (13 Bl. Text.) Strassburg 884. Schmidt. cart. n. 7. —

Schriek, C., lateinische u. deutsche Begräbnißgesänge. Zum Gebrauch f. Lehrer u. Gesangvereine hrsg. 8. (VI, 64 S.) Werl 885. Stein. n. — 60; geb. n. — 80

Schrieber, Lehrplan u. Pensenverteilung f. katholische Volksschulen. 2. Aufl. Fol. (36 S.) Lingen 883. van Acken. n. 2. —

Schrift, die heilige, nach Dr. Martin Luthers Uebersetzung m. Einleitungen u. erklärenden Anmerkungen. Hrsg. durch Otto v. Gerlach. 1—4. Bd. in 5 Abthlgn. Das Alte Testament. 6. Aufl. 2. Abdr. Lex.-8. (XII, 396; XII, 302; XXVI; 320; XVI, 368 u. VI, 410 S.) Leipzig 883. Hinrichs' Verl. n. 12. 50; in 2 Bde. geb. n. 15. 50 (cplt. 5 Bde. in 7 Abthlgn.: n. 17. 50; in 3 Bde. geb. n. 22. —; auch in 35 Lfgn. à n. — 50; Velin-Ausg. 7 Thle. n. 21. —; in 7 Bde. geb. n. 29. 75)

— die heilige, d. Alten u. Neuen Testaments. Uebers. v. M. W. L. de Wette. 4. Aufl. Neue Ausg. 2 Thle. gr. 8. (XII, 1148 u. III, 307 S.) Freiburg i/Br. 885. 86. Mohr. n. 7. —

Schriften d. deutschen Vereins f. Armenpflege u. Wohlthätigkeit. 1. Heft. gr. 8. Leipzig 886. Duncker & Humblot. n. 1. 80

Die Behandlung der Armenstiftungen. Ueber Arbeitsnachweis. (80 S.)

— des deutschen Vereins f. internationale Doppelwährung. 8—13. Hft. gr. 8. Berlin, Walther & Apolant. n. 5. —

8. Der internationale bimetallistische Congreß zu Köln am 11—13. Octbr. 1882. Stenographischer Bericht der Verhandlgn. (62 S.) 882. n. — 75
9. Das Wesen d. Geldes v. Emile de Laveleye. Uebers. v. Otto v. Bar. (37 S.) 882. n. 1. —
10. Die Doppelwährung v. Henry Hucks Gibbs, m. e. Einleitg. v. Henry R. Grenfell u. e. vom Verf. f. die deutsche Ausg. geschriebenen Vorwort. Autoris. deutsche Ausg., übers. v. E. Koch-Herne. (64 S.) 882. n. — 75
11. Die Währungsdebatte im Reichstag am 6. März 1885. Stenographischer Bericht der Reden der Abgeordneten v. Kardorff, Bamberger, Frege, Oechelhäuser, v. Schalcha u. Windthorst, m. e. Anh.: Die Rede Bambergers, besprochen v. Otto Arendt. (111 S.) 885. n. 1. —
12. Die Silberentwerthung u. die internationale Krisis der Landwirthschaft, der Industrie u. d. Welthandels, Vortrag, geh. am 17. Novbr. 1885 in der Generalversammlg. aller zum landwirthschaftl. Centralverein d. Reg.-Bez. Frankfurt a. O. geh. landwirthschaftl. Vereine von H. v. Sydow-Dobberphul. (52 S.) 886. n. — 50
13. Die Währungsdebatte im Reichstag. Stenographischer Bericht der Verhandlgn. der Reichstagssitzgn. vom 9., 10. u. 11. Febr. 1886. (134 S.) 886. n. 1. —

Schriften des Vereins f. die Geschichte Berlins. 21—25. Hft. gr. 8. Berlin. (Mittler & Sohn.) n. 16. 50

21. Das Strafverfahren gegen die märkischen Juden im J. 1510 v. Frdr. Holtze. (V, 79 S.) 884. n. 1. 50
22. Die Straßen-Namen Berlins. Von Herm. Vogt. (X, 109 S.) 885. n. 2. —
23. Stammbäume der Mitglieder der französischen Colonie in Berlin. Hrsg. v. R. Béringuier. (IV, 64 S.) 885. n. 6. —
24. dasselbe. 2. Stück. (S. 65—112.) Namhafte Berliner. (8 S.) 886. n. 4. 50
25. Creusings märkische Fürsten-Chronik, hrsg. v. Frdr. Holtze. (VII, 205 S.) 886. n. 2. 50

— des Vereins f. Geschichte d. Bodensee's u. seiner Umgebung. 12. Hft. Mit Holzschn. u. Karten. Lex.-8. (IV, 205; IV, 232; III, 273 u. IV, 263 S.) Lindau 883—86. (Stettner.) à n. 5. —

— der historisch-statistischen Section der k. k. mähr.-schles. Gesellschaft zur Beförderung d. Ackerbaues, der Natur- u. Landeskunde, red. v. Chrn. Ritter d'Elvert. 26. Bd. Lex.-8. Brünn 884. (Winiker.) n.n. 8. —

Zur Geschichte d. Deutschthums in Oesterreich-Ungarn, m. besond. Rücksicht auf die slavisch-ungarischen Länder. Von Chrn. Ritter d'Elvert. (XX, 806 S.)

— die heiligen, d. alten u. neuen Testamentes, nach der Vulgata m. steter Vergleichg. d. Grundtextes übers. u. erläutert v. Val. Loch u. Wilh. Reischl. Mit mehr als 900 (ein gedr. Holzschn.-) Illustr. (5 Bde. in 84 Lfgn.) Lex.-8. (LI, 708; XXVII, 803; XXVII, 545; XV, 559 u. XXVII, 554 S.) Regensburg 883—85. Verlags-Anstalt. à Lfg. n. — 50

— dasselbe. 4 Bde. in 3 Thln. 3. Aufl. Lex.-8. (L, 991; XL, 835; XV, 517 u. XXVII, 530 S.) Ebend. 885. n. 22. —

— des Institutum Judaicum in Berlin. Nr. 1. gr. 8. Karlsruhe 886. Reuther. n. 1. —

Jüdisches Fremdenrecht, antisemitische Polemik u. jüdische Apologetik. Kritische Blätter f. Antisemiten u. Juden v. Gustav Marx. [Erweiterter Sonderabdr. aus „Nathanael".] (III, 80 S.)

— des Institutum judaicum in Leipzig. Nr. 1. 3. 6—10. gr. 8. Leipzig, Dörffling & Franke. n. 3. 20

1. Herschel-Augusti. Eine abenteuerl., wunderl. u. doch durchaus wahre Geschichte. 2. Aufl. neu bearb. v. Wilh. Faber. (47 S.) 885. n. — 40
3. „Ganz Israel wird selig werden", e. Geheimnis. Nach dem Engl. d. Adph. Saphir v. Wilh. Hochbaum. Bevorwortet v. Frz. Delitzsch. 2. Aufl. (28 S.) 885. n. — 40
6. Die Tötung Ungläubiger nach talmudisch-rabbinischem Recht. Quellenmässig dargestellt v. Gustaf Marx. (48 S.) 885. n. — 80
7. Die Bibel u. der Wein. Ein Thirza-Vortrag v. Frz. Delitzsch. (48 S.) 885. n. — 40
8. Der Messias als Versöhner. Eine bibl. Untersuchg. v. Frz. Delitzsch. (32 S.) 885. n. — 40
9. Zwei Predigten, in dem Gotteshause Bethlehem in Kischinew geh. v. Jos. Rabinowitsch. (32 S.) 885. n. — 40
10. Zwei Briefe e. jüdischen Getauften. Geschrieben u. hrsg. v. Sigismund Sußmann Heynemann. (46 S.) 886. n. — 40

— dasselbe. Nr. 2. 4. 5. gr. 8. Erlangen 885. Deichert. n. 1. 60

2. Israel Pick. Bekenntnisse aus der Tiefe e. jüd.

Herzens. Mit Erläutergn. v. Frz. Delitzsch. 2. Aufl. (40 S.) — 30

4. Documente der national-jüdischen christgläubigen Bewegung in Südrussland. Im Original u. deutscher Uebersetzg. mitgetheilt . Frz. Delitzsch. 2. Aufl. d. deutschen Theils.v(VIII, 44 u. 24 S.) n. 1. —

5. Fortgesetzte Documente der national-jüdischen christgläubigen Bewegung in Südrussland. Mitgetheilt v. Frz. Delitzsch. Nebst Aufruf zur Herstellg. e. Bethauses f. die Christgläubigen aus Israel in Kischinew. (40 S.) — 30

Schriften des Institutum judaicum in Leipzig. II. Serie. Nr. 1. gr. 8. Leipzig 886. Dörffling & Franke. n. 7. —

Die Lehren d. Talmud, quellenmässig, systematisch u. gemeinverständlich dargestellt v. Ferd. Weber. Nach d. Verf. Tode hrsg. v. Frz. Delitzsch u. Geo. Schnedermann. [Titel-Ausg. v. „System der altsynagogalen palästin. Theologie“ 1880.] (XXXIV, 399 S.)

— der naturforschenden Gesellschaft in Danzig. Neue Folge. 5. Bd. 4. Hft. m. 8 (lith. u. color.) Taf. Mit Unterstützg. d. westpr. Provinzial-Landtages hrsg. gr. 8. (XXXIII, 328 S. m. 8 Bl. Taf.-Erklärgn.) Danzig 883. (Leipzig, Engelmann.) n. 12. —
(5. Bd. cplt.: n. 30. —)

— dasselbe. 6. Bd. 1—3. Hft. Hierzu 15 (lith.) Taf. Mit Unterstützg. d. westpr. Provinzial-Landtages hrsg. Lex.-8. (XLI, 303; XLIII, 319 u. XLI, 279 S.) Ebend. 884—86. n. 28. —

— hrsg. v. der Naturforscher-Gesellschaft bei der Universität Dorpat. I. Lex.-8. Dorpat 884. (Leipzig, K. F. Köhler.) n. 2. —

Untersuchungen üb. die Entwickelung der primitiven Aorten, m. besond. Berücksicht. der Beziehgn. derselben zu den Anlagen d. Herzens. Von John Türstig. Mit 4 (lith.) Taf. (V, 33 S.)

— der Gesellschaft zur Beförderung der gesammten Naturwissenschaften zu Marburg. 12. Bd. 1. Abhandlg. gr. 8. Marburg 886. Elwert's Verl. n. 1. 50

Klimatische Verhältnisse v. Marburg auf Grund 15jähriger Beobachtungen an der meteorologischen Station daselbst. Von Adf. Linz. (44 S. m. 1 Tab. u. 3 Taf.)

— des naturwissenschaftlichen Vereins f. Schleswig-Holstein. 5. Bd. 2 Hfte. gr. 8. (99 u. 153 S. m. 3 Steintaf. u. 1 graph. Darstellg.) Kiel 883 u. 84. (Homann.) n. 5. 40

— dasselbe. 6. Bd. 1. u. 2. Hft. Mit 2 Karten u. 1 Abbildg. im Texte. gr. 8. (91 u. 123 S) Ebend. 885. 86. n. 4. 40

— des Vereins zur Verbreitung naturwissenschaftlicher Kenntnisse in Wien. 23—26. Bd. Vereinsj. 1882/83. A. u. d. T.: Populäre Vorträge aus allen Fächern der Naturwissenschaft. 23—26. Cyclus. 8. (LXIV, 580; LIX, 702; LXXI, 744 u. LI, 578 S. m. eingedr. Holzschn. u. Taf.) Wien 883 — 86. (Braumüller.) à Bd. n.n. 8. —

— ausgewählte, berühmter Pädagogen. Mit Erläutergn. f. den Schul- u. Privatgebrauch. I. u. II. gr. 8. Paderborn 886. F. Schöningh. n. 2. 30

1. Joh. Mich. Sailer's über Erziehung f. Erzieher. Bearb. u. zum schulmäß. Gebrauch eingerichtet v. J. Gansen. (VI, 172 S.) n. 1. 50

2. Ameisenbüchlein od. Anweisung zu e. vernünftigen Erziehung der Erzieher v. Chrn. Gtlf. Salzmann. Für den Schulgebrauch u. das Privatstudium bearb. u. m. e. Vorworte, Erläutergn. u. pädagog. Aufgaben versehen v. P. Wimmers. (VIII, 96 S.) n. — 80

— der physikalisch-ökonomischen Gesellschaft zu Königsberg. 24—26. Jahrg. 1883—1885. à 2 Abtheilgn. gr. 4. (1. Abth. à ca. VIII, 152 S. m. eingedr. Fig.) Königsberg 883—86. (Koch & Reimer.) à Jahrg. n. 6. —

— des protestantischen liberalen Vereins in Elsaß-Lothringen. 21—27. Hft. 12. Straßburg, (Treuttel & Würtz). n. 1. 77

21. Das Prinzip der Reformation u. das Prinzip d. Liberalismus v. Th. Gerold. (45 S.) 883. n. — 27

22. Ein Selbstmörder. Eine Straßburger Geschichte von 30 Jahren her v. Fr. Riff. (15 S.) 883. n. — 20

23. Der Apostel Paulus. Ein evangel. Lebensbild aus dem 1. Jahrh. v. Rud Reuß. (62 S.) 883. n. — 35

24. Das Abendmahl. Von Fr. A. Quirin. (64 S. m. 1 Holzschn.) 885. — 30

25. Die kirchlichen Wahlen zu Dingshoffen. Von Rud. Reuß. (21 S.) 886. — 15

26. Sind wir noch Christen u. sind wir schon Christen? Von Fr. Riff. (43 S.) — 30

27. Der Eid. Von J. Schneider. (27 S.) 886. — 20

Schriften des Vereins f. Reformationsgeschichte. Nr. 1—17. gr. 8. Halle, Niemeyer. n. 27. 80

1. Luther u. der Reichstag zu Worms. 1521. Von Thdr. Kolde. (81 S.) 883. n. 1. 20

2. Heinz v. Wolfenbüttel. Ein Zeitbild aus dem Jahrhundert der Reformation. Von Frdr. Koldewey. (VII, 80 S.) 883. n. 1. 20

3. Huldreich Zwingli u. sein Reformationswerk. Zum 400jähr. Geburtstage Zwinglis dargestellt v. Rud. Staehelin. (81 S.) 882. n. 1. 20

4. An den christlichen Adel deutscher Nation v. d. christlichen Standes Besserung. Von Dr. Mart. Luther. Bearb., sowie m. Einleitg. u. Erläutergn. versehen v. Karl Benrath. (XVI, 144 S.) 884. n. 1. 20

5. Württemberg u. Janssen. Von Gust. Bossert. 1. Tl. (IV, 103 S.) 884. n. 1. 20

6. Dasselbe. 2. Tl. (S. 105—178.) 884. n. 1. 20

7. Luther im neuesten römischen Gericht. Von Wilh. Walther. 1. Hft.: Luther, der polit. Revolutionär. (144 S.) 884. n. 1. 20

8. 9. Johann Wiclif u. seine Zeit. Zum 500jähr. Wiclifjubiläum. [31. Dezbr. 1884.] Von Rud. Buddensieg. (VI, 214 S.) 885. n. 2. 40

10. Die Aufhebung d. Edikts v. Nantes im Oktbr. 1685. Von Thdr. Schott. (IV, 167 S.) 885. n. 1. 20

11. Ignatius v. Loyola. Von Eberh. Gothein. (181 S.) 885. n. 1. 20

12. Heinrich v. Zütphen. Von J. Frdr. Iken. (VII, 124 S.) 886. n. 1. 20

13. Luther im neuesten römischen Gericht. Von Wilh. Walther. 2. Hft.: Luthers Waffen. (176 S.) 886. n. 2. 40

14. 15. Die Reformation im Spiegelbilde der dramatischen Litteratur d. 16. Jahrh. Von Hugo Holstein. (VIII, 287 S.) 886. n. 5. —

16. Die Einführung der Reformation in Hamburg. Von C. H. Wilh. Sillem. (VII, 195 S. m. 1 photolith. Plan.) 886. n. 3. —

17. Die Depeschen d. Nuntius Aleander vom Wormser Reichstag 1521, übers. u. erläutert v. P. Kalkoff. (212 S.) 886. n. 3. —

— des Liberalen Schulvereins Rheinlands u. Westfalens. Nr. 7—13. gr. 8. Bonn, Strauß. n. 8. 40

7. Gesetzliche Bestimmungen, Ministerial-Erlasse u. Regierungs-Verordnungen üb. die Lokal-Schulaufsicht in Preußen, insbesondere mit Rücksicht auf Rheinland u. Westfalen. Zusammengestellt v. Jürgen Bona Meyer. (92 S.) 883. n. 1. 60

8. Die Lokal-Schulaufsicht. Gutachten u. Verhandlg. 1) Bericht üb. die Verhandlg. auf der Generalversammlg. zu Iserlohn am 30. Septbr. 1883. 2) Gutachten, im Auftrage u. m. Zustimmg. d. Duisburger „Freien Lehrervereins“ abgegeben v. H. Ch. Wilh. Meyer. 3) Gutachten v. J. J. Huffschmidt. (95 S.) 883. n. 1 60

9. Die angebliche sittliche Verwilderung der Jugend unserer Zeit u. die behauptete Mitschuld der Schule. Berichte v. Jürgen Bona Meyer u. Köhler u. Verhandlg. auf der Generalversammlg. d. liberalen Schulvereins zu Duisburg am 4. Mai 1884. (72 S.) 884. n. 1. 20

10. Staatsschule od. Gemeindeschule. Verhandlung auf der Generalversammlg. zu Bielefeld am 28. Septbr. 1884. (52 S.) 884. n. 1. 20

11. Die Mittelschule u. das praktische Leben. Referate v. Bartholomäus-Hamm u. L. F. Seyffart-Krefeld, nebst Verhandlg. (73 S.) 885. n. 1. 20

12. Das Schulberechtigungswesen. Referate v. Schmelzer-Hamm u. W. Krumme-Braunschweig, nebst Verhandlg. auf der Generalversammlg. zu Bochum am 11. Oktbr. 1885. (46 S.) 885. n. 1. —

13. Die Berufswahl od. was kann die Schule und was kann das Haus zur Erleichterung e. geeigneten Berufswahl der Jugend thun? Berichte v. W. Beumer-Witten u. Bueck-Düsseldorf f. die General-Versammlg. d. liberalen Schulvereins zu M.-Gladbach am 2. Mai 1886. (40 S.) 886. n. — 60

Schriften des Vereins f. Socialpolitik. XXI—XXXII. gr. 8. Leipzig, Duncker & Humblot. n. 71. 80 (I—XXXII.: n. 151. 20)

XXI. Verhandlungen der am 9. u. 10. Octbr. 1882 in Frankfurt a. M. abgeh. Generalversammlung d. Vereins f. Socialpolitik üb. Grundeigenthumsvertheilung u. Erbrechtsreform; internationale Fabrikgesetzgebung; Versicherungszwang u. Armenverbände. Auf Grund der stenograph. Niederschrift hrsg. vom ständ. Ausschuß. (191 S.) 883. n. 4. —

XXII—XXIV. Bäuerliche Zustände in Deutschland. Berichte. 1—3. Bd. (X, 320; VIII, 344 u. VIII, 382 S.) 883. n. 22. —

XXV. Das Erbrecht u. die Grundeigenthumsvertheilung im Deutschen Reiche. Ein socialwirthschaftl. Beitrag zur Kritik u. Reform d. deutschen Erbrechts. Von Aug. v. Miaskowski. 2. Abth. Das Familienfideicommiß, das landwirthschaftl. Erbgut u. das Anerbenrecht. (VI, 476 S.) 884. n. 10. — (cplt.: n. 17. —)

XXVI. Die Arbeiterversicherung in Frankreich. Von M. v. der Osten. (VIII, 177 S.) 884. n. 4. —

XXVII. Agrarische Zustände in Frankreich u. England. Auf Grund der neuen Enquêten dargestellt von F. Frhrn. v. Reitzenstein u. Erwin Nasse. (X, 222 S.) 884. n. 4. 80

XXVIII. Verhandlungen der am 6. u. 7. Octbr. 1884 in Frankfurt a. M. abgeh. Generalversammlung d. Vereins f. Socialpolitik üb. Maßregeln der Gesetzgebung u. Verwaltung zur Erhaltung d. bäuerlichen Grundbesitzes, u. üb. die Einwirkung der Organisation unserer höheren u. mittleren Schulen auf das sociale Leben u. die Erwerbsthätigkeit der Nation. Auf Grund der stenograph. Niederschrift hrsg. vom ständ. Ausschuß. (155 S.) 884. n. 3. 40

XXIX. Agrarische Zustände in Italien. Auf Grund der jüngsten Enquête u. anderer offiziellen Quellen dargestellt v. K. Th. Eheberg. (IX, 158 S.) 886. n. 3. 60

XXX. XXXI. Die Wohnungsnoth der ärmeren Klassen in deutschen Großstädten u. Vorschläge zu deren Abhülfe. Gutachten u. Berichte, hrsg. im Auftrage d. Vereins f. Socialpolitik. 2 Bde. Mit 1 (chromolith.) Plane v. Straßburg i. E. u. 8 Steintaf. (XXI, 199 u. VIII, 388 S.) 886. n. 14. 60

XXXII. Zur inneren Kolonisation in Deutschland. Erfahrungen u. Vorschläge, hrsg. im Auftrage d. Vereins f. Socialpolitik. Mit 1 lith. Plan. (V, 229 S.) 886. n. 5. 40

Schriftsteller-Album, das deutsche, hrsg. unter Mitwirkg. Ernst v. Wildenbruchs v. Adf. Hinrichsen. gr. 4. (V, 140 S. m. 16 Lichtdr.-Taf.) Leipzig 885. Friedrich. n. 17. —; geb. n. 22. —

Schriftsteller-Zeitung, deutsche. Hrsg.: Jos. Kürschner. 1. Jahrg. 1885. 24 Nrn. ($1^1/_2$ B.) hoch 4. Stuttgart, J. Kürschner. n.n. 10. 80

Schriftwart, der. Zeitschrift f. Stenographie u. Schriftkunde. Hrsg. v. E. Gantter. 15—18. Jahrg. 1883—1886. à 12 Nrn. (à $^1/_2$—1 B.) gr. 8. Elberfeld, Fassbender. à Jahrg. n. 2. 50

Schröckenstein, Frz., Ausflüge auf das Feld der Geologie. Geologisch-chem. Studie der Silicat-Gesteine. 2. Aufl. gr. 8. (V, 116 S.) Wien 886. (Prag, Dominicus.) n. 4. —

Schroeder, das Seerecht, s.: Lewis.

Schroeder, die Einführung der Reformation in Westfalen in dem Zeitraume v. 1520—1540. Ein Beitrag zur Lutherfeier. 8. (IV, 79 S.) Minden 883. Bruns. n. 1. 20

— Führer durch die Stadt Minden u. deren nächste Umgebung m. historischen Anmerkungen. Mit e. (lith.) Plane der Stadt. 8. (38 S.) Ebend. 885. n.n. — 50

Schroeder, v., üb. e. einfache Methode, nach welcher naturgetreue Abbildungen des Holzzuwachses hergestellt werden können. Mit 1 eingedr. Holzschn. u. 6 Taf. Abbildgn. gr. 8. (9 S.) Dresden 884. G. Schönfeld's Verl. n. — 60

Schröder, Arnold, des Königs Grenadiere. Historisches Volksstück [m. Gesang] in 4 Acten. gr. 8. (IV, 48 S.) Oldenburg 883. (Hintzen.) n. — 75

Schröder, Arnold Adph. Aujust, das neue Oldenburger Ochsenlied. Jubel-Aufl. 25. Aufl. schmal Fol. (1 Bl. m. Holzschn.) Hamburg 883. (Scharbius.) — 20

Schroeder, C., Isabel. Roman. 8. (324 S.) Breslau 883. Schottländer. n. 3. —; geb. n. 4. —

Schröder, C. W., Kubiktabellen f. runde u. vierkantige Hölzer nach neuem metrischen Maßsystem m. Angabe d. Kubikinhalts in alten preuß. Kubikfußen. Nebst Reductionstabellen v. Metern in Fuße u. v. Kubikfußen in Kubikmeter u. Preisberechnungstabelle. Ein beim Ein- u. Verkauf v. Hölzern f. Holzhändler, Mühlenbesitzer, Zimmerleute u. andere Holzarbeiter unentbehrl. Taschenbuch. 8. (104 S.) Dommitzsch 886. (Torgau, Jacob.) geb. n. 1. 80

Schroeder, Ch. v., die Cur- u. Wasserheilanstalt Sassenhof bei Riga. Bericht üb. die Thätigkeit derselben in den J. 1883—1885. Vortrag. 8. (35 S.) Riga 886. Bruhns. n. — 60

Schröder, Chr., Klempner-Schule. 2. Folge. Eine vollständ. u. ausführl. Konstruktionslehre f. geförderte Klempnergehilfen u. Meister. Enth. alle in der Klempnerei vorkomm. konstruktiven Aufgaben u. Lösgn., m. besond. Berücksicht. aller schwier. Aufgaben der Bauklempnerei. Zum Gebrauche f. Fortbildungsschulen, sowie insbesondere zum Selbstunterricht. Nebst e. Atlas v. 30 (lith.) Foliotaf. enth. 464 Hauptfig., sowie 10 Modellbogen m. Schnittfig. in natürl. Größe. 8. (XIV, 336 S.) Weimar 883. B. F. Voigt. 13. 50 (1. u. 2.: 20. 25)

— die Schule d. Tischlers. Eine systematisch fortschreit. Konstruktionslehre f. Holzarbeiter. Mit e. Atlas v. 25 (lith.) Foliotaf., teilweise in Farbendr. gr. 8. (XII, 285 S.) Ebend. 885. 8. —

Schröder, Chr., kurzgefaßte Heimatkunde u. Geographie, f. die Volksschulen der Rheinprovinz bearb. 2. Aufl. 8. (71 S.) Saarlouis 884. Hausen. n. — 40

Schröder, Chr., das Volksschulwesen in Frankreich. Dargestellt nach den jetzt gelt. gesetzl. Bestimmgn. unter Berücksicht. der geschichtl. Entwicklg. der Schulgesetzgebg. 1. Tl. gr. 8. Köln 884. Du Mont-Schauberg. n. 2. 50

Die Vorbildung, Prüfung u. gesetzliche Stellung der Volksschullehrer in Frankreich. (VIII, 192 S.)

Schröder, Conr., Ergebnisse d. physikalischen Unterrichts in der Elementarschule. 6. Aufl. Mit 63 Holzschn. gr. 8. (40 S.) Leipzig 883. Siegismund & Volkening. n. — 40

— zwanzig Lektionen aus der Physik. Für die einfachsten Schulverhältnisse m. Berücksicht. der zu verwert. Anschauungsmittel zusammengestellt. 2. Aufl. Mit 50 Abbildgn. gr. 8. (63 S.) Ebend. 883. n. — 60

Schröder, E., Friedrich der Große, s.: Collection Spemann.

— vom alten Fritz. Denkwürdige Aussprüche, aus seinen Werken gesammelt. 2. Aufl. 16. (VIII, 156 S.) Leipzig 886. O. Wigand. 1. 50; geb. n. 2. —

— Kaiser-Worte. Aussprüche d Kaiser Wilhelm, gesammelt. 8. (IV, 74 S.) Berlin 883. F. Luckhardt. n. 1. —; feine Ausg. n. 1. 50

Schröder, E., Lichtstrahlen aus Friedrichs d. Großen Schriften, gesammelt u. übers. 2. Aufl. 8. (XI, 189 S.) Halle 886. Schwetschke. n. 1. 80; geb. n.n. 2. 20

Schroeder, Ed. Aug., die politische Oekonomie. Als Grundlage nationalökonom. Vorlesgn. u. Lehrbuch an Fachschulen, Repetitorium f. Studierende der Staatswissenschaften, sowie f. den Selbstunterricht. 2. Aufl. 8. (X, 262 S.) Stuttgart 885. Brettinger. n. 2. 40

— das Unternehmen u. der Unternehmergewinn vom historischen, theoretischen u. praktischen Standpunkte. gr. 8. (XII, 92 S.) Wien 884. (Gerold's Sohn.) n. 3. —

— die Volkswirthschaftslehre, s.: Handbibliothek der gesamten Handelswissenschaften.

Schröder, F. W., Luthers Bedeutung f. die deutsche Volksschule. 8. (31 S.) Berlin 883. Parisius. n. — 60

Schröder, Fr., das verborgene Leben in Christo. Dargestellt in Erzählgn., Betrachtgn., geschichtl. Bildern rc. Für Geistliche, Lehrer, besonders f. Sonntagsschulen, sowie zur häusl. Erbaug. (In 8—10 Hftn.) 1. u. 2. Hft. 8. (VIII, 85 u. IV, 98 S.) Leipzig 886. Fr. Richter. cart. à n. — 80

Schröder, G., der Kampf um Wien 1683. Sein Verlauf u. seine Bedeutg. f. die Geschichte d. Festungskrieges. Ein Beitrag zur 200jähr. Gedächtnißfeier. Mit 1 (lith.) Taf. gr. 8. (78 S.) Berlin 883. Mittler & Sohn. n. 1. —

— Rimpler; Berichtigung e. Berühmtheit, s.: Beiheft zum Militär-Wochenblatt.

Schröder, G. A., Erzählungen aus der deutschen Geschichte, s.: Dreyer, L.

Schroeder, Geo. v., u. Jul. v. **Schroeder,** Wandtafeln f. den Unterricht in der allgemeinen Chemie u. chemischen Technologie. Mit erläut. Text. (In 8—10 Lfgn.) 1. u. 2. Lfg. Imp.-Fol. (à 5 Taf. à 2 Bl. m. Text 30 S. in gr. 8.) Kassel 884. 85. Fischer. à n. 6. —; einzelne Taf. à n. 2. —; f. Aufziehen auf Leinw. m. Stäben à Taf. n.n. 2. —

Schroeder, H., der kirchliche Nothstand Berlins. Vortrag. gr. 8. (28 S.) Berlin 885. Haack. n. — 50

Schröder, H., der Weg zum Himmel. Anleitung, wie man in den Himmel kommen kann. 2. Aufl. 16. (16 S.) Berlin 885. Deutsche Evangel. Buch- u. Tractat-Gesellschaft. n. — 10

Schröder, Hans, Lexikon der hamburgischen Schriftsteller bis zur Gegenwart. Im Auftrage d. Vereins f. hamburg. Geschichte begründet. Fortgesetzt v. A. H. Kellinghusen. 30. (Schluß-) Hft. od. 8. Bd. 2. Hft. gr. 8. (III u. S. 161—258.) Hamburg 883. (Mauke Söhne.) n. — 75 (cplt.: n. 20. —)

Schroeder, Henry, senone Kreidegeschiebe der Provinzen Ost- u. Westpreussen. gr. 8. (45 S.) Berlin 882. (Königsberg, Beyer.) n. 1. —

Schroeder, J. v., üb. die Löwenthal'sche Methode, s.: Bericht üb. die Verhandlungen der Commission zur Feststellung e. einheitlichen Methode der Gerbstoffbestimmung.

— u. A. **Schertel,** die Rauchschäden in den Wäldern der Umgebung der fiscalischen Hüttenwerke bei Freiberg. Mit 1 (chromolith.) Taf. gr. 8. (28 S.) Freiberg 884. (Craz & Gerlach.) n.n. 1. —

Schroeder, Jos., der Liberalismus in der Theologie u. Geschichte. Eine theologisch-histor. Kritik der Kirchengeschichte v. F. X. Kraus. gr. 8. (VIII, 181 S.) Trier 883. Paulinus-Druckerei. n. 2. —

Schroeder, Jul. v., u. Carl **Reuss,** die Beschädigung der Vegetation durch Rauch u. die Oberharzer Hüttenrauchschäden. Unter Beihülfe d. kgl. preuss. Ministeriums f. Landwirthschaft, Domainen u. Forsten hrsg. Mit 5 Farbendr.-Taf. u. 2 (chromolith.) Karten. gr. 4. (VI, 333 u. Anh. XXXV S.) Berlin 883. Parey. n. 24. —

Schroeder, Karl, Handbuch der Krankheiten der weiblichen Geschlechtsorgane, s.: Handbuch der speciellen Pathologie u. Therapie.

— Lehrbuch der Geburtshülfe m. Einschluss der Pathologie der Schwangerschaft u. d. Wochenbettes. Mit 151 in den Text gedr. Holzschn. 9. Aufl. gr. 8. (X, 845 S.) Bonn 886. Cohen & Sohn. n. 16. —

Schroeder, Karl, der schwangere u. kreissende Uterus. Beiträge zur Anatomie u. Physiologie der Geburtskunde. Unter Mitwirkg. v. M. Hofmeier, C. Ruge u. C. H. Stratz. Mit 52 Holzschn. u. e. Atlas v. 6 Taf. gr. 8. (VII, 151 S.) Bonn 886. Cohen & Sohn. n. 48. —

Schroeder, L. v., Pythagoras u. die Inder. Eine Untersuchg. üb. Herkunft u. Abstammg. der pythagor. Lehren. gr. 8. (93 S.) Leipzig 884. O. Schulze. n. 2. —

Schroeder, R., Anleitung zur Anlage u. Konservierung v. Naturaliensammlungen. Für Schüler zusammengestellt. 8. (V, 32 S.) Halle 883. Buchh. d. Waisenhauses. n. — 50

Schröder, Rich., Glaube u. Aberglaube in den altfranzösischen Dichtungen. Ein Beitrag zur Kulturgeschichte d. Mittelalters. gr. 8. (175 S.) Erlangen 886. Deichert. n. 2. 60

Schröder, Rich., das allgemeine deutsche Handelsgesetzbuch u. die allgemeine deutsche Wechselordnung, nebst den Abweichgn. der schweizer. Wechselordng. u. den ergänz. handels- u. seerechtl. Gesetzen d. Deutschen Reiches. 6. Aufl. 8. (VI, 348 S.) Bonn 884. Weber. geb. n. 2. 80

Schröder, Rob., die Aufschließung der mineralischen Verbindungen d. Ackerbodens durch Schwefelsäure. Eine prakt. Anleitg. zur Herstellg. wirksamer Streudünger aus Schwefelsäure u. Lehmerde, nebst Anweisg. zur leichten Auflösg. der stickstoffhalt. Abgänge der Wirthschaft als Knochen, Horn, Blut, Fleisch, Thierkadaver, Unkrautsamen, verdorbene Lupinenkörner rc., in Schwefelsäure, u. deren Verarbeitg. auf stickstoffhalt. Streudünger, sowie Anleitg. zur Pflege u. Düngg. der Wiesen, zur Verjüngg. der Luzern-, Klee- u. Weideschläge. 4. Aufl. 8. (128 S.) Oranienburg 884. Freyhoff. n. 3. 50

Schröder, Theophile, contes à l'usage de la jeunesse. gr. 16. (79 S.) Paderborn 884. (F. Schöningh.) n. — 50

Schrodt, M., s.: Mittheilungen aus der land- u. milchwirthschaftlichen Versuchs-Station in Kiel.

Schroedter, Alwine, geb. Heuser, Blumensprache. 1—5. Lfg. Imp.-4. (à 4 Chromolith.) Lahr 883. Schauenburg. n. 16. —; Leinw.-Mappe dazu n. 3. —
1. n. 4. —. — 2—5. à n. 3. —

Schröder, Frz., klassisches Deklamatorium. Eine Auswahl der gediegensten Vorträge f. Familien- u. gesell. Kreise. Ster.-Ausg. 16. (224 S.) Reutlingen 886. Enßlin & Laiblin. cart. — 80

Schröer, A., die angelsächsischen Prosabearbeitungen der Benedictinerregel, s.: Bibliothek der angelsächsischen Prosa.

Schröer, Karl Jul., die Aufführung d. ganzen Faust auf dem Wiener Hofburgtheater. Nach dem ersten Eindruck besprochen. gr. 8. (XII, 68 S.) Heilbronn 883. Henninger. n. 1. 20

— Goethe u. die Liebe. 2 Vorträge. 8. (XII, 78 S.) Ebend. 884. n. 1. 60

Schröer, M. M. Arnold, Einleitung u. Paradigmen zur Lehre v. d. Aussprache u. Wortbildung. Mit e. Anh., enth. Transscriptionsproben zu H. Bergers Lehrbuch der engl. Sprache. gr. 8. (VI, 34 S.) Wien 885. Hölder. n. — 75

— dasselbe, m. e. Anh., enth. Transcriptionsproben zu R. Sonnenburgs Grammatik der engl. Sprache. gr. 8. (VI, 34 S.) Ebend. 885. n. — 75

— über den Unterricht in der Aussprache d. Englischen. 2. Abdr., m. e. Anh. zum Vergleiche der Transscriptionen bei Walker, Degenhardt, Gesenius, Gurcke, Hoegel, Plate, Imm. Schmidt, Sonnenburg, Vietor, Sweet. gr. 8. (VIII, 60 S.) Berlin 884. Springer. n. 1. 40

Schroll, Beda, Necrologium d. ehemaligen Augustiner-Chorherrenstiftes St. Maria in Juna od. Eberndorf in Kärnten. Lex.-8. (117 S.) Wien 886. (Gerold's Sohn.) n. 1. 80

Schroller, Frz., Schlesien. Eine Schilderg. d. Schlesierlandes. 1. Bd. Mit 44 Stahlst. u. 51 Holzschn. v. Thdr. Blätterbauer. Lex.-8. (VIII, 384 S.) Glogau 885. Flemming. geb. n. 18. —

Schrön, Ludw., siebenstellige gemeine Logarithmen der

Zahlen von 1 bis 108 000. 20. rev. Ster.-Ausg. Taf. I. d. Gesammtwerkes in 8 Taf. Lex.-8. (VIII, 22 u. 202 S.) Braunschweig 886. Vieweg & Sohn. 2. 40

Schrön, O., Anleitung zur Aufstellung der Liquidation der Personen des Soldatenstandes u. der Beamten der kaiserl. Marine üb. Tagegelder, Fahrkosten u. Umzugskosten. Nach amtl. Material aufgestellt. Im Juli 1884. gr. 8. (55 S.) Berlin 884. Mittler & Sohn. n. 1. —

Schrott, A., der Dampf, s.: Collection Spemann.

Schrott, A., Grundlagen, Vorbedingungen u. Grundzüge e. auf der freien natürlichen Erkenntniss beruhenden Lehre v. der Sittlichkeit. gr. 8. (VII, 48 S.) Leipzig 883. Thiele. n. 1. —

— des Menschen Leben u. Gesundheit. Ein Haus- u. Familienbuch. gr. 8. (VIII, 472 S.) Leipzig 885. C. A. Koch. n. 5. —; geb. n. 6. —

Schrupp, Ralph, das Museum Marcello u. seine Stifterin. Mit e. (photogr.) Portr. Marcello's [Herzogin v. Castiglione-Colonna]. 8. (27 S.) Zürich 883. Schmidt. n. 1. 20; ohne Portr. n. — 80

Schrörs, Heinr., Hinkmar, Erzbischof v. Reims. Sein Leben u. seine Schriften. gr. 8. (XII, 588 S.) Freiburg i/Br. 884. Herder. n. 10. —

Schröteler, F. J., vollständiger Unterricht üb. das heil. Sakrament der Firmung, nebst Andachten bei der Ausspendg. desselben. 11. Aufl. 12. (72 S.) Düsseldorf 886. Schwann. n. — 25

Schröter's Haus- u. Geschäftskalender 1885. 5. Jahrg. gr. 4. (53 S.) Stuttgart, Schröter & Meyer. n. — 80

— Küchen-Kalender. 7. Jahrg. 1887. Hrsg. v. der Red. d. Schweizer. Familien-Wochenblatt. gr. 4. (52 S.) Ebend. n. — 60; französ. Ausg. u. d. T.: Calendrier de menage. n. — 80

Schroeter, Adb., York v. Wartenburg. Ein vaterländ. Heldengedicht. 8. (VIII, 223 S.) Jena 888. Costenoble. n. 3. —; geb. n. 4. —

Schröter, C., die Alpenflora, s.: Vorträge, öffentliche, geh. in der Schweiz.

— der Bambus u. seine Bedeutung als Nutzpflanze. gr. 4. (56 S. m. 1 Steintaf.) Basel 885. Georg. n. 2. —

— die Flora der Eiszeit. Mit e. (lith.) Taf. 4. (41 S. m. 1 Tab.) Zürich 882. (Wurster & Co.) n. 2. —

— les meilleures plantes fourragères, s.: Stebler, F. G.

Schroeter, Frz., ad Thucydidis librum VII quaestiones philologicae. gr. 8. (30 S.) Königsberg 886. (Koch & Reimer.) n. 1. —

Schroeter, G., die Schule d. Eisenbahndienstes. Ein Handbuch f. die Prüfg. zum Stations-Assistenten, Güter-Expedienten, Telegraphisten, sowie f. das Zugbegleitungs-Personal. 3. Aufl. Lex.-8. (VIII, 240 S.) Aachen 884. Mayer. Subscr.-Pr. n. 4. —; Ladenpr. n. 5. —

Schroeter, J., Pilze, s.: Kryptogamen-Flora v. Schlesien.

Schröter, Karl, Handbuch f. die Lehrer zur Erteilung d. Turnunterrichts an den Volksschulen. 8. (132 S. m. 6 Steintaf.) Hof 883. Lion. n. 1. 20

Schröter, Paul, anthropologische Untersuchungen am Becken lebender Menschen. gr. 8. (82 S. m. 4 Tab. u. 1 Steintaf.) Dorpat 884. (Schnakenburg.) 1. 50

Schroeter, Rob., quas formas nominum themata sigmatica in vocabulis compositis graecis induant. 8. (95 S.) Gothene 883. (Leipzig, Hinrichs' Sort.) n. 1. —

Schroeter, Timon, Spielkarte u. Kartenspiel. Neue deutsche Spielkarten, erfunden u. m. Versen begleitet. Mit Zeichngn. v. Jac. Hirsch u. Mart. Lämmel. gr. 4. (139 S. m. 56 chromolith., eingeklebten Kartenblättern.) Leipzig 884. (Jena, Dabis.) geb. n. 12. —

Schroeter, Vict. v., das bei Vornahme der Reichstags-, Landtags-, Gemeinde- u. Jagdgenossenschafts-Wahlen auf dem platten Lande zu beobachtende Verfahren. Nach den besteh. gesetzl. Bestimmgn. f. den prakt. Gebrauch zusammengestellt. 3. Aufl. gr. 8. (40 S.) Leipzig 883 Roßberg. n. — 50

Schroth, Joh., der Naturarzt zu Lindewiese in k. k. österr. Schlesien, u. dessen Semmelkur. 12. (IX, 98 S.) Wien 850. M. Stern. 1. 8

Schroetter, Frhr. v., Geschichte d. 7. Rheinischen Infanterie-Regiments Nr. 69. 1860—1885. Mit 1 Marschkarte u. 8 Skizzen im Text. gr. 8. (VII, 135 S.) Berlin 885. Mittler & Sohn. n. 3. 50

— Leitfaden f. den Unterricht in der Geschichte u. Geographie f. Unteroffizier- u. Kapitulanten-Schulen. 6. Aufl. 8. (47 S.) Ebend. 884. — 30

Schroetter, J. A., die Civilprozeß-Ordnung f. das deutsche Reich nebst Einführungs-Gesetz. Unter Berücksicht. der Entscheidgn. d. Reichsgerichts u. der neueren Gesetzgebg. zum prakt. Handgebrauche bearb. 8. (X, 379 S.) Düsseldorf 887. Schwann. n. 3. 50; geb. n. 4. 20

— das preußische Eisenbahnrecht in seiner heutigen Gestalt, umfassend das Gesetz üb. die Eisenbahn-Unternehmgn. v. 3. Nov. 1838, nebst den dasselbe ergänz. u. abänd. Landes- u. Reichs-Gesetzen, unter Berücksicht. der Erlasse der zuständ. Centralbehörden, der Entscheidgn. d. vormal. Ober-Tribunals u. Reichs-Ober-Handelsgerichts u. der Rechtsprechg. d. Reichsgerichts u. Ober-Verwaltungsgerichts. Mit chronolog. u. Sach-Register hrsg. gr. 8. (VIII, 275 S.) Berlin 888. H. W. Müller. n. 5. —

Schrumpf, Chr., Jésus-Christ, sa vie — son oeuvre sous forme de méditations journalières à l'usage du culte de famille. gr. 8. (XI, 387 S.) Strassburg 884. (Vomhoff.) geb. in Halbleinw. n.n. 5. —; in Leinw. n.n. 6. 50

Schrutka-Rechtenstamm, E. v., praktische Fragen d. österreichischen civilgerichtlichen Verfahrens. 8. (VI, 79 S.) Prag 884. Tempsky. — Leipzig, Freytag. n. 1. 60

— über den Schlusssatz in Cap. XXI legis Rubriae de Gallia Cisalpina. Lex.-8. (16 S.) Wien 884. (Gerold's Sohn.) n. — 40

Schrutz, D., Emil u. Emilie, s.: Universal-Bibliothek.

Schuback, E., Leitfaden zum Unterricht in der deutschen Grammatik. 3. verm. u. verb. Aufl. 8. (VIII, 103 S.) Düsseldorf 883. Schaub. n. 1. 20

Schubart's, Ch. F. D., Gedichte, s.: Universal-Bibliothek.

Schubart, Chrn. Frdr. Dan., in seinem Leben u. seinen Werken, s.: Hauff, G.

Schubart, F. W., „bringt ihn her zu Mir!" Festpredigt. Aufl. gr. 8. (20 S.) Gotha 885. Schloeßmann. n. — 30

Schubart, P., die Verfassung u. Verwaltung d. deutschen Reiches u. d. Preußischen Staates in gedrängter Darstellung. 4. Aufl. 8. (IV, 208 S.) Breslau 886. Korn. cart. n. 1. 50; geb. n. 2. —

Schubarth, E. O., Berlier's pneumatisches System. Ein Beitrag zur Städtereinigungs-Frage. Mit 3 Taf. Abbildgn. gr. 8. (IX, 31 S.) Berlin 883. Polytechn. Buchh. n. 1. 50

— die Feldeisenbahnen, insbesondere Spalding's Feldeisenbahn-System, im Dienste der Waldwirthschaft. 8. (31 S.) Ebend. 881. n. — 60

— die Melioration der oberen Neers-Niederung von den Quellen bis unterhalb der Stein's Mühle. Mit e. (chromo-)lith. Karte. gr. 4. (18 S.) Ebend. 883. n. 1. —

— über Strassenbahnen. gr. 4. (III, 24 S.) Ebend. 883. n. 1. —

Schube, Thdr., Beiträge zur Kenntnis der Anatomie blattarmer Pflanzen, m. besond. Berücksicht. der Genisteen. Mit 2 farb. Taf. gr. 8. (30 S.) Breslau 885. Kern's Verl. n. 2. —

Schuberg, K., üb. die Kulminationszeit d. Zuwachses bei Bäumen u. Beständen, s.: Forst- u. Jagd-Zeitung, allgemeine.

Schubert, Claere, die Brunnen in der Schweiz, Denkmäler der Kunst- u. Culturgeschichte. gr. 8. (74 S.) Frauenfeld 885. Huber. n. 1. 80

Schubert, E., Katechismus f. den Bahnwärter-Dienst. 3. verm. Aufl. 8. (VII, 56 S.) Wiesbaden 885. Bergmann. cart. n. 1. —

— Katechismus f. den Weichensteller-Dienst. 2. Aufl. Mit 1 lith. Taf. u. 2 Holzschn. 8. (V, 65 S.) Ebend. 886. cart. n. 1. —

Schubert, F., All-Deutschlands Taschen-Liederbuch. Nebst Angabe der Dichter u. Componisten. 10. Aufl. 16. (XVI, 464 S.) Berlin 885. Mode's Verl. cart. n. 1. —

— kleines Taschen-Liederbuch. Nebst Angabe der Dichter

u. Componisten. 10. Aufl. 16. (224 S.) Berlin 885. Mode's Verl. cart. n. — 50

Schubert, F. C., landwirthschaftliche Vermessungskunde. Ein Handbuch f. Landwirthschafts- u. Bau-Schulen, sowie zum Selbstunterricht f. Landwirthe, Bautechniker u. Forstleute. Mit 121 in den Text gedr. Fig. u. 3 (lith.) Taf. Zeichngn. zum Anhange. gr. 8. (VI, 168 S.) Bonn 883. Braunschweig, Gebr. Häring. geb. n. 4. 50

Schubert, F. L., die Blechinstrumente der Musik. Deren Geschichte, Natur, Handhabg. u. Verwendg. in der Instrumental-, Gesangs-, Militär- u. Tanzmusik. 2. Aufl. 12. (VII, 112 S.) Leipzig 883. Merseburger. — 90

— Instrumentationslehre nach den Bedürfnissen der Gegenwart. Faßlich dargestellt. 4. Aufl. 12. (148 S.) Ebend. 885. — 90

— das Pianoforte u. seine Behandlung. Ein Taschenbuch f. Klavierlehrer u. Klavierspieler. 3. verb. u. in der Litteratur verm. Aufl. 12. (IV, 120 S.) Ebend. 885. — 90

— Vorschule zum Componiren, zugleich als Compositionslehre f. Dilettanten faßlich erläutert. 4. Aufl. 12. (VIII, 120 S.) Ebend. 884. — 90

Schubert, Fr., textkritische u. exegetische Erörterungen zu den Trachinierinnen d. Sophokles. gr. 8. (24 S.) Prag 885. (Wien, Pichler's Wwe. & Sohn.) n. — 50

Schubert, Ghilf. Heinr. v., Mährchen u. Erzählungen f. das kindliche Alter. 3. Aufl. 8. (III, 171 S. m. 1 Chromolith.) Erlangen 883. Palm & Enke. geb. n. 1. 80

Schubert, H., das Skatspiel im Lichte der Wahrscheinlichkeitsrechnung. 12. (49 S.) Hamburg 887. J. F. Richter. geb. n. 1. —

Schubert, Hans v., die Unterwerfung der Alamannen unter die Franken. Kritische Untersuchg. gr. 8. (IX, 222 S.) Strassburg 884. Trübner. n. 5. —

Schubert, Heinr., urkundliche Geschichte der Stadt Steinau an der Oder. gr 8. (IV, 236 S.) Breslau 885. Woywood. n. 5. —

— Burg Kinsberg in Schlesien. Beschreibung u. Geschichte derselben nach urkundl. Material bearb. 8. (V, 72 S. m. 1 Grundriß.) Ebend. 886. n. — 80

Schubert, Herm., Sammlung v. arithmetischen u. algebraischen Fragen u. Aufgaben, verbunden m. e. systemat. Aufbau der Begriffe, Formeln u. Lehrsätze der Arithmetik, f. höhere Schulen. 2 Hfte. gr. 8. (VIII, 448 S.) Potsdam 883. Stein. à n. 1. 80; geb. à n. 2. —
  1. Hft. 2. Aufl.

— dasselbe. Ausgewählte Resultate zu beiden Hftn. 8. (77 S.) Ebend. 884. n. — 80

— System der Arithmetik u. Algebra als Leitfaden f. den Unterricht in höheren Schulen. 8. (VIII, 222 S.) Ebend. 885. n. 1. 80

Schubert, J. G., vierstimmiges Choralbuch zu der neuen Ausgabe d. Bollhagenschen Gesangbuches m. Berücksicht. der übrigen in den evangelischen Gemeinden Pommerns eingeführten Gesangbücher. 3., verb. u. m. e. Nachtrage versehene Aufl. qu. gr. 4. (IV, 236 S.) Cöslin 883. Hendess. 9. —

— Schul-Choralbuch, enth. die Melodieen zu dem v. G. A. Klix hrsg. „Christlichen Gesangbuche f. Gymnasien u. höhere Unterrichts-Anstalten" f. gemischten Chor u. f. Orgel u. Harmonium. qu. gr. 8. (IV, 76 S.) Ebend. 883. n. — 60

Schubert, Jul., deutscher Liederschatz. 1—4. Hft. gr. 8. Breslau 884. Woywod. n. 1. 90
  1. Singen nach Gehör. 3. Aufl. (24 S.) n. — 30
  2. Singen nach Noten. 3. Aufl. (36 S.) n. — 40
  3. Zweistimmige Lieder. Ausg. für Knabenschulen. 3. Aufl. (60 S.) n. — 50; Ausg. f. Mädchenschulen. (56 S.) n. — 50
  4. 2- u. 3-stimm. Gesänge. 2. Aufl. n. — 70

— dasselbe. Anhang. 40 Choral-Melodien f. den Schulunterricht. gr. 8. (19 S.) Ebend. 883. n. — 15; cart. n. — 25

Schubert, Karl, theoretisch-praktische Anleitung zum Gebrauche d. Lesebuches in der Volks- u. Bürgerschule. Für Lehramtszöglinge, Lehrer u. Lehrerinnen bearb. 2 Thle. gr. 8. Wien 885. Perles. n. 6. 60
  1. Die Behandlung d. Lesestoffes in der Volks- u. Bürgerschule. (XII, 238 S.) n. 3. —
  2. Die Verwertung d. Lesestoffes in der Volks- u. Bürgerschule. (V, 121 S.) n. 3. 60

Schubert, Karl, deutsche Beispiel-Grammatik. Geordnete Sammlung von Musterbeispielen aus dem deutschen Sprichwörterschatze und den Werken deutscher Dichter und Prosaiker. Ein Hilfsmittel bei Ertheilg. d. Unterrichtes in der Satzlehre f. die Oberclassen der Volks- u. Bürgerschulen, f. Mittelschulen, Lehrer- u. Lehrerinnen-Bildungsanstalten. gr. 8. (XII, 315 S.) Wien 883. Pichler's Wwe. & Sohn. n. 4. —

— deutsche Lesestücke in unterrichtlicher Behandlung u. Verwertung. Zunächst als Commentar zu den im k. k. Schulbücherverlage in Wien erschienenen Lesebüchern f. österreich. Volksschulen. 1. u. 2. Bd. gr. 8. Ebend. 885. n. 8. —
  1. Die Lesestücke der Schreiblese- u. Normalwörter-Fibel, d. 1. Thls. d. fünftheil. u. jene 62 Lesestücke aus dem 1. Thle. d. dreitheil. Lesebuches, welche auch in der letztgenannten Fibel u. im 1. Thle. d. fünftheil. Lesebuches vorkommen. (V, 219 S.) n. 2. 80
  2. Die Lesestücke im 2. Thle. d. acht- u. d. fünftheil., nebst den correspondier. Nummern aus dem 1. u. 2. Thle. d. dreitheil. Lesebuches u. den nur im 1. Thle. d. letzteren vorkomm. Stücken. (415 S.) 886. n. 5. 20

— Niederösterreich. Kleine Heimatskunde. Uebersichtlich zusammengestellt. 8. Aufl. 8. (35 S.) Ebend. 885. n. — 20

— ausgeführte Stilarbeiten [nebst Entwürfen u. Themen] auf Grundlage deutscher Musterstücke. Eine Ergänzg. der Anleitgn. zur Behandlg. der Lesebücher u. e. Handreichg. f. Lehramtszöglinge, Lehrer u. Lehrerinnen bei der stilist. Verwertg. d. Lesestoffes. 2 Bde. gr. 8. Ebend. n. 5. 60
  1. Für die Unter- u. Mittelstufe. (VI, 156 S.) 884. n. 1. 60
  2. Für die Oberstufe. [2. (Titel-)Ausg.] (X, 432 S.) 881. n. 4. —

Schubert, R., der Patronenschatz. Musterbilder f. die Schaft-Weberei, enth.: Eine Sammlg. v. ca. 4000 Bindungen f. 4- bis 16schäft. Waaren. (In 25 Lfgn.) 1. Lfg. gr. 4. (6 farb. Steintaf.) Greiz 886. Bredt Nachf. n. 3. —

Schubert-Soldern, Rich. v., Grundlagen e. Erkenntnisstheorie. gr. 8. (IV, 349 S.) Leipzig 884. Fues. n. 7. 20

— Grundlagen zu e. Ethik. gr. 8. (IV, 168 S.) Ebend. 887. n. 3. 60

Schubert, Rud., Geschichte der Könige v. Lydien. gr. 8. (132 S.) Breslau 884. Koebner. n. 3. —

Schuberth, H., das Lichtpausverfahren od. die Kunst, genaue Copien m. Hilfe d. Lichtes unter Benützg von Silber-, Eisen- u. Chromsalzen herzustellen. Auf Grund eigener Erfahrgn. bearb. Mit 4 Abbildgn. 8. (III, 102 S.) Wien 883. Hartleben. 1. 50

Schuberth, Wilh., Leitfaden f. den Unterricht in der Heimatskunde v. Berlin u. der Mark Brandenburg. 9. Aufl. 8. (40 S. m. 1 lith. u. color. Karte.) Berlin 885. Le Coutre. n. — 30; Karte ap. n. — 10

Schubin, Ossip, Bravo rechts! Eine lustige Sommergeschichte. 8. (VIII, 443 S.) Jena 885. Costenoble. n. 7. 50

— Ehre. Roman. 4. Aufl. 8. (380 S.) Dresden 887. Minden. n. 4. —; geb. n.n. 5. —

— Erinnerungen e. alten Oesterreichers. 3 Erzählgn. 12. (163 S.) Jena 886. Costenoble. n. 3. —; geb. n. 4. —

— ein Frühlingstraum. Novelle. 8. (84 S.) Augsburg 884. Reichel. n. 2. —; geb. m. Goldschn. n. 3. —

— die Geschichte e. Genies. Die Galbrizzi. Novellen. 8. (255 S.) Berlin 884. Gebr. Paetel. n. 5. —; geb. n. 6. 50

— „Gloria victis!" Roman in 4 Büchern. 2. Aufl. 2 Bde. 8. (215 u. 176 S.) Ebend. 887. n. 8. —; in 1 Bd. geb. n. 10. —

— Mal' occhio u. andere Novellen. 8. (336 S.) Berlin 884. Schorer. n. 5. —; geb. n. 6. 25

— „Unter uns". Roman in 3 Büchern. 2. Aufl. in 1 Bd. 8. (328 S.) Ebend. 885. n. 6. —; geb. n. 7. 50

Schübler, Joh. Jac., Intérieurs u. Mobiliar d. 18. Jahrh., nach Erfindg. d. J. J. Sch. Nachbildungen der Orig.-Stiche in Fcsm.-Lichtdr. Mit e. Einleitg. v. Alb. Ilg. Fol. (4 S. Text m. 25 Taf.) Wien 885. Schroll & Co. In Mappe. n. 25. —

Schubring, Jul., deutscher Sang u. Klang. 68 vaterländische Volks-Lieder, f. gemischten Chor zum Gebrauch an höheren Lehr-Anstalten u. in Gesang-Vereinen gesetzt. 2. Aufl. 8. (IV, 134 S.) Berlin 884. Wiegandt & Grieben. cart. n. 1. 20

Schuch, H., vaterländische Erzählungen. 1. Tl. gr. 8. Danzig 886. Th. Bertling. n. 1. 60
Wjeroslawa. Eine Erzählg. aus altpommerell. Vergangenheit. (134 S.)

Schüch, Ign., Handbuch der Pastoral-Theologie. 7. Aufl. gr. 8. (XXIII, 988 S.) Innsbruck 885. F. Rauch. n. 10. 80

Schuchardt, Hugo, üb. die Benguelasprache. Lex.-8. (14 S.) Wien 883. (Gerold's Sohn.) n.n. — 30
— über die Lautgesetze. Gegen die Junggrammatiker. gr. 8. (VI, 39 S.) Berlin 885. Oppenheim. n. — 80
— Romanisches u. Keltisches. Gesammelte Aufsätze. gr. 8. (VII, 439 S.) Ebend. 886. n. 7. 50; geb. n. 8. 50
— Slawo-Deutsches u. Slawo-Italienisches. Dem Hrn. Frz. v. Miklosich zum 20. Novbr. 1883. hoch 4. (140 S.) Graz 884. Leuschner & Lubensky. n. 10. —
— kreolische Studien. II—VI. Lex.-8. Wien, (Gerold's Sohn). n. 2. 20
II. Ueber das Indoportugiesische v. Cochim. (20 S.) 883. n. — 40
III. Ueber das Indoportugiesische v. Diu. (18 S.) 883. n. — 40
IV. Ueber das Malaiospanische der Philippinen. (42 S.) 883. n.n. — 70
V. Ueber das Melaneso-Englische. (13 S.) 883. n.n. — 30
VI. Ueber das Indoportugiesische v. Mangalore. (26 S.) 884. n. — 40

Schuchardt, Julie, Geburtstags-Grüsse. Mit Citaten aus Rückert's u. Longfellow's Werken, gesammelt v. J. S. Zum Einschreiben f. Freunde u. Freundinnen. 12. (V, 213 S.) Tübingen 886. Laupp. geb. m. Goldschn. n. 3. —

Schuchardt, Karl, Beiträge zur Entstehung der Carcinome aus chronisch entzündlichen Zuständen der Schleimhäute u. Hautdecken. Habilitationsschrift. hoch 4. (48 S. m. Fig.) Leipzig 885. Breitkopf & Härtel. n. 1. 50
— dasselbe, s.: Sammlung klinischer Vorträge.

Schuchart, Adph., die Anforderungen, welche an die Grobbleche d. Handels gestellt werden dürfen, deren Prüfg. u. Verwendg. nebst e. Zusammenstellg. der hauptsächlichsten Lieferungsbedinggn. deutscher u ausländ. Behörden u. Vereine. Für techn. Behörden, Fabriken, Ingenieure, Händler etc. 2. Aufl. gr. 8. (IV, 95 S. m. 1 Steintaf.) Berlin 884. Polytechn. Buchh. n. 2. 50

Schüchner, Geo., üb. die Einwirkung v. Chromoxychlorid auf Cymol u. Orthonitrotoluol. gr. 8. (30 S.) Breslau 885. (Köhler.) n. 1. —

Schück, Elis., Aennchens frische Schneeglöckchen. Frei nach dem Engl. erzählt. 12. (40 S.) Basel 886. Spittler. n. — 20

Schück, H., die Korrektion d. Landgrabens in den Gemarkungen Karlsruhe u. Mühlburg. Ausgeführt in den J. 1877—1885. Mit 13 Fig. im Text u. 14 Beilageblättern. Lex.-8. (IV, 57 S.) Karlsruhe 885. (Macklot.) cart. n.n. 7. —

Schück, Joh., ein-, zwei- u. dreistimmige Singübungen [m. Text] u. Lieder f. Schulen. Nach 8 gesonderten Jahreskursen geordnet, vom 4. Jahre an f. die Hand der Schüler eingerichtet u. hrsg. 1., 3. u. 4. Hft. 8. Heidelberg, Weiß' Verl. n. 1. 26
1. 2. Aufl. (39 u. 24 S.) 884. n. — 60
3. 4. Aufl. (50 S.) 883. n. — 30
4. 4. Aufl. (36 S.) 886. n. — 36
— dasselbe. 1. Hft. Sonder-Ausg. der Lieder f. die Schüler. 4. Aufl. 8. (24 S.) Ebend. 886. n. — 12

Schücking, Adrian, Bad Pyrmont. Ein Führer f. Curgäste u. Fremde. 8. (69 S.) Pyrmont 884. Uslar. — 75

Schücking, Levin, Heimatlaub. Novellen. 2 Bde. 8. Herzberg a/H. 884. Simon. n. 9. —
1. Das Fräulein v. Thoreck. Die Wippinger Thekla. Eine treue Seele. (390 S.)
2. Bruderpflicht. Dem Genius treu. (343 S.)
— Lebenserinnerungen. 2 Bde. 8. (252 u. 357 S.) Breslau 886. Schottländer. n. 8. —; geb. n. 10. —
— ein ehrlicher Mann. Humoristische Erzählg. 12. (108 S.) Berlin 884. Goldschmidt. n. — 50

Schücking, Levin, Marienthal. Erzählung. Eine frühere Ausg. dieser Erzählg. erschien u. d. T.: „Ein Gründer". 2. Aufl. 12. (96 S.) Berlin 883. Goldschmidt. n. — 50
— große Menschen. Roman. 3 Bde. 8. (248, 218 u. 256 S.) Breslau 884. Schottländer. n. 13. 50; geb. n. 16. 50
— in dunkler Nacht. Novelle. 12. (104 S.) Berlin 886. Goldschmidt. n. — 50
— zwei Novellen. [Virago. In dunkler Nacht.] 8. (128 u. 104 S.) Ebend. 885. n. 4. —
— Recht u. Liebe. Roman. 8. (256 S.) Breslau 886. Schottländer. n. 4. —; geb. n. 5. —
— Sklaven d. Herzens. Novelle. 2. Aufl. 8. (116 S) Berlin 885. Goldschmidt. n. — 50
— Viola, s.: Ueberraschungen.
— Virago. Roman. 12. (128 S.) Berlin 886. Goldschmidt. n. — 50
— Wilderich. 2. Aufl. 12. (123 S.) Ebend. 884. n. — 50

Schüddekopf, Alb., Sprache u. Dialekt d. mittelenglischen Gedichtes William of Palerme. Ein Beitrag zur mittelengl. Grammatik. gr. 8. (111 S.) Erlangen 886. Deichert. n. 2. —

Schuegraf, K. J., grammatische Aufgaben f. Präparanden- u. Mittelschulen. 8. (64 S.) Regensburg 884. Pustet. n. — 40

Schuh, Karl Glob., die Macht d. gläubigen Gebets. Eine Sammlg. v. wohlverbürgten Gebets-Erhörgn., umfassend: Die Errettg. d. Sünders v. seinen Sünden, sowie Gottes wunderbare Errettg., Erlösg., Befreig. u. Hülfe in allen Lagen d. Lebens, als Antwort auf gläub. Gebete rc. 8. (158 S.) Gernsbach 884. Christl. Kolportage-Verein. cart. n.n. — 70

Schuhbranche, die. Zeitschrift f. den Lederhandel u. die Schuhindustrie. 2. Jahrg. 1885. 24 Nrn. (2 B.) Fol. Berlin, Streisand. n. 2. —

Schuh-Industrie-Zeitung, deutsche. Fachblatt f. alle Zweige der Schuhmacherei. Officielles Organ der Vereine selbständ. Schuhmacher Deutschlands. Red. v. G. Kehler. 9—12. Jahrg. 1883—1886. à 24 Nrn. (m. Mode- od. Schnittmusterbeilagen.) Fol. Berlin 883. (Burmester & Stempell.) à Jahrg. n. 8. —

Schuhmacher-Zeitung, deutsche. Organ f. die künstler., gewerbl. u. geist. Interessen der Schuh-Industrie. Organ d. v. der Westdeutschen Versicherungs-Actien-Bank in Essen garantirten Feuer-Versicherungs-Verbandes f. die deutsche Leder-Industrie. Organ d. Vereins selbstständ. Schuhmachermeister Deutschlands. Red. v. W. Dust. 15—18. Jahrg. 1883—1886. à 52 Nrn. (à 1—$1^1/_2$ B.) Fol. Mit Beiblatt: Sorgenfrei. Wochenschrift f. Unterhaltg. u. Belehrg. 9—12. Jahrg. à 52 Nrn. (B.) gr. 4. Berlin, Günther. à Jahrg. 10. —
— Leipziger, illustrirte. Organ f. Fussbekleidungskunst u. Schuh-Moden-Journal. Hrsg. v. der Fachschulkommission der Schuhmacher-Inngn. zu Leipzig. Chef-Red.: Emil Seyferth. 3. Jahrg. Oktbr. 1883—Decbr. 1884. à 30 Nrn. (2 B. m. Steintaf.) Fol. Leipzig, (Stauffer). à Jahrg. 10. —
— dasselbe. 4. u. 5. Jahrg. 1885 u. 1886. à 24 Nrn. Ebend. à Jahrg. n. 8. —
— neue Wiener. Organ f. die Interessen der Schuhmacher. Bezweckend die Hebg. d. Schuhmacherhandwerkes in moral. u. materieller Beziehg. Chef-Red. u. Hrsg.: Rob. Knöfel. 9—12. Jahrg. 1883—1886. à 24 Nrn. (à 2—3 B. m. lith. Modebildern od. Musterbeilagen.) Fol. Wien. (Leipzig, Ed. Schmidt.) à Jahrg. n. 8. —

Schuhmoden-Album. 1. Ausg. 1886. 12. (12 Steintaf.) Leipzig, (Stauffer). geb. n. 1. —

Schul-Almanach, baltischer, f. d. J. 1885. Mit Benutzg. amtlicher Quellen hrsg. v. J. Hollan u. Ch. Lundman. gr. 16. (99 u. 113 S.) Dorpat 885. Krüger. geb. n. 2. —

Schul-Anzeiger f. Mittelfranken. Red.: K. Knab. Jahrg. 1883—1886. à 12 Nrn. ($1^1/_2$ B.) gr. 8. Nürnberg, Korn. à Jahrg. n.n. 2. —
— für Oberbayern. Hrsg. vom Ausschusse der oberbayer. Kreis-Lehrervereins. Red.: Wilh. Beer. 2. Jahrg. 1886. 36 Nrn. ($^1/_2$ B.) gr. 8. München, (Kellerer). n. 2. —
— für Oberfranken. Red.: Gg. Heinr. Bock. 8—11.

Jahrg. 1883—1886. à 12 Nrn. (à ½—1 B.) gr. 8. Bayreuth, (Gießel). à Jahrg. n.n. 2. —

Schul-Anzeiger, Oberpfälzer. Hrsg. v. L. Hirschmann u. L. Reissinger. 7. u. 8. Jahrg. 1885 u. 1886. à 12 Nrn. (B.) Lex.-8. Regensburg, Pustet. à Jahrg. n.n. 2. —

— schwäbischer. Eigentum der schwäb. permanenten Schulausstellg. zu Augsburg. Red.: L. Bauer. 3. Jahrg. Oktbr. 1884—Decbr. 1885. 15 Nrn. (¾ B.) gr. 8. Augsburg, (Schmid's Verl.). n.n. 1. 80

— dasselbe. 4. Jahrg. 1886. 24 Nrn. (B.) gr. 8. Ebend. n.n. 2. 50

— für Unterfranken u. Aschaffenburg. Red.: Gr. Fischer. 10—13. Jahrg. 1883—1886. à 24 Nrn. (à ½—1 B.) gr. 8. Würzburg, (Stahel). à Jahrg. n.n. 2. —

Schularchiv, schweizerisches. Organ der schweizer. Schulausstellg. in Zürich. (Red.: O. Hunziker u. A. Koller.) 4—7. Jahrg. 1883—1886. à 12 Nrn. (1½ B.) gr. 8. Zürich, Orell Füssli & Co. Verl. à Jahrg. n. 2. —

Schulaufsicht u. Kirche. Eine Osterpredigt der Schule an die Kirche. Von D. in F. gr. 8. (20 S.) Brandenburg 883. Cunitz. n. — 40

Schulausgaben deutscher Klassiker. Mit vielen Fragen u. Aufgaben behufs Anleitg. zum Selbstdenken u. Selbstfinden, sowie zur Anregg. tieferen Eindringens in das Verständnis d. Inhaltes versehen v. Heinr. Leineweber. I. u. II. 8. Trier 885. Stephanus. n. 1. —; cart. n. 1. 30

I. Goethe's Hermann u. Dorothea. (85 S.) n. — 45; cart. n. — 60

II. Wilhelm Tell. Schauspiel in 5 Aufzügen von Frdr. v. Schiller. (122 S. m. e. Karte.) n. — 55; cart. n. — 70

— classischer Werke zum Gebrauche an österreichischen Unterrichts-Anstalten. Unter Mitwirkg. mehrerer Fachmänner hrsg. v. J. Neubauer. Nr. 1—24. gr. 8. Wien Graeser. n. 16. 78

1. Iphigenie auf Tauris. Ein Schauspiel v. Wolfg. v. Goethe. Mit Einleitg. u. Anmerkgn. v. J. Neubauer. 2. Aufl. (XIII, 69 S.) 886. n. — 60
2. Hermann u. Dorothea von Wolfg. v. Goethe. Mit Einleitg. u. Anmerkgn. v. Adf. Lichtenheld. 2. Aufl. (XVI, 62 S.) 886. n. — 48
3. Coriolanus. Ein Trauerspiel v. Will. Shakespeare. Nach der Übersetzg. v. L. Tieck bearb. u. m. Einleitg. u. Anmerkgn. versehen v. Engelbert Naber. (VIII, 110 S.) 884. n. — 60
4. Jul. Cäsar. Ein Trauerspiel v. Will. Shakespeare. In der Übersetzg. v. A. W. Schlegel hrsg. u. m. Einleitg. u. Anmerkgn. versehen v. Jos. Resch. (XII, 74 S.) 884. n. — 60
5. Minna v. Barnhelm od. das Soldatenglück. Ein Lustspiel v. Ghold. Ephr. Lessing. Mit Einleitg. u. Anmerkgn. v. J. Neubauer. 3. Aufl. (XV, 87 S.) 886. n. — 60
6. Laokoon od üb. die Grenzen der Malerei u. Poesie v. Ghold. Ephr. Lessing. In ausgewählten Stücken. Mit Einleitg. u. Anmerkgn. versehen v. Karl Jauker. 2. Aufl. (XVI, 68 S.) 886. n. — 60
7. Die Jungfrau v. Orleans. Eine romant. Tragödie v. Frdr. v. Schiller. Mit Einleitg. u. Anmerkgn. v. Hans Kny. (XVI, 112 S.) 884. n. — 72
8. Don Carlos, Infant v. Spanien. Ein dramat. Gedicht v. Frdr. v. Schiller. Mit Einleitg. u. Anmerkgn. v. Ferd. Khull. (XVI, 208 S.) 884. n. 1. 12
9. Über naive u. sentimentalische Dichtung. Von Frdr. v. Schiller. Mit Einleitg. u. Anmerkgn. v. Jos. Egger u. Karl Rieger. (XVII, 142 S.) 884. n. 1. —
10. Götz v. Berlichingen m. der eisernen Hand. Ein Schauspiel v. Wolfg. v. Goethe. Mit Einleitg. u. Anmerkgn. v. Leo Smolle. (XIV, 98 S.) 884. n. — 60
11. Torquato Tasso. Ein Schauspiel von Wolfg. v. Goethe. Mit Einleitg. u. Anmerkgn. v. J. Neubauer. (XVI, 104 S.) 884. n. — 60
12. Wilhelm Tell. Ein Schauspiel von Frdr. v. Schiller. Mit Einleitg. u. Anmerkgn. v. Frz. Prosch. Mit 2 Kärtchen. (XVI, 108 S.) 884. n. — 64
13. Maria Stuart. Ein Trauerspiel v. Friedr. v. Schiller. Mit Einleitg. u. Anmerkgn. v. Emerich Müller. (XVI, 126 S.) 886. n. — 72
14. Klopstock's Oden in Auswahl. Mit Einleitg. u. Anmerkgn. v. Adf. Lichtenheld. (XII, 88 S.) 885. n. — 64
15. Macbeth. Ein Trauerspiel von Will. Shakespeare. In der Übersetzg. v. L. Tieck, hrsg. u. m. Einleitg. u. Anmerkgn. versehen v. Vict. Langhans. (XX, 76 S.) 885. n. — 64
16. Emilia Galotti. Ein Trauerspiel v. Gotth. Ephr. Lessing. Mit Einleitg. u. Anmerkgn. v. A. Rebhann. (XVI, 76 S.) 885. n. — 64
17. Die Hermannsschlacht. Ein Drama in 5 Aufzügen v. Heinr. v. Kleist. Mit Einleitg. u. Anmerkgn. v. Adf. Lichtenheld. (XIII, 95 S.) 885. n. — 64
18. Schiller's Gedichte. Ausgewählt, einbegleitet u. erläutert v. Ambros Mayr. (X, 134 S.) 885. n. — 80
19. Nathan der Weise. Ein Drama v. Gotth. Ephr. Lessing. Mit Einleitg. u. Anmerkgn. v. Frz. Prosch. (XVIII, 141 S.) 886. n. — 90
20. Die Braut v. Messina od. die feindlichen Brüder. Ein Trauerspiel m. Chören v. Frdr. Schiller. Mit Einleitg. u. Anmerkgn. v. J. Trötscher. (XVI, 96 S.) 885. n. — 72
21. Wolfg. v. Goethe: Dichtung u. Wahrheit. In Auswahl. Mit Einleitg. u. Anmerkgn. v. Leo Smolle. (XIV, 62 S.) 886. n. — 60
22. Wieland's Oberon. Ein episches Gedicht. Mit Einleitg. u. Anmerkgn. v. R. Hanke. (XV, 180 S.) 886. n. 1. 12
23. Miß Sara Sampson. Ein Trauerspiel in 5 Aufzügen v. G. E. Lessing. Mit Einleitg. u. Anmerkgn. v. J. Neubauer. (XVI, 79 S.) 886. n. — 60
24. Der Cid. Nach span. Romanzen besungen von Joh. Gfr. v. Herder. Mit Einleitg. u. Anmerkgn. v. Karl Jauker. (XII, 66 S.) 887. n. — 60

Schulausgaben ausgewählter klassischer Werke m. vollständigen Kommentaren. I. Reihe. Die Meisterwerke der 2. klass. Periode. Bearb. v. Jul. Naumann u. anderen. 3. u. 7 Bdchn. 8. Leipzig, Siegismund & Volkening. n. 1. 40

3. Schiller's „Wilhelm Tell". Schauspiel in 5 Aufzügen. Mit vollständ. Kommentar f. den Schulgebrauch u. das Privatstudium hrsg. v. Jul. Naumann. 2. Aufl. (140 S. m. 1 Karte.) 884. n. — 80
7. Goethes „Götz v. Berlichingen" m. der eisernen Hand. Ein Schauspiel. Mit vollständ. Kommentar f. den Schulgebrauch u. das Privatstudium v. E. Reymar. (127 S.) 885. n. — 60; geb. n. — 90

— dasselbe. 4. Reihe: Die Klassiker d. Auslandes. 1. Bdchn. 8. Ebend. 886. n. 1. 20

Histoire de Charles XII par Voltaire. Für den Schul- u. Privatgebrauch eingerichtet u. erklärt v. Heinr. Loewe. (174 S.)

Schulbibliothek, französische u. englische. Hrsg. v. Otto E. A. Dickmann. 1—32. Bd. gr. 8. Leipzig, Renger. n. 32. 70; Einbd. à n.n. — 25

1. Siège d'Antioche et prise de Jérusalem [aus: Histoire des croisades] v. Jos.-Franç. Michaud. Mit 3 eingedr. Karten. Für den Schulgebrauch erklärt v. Frz. Hummel. (X, 86 S.) 883. n. — 90
2. Histoire de France de 1560—1643. Aus: Histoire de France v. Vict. Duruy. Mit 3 Kartenskizzen u. 1 Spezialkarte Frankreichs. Für den Schulgebrauch erklärt v. Alfr. G. Meyer. (VII, 92 S.) 883. n. 1. 5
3. Considérations sur les causes de la grandeur des Romains et de leur décadence. [Chapitre I—XV.] Von Montesquieu. Für den Schul-

gebrauch erklärt v. B. Lengnick. (VIII, 107 S.) 883. n. 1. 10

4. Christmas [aus: The sketch book] v. Washington Irving. Für den Schulgebrauch erklärt v. Gust. Tanger. (VIII, 69 S.) 883. n. — 70

5. The life of Nelson by Rob. Southey. Mit 2 Plänen u. 1 Illustr. Für den Schulgebrauch erklärt v. M. Theilkuhl. (VIII, 93 S.) 883. n. 1. —

6. The reign of queen Elizabeth [aus: History of England] v. David Hume. Für den Schulgebrauch erklärt v. L. Berkenbusch. (VII, 100 S.) 883. n. 1. 5

7. State of England in 1685 [History of England, chapter III.] von Thomas Babington Macaulay. Mit 1 (eingedr.) Plane v. London. Für den Schulgebrauch erklärt v. Adf. Kressner. (VII, 120 S.) 883. n. 1. 15

8. Ausgewählte Reden englischer Staatsmänner. Für den Schulgebrauch erklärt v. J. C. A. Winkelmann. 1. Hft. [W. Pitt der Aeltere, Rede üb. die Stempelakte; Rede üb. den Krieg m. Amerika. W. Pitt der Jüngere, Rede üb. den Sklavenhandel.] (64 S.) 883. n. — 60

9. History of France from 1328—1380 [aus: Tales of a grandfather — 5. series] v. Sir Walter Scott, Bart. Mit 1 Karte, 2 Plänen u. 3 Stammtaf. Für den Schulgebrauch erklärt v. Herm. Fehse. (XI, 113 S.) 884. n. 1. 25

10. Moeurs et coutumes des croisades [aus: Histoire des croisades] v. Joseph-François Michaud. Für den Schulgebrauch erklärt v. Frz. Hummel. (VIII, 100 S.) 884. n. 1. —

11. Ausgewählte französische Kanzelreden [Bossuet, Fléchier, Massillon]. Für den Schulgebrauch erklärt v. Adf. Kressner. (VIII, 95 S.) 884. n. 1. —

12. Campagne de 1806—1807 [aus: Histoire de Napoléon I.] v. Pierre Lanfrey. Für den Schulgebrauch erklärt v. Jos. Vict. Sarrazin. (XII, 117 S.) 884. n. 1. 25

13. Influence et résultats des croisades [aus: Histoire des croisades] v. Jos. Franç. Michaud. Für den Schulgebrauch erklärt v. Frz. Hummel. (VIII, 96 S.) 885. n. — 90

14. Expédition de Bonaparte en Égypte [aus: Histoire de la révolution française u. Histoire du consulat et de l'empire] v. Thiers. Mit 3 Kartenskizzen (1 Steintaf.). Für den Schulgebrauch erklärt v. Karl Foth. (XII, 116 S.) 885. n. 1. 15

15. History of Charles I. and of the commonwealth v. Dav. Hume. Mit 1 (lith. u. color.) Karte. Für den Schulgebrauch erklärt v. F. J. Wershoven. (VIII, 121 S.) 885. n. 1. 15

16. Lord Clive. An essay by Thom. Babington Macaulay. Mit 1 (lith.) Karte. Für den Schulgebrauch erklärt v. Adf. Kressner. (VIII, 96 S.) 885. n. 1. —

17. History of the first and fourth crusades [aus: History of the decline and fall of the roman empire] v. Edward Gibbon. Mit 2 eingedr. Karten. Für den Schulgebrauch erklärt v. Frz. Hummel. (VIII, 118 S.) 885. n. 1. 15

18. Captivité, procès et mort de Louis XVI [aus: Histoire des Girondins] v. A. de Lamartine. Mit 2 Plänen u. 1 Abbildg. für den Schulgebrauch erklärt v. Bernh. Lengnick. (XII, 91 S.) 885. n. 1. 5

19. Histoire d'Attila v. Amédée Thierry. Mit 1 Karte. Für den Schulgebrauch erklärt v. F. J. Wershoven. (VIII, 99 S.) 885. n. 1. 5

20. Histoire de Jeanne Darc v. M. de Barante. [Aus: Histoire des ducs de Bourgogne de la maison de Valois.] Mit 2 Plänen u. 2 Karten. Für den Schulgebrauch erklärt v. K. Mühlefeld. (XII, 115 S) 885. n. 1. 15

21. Warren Hastings. An essay by Thomas Babington Macaulay. Mit 1 Karte. Für den Schulgebrauch erklärt v. Adf. Kressner. (VIII, 115 S.) 885. n. 1. 15

22. The foundation of english liberty. From the accessions of John to the death of Richard III. a. D. 1199—1485. Von Dav. Hume. Mit 2 Karten. Für den Schulgebrauch erklärt v. K. Bohne. (XII, 104 S.) 885. n. 1. 25

23. Ausgewählte Reden englischer Staatsmänner. Für den Schulgebrauch erklärt v. J. C. A. Winkelmann. 2. Hft. Edm. Burke, Rede üb. die ostind. Bill d. Charles J. Fox. (XV, 93 S. m. 1 Karte.) 886. n. — 90

24. The Duke of Monmouth [aus: History of England] by Thomas Babington Macaulay. Mit 1 Karte. Für den Schulgebrauch erklärt v. Otto Werner. (VIII, 103 S.) 886. n. 1. 5

25. Gulliver's travels into several remote nations of the world. Part I: A voyage to Liliput. Von Jonathan Swift. Für den Schulgebrauch erklärt v. Frz. Hummel. (VIII, 55 S.) 886. n. — 60

26. Confessions d' un ouvrier par Emile Souvestre. Für den Schulgebrauch erklärt v. Otto Josupeit. (VIII, 107 S.) 886. n. 1. 5

27. Ausgewählte Erzählungen v. Alphonse Daudet. Für den Schulgebrauch erklärt v. Ernst Gropp. (XV, 91 S.) 886. n. — 90

28. Histoire de la révolution d'Angleterre [1641—1649] v. Guizot. Mit 1 Karte. Für den Schulgebrauch erklärt v. Aug. Althaus. (XII, 119 S.) 886. n. 1. 25

29. Histoire de la civilisation en Europe depuis la chute de l'empire romain jusqu'à la révolution française par François Pierre Guillaume Guizot. Auswahl. Für den Schulgebrauch erklärt v. Adf. Kressner. (VIII, 117 S.) 886. n. 1. 15

30. Campagne de 1809. [Aus: Histoire de Napoléon I.] v. Pierre Lanfrey. Mit 3 Plänen. Für den Schulgebrauch erklärt v. Jos. Vict. Sarrazin. (XII, 116 S.) 886. n. 1. 25

31. Gulliver's travels into several remote nations of the world. Part II: A voyage to Brobdingnag. Von Jonathan Swift. Für den Schulgebrauch erklärt v. Frz. Hummel. (VIII, 54 S.) 886. n. — 60

32. Historical biographies by Gardiner. Mit 1 Kärtchen. Für den Schulgebrauch erklärt v. G. Wolpert. (V, 94 S.) 886. n. — 90

Schulbibliothek, französische u. englische. Hrsg. v. Otto E. A. Dickmann. Poesie u. Drama. 1. Bd. gr. 8. Leipzig 886. Renger. geb. n. 1. 80

Auswahl französischer Gedichte. Für den Schulgebrauch zusammengestellt v. Ernst Gropp u. Emil Hausknecht. (XI, 224 S.)

Schulblatt, Berner. Organ der freisinn. bern. Lehrerschaft. Red.: R. Scheuner. 17—19. Jahrg. 1884—1886. à 52 Nrn. (à $^1/_2$—$^3/_4$ B.) gr. 4. Bern, Huber & Co. à Jahrg. n. 7. —

— für die Prov. Brandenburg, hrsg. v. Schumann u. Schaller. 48—50. Jahrg. 1883—1885. à 12 Hfte. gr. 8. (à Hft. ca. 60 S.) Berlin 883. (Wiegandt & Grieben.) à Jahrg. n. 5. 50

— Elsaß-Lothringisches. Central-Organ f. Erziehg., Unterricht u. amtl. Berichte in Elsaß-Lothringen. Begründet v. Theophil Hatt u. unter Mitwirkg. v. Bock, v. Cöllen, Dehmelt &c. fortgeführt v. Paul Zänker u. Ewald Bauch. 13—16. Jahrg. 1883—1886. à 24 Nrn. (à 1—$1^1/_2$ B.) Lex.-8. Straßburg 883. Schultz & Co. à Jahrg. n.n. 6. 40

— evangelisches, u. deutsche Schulzeitung. In Verbindg. m. Zahn, Finger, Heine &c. red. v. Wilh. Dörpfeld. 27—29. Jahrg. 1883—1885. à 18 Nrn. (à 1—3 B.) gr. 8. Gütersloh, Bertelsmann. à Jahrg. n. 6. —

— dasselbe. 30. Jahrg. 1886. 12 Nrn. ($2^1/_2$ B.) gr. 8. Ebend. n. 6. —

Schulblatt, evangelisch-lutherisches. Monatsschrift f. Erziehg. u. Unterricht. Hrsg. v. der deutschen ev.-luth. Synode v. Missouri, Ohio u. a. Staaten. Red. vom Lehrerkollegium d. Seminars in Addison. 18. u. 19. Jahrg. 1883 u. 1884. à 12 Hfte. (B.) gr. 8. St. Louis, Mo. (Dresden, H. J. Naumann.) à Jahrg. n. 5. 50

— dasselbe. 20. u. 21. Jahrg. 1885 u. 1886. à 4 Hfte. (3 B.) gr. 8. Ebend. à Jahrg. n. 4. —

— Hagenauer. Im Auftrage u. unter Mitwirkg. der Lehrer u. Lehrerinnen d. Kreises Hagenau [Elsaß] hrsg. v. Joh. Bok. 1. Jahrg. 1884. 24 Nrn. (½ B.) gr. 8. Hagenau, Selbstverl. d. Herausgebers. n. 3. —

— katholisches. Zur Förderg. d. Elementar-Schulwesens u. religiös-sittlicher Bildung hrsg. v. F. Schmidt. 29—32. Jahrg. 1883—1886. à 8 Hfte. (3 B.) gr. 8. Ober-Glogau, Handel. à Jahrg. n. 3. —

— mecklenburgisches. Hrsg. v. Kliefoth u. Ebeling. 35. Jahrg. 1884. 52 Nrn. (à ½—1 B.) gr. 8. Ludwigslust. (Wismar, Hinstorff's Verl.) n. 4. —

— oldenburgisches. Eigenthum d. oldenburger Landes-Lehrervereins. Im Auftrage d. Vereins-Vorstandes hrsg. v. E. Rost. 7—10. Jahrg. 1882/86. à 24 Nrn. (B.) gr. 4. Oldenburg, (Bültmann & Gerriets). à Jahrg. n. 4. —

— ostfriesisches. Organ d. ostfries. Lehrervereins. Red.: van der Laan. 23—26. Jahrg. 1883—1886. à 12 Nrn. (à 1—2 B.) gr. 8. Emden, Haynel. à Jahrg. n. 2. —

— preußisches. Organ d. westpreuß. Provinzial-Lehrer-, sowie d. westpreuß. Lehrer-Sterbekassen-Vereins ꝛc. Red.: Paul Opitz. 5—8. Jahrg. 1883—1886. à 52 Nrn. (à 1—1½ B.) Mit Gratisbeilage: Illustrirtes Sonntagsblatt. 52 Nrn. (½ B.) gr. 4. Danzig, Axt. à Jahrg. n.n. 4. —

— der Prov. Sachsen. [Organ d. Provinzial-Pestalozzi- u. Provinzial-Lehrer-Vereins.] Begründet von W. Dietlein u. fortgeführt unter Mitwirkg. v. Volksschullehrern der Provinz v. Ernst Lausch u. Ed. Wießner. 22—25. Jahrg. 1883—1886. à 24 Nrn. (B.) gr. 4. Quedlinburg, Huch. à Jahrg. n. 4. 60

— schlesisches, hrsg. v. schles. Landes-Lehrervereine. Red.: Alois Meixner. 12—15. Jahrg. 1883—1886. à 24 Nrn. (B.) gr. 8. Troppau, (Buchholz & Diebel). à Jahrg. n.n. 4. —

— für Thüringen u. Franken. Organ d. meining. Lehrervereins. Hrsg. u. red. v. Tuiscon Rotteck. 26. Jahrg. 1883. 24 Nrn. (½ B.) gr. 4. Camburg, (Schreyer). n. 3. 40

— allgemeines, f. d. Reg.-Bez.-Wiesbaden. 36. u. 37. Jahrg. 1885 u. 1886. à 36 Nrn. (B.) gr. 4. Wiesbaden, Bechtold & Co. à Jahrg. 4. 50

Schulblätter, badische. Organ f. die Interessen der Erziehg. u. d. Unterrichts. Korrespondenzblatt f. das bad. Mittelschulwesen. Hrsg. unter Mitwirkg. mehrerer bad. Schulmänner. Red.: Bihler. 1. Jahrg. Apr.—Decbr. 1884. 9 Nrn. (à 1—1½ B.) Lex.-8. Berlin, Reuther. n. 3. —

— dasselbe. 2. u. 3. Jahrg. 1885 u. 1886. à 12 Nrn. (à 1—1½ B.) Lex.-8. Ebend. à Jahrg. n. 4. —

Schulbote, der christliche. Wochenblatt f. evangel. Lehrer u. Lehrervereine Deutschlands. Red.: C. Leimbach. 21. Jahrg. 1883. 104 Nrn. (½ B.) gr. 8. Goslar. (Leipzig, Böhme.) n. 6. —

— dasselbe. 22. Jahrg. 1884. 52 Nrn. (à 2—2½ B.) gr. 4. Hannover, Weichelt. n. 6. —

— dasselbe. 23. Jahrg. 1885. 52 Nrn. (à 2—2½ B.) gr. 4. Leipzig, Dürr'sche Buchh. n. 6. —

— dasselbe. 24 Jahrg. 1886. 52 Nrn. (à 2—2½ B.) gr. 4. Ebend. n. 7. 20

— für Hessen. Organ d. hess. Landeslehrer-Vereins u. der Ludwig- u. Alice-Stiftg. Red.: J. Schmitt. 24—27. Jahrg. 1883—1886. à 24 Nrn. (B.) gr. 4. Darmstadt. (Gießen, Roth.) à Jahrg. n.n. 3. 60

— der österreichische. Zeitschrift f. die Interessen d. österr. Schulwesens. Red.: Frz. Frisch-Klagenfurt. 33—36. Jahrg. 1883—1886. à 24 Nrn. (à 1½—2 B.) gr. 8. Wien, Pichler's Wwe. & Sohn. à Jahrg. n. 8. —

— süddeutscher. Eine Zeitschrift f. das deutsche Schulwesen. Red.: F. Kübel. 47—50. Jahrg. 1883—1886. à 26 Nrn. (B.) gr. 4. Stuttgart, J. F. Steinkopf. à Jahrg. n. 4. —

Schul- u. Kirchen-Bote. Hrsg.: Frz. Obert. 18. Jahrg. 1883. 12 Nrn. (à 1½—2 B.) gr. 8. Hermannstadt, Filtsch. n.n. 5. 50

Schulbuch, erstes, f. Elementar-Schüler. Neue Bearbeitg. d. „Erstes Lesebuch f. Elementar-Schüler" v. hess. Lehrern. 2. Aufl. 8. (88 S. m. Holzschn.) Oppenheim 883. Kern. geb. n. — 50

— erstes, f. schweizerische Primarschulen. Mit zahlreichen Illustr. 3. Aufl. 8. (62 S.) Einsiedeln 886. Benziger & Co. cart. n. — 35

Schul-Choralbuch. Nach den Grundsätzen d. Hrn. Faißt zusammengestellt. Mit besond. Rücksicht auf die Bedürfnisse v. Kirche u. Schule bearb. Hrsg. v. den beiden Unterstützungs-Vereinen der württ. evang. Volksschullehrer. 3 Tle. 8. Eßlingen 883. (Weismann.) cart. n.n. — 90

1. Einstimmige Choräle. (40 S.) n.n. — 20
2. Choräle f. 2 u. 3 Kinderstimmen. (64 S.) n.n. — 35
3. Choräle f. 2 Kinderstimmen u. f. 2 Kinderstimmen u. 1 Männerstimme. (64 S.) n.n. — 35

Schule, die, im Lichte der socialen Forderungen der Gegenwart. Ein Beitrag zur Lösg. der Schulfrage. 8. (III, 52 S.) Hamburg 882. Berendsohn. n. 1. —

— **u. Haus.** Von e. süddeutschen Schulmanne. gr. 8. (39 S.) Straßburg 883. Trübner. n. — 80

Schülle, H., klinische Psychiatrie, s.: Handbuch der speciellen Pathologie u. Therapie.

Schulenburg, Graf v. der, Geschichte d. Magdeburgischen Dragoner-Regiments Nr. 6, auf Veranlassg. d. Regiments geschrieben, unter Mitwirkg. v. Briesen. Mit e. Portr., 1 Skizze u. 3 Karten. gr. 8. (VIII, 225 S.) Berlin 885. Mittler & Sohn. n. 6. 50

Schuler, üb. die Ernährung der Fabrikbevölkerung u. ihre Mängel. 1. Referat f. die Jahresversammlg. der Schweiz. gemeinnütz. Gesellschaft den 19. Septbr. 1882 in Glarus. gr. 8. (54 S.) Zürich 883. (Herzog.) n. — 80

— die Ernährungsweise der arbeitenden Klassen in der Schweiz u. ihr Einfluss auf die Ausbreitung d. Alkoholismus. Im Auftrage des Departements d. Innern der schweiz. Eidgenossenschaft verf. gr. 8. (39 S.) Bern 884. (Schmid, Francke & Co.) n.n. — 60

Schuler, G. M., der Pantheismus. Gewürdigt durch Darlegg. u. Widerlegg. gr. 8. (136 S.) Würzburg 884. Bucher. n. 2. —

Schuler, J., Jakob Stainer, s.: National-Bibliothek, deutsch-österreichische.

Schüler, der höfliche. Ein Geschenk f. die Jugend. Neu bearb. u. verm. v. e. Freunde der Jugend. 12. (79 S.) Regensburg 884. Verlags-Anstalt. n. — 35

Schueler, die Feldbefestigung in Beispielen f. Offiziere aller Waffen. 2. Aufl. Mit 33 Holzschn. u. 6 Taf. in Steindr. gr. 8. (III, 82 S.) Berlin 886. Mittler & Sohn. n. 3. —

— Leitfaden f. den Unterricht in der Befestigungslehre u. im Festigungskrieg an den königl. Kriegsschulen. Auf Veranlassg. der General-Inspektion d. Militär-Erziehungs- u. Bildungswesens ausgearb. Mit Abbildgn. u. Taf. 5. Aufl. 4. (VIII, 167 S.) Ebend. 886. n. 5. —

Schüller, Wilh. Frdr., die allgemeine Derivation e. neuer Grundbegriff der Funktionenrechnung, hier insbesondere der Differentialrechnung. Eine Festschrift zum 500jähr. Jubiläum der Ruperto-Carola. gr. 8. (X, 94 S.) Ansbach 886. Brügel & Sohn. 3. —

— die Falllinie u. die Planetenbahnen als involutorische Punktreihen, auf Grund d. Prinzips der Erhaltg. der Kraft elementar behandelt. 2. Aufl. gr. 8. (IV, 35 S.) Freising 882. Ebend. 1. 20

— das Imaginäre in der analytischen Geometrie u. das Problem der stationären Strömung in der unendlichen Ebene. gr. 8. (IV, 29 S.) Ebend. 882. 1. —

Schülerarbeiten der kgl. Kunst-Gewerbe-Schule Dresden. Ostern 1881—1882. Fol. (60 Lichtdr.-Taf. m. 1 Bl. Text.) Dresden 883. Gilbers' Verl. In Mappe. n. 60. —

Schüler-Bibliothek, englische. Hrsg. v. A. Wiemann. 3—6. 9. 15—27. Bdchn. 16. Gotha, Schloeßmann. cart. n. 11. 20

3. Fünf Erzählungen aus W. Irvings Alhambra. Mit e. Verzeichnis der Redensarten. 3. Aufl. (120 S.) 885. n. — 60
4. Cola Monti. Mit e. Verzeichnis der Redensarten. (VI, 185 S.) 884. n. 1. —
5. Sir Walter Scott's tales of a grandfather. 6 Kapitel. Mit e. Verzeichnis der Redensarten. 3. Aufl. (127 S.) 885. n. — 60
6. Captain Marryat, the three cutters. Mit e. Verzeichnis der Redensarten. 2. Aufl. (110 S.) 885. n. — 60
9. Five tales from Shakespeare by Charles Lamb. Mit e. Verzeichnis der Redensarten. (V, 121 S.) 884. n. — 60
15. Sammlung englischer Gedichte. (VIII, 121 S.) 2. Aufl. 884. n. — 60
16. Deaf and dumb. An historical drama, in 5 acts, by Thom. Holdcroft. Mit e. Verzeichnis der Redensarten. (100 S.) 883. n. — 60
17. A sketch of the life of Schiller. By Bulwer. Mit e. Verzeichnis der Redensarten. (123 S.) 883. n. — 60
18. Maria Stuart. Aus Scott's Tales of a grandfather. Mit e. Verzeichnis der Redensarten. (132 S.) 883. n. — 60
19. The Bengal tiger by Ch. Dance. Apartments by Will. Brough. Mit e. Verzeichnis der Redensarten. (95 S.) 883. n. — 60
20. The battle of Waterloo. By Sir Ed. Creasy. Mit e. Verzeichnis der Redensarten. (142 S.) 884. n. — 60
21. Gulliver's voyage to Liliput. By J. Swift. Mit e. Verzeichnis der Redensarten. (115 S.) 884. n. — 60
22. Napoleon Bonaparte I. Mit e. Verzeichnis der Redensarten. (124 S.) 885. n. — 60
23. Creasy, drei Entscheidungsschlachten d. 18. Jahrh. Mit e. Verzeichnis der Redensarten. (126 S.) 885. n. — 60
24. Sechs Erzählungen aus A book of golden deeds. Mit e. Verzeichnis der Redensarten. (99 S.) 885. n. — 60
25. Napoleon Bonaparte II. Mit e. Verzeichnis der Redensarten. (114 S.) 885. n. — 60
26. Gulliver's voyage to Brobdingnag. By J. Swift. Mit e. Verzeichnis der Redensarten. (107 S.) 886. n. — 60
27. Golden deeds. II. Mit e. Verzeichnis der Redensarten. (112 S.) 886. n. — 60

— dasselbe. Wörterverzeichnis zum 1—9. 11. 14. 16. u. 18. Bdchn. v. A. Wiemann. 16. (à ca. 30 S.) Ebend. 883—86. à n. — 20

Schülerfreund, deutscher. Notizkalender f. Gymnasiasten u. Realschüler f. 1887. Hrsg. v. F. Koch. 11. Jahrg. [Ausg. m. Wochentagen.] 3. Aufl. 16. (328 S. m. 1 Stahlst.) Leipzig, Siegismund & Volkening. geb. n. 1. —

Schülerheft zur Landeskunde des Herzogt. S.-Gotha. Bearb. u. hrsg. v. L. Bechstein, W. Henze, C. Langbein, H. Pabst, F. Paetz, E. Poppe. gr. 8. (32 S.) Gotha 885. Thienemann. n. — 20

Schüler-Jahrbuch, deutsches, 1886. Hrsg. v. Max Vogler. 10. Jahrg. Mit 1 Titelbilde. 16. (176 S.) Leipzig 885. Spamer. cart. n. — 60

Schülerinnen-Kalender f. Schülerinnen höherer Töchterschulen auf d. J. 1885. Hrsg. v. Adelheid Wildermuth. 16. (V, 234 S.) Lahr, Schauenburg. cart. — 60

Schüler-Kalender, baltischer, f. d. J. 1885. 16. (185 S.) Mitau, Behre. geb. n. 1. —

— für Schüler höherer Lehranstalten auf d. J. 1885. 16. (239 S.) Lahr, Schauenburg. cart. — 60; geb. n. 1. —

— schweizerischer, f. die Zöglinge der Mittel- u. Kantonsschulen, Seminarien, Institute etc. auf d. J. 1886. 8. Jahrg. Mit 1 Titelbilde in Stahlst.: Das Winkelried-Denkmal in Stans v. Arnold Schlöth. Hrsg. v. R. Kaufmann-Bayer. 16. (196 S.) Frauenfeld, Huber. geb. n. 1. —

Schülerliebe. Dichtung in 7 Gesängen v. C. P. 8. (77 S.) Riga 886. Mellin & Reldner. n.n. 1. 50; geb. n.n. 2. 70

Schüler-Novellen. 1. u. 2. Bdchn. 12. Leipzig 886. Rasch & Co. à 1. —; geb. à 1. 80

1. Schülerliebe von Frz. Frhrn. v. Gaudy. Der verlorene Sohn von Frz. Frhrn. v. Gaudy. Erinnerungen aus dem Tagebuche e. Gymnasiasten v. A. H. Eberhard. 5. Aufl. (136 S.)
2. Junge Liebe v. Vict. Blüthgen. Schülerinnerungen v. Geo. Bötticher. Mit 7 Zeichngn. v. J. Kleinmichel. (120 S.)

Schulfreund, der. Eine Quartalschrift zur Förderg. d. Elementarschulwesens u. der Jugenderziehg. Im Vereine m. Schulmännern u. Jugendfreunden hrsg. v. J. H. Schmitz u. L. Kellner. 39—42. Jahrg. 1883—1886. à 4 Hfte. gr. 8. (à Hft. ca. 112 S.) Trier, Lintz. à Jahrg. n. 3. —

Schulgarten, der. Illustrierte Zeitschrift f. das gesammte Schulgartenwesen. Hrsg. unter der Red. v. Frz. Langauer. 1. Jahrg. 1886. 12 Nrn. (à 1/2—1 B.) gr. 8. Wien, Pichler's Wwe. & Sohn. n. 3. —

— der. Pläne m. erläut. Text. Preisgekrönte Arbeiten, hrsg. vom schweizer. landwirtschaftl. Verein. gr. 8. (134 S. m. 4 chromolith. Plänen.) Zürich 886. Hofer & Burger. n. 3. 20

Schulgeographie, kleine. Leitfaden f. den geograph. Unterricht in der Volksschule. Zugleich e. Hilfsbüchlein beim Gebrauch e. jeden Schulatlas. 11., neu bearb. Aufl. v. Ihleibs kleiner Schulgeographie. 8. (VIII, 134 S.) Gera 885. Th. Hofmann. n. — 40

Schulgesangbuch, Berliner. Ausg. A. nach dem Berliner Gesangbuch f. evangel. Gemeinden. 11. Aufl. 12. (95 S.) Berlin 886. H. R. Mecklenburg. n. — 20

— evangelisches, f. höhere Lehranstalten. 3. Aufl. 8. (VIII, 109 S.) Bielefeld 883. Velhagen & Klasing. cart. n. — 80

Schulgesangbüchlein. Auswahl v. geistl. Liederversen f. Schulandachten. 4. Aufl. 8. (144 S.) Reval 886. Kluge. cart. n. 1. —

Schulgesetz-Sammlung, deutsche. Central-Organ f. das gesammte Schulwesen im Deutschen Reiche, in Oesterreich u. in der Schweiz. Red. v. Fr. Ed. Keller u. R. Schillmann. 12—15. Jahrg. 1883—1886. à 52 Nrn. (B.) gr. 4. Berlin, Oehmigke's Verl. à Jahrg. n. 9. —

Schulgin, M. A., Phylogenesis d. Vogelhirnes. Mit 2 lith. Taf. gr. 8. (36 S.) Jena 885. (Neuenhahn.) n. 1. —

Schulin, F., das griechische Testament verglichen m. dem römischen Programm zur Rectoratsfeier der Universität Basel. gr. 4. (60 S.) Basel 882. (Detloff.) n. 2. —

Schulkalender, baltischer, f. d. J. 1886. 16. (87 S.) Riga, Kymmel's Verl. geb. n. 1. 60

— für höhere Unterrichts-Anstalten. Bearb. v. Ludw. Dietrich. 5. Jahrg. 1884. 1. Tl. gr. 16. (68 S.) Miltenberg, Halbig. cart. n. — 90; geb. n. 1. —

— für österreichische Volksschullehrer. 1885. Hrsg. vom Central-Ausschusse d. österr.-schles. Landes-Lehrervereines. 11. Jahrg. 12. (V, 80 u. 122 S.) Freudenthal, Krommer. geb. n. 1. 70

Schul- u. Lehrer-Kalender f. d. J. 1887. 16. (117 S.) Stuttgart, Aue's Verl. geb. n.n. 1. —

Schul- u. Spielkamerad, der. Notiztaschenbuch f. Schule, Spiel und Jugendsport f. d. Schulj. Ostern 1884/1885. Hrsg. v. Carl Wesing u. E. A. Wesche. 16. (158 u. 100 S. m. Stahlst.-Portr. d. Kronprinzen d. Deutschen Reichs.) Bremen, Rocco. cart. n. — 60

Schulkongreß, der deutsche evangelische; seine Zwecke u. Ziele, zugleich e. Einladungsschrift zum 2. evangel. Schulkongresse in Kassel [24—27. Septbr. 1883.] gr. 8. (15 S.) Barmen 883. Wiemann. n. — 50

Schuller, C., les oiseaux. Études. gr. Fol. (15 Chromolith.) Berlin 885. Claesen & Co. In Mappe. n. 45. —

Schuller, Gust., Leitfaden f. den Unterricht in der Geographie v. Oesterreich-Ungarn zum Gebrauche an Gewerbeschulen. gr. 8. (38 S.) Hermannstadt 881. Michaelis. n. — 70
— Reinold. Ein Bild aus den Karpathen. 2. Aufl. 8. (96 S.) Wien 884. Graeser. n. 1. 60; cart. n. 1. 80; geb. n. 2. 40
Schüller, Carl, die bimetallistische Propaganda, vom Goldwährungs-Standpunkt aus beleuchtet. gr. 8. (36 S.) Leipzig 886. Klinkhardt. n. — 50
Schüller, F., Handbuch f. die Infanterie-, Jäger- u. Cavallerie-Pionniere, s.: Friedl, H.
Schüller, Max, die chirurgische Anatomie in ihrer Beziehung zur chirurgischen Diagnostik, Pathologie u. Therapie. Ein Handbuch f. Studirende u. Aerzte. 1. Hft. Die obere Extremität. Mit Holzschn. gr. 8. (X, 367 S.) Berlin 885. G. Reimer. n. 7. —
Schulliederbuch. Eine Sammlg. ein- u. mehrstimm. Lieder in stufenmäß. Folge, hrsg. v. der „Pestalozzi-Stiftg." in Spandau. 3 Hfte. 8. Spandau 884. Jürgens. n. — 65
1. (24 S.) n. — 15. — 2. (38 S.) n. — 20. — 3. (63 S.) n. — 30
— Geraer. Zusammengestellt u. bearb. v. den Gesanglehrern der Bürgerschulen zu Gera. 1—3. Hft. Gera 885. (Burow.) n. 1. 10
1. Unterstufe enth.: Lieder, Choräle u. method. Übgn. f. die ersten 2 Schuljahre. (24 S.) n. — 20
2. Mittelstufe f. das 3. u. 4. Schuljahr. (48 S.) n. — 30
3. Oberstufe A. f. das 5. u. 6. Schulj. (146 S.) n. — 60
— Leipziger. Im Auftrage d. Leipziger Lehrervereins ausgearb. v. e. Kommission Leipziger Lehrer. 3 Hfte. 8. Leipzig, (Hinrichs' Sort.). geb. n.n. 1. 30
1. Unterstufe, enth. 91 Lieder, 19 Choräle u. 144 method. Übgn. f. die ersten 4 Schuljahre. 4., in den Chorälen nach dem neuen Landeschoralbuche f. Sachsen abgeänderte Aufl. (IV, 89 S.) 886. n. — 40
2. Mittelstufe, enth. 88 Lieder, 18 Choräle u. 96 method. Übgn. f. das 5. u. 6. Schulj. 3. Aufl. (110 S.) 885. n. — 40
3. Oberstufe, enth. 100 Lieder, 14 Choräle u. 22 method. Übgn. f. das 7. u. 8. Schuljahr. 2., verb. Aufl. (166 S.) 885. n.n. — 50
— Schwarzburg-Rudolstädter. Hrsg. von dem Landes-Lehrerverein. 5. Aufl. (III, 156 S.) Rudolstadt 885. Hofbuchdruckerei. n. — 50; geb. n. — 90
Schullze, Ed., e. geographischer u. antiquarischer Streifzug durch Capri. Mit 1 Karte. gr. 8. (38 S.) Berlin 886. Gaertner. n. 1. —
Schulmann, der deutsche. Magazin f. die Praxis in den Seminarien, Präparandenanstalten, Mittel-, höheren Mädchen-, Volks- u. Fortbildungsschulen. Red. unter Mitwirkg. namhafter Pädagogen u. Schulmänner v. Fr. Ed. Keller. 6. u. 7. Jahrg. 1883 u. 1884. à 36 Nrn. (B.) 4. Berlin, Keller. à Jahrg. n. 6. —
— der praktische. Archiv f. Materialien zum Unterricht in der Real-, Bürger- u. Volksschule. Hrsg. v. Alb. Richter. 32—35. Bd. Jahrg. 1883—1886. à 8 Hfte. (ca. 6 B.) gr. 8. Leipzig, Brandstetter. à Jahrg. n. 10. —
— rheinischer. Evangelische Zeitschrift f. Erziehg. u. Unterricht in Schule u. Haus, unter Mitwirkg. v. Beck, K. Becker I, Bezzenberger rc. hrsg. v. G. Schumann u. A. Bode. 1—4. Jahrg. 1883—1886. à 26 Nrn. ($2^1/_2$ B.) gr. 8. Neuwied, Heuser's Verl. à Jahrg. n. 6. —
Schulmeister, W., Steiermark, s.: Renaissance, deutsche, in Oesterreich.
Schul-Notizbuch f. Lehrer. Winter-Semester 1883—84. 12. (63 S.) Potsdam, Rentel's Verl. geb. n. — 50
Schul-Notiz-Kalender, allgemeiner, f. d. J. 1887 m. e. Datumzeiger f. die Monate Oktbr.-Dezbr. 1886 u. Jan.-Apr. 1887, hrsg. v. G. Noack. 5. Jahrg. 16. (128 S.) Leipzig, Wartig's Verl. geb. n. — 80
Schulordnung, die, f. die kgl. bayer. Studienanstalten. Kgl. Allerhöchste Verordng. vom 20. Aug. 1874. 2. Aufl. 8. (85 S.) Würzburg 885. Stahel. — 20
Schul-Orthographie, die neue [v. Puttkamersche]. Ein Beitrag zur Würdigung der bezügl. Reformbestrebgn. gr. 8. (20 S.) Wien 884. (Pichler's Wwe. & Sohn.) n. — 40
Schulpe, Geo. v., Gedichte. Eigenes u. Fremdes. 8. (44 S.) Leipzig 886. (Preßburg, Heckenast's Nachf.) n. 1. —
— germanische Göttersagen. Mythologische Gedichte, gesammelt u. zusammengestellt. Mit Einleitg. v. Felix Dahn. gr. 8. (XVI, 108 S.) Leipzig 886. Friedrich. n. 2. —
Schulpe, Geo. v., s.: Petöfi.
Schulpraxis, deutsche. Wochenblatt f. Praxis, Geschichte u. Litteratur der Erziehg. u. d. Unterrichts. Hrsg.: Ernst Wunderlich. 3—6. Jahrg. 1883—1886. à 52 Nrn. (B.) gr. 4. Leipzig, Wunderlich. à Jahrg. n. 6. 40
Schulrecht, preußisches, od. Erlasse d. königl. preuß. Ministers der geistl., Unterrichts- u. Medizinal-Angelegenheiten u. der Konsistorien, das Volksschul-, Präparanden- u. Seminarwesen betr., nebst e. Anh.: Verzeichnis der Unterrichts-Verwaltgn. im Königr. Preußen. 12. (VI, 285 S.) Hoyerswerda 883. Leipzig, F. E. Fischer's Verl. n. 1. —
Schulte vom Brühl, Entenzucht. Sammlung v. Zeitungsenten. 8. (77 S.) Berlin 884. Eckstein Nachf. n. 1. —
— die letzte Heidin. Ein Märchen f. die Jugend von 14—18 Jahren. 8. (106 S. m. 1 Chromolith.) Lahr 886. Schauenburg. cart. n. — 70; geb. n. 1. —
— Kleinigkeiten. Humoristische Blätter. 8. (166 S.) Leipzig 885. Bauer. n. 2. —
— die Nixe vom Walchensee. Ein Märchen aus Oberbayern. 8. (92 S. m. 1 Chromolith.) Lahr 886. Schauenburg. cart. n. — 70; geb. n. 1. —
— Piep, der Staarmatz. Eine Vogel- u. Knabengeschichte. Illustrationen nach Schulte v. Brühl v. L. Meggendorfer. gr. 8. (53 S. m. eingedr. color. Illustr.) München 884. Braun & Schneider. cart. n. 1. 50
— die Priesterin der Holde. Ein episches Gedicht in 12 Gesängen. 8. (108 S.) Lahr 886. Schauenburg. geb. 1. 50
— Prinzeßchen Tausendschön. Ein buntes Märchen. 8. (67 S. m. 1 Chromolith.) Ebend. 886. cart. n. — 50; geb. — 75
— Hans Wohlgemut, der Spielmann. Ein Märchen f. groß u. klein. 8. (90 S. m. 1 Chromolith.) Ebend. 886. cart. n. — 70; geb. n. 1. —
Schulte, A., s.: Urkunden u. Akten der Stadt Strassburg.
Schulte, A., Sammlung zweistimmiger Gesänge f. den katholischen Militärgottesdienst. 12. (IV, 96 S.) Saarlouis 886. Hausen. geb. n.n. — 60
Schulte, F., der Jugendsänger. Eine Liedersammlg. f. kathol. Volksschulen, nebst e. Anleitg. zu den Vorübgn. im Singen nach Ziffern u. zum Einüben der Lieder, u. e. Anh., enth.: Melodieen zu Liedern in den Lesebüchern f. Unter- u. Mittelklassen kathol. Volksschulen. I. Ausg.: Text m. Melodie in Ziffern. 3. Aufl. 8. (XXIV, 288 S.) Paderborn 886. F. Schöningh. n. 1. 60
— dasselbe. Eine Sammlg. der beliebtesten u. bewährtesten Lieder, ein-, zwei- u. dreistimmig, f. Schule u. Leben. Nebst Turnliedern, Kanons u. Singspielen. Ausgabe II ohne Ziffernoten. 6. Aufl. 16. (126 S.) Ebend. 886. n. — 30
Schulte, Frz. Xav., biblische Geschichte d. Alten u. Neuen Testamentes. (Für Oberklassen.) 4. Aufl. 8. (400 S.) Paderborn 885. Junfermann. n. — 80
— dasselbe f. Mittelklassen. 8. (174 S.) Ebend. 885. n. — 40
— kleine biblische Geschichte. 8. (48 S.) Ebend. 885. — 15
Schulte, Joh. Frdr. v., der Altkatholicismus, Geschichte seiner Entwicklg., inneren Gestaltg. u. rechtl. Stellg. in Deutschland. Aus den Akten u. andern authent. Quellen dargestellt. gr. 8. (XV, 683 S.) Giessen 887. Roth. n. 12. —; Einbd. n.n. 2. 50
— Karl Friedrich Eichhorn. Sein Leben u. Wirken, nach seinen Aufzeichngn., Briefen, Mittheilgn. v. Angehörigen, Schriften beschrieben. Mit vielen ungedruckten Briefen v. Eichhorn u. an Eichhorn. gr. 8. (VIII, 255 S.) Stuttgart 884. Enke. n. 8. —
— Lehrbuch d. katholischen u. evangelischen Kirchenrechts nach dem gemeinen Rechte, dem Rechte der deutschen Länder u. Oesterreichs. 4. Aufl. d. kathol., 1. d. evangel. gr. 8. (XVI, 559 S.) Gießen 886. Roth. n. 12. —
Schulte-Plaßmann, Jos., der Episkopat, e. vom Presbyterat verschiedener, selbständiger u. sakramentaler Ordo od. die Bischofsweihe ein Sakrament. Eine historisch-dogmat. Abhandlg. gr. 8. (156 S.) Paderborn 883. Bonifacius-Druckerei. n. 1. 60

Schulte, Jos. Wilh., die Hussiten vor Neisse. gr. 8. (24 S.) Neisse 882. (Graveur.) n. — 50
— de imperatore Lucio Septimio Severo. Pars I. Commentatio historica. gr. 8. (II, 108 S.) Monasterii 867. Ebend. n. — 75
Schultes, C., Maigela, s.: Collection Spemann.
Schultes, D. A., Altes u. Neues aus Ulm. Ein Nachtrag zur Chronik v. Ulm. 8. (III, 117 S.) Ulm 886. Gebr. Nübling. n. — 80
Schultheß, Fritz, Beispielsammlung. gr. 8. (58 S.) Gotha 882. F. A. Perthes. — 60
— Vorlagen zu lateinischen Stilübungen. 1. u. 2. Hft. gr. 8. Ebend. 882. à n. 2. 40
1. Variationen zu Cicero u. Livius. (XVI, 256 S.)
2. Variationen zu Cicero u. Tacitus. (VIII, 255 S.)
Schultheß, A., der Obstbaum u. seine Pflege, s.: Tschudi, F. v.
Schultheß, H., europäischer Geschichtskalender. 23—25. Jahrg. 1882—1884. gr. 8. (à ca. XXXVI, 586 S.) Nördlingen, Beck. à Jahrg. n. 10. —
— dasselbe. Neue Folge. 1. Jahrg. 1885. [Der ganzen Reihe 26. Bd.] Hrsg. v. Ernst Delbrück. gr. 8. (XI, 452 S.) Ebend. 886. n. 9. —
Schultheß, J., Uebungsstücke zum Uebersetzen aus dem Deutschen ins Französische, bestehend in Erzählgn., Parabeln, Anekdoten, kleinen Schauspielen u. Briefen f. den Schul- u. Privatgebrauch. 12. Aufl. gr. 8. (194 S.) Zürich 883. Schultheß. n. 1. 40
Schulthess, Otto, Vormundschaft nach attischem Recht. gr. 8. (XII, 255 S.) Freiburg i/Br. 886. Mohr. n. 6. —
Schultz, Herm., Gedichte. 12. (V, 147 S.) Elberfeld 884. Bädeker. n. 3. —; geb. m. Goldschn. n. 4. —
Schultz-Lupitz, die Kalidüngung auf leichtem Boden. Ein Wort der Erfahrg. an seine Berufsgenossen. 2. Aufl. gr. 8. (61 S.) Berlin 883. Parey. n. 1. —
— dasselbe. 3. Aufl. gr. 8. (99 S.) Ebend. 884. n. 1. 60
— s.: Vorträge üb. Kalidüngung u. Steigerung der Erträge.
Schultz, die westfälische Kohlen-Industrie. — Ueber die Aufbereitung der Steinkohlen im Ruhrbassin v. Fr. Peters. Nebst 2 (autogr. u. color.) Karten. 8. (74 S.) Dortmund 883. Köppen. n. 1. 50
Schultz, Alwin, Einführung in das Studium der neueren Kunstgeschichte. Mit ca. 300 Text-Abbildgn. in 14 Farbendr.-Taf. (In ca. 15 Lfgn.) 1—9. Lfg. Lex.-8. (S. 1—320.) Prag 886. Tempsky. — Leipzig, Freytag. à n. 1. 20
— Kunst u. Kunstgeschichte, s.: Wissen, das, der Gegenwart.
Schultz, Chrph., Richard Wagner u. seine Bedeutung f. das deutsche Volk. 2. Abdr. gr. 8. (17 S.) Berlin 883. Barth. n. — 50
Schultz, Erhard, üb. das teleologische Fundamentalprincip der allgemeinen Pädagogik. 2. Aufl. gr. 8. (VII, 88 S.) Jena 883. Bufleb. n. 1. 60
Schultz, F., die Tonkunst nach Ursprung u. Umfang ihrer Wirkung, s.: Sammlung gemeinverständlicher wissenschaftlicher Vorträge.
Schultz, F., u. C. F. Roth, gemeinverständlicher Rathgeber üb. die Rechte u. Pflichten d. Miethers u. Vermiethers v. Wohnungen u. anderen Räumen in Schleswig-Holstein, Lauenburg u. Hamburg, nebst e. Entwurf z. e. Miethsvertrage. 8. (64 S.) Kiel 884. (Lipsius & Tischer.) n. 1. —
Schultz, F., u. R. Triebel, die gebräuchlichsten Lieder der evangelischen Kirche, f. die Schule erläutert, s.: Hilfsbuch beim evangelischen Religions-Unterricht.
Schultz, Ferd., Meditationen. Eine Sammlg. v. Entwürfen zu Besprechgn. u. Aufgaben f. den deutschen Unterricht in den oberen Klassen höherer Lehranstalten. 1. u. 2. Bdchn. gr. 8. Dessau, Baumann. n. 5. —
1. (XII, 152 S.) 885. n. 2. —. — 2. (X, 242 S.) 886. n. 3. —
Schultz, Ferd., lateinische Schulgrammatik. Erweiterte Ausg. der „Kleinen latein. Sprachlehre" v. F. Sch., unter Mitwirkg. desselben bearb. v. M. Wetzel. gr. 8. (VIII, 373 S.) Paderborn 886. F. Schöningh. n. 2. 80
— kleine lateinische Sprachlehre, zunächst f. die unteren u. mittleren Klassen der Gymnasien u. Realgymnasien bearb. 19. Aufl. gr. 8. (VIII, 300 S.) Ebend. 885. n. 1. 90
Schultz, Ferd., Uebungsbuch zur lateinischen Sprachlehre zunächst f. die unteren Klassen der Gymnasien. 13. Ausg. gr. 8. (IV, 320 S.) Paderborn 883. F. Schöningh. n. 2. —
Schultz, Ferd., der Viehhandel im Gebiete d. preußischen Landrechts, nebst e. Anh., enth. die Bestimmgn. d. gemeinen deutschen Rechts. Auf Veranlassg. d. Vorstandes d. Westfäl. Bauernvereins f. die Landwirthe bearb. gr. 12. (40 S.) Paderborn 885. F. Schöningh. n. — 50
Schultz, Gerh., quibus auctoribus Aelius Festus Aphthonius de re metrica usus sit. gr. 8. (55 S.) Breslau 885. Kuh. n. 1. —
Schultz, Gust., die Chemie d. Steinkohlentheers m. besond. Berücksicht. der künstlichen organischen Farbstoffe. Mit eingedr. Holzst. 2. vollständig umgearb. Aufl. 1. Bd. Die Rohmaterialien. gr. 8. (XVI, 823 S.) Braunschweig 886. Vieweg & Sohn. n. 26. —
Schultz, H., Haut, Haare u. Nägel. Ihre Pflege, ihre Krankheiten u. deren Heilg. Nebst e. Anh. üb. Kosmetik. 3. Aufl. Mit 46 Abbildgn. 8. (XII, 152 S.) Leipzig 885. Weber. n. 2. —; geb. n.n. 3. —
Schultz, H., pathologische u. therapeutische Mittheilungen aus der Privat-Heilanstalt f. Hautkranke v. H. S. 8. (21 S.) Kreuznach 886. (Schmithals.) — 75
Schultz, Herm., zur Lehre vom heiligen Abendmahl. Studien u. Kritiken. gr. 8. (VII, 144 S.) Gotha 886. F. A. Perthes. n. 3. —
— Predigt, bei der Feier d. 400jähr. Geburtstags Dr. Martin Luther's geh. in der Universitäts-Kirche zu Göttingen 11. Novbr. 1883. gr. 8. (16 S.) Göttingen 883. Vandenhoeck & Ruprecht's Verl. n. — 40
— alttestamentliche Theologie. Die Offenbarungsreligion auf ihrer vorchristl. Entwickelungsstufe. 3. Aufl. gr. 8. (XII, 838 S.) Ebend. 885. n. 15. —
Schultz, Jul., Atto v. Vercelli. [924—961.] gr. 8. (101 S.) Göttingen 885. (Vandenhoeck & Ruprecht.) n. 2. 60
Schultz, Karl Thdr., nach dem Leben. Novellen. 8. (317 S.) Leipzig 884. Keil's Nachf. 4. 50
— dasselbe, s.: Romanbibliothek der Gartenlaube.
Schultz, M., Pique fünf, s.: Familien-Bibliothek.
Schultz, Wold., zur häuslichen Erbauung. Tägliche Andachten in Lied, Schrifterklärg. u. Gebet nach Ordng. d. Kirchenjahres. gr. 8. (VI, 716 S.) Reval 884. Prahm. n. 7. —; geb. n. 8. —
Schultze, Luthers Bedeutung f. die christliche Kirche, s.: Vorträge, 5, geh. zur Vorbereitung der Lutherfeier in Görlitz.
Schultze, Alfr., Erörterungen zur Lehre v. d. Veräusserung der in Streit befangenen Sache u. der Cession d. geltend gemachten Anspruchs nach dem Rechte der deutschen Civilprozessordnung. gr. 8. (62 S.) Breslau 886. (Köhler.) n. 1. —
Schultze, Aug. S., Privatrecht u. Process in ihrer Wechselbeziehung. Grundlinien e. geschichtl. Auffassg. d. heut. Civilprocessrechts. Zugleich e. Beitrag zur Lehre v. den Rechtsquellen, insbesondere zur Lehre vom sogenannten Gewohnheitsrecht. 1. Thl. gr. 8. (XLII, 603 S.) Freiburg i/Br. 883. Mohr. n. 16. —
Schultze, Bernh. Sigm., Anleitung zur Wendung auf den Fuss u. zum Gebrauch der Geburtszange f. die zur Ausführung der genannten Operationen ausdrücklich berechtigten Hebammen. gr. 8. (VI, 22 S.) Leipzig 885. Engelmann. n. — 60
— unser Hebammenwesen u. das Kindbettfieber, s.: Sammlung klinischer Vorträge.
— Lehrbuch der Hebammenkunst. 7. Aufl. Mit 90 Holzschn. gr. 8. (XXIII, 368 S.) Leipzig 884. Engelmann. n. 7. —; Einbd. n.n — 75
— über Totalexstirpation d. karzinomatösen Uterus, s.: Sonderabdrücke der deutschen Medicinal-Zeitung.
Schultze, C. F. E., der rationelle Estanziabetrieb im unteren La Plata-Gebiete als productives Feld f. deutsches Kapital u. deutsche Arbeitskräfte. Ein Entwurf zu e. allmähl. Umwandlg. d. bisher. extensiven Betriebes in e. m. bäuerl. Ansiedelgn. verbundenen u. e. höhere Rentabilität gewähr. möglichst intensiven Betrieb. gr. 8. (VI, 153 S.) Hamburg 886. Friederichsen & Co. n. 3. 50

Schuller, Gust., Leitfaden f. den Unterricht in der Geographie v. Oesterreich-Ungarn zum Gebrauche an Gewerbeschulen. gr. 8. (38 S.) Hermannstadt 881. Michaelis. n. — 70

— Reinold. Ein Bild aus den Karpathen. 2. Aufl. 8. (96 S.) Wien 884. Graeser. n. 1. 60; cart. n. 1. 80; geb. n. 2. 40

Schüller, Carl, die bimetallistische Propaganda, vom Goldwährungs-Standpunkt aus beleuchtet. gr. 8. (36 S.) Leipzig 886. Klinkhardt. n. — 50

Schüller, F., Handbuch f. die Infanterie-, Jäger- u. Cavallerie-Pionniere, s.: Friedl, H.

Schüller, Max, die chirurgische Anatomie in ihrer Beziehung zur chirurgischen Diagnostik, Pathologie u. Therapie. Ein Handbuch f. Studirende u. Aerzte. 1. Hft. Die obere Extremität. Mit Holzschn. gr. 8. (X, 367 S.) Berlin 885. G. Reimer. n. 7. —

Schulliederbuch. Eine Sammlg. ein- u. mehrstimm. Lieder in stufenmäß. Folge, hrsg. v. der „Pestalozzi-Stiftg." in Spandau. 3 Hfte. 8. Spandau 884. Jürgens. n. — 65
1. (24 S.) n. — 15. — 2. (38 S.) n. — 20. — 3. (63 S.) n. — 30

— Geraer. Zusammengestellt u. bearb. v. den Gesanglehrern der Bürgerschulen zu Gera. 1—3. Hft. Gera 885. (Burow.) n. 1. 10
1. Unterstufe enth.: Lieder, Choräle u. method. Übgn. f. die ersten 2 Schuljahre. (24 S.) n. — 20
2. Mittelstufe f. das 3. u. 4. Schuljahr. (48 S.) n. — 30
3. Oberstufe A. f. das 5. u. 6. Schulj. (146 S.) n. — 60

— Leipziger. Im Auftrage d. Leipziger Lehrervereins ausgearb. v. e. Kommission Leipziger Lehrer. 3 Hfte. 8. Leipzig, (Hinrichs' Sort.). geb. n.n. 1. 30
1. Unterstufe, enth. 91 Lieder, 19 Choräle u. 144 method. Übgn. f. die ersten 4 Schuljahre. 4., in den Chorälen nach dem neuen Landeschoralbuche f. Sachsen abgeänderte Aufl. (IV, 89 S.) 886. n. — 40
2. Mittelstufe, enth. 88 Lieder, 18 Choräle u. 96 method. Übgn. f. das 5. u. 6. Schulj. 3. Aufl. (110 S.) 885. n. — 40
3. Oberstufe, enth. 100 Lieder, 14 Choräle u. 22 method. Übgn. f. das 7. u. 8. Schuljahr. 2., verb. Aufl. (168 S.) 885. n.n. — 50

— Schwarzburg-Rudolstädter. Hrsg. von dem Landes-Lehrerverein. 5. Aufl. (III, 156 S.) Rudolstadt 885. Hofbuchdruckerei. n. — 50; geb. n. — 90

Schullze, Ed., e. geographischer u. antiquarischer Streifzug durch Capri. Mit 1 Karte. gr. 8. (38 S.) Berlin 886. Gaertner. n. 1. —

Schulmann, der deutsche. Magazin f. die Praxis in den Seminarien, Präparandenanstalten, Mittel-, höheren Mädchen-, Volks- u. Fortbildungsschulen. Red. unter Mitwirkg. namhafter Pädagogen u. Schulmänner v. Fr. Ed. Keller. 6. u. 7. Jahrg. 1883 u. 1884. à 36 Nrn. (B.) 4. Berlin, Keller. à Jahrg. n. 6. —

— der praktische. Archiv f. Materialien zum Unterricht in der Real-, Bürger- u. Volksschule. Hrsg. v. Alb. Richter. 32—35. Bd. Jahrg. 1883—1886. à 8 Hfte. (ca. 6 B.) gr. 8. Leipzig, Brandstetter. à Jahrg. n. 10. —

— rheinischer. Evangelische Zeitschrift f. Erziehg. u. Unterricht in Schule u. Haus, unter Mitwirkg. v. Beck, K. Becker I., Bezzenberger 2c. hrsg. v. G. Schumann u. A. Bode. 1—4. Jahrg. 1883—1886. à 26 Nrn. (2½ B.) gr. 8. Neuwied, Heuser's Verl. à Jahrg. n. 6. —

Schulmeister, W., Steiermark, s.: Renaissance, deutsche, in Oesterreich.

Schul-Notizbuch f. Lehrer. Winter-Semester 1883—84. 12. (63 S.) Potsdam, Rentel's Verl. geb. n. — 50

Schul-Notiz-Kalender, allgemeiner, f. d. J. 1887 m. e. Datumzeiger f. die Monate Oktbr.-Dezbr. 1886 u. Jan.-Apr. 1887, hrsg. v. G. Noack. 5. Jahrg. 16. (128 S.) Leipzig, Wartig's Verl. geb. n. — 80

Schulordnung, die, f. die kgl. bayer. Studienanstalten. Kgl. Allerhöchste Verordng. vom 20. Aug. 1874. 2. Aufl. 8. (35 S.) Würzburg 885. Stahel. — 20

Schul-Orthographie, die neue [v. Puttkamersche]. Ein Beitrag zur Würdigung der bezügl. Reformbestrebgn. gr. 8. (20 S.) Wien 884. (Pichler's Wwe. & Sohn.) n. — 40

Schulpe, Geo. v., Gedichte. Eigenes u. Fremdes. 8. (44 S.) Leipzig 886. (Preßburg, Heckenast's Nachf.) n. 1. —

— germanische Göttersagen. Mythologische Gedichte, gesammelt u. zusammengestellt. Mit Einleitg. v. Felix Dahn. gr. 8. (XVI, 108 S.) Leipzig 886. Friedrich. n. 2. —

Schulpe, Geo. v., s.: Petöfi.

Schulpraxis, deutsche. Wochenblatt f. Praxis, Geschichte u. Litteratur der Erziehg. u. d. Unterrichts. Hrsg.: Ernst Wunderlich. 3—6. Jahrg. 1883—1886. à 52 Nrn. (B.) gr. 4. Leipzig, Wunderlich. à Jahrg. n. 6. 40

Schulrecht, preußisches, od. Erlasse d. königl. preuß. Ministers der geistl., Unterrichts- u. Medizinal-Angelegenheiten u. der Konsistorien, das Volksschul-, Präparanden- u. Seminarwesen betr., nebst e. Anh.: Verzeichnis der Unterrichts-Verwaltgn. im Königr. Preußen. 12. (VI, (285 S.) Hoyerswerda 883. Leipzig, F. E. Fischer's Verl. n. 1. —

Schulte vom Brühl, Entenzucht. Sammlung v. Zeitungsenten. 8. (77 S.) Berlin 884. Eckstein Nachf. n. 1. —

— die letzte Heidin. Ein Märchen f. die Jugend von 14—18 Jahren. 8. (106 S. m. 1 Chromolith.) Lahr 886. Schauenburg. cart. n. — 70; geb. n. 1. —

— Kleinigkeiten. Humoristische Blätter. 8. (166 S.) Leipzig 885. Bauer. n. 2. —

— die Nixe vom Walchensee. Ein Märchen aus Oberbayern. 8. (92 S. m. 1 Chromolith.) Lahr 886. Schauenburg. cart. n. — 70; geb. n. 1. —

— Piep, der Staarmatz. Eine Vogel- u. Knabengeschichte. Illustrationen nach Schulte v. Brühl v. L. Meggendorfer. gr. 8. (53 S. m. eingedr. color. Illustr.) München 884. Braun & Schneider. cart. n. 1. 50

— die Priesterin der Holde. Ein episches Gedicht in 12 Gesängen. 8. (108 S.) Lahr 886. Schauenburg. geb. 1. 50

— Prinzeßchen Tausendschön. Ein buntes Märchen. 8. (67 S. m. 1 Chromolith.) Ebend. 886. cart. n. — 50; geb. — 75

— Hans Wohlgemut, der Spielmann. Ein Märchen f. groß u. klein. 8. (90 S. m. 1 Chromolith.) Ebend. 886. cart. n. — 70; geb. n. 1. —

Schulte, A., s.: Urkunden u. Akten der Stadt Strassburg.

Schulte, A., Sammlung zweistimmiger Gesänge f. den katholischen Militärgottesdienst. 12. (IV, 96 S.) Saarlouis 886. Hausen. geb. n.n. — 60

Schulte, F., der Jugendsänger. Eine Liedersammlg. f. kathol. Volksschulen, nebst e. Anleitg. zu den Vorübgn. im Singen nach Ziffern u. zum Einüben der Lieder, u. e. Anh., enth.: Melodieen zu Liedern in den Lesebüchern f. Unter- u. Mittelklassen kathol. Volksschulen. I. Ausg.: Text m. Melodie in Ziffern. 3. Aufl. 8. (XXIV, 288 S.) Paderborn 886. F. Schöningh. n. 1. 60

— dasselbe. Eine Sammlg. der beliebtesten u. bewährtesten Lieder, ein-, zwei- u. dreistimmig, f. Schule u. Leben. Nebst Turnliedern, Kanons u. Singspielen. Ausgabe II ohne Ziffernoten. 6. Aufl. 16. (126 S.) Ebend. 886. n. — 30

Schulte, Frz. Xav., biblische Geschichte d. Alten u. Neuen Testamentes. (Für Oberklassen.) 4. Aufl. 8. (400 S.) Paderborn 885. Junfermann. n. — 80

— dasselbe f. Mittelklassen. 8. (174 S.) Ebend. 885. n. — 40

— kleine biblische Geschichte. 8. (48 S.) Ebend. 885. — 15

Schulte, Joh. Frdr. v., der Altkatholicismus, Geschichte seiner Entwicklg., inneren Gestaltg. u. rechtl. Stellg. in Deutschland. Aus den Akten u. andern authent. Quellen dargestellt. gr. 8. (XV, 683 S.) Giessen 887. Roth. n. 12. —; Einbd. n.n. 2. 50

— Karl Friedrich Eichhorn. Sein Leben u. Wirken, nach seinen Aufzeichngn., Briefen, Mittheilgn. v. Angehörigen, Schriften beschrieben. Mit vielen ungedruckten Briefen v. Eichhorn u. an Eichhorn. gr. 8. (VIII, 255 S.) Stuttgart 884. Enke. n. [illegible]

— Lehrbuch d. katholischen u. evangelischen Kirchen[illegible] nach dem gemeinen Rechte, dem Rechte der deutschen [illegible] der u. Oesterreichs. 4. Aufl. d. kathol., 1. d. [illegible] gr. 8. (XVI, 559 S.) Gießen 886. Roth. [illegible]

Schulte-Plaßmann, Jos., der Episkopat, e. [illegible]terat verschiedener, selbständiger u. sakrame[illegible] od. die Bischofsweihe ein Sakrament. [illegible] dogmat. Abhandlg. gr. 8. (156 S.) Babe[illegible]nifacius-Druckerei.

Schulz, Bernh., die deutsche Grammatik in ihren Grundzügen. Ein Leitfaden beim Unterrichte in der Muttersprache. 8. Aufl. gr. 8. (VIII, 180 S.) Paderborn 886. F. Schöningh. n. 1. 20

— deutsches Lesebuch f. höhere Lehranstalten. 1. Tl. Für die unteren u. mittleren Klassen. 7. Aufl. gr. 8. (XV, 564 S.) Ebend. 886. n. 2. 65

— die Schulordnung f. die Elementarschulen der Provinzen Ost- u. West-Preußen vom 11. Dezbr. 1845, nebst den zur Erklärg. u. Ergänzg. ihrer Bestimmgn. dien. allerhöchsten Ordres, Gesetzen, Ministerialreskripten, Entscheidgn. der Gerichte u. Verordngn. der kgl. Regiergn. hrsg. gr. 4. (XV, 650 S.) Danzig 888. Kafemann. n. 15. —

— die Schulordnung f. die Provinzen Ost- u. Westpreußen vom 11. Dezbr. 1845, nebst Erläutergn. zu derselben u. den wichtigsten Verfüggn. der königl. Regiergn. in Königsberg, Gumbinnen, Danzig u. Marienwerder. Für Seminarzöglinge u. Lehrer hrsg. gr. 8. (VII, 226 S.) Ebend. 885. n. 2. 40

Schulz, C., der religiöse Lernstoff f. Volksschulen, s.: Müller, H.

Schulz, Carlotto, vegetarisches Kochbuch [m. Gesundheitsregeln] f. alle, die gesund u. lange leben wollen. Rev. v. Liepelt. Nebst e. Anh.: „Ernährung der Säuglinge" u. „Winke f. Verdauungsleidende". Von H. Lahmann. 8. (100 S.) Berlin 886. Breitkreuz. n. — 60; geb. n. 1. —

Schulz, Emilian, Sammlung v. Volksschulgesetzen u. h. Verordnungen f. die Markgrafsch. Mähren. Mit e. Anleitg. zum Gebrauche der Amtsschriften. 2. Aufl. gr. 8. (XV, 548 S.) Brünn 883. (Winkler.) n. 4. —; geb. n. 4. 40

Schulz, Ernst, die Kunst d. Bauchredens. Mit e. gründl. Anweisg., dieselbe zu erlernen, u. geigneten Uebungs-Dialogen versehen. 2. Aufl. 8. (VIII, 154 S.) Erfurt 885. Bartholomäus. n. 2. —

Schulz, F. A., kleine Harmonielehre. Ein Handbüchlein f. angeh. Musiker, wie auch überhaupt f. alle Freunde der Musik, die in prakt. Beziehg. schon e. höhern Standpunkt eingenommen haben; insbesondere aber f. Lehrer, welchen daran liegt, in kurzer Zeit m. ihren Schülern e. eben so leichtfaßl. als gründl. Kursus in obengenannter Wissenschaft durchzumachen. 3. Aufl. 12. (VIII, 52 S.) Leipzig 886. Merseburger. — 45

— deutsche Liederhalle, s.: Lüdicke, Ch. H.

— Sängerlust. Ernste u. heitere Jugendlieder in zwei-, drei- u. vierstimm. Bearbeitg. Insbesondere f. Oberklassen der Volksschulen. 8. (II, 82 S.) Braunschweig 885. Wollermann. n. — 50

Schulz, F. W., Erinnerungen e. preuß. Soldaten aus der Zeit von 1800—1809, s.: Beiheft zum Militär-Wochenblatt.

Schulz, F. W., Gesetze üb. den Viehhandel, nebst den Vorschriften betr. Maßregeln gegen die Rinderpest; Beseitigung v. Ansteckungsstoffen bei Vieh-Beförderga.; Vieheinfuhrverbote; Abwehr u. Unterdrückg. v. Viehseuchen. Reichsgerichtsentscheidungen u. Klageformulare. 4. Aufl. gr. 8. (62 S.) Berlin 886. Burmester & Stempell. n. — 50

Schulz, Ferd., theoretisch-praktische Anleitung zur leichten u. gründlichen Erlernung der böhmischen Sprache f. Deutsche. Zum Schul- u. Selbstunterrichte. gr. 8. (IV, 208 S.) Prag 884. Řivnáč. n. 2. 40

— deutsch-böhmisches Conversations-Buch. Leichtfaßliche Anleitg., die böhm. Sprache in der kürzesten Zeit zu erlernen. 3. Aufl. 8. (192 S.) Ebend. 883. n. 2. —

Schulz, Frz., Ursprung der menschlichen Sprache. Physiologischer Beweis f. Natur, System u. Abweichg. d. menschl. Sprachbaues. 8. (VIII, 123 S.) Berlin 886. F. Luckhardt. n. 4. —

Schulz, Frdr. Ferd., quibus ex fontibus fluxerint Agidis, Cleomenis, Arati vitae Plutarcheae. gr. 8. (57 S.) Berlin 886. Haack. n. 2. —

Schulz, G. Ch., sehet Euch vor! Prüfet Alles, vor Allem aber die Geister! Ein Wort zur Prüfg. der Separation u. d. Freikirchenthums. Erweit. Aufl. 1. Hft. 12. (259 S.) Nürnberg 882. Raw. n. — 60

Schulz, H., Bleikrankheiten, s.: Sonderabdrücke der Deutschen Medicinal-Zeitung.

Schulz, H., Characteristisch, s.: Dilettanten-Mappe.

Schulz, Herm., quae nova Sophocles protulerit nomina composita. gr. 8. (74 S.) Königsberg 882. (Beyer.) n. 1. 20

Schulz, Hugo, die officinellen Pflanzen u. Pflanzenpräparate. Zum Gebrauch f. Studirende u. Aerzte übersichtlich zusammengestellt. Mit 94 Illustr. gr. 8. (III, 176 S.) Wiesbaden 885. Bergmann. n. 4. 60

Schulz, J., Anleitung zur Untersuchung der f. die Zucker-Industrie in Betracht kommenden Rohmaterialien, Producte, Nebenproducte u. Hülfssubstanzen, s.: Frühling, R.

Schulz, Joh. Frdr. Chr., der Volksschul-Zeichen-Unterricht. Für Lehrer bearb. 2 Thle. 4. Wittenberg 888. Herrosé Verl. à n. 4. 50

1. Der Zeichenunterricht in Knaben- u. gemischten Klassen. (XXVI, 112 S. m. eingedr. Fig. u. 2 color. Steintaf.)
2. Der Zeichenunterricht in Mädchenklassen. (XXVI, 115 S. m. eingedr. Fig. u. 2 color. Steintaf.)

— dasselbe, Übungshefte f. Knaben- u. gemischte Klassen. 4. Ebend. 885. n. — 93

1—4. (à 10 Bl.) n. — 12. — 5—7. (12, 12 u. 14 Bl.) à n. — 15

— dasselbe. 7 Übungshefte m. Vorzeichngn. f. Mädchenklassen. 4. Ebend. 885. n. — 87

1—6. (à 10 Bl.) à n. — 12. — 7. (12 Bl.) n. — 15

Schulz, John Frederic, newest guide through Prague. With 10 (photolith.) views, and a map of Prague. 12. (VIII, 128 S.) Prag 884. Neugebauer. geb. n. 3. 60

Schulz, K., zur Literärgeschichte d. Corpus juris civilis. [Festgabe, zum 50jähr. Amtsjubiläum Sr. Exc. d. Hrn. Reichsger.-Präs. Dr. Ed. Simson am 22. Mai 1883 überreicht.] gr. 8. (34 S.) Leipzig 883. Breitkopf & Härtel. n. 1. —

Schulz, O., zur Erinnerung an Friedrich den Großen, s.: Volksschriften.

Schulz, O. A., allgemeines Adressbuch f. den deutschen Buchhandel, den Antiquar-, Kolportage-, Kunst-, Landkarten- u. Musikalien-Handel, sowie verwandte Geschäftszweige. 1886. Bearb. u. hrsg. v. Herm. Schulz. Mit Wilh. v. Braumüllers Bildnis (in Stahlst.). gr. 8. (XIV, 548 u. 403 S.) Leipzig 886. O. A. Schulz. geb. n. 14. —; 1. Abth. ap. geb. n. 9. 25

Schulz, Otto, s.: Hand-Fibel.

— Berlinisches Lesebuch f. Schulen. Mittel- u. Oberstufe, bearb. v. H. Bohm u. H. Lübcky. 8. Berlin 886. Nicolai's Verl. geb. n.n. 3. —

Mittelstufe. 36. u. 37. Aufl. (XII, 388 S.) n.n. 1. 25. — Oberstufe. 16. Aufl. (X, 526 S.) n.n. 1. 75

— biblisches Lesebuch. Umgearb. u. zu e. Hülfsbuch f. den Religionsunterricht in den unteren u. mittleren Klassen höherer Lehranstalten erweitert v. G. A. Felix. 22. Ster.-Aufl. gr. 8. (XVI, 304 S.) Berlin 886. Oehmigke's Verl. n. 1. 40; Einbd. n.n. — 25

Schulz, Otto, u. H. **Gühler**, zeitgemäße Anleitung zum lohnenden Betriebe der Bienenwirthschaft, unter spezieller Rücksichtnahme auf Triebfütterg., Kunstwaben, Absperrgitter, Honigkästchen u. Honigschleuder. 8. (XI, 138 S. m. 10 Steintaf.) Buckow 882. (Leipzig, Gracklauer.) n. 1. 20

Schulz, Paul, üb. Encephalopathia u. Arthralgia saturnina. gr. 8. (30 S.) Breslau 885. (Köhler.) n. 1. —

Schulz, W., Haman sin Hochtidsreis'. 8. (105 S.) Hannover 883. Weichelt. n. 1. 20

Schulz, W., der Verwaltungsdienst der königl. preussischen Kreis- u. Wasser-Bauinspektoren. Sammlung der f. den Dienst der Baubeamten der allgemeinen Bauverwaltg. in Betracht komm. Gesetze, Verordngn., Erlasse etc., f. den Handgebrauch bearb. 2., umgearb. u. bis Ende Aug. 1886 ergänzte Aufl. Mit 3 Taf. gr. 8. (XX, 450 S.) Berlin 886. Ernst & Korn. geb. n. 8. —

Schulz, W., Führer d. Berg- u. Hütten-Ingenieurs durch die Umgegend v. Aachen. Mit e. v. Holzapfel u. Siedamgrotzky entworfenen geolog. Karte. 8. (V, 133 S. m. 2 Stammbäumen.) Aachen 886. (Freiberg, Craz & Gerlach.) cart. n. 1. 50

Schulblatt, evangelisch-lutherisches. Monatsschrift f. Erziehg. u. Unterricht. Hrsg. v. der deutschen ev.-luth. Synode v. Missouri, Ohio u. a. Staaten. Red. vom Lehrerkollegium d. Seminars in Addison. 18. u. 19. Jahrg. 1883 u. 1884. à 12 Hfte. (B.) gr. 8. St. Louis, Mo. (Dresden, H. J. Naumann.) à Jahrg. n. 5. 50

— dasselbe. 20. u. 21. Jahrg. 1885 u. 1886. à 4 Hfte. (3 B.) gr. 8. Ebend. à Jahrg. n. 4. —

— Hagenauer. Im Auftrage u. unter Mitwirkg. der Lehrer u. Lehrerinnen d. Kreises Hagenau [Elsaß] hrsg. v. Joh. Bok. 1. Jahrg. 1884. 24 Nrn. (½ B.) gr. 8. Hagenau, Selbstverl. d. Herausgebers. n. 3. —

— katholisches. Zur Förderg. d. Elementar-Schulwesens u. religiös-sittlicher Bildung hrsg. v. F. Schmidt. 29—32. Jahrg. 1883—1886. à 8 Hfte. (3 B.) gr. 8. Ober-Glogau, Handel. à Jahrg. n. 3. —

— mecklenburgisches. Hrsg. v. Kliefoth u. Ebeling. 35. Jahrg. 1884. 52 Nrn. (à ½—1 B.) gr. 8. Ludwigslust. (Wismar, Hinstorff's Verl.) n. 4. —

— oldenburgisches. Eigenthum d. oldenburger Landes-Lehrervereins. Im Auftrage d. Vereins-Vorstandes hrsg. v. E. Rost. 7—10. Jahrg. 1882/86. à 24 Nrn. (B.) gr. 4. Oldenburg, (Bültmann & Gerriets). à Jahrg. n. 4. —

— ostfriesisches. Organ d. ostfries. Lehrervereins. Red.: van der Laan. 23—26. Jahrg. 1883—1886. à 12 Nrn. (à 1—2 B.) gr. 8. Emden, Haynel. à Jahrg. n. 2. —

— preußisches. Organ d. westpreuß. Provinzial-Lehrer-, sowie d. westpreuß. Lehrer-Sterbekassen-Vereins ꝛc. Red.: Paul Opitz. 5—8. Jahrg. 1883—1886. à 52 Nrn. (à 1—1½ B.) Mit Gratisbeilage: Illustrirtes Sonntagsblatt. 52 Nrn. (½ B.) gr. 4. Danzig, Axt. à Jahrg. n.n. 4. —

— der Prov. Sachsen. [Organ d. Provinzial-Pestalozzi- u. Provinzial-Lehrer-Vereins.] Begründet von W. Dietlein u. fortgeführt unter Mitwirkg. v. Volksschullehrern der Provinz v. Ernst Lausch u. Ed. Wießner. 22—25. Jahrg. 1883—1886. à 24 Nrn. (B.) gr. 4. Quedlinburg, Huch. à Jahrg. n. 4. 60

— schlesisches, hrsg. v. schles. Landes-Lehrervereine. Red.: Alois Meixner. 12—15. Jahrg. 1883—1886. à 24 Nrn. (B.) gr. 8. Troppau, (Buchholz & Diebel). à Jahrg. n.n. 4. —

— für Thüringen u. Franken. Organ d. meining. Lehrervereins. Hrsg. u. red. v. Tuiscon Rotteck. 26. Jahrg. 1883. 24 Nrn. (½ B.) gr. 4. Camburg, (Schreyer). n. 3. 40

— allgemeines, f. d. Reg.-Bez.-Wiesbaden. 36. u. 37. Jahrg. 1885 u. 1886. à 36 Nrn. (B.) gr. 4. Wiesbaden, Bechtold & Co. à Jahrg. 4. 50

Schulblätter, badische. Organ f. die Interessen der Erziehg. u. d. Unterrichts. Korrespondenzblatt f. das bad. Mittelschulwesen. Hrsg. unter Mitwirkg. mehrerer bad. Schulmänner. Red.: Bihler. 1. Jahrg. Apr.—Decbr. 1884. 9 Nrn. (à 1—1½ B.) Lex.-8. Berlin, Reuther. n. 3. —

— dasselbe. 2. u. 3. Jahrg. 1885 u. 1886. à 12 Nrn. (à 1—1½ B.) Lex.-8. Ebend. à Jahrg. n. 4. —

Schulbote, der christliche. Wochenblatt f. evangel. Lehrer u. Lehrervereine Deutschlands. Red.: C. Leimbach. 21. Jahrg. 1883. 104 Nrn. (½ B.) gr. 8. Goslar. (Leipzig, Böhme.) n. 6. —

— dasselbe. 22. Jahrg. 1884. 52 Nrn. (à 2—2½ B.) gr. 4. Hannover, Weichelt. n. 6. —

— dasselbe. 23. Jahrg. 1885. 52 Nrn. (à 2—2½ B.) gr. 4. Leipzig, Dürr'sche Buchh. n. 6. —

— dasselbe. 24 Jahrg. 1886. 52 Nrn. (à 2—2½ B.) gr. 4. Ebend. n. 7. 20

— für Hessen. Organ d. hess. Landeslehrer-Vereins u. der Ludwig- u. Alice-Stiftg. Red.: J. Schmitt. 24—27. Jahrg. 1883—1886. à 24 Nrn. (B.) gr. 4. Darmstadt. (Gießen, Roth.) à Jahrg. n.n. 3. 60

— der österreichische. Zeitschrift f. die Interessen d. österr. Schulwesens. Red.: Frz. Frisch-Klagenfurt. 33—36. Jahrg. 1883—1886. à 24 Nrn. (à 1½—2 B.) gr. 8. Wien, Pichler's Wwe. & Sohn. à Jahrg. n. 8. —

— süddeutscher. Eine Zeitschrift f. das deutsche Schulwesen. Red.: F. Kübel. 47—50. Jahrg. 1883—1886. à 26 Nrn. (B.) gr. 4. Stuttgart, J. F. Steinkopf. à Jahrg. n. 4. —

Schul- u. Kirchen-Bote. Hrsg.: Frz. Obert. 18. Jahrg. 1883. 12 Nrn. (à 1½—2 B.) gr. 8. Hermannstadt, Filtsch. n.n. 5. 50

Schulbuch, erstes, f. Elementar-Schüler. Neue Bearbeitg. d. „Erstes Lesebuch f. Elementar-Schüler" v. hess. Lehrern. 2. Aufl. 8. (88 S. m. Holzschn.) Oppenheim 883. Kern. geb. n. — 50

— erstes, f. schweizerische Primarschulen. Mit zahlreichen Illustr. 3. Aufl. 8. (62 S.) Einsiedeln 886. Benziger & Co. cart. n. — 35

Schul-Choralbuch. Nach den Grundsätzen d. Hrn. Faißt zusammengestellt. Mit besond. Rücksicht auf die Bedürfnisse v. Kirche u. Schule bearb. Hrsg. v. den beiden Unterstützungs-Vereinen der württ. evang. Volksschullehrer. 3 Tle. 8. Eßlingen 883. (Weismann.) cart. n.n. — 90

1. Einstimmige Choräle. (40 S.) n.n. — 20
2. Choräle f. 2 u. 3 Kinderstimmen. (64 S.) n.n. — 35
3. Choräle f. 2 Kinderstimmen u. f. 2 Kinderstimmen u. 1 Männerstimme. (64 S.) n.n. — 35

Schule, die, im Lichte der socialen Forderungen der Gegenwart. Ein Beitrag zur Lösg. der Schulfrage. 8. (III, 52 S.) Hamburg 882. Berendsohn. n. 1. —

— u. Haus. Von e. süddeutschen Schulmanne. gr. 8. (39 S.) Straßburg 883. Trübner. n. — 80

Schüle, H., klinische Psychiatrie, s.: Handbuch der speciellen Pathologie u. Therapie.

Schulenburg, Graf v. der, Geschichte d. Magdeburgischen Dragoner-Regiments Nr. 6, auf Veranlassg. d. Regiments geschrieben, unter Mitwirkg. v. Briesen. Mit e. Portr., 1 Skizze u. 3 Karten. gr. 8. (VIII, 225 S.) Berlin 885. Mittler & Sohn. n. 6. 50

Schuler, üb. die Ernährung der Fabrikbevölkerung u. ihre Mängel. 1. Referat f. die Jahresversammlg. der Schweiz. gemeinnütz. Gesellschaft den 19. Septbr. 1882 in Glarus. gr. 8. (54 S.) Zürich 883. (Herzog.) n. — 80

— die Ernährungsweise der arbeitenden Klassen in der Schweiz u. ihr Einfluss auf die Ausbreitung d. Alkoholismus. Im Auftrage des Departements d. Innern der schweiz. Eidgenossenschaft verf. gr. 8. (39 S.) Bern 884. (Schmid, Francke & Co.) n.n. — 60

Schuler, G. M., der Pantheismus. Gewürdigt durch Darlegg. u. Widerlegg. gr. 8. (136 S.) Würzburg 884. Bucher. n. 2. —

Schuler, J., Jakob Stainer, s.: National-Bibliothek, deutsch-österreichische.

Schüler, der höfliche. Ein Geschenk f. die Jugend. Neu bearb. u. verm. v. e. Freunde der Jugend. 12. (79 S.) Regensburg 884. Verlags-Anstalt. n. — 35

Schueler, die Feldbefestigung in Beispielen f. Offiziere aller Waffen. 2. Aufl. Mit 33 Holzschn. u. 6 Taf. in Steindr. gr. 8. (III, 82 S.) Berlin 886. Mittler & Sohn. n. 3. —

— Leitfaden f. den Unterricht in der Befestigungslehre u. im Festigungskrieg an den königl. Kriegsschulen. Auf Veranlassg. der General-Inspektion d. Militär-Erziehungs- u. Bildungswesens ausgearb. Mit Abbildgn. u. Taf. 5. Aufl. 4. (VIII, 167 S.) Ebend. 886. n. 5. —

Schüler, Wilh. Frdr., die allgemeine Derivation e. neuer Grundbegriff der Funktionenrechnung, hier insbesondere der Differentialrechnung. Eine Festschrift zum 500jähr. Jubiläum der Ruperto-Carola. gr. 8. (X, 94 S.) Ansbach 886. Brügel & Sohn. 3. —

— die Falllinie u. die Planetenbahnen als involutorische Punktreihen, auf Grund d. Prinzips der Erhaltg. der Kraft elementar behandelt. 2. Aufl. gr. 8. (IV, 35 S.) Freising 882. Ebend. 1. 20

— das Imaginäre in der analytischen Geometrie u. das Problem der stationären Strömung in der unendlichen Ebene. gr. 8. (IV, 29 S.) Ebend. 882. 1. —

Schülerarbeiten der kgl. Kunst-Gewerbe-Schule Dresden. Ostern 1881—1882. Fol. (60 Lichtdr.-Taf. m. 1 Bl. Text.) Dresden 883. Gilbers' Verl. In Mappe. n. 60. —

Schüler-Bibliothek, englische. Hrsg. v. A. Wiemann. 3—6. 9. 15—27. Bdchn. 16. Gotha, Schloeßmann. cart. n. 11. 20

3. Fünf Erzählungen aus W. Irvings Alhambra. Mit e. Verzeichnis der Redensarten. 3. Aufl. (120 S.) 885. n. — 60
4. Col[a] Monti. Mit e. Verzeichnis der Redensarten. (VI, 185 S.) 884. n. 1. —
5. Sir Walter Scott's tales of a grandfather. 6 Kapitel. Mit e. Verzeichnis der Redensarten. 3. Aufl. (127 S.) 885. n. — 60
6. Captain Marryat, the three cutters. Mit e. Verzeichnis der Redensarten. 2. Aufl. (110 S.) 885. n. — 60
9. Five tales from Shakespeare by Charles Lamb. Mit e. Verzeichnis der Redensarten. (V, 121 S.) 884. n. — 60
15. Sammlung englischer Gedichte. (VIII, 121 S.) 2. Aufl. 884. n. — 60
16. Deaf and dumb. An historical drama, in 5 acts, by Thom. Holdcroft. Mit e. Verzeichnis der Redensarten. (100 S.) 883. n. — 60
17. A sketch of the life of Schiller. By Bulwer. Mit e. Verzeichnis der Redensarten. (123 S.) 883. n. — 60
18. Maria Stuart. Aus Scott's Tales of a grandfather. Mit e. Verzeichnis der Redensarten. (132 S.) 883. n. — 60
19. The Bengal tiger by Ch. Dance. Apartmen's by Will. Brough. Mit e. Verzeichnis der Redensarten. (95 S.) 883. n. — 60
20. The battle of Waterloo. By Sir Ed. Creasy. Mit e. Verzeichnis der Redensarten. (143 S.) 884. n. — 60
21. Gulliver's voyage to Liliput. By J. Swift. Mit e. Verzeichnis der Redensarten. (115 S.) 884. n. — 60
22. Napoleon Bonaparte I. Mit e. Verzeichnis der Redensarten. (124 S.) 885. n. — 60
23. Creasy, drei Entscheidungsschlachten d. 18. Jahrh. Mit e. Verzeichnis der Redensarten. (126 S.) 885. n. — 60
24. Sechs Erzählungen aus A book of golden deeds. Mit e. Verzeichnis der Redensarten. (99 S.) 885. n. — 60
25. Napoleon Bonaparte II. Mit e. Verzeichnis der Redensarten. (114 S.) 885. n. — 60
26. Gulliver's voyage to Brobdingnag. By J. Swift. Mit e. Verzeichnis der Redensarten. (107 S.) 886. n. — 60
27. Golden deeds. II. Mit e. Verzeichnis der Redensarten. (112 S.) 886. n. — 60

— dasselbe. Wörterverzeichnis zum 1—9. 11. 14. 16. u. 18. Bdchn. v. A. Wiemann. 16. (à ca. 30 S.) Ebend. 883—86. à n. — 20

Schülerfreund, deutscher. Notizkalender f. Gymnasiasten u. Realschüler f. 1887. Hrsg. v. F. Koch. 11. Jahrg. [Ausg. m. Wochentagen.] 3. Aufl. 16. (328 S. m. 1 Stahlst.) Leipzig, Siegismund & Volkening. geb. n. 1. —

Schülerheft zur Landeskunde des Herzogt. S.-Gotha. Bearb. u. hrsg. v. E. Bechstein, W. Henze, C. Langbein, H. Pabst, F. Paetz, E. Poppe. gr. 8. (32 S.) Gotha 885. Thienemann. n. — 20

Schüler-Jahrbuch, deutsches, 1886. Hrsg. v. Max Vogler. 10. Jahrg. Mit 1 Titelbilde. 16. (176 S.) Leipzig 885. Spamer. cart. n. — 60

Schülerinnen-Kalender f. Schülerinnen höherer Töchterschulen auf d. J. 1885. Hrsg. v. Adelheid Wildermuth. 16. (V, 234 S.) Lahr, Schauenburg. cart. — 60

Schüler-Kalender, baltischer, f. d. J. 1885. 16. (185 S.) Mitau, Behre. geb. n. 1. —

— für Schüler höherer Lehranstalten auf d. J. 1885. 16. (239 S.) Lahr, Schauenburg. cart. — 60; geb. n. 1. —

— schweizerischer, f. die Zöglinge der Mittel- u. Kantonsschulen, Seminarien, Institute etc. auf d. J. 1886. 8. Jahrg. Mit 1 Titelbilde in Stahlst.: Das Winkelried-Denkmal in Stans v. Arnold Schlöth. Hrsg. v. R. Kaufmann-Bayer. 16. (196 S.) Frauenfeld, Huber. geb. n. 1. —

Schülerliebe. Dichtung in 7 Gesängen v. E. P. S. (77 S.) Riga 886. Mellin & Neldner. n.n. 1. 50; geb. n.n. 2. 70

Schüler-Novellen. 1. u. 2. Bdchn. 12. Leipzig 886. Rasch & Co. à 1. —; geb. à 1. 80

1. Schülerliebe von Frz. Frhrn. v. Gaudy. Der verlorene Sohn von Frz. Frhrn. v. Gaudy. Erinnerungen aus dem Tagebuche e. Gymnasiasten v. A. H. Eberhard. 5. Aufl. (136 S.)
2. Junge Liebe v. Vict. Blüthgen. Schülerinnerungen v. Geo. Böttícher. Mit 7 Zeichngn. v. J. Kleinmichel. (120 S.)

Schulfreund, der. Eine Quartalschrift zur Förderg. d. Elementarschulwesens u. der Jugenderziehg. Im Vereine m. Schulmännern u. Jugendfreunden hrsg. v. J. H. Schmitz u. L. Kellner. 39—42. Jahrg. 1883—1886. à 4 Hfte. gr. 8. (à Hft. ca. 112 S.) Trier, Lintz. à Jahrg. n. 3. —

Schulgarten, der. Illustrierte Zeitschrift f. das gesammte Schulgartenwesen. Hrsg. unter der Red. v. Frz. Langauer. 1. Jahrg. 1886. 12 Nrn. (à 1/2—1 B.) gr. 8. Wien, Pichler's Wwe. & Sohn. n. 3. —

— der. Pläne m. erläut. Text. Preisgekrönte Arbeiten, hrsg. vom schweizer. landwirtschaftl. Verein. gr. 8. (134 S. m. 4 chromolith. Plänen.) Zürich 886. Hofer & Burger. n. 3. 20

Schulgeographie, kleine. Leitfaden f. den geograph. Unterricht in der Volksschule. Zugleich e. Hilfsbüchlein beim Gebrauch e. jeden Schulatlas. 11., neu bearb. Aufl. v. Itzleibs kleiner Schulgeographie. 8. (VIII, 134 S.) Gera 885. Th. Hofmann. n. — 40

Schulgesangbuch, Berliner. Ausg. A. nach dem Berliner Gesangbuch f. evangel. Gemeinden. 11. Aufl. 12. (95 S.) Berlin 886. H. R. Mecklenburg. n. — 20

— evangelisches, f. höhere Lehranstalten. 3. Aufl. 8. (VIII, 109 S.) Bielefeld 883. Velhagen & Klasing. cart. n. — 80

Schulgesangbüchlein. Auswahl v. geistl. Liederversen f. Schulandachten. 4. Aufl. 8. (144 S.) Reval 886. Kluge. cart. n. 1. —

Schulgesetz-Sammlung, deutsche. Central-Organ f. das gesammte Schulwesen im Deutschen Reiche, in Oesterreich u. in der Schweiz. Red. v. Fr. Ed. Keller u. R. Schillmann. 12—15. Jahrg. 1883—1886. à 52 Nrn. (B.) gr. 4. Berlin, Oehmigke's Verl. à Jahrg. n. 9. —

Schulgin, M. A., Phylogenesis d. Vogelhirnes. Mit 2 lith. Taf. gr. 8. (36 S.) Jena 885. (Neuenhahn.) n. 1. —

Schulin, F., das griechische Testament verglichen m. dem römischen Programm zur Rectoratsfeier der Universität Basel. gr. 4. (60 S.) Basel 882. (Detloff.) n. 2. —

Schulkalender, baltischer, f. d. J. 1886. 16. (87 S.) Riga, Kymmel's Verl. geb. n. 1. 60

— für höhere Unterrichts-Anstalten. Bearb. v. Ludw. Dietrich. 5. Jahrg. 1884. 1. Tl. gr. 16. (68 S.) Miltenberg, Halbig. cart. n. — 90; geb. n. 1. —

— für österreichische Volksschullehrer. 1885. Hrsg. vom Central-Ausschusse d. österr.-schles. Landes-Lehrervereines. 11. Jahrg. 12. (V, 80 u. 122 S.) Freudenthal, Krommer. geb. n. 1. 70

Schul- u. Lehrer-Kalender f. d. J. 1887. 16. (117 S.) Stuttgart, Aue's Verl. geb. n.n. 1. —

Schul- u. Spielkamerad, der. Notiztaschenbuch f. Schule, Spiel und Jugendsport f. d. Schulj. Ostern 1884/1885. Hrsg. v. Carl Wesing u. E. A. Wesche. 16. (158 u. 100 S. m. Stahlst.-Portr. d. Kronprinzen d. Deutschen Reichs.) Bremen, Rocco. cart. n. — 60

Schulkongreß, der deutsche evangelische; seine Zwecke u. Ziele, zugleich e. Einladungsschrift zum 2. evangel. Schulkongresse in Kassel [24—27. Septbr. 1883.] gr. 8. (15 S.) Barmen 883. Wiemann. n. — 50

Schuller, C., les oiseaux. Études. gr. Fol. (15 Chromolith.) Berlin 885. Claesen & Co. In Mappe. n. 45. —

Schuller, Gust., Leitfaden f. den Unterricht in der Geographie v. Oesterreich-Ungarn zum Gebrauche an Gewerbeschulen. gr. 8. (38 S.) Hermannstadt 881. Michaelis. n. — 70

— Reinold. Ein Bild aus den Karpathen. 2. Aufl. 8. (96 S.) Wien 884. Graeser. n. 1. 60; cart. n. 1. 80; geb. n. 2. 40

Schüller, Carl, die bimetallistische Propaganda, vom Goldwährungs-Standpunkt aus beleuchtet. gr. 8. (36 S.) Leipzig 886. Klinkhardt. n. — 50

Schüller, F., Handbuch f. die Infanterie-, Jäger- u. Cavallerie-Pionniere, s.: Friedl, H.

Schüller, Max, die chirurgische Anatomie in ihrer Beziehung zur chirurgischen Diagnostik, Pathologie u. Therapie. Ein Handbuch f. Studirende u. Aerzte. 1. Hft. Die obere Extremität. Mit Holzschn. gr. 8. (X, 367 S.) Berlin 885. G. Reimer. n. 7. —

Schulliederbuch. Eine Sammlg. ein- u. mehrstimm. Lieder in stufenmäß. Folge, hrsg. v. der „Pestalozzi-Stiftg." in Spandau. 3 Hfte. 8. Spandau 884. Jürgens. n. — 65
1. (24 S.) n. — 15. — 2. (38 S.) n. — 20. — 3. (63 S.) n. — 30

— Geraer. Zusammengestellt u. bearb. v. den Gesanglehrern der Bürgerschulen zu Gera. 1—3. Hft. Gera 885. (Burow.) n. 1. 10
1. Unterstufe enth.: Lieder, Choräle u. method. Übgn. f. die ersten 2 Schuljahre. (24 S.) n. — 20
2. Mittelstufe f. das 3. u. 4. Schuljahr. (48 S.) n. — 30
3. Oberstufe A. f. das 5. u. 6. Schulj. (146 S.) n. — 60

— Leipziger. Im Auftrage d. Leipziger Lehrervereins ausgearb. v. e. Kommission Leipziger Lehrer. 3 Hfte. 8. Leipzig, (Hinrichs' Sort.). geb. n.n. 1. 30
1. Unterstufe, enth. 91 Lieder, 19 Choräle u. 144 method. Übgn. f. die ersten 4 Schuljahre. 4., in den Chorälen nach dem neuen Landeschoralbuche f. Sachsen abgeänderte Aufl. (IV, 89 S.) 886. n. — 40
2. Mittelstufe, enth. 88 Lieder, 18 Choräle u. 96 method. Übgn. f. das 5. u. 6. Schulj. 3. Aufl. (110 S.) 885. n. — 40
3. Oberstufe, enth. 100 Lieder, 14 Choräle u. 22 method. Übgn. f. das 7. u. 8. Schuljahr. 2., verb. Aufl. (166 S.) 885. n.n. — 50

— Schwarzburg-Rudolstädter. Hrsg. von dem Landes-Lehrerverein. 5. Aufl. (III, 156 S.) Rudolstadt 885. Hofbuchdruckerei. n. — 50; geb. n. — 90

Schullze, Ed., e. geographischer u. antiquarischer Streifzug durch Capri. Mit 1 Karte. gr. 8. (38 S.) Berlin 886. Gaertner. n. 1. —

Schulmann, der deutsche. Magazin f. die Praxis in den Seminarien, Präparandenanstalten, Mittel-, höheren Mädchen-, Volks- u. Fortbildungsschulen. Red. unter Mitwirkg. namhafter Pädagogen u. Schulmänner v. Fr. Ed. Keller. 6. u. 7. Jahrg. 1883 u. 1884. à 36 Nrn. (B.) 4. Berlin, Keller. à Jahrg. n. 6. —

— der praktische. Archiv f. Materialien zum Unterricht in der Real-, Bürger- u. Volksschule. Hrsg. v. Alb. Richter. 32—35. Bd. Jahrg. 1883—1886. à 8 Hfte. (ca. 6 B.) gr. 8. Leipzig, Brandstetter. à Jahrg. n. 10. —

— rheinischer. Evangelische Zeitschrift f. Erziehg. u. Unterricht in Schule u. Haus, unter Mitwirkg. v. Beck, K. Becker I., Bezzenberger 2c. hrsg. v. G. Schumann u. A. Bode. 1—4. Jahrg. 1883—1886. à 26 Nrn. (2½ B.) gr. 8. Neuwied, Heuser's Verl. à Jahrg. n. 6. —

Schulmeister, W., Steiermark, s.: Renaissance, deutsche, in Oesterreich.

Schul-Notizbuch f. Lehrer. Winter-Semester 1883—84. 12. (63 S.) Potsdam, Rentel's Verl. geb. n. — 50

Schul-Notiz-Kalender, allgemeiner, f. d. J. 1887 m. e. Datumzeiger f. die Monate Oktbr.-Dezbr. 1886 u. Jan.-Apr. 1887, hrsg. v. G. Noack. 5. Jahrg. 16. (128 S.) Leipzig, Wartig's Verl. geb. n. — 80

Schulordnung, die, f. die kgl. bayer. Studienanstalten. Kgl. Allerhöchste Verordng. vom 20. Aug. 1874. 2. Aufl. 8. (35 S.) Würzburg 885. Stahel. — 20

Schul-Orthographie, die neue [v. Puttkamersche]. Ein Beitrag zur Würdigung der bezügl. Reformbestrebgn. gr. 8. (20 S.) Wien 884. (Pichler's Wwe. & Sohn.) n. — 40

Schulpe, Geo. v., Gedichte. Eigenes u. Fremdes. 8. (44 S.) Leipzig 886. (Preßburg, Heckenast's Nachf.) n. 1. —

— germanische Göttersagen. Mythologische Gedichte, gesammelt u. zusammengestellt. Mit Einleitg. v. Felix Dahn. gr. 8. (XVI, 108 S.) Leipzig 886. Friedrich. n. 2. —

Schulpe, Geo. v., s.: Petöfi.

Schulpraxis, deutsche. Wochenblatt f. Praxis, Geschichte u. Litteratur der Erziehg. u. d. Unterrichts. Hrsg.: Ernst Wunderlich. 3—6. Jahrg. 1883—1886. à 52 Nrn. (B.) gr. 4. Leipzig, Wunderlich. à Jahrg. n. 6. 40

Schulrecht, preußisches, od. Erlasse d. königl. preuß. Ministers der geistl., Unterrichts- u. Medizinal-Angelegenheiten u. der Konsistorien, das Volksschul-, Präparanden- u. Seminarwesen betr., nebst e. Anh.: Verzeichnis der Unterrichts-Verwaltgn. im Königr. Preußen. 12. (VI, (285 S.) Hoyerswerda 883. Leipzig, F. E. Fischer's Verl. n. 1. —

Schulte vom Brühl, Entenzucht. Sammlung v. Zeitungsenten. 8. (77 S.) Berlin 884. Eckstein Nachf. n. 1. —

— die letzte Heidin. Ein Märchen f. die Jugend von 14—18 Jahren. 8. (106 S. m. 1 Chromolith.) Lahr 886. Schauenburg. cart. n. — 70; geb. n. 1. —

— Kleinigkeiten. Humoristische Blätter. 8. (166 S.) Leipzig 885. Bauer. n. 2. —

— die Nixe vom Walchensee. Ein Märchen aus Oberbayern. 8. (92 S. m. 1 Chromolith.) Lahr 886. Schauenburg. cart. n. — 70; geb. n. 1. —

— Piep, der Staarmatz. Eine Vogel- u. Knabengeschichte. Illustrationen nach Schulte v. Brühl v. L. Meggendorfer. gr. 8. (53 S. m. eingedr. color. Illustr.) München 884. Braun & Schneider. cart. n. 1. 50

— die Priesterin der Holde. Ein episches Gedicht in 12 Gesängen. 8. (108 S.) Lahr 886. Schauenburg. geb. 1. 50

— Prinzeßchen Tausendschön. Ein buntes Märchen. 8. (67 S. m. 1 Chromolith.) Ebend. 886. cart. n. — 50; geb. — 75

— Hans Wohlgemut, der Spielmann. Ein Märchen f. groß u. klein. 8. (90 S. m. 1 Chromolith.) Ebend. 886. cart. n. — 70; geb. n. 1. —

Schulte, A., s.: Urkunden u. Akten der Stadt Strassburg.

Schulte, A., Sammlung zweistimmiger Gesänge f. den katholischen Militärgottesdienst. 12. (IV, 96 S.) Saarlouis 886. Hausen. geb. n.n. — 60

Schulte, F., der Jugendsänger. Eine Liedersammlg. f. kathol. Volksschulen, nebst e. Anleitg. zu den Vorübgn. im Singen nach Ziffern u. zum Einüben der Lieder, u. e. Anh., enth.: Melodieen zu Liedern in den Lesebüchern f. Unter- u. Mittelklassen kathol. Volksschulen. I. Ausg.: Text m. Melodie in Ziffern. 3. Aufl. 8. (XXIV, 288 S.) Paderborn 886. F. Schöningh. n. 1. 60

— dasselbe. Eine Sammlg. der beliebtesten u. bewährtesten Lieder, ein-, zwei- u. dreistimmig, f. Schule u. Leben. Nebst Turnliedern, Kanons u. Singspielen. Ausgabe II ohne Ziffernoten. 6. Aufl. 16. (126 S.) Ebend. 886. n. — 30

Schulte, Frz. Xav., biblische Geschichte d. Alten u. Neuen Testamentes. (Für Oberklassen.) 4. Aufl. 8. (400 S.) Paderborn 885. Junfermann. n. — 80

— dasselbe f. Mittelklassen. 8. (174 S.) Ebend. 885. n. — 40

— kleine biblische Geschichte. 8. (48 S.) Ebend. 885. — 15

Schulte, Joh. Frdr. v., der Altkatholicismus, Geschichte seiner Entwicklg., inneren Gestaltg. u. rechtl. Stellg. in Deutschland. Aus den Akten u. andern authent. Quellen dargestellt. gr. 8. (XV, 683 S.) Giessen 887. Roth. n. 12. —; Einbd. n.n. 2. 50

— Karl Friedrich Eichhorn. Sein Leben u. Wirken, nach seinen Aufzeichngn., Briefen, Mittheilgn. v. Angehörigen, Schriften beschrieben. Mit vielen ungedruckten Briefen v. Eichhorn u. an Eichhorn. gr. 8. (VIII, 255 S.) Stuttgart 884. Enke. n. 8. —

— Lehrbuch d. katholischen u. evangelischen Kirchenrechts nach dem gemeinen Rechte, dem Rechte der deutschen Länder u. Oesterreichs. 4. Aufl. d. kathol., 1. d. evangel. gr. 8. (XVI, 559 S.) Gießen 886. Roth. n. 12. —

Schulte-Plaßmann, Jos., der Episkopat, e. vom Presbyterat verschiedener, selbständiger u. sakramentaler Ordo od. die Bischofsweihe ein Sakrament. Eine historisch-dogmat. Abhandlg. gr. 8. (156 S.) Paderborn 883. Bonifacius-Druckerei. n. 1. 60

Schumann, Gust, Partikularist Bliemchen aus Dresden in der Schweiz Mit Federzeichngn. v. A. Reinheimer. 9. Aufl. gr. 8. (95 S) Leipzig 886. Reißner. n. 1. —

— nur hibsch gemiethlich! A Stammbischalbum v. Fritze Bliemchen aus Dräsen fer seine lieben Freinde. Illustr. v. Otto Gerlach u. A. gr. 8. (75 S.) Ebend. 886. n. 1. —

— Memoiren d. Partikularisten Bliemchen aus Dresden. Mit Federzeichngn. v. O. Gerlach u. O. Cavelli. 7. Aufl. gr. 8. (58 S.) Ebend. 886. n. 1. —

Schumann, J., gesammelte Dichtungen. 12. (VIII, 260 S.) Goslar 885. Koch. n. 2. 50; geb. n. 3. 50

Schumann, J. Chr. Glob., Handbuch d. Katechismus-Unterrichts f. Lehrer u. Prediger. 5—7. Lfg. gr. 8. (1. Bd. VII u. S. 257—392 u. 2. Bd. S. 1—64.) Hannover 883—86. Meyer. à n. — 60

— Dr. Karl Kehr. Ein Meister der deutschen Volksschule u. Lehrerbildg., nach Erinnergn. u Briefen an Freunde den deutschen Lehrern gezeichnet. Mit dem Portr. v. Kehr in Stahlst. gr. 8. (VII, 261 S.) Neuwied 886. Heuser's Verl. n. 3. —

— Lehrbuch der Pädagogik. 2 Tle. 7. Aufl. gr. 8. Hannover, Meyer. à n. 4. 40; geb. à n. 5. —

1. Einleitung u. Geschichte der Pädagogik m. Musterstücken aus den pädagog. Meisterwerken der verschiedenen Zeiten. (XII, 427 S.) 883.
2. Die systemat. Pädagogik u. die Schulkunde. (VIII, 447 S.) 884.

— Leitfaden der Pädagogik f. den Unterricht in Lehrerbildungsanstalten. 2 Tle. 4. Aufl. gr. 8. Ebend. à n. 3. —

1. Die systematische Pädagogik u. die Schulkunde. (VIII, 278 S.) 883.
2. Geschichte der Pädagogik. (VIII, 292 S.) 884.

— Gotthold Ephraim Lessings Schuljahre. Ein Beitrag zur deutschen Kultur-, Litteratur- u. Schul-Geschichte. gr. 8. (53 S.) Trier 884. Stephanus. n. 1. —

— unsere Schulzucht. Ein erweiterter Vortrag. 2. Aufl. gr. 8. (IV, 102 S.) Neuwied 884. Heuser's Verl. n. 1. —

— u. Wilh. Heinze,. Leitfaden der preußischen Geschichte. 2. Aufl. gr. 8. (II, 192 S.) Hannover 886. Meyer. cart. n. 1. 20

Schumann, K., die pädagogische Tagespresse u. ihre Großmeister zu Berlin u. Spandau. gr. 8. (48 S.) Berlin 884. Wiegandt & Grieben. n. — 50

Schumann, K., Marco Polo, e. Weltreisender d. XIII. Jahrh., s.: Sammlung gemeinverständlicher wissenschaftlicher Vorträge.

Schumann, M., die Sexualproportion der Geborenen. Eine statist. Studie. gr. 8. (III, 60 S.) Oldenburg 883. Schulze. n. 1. 60

Schumann, P., Barock u. Rococo, s.: Beiträge zur Kunstgeschichte.

— Verzeichniss zum Museum der italienischen Malerei in Orig.-Photographien, s.: Gutbier, A.

Schumann, Phil. P., Beurtheilung seines Charakters, seiner Anlagen, Fähigkeiten, Leidenschaften, Neigungen &c. nach der Handschrift. Kurze Anleitg.: Die Handschriftendeutg. zum Selbstunterricht. Bearb. f. den Gelehrtenstand, f. die Armee u. Marine &c, überhaupt f. Männer der Feder u. der Rede, sowie f. Damen besserer Stände. Lehren Schopenhauers verwerthet! gr. 8. (16 S.) Leipzig 883. Fischer. n. — 50

Schumann, Rich., die Berufsfeuerwehr. Ein Leitfaden zu ihrer Organisation u. Verwaltg. Mit 31 erläut. Holzschn. 2. Ausg. gr. 8. (IV, 129 S.) Norden 885. Fischer Nachf. n. 4. —

Schumann's, Rob., Briefe. Neue Folge. Hrsg. v. F. Gust. Jansen. gr. 8. (X, 406 S.) Leipzig 886. Breitkopf & Härtel. n. 6. —; geb. n. 7. —

— Jugendbriefe. Nach den Originalen mitgetheilt v. Clara Schumann. 2. Aufl. gr. 8. (IV, 315 S.) Ebend. 886. n. 6. —; geb. n. 7. —

— Kinderscenen. 13 Musikstücke f. das Pianoforte m. Dichtgn. v. Alb. Träger u. Bildern v. Alex. Zieck. gr. 4. (80 S. m. Holzschn. u. 6 Lichtdr.) Leipzig 886. Titze. geb. m. Goldschn. n. 20. —

— gesammelte Schriften üb. Musik u. Musiker. 2 Bde. 3. Aufl. Neue Ausg. gr. 8. (XX, 336 u. 375 S.) Leipzig 883. Breitkopf & Härtel. n. 9. —; geb. n. 11. —

Schumann, Rob., das Zimmer der Gegenwart. Eine Sammlg. neuer, meist einfach ausgeführter, Möbel stilvoller Zimmereinrichtgn. (In 5 Lfgn.) 1. u. 2. Lfg. à 10 Taf. in Lichtdr. Fol. Leipzig 885. 86. Hessling. In Mappe. à n. 8. 50

Schumann, W., Vokalismus u. Konsonantismus d. Cambridger Psalter, s.: Studien, französische.

Schumann, Wilh., petrographische Studien an vulkanischen Gesteinen Japans. gr. 8. (62 S.) Halle 883. (Tausch & Grosse.) n. 1. —

Schümann, J., Joh. Seb. Bach, der Cantor der Thomasschule zu Leipzig, s: Philologos Germaniae Lipsiae congregatos salutant scholae Thomanae magistri.

Schumm, Ant., Maximilian Robespierre. Ein geschichtl. Bildniß aus der Revolutionszeit. gr. 8. (XIII, 318 S.) Freiburg i/Br. 885. Herder. n. 2 —; Einbd. n.n. — 40

Schuenemann, Otto, de cohortibus Romanorum auxiliariis. Pars II addenda ad Hassencampii dissertationem Gottingensem a. 1869. gr. 8. (58 S.) Halis Sax. 883. (Berlin, Mayer & Müller.) n. 1. 60

Schünemann, W., neuestes Frankfurter Kochbuch, enth. üb. 1700 Kochvorschriften f. herrschaftl., Gasthofs- u. Privat-Küchen. Mit e. Einleitg. üb. Einteilg. der Küche u. Speisekammer, Aufbewahrg. der Ingredienzien. Anrichten der Speisen &c. u. e. Anh.: Vorschriften üb. das Tranchieren, Speisezettel &c. 10. Aufl. 8. (VIII, 662 S.) Frankfurt a/M. 884. Sauerländer. geb. 4. 50

Schupp, Ottokar, James Garfield, Präsident der Vereinigten Staaten Nordamerikas. Ein Lebensbild. Mit 4 (Stahlst.-)Abbildgn. 12. (99 S.) Wiesbaden 887. Riedner. cart. — 75

— das verlorene Kind. Eine Auswanderergeschichte f. die deutsche Jugend u. das Volk. Mit 4 Abbildgn. (in Stahlst.). 12. (112 S.) Ebend. 884. cart. — 75

— Kirmes! Ein Bild aus dem Dorfleben. 2. Ausg. 12. (116 S.) Barmen 884. Klein. cart. n. 1. —

— die Klemenskirche. Erzählung aus der Zeit der Raubritter f. die deutsche Jugend u. das Volk. Mit 4 (Stahlst.-)Abbildgn. 12. (118 S.) Wiesbaden 885. Riedner. cart. — 75

— unter den Menschenfressern v. Borneo. Eine Erzählg. f. die deutsche Jugend u. das deutsche Volk. Mit 4 (Stahlst.-)Abbildgn. 12. (109 S.) Ebend. 886. cart. — 75

— das Nationaldenkmal auf dem Niederwald. Eine Erzählg. f. die deutsche Jugend u. das Volk. Mit 4 (Stahlst.-)Abbildgn. 12. (120 S.) Ebend. 886. cart. — 75

— die Rache ist mein. Eine Erzählg. f. die deutsche Jugend u. das deutsche Volk. Mit 4 (Stahlst.-)Abbildgn. 12. (114 S.) Ebend. 885. cart. — 75

— Theobald. Eine Erzählg. aus den Sachsenkriegen im 8. Jahrh. Für die Jugend u. das deutsche Volk. Mit 4 (Stahlst.-)Abbildgn. 12. (136 S.) Ebend. 887. cart. — 75

— der Turmbau auf den Halligen. Eine Erzählg. f. die Jugend u. das Volk. Mit 4 Abbildgn. (in Stahlst.). 12. (96 S.) Ebend. 884. cart. — 75

Schuppe, F., die Vermögens-Verwaltung in den katholischen Kirchengemeinden. Erläuterungen, Ratschläge u. Beispiele in Anlehng. an das Gesetz vom 20. Juni 1875, f. kathol. Kirchenvorstände u. Gemeindevertretgn. zusammengestellt. gr. 8. (X, 106 S.) Köln 888. Du Mont-Schauberg. n. 1. 80

Schuppelius, W., die Kaiser Wilhelms-Spende, allgemeine Stiftung f. Renten- u. Kapital-Versicherung als Alters-Versorgungs-Anstalt f. das deutsche Volk. gr. 8. (28 S.) Breslau 888. Köhler. n. — 40

Schüpphaus, Rob., üb. Formanhydroisodiamidotoluol [Methenylisotoluylendiamin]. gr. 8. (32 S.) Elberfeld 884. (Göttingen, Vandenhoeck & Ruprecht.) n. — 80

Schur, Ferd., u. Rob. Hertrich, evangelisches Schulgesangbuch. Zum Gebrauch im Religionsunterricht u. Schulgottesdienst hrsg. 8. (VI, 144 S.) Bielitz 884. (Fröhlich.) geb. n.n. 1. —

Schultze, F. W., der Landgraf u. die Müllerin. Historische Skizze in 1 Akt. 2. Aufl. gr. 8. (22 S.) Rathenow 885. Haase. — 75

Schultze, Fr., Beitrag zur Lehre v. den angebornen Hirndefecten [Porencephalie]. Nach e. auf der 58. Versammlg. deutscher Naturforscher u. Aerzte in Strassburg 1885 gemachten vorläuf. Mittheilg. Mit 1 (lith.) Taf. Lex.-8. (30 S.) Heidelberg 886. C. Winter. n. 1. 60

— über den m. Hypertrophie verbundenen progressiven Muskelschwund u. ähnliche Krankheitsformen. Mit 3 lith. Taf. gr. 8. (VII, 118 S.) Wiesbaden 886. Bergmann. n. 4. 60

— über Muskelatrophie. Nach e. in der medicin. Section am 29. Novbr. 1881 geh. Vortrage. gr. 8. (8 S.) Heidelberg 882. C. Winter. — 30

Schultze, Frdr., noch vier Zeitpredigten, an den Kaisergeburtstagen der J. 1879—82 in der Peterskirche zu Görlitz f. die Civil- u. Militärgemeinde geh. 8. (48 S.) Halle 883. Strien. n. — 50

Schultze, Fritz, die Grundgedanken d. Spiritismus u. die Kritik derselben. 3 Vorträge zur Aufklärg. gr. 8. (III, 248 S.) Leipzig 883. E. Günther. n. 5. —

Schultze, H., Halle u. Umgegend. Heimatskunde f. die halleschen Schulen. 3. Aufl. Nebst 1 Plane der Stadt Halle u. 1 Karte der Umgegend. gr. 8. (IV, 56 S.) Halle 886. Buchh. d. Waisenhauses. cart. n. — 50

— Heimatskunde der Prov. Sachsen u. Geographie v. Deutschland. Für Volks- u. Bürgerschulen bearb. 8. bericht. Aufl. Mit 1 Karte der Prov. Sachsen u. 1 Karte vom deutschen Reiche. gr. 8. (IV, 82 S.) Ebend. 886. cart. n. — 75

Schultze, H., Regeln f. die deutsche Rechtschreibung, nebst Wörterverzeichnis, enth. gegen 7000 der gebräuchlichsten deutschen Wörter, darunter viele Eigennamen u. eingebürgerte Fremdwörter. Eine zum Gebrauch in Volks- u. Bürgerschulen bestimmte Bearbeitg. d. preuß. Regelbuches. Unter Mitwirkg. d. hies. Lehrerkollegiums verf. 2 Tle. in 1 Hft. 8. Rathenow 884. Haase. n. — 40; Einzelpr. n. — 50

1. Regeln. (28 S.) n. — 20
2. Wörterverzeichnis. (50 S.) n. — 30

Schultze, J. Heinr., textgemäße Predigt-Entwürfe üb. die evangelischen u. epistolischen Pericopen d. Kirchenjahres, sowie üb. zwei Jahrgänge freier Texte m. vorzugsweiser Behandlung der pericopischen Feste u. Feiertage, in 3 Thln. Ein Beitrag zur populären Predigt. 2. u. 3. Thl. 2. Aufl. gr. 8. Göttingen, Vandenhoeck & Ruprecht's Verl. n. 5. — (cplt.: n. 7. —)

2. Die epistolischen Perikopen. (IV, 146 S.) 883. n. 2. —
3. Die freien Texte. Mit Textregister üb. alle 3 Thle. (VI, 236 S.) n. 3. —

Schultze, Leop., katechetische Bausteine zum Religions-Unterricht in Schule u. Kirche. 2. Aufl. gr. 8. (IV, 90 S.) Magdeburg 886. (E. Baensch jun.) n. — 60; geb. n. 1. —

Schultze, Mart., zur Formenlehre d. semitischen Verbs. gr. 8. (55 S.) Wien 886. Konegen. n. 2. —

Schultze, Otto H., zum Chaussee-Bau. Rathschläge u. Hilfsmittel. gr. 8. (VI, 66 S. m. 5 Taf.) Guben 883. Koenig. n. 4. —

Schultze, Paul, de Lysiae oratione XXX. gr. 8. (42 S.) Berlin 883. (Mayer & Müller.) n. 1. —

Schultze, R., Fest-Predigten. Eine Jubiläums-Gabe zum 18. Febr. 1885. gr. 8. (151 S.) Wittenberg 885. Wunschmann. n. 1. 40

— D. Martin Luther. Sein Werden u. Wirken bis zu dem Zeitpunkt seiner inneren Abgeschlossenheit, seine unverfichtl. Selbstständigkeit, seine Ruhe e. gerechtfertigten Christen im Sterben u. die Predigt seines erhaben großen Lebens an unser Herz. Vortrag aus dem Luther-Jubiläumsjahre, bei der ersten stillen Wiederkehr jener festl. Tage, den Freunden u. vorzugsweise den Dienern der Wahrheit zur Nachachtg. dargereicht. gr. 8. (64 S.) Ebend. 884. n. — 80

Schultze, Th., das Dhammapada. Eine Versammlg., welche zu den kanon. Büchern der Budhisten gehört. Aus der engl. Uebersetzg. v. F. Max Müller, Sacred books of the East, vol. X, metrisch ins Deutsche übertragen. Mit Erläutergn. gr. 8. (XIX, 128 S.) Leipzig 885. O. Schulze. n. 2. 50

Schultze, Vict., das evangelische Kirchengebäude. Ein Ratgeber f. Geistliche u. Freunde kirchl. Kunst, hrsg. in Verbindg. m. Mothes u. Prüfer. gr. 8. (IV, 139 S. m. Illustr.) Leipzig 886. Böhme. n. 3. —; geb. n. 4. —

Schultzenstein, Max, Beiträge zur Lehre vom Pflichttheilsrecht. 2. Ausg. gr. 8. (XI, 293 S.) Berlin 883. Guttentag. n. 5. —

— die Landgüterordnung f. die Prov. Brandenburg vom 10. Juli 1883, erläutert. gr. 8. (VII, 148 S.) Berlin 883. H. W. Müller. n. 4. 50

— dasselbe. Für Landwirthe besprochen. 8. (IV, 25 S.) Ebend. 883. n. — 50

— die Vormundschaftsordnung vom 5. Juli 1875, das Gesetz, betr. die Geschäftsfähigkeit Minderjähriger u. die Aufhebung der Wiedereinsetzung in den vorigen Stand wegen Minderjährigkeit, vom 12. Juli 1875 u. das Gesetz, betr. die Unterbringung verwahrloster Kinder, vom 13. März 1878, nebst den dazu erlassenen Nebengesetzen u. allgemeinen Verfügügn. Text-Ausg. m. Erläutergn. u. Sachregister. 16. (VII, 226 S.) Berlin 886. Guttentag. cart. n. 1. 20

Schulverein, der deutsche, im ungarischen Reichstage. Interpellation d. Abgeordneten Otto Hermann [18. Febr.] u. Antwort d. Ministerpräsidenten Koloman Tißa [20. Febr.] Uebers. aus dem stenograph. Reichstagsbericht. gr. 8. (15 S.) Hermannstadt 882. Michaelis. n. — 40

— dem deutschen! Dichtergrüße zum Frühlingsfeste der Deutschen in Prag. 5. Juni 1884. gr. 8. (23 S. m. Facsms. der Autornamen.) Prag 884. (Dominicus.) — 60

Schulvorschriften, griechische. 8. Aufl. qu. 4. (24 S.) Halle 886. Buchh. d. Waisenhauses. n.n. — 25

Schulwandtafeln, anatomische. I—VIII. Chromolith. Imp.-Fol. Karlsruhe, Bielefeld's Verl. Auf Leinw. gedr. u. m. Stäben. à n. 6. —

I. Athmungs- u. Kreislauforgane d. Menschen u. schematische Darstellg. d. Blutlaufs der Reptilien u. Fische. Gezeichnet v. L. Keller. 884.
II. Die äussere Haut. (In ca. 200facher Vergrössg.) Gezeichnet v. L. Keller. 884.
III. Die Leber. Vergrösserte u. vereinfachte Darstellg. zur Veranschaulichg. d. Verlaufs d. Blutgefässe u. Gallengänge in derselben. Gezeichnet v. L. Keller. 884.
IV. Das Skelet d. Menschen. Gezeichnet v. L. Keller. 884.
V. Das Nervensystem d. Menschen. Die Gehirn- u. Rückenmarksnerven nebst den Ganglien v. unten u. vorn gesehen. Vergrösserte u. theilweise vereinfachte Darstellg. Gezeichnet v. L. Keller. 884.
VI. Die Muskeln d. Menschen. Gezeichnet v. Rud. Zilles. 886.
VII. Sinnesorgane. Bearb. v. Rud. Zilles. 886.
VIII. Verdauungsorgane. Gez. v. Rud. Zilles. 886.

Schulwart, deutscher. Hrsg. u. red. v. Paul Schramm. 11. Bd. April 1882—März 1883. 24 Nrn. (B.) Lex.-8. München, (J. A. Finsterlin). n. 6. —

— dasselbe. 12. Bd. April—Decbr. 883. 18 Nrn. (B.) Ebend. n. 4. 50

— dasselbe. 13—15. Bd. Jahrg. 1884—1886. à 24 Nrn. (à 1—$1\frac{1}{2}$ B.) Lex.-8. München, R. Oldenbourg. à Jahrg. n. 6. —

Schulwesen, das bayerische, u. der bayerische Landtag. gr. 8. (32 S.) Würzburg 886. Stuber's Verl. n. — 50

Schulwochenblatt, württembergisches. Red.: v. Burk. 35—38. Jahrg. 1883—1886. à 52 Nrn. (B.) gr. 4. Stuttgart, Belser. à Jahrg. n. 5. 30

Schulz, Adph., die Lehre v. den Harmonieen. Eine Einleitg. in das Studium der Musik, unentbehrlich f. Lehrer u. Lernende, sowie zum Selbstunterricht. gr. 8. (VIII, 174 S.) Berlin 883. Parrisius. n. 5. —

Schulz, Bernh., das Gesetz v. 6. Juli 1885, betr. die Pensionierung der Lehrer u. Lehrerinnen an den öffentlichen Volksschulen, m. erläut. Bemerkgn. hrsg. 8. (31 S.) Danzig 886. Kafemann. n.n. — 30

Schulz, Bernh., die deutsche Grammatik in ihren Grundzügen. Ein Leitfaden beim Unterrichte in der Muttersprache. 8. Aufl. gr. 8. (VIII, 180 S.) Paderborn 886. F. Schöningh. n. 1. 20
— deutsches Lesebuch f. höhere Lehranstalten. 1. Tl. Für die unteren u. mittleren Klassen. 7. Aufl. gr. 8. (XV, 564 S.) Ebend. 886. n. 2. 65
— die Schulordnung f. die Elementarschulen der Provinzen Ost- u. West-Preußen vom 11. Dezbr. 1845, nebst den zur Erklärg. u. Ergänzg. ihrer Bestimmungn. dien. allerhöchsten Ordres, Gesetzen, Ministerialreskripten, Entscheidgn. der Gerichte u. Verordngn. der kgl. Regiergn. hrsg. gr. 4. (XV, 660 S.) Danzig 883. Kafemann. n. 15. —
— die Schulordnung f. die Provinzen Ost- u. Westpreußen vom 11. Dezbr. 1845, nebst Erläutergn. zu derselben u. den wichtigsten Verfüggn. der königl. Regiergn. in Königsberg, Gumbinnen, Danzig u. Marienwerder. Für Seminarzöglinge u. Lehrer hrsg. gr. 8. (VII, 226 S.) Ebend. 885. n. 2. 40

Schulz, C., der religiöse Lernstoff f. Volksschulen, s.: Müller, H.

Schulz, Carlotto, vegetarisches Kochbuch [m. Gesundheitsregeln] f. alle, die gesund u. lange leben wollen. Rev. v. Liepelt. Nebst e. Anh.: „Ernährung der Säuglinge" u. „Winke f. Verdauungsleidende". Von H. Lahmann. 8. (100 S.) Berlin 886. Breitkreuz. n. — 60; geb. n. 1. —

Schulz, Emilian, Sammlung v. Volksschulgesetzen u. h. Verordnungen f. die Markgrafsch. Mähren. Mit e. Anleitg. zum Gebrauche der Amtsschriften. 2. Aufl. gr. 8. (XV, 548 S.) Brünn 888. (Winkler.) n. 4. —; geb. n. 4. 40

Schulz, Ernst, die Kunst d. Bauchredens. Mit e. gründl. Anweisg., dieselbe zu erlernen, u. geigneten Uebungs-Dialogen versehen. 2. Aufl. 8. (VIII, 154 S.) Erfurt 885. Bartholomäus. n. 2. —

Schulz, F. A., kleine Harmonielehre. Ein Handbüchlein f. angeh. Musiker, wie auch überhaupt f. alle Freunde der Musik, die in prakt. Beziehg. schon e. höhern Standpunkt eingenommen haben; insbesondere aber f. Lehrer, welchen daran liegt, in kurzer Zeit m. ihren Schülern e. eben so leichtfaßl. als gründl. Kursus in obengenannter Wissenschaft durchzumachen. 3. Aufl. 12. (VIII, 52 S.) Leipzig 886. Merseburger. — 45
— deutsche Liederhalle, s.: Lüdicke, Ch. H.
— Sängerlust. Ernste u. heitere Jugendlieder in zwei-, drei- u. vierstimm. Bearbeitg. Insbesondere f. Oberklassen der Volksschulen. 8. (II, 82 S.) Braunschweig 885. Wollermann. n. — 50

Schulz, F. W., Erinnerungen e. preuß. Soldaten aus der Zeit von 1800—1809, s.: Beiheft zum Militär-Wochenblatt.

Schulz, F. W., Gesetze üb. den Viehhandel, nebst den Vorschriften betr. Maßregeln gegen die Rinderpest; Beseitigung v. Ansteckungsstoffen bei Vieh-Befördergn.; Vieheinfuhrverbote; Abwehr u. Unterdrückg. v. Viehseuchen. Reichsgerichtsentscheidungen u. Klageformulare. 4. Aufl. gr. 8. (62 S.) Berlin 886. Burmester & Stempell. n. — 50

Schulz, Ferd., theoretisch-praktische Anleitung zur leichten u. gründlichen Erlernung der böhmischen Sprache f. Deutsche. Zum Schul- u. Selbstunterrichte. gr. 8. (IV, 208 S.) Prag 884. Řivnáč. n. 2. 40
— deutsch-böhmisches Conversations-Buch. Leichtfaßliche Anleitg., die böhm. Sprache in der kürzesten Zeit zu erlernen. 3. Aufl. 8. (192 S.) Ebend. 888. n. 2. —

Schulz, Frz., Ursprung der menschlichen Sprache. Physiologischer Beweis f. Natur, System u. Abweichg. d. menschl. Sprachbaues. 8. (VIII, 123 S.) Berlin 886. F. Luckhardt. n. 4. —

Schulz, Frdr. Ferd., quibus ex fontibus fluxerint Agidis, Cleomenis, Arati vitae Plutarcheae. gr. 8. (57 S.) Berlin 886. Haack. n. 2. —

Schulz, G. Ch., sehet Euch vor! Prüfet Alles, vor Allem aber die Geister! Ein Wort zur Prüfg. der Separation u. d. Freikirchenthums. Erweit. Aufl. 1. Hft. 12. (259 S.) Nürnberg 882. Raw. n. — 60

Schulz, H., Bleikrankheiten, s.: Sonderabdrücke der Deutschen Medicinal-Zeitung.

Schulz, H., Characteristisch, s.: Dilettanten-Mappe.

Schulz, Herm., quae nova Sophocles protulerit nomina composita. gr. 8. (74 S.) Königsberg 882. (Beyer.) n. 1. 20

Schulz, Hugo, die officinellen Pflanzen u. Pflanzenpräparate. Zum Gebrauch f. Studirende u. Aerzte übersichtlich zusammengestellt. Mit 94 Illustr. gr. 8. (III, 176 S.) Wiesbaden 885. Bergmann. n. 4. 60

Schulz, J., Anleitung zur Untersuchung der f. die Zucker-Industrie in Betracht kommenden Rohmaterialien, Producte, Nebenproducte u. Hülfssubstanzen, s.: Frühling, R.

Schulz, Joh. Frdr. Chr., der Volksschul-Zeichen-Unterricht. Für Lehrer bearb. 2 Thle. 4. Wittenberg 883. Herrosé Verl. à n. 4. 50
1. Der Zeichenunterricht in Knaben- u. gemischten Klassen. (XXVI, 112 S. m. eingedr. Fig. u. 2 color. Steintaf.)
2. Der Zeichenunterricht in Mädchenklassen. (XXVI, 115 S. m. eingedr. Fig. u. 2 color. Steintaf.)
— dasselbe, Übungshefte f. Knaben- u. gemischte Klassen. 4. Ebend. 885. n. — 93
1—4. (à 10 Bl.) n. — 12. — 5—7. (12, 12 u. 14 Bl.) à n. — 15
— dasselbe. 7 Übungshefte m. Vorzeichngn. f. Mädchenklassen. 4. Ebend. 885. n. — 87
1—6. (à 10 Bl.) à n. — 12. — 7. (12 Bl.) n. — 15

Schulz, John Frederic, newest guide through Prague. With 10 (photolith.) views, and a map of Prague. 12. (VIII, 128 S.) Prag 884. Neugebauer. geb. n. 3. 60

Schulz, K., zur Literärgeschichte d. Corpus juris civilis. [Festgabe, zum 50jähr. Amtsjubiläum Sr. Exc. d. Hrn. Reichsger.-Präs. Dr. Ed. Simson am 22. Mai 1883 überreicht.] gr. 8. (34 S.) Leipzig 883. Breitkopf & Härtel. n. 1. —

Schulz, O., zur Erinnerung an Friedrich den Großen, s.: Volksschriften.

Schulz, O. A., allgemeines Adressbuch f. den deutschen Buchhandel, den Antiquar-, Kolportage-, Kunst-, Landkarten- u. Musikalien-Handel, sowie verwandte Geschäftszweige. 1886. Bearb. u. hrsg. v. Herm. Schulz. Mit Wilh. v. Braumüllers Bildnis (in Stahlst.). gr. 8. (XIV, 548 u. 408 S.) Leipzig 886. O. A. Schulz. geb. n. 14. —; 1. Abth. ap. geb. n. 9. 25

Schulz, Otto, s.: Hand-Fibel.
— Berlinisches Lesebuch f. Schulen. Mittel- u. Oberstufe, bearb. v. H. Bohm u. H. Lübcky. 8. Berlin 886. Nicolai's Verl. geb. n.n. 3. —
Mittelstufe. 36. u. 37. Aufl. (XII, 388 S.) n.n. 1. 25. — Oberstufe. 16. Aufl. (X, 526 S.) n.n. 1. 75
— biblisches Lesebuch. Umgearb. u. zu e. Hülfsbuch f. den Religionsunterricht in den unteren u. mittleren Klassen höherer Lehranstalten erweitert v. G. A. Felix. 22. Ster.-Aufl. gr. 8. (XVI, 304 S.) Berlin 886. Oehmigke's Verl. n. 1. 40; Einbd. n.n. — 25

Schulz, Otto, u. H. Gühler, zeitgemäße Anleitung zum lohnenden Betriebe der Bienenwirthschaft, unter spezieller Rücksichtnahme auf Triebfütterg., Kunstwaben, Absperrgitter, Honigkästchen u. Honigschleuder. 8. (XI, 138 S. m. 10 Steintaf.) Buckow 882. (Leipzig, Gracklauer.) n. 1. 20

Schulz, Paul, üb. Encephalopathia u. Arthralgia saturnina. gr. 8. (30 S.) Breslau 885. (Köhler.) n. 1. —

Schulz, W., Haman sin Hochtidsreis'. 8. (105 S.) Hannover 883. Weichelt. n. 1. 20

Schulz, W., der Verwaltungsdienst der königl. preussischen Kreis- u. Wasser-Bauinspektoren. Sammlung der f. den Dienst der Baubeamten der allgemeinen Bauverwaltg. in Betracht komm. Gesetze, Verordngn., Erlasse etc., f. den Handgebrauch bearb. 2., umgearb. u. bis Ende Aug. 1886 ergänzte Aufl. Mit 3 Taf. gr. 8. (XX, 450 S.) Berlin 886. Ernst & Korn. geb. n. 8. —

Schulz, W., Führer d. Berg- u. Hütten-Ingenieurs durch die Umgegend v. Aachen. Mit e. v. Holzapfel u. Siedamgrotzky entworfenen geolog. Karte. 8. (V, 133 S. m. 2 Stammbäumen.) Aachen 886. (Freiberg, Craz & Gerlach.) cart. n. 1. 50

Schulz, W., siehe, dein König kommt zu dir! Predigt, geh. am 1. Advent 1882. 8. (10 S.) Güstrow 882. Opitz & Co. n. — 30

Schulze, kurze Anleitung zum praktischen Croquiren f. militärische Zwecke. Mit 2 Fig. u. 1 Maßstab. 8. (84 S.) Berlin 884. Mittler & Sohn. n. 1. —

Schulze, hat Jesus Geschwister gehabt od. nicht? Eine unbefangene Erörterg. aus den zugängl. Urkunden. 2., unveränd. Aufl. gr. 8. (14 S.) Dresden 886. Dieckmann. n. — 40

Schulze-Smidt, Bernhardine [E. Oswald], deutsche Geisterstimmen. Vaterländisches Festspiel in 1 Aufzuge u. 6 Bildern. gr. 8. (33 S.) Berlin 884. Mittler & Sohn. n. — 75

— er lebt! Eine Erzählg. 8. (298 S.) Bielefeld 884. Velhagen & Klasing. geb. n. 5. 50

— zwei Novellen. [Tote Kohlen. Il Pomo d'oro.] 8. (308 S.) Gotha 883. F. A. Perthes. n. 4. —

— russische Sagen. In freier Nachdichtg. Zeichnungen v. J. v. Kortzfleisch. Lex.-8. (VI, 63 S.) Ebend. 885. cart. n. 5. —

Schulze, C., systematische Uebersicht der in Zeitschriften, Programmen u. Einzelschriften veröffentlichten wertvollen Aufsätze üb. Pädagogik aus den J. 1880 bis 1886. Ein Nachschlagebuch f. Lehrer zur Vorbereitg. auf das Examen u. f. den Unterricht. gr. 8. (VIII, 276 S.) Hannover 887. Meyer. n. 3. 60

Schulze, C. G., 90 Choräle, f. vier Männerstimmen bearb. u. Seminarien, Gymnasien u. Männersingvereinen gewidmet. 4. Aufl. gr. 8. (VI, 64 S.) Plauen 884. Hohmann. n. 1. —

Schulze, Edm., üb. die Parallelfläche d. elliptischen Paraboloids. gr. 8. (36 S.) Halle 886. (Berlin, Mayer & Müller.) n. 1. 20

Schulze, Ernst, die bezauberte Rose. Romantisches Gedicht. Min.-Ausg. 14. Aufl. 16. (94 S.) Leipzig 887. Brockhaus. geb. m. Goldschn. n. 3. —

— dasselbe. Diamant-Ausg. Mit Illustr. v. P. Grot Johann, in Holz geschnitten v. R. Brend'amour. 7. Aufl. 32. (89 S.) Berlin 883. Grote. geb. m. Goldschn. n. 2. 50

Schulze, Ernst, Adiumenta latinitatis. Grundzüge d. latein. Stils in Verbindg. m. Übersetzungsstücken f. die oberste Stufe d. Gymnasiums. gr. 8. (VIII, 238 S.) Leipzig 883. Teubner. n. 2. 40

— Grundriß der Logik. Für die Prima der Gymnasien bearb. gr. 8. (VIII, 51 S.) Ebend. 886. cart. n. 1. —

— dasselbe u. Übersicht üb. die griechische Philosophie. Für die Prima der Gymnasien bearb. gr. 8. (VIII, 78 S.) Ebend. 886. n. 1. 60; geb. n. 2. —

— Dr. Adolf Moritz Schulze. Ein Bild seines Lebens u. Wirkens, f. Verwandte u. Freunde entworfen. 8. (32 S.) Leipzig 884. (Gotha, Thienemann.) n. — 50

— Übersicht üb. die griechische Philosophie. Für die Prima der Gymnasien bearb. 8. (78 S.) Leipzig 886. Teubner. cart. n. 1. 20

Schulze, F. W., Bolko- u. Schweinhausburg. Geschichte u. Beschreibg. 16. (20 S. m. 1 Photogr.) Bolkenhain 886. Wächter. n. — 40

Schulze, Frz. Eilhard, üb. den Bau u. das System der Hexactinelliden. gr. 4. (97 S.) Berlin 886. (G. Reimer.) n. 4. —

Schulze, Frdr., die Fechtkunst m. dem Hau-Rapier unter besond. Berücksicht. d. Linksfechtens, m. Uebungsbeispielen u. 5 Taf. in Lichtdr. gr. 8. (IV, 62 S.) Heidelberg 885. Petters. n.n. 3. —

Schulze, G., Grundriß der Volksschul-Pädagogik vornehmlich f. Seminaristen u. Lehrer. 1. u. 2. Tl. 3. Aufl. 8. Rheydt 884. Langewiesche. n. 2. 80

1. Geschichte der Volksschul-Pädagogik. (IV, 112 S.) n. 1. 20
2. System der Volksschul-Pädagogik. (IV, 130 S.) n. 1. 60

— deutsches Lesebuch f. evangelische Volksschulen. Für drei- u. mehrklass. Schulen bearb. 2 Tle. gr. 8. Gütersloh, Bertelsmann. geb. n.n. 2. 55

1. 2. Abdr. (148 S.) 885. n.n. — 80
2. (511 S.) 884. n.n. 1. 75

Schulze, Geo., ewwerharzische Zitter. Oberharzische Gedichte. Nach dem Tode d. Verf. hrsg. v. seinem Sohne W. Schulze. 2., verm. Ausg. 8. (VI, 139 S.) Clausthal 885. Grosse. n. 1. 40

Schulze, Geo. Wilh., geistliche Lieder. 14. Aufl. 16. (XVI, 355 S.) Halle 886. Mühlmann's Verl. 3. —; geb. m. Goldschn. n. 3. 80

Schulze, Gust., üb. Moralpredigten, ihre Berechtigung, Zweckmäßigkeit u. rechte Beschaffenheit. Homiletische Studien u. Erwäggn., den Mitarbeitern im Predigtamt vorgelegt. gr. 8. (VII, 108 S.) Leipzig 886. Fr. Richter. n. 1. 40

— Predigten f. sittlich Strebende u. religiös Suchende. gr. 8. (XV, 142 S.) Erfurt 886. Neumann. n. 2. —

— über Seelenruhe, ihre Hindernisse u. Hilfsmittel. Ein Beitrag zur prakt. Seelenlehre. Vortrag. gr. 8. (24 S.) Ebend. 884. n.n. — 50

— die sittliche That, ihr Wesen, Wert u. religiöser Charakter. Eine religiös-eth. Betrachtg. gr. 8. (16 S.) Ebend. 885. n.n. — 50

— die neueste französische Volksschule im Lichte der Weltausstellung in Amsterdam. Ein Spiegelbild. gr. 8. (45 S.) Neuwied 884. Heuser's Verl. — 60

Schulze, H., offener Brief an Hrn. Dir. Dr. Frdr. Dittes in Wien betr. die im „Pädagogium" veröffentlichte Recension unseres „Anschaulich-ausführlichen Realienbuches",
— Hr. Dr. Dittes als Verteidiger e. verunglückten Recension,
— Lesebuch f. Volksschulen,
— anschaulich-ausführliches Realienbuch,
— die Scheingründe der Gegner des Reallesebuchs,
} s.: Kahnmeyer, L.

— u. W. Steinmann, Kinderschatz. Deutsches Lesebuch f. Vor- u. Unterklassen höherer Lehranstalten. Mit e. Vorwort von Tellkampf. 1. u. 2. Tl. Neu bearb. v. H. Schulze u. Tiel. gr. 8. Dresden 886. Ehlermann. n. 2. 90

1. 39. Aufl. (XII, 236 S.) n. 1. 40
2. 2. Aufl. (VIII, 264 S.) n. 1. 50

Schulze, H., Chronik sämmtlicher bekannten Ritter-Orden u. Ehrenzeichen, welche v. Souverainen u. Regiergn. verliehen werden, nebst Abbildgn. der Decorationen. 1. u. 2 Suppl.-Bd. Aus authent. Quellen zusammengestellt. (Deutsch u. französisch.) Imp.-4. Berlin. (Leipzig, Ruhl.) cart. n.n. 180. — (oplt. m. I. u. II. Suppl.: n.n. 375. —)

I. (XIX, 522 S. m. 67 color. Steintaf.) 878. n.n. 120. —
II. (IX, XXVII, 229 S. m. 28 color. Steintaf.) 878. n.n. 60. —

Schulze, Heinr., farbige Elementar-Ornamente v. aufsteigender Schwierigkeit. Für die Unterstufe höherer Schulen u. die Oberstufe mehrklass. Volksschulen, insbesondere auch f. höhere Töchterschulen, Fortbildungs- u. techn. Schulen m. ausdrückl. Betong. der Farbe entworfen. 10 Lfgn. gr. 4. (59 farb. u. 40 schwarze Taf. nebst Farbenkreisen.) Mit Text. gr. 8. (16 S.) Leipzig 884. 85. T. O. Weigel. In Mappe. à n. 3. —; oplt. 4 Thle. in Mappe à n. 8. —

— neue Ornamentmotive [139 Muster], nebst herald. Darstellgn. [58 Muster] v. Ad. M. Hildebrandt. Ergänzungsheft zum Vademecum d. Ornamentzeichners 1. Aufl. schmal 8. (15 Taf. m. Text auf der Rückseite.) Ebend. 886. cart. n. 1. —

— Panorama vom Költschenberge. qu. 16. (3 Steintaf.) Reichenbach i/Schl. 885. Höfer. — 45

— Panorama v. Glatzer Schneeberge. qu. 16. (2 Steintaf.) Ebend. 885. n. — 25

— Panorama v. Ulbrichshöh. qu. 16. (4 Steintaf.) Ebend. 885. n. — 50

— Vademecum d. Ornamentzeichners. Taschenbuch, enth. 1150 Motive zu Entwürfen in vergrösserter Ausführg. m. fortlauf. Hinweisen in Bezug auf ihre Ausmalg. schmal 8. (11 S. m. 53 lith. u. 3 chromolith. Taf. u. Text auf der Rückseite.) Leipzig 885. T. O. Weigel. geb. n. 4. —

— dasselbe. 2. Aufl. Taschen-Musterbuch, enth. 1210 Ornamentmotive f. dekorative Kunst in Farben, Stoffen, Holz, Metall, Gusswaaren etc. zu Entwürfen in vergrösserter Ausführg. mit vielfachen Hinweisen in bezug auf ihre Färbg. Mit e. Sammlg. herald. Darstellgn., gezeichnet v. Ad. M. Hildebrandt. Mit e. nach 2 Motiven im „Vademecum" ausgeführten farb. Probetaf., sowie 3 Taf. m. 36 Farbenmustern. schmal 8. (11 S. u. 64 Taf. m. Text auf der Rückseite.) Leipzig 886. T. O. Weigel. geb. n. 5. —

Schulze, Heinr., Vademecum d. Zeichenlehrers. Taschenbuch f. Lehrer d. Zeichnens an Volks- u. höheren Schulen, enth. 1150 Motive f. Wandtafel-Entwürfe m. fortlauf. Hinweisen in Bezug auf ihre Ausmalg. schmal 8. (11 S. m. 53 lith. u. 3 chromolith. Taf. u. Text auf der Rückseite.) Leipzig 885. T. O. Weigel. geb. n. 4. —

— der elementare Zeichenunterricht. Praktische Winke f. Zeichenlehrer an Volks- u. höheren Schulen. Mit 180 Fig. (8 Steintaf.). gr. 8. (16 S.) Reichenbach i/Schl. 884. (Hoefer.) n. 1. 50

Schulze, Herm., die Hausgesetze der regierenden deutschen Fürstenhäuser. Hrsg. u. eingeleitet. 3. Bd. 2. Abth. Lex.-8. (X u. S. 319—794.) Jena 883. Fischer. n. 15. — (I—III.: n. 54. —)

— Hausverfassung u. Hausgesetze d. preussischen Königshauses [m. Einschluss d. fürstl. Hauses Hohenzollern]. Lex.-8. (260 S.) Ebend. 883. n. 8. —

— Lehrbuch d. deutschen Staatsrechts. 2. Buch: Das deutsche Reichsstaatsrecht. gr. 8. (X, 417 S.) Leipzig 886. Breitkopf & Härtel. n. 8. —; geb. n. 9. 50 (cplt. in 1 Bd.: n. 21. —; geb. n.n. 23. —)

— Robert v. Mohl. Ein Erinnerungsblatt, dargebracht zur 500jähr. Jubelfeier der Ruperto-Carola. Mit e. (Lichtdr.-)Bildniß R. v. Mohls. 8. (VII, 100 S.) Heidelberg 886. C. Winter. n. 2. —; geb. n. 2. 80

— das Staatsrecht d. Königr. Preußen, f.: Handbuch d. öffentlichen Rechts der Gegenwart.

Schulze-Delitzsch, Herm., Material zur Revision d. Genossenschafts-Gesetzes. Nach dem neuesten Stand der Frage geordnet. gr. 8. (110 S.) Leipzig 883. Keil's Nachf. 1. 25

— die Philister. Roman. 2 Bde. 8. (230 u. 262 S.) Berlin 885. Janke. n. 9. —

Schulze, K. P., römische Elegiker. Eine Auswahl aus Catull, Tibull, Properz u. Ovid. Für den Schulgebrauch bearb. 2. Aufl. 8. (XII, 250 S.) Berlin 884. Weidmann. 2. 40

Schulze, Karl, Lehrstoff f. den grammatischen u. orthographischen Unterricht in der Vorschule. Unter Mitwirkg. mehrerer Vorschullehrer hrsg. 2 Hfte. 2. Aufl. gr. 8. (III, 68 u. IV, 65 S.) Berlin 883. Oehmigke's Verl. à n. — 50

Schulze, Karl, Erklärung d. Namens Mägdesprung. 8. (14 S.) Quedlinburg 886. Huch. — 30

Schulze, Ludw., Luther u. die evangelische Kirche. Ein Vortrag, zum Luther-Jubiläum geh. am 8. Novbr. 1883 in der St. Marien-Kirche zu Rostock. 8. (41 S.) Rostock 883. (Stiller.) — 60

— Friedrich Adolf Philippi. Ein Lebensbild aus der luther. Kirche der Gegenwart. gr. 8. (VII, 184 S.) Nördlingen 883. Beck. n. 2. 50; geb. n.n. 3. 50

Schulze, M. H., Evangelientafel als e. übersichtliche Darstellung d. gelösten Problems der synoptischen Evangelien in ihrem Verwandtschaftsverhältnis zu einander, verbunden m. geeigneter Berücksicht. d. Evangeliums Johannes, zum Selbststudium f. die academ. Jugend u. zur Unterlage f. Vorlesgn. wie f. Forschgn. geordnet. 2. Aufl. gr. 8. (IV, LXIV, 239 S.) Dresden 886. Dieckmann. geb. n. 4. —

Schulze, O., französische u. englische Briefe zur Einführung in die Handelskorrespondenz. Für Schulen zusammengestellt u. m. Anmerkgn. versehen. 8. (30 S.) Gotha 886. Schloeßmann. n. — 40

Schulze, Otto, ausführlichere Erklärung der 80 Kirchenlieder. Nebst e. Anh.: Kurze Geschichte d. Kirchenliedes. Ein Hand- u. Hülfsbuch f. Lehrer u. Seminaristen, sowie zur Selbstbelehrg. 7. Aufl. gr. 8. (X, 340 S.) Berlin 883. Wohlgemuth. n. 3. —

— praktische Erklärung 30 ausgewählter Psalmen m. Einschluß der 18 f. die Volksschule vorgeschriebenen, zum Gebrauch f. Lehrer u. Seminaristen. 2. Aufl. gr. 8. (VI, 140 S.) Ebend. 883. n. 1. 40

Schulze, Otto, Sonntags-Andachten in Predigten u. Liedern üb. die Sonn- u. Festtagsepisteln d. christlichen Kirchenjahrs. Zur häusl. Erbaug., sowie zum Vorlesen in Landkirchen hrsg. Neue Ausg. gr. 8. (IV, 375 S.) Berlin 883. Wohlgemuth. n. 3. —; geb. n. 4. —

— stille Sonntagsstunden in Spruch u. Lied. Geistliche Lieder m. kirchl. Melodieen nach Ordng. d. christl. Kirchenjahres. 8. (132 S.) Berlin 883. Parrisius. n. 2. —

— kurzgefaßte deutsche Sprachlehre, nach 3 Stufen geordnet. Ein Lehr- u. Lernbuch f. Stadt- u. Landschulen. 5. Aufl. 8. (107 S.) Wolfenbüttel 883. Zwißler. n. — 40

Schulze, Paul, Verzeichniss v. Ornament- u. Vorlage-Werken f. Musterzeichner u. Fabrikanten auf dem Gebiete der gesammten Textil-Industrie. Mit näherer Angabe d. Inhalts u. der besonderen Verwendbarkeit. Nebst e. Anh.: Verzeichniss v. öffentl. Sammlgn., Museen u. Kirchen, welche auf textilem Gebiete Interessantes u. Sehenswerthes bieten, m. besond. Erwähng. desselben. Zusammengestellt u. besprochen. 8. (83 S.) Berlin 886. Claesen & Co. n. 1. —

Schulze, R., der geometrische Unterricht, f.: Bock, O.

Schulze, R., die Korbweide, ihre Kultur, Pflege u. Benutzung. Mit 6 Abbildgn. 8. (VII, 160 S.) Breslau 885. Korn's Verl. cart. n. 1. 60

Schulze-Klemich, W., Tabellen der Zahlenverstellungen m. Erläuterungen. Ein Hilfsmittel zur schnellen Auffindg. v. Zahlenschreibfehlern nach e. neuen System. Für Kaufleute u. Bureaubeamte, sowie zum Gebrauche an Handelsschulen bearb. gr. 8. (16 S.) Dresden 884. Klemich. n. 1. —

Schulze, Wilh., ein' feste Burg ist unser Gott! Lutherlieder. Festgesänge u. Gedichte zur Feier d. 400jähr. Geburtstages Luthers am 10. Nov. 1883. Eine Festgabe an die Schule. gr. 8. (40 S. m. Holzschn.-Portr.) Berlin 883. Oehmigke's Verl. n.n. — 25

— Liederborn. Liederbuch f. Mädchenschulen. [In 3 Hftn.] 2. Hft.: Mittelstufe. [Zwei- u. dreistimm. Gesänge.] 3. Aufl. qu. gr. 8. (IV, 92 S.) Ebend. 886. n. 1. —

— Liederstrauß. Sammlung dreistimm. weltl. u. geistl. Gesänge f. die oberen Klassen v. Knaben- u. Mädchenschulen. 2. Aufl. qu. 8. (II, 94 S.) Ebend. 883. n. — 50

Schulze, Wilh., gärtnerische Samenkunde. Praktische Anleitg. zur Zucht u. Ernte der wichtigsten Blumen-, Gehölz-, Gemüse- u. Gras-Samen. gr. 8. (IV, 357 S.) Berlin 883. Parey. n. 7. —

Schulzeitung, badische. Organ d. allgem. bad. Volksschullehrer-Vereins. Red.: J. Goldschmied. Jahrg. 1884—1886. à 52 Nrn. (B.) gr. 4. Karlsruhe, Reiff. à Jahrg. n. 4. —

— neue badische. Hrsg. v. Adf. Meuser, unter Mitwirkg. namhafter Pädagogen. 7—10. Jahrg. 1883—1886. à 24 Nrn. (B.) Lex.-8. Mannheim, Bensheimer's Verl. à Jahrg. n. 5. 60

— deutsche. Central-Organ f. ganz Deutschland. Red. unter Mitwirkg. namhafter Pädagogen u. Schulmänner v. Fr. Ed. Keller u. R. Schillmann. 13—15. Jahrg. 1883—1885. à 52 Nrn. (B.) gr. 4. Berlin, Oehmigke's Verl. à Jahrg. n. 6. —

— dasselbe. 16. Jahrg. 1886. 52 Nrn. (B.) gr. 4. Ebend. n. 8. —

— freie deutsche. Hrsg. unter Mitwirkg. vieler Schulmänner. 17—20. Jahrg. 1883—1886. à 52 Nrn. (B.) gr. 4. Leipzig, Siegismund & Volkening. à Jahrg. n. 6. —

— neue deutsche. Organ d. Vereins „Staatsschule". Red.: J. Wonnberger. 13—15. Jahrg. 1883—1885. à 52 Nrn. (1 B.) Fol. Berlin, S. Schwartz. à Jahrg. n. 6. —

— Frankfurter. Organ d. Lehrer-Vereins zu Frankfurt a/M. u. d. Mittelrhein. Lehrerbundes. Red.: C. Ries. 1—3. Jahrg. 1884—1886. à 24 Nrn. (B.) gr. 4. Frankfurt a/M., Neumann. à Jahrg. n. 5. —

— hannoversche. Organ d. Provinzial-Vereins, der Kreis- u. Pestalozzi-Vereine der Provinz Hannover. Im Auftrage d. Ausschusses hrsg. v. H. Wanner. 19—22. Jahrg. 1883—1886. à 52 Nrn. (B.) gr. 4. Hannover, Helwing's Verl. à Jahrg. n. 6. —

— katholische. Zugleich Organ d. kathol. Erziehungs-

Vereins in Bayern u. d. Lehrervereins f. die Diöcese Osnabrück. Hrsg. vom Pädagogium in Donauwörth. Red.: M. Gebele. 16—19. Jahrg. 1883—1886. à 52 Nrn. (B.) Nebst Gratisbeilagen: Literaturblatt, Monika u. Schutzengel. gr. 4. Donauwörth, Auer. à Jahrg. n. 6. —

Schulzeitung, katholische, f. Norddeutschland. 1—3. Jahrg. 1884—1886. à 52 Nrn. ($1\frac{1}{2}$ B.) gr. 4. Breslau, Goerlich. à Jahrg. n. 5. —

— mecklenburgische. Hrsg. vom Burgwardt. 14—16. Jahrg. 1883—1885. à 36 Nrn. (à $\frac{1}{2}$—1 B.) gr. 4. Wismar, (Hinstorff's Verl.). à Jahrg. n. 5. —

— preußische, m. „Vakanzen-Liste" u. e. „Sonntags-Unterhaltungs-Blatt". Organ d. Landes-Vereins preuß. Volksschullehrer, sowie der Provinzial-Vereine v. Brandenburg u. Pommern, d. Pestalozzi-Vereins u. d. Pensions- u. Sterbekassen-Vereins der Prov. Brandenburg. Hrsg. v. L. W. Seyffarth u. W. Lahn. 22—24. Jahrg. 1884—1886. à 104 Nrn. (B.) Fol. u. Sonntags-Unterhaltungsblatt. 52 Nrn. gr. 4. Berlin, Exped. (A. Weczerzick). à Jahrg. n. 6. —

— rheinisch-westfälische. Hrsg. v. J. Müllermeister. 7—10. Jahrg. Oktbr. 1883—Septbr. 1887. à 24 Nrn. (à 1—$1\frac{1}{2}$ B.) gr. 4. Aachen, Barth. à Jahrg. n. 4. —

— sächsische. Zugleich Organ d. allgemeinen sächs. Lehrervereins u. seiner Zweigvereine. Hrsg.: Berthelt, Heger, Lansky. Red.: Aug. Lansky. 50—53. Jahrg. 1883—1886. à 52 Nrn. (à 1—$2\frac{1}{2}$ B.) Mit Gratisbeilage: Deutsche Jugendblätter. Red.: Ernst Weber. 23—26. Jahrg. 1883—1886. 26 Nrn. (B.) gr. 4. Leipzig, (Klinkhardt). à Jahrg. n. 4. —

— schlesische. Pädagogische Wochenschrift, Organ der Provinzial-Lehrer-Vereine in Schlesien u. Posen u. d. schles. Pestalozzi-Vereins. Red.: F. Töpler u. Alb. Sachse. 12—15. Jahrg. 1883—1886. à 52 Nrn. (à1—$1\frac{1}{2}$ B.) gr. 4. Breslau, Priebatsch. à Jahrg. n. 6. —

— schleswig-holsteinische, e. pädagog. Wochenschrift u. Organ d. allgemeinen schleswig-holstein. Lehrervereins. Red. v. A. Stolley. 31—34. Jahrg. 1883—1886. à 52 Nrn. (à $\frac{1}{2}$—$\frac{3}{4}$ B.) gr. 4. Flensburg. Westphalen. à Jahrg. n. 6. —

— allgemeine thüringische. Hauptorgan f. die Lehrer der Thüring. Staaten. Hrsg. unter Mitwirkg. namhafter Schulmänner v. W. Fürst. 14—17. Jahrg. 1883—1886. à 52 Nrn. (B.) gr. 4. Gera, Ißleib & Rietzschel. à Jahrg. n. 8. —

Schulzen, F. M., Forstwesen, Waldkultur u. Landwirthschaft in Preußen, nebst den zugehör. kommentirten Gesetzen. 4. Aufl. gr. 8. (II, 141 S.) Trier 884. Lintz. n. 1. 50

— Korbweiden-Kultur, Lehranstalten f. Korbflechterei u. die Weiden [salices]. Mit 5 (lith.) Taf. u. Holzschn. 2. Aufl. gr. 8. (VII, 165 S.) Ebend. 884. n. 1. 60

Schumacher, Arnold, die Ergänzung der schweizerischen Artillerie m. Rücksicht auf den Gebirgskrieg. Beantwortung der vom Zentralkomite der schweiz. Offiziersgesellschaft gestellten Frage: Ist die Bewaffng. u. Ausrüstg. der schweiz. Artillerie e. zur Führg. d. Gebirgskrieges hinreichend zweckdienliche; beziehungsweise was f. Neuergn. wären diesfalls wünschenswerth? gr. 8. (IV, 55 S.) Frauenfeld 886. (Huber.) n. 1. —

Schumacher, Carl, de republica Rhodiorum commentatio. gr. 8. (64 S.) Heidelberg 886. C. Winter. n. 1. 80

Schumacher, E., Erläuterungen zur geologischen Karte der Umgegend v. Strassburg m. Berücksicht. der agronomischen Verhältnisse. Hrsg. v. der Commission f. die geolog. Landes-Untersuchg. v. Elsass-Lothringen. gr. 8. (VII, 67 S.) Strassburg 883. (Schultz & Co.) n. 1. —

Schumacher-Kopp, E., Conserven, condensirte Milch etc., s.: Bericht üb. Gruppe 25 der schweizerischen Landesausstellung Zürich 1883.

Schumacher, Ernst, zur Syntax Rustebuef's. gr. 8. (63 S.) Kiel 886. (Lipsius & Tischer.) n. 1. 60

Schumacher, G., Lehrbeispiele zur Behandlung d. Kirchenliedes in der Volksschule. 2. Aufl. gr. 8. (XII, 244 S.) Barmen 885. Wiemann. n. 3. —

Schumacher, G., der Dscholan. Zum ersten Male aufgenommen u. beschrieben. Mit 1 Karte, mehreren Plänen u. zahlreichen Abbildgn. gr. 8. (204 S.) Leipzig 886. (Baedeker.) n.n. 5. —

Schumacher, H., das Fräulein v. Groenerode, s.: Bachem's Novellen-Sammlung.

Schumacher, Herm. A., Petrus Martyr, der Geschichtsschreiber d. Weltmeeres. Eine Studie. Mit e. (lith.) Karte aus dem J. 1510. Lex.-8. (IX, 152 S.) New York 879. Steiger & Co. 4. —

— südamerikanische Studien. Drei Lebens- u. Cultur-Bilder. Mútis. Cáldas. Codazzi. 1760—1860. gr. 8. (XIII, 559 S.) Berlin 884. Mittler & Sohn. n. 12. —

Schumacher, Hub., kleine Volksgeschichten. 1. Serie. 1—6. Bdchn. 16. (à ca. 160 S.) Dülmen 883. 84. Laumann. à n. — 50

— goldene Worte der Centrumsredner. [1877—1882.] Eine Beleuchtg. wicht. Zeitfragen. Zugleich der „Parlamentar. Denkwürdigkeiten" neue Folge. gr. 8. (XXII, 134 S.) Münster 883. Th. Schöningh. n. 1. 80

Schumacher, J., zur Theorie der biquadratischen Gleichungen. gr. 4. (III, 50 S.) Erlangen 884. (Traunstein, Stifel.) n. 1. 20

Schumacher, K., s.: Wiederholungsbuch f. den geographischen, geschichtlichen, naturkundlichen u. deutschen Unterricht.

Schumacher, L., das große Geheimnis. Eine Betrachtg. der göttl. Offenbarg. üb. die Braut des Lammes. 3. Aufl. 8. (72 S.) Mülheim 885. Buchh. d. evang. Vereinshauses. n. — 50

Schumacher, Paul, Lieder u. Gedichte e. rheinischen Musikanten. 12. (VI, 120 S.) Mainz 886. Diemer. n. 2. —

Schumacher, Tony, geb. v. Baur, Lottchen u. Gertrud od. Großmutters Holzpuppe u. der Enkelin Wachspuppe. Vergleichende Erzählg in Reimen aus der guten alten Zeit u. der Neuzeit. Mit 40 Illustr. u. 4 Buntbildern nach Zeichngn. der Verf. gr. 8. (V, 128 S.) Leipzig 885. Spamer. n. 2. —; cart. n. 2. 50

Schumacher, Wilh., die keramischen Thonfabrikate. I. Allgemeine Keramik. II. Die Thonfabrikate m. einfachem Scherben od. Fabrikation der Terrakotten, d. Sideroliths, d. Irdengeschirrs, der Bauern-Majolika, d. Bunzlauer Geschirrs, d. Kochgeschirrs, der modernen Majolika u. der Majolikaöfen, der Fayence od italien. Majolika u. der Fayenceöfen, sowie d. Steinzeugs. 5. Aufl. v. K. Wilkens „die Töpferei", vollständig neu bearb. Mit e. Atlas v. 9 (lith. Fol.-)Taf., enth. 99 Abbildgn. (u. 4 S. Text). gr. 8. (XIV, 468 S.) Weimar 884. B. F. Voigt. 10. —

Schumann, die Bedeutung drehbarer Geschützpanzer: „Panzerlaffetten" f. e. durchgreifende Reform der permanenten Befestigung. 2. Aufl. Mit e. Atlas v. 23 (chromolith.) Bl. Zeichnungen. gr. 8. (66 S.) Potsdam 885. Militaria. geb. n.n. 30. —

Schumann, Ad., die Steinerschen Kreisreihen u. ihre Beziehung zum Poncelетschen Schliessungstheorem. gr. 4. (27 S.) Berlin 883. Gaertner. n. 1. —

Schumann, Ad., kurzer Abriß der Geschichte der deutschen Litteratur f. höhere Töchterschulen. Neu hrsg. v. W. Wegener. 7. Aufl. 8. (VIII, 85 S.) Brandenburg 882. Wiesike — 90; Einbd. n.n. — 20

Schumann, B., Lustspiele, } s.: Liebhaber-
— Schwänke, } Theater.

Schumann, C., kritische Untersuchungen über die Zimtländer, s.: Petermann's, A., Mittheilungen aus Justus Perthes' geographischer Anstalt.

Schumann, F. J., 4 deutsche Kaiser- u. Vaterlandslieder, drei u. zweistimmig componiert zum Gebrauch in Schulen an Feier- u. Gedenktagen. 12. (16 S.) Berlin 886. (Rosenthal.) n. — 20

Schumann, Gust., Partikularist Bliemchen aus Dresden auf dem achten deutschen Bundesschießen in Leipzig. Mit Federzeichngn. v. O. Gerlach. 3. Tausend. gr. 8. (46 S.) Leipzig 884. Reißner. n. — 50

— Partikularist Bliemchen aus Dresden in Karlsbad. Mit Federzeichngn. v. Otto Gerlach. 6. Tausend. gr. 8. (78 S.) Ebend. 885. n. 1. —

Schumann, Gust, Partikularist Bliemchen aus Dresden in der Schweiz. Mit Federzeichngn. v. A. Reinheimer. 9. Aufl. gr. 8. (95 S.) Leipzig 886. Reißner. n. 1. —

— nur hitzig gemiethlich! A Stammbischalbum v. Fritze Bliemchen aus Dräsen fer seine lieben Freinde. Illustr. v. Otto Gerlach u. A. gr. 8. (75 S.) Ebend. 886. n. 1. —

— Memoiren d. Partikularisten Bliemchen aus Dresden. Mit Federzeichngn. v. O. Gerlach u. O. Cavelli. 7. Aufl. gr. 8. (58 S.) Ebend. 886. n. 1. —

Schumann, J., gesammelte Dichtungen. 12. (VIII, 260 S.) Goslar 885. Koch. n. 2. 50; geb. n. 3. 50

Schumann, J. Chr. Glob., Handbuch d. Katechismus-Unterrichts f. Lehrer u. Prediger. 5—7. Lfg. gr. 8. (1. Bd. VII u. S. 257—392 u. 2. Bd. S. 1—64.) Hannover 883—86. Meyer. à n. — 60

— Dr. Karl Kehr. Ein Meister der deutschen Volksschule u. Lehrerbildg., nach Erinnergn. u. Briefen an Freunde den deutschen Lehrern gezeichnet. Mit dem Portr. v. Kehr in Stahlst. gr. 8. (VII, 251 S.) Neuwied 886. Heuser's Verl. n. 3. —

— Lehrbuch der Pädagogik. 2 Tle. 7. Aufl. gr. 8. Hannover, Meyer. à n. 4. 40; geb. à n. 5. —

1. Einleitung u. Geschichte der Pädagogik m. Musterstücken aus den pädagog. Meisterwerken der verschiedenen Zeiten. (XII, 427 S.) 883.
2. Die systemat. Pädagogik u. die Schulkunde. (VIII, 447 S.) 884.

— Leitfaden der Pädagogik f. den Unterricht in Lehrerbildungsanstalten. 2 Tle. 4. Aufl. gr. 8. Ebend. à n. 3. —

1. Die systematische Pädagogik u. die Schulkunde. (VIII, 278 S.) 883.
2. Geschichte der Pädagogik. (VIII, 292 S.) 884.

— Gotthold Ephraim Lessings Schuljahre. Ein Beitrag zur deutschen Kultur-, Litteratur- u. Schul-Geschichte. gr. 8. (53 S.) Trier 884. Stephanus. n. 1. —

— unsere Schulzucht. Ein erweiterter Vortrag. 2. Aufl. gr. 8. (IV, 102 S.) Neuwied 884. Heuser's Verl. n. 1. —

— u. Wilh. Heinze,. Leitfaden der preußischen Geschichte. 2. Aufl. gr. 8. (II, 192 S.) Hannover 886. Meyer. cart. n. 1. 20

Schumann, K., die pädagogische Tagespresse u. ihre Großmeister zu Berlin u. Spandau. gr. 8. (48 S.) Berlin 884. Wiegandt & Grieben. n. — 50

Schumann, K., Marco Polo, e. Weltreisender d. XIII. Jahrh., s.: Sammlung gemeinverständlicher wissenschaftlicher Vorträge.

Schumann, M., die Sexualproportion der Geborenen. Eine statist. Studie. gr. 8. (III, 60 S.) Oldenburg 883. Schulze. n. 1. 60

Schumann, P., Barock u. Rococo, s.: Beiträge zur Kunstgeschichte.

— Verzeichniss zum Museum der italienischen Malerei in Orig.-Photographien, s.: Gutbier, A.

Schumann, Phil. P., Beurtheilung seines Charakters, seiner Anlagen, Fähigkeiten, Leidenschaften, Neigungen &c. nach der Handschrift. Kurze Anleitg.: Die Handschriftendeutg. zum Selbstunterricht. Bearb. f. den Gelehrtenstand, f. die Armee u. Marine &c, überhaupt f. Männer der Feder u. der Rede, sowie f. Damen besserer Stände. Lehren Schopenhauers verwerthet! gr. 8. (16 S.) Leipzig 883. Fischer. n. — 50

Schumann, Rich., die Berufsfeuerwehr. Ein Leitfaden zu ihrer Organisation u. Verwaltg. Mit 31 erläut. Holzschn. 2. Ausg. gr. 8. (IV, 129 S.) Norden 885. Fischer Nachf. n. 4. —

Schumann's, Rob., Briefe. Neue Folge. Hrsg. v. F. Gust. Jansen. gr. 8. (X, 406 S.) Leipzig 886. Breitkopf & Härtel. n. 6. —; geb. n. 7. —

— Jugendbriefe. Nach den Originalen mitgetheilt v. Clara Schumann. 2. Aufl. gr. 8. (IV, 315 S.) Ebend. 886. n. 6. —; geb. n. 7. —

— Kinderscenen. 13 Musikstücke f. das Pianoforte m. Dichtgn. v. Alb. Träger u. Bildern v. Alex. Zieck. gr. 4. (80 S. m. Holzschn. u. 6 Lichtdr.) Leipzig 886. Titze. geb. m. Goldschn. n. 20. —

— gesammelte Schriften üb. Musik u. Musiker. 2 Bde. 3. Aufl. Neue Ausg. gr. 8. (XX, 336 u. 375 S.) Leipzig 883. Breitkopf & Härtel. n. 9. —; geb. n. 11. —

Schumann, Rob., das Zimmer der Gegenwart. Eine Sammlg. neuer, meist einfach ausgeführter, Möbel stilvoller Zimmereinrichtgn. (In 5 Lfgn.) 1. u. 2. Lfg. à 10 Taf. in Lichtdr. Fol. Leipzig 885. 86. Hessling. In Mappe. à n. 8. 50

Schumann, W., Vokalismus u. Konsonantismus d. Cambridger Psalter, s.: Studien, französische.

Schumann, Wilh., petrographische Studien an vulkanischen Gesteinen Japans. gr. 8. (62 S.) Halle 883. (Tausch & Grosse.) n. 1. —

Schümann, J., Joh. Seb. Bach, der Cantor der Thomasschule zu Leipzig, s: Philologos Germaniae Lipsiae congregatos salutant scholae Thomanae magistri.

Schumm, Ant., Maximilian Robespierre. Ein geschichtl. Bildniß aus der Revolutionszeit. gr. 8. (XIII, 318 S.) Freiburg i/Br. 885. Herder. n. 2 —; Einbd. n.n. — 40

Schuenemann, Otto, de cohortibus Romanorum auxiliariis. Pars II addenda ad Hassencampii dissertationem Gottingensem a. 1869. gr. 8. (58 S.) Halis Sax. 883. (Berlin, Mayer & Müller.) n. 1. 60

Schünemann, W., neuestes Frankfurter Kochbuch, enth. üb. 1700 Kochvorschriften f. herrschaftl., Gasthofs- u. Privat-Küchen. Mit e. Einleitg. üb. Einteilg. der Küche u. Speisekammer, Aufbewahrg. der Ingredienzien. Anrichten der Speisen &c. u. e. Anh.: Vorschriften üb. das Tranchieren, Speisezettel &c. 10. Aufl. 8. (VIII, 662 S.) Frankfurt a/M. 884. Sauerländer. geb. 4. 50

Schupp, Ottokar, James Garfield, Präsident der Vereinigten Staaten Nordamerikas. Ein Lebensbild. Mit 4 (Stahlst.-)Abbildgn. 12. (99 S.) Wiesbaden 887. Riedner. cart. — 75

— das verlorene Kind. Eine Auswanderergeschichte f. die deutsche Jugend u. das Volk. Mit 4 Abbildgn. (in Stahlst.). 12. (112 S.) Ebend. 884. cart. — 75

— Kirmes! Ein Bild aus dem Dorfleben. 2. Ausg. 12. (116 S.) Barmen 884. Klein. cart. n. 1. —

— die Klemenskirche. Erzählung aus der Zeit der Raubritter f. die deutsche Jugend u. das Volk. Mit 4 (Stahlst.-)Abbildgn. 12. (118 S.) Wiesbaden 885. Riedner. cart. — 75

— unter den Menschenfressern v. Borneo. Eine Erzählg. f. die deutsche Jugend u. das deutsche Volk. Mit 4 (Stahlst.-)Abbildgn. 12. (109 S.) Ebend. 886. cart. — 75

— das Nationaldenkmal auf dem Niederwald. Eine Erzählg. f. die deutsche Jugend u. das Volk. Mit 4 (Stahlst.-)Abbildgn. 12. (120 S.) Ebend. 886. cart. — 75

— die Rache ist mein. Eine Erzählg. f. die deutsche Jugend u. das deutsche Volk. Mit 4 (Stahlst.-)Abbildgn. 12. (114 S.) Ebend. 885. cart. — 75

— Theobald. Eine Erzählg. aus den Sachsenkriegen im 8. Jahrh. Für die Jugend u. das deutsche Volk. Mit 4 (Stahlst.-)Abbildgn. 12. (136 S.) Ebend. 887. cart. — 75

— der Turmbau auf den Halligen. Eine Erzählg. f. die Jugend u. das Volk. Mit 4 Abbildgn. (in Stahlst.). 12. (96 S.) Ebend. 884. cart. — 75

Schuppe, F., die Vermögens-Verwaltung in den katholischen Kirchengemeinden. Erläuterungen, Ratschläge u. Beispiele in Anlehng. an das Gesetz vom 20. Juni 1875, f. kathol. Kirchenvorstände u. Gemeindevertretgn. zusammengestellt. gr. 8. (X, 106 S.) Köln 888. Du Mont-Schauberg. n. 1. 80

Schuppelius, W., die Kaiser Wilhelms-Spende, allgemeine Stiftung f. Renten- u. Kapital-Versicherung als Alters-Versorgungs-Anstalt f. das deutsche Volk. gr. 8. (23 S.) Breslau 883. Köhler. n. — 40

Schüpphaus, Rob., üb. Formanhydroisodiamidotoluol [Methenylisotoluylendiamin]. gr. 8. (32 S.) Elberfeld 884. (Göttingen, Vandenhoeck & Ruprecht.) n. — 80

Schur, Ferd., u. Rob. Hertrich, evangelisches Schulgesangbuch. Zum Gebrauch im Religionsunterricht u. Schulgottesdienst hrsg. 8. (VI, 144 S.) Bielitz 884. (Fröhlich.) geb. n.n. 1. —

Schur, Phil. Joh. Ferd., enumeratio plantarum Transsilvaniae, exhibens: Stirpes phanerogamas sponte crescentes atque frequentius cultas, cryptogamas vasculares, Characeas, etiam muscos hepaticasque. Nova ed. gr. 8. (XVIII, 984 S.) Wien 885. Graeser. n. 18. —

Schuré's, Edouard, Geschichte d. deutschen Liedes. Eingeleitet v. Adf. Stahr. 3. Aufl. Mit e. Vorwort v. Osk. Schwebel. 8. (XVI, 408 S.) Minden 883. Bruns. n. 3. —; geb. n. 4. 50

Schürens, Joh. Heinr., Leben u. Schriften. Hrsg. v. H. J. Freye. gr. 8. (V, 406 S.) Gütersloh 885. Bertelsmann. n. 5. —

Schurer, Frdr., Elisabetha Bona v. Reute. Ein Heiligenleben Oberschwabens aus der Zeit d. päpstl. Schisma, in Einzelbildern gezeichnet f. die 500jähr. Feier d. Geburtsfestes der Heiligen. 8. (356 S. m. 1 Bild.) Stuttgart 886. Schott. geb. n. 2. —

Schürer, Emil, Geschichte d. jüdischen Volkes im Zeitalter Jesu Christi. 2. neu bearb. Aufl. d. Lehrbuchs der neutestamentl. Zeitgeschichte. 2. Thl. Die inneren Zustände Palästina's u. d. jüd. Volkes im Zeitalter Jesu Christi. gr. 8. (X, 884 S.) Leipzig 886. Hinrichs' Verl. n. 20. —; geb. n. 22. 50

Der 1. Thl. erscheint Ende 1887.

— über φαγεῖν τὸ πάσχα Joh. 18, 28. Akademische Festschrift. gr. 4. (24 S.) Giessen 883. (Ricker.) n. 1. —

Schuricht, Herm., Geschichte der deutschen Schulbestrebungen in Amerika. gr. 8. (V, 149 S.) Leipzig 884. F. Fleischer. n. 3. —

— Geschichts-Tabellen zum Schulgebrauch f. die deutsch-amerikanische Jugend. Zusammengestellt unter Mitwirkg. v. Mitgliedern d. Comité's d. Lehrerbundes f. Geschichtsunterricht. 2. Aufl. 8. (35 S.) Chicago 884. Hinstorff. n. — 60

Schurig, B. E. Rich., Lehrbuch der Arithmetik zum Gebrauch an niedern u. höhern Lehranstalten u. beim Selbststudium. 3 Tle. gr. 8. Leipzig, Brandstetter. n. 16. —

1. Spezielle Zahlenlehre. [Zugleich e. Handbuch f. Volksschullehrer.] (VIII, 286 S.) 883. n. 3. 60
2. Allgemeine Zahlenlehre. [Buchstabenrechnung.] (VIII, 450 S.) 884. n. 6. —
3. Algebra, nebst Anwendg. derselben auf die Analysis. (VIII, 430 S.) 885. n. 6. 40

Schurig, Ewald, biblische Geschichten f. die Unterklasse der Volksschulen. Mit Sprüchen u. Verschen. 8. (55 S.) Brandenburg 886. Müller. n. — 50

— Pflanzenbilder. Ein Hülfsbüchlein zum Gebrauch beim Unterrichte in der Pflanzenkunde. 8. (IV, 91 S.) Halle 885. Hendel. n. — 50

Schurig, G., Grundriß der Geschichte. gr. 8. (XIV, 304 S.) Breslau 886. F. Hirt. n. 2. 20; geb. n. 2. 50

— dasselbe. Illustr. Ausg. B.: Mit 14 histor. Haupt- u. 15 Nebenkarten, sowie e. kulturhistor. Bilderanhang. gr. 8. (XIV, 304 u. Anh. 32 S.) Ebend. 886. geb. n. 3. 50

— Lehrbuch der Geschichte in Umrissen u. Ausführungen. Für Lehrer u. Lehrerbildungsanstalten, wie auch f. das allgemeine Bildungsbedürfnis hrsg. 1. Tl.: das Altertum. 2. Aufl. gr. 8. (XVI, 240 S.) Ebend. 884. n. 2. 20; geb. n.n. 2. 60

Schurig, Rich., Himmels-Atlas, enth. alle m. blossen Augen sichtbaren Sterne beider Hemisphären. Nach den besten Quellen bearb. Fol. (8 chromolith. Karten m. 2 Bl. Text.) Leipzig 886. Pfau. cart. 3. —

Schurig, Rud., die königl. sächsische Subhastationsordnung, enth. das Gesetz, betr. die Zwangsversteigerg. u. die Zwangsverwaltg. unbewegl. Sachen, vom 15. Aug. 1884, die zugehör. Ausführungsverordnung vom 16. August 1884 u. das Gesetz betr. die Kosten der Zwangsversteigerg. u. der Zwangsverwaltg. unbewegl. Sachen, vom 18. Aug. 1884, erläutert. gr. 8. (VIII, 399 S.) Leipzig 884. Veit & Co. n. 10. 40

Schurig, W., Liederstrauß. Wander-, Turn-, Vaterlands- u. Volkslieder zum Gebrauch bei Schülerturnfahrten x. 2. Aufl. gr. 16. (112 S.) Elberfeld 886. Bädeker. n. — 60; geb. n. — 80

Schürmann, F., O. **Schürmann,** Th. **Walde,** Uebungsstoff f. den Turnunterricht, bestehend in Aufmärschen, Gruppen v. Frei- u. Stabübgn., Liederreigen u. Turnspielen. Mit Fig. u. Abbildgn. 2. Aufl. 8. (68 S.) Essen 885. Bädeker. geb. n. 1. —

— — — dasselbe. 2. Tl. Mit 96 Fig. u. Abbildgn. 8. (86 S.) Ebend. 885. geb. n. 1. —

— u. F. **Windmöller,** Lehr- u. Lesebuch f. Fortbildungsschulen. 1. Tl. 3. Aufl. gr. 8. (XI, 340 S.) Ebend. 885. n. 1. 60; geb. n. 2. —

Schürmann's, Fr., Rechenbuch. 2. u. 3. Tl., besorgt v. A. Hollenberg u. G. Beckers. 8. Moers, Spaarmann. n. 1. 5; Antworten à n.n. — 25

2. Die Bruchrechnung. 16. Aufl. (48 S.) 885. n. — 35; Antworten (208 S.) n.n. — 25
3. Die verschiedenen Rechnungsarten d. bürgerl. Lebens. 15. Aufl. (IV, 144 S.) 884. n. — 70; Antworten dazu (24 S.) n.n. — 25

— Schul-Rechenbuch. 1. Hft. 19. Aufl. 8. (28 S.) Ebend. 883. n. — 20

Schürmann, Fr., deutsche Zeichen-Schule. Uebungen im Freihandzeichnen, systematisch geordnet u. gezeichnet. 1—3. Hft. gr. 4. (à 12 Bl.) Marburg 886. Elwert's Verl. à n. — 50

Schürmann, J., Darstellung der Syntax in Cynewulfs Elene, s.: Studien, neuphilologische.

Schurtz, H., Methode zur selbständigen u. vollkommenen Erlernung der Correspondenz, doppelten italienischen u. doppelten amerikan. Buchführung, auch zum Gebrauch f. Unterrichts-Anstalten geeignet. 3 Thle. in 1 Bde. 8. (III, 476 S. m. Formularen.) Aachen 886. La Ruelle. geb. 6. —

Schurz, C., s.: Geschichtsblätter.

Schurz, Wilh., de mutationibus in imperio romano ordinando ab imperatore Hadriano factis. gr. 8. (VI, 68 S.) Bonn 883. Strauss. n. 2. —

Schußbuch u. immerwährender Jagdkalender, hrsg. von G. v. K. Mit Illustr. v. L. Beckmann. gr. 4. (108 S.) Berlin 883. R. Kühn. geb. n. 10. —

Schüßler, e. abgekürzte Therapie. Biochemische Behandlg. der Krankheiten. 13. Aufl. Mit e. Anh., Krankengeschichten enth. 8. (64 S.) Oldenburg 886. Schulze. n. 2. —

Schüßler, K., naturgeschichtlicher Anschauungs-Unterricht f. die Oberstufe der Volksschule, s.: Ortmann, J. H.

Schuß-Tafel f. die 8,7 cm Kanone in Gelenk-Lafette der Schiffs-Artillerie. 8. (6 S.) Berlin 883. Mittler & Sohn. n.n. — 50

— für die 3,7 cm Revolver-Kanone der Schiffs-Artillerie. 8. (8 S.) Ebend. 885. n.n. — 50

Schuster, Diagnostik der Rückenmarks-Krankheiten. 2. Aufl. gr. 8. (IV, 156 S.) Berlin 884. Th. Ch. F. Enslin. n. 4. —

— dasselbe, nebst e. kurzen Anh.: Allgemeine Therapie derselben. Leitfaden f. den prakt. Arzt. 3. Aufl. Mit 12 Holzschn. gr. 8. (VI, 194 S.) Ebend. 886. geb. n. 5. —

— über die Einwirkung warmer Bäder bei Erkrankungen d. Rückenmarkes, s.: Sonderabdrücke der Deutschen Medicinal-Zeitung.

— über Ischias u. ihre Behandlung m. warmen Bädern. Vortrag, geh. in der 5. öffentl. Versamml. der balneolog. Sektion der Gesellschaft f. Heilkunde in Berlin am 18. März 1883. gr. 8. (14 S.) Berlin 883. Grosser. n. — 50

Schuster, A., Beerdigungswesen, — Kasernen, } s.: Handbuch d. speciellen Pathologie u. Therapie.

Schuster, A., Aufgaben zum schriftlichen Rechnen f. Fortbildungsschulen. 3. Aufl. Mit Vorwort u. method. Erläutergn. 8. (40 S.) Meißen 885. Schlimpert. n. — 20

— deutsches Lesebuch, s.: Kohts, R.

Schuster, Adf., Davos u. seine Heilkraft. Humoristische Lebensregeln f. Davoser Kurgäste u. solche, die es werden sollen. 3. Aufl., gänzlich umgearb. u. bedeutend verm. v. Ewald Deutsch. 8. (40 S.) Davos 884. Richter. n. — 60

Schuster, Chr. Frdr. Alb., Lehrbuch der Poetik f. höhere Lehranstalten. 2. Aufl. gr. 8. (XII, 88 S.) Halle 884. Grosse. n. 1. 60

Schuster, Ferd., Commentar zum Gesetze üb. das Verfahren außer Streitsachen. Allgemeine Anordngn. — Verlassenschaftsabhandlung. Mit e. Anh. üb. die Nachlaßgebühren. 3. Aufl. gr. 8. (XV, 480 S.) Wien 886. Manz. n. 7. 20; geb. n. 8. 40

Schuster, Frdr. Wilh., Alboin u. Rosimund. Trauerspiel in 5 Aufzügen. 2. Aufl. 8. (IV, 180 S.) Wien 884. Graeser. n. 2. —; cart. n. 2. 40; geb. n. 2. 80

Schuster, Gfr., die patentirten [trockenen] Erdclosets. 2. Aufl. m. Abbildgn. gr. 8. (32 S.) Zürich 886. Schmidt. n. — 60

Schuster, Herm., Friedrich v. Hagedorn u. seine Bedeutung f. die deutsche Literatur. Eine literar. histor. Abhandlg. gr. 8. (VI, 93 S.) Leipzig 882. (Fock.) n. 1. 50

Schuster, J., abrégé de l'histoire sainte à l'usage des classes inférieures des établissements d'instruction publique. Orné de 46 gravures imprimées dans le texte. 7. éd. 12. (90 S.) Freiburg i/Br. 885. Herder. n. — 40; Einbd. n.n. — 8

— deutsche Fibel, s.: Bumüller, J.

— die biblische Geschichte d. Alten u. Neuen Testaments. Für kathol. Volksschulen. Mit 114 Abbildgn., 2 Kärtchen u. e. Ansicht d. Heiligen Landes. (Neue Aufl. 1885.) 8. (XII, 234 S.) Freiburg i/Br. 885. Herder. n. — 45

— dasselbe. Anhang dazu: das kathol. Kirchenjahr. 8. (48 S.) Ebend. 885. n. — 15

— dasselbe. Neue, im Text unveränd. Ausg. f. das Kaiserth. Österreich m. 52 Abbildgn. gr. 8. (XII, 203 S.) Ebend. 885. n. — 45

— dasselbe. Anhang dazu: Die Evangelien der Sonn- u. Festtage d. Kirchenjahres. gr. 8. (16 S.) Ebend. 885. n. — 10

— biblische Geschichte f. katholische Volksschulen. Neu bearb. v. G. Mey. Mit vielen Illustr., 2 Kärtchen u. 1 Ansicht d. hl. Landes. Ausg. f. das Kaiserth. Österreich. 8. (VIII, 262 S.) Ebend. 886. cart. n. — 64; feine Ausg. geb. n. 1. 30

— dasselbe. Anhang dazu: Die sonn- u. festtägl. Evangelien d. Kirchenjahres. 8. (24 S.) Ebend. 885. — 5

— kurze biblische Geschichte. Neue, im Text unveränd. Aufl. m. 42 Bildern. Zum Gebrauche f. die unteren Klassen der Volksschulen. 12. (96 S.) Ebend. 885. n. — 20; Einbd. n.n. — 5

— dasselbe. Mit 41 Bildern. Neue, im Text unveränd. Ausg. f. Österreich. 12. (96 S.) Ebend. 884. cart. n. — 25

— dasselbe, s.: Bilder-Bibel.

— bijbelsche geschiedenis des Ouden en des Nieuwen Testaments, ten gebruike bij het meer uitgebreid — en het middelbaar onderwijs, in het Nederlandsch vertaald en bewerkt door P. Timmermans en J. H. Wijnen. II. Het Nieuwe Testament. 8. geillustreerde uitgave met eene kaart van het Heilige Land. 8. (160 S.) Freiburg i/B. 885. Herder. n. — 60; Einbd. n.n. — 10

— verkorte bijbelsche geschiedenis des Ouden en des Nieuwen Testaments, volgens Sch., ten gebruike bij het lager onderwijs, door wijlen P. Timmermans, en J. H. Wijnen. 3. uitgaaf. 8. (III, 176 S. m. Holzschn. u. 1 Karte.) Ebend. 886. n. — 60; Einbd. n.n. — 8

— Handbuch zur biblischen Geschichte. Für den Unterricht in Kirche u. Schule, sowie zur Selbstbelehrg. Mit Karten, Plänen u. vielen Holzschn. Neu bearb. v. J. B. Holzammer. 4. Aufl. 2 Bde. gr. 8. (XVIII, 867 u. XVII, 734 S.) Ebend. 885. 86. n. 15. —; Einbd. à n.n. 2. —

— histoire biblique de l'Ancien et du Nouveau Testament, ornée de 113 gravures sur bois et d'une carte de la Terre Sainte. Ouvrage traduit sur la 58e éd. allemande par M. D. Couissinier. (Nouv. éd. 1884.) 8. (VII, 296 S.) Ebend. 884. n. — 60; Einbd. n.n. — 10

— Lesebuch f. Volksschulen, s.: Bumüller, J.

— schets der bijbelsche geschiedenis, bewerkt door wijlen P. Timmermans en J. H. Wijnen. Naar het Hoogduitsch. 3. uitgaaf. 12. (103 S. m. Holzschn.) Freiburg i/Br. 886. Herder. n. — 40; Einbd. n.n. — 6

Schuster, J. T., der Galanthomme od. der Gesellschafter, wie er sein soll. 20. Aufl. 8. (VIII, 292 S.) Quedlinburg 886. Ernst. 2. 50

Schuster, L., das Leben unseres Herrn u. Heilands Jesu Christi, f. das deutsche Volk erzählt, frei nach dem Engl. Mit etwa 200 der engl. Ausg. entnommenen Illustr. 42 Lfgn. gr. 4. (528 S.) Hannover 884. 85. Norddeutsche Verlags-Anstalt. à — 50 (cplt.: 20. —; geb. m. Goldschn. n. 25. —)

Schuster, Leop., St. Anna am Aigen. Gedenkschrift zum 1. hundertjähr. Jubiläum. 8. (50 S.) Graz 886. Moser. n. — 20

Schuster, M. J., die Ente im Dienste der Land- u. Volkswirthschaft, sowie als Ziervogel. 2. Aufl. 8. (IV, 56 S.) Ilmenau 886. Schröter. n. — 75

— die Gans im Dienste der Land- u. Volkswirthschaft sowie als Ziervogel. 2. Aufl. 8. (VII, 74 S.) Ebend. 886. n. 1. —

— das Huhn im Dienste der Land- u. Volkswirthschaft, sowie d. Sports. 8. (VII, 160 S.) Ebend. 885. cart. n. 2. —

— der Papageien-Freund. Die Beschreibg., Pflege, Zucht, Abrichtg. &c. sämmtl. bis jetzt bekannten Papageien. 2. Aufl. 8. (15 S.) Ebend. 886. n. 2. —

— der Schwan als Zier- u. Nutzvogel. 2. Aufl. 8. (III, 21 S.) Ebend. 886. — 30

— Truthuhn, Perlhuhn, Fasan u. Pfau als Nutz- u. Ziervögel. 8. (VII, 115 S.) Ebend. 885. n. 1. 50

— das Wassergeflügel im Dienste der Land- u. Volkswirthschaft, sowie als Zierde, enth. gründl. Anleitg. zur rationellen Zucht der Gänse, Enten u. Schwäne. 2. Aufl. 8. (XII, 74; 56 u. 21 S.) Ebend. 886. n. 2. —

Schuster, Max, Resultate der Untersuchung d. nach dem Schlammregen vom 14. Octbr. 1885 in Klagenfurt gesammelten Staubes. [Mit 2 Taf.] Lex.-8. (36 S.) Wien 886. (Gerold's Sohn.) n. 1. —

Schuster, Max, u. Karl **Schreiber,** üb. Schadenersatz nach österreichischem Recht. gr. 8. (VI, 72 S.) Wien 885. Manz. n. 1. 80

Schuster, O., u. F. A. **Francke,** Geschichte der sächsischen Armee von deren Errichtung bis auf die neueste Zeit. Unter Benutzg. handschriftl. u. urkundl. Quellen dargestellt. 3 Thle. Mit 37 Skizzen auf 16 (lith.) Taf. gr. 8. (XII, 226; VI, 393 u. VII, 421 S.) Leipzig 885. Duncker & Humblot. n. 22. —; geb. n. 25. —

Schüth, Heinr., Studien zur Sprache d'Aubigné's. gr. 8. (64 S.) Altona 883. (Jena, Dabis.) n. 1. —

Schütte, R., s.: Klassiker-Bibliothek der bildenden Künste.

Schutz vor der Cholera, ihre Geschichte, ihr Wesen, ihre Erkenng. u. die Maßregeln zu ihrer Bekämpfung. Von e. prakt. Arzte. 8. (24 S.) Chemnitz 884. Hager. — 25

Schütz, A. S., Gott meine Liebe. Ein vollständ. Gebet- u. Erbauungsbuch f. wahrhaft bet. kathol. Christen. 3. Aufl. 12. (XVI, 511 S. m. Farbendr.-Titel u. 1 Stahlst.) Regensburg 888. Coppenrath. n. 2. —; Einbd. in Leinw. m. Goldschn. n.n. 1. —; in Leder m. Goldschn. n.n. 1. 80; französ. Einbd. n.n. 2. 55

— dasselbe. Min.-Ausg. 24. (XVI, 703 S. m. Farbendr.-Titel u. 1 Stahlst.) Ebend. 883. n. 1. 50; Einbd. in Leinw. m. Goldschn. n.n. 1. 25; in Ldr. m. Goldschn. n.n. 2. 10; französ. Einbd. n.n. 3. 30

Schütz-Holzhausen, Damian Frhr. v., der Amazonas. Wanderbilder aus Peru, Bolivia u. Nordbrasilien. Mit 81 Holzschn. u. 10 Vollbildern. gr. 8. (XV, 243 S.) Freiburg i/Br. 883. Herder. n. 4. —; geb. n. 6. —

Schütz, Herm., Charakterbilder aus der französischen Geschichte, f. den Schul- u. Privatgebrauch zusammengestellt u. m. den zum Verständniss nöth. Anmerkgn. versehen. — Les grands faits de l'histoire de France. Pages d'histoire extraites des meilleurs écrivains français. 2. Thl. Neuere Geschichte. (2. Aufl.) 8. (IV, 303 S.) Braunschweig 884. Wissmann. n. 1. 80

— historical series. Select portions taken from the best english historical writers. Charakterbilder aus der Geschichte. Für den Schul- u. Privatgebrauch aus den besten engl. Historikern ausgewählt u. m. Anmerkgn. versehen. Vol. IV, VI and VII. 8. Bielefeld, Velhagen & Klasing. n. 4. 80

4. Neuere Geschichte. 1. Tl. [1500—1584.] 3. Aufl. (VII, 272 S.) 883. n. 1. 60

6. Alte Geschichte. 2. Aufl. (VII, 223 S.) 883. n. 1. 50
7. The middle ages and the discovery of America. — Charakterbilder aus der Geschichte d. Mittelalters. (VII, 236 S.) 884. n. 1. 50

Schütz, Herm., Sophokleische Studien. gr. 8. (63 S.) Gotha 886. F. A. Perthes. n. 1. 20

Schütz, Hugo, Beiträge zur näheren Erkenntniss der Kairinwirkung auf fieberhafte Krankheiten. gr. 8. (30 S.) Jena 884. (Pohle.) — 75

Schütz, J., e. Ballcharade, f.: Theater, neues Wiener.

Schütz, Jul. v., Erwiderung auf e. französische Beantwortung d. Aufsatzes: Die Schießversuche in Bukarest. [April-Mai-Heft der „Neuen militär. Blätter".] gr. 8. (33 S. m. 1 Holzschn.) Potsdam 886. Militaria. n. 1. —

— die Panzerfrage f. Küsten-Vertheidigung u. der Schießversuch gegen e. Hartgußpanzerplatte auf dem Gruson'schen Schießplatze in Buckau am 22. Oktbr. 1883. Mit 5 Holzschn. gr. 8. (20 S.) Ebend. 884. n. 1. —

— französische u. deutsche Panzer-Schießversuche. II. u. III. gr. 8. Ebend. n. 4. —
II. (20 S. m. 5 eingedr. Holzschn.) 885. n. 1. —
III. Die Schießversuche in Bukarest. Mit 30 Holzschn. (III, 86 S.) 886. n. 3. —

— der Schießversuch in Spezia gegen e. Gruson'sche Hartguß-Panzerplatte im Apr. 1886. Mit 6 Holzschn. Lex.-8. (16 S.) Ebend. 886. n. 1. —

Schütz, Max, das Verhalten d. Gläubigers u. Schuldners im Mahnverfahren. Praktisch dargestellt. 16. (47 S.) Bernburg 883. Bacmeister. n. — 40

Schütze, Fr., Kopfrechenschule f. deutsche Volksschulen. 5. Aufl. gr. 8. (VI, 274 S.) Langensalza 886. Beyer & Söhne. n. 2. 50

Schütze, Fr. W., praktische Katechetik f. evangelische Seminare u. Lehrer. 2. Aufl. gr. 8. (XV, 335 S.) Leipzig 883. Teubner. n. 5. —

— Leitfaden f. den Unterricht in der Erziehungs- u. Unterrichtslehre. Ein Auszug aus der evangel. Schulkunde. 3. Aufl. gr. 8. (X, 438 S.) Ebend. 885. n. 4. —

— Schulkatechismus. Dr. Martin Luthers kleiner Katechismus, unter Mitwirkg. v. Otto u. Closter f. die evangel. Volksschule in Frage u. Antwort bearb. u. hrsg. 2. Aufl. gr. 8. (IV, 180 S.) Ebend. 883. cart. n. — 65

— evangelische Schulkunde. Praktische Erziehungs- u. Unterrichtslehre f. Seminare u. Volksschullehrer. 6. Aufl. gr. 8. (XVIII, 850 S.) Ebend. 884. n. 9. 60

Schütze, H., u. C. **Eckhardt,** Musterlektionen aus allen Unterrichtsgebieten der dreistufigen Volksschule, f. Schul-Inspektoren, Lehrer, Lehrerinnen u. Seminaristen. 1. u. 2. Tl. gr. 8. Eisleben 886. Mähnert. à n. 3. —
1. Unterstufe [1—3. Schulj.] (VIII, 181 S.) — 2. Mittelstufe (4—5. Schulj.] (VII, 215 S.)

Schütze, Heinr., Beitrag zur Statistik der Myopie u. der Netzhautpunction. gr. 8. (16 S.) Kiel 882. Lipsius & Tischer. n. 1. 20

Schütze, O., der preußische Steuerbeamte in Bezug auf seine Dienst- u. Rechtsverhältnisse. Ein Handbuch f. die Behörden u. Beamten der Verwaltg. der indirekten Steuern, früher bearb. v. C. Rumpf. 7. Aufl. Lex.-8. (VII, 764 S.) Leipzig 885. Bredow. n. 12. —; geb. n. 15. —

Schütze, O., die innere Mission in Schlesien, f.: Mission, die innere, in Deutschland.

Schütze, R., kleiner Rathgeber f. Leute, die den Friedhof lieb haben. 1. u. 2. Tl. 8. (à 32 S.) Hamburg, Ev. Buchh. à n. — 10
1. Christliche Grabschriften. 881. — 2. Winke üb. die Pflege d. Kirchhofs. 882.

— Rundschau auf dem Arbeitsfelde d. Gustav-Adolf-Vereins, f.: Für die Feste u. Freunde d. Gustav-Adolf-Vereins.

— Samenkörner f. den Gottesacker. Gesammelt v. R. S. 16. (IV, 119 S.) Eisleben 885. Christl. Verein im nördl. Deutschland. geb. — 53

Schützen-, Jäger- u. Turner-Anzüge, deutsche, dargestellt in Bild u. Schnitt. 13 lith. Taf. in Fol., enth. 17 bildl. Darstellgn. u. üb. 80 Schnittfig., nebst e. Reduktions-Schema zum Uebertragen der verjüngten Modelle in die natürl. Größe. Fol. Dresden 883. Exped. d. Europ. Modenzeitung. n. 3. —

Schützen-Führer durch ganz Leipzig m. vollständigem Stadtplan in Farbendr. 8. (IV, 32 S.) Leipzig 884. Stauffer. n. — 50

Schutzengel, der. Ein Freund, Lehrer u. Führer der Kinder. Red.: Ludw. Auer. 9—12. Jahrg. 1883—1886. à 24 Nrn. (½ B. m. Holzschn.) 8. Donauwörth, Auer. à Jahrg. n. — 80

— der heilige, od. Anleitung zur christl. Andacht. Ein vollständ. Gebetbuch f. kathol. Christen. Mit den in der Erzdiöcese Köln gebräuchl. Andachten u. Gesängen. Von e. Priester aus dem Orden d. hl. Benedict. Ausg. Nr. 1. 24. (510 S. m. Farbentitel u. 1 Chromolith.) Einsiedeln 886. Benziger & Co. — 90

Schutzengelbrief. Nr. 93—101. 107. 16. Donauwörth, Auer. n.n. — 35
93. Schöne Gebete zum Auswendiglernen f. Kinder. (32 S.) 884. n.n. — 6
94. Betrachtung f. e. zweitägige Geisteserneuerung nach Racatenus, bearb. v. E. G. (16 S.) 885. n. — 4
95. Ave Maria. Das Lied, welches beständig an der Grotte in Lourdes gesungen wird. (8 S.) 885. — 3
96. Gemeinschaftliche Meßandachten. (16 S.) 885. n. — 4
97. Bußlitanei. (4 S.) 885. — 2
98. Zur Verehrung d. heil. Joseph. (15 S.) 885. n. — 3
99. Morgen- u. Abendgebete in Reimen. (8 S.) 885. n. — 2
100. Gute-Tod-Andacht, d. i. e. Andacht zur Vorbereitg. auf e. guten Tod u. zur Erflehg. e. glücksel. Sterbestunde f. sich u. andere, ans Licht der Oeffentlichkeit gezogen v. Aloys Hacker. (15 S.) 885. n. — 3
101. Die gottgeweihte Seele in ihrem Verkehr m. Jesus im allerheiligsten Sakramente d. Altars. (8 S.) 885. n. — 2
107. Andacht zu den 3 heiligsten Personen Jesus, Maria u. Joseph in ihrer Beherbergung. Eine altehrwürd. Andacht, neu aufgefrischt v. Aloys Hacker. (32 S.) 886. n.n. — 6

Schützen-Kalender, deutscher, f. d. J. 1886. 8. (206 S. m. Illustr.) Berlin, Werthmann. — 50

Schützenzeitung, schweizerische. Offizielles Organ d. schweizer. Schützenvereins. Red.: Ed. Attenhofer. 2. Jahrg. 1883. 52 Nrn. (B.) gr. 4. Zürich. (Bern, Huber & Co.) n. 4. 80

Schützen- u. Wehr-Zeitung, deutsche. Zeitschrift zur Besprechg. v. Schützen- u. Wehrangelegenheiten. Organ d. deutschen Schützenbundes. Red.: Sterzing. Jahrg. 1883—1886. à 52 Nrn. (½ B.) gr. 4. Bremen, (Rühle & Schlenker). à Jahrg. n. 4. —

Schützke, Rob., die Bereitung der componirten aetherischen Oele, Grundessenzen, Punschessenzen u. destillirten Wässer. Mit e. Abhandlg: Ueber die aether. Oele, deren Vorkommen, Eigenschaften, Bereitg. u. Prüfg. v. Alb. Ganswindt. 2. Aufl. 16. (46 S.) Leipzig 876. (Milde.) 3. —

Schutzkwer, Nachum, das Coffein u. sein Verhalten im Thierkörper. gr. 8. (25 S.) Königsberg 882. (Beyer.) n. — 80

Schuver, J. M., Reisen im oberen Nilgebiet, s.: Petermann's, A., Mitteilungen aus J. Perthes' geograph. Anstalt.

Schütz, A., die beiden Freunde, f.: Immergrün.

Schütz, Alfr., Philosophie u. Christentum. Eine Charakteristik der Hartmann'schen Weltanschaug. f. jeden Gebildeten. In 5 Briefen an Hrn. Ed. v. Hartmann. gr. 8. (X, 158 S.) Stuttgart 884. Metzler's Verl. n. 1. 80

Schvarcz, Jul., die Demokratie. 1. Bd. Die Demokratie v. Athen. 2. Aufl. Lex.-8. (XCVI, 749 S.) Leipzig 884. Gust. Wolf. n. 27. —

— Elemente der Politik. (Neue Ausg.) 1. u. 2. Lfg. gr. 8. (S. 1—78.) Ebend. 884. à n. — 60

— die Staatsformenlehre d. Aristoteles u. die moderne Staatswissenschaft. Notizen üb. die ältesten Denkmäler d. Ministerverantwortlichkeits-Gedankens in der europ. Verfassungsgeschichte. gr. 8. (62 S.) Ebend. 884. n. 1. 80

Schwab, Chrph. Thdr., Gustav Schwab's Leben. Erzählt v. seinem Sohne Ch. Th. S. gr. 8. (III, 180 S.) Freiburg i/Br. 883. Mohr. n. 4. —

Schwab, F., u. J. **Linden,** vor der Ballpause, f.: Universal-Bibliothek.

Schwab II., G., praktische Winke üb. Ausrüstung, Verpflegung u. das Wandern im Hochgebirge, f.: Langheinz, C.

Schwab, Gust., Blutrache ꝛc., f.: Volksbibliothek d. Lahrer Hinkenden Boten.

Schwab, Gust., die schönsten Sagen d. klassischen Altertums. Nach seinen Dichtern u. Erzählern. 17. Aufl. Mit 21 Abbildgn. (Mittlere Ausg. in 1 Bde.) gr. 8. (VIII, 700 S.) Gütersloh 883. Bertelsmann. geb. 8. —

— dasselbe, s.: Universal-Bibliothek f. die Jugend.

— der gehörnte Siegfried, s.: Volksbibliothek d. Lahrer Hinkenden Boten.

— deutsche Volksbücher, s.: Volks- u. Jugendschriften, ausgewählte.

Schwab, Hans, die Notwendigkeit e. Reorganisation der Württ. Staatsbahn-Verwaltung, hergeleitet aus ihrem jährl. Defizit v. 2 Millionen Mark. 8. (79 S.) Stuttgart 884. Dietz. n. 1. —

Schwab, Jul., das altindische Thieropfer. Mit Benützg. handschriftl. Quellen bearb. gr. 8. (XXIV, 168 S.) Erlangen 886. Deichert. n. 4. —

Schwabacher, Simeon Leon v., drei Gespenster. Eine Zeitfrage. gr. 8. (55 S.) Stuttgart 883. Levy & Müller. n. — 60

Schwabe, Gust., opfere Gott Dank. 10 Erntedankfestpredigten. gr. 8. (VII, 109 S.) Meerane 886. Back. n. 1. 60

Schwabe, R., e. folgenschwerer Scherz, s.: Familienfreund.

Schwabe, Vikt., Nachrichten üb. die kirchlichen Zustände der Schwesterparochien Kleinwaltersdorf u. Kleinschirma im J. 1884, nebst kleiner Chronik beider Ortschaften. gr. 8. (III, 76 S.) Freiberg 885. (Frotscher.) n.n. — 70; geb. n.n. 1. —

Schwaben-Kalender. Ein belehr. u. unterhalt. Kalender f. Alt u. Jung auf d. J. 1884. 4. (72 S. m. eingedr. Illustr. u. 1 Holzschntaf.) Stuttgart, Kohlhammer. n. — 25

Schwabl, Joseph u. seine Brüder, } s.: Theater-Bibliothek f. Seminarien u. Gesellenvereine.
— der Stern v. Bethlehem, }

Schwackhöfer, Frz., Lehrbuch der landwirthschaftlich-chemischen Technologie m. besond. Berücksicht. der österr. Verhältnisse. Zum Gebrauche an landwirthschaftl. u. techn. Lehranstalten, sowie f. Landwirthe, Industrielle, Steuerbeamte etc. 1. Bd. 4—8. Lfg. gr. 8. (XX u. S. 241—646 m. Holzschn. u. 9 Steintaf.) Wien 883. Faesy. à n. 2. —

— dasselbe. 2. Bd. 1. Hälfte. gr. 8. Ebend. 884. n. 9. — (I. u. II, 1.: n. 27. —)
Die Gährung u. die Technologie d. Weines v. Edm. Mach. (XIV, 382 S. m. 61 eingedr. Illustr. u. 5 Taf.)

— Technologie der Kohlehydrate. [Rübenzucker-, Stärke-, Dextrin- u. Stärkezucker-Fabrication.] Mit 9 (autogr.) Taf. u. 117 (eingedr.) Holzschn. gr. 8. (XX u. S. 249—646.) Ebend. 883. n. 9. 60

— Technologie der Wärme u. d. Wassers m. besond. Berücksicht. d. Dampfkesselbetriebes. Mit 1 Taf. u. 85 Illustr. im Texte. gr. 8. (X, 248 S.) Ebend. 883. n. 6. 40

Schwahn, Ottilie, Tante Lottchen u. ihr Hofstaat. Ein Buch f. meine jungen Freunde. 8. (III, 234 S. m. 6 Chromolith.) Berlin 884. Winckelmann & Söhne. geb. n. 4. 50

Schwalb, M., zur Beleuchtung d. Stöcker-Mythus. Ein freies Wort. 2. Aufl. gr. 8. (47 S.) Berlin 885. Walther & Apolant. n. 1. —

— Christus u. die Evangelien. 10 Vorträge. 2. Ausg. 8. (III, 259 S.) Bremen 885. Haake. n. 3. —

— Christus u. das Judenthum. Vortrag. gr. 8. (15 S.) Berlin 883. Walther & Apolant. n. — 40

— unsere vier Evangelien, erklärt u. kritisch geprüft. gr. 8. (XV, 488 S.) Berlin 885. Habel. n. 6. 50; Einbd. n.n. 1. 50

— Kritik der revidierten Lutherbibel. gr. 8. (36 S.) Berlin 884. Walther & Apolant. n. — 50

— Luther's Entwicklung vom Mönch zum Reformator, s.: Sammlung gemeinverständlicher wissenschaftlicher Vorträge.

— Predigten. 2. Ausg. 8. (III, 147 S.) Bremen 885. Haake. n. 2. —; geb. n. 3. —

Schwalbach, C., die neuesten deutschen Thaler, Doppelthaler u. Doppelgulden, beschrieben. Mit 3 Lichtdr.-Taf. gr. 4. (III, 39 S.) Leipzig 883. Th. Grieben. n. 4. —

Schwalbach, F. C., die ersten Jahre der Grossloge v. London. Ein Wort der Abwehr gegen Br. F. Krüger-Schwerin. 8. (54 S.) Leipzig 883. Zechel. — 75

— dasselbe. Ein zweites u. letztes Wort der Abwehr gegen Br. Krüger-Schwerin. gr. 8. (48 S.) Hamburg 884. O. Meissner. n. — 60

Schwalbe, B., üb. Eishöhlen u. Eislöcher, nebst einigen Bemerkgn. üb. Ventarolen u. niedrige Bodentemperaturen. gr. 8. (57 S.) Berlin 886. Gaertner. n. 1. 40

Schwalbe, Carl, die radicale Heilung der Unterleibsbrüche. gr. 8. (58 S.) Berlin 884. Gerschel. n. 1. 50

Schwalbe, G., Lehrbuch der Anatomie der Sinnesorgane, s.: Hoffmann, C. E. E., Lehrbuch der Anatomie d. Menschen.

Schwalbe, Otto, Fibel f. den Rechtschreib-Leseunterricht im ersten Schuljahre. Zugleich Vorstufe zu den poet. u. pros. Lesestücken der Hand-Fibel v. Otto Schulz. 8. (80 S. m. Illustr.) Berlin 884. Oehmigke's Verl. n. — 40

— der Leseunterricht. Versuch e. Kritik der Lesemethoden u. Vorschläge zu e. Reform d. ersten Leseunterrichts. Zugleich Begleitwort zu der Fibel f. den Rechtschreib-Leseunterricht im ersten Schuljahre von demselben Verf. 8. (29 S.) Ebend. 884. n. — 25

Schwan, Ed., die altfranzösischen Liederhandschriften, ihr Verhältniss, ihre Entstehung u. ihre Bestimmung, e. litterarhistor. Untersuchg. gr. 8. (VIII, 275 S.) Berlin 886. Weidmann. n. 8. —

Schwan, M., Wettermännchens Geschichten f. kleine Leute. 12. (VII, 91 S.) Reichenberg 886. Fritsche. geb. n. 2. 40

Schwane, Jos., allgemeine Moraltheologie. gr. 8. (III, 207 S.) Freiburg i/Br. 885. Herder. n. 3. —

— specielle Moraltheologie. 3. [letzter] Thl., od. die Lehre v. der Gerechtigkeit u. den mit ihr verwandten Tugenden u. Pflichten d. gesellschaftl. Lebens. 2. Aufl. gr. 8. (IV, 294 S.) Ebend. 885. n. 4. — (cplt. in 1 Bd.: n. 9. —)

Schwanensang e. alten Oesterreichers 1883. 8. (53 S.) Bern 883. (Krebs.) n. 1. —

Schwanitz, Carl, e. Erinnerungsblatt an Jos. Vikt. v. Scheffel, bei der Enthüllg. d. Scheffel-Denkmals in Ilmenau dargebracht. 2. Aufl. 8. (42 S.) Ilmenau 886. (Schröter.) n. — 60

Schwappach, Adam, Grundriß der Forst- u. Jagdgeschichte Deutschlands. gr. 8. (VIII, 182 S.) Berlin 883. Springer. n. 3. —

— Handbuch der Forst- u. Jagdgeschichte Deutschlands. (In 3 Lfgn.) 1. u. 2. Lfg. Von den ältesten Zeiten bis zum Ende d. 18. Jahrh. [1790]. gr. 8. (644 S.) Ebend. 885. 86. n. 15. —

— Handbuch der Forstverwaltungskunde. gr. 8. (XII, 312 S.) Ebend. 884. n. 5. —; geb. n. 6. —

Schwärmereien e. Junggesellen. Von Carl Einsam. 8. (IV, 90 S.) Berlin 886. Stuhr. n. 2. 50; geb. n. 3. 50

Schwartz, die Gesundheitsverhältnisse u. das Medizinal-Wesen d. Reg.-Bez. Trier unter besond. Berücksicht. der J. 1881 u. 1882. gr. 8. (60 S. m. 20 Tab.) Trier 884. Lintz. n. 2. 40

Schwartz, A., Germania, die Wacht am Rhein. Festgruß zur Einweihg. d. National-Denkmals auf dem Niederwald. gr. 8. (1 S. m. 1 Holzschn.) Oldenburg 883. Schulze. n.n. — 10

Schwartz, E., das Grundbuchrecht der Prov. Schleswig-Holstein in seiner gegenwärtigen Geltung. 8. (XVI, 470 S.) Kiel 885. Lipsius & Tischer. geb. n. 10. —

— die Stellung der Richter in Preußen. gr. 8. (35 S.) Leipzig 886. Duncker & Humblot. n. — 80

Schwartz, F. W. L., prähistorisch-anthropologische Studien. Mythologisches u. Kulturhistorisches. gr. 8. (VIII, 520 S.) Berlin 884. Hertz. n. 12. —

Schwartz, Gust., e. Beitrag zur Statistik der operativen Behandlung d. Uterusvorfalles. gr. 8. (34 S.) Kiel 886. (Lipsius & Tischer.) n. 1. —

Schwartz, J., Gedichte in Nürnberger Mundart. 16.

(100 S. m. 1 autotyp. Taf.) Nürnberg 883. (Zeiser.) n. 1. —

Schwartz, K. v., unsere Klage u. unser Vorsatz beim Tode unsers Herzogs. Gedächtnißpredigt auf Herzog Wilhelm v. Braunschweig-Lüneburg, † 18. Oktbr. 1884. gr. 8. (11 S.) Braunschweig 884. (Wollermann.) n.n. — 25

Schwartz, Marie Sophie, der Hänfling. Roman. Frei nach dem Schwed. v. Aug. Kretzschmer. 2. Aufl. 8. (326 S.) Berlin 884. Janke. 1. 50

Schwartz, Osk., 3. u. 4. General-Bericht üb. das öffentliche Gesundheitswesen d. Reg.-Bez. Köln f. d. J. 1882 u. 1883. gr. 4. (III, 58 S. u. II, 42 S.) Köln 883. 84. Du Mont-Schauberg. à n. 2. —

Schwartz, Paul, der Bauernkrieg. [1. Tl.] gr. 4. (25 S.) Berlin 884. Gaertner. n. 1. —

Schwartz, W., Grundriß der brandenburgisch-preußischen Geschichte. Ein Hülfsbuch f. den Unterricht an höheren Lehranstalten u. zu Repetitionen. 3. Aufl. 8. (XIII, 62 S.) Berlin 884. Hertz. n. — 80

— Leitfaden f. den deutschen Unterricht auf höheren Lehranstalten. 10. Aufl. 8. (IV, 96 S.) Ebend. 883. cart. n. — 80

— Leitfaden f. den deutschen Unterricht auf höheren Lehranstalten. 11. Aufl. 8. (VI, 97 S.) Ebend. 886. cart. n. — 80

— Sagen u. alte Geschichten der Mark Brandenburg. 2. Aufl. 8. (VIII, 188 S.) Ebend. 886. n. 2. —; geb. n. 2. 80

— indogermanischer Volksglaube. Ein Beitrag zur Religionsgeschichte der Urzeit. gr. 8. (XXIV, 280 S.) Berlin 885. Seehagen. n. 8. —

Schwartze, H., die chirurgischen Krankheiten d. Ohres, s.: Chirurgie, deutsche.

— Lehrbuch der chirurgischen Krankheiten d. Ohres. Mit 129 Holzschn. gr. 8. (XL, 418 S.) Stuttgart 885. Enke. n. 11. —

Schwartze, Thdr., der Dampfbetrieb. Hand- u. Lehrbuch der Erzeugg. u. Verwendung des Dampfes zum Maschinenbetrieb, sowie der dabei angewandten Maschinen u. Apparate. Für Industrielle, Techniker, Maschinenwärter, Heizer ꝛc. Mit zahlreichen in den Text gedr. Abbildgn. u. (lith.) Taf. 11—20. (Schluß-)Lfg. Lex.-8. (VIII u. S. 241—480.) Leipzig 883. M. Schäfer. à n. — 50

— Katechismus der stationären Dampfkessel u. Dampfmaschinen. Ein Lehr- u. Nachschlagebüchlein f. Praktiker, Techniker u. Industrielle. 2. Aufl. Mit 218 in den Text gedr. u. 8 Taf. Abbildgn. 8. (VIII, 312 S.) Leipzig 885. Weber. geb. n. 3. —

— Katechismus der Elektrotechnik. Ein Lehrbuch f. Praktiker, Techniker u. Industrielle. 2. Aufl. Mit 352 in den Text gedr. Abbildgn. 8. (XII, 356 S.) Ebend. 883. geb. n. 4. 50

— Katechismus der Heizung, Beleuchtung u. Ventilation. Mit 159 Abbildgn. 8. (X, 260 S.) Ebend. 884. geb. n. 3. —

— die Motoren der elektrischen Maschinen, s.: Bibliothek, elektro-technische.

— die Steinbearbeitungsmaschinen m. Bezug auf deren Construction, Anwendung u. Leistung. Nebst Angaben üb. die Natur der Gesteine u. die Steinbruchsarbeiten. Mit 48 Fig. im Text u. 4 Taf. gr. 8. (VIII, 149 S.) Leipzig 885. Quandt & Händel. n. 6. —

— Telephon, Mikrophon u. Radiophon, s.: Bibliothek, elektro-technische.

— E. **Japing** u. A. **Wilke,** die Elektricität. Eine kurze u. verständl. Darstellg. der Grundgesetze, sowie der Anwendgn. der Elektricität zur Kraftübertragg., Beleuchtg., Galvanoplastik, Telegraphie u. Telephonie. Für Jedermann geschildert. Mit 163 Abbildgn. gr. 8. (159 S.) Wien 884. Hartleben. cart. 1. —; geb. 1. 25

Schwartzkopff, Aug., Gedichte. Neue Ausg. 16. (VIII, 117 S.) Braunschweig 883. Wollermann. geb. m. Goldschn. n. 2. 80

Schwartzkopff, Paul, die Freiheit d. Willens als Grundlage der Sittlichkeit. gr. 8. (VI, 106 S.) Leipzig 885. Böhme. n. 1. 50

— Bruder Gerhard. Vier Bilder aus der Reformationszeit. Dramatisches Festspiel zur Lutherfeier am 10. Novbr. 1883. 12. (109 S.) Wernigerode 883. Jüttner. n. 1. —

Schwartzkopff, Paul, das Leben im Traum. Eine Studie. 8. (102 S.) Leipzig 887. Böhme. n. 1. 40

Schwartzkoppen, C. v., Aquarelle, s.: Collection Spemann.

Schwarz u. Weiß od. die Preußen in Kamerun. Militärische Burleske m. Gesang u. Tanz in 3 Bildern v. E. S. 8. (36 S.) Berlin 885. Liebel. n. 1. —

Schwarz, A., die Smyrna-Reden d. Aelius Aristides, übers. v. A. S. gr. 8. (IV, 24 S.) Wien 885. (Pichler's Wwe. & Sohn.) n. — 80

Schwarz, Adf., üb. e. ein-zweideutige Verwandtschaft zwischen Grundgebilden. 2. Stufe. Lex.-8. (31 S.) Wien 886. (Gerold's Sohn.) n.n. — 50

Schwarz, Adf., Predigten. 5. u. 6. Thl. gr. 8. Karlsruhe, Bielefeld's Verl. n. 7. 80 (1—6.: n. 17. —)
   5. Sabbath-Predigten zu den Wochenabschnitten d. 5. Buches Mosis. (VII, 143 S.) 883. n. 2. 80
   6. Festpredigten f. die Hauptfeiertage d. Jahres. (VIII, 311 S.) 884. n. 5. —

Schwarz, Alois, Isomorphismus u. Polymorphismus der Mineralien. gr. 8. (37 S.) Mähr.-Ostrau 884. (Prokisch.) n. — 60

— die Kälteerzeugungs-Maschinen. gr. 8. (23 S. m. Illustr.) Halle 885. Ebend. n. 1. —

— die Verwendung künstlicher Kälte im Brauereibetriebe. Vortrag. gr. 8. (13 S.) Ebend. 885. n. — 60

— Vorkommen u. Bildung d. Steinsalzes. gr. 8. (31 S.) Ebend. 885. n. 1. —

Schwarz, Ant., die Königsrede in Sophokles' Oedipus rex. [V, 216—275.] gr. 8. (44 S.) Paderborn 883. F. Schöningh. n. — 90

— lateinisches Lesebuch, m. sachlichen Erklärungen u. grammatischen Verweisungen versehen. 4. Aufl. gr. 8. (VIII, 164 S.) Ebend. 884. n. 1. 35

Schwarz, Bernh., die Erschließung der Gebirge von den ältesten Zeiten bis auf Saussure. [1787.] Nach Vorlesgn. an der königl. Bergakademie zu Freiberg i. S. f. Geographen, Kulturhistoriker u. Militärs dargestellt. gr. 8. (VIII, 475 S.) Leipzig 885. Frohberg. n. 8. —

— vom deutschen Exil im Skythenlande. Erlebnisse, Klagen u. Aufklärgn. aus der Dobrudscha. gr. 8. (131 S.) Ebend. 886. n. 2. 40

— Frankreich jenseits d. Mittelmeeres. Ein Wort zur Aufklärg. üb. den Werth der alger. Besitzg., sowie zur pract. Lösg. der Colonienfrage überhaupt. Vortrag, geh. im Centralverein f. Handelsgeographie u. Förderg. deutscher Interessen im Auslande am 11. Jan. 1884. [Aus: „Export".] gr. 8. (21 S.) Ebend. 884. n. — 60

— ein deutsches Indien u. die Theilung der Erde. Colonialpolitische Randglossen zur Sachlage in Afrika u. zur Congoconferenz. gr. 8. (64 S.) Ebend. 884. n. 1. —

— Kamerun. Reise in die Hinterlande der Kolonie. Mit eigenhändig entworfener (chromolith.) Karte. gr. 8. (357 S.) Ebend. 886. n. 10. —

Schwarz, Bernh., astronomische Untersuchung üb. e. v. Archilochus u. e. in e. assyrischen Inschrift erwähnte Sonnenfinsterniss. [Mit 1 (lith.) Taf.] Lex.-8. (14 S.) Wien 883. (Gerold's Sohn.) n.n. — 70

Schwarz, Carl, Predigten aus der Gegenwart. 8. Sammlung. gr. 8. (XIV, 331 S.) Leipzig 883. Brockhaus. n. 5. 40; geb. n. 6. —

Schwarz, E., zur Behandlung der Fehlgeburten,
— die gonorrhoische Infektion beim Weibe,
} s.: Sammlung klinischer Vorträge.

Schwarz-Norberg, E. v., e. Frauenliebling. Roman. 3 Bde. 8. (206, 203 u. 228 S.) Leipzig 884. Bergmann. n. 12. —; geb. n. 15. —

— gefährliche Verbindungen. Zeit-Roman. 2 Bde. 8. (216 u. 243 S.) Ebend. 884. n. 8. —

Schwarz, Ed., Lesebuch der Erdkunde. Illustrierter Hausschatz der Länder- u. Völkerkunde. Unter Mitwirkg. v. Fr. Behr u. Imm. Frohnmeyer in neuer Bearbeitg. hrsg. v. dem Calwer Verlagsverein. Mit 2 Uebersichtskarten in Farbendr. u. 270 (eingedr.) Illustr. gr. 8. (VI, 890 S.) Calw 884. Vereinsbuchh. n. 8. —

Schwarz, Ferd., Johannes v. Müller u. seine Schweizergeschichte. gr. 8. (56 S.) Basel 884. Schwabe. n. 1. —

Schwarz, Fr. J., der christliche Altar. Mit 8 artist. Beilagen. gr. 8. (43 S.) Stuttgart 885. Deutsches Volksblatt. n.n. 1. 50

— die göttliche Offenbarung v. Jesus Christus nach der sogenannten Armenbibel. Mit 28 (eingedr.) Bildern v. J. Klein. 2. Aufl. hoch 4. (III, 58 S.) Freiburg i/Br. 884. Herder. geb. in Halbleinw. n. 3. —; in Leinw. m. Goldschn. n. 4. —; dän. Uebersetzg. (IV, 58 S.) n. 2. —

Schwarz, Frdr., üb. die metrischen Eigenthümlichkeiten in Wolframs Parzival. Promotionsschrift. gr. 8. (78 S.) Rostock 884. (Stiller.) n. 1. 25

Schwarz, Gfr., ist die römische Kirche e. Kirche od. e. Staat? Eine neue Frage. Beantwortet v. G. S. gr. 8. (32 S.) Leipzig 885. O. Wigand. n. — 50

Schwarz, Glieb., Rabelais u. Fischart. Vergleichung d. „Gargantua“ u. der „Geschichtsklitterung“, von „Pantagrueline Prognostication“ u. „Aller Practick Grossmutter“. gr. 8. (96 S.) Winterthur 885. (Halle, Niemeyer.) n. 2. —

Schwarz, H., Landgraf Philipp v. Hessen u. die Pack'schen Händel, s.: Studien, historische.

Schwarz, H., Stoff u. Kraft in der menschlichen Arbeit od. die Fundamente der Production. gr. 8. (XVI, 800 S.) Wien 884. Hartleben. n. 9. —; geb. n. 11. —

Schwarz, Heinr., pädagogisches Allerlei od. Dies u. Das aus dem Gebiete der Erziehungskunde f. Erzieher, Lehrer u. Eltern. 8. (348 S.) Regensburg 883. Verlags-Anstalt. 3. —

— ein Blumenstrauß. Kurze Erzählgn. f. Kinder u. Kinderfreunde. Mit 1 Stahlst. u. vielen Abbildgn. 8. (228 S.) Ebend. 885. 1. 50

Schwarz, J. H., der Bar-Cochbaische Aufstand unter Hadrian od. der gänzl. Verfall d. jüdischen Reiches. gr. 8. (60 S.) Brünn 885. Epstein. n. 1. —

Schwarz, Jos., üb. die Panzerwirkung der Geschosse. Mit 1 Fig.-Taf. u. mehreren Textfig. gr. 8. (IV, 62 S.) Pola 886. (Laibach, v. Kleinmayr & Bamberg.) n. 2. —

Schwarz, Jos., die Heilquellen Badens. Auf Grundlage vieljähr. Erfahrg. f. Aerzte u. Curgäste dargestellt. 8. (XI, 103 S.) Wien 886. Braumüller. n. 1. 40

Schwarz, P., Einiges zur Geschichte d. Salzwedeler Gymnasiums, s.: Festschrift zu der Feier der Einweihung d. neuen Gymnasiums zu Salzwedel.

Schwarz, Rob., Methodik d. Geographie-Unterrichtes. Stoff, Lehrgang, Lehrform u. Lehrton auf der geograph. Unter- u. Mittelstufe der Volks- u. Bürgerschule. 1. u 2. Thl. gr. 8. Wien, Hölder. n. 1. 72

1. Heimat u. Vaterland. 2. Aufl. Mit 18 Abbildgn. (IV, 64 S.) 884. n. 1. —
2. Österreich-Ungarn. Mit 5 Orig.-Abbildgn. (IV, 34 S.) 885. n. — 72

Schwarz, Th., üb. Fels u. Firn. Die Bezwingg. der mächtigsten Hochgipfel der Erde durch den Menschen. Nach Berichten aus früherer u. späterer Zeit f. junge wie alte Freunde der Berge dargestellt. gr. 8. (VI, 418 S.) Leipzig 884. Frohberg. n. 5. 40; geb. n. 6. —

Schwarz, W., Novelle, s.: Bachem's Novellen-Sammlung.

Schwarz, W., die Gesetze u. Verordnungen üb. das Privatschulwesen im Großherzogt. Baden, gesammelt u. sachlich geordnet. gr. 8. (100 S.) Mannheim 888. Nemnich. n. 1. 60

Schwarzbach, Jos., um Englands Krone od. Kampf u. Liebe. Drama in 5 Akten. 12. (106 S.) Linz 885. (Salzburg, Dieter.) n. 1. 60

— das Paktum d. Todes. Drama in 3 Akten. 12. (118 S.) Ebend. 885. n. 1. 60

— der Waffenschmied v. Salzburg. Tragödie aus Salzburgs Vergangenheit in 5 Akten. 12. (104 S.) Ebend. 885. n. 1. 60

Schwarze, Fr. O. v., die Beeidigung der Zeugen im Strafverfahren. Ein Beitrag zur Revision der Strafprozeßordng. gr. 8. (88 S.) Berlin 885. Vahlen. n. — 80

Schwarze, Fr. O. v., die Berufung im Strafverfahren u. die Strafprozeßordng. gr. 8. (51 S.) Stuttgart 883. Enke. n. 1. 20

— dasselbe. 2. Beitrag. gr. 8. (63 S.) Ebend. 885. n. 1. 60

— Commentar zum Strafgesetzbuche f. das Deutsche Reich. 5. Aufl. gr. 8. (VII, 973 S.) Leipzig 884. Fues. n. 15. —

— die Entschädigung f. unschuldig erlittene Untersuchungs- u. Strafhaft. Bericht der 10. Kommission d. Reichstags [V. Legislaturperiode II. Session]. gr. 8. (II, 68 S.) Ebend. 883. n. 1. 60

— das Reichs-Preßgesetz vom 7. Mai 1874, s.: Gesetzgebung, die, d. Deutschen Reichs.

— zur Revision der Strafprozeßordnung m. besond. Berücksicht. d. v. dem Bundesrathe dem Reichstage vorgelegten Entwurfs. gr. 8. (71 S.) Stuttgart 885. Enke. n. 1. 60

— Uebersicht der Ergebnisse der Civil- u. Strafrechtspflege im Königr. Sachsen. 6. Bd. [die J. 1875, 1876 u. 1877 umfassend]. Auf Befehl Sr. Maj. d. Königs im königl. Justizministerium zusammengestellt. gr. 4. (IV, 150 S.) Dresden 879. (v. Zahn's Verl.) à n. 5. —

Schwarze, Fritz, Wörterbuch zu Rollin: hommes illustres de l'antiquité. 16. (47 S.) Potsdam 883. Rentel's Verl. n. — 30

Schwarzenbach-Zeuner, Rob., Bericht üb. Gruppe I der schweizerischen Landesausstellung Zürich 1883: Seidenindustrie. Seidenstoffe, Färberei, Appretur, Beuteltuch, Seidenbandfabrikation, Seidenzwirnerei, Floretseide, Statistik. gr. 8. (64 S.) Zürich 884. Orell Füssli & Co. Verl. n. 1. —

Schwarzer, M., Tabelle, enth. den Nicht-Zucker-Gehalt, den Nicht-Zucker-Quotienten u. den Reinheits-Quotienten v. Rübensäften, s.: Rathke's, A., Bibliothek f. Zucker-Interessenten.

Schwarzfischer, K., die Hausentwässerungsanlagen u. ihre Ausführung, f. Hausbesitzer, Maurermeister u. Bauunternehmer. Mit 4 (lith.) Taf. 8. (47 S.) München 883. Lindauer. n. 1. 50

Schwarzkopf, Gust., die Bilanz der Ehe. Novellistische Studien. 1. u. 2. Bd. 8. Dresden 886. Minden. à n. 3. 50; geb. à n. 4. 50

1. Passiva. 2. durchgeseh. Aufl. (300 S.)
2. Dubiosa. (VII, 218 S.)

— durch scharfe Gläser. Satiren. 8. (211 S.) Ebend. 887. n. 2. 50; geb. n.n. 3. 50

Schwarzlose, Frdr. Wilh., die Waffen der alten Araber, aus ihren Dichtern dargestellt. Ein Beitrag zur arab. Alterthumskunde, Synonymik u. Lexicographie, nebst Registern. gr. 8. (XVI, 392 S.) Leipzig 886. Hinrichs' Verl. n. 12. —

Schwarznecker, G., die Pferdezucht, s.: Müller, C. F.

— beschreibender Text, s.: Volkers, E., Abbildungen vorzüglicher Pferderassen.

— u. W. Zipperlen, Beschreibung der vorzüglichsten Pferde-Rassen. Gesammelte Aufsätze. Zugleich Textband zu Volkers, Abbildgn. vorzügl. Pferde-Rassen. 2. Aufl. 8. (VIII, 88 S.) Stuttgart 883. Schickhardt & Ebner. n. 2. —; cart. n. 2. 40

Schwarzstein, J., Targum Arvi. Die arab. Interpretation d. Pentateuchs v. Rabbi Saadia Hagaon. Ein Auszug aus e. in der grossh. bad. Hof- u. Landesbibliothek zu Karlsruhe befindl. Edition e. authent. Handschrift. Ins Deutsche übertr. u. commentirt. Genesis. gr. 8. (IV, 90 S.) Frankfurt a/M. 886. A. J. Hofmann. n. 2. 40

Schwarzwald-Sagen. 4. vollständig umgearb. u. vielfach verm. Aufl. der Schreiber'schen „Sagen aus Baden u. der Umgegend“. 8. (VII, 244 S.) Baden-Baden 886. Marx. cart. n. 2. 50

Schwatlo, C., der innere Ausbau v. Privat- u. öffentlichen Gebäuden. Eine Anleitg. zur zweckentsprech. Anlage v. Fussböden, Treppen, Fenstern, Oberlichtern, Ladeneinrichtgn., Thüren u. Thorwegen, Wand- u. Deckenbekleidgn., Heizungsanlagen, Kochapparaten, Ventilationseinrichtgn., Wasser-, Bade-, Klosett- u. Gaseinrichtgn. I. Einleitung, Materialien, Fussböden i

Stein, Gussmassen u. Holz. Mit 67 Holzschn. 2. gänzlich umgearb. u. vielfach verm. Aufl. 1—3. Hft. Lex.-8. (S. 1—132.) Karlsruhe 884. J. Bielefeld's Verl. à — 75

Schwatlo, C., Handbuch zur Beurteilung u. Anfertigung v. Bauanschlägen. Ein Hülfsbuch f. Baumeister, Kameralisten, Gutsbesitzer, Bauunternehmer u. Gewerksmeister. 8. Aufl. 2 Tle. gr. 8. (XVI, 543 S.) Karlsruhe 883. J. Bielefeld's Verl. n. 8. —

Schwebel, Osk., hie gut Brandenburg alleweg! Eine märk. Geschichte aus dem Zeitalter der Reformation. 8. (448 S.) Frankfurt a/O. 885. Trowitzsch & Sohn. 2. 40; geb. n. 3. —

— vom Eisenhute bis zur Kaiserkrone. Kurbrandenburgisch-preuß. Geschichten. 1—3. Thl. gr. 8. Minden 884. Bruns. n. 19. —; geb. n. 20. —

1. Markgrafenzeit. Vom J. 1150 bis zum J. 1420. (XI, 392 S.) n. 5. 50
2. Kurfürstenzeit. Von 1420 bis um 1675. (XI, 508 S.) n. 7. —
3. Zur Kaiserkrone. Vom J. 1675 bis zum J. 1881. (VII, 456 S.) n. 6. 50; geb. n. 8. 50

— Hans Jürgen v. d. Linde. Ein Lebensbild aus den Tagen d. Großen Kurfürsten. Der deutschen Jugend erzählt. Mit e. (lith.) Titelbilde v. W. Schäfer. gr. 8. (III, 246 S.) Halle 883. Abenheim. cart. n. 4. —; geb. n. 5. —

— Renaissance u. Roccoco. Abhandlungen zur Kulturgeschichte der deutschen Reichshauptstadt. gr. 8. (VII, 528 S.) Minden 884. Bruns. n. 7. 50; geb. n. 10. —

— die Sagen der Hohenzollern. 2. stark verm. Aufl. Mit e. Abbildg. der Burg Hohenzollern. 8. (XIV, 452 S.) Berlin 886. Liebel. n. 5. —; geb. m. Goldschn. n. 6. —

— Sagen u. Bilder aus Lothringens Vorzeit. gr. 8. (VIII, 312 S.) Forbach 886. Hupfer. n. 5. —; geb. n.n. 6. —

— die Herren u. Grafen v. Schwerin. Blätter aus der preuß. Geschichte. gr. 8. (VIII, 464 S. m. e. genealog. Tab.) Halle 885. Abenheim. n. 7. —; geb. n. 8. 50; Prachtausg. auf Velinpap. n 9. —

Schwechten, E., Skarlatina, s.: Sonderabdrücke der Deutschen Medicinal-Zeitung.

Schwecke, H. C., Lese- u. Schreibfibel, nach der synthetischen Methode zusammengestellt f. Schule u. Haus. 18. Aufl. (IV, 124 S. m. Illustr.) Oldenburg 886. (Stalling's Sort.) n. — 60

Schwecke, W., Leitfaden f. den ersten Unterricht in der Geographie. Im Anschluß an den Volksschul-Atlas v. H. Lange in zwei konzentr. Kreisen bearb. 8. (46 S.) Oldenburg 886. Schulze. n. — 40

Schwed, F., die Pilgerreise nach dem heiligen Lande, s.: Kracht's, U., Jugend-Bibliothek.

Schweder, E., Beiträge zur Kritik der Chorographie d. Augustus. 3. Thl. Ueber die „Chorographia", die röm. Quelle d. Strabo, u. üb. die Provinzialstatistik in der Geographie d. Plinius. gr. 8. (59 S.) Kiel 883. Haeseler. n. 2. — (cplt.: n. 6. —)

— über die Weltkarte d. Kosmographen v. Ravenna. Versuch e. Rekonstruktion der Karte. Mit 2 Kartenskizzen. gr. 8. (18 S.) Kiel 886. Lipsius & Tischer. n. 1. 20

Schwedler, Aug., Untersuchungen üb. das Wesen der Perspective. Populär dargestellt, nebst einigen Beispielen f. die prakt. Anwendg. Lex.-8. (IV, 107 S.) Berlin 883. Ernst & Korn. n. 3. —

Schwedler, J., kleine preußische Geschichte in Verbindung m. der deutschen. Für die Hand der Kinder in preuß. Volksschulen. Ein Hülfsbüchlein zur Erleichterg. u. Förderg. d. vaterländ. Geschichtsunterrichts. Mit in den Text gedr. Plänen der Schlachten bei Leipzig, Königgrätz, Weißenburg rc. 33. Aufl. 8. (84 S.) Berlin 883. Stubenrauch. n. — 40

Schwegler, A., Geschichte der griechischen Philosophie. Hrsg. v. Karl Köstlin. 3. Aufl. 2. Ausg. gr. 8. (VIII, 462 S.) Freiburg i. Br. 886. Mohr. n. 4. 50

Schweichel, Rob., Camilla. Eine röm. Novelle. 8. (276 S.) Berlin 886. Janke. n. 5. —

Schweickert, G. M., Grundriss der Bienenzucht, e. Leitfaden f. den ersten Unterricht in der Bienenpflege. 8. (40 S.) Karlsruhe 883. Reiff. n. — 40

Schweickhardt, F. Frhr. v., s.: Sammlung der f. die österreichischen Universitäten giltigen Gesetze u. Verordnungen.

Schweiger-Lerchenfeld, Amand v., Abbazia. Idylle v. der Adria. Mit 19 Orig.-Zeichngn. v. C. E. Petrovits. 8. (VII, 144 S.) Wien 883. Hartleben. cart. n. 3. 25

— Afrika. Der dunkle Erdtheil im Lichte unserer Zeit. Mit 300 Illustr. 2—29. Lfg. gr. 8. (S. 33—928 m. 12 chromolith. Karten.) Wien 885. Hartleben. à n. — 60

— die Araber der Gegenwart u. die Bewegung im Islam, s.: Universal-Bibliothek, geographische.

— zwischen Donau u. Kaukasus. Land- u. Seefahrten im Bereiche d. Schwarzen Meeres. Mit 215 Illustr. in Holzschn. u. 11 color. Karten, hiervon 2 große Uebersichtskarten. Lex.-8. (792 S.) Wien 886. Hartleben. n. 16. 20

— das eiserne Jahrhundert Mit 200 Illustr. u. 20 zum Thl. doppelseit. Karten u. Plänen. gr. 8. (VI, 799 S.) Ebend. 883. 13. 50; geb. n. 16. 20

— im Kreislauf der Zeit. Beiträge zur Aesthetik der Jahreszeiten. Mit e. Titelbild u. 60 Text-Illustr. 8. (IX, 226 S.) Ebend. 885. geb. m. Goldschn. n. 6. —

— von Ocean zu Ocean. Eine Schilderg. d. Weltmeeres u. seines Lebens. Mit 12 Farbendr.-Bildern, 200 Illustr. in Holzschn., 15 color. Karten u. 80 Plänen im Text. gr. 8. (XV, 942 S.) Ebend. 884. n. 18. —

— im Reiche d. Fo, s.: Universal-Bibliothek, geographische.

— aus unseren Sommerfrischen. Ein Skizzenbuch. Mit 12 Illustr. v. J. J. Kirchner. 8. (VI, 310 S.) Wien 886. Hartleben. n. 6. —

Schweigger, C., Handbuch der Augenheilkunde. 5. verb. Aufl. Mit 37 Holzschn. gr. 8. (VIII, 532 S.) Berlin 885. Hirschwald. n. 12. —

— über den Zusammenhang der Augenheilkunde m. anderen Gebieten der Medicin. Rede, geh. zur Feier d. Stiftungstages der militairärztl. Bildungsanstalten am 2. Aug. 1885. gr. 8. (31 S.) Ebend. 885. n. — 80

Schweikart, B., u. M. Hoffmann, Mädchen-Philosophie auf der Hochschule d. Lebens. Aus Erinnergn. der Jugendzeit in gereimter u. ungereimter Briefform dargestellt. Mit 70 Kopfleisten u. Schlußvignetten, sowie 7 ganzseit. Extrabildern. gr. 8. (VI, 197 S.) Leipzig 887. Spamer. n. 3. —; geb. n. 4. 50

Schweikher, Marie, Sonnenschein u. Regen im Kinderkreis od. Tante Frieda u. ihre Kinder in Erzählungen. Mit 9 Bildern. 12. (236 S.) Basel 885. Spittler. n. 1. 20

Schweinburg, E., jüdische Pessimisten. 8. (40 S.) Wien 884. D. Loewy. n. — 80

Schweinfurth, G., alte Baureste u. hieroglyphische Inschriften im Uadi Gasûs. Mit Bemerkgn. v. A. Erman. Mit 2 (lith.) Taf. gr. 4. (23 S. m. eingedr. Fig.) Berlin 885. (G. Reimer.) cart. n. 2. 80

Schweinichen, d. schlesischen Ritters Hans v., eigene Lebensbeschreibung. Neu hrsg. von Ernst v. Wolzogen. 8. (XII, 244 S.) Leipzig 885. Unflad. n. 2. 40

Schweisthal, Martinus, das Princip d. Schönen. Prolegomena zur Aesthetik. gr. 8. (69 S.) Prag 886. Dominicus. n. 2. —

Schweitzer, J., der Heiratsvermittler, } s.: Wallner's allgemeine Schaubühne.
— Tenor u. Liebe, }

Schweitzer, Ph., Geschichte der skandinavischen Litteratur von ihren Anfängen bis auf die neueste Zeit. 1. Thl.: Geschichte der altskandinav. Litteratur von den ältesten Zeiten bis zur Reformation. gr. 8. (XXIII, 226 S.) Leipzig 886. Friedrich. n. 4. —

— Island. Land u. Leute, Geschichte, Litteratur u. Sprache. gr. 8. (IX, 208 S.) Ebend. 885. n. 4. —; geb. n. 5. —

Schweiz, die, im Kriegsfalle. 2. Aufl. gr. 8. (VIII, 91 S.) Zürich 885. Orell Füßli & Co. Verl. n. 1. 50

— dasselbe. 2. Thl. Mit e. Anh.: Bemerkungen üb. die „Antwort auf die Schweiz im Kriegsfalle". 8. (VII, 108 u. Anh. 22 S.) Ebend. 885. n. 2. —

Schweizer, s.: Blätter der Erinnerung.

Schweizer, Alex., Zwinglis Bedeutung neben Luther. Festrede zu Zwinglis 400jähr. Geburtstag. gr. 8. (IV, 92 S.) Zürich 884. Schultheß. n. 1. 20

Schweizer, C., Teigwaaren, s.: Bericht üb. Gruppe 25 der schweizerischen Landesausstellung Zürich 1883.

Schweizer's, Joh. Casp., Charakterbild, s.: Haß, D.

Schweizer, Joh. Jak., biblische Gebetslieder f. die häusliche Andacht. Mit e. Vorwort v. G. R. Zimmermann. 8. (VI, 228 S.) Basel 886. Detloff. n. 2. —

— Sammlung christlicher Gebetslieder aus alter u. neuer Zeit f. alle Tage, Zeiten u. Verhältnisse d. Jahres. gr. 8. (III, 960 S.) Ebend. 886. n. 6. —

Schweizer-Blätter, katholische, f. Wissenschaft, Kunst u. Leben. Neue Folge. Unter Mitwirkg. Gebildeter aller Stände hrsg. u. red. v. J. Schmid u. B. Kreienbühl. 1. u. 2. Jahrg. 1885 u. 1886. à 12 Hfte. (4 B.) gr. 8. Luzern, Räber. à Jahrg. n. 6. 40

Schweizerehre od. der meineidige Verrath der Schweizer an der deutschen Nation, in Vergangenheit u. Gegenwart. 8. (91 S.) Leipzig 885. Uhlig. n. 1. 50

Schweizersänger, der. Eine Sammlg. der schönsten u. beliebtesten älteren u. neueren Lieder m. Angabe der Singweisen. 2. Aufl. 16. (IV, 352 S.) Luzern 885. Prell. 1. 20

Schwendener, S., die Schutzscheiden u. ihre Verstärkungen. Mit 5 (lith. u. color.) Taf. gr. 4. (75 S.) Berlin 882. (G. Reimer.) cart. n. 6. —

Schwengberg, Max., das Spies'sche Faustbuch u. seine Quelle. 8. (68 S.) Berlin 885. Parrisius. n. 1. —

Schweninger, Ernst, gesammelte Arbeiten. 1. Bd. Mit Illustr. im Text. gr. 8. (VI, 308 S.) Berlin 886. Fischer's medicin. Buchh. n. 10. —

Schwenk, A., Leitfaden f. den Unterricht in der Orthographie u. Interpunktion. Zum Gebrauch in Stadt- u. Landschulen, in Präparanden-Anstalten, Fortbildungsschulen u. zum Selbstunterricht. 4. Aufl. gr. 8. (VIII, 187 S.) Neu-Ruppin 885. Petrenz. n. 1. 50

Schwenke, Alb., es ist vollbracht! Es wird Licht! Ein ernstes Wort an alle altbraunschweig. Patrioten. 3. Aufl. 8. (12 S.) Braunschweig 886. (Hannover, Schulbuchh.) n. — 20

— „hie Welf". Patriotische Lieder u. Gedichte zu Schutz u. Trutz. Gesammelt u. hrsg. 12. (79 S.) Ebend. 886. n. — 50

Schwenke, F., ausgeführte Möbel u. Zimmer-Einrichtungen der Gegenwart. 1. Bd. 3—6. Lfg. u. 2. Bd. 6 Lfgn. Fol. (à 12 lith. u. Lichtdr.-Taf. m. 1 Bl. Text.) Berlin 884. Wasmuth. à Lfg. n. 10. —

Schwenke, P., d. Presbyter Hadoardus Cicero-Excerpte, s.: Philologus.

Schwerdfeger, Otto, König Johann v. Sachsen als Vorkämpfer f. Wahrheit u. Recht. Reden u. Sprüche aus 20 Jahren Seines parlamentar. Wirkens. Sachlich geordnet u. erläutert, auch m. Verzeichniss der prinzl. Referate u. Separatvota, sowie e. Anh. „zeitgenöss. Urtheile" versehen u. hrsg. gr. 8. (XV, 224 S.) Dresden 884. Warnatz & Lehmann. n. 4. —; geb. n. 5. 50

Schwerdt, F. J., methodologische Beiträge zur Wiederherstellung der griechischen Tragiker. gr. 8. (III, 208 S.) Leipzig 886. Teubner. n. 5. 20

— Gedichte. 2. Aufl. 12. (IX, 276 S.) Paderborn 885. F. Schöningh. n. 4. —; geb. m. Goldschn. n. 5. 50

Schwerin, Franziska Gräfin, Alphabet d. Lebens. Eine Festgabe f. denk. Christen. 5. Aufl. 16. (54 S.) Davos 887. Richter. geb. m. Goldschn. n. 2. 50

— dein Sinai. Ein Führer auf dem Lebenswege. 2. Aufl. 16. (80 S.) Ebend. 887. geb. m. Goldschn. n. 2. 50

Schwerin, Fritz, Liederbuch f. Volksschulen. 24. Aufl. 8. (40 S.) Leipzig 884. Reichardt. — 15

Schwerin, Josephine Gräfin, im Feuer. Anonym. Novellen. 12. (124 S.) Berlin 885. Goldschmidt. n. — 50

— drei Jahre, s.: Frauen-Bibliothek.

— ein Kuß. Erziehungsresultate. Novellen. 2. Aufl. 8. (108 S.) Berlin 883. Goldschmidt. n. — 50

— an Luise. Novelle. 8. (110 S.) Ebend. 886. n. — 50

— der Herr Major. Novelle. 12. (98 S.) Ebend. 886. n. — 50

— Rodanseck. 8. (288 S.) Ebend. 883. n. 1. —

Schwerin, Josephine Gräfin, Veilchengrüße. 3 Novellen. 8. (339 S.) Berlin 886. Goldschmidt. n. 4. 50

— im Wechsel der Zeiten. Roman. 8. (212 S.) Ebend. 884. n. 1. —

Schwerin, Leonh. Graf v., Zweck, Bedeutung u. Anwendung der ehrengerichtlichen Einrichtungen f. die Offiziere d. preußischen Heeres. gr. 8. (72 S.) Hannover 886. Helwing's Verl. 1. 25

Schwering, Jul., Lieder u. Bilder. 12. (VI, 112 S.) Münster 887. F. Schöningh. n. 1. 60; geb. n. 2. 60

Schwering, Karl, Theorie u. Anwendung der Liniencoordinaten in der analytischen Geometrie der Ebene. Mit in den Text gedr. Fig. u. 2 (lith.) Fig.-Taf. gr. 8. (VI, 96 S.) Leipzig 884. Teubner. n. 2. 80

Schwering, L., die Arbeiter-Kolonie Leinhausen bei Hannover. Mit Zeichngn. (3 Steintaf.). Imp.-4. (20 Sp.) Hannover 884. Schmorl & v. Seefeld. n. 2. —

Schwertschlager, Jos., Kant u. Helmholtz, erkenntnisstheoretisch verglichen. gr. 8. (IV, 109 S.) Freiburg i/Br. 883. Herder. n. 1. 80

Schwertzell, Ernst, die christliche Wissenschaft od. die Wissenschaft der christlichen Wohlfahrt d. Menschen od. die christliche Weltanschauung [der christliche Glaube] in ihrer zeitgemäß-wissenschaftlichen Form, dargestellt in ausführl. Grundzügen. gr. 8. (VII, 140 S. m. 1 Tab.) Bremen 884. Heinsius. n. 3. 60

Schwetschke, G., zur Gewerbegeschichte der Stadt Halle a/S. von 1680—1880. Ein Beitrag zur Geschichte d. deutschen Volkswirthschaft. 1. Bd. 1680—1806. 1. Thl.: Salzwesen. Brauwesen. Stärkebereitung. gr. 8. (VII, 235 S.) Halle 883. Schwetschke. n. 2. 40

— politische u. unpolitische deutsche Lieder. 1. Politische Lieder. Ehrenlieder. Spott- u. Kampflieder. 1879—1885. 8. (IV, 131 S.) Ebend. 885. n. 1. 60

Schwetter, Ant., Heimatskunde der k. k. Bezirkshauptmannsch. Amstetten. Geographisch-statist. Handbuch m. besond. Rücksicht auf Culturgeschichte f. Leser jeden Standes. 2. Aufl. 6—25. (Schluß-)Lfg. gr. 8. (S. 161—239 u. Ortsregister 137 S.) Korneuburg 883. Kühkopf. à n. — 50 (cplt.: n. 12. —)

— der klimatische Curort Neumarkt in Steiermark. Beschreibung d. Marktes u. seiner Umgebg. f. Curgäste m. zahlreichen Illustr. u. e. Umgebungskarte. 8. (XI, 129 S.) Neumarkt 886. (Wien, Kravani.) geb. n. 2. —

Schwettmann, C., Geschichte der Kirche u. Gemeinde St. Jacobi auf der Radewich in Herford. Mit Bezugnahme auf die Entstehg. u. Entwickelg. der Abtei u. Stadt Herford. 2. Aufl. m. 3 Nachträgen üb. die Geschichte v. Herford u. Enger. 12. (178 S.) Herford 884. Menckhoff. n. 1. —

Schwicker, J. H., Geschichte der österreichischen Militärgrenze. gr. 8. (XII, 446 S.) Teschen 883. Prochaska. n. 9. —

— die ungarische Landes-Ausstellung. Übersichtlich geschildert. gr. 8. (63 S.) Budapest 885. Kilian. n. 1. 20

— deutsche Sprachlehre f. die Oberklassen der Volks- u. Bürgerschulen u. die Unterklassen der Gymnasien u. Realschulen. 6., verb. Aufl. gr. 8. (192 S.) Wien 884. Graeser. n. 1. 68

— das Königr. Ungarn, s.: Länder, die, Oesterreich-Ungarns in Wort u. Bild.

— s.: Volks- u. Mittelschulen, die, Oesterreich-Ungarns.

— die Zigeuner in Ungarn u. Siebenbürgen, s.: Völker, die, Oesterreich-Ungarns.

Schwickert, J., Cubiktafeln zur Berechnung d. cubischen Inhaltes v. Rundholz, Schnittmateriale, besäumten u. bezimmerten Bauholz u. anderen vierkantigen Körpern im metrischen Maasse. 2. Aufl. gr. 16. (178 S.) Leipzig 885. G. Weigel. cart. n. 1. 50

Schwickert, Joh. Jos., zum Frieden zwischen Philosophie u. positiver Religion. Eine Recognoscirg. auf dem Felde der Speculation in 3 Streifzügen: a) Von jeder Philosophie innerhalb der Schranken der Menschen-Natur. b) Kritik e. neuesten Philosophems. c) Ideen zu e.

Systematik d. menschl. Geistes. gr. 8. (45 S.) Bonn 885. Rhein. Buch- u. Kunst-Antiquariat. n. — 80

Schwiedland, Eug., die Graphologie. Geschichte, Theorie u. Begründg. der Handschriftendeutg. Mit 1 (Holzschn.-) Bildnisse u. 4 Handschriftproben. 2. Aufl. 8. (43 S.) Berlin 883. Schorer. n. 1. 50

Schwiedland, Fréd., cours supérieur de langue française en 95 leçons. Suite du cours élémentaire en 140 leçons. De l'article. Du substantif. De l'adjectif. Du pronom. Du verbe. De l'adverbe. De la préposition. De la conjonction. gr. 8. (VII, 161 S.) Wien 886. Lechner's Verl. n. 1. 50

— Elementarkurs der französischen Sprache f. Mittelschulen u. zum Selbstunterricht in 140 Uebungen. 1. u. 2. Thl. à 70 Uebgn. gr. 8. Ebend. 885. à n. 1. 50

1. Lehre v. der Aussprache, Anwendung der beiden Artikel, der Hülfs- u. regelmäßigen Zeitwörter. (142 S.)
2. Anwendung der persönl. Fürwörter. Zurückführende, unpersönl. u. unregelmäß. Zeitwörter. Anekdoten. Briefe. Fabeln. (VI, 142 S.)

Schwiegermütter, die. Allen Leidensgenossen gewidmet v. e. Schwiegersohn. 8. (64 S.) Budapest 886. Grimm. n. 1. —

Schwier, K., Handbuch der Emailphotographie. Eine Anleitg. zur Erzeugg. v. eingebrannten Photogrammen auf Email, Glas od. Porzellan. 3. Aufl. v. A. Martin's Handbuch der Emailphotographie, in vollständ. Neubearbeitg. hrsg. Mit 7 Abbildgn. gr. 8. (VIII, 66 S.) Weimar 885. B. F. Voigt. 1. 20

Schwierczina, Thdr., Frontoniana. gr. 8. (62 S.) Breslau 883. (Köhler.) n. 1. —

Schwieters, Jul., geschichtliche Nachrichten üb. den östlichen Theil d. Kreises Lüdinghausen, die Pfarrgemeinden Werne, Herbern, Bockum, Hövel, Walstedde, Drensteinfurt, Ascheberg, Nordkirchen, Südkirchen u. [Filiale] Kapelle umfassend. gr. 8. (IV, 404 S.) Münster 886. (Mitsdörffer.) n. 2. 25

Schwind, Frz. Ritter v., der Rechenstab, f. das d. gewöhnlichen Rechnens kundige Publikum eingerichtet u. durch Beispiele der Verwandl. d. alten österreich. in das neue metr. Maß u. Gewicht u. umgekehrt erläutert. Neue Ausg. gr. 8. (30 S. m. 1 Rechenstab.) Innsbruck 884. Wagner. n. — 80

Schwind, Mor. v., Fresken d. Landgrafensaales der Wartburg, Textbuch, s.: Mating-Sammler.

— Wandgemälde im Schloss Hohenschwangau. 26 Kompositionen, nach den Aquarell-Entwürfen in Kpfr. gestochen v. Jul. Naue u. Herm. Walde. Mit erläut. Text. qu. Fol. (8 S.) Leipzig 885. A. Dürr. cart. n. 30. —

Schwindel, der romantische, in der deutschen Mythologie u. auf der Opernbühne. Von Sz. I—IV. gr. 8. Elberfeld 885. 86. Bädeker. n. 3. 80

I. Das humorist. altisländ. Gedicht v. Harbard u. Charon, Fährmann weiland in der griech. Unterwelt. (39 S.) n. 1. 20
II. Wer ist Loki? (27 S.) n. — 80
III. Odin, Baldur u. Hödr. (46 S.) n. 1. 20
IV. Der Weltenbaum zu Neuschwanstein. (48 S.) n. 1. 60

— der spiritistische. Enthüllungen v. e. Eingeweihten. 2. Aufl. 8. (95 S.) Leipzig 885. Unflad. n. 1. —

Schwingshackl, Joh. Ev., die heiligen Schutzengel. Ein Büchlein f. Jedermann. 8. (VI, 324 S. m. 1 Stahlst.) Brixen 883. Weger. n. 1. 60

Schwink, Frdr., die zwei Gehirne in e. Januskopf. Ein Beitrag zur Anatomie der Missbildgn. hoch 4. (32 S. m. 3 Steintaf.) München 884. Literarisch-artist. Anstalt. n. 3. —

Schwippel, Karl, die Ost-Alpen m. ihren anliegenden Gebirgsmassen. Geologisch dargestellt. Mit 1 Karte. gr. 8. (42 S.) Wien 884. Pichler's Wwe. & Sohn. n. — 80

— die geologischen Verhältnisse der Umgebungen der k. k. Residenzstadt Wien. Mit e. Karte. gr. 8. (III, 20 S.) Ebend. 883. n. — 80

Schwippert, P. A., grammatisches Hülfsbüchlein. Zunächst f. Ausländer, dann überhaupt f. alle, welche Buschmann's Leitfaden f. den Unterricht in der deutschen Sprache gebrauchen. gr. 8. (IV, 78 S.) Trier 886. Lintz. cart. n. — 75

Schwob, Jos., chrestomathie française ou livre de lecture, de traduction et de récitation à l'usage des écoles allemandes. 1. part. 4. éd., revue, corrigée et augmentée par Th. Droz. Avec un vocabulaire français-allemand. 8. (VIII, 308 S.) Zürich 885. Meyer & Zeller. n. 2. 40

Schwochow, H., die Bearbeitung pädagogischer Themata. I. Tl.: Theoretisch-prakt. Anleitg. zum Disponieren. II. Tl.: Wegweiser in die pädagog. Litteratur. gr. 8. (138 S.) Gera 886. Th. Hofmann. n. 1. 40

— die Fortbildung d. Lehrers im Amte. 2 Tle. gr. 8. Leipzig 883. Siegismund & Volkening. à n. 1. 50; cart. à n. 1. 70

1. Die Vorbereitg. auf die 2. Lehrerprüfg. Nebst e. Anh., enth. d. Vorschriften üb. die Ausbildg. u. Prüfg. d. Musik-, Zeichen- u. Turnlehrer an höheren Unterrichtsanstalten, sowie der Taubstummenlehrer. (93 S.)
2. Die Vorbereitg. auf das Mittelschulexamen. 3. Aufl. (112 S.)

— Methodik d. Volksschulunterrichts in übersichtlicher Darstellung. Ein Lern- u. Wiederholungsbuch zur Vorbereitg. auf pädagog. Examina, insbesondere f. Lehrer u. Lehrerinnen, sowie f. Kandidaten d. Schul- u. Predigtamtes hrsg. gr. 8. (VIII, 230 S.) Gera 885. Th. Hofmann. n. 2. 20; Einbd. n.n. — 40

— die Schule hat die Aufgabe, auch die Denkart u. Gesinnung der Jugend zu bilden, s.: Lehrer-Prüfungs-Arbeiten.

Schwörbel, L., die ehemalige Cisterzienser-Abtei Altenberg im Dünthale. 8. (47 S. m. 8 Taf.) Deutz 885. (Köln Boisserée.) n. 1. —

Schworella, R., kritischer Leitfaden der Kartographie m. Rücksicht auf das Bedürfnis d. Unterrichtes in der Erdkunde. 3. Aufl. gr. 8. (VI, 138 S. m. 2 lith. Uebersichtsbl.) Wien 883. Schworella & Heick. cart. n. 2. 60

Schwörer, Emil, Ortskrankenkassen u. Gemeindekrankenversicherung auf Grund d. Reichsgesetzes betr. die Krankenversicherung der Arbeiter vom 15. Juni 1883. Dargestellt in systemat. Bearbeitg. 8. (IV, 84 S.) München 886. Th. Ackermann's Verl. n. 1. —

Schwuchow, Peter, Plauder-Stündchen. Kurze Geschichtchen aller Art. 8. (V, 248 S.) Karlsruhe 886. (Macklot.) n. 1. 50; geb. n.n. 1. 80

Schwurgerichtsverhandlung gegen den Schriftsteller Franz Holubek wegen der in den „Drei-Engel-Sälen" zu Wien geh. antisemitischen Rede [nach stenograph. Aufzeichng.]. gr. 8. (49 S.) Wien 882. (Vetter.) n. — 60

Scipio, Konr., d. Aurelius Augustinus Metaphysik im Rahmen seiner Lehre vom Übel. gr. 8. (V, 113 S.) Leipzig 886. Breitkopf & Härtel. n. 2. 40

Scipio, Rud., der Advokat v. Readersville. Erzählung aus Texas. 8. (209 S.) Berlin 883. Goldschmidt. 1. —

— auf dem Kriegspfade. Eine Geschichte aus den Wildnissen d. amerikan. Westens. Ster.-Ausg. 8. (112 S. m. 4 Chromolith.) Reutlingen 884. Enßlin & Laiblin. cart. 1. 20

— am Rande der Wildnis. Eine Geschichte aus Texas. Der Jugend erzählt. Mit 4 Farbendr.-Bildern. 2. Aufl. gr. 8. (158 S.) Stuttgart 884. Thienemann. cart. n. 3. —

— ein deutscher Ritter, s.: Ebhardt's Jugendbibliothek.

— vom Stamme der Inkas. Eine Erzählg. aus der Zeit d. Befreiungskampfes in Süd-Amerika. gr. 8. (147 S. m. 4 Chromolith.) Stuttgart 884. Hänselmann. geb. n. 3. —

— zu Wasser u. zu Lande. Erlebnisse e. Bremer Schiffsjungen auf dem Ozean, in den Pampas u. den Kordilleren. Der Jugend erzählt. Mit 4 Farbendr.-Bildern nach Aquarellen v. Gust. Bartsch. 2. Aufl. gr. 8. (178 S.) Stuttgart 885. Thienemann. geb. n. 3. —

— Jürgen Wullenweber. Erzählg. aus den Tagen der Hansa. Der Jugend gewidmet. Mit 4 prachtvollen Farbdr.-Bildern nach Aquarellen v. G. Bartsch. gr. 8. (144 S.) Stuttgart 886. Hänselmann. geb. n. 3. —

Scizzenbuch f. häusliche Kunst. Red.: Osc. Hülcker. 1. Jahrg. 1884. 12 Nrn. (à $^{1}/_{2}$—$^{3}/_{4}$ B. m. 2 Beilagen: Vorlagen f. Majolika-, Holz-, Marmor-, Porzellan, Leder-, Stoff-, Glasmalerei u. Aetzerei f. Zink, Glas, Kupfer etc.) gr. 4. Berlin, (Gottheil). n. 12. —

cf.: Skizzenbuch.

Scott, James George [Shway Yoe], Frankreich u. Tonkin. Eine Beschreibg. d. Feldzuges v. 1884 u. der Besetzg. Hinterindiens, nebst Schildergn. v. Land u. Leuten. Deutsch v. W. Rudow. Mit 1 Karte. gr. 8. (V, 150 S.) Ilfeld a/H. 886. Fulda. n. 3. 60

— Land u. Leute auf Hainan. Eine Schilderg. der Insel u. ihrer Erzeugnisse. Deutsch v. W. Rudow. gr. 8. (24 S.) Ebend. 886. n.n. — 50

Scott, R. H., elementare Meteorologie, s.: Bibliothek, internationale wissenschaftliche.

Scott's, Sir Walter, Werke, s.: Collection Spemann.

— Quentin Durward, s.: Authors, English. — Library, English.

— Erzählungen e. Großvaters, enth.: Darstellungen, die der schott. Geschichte entnommen sind. Wortgetreu nach H. R. Mecklenburg's Grundsätzen aus dem Engl. übers. v. R. T. 1. Hft. 32. (64 S.) Berlin 884. H. R. Mecklenburg. n. — 25

— the heart of Midlothian. 8. (414 S.) Leipzig 886. Gressner & Schramm. geb. n. 3. —

— history of France from 1328—1380, s.: Schulbibliothek, französische u. englische.

— history of Scotland, s.: Authors, English.

— Ivanhoe. Für Schulen bearb. u. m. Anmerkgn. versehen v. Heinr. Saure. gr. 8. (VII, 230 S.) Berlin 886. Herbig. n. 1. 75; Einbd. n.n. — 20

— dasselbe. Historischer Roman. Neue Uebersetzg. v. Rob. Koenig. Mit 8 Tonbildern v. P. Grot Johann. 3. Aufl. 8. (IV, 389 S.) Bielefeld 886. Velhagen & Klasing. geb. n. 4. —

— the Lady of the Lake. gr. 16. (191 S.) Leipzig, Gressner & Schramm. n. — 80

— dasselbe. With a glossary. 5. ed. 32. (IV, 252 S.) Stuttgart 884. Metzler's Verl. geb. n. 1. 20

— dasselbe, s.: Authors, English.

— Maria Stuart, s.: Schüler-Bibliothek, englische.

— tales of a grandfather. [History of Scotland.] 1. and 2. series. Students' Tauchnitz edition. Mit deutschen Erklärgn. v. H. Löschhorn. gr. 8. Leipzig 886. B. Tauchnitz. n. 3. 20; cart. n. 3. 40

1. (XII, 296 S.) n. 1. 50; cart. n. 1. 60
2. (VI, 270 S.) n. 1. 70; cart. n. 1. 80

— dasselbe. Ausgewählt u. m. ausführl. Anmerkgn. u. Erläutergn. zum Schul- u. Privatgebrauch versehen v. Heinr. Loewe. gr. 8. (VI, 122 S.) Leipzig 883. Siegismund & Volkening. n. 1. —; geb. n. 1. 30

— dasselbe. Ausgewählt, m. Anmerkgn. u. teilweiser Accentuierg. v. Dav. Bendan. Mit 1 (lith. u. kolor.) Karte v. Schottland u. Regententaf. 2. Aufl. 8. (XVI, 330 S.) Berlin 885. Friedberg & Mode. n. 1. 80; Einbd. n.n. — 45

— dasselbe. Ausgewählt u. erklärt v. Emil Pfundheller. 3. Aufl. Mit 1 Karte v. Schottland v. H. Kiepert. gr. 8. (VIII, 251 S.) Berlin 885. Weidmann. 2. 40

— dasselbe, s.: Rauch's English readings.

— dasselbe, s.: Schüler-Bibliothek, englische.

— the talisman. A tale of the crusades. 8. (382 S.) Leipzig 886. Gressner & Schramm. geb. n. 3. —

— dasselbe. Students' Tauchnitz edition. Mit deutschen Erklärgn. v. R. Dressel. gr. 8. (VIII, 316 S.) Leipzig 886. B. Tauchnitz. n. 1. 60; cart. n. 1. 70

— Waverley, s.: Universal-Bibliothek.

Scriba, Ed., genealogisch-biographische Uebersicht der Familie Scriba, in 2. Aufl. vervollständigt u. hrsg. von Chrn. Scriba. 4. (XV, 285 S.) Friedberg 884. Scriba. n. 8. —

Scriba, G., Katalog f. Mannschafts-Bibliotheken. Ein Verzeichniß v. Schriften, welche sich besonders zur Aufnahme in Bibliotheken f. Mannschaften aller Truppentheile d. deutschen Heeres eignen. 8. (52 S.) Metz 886. Scriba. n.n. — 75

Scribe, E., les premières amours, s.: Théâtre français.

— das Glas Wasser. Lustspiel in 5 Aufzügen. Wortgetreu aus dem Franz. in deutsche Prosa übers. nach H. R. Mecklenburg's Grundsätzen v. Herm. Dill. 3. u. 4. (Schluß-)Hft. 32. (S. 129—228.) Berlin 883. H. R. Mecklenburg. à n. — 25

— dasselbe, s.: Universal-Bibliothek.

Scribe, E., le mariage d'argent,
— la passion secrète,
— le verre d'eau,
— et **Delavigne,** le diplomate,
— et **Legouvé,** bataille des dames,
— — les contes de la Reine de Navarre,
— — les doigts de fée,
s.: Théâtre français.

— u. **Mélesville,** Valerie, s.: Universal-Bibliothek.

— et de **Rougemont,** avant, pendant et après, s.: Théâtre français.

Scriptores historiae Augustae, iterum rec. adparatumque criticum addidit Herm. Peter. 2 voll. 8. Leipzig 884. Teubner. 7. 50

1. (XLII, 299 S.) 3. 30. — 2. (401 S.) 4. 20

— rerum germanicarum in usum scholarum ex monumentis Germaniae historicis recusi. Annales Bertiniani. Rec. G. Waitz. gr. 8. (X, 173 S.) Hannover 883. Hahn. 2. 10

— dasselbe. Chronicon Moguntinum. Ed. Carolus Hegel. gr. 8. (XXI, 103 S.) Ebend. 885. 2. —

— dasselbe. Gesta abbatum Fontanellensium. Rec. S. Loewenfeld. gr. 8. (60 S.) Ebend. 886. n. — 90

— dasselbe. Ottonis et Rahewini gesta Friderici I. imperatoris. Ed. II. Rec. G. Waitz. gr. 8. (XXXI, 305 S.) Ebend. 884. 3. 75

— dasselbe. Vita Anskarii auctore Rimberto. Accedit vita Rimberti. Rec. G. Waitz. gr. 8. (100 S.) Ebend. 884. 1. 50

— dasselbe. Waltrami ut videtur liber de unitate ecclesiae conservanda. Recognovit W. Schwenkenbecher. gr. 8. (XXII, 146 S.) Ebend. 883. 2. 40

— rerum polonicarum. Tom. VIII—X. [Editionum collegii historici acad. litt. Crac. N. 27.] gr. 8. Krakau, (Friedlein). n. 28. —

VIII. Epistolae ex archivo domus Radzivillianae depromptae. (XXIV, 295 S. m. 4 facsm. Porträts.) 885. n. 10. —
IX. Collectaneorum ex archivo collegii hist. Crac. tom. III. (499 S.) 886. n. 12. —
X. Historici diarii domus professae societatis Jesu Cracoviensis anni novem 1600—1608. (VIII, 285 S.) 886. n. 6. —

— rerum Silesiacarum. Hrsg. vom Vereine f. Geschichte u. Alterthum Schlesiens. 12. Bd. gr. 4. Breslau 883. Max & Co. n. 6. — (1—12.: n. 101. 50)

Geschichtschreiber Schlesiens d. 15. Jahrh. Hrsg. v. Frz. Wagner. (XX, 147 S.)

Scriver, Predigten aus S.'s Seelenschatz f. jeden Sonntag d. Jahres. Bearb. v. Heinr. Riehm. [„Predigten f. häusl. Erbaug." 3. Jahrg.] gr. 8. (VII, 416 S.) Basel 887. Riehm. 3. —

Scubitz, Frdr., methodische Anleitung zum Selbstunterricht in der doppelten Buchführung. 8. (XVIII, 252 S. m. 1 Tab.) Stuttgart 884. Brettinger. à n.n. 2. 40; Einbd. n.n. — 60

— dasselbe, s.: Handbibliothek der gesamten Handelswissenschaften.

— Usancen u. Paritäten der wichtigsten Wechselplätze. Nach Orig.-Berichten u. den besten Quellen bearb. u. auf Grund der Münzgesetze berechnet. Tabelle. Imp.-Fol. (1 Bl. Text.) Berlin 883. Haude & Spener. n. 1. —

— das italienische Wechselgesetz vom J. 1883. In das Deutsche übertr. u. m. vergleich. Bemerkgn. üb. das früher gelt. Recht u. die Allgemeine Deutsche Wechselordng. versehen. gr. 8. (50 S.) Berlin 883. C. Heymann's Verl. n. 1. —

Scudder, H. E., Bayard Taylor, s.: Hansen-Taylor, M.

Scupoli, Laurentius, der geistliche Kampf. Aus dem Ital. 16. (VII, 438 S.) Paderborn 885. Bonifacius-Druckerei. — 60

— dasselbe, s.: Bücher f. das gottselige Leben.

Seamer, M., Shakespeare's stories, f. die Schule bearb. u. m. Anmerkgn. versehen v. Heinr. Saure. Copyright ed. gr. 8. (X, 148 S.) Berlin 883. Herbig. n. 1. 70; Einbd. n.n. — 20

Sebald, H., Lesebuch f. höhere Töchterschulen, s.: Kletke, H.

Sebald, Max F., Gott ist Gott, u. Jeschua sein Profet. Poetische Weltanschaug. 8. (31 S.) Berlin 886. Funcke & Naeter. n. 1. —

Sebald, Max F., der Roth Ende! Ein Aufruf an das deutsche Volk. gr. 8. (31 S.) Neuhaldensleben 885. Besser. — 30

Sebelien, John, Beiträge zur Geschichte der Atomgewichte. Eine v. der Universität zu Kopenhagen gekrönte Preisschrift m. einigen Veränderg. ins Deutsche übers. Mit 1 Fig.-Taf. gr. 8. (VII, 208 S.) Braunschweig 884. Vieweg & Sohn. n. 4. 50

Seberiny, Joh., evangelisch-christliche Religionslehre. Zum Gebrauche f. die Zöglinge der k. k. Militär-Unter-Realschulen. 8. (VI, 135 S.) Wien 886. Seidel & Sohn. geb. n. 1. 60

— evangelische Vorträge üb. Glauben u. Geschichte d. Christenthums. Zum Gebrauche f. die k. k. Militär-Ober-realschulen u. Militär-Akademien. 8. (XII, 244 S.) Ebend. 886. geb. n. 2. 40

Seboth, Jos., die Alpenpflanzen nach der Natur gemalt. Mit Text v. F. Graf u. Anleitg. zur Cultur der Alpenpflanzen in der Ebene v. Joh. Petrasch. 43—48. (Schluss-)Hft. 12. (4. Bd. IV, 70 S. m. 48 Chromolith.) Prag 883. 84. Tempsky. — Leipzig, Freytag. à n. 1. —

— u. Jenny **Schermaul**, die Alpenpflanzen, nach der Natur gemalt. Mit Text v. Ferd. Graf u. e. Anleitg. zur Cultur der Alpenpflanzen v. Joh. Petrasch. 1. Bd. 2. Aufl. 12. (III, 106 S. m. 101 Chromolith.) Ebend. 886. geb. n.n. 17. 20

Secchi, Angelo, die Einheit der Naturkräfte. Ein Beitrag zur Naturphilosophie. Autoris. Uebersetzg. v. L. Rud. Schulze. Mit Holzschn. 2. Aufl. 2 Bde. gr. 8. (VIII, 333 u. IV, 379 S.) Braunschweig 884. 85. Salle. n. 12. —

— die Grösse der Schöpfung. 2 Vorträge, geh. vor der Tiberin. Akademie zu Bonn. Aus dem Ital. übertr. v. Carl Güttler. 4. Aufl. gr. 8. (VIII, 50 S.) Leipzig 885. Bidder. n. 1. 20

Secchi's, Angelo, Lebensbild, s.: Pohle, J.

Seché, Carl, Pilgerreise von Venedig nach Jerusalem u. Rom im J. 1883. 2. Aufl. gr. 8. (271 S.) Aachen 885. A. Jacobi & Co. n. 2. —

66, das Paderborner. Eine humoristisch-histor. Abhandlg. nach e. Urschrift aus dem J. 1681 üb. die Entstehg dieses durch Europa verbreiteten u. allgemein beliebten Spieles, nebst e. Anleitg., dasselbe fein zu spielen. Gewidmet der reif. Welt, insbesondere allen 66-Spielern v. e. Paderborner. 3. Aufl. 16. (16 S.) Paderborn 886. Schöningh's Sort. n. — 25

16 Kreuzer-Schreib-Kalender, Fromme's neuester, f. d. J. 1887. gr. 8. (48 S.) Wien, Fromme. — 32

Seckau, die Abtei, in Obersteiermark. Mit 27 Abbildgn. gr. 4. (8 S. m. 7 Taf.) Graz 886. Styria. n. 1. —

Seckendorff, Arth. Frhr. v., üb. die wirthschaftliche Bedeutung der Wildbachverbauung u. Aufforstung der Gebirge. Vortrag. Lex.-8. (10 S.) Wien 883. (Frick.) n. — 80

— zur Geschichte der Wildbach-Verbauung od. was ist in Oesterreich auf dem Gebiete der Wildwässer-Bekämpfung geschehen? Vortrag. gr. 8. (24 S.) Ebend. 886. n. — 80

— Verbauung der Wildbäche, Aufforstung u. Berasung der Gebirgsgründe. Aus Anlass der Reise Sr. Exc. d. Hrn. k. k. Ackerbauministers Grafen Jul. v. Falkenhayn nach Südfrankreich, Tirol u. Kärnten dargestellt. Mit 122 Abbildgn. im Text u. e. Atlas, enth. 35 Taf. (in Fol. u. Mappe). Hrsg. vom k. k. Ackerbauministerium. 2. Abdr. Lex.-8. (VIII, 319 S.) Ebend. 884. n. 12. —

Seckendorff-Gutend, Henriette v., nachgeschriebene Hausandachten, geh. in der Villa Seckendorff zu Cannstatt. 7. Aufl. nebst Anh. 8. (200 S.) Cannstatt 884. (Stuttgart, Metzler's Sort.) n.n. 1. —

Seckendorff-Gutend, Henriette, Freiin v. Blätter der Erinnerung v. W. K. 2. Aufl. 8. (VIII, 100 S.) Bonn 885. Schergens. n. — 80

Secundärbahn-Zeitung. Organ f. Localbahnen, Trambahnen etc. Unter Mitwirkg. hervorrag. Fachgenossen red. u. hrsg. v. M. Paulsen. Mitred.: Geo. Osthoff. 3. Jahrg. 1883. 52 Nrn. (B.) gr. 4. Siegen. (Berlin, Polytechn. Buchh.) n. 12. —
Erscheint nicht mehr.

Securius' Luftschifffahrten. Aus 7jähr. Praxis v. ihm selbst erzählt. 8. (III, 96 S.) Bremen 883. (Rocco.) n. 1. —

Sedaine, le philosophe sans le savoir. Comédie en 5 actes et en prose. Erklärt v. M. Gisi. gr. 8. (90 S.) Berlin 883. Weidmann. — 90

Sedlak, Mart., zur Lehrerinnenfrage. Referat, angenommen in der Sitzg. d. Vereins „Bürgerschule" am 25. Apr. 1885. gr. 8. (8 S.) Wien 885. (Sallmayer.) n. — 30

Sedlmayer, Heinr. Steph., die Ausgrabungen auf dem Forum romanum. Ein Vortrag. gr. 8. (22 S. m. 1 Grundriss.) Wien 884. Konegen. n. — 60

Sedna, Ludw., das Wachs u. seine technische Verwendung. Darstellung der natürl., animal. u. vegetabil. Wachsarten d. Mineralwachses [Ceresin], ihrer Gewinng., Reinigg., Verfälschg. u. Anwendg. in der Kerzenfabrikation, zu Wachsblumen u. Wachsfiguren, Wachspapier, Salben u. Pasten, Pomaden, Farben, Lederschmieren, Fußbodenwichsen u. vielen anderen techn. Zwecken. Mit 33 Abbildgn. 8. (VIII, 144 S.) Wien 886. Hartleben. n. 2. 50

Sédouard, E., Pantomimen, Schattenspiele. Kartoffel-Komödien u. andere Gesellschafts-Scherze. 8. (VIII, 192 S.) Berlin 884. Lassar. n. 4. —
I. Pantomimen. (32 S.) Einzelpr. n. 2. 40
II. Schattenbilder u. Schattentheater. (S. 33—56.) Einzelpr. n. 1. 60
III. Kartoffel-Komödien. (S. 57—96.) Einzelpr. n. 1. 60
IV. Kasperle- u. Marionettentheater. (S. 97—152.) Einzelpr. n. 1. 60
V. Gesellschafts-Scherze, enth.: I. Wachsfiguren-Kabinet. II. Die Menagerie. III. Mordgeschichten-Lieder. IV. Neger-Virtuosen. V. Imitirte Tiroler. (S. 153—192.) Einzelpr. n. 2. —

Sedulii opera omnia, s.: Corpus scriptorum ecclesiasticorum latinorum.

Sée, G., die Krankheiten der Lunge. 1—3. Thl. Vom Verf. rev., m. Zusätzen u. e. Vorwort verseh. autoris. deutsche Ausg. v. Max Salomon. gr. 8. (XVI, 528 S.) Berlin, Dümmler's Verl. à n. 10. —
1. Die bacilläre Lungen-Phthise. Mit 2 chromolith. Taf. (XVI, 528 S.) 886.
2. Die [nicht tuberculösen] specifischen Lungenkrankheiten. Acute Bronchiten, parasitäre Pneumonie, Gangrän, Syphilis, Krebs, Echinokokkus der Lunge. Mit 2 chromolith. Taf. (XI, 453 S.) 886.
3. Die einfachen Lungenkrankheiten. Pneumobulbäres Asthma, Cardiales Asthma, Congestionen, Hämorrhagien u. Sklerose der Lungenkrankheiten der Pleura. (XI, 546 S.) 887.

Seebass, Otto, üb. Columba v. Luxeuils Klosterregel u. Bussbuch. Inaugural-Dissertation. gr. 8. (66 S.) Dresden 883. Höckner. n. 1. 50

— die Türken vor Wien 1683. Festrede. gr. 8. (22 S.) Ebend. 883. n. — 40

Seeber, Jos., e. fliegend Blatt. Gedichte. 8 (215 S.) Brixen 885. Weger. n. 2. —

— St. Elisabeth v. Thüringen. Ein episches Gedicht. 16. (175 S. m. eingedr. Holzschn.) Steyl 883. Missionsdruckerei. n. 1. 50

Seeberg, A., Andreas Hofer, der ruhmvolle Führer im tyroler Volkskampfe 1809, u. seine Erschießg. zu Mantua am 20. Febr. 1810. Historisches Charakterbild. 8. (64 S.) Reutlingen 883. Bardtenschlager. — 25

Seeberg, P., aus alten Zeiten. Lebensbilder aus Kurland. 8. (231 S.) Stuttgart 885. J. F. Steinkopf. n. 2. 50; geb. n. 3. 50

Seeberg, Rhold., der Begriff der christlichen Kirche. 1. Tl. A. u. d. T.: Studien zur Geschichte d. Begriffes der Kirche m. besond. Beziehg. auf die Lehre v. der sichtbaren u. unsichtbaren Kirche. gr. 8. (X, 236 S.) Erlangen 885. Deichert. n. 3. —

— vom Lebensideal. Vortrag. gr. 8. (25 S.) Dorpat 886. Karow. n. — 80

— was haben wir an unserer Bibel? Bibelfestpredigt üb. 2 Tim. 3, 14—16, geh. in der Universitäts-Kirche zu Dorpat am Sonntag Cantate. gr. 8. (24 S.) Ebend. 885. n. — 60

Seeberger, Gust., Principien der Perspektive u. deren Anwendung nach e. neuen Methode. Mit 40 Fig. u. 4 Taf. 3. Aufl. 8. (VIII, 67 S.) München 884. Literarisch-artist. Anstalt. n. 2. —

Seeböck, Philibert, Büchlein vom heil. Liebesbunde zu Ehren d. göttlichen Herzens Jesu, nebst e. Anbetungsstunde vor dem allerheiligsten Altarssakramente. 16. (102 S.) Salzburg 886. Pustet. — 24

— dreitägige geistliche Exercizien f. die Mitglieder d. 3. Ordens d. hl. Vaters Franziskus. Ergänzung zu allen Handbüchern f. den 3. Orden. 2. Aufl. 16. (83 S.) Ebend. 886. n. — 20

— Handbüchlein f. die Mitglieder der Erzbruderschaft vom hlst. u. unbefleckten Herzen Mariä zur Bekehrung der Sünder, m. e. Anh. v. Gebeten. 16. (X, 282 S. m. 1 Farbendr.) Innsbruck 886. Vereins-Buchh. u. Buchdruckerei. n. — 72

— Unsere Liebe Frau v. Lourdes. Kurzer Bericht üb. die gnadenreichen Erscheingn. der hl. Gottesmutter, sammt Litanei u. Anweisg. zur neuntäg. Andacht, nebst e. Gebete f. die Kinder. 16. (32 S. m. 1 Chromolith.) Ebend. 885. n. — 20

— dasselbe, od. die Erweise der göttl. Erbarmgn. durch Maria. Ein Erbauungsbuch zur Verehrg. der unbefleckten Empfängniß. 2. Aufl. 16. (XIV, 496 S.) Ebend. 885. n. 1. 60

— der Monat Mai zu Ehren Unserer lieben Frau v Lourdes. Aus dem Franz. 16. (VI, 175 S. m. 1 Chromolith.) Ebend. 885. n. —

— seraphisches Regelbuch f. die Mitglieder des 3. Ordens d. heil. Vaters Franziskus nach der neuen Verfassung Sr. Heil. Papst Leo XIII. 9. Aufl. 16. (IV, 614 S. m. 1 Chromolith.) Salzburg 886. Pustet. n. 1. —; geb. in Leinw. n. 1. 50; in Ldr. n. 1. 80

— St. Gertruden- u. Mechtildenbuch. Das Kirchenjahr nach den Offenbargn. der heil. Gertrudis u. Mechtildis. Mit e. vollständ. Gebetbuche. 16. (656 S. m. 1 Lichtdr.) Ebend. 883. n. 1. 50

— der goldene Schlüssel zum innerlichen Gebet. Anleitung zur Uebg. der täglichen Betrachtg. u. Gewissenserforschg. Nach der Lehre des hl. Ignazius. 16. (56 S.) Ebend. 885. n. — 20

— die Verehrung d. heiligsten Antlitzes unseres Herrn Jesu Christi zur Sühnung der Gotteslästerungen u. Sonntagsschändungen unserer Tage. 16. (64 S. m. 1 Holzschn.) Innsbruck 886. Vereins-Buchh. u. Buchdruckerei. n. — 24

Seebohm, Frederic, die englische Dorfgemeinde in ihren Beziehungen zur Gutsherrlichkeit, zu der ursprünglichen Stammesverfassung, zur Flureinteilung u. Feldgemeinschaft. Ein Beitrag zur Geschichte der Volkswirtschaft. Nach der 3. Aufl. aus dem Engl. übertr. von Thdr. v. Bunsen. Mit 14 Taf. gr. 8. (XII, 320 S.) Heidelberg 885. C. Winter. n. 10. —

Seebold, Herm., ausführliche Erklärung d. kleinen Katechismus D. Martin Luthers, in Fragen u. Antworten verf. u. m. Zeugnissen der hl. Schrift versehen. Ein Hülfsbuch f. evangelisch-luther. Lehrer. 5. Aufl. gr. 8. (III, 296 S.) Göttingen 884. Vandenhoeck & Ruprecht's Verl. n. 3. —

Seeburg, Frz. v., die Hexenrichter v. Würzburg. Historische Novelle. In neubearb. Ausg. 8. (IV, 299 S.) Regensburg 883. Pustet. 1. 80

— das Marienkind. 4. Aufl. 8. (VIII, 568 S.) Ebend. 886. 3. —; geb. n. 4. 60

— die Nachtigall. Eine Dorfgeschichte aus dem bayer. Hochlande. 2. Aufl. 8. (VI, 326 S.) Ebend. 884. 2. —

Seeck, Otto, die Kalendertafel der Pontifices. gr. 8. (VII, 192 S.) Berlin 885. Weidmann. n. 3. —

— die Quellen der Odyssee. gr. 8. (IX, 424 S.) Berlin 887. Siemenroth. n. 9. —

Seefeld, Alfr. v., einfachstes Kochbuch. Nebst Einführg. in die naturgemäße Lebensweise. 5. Aufl. 8. (32 S.) Hannover 883. Schmorl & v. Seefeld. n. — 10

Seefeld, Carl, das Protokoll im österreichischen Strafprocesse. Theoretisch-prakt. Anleitg. zur Protokollführg. im Strafprocesse. gr. 8. (44 S.) Wien 886. Manz. n. 1. —

Seeger an der Lutz, nit lugg ló! Mundartliche Gedichte allemann. Stammes. 8. (VI, 198 S.) Innsbruck 886. Wagner. n. 2. —

Seeger, A., systematisch-praktische Darstellung d. neufranzösischen Verbs f. den Schulgebrauch. gr. 8. (51 S.) Wien 885. (Pichler's Wwe. & Sohn.) n. 1. 20

Seeger, Ant., landwirtschaftliches Rechenbuch, nebst Anleitg. zum Feldmessen u. Berechnen der Körper, f. landwirtschaftl. Winterschulen u. Feiertagsschulen, wie auch zum Selbstunterricht bearb. Mit 65 Holzschn. 8. (IV, 172 S.) Innsbruck 884. F. Rauch. n. 1. 20; geb. n. 1. 40

Seeger, H., Lehrbuch der neufranzösischen Syntax m. systematischer Berücksicht. d. Deutschen. 1. Tl. Syntax d. einfachen Satzes. gr. 8. (XIV, 171 S.) Wismar 884. Hinstorff's Verl. n. 2. —

— französisch-deutsche Phraseologie f. die mittleren Klassen realistischer Bildungsanstalten. 3 Tle. gr. 8. Ebend. 886. n. 3. 70

1. Phraseologie zur Einübung d. Gebrauchs der französischen Hülfszeitwörter u. einiger durch vielseitige Verwendbarkeit ausgezeichneter Verba auf er. (V, 56 S.) n. 1. —
2. Phraseologie zur Einübung d. Gebrauchs der französischen Verba unregelmässiger od. archaischer Konjugation. (96 S.) n. 1. 20
3. Phraseologie zur Einübung d. Gebrauchs der französischen Präpositionen. (VI, 122 S.) n. 1. 50

— Realgymnasium od. Oberrealschule? gr. 8. (III, 91 S.) Ebend. 884. n. 1. 20

— französische Schulgrammatik. I. Formenlehre. Von G. Erzgraeber. II. Syntax. Vom Herausgeber. gr. 8. (IX, 260 S.) Ebend. 886. n. 2. 40

Seehandel u. Flottenstationen. gr. 8. (16 S.) Wien 884. (Gerold's Sohn.) n. — 60

Seeland, Ferd., Diagramme der magnetischen u. meteorologischen Beobachtungen zu Klagenfurt. Witterungsjahr 1885. Decbr. 1884 bis Novbr. 1885. Hrsg. vom Naturhistor. Landes-Museum v. Kärnten. Fol. (13 autogr. Taf.) Klagenfurt 886. (v. Kleinmayr.) n. 2. 70

Seeländer, Otto, Graf Seckendorff u. die Publizistik zum Frieden v. Füssen v. 1745. gr. 8. (XV, 104 S.) Gotha 883. F. A. Perthes. n. 2. 40

Seele, F., Lehrgang f. das Rechnen in Mittel- u. Elementarschulen. 1—6. Hft. 2. Aufl. 8. Berlin 883. 86. Thurn. n. 2. 35

1. 2. 2. Aufl. (32 u. 46 S.) à n. — 25. — 3. 2. Aufl. (40 S.) n. — 30. — 4. 2. Aufl. (80 S.) n. — 40. — 5. 2. Aufl. (64 S.) n. — 40. — 6. (120 S.) n. — 75

— Rechenaufgaben f. mehrklassige Volksschulen. Ausg. B. Methodisch zusammengestellt. 6 Hfte. 8. Ebend. 885. n. 2. 15

1. 2. (à 32 S.) à n. — 25. — 3. (36 S.) n. — 30. — 4. (48 S.) n. — 25. — 5. (56 S.) n. — 40. — 6. (92 S.) n. — 60

— dasselbe. Auflösungen im 2—6. Hft. d. Lehrganges f. das Rechnen in Mittel- u. Elementarschulen. 8. Ebend. 883. n. 2. 10

2. 3. (36 S.) n. — 40. — 4. (34 S.) n. — 50. — 5. (30 S.) n. — 60. — 6. (28 S.) n. — 60

Seele, Ida [Frau Vogeler], Erzählungen f. Kinder von 2—7 Jahren. Zum Gebrauch im Hause, im Kindergarten u. in der Kleinkinderschule. Mit e. Vorwort v. Eug. Pappenheim. Mit (5) Bildern in Farbendr. nach Zeichngn. v. M. Block. 5. Aufl. 4. (VIII, 84 S.) Leipzig 884. Oehmigke. geb. n. 3. 50

— Plauderstoffe. Bilder aus dem Kinderleben f. Kindergarten u. Elternhaus. hoch 4. (VI, 58 S. m. 4 Chromolith.) Ebend. 886. geb. n. 3. —

Seelen-Gärtlein, das kleine. Ein vollständ. Gebet-, Beicht- u. Communionbuch f. kathol. Christen. 3. Aufl. 32. (XII, 457 S. m. 1 Holzschn.) Augsburg 884. Literar. Institut v. Dr. M. Huttler. n. 3. —; geb. n.n. 5. —; n.n. 6. 50 u. n. 8. —

Seelenspiegel, christlicher. Ein Beicht- u. Kommunionbuch f. solche Christen, die ihren Gewissenszustand genau kennen lernen, insbesondere f. diejenigen, die sich auf e. Generalbeichte vorbereiten wollen. 5. Aufl. 16. (248 S. m. 1 Stahlst.) Warendorf 886. Schnell. n. — 50; geb. n. — 75

Seeler, Geschichte d. 1. Großherzogl. Mecklenburgischen Dragoner-Regiments Nr. 17 vom 6. Novbr. 1819 bis 1. Jan. 1885. Mit 5 farb. Kunstbeilagen. Lex.-8. (VI, 154 S.) Berlin 885. Mittler & Sohn. n. 7. 50

Seeley, J. R., the expansion of England, s.: Collection of British authors.

— Stein. Sein Leben u. seine Zeit. Deutschland u.

Preußen im Zeitalter Napoleons. 1. u. 2. Bd. Aus dem Engl. übers. v. Emil Lehmann. gr. 8. (XXIV, 432 u. XII, 508 S.) Gotha 883. 85. F. A. Perthes. n. 13. —; geb. n. 16. —

Seelhoff, P., Flächen- u. Körperberechnung in Lehrsätzen u. Aufgaben nebst Regeln u. Uebungsbeispielem aus der Arithmetik u. Algebra zum Gebrauche f. Navigationsschulen. 3. Aufl. 8. (VI, 106 S.) Bremen 886. Heinsius. n. 2. —; geb. n. 2. 40

Seelhorst, Geo., die deutsche Waare auf dem Weltmarkt. Ein Beitrag zur Exportfrage. gr. 8. (66 S.) Augsburg 883. Reichel. n. 1. 50

Seelig-Ohmann's Führer. Bergedorf, Reinbeck, Friedrichsruh u. die Vierlande. Touristen-Führer. Mit Karte. 8. (18 S.) Hamburg 884. Seelig & Ohmann. n. — 60

— — dasselbe. Hamburg-Altona u. Umgegend. Wegweiser m. Plan der Städte Hamburg-Altona, Wandsbeck, Ottensen, Plänen d. zoolog. Gartens u. der Kunsthalle in Hamburg. 15. Aufl. 8. (62 S.) Ebend. 886. n. — 80

— — dasselbe. Helgoland. Cuxhafen. Führer u. Rathgeber f. Touristen u. Kurgäste. Mit Karten. 3. Aufl. 8. (IV, 40 S.) Ebend. 887. n. 1. 20

— — dasselbe. Kopenhagen. Führer durch Dänemark, nebst Touren durch Schweden u. Norwegen. Mit Karten u. Plänen. 4. Aufl. 8. (VI, 119 S.) Ebend. 886. n. 2. —

— — dasselbe. Kopenhagen. Wegweiser m. Plan v. Kopenhagen u. Karte d. östl. Seeland. 8. (III, 42 S.) Ebend. 886. n. 1. —

— — dasselbe. Ost-Holstein. Touristen-Führer durch die besuchtesten Gegenden d. Fürstenth. Lübeck u. d. östl. Holsteins einschliesslich der Städte Lübeck u. Kiel u. deren Umgebgn. 8. Aufl. Mit Karten u. Plänen. 8. (XIV, 96 S.) Ebend. 884. n. 2. —

— — dasselbe. Ost-Holstein. Das östl. Holstein. Das Fürstenthum Lübeck. Die Städte Lübeck u. Kiel. Praktischer Wegweiser. Mit Karte. 8. (IV, 56 S.) Ebend. 886. n. 1. —

— — dasselbe. Ost-Schleswig. Touristen-Führer durch das östliche Schleswig, von Kiel bis ins südl. Jütland. Mit e. Hauptkarte, e. Routenkarte u. 3 Specialkarten. 2. Aufl. 8. (XV, 73 S) Ebend. 884. n. 1. 50

— — dasselbe. Ratzeburg, Mölln u. Umgebung. Touristen-Führer. Mit Karte. 5. Aufl. 8. (26 S.) Ebend. 884. n. — 60

— — dasselbe. Sylt u. Föhr. Führer f. Touristen u. Kurgäste. Mit Karte. (2. Aufl.) 8. (VIII, 51 S.) Ebend. 886. n. 1. 80

Seelig, Ed., zur Kenntniss der gechlorten Toluole u. ihrer Derivate. gr. 8. (48 S.) Dresden 884. (Knecht.) n. 2. —

— Molekularkräfte. Physikalisch-chemische Studie der verschiedenen Körperzustände. gr. 8. (58 S.) Dresden 886. G. Schönfeld's Verl. n. 2. —

Seeliger, der Umbau d. Bahnhofes Hannover, s.: Durlach.

Seeliger, Gerh., das deutsche Hofmeisteramt im späteren Mittelalter. Eine verwaltungsgeschichtl. Untersuchg. gr. 8. (IV, 138 S.) Innsbruck 885. Wagner. n. 3. 60

Seeliger, H., üb. den Einfluss dioptrischer Fehler d. Auges auf das Resultat astronomischer Messungen. gr. 4. (40 S.) München 886. Franz' Verl. n.n. 1. 20

Seeliger, Konr., die neusten Angriffe auf das Gymnasium. Vortrag. gr. 8. (25 S.) Leipzig 886. Teubner. — 60

Seeliger, R. A., der kleine Katechismus Dr. Martin Luthers nach seinem nächsten Wortlaute, in Fragen u. Antworten zerlegt u. durch Sprüche, bibl. Beispiele u. Lieder erläutert u. namentlich den Lehrern an Volksschulen als Grundlage beim Katechismusunterrichte dargeboten. 9. Aufl. gr. 8. (112 S.) Berlin 885. Wohlgemuth. n. — 80; geb. n.n. 1. —

Seeligmüller, Adph., Lehrbuch der Krankheiten d. Rückenmarks u. Gehirns, sowie der allgemeinen Neurosen. Für Ärzte u. Studirende. 1. Abth. Mit 76 Abbildgn. in Holzschn. gr. 8. (288 S.) Braunschweig 886. Wreden. n. 6. —

Seeling, Heinr., neue Grundrissdispositionen zu den Wallotschen Façaden d. Reichstagsgebäudes. Imp.-4. (8 S. m. 1 eingedr. Fig. u. 2 Taf.) Berlin 883. Polytechn. Buchh. n. 1. —

Seelmann, Aug., Treffübungen m. Text. Erster Gesangunterricht überhaupt u. notwend. 1. Tl. zu allen ein- u. zweistimm. Liedersammlgn. f. Schulen insbesondere, enth. Lieder u. Gesangstücke zu Erzielg. sichern Treffens, guter Tonbildg. u. richt. Aussprache vers. 5. Aufl. 8. (II, 34 S.) Halle 883. Schmidt. n.n. — 30

Seelmann, Emil, die Aussprache d. Latein nach physiologisch-historischen Grundsätzen. gr. 8. (XV, 397 S.) Heilbronn 885. Henninger. n. 8. —

Seelmann, F., Luther als Lehrer u. Erzieher, s.: Vorträge, öffentliche.

Seelmann, F., de nonnullis epithetis homericis commentatio, s.: Hachtmann, C., symbolae criticae ad T. Livi decadem tertiam.

Seelmann, W., Valentin u. Namelos, s.: Denkmäler, niederdeutsche.

Seemann's litterarischer Jahresbericht f. 1886. Hrsg. unter Mitwirkg. v. E. Dohmke, K. Gehlert, K. Heinemann, E. Lehmann, Ad. Rosenberg, O. Seemann. 16. Jahrg. gr. 8. (208 S. m. Illustr.) Leipzig 886. Seemann. — 60; krit. Tl. ap. (80 S.) n. — 40

Seemann, Heinr., de asyndeto Sophocleo quaestiones. gr. 8. (57 S.) Breslau 882. (Köhler.) n. 1. —

Seemann, O., die Aebtissinnen v. Essen, s.: Beiträge zur Geschichte v. Stadt u. Stift Essen.

Seemann, O. S., üb. den Ursprung der Sprache. (Vortrag.) 8. (33 S.) Leipzig 884. Friedrich. n. — 50

Seemann, Otto, Mythologie der Griechen u. Römer. Unter steter Hinweisg. auf die künstler. Darstellg. der Gottheiten als Leitfaden f. den Schul- u. Selbstunterricht. 3. Aufl., unter Mitwirkg. v. R. Engelmann neu bearb. Mit 83 Holzschn.-Illustr. 8. (VIII, 280 S.) Leipzig 885. Seemann. n. 2. 70; geb. in Calico n. 3. 50; Liebhaberausg. geb. n. 4. 50

Seemann, Th., Kunst d. Orients, — moderne Plastiker, } s.: Klassiker-Bibliothek der bildenden Künste.

Seemannsordnung, deutsche, u. Gesetz, betr. die Verpflichtung deutscher Kauffahrteischiffe zur Mitnahme hülfsbedürftiger Seeleute. Vom 27. Decbr. 1872. 4. Aufl. 8. (28 S.) Bremerhaven 884. v. Vangerow. n. — 50

Seemüller, Jos., Leitfaden zum Unterricht in der deutschen Grammatik am Obergymnasium nach dem neuen Lehrplane. gr. 8. (IV, 92 S.) Wien 885. Hölder. n. 1. —

— zur Methodik d. deutschen Unterrichts in der 5. Gymnasialclasse. Zugleich Commentar zu den neuen Instructionen f. den deutschen grammat. Unterricht in dieser Classe. gr. 8. (IV, 36 S.) Ebend. 885. n. 1. 8

— die Sprachvorstellungen als Gegenstand d. deutschen Unterrichts. Zugleich Commentar zu den neuen Instructionen f. den deut. grammat. Unterricht in der 6. Gymnasialclasse. gr. 8. (IV, 32 S.) Ebend. 885. n. 1. —

— Studien zum kleinen Lucidarius [„Seifried Helbing"]. Lex.-8. (110 S.) Wien 883. (Gerold's Sohn.) n. 1. 60

Seevers, H., der Schuldienst. Auszug aus den Gesetzen, Verordngn. u. Ausschreiben in Schulsachen f. den Bezirk der königl. Regiergn. zu Hannover, Hildesheim u. Lüneburg. gr. 8. (III, 71 S.) Ilfeld 886. Fulda. n. 1. —

Seffer, G. H., Elementarbuch der hebräischen Sprache. Eine Grammatik f. Anfänger m. eingeschalteten, systematisch geordneten Übersetzungs- u. andern Übungsstücken, e. Anh. v. zusammenhäng. Lesestücken u. den nöt. Wortregistern. Zunächst zum Gebrauch auf Gymnasien. 8. Aufl., besorgt v. F. Sebald. gr. 8. (XIV, 378 S.) Leipzig 886. Brandstetter. n. 4. 50

Seffner, Joh., Geschichte der Reformation in Schlesien. Fasc. I. gr. 8. (IV, 182 S.) Breslau 886. Aderholz. n. 2. —

Segebarth, Joh., ut de Demokratentid. Erzählung in niederdeutscher Mundart. 8. (XI, 209 S.) Pasewalk 885. (Berlin, Mrose.) n. 2. —

Segebarth, Joh., de irste Seemannsreis'. Poetische Erzählg., u. Up Frigensfäut, Erzählg. in niederdeutscher Mundart. 8. (260 S.) Berlin 886. (Leipzig, Siegismund & Volkening.) n. 2. 70

— de Darßer Smuggler. Erzählung in niederdeutscher Mundart. 8. (VI, 290 S.) Berlin 884. (Mrose.) n. 2. —

Segelhandbuch f. den Atlantischen Ozean. Mit e. Atlas v. 36 Karten. Hrsg. v. der Direktion der Deutschen Seewarte. Mit zahlreichen in den Text gedr. Holzschn. u. 9 Steindr.-Taf. Lex.-8. (X, 595 S.) Hamburg 885. Friederichsen & Co. geb. n. 20. —

— für die Nordsee. Hrsg. v. dem hydrograph. Amt der Admiralität. 1. u. 2 Hft. gr. 8. Berlin, (D. Reimer). n. 4. 70; cart. n. 5. 50

1. Meteorologische u. klimatologische Verhältnisse, magnetische Elemente, physikalische u. Strömungs-Verhältnisse d. Nordseegebiets. Mit 21 Fig. u. Taf. (III, 78 S.) 884. n. 1. 70; cart. 2. —

2. Skagerrak. Mit 125 in den Text gedr. Holzschn. u. 2 Karten. (VII, 151 S.) 885. n. 3. —; cart. n. 3. 50

Segen, der, d. Sonntags. Eine wahre Geschichte aus dem Hessenlande. 16. (16 S.) Gernsbach 883. Christl. Kolportage-Verein. n. — 4

Seger, Carl, das Gesetz betr. die Auflösung d. Lehns-Verbandes der nach dem Lehnrecht der Kurmark, Altmark u. Neumark zu beurtheilenden Lehne. Vom 23. Juli 1875. Ergänzt u. erläutert durch die vollständ. amtl. Motive, die Commissions-Berichte u. Verhandlgn. d. Landtags. 8. (VII, 104 S.) Berlin 886. Siemenroth. geb. n. 2. —

Seger, H., üb. Glasurfehler u. deren Ursachen. gr. 8. (30 S.) Berlin 883. (Polytechn. Buchh.) n. 1. —

Segert, Anna, wilde Rosen. Dichtungen. 8. (VIII, 314 S.) Breslau 884. Schottländer. n. 3. —; geb. n. 4. —

— in stillen Stunden. Gedichte. 12. (VI, 72 S.) Wismar 886. Hinstorff's Verl. geb. m. Goldschn. n. 2. 40

Segesser, A. Ph. v., Ludwig Pfyffer u. seine Zeit. Ein Stück französ. u. schweizer. Geschichte im 16. Jahrh. 2. u. 3. Bd. gr. 8. Bern, Wyss. n. 21. 60 (I—III.: n. 37. 60)

2. Vierzehn Jahre schweizerischer u. französischer Geschichten. 1571—1584. (572 S.) 881. n. 8. 60

3. Die Zeit der Ligue in Frankreich u. in der Schweiz. 1585—1594. 2 Abthlgn. (496 u. 374 S.) 882. n. 13. —

Seggel, Bericht üb. die Augenkrankenstation d. Königl. Garnison-Lazareths München. gr. 8. (144 S.) Berlin 884. Mittler & Sohn. n. 3. —

Seghers, Louis, antike Alphabete, Initialen, Fragmente &c., ausgezogen aus Missalen, Bibeln, Manuscripten &c. vom 12. bis zum 19. Jahrh., gesammelt, gezeichnet u. gravirt. 2. Aufl. qu. 4. (24 z. Thl. farb. Taf. m. 1 Bl. Text.) Leipzig 885. Mayer. n. 4. 50

Ségur, Graf v., Geschichte Napoleons u. d. großen Heeres während d. J. 1812. Wortgetreu nach H. R. Mecklenburg's Grundsätzen aus dem Franz. übers. v. R. T. 1—4. Hft. 32. (224 S.) Berlin 886. H. R. Mecklenburg. à n. — 25

— histoire ancienne, } s.: Prosateurs français.
— histoire de Napoléon et de la grande-armée en 1812, }

Ségur, Mgre. de, das göttliche Jesuskind, das Vorbild f. christliche Kinder. Autoris. Uebersetzg. Mit 1 Stahlst. 16. (VIII, 112 S.) Mainz 884. Kirchheim. cart. n. — 80

— „kommet Alle zu mir!" Ermahnung zum öfteren Besuche d. allerheiligsten Altarsakramentes. Autoris. Uebersetzg. 16. (48 S.) Bensheim 879. (Mainz, Frey.) n. — 15

— die allerheiligste Jungfrau Maria. Fromme Lesgn. f. den Maimonat. 2. Thl. A. u. d. T.: Die allerseligste Jungfrau Maria in dem Neuen Testamente. 12. (256 S.) Mainz 883. Kirchheim. 1. 20 (1. u. 2.: 2. 20)

— praktische Rathschläge f. die Beicht der Kinder. Autoris. Uebersetzg. 2. Aufl. 16. (55 S.) Ebend. 883. cart. n.n. — 25

Ségur, Gräfin, geb. Rostopchine, die Herberge zum Schutzengel. Aus dem Franz. übers. von Elise v. Pongrácz. Mit 67 Illustr. 8. (VI, 316 S.) Freiburg i/Br. 885. Herder. 1. 80; geb. 2. 50

Ségur, Marquis Anatole, Leben d. Monsignore L. G. de Ségur. Autoris. Uebersetzg. 8. (XIV, 572 S.) Mainz 884. Kirchheim. n. 4. —

Seherr-Thoß, Gräfin Olga, geb. Gräfin Strachwitz, der Gott geweihte Tag der christlichen Seele. Gebete. 2. Aufl. 16. (III, 314 S.) Wien 883. Mayer & Co. n. 4. —

Sehlen, v., üb. die Grundwasserverhältnisse der Stadt Hannover u. ihre Beziehungen zu den Infectionskrankheiten. Eine hygien. Studie, nach e. Vortrage im ärztl. Verein zu Hannover erweitert. gr. 8. (60 S. m. 3 Taf.) Hannover 886. Schmorl & v. Seefeld. n. 1. 50

Sehling, Emil, die Schenkung auf den Todesfall nach dem sächsischen Gesetzbuche. Eine civilrechtl. Abhandlg. gr. 8. (67 S.) Leipzig 886. Veit & Co. n. 1. 60

— die Wirkungen der Geschlechtsgemeinschaft auf die Ehe. Eine kirchenrechtl. Abhandlg. gr. 8. (VIII, 104 S.) Ebend. 885. n. 3. —

Sehproben, entworfen nach dem Metersystem, zur Bestimmung der Sehschärfe hrsg. vom St. Petersburger Augenhospital. Lex.-8. (5 Taf. in gr. Fol. m. 2 S. russ. u. deutschem Text.) St. Petersburg 885. (Ricker.) n. 5. 60

Sehring, Wilh., vom Konzil zu Nicäa bis zum westfälischen Frieden. 325 bis 1648. Epigramme, Lieder u. Jamben zur Geschichte der Menschheit. Auch e. Beitrag zur Festlitteratur d. Lutherjubiläums. gr. 8. (XXIV, 432 S.) Heidelberg 883. G. Weiß Verl. n. 5. —; geb. n. 6. —

— hie Welf! hie Zollern! Gedanken u. Gedichte zur neuesten Geschichte Deutschlands. Mit Abdruck der in der Norddeutschen Allgemeinen Zeitung veröffentlichten Briefe d. Königs Georg v. Hannover u. seines Agenten. 8. (VIII, 104 S.) Ebend. 885. n. 1. —

Sehrwald, Frdr., deutsche Dichter u. Denker. Geschichte der deutschen Literatur m. Probensammlg. zu derselben. 2. Aufl. 2 Bde. Lex.-8. (XII, 559 u. XII, 1076 S. m. eingedr. Holzschn.) Altenburg 883/84. Bonde's Verl. n. 10. —; geb. n. 14. —

Sei getreu! Ein Wort auf den Lebensweg f. Neuconfirmirte. 3. Aufl. 8. (IV, 95 S.) Oldenburg 885. Schulze. cart. n. — 75

— getreu bis an den Tod. 4 Blumenzweige m. Kreuz in Wolken. Chromolith. 16. Leipzig 883. (Baldamus' Sep.-Cto.) n. — 80

Seiberling, Jos., gegen Brafmann's „Buch d. Kahal". gr. 8. (VII, 73 S.) Wien 882. Ch. D. Lippe. n. 1. 80

Seibert, A. E., geografia ad uso di scuola. In 3 parti. Elaborata giusta il piano d'insegnamento per le classi superiori delle scuole popolari e cittadine austriache. Traduzione di Matteo Bassa. gr. 8. Wien, Hölder. n. 2. 18

1. 3. ed. riveduta. (76 S. m. Holzschn.) 880. n. — 64
2. (96 S.) 882. n. — 90
3. (74 S.) 883. n. — 64

— Geschichts-Atlas f. Volks- u. Bürgerschulen. qu. Fol. (4 chromolith. Karten.) Ebend. 883. n. — 80

— Lehrbuch der Geographie für österreichische Lehrerbildungsanstalten. 3 Thle. gr. 8. Prag 883. Tempsky. — Leipzig, Freytag. n. 3. 50; Einbd. n.n. — 80

1. Für den 1. u. 2. Jahrg. 2. Aufl. Mit 42 Holzst. (VIII, 207 S.) 883. n. 1. 80; Einbd. n.n. — 30
2. Für den 3. Jahrg. Mit 1 Kartenskizze u. 50 Holzst. (VIII, 132 S.) 885. n. 1. 10; Einbd. n.n. — 30
3. Für den 4. Jahrg. 2. Aufl. Mit 64 Holzst. (VI, 90 S.) 885. n. — 60; Einbd. n.n. — 20

— Leitfaden d. Geographie f. allgemeine Volksschulen. Mit 28 Holzschn. 3. Aufl. gr. 8. (IV, 130 S.) Wien 886. Hölder. n. — 72

— Schul-Geographie. In 3 Thln. Bearb. nach dem Lehrplane f. die oberen Klassen der österreich. Volks- u. Bürgerschulen. gr. 8. Ebend. n. 2. 8

1. Aus den Elementen der mathematischen u. physikalischen Geographie. Allgemeine Uebersicht der Erdtheile nach horizontaler u. verticaler Gliederung. Abriß der polit. Geographie. Zunächst f. den VI. Jahrg. 8klass. Volks- u. Bürgerschulen u. f. den I. Jahrg. 3klass. Bürgerschulen. 7. Aufl. (IV, 76 S. m. Holzschn.) 886. n. — 64

2. Allgemeine Uebersicht üb. die Erdtheile nach ihrer politischen Eintheilung m. besond. Berücksicht. Mittel-Europas. Zunächst f. den VII. Jahrg. 8klass. Volks- u. Bürgerschulen u. f. den II. Jahrg. 3klass. Bürgerschulen. 5. Aufl. (IV, 92 S.) 885. n. — 80

3. Eingehende Betrachtung der österreichisch-ungarischen Monarchie u. ihrer Beziehungen zu anderen Ländern, betr. Industrie u. Handel. Zunächst f. den VIII. Jahrg. 8klass. Volks- u. Bürgerschulen u. f. den III. Jahrg. 3klass. Bürgerschulen. 4. Aufl. (IV, 76 S.) 885. n. — 64

Seibert, A. E., Wegweiser an den Seen d. Salzkammergutes. 4. Aufl. Mit 6 Uebersichtskärtchen. 12. (VIII, 70 S.) Wien 886. Hölder. n. — 80

Seibt, W., das Mittelwasser der Ostsee bei Travemünde, s.: Publication d. königl. preuss. geodätischen Institutes.

— Studien zur Kunst- u. Culturgeschichte. III u. IV. gr. 8. Frankfurt a/M. 885. Keller. n. 2. 20 (I—IV.: n. 4. 20)

III. Helldunkel. 1. Von den Griechen bis zu Correggio. (IV, 81 S.) n. 1. —
IV. Helldunkel. 2. Adam Elsheimer's Leben u. Wirken. Mit Elsheimer's Bildniss, radiert v. J. Eissenhardt. (VIII, 98 S.) n. 1. 20

Seidel's kleines Armee-Schema. Dislocation u. Eintheilung d. k. k. Heeres, der k. k. Kriegsmarine, der k. k. Landwehr u. der königl. ungar. Landwehr. Nr. 20. 1886. Novbr. 12. (IV, 118 S.) Wien, Seidel & Sohn. n. 1. —

Seidel, Alb., Studien üb. die Darstellung, Zusammensetzung u. Eigenschaften d. Sennits [Cathartomannits]. gr. 8. (67 S.) Dorpat 884. (Karow.) n. 1. —

Seidel, Bernh., die archäischen Formationen d. Erzgebirges in der Umgebung v. Zschopau. gr. 8. (45 S.) Zschopau 886. Raschke. n. — 80

Seidel, Eug., de usu praepositionum Plotiniano quaestiones. gr. 8. (77 S.) Nissae 886. (Breslau, Köhler.) n. 1. —

Seidel, Frdr., Album-Sprüche. Eine Blumenlese der schönsten Geistesblüten aus deutschen, franzöf. u. engl. Dichtern u. Prosaikern, von den Klassikern bis zur Gegenwart. 5. Aufl. 8. (VII, 283 S.) Weimar 886. B. F. Voigt. geb. 3. 75

— Beschäftigungs-Magazin f. Kindergärten, Bewahr- u. Kleinkinderschulen, Kindergärtnerinnen-Seminare, Arbeitsschulen u. Elternhaus. II—V. Lex.-8. (à 2 S. Text m. 12 Taf.) Wien 883—86. Pichler's Wwe. & Sohn. à n. 1. —

— Buch der Erzählungen f. Mütter, Kindergärtnerinnen u. Lehrer, s.: Köhler, A.

— Einblicke durch Fenster, Thür u. Dach in das Innere d. Menschen. Eine Quintessenz der Beobachtgn. u. Forschungen e. Lavater, Gall, Spurzheim, Roger, David u. a. m. üb. Physiognomik; Schädellehre, Mund, Zähne u. Lippen; Haltg. u. Bewegg. d. Körpers, Stimme, Gang, Kleidg.; Mimik; Deutg. u. Auslegg. der Handschriften; Chirologie 2c. 3. Aufl., durchgesehen, verb. u. verm. v. F. S. Mit 14 Taf. Abbildgn. gr. 8. (XVI, 152 S.) Weimar 886. B. F. Voigt. 3. —

— der Fröbel'sche Kindergarten. 2. Aufl. gr. 8. (III, 36 S. m. Fig.) Wien 883. Pichler's Wwe. & Sohn. n. — 60

— L. Gulliver's Reise nach Brobdingnag, s.: Volks- u. Jugend-Bibliothek.

— deutsche Schulreden, unter Mitwirkg. hervorrag. Schulmänner hrsg. v. F. S. gr. 8. (IX, 306 S.) Wien 886. Pichler's Wwe. & Sohn. n. 3. —

Seidel, Fr. Wilh., Kubik-Tabellen f. runde, geschnittene u. beschlagene Hölzer nach Metermaaß. 8. (IV, 130 S.) Halle 883. Kaemmerer & Co. cart. n. 2. 50; geb. n. 2. 80

Seidel, G. F., die königl. Residenz in München, m. Unterstützg. Sr. Maj. d. Königs Ludwig II. hrsg. Text-Bd. gr. 4. Leipzig 883. Seemann. n. 12. —

Geschichte der Residenz in München von ihren frühesten Zeiten bis herab zum J. 1777, nach archival. Quellen bearb. v. Chrn. Haeutle. (X, 151 S.)

— das königl. Lustschloss Schleissheim, m. Unterstützg. Sr. Maj. d. Königs Ludwig II. hrsg. 12 Taf. in Kpfrst. v. Ed. Obermayer. gr. Fol. Nebst e. histor. Texte v. J. Mayerhofer. hoch 4. (XV, 59 S. m. 3 Lichtdr.-Taf.) Ebend. 885. In Mappe. Ausg. I. auf chines. Pap. n.n. 65. —; Ausg. II. auf weissem Pap. n.n. 45. —

Seidel, Heinr., Geschichten u. Skizzen aus der Heimath. 2. Aufl. gr. 16. (343 S.) Leipzig 885. Liebeskind. n. 3. —

— Idyllen u. Scherze. Neue Gedichte. 3. Sammlg. 12. (VIII, 163 S.) Ebend. 884. n. 2. 50

— Vorstadtgeschichten. 3. veränd. Aufl. gr. 16. (360 S.) Leipzig 885. Liebeskind. n. 3. —; Einbd. in Leinw. n n. — 75

Seidel, Heinr., Wintermärchen. Mit 4 Aquarellen u. 65 Holzschn. v. W. Friedrich, C. Röhling, C. Gehrts 2c. 8. (X, 327 S.) Glogau 885. Flemming. geb. n. 5. —

Seidel, L., die Frauenfrage u. die innere Mission m. besond. Rücksicht auf die Frauen u. Töchter d. Arbeiterstandes. Vortrag. 2. Aufl. gr. 8. (20 S.) Nürnberg 885. Raw. n. — 15

— die evangelischen Männer- u. Jünglingsvereine Sachsens. Ihre Geschichte u. ihr gegenwärt. Stand 1885. gr. 8. (IV, 70 S.) Dresden 885. (Leipzig, Buchh. d. Vereinshauses.) n. — 60

— Schillers Glaube. Eine Betrachtg. seiner religiösen, sittl. u. socialen Grundgedanken im Lichte der Bibel. Vortrag. gr. 8. (20 S.) Ebend. 883. n. — 20

Seidel, L. C., Spiele im Freien. Eine Sammlg. v. 62 der schönsten u. beliebtesten Jugendspiele. Zum Gebrauch auf dem Turnplatze, bei Kinderfesten, Spaziergängen u. während der Schulpausen auf dem Spielplatze. Auf Grund d. Ministerialerlasses vom 27. Oktbr. 1882 bearb. 12. (64 S.) Leipzig 884. Siegismund & Volkening. n. — 50; cart. — 60

Seidel, L. E., die Behandlung deutscher Lesestücke auf der Unterstufe. 30 der schönsten u. beliebtesten Gedichte, Erzählgn., Fabeln u. Märchen, f. die Unterstufe ausgewählt, nach den Jahreszeiten geordnet, erläutert u. methodisch behandelt. 8. (VI, 113 S.) Langensalza 886. Schulbuchh. — 90

— das Leben der Tiere in Charakterbildern u. abgerundeten Gemälden. Ein naturhistor. Lesebuch f. Schule u. Haus, sowie reichhalt. Material zur Ergänzg. u. Belebg. d. naturgeschichtl. Unterrichts. Zusammengestellt u. hrsg. f. Lehrer u. Lernende. gr. 8. (VIII, 472 S. m. Holzschn.) Ebend. 886. 3. 30; geb. n. 4. 30

— Materialien f. den Anschauungs- u. Sprachunterricht im ersten Schuljahr. Ein prakt. Handbuch f. Elementarlehrer, sowie zum Gebrauch an Seminarien. gr. 8. (VIII, 94 S.) Gotha 884. Behrend. n. 1. —

— der Rechenunterricht im 1. Schuljahr. Der Zahlenraum von 1—10, in ausgeführten Lektionen bearb. 8. (IV, 71 S.) Langensalza 885. Schulbuchh. — 75

Seidel, Mart., zur Zeit Jesu. Darstellungen aus der neutestamentl. Zeitgeschichte. 2. Aufl. gr. 8. (V, 154 S.) Frankfurt a/M. 884. Drescher. n. 1. 50; geb. n. 2. —

Seidel, O., Lieder f. die Volksschule, in 3 Stufen geordnet u. hrsg. 2. u. 3. Hft. 2. Aufl. gr. 8. Berlin, Stubenrauch. n. — 80

2. 40 Lieder f. die Mittelstufe. (23 S.) 885. n. — 30
3. 50 Lieder f. die Oberstufe. (40 S.) 885. n. — 50

— Volksschul-Liederbuch. In 1 Hft hrsg. 2. Aufl. gr. 8. (46 S.) Ebend. 884. n. — 40

Seidel, O. M., das Schwimmen am königl. Seminare zu Zschopau. Die wichtigsten Bade- u. Schwimm-Regeln, nach GutsMuths, Lion, Euler, Kluge u. a. f. die Hand seiner Schüler zusammengestellt. 16. (63 S.) Zschopau 886. Raschke. cart. n. — 75

Seidel, Rob., der Arbeits-Unterricht e. pädagogische u. soziale Notwendigkeit, zugleich e. Kritik der gegen ihn erhobenen Einwände. gr. 8. (VIII, 120 S.) Tübingen 885. Laupp. n. 2. —

Seidel, Rob., Friedrich der Grosse, „der Heros der deutschen Volksbildung" u. die Volksschule. gr. 8. (VI, 110 S.) Wien 885. Pichler's Wwe. & Sohn. n. 1. 50

Seidenstiecker, Aug., Waldgeschichte d. Alterthums. Ein Handbuch f. akadem. Vorlesgn. etc. 2 Bde. gr. 8. (XII, 403 u IX, 460 S.) Frankfurt a/O. 886. Trowitzsch & Sohn. n. 15. —; geb. n. 17. —

Seidensticker, O., Bilder aus der deutsch-pennsylvanischen Geschichte, s.: Geschichtsblätter.

— die erste deutsche Einwanderung in Amerika u. die Gründung v. Germantown, im J. 1683. Festschrift zum deutsch-amerikan. Pionier-Jubiläum am 6. Octbr. 1883. gr. 8. (94 S.) Philadelphia Pa. 883. (Göttingen, Deuerlich.) geb. n. 2. —

Seidl, Fr. Xav., zum Andenken. Ein neues Liederheft. gr. 16. (88 S.) Regensburg 885. Coppenrath. n. 1. 20; Einbd. n.n. 1. —

Seidl, Fr. Xav., Immergrün. Frische Blätter aus der neuesten deutschen Lyrik. Gesammelt. 8. (354 S.) Regensburg 885. Coppenrath. n. 3. —; geb. m. Goldschn. n.n. 4. 50

— u. Karl **Zettel,** aus schöner Zeit. Ein poet. Gedenkbuch d. litterar. Vereines in Regensburg zu seiner 25jähr. Stiftungsfeier. 8. (VIII, 172 S.) Ebend. 885. n. 3. —; geb. m. Goldschn. n.n. 4. —

Seidl-Wilkens, Heinr., 100 neue Strophen à la Klapphorn. 8. (30 S.) Wien 885. Neidl. n. — 60

Seidl, Joh. Nep., der Diakonat in der katholischen Kirche, dessen hierat. Würde u. geschichtl. Entwicklg. Eine kirchenrechts-geschichtl. Abhandlg. gr. 8. (XI, 243 S.) Regensburg 884. Verlags-Anstalt. n. 3. —

Seidler, Gust., Budget u. Budgetrecht im Staatshaushalte der constitutionellen Monarchie m. besond. Rücksichtnahme auf das österreichische u. deutsche Verfassungsrecht. gr. 8. (VI, 244 S.) Wien 885. Hölder. n. 5. —

— Leitfaden der Staatsverrechnung. 1. u. 2. Thl. gr. 8. Ebend. 886. à n. 2. 40

1. Grundsätze der allgemeinen Verrechnungslehre. (VII, 99 S.)
2. Grundsätze d. Staatsrechnungs- u. Controlwesens. (VIII, 96 S.)

— der Staatsrechnungshof Oesterreichs. gr. 8. (41 S.) Ebend. 884. n. 1. 20

Seifart, Karl, Reineke Fuchs. Für die Jugend neu bearb. Mit 8 fein color. Bildern nach Zeichngn. v. Konr. Weigand. 8. (IV, 147 S.) Eßlingen 884. Schreiber. geb. n. 2. —

Seifenfabrikant, der. Zeitschrift f. Seifen-, Kerzen- u. Parfümerie-Fabrikation, sowie verwandte Geschäftszweige. Organ d. Verbandes der Seifenfabrikanten. Hrsg. v. C. Deite. 3—5. Jahrg. 1883—1885. à 52 Nrn. (B.) gr. 4. Berlin, Springer. à Jahrg. n. 10. —

— dasselbe. 6. Jahrg. 1886. 52 Nrn. (B.) gr. 4. Ebend. n. 12. —

Seifensieder-Zeitung. Central-Organ der Seifenfabrikanten. Die neuesten Fortschritte in der Seifenfabrikation u. den damit verwandten Geschäftszweigen. Hrsg. v. Alwin Engelhardt. 10—13. Jahrg. 1883—1886. à 52 Nrn. (à 1—1½ B. m. Holzschn.) Fol. Leipzig, (Stauffer). à Jahrg. n. 15. —

Seifert, Adf., Glossar zu den Gedichten d. Bonvesin da Riva. gr. 8. (VI, 78 S.) Berlin 886. W. Weber. n.n. 2. —

Seifert, Aug, die Centralisation in der Armenpflege. Ein Beitrag zur Lösg. der sozialen Frage. 8. (61 S.) Leipzig 886. Scholtze. n. 2. —

Seifert, Aug., der Kreis Frankenstein. Ein Beitrag zur Heimatskunde. 2. Aufl. 8. (26 S.) Frankenstein i/Schl. 883. Philipp. n. — 25

— deutsche Sprachlehre m. Uebungsaufgaben. Für die Mittel- u. Oberstufe der Volksschulen zusammengestellt. 8. (54 S.) Breslau 883. Goerlich. n. — 25

Seifert, Frdr., die Reformation in Leipzig. Zur 400jähr. Geburtstagsfeier Dr. Martin Luthers hrsg. gr. 8. (VIII, 220 S.) Leipzig 883. Hinrichs' Verl. n. 4. —

Seifert, O., die Darmparasiten d. Menschen, s.: Sonderabdrücke der Deutschen Medicinal-Zeitung.

— über Influenza, s.: Sammlung klinischer Vorträge.

Seifert, Otto, üb. Cocaïn u. Cocaïnismus. gr. 8. (12 S.) Würzburg 886. Stahel. n. — 40

— Demonstration v. Beleuchtungsapparaten. gr. 8. (3 S.) Ebend. 885. — 30

— Demonstration e. neuen Zungen-Spatels. gr. 8. (1 S.) Ebend. 886. — 15

— über Rhinolithen. gr. 8. (4 S.) Ebend. 885. — 30

— Untersuchungen üb. die Wirkungsweise einiger neuerer Arzneimittel [Hydrochinon, Chinolinum tartaricum, Kairinum muriaticum]. Mit 15 (eingedr.) Holzschn. gr. 8. (151 S.) Ebend. 883. n. 2. 80

— über e. seltene Ursache v. Reflexneurosen. gr. 8. (5 S.) Ebend. 886. n. — 40

— u. Frdr. **Müller,** Taschenbuch der medicinisch-klinischen Diagnostik. Mit 60 Abbildgn. 3. Aufl., besorgt v. Frdr. Müller. 8. (VIII, 144 S.) Wiesbaden 887. Bergmann. geb. n. 2. 80

Seifert, R., die Landwirthschaft im Herzogt. Altenburg. Im Auftrage d. landwirthschaftl. Vereins verf. gr. 8. (VII, 192 S.) Altenburg 886. (Bonde's Verl.) n.n. 1. 50

Seifert, W., Zinsen-Tabelle. 16. (II, 14 S.) Berlin 883. (Kamlah.) n. — 60

Seifert, Wilh., der Kreis Striegau, nach seinen physischen u. statistischen Verhältnissen dargestellt. 8. (III, 44 S. m. 1 lith. Karte.) Striegau 884. Nahlick. n. — 50

Seiffert, Johs., die Verirrungen d. menschlichen Geistes, als Zeitkrankheiten auftretend. gr. 8. (104 S.) Leipzig 886. Mutze. n. 1. 50

Seiler, E. E., griechisch-deutsches Wörterbuch, s.: Jacobitz, K.

Seiling, Max, Perlen der pessimistischen Weltanschauung. In Meisterwerken der Litteratur gefunden. 8. (X, 141 S.) München 886. Th. Ackermann's Verl. n. 2. —

Seim, Rob., die Alpen-Turnfahrten. Zur Unterhaltg. u. Belehrg. hrsg. Zugleich Reisehandbuch f. Tyrol u. angrenz. Gebiete. Mit 1 Karte. 12. (VI, 362 S.) Grüna i/S. 884. (Leipzig, Strauch.) n. 2. —

Seinecke, L., Geschichte d. Volkes Israel. 2. Thl., vom Exil bis zur Zerstörg. Jerusalems durch die Römer. gr. 8. (XII, 356 S.) Göttingen 884. Vandenhoeck & Ruprecht's Verl. n. 7. — (1. u. 2.: n. 15. —)

Seipp, Heinr., Beiträge zur Kenntniss der Eigenschaften d. ebenen Dreiecks. Mit 3 Fig.-Taf. 4. (IV, 86 S.) Halle 886. Schmidt. n. 4. —

Seis, E., Humoristica, satyrische Dialoge u. Theater aus der Zeit der zweiten Türken-Belagerung Wiens 1683. Wortgetreu nach seltenen Originalen hrsg. Mit 5 Orig.-Illustr., e. Fcsm. e. gleichzeit. Flugblattes, e. Schlachtenbild u. der äußerst seltenen Suttinger'schen Ansicht Wiens aus dem J. 1683. gr. 8. (IV, 84 S.) Wien 883. Gottlieb. n. 2. —; Volksausg. — 60

Seisl, Marie, deutsche Kost. Der Unterricht im Kochen f. die deutsche Küche. gr. 8. (XX, 359 S.) Langensalza 884. Beyer & Söhne. n. 2. —

Seiß, J. A., die Offenbarung Jesu Christi, der gläub. Gemeinde ausgelegt in Vorträgen. Deutsche autoris. Ausg., nach dem engl. Original bearb. v. Athanasius Stuckert. I. Vortrag 1—16 [Off. Cap. 1—7]. gr. 8. (XXXII, 428 S.) Basel 884. Spittler. n. 4. —

Seitzer, A., die Gesetze üb. die direkten Steuern im Königr. Bayern, m. Einleitg., Anmerkgn., Vollzugsvorschriften u. Sachregister hrsg. 2. Bd., enth. das Gewerbsteuergesetz. 2. Aufl. 8. (XVII, 384 S.) Nördlingen 885. Beck. cart. n. 4. 40

Seitz, Carl, bakteriologische Studien zur Typhus-Aetiologie. gr. 8. (VIII, 68 S.) München 886. J. A. Finsterlin. n. 2. 40

Seitz, Frz. v., Worte der Erinnerung an ihn, s.: Hirth, G.

Seitz, Heinr., vom Wald. Zwei neue Dichtgn. 8. (316 S.) Berlin 884. Parrisius. n. 3. —; geb. n. 4. 50

Seitz, J., die Gotthardbahn. 17 Photogr.-Imitationen. qu. 16. St. Gallen 883. (Huber & Co.) In Carton. n. 2. 10

Seitz, Karl, Chor-Album. Sammlung ausgewählter Gesänge f. vierstimmigen Männerchor. Mit Orig.-Beiträgen verschiedener Komponisten. Zum Gebrauche f. Lehrer-Seminarien, Präparandenschulen, Gymnasien u. Realschulen rc. Hrsg. u. m. genauer Vortragsbezeichng. versehen. 15 Hfte. gr. 8. Quedlinburg 884. Vieweg. à n. — 40

1. 2. Kirchliche Festgesänge. (à 20 S.) — 3. Gesänge zu Traungs- u. Begräbnißfeierlichkeiten. (16 S.) — 4. Morgen- u. Abendlieder. (20 S.) — 5. Die 4 Jahreszeiten. (20 S.) — 6. Wald- u. Jagdlieder. (24 S.) — 7. Heimats- u. Abschiedslieder. (20 S.) — 8. Wander- u. Turnlieder. (20 S.) — 9. Gesänge zu Schul- u. vaterländ. Festen. (20 S.) — 10. Vaterlandslieder. (20 S.) — 11. Gesellschafts- u. Trinklieder. (20 S.) — 12. Deutsche Volkslieder. (20 S.) — 13. Ausländische Volkslieder. (16 S.) — 14. Chöre aus Opern u. größeren Gesangswerken. (24 S.) — 15. Gesänge verschiedenen Inhalts. (32 S.)

— vom Fels zum Meer. Taschen-Liederbuch f. d. deutsche Jugend. Enth.: 300 ausgewählte zweistimm. Lieder. Nebst e. Anleitg. zu Schülerturnfahrten u. Turnspielen. Zum Gebrauche bei gesell. Zusammenkünften, Ausflügen, auf dem Turnplatze u. an vaterland. Festen rc., sowie f.

Schule u. Haus hrsg. 2. Aufl. gr. 16. (IV, 337 S.) Quedlinburg 885. Vieweg. geb. n. 1. 50

Seitz, Karl, Gaudeamus. Sammlung ausgewählter Lieder f. häusl. Kreise, Kränzchen u. gesellige Vereine. Mit e. Anh.: Toaste, Gesellschaftsspiele u. Kommandotabelle zu 2 Touren-Tänzen. (Taschen-Ausg.) schmal 8. (299 S.) Quedlinburg 884. Vieweg. geb. n. 1. 50

— 64 ausgewählte drei- u. vierstimm. Grab- u. Trauer-Gesänge. Zum Gebrauche f. kleine Singchöre bearb. u. hrsg. Partitur-Ausg. 2 Hfte. gr. 8. (VIII, 32 u. 32 S.) Ebend. 883. geb. à n. 1. —; geb. in 1 Bd. n. 1. 80

— dasselbe. Schüler-Ausg. 2 Hfte. 8. (IV, 32 u. IV, 28 S.) Ebend. 883. à n. — 50; in 1 Bd. geb. n. — 80

— Lieder-Perlen deutscher Tonkunst. Ausgewählte Lieder u. Gesänge in dreistimm. Bearbeitg. [Sopran I, II, u. Alt od. Tenor I, II u. Baß.] Zunächst f. den Gebrauch in Gymnasien, Latein- u. Realschulen, Oberklassen höherer Töchterinstitute u. Bildungs-Anstalten f. Lehrer u. Lehrerinnen gesammelt, theilweise bearb., m. genauer Vortragsbezeichnung versehen u. in 2 Hftn. hrsg. Op. 32. 1. Hft.: 90 weltl. Lieder u. Gesänge. 2. Ster.-Ausg. gr. 8. (V, 112 S.) Nürnberg 883. Büching. n. 1. 50

— Sangesblüten f. deutsche Mädchen, s.: Schaab, R.

— Singsang. Liederbuch f. Deutschlands Töchter. Enth.: 250 ausgewählte zweistimm. Lieder. Nebst e. Anleitg. zu Turn- od. Bewegungsspielen ꝛc. f. Mädchen. Zum Gebrauche bei gesell. Zusammenkünften, Ausflügen, auf dem Spielplatze u. an vaterländ. Festen ꝛc., sowie f. Schule u. Haus hrsg. gr. 16. (IV, 275 S.) Quedlinburg 883. Vieweg. geb. n. 1. 50

— 232 Wahl-, Trink-, Festsprüche u. Sängergrüße bekannter deutscher Gesangvereine u. Sängerbünde. [Partitursatz.] Mit geschichtl. u. statist. Notizen dieser Vereine, sowie d. deutschen Sängerbundes überhaupt, auf Grund größtentheils direct erhaltener Mittheilgn. zusammengestellt u. hrsg. 2. Ausg. 8. (VIII, 250 S.) Regensburg 880. Coppenrath. n. 1. —

Seitz, Karl Jos., Grundlagen e. Geschichte der röm. possessio. Die Rechtsverschiedenheit im antiken Rom u. die Entfaltg. d. doppelten römischen Eigentumes: possessio neben dominium, aus den verschiedenen positiven Rechtssystemen vor Justinian. gr. 8. (XXX, 288 S.) Erlangen 884. Deichert. n. 6. —

Seitz, Lisette, neueste, gründliche u. leichtfaßliche Anleitung zur Selbsterlernung der Damenschneiderei. Ein unentbehrl. Leitfaden f. Alle, welche dieses Geschäft erlernen u. betreiben wollen. gr. 8. (48 S. m. 6 Taf.) Leipzig 883. Fischer. n. 3. 50

Seitz, Otto, Stimmungs-Landschaften. gr. 8. (12 Photolith.) München 886. Heinr. Arnold's Kunst-Institut. In Leinw.-Mappe. n. 15. —

Selz, Gust., zur Therapie der Lungenblutung. Inaugural-Dissertation. gr. 8. (39 S. m. 2 Taf.) Heidelberg 886. C. Winter. n. 1. 20

Sekretär, der belehrende bayerische. Ein Hand- u. Hülfsbuch f. die Geschäfts-, Privat- u. Gerichtsverhältnisse d. Bürgers u. Landmannes unter besond. Berücksicht. der neuesten Gesetzgebg. Bayerns u. d. Reiches. Mit üb. 800 Formularien. Hrsg. v. e. prakt. Geschäftsmanne u. e. Advokaten. 8. Aufl. 8. (894 S.) Würzburg 885. Stahel. n. 5. —; geb. n. 6. —

Selbach, L., das Streitgedicht in der altprovenzalischen Lyrik u. sein Verhältniss zu ähnlichen Dichtungen anderer Litteraturen, s.: Ausgaben u. Abhandlungen aus dem Gebiete der romanischen Philologie.

Selbst, F. J., unsere musikalische Erziehung, s.: Broschüren, Frankfurter zeitgemäße.

— die Kirche Jesu Christi nach den Weissagungen der Propheten. gr. 8. (XII, 428 S.) Mainz 883. Kirchheim. n. 5. 50

Selbständigkeit, die, in der Führung d. Infanterie-Gefechtes. Ein Beitrag zu dem Kapitel: „Frage e. neuen Exerzier-Reglements" v. e. Stabsoffizier. gr. 8. (III, 48 S.) Leipzig 885. Bredow. n. 1. —

— u. Gleichmäßigkeit nach den Armee-Vorschriften. Eine Entgegng. auf d. Aufsatz „Zum Schreibwesen" in Nr. 74, Jahrg. 1883, d. Militär-Wochenblattes. gr. 8. (32 S.) Berlin 883. Liebel. n. — 75

Selbstanwalt, der deutsche. Handbuch zur Führg. der Prozesse beim Amtsgericht nach den deutschen Reichsgesetzen, nebst Anweisg. zur Selbstvertretg., wie Formularen zu allen amtsgerichtl. Eingaben u. Gerichtskosten-Gesetz. 8. (79 S.) Berlin 883. Malzahn. n. — 75

Selbstverwaltung, die. Volkstümliche Wochenschrift f. alle bei der Kommunal- u. Polizeiverwaltg. der Kreise, Amtsbezirke u. Gemeinden Beteiligten. Unter Mitwirkg. v. Fachmännern, Juristen, Verwaltungs- u. Kommunalbeamten red. v. A. Faber u. C. Parey. 10—13. Jahrg. 1883—1886. à 52 Nrn. (B.) gr. 4. Magdeburg, Faber. à Jahrg. 15. —

— dasselbe. General-Register zum 1—8. Jahrg. 1874—1881. Im Auftrage der Red. bearb. v. R. O. Weber. gr. 4. (75 S.) Ebend. 883. geb. u. m. Schreibpap. durchsch. 6. —

Selchow, E. v., ehrliche Arbeit od. allgemeine Uebervortheilung? Eine Zeitfrage an das deutsche Gewissen. gr. 8. (41 S.) Berlin 884. Wilhelmi. n. 1. —

— das Endziel der Freimaurerei e. Königthum, das die Freiheit der Beherrschten üb. Alles liebt. Arbeitsruf an Deutschlands Maurerwelt. gr. 8. (IV, 26 S.) Leipzig 883. Findel. n. — 50

— des Kaisers Botschaft u. das praktische Christenthum. Eine sozial-polit. Trilogie. gr. 8. (VIII, 40 S.) Breslau 883. Dülfer. n. — 50

— der Liebe e. Gasse! Letzter Spahn zur Sozialreform. gr. 8. (51 S.) Berlin 884. Wilhelmi. n. 1. —

— richtet nicht! Ein social-polit. Mahnruf aus Geschichte u. Praxis. gr. 8. (40 S.) Ebend. 883. n. — 80

— Spähne zur Sozialreform. gr. 8. (VII, 74 S.) Ebend. 884. n. 1. 20

Selden, Camilla, Heinrich Heine's letzte Tage. Erinnerungen. Aus dem Franz. 8. (IV, 104 S.) Jena 884. Costenoble. n. 2. —

Seldis, Alb., der geschulte Kaufmann. Eine Anleitg. f. den prakt. Geschäftsmann. 3. Aufl. gr. 8. (IV, 306 S.) Berlin 883. Dreyer. 3. —

Selections of American humour in prose and verse. 8. (318 S.) Leipzig 886. Gressner & Schramm. geb. n. 3. —

Selenka, Emil, die Sipunculiden, s.: Semper, C., Reisen im Archipel der Philippinen.

— Studien üb. Entwickelungsgeschichte der Thiere. 1—3. Hft. u. 4. Hft. 1. Hälfte. gr. 4. Wiesbaden, Kreidel. n. 66. —

1. Keimblätter u. Primitivorgane der Maus. Mit 4 Taf. in Farbendr. (23 S. m. 4 Bl. Erklärgn.) 883. n. 12. —
2. Die Keimblätter der Echinodermen. Mit 6 Taf. in Farbendr. (S. 25—61 m. 6 Bl. Erklärgn.) 883. n. 15. —
3. Die Blätterumkehrung im Ei der Nagethiere. Mit 6 Taf. in Farbendr. (S. 67—99 m. 6 Bl. Erklärgn.) 884. n. 15. —
4. Das Opossum [Didelphys virginiana]. Mit 9 Taf. in Farbendr. (S. 101—132 m. 9 Bl. Erklärgn.) 886. n. 24. —

— zoologisches Taschenbuch f. Studirende. 3. Aufl. 8. (140 S.) Erlangen 885. Besold. geb. n. 3. —

Seleskowitz, Louise, Wiener Kochbuch. 5. Aufl. gr. 8. (VI, 473 S. m. 19 Holzschntaf.) Wien 886. Lienhart. n. 5. —; geb. n. 6. —

Selhausen, W., Leitfaden f. den biographischen Geschichtsunterricht, s.: Frick, C.

Selichoth. Bußgebete, m. deutscher Uebersetzg. gr. 8. (800 S.) Prag 888. Brandeis. geb. n. 1. —

Selig, M., Englisch leicht gemacht. Neueste Methode zum Unterricht namentlich auch zum Selbstunterricht in der heut. engl. Umgangssprache. Durchgehends m. höchst genauer Angabe der Aussprache d. Englischen durch deutsche Buchstaben. Nach dem Tode d. Verf. rev. u. verb. v. A. Armstrong. 2 Thle. 6. Aufl. 8. (IX, 199 u. 226 S.) Leipzig 885. G. Weigel. à n. 1. 50

— Französisch leicht gemacht. Bewährte Methode zum Unterricht, namentlich auch zum Selbstunterricht in der heut. französ. Umgangssprache. Durchgehends m. höchst genauer Angabe der Aussprache d. Französischen durch deutsche Buchstaben. 2 Thle. 6. Ster.-Aufl., rev. v. Armand Maillard. [Zugleich 6. Aufl. v. Selig, deutsch-französ. Conversations-Schule.] 8. (XI, 204 u. 281 S.) Ebend. 885. à n. 1. 50 (cplt. in 1 Bd. geb. n. 3. 50; m. Vorschule n. 4. —)

— die Sprache der Engländer. Neue leicht fassl. u.

übersichtl. Methode, diese Sprache schnell u. richtig sprechen zu lernen m. genauer Angabe der Aussprache u. besond. Berücksicht. der heut. Umgangssprache. Zum Selbst-Unterricht. 12. Aufl. 1. Thl. 8. (VIII, 247 S.) Berlin 886. Adf. Cohn. 1. 50

Seliger, Max., de versibus creticis sive paeonicis poetarum graecorum. gr. 8. (52 S.) Königsberg 885. (Gräfe & Unzer.) n.n. 1. —

Seligmann, Caes., das Buch der Weisheit d. Jesus Sirach [Josua ben Sira] in seinem Verhältniss zu den salomonischen Sprüchen u. seiner historischen Bedeutung. gr. 8. (74 S.) Breslau 883. (Preuss & Jünger.) n. 1. 20

Seligmann, Ernst, Beiträge zur Lehre vom Staatsgesetz u. Staatsvertrag. I. Der Begriff d. Gesetzes im materiellen u. formellen Sinne. gr. 8. (VII, 172 S.) Berlin 886. Guttentag. n. 5. —

Seligo, Arth., Untersuchungen üb. Flagellaten. gr. 8. (38 S.) Breslau 885. (Köhler.) n. 1. —

Seligpreisungen, die acht, der Bergpredigt. 8 Wandsprüche m. Blumen in feinem Farbendr. Fol. Frankfurt a/M. 886. Drescher's Verl. In Leinw.-Mappe. n. 18. —

Selim, Adolphus, Übersicht der englischen Rechtspflege vom praktischen u. kaufmännischen Standpunkte aus. gr. 8. (XIV, 329 S.) Leipzig 886. K. F. Köhler. n. 8. —

Seling, Ed., Leitfaden zum Unterrichte in der Heeres-Organisation. Nach den neuesten organ. Bestimmgn. berichtigt v. Rud. Rieth. 7., ergänzte Aufl. Mit 2 Taf. gr. 8. (VIII, 372 S. m. 2 Tab.) Wien 884. Seidel & Sohn. n. 4. —; Berichtigungen (40 S.) 885. n. — 40

Sell, Eug., üb. Kunstbutter. Ihre Herstellg., sanitäre Beurteilg. u. die Mittel zu ihrer Unterscheidg. v. Milchbutter. Beiträge zur Kenntniss der Milchbutter u. der zu ihrem Ersatz in Anwendg. gebrachten anderen Fette. hoch 4. (67 S. m. eingedr. Fig.) Berlin 886. Springer. n. 3. —

Sell, K., Festgottesdienst zur 400jährigen Feier d. Geburtstages Dr. Martin Luthers am 11. Novbr. 1883, Vormittags 10 Uhr, in der Stadtkirche zu Darmstadt. gr. 8. (15 S.) Darmstadt 883. Würtz. n. — 20

— die drei Glaubensartikel. Predigten, in der Epiphaniaszeit in der Stadtkirche zu Darmstadt geh. gr. 8. (30 S.) Ebend. 884. n. — 50

— Osterpredigt, am 1. Ostertag 1886 in der Stadtkirche zu Darmstadt geh. gr. 8. (12 S.) Ebend. 886. n. — 25

Sella, Q., zur Erinnerung an ihn, s.: Hofmann, A. W.

Selle, C. A. T., das Amt d. Pastors als Schulaufseher. Ein Referat. Vorgelegt bei der allgemeinen Schullehrer-Konferenz der Missouri Synode am 5. u. 6. Aug. 1886 zu Addison, Du Page Co., Ill. 2. Aufl. 8. (43 S.) St. Louis, Mo. 882. (Dresden, H. J. Naumann.) n. — 50

— die Lehrartikel der Augsburgischen Confession. Vorgetragen im Schullehrerseminar zu Addison. gr. 8. (110 S.) Ebend. 884. n. 1. 50

Selle, G. F., Gesangschule f. höhere u. mittlere Lehranstalten. 1. Tl.: Grundlegender Kursus zur Erlangg. der Treffsicherheit. 8. (36 S.) Freienwalde a/O. 884. Draeseke. n. — 30

Sellge, Jul., symbola ad historiam librorum Sallustianorum condendam datur. I. De studiis in Sallustio Crispo a Pompeio Trogo et Justino epitomatore collocatis. gr. 8. (96 S.) Sagani 882. (Breslau, Köhler.) n. 1. —

Sellheim, E., Sammlung v. Aufgaben f. den Rechenunterricht, s.: Fritze, L.

Sellheim, Mary, die Bethlehemiten. Eine Weihnachtserzählg. 12. (60 S.) St. Petersburg 884. (Bonn, Schergens.) n. — 50

Sellin, A. W., das Kaiserreich Brasilien, s.: Wissen, das, der Gegenwart.

— Rathschläge f. Auswanderer nach Südbrasilien, s.: Koseritz, C. v.

Sellmer, Carl, König Wilhelm u. sein Heer. Erinnerungsblätter an das 25jähr. Jubiläum der ruhmreichen preuß. Armee-Reorganisation im J. 1860. 20 Blatt (in Lichtdr.). 5 Lfgn. Fol. Mit Text. (3 Bl.) Kassel 885. Fischer. à n. 4. — (cplt.: n. 20. —; in Mappe n.n. 23. —)

Sellon, Valentine de, e. lebenslänglich Verurtheilter. Altes u. Neues üb. die Todesstrafe. Aus dem Franz. gr. 8. (79 S. m. 1 rad. Portr.) Genf 885. (Stapelmohr.) n. 1. 20

Seltzer, E., die Indigoküpen, deren Anstellg., Gebrauch u. prakt. Behandlg., enth. alle gebräuchl. warmen u. kalten Küpen: Waidküpe, Pottaschеküpe, Deutsche Küpe, Urinküpe, Opermentküpe, Schützenbergers Küpe, Eisenvitriolküpe, Zinkküpe ꝛc. Nach Persoz, Schützenberger, Grison ꝛc. Ein prakt. Hilfsbüchlein f. jeden Wollen- u. Baumwollenfärber u. Drucker. 8. (VI, 82 S.) Leipzig 886. G. Weigel. n. 1. 50

Seltsam, Ferd., die Rechte u. Pflichten der gewerblichen Hilfsarbeiter [Lehrlinge, Gesellen u. Fabriksarbeiter] nach den Bestimmungen der Gewerbeordnung. In populärer Darstellg. 8. (66 S.) Wien 885. Manz. n. — 60

— u. Edm. **Posselt**, die österreichische Gewerbe-Ordnung. Mit Rücksicht auf das prakt. Bedürfnis erläutert u. m. Formularien versehen. gr. 8. (XX, 490 S.) Ebend. 884. n. 4. 80

— dasselbe. 2. Aufl. gr. 8. (XVIII, 683 S.) Ebend. 885. 86. n. 6. —; geb. n. 7. 20

Seminar-Blätter, Bündner. Hrsg. v. Thdr. Wiget. 2. u. 3. Jahrg. Winter 1883/85. à 6 Nrn. (B.) gr. 8. Chur, (Kellenberger). à Jahrg. n. 1. 50

— dasselbe. 4. u. 5. Jahrg. Winter 1885/87. à 6 Nrn. (B.) gr. 8. Ebend. à Jahrg. n. 2. —

Semler, Chrn., das Weltbild der Ilias u. seine Bedeutung f. unsere Zeit. 8. (76 S.) Dresden 885. Ehlermann. n. 1. 20

Semler, Heinr., die tropische Agrikultur. Ein Handbuch f. Pflanzer u. Kaufleute. 1. Bd. Lex.-8. (XII, 690 S.) Wismar 886. Hinstorff's Verl. n. 15. —

— die Hebung der Obstverwerthung u. des Obstbaues nach den Erfahrungen durch die nordamerikanische Concurrenz. Mit e. Vorwort hrsg. v. C. Wilbrandt-Pisede. Mit 4 Abbildgn. gr. 8. (470 S.) Ebend. 883. n. 7. —

— Oregon, s.: Über's Meer.

— das Reisen nach u. in Nord-Amerika, den Tropenländern u. der Wildniß, sowie die Tour um die Welt. Ein pract. Handbuch, m. e. Anh.: Wo bleiben die Vermißten? 8. (III, 426 S.) Wismar 884. Hinstorff's Verl. geb. n. 5. —

Semler, J., General-Register, s.: Gerichtszeitung, hanseatische.

Semler, Paul, „e. Stündchen in Kamerun". Musikalischer Schwank f. 4 Männerstimmen m. Chor. Textbuch. 8. (16 S.) Leipzig 886. Siegismund & Volkening. — 15

Semmig, Herm., Eva's Töchter bis auf Luthers Käthe. Sieben Kapitel aus der Geschichte der Weiblichkeit. Unterhaltungen f. den häusl. Herd. gr. 8. (VII, 197 S.) Jena 884. Mauke. n. 3. 50

— fern v. Paris. Erzählungen u. Novellen aus der Schweiz u. dem Innern Frankreichs. 2. Aufl. 12. (IV, 352 S.) Leipzig 885. Peterson. n. 3. —

— das Frauenherz. Lebensbilder u. Dichtgn. 2. Aufl. 8. (III, 297 S.) Leipzig 884. Kempe. 2. —; geb. m. Goldschn. 3. —

— französisches Frauenleben. Ein Mosaikgemälde. 8. (VIII, 368 S.) Weimar 883. A. Krüger. n. 3. 80

— ein Genzianenstrauß. Novellen u. Reisebilder aus den Schweizer Alpen. Zur Feier d. 100jähr. Mode der Schweizerreisen mitgetheilt. 8. (XI, 307 S.) Leipzig 885. Peterson. n. 5. —; geb. n.n. 6. —

— die Jungfrau v. Orleans u. ihre Zeitgenossen. Mit Berücksicht. ihrer Bedeutg. f. die Gegenwart. gr. 8. (VI, 258 S.) Ebend. 885. n. 6. —

— Kultur- u. Litteratur-Geschichte der französischen Schweiz u. Savoyens. 2. Ausg. gr. 8. (XVI, 415 S.) Zürich 884. Schröter & Meyer. n. 6. —; cart. n. 6. 50; geb. n. 7. 30

— Rhein, Rhön u. Loire. Cultur- u. Landschaftsbilder diesseits u. jenseits der Vogesen. 8. (IV, 427 S.) Leipzig 886. Peterson. n. 5. —

Semmig, Herm., Schlesiens Reformirung u. Katholisirung u. seine Rettung durch Friedrich den Großen. Nebst e. Anh.: Die Zukunft der kathol. Völker. 8. (XVI, 162 S.) Leipzig 886. Peterson. n. 2. 25

Semmola, Mariano, die alte u. die neue Medizin. Uebers. v. Vinc. Meyer, nach der vom Verf. vollständig umgearb. u. bedeutend verm. 3. Aufl. gr. 8. (188 S.) Napoli 885. (Berlin, Rothacker.) n. 3. 20

Semper, C., Reise im Archipel der Philippinen. 2. Thl. Wissenschaftliche Resultate. 2. Bd. 15. Hft. gr. 4. Wiesbaden 884. Kreidel. n. 28. —
Malacologische Untersuchungen v. Rud. Bergh. 15. Hft. Nachträge u. Ergänzgn. Tritoniaden. Mit 8 Kpfrtaf. (S. 647—754 m. 8 Bl. Erklärgn.)

— dasselbe. 2. Bd. Suppl.-Hft. III. gr. 4. Ebend. 886. n. 28. —
Malacologische Untersuchungen v. Rud. Bergh. Suppl-Hft. III. Die Marseniaden. 1. Hälfte. Mit 6 (Kpfr.-) Taf. Abbildgn. (S. 129—228.)

— dasselbe. 3. Bd. 6. u. 7. Hft. gr. 4. Ebend. 882. 85. n. 18. 40
Landmolusken. 6. u. 7. Hft. Mit 5 Taf. Abbildgn. (S. 265—327, m. 4 Bl. Erklärgn.)

— dasselbe. 4. Bd. 1. Abth. Imp.-4. Ebend. 883. 84. n. 48. —
Die Sipunculiden v. Emil Selenka. Mit 14 Taf. Abbildgn. in Farbendr. (XXXII, 131 S. m. 13 Bl. Taf.-Erklärgn.)

— dasselbe. 4. Bd. 2. Abth. gr. 4. Ebend. 886. n. 24. —
Die Landdeckelschnecken v. W. Kobelt. Mit 7 color. Taf. Abbildgn. (80 S.)

— dasselbe. 4. Bd. 3. Abth. gr. 4. Ebend. 885. n. 40. —
Die Seewalzen — Holothurioidea —. Eine systemat. Monographie m. Bestimmungs- u. Verbreitungs-Tabellen v. Kurt Lampert. Mit 1 (lith.) Taf. Abbildgn. (V, 310 S.)

— dasselbe. 5. Bd. 1. Lfg. gr. 4. Ebend. 886. n. 24. —
Die Schmetterlinge der Philippinischen Inseln. Beitrag zur indo-malayischen Lepidopterenfauna v. Geo. Semper. 1. Bd.: Die Tagfalter. — Rhopalocera. 1. Lfg. Mit 9 color. (Lichtdr.-)Taf. u. Adernetzen im Texte. (46 S. m. 9 Bl. Erklärgn.)

Semper, Gfr., kleine Schriften. Hrsg. v. Manfred u. Hans Semper. gr. 8. (XIV, 516 S.) Stuttgart 884. Spemann. n. 12. —

Semper, Hanns, die Gemäldesammlung d. Ferdinandeums in Innsbruck. Ein Leitfaden f. deren Betrachtg. 1. Bdchn. in 2 Abtheilgn.: Altdeutsche u. niederländ. Gemälde vom XV—XVIII. Jahrh. 12. (87 S.) Innsbruck 886. Wagner. n. — 80

Sendtpiehl, R., kurzer Leitfaden beim Geschichtsunterrichte. 2. Aufl., verm. durch Abbildgn., Karten, Pläne u. Tabellen. Ausg. A. f. Schüler u. Schülerinnen in Bürgerschulen u. mehrklass. gehobenen Volksschulen. 2 Bdchn. gr. 8. Leipzig, Peter. n. 2. 10; geb. n. 2. 60
1. Kurs. I u. II f. die Oberklassen gehobener Volksschulen u. f. d. Unter- u. Mittelstufe d. Geschichtsunterrichts in Bürgerschulen. (136 S.) 883. n. — 90; geb. n. 1. 10
2. Für die Oberstufe d. Geschichtsunterrichts in Bürgerschulen. (216 S.) 884. n. 1. 20; geb. n. 1. 50

— dasselbe. Ausg. B. f. Mittelschulen, höhere Töchterschulen u. die Unter- u. Mittelklassen höherer Lehranstalten. 2 Bdchn. gr. 8. Ebend. n. 3. —; geb. n. 3. 60
1. Kurs. I. u. II. f. die 1. u. 2. Stufe d. Geschichtsunterrichts. (162 S.) 883. n. 1. 20; geb. n. 1. 50
2. Für die Oberstufe d. Geschichtsunterrichts. (282 S.) 885. n. 1. 80; geb. n. 2. 10

Sendbote der heiligen Cäcilia. Monatsschrift f. Kirchensänger. Zugleich Organ d. Diöcesan-Cäcilienvereins Speyer. Red. v. Carl Le Maire. 4. u. 5. Jahrg. 1883 u. 1884. à 12 Nrn. (B.) hoch 4. Speyer, Kleeberger. à Jahrg. n.n. 1. —

— der, d. göttlichen Herzens Jesu. Monatsschrift d. Gebets-Apostolates. Hrsg. v. Frz. Hattler. 19—22. Jahrg. 1883—1886. à 12 Hfte. (2 B.) Lex.-8. Innsbruck, F. Rauch. à Jahrg. n. 2. —

— der, d. heil. Joseph. Eine Monatsschrift zur Verbreitg. der Verehrg. d. hl. Joseph, d. Schutzpatrones der kath. Kirche. Hrsg. u. red. v. Jos. Deckert. 8—10. Jahrg. 1883—1885. à 12 Nrn. (2 B.) gr. 8. Wien, (Kirsch). à Jahrg. n. 1. 20

— dasselbe. 11. Jahrg. 1886. 12 Nrn. (2 B.) gr. 8. Wien, (Mayer & Co.). n. 1. 80

— für katholische Vereine u. Freunde der Kirche überhaupt. Red.: Frhr. v. Castell. 34—37. Jahrg. 1883—1886. à 26 Nrn. (B.) 4. Augsburg, (Kranzfelder). à Jahrg. n.n. 1. —

Sendboten-Kalender zu Ehren d. Herzens Jesu f. das liebe Volk auf d. J. 1884. Hrsg. v. Frz. Hattler. 4. (XII, 40 S. m. eingedr. Holzschn. u. Titelbild in Tondr.) Freiburg i/Br., Herder. n. — 40

Sendschreiben, offenes, v. Vincenz Kletzinsky an Wohlgeboren Joh. Heinr. Steudel, Bürgermeister-Stellvertreter ꝛc. 8. (15 S.) Wien 885. Amonesta. n. — 20

— unseres heiligsten Vaters Leo XIII., durch göttl. Vorsehg. Papst, an die Erzbischöfe u. Bischöfe Preußens. Gegeben zu Rom, am 6. Jan. 1886. Offizielle deutsche Uebersetzg. gr. 8. (12 S.) Freiburg i/Br. 886. Herder. n. — 10

— dasselbe. Deutsch u. Lateinisch. gr. 8. (27 S.) Ebend. 886. n. — 25

— an den Oberbürgermeister. Als Vorwort zur 2. Aufl.: „Das Tischgespräch auf dem Rheindampfer" v. J. M. Arouet. gr. 8. (XVI, S.) Bonn 884. Strauß. n. — 30

— offenes, an Hrn. Feodor Wehl, früheren Intendanten d. Stuttgarter Hoftheaters. Entgegnung auf sein Buch: Fünfzehn Jahre Stuttgarter Hoftheater-Leitg. gr. 8. (20 S.) Stuttgart 886. Lutz. — 30

Sendtner, s.: Vorträge aus dem Gebiete der Nahrungsmittel-Chemie.

Senecae, L. Annaei, 50 ausgewählte Briefe an Lucilius, s.: Universal-Bibliothek.

— dialogorum libros XII ad codicem praecipue Ambrosianum recensuit M. C. Gertz. gr. 8. (XXXIII, 443 S.) Havniae. Leipzig 886. (Brockhaus' Sort.) n. 11. 25

— ausgewählte Schriften, s.: Universal-Bibliothek.

Senestréy, Ignatius v., Bischof v. Regensburg. Ein Gedenkblatt zur 25-jähr. Jubelfeier seiner Inthronisation [2. Mai 1883]. gr. 8. (14 S. m. Portr. in Kpfrlichtdr.) Einsiedeln 883. Benziger. — 50; auf festem Velinpap. — 75

Senf, Rich., album illustré pour timbres-postes. Contenant 30 portraits de chefs d'états, 70 armoiries des principaux états du globe, et environ 1000 types de timbres. qu. gr. 8. (96 S.) Leipzig 886. Gebrüder Senf. geb. in Halbleinw. n. 2. 25; in Calico n. 2. 50

— neues Briefmarken-Album. Illustrirt m. 37 Portraits, 41 Länderwappen u. ca. 1300 Marken-Abbildgn. 22. bis auf die neueste Zeit ergänzte Aufl. gr. 8. (80 S.) Ebend. 884. cart. 1. —; geb. in Halbleinw. 1. 30; in Calico 1. 50

Senff-Georgi, das Schön-Sprechen, s.: Sammlung gemeinnütziger Vorträge.

Senfft's, Handkatalog u. Kalender f. Professoren der Mittelschulen. 4. Jahrg. Schulj. 1884/85. 16. (159 S.) Prag 884. (Dominicus.) geb. n. 1. 20

Sengelmann, H., Idiotophilus. 3 Bde. 8. Norden 885. Soltau. n. 10. —
1. Systematisches Lehrbuch der Idioten-Heilpflege. (XII, 280 S.) n. 5. —
2. Aphorismen. (XI, 186 S.) n. 2. 50
3. Bilder aus dem Leben der Idioten-Anstalten. (X, 172 S.) n. 2. 50

Sen-Mare, zum Opfer gefallen! Roman aus Marinekreisen. 8. (376 S.) Berlin 883. Janke. n. 5. —

Senn-Barbieux, W., das Buch vom General Düfour. Sein Leben u. Wirken, m. besond. Berücksicht. seiner Verdienste um die polit. Selbstständigkeit u. Einheit der Schweiz, sowie um Wissenschaft, Kunst u. Humanität, unter Benutzg. der besten Quellen f. das Volk bearb. 3. Aufl. gr. 8. (574 S.) Mühlheim a/R. 886. Ziegenhirt. n. 4. —; geb. n. 5. 25

— schweizerische Ehrenhalle. Lebensbilder hochverdienter Eidgenossen. 1—4. Serie. à 3 Hfte. 8. (1. Serie. 1. Hft. 48 S. m. eingedr. Illustr. u. 6 Taf.) St. Gallen 883. Wirth. à Serie 2. —

— Garibaldi der Freiheitsheld u. Menschenfreund. Sein Leben, seine Thaten u. Abenteuer. Wahrheitsgetreu f. das Volk erzählt. 9—16. [Schluß-]Lfg. gr. 8. (III u. S. 385—714 m. 5 Holzschntaf. u. 1 Chromolith.) Ebend. 883. à — 40

— illustrirter St. Galler-Führer. Wegweiser durch die Stadt St. Gallen u. deren Umgebg. 12. (64 S. m. Illustr.) Ebend. 883. n. 1. —

Sentier, Herm., antike Novellen. 16. (60 S.) Karlsruhe 887. Gebr. Pollmann. — 70; geb. 1. 20

Separatabdruck der herzogl. Sachsen-Meiningen'schen redigirten Schiedsmannsordnung [Ministerialbekanntmachg. vom 1. Juli 1885, betr. die Redaktion der Schiedsmannsordng.], nebst prakt. Winken u. Formularen f. die Schiedsmänner v. e. Gerichtsbeamten. 8. (37 S.) Hildburghausen 886. Kesselring. n.n. — 50

Sepp, Frankfurt das alte Askiburg beim Geographen v. Ravenna. Ein Beitrag zur deutschen Mythologie. 8. (71 S.) München 882. (Kellerer's Buchh.) n. 1. —

Sepp, Bernh., incerti auctoris liber de origine gentis romanae [fragmentum] ad fidem codicis Bruxellensis, qui extat unicus denuo rec. B. S. gr. 8. (XV, 48 S.) Eichstätt 885. (Stillkrauth.) n. 1. 60

— die Kassettenbriefe Maria Stuart's. Eine Erwiderg. auf Harry Bresslau's gleichnam. Replik in seinen „Beiträgen zur Geschichte Maria Stuart's", Histor. Ztschr., hrsg. v. H. v. Sybel, 52. Bd. Jhrg. 1884, S. 290—310. gr. 8. (20 S.) München 884. Lindauer. n. — 40

— Maria Stuart u. ihre Ankläger zu York, Westminster u. Hamptoncourt Oktbr. 1568—Jan. 1569. Eine Sammlg. v. Aktenstücken. gr. 8. (V, 167 S.) Ebend. 884. n. 4. —

— Maria Stuart's Briefwechsel m. Anthony Babington. Hrsg. v. B. S. gr. 8. (X, 83 S.) Ebend. 886. n. 2. —

— Process gegen Maria Stuart zu Fotheringay 14/24. u. 15/25. Oktbr. 1586 u. in der Sternkammer zu Westminster 25. Oktr./4. Novbr. 1586. Nach den Akten dargestellt. gr. 8. (VI, 155 S.) Ebend. 886. n. 5. —

— der Rücklass der unglücklichen Schottenkönigin Maria Stuart. [Mit Abbildgn.] gr. 8. (116 S.) Ebend. 885. n. 5. —

— Tagebuch der unglücklichen Schottenkönigin Maria Stuart während ihres Aufenthaltes zu Glasgow vom 23.—27. Jan. 1567. 2. Thl. [Beweis]. gr. 8. (VII, 65 S.) Ebend. 883. n. 1. 60 (1. u. 2.: n. 3. 60)

Sepp, J. N., der bayerische Bauernkrieg m. den Schlachten v. Sendling u. Aidenbach. Mit 30 Bildern. 4 Lfgn. gr. 8. (VII, 648 S.) München 884. Kellerer's Buchh. à n. 2. —

Sepp, Joh., der Militär-Flüchtling od. die Isarwinkler im Franzosenkrieg 1870. Tragi-Komoedie in 3 Aufzügen. 8. (51 S.) München 886. Lindauer. n. — 60

Sepp, P. B., frustula. 100 latein. Spruchverse. 2. Ausg. qu. gr. 16. (16 S.) Augsburg 885. Kranzfelder. n. — 20

— lateinische Synonyma. 8. (24 S.) Ebend. 886. n. — 40

Seppilli, G., Anleitung zur experimentellen Untersuchung d. Hypnotismus, s.: Tamburini, A.

— die Functions-Localisation auf der Grosshirnrinde, s.: Luciani, L.

Septemberbibel, die, s.: Drucke, deutsche, älterer Zeit in Nachbildungen.

Serao, Mathilde, die Märtyrer der Phantasie. Roman. Autoris. deutsche Uebertragg. v. Hulda Meister. 8. (471 S.) Jena 886. Costenoble. n. 6. —

Seraphina. Eine Erzählg. zwischen Wellen u. Wogen v. *,*. Mit e. Vorwort v. Alfr. Friedmann. 1. u. 2. Aufl. 12. (V, 92 S.) Minden 886. Bruns. n. 1. —

Sergeant, Adeline, Dicky u. seine Freunde. Deutsche autoris. Ausg. v. E. v. Maeßenhausen. 8. (96 S. m. 2 Holzschn.) Hamburg 885. Agentur d. Rauhen Hauses. cart. n. — 50

— dasselbe, s.: Für den Feierabend.

Series for the young. Copyright ed. Vol. 30. 12. Leipzig 883. B. Tauchnitz. à n. 1. 60

Rex and Regina; or the song of the river. By Emma Marshall. With illustrations. (287 S.)

Sering, F. W., kurze theoretisch-praktische Anleitung zu rationeller Erteilung d. Gesangunterrichts an Elementar- u. Mittelschulen. 2. verb. Aufl. gr. 8. (X, 62 S.) Leipzig 886. Merseburger. 1. 20

— der Elementar-Gesangunterricht, seine Bedeutung u. Aufgabe, Begründg. der Aufgabe u. ihre Lösg. Mit besond. Berücksicht. der ein-, zwei- u. mehrklass. Elementarschule, sowie der Mittelschule vers. u. den Lehrern u. Seminaristen gewidmet. 5. Aufl. gr. 8. (VIII, 112 S.) Gütersloh 884. Bertelsmann. n. 1. 60

Sering, F. W., Gesänge f. die Chorklassen [Oberklassen] höherer Töchterschulen, sowie f. Pensionate u. Lehrerinnen-Seminare. Der Stimmenentwicklg. angemessen gesetzt. Bd. IIa u. IIb. 8. Lahr 885. Schauenburg. à n. 1. —

a. 158 Gesänge. Op. 121. (202 S.) — b. 150 Gesänge. Op. 122. (209 S.)

— Gesänge f. Progymnasien, Prorealgymnasien, Realschulen u. höhere Bürgerschulen. Unter sorgfältigster Berücksicht. der Stimmen jeder Entwicklungsstufe angemessen gesetzt u. bearb. Op. 115. [In 4 Hftn.] Hft. 1, 2, 3a u. 3b. 8. Ebend. 885. n. 2. 60

1. (50 S.) n. — 40. — 2. (72 S.) n. — 60. — 3a u. b. (148 u. 163 S.) à n. — 80

— theoretisch-praktische, nach pädagogischen Grundsätzen geordnete Gesang-Studien f. Sopran u. Alt, Chor u. Solo, namentlich f. Frauen-Chöre. 2. Aufl. Lex.-8. (IV, 46 S.) Leipzig 884. Klinkhardt. n. 1. 20

— dasselbe f. Sopran, Alt, Tenor u. Baß, Chor u. Solo, namentlich f. gemischte Chöre. 2. Aufl. Lex.-8. (IV, 80 S.) Ebend. 884. n. 1. 60

— vollständiger theoretisch-praktischer Lehrgang d. Schulunterrichts im Singen nach Noten. Für die Hand der Schüler in Gymnasien, Realschulen, höheren Töchterschulen, Mittelschulen u. mehrklass. Volksschulen. Op. 106. 2. Aufl. 8. (IV, 70 S.) Leipzig 886. Merseburger. n. — 60

— Lieder fürs Turnen u. f. Turnfahrten. Zum Gebrauche an Gymnasien, Realschulen, höhern Töchterschulen u. gehobenen Elementarschulen gewählt u. leicht singbar zweistimmig gesetzt. 8. (104 S.) Leipzig 885. M. Hesse. n. — 50

— Lieder f. die Unter- u. Mittelklassen höherer Töchterschulen. Den Fordergn. e. planvoll gegliederten Unterrichts entsprechend geordnet u. den Stimmen der Schülerinnen angemessen gesetzt. 8. (106 S.) Lahr 885. Schauenburg. n. — 60

— Lieder-Auswahl f. die mittleren Klassen höherer Töchterschulen. Mit Berücksicht. der Stimmen dieser Entwickelungsstufe zweistimmig gesetzt. 4. Aufl. Op. 98. 1. Hft. gr. 8. (32 S.) Straßburg 886. Schultz & Co. Verl. n. — 60

— Liederbuch f. ein-, zwei- u. dreiklassige Volksschulen. 2 Hfte. 8. Lahr 883. Schauenburg. n. — 35

1. Unter- u. Mittelstufe. (25 S.) n. — 15
2. Oberstufe. (34 S.) n. — 20

— Liederkranz f. die Chorklassen der Gymnasien u. Realschulen. Vierstimmige geistl. u. weltl. Gesänge [Discant, Alt, Tenor u. Baß], gewählt u. unter sorgfältigster Berücksicht. der Stimmen bearb. 4. Hft. 2. Aufl. 8. (92 S.) Straßburg 884. Schmidt. cart. n.n. — 70

— elsaß-lothringischer Liederkranz. Auswahl ein- u. mehrstimm. Lieder f. Schule u. Haus. Op. 87, 1—3. 3 Hfte. 8. Ebend. 886. n.n. — 70

1. Unterstufe. 15. Aufl. (24 S.) 885. n. — 20
2. Mittelstufe. 18. unveränd. Aufl. (24 S.) n. — 20
3. Oberstufe. 16. verb. Aufl. (33 S.) n.n. — 30

— Liedersammlung f. drei- u. mehrklassige Volksschulen. 3 Hfte. 8. Lahr 884. Schauenburg. n. — 55

1. Unterstufe. (24 S.) n. — 15
2. Mittelstufe. (26 S.) n. — 15
3. Oberstufe. (41 S.) n. — 25

— allgemeine Musiklehre in ihrer Begrenzung auf das Notwendigste f. Lehrer u. Schüler in jedem Zweige musikalischen Unterrichts. 2. Aufl. gr. 8. (VI, 54 S.) Ebend. 887. n. — 80

— die Volkslieder d. Normal-Lehrplans f. die Elementarschulen v. Elsaß-Lothringen, in systemat. Ordng. hrsg. 6. Aufl. 8. (20 S.) Straßburg 886. Schmidt. n. — 20

Serini, Otto, die Schriftkürzung. Ein Lehrbuch zum Schulgebrauch u. zum Selbstunterricht. gr. 8. (80 S.) Frankfurt a/M. 886. Diesterweg. n. 2. —

Serlo, Alb., Leitfaden zur Bergbaukunde. 4. verb. u. bis auf die neueste Zeit ergänzte Aufl. Mit 745 in den Text gedr. Holzschn. u. 32 lith. Taf. 2 Bde. Lex.-8. (XIX, 841 u. VIII, 668 S.) Berlin 884. Springer. n. 30. —; 2 Einbde. in Leinw. n.n. 2. 40; in Halbfrz. n.n. 3. 50

Sermond, H., Hand-Fibel. 1. Tl. Schreib-Lese-Unterricht f. die Unterklassen der Volksschule. 1. Schuljahr. Mit vielen in den Text gedr. Fig. Ausg. B. Für die Hand d. Schülers. 3. Aufl. 8. (61 S.) Düsseldorf 885. Schwann. geb. n.n. — 40

— dasselbe. 2. Tl. Erstes Lesebüchlein f. die Unterklassen der Volksschule. Enth.: Kleine kindl. Lesestücke zur Förderung der Lesefertigkeit. 2. Schulj. [In Halbtagsschulen. 2. u. 3. Schulj.] 3. Aufl. 8. (72 S.) Ebend. 886. geb. n.n. — 40

— Liederbuch f. katholische Volksschulen. Im Anschluß an die im Auftrage d. königl. Provinzial-Schulkollegiums zu Münster hrsg. Lesebücher f. kathol. Volksschulen der Provinz Westfalen u. die danach f. die Provinzen Hannover, Hessen-Nassau, Rheinprovinz, Sachsen u. Schlesien bearb. Ausgaben, unter Berücksicht. auch der Liedertexte anderer Lesebücher zusammengestellt. 3 Hfte. 8. Ebend. 886. n. 1. 5
1. Für die Unterstufe. (IV, 28 S.) n. — 25
2. Für die Mittelstufe. (IV, 55 S.) n. — 35
3. Für die Oberstufe. (VIII, 92 S.) n. — 45

— Liederbuch f. Volks- u. Mittelschulen, s.: Bartholomäus, W.

— Realienbuch, s.: Lettau, H.

— Sammlung beliebter deutscher Volkslieder f. Schule, Haus u. Leben. Nebst e. Anh., enth. das Wichtigste aus der allgemeinen Musiklehre f. Elementarschulen u. e. Anzahl Treffübgn. im Gesange. Nach pädagog. Grundsätzen zusammengestellt. 1. u. 2. Hft. Zunächst f. Unter- u. Mittelklassen der Elementarschulen. 8. Düsseldorf, Schwann. n. — 75
1. 5. Aufl. (IV, 48 S.) 885. n. — 35
2. 6. Aufl. (IV, 75 S.) 886. n. — 40

Sermons du XIIe siècle en vieux provençal. Publiés d'après le ms. 3548 B de la bibliothèque nationale par Frederick Armitage. 8. (LVIII, 121 S.) Heilbronn 884. (Henninger.) n. 3. —

Serpieri, A., die mechanischen, elektrostatischen u. elektromagnetischen absoluten Maasse, m. Anwendg. auf mehrfache Aufgaben elementar abgehandelt. Aus dem Ital. übertr. v. R. v. Reichenbach. gr. 8. (X, 129 S.) Wien 885. Hartleben. n. 3. —

— das elektrische Potential od. Grundzüge der Elektrostatik. Die neuere Theorie der elektr. Erscheingn. in elementarer Darstellg. Aus dem Ital. in's Deutsche übertr. von R. v. Reichenbach. Mit 44 Abbildgn. gr. 8. (XII, 243 S.) Ebend. 884. n. 3. —

Serret, J. A., Lehrbuch der Differential- u. Integralrechnung. Mit Genehmigg. d. Verf. deutsch bearb. v. Axel Harnack. 2 Bde. Mit in den Text gedr. Fig. gr. 8. Leipzig, Teubner. n. 24. 40
1. Differentialrechnung. (X, 567 S.) 884. n. 10. —
2. Integralrechnung. 2 Hälften. (VIII, 379 u. VI, 388 S.) à n. 7. 20

Sersawy, Vict., die Integration der partiellen Differentialgleichungen. Grundlinien e. allgemeinen Integrationsmethode. gr. 4. Wien 884. (Gerold's Sohn.) n. 5. 20

— über den Zusammenhang zwischen den vollständigen Integralen u. der allgemeinen Lösung bei partiellen Differentialgleichungen höherer Ordnung. Imp.-4. (34 S.) Ebend. 886. n. 1. 80

Servii Grammatici qui feruntur in Vergilii carmina commentarii, recensuerunt Geo. Thilo et Herm. Hagen. Vol II. 2 fascc. In Aeneidos libros VI—XII commentarii. gr. 8. (X, 650 S.) Leipzig 883. 84. Teubner. à n. 10. — (I. et II.: n. 44. —)

Servus, H., die Geschichte d. Fernrohrs bis auf die neueste Zeit. Mit 8 in den Text gedr. Abbildgn. gr. 8. (VII, 135 S.) Berlin 886. Springer. n. 2. 60

Sessing, J., bleibe deiner Kirche treu. Etliche Fingerzeige. 2. Aufl. 8. (24 S.) Stuttgart 886. Buchh. der Evang. Gesellschaft. n. — 10

Setschenow, J., üb. den Absorptionscoefficienten der Kohlensäure in den zu diesem Gase indifferenten Salzlösungen, s.: Mémoires de l'académie impériale des sciences de St.-Pétersbourg.

Settegast, H., der Idealismus u. die deutsche Landwirthschaft. 8. (VI, 131 S.) Breslau 886. Korn. n. 2. —; geb. n. 3. —

— die Landwirthschaft u. ihr Betrieb. 3. Aufl. gr. 8. (XV, 607 S.) Ebend. 885. n. 10. —; geb. n.n. 12. —

— die deutsche Landwirthschaft vom kulturgeschichtlichen Standpunkte. gr. 8. (38 S.) Berlin 884. Parey. n. 1. —

— die Lehre der Thierzucht, vertreten in der zootechn. Abtheilg. d. Museums der königl. landwirthschaftl. Hochschule in Berlin durch Sammlgn., systematisch geordnet, zusammengestellt u. erläutert. 2. Aufl. Mit 36 Orig.-Holzschn. nach Zeichngn. v. G. Mützel u. Sperling geschnitten v. K. Jahrmargt, zur Veranschaulichg. der Haupt-Typen d. Pferdes, Rindes, Schafes u. Schweines. gr. 8. (III, 71 S.) Ebend. 883. n. 1. —

— Schultz-Lupitz u. kein Ende. Ein Wort zur Verständigg. üb. die Anwendg. der Lehre Liebig's in der modernen Ersatzwirthschaft. gr. 8. (36 S.) Ebend. 883. n. 1. —

— Schultz-Lupitz u. Prof. Märcker als Ausleger u. Vertheidiger d. Lupitzismus. Eine Antikritik. 8. (15 S.) Bremen 883. Heinsius. n. — 40

— System der Acker-Klassifikation. Tabelle. qu. gr. Fol. Breslau 885. Korn. n. — 50

Settegast, Henry, die Neilson'sche Erntemethode. Vortrag. gr. 8. (15 S.) Dresden 883. G. Schönfeld's Verl. n.n. — 80

— die Werthbestimmung d. Getreides als Gebrauchs- u. Handelswaare. Versuch zur Aufstellg. e. Bonitirungssystems der Körnerfrüchte. Habilitationsschrift. gr. 8. (75 S. m. 1 Tab. u. 1 Steintaf.) Leipzig 884. (Fock.) n. 1. 50

Settimana, la, politica, letteraria, scientifica e artistica. Italienische Zeitg. f. Deutsche [zu Unterrichtszwecken]. Red. v. Gius. Schmid-Ferrari. 4—7. Jahrg. 1883—1886. à 52 Nrn. (B.) gr. 4. München, Rieger. à Jahrg. 7. —

— la, santificata dal vero cristiano ossia facile modo di santificare la settimana secondo lo spirito della chiesa catolica preceduto da molti esercizii di pietà. 32. (399 S. m. 2 Steintaf.) Einsiedeln 883. Benziger & Co. — 60

Seubert, K., die Atomgewichte der Elemente, s.: Meyer, L.

— u. Mor. Seubert, Handbuch der allgemeinen Warenkunde f. das Selbststudium, wie f. den öffentlichen Unterricht. 2. Aufl. Nach dem Tode der Verf. neu bearb. v. Karl Seubert. 3—13. [Schluß-]Lfg. gr. 8. (1. Bd. XVII u. S. 161—453 u. 2. Bd. XVI, 599 S.) Stuttgart 883. Maier. à n. 1. —

Seubert's, M., Exkursionsflora f. das Großherzogt. Baden. 4. Aufl., hrsg. v. K. Prantl. 8. (VIII, 420 S.) Stuttgart 885. Ulmer. n. 3. —; Einbd. n.n. — 50

— Grundriß der Botanik. Zum Schulgebrauch u. als Grundlage f. Vorlesgn. an höheren Lehranstalten bearb. von W. v. Ahles. 5. Aufl. Mit Holzschn. gr. 8. (VI, 289 S.) Leipzig 883. C. F. Winter. n. 1. 80

Seubert, O., s.: Bautischler, der praktische.

— Mustersammlung f. Möbeltischler, s.: Kick, W.

— Vorlagen zum Unterricht im Fachzeichnen f. Bau- u. Möbelschreiner, Drechsler u. Glaser. Im Auftrag d. k. württ. Commission f. die Fortbildungsschulen bearb. 10 Lfgn. gr. Fol. 42 z. Thl. farb. Steintaf. m. 1 Bl. Text.) Stuttgart 884. 85. Nitzschke. à n. 4. 50

Seubert, Th., der Decorateur, s.: Kolb, H.

Seuffer, G., 's Schwobaland in Lied u. Wort, s.: Weitbrecht, R.

Seuffert, Herm., üb. einige Grundfragen d. Strafrechts. Rede. gr. 8. (44 S.) Breslau 886. Schletter. n. 1. 20

Seuffert's, J. A., Archiv f. Entscheidungen der obersten Gerichte in den deutschen Staaten. Hrsg. v. H. F. Schütt. Neue Folge. 8—11. Bd. Der ganzen Reihe 38—41. Bd. à 4 Hefte. Lex.-8. (à Hft. ca. 128 S.) München 883—86. Oldenbourg. à Bd. n. 8. 80

— dasselbe. Systematisches u. alphabet. General-Register

üb. Bd. VI—X der Neuen Folge d. Archivs. Verf. v. A. C. J. Schmid. Lex.-8. (294 S.) München 886. Oldenbourg. n. 5. 50

Seuffert, J. A., Blätter f. Rechtsanwendung zunächst in Bayern. Red.: K. v. Hettich. 48—51. Jahrg. 1883—1886. à 26 Nrn. (B.) gr. 8. Erlangen, Palm & Enke. à Jahrg. n. 6. —

— dasselbe. 48. Jahrg. 1883. Ergänzungsblatt. Nr. 1—4. gr. 8. (Nr. 1. S. 417—432.) Ebend. 883. n. 1. —

— dasselbe. 51. Jahrg. od. Neue Folge. 31. Bd. Ergänzungsblatt. 9 Nrn. (B.) gr. 8. Ebend. 886. n. 2. 20

— dasselbe 4. Ergänzungsbd. Nr. 14—26. (B.) gr. 8. Ebend. 884. n. 3. —

— dasselbe. 5. Ergänzungsbd. 13 Nrn. (B.) gr. 8. Ebend. 885. n. 3. —

— dasselbe. Alphabetisches u. systemat. Register üb. die Bände XXI—XXX der neuen Folge, Bd. XLI—L der gesammten Folge, nebst den Ergänzungsbdn. III u. IV hiezu. gr. 8. (373 S.) Ebend. 886. n. 6. —

Seuffert, Lothar, Civilprozeßordnung f. das Deutsche Reich, nebst dem Einführungsgesetze vom 30. Jan. 1877, erläutert. 2. Aufl. 2. Hälfte. gr. 8. (XXX u. S. 518—1049.) Nördlingen 883. Beck. n. 9. — (cplt.: n. 17. —; geb. n. 19. —)

— dasselbe. 3. Aufl. gr. 8. (XXIV, 963 S.) Ebend. 885. n. 19. 50; geb. n. 22. —

— Civilprozeßordnung f. das Deutsche Reich, nebst dem Einführungsgesetze vom 30. Jan. 1877. Erläutert. 3. Aufl. gr. 8. (160 S.) Ebend. 885. n. 3. 60

— dasselbe. Textausgabe m. Einleitg., Noten u. Verweisgn. auf das Gerichtskostengesetz, die Gebührenordngn. u. auf die Ausführungsgesetze aller Bundesstaaten. 4. Aufl. 16. (XVI, 327 S.) Ebend. 884. cart. n. 2. —

Seume, Cholera-Merkbüchlein f. Jedermann. Praktische Winke zur Erkenng., Vorbeugg. u. Behandlg. [Selbsthilfe] der Cholera. Nebst Anh.: Cholera-Apotheke u. Anweisg. zur Desinfection. Auf Grund umfass. Erfahrg. in den Cholerajahren 1865 u. 1866 gegeben. 8. (35 S.) Glauchau 884. Peschke. n. — 60

Seume, Herm., de sententiis consecutivis Graecis. gr. 8. (66 S.) Göttingen 883. (Peppmüller.) n. 1. —

Seume, Th., das allgemeine Kgl. S. Berggesetz vom 16. Juni 1868, nebst Ausführungsverordng. vom 2. Decbr. 1868 u. den hauptsächl., auf das Bergwesen bezügl. neueren Vorschriften. Zum Handgebrauche zusammengestellt u. m. Sachregister versehen. 8. (III, 268 S.) Zwickau 883. Leipzig, Felix. cart. n. 2. 80

Seventornen, Alex. v., Lessing in Wolfenbüttel. Authentische Beiträge zum Leben Lessings. 1. Bdchn. A. u. d. T.: Ein Nachmittag auf dem Weghause. 8. (VII, 146 S.) Leipzig 883. Wartig's Verl. n. 2. 40

Severin, Cl. A., die preußischen Stempelabgaben aus dem Gesetze vom 7. März 1822, nebst den ergänz. bezw. abänd. Erlassen. Zusammengestellt u. hrsg. gr. 8. (IV, 606 S.) Paderborn 886. F. Schöningh. n. 12. —

Sevigné, Marquise de, ausgewählte Briefe, s.: Collection Spemann.

Sevin, Herm., u. Karl Lattner, die Anlage u. Errichtung v. Wohnhäusern f. je eine Arbeiterfamilie. Fol. (24 Sp. m. Fig.) Berlin 883. Engelmann. 1. 50

Sevin, Ludw., Elemente der deutschen Grammatik f. die Unterklassen höherer Lehranstalten. Mit 2 Anhängen. I. Wortbildungslehre [v. Herm. Sevin]; II. Aufgabensammlung. 6. Aufl. gr. 8. (45 S.) Tauberbischofsheim 888. Lang. n. — 60

Sewell's, Elis., ausgewählte Schriften. Eingeleitet von G. H. v. Schubert. Von der Verf. autoris. deutsche Uebertragg. 1. u. 4. Bd. Jüngeren Töchtern gewidmet. 8. Stuttgart, J. F. Steinkopf. 5. 40; geb. n. 7. 40
1. Emmy Herbert. 5. Aufl. (466 S.) 884. 3. —; geb. n. 4. —
4. Das Pfarrhaus zu Laneton. 2. Aufl. (341 S.) 886. 2. 40; geb. n. 3. 40

Sewin, Herm., Gold u. Blut od. wie kann die gegenwärtige Notlage d. deutschen Nährstandes, insbesondere d. Landwirts, d. Handwerkers, d. Fabrikarbeiters, auf gesetzl. Wege wieder abgeschafft werden? Rede. gr. 8. (40 S.) Freiburg i/B. 885. Herder. n. — 60

Seybold, Chrn., mein Abschiedsgruß an meine liebe Gemeinde. Abschiedspredigt üb. Apostelgeschichte 20, 32. gr. 8. (8 S.) Ansbach 883. Junge. n. — 20

Seyboth, Ad., essai historique sur l'organisation du service des incendies et du corps des sapeurs-pompiers de la ville de Strassbourg depuis le XVe siècle jusqu'à nos jours. Avec 4 planches chromo-lith. [uniformes de 1872—1881]. 4. (VIII, 52 S.) Strassburg 883. Schultz & Co. Verl. n. 3. —

Seyda, Ant., üb. Sulfosäuren d. Hydrochinons. gr. 8. (48 S.) Breslau 883. (Köhler.) n. 1. —

Seydel's deutscher Geschäfts-Kalender auf das J. 1884. Notizbuch f. Kaufleute u. Banquiers, wie auch f. Gewerbetreibende u. Fabrikanten. 16. (VIII, 164 S.) Berlin, Polytechn. Buchh. geb. 1. 50

Seydel, C., Stoffe zu deutschen Aufsätzen auf Grund poetischer Sprachstücke. Für gehobene Bürger- u. Mittelschulen. 8. (IV, 222 S.) Langensalza 884. Schulbuchh. 1. 80

Seydel, C., Abenteuer in Californien, } s.: Volks-Erzählungen, kleine.
— eine Nacht im Urwalde, }

— Seliko, der dankbare Afrikaner, s.: Bibliothek interessanter Erzählungen.

Seydel, F., Gesetz vom 21. Juli 1852 betr. Dienstvergehen der nichtrichterlichen Beamten, die Versetzung derselben auf e. andere Stelle od. in den Ruhestand u. seine Ergänzungen, erläutert. gr. 8. (VIII, 351 S.) Berlin 883. C. Heymann's Verl. n. 6. —; geb. n. 7. 50

Seydel, Gust., die Harnbeschwerden, ihre Ursachen u. Wirkungen, sowie ihre Behandlung. Zur Belehrg. f. Kranke. Neu bearb. v. J. Edm. Güntz. 5. Aufl. 8. (VI, 154 S.) Leipzig 886. Arnold. n. 2. —

Seydel, K., Antiseptik u. Trepanation. Lex.-8. (VII, 176 S.) München 886. H. Müller. (L. Finsterlin's Sort.) n. 3. 80

Seydel, Max, Grundriß zu Vorlesungen üb. bayerisches Staatsrecht. gr. 8. (IV, 216 S.) München 883. Literar.-artist. Anstalt. n. 4. 80

— Grundriß zu Vorlesungen üb. bayerisches Verwaltungsrecht. gr. 8. (IV, 209 S.) Ebend. 883. n. 4. 80

— das Recht der Regentschaft in Bayern. gr. 8. (57 S.) Ebend. 886. n. 1. 20

— bayerisches Staatsrecht. (In 3 Bdn.) 1. u. 2. Bd. u. 3. Bd. I. Abth. gr. 8. (IX, 658 S.) Ebend. n. 28. 80
1. (IX, 658 S.) 884. n. 12. —. — 2. (V, 586 S.) 885. n. 10. 80. — 3. I. (IV, 320 S.) 886. n. 6. —

Seydel, Rud., Buddha u. Christus, s.: Bücherei, deutsche.

— die Buddha-Legende u. das Leben Jesu nach den Evangelien. Erneute Prüfg. ihres gegenseit. Verhältnisses. gr. 8. (84 S.) Leipzig 884. O. Schulze. n. 2. —

— Religion u. Wissenschaft. Gesammelte Reden u. Abhandlgn. gr. 8. (IX, 417 S.) Breslau 887. Schottländer. n. 7. 50; geb. n.n. 9. —

Seydler, A., Ausdehnung der Lagrange'schen Behandlung d. Dreikörper-Problems auf das Vierkörper-Problem. gr. 4. (20 S.) Prag 885. Calve. n. — 60

— über einige neue Formen der Integrale d. Zwei- u. Dreikörperproblems. Lex.-8. (22 S.) Wien 884. (Gerold's Sohn.) n.n. — 45

Seydler, A., auf falscher Fährte, s.: Volks-Erzählungen, kleine.

Seydler, Th., Material f. den Unterricht in der Harmonielehre, zunächst f. Seminarien bearb. 1—3. Hft. gr. 8. Leipzig 885. Breitkopf & Härtel. n. 2. 10
1. (31 S.) n. — 50. — 2. (49 S.) n. — 80. — 3. (51 S.) n. — 80

— u. Br. Dost, dasselbe. 4. Hft. Bearb. v. Br. Dost. gr. 8. (74 S.) Ebend. 886. cart. n. 1. 20

Seydlitz, E. v., Geographie. [In 3 Ausgaben.] Ausg. A: Grundzüge der Geographie. Eine Vorstufe zu der kleinen [B] u. der größeren Ausg. [C]. Illustriert durch 45 in den Text gedr. Kartenskizzen u. erläut. Holzschn., sowie e. Bilderanh., 23 Formationsbilder u. typ. Landschaften enth. 20. Bearbeitg., unter Mitwirkg. vieler hervorrag. Fachmänner besorgt v. E. Oehlmann. gr. 8. (108 S.) Breslau 885. F. Hirt. n. — 75

— dasselbe. Special-Ausg. f. Österreich-Ungarn, bearb. v. R. Perkmann. Illustriert durch 51 Karten u. erläut. Holzschn. 19. Bearbeitg., 2. f. Österreich-Ungarn. gr. 8. (96 S.) Ebend. 884. n. 1. —

Seydlitz, E. v., Geographie. Ausg. B.: Kleine Schul-Geographie. Illustriert durch 62 in den Text gedr. bunte u. schwarze Kartenskizzen u. erläut. Holzschn., sowie e. Illustrationsanh., 51 Formationsbilder u. typ. Landschaften enth. 20. Bearbeitg., unter Mitwirkg. vieler hervorrag. Fachmänner besorgt v. Simon u. E. Oehlmann. gr. 8. (VIII, 285 S.) Breslau 885. F. Hirt. n. 2. —

— dasselbe. Special-Ausg. f. Österreich-Ungarn, bearb. v. R. Perkmann. Illustriert durch 85 Karten u. erläut. Holzschn. 19. Bearbeitg., 2. f. Österreich-Ungarn. gr. 8. (249 S.) Ebend. 884. n. 2. 40

— dasselbe. Ausg. C.: Größere Schul-Geographie. Illustriert durch 118 in den Text gedr. Kartenskizzen u. erläut. Abbildgn., sowie e. Illustrations-Anh., 35 Formationsbilder u. typische Landschaften enth. 19. Bearbeitg. [2. Abdr.], unter Mitwirkg. vieler hervorrag. Fachmänner besorgt v. Simon. gr. 8. (VII, 64 u. 389 S.) Ebend. 884. n. 3. 75

Seydlitz, Fr. v., nordische Reiseskizzen. Mit e. (autogr.) Karte. gr. 8. (263 S.) Dresden 883. Burdach. n. 3. 60; geb. n. 5. —

Seydlitz, G. v., Touristen-Führer f. die Vogesen, nebst den angrenz. Eisenbahnen d. Reichslandes u. Frankreichs und den an ihnen lieg. Städten u. Ortschaften. 2. Aufl., durchweg neu bearb. u. verm. unter Mitwirkg. aller Sectionen u. vieler einzelnen Mitglieder d. Vogesen-Clubs, vorzüglich d. Hrn. Ed. Hering, Ehrenpräsidenten d. Vogesenclubs. Neue bis 1886 rev. Ausg. Mit 5 Spezial-Karten [rev. durch Hrn. Euting], 1 Routen-Karte u. Plänen v. Strassburg, Metz u. dem Ottilienberge. 8. (LXIV, 217 S.) Metz 886. Lang. geb. n. 3. —

Seyfarth, Arth., der Hund, seine Erziehg., Pflege, Dressur u. rationelle Behandlg. in Krankheitsfällen, m. besond. Berücksicht. der zu Jagdzwecken verwandten Racen. Auf Grund 20jährig. Erfahrg. 10. Aufl. 8. (VI, 64 S.) Köstritz 885. (Gera, Burow.) n. — 60; geb. n. — 90

Seyferth, Emil F., illustrirtes Handbuch der praktischen Fussbekleidungskunst. Zum Gebrauche f. Jedermann vom Fach, insbesondere auch f. den Unterricht in Schuhmacher-Fachschulen u. Lehrwerkstätten. Mit vielen Zeichngn. u. Mustertaf. 12—17. (Schluss-)Lfg. gr. 8. (VII u. S. 169—246 m. Steintaf.) Hamburg 883. Kramer. à — 60

Seyffardt, L. F., die Mittelschule u. das praktische Leben, s.: Schriften d. liberalen Schulvereins Rheinlands u. Westfalens.

Seyffarth, L. W., Johann Amos Comenius nach seinem Leben u. seiner pädagogischen Bedeutung. Nebst e. Anh., enth. Auszüge aus 3 nichtpädagogischen Schriften: der Panegersia, dem Testament der sterb. Mutter, dem Unum necessarium, — e. Verzeichnis der pädagog. Werke d. Comenius, sowie einiger Schriften üb. denselben. 3. verm. u. verb. Aufl. gr. 8. (143 S.) Leipzig 883. Siegismund & Volkening. n. 1. 60; geb. n. 2. 20

Seyffert, Adf., 9 totale Dammdefecte, in der gynäkolog. Klinik zu Jena nach G. Simon operirt. gr. 8. (22 S.) Jena 884. (Pohle.) n. — 80

Seyffert, M. A., u. H. **Busch**, lateinische Elementar-Grammatik, bearb. nach der Grammatik v. Ellendt-Seyffert. gr. 8. (79 S.) Berlin 884. Weidmann. cart. n. — 60

— u. W. **Fries**, lateinische Elementar-Grammatik, bearb. nach der Grammatik v. Ellendt-Seyffert. 2. Aufl. gr. 8. (III, 79 S.) Ebend. 886. cart. n. — 60

Seyffert's, Mor., Hauptregeln der griechischen Syntax, s.: Bamberg, A. v., griechische Schulgrammatik.

— Lesestücke aus griechischen u. lateinischen Schriftstellern f. die mittleren u. oberen Klassen der Gymnasien. 7., durchgeseh. Aufl. gr. 8. (XVIII, 214 S.) Leipzig 884. Holtze. 2. 40

— Materialien zum Übersetzen aus dem Deutschen in's Lateinische. Für die oberste Bildungsstufe der Gymnasien bearb. 9. Aufl. gr. 8. (VI, 210 S.) Ebend. 884. 2. 40

— Palaestra Ciceroniana. Deutsche Orig.-Stücke zum Übersetzen in das Lateinische in Cicero's Schreibart. 8. Aufl. gr. 8. (XIV, 353 S.) Leipzig 883. Holtze. 3. 90

Seyffert, Mor., Progymnasmata. Anleitung zur latein. Komposition in prakt. Beispielen zu der Chrie u. deren Teilen. Für die oberste Bildungsstufe der Gymnasien. 5. Aufl. gr. 8. (VIII, 196 S.) Leipzig 886. Holtze. n. 2. 40

— Übungsbuch zum Übersetzen aus dem Deutschen in das Griechische. Durchgesehen u. erweitert von Alb. v. Bamberg. 1. u. 2. Tl. gr. 8. Berlin, Springer. n. 3. 20
  1. Beispiele zur att. Formenlehre. 8., um e. Wörterverzeichnis verm. Aufl. (IV, 132 S.) 884. n. 1. 20
  2. Beispiele zur Syntax und zusammenhäng. Übungsstücke. 9. Aufl. (VIII, 231 S.) 887. n. 2. —

Seyfferth, J. A., Materialien f. den Unterricht in Fortbildungsschulen. 1. u. 3. Abtlg. Nürnberg, Büching. à n. — 75
  1. Die Grundlagen des Wechselwesens. 2. Aufl. (VI, 48 S. m. 3 Formularen.) 885.
  3. Der geschäftliche Aufsatz. 3. Aufl. (IV, 92 S.) 886.

— Sprachübungen f. die Volksschule. [Grammatik, Orthographie u. Stil.] Im Anschluß an den oberfränk. Kreislehrplan f. die Hand der Schüler bearb. A. Ausg. f. geteilte Schulen. 1—6. Hft. 8. Hof, Lion. à n. — 20
  1. 2. Aufl. (24 S.) 883. — 2. 19. Aufl. (32 S.) 886. — 3. 19. Aufl. (56 S.) 886. — 4. 15. Aufl. (64 S.) 886. — 5. 10. Aufl. (72 S.) 884. — 6. 7. Aufl. (68 S.) 886.

— dasselbe. B. Ausg. f. ungeteilte Schulen. 1—3. Hft. 8. Ebend. 886. n. — 70
  1. 36. Aufl. (40 S.) n. — 20. — 2. 32. Aufl. (80 S.) n. — 25. — 3. 22. Aufl. (96 S.) n. — 25

— Rechenschule, s.: Lieb, A.

— Übungsstoffe f. die deutsche Rechtschreibung. Auf Grundlage der amtlich erlassenen Bestimmgn. bearb. 8. (VIII, 232 S.) Nürnberg 886. Korn. n. 2. 20

Seyfried, Geo., das Nötigste aus der deutschen Sprachlehre, Geographie, deutschen Geschichte, Naturgeschichte, Himmelskörperlehre, Zeitrechnung u. Körperlehre. Ein Handbüchlein f. deutsche Schulen. [Mittel- u. Oberklassen.] Umgearb. v. Aug. Wild. 31. Aufl. 8. (304 S.) Passau 886. Waldbauer. n. — 52; Einbd. n.n. — 12

Seyler, Gust. A., Abriß der Sphragistik. Ein Versuch. gr. 8. Wien 884. (Berlin, Mitscher & Röstell.) n. 3. —

Seyppel, C. M., mein Buch. Mit fcsm. Gedichten v. Carmen Sylva u. Randzeichngn. v. C. M. S. gr. 4. (29 Bl. auf modrigem Cartonpap.) Düsseldorf 885. F. Bagel. Geb. m. rostigen Eisenbeschlägen u. Schloß. n. 12. —

— Er, Sie, Es. II. aegypt. Humoreske. Nach der Natur abgemalt u. niedergeschrieben 1302 Jahre vor Christi Geburt durch C. M. S., Hofmaler u. Poët der seligen Majestät König Rhampsinit III. Memphis, Pyramidenstrasse No. 36, 1te Etage. Meldung beim Portier. 4. (IV, 42 S. m. Illustr.) Ebend. 883. geb. n. 5. —

— die Plagen. 3. aegypt. Humoreske. Aufgeschrieben u. abgemalt bei dem Auszuge der Juden aus Aegypten v. C. M. S., Hofmaler u. Poet der sel. Majestät König Rhampsinit III., Memphis, Krokodilenstrasse, Villa Seyppel. Sprechstunde: 6—7 Vormittags. 4. (42 S.) Ebend. 884. geb. n. 5. —

— Roi-Reine-Prince. Recit humoristique égyptien. Peint et écrit d'après nature, l'an 1302 avant la naissance de J. C. par C. M. S., peintre et poète à la cour de feu sa Majesté le roi Rhampsinit III. Memphis rue des Pyramides Nr. 36. 1er étage. S'adresser au concierge [il est poli, il est gracieux, il est ..... dans l'escalier]. 4. (II, 42 autogr. S.) Ebend. 886. geb. n. 6. —

— schlau, schläuer, am schläusten. Aegyptische Humoreske, niedergeschrieben u. abgemalt 1315 Jahre v. Christi Geburt v. C. M. S., Hofmaler u. Poet Seiner Majestät d. Königs Rhampsinit III., Memphis, Mumienstraße Nr. 35, 3. Etage, 4×klingeln. (5. Aufl.) hoch 4. (III, 40 lith. S.) Ebend. 884. geb. n. 5. —

— Schmidt u. Smith in Lüderitzland. Hottentottisches Blaubuch m. 118 Kritzeleien. gr. 8. (80 S.) Ebend. 885. cart. n. 3. 50

— sharp, sharper, sharpest. A humourous tale of Old-Egypt. Penned down and depicted in the year 1315 a. C. by C. M. S., courtpainter and poet laureate of his majesty king Rhampsinit III., and done into the english tongue by two mummies of the old dynasty. Memphis, 75 Mummies Arcade. [Ring three times.] 4. (II, 40 S.) Düsseldorf 885. F. Bagel. geb. n. 6. —

Seyss, Max Emil, über die poetische Composition der Eumeniden v. Aischylos. gr. 8. (42 S.) Villach 873. (Wien, Pichler's Wwe. & Sohn.) n. — 90

Shadbolt, Sydney, Mondscheinweben od. Ella's Reise in's Feenland. Deutsch m. freier Benutzg. d. Engl. v. Emma Biller. Mit 23 (Holzschn.-)Illustr. v. Jos. Bligh. 16. (165 S.) München 883. Stroefer. geb. n. 3. —

Shakespeare reprints. I. 12. Marburg 886. Elwert's Verl. n. 2. 50; geb. n. 3. —

King Lear. Parallel texts of the first quarto and the first folio with collations of the later quartos and folios. Edited by Wilh. Vietor. (VI, 247 S.)

Shakespeare's, Will., works. Complete edition. Vol. I. 8. (168 S.) Leipzig 885. Huth. n. 1. —; Einbd. n.n. — 50

— dasselbe. Ed. with critical notes, and introductory notices by W. Wagner and L. Proescholdt. Part 16—23. 8. (5. Bd. S. 225—355, 6. Bd. 343 S. u. 7. Bd. S. 1—320.) Hamburg 883—86. J. F. Richter. à — 50

dasselbe. Separate editions. Nr. 20—25. 8. Ebend. à — 50; cart. à — 60

20. King Henry VI, ed. by L. Proescholdt. (105 S.) 883.
21. dasselbe. 2. part. (121 S.) 884.
22. dasselbe. Part 3. (115 S.) 884.
23. King Richard III. (150 S.) 886.
24. King Henry VIII. (123 S.) 886.
25. Troilus and Cressida. (135 S.) 886.

— dasselbe, s.: Asher's collection of english authors.

— dasselbe. Schulausgabe v. E. Schmidt, s.: Sammlung Shakespeare'scher Stücke.

— sämmtliche Werke. Eingeleitet u. übers. v. A. W. Schlegel, Fr. Bodenstedt, N. Delius, F. A. Gelbcke, O. Gildemeister, G. Herwegh, P. Heyse, H. Kurz u. A. Wilbrandt. Illustrirt v. John Gilbert. 5. Aufl. 60 Lfgn. od. 4 Bde. Lex.-8. (XVIII, 506, III, 531, III, 495 u. IV, 479 S. m. eingedr. Holzschn. u. 1 Holzschn.-Bildniß.) Stuttgart 884. 86. Deutsche Verlags-Anstalt. à Lfg. n. — 50; cplt. geb.: n. 40. —

— dasselbe. Übersetzt v. Schlegel u. Tieck. 8 Bde. 8. (382, 380, 379, 349, 355, 401, 338 u. 346 S.) Berlin 884. Friedberg & Mode's Sep.-Cto. geb. n. 12. —

— sämtliche Werke in englisch-deutscher Parallel-Ausg. Bevorwortet u. eingeleitet v. Karl Sachs. Nr. 1—37. 12. Leipzig 884—86. M. Schäfer. à — 60

1. Julius Cäsar, übers. von A. W. v. Schlegel. (XX, 140 S.)
2. Romeo u. Julie, übers. von A. W. v. Schlegel. (XV, 168 S.)
3. König Heinrich VIII, übers. von A. W. v. Schlegel. (XII, 176 S.)
4. König Lear, übers. von A. W. v. Schlegel. (XX, 188 S.)
5. Othello, übers. von A. W. v. Schlegel u. Ludw. Tieck. (XV, 184 S.)
6. Hamlet, übers. von A. W. v. Schlegel u. Ludw. Tieck. (XXXIX, 214 S.)
7. Macbeth, übers. von A. W. v. Schlegel u. L. Tieck. (XX, 133 S.)
8. Ein Sommernachtstraum, übers. von A. W. v. Schlegel u. L. Tieck. (XVIII, 117 S.)
9. König Johann. (XXXII, 140 S. m. 2 Tab.)
10. König Richard II. (XV, 150 S.)
11. König Heinrich IV. 1. Tl. (XXI, 163 S.)
12. Dasselbe. 2. Tl. (175 S.)
13. König Heinrich V. (XIII, 177 S.)
14—16. König Heinrich VI. 3 Tle. (XIX, 149, 172 u. 162 S.)
17. König Richard III. (XII, 90 Doppelf.)
18. Cymbelin. (XX, 198 Doppelf.)
19. Coriolanus. (XII, 100 Doppelf.)
20. Antonius u. Cleopatra. (XVI, 196 Doppelf.)
21. Timon v. Athen. (XX, 136 Doppelf.)
22. Troilus u. Cressida. (XX, 188 Doppelf.)
23. Der Sturm. (XXX, 124 Doppelf.)
24. Der Kaufmann v. Venedig. (XXX, 142 Doppelf.)
25. Das Wintermärchen. (XVIII, 176 S.)
26. Viel Lärm um Nichts. (XVIII, 150 S.)
27. Die beiden Veroneser. (X, 124 S.)
28. Die lustigen Weiber v. Windsor. (XVI, 158 S.)
29. Die bezähmte Widerspenstige. (XXII, 148 S.)
30. Wie es Euch gefällt. (XVIII, 148 S.)
31. Der heil. Dreikönigs-Abend. (XXII, 144 S.)
32. Ende gut, Alles gut. (XIV, 162 S.)
33. Die Komödie der Irrungen. (XVIII, 102 S.)
34. Liebes Leid u. Lust. (XVI, 152 S.)
35. Maß f. Maß. (XX, 156 S.)
36. Titus Andronikus. (XX, 140 S.)
37. Perikles. (XVI, 138 S.)

Shakespeare's sämtliche dramatische Werke. Übers. v. Aug. Wilh. v. Schlegel u. Ludw. Tieck. 12 Bde. 8. (281, 293, 217, 192, 120, 236, 130, 208, 189, 233, 259 u. 206 S.) Berlin 886. Warschauer. geb. in 4 Bde. 6. —; in 6 Bde. 7. 50

— dramatische Werke, s.: Bibliothek, Cotta'sche, der Weltlitteratur.

— Julius Caesar. Mit Anmerkgn. v. E. Fritsche. 8. (XII, 108 S.) Hamburg 885. O. Meissner's Verl. 1. 20

— dasselbe. Erklärt v. E. W. Sievers. 3. Aufl. 8. (VIII, 131 S.) Salzwedel 885. Klingenstein. n. 1. —

— dasselbe, s.: Authors, English.

— dasselbe. Trauerspiel in 5 Aufzügen. Wortgetreu aus dem Engl. in deutsche Prosa übers. nach H. R. Mecklenburg's Grundsätzen v. R. T. 3 Hfte. 32. (187 S.) Berlin 884. H. R. Mecklenburg. à n. — 25

— dasselbe, s.: Bibliothek der Gesamt-Litteratur d. In- u. Auslandes.

— dasselbe, s.: Classiker f. den Schulgebrauch.

— dasselbe, s.: Meister-Werke unserer Dichter.

— dasselbe, s.: Schulausgaben classischer Werke.

— dasselbe, s.: Volksbibliothek d. Lahrer Hinkenden Boten.

— Coriolan. Für den Schulgebrauch bearb. v. E. Fritsche. gr. 8. (III, 127 S.) Leipzig 885. O. Wigand. 1. 80

— dasselbe, s.: Meisterwerke unserer Dichter.

— dasselbe, s.: Schulausgaben classischer Werke.

— Hamlet, Prince of Denmark. 2. Aufl. gr. 8. (103 S.) Leipzig 887. Barsdorf. cart. 1. —

— tragedy of Hamlet, ed. by Karl Elze. gr. 8. (XVI, 258 S.) Halle 882. Niemeyer. n. 10. —

— dasselbe, s.: Meyer's Volksbücher.

— Imogen. [Cymbelin.] Romantisches Schauspiel in 5 Akten, m. freier Benutzg. der Hertzberg'schen Uebersetzg. f. die deutsche Bühne bearb. v. Heinr. Bulthaupt. Ouverture, Entr'actes u. die zur Handlg. gehör. Musik v. Alb. Dietrich. gr. 8. (XVII, 92 S.) Oldenburg 885. Schulze. n. 1. 60; geb. m. Goldschn. n. 2. 60

— der Kaufmann v. Venedig, s.: Meyer's Volksbücher.

— Macbeth. Trauerspiel in 5 Aufzügen. Wortgetreu nach H. R. Mecklenburg's Grundsätzen aus dem Engl. in deutsche Prosa übers. v. R. T. 1. Hft. 32. (64 S.) Berlin 884. H. R. Mecklenburg. n. — 25

— dasselbe, s.: Bibliothek der Gesamt-Litteratur d. In- u. Auslandes.

— dasselbe, s.: Schulausgaben classischer Werke.

— the merchant of Venice, s.: Authors, English.

— Othello, der Mohr v. Venedig,
— König Richard III,
— Romeo u. Julie,
} s.: Meyer's Volksbücher.

— s.: Sammlung Shakespeare'scher Stücke.

— the tragedy of King Richard II., s.: Authors English.

— Wörterbücher dazu, s.: Schmid, E.

Shakespeare, Biographie, s.: Koch, M.

Shakespeare-Geburtstag-Buch, das. 5. Aufl. 16. (V, 277 S.) Dresden 884. Pierson. geb. m. Goldschn. n. 3. —

Shaw, Ikaria. Ein Beitrag zur Geschichte d. Kommunismus. Autoris. Ausg. Deutsch v. M. Jacobi. 8. (VII, 139 S.) Stuttgart 886. Lutz. n. 1. 75

Shaw, Vero, das illustrirte Buch vom Hunde. Unter Mitwirkg. der hervorragendsten Züchter u. Kynologen. Deutsch v. R. v. Schmiedeberg. Mit 28 Taf. in Farbendr. u. zahlreichen schwarzen Abbildgn. 30 Lfgn. gr. 4. (VIII, 696 S.) Leipzig 883. 84. E. Twietmeyer. à n. 1. 50; cplt. geb. n. 55. —

— Einiges üb. Pflege u. Aufzucht der Hunde. Aus dem Engl. 8. (56 S.) Blasewitz 886. Wolff. n. — 50

Shdanow, A., recherches sur l'orbite intermédiaire de la comète de Faye dans la proximité de Jupiter en 1841, s.: Mémoires de l'académie impériale des sciences de St.-Pétersbourg.

Shelley's ausgewählte Dichtungen. Aus dem Engl. v. Adf. Strodtmann. 8. (361 S.) Leipzig 886. Bibliograph. Institut. n. 1. —

Shelley's, P. B., Leben, s.: Druskowitz, H.

Sher, W., Aufzeichnung e. Verlorenen. 8. (126 S.) Leipzig 885. Fr. Richter. n. 2. —

Sheridan, Rich. Brinsley, the rivals. A comedy in 5 acts. Für den Schulgebrauch erklärt v. L. Riechelmann. 2. Aufl. gr. 8. (XVIII, 142 S.) Leipzig 883. Teubner. 1. 50

— dasselbe, } s.: Rauch's English readings.
— the school for scandal, }

— dasselbe, s.: Theatre, English.

Shipton, Anna, „gerade wie ich". Aus dem Leben e. Kindes. 3. Aufl. 12. (16 S.) Basel 886. Spittler. n. — 8

— „sage es Jesu!" Erinnerungen aus Emilie Gosse's Leben. 5. Aufl. 8. (132 S.) Ebend. 885. n. — 70

Shorey, Paul, de Platonis idearum doctrina atque mentis humanae notionibus commentatio. gr. 8. (59 S.) München 884. Th. Ackermann's Verl. n. 1. 40

Siberti, M., lateinische Schulgrammatik. Für die untern Klassen bearb. Neu bearb. u. f. die mittlern Klassen erweitert v. M. Meiring. 25. Aufl., bearb. v. J. Fisch. gr. 8. (IV, 285 u. Beilage 6 S.) Bonn 883. Cohen & Sohn. n. 2. 20

Sibylle, die neueste, od. Weissagungen u. Geschichte üb. die großen Ereignisse unserer Zeit u. der nahen Zukunft. 1886 u. 1887. 8. (12 S.) Regensburg 886. Verlagsbureau. n. — 10

Sicha, Karl, Namen u. Schwinden der Slaven. gr. 8. (49 S.) Laibach 886. v. Kleinmayr & Bamberg. n. 1. —

Sicherer, Herm. v., Personenstand u. Eheschließung in Deutschland. Erläuterung d. Reichsgesetzes vom 6. Febr. 1875 üb. die Beurkundg. d. Personenstandes u. die Eheschließg. Neue Ausg. 2—12. (Schluß-)Lfg. gr. 8. (S. 49—537.) Erlangen 886. Palm & Enke. à n. 1. —

Sicherheit, Gewißheit u. Freude der Erlösung. 8. (24 S.) Gernsbach 884. Christl. Kolportage-Verein. n. — 6

Sicher's, F., Chronik, s.: Mittheilungen zur vaterländischen Geschichte.

Sicherungsdienst, der, nach den Grundsätzen der Felddienstanleitung f. schweizerische Truppen. Mit Berücksicht. der durch Bundesrathsbeschluß vom 22. März 1881 eingeführten Dienstvorschrift. Für Unteroffiziere der Infanterie u. Kavallerie bearb. v. e. Instruktionsoffizier. 14. Aufl. 16. (63 S.) Bern 885. Jenni. cart. n. — 90

Sick, Fritz, Rübezahls Erheiterungen. Humoristisch-dramat. Phantasien in Prosa, Versen u. Singweisen. gr. 8. (IV, 122 u. Musik-Abth. 48 S.) Reichenberg 884. Schöpfer's Sort. n. 2. 40

Sick, Paul, die Krankenpflege in ihrer Begründung auf Gesundheitslehre m. besond. Berücksicht. der weibl. Krankenpflege. Mit 27 Holzschn. gr. 8. (548 S.) Stuttgart 884. J. F. Steinkopf. n. 5. —; geb. n. 6. —

Sickel, 100 Confirmations-Scheine m. Bibelsprüchen u. Liederversen. 2 Hälften. 3. Aufl. 4. Halle 886. Anton. à n. 1. —

Sickel, Th., s.: Kaiserurkunden in Abbildungen.

— das Privilegium Otto I. f. die römische Kirche vom J. 962, erläutert. M. e. Fcsm. Lex.-8. (V, 182 S.) Innsbruck 883. Wagner. n. 6. —

Sickenberger, Adf., die Determinanten in genetischer Behandlung. Eine Einführg. in die Lehre v. den Determinanten. gr. 8. (IV, 80 S.) München 885. (Th. Ackermann's Verl.) n. 1. 20

— Leitfaden der Arithmetik, nebst Uebungsbeispielen. 3. umgearb. Aufl. gr. 8. (VI, 188 S. m. 1 Holzschntaf.) Ebend. 885. n. 1. 60

Sickinger, Conr., das höchste Gut! Gebet- u. Andachtsbuch f. alle Verehrer d. allerheil. Altarssakramentes. 16. (V, 544 S. m. Farbentitel u. 1 Stahlst.) Salzburg 884. Pustet. 1. 20; geb. n. 1. 85; n. 2. 25; n. 2. 70 u. n. 4. —

— die Kunst, brave Kinder zu erziehen. Ein Buch f. Eltern, Geistliche u. Lehrer. 2. Aufl. 12. (377 S.) Dülmen 886. Laumann. n. 1. —; geb. n. 1. 50

— sicherer Weg zu e. glücklichen Ehe. Ein Unterrichtsbuch f. Braut- u. Eheleute. 2. Aufl. 12. (215 S.) Dülmen 886. Laumann. n. — 60; geb. n. 1. —

Siddur Tefillath Jisrael. (Ohne Uebersetzg.) 7. Aufl. 8. (IV, 314 S.) Breslau 886. Koebner. geb. n. — 80

Siebdrat, Thdr., General-Repertorium der königl. sächsischen Landesgesetze u. der Reichsgesetze. Nachtrag. Abgeschlossen Ende Juli 1885. gr. 4. (III, 30 S.) Dresden 885. Meinhold & Söhne. n. 1. 20 (Hauptwerk u. Nachtrag: n. 8. 20)

Siebeck, Herm., Geschichte der Psychologie. 1. Thl., 2. Abth.: Die Psychologie von Aristoteles bis zu Thomas v. Aquino. gr. 8. (XI, 531 S.) Gotha 884. F. A. Perthes. n. 11. — (1 u. 2.: n. 17. —)

— über Wesen u. Zweck d. wissenschaftlichen Studiums, s.: Zeit- u. Streit-Fragen, deutsche.

Siebelis, J., griechische Formenlehre f. Anfänger. 4. Aufl. Durchgesehen, verb. u. verm. v. Max Kleemann. 8. (IV, 160 S.) Hildburghausen 885. Kesselring. n. 1. —

— tirocinium poeticum. Erstes Lesebuch aus latein. Dichtern. Zusammengestellt u. m. kurzen Erläutergn. versehen. 14. Aufl., besorgt v. Rich. Habenicht. gr. 8. (VIII, 91 S.) Leipzig 883. Teubner. — 75

— dasselbe. Wörterbuch dazu, s.: Schaubach, A.

— Wörterbuch zu Ovids Metamorphosen. 4. Aufl. Besorgt v. Frdr. Polle. gr. 8. (IV, 396 S.) Leipzig 885. Teubner. 2. 70

Siebenlist, W., Lehr- u. Uebungsstoffe f. den Sprachunterricht in der Volksschule, sowie zum Privatunterrichte u. f. solche Schüler, die f. e. Präparanden-, Latein- oder Realschule vorbereitet werden wollen. 18. Aufl. gr. 8. (V, 217 S.) Bamberg 886. Buchner. n. — 80

Siebenmann, F., die Fadenpilze Aspergillus flavus, niger u. fumigatus; Eurotium repens [u. Aspergillus glaucus] u. ihre Beziehungen zur Otomycosis aspergillina. Medicinisch-botan. Studien auf Grund experimenteller Untersuchgn. Mit Vorwort v. Alb. Burckhardt-Merian. Mit 3 (Lichtdr.-)Taf. gr. 8. (VII, 72 S.) Wiesbaden 883. Bergmann. n. 4. 60

Siebenstern, Alban, Indianer- u. Seegeschichten. 1—12. Bdchn. (Mit je 1 Titelbild.) 8. Regensburg 885. 86. Verlags-Anstalt. à 1. —

1. Der Kriegszug nach dem Goldthale. Eine Erzählg. aus dem mexikan. Indianerleben. (154 S.)
2. Die Gefangenen der Apachen u. ihre Befreier. Eine Erzählg. aus Neu-Mexiko u. dem angrenz. Indianergebiete. (160 S.)
3. Waldläufer u. Goldsucher. Eine Indianergeschichte aus den Wildnissen Sonoras. (157 S.)
4. Auf der Spur der Osagen. Eine Erzählg. aus dem Leben der Missouriindianer. (159 S.)
5. Der rote Seeräuber. Eine Erzählg. aus dem nordamerikan. Seemannsleben d. vorigen Jahrhunderts. (160 S.)
6. Riff u. Krater od. die Kolonie. Eine Geschichte aus dem Stillen Weltmeere. (158 S.)
7. Tanipucko, der letzte Nachkomme der Kaziken. Eine Erzählg. aus Mexiko. (160 S.)
8. Kreuz u. Tomahawk. Erzählung aus der Blüthezeit der span. Missionen in Neu-Kalifornien (160 S.)
9. Die Nordpolfahrer. Eine Erzählg. aus der Eisregion. (159 S.)
10. Mahtochiga, der Häuptling der Schwarzfußindianer. Erzählung aus dem Leben der Missouristämme. (156 S.)
11. Der Sonnentiger. Erzählung aus den Kriegen Chiles gegen die Aucasindianer. (160 S.)
12. Zwischen den Klippen. Eine Erzählg. aus dem Seeleben. (151 S.)

Sieber, Haltung Sachsens gegenüber Heinrich IV. von 1088—1106. gr. 8. (74 S.) Breslau 883. Görlich & Coch. n. 1. —

Sieber, Ferd., Katechismus der Gesangskunst. Mit vielen in den Text gedr. Notenbeispielen. 4. Aufl. 8. (XVI, 198 S.) Leipzig 885. Weber. geb. n. 2. 40

Sieber, H., Geschichte, s.: Hirt's, F., Realienbuch.

Siebert, Aug., das hydrodynamische Problem der pulsirenden Kugeln v. Bjerknes, verallgemeinert f. mehrfach ausgedehnte Räume. gr. 8. (77 S.) Göttingen 883. (Vandenhoeck & Ruprecht.) n. 2. —

Siebert, G., kurzer Abriss der Geschichte der Chemie. gr. 8. (V, 128 S.) Wien 886. Pichler's Wwe. & Sohn. n. 1. 50

Siebmacher's, J., grosses u. allgemeines Wappenbuch, in e. neuen vollständig geordneten u. reich verm. Aufl. m. herald. u. historisch-genealog. Erläuterungen neu hrsg. 211—265. Lfg. gr. 4. (1458 S. m. 935

Steintaf.) Nürnberg 883—86. Bauer & Raspe. Subscr.-Pr. à n. 6. —; Einzelpr. à n. 7. 50

Siebold, C. Th. v., Gedächtnissrede auf ihn, s.: Hertwig, R.

Siebold, M., ist die Bibel Gottes Wort? 8. (28 S.) Barmen 882. Wiemann. n. — 20

Siebs, Thdr., die Assibilirung der friesischen Palatalen. gr. 8. (49 S.) Tübingen 886. Fues. n. 1. 60

Siecke, E., Beiträge zur genaueren Erkenntnis der Mondgottheit bei den Griechen. 4. (27 S.) Berlin 885. Gaertner. n. 1. —

— de Niso et Scylla in aves mutatis. gr. 4. (18 S.) Berlin 884. Gaertner. n. 1. —

Siedamgrotzky, O., u. v. **Hofmeister,** Anleitung zur mikroskopischen u. chemischen Diagnostik der Krankheiten der Hausthiere f. Thierärzte u. Landwirthe. 2. Aufl. Mit 56 Orig.-Holzschn. gr. 8. (IV, 227 S.) Dresden 884. G. Schönfeld's Verl. n. 4. 50

Siede, Jul., syntaktische Eigentümlichkeiten der Umgangssprache weniger gebildeter Pariser, beobachtet in den Scènes populaires v. Henri Monnier. gr. 8. (67 S.) Berlin 885. Mayer & Müller. n. 1. 60

Siedel, Ernst, Predigt üb. Evangelium St. Matthäi 10, 16—22, am 18. u. 19. Sonntage nach Trinitatis 1884 in den Kirchen zu Somsdorf u. Tharandt geh. gr. 8. (12 S.) Dresden 884. H. J. Naumann. n. — 20

— Predigt, am Jubeltage der Luther-Feier den 11. November 1883 in der Kirche zu Tharandt geh. gr. 8. (13 S.) Ebend. 883. n. — 20

— Predigt am Kirchweihfeste, Montag, den 26. Octbr. 1885 in der Kirche zu Tharandt geh. gr. 8 (13 S.) Ebend. 885. n. — 20

— Predigt, am Reformationsfeste den 31. Octbr. 1884 üb. 2. Corinther 13, 5 in der Kirche zu Tharandt geh. gr. 8. (15 S.) Ebend. 884. n. — 20

Siedler, Johanna, history of english literature for the use of ladies' schools and seminaries. — Leitfaden f. den Unterricht in der engl. Litteraturgeschichte f. höhere Töchterschulen u. Lehrerinnenseminarien. 2. Aufl. 8. (VIII, 112 S.) Weimar 884. A. Krüger. geb. n. 1. 20

— readings from the best English authors in poetry and prose. For the use of schools and of private students. Lex.-8. (VI, 396 S.) Berlin 886. Winckelmann & Söhne. n. 3. —

Siedmogrodzki, Henriette v., aus dem Leben. Novellen. 8. (236 S.) Berlin 886. Issleib. n. 3. —; geb. n. 4. —

Sieg, Geschichte d. Dragoner-Regiments Prinz Albrecht v. Preußen [Litthauisches] Nr. 1. 1867—1881. Mit e. (lith.) Portr., Illustr. in Farbendr., Holzschn. u. e. (lith.) Uebersichtskarte. gr. 4. (VIII, 299 S.) Berlin 883. Mittler & Sohn. n. 12. —

Siegel, die westfälischen, d. Mittelalters. Mit Unterstützg. der Landstände der Provinz hrsg. vom Verein f. Geschichte u. Altertumskunde Westfalens. 2. Hft. 1. Abtlg. Fol. Münster 885. (Regensberg.) n.n. 15. — (I. u. II. 1.: n.n. 55. —)

Die Siegel der Bischöfe, bearb. v. G. Tumbült. (VII, 32 u. 14 S. m. 24 Lichtdr.-Taf.)

Siegel, Gust., der deutsche Weinhandel im Banne der Chemie. Eine Abhandlg. zum neuen Weingesetze. gr. 8. (28 S.) Mainz 885. Diemer. n. — 50

Siegel, Heinr., deutsche Rechtsgeschichte. Ein Lehrbuch. gr 8. (XII, 474 S.) Berlin 886. Vahlen. n. 9. —; geb. n. 11. —

— die rechtliche Stellung der Dienstmannen in Oesterreich im 12. u. 13. Jahrh. Lex.-8. (54 S.) Wien 883. (Gerold's Sohn.) n. — 80

Siegel, Max, die gesammten Materialien zu der Rechtsanwaltsordnung vom 1. Juli 1878. gr. 8. (VIII, 692 S.) Leipzig 883. Roßberg. n. 13. 60

Siegel, Thdr., die Gewerbeordnung f. das Deutsche Reich nach der Redaktion d. Reichsgesetzes u. der Bekanntmachung vom 1. Juli 1883. Mit erläut. geschichtl. u. sonst. Anmerkgn., sowie e. ausführl. Sachregister versehen. gr. 8. (VIII, 101 S.) Bernburg 883. Bacmeister. n. 1. —

— das Unfallversicherungsgesetz vom 6. Juli 1884 m. e. geschichtl. u. sonst. zum Verständniß d. Gesetzes dien. Einleitg. u. sachgemäßen Erläutergn. aus dessen amtl. Unterlagen, sowie m. e. vollständ. leicht orientir. Register versehen. 8. (VIII, 262 S.) Berlin 884. W. & S. Löwenthal. n. 1. 50

Sieger, zwei. 8. (4 S.) Barmen 883. (Wiemann.) — 3

Siegert, Geo., Siegfried's Tod. Tragödie in 3 Aufzügen. 8. (96 S.) München 887. J. A. Finsterlin. n. 1. —

Siegert, W., die Förderung der Gesundheit durch Lehrer u. Lehrervereine. Vortrag. gr. 8. (48 S.) Berlin 884. Nicolai's Verl. n. — 80

— die Naturheilkunde in ihren Anwendungsformen u. Wirkungen. Nach den ärztl. Grundsätzen v. H. Canitz auf Veranlassg. d. deutschen Vereins f. volksverständl. Gesundheitspflege u. f. Naturheilkunde bearb. Mit 9 Fig. 8. (III, 87 S.) Leipzig 886. Th. Grieben. n. 1. 20

Siegeth, L., allgemeines deutsches Handelsgesetzbuch [ohne das 5. Buch vom Seehandel] in dem Wortlaute, in welchem dasselbe nach der Publikation d. Reichsgesetzes vom 18. Juli 1884, betr. die Kommanditgesellschaften auf Aktien u. die Aktiengesellschaften in Gültigkeit tritt, m. e. geschichtl. Einleitg. u. m. Anmerkgn. üb. die Aendergn., Zusätze u. Streichgn., die es durch die Gesetzgebg. d. Norddeutschen Bundes u. d. Deutschen Reiches erfahren hat u. üb. die Bundes- bez. Reichsgesetze, auf deren Grund diese Aendergn. eingetreten sind, sowie m. e. vollständ. u. ausführl. Sachregister. 8. (VII, 320 S.) Leipzig 884. Verlags-Institut. n. 2. 50; geb. n. 3. —

Siegfried. Illustrierter Kalender f. 1887, hrsg. v. P. F. Krell. Lex.-8. (81 S.) Stuttgart, G. Weise. n. 1. —

— Zeitschrift f. volksthüml. Dichtg. u. Wissenschaft. Hrsg. unter Mitwirkg. hervorrag. Schriftsteller. 1. Jahrg. 1885. 12 Hfte. gr. 8. (1. Hft. 64 S.) Beerfelden 885. Meinhard. n. 3. —; einzelne Hfte. n. — 30

— dasselbe. 2. Jahrg. 1886. 12 Hfte. gr. 8. (1. Hft. 68 S.) Ebend. 885. n. 4. —; einzelne Hfte. à n. — 35

Siegfried, C., Lehrbuch der neuhebräischen Sprache u. Litteratur, s.: Strack, H. L.

Siegfried, R., die Börse u. die Börsengeschäfte, s.: Saling's Börsen-Papiere.

— die Rechte der Aktionäre u. der Schutz ihrer Interessen nach dem neuen Aktiengesetz vom 18. Juli 1884. Eine Erläuterg. d. Aktiengesetzes u. zugleich Ergänzg. zu Saling's Börsenpapiere. 8. (III, 63 S.) Berlin 884. Haude & Spener. n. 1. —

Siegfried, Sam. Albr., Blätter aus der Mappe e. Heimgegangenen. Schriftbetrachtungen. 8. (VIII, 192 S.) Basel 886. Spittler. n. 1. 60

Siegfried, Traug., das Wirthshaus. Von der gemeinnütz. Gesellschaft der Stadt Basel ausgeschriebene u. gekrönte Preisschrift. 3. Aufl. gr. 8. (71 S.) Basel 883. Riehm. — 60

Siegheim, Max, Beiträge zur Kenntniss der Retinitis pigmentosa unter besond. Rücksichtnahme auf die Aetiologie. gr. 8. (68 S.). Breslau 886. (Köhler.) n. 1. —

Siegl, Jul. Ritter v., Panorama v. der Cerna Perst in der Wochein [1845 m]. Hrsg. vom österreich. Touristen-Club in Wien. Lith. qu. schmal Fol. Wien 886. (Bretzner & Co.) n. 1. 60

— Schattenconstructionen an Umdrehungskörpern m. Rücksicht auf die praktischen Bedürfnisse im Architektur- u. im kunstgewerblichen Fachzeichnen. Mit 1 Fig.-Taf. gr. 8. (29 S.) Wien 886. Hölder. n. 1. —

Siegle, D., die Geschäfte der nichtstreitigen Gerichtsbarkeit in Württemberg m. Ausnahme d. Inventur- u. Teilungswesens u. der Führung der Handels- u. Standesregister. Für den Unterrichtskursus der Notariatskandidaten bearb. 2. Aufl. gr. 8. (VIII, 382 S.) Stuttgart 886. Kohlhammer. n. 3. 60; geb. n. 4. 30

— Gesetze u. Verordnungen üb. das in Württemberg geltende Pfandrecht, die dazu gehörige Führung der öffentlichen Bücher u. die Zwangsvollstreckung in das unbewegliche Vermögen. gr. 8. (VI, 372 S.) Ebend. 885. n. 4. 30

— das allgemeine deutsche Handelsgesetzbuch nebst dem

Württ. Einführungsgesetz, die Reichsgesetze üb. d. Genossenschaften, den Marken- u. Musterschutz, die allgemeine deutsche Wechselordnung, sowie die Gesetze u. Vorschriften üb. Führung d. Handels- ꝛc. Registers, die Wechselstempelsteuer, Reichsstempelabgaben u. die Errichtung v. Handels- u. Gewerbekammern. 8. (VII, 333 S.) Stuttgart 885. Kohlhammer. n. 1. 80

Siegle, D., das württ. Notariatssportelgesetz vom 8. Juni 1883 u. die Gebührenregulative im Gebiete der freiwilligen Rechtspflege ꝛc. Zum Gebrauch der Gerichte, Notare, Gemeindebehörden ꝛc. bearb. 3., völlig umgearb. Aufl. der Sporteltabellen. 8. (VI, 272 S.) Stuttgart 883. Kohlhammer. geb. n. 4. —

Siegler, Aug., Lehrstoff-Verteilung zum Gebrauche f. die einklassige, sowie die Oberstufe der zwei- u. dreiklassigen Schule. [Im Anschluß an die bibl. Geschichten v. Römheld u. Giebe u. das Lesebuch v. Gabriel u. Supprian Ausg. A u. C] gr. 8. (74 S.) Bielefeld 885. Velhagen & Klasing. n. — 75

Siegmeth, Karl, kurzgefasster Führer f. Kaschau, das Abauj-Torna-Gömörer Höhlengebiet u. die ungarischen Ostkarpathen. Mit 1 Orientirungskarte, dem Plane der Aggteleker Höhle u. 16 Illustr. 12. (VIII, 161 S.) Kaschau 885. Maurer. geb. n. 4. —

— aus der Hegyalja ins Vihorlátgebirge. Mit 2 (Lichtdr.-)Beilagen. gr. 8. (41 S.) Igló. Ebend. n. 1. —

Siegrist, K. Th., die evangelische Gemeinde in Säckingen nach 25jährigem Bestand, s.: Bruderliebe, evangelische.

Siehe das Herz, das die Menschen so sehr geliebt hat. Ein Ruf d. göttl. Heilandes, den Monat Juni der besonderen Verehrg. seines heil. Herzens zu weihen. Von B. M. v. B. 32. (23 S.) Aachen 886. A. Jacobi & Co. — 9

— ich verkündige euch große Freude, denn euch ist heute der Heiland geboren. 4 Chorknaben in Blumen. Chromolith. 12. Leipzig 883. (Baldamus Sep.-Cto.) n. 1. 20

Sieker, H. J., warum kann e. Christ an den weltüblichen Vergnügungen sich nicht betheiligen? Predigt. 8. (15 S.) New York 884. (Dresden, H. J. Naumann.) n. — 30

— die gesegnete Wirksamkeit der treulutherischen Kirche unseres Landes. Predigt. 8. (19 S.) Ebend. 883. n. — 40

Siekmann, H., die Quartierleistung, sowie die Naturalleistungen f. die bewaffnete Macht im Frieden. Systematisch geordnete Zusammenstellg. der die Quartier- u. Naturalleistgn. f. das deutsche Heer im Frieden regelnden gesetzl. Vorschriften, der Ausführungs-Bestimmgn. u. der ergänz. u. erläut. Erlasse der obersten Verwaltungs-Behörden. gr. 8. (VIII, 176 S.) Berlin 883. Bath. n. 2. —

Siem, Paul, üb. die Wirkung d. Aluminiums u. d. Berylliums auf den thierischen Organismus. gr. 8. (55 S.) Dorpat 886. (Karow.) 1. 50

Siemens, Frdr., Heizverfahren m. freier Flammen-Entfaltung. Mit 6 lith. Taf. gr. 8. (31 S.) Berlin 885. Springer. n. 2. 40

— über die Vortheile der Anwendung hoch erhitzter Luft f. die Verbrennung im Allgemeinen, sowie im Besonderen in Bezug auf die Verbrennung v. Leichen u. die Zerstörung organischer Ueberreste. Vortrag. Geh. im Vortragspavillon der allgemeinen deutschen Ausstellg. auf dem Gebiete der Hygiene u. d. Rettungswesens am 11. Septbr. 1883. 8. (40 S. m. Fig.) Berlin 883. Polytechn. Buchh. n. 1. —

Siemens, Geo., die Lage d. Chequewesens in Deutschland. Referat, geh. im deutschen Handelstage am 15. Decbr. 1882. gr. 8. (24 S.) Berlin 883. Springer. n. — 60

Siemens, Werner, das naturwissenschaftliche Zeitalter. Vortrag. gr. 8. (20 S.) Berlin 886. C. Heymann's Verl. n. — 80

Siemens, Will., üb. die Erhaltung der Sonnen-Energie. Eine Sammlg. v. Schriften u. Discussionen. Aus dem Engl. übers. v. C. E. Worms. Mit 6 Holzschn. u. 1 lith. Taf. gr. 8. (XI, 156 S.) Berlin 885. Springer. n. 4. —

— einige wissenschaftlich-technische Fragen der Gegenwart. 2. Folge. [Ueber die neuesten Errungenschaften der Wissenschaften. Ueber die elektr. Beleuchtg. Der elektr. Schmelzofen.] gr. 8. (III, 120 S.) Berlin 883. Springer. n. 2. 40 (1. u. 2.: n. 5. 40)

Siemens, Sir William, als Erfinder u. Forscher, s.: Obach, E.

Siemers v. Ostermann, F., Erinnerungen an den fernen Westen. 8. (V, 100 S.) Dresden 883. (Pierson.) n. 2. —

Siemiradzki, Jos., e. Beitrag zur Kenntniss der typischen Andesitgesteine. gr. 8. (33 S. m. 1 chromolith. Karte.) Dorpat 885. (Karow.) n. 1. 50

— die geognostischen Verhältnisse der Insel Martinique. Inaugural-Dissertation. gr. 8. (39 S. m. 1 Steintaf. u. 1 chromolit. Karte.) Ebend. 885. n. 1. —

Siemssen, Herm. Jul., aus meinen Mußestunden. 8. (128 S.) Hamburg 885. O. Meißner's Verl. cart. n. 2. —

Sienkiewicz, H., um's liebe Brod, s.: Familien-Bibliothek.

Siering, Emil, Pilgerfahrt der 5. Münchener Carawane nach Jerusalem u. Rom im Frühjahr 1882. 2. Aufl. gr. 8. (VIII, 176 S. m. Holzschn.) Rüdesheim 883. (Wiesbaden, Moritz & Münzel.) n. 2. 50

Sieveking, Amalie Wilhelmine, Vermächtniß f. meine jungen Freundinnen. 4. Abdr. aus den Unterhaltgn. üb. die heil. Schrift. 16. (90 S.) Dresden 885. Dieckmann. geb. m. Goldschn. n. 1. 50

Sieveking, Elis., Blumen am Pilgerwege. 8 (chromolith.) Blätter. gr. 8. Hamburg 885. Agentur d. Rauhen Hauses. In Leinw.-Mappe. n. 8. —; einzelne Blätter à 1. 20; auch in 2 Serien à 4 Blatt à n. 4. —

— die Seligpreisungen der Bergpredigt. 8 Blätter. Chromolith. gr. 4. Ebend. 884. In Leinw.-Mappe. n. 10. —

Sievers, E., angelsächsische Grammatik, — Grundzüge der Phonetik, } s.: Sammlung kurzer Grammatiken germanischer Dialekte.

— Proben e. metrischen Herstellung der Eddalieder. gr. 4. (80 S.) Halle 885. (Niemeyer.) n. 3. 60

— Tübinger Bruchstücke der älteren Frostuthingslög, hrsg. gr 4. (52 S.) Ebend. 886. n. 3. —

Sievers, H., das Staatsrecht der freien Hansestadt Bremen, s.: Handbuch des öffentlichen Rechts der Gegenwart.

Sievers, J., kurzgefaßtes planimetrisches Wiederholungsheft. [Mit 1 lith. Taf.] 8. (IV, 24 S.) Frankenberg 888. Roßberg. n. — 50

Sievers, Wilh., üb. die Abhängigkeit der jetzigen Confessionsverteilung in Südwestdeutschland v. den früheren Territorialgrenzen. Mit e. Karte 1 : 700,000 (in qu. gr. Fol.). gr. 4. (VI, 61 S.) Göttingen 884. Peppmüller. n. 4. —

Sievert, Herm., Leitfaden f. Uhrmacher-Lehrlinge. Anleitung f. das Selbststudium der Lehrlinge u. Hülfsmittel zur Ergänzg. d. Lehr-Unterrichts der Prinzipale m. Anh.: Zeichenunterricht f. Uhrmacher. Vom Centralverbande der deutschen Uhrmacher prämiirt. 3. Aufl. (In 5 Lfgn.) gr. 8. (VIII, 307 S. m. Holzschn. u. 3 Steintaf.) Berlin 884. Kühl. n. 5. —; geb. n. 6. —

Sifferath, Bernh., kurze Unterweisungen üb. das fünffache Scapulier, das Stationskreuzchen, die frommen Gegenstände, m. denen die päpstl. Ablässe verbunden sind, sowie üb. die Hauptarten d. Rosenkranzes, nebst ausführl. Angabe der vollkommenen u. unvollkommenen Ablässe, die mittelst der genannten frommen Gegenstände v. den Gläubigen gewonnen werden können. 2. Aufl. 16. (82 S.) Trier 886. Paulinus-Druckerei. n. — 40

Sigismund, Rhold., die Aromata in ihrer Bedeutung f. Religion, Sitten, Gebräuche, Handel u. Geographie d. Alterthums bis zu den ersten Jahrhunderten unserer Zeitrechnung. gr. 8. (VI, 234 S.) Leipzig 884. C. F. Winter. n. 2. 50

Signalbuch, internationales. Amtliche Ausg. f. die deutsche Kriegs- u. Handels-Marine. Hrsg. vom Reichsamt d. Innern. 2. Aufl. gr. 8. (XX, 795 S. m. 4 chromolith. Flaggenkarten.) Berlin 884. G. Reimer. geb. n. 11. —

— für die Reichs-Eisenbahnen in Elsass-Lothringen. 12. (75 S. m. eingedr., z. Thl. color. Fig.) Berlin 883. C. Heymann's Verl. geb. n. 2. —

Signale f. die musikalische Welt. Red.: Bartholf Senff. 41—44. Jahrg. 1883—1886. à 52 Nrn. (à 1/2—1 B.) gr. 8. Leipzig, Senff. à Jahrg. n. 6. —

— Wiener. Wochenschrift f. Theater u. Musik. Hrsg.: Ign. Kugel. Red.: Karl Barkóczy. 6. u. 7. Jahrg. 1883 u. 1884. à 52 Nrn. (B.) gr. 4. Wien, (Edm. Schmid). à Jahrg. n.n. 12. —

— dasselbe. 8. u. 9. Jahrg. 1885 u. 1886. à 52 Nrn. (B.) gr. 4. Ebend. 885. à Jahrg. n.n. 8. —

Signalordnung f. die Eisenbahnen Deutschlands. Vom 30. Novbr. 1885. Durchgesehen im Reichs-Eisenbahn-Amt. 12. (57 S. m. color. Fig.) Berlin 886. Ernst & Korn. cart. n.n. 1. 50; schwarz n.n. 1. —

— dasselbe. Große Ausg. m. color. Abbildgn. 8. Aufl. gr. 8. (57 S.) Berlin 886. C. Heymann's Verl. n. 1. 50

— dasselbe. Kleine Ausg. 9. Aufl. 8. (19 S.) Ebend. 886. — 30

— dasselbe. 8. (23 S. m. Illustr.) Berlin 886. Siemenroth. — 30

Signaturen, die gebräuchlichsten, f. topographische Arbeiten. Nach den Musterblättern f. topograph. Arbeiten der königl. preuß. Landes-Aufnahme. gr. 8. (1 Steintaf. m. Text.) Köln 884. Warnitz & Co. n. — 40

Sigwart, Chrph., Vorfragen der Ethik. gr. 4. (48 S.) Freiburg i/Br. 886. Mohr. n. 2. —

Sihler, W., Zeit- u. Gelegenheits-Predigten. gr. 8. (VI, 392 S.) St. Louis, Mo. 883. (Dresden, H. J. Naumann.) n. 4. 80

Siking, Frz., e. Kampf m. der „Gartenlaube". gr. 8. (54 S.) Zürich. 887. Verlags-Magazin. n. — 60

— des Nordlands Königstochter. Eine epische Märchendichtg. 16. (III, 151 S.) Frankfurt a/M., 884. Sauerländer. geb. m. Goldschn. n. 3. —

— die Rose v. Urach. Historischer Roman. 2 Bde. 2. Aufl. gr. 8. (475 S.) Leipzig 884. W. Besser. n. 4. —; in 1 Bd. geb. n. 5. 50

Siklósy, J., Eisenbahngeschichten, s.: Universal-Bibliothek.

Silberberg, Nathan, die Incubation u. Verbreitungsweise der Masern m. Rücksicht auf e. selbsterlebte Epidemie. gr. 8. (82 S.) Breslau 885. (Köhler.) n. 1. —

Silberer, Vict., im Ballon! Eine Schilderg. der Fahrten d. Wiener Luftballons „Vindobona" im J. 1882, sowie der früheren Wiener Luftfahrten [1791 bis 1881], weiters e. Beschreibg. der bedeutendsten u. interessantesten Ascensionen, die überhaupt je stattgefunden haben, u. endlich e. Aufzählg. aller jener Luftfahrten, bei denen Menschenleben zum Opfer gefallen sind. Mit 14 (Holzschn.-)Abbildgn. 8. (VIII, 324 S.) Wien 883. Verlag der Allgem. Sport-Zeitung. geb. n. 5. 40

— April-Kalender 1886. 16. (18 S.) Ebend. n. — 60

— Handbuch der Athletik u. d. Trainings f. alle Sportzweige. Mit 8 Illustr. 8. (VIII, 275 S.) Ebend. 885. geb. n. 5. 40

— Herbst-Kalender 1886. 16. (83 S.) Ebend. n. 2. —

— Juni-Kalender. 16. (63 S.) Ebend. 886. n. 2. —

— der Luftballon. Eine Geschichte der Luftschifffahrt u. e. Beschreibg. der im J. 1882 m. dem Ballon „Vindobona" unternommenen Wiener Luftschifffahrten. 3. Aufl. gr. 8. (58 S.) Ebend. 883. n. 1. —

— die Luftfahrten d. Ballons „Vindobona" in Budapest 1883. gr. 8. (25 S.) Ebend. 883. n. — 80

— Mai-Kalender. 16. (43 S.) Ebend. 886. n. 1. —

— October-Kalender 1886. 16. (88 S.) Ebend. n. 2. —

— Traberbuch f. 1886. 16. (VII, 130 S.) Ebend. 886. geb. 5. 40

— Turf-Lexikon enth. alle gebräuchlichen Fachausdrücke m. eingehenden Erläuterungen, sowie die Namen bekannter u. berühmter Rennpferde m. Angabe ihrer Abstammung, ihrer Besitzer u. ihrer Leistungen etc. 8. (VIII, 318 S.) Ebend. 884. geb. n. 5. 40

— u. Otto Baron **Dewitz,** Handbuch f. Hindernissreiter. 8. (VIII, 237 S.) Ebend. 886. geb. n. 5. 40

— u. George **Ernst,** Handbuch d. Bicycle-Sport. Mit 124 (Holzschn.-)Illustr. 8. (336 S.) Ebend. 883. geb. n. 5. 40

Silberer, Vict., u. Geo. **Ernst,** Sport-Geschichten. Frei aus dem Engl. u. Franz. 8. (VIII, 252 S.) Wien 884. Verlag der Allgem. Sport-Zeitung. geb. n. 5. 40

— — das Training d. Rennpferdes. 8. (VII, 244 S.) Ebend. 883. geb. n. 5. 40

— — das Training d. Trabers. 8. (X, 218 S.) Ebend. 883. geb. n. 5. 40

Silberhuber, A., u. J. **Rabl,** Führer auf den Semmering u. Umgebung, s.: Touristen-Führer.

Silberkammer, grossherzogl. hessische. Mustergültige Werke alter Edelschmiedekunst aus dem 16—18. Jahrh. Mit Allerhöchster Genehmigg. zusammengestellt u. hrsg. v. Adph. Schürmann u. Ferd. Luthmer. Photograph. Aufnahme u. Lichtdr. v. Kühl & Co., Frankfurt a. M. 5 Lfgn. Fol. (à 5 Taf. m. 5—7 Bl. Text.) Darmstadt 884. Bergsträsser. à n. 7. —

Silbermann, Osc., Recept-Taschenbuch f. Kinder-Krankheiten. 8. (V, 114 S.) Breslau 884. Koebner. n. 2. —; geb. n. 2. 50

Silbernagl, Isidor, Johannes Trithemius. Eine Monographie. 2., m. e. Anh. verm. Aufl. gr. 8. (VIII, 263 S.) Regensburg 885. Verlags-Anstalt. n. 4. —

Silberschmidt, Willy, die Commenda in ihrer frühesten Entwicklung bis zum XIII. Jahrh. Ein Beitrag zur Geschichte der Commandit- u. der stillen Gesellschaft. M. e. Vorwort v. L. Goldschmidt. gr. 8. (VIII, 142 S.) Würzburg 884. Stuber's Verl. n. 3. 50

Silberstein, Adf., Strategie der Liebe. Studien. 2. Aufl. 8. (216 S.) Berlin 884. Eckstein Nachf. n. 3. —

Silberstein, Aug., das Engerl im See, s.: National-Bibliothek, deutsch-österreichische.

— landläufige Geschichten aus Dorf, Stadt u. Alm. 2 Bde. 2. Aufl. 8. (329 u. 295 S.) Leipzig 886. Unflad. à n. 3. 60

— Haus-Chronik im Blumen- u. Dichter-Schmuck. Blumen von Marie v. Beckendorff, Auguste Reichelt u. A. 3. Aufl. 8. (208 S. m. 18 Chromolith.) Altona 884. Send. geb. 10. —

— die Rosenzauberin. Erzählendes Gedicht. 12. (III, 134 S.) Leipzig 884. Friedrich. n. 3. —

— Frau Sorge. Eine Märchen-Dichtg. 12. (68 S.) Ebend. 886. geb. m. Goldschn. n. 2. 50

Silberstein, M., das geistliche Amt — e. Hirtenamt. Antritts-Predigt bei seiner feierl. Einführg. als Stadt- u. Bezirksrabbiner in Wiesbaden. Geh. am 17. Mai 884. gr. 8. (15 S.) Wiesbaden 884. Rodrian. n. — 50

Silberstein, Max, das Amt d. Vormunds u. d. Gegenvormunds in seiner practischen Uebung u. Bethätigung, gemeinfasslich erläutert u. dargestellt. gr. 8. (67 S.) Minden 883. Bruns. n. 1. —

Silesius, Angelus, geistliche Vergißmeinnicht. Eine Auswahl der schönsten u. geistreichsten Sinnreime. Hrsg. von Chrph. v. Schmid. Mit Titelbild. 8. (120 S.) Regensburg 886. Verlags-Anstalt. n. — 50

Silesius, F., sie weint, s.: Kühling's, A., Album f. Liebhaber-Bühnen.

Silex, Paul, üb. Chorea adultorum u. Tremor senilis. [Aus der Krankenabtheilg. d. Breslauer städt. Armenhauses.] gr. 8. (39 S.) Breslau 883. (Köhler.) n. 1. —

Sillem, C. H. W., die Einführung der Reformation in Hamburg, s.: Schriften d. Vereins f. Reformationsgeschichte.

Siloti, C. X., s.: Klassiker-Bibliothek der bildenden Künste.

Sima, J., Wanderungen durch Krain, s.: Volks- u. Jugend-Bibliothek.

Simar, Hub. Theophil., die Lehre vom Wesen d. Gewissens in der Scholastik d. 13. Jahrh. Ein Beitrag zur Geschichte der Ethik. 1. Thl.: Die Franciscanerschule. gr. 4. (32 S.) Freiburg i/Br. 885. Herder. n. 1. 50

— die Theologie d. heiligen Paulus. Uebersichtlich dargestellt. 2. Aufl. gr. 8. (XII, 284 S.) Ebend. 883. n. 3. 40

Šimerka, B., Dampfkessel u. Dampfmaschinen u. ihre Wartung, f. Wärter u. Besitzer v. Dampfkesseln u. Dampfmaschinen, f. Werkführer, Beamte u. Arbeiter in Fabriken m. Dampfbetrieb. Mit 72 Holzschn. gr. 8. (IV, 177 S.) Pilsen 884. Steinhauser. n. 2. —

Šimerka, Wenzel, die Kraft der Ueberzeugung. Ein mathematisch-philosoph. Versuch. Lex.-8. (63 S.) Wien 883. (Gerold's Sohn.) n. 1. —

Simiginowicz-Staufe, Ludw. Adf., die Völkergruppen der Bukowina. Ethnographisch-culturhistor. Skizzen. 8. (VII, 203 S.) Czernowitz 884. (Pardini.) n.n. 2. —

Simmank, G., Materialien f. die schriftlichen Aufsätze in den Mittelklassen der Volksschule. Im Anschluß an Lectüre u. Sachunterricht. gr. 8. (X, 115 S.) Großenhain 884. (Hentze.) n. 1. 50

Simmerlein, R., das Kürzungswesen in der stenographischen Praxis nach dem Stolzeschen System. 3. Aufl. 8. (XXII, 84 S.) Berlin 885. Mittler & Sohn. cart. n. 2. 40

— praktische Übungen f. Stenographen. Eine Ergänzg. zu dem „Kürzungswesen" desselben Verf. 8. (46 S., wovon 24 autogr.) Ebend. 883. n. — 60

Simon, Instruktion f. den Einjährig-Freiwilligen der Infanterie. Bearb. zum Gebrauch f. den Landwehr-, Reserve-Offizier u. Reserve-Offizier-Aspiranten. Mit vielen in den Text gedr. Holzschn. u. 1 lith. Taf. 4., m. Berücksicht. der Garnisondienst- u. Schieß-Instruktion v. 1884 umgearb. Aufl. gr. 8. (VIII, 193 S.) Berlin 885. Bath. n. 2. 25

Simon, Ant., das Hautskelet der arthro-gastrischen Arachniden. Mit 2 (lith.) Taf. gr. 8. (14 S. m. 2 Bl. Erklärgn.) Salzburg 878. (Dieter.) n.n. 2. —

Simon, B., u. P. N. **Friderici,** Materialienkunde zum Gebrauche f. Eisenbahnen, mechanische Werkstätten, Gewerbeschulen, Gewerbetreibende u. Kaufleute. gr. 8. (VI, 424 S. m. 1 Tab.) Lahr 884. Schauenburg. n. 7.—

Simon, Ed., Kaiser Wilhelm u. sein Reich. Autoris. deutsche Ausg. Aus dem Franz. gr. 8. (VIII, 483 S.) Jena 887. Costenoble. n. 6. —; geb. n. 8. —

Simon, Ferd., die Sexualität u. ihre Erscheinungsweisen in der Natur. Versuch e. krit. Erklärg. gr. 8. (77 S.) Breslau 883. (Jena, Deistung.) n. 1. 60

Simon, Fritz, die deutsche Frage. gr. 8. (49 S.) Lindau 884. Ludwig. n. 1. —

Simon, H., Grundzüge der Mythologie der Griechen u. Römer. 4. Aufl. gr. 8. (32 S.) Schmalkalden 883. Wilisch. n. — 50; geb. n. — 65

Simon, H. O., Aufgaben zum Uebersetzen in das Lateinische f. Sexta, Quinta u. Quarta. 9. Aufl. gr. 8. (110 S.) Berlin 886. Dümmler's Verl. n. 1. —

— deutsche Übungsbeispiele zum Übersetzen in das Lateinische f. Sexta, Quinta u. Quarta. [Auszug aus den Aufgaben desselben Verf.] 7. Aufl. [Anhang zum latein. Lesebuch v. Gedike.] gr. 8. (42 S.) Gütersloh 885. Bertelsmann. n. — 20

Simon, Herm. Veit, die Bilanzen der Aktiengesellschaften u. der Kommanditgesellschaften auf Aktien. gr. 8. (XII, 244 S.) Berlin 886. Guttentag. n. 5. 50; geb. n. 6. —

— Reichsgesetz, betr. die Kommanditgesellschaften auf Aktien u. die Aktiengesellschaften, s.: Keyßner, H.

Simon, Jac., zur Inschrift v. Gortyn. gr. 8. (95 S.) Wien 886. Gerold's Sohn. n. 2. —

Simon, Max, die Elemente der Arithmetik als Vorbereitung auf die Functionentheorie. gr. 8. (VIII, 77 S.) Strassburg 884. Schultz & Co. Verl. n. 1. 20

— Geometrie f. höhere Bürgerschulen [Mittelschulen] u. Lehrer-Seminarien. Ein method. Leitfaden in heurist. Darstellg. Mit 97 in den Text gedr. Abbildgn. 2. verb. u. durch „Elemente der Trigonometrie u. Stereometrie" verm. Aufl. gr. 8. (IV, 79 S.) Breslau 883. F. Hirt. n. 1. —

— französische Konjugations-Tabelle zur leichten u. sichern Selbst-Einübung der unregelmässigen Verben. 12. (15 S. auf Carton.) Berlin 886. (Latte.) n. — 25

— methodischer Leitfaden der Geographie. Ein Wiederholungsbuch f. Schüler in übersichtl. Darstellg. 5. verb. u. verm. Aufl. 8. (IV, 76 S.) Berlin 884. Spaeth. cart. n. — 70

Simon, Osk., die deutsche Reichsbank in den J. 1876—1883. Eine statist. Uebersicht üb. deren Geschäfts-Entwicklg., nebst e. Commentar zum deutschen Bankgesetz vom 14. März 1875. gr. 8. (XII, 92 S.) Minden 884. Bruns. n. 2. —

Simon, Wilh., altdeutsche Volkslieder, nach Melodien aus F. M. Böhme's „Altdeutsches Liederbuch" f. vierstimm. Männerchor gesetzt. qu. 8. (12 S.) Neuwied 885. Heuser's Verl. n. — 35

Simonides, Johannes. Ein Bild aus der Zeit der Verfolggn. der Evangelischen in Ungarn. Nach seiner eigenen Beschreibg. aus dem J. 1675. 8. (31 S.) Hermannsburg 883. Missionshausdruckerei. n. — 20

Simons, E., die Aufhebung d. Edikts v. Nantes. Predigt. 8. (13 S.) Leipzig 885. Dürr'sche Buchh. n. — 40

— wir sind d. Herrn. Predigt. am Todtenfest in der evangelisch-reformirten Kirche zu Leipzig. 8. (12 S.) Ebend. 885. n. — 40

— Predigt zur Gedächtnißfeier Luther's in der evangelisch-reformirten Kirche zu Leipzig am 11. Novbr. 1883. gr. 8. (12 S.) Leipzig 883. F. C. W. Vogel. n.n. — 50

— ein Rückblick auf die Seligpreisungen am Bußtag. Predigt geh. in der evangelisch-reformirten Kirche zu Leipzig. gr. 8. (16 S.) Leipzig 884. Dürr'sche Buchh. — 30

Simonsfeld, H., die Deutschen als Colonisatoren in der Geschichte. Mit e. Vorwort von Frz. v. Holtzendorff. gr. 8. (VI, 34 S.) Hamburg 885. J. F. Richter. n. 1. —

Simonson, F., Richard Cobden u. die Antikornzolliga, sowie ihre Bedeutg. f. die wirthschaftlichen Verhältnisse d. Deutschen Reiches. gr. 8. (64 S.) Berlin 883. Dümmler's Verl. n. 1. —

— Joseph v. Sonnenfels u. seine „Grundsätze der Polizei". gr. 8. (57 S.) Leipzig 885. Friedrich. n. 1. —

Simony, Friedr., Gletscherphänomene. 1 Blatt in Lichtdr. qu. gr. Fol. Nebst begleit. Text. Lex.-8. (24 S.) Wien 883. Hölzel. n. 4. —

Simony, Osk., üb. spiritistische Manifestationen vom naturwissenschaftlichen Standpunkte. gr. 8. (48 S.) Wien 884. Hartleben. n. 1. 10

— über e. Reihe neuer mathematischer Erfahrungssätze. [Fortsetzung u. Schluss.] Lex.-8. (32 u. 36 S.) Wien 883. (Gerold's Sohn.) n. 2. 60 (cplt.: n. 4. 10)

— über zwei universelle Verallgemeinerungen der algebraischen Grundoperationen. Lex.-8. (106 S.) Ebend. 885. n. 1. 60

Simonyi, Iván v., der Judaismus u. die parlamentarische Komödie. Rede üb. die Täuschgn. u. die nothwend. Reform unseres modernen Repräsentativsystems, geh. bei Gelegenheit der Budgetdebatte am 7. Febr. 1882 im ung. Abgeordnetenhause. Mit e. Einleitg.: Die Juden u. die Hohlheit unserer modernen Politik u. Verfassg. gr. 8. (94 S.) Pressburg 883. Heckenast's Nachf. n. 1. 20

Simoutre, N. E., aux amateurs du violon. Historique construction, réparation et conservation de cet instrument. gr. 8. (55 S.) Basel 883. (Bernheim.) n. 2. —

— un progrès en lutherie. Support harmonique. Invention de N. E. S. Illustré de 5 planches. gr. 8. (72 S.) Ebend. 886. n. 3. 20

Simpson, M. Stewart, Blicke nach Osten u. nach Oben. Tägliche Betrachtgn. f. jeden Tag im Monat. Aus dem Engl. v. W. W. 16. (102 S.) Bonn 882. Schergens. n. — 50

Simpson, Rud., die entbitterte Lupine u. ihre Bedeutung f. die Zukunft f. alle Lupine bauenden Gegenden. gr. 8. (16 S.) Graudenz 885. Röthe. n. — 40

Simrock, Karl, das Heldenbuch. 3. Bd. gr. 8. Stuttgart 883. Cotta. n. 9. —

Das kleine Heldenbuch. 4. Aufl. [Walther u. Hildegunde. Alphart. Der hörnerne Siegfried. Der Rosengarten. Das Hildebrandslied. Ortnit. Hugdietrich u. Wolfdietrich.] (XIV, 550 S.)

— altdeutsches Lesebuch in neudeutscher Sprache. 2. Aufl. gr. 8. (XIV, 414 S.) Ebend. 884. n. 5. —

— Rheinsagen aus dem Munde d. Volks u. deutscher Dichter. Für Schule, Haus u. Wanderschaft. 9. Aufl. gr. 8. (XII, 469 S.) Bonn 883. Weber. geb. n. 6. —

— die geschichtlichen deutschen Sagen aus dem Munde d. Volks u. deutscher Dichter. 2. Aufl. 8. (XIX, 515 S.) Basel 886. Schwabe. n. 6. —

— die deutschen Volksbücher. Gesammelt u. in ihrer

ursprüngl. Echtheit wiederhergestellt. (Neue Ausg. in 13 Bdn.) 1. Bd. 8. (XII, 429 S.) Basel 886. Schwabe. n. 2. —

Simroth, Heinr., Schmetterlings-Etiketten f. die deutsche Fauna, nebst Besprechg. der Tiere, Züchtg., Fangarten etc. Fol. (16½ Bog., nebst Text, 15 S. in 4.) Leipzig 884. H. Schultze. n.n. 1. 50

Sims, J. Marion, meine Lebensgeschichte. Hrsg. nach dem Tode d. Verf. v. seinem Sohne H. Marion Sims. Deutsche Ausg., besorgt v. Ludw. Weiss. gr. 8. (XII, 374 S.) Stuttgart 885. Enke. n. 9. —

Simson, Bernh., die Entstehung der pseudo-isidorischen Fälschungen in Le Mans. Ein Beitrag zur Lösg. der pseudo-isidorischen Frage. gr. 8. (V, 138 S.) Leipzig 886. Duncker & Humblot. n. 3. 20

Sinclair, Thom., Humanitätsstudien. Aus dem Engl. übers. v. Hans Schiffert Müller. 8. (XVII, 137 S.) Straßburg 886. Trübner. n. 2. 50

Sindbad, the sailor. Eine anzieh., leichte Lectüre f. Schulen u. Institute. Mit e. bezifferten Wörterbuche v. S. Mauer. 2. Aufl. bearb. v. M. Silberstein. gr. 8. (IV, 80 S.) Quedlinburg 886. Basse. n. 1. —

Sinemus, Karl, die Reformation u. Gegenreformation in der ehemaligen Herrschaft Breisig am Rhein. Ein Beitrag zur Geschichte der evangel. Kirche in den Rheinlanden. Mit Vorwort v. W. Krafft. gr. 8. (IV, 108 S. m. 1 Holzschn. u. 1 Lichtdr.) Barmen 883. Klein. n. 2. —

Sing- u. Betbüchlein f. Kinder ev.-lutherischer Schulen. Mit Beifügg. der Melodien in zweistimm. Satz. 16. Aufl. 8. (IV, 172 S.) St. Louis, Mo. 884. (Dresden, H. J. Naumann.) cart. n. — 75

Singe mit! od. der beliebteste Sängerfreund. Eine reichhalt. Quelle v. Vaterlands-, Soldaten-, Volks- etc. Liedern, bis auf die neueste Zeit fortgeführt v. W. Schardius. 9. Aufl. 32. (XII, 250 S.) Hamburg 884. J. F. Richter. n. — 50

Singer, Heinr., historische Studien üb. die Erbfolge nach katholischen Weltgeistlichen in Oesterreich-Ungarn. gr. 8. (120 S.) Erlangen 883. Deichert. n. 2. 40

Singer, J., humanistische Bildung u. der classische Unterricht. Die beiden Elektren. Zwei Streifzüge in die Gebiete der Pädagogik u. der philologischen Kritik. gr. 8. (IX, 88 S.) Wien 884. (Konegen.) n. 2. —

— Briefe berühmter christlicher Zeitgenossen üb. die Judenfrage. Nach Manuscripten gedr. u. m. Autoris. der Verf. zum 1. Male hrsg., m. biograph. Skizzen der Autoren u. e. Vorworte versehen. Mit 2 Cabinetsschreiben: Sr. Maj. d. Königs v. Württemberg u. Sr. Hoh. d. regier. Herzogs v. Sachsen-Coburg-Gotha. gr. 8. (VII, XLV, 200 S.) Wien 885. O. Frank. n. 3. —

— sollen die Juden Christen werden? Ein offenes Wort an Freund u. Feind. Mit e. Fcsm.-Schreiben Ernest Renan's an den Verf. gr. 8. (VIII, 56 S.) Ebend. 884. n. 1. —

— dasselbe. 2. Aufl. gr. 8. (XV, 143 S.) Ebend. 884. n. 2. —

Singer, J., zur Kenntniss der motorischen Functionen d. Lendenmarks der Taube. [Aus dem deutschen physiolog. Institute der Prager Univ.] Lex.-8. (19 S.) Wien 884. (Gerold's Sohn.) n. — 40

Singer, J., Untersuchungen üb. die socialen Zustände in den Fabrikbezirken d. nordöstlichen Böhmen. Ein Beitrag zur Methodik socialstatist. Beobachtg. gr. 8. (XII, 267 S. m. 5 Tab.) Leipzig 885. Duncker & Humblot. n. 6. —

Singer, Max, dictionnaire des roses ou guide général du rosiériste. 2 tomes. 8. (VI, 439 u. 363 S. m. Holzschntafeln.) Berlin 885. Parey. n. 10. —

Singer, Pet., geistliche Betrachtungs-Uhr. Uebung e. ununterbrochenen innern Umganges m. Jesus Christus in seinem Leben u. Leiden u. in seiner Glorie, nach den 24 Stunden d. Tages u. der Nacht abgetheilt. 4. nach dem Tode d. Verf. f. das christl. Volk umgearb. u. m. e. Gebetbuch verm. Aufl. v. Philibert Seeböck. 16. (III, 428 S. m. 1 Stahlst. u. 1 Steintaf.) Salzburg 883. Pustet. n. 1. —; geb. in Leinw. n. 1. 50; in Ldr. n. 1. 85; m. Goldschn. n. 2. 10; in Chagrinldr. m. Goldschn. n. 2. 50

Singet dem Herrn! Bundesharfe f. evang. Jünglings- u. Männervereine. Hrsg. vom Komitee d. rheinisch-westfäl. [westdeutschen] Jünglingsbundes. 2. Aufl. 8. (VIII, 380 S.) Gütersloh 885. Bertelsmann. n. 1. 80

Singvögerle, a. Aus der Schläsing. Von Philo vom Walde. 12. (XVI, 116 S.) Großenhain 886. Baumert & Ronge. n. 1. 50; geb. n. 2. 50

Sinnett, A. P., die esoterische Lehre od. Geheimbuddhismus. Übersetzung aus dem Engl. gr. 8. (XX, 260 S.) Leipzig 884. (Hinrichs' Verl.) n. 3. 60; geb. n. 4. 50

Sinnsprüche, christliche. 8 Blumenkarten m. religiösen Versen. 24. Leipzig 883. Böhme. n. — 50

Sioda, A., kurzgefaßte lateinische Formenlehre f. die unteren Klassen höherer Lehranstalten [m. Berücksicht. der Grammatik v. Ellendt-Seyffert]. gr. 8. (70 S.) Deutsch-Krone 884. Ziebarth. cart. n. 1. —

Siona. Monatsschrift f. Liturgie u. Kirchenmusik zur Hebg. d. gottesdienstl. Lebens. In Verbindg. m. L. Schoeberlein begründet u. unter Mitwirkg. v. Gelehrten u. Geistlichen, Cantoren u. Lehrern hrsg. v. M. Herold u. E. Krüger. 8—11. Jahrg. 1883—1885. à 12 Nrn. (B.) gr. 8. Gütersloh, Bertelsmann. à Jahrg. n. 5. —

— s.: Reichsplan, der, Gottes m. den Menschen.

Sionsharfe, neue. Red.: Grunau-Görres. Jahrg. 1886. 12 Nrn. (B.) 4. Ueberlingen, (Schoy). n. 3. —

Sippel, Heinr., Beiträge zur medizinischen Statistik der Stadt Bamberg f. die J. 1883 u. 1884 m. besond. Berücksicht. d. Jahrfünfts 1880—1884. gr. 8. (V, 96 S. m. Tab. u. 6 Taf.) Bamberg 885. (Hübscher.) n. 2. —

Sippell, Sooden a. d. Werra u. seine heilkräftigen Soolbäder. Nebst e. Führer durch Soodens Umgebg. v. Avenarius. Mit 2 Karten u. 7 Illustr. 12. (76 S.) Sooden 886. (Celle, Schulze.) n. 1. —

Sirius. Zeitschrift f. populäre Astronomie. Zentralorgan f. alle Freunde u. Förderer der Himmelskunde. Hrsg. unter Mitwirkg. hervorrag. Fachmänner u. astronom. Schriftsteller. Red.: Herm. J. Klein. 17—19. Bd. od. neue Folge 12—14. Bd. Jahrg. 1884—1886. à 12 Hfte. (à 1—1½ B. m. Taf.) gr. 8. Leipzig, Scholze. à Jahrg. n. 10. —

Sirven, Alfr., la Bigame. Zeit-Roman. Autoris. deutsche Uebertragg. v. Hugo Marone. 8. (348 S.) Großenhain 884. Baumert & Ronge. n. 2. 50

Sittard, Jos., zur Einführung in die Aesthetik u. Geschichte der Musik. Zwei Vorträge. gr. 8. (32 S.) Stuttgart 885. Zumsteeg. n. 1. —

— das 1. Stuttgarter Musikfest am 17., 18. u. 19. Juni 1885. Eine krit. Rückschau. gr. 8. (32 S.) Stuttgart 885. Metzler's Verl. n. — 50

Sitterfperger, J. N., Geschichte d. Klosters Osterhofen-Damenstift. 2. Aufl. 8. (IV, 270 S.) Passau 884. Waldbauer. n. 2. —

Sittl, Karl, der Adler u. die Weltkugel als Attribute d. Zeus in der griechischen u. römischen Kunst. gr. 8. (51 S.) Leipzig 884. Teubner. n. 1. 60

— Geschichte der griechischen Literatur bis auf Alexander den Grossen. 1. u. 2. Tl. gr. 8. München, Th. Ackermann. n. 11. 30

1. (VI, 350 S.) 884. n. 4. 80. — 2. (X, 494 S.) 886. n. 6. 50

Situations-Zeichenschlüssel, neuer. 24 (lith.) Blätter m. kurzer Beschreibg. zum Gebrauche f. alle Militärs. 5. Aufl. 16. (4 S.) Wien 883. Seidel & Sohn. n. — 60

Sitzung, die feierliche, der kaiserl. Akademie der Wissenschaften am 30. Mai 1883. gr. 8. (140 S.) Wien 883. (Gerold's Sohn.) n. 1. 40

— dieselbe am 21. Mai 1885. 8. (115 S.) Ebend. 885. n. 1. 40

— dieselbe am 29. Mai 1886. gr. 8. (119 S.) Ebend. 886. n. 1. 80

Sitzungsanzeiger der kaiserl. Akademie der Wissenschaften. Mathematisch-naturwissenschaftl. Classe. Jahrg. 1883—1886. ca. 30 Nrn. Lex.-8. (Nr. 1—4, 29 S.) Wien, (Gerold's Sohn). à Jahrg. n. 3. —

— dasselbe. Philosophisch-histor. Classe. Jahrg. 1883—

1886. à ca. 30 Nrn. Lex.-8. (Nr. 1—4. 13 S.) Wien, (Gerold's Sohn.) à Jahrg. n. 2. —

Sitzungsberichte der mathematisch-physikalischen Classe der k. b. Akademie der Wissenschaften zu München. 1882. 5. Hft. gr. 8. (V u. S. 619—672 m. 1 Steintaf.) München 883. (Franz' Verl.) n. 1. 20 (1885 cplt.: n. 6. —)

— dasselbe. 1883. 3 Hfte. gr. 8. (V, 500 S. m. Lith.) Ebend. 883. 84. à Hft. n. 1. 20

— dasselbe. 1884. 4 Hfte. gr. 8. (VI, 654 S. m. 7 z. Thl. farb. Taf.) Ebend. 884. 85. à Hft. n. 1. 20

— dasselbe. 1885. 4 Hfte. gr. 8. (V, 494 S. m. 5 Steintaf.) Ebend. 885. 86. à Hft. n. 1. 20

— dasselbe. 1886. 1. u. 2. Hft. gr. 8. (S. 1—282 m. eingedr. Fig. u. 5 Steintaf.) Ebend. 886. à Hft. n.n. 1. 20

— dasselbe. Inhaltsverzeichniss zum Jahrg. 1871—1885. gr. 8. (63 S.) Ebend. 886. n.n. 1. 20

— der philosophisch-philologischen u. historischen Classe der k. b. Akademie der Wissenschaften zu München. 1882. 2. Bd. 2. u. 3. Hft. gr. 8. (V u. S. 139—420.) Ebend. 883. à Hft. n. 1. 20

— dasselbe. 1883. 4 Hfte. gr. 8. (V, 652 S.) Ebend. 883. 84. à Hft. n. 1. 20

— dasselbe. 1884. 6 Hfte. gr. 8. (VI, 1102 S. m. 2 Taf.) Ebend. 884. 85. à Hft. n. 1. 20

— dasselbe. 1885. 4 Hfte. gr. 8. (VI, 458 S.) Ebend. 885. 86. à Hft. n. 1. 20

— dasselbe. 1886. 1. u. 2. Hft. gr. 8. (S. 1—316 m. 3 Steintaf.) Ebend. 886. à Hft. n. 1. 20

— dasselbe. Inhaltsverzeichniss zum Jahrg. 1871—1885. gr. 8. (57 S.) Ebend. 886. n.n. 1. 20

— der kaiserl. Akademie der Wissenschaften. Mathematisch-naturwissenschaftl. Classe. 1. Abth. Abhandlungen aus dem Gebiete der Mineralogie, Botanik, Zoologie, Geologie u. Paläontologie. 86. Bd. 3—5. Hft. Lex.-8. (VI u. S. 187—409 m. 1 eingedr. Holzschn. u. 7 lith. Taf.) Wien 883. (Gerold's Sohn.) n. 4. 50 (86. Bd. cplt.: n. 8. 50)

— dasselbe. 87. Bd. 5 Hfte. Lex.-8. (VI, 426 S. m. 3 eingedr. Holzschn. u. 18 Steintaf.) Ebend. 883. n. 9. 80

— dasselbe. 88. Bd. 5 Hfte. Lex.-8. (VI, 1394 S. m. eingedr. Holzschn., 49 Steintaf. u. 4 chromolith. Karten.) Ebend. 883. 84. n. 32. 20

— dasselbe. 89. Bd. 5 Hfte. Lex.-8. (VI, 430 S. m. 16 eingedr. Holzschn. u. 11 Taf.) Ebend. 884. n. 8. 40

— dasselbe. 90. Bd. Lex.-8. (VI, 428 S. m. 26 Taf. u. 1 Routenkarte.) Ebend. 885. n. 12. 80

— dasselbe. 91. Bd. 5 Hfte. Lex.-8. (VI, 447 S. m. 9 Holzschn. u. 11 Taf.) Ebend. 885. n. 9. 80

— dasselbe. 92. Bd. Lex.-8. (IV, 673 S. m. Holzschn. u. 14 Taf.) Ebend. 885. n. 13. —

— dasselbe. 93. Bd. 1—3. Hft. Lex.-8. (214 S. m. 6 Holzschn. u. 6 Taf.) Ebend. 886. n. 4. —

— dasselbe. 2. Abth. Abhandlungen aus dem Gebiete der Mathematik, Physik, Chemie, Mechanik, Meteorologie u. Astronomie. 86. Bd. 2—5. Hft. Lex.-8. (VIII u. S. 187—1129 m. 17 eingedr. Holzschn. u. 4 Steintaf.) Ebend. 882. n. 14. 10 (86. Bd. cplt.: n. 16. 50)

— dasselbe. 87. Bd. 5 Hfte. Lex.-8. (1236 S. m. 19 eingedr. Holzschn. u. 17 Steintaf.) Ebend. 883. n. 18. 80

— dasselbe. 88. Bd. 5 Hfte. Lex.-8. (VIII, 1267 S.) Ebend. 883. 84. n. 20. 40

— dasselbe. 89. Bd. 5 Hfte. Lex.-8. (VI, 892 S. m. 17 eingedr. Holzschn., 9 Taf. u. 1 Karte.) Ebend. 884. n. 16. 40

— dasselbe. 90. Bd. 5 Hfte. Lex.-8. (VIII, 1185 S. m. eingedr. Holzschn. u. 3 Taf.) Ebend. 884. 85. n. 18. 60

— dasselbe. 91. Bd. Lex.-8. (VIII, 1201 S. m. 12 Holzschn., 19 Taf. u. 1 Karte.) Ebend. 885. n. 28. 50

— dasselbe. 92. Bd. 5 Hfte. Lex.-8. (IX, 1477 S. m. Holzschn. u. 7 Taf.) Ebend. 885—86. n. 23. 50

— dasselbe. 93. Bd. 5 Hfte. Lex.-8. (VIII, 1067 S. m. 18 Holzschn. u. 1 Taf.) Ebend. 886. n. 17. 60

— dasselbe. 3. Abth. Abhandlungen aus dem Gebiete der Physiologie, Anatomie u. theoretischen Medicin. 86. Bd. 3—5. Hft. Lex.-8. (VI u. S. 123—247 m. 7 Steintaf.) Wien 883. (Gerold's Sohn.) n. 4. — (86. Bd. cplt.: n. 9. —)

Sitzungsberichte der kaiserl. Akademie der Wissenschaften. Mathematisch-naturwissenschaftl. Classe. 3. Abth. Abhandlungen aus dem Gebiete der Physiologie, Anatomie u. theoret. Medicin. 87. Bd. 5 Hfte. Lex.-8. (VI, 256 S. m. 9 lith. u. chromolith. Taf.) Wien 883. (Gerold's Sohn.) n. 6. 50

— dasselbe. 88. Bd. 5 Hfte. Lex.-8. (VI, 571 S. m. eingedr. Holzschn. u. 18 Taf.) Ebend. 883. 84. n. 15. —

— dasselbe. 89. Bd. 5 Hfte. Lex.-8. (VI, 357 S. m. 11 Taf.) Ebend. 884. n. 10. 20

— dasselbe. 90. Bd. 5 Hfte. Lex.-8. (VI, 350 S. m. Holzschn. u. 13 Taf.) Ebend. 884. 85. n. 9. 50

— dasselbe. 91. Bd. Lex.-8. (VI, 349 S. m. 2 Holzschn. u. 17 Taf.) Ebend. 885. n. 12. 50

— dasselbe. 92. Bd. 5 Hfte. Lex.-8. (VI, 460 S. m. Holzschn. u. 28 Taf.) Ebend. 886. n. 17. 20

— dasselbe. 93. Bd. 5 Hfte. Lex.-8. (VI, 261 S.) Ebend. 886. n. 6. —

— dasselbe. Register zu den Bdn. 86—90. XI. Lex.-8. (81 S.) Ebend. 885. n. 1. 20

— dasselbe. Philosophisch-histor. Classe. 101. Bd. 2. Hft. Lex.-8. (III u. S. 553—917.) Ebend. 882. n. 5. — (101. Bd. cplt.: n. 12. 40)

— dasselbe. 102. Bd. 2 Hfte. Lex.-8. (III, 816 S. m. 2 lith. Karten.) Ebend. 883. n. 12. —

— dasselbe. 103. Bd. 2 Hfte. Lex.-8. (III, 606 S.) Ebend. 883. n. 8. 20

— dasselbe. 104. Bd. 2 Hfte. Lex.-8 (III, 664 S.) Ebend. 883. n. 9. 20

— dasselbe. 105. Bd. 3 Hfte. Lex.-8. (IV, 904 S.) Ebend. 884. n. 13. —

— dasselbe. 106. Bd. 2 Hfte. Lex.-8. (626 S.) Ebend. 884. n. 8. 60

— dasselbe. 107. Bd. 2 Hfte. Lex.-8. (III, 884 S. m. 6 eingedr. Holzschn. u. 4 Taf.) Ebend. 884. n. 13. 60

— dasselbe. 108. Bd. 3 Hfte. Lex.-8. (IV, 1104 S. m. 5 eingedr. Fig. u. 2 Taf.) Ebend. 885. n. 16. 80

— dasselbe. 109. Bd. Lex.-8. (III, 860 S.) Ebend. 885. n. 11. 70

— dasselbe. 110. Bd. 2 Hfte. Lex.-8. (IV, 689 S.) Ebend. 885. 86. n. 9. 40

— dasselbe. 111. Bd. 2 Hfte. Lex.-8. (III, 105 S.) Ebend. 886. n. 14. 60

— dasselbe. 112. Bd. 2 Hfte. Lex.-8. (IV, 805 S. m. 1 Karte.) Ebend. 886. n. 11. 60

— dasselbe. Register zu den Bdn. 91—100. X. Lex.-8. (IV, 66 S.) Ebend. 883. n. 1. —

— dasselbe. Register zu den Bdn. 101—110. XI. Lex.-8. (59 S.) Ebend. 886. n. — 90

— der königl. preussischen Akademie der Wissenschaften zu Berlin. Jahrg. 1883—1886. à 52 Nrn. Lex.-8. (à Nr. ca. 20 S. m. Lichtdr.) Berlin, (G. Reimer). à Jahrg. n. 12. —

— der königl. böhmischen Gesellschaft der Wissenschaften in Prag. Jahrg. 1882. Red.: K. Kořistka. gr. 8. (XXIII, 495 S.) Prag 883. (Tempsky. — Leipzig, Freytag.) n. 8. —

— dasselbe. Mathematisch-naturwissenschaftl. Classe. Jahrg. 1885. Mit 18 Taf. gr. 8. (XI, 664 S.) Ebend. 886. n. 12. —

— dasselbe. Philos.-histor.-philolog. Classe. 1885. gr. 8. (VII, 163 S.) Ebend. 886. n. 2. —

— der gelehrten estnischen Gesellschaft zu Dorpat. 1882. 8. (IV, 277 S.) Dorpat 883. (Leipzig, K. F. Köhler.) n. 1. 50

— dasselbe. 1883. 8. (IV, 196 S.) Ebend. 884. n.n. 1. —

— dasselbe. 1884. 8. (IV, 339 S. m. 1 Steintaf.) Ebend. 885. n.n. 1. —

— der Gesellschaft f. Morphologie u. Physiologie in München. I. 1885. 1—3. Hft. gr. 8. (174 S.) München 885. 86. Rieger. n. 6. —

— dasselbe. II. 1886. 1. u. 2. Hft. gr. 8. (S. 1—100.) Ebend. 886. n. 3. 80

— der Gesellschaft naturforschender Freunde zu Berlin. Jahrg. 1883—1886. à 10 Nrn. gr. 8. (à Nr. ca. 7 S.) Berlin, (Friedländer & Sohn). à Jahrg. n. 4. —

Sitzungsberichte der naturforschenden Gesellschaft zu Leipzig. 9. Jahrg. 1882. gr. 8. (17 S.) Leipzig 883. Engelmann. n. — 60

— dasselbe. 10. Jahrg. 1883. gr. 8. (III, 107 S.) Ebend. 884. n. 2. —

— dasselbe. 11. Jahrg. 1884. gr. 8. (III, 58 S.) Ebend. 885. n. 1. 60

— dasselbe. 12. Jahrg. 1885. gr. 8. (III, 32 S.) Ebend. 886. n. — 80

— der Naturforscher-Gesellschaft bei der Universität Dorpat. Red. v. G. Dragendorff. 6. Bd. 2. u. 3. Hft. 1882. 8. (IV u. S. 225—654.) Dorpat 883. 84. (Leipzig, K. F. Köhler.) à n. 1. 50 (6. Bd. cplt.: n. 5. —)

— dasselbe. 7. Bd. 1. u. 2 Hft. 1884 u. 1885. gr. 8. (394 S. m. 4 Taf.) Ebend. 885. 86. à n. 2. —

— der niederrheinischen Gesellschaft f. Natur- u. Heilkunde zu Bonn. 1883. gr. 8. (VII, 285 S. m. 1 Steintaf.) Bonn 883. Cohen & Sohn. n. 4. —

— der physikalisch-medicinischen Societät zu Erlangen. 14. Hft. Novbr. 1881 bis Aug. 1882. gr. 8. (XVIII, 184 S.) Erlangen 882. (Besold.) n. 3. —

— dasselbe. 15. Hft. Novbr. 1882 bis Aug. 1883. gr. 8. (XXIV, 86 S. m. 1 Tab. u. 1 Steintaf.) Ebend. 883. n. 2. —

— dasselbe. 16. Hft. 1. Oktbr. 1883 bis 1. Oktbr. 1884. gr. 8. (XX, 192 S. m. 1 Steintaf.) Ebend. 884. n. 4. —

— dasselbe. 17. Hft. 1. Oktbr. 1884 bis 1. Oktbr. 1885. gr. 8. (XX, 60 S.) Ebend. 885. n. 1. 60

— der physikalisch-medicinischen Gesellschaft zu Würzburg. Jahrg. 1883—1886. à ca. 10 Nrn. gr. 8. (Nr. 1 u. 2. 32 S.) Würzburg, Stahel. à Jahrg. n. 4. —

— u. **Abhandlungen** der naturwissenschaftlichen Gesellschaft Isis in Dresden. Hrsg. v. dem Red.-Comité. Jahrg. 1882. Juli bis Decbr. [Mit 3 (lith.) Taf.] gr. 8. (IV u. S. 51—146.) Dresden 883. (Warnatz & Lehmann.) n.n. 3. —

— — dasselbe. Jahrg. 1883. [Mit 5 Taf.] gr. 8. (XV, 144 S.) Ebend. n.n. 6. —

— — dasselbe. Jahrg. 1884. gr. 8. (IV, 155 S. m. 3 Taf.) Ebend. n.n. 6. —

— — dasselbe. Jahrg. 1885. gr. 8. (110 S.) Ebend. n.n. 3. —

— — dasselbe. Jahrg. 1886. Jan.—Juni. Mit 3 Taf. gr. 8. (XII, 42 u. 40 S.) Ebend. n.n. 3. —

Sitzungs-Protokolle der bayer. acht Aerztekammern im J. 1882, m. den Vorträgen der Kreismedicinalräthe üb. die Sanitätsverhältnisse der Regierungsbezirke Oberbayern, Oberpfalz, Oberfranken u. Unterfranken. gr. 8. (238 S. m. 1 Steintaf.) München 883. J. A. Finsterlin. n. 1. 80

— dasselbe im J. 1883. gr. 8. (286 S. m. Tab. u. graph. Steintaf.) Ebend. 884. n. 2. 50

— dasselbe im J. 1884. gr. 8. (191 S.) Ebend. 885. n. 1. 50

— dasselbe vom 6. Octbr. 1885. gr. 8. (90 S.) Ebend. 885. n. — 50

— dasselbe vom 5. Octbr. 1886. gr. 8. (76 S.) Ebend. 886. n. — 50

Sjuts, Erzählungen aus der vaterländischen Geschichte, s.: Herkenrath.

Skalweit, J., Bericht üb. die deutsche Brauerei-Ausstellung zu Hannover 1884, s.: Röhrig, E.

— Bericht üb. die fünfjährige Thätigkeit d. hannoverschen Lebensmittel-Untersuchungsamt. gr. 8. (15 S.) Hannover 883. (Schmorl & v. Seefeld.) n. — 50

Skat. Anleitung zur Erlerng. d. Skatspieles. Nebst Zusammenstellg. aller Skatregeln, insbesondere auch d. academ. Bierskats. 3. Aufl. 16. (72 S.) Celle 884. Literar. Anstalt. n. — 80

— kurze Grammatik d. Skatspiels f. Anfänger. 16. (64 S.) Ebend. 883. — 75

Skat-Buch, illustrirtes. Theorie u. Praxis d. Skat-Spieles. Mit zahlreichen durch Kartenbilder illustr. Beispielen u. Aufgaben. 8. (IV, 139 S.) Breslau 883. Kern's Verl. geb. n. 5. —

Skatspieler, der lustige, in der Westentasche od. rhythm. Spaziergang durch die Tüftologie d. Skats. Hymnologisch-kulturhistor., humoristisch-didakt. Poëm in 5 Gesängen. In zierl. Reimlein gefaßet von Gustav v. Merkendorf, der Skatologie Sub-Vice-Doctor, der Altenburger Mysterien Geheimer Obermaurer, Mitglied v. keiner gelehrten Gesellschaft. 12. (23 S.) Altenburg 886. Pierer. n. — 60

Skattabelle, lith. u. color. kl. 4. Leipzig 886. (Pfau.) — 25

— deutsche. Lith. u. color. 4. Ebend. 886. — 30; auf Leinw. n. — 50

Skedl, Arth., die Nichtigkeitsbeschwerde in ihrer geschichtlichen Entwicklung. Eine civilprocessuale Abhandlg. gr. 8. (VIII, 179 S.) Leipzig 886. B. Tauchnitz. 6. —

Skene, Alfr., der Donau-Oder-Canal m. besond. Berücksicht. als Bewässerungs-Canal f. landwirthschaftl. Zwecke. Ein Gutachten f. die mähr. Donau-Oder-Canal-Enquête. gr. 8. (63 S.) Wien 886. Frick. n. 1. 20

Sket, Jak., slovenisches Sprach- u. Uebungsbuch. Nebst Chrestomathie u. slovenisch-deutschem u. deutsch-sloven. Wörterverzeichniß. Für den ersten Unterricht bearb. 3. Aufl. gr. 8. (IV, 308 S.) Klagenfurt 885. (Heyn.) n. 3. —

Skizze e. Lehrplans e. internationalen Schule. gr. 8. (7 S.) Wien 886. Konegen. n. — 20

Skizzen aus dem böhmischen Elbegau. Hrsg. v. Eug. Klutschak. 1. u. 2. Bdchn. 16. Aussig a/E. 883. (Grohmann.) n. 1. —

1. (48 S.) n. — 40. — 2. (96 S.) n. — 60

Skizzen-Buch, architektonisches. Eine Sammlg., enth.: Landhäuser, Villen, ländl. Gebäude etc. Mit Details. Jahrg. 1883—1886. à 6 Hfte. [Der ganzen Folge 178—201. Hft.] (à 6 Bl. in Stich, Lith. u. farb. Druck.) Fol. (à 1 Bl. Text) Berlin, Ernst & Korn. à Hft. n. 4. —

— für Jedermann, genannt das Schweine-Album, m. e. Vorrede von M. v. T. 4. Aufl. qu. 8. (64 S. m. eingedr. Fig.) Hagen 883. Risel & Co. cart. n. 1. —

— für Ingenieure u. Maschinenbauer. Eine Sammlg. mustergilt. u. interessanter Konstruktionen aus dem Gesamtgebiete d. Bau- u. Ingenieurwesens. Hrsg. v. E. Nowák. Jahrg. 1883—1886. à 12 Hfte. Fol. (à 4 Taf. m. 1 Bl. Text.) Leipzig, Verlag d. Maschinenbauer. à Hft. n. 2. —

— für häusliche Kunst. Red.: Osc. Hülcker. 2. u. 3. Jahrg. 1885 u. 1886. à 12 Nrn. (à 1/2—3/4 B. m. Beilagen: Vorlagen f. Majolika-, Holz-, Marmor-, Porzellan-, Leder-, Stoff-, Glasmalerei u. Aetzerei f. Zink, Glas, Kupfer etc.) gr. 4. Berlin 885. W. Peiser's Verl. à Jahrg. n. 12. —

cf.: Scizzenbuch.

— der „Wahrheit". 1. u. 2. Jahrg. qu. 4. (à ca. 30 S. m. Illustr.) Berlin 883. 84. M. Schulze. à n. 1. —

1. 6. Aufl. 884.

Skobelew, Memoiren, hrsg. v. Felix Elberg. 1. u. 2. Abth. 8. Elbing 883. Ostdeutsche Verlags-Anstalt. à 1. 80

1. Seine Jugendzeit. Wahrheit u. Dichtg. (79 S.)
2. Bekenntnisse. Wahrheit u. Dichtung. (80 S.)

Skoruppa, Th., Anleitung zur richtigen Ausführung v. Recognoscirungen, nebst Anfertigg. der hierzu erforderl. Meldgn. u. Berichte. 8. (32 S.) Schweidnitz 886. Brieger & Gilbers. n. — 50

— Anleitung zum Verfertigen v. Croquis f. Unteroffiziere, Gefreite u. einjähr. Freiwillige. 8. (20 S. m. 5 Taf.) Ebend. 886. n. — 60

Skowronnek, Fritz, quellenkritische Beiträge zur Wallensteinfrage. gr. 8. (37 S.) Königsberg 882. Nürmberger's Sort. n. — 40

Skraup, Zd. H., Farbenreaction zur Beurtheilung der Constitution v. Carbonsäuren der Pyridin-, Chinolin- u. verwandter Reihen. [Aus dem Laboratorium der Wiener Handelsakademie XIX.] Lex.-8. (6 S.) Wien 886. (Gerold's Sohn.) — 15

Skřivan, Ant., Münzen u. Curszettel, ferner Masse u. Gewichte der wichtigsten Länder u. Plätze, nebst einigen Schlüsseln f. Waarenberechngn. 8. Aufl. 12. (XII, 136 S.) Prag 885. (Rivnáč.) n. 1. 80

Skutsch, Felix, die Lacerationen d. Cervix uteri; ihre Bedeutung u. operative Behandlung. gr. 8. (46 S.) Jena 884. (Neuenhahn.) n. 1. 20

Sladeczek, A., die Elemente der deutschen Poetik oder Formenlehre der Dichtkunst. Zum Gebrauche in Bürger- u. höheren Töchterschulen, Präparandenanstalten u. Lehrerseminarien. 8. (IV, 62 S.) Breslau 884. Goerlich. n. — 60

Sladeczek, A., kleine Poetik. Der Versbau u. die Gattgn. der deutschen Dichtg. Auszug aus desselben Verf. „Elemente der deutschen Poetik", zunächst zum Gebrauche in gehobenen Volksschulen bestimmt. 8. (IV, 20 S.) Breslau 884. Goerlich. n. — 20

Sladeczek, P. Henr., cantica sacra, quae in usum studiosae juventutis selegit H. S. gr. 8. (33 S.) Wien 883. Hölder. n. — 30

— dasselbe. Ed. II. gr. 8. (31 S.) Ebend. 885. n. — 60

Sladek, J., das heil. Grab Christi zu Niemes. Von der Erbaug. bis zur Feier d. Osterfestes der Gegenwart. 12. (21 S.) Niemes 883. (B.-Leipa, Künstner.) n. — 10

Slameczka, Frz., Untersuchungen üb. die Rede d. Demosthenes v. der Gesandtschaft. gr. 8. (48 S.) Wien 885. Hölder. n. 1. 60

Slavici, J., die Glücksmühle, s.: Universal-Bibliothek.

Slawyk, J., elsässische Geschichtsbilder f. die Schule. 10. Aufl. 8. (72 S.) Straßburg 886. Schmidt. n. — 60

— Heimatskunde v. Elsaß-Lothringen f. Schule u. Haus. 16. Aufl. 8. (48 S. m. 1 chromolith. Karte.) Ebend. 886. cart. n. — 65; ohne Karte n. — 45

Slevogt, Fedor, üb. die im Blute der Säugethiere vorkommenden Körnchenbildungen. gr. 8. (36 S.) Dorpat 883. (Schnakenburg.) n. 1. —

Slost, Léon, Capriccio! 2 Bde. 8. (372 S.) Leipzig 884. Bergmann. n. 8. —; geb. n. 10. —

— der Raugraf. Eine Erzählg. 8. (251 S.) Dresden 887. Minden. n. 3. 50; geb. n.n. 4. 50

— Sünden der Väter. Roman aus dem heut. Rußland. 2 Bde. 8. (260 u. 249 S.) Jena 885. Costenoble. n. 9. —

Slottko, A., Ehestandsfesseln, s.: Kühling's, A., Volks-Schaubühne.

Smal Stockij, St., üb. den Inhalt d. Codex Hankensteinianus. Lex.-8. (91 S.) Wien 886. (Gerold's Sohn) n. 1. 40

Smalian, Carl, Beiträge zur Anatomie der Amphisbaeniden. gr. 8. (76 S.) Göttingen 884. (Vandenhoeck & Ruprecht.) n. 2. —

Smend, J., übersichtliche Darstellung der Geschichte d. Reiches Gottes zunächst f. den Katechumenen- u. Konfirmanden-Unterricht. 3. Aufl. 8. (63 S.) Leipzig 883. Lenz. n. — 35

— der Muth d. Glaubens u. der Muth der Liebe. Eine Passionspredigt üb. Petri Verleugng. gr. 8. (15 S.) Bonn 885. Hochgürtel. n.n. — 30

Smend, Rud., u. Alb. **Socin,** die Inschrift d. Königs Mesa v. Moab, f. akadem. Vorlesgn. hrsg. gr. 8. (III, 35 S. m. 1 Steintaf. [in Mappe].) Freiburg i/Br. 886. (Mohr.) n.n. 2. 50

Smets, Mor., Wien in u. aus der Türken-Bedrängniß. [1529—1683.] gr. 8. (122 S.) Wien 883. Gottlieb. n. 2. —

Smets, Wilh., Maria Hilf! Gebet- u. Erbauungsbuch f. alle Verehrer der seligsten Jungfrau Maria. Nebst den gewöhnl. Andachtsübgn. e. kathol. Christen. 24. (447 S. m. 2 Chromolith.) Einsiedeln 883. Benziger & Co. — 65

Smid, Arend, Rechenstoff f. Volks- u. Fortbildungsschulen. In Verbindg. m. L. Hoffmeyer gesammelt u. bearb. 3. Aufl. 8. (III, 88 S.) Bielefeld 884. Velhagen & Klasing. cart. n. — 60; Auflösungen (28 S.) n. — 50

Smiles, Sam., der Charakter. Deutsche, autoris. Ausg. v. Fr. Steger. 4. Aufl. 8. (XII, 532 S.) Leipzig 884. Weber. n. 6. —; geb. n. 7. 50

— selbst ist der Mann. Charakterskizzen u. Lebensbilder. Vom Verf. autoris. Uebersetzg. 4. Aufl. 8. (VI, 478 S.) Colberg 886. Post. n. 6. —; geb. n. 7. 50

— George Stephenson, s.: Rauch's English readings.

Smit, J. A. Roorda, die Transvaal-Republik u. ihre Entstehung. Ein histor. Dokument. Aus dem Holl. m. Autoris. d. Verf. Mit e. (chromolith.) Karte v. Süd-Afrika. 2. Ausg. 8. (XII, 88 S.) Leipzig 884. Mayer. n. 1. 20

Smith, Erastus G., üb. die Einwirkung d. Broms auf Anhydropropionylphenylendiamin. gr. 8. (29 S.) Göttingen 883. Deuerlich. n. — 60

Smith, Rich. M., de arte rhetorica in L. A. Senecae tragoediis perspicua. gr. 8. (122 S.) Leipzig 885. Fock. n. 2. —

Smith, Samuel Alden, die Keilschrifttexte Asurbanipals, Königs v. Assyrien [668—626 v. Chr.], nach dem selbst in London copirten Grundtext m. Transscription, Übersetzung, Kommentar u. vollständigem Glossar. 1. Hft. Die Annalen nach dem Cylinder RM 1 [vgl. V R 1—10]. gr. 8. (V, 131 S.) Leipzig 887. Ed. Pfeiffer. n. 7. —

Smolarz, die Elektricität u. der Magnetismus in ihrer Anwendung zu praktischen Zwecken,
— das elektrische Gewehr, elektrische Minenzündung, elektrische Distanzmesser u. das Gastroskop, } s.: Schöffler.

Smolle, Leo, die Belagerung Wiens durch die Türken. 7. Juli bis 12. Septbr. 1683. Gedenkschrift f. das Volk u. die Jugend Oesterreichs. Mit zahlreichen Portraits u. 3 Schlachtenbildern. gr. 8. (32 S.) Wien 883. Graeser. — 40

Smollet's, T. G., Werke, s.: Collection Spemann.

Smreker, Ernst, u. Osk. **Zoth,** üb. die Darstellung v. Haemoglobinkrystallen mittelst Canadabalsams und einige verwandte Gewinnungsweisen. Lex.-8. (26 S.) Wien 886. (Gerold's Sohn.) n.n. — 50

Smreker, O., Lehrbuch der technischen Mechanik, s.: Henneberg, L.

Smyth, Herbert Weir, der Diphthong ει im Griechischen; unter Berücksicht. seiner Entsprechgn. in verwandten Sprachen. gr. 8. (82 S.) Göttingen 885. Vandenhoeck & Ruprecht's Verl. n. 1. 80

Sneewittchen. Ein Märchenbuch f. artige Kinder. gr. 4. (9 aneinanderhäng. Chromolith. in 8. u. 4. zum Auseinanderklappen m. 3 S. Text.) Fürth 885. Schaller & Kirn. geb. 2. —

Snell, Wilh., Naturrecht. Nach den Vorlesgn. hrsg. v. e. Freunde d. Verewigten. Neue Ausg. gr. 8. (XVI, 271 S.) Bern 885. Jenni. n. 2. —

Snieders, A., allein in der Welt, } s.: Unterhaltungs-
— so wurde er reich, } bibliothek.

Snieders, J. Renier, das Krähennest. Erzählung. Nach dem Vläm. v. Frdr. Schnettler. 8. (89 S.) Köln 885. Theissing. — 90

Snouck Hurgronje, C., mekkanische Sprichwörter u. Redensarten, gesammelt u. erläutert. Hrsg. als Festgabe zum VII. internat. Orientalistencongresse in Wien vom koninglijk Instituut voor de taal-, land- en volkenkunde van Nederlandsch-Indië. gr. 8. (144 S.) Haag 886. Nijhoff. n.n. 4. 50

So sollt ihr beten! Vollständiges Gebet- u. Andachtsbüchlein f. kathol. Christen. Feine Ausg. Nr. 2. 32. (336 S. m. Holzschn. u. 2 Stahlst.) Einsiedeln 883. Benziger & Co. — 90

— dasselbe. Von e. kathol. Priester. 5. Aufl. 32. (XVI, 470 u. Liederanh. 26 S. m. 1 Stahlst.) Dülmen 885. Laumann. n. — 75; geb. von n. 1. 20 bis n. 9. —

Sobolew, L. N., der erste Fürst v. Bulgarien. Aufzeichnungen. Aus dem Russ. Mit e. Einleitg. 8. (XVII, 114 S.) Leipzig 886. Duncker & Humblot. n. 2. 40

Social-Correspondenz. Organ d. Centralvereins f. das Wohl der arbeit. Klassen. Hrsg. v. Vict. Böhmert. Allgemeine Ausg. 8. Jahrg. 1884. 52 Nrn. (½ B.) gr. 4. Dresden, Expedition. n. 6. 40
cf.: Volkswohl.

Socialdemokratie, die, vor dem deutschen Reichstage. Stenographischer Bericht der Verhandlgn. am 18. u. 19. Febr., 30. u. 31. März u. 2. Apr. 1886. 5 Hfte. 8. (88, 68, 79, 84 u. 72 S.) Stuttgart 886. Dietz. n. 2. —

Social-Reform, friedliche. Ein Vorschlag zur Lösg. der socialen Frage. Von Ernst Vorwärts. gr. 8. (III, 72 S.) Altona 885. Harz. n. 1. 50

Society in London, s.: Collection of British authors.

Socin, A., arabic grammar. Paradigms, litterature, chrestomathy and glossary. [Porta linguarum orientalium. Pars 4. ed. 3.] 8. (XVI, 191 S.) Berlin 885. Reuther. n. 7. —

— arabische Grammatik. Paradigmen, Litteratur, Chrestomathie u. Glossar. [Porta linguarum orientalium.

Pars IV. 3. ed.] 8. (XVI, 194 S.) Berlin 885. Reuther. n. 6. —

Socoloff, A., sur la queue du I type de la comète de 1858, V. [Avec 1 planche (lith.).] gr. 8. (14 S.) Moscou 884. (Leipzig, Voss' Sort.) n. 1. —

Soden, Frhr. Arth. v., die Einflüsse unseres Gymnasiums auf die Jugendbildung, betrachtet im Anschluss an das ärztl. Gutachten üb. das höhere Schulwesen Elsass-Lothringens, nebst e. Bericht üb. die Schule d. Dir. Beust in Zürich. gr. 8. (44 S.) Tübingen 883. Fues. n. — 80

— dasselbe. 2. Aufl. gr. 8. (XI, 100 S.) Ebend. 884. n. 2. 40

Soden, L. v., König Wilhelm's Kaiserfahrt. 8. (124 S.) Leipzig 884. Bergmann. n. 2. 50; geb. n. 3. 50

Soeder, R. Ambr., poma sapientiae et flores devotionis seu meditationes consonantes et orationes flammantes de perfectione christiana tractantes. Ex hortulo Imitationis Christi compilatae. 12. (VIII, 64 S.) München 886. Stahl sen. n. — 80

Söderhjelm, W., Petrarca in der deutschen Dichtung. gr. 4. (44 S.) Helsingfors 886. (München, Buchholz & Werner.) n.n. 2. —

Söderström, Hugo, die Bürgermeisterwahl. Ein humorist. Epos m. lyr. Einlagen. 8. (VII, 224 S.) Leipzig 886. Kittler. geb. m. Goldschn. n. 4. 50

Söffing, Herm., krystallographische Untersuchung einiger organischer Verbindungen. Mit 1 (lith.) Taf. gr. 8. (44 S.) Göttingen 883. (Vandenhoeck & Ruprecht.) n. 1. 20

Soffner, Joh., der Minorit Fr. Michael Hillebrant aus Schweidnitz. Ein Beitrag zur schles. Reformationsgeschichte d. 16. Jahrh. gr. 8. (VII, 90 S.) Breslau 885. (Aderholz.) n. 1. 50

Sohlern, Edgar Frhr. v., Bad Kissingen als Terrainkurort f. Fettleibige u. Kranke m. Kreislaufstörungen, s.: Dietz.

— die häufigsten Magenkrankheiten u. deren Behandlung. 8. (III, 179 S.) Kissingen 885. (Hailmann.) n. 3. —

Sohm, R., die Gegensätze unserer Zeit, s.: Sammlung v. Vorträgen.

Sohm, Rud., Institutionen d. römischen Rechts. gr. 8. (XIV, 390 S.) Leipzig 883. Duncker & Humblot. n. 7. —

— dasselbe. 2. Aufl. gr. 8. (XVI, 444 S.) Ebend. 886. n. 8. —; Einbd n.n. 1. 50

Sohncke's, L. A., Sammlung v. Aufgaben aus der Differential- u. Integralrechnung. 2 Thle. Hrsg. v. Herm. Amstein. 5. verb. Aufl. gr. 8. Halle 885. Schmidt. n. 9. —; geb. n. 11. —

1. Differentialrechnung. (VIII, 249 S.) n. 4. —; geb. n. 5. —
2. Integralrechnung. (VII, 296 S.) n. 5. —; geb. n. 6. —

— dasselbe. Figurentafeln dazu. Hrsg. v. Herm. Amstein. 2 Thle. gr. 8. Ebend. 885. n. 3. —

1. 13 (lith.) Fig.-Taf. zur Differentialrechnung. (2 S. Text.) n. 1. 20
2. 19 (lith.) Fig.-Taf. zur Integralrechnung. (2 S. Text.) n. 1. 80

Sohncke, Leonh., der Ursprung der Gewitter-Elektricität u. der gewöhnlichen Elektricität der Atmosphäre. Eine meteorologisch-physikal. Untersuchg. gr. 8. (V, 74 S.) Jena 885. Fischer. n. 1. 50

Söhnel, Herm., die Rundwälle der Niederlausitz nach dem gegenwärtigen Stande der Forschung. Ein Beitrag zu den prähistor. Untersuchgn. der Landschaft. gr. 8. (VII, 60 S.) Guben 886. Koenig. n. 1. 20

Sohnrey, Heinr., die Leute aus der Lindenhütte. Niedersächsische Walddorfgeschichten. Für große u. kleine Leute erzählt. Hütte u. Schloß. 8. (232 S.) Bernburg 886. Bacmeister. n. 2. —

— deutscher Sagenschatz, s.: Kassebeer, F.

Sohr, Amélie, Frauenanteil an der Volksbildung. Ein Wort zum Verständnis d. Pestalozzi-Fröbel-Hauses in Berlin. gr. 8. (35 S.) Gotha 883. F. A. Perthes. n. — 60

Sohrauer, Max, kleine Beiträge zur altenglischen Grammatik. gr. 8. (53 S.) Berlin 886. (Mayer & Müller.) n. 1. 20

Solano, Arw., Kontorrock u. Konsulatsmütze. Eine Erzählg. aus dem überseeischen Leben. 8. (VII, 402 S.) Hamburg 886. Grädener's Sort. n. 4. —

Soldan, Frdr., der Reichstag zu Worms 1521. Den Wormsern gewidmet zur Lutherfeier 1883. 8. (120 S.) Worms 883. Kräuter. n. 1. —

Soldat, der brave, od. Peter Lohbeck's Lebensgeschichte. 8. (16 S.) Barmen 883. (Wiemann.) n. — 8

— der, u. das Neue Testament. 8. (16 S.) Gernsbach 883. Christl. Kolportage-Verein. n. — 4

Soldaten, unsere. Relief-Bilderbuch f. Kinder zum Selbstanfertigen. gr. 4. (16 S. m. Illustr. u. Reliefbildchen in Mappe.) Dresden 886. Schwager. geb. n. 2. 25

Soldatenbuch f. deutsche Knaben. qu. gr. 4. (8 Chromolith. m. Text auf der Rückseite.) Wesel 885. Düms. n. — 50

Soldatenbüchlein. Ueber die Pflichten u. Tugenden d. Soldaten. Mit kriegsgeschichtl. Beispielen u. der Lebensgeschichte Sr. Maj. d. Kaisers u. Königs Wilhelm I. 8. Aufl. 16. (71 S.) Potsdam 885. Döring. n. — 25

Soldatenfreund, der. Kalender f. kathol. Soldaten. Von Herm. Koneberg. 1887. 16. (95 S.) Donauwörth, Auer. n. — 20

— Zeitschrift f. faßl. Belehrg. u. Unterhaltung d. preuß. Soldaten. Begründet v. L. Schneider. Red.: Heinr. Wagener. 51—54. Jahrg. Juli 1883—Juni 1887. à 12 Hfte. gr. 8. (1. Hft. 71 S. m. 1 Chromolith.) Berlin, Mittler & Sohn. à Jahrg. n. 9. —

— deutscher. Kalender f. d. J. 1887. 12. Jahrg. 12. (64 S. m. Illustr.) Stuttgart, Buchh. der Evang. Gesellschaft. n. — 20

Soldaten-Kalender, bayerischer, f. d. J. 1887. 18. Jahrg. Mit 5 Abbildgn. 16. (48 S.) Sulzbach, v. Seidel. — 15

— österreichischer, f. 1887. XII. Jahrg. 16. (101 S.) Wien, Perles. n. 1. —

Soldaten-Liederbuch, deutsches. Enth.: Soldaten-, Volks-, Trink-, Liebes- u. lust. Lieder. 16. (128 S.) Chemnitz 886. Hager. — 30

Solereder, Ludw., Erläuterungen zur Fibel f. den Sprech-Schreib-Leseunterricht u. den Lesebüchern. 2. Aufl. gr. 8. (VIII, 166 S.) München 883. Exped. d. k. Zentral-Schulbücherverlags. geb. n.n. 2. 50

— Fibel f. den Sprech-Schreib-Leseunterricht, nebst e. Anh. f. den Aufbau d. ersten Zehners. 1. Abtlg. Sep.-Ausg. f. die Münchener Schulen. 8. (64 S. m. Illustr.) Ebend. 885. n.n. — 25; Einbd. n.n. — 8

Solf, W., die Kaçmîr-Recension der Pañcâçikâ. Ein Beitrag zur ind. Text-Kritik. gr. 8. (XXVI, 34 S.) Kiel 886. Haeseler. n. 2. —

Solis, V., Wappenbüchlein, s.: Liebhaber-Bibliothek alter Illustratoren.

Soll u. Haben. Praktische Lectionen f. Geschäftsleute. 9., verm. Aufl. gr. 8. (584 S.) Wien 884. v. Waldheim. 7. 20

Sollen Pest, Cholera, od. andere epidemische Krankheits-Erscheinungen uns Furcht u. Schrecken einflößen od. nicht? Oder: Die Cholera u. ihr Wesen, nebst Angaben zu ihrer Verhütg. u. Beseitigg. u. einigen andern wicht. Mittheilgn. 8. (18 S.) Tübingen 884. Lindenmaier. n. — 30

Soellner, V., praktischer Führer zur Erlernung der Perspektive f. Zeichner u. Maler. Mit 26 Vorlageblättern (in Stein- u. Lichtdr., cart.). gr. 8. (190 S.) Leipzig 886. O. Wigand. cart. n. 14. —

— dasselbe. Auszug. Mit 5 lith. Vorlageblättern. gr. 8. (50 S.) Ebend. 886. cart. n. 2. —

Sollohub, Graf W. A., Erinnerungen an Gogol, Puschkin u. Lermontow. gr. 8. (48 S.) Dorpat 883. Schnakenburg. n. — 75

Solms-Laubach, H. Graf zu, die Coniferenformen d. deutschen Kupferschiefers u. Zechsteins, s.: Abhandlungen, palaeontologische.

— Corallina, s.: Fauna u. Flora d. Golfes v. Neapel u. der angrenzenden Meeres-Abschnitte.

Solms, W. L., Strafrecht u. Strafprozeß f. Heer u. Marine d. Deutschen Reichs. 2. Aufl. 8. (XII, 569 u. 341 S.) Berlin 883. H. W. Müller. geb. in Leinw. n. 9. —; in Halbfrz. n. 10. —

— Verordnung üb. die Ehrengerichte der Offiziere im preußischen Heere. Vom 2. Mai 1874. Mit Benutzg.

der neueren Bestimmungn. f. den prakt. Gebrauch bearb. 8. (IV, 65 S.) Berlin 883. H. W. Müller. cart. n. 1. 60

Solms, W. L., die deutsche Wehr-Ordnung, Heer-Ordnung u. Marine-Ordnung. Nach amtl. Quellen bearb. u. m. Anmerkgn. u. Sachregister versehen. gr. 8. (VII, 430 S.) Berlin 885. Guttentag. n. 8. —

Solothurn u. seine Umgebung. Hrsg. vom Gewerbeverein der Stadt Solothurn. Unter Mitwirkg. Mehrerer red. v. Alfr. Hartmann. Mit 25 Illustr., wovon 17 v. H. Jenny gezeichnet. 8. (57 S.) Solothurn 885. Jent. n. — 60

Soltau, Wilh., die ursprüngliche Bedeutung u. Competenz der aediles plebis. gr. 8. (50 S.) Bonn 882. Strauss. n. 1. 50

— die Gültigkeit der Plebiscite. gr. 8. (XII, 175 S.) Berlin 884. Calvary & Co. n. 7. —

— Prolegomena zu e. römischen Chronologie, s: Untersuchungen, historische.

Sölter, H. A. F., Volksschulliederbuch f. die deutsche Jugend. Unter Mitwirkg. mehrer Schulmänner zusammengestellt u. hrsg. 1. u. 2. Hft. 8. Braunschweig, Bruhn's Verl. à n. — 40

1. Zweistimmige Lieder. 15. Aufl. [14. Ster.-Druck.] (59 S.) 885.
2. 5. Aufl. [4. Ster.-Druck.] (72 S.) 884.

Söltl, J. M. v., Gustav Adolf. 12. (IV, 205 S.) München 883. Franz' Verl. n. 3. —

— Ludwig I., König v. Bayern u. Graf v. Armansperg. Ein Beitrag zur Feier d. Centenariums der Geburt d. Königs Ludwig I. v. Bayern. gr. 8. (III, 72 S.) Nördlingen 886. Beck. n. 1. 80

Soltmann, Otto, üb. die Behandlung der wichtigsten Magen-Darmkrankheiten d. Säuglings. Für Aerzte u. Studirende. 2. Aufl. gr. 8. (V, 57 S.) Tübingen 886. Laupp. n. 1. 50

Solymosi, Esther. Der Prozeß v. Tißa-Eßlar. Nebst den Portraits sämmtl. Angeklagter, sowie der Esther Solymosi u. d. Mor. Scharf u. den Abbildgn. der Synagoge u. Wohng. d. Tempeldieners. 3. Aufl. 8. (84 S.) Berlin 883. M. Schulze. n. — 50

Somazzi, D., der deutsche Kaufmann im Verkehre m. Italien. Theoretisch-prakt. Handbuch der italien. Handelssprache f. den Schul- u. Selbstunterricht. 8. (VI, 180 S.) Bern 885. Fiala. n. 3. —; geb. n. 3. 40

Sombart-Ermsleben, die landwirthschaftliche Enquête im Königr. Preussen. Probe-Erhebg. f. e. Gutsbezirk. — Aufnahme üb. die allgemeine Lage der ländlichen Grundbesitzer. Von F. Frank. gr. 8. (78 S.) Berlin 885. Parey. n. 2. —

Sommer, Alb., üb. Macrotoma plumbea. Beiträge zur Anatomie der Poduriden. gr. 8. (45 S.) Göttingen 884. (Vandenhoeck & Ruprecht.) n. 1. 20

Sommer, Alfr., zur Methodik der quantitativen Blutanalyse. gr. 8. (24 S.) Dorpat 883. (Karow.) n. 1. —

— der Rinne-Kalns u. seine Bedeutung f. die Anthropologie Livlands. gr. 8. (57 S. m. 2 Tab. u. 1 Steintaf.) Dorpat 884. (Leipzig, K. F. Köhler.) n. 2. —

Sommer, Ant., Bilder u. Klänge aus Rudolstadt in Volksmundart. 1. u. 9. Hft. gr. 16. Rudolstadt 885. Hofbuchdruckerei. à n. 1. —

1. 11. Aufl. (128 S.) — 9. 3. Aufl. (96 S.)

Sommer, Aug., court exposé des eaux et bains de Franzensbad. Suivi d'un plan de la ville et de ses environs. 8 (IV, 92 S.) Karlsbad 884. Feller. n. 2. —

— kurzer Leitfaden zur Trink- u. Badekur in Franzensbad. 2. verb. u. verm. Aufl. Mit 1 (lith.) Situationsplane v. Franzensbad. 8. (IV, 107 S.) Ebend. 884. n. 2. —; geb. n. 3. —

Sommer, F., s.: Chronicon Islebiense.

Sommer, G., s.: Darstellung, beschreibende, der älteren Bau- u. Kunstdenkmäler der Prov. Sachsen u. angrenzender Gebiete.

Sommer, Gust., die Bäume u. Sträucher der grossh. Schlossgartenanlagen zu Karlsruhe. 8. (VIII, 126 S.) Karlsruhe 886. Macklot. geb. n. 1. 20

Sommer, H., die positive Philosophie August Comte's, s.: Sammlung gemeinverständlicher wissenschaftlicher Vorträge.

Sommer, H. H., geistliche Gedichte. Gesammelt v. H. C. Schmidt. 12. (31 S.) Breklum 886. Christl. Buchh. — 15

Sommer, Hugo, Gewissen u. moderne Kultur. gr. 8. (IV, 143 S.) Berlin 884. G. Reimer. n. 3. —

— der Pessimismus u. die Sittenlehre. Gekrönte Preisschrift der Teyler'schen Theolog. Gesellschaft zu Haarlem. 2. Aufl. gr. 8. (VII, 171 S.) Ebend. 883. n. 3. 60

— die Religion d. Pessimismus, s.: Zeit- u. Streitfragen, deutsche.

— über das Wesen u. die Bedeutung der menschlichen Freiheit u. deren moderne Widersacher. 2. Aufl. gr. 8. (X, 150 S.) Berlin 885. G. Reimer. n. 4. —

Sommer, J. L., die epistolischen Perikopen d. Kirchenjahres, exegetisch u. homiletisch behandelt. Im homilet. Tl. m. Beiträgen v. mehreren Geistlichen. 3. Aufl. gr. 8. (VIII, 688 S.) Erlangen 885. Deichert. n. 8. 40

Sommer, O., Leitfaden der Erdkunde. In 2 Stufengängen bearb. Mit 6 Holzschn. 9. Aufl. 8. (99 S.) Braunschweig 886. Bruhn's Verl. n. — 65

— Leitfaden der Weltgeschichte. In 2 Kursen bearb. Mit 4 xylogr. Karten. 10. verb. Aufl. 8. (84 S.) Ebend. 885. n. — 60

Sommer, Osc., Gottfried Semper. Vortrag. Lex.-8. (45 S. m. Fig.) Berlin 886. Ernst & Korn. n. 4. —

Sommer, W., praktische Aufsatzschule f. Elementarschüler. Planmäßig fortschreit. Uebgn. in 4 Tln. od. Jahrgängen. 2 Tle. 11. u. 8. Aufl. 8. (39 u. 48 S.) Paderborn 884. 83. F. Schöningh. à n. — 20

— Grundzüge der Poetik. Für höhere Lehranstalten, insbesondere f. Seminarien, Präparanden-Anstalten, höhere Töchterschulen, wie zum Selbstunterricht bearb. 3. Aufl. 8. (VI, 74 S.) Ebend. 886. n. — 75

— Hand- u. Hülfsbuch f. den Unterricht im deutschen Aufsatze in Unter- u. Mittelklassen höherer Lehranstalten, wie zum Selbstunterricht, enth. üb. 1000 Aufgaben in stufenmäß. Anordng., welche größtentheils disponiert u. durch Musterarbeiten erläutert wurden, nebst e. ausführl. Unterricht im Stil überhaupt. 9., nach der vorgeschriebenen deutschen Rechtschreibg. verb. Aufl. gr. 8. (XXVI, 352 S.) Köln 883. Du Mont-Schauberg. n. 2. 80

— deutsches Lesebuch f. höhere Lehranstalten, nebst e. Abriß der Poetik u. Litteraturgeschichte. 4. Aufl. gr. 8. (XVIII, 704 S.) Ebend. 885. n. 5. 50

— Materialien zu pädagogischen u. didaktischen Aufsätzen. Ein Hilfsbüchlein f. Lehrer u. Lernende. 2 Tle. gr. 8. Paderborn, F. Schöningh. n. 2. 85

1. 3. Aufl. (122 S.) 886. n. 1. 35
2. (IV, 123 S.) 885. n. 1. 50

— kleine deutsche Sprachlehre. Ein Leitfaden f. den Unterricht in der Muttersprache m. vielfachen Aufgaben zu mündl. u. schriftl. Uebgn. zunächst f. Unter- u. Mittelklassen höherer Lehranstalten, wie zum Selbstunterricht. 7. Aufl. gr. 8. (VIII, 215 S.) Ebend. 884. n. 1. 35

Sommerfahrplan, Leipziger, 1885 üb. den Leipziger Eisenbahn-Verkehr, nebst den besten Verbindgn. nach Hauptstädten, Bädern etc. 12. (II, 21 S.) Leipzig 885. F. Duncker. n. — 25

Sommerfrische d. Partikularisten Bliemchen aus Dresden. Mit Federzeichngn. v. Adph. Reinheimer u. A. 8. Aufl. gr. 8. (80 S.) Leipzig 884. Reißner. n. 1. —

Sommerfrischenbuch. Zusammenstellung der hauptsächlichsten Bäder, Luftcurorte u. Sommerfrischen in der sächsisch-böhm. Schweiz u. den angrenz. Gebieten, nebst Angabe der Reiseverbindgn., Hôtels, Restaurationen, Privatwohngn., Badeeinrichtgn., Aerzte, Apotheken etc., sowie e. kurzen Uebersicht der Spaziergänge u. Ausflüge, welche v. den betr. Orten aus gemacht werden können. Hrsg. v. den Mitgliedern der Section Dresden d. Gebirgsvereins f. die sächsisch-böhm. Schweiz u. bearb. v. A. Lingke. 8. (IV, 88 S.) Dresden 884. Arnoldische Buchh. n. 1. —

Sommert, Hans, Grundzüge der deutschen Poetik f. den Schul- u. Selbstunterricht. 2. Aufl. gr. 8. (IV, 88 S.) Wien 885. Bermann & Altmann. n. 1. 40

— Methodik d. deutschen Sprachunterrichts, s.: Handbuch der speciellen Methodik.

Sommertraum, e., von A. v. H., e. Kurländerin. 8. (88 S.) Mitau 883. Lucas' Sort. n. 1. 20

Sommerwerck, Wilh., gen. Jacobi, der heilige Bernward v. Hildesheim als Bischof, Fürst u. Künstler. Mit 1 Lichtdr. der Bernwardsthüren. gr. 8. (50 S.) Hildesheim 885. (Borgmeyer.) n. 1. —

— dasselbe. 2. Aufl. Mit 1 Lichtdr. der Bernwardsthüren. gr. 8. (48 S.) Ebend. 885. n. — 80; geb. n. 1. —

Sonderabdrücke der deutschen Medicinal-Zeitung. 1—61. 63. 65—72. Hft. gr. 8. Berlin, Grosser. n. 30. —

1. Über pathogene pflanzliche Mikroorganismen. Von Baumgarten. I. Die pathogenen Hyphomyceten. (27 S. m. eingedr. Holzschn.) 884. n. — 60
2. Die Magenentzündung. Von Jul. Glax. (8 S.) 884. n. — 20
3. Über die Geburt, Anästhesie bei der Geburt, Expression, Extraktion, Wendung, Zange, Kraniotomie u. Embryotomie. Von C. v. Rokitansky. (19 S.) 884. n. — 40
4. Die Untersuchung d. Ohres. Von Alfr. Krakauer. (20 S.) 884. n. — 50
5. Typhus abdominalis. Von Dippe. (24 S.) 884. n. — 50
6. Der Hornhautspiegel [Keratoskop] u. seine praktische Anwendung. Von E. Berger. (14 S.) 884. — 30
7. Über Struma. Von O. Pinner. (20 S.) 884. — 30
8. Hallucinationen u. Illusionen [Sinnestäuschungen.] Von J. I. Hoppe. 2. Aufl. (28 S.) 884. n. — 60
9. Die Verletzungen d. Sehorgans. Von A. Vossius. (32 S.) 884. n. — 60
10. Über Ohrensausen. Von J. Michael. (6 S.) 884. n. — 20
11. Beiträge zur Lehre v. der Conjunctivitis granulosa. Von J. Jacobson. (17 S.) 884. — 30
12. Das Ekzem im Kindesalter. Von P. G. Unna. (44 S.) 884. n. — 60
13. Die Neurasthenie u. Hysterie. Von Frdr. Richter. (34 S.) 884. n. — 60
14. Die puerperale Eklampsie nach den neueren Publikationen. Von Alfr. Gönner. (12 S.) 884. — 30
15. Ueber Lungenschwindsucht u. deren Behandlung. Von Meissen-Falkenstein. (35 S.) 884. n. — 60
16. Die Leukämie. Von Ludw. v. Hoffer. (8 S.) 884. n. — 20
17. Ueber Amputationen u. Exartikulationen. Von Ottomar Angerer. (16 S.) 884. — 30
18. Über Netzhautablösung. Von E. Berger. (11 S.) 884. n. — 20
19. Die Untersuchung der Nase u. d. Nasenrachenraums. Von Paul Heymann. (24 S.) 884. n. — 60
20. Nasenpolyp. Von Ottokar Chiari. (21 S.) 884. — 30
21. Die entzündlichen Affektionen der Orbita. Von Vossius. (7 S.) 884. n. — 20
22. Ueber die Gründung v. Volkssanatorien f. Phthisiker. Von Aug. Ladendorff. (6 S.) 884. n. — 20
23. Tuberkelbacillen u. klimatische Kuren. Vortrag v. Haupt [Soden]. (12 S.) 884. n. — 20
24. Bauchverletzungen. Von v. Nussbaum. (26 S.) 884. n. — 60
25. Über Fettleibigkeit. Von E. Heinr. Kisch. (12 S.) 884. n. — 20
26. Über die Entstehung u. die Behandlung d. Bronchialasthma. Von Brügelmann. (15 S.) 884. — 30
27. Ueber pathogene pflanzliche Mikroorganismen. Von Baumgarten. II. Die pathogenen Schizomyceten. (57 S. m. eingedr. Fig.) 884. n. — 80
28. Zur Lehre v. der chronischen Obstipation u. deren Behandlung. Von Fr. Pelizaeus. (8 S.) 884. n. — 20
29. Fortschreitende Paralyse der Irren. Dementia paralytica. Manie. Melancholie. Cirkuläre Psychosen. Von L. Wille. (65 S.) 884. n. — 60
30. Gynäkologischer Spezialismus. Von Leop. Landau. (17 S.) 884. n. — 20
31. Der graue Star u. seine Behandlung. Von H. Schäfer. (51 S.) 885. n. — 80
32. Das Typhoid [Abdominal-Typhus] im Kindesalter. Von J. H. Rehn. (20 S.) 884. n. — 2.
33. Zur Diagnostik u. Therapie d. Ileus. Von Paul Reichel. (28 S.) 884. n. — 40
34. Einfache Methoden zur Trinkwasser-Untersuchung f. hygienische Zwecke. Zum Gebrauch f. prakt. Aerzte v. Breslauer. (9 S.) 884. n. — 20
35. Tubage d. Kehlkopfes. Von Ottokar Chiari. (20 S.) 885. n. — 40
36. Über den Nystagmus. Von Herm. Wilbrand. (13 S.) 884. n. — 20
37. Bleikrankheiten. Von H. Schulz. (12 S.) 885. n. — 20
38. Die Reinkulturen im Reichs-Gesundheitsamt u. der Cholerabacillus. Von Ph. Biedert. (24 S.) 885. n. — 50
39. Die Stauungsdermatosen d. Unterschenkels u. ihre Behandlung. Von P. G. Unna. (27 S.) 885. n. — 60
40. Skarlatina. Von E. Schwechten. (12 S.) 885. — 30
41. Die Darmparasiten d. Menschen. Von Otto Seifert. (24 S.) 885. n. — 50
42. Die Blindheit u. ihre Verhütung. Mit besond. Berücksicht. der Bedürfnisse d. prakt. Arztes. Von Hugo Magnus. (28 S.) 885. n. — 60
43. Die Morphologie d. Cholerabacillus u. die Schutz-Cholera-Impfung. Nach Dr. Ferrán. Mit Illustr. Von Max Breitung. (8 S.) 885. n. — 20
44. Der Anus praeternaturalis u. seine Behandlung. Von Paul Reichel. (28 S.) 885. n. — 40
45. Ueber das Verhältnis der Fixa d. Harns zum Körpergewicht. Aus dem Institut v. Zuelzer zu Berlin. Von H. Lohnstein. (11 S.) 885. n. — 20
46. Der Jodoform-Torfmoos-Verband. Von Leisrink. (9 S.) 885. n. — 20
47. Die bisherige Wirkung der antiseptischen Behandlung in der königl. preussischen Armee u. dem XIII. [königl. württemberg.] Armeekorps. Eine statist. Studie v. Villaret. (24 S.) 885. n. — 40
48. Die Morphiumsucht u. die Physiologie der Heilungsvorgänge. Auf Grund neuester Beobachtgn. dargestellt v. Walle. (33 S.) 885. n. — 60
49. Die Sublimat-Antisepsis in der Geburtshilfe. Von K. Jaffé. (11 S.) 885. — 30
50. Ueber die Riviera u. das Klima v. Nervi. Vortrag v. H. J. Thomas-Badenweiler. (24 S.) 885. n. — 40
51. Ueber künstliche Beleuchtung. Vortrag v. Mehlhausen. (23 S.) 885. n. — 60
52. Ueber tötliche Hirnverletzungen in forensischer Hinsicht. Von Max Breitung. (20 S.) 885. n. — 40
53. Die Kachexia strumipriva. Von D. G. Zesas. (14 S.) 885. — 30
54. Das sogenannte Ekzem d. Naseneinganges. Von W. Lublinski. (5 S.) 885. n. — 20
55. Zur Behandlung d. Diabetes. Von Vocke. (11 S.) 885. n. — 20
56. Die Behandlung der eitrigen Mittelohraffektion. Von Alfr. Krakauer. (15 S.) 885. — 30
57. Chemische Untersuchung der Luft f. hygienische Zwecke. Von Breslauer. (41 S.) 885. n. — 80

58. Die Blutungen intra graviditatem, intra partum, post partum. Von Eichholz. (15 S.) 885. n. — 50
59. Zur Kenntnis der menschlichen Phthise. Von Meissen. (56 S.) 885. n. 1. —
60. Ueber die Einwirkung warmer Bäder bei Erkrankungen d. Rückenmarkes. Vortrag v. Schuster-Aachen. (13 S.) 886. n. — 50
61. Ueber Totalexstirpation des karzinomatösen Uterus. Im Anschluss an den Bericht üb. 3 abdominale u. 9 vaginale Totalexstirpationen. Von B. S. Schultze. (19 S.) 886. n. — 50
63. Diphtherie. Von Noeldechen. (45 S.) 886. n. 1. —
65. Geschichte der Massage. Von Geo. Hünerfauth. (52 S.) 886. n. 1. —
66. Über pathologische Zustände, die v. der Nase ihre Entstehung finden können. Vortrag v. P. Heymann. (26 S.) 886. n. — 35
67. Brillen u. Brillenbestimmung. Von F. Plehn. (28 S.) 886. n. — 60
68. Über die habituelle Hyperhidrosis pedum. Eine hygien. Skizze v. J. V. Brandau. (20 S.) 886. n. — 50
69. Über Pathogenese u. Therapie d. Keuchhustens. Von Deichler. (10 S.) 886. n. — 50
70. Der klimatische Kurort Gardone-Riviera am Gardasee. Von Koeniger. (7 S.) 886. n. — 50
71. Beiträge zur Behandlung der Chlorose. [Mit besond. Berücksicht. der Heilfactoren d. Inselbades.] Von W. Brügelmann. (8 S.) 886. n. — 50
72. Aerztliche Briefe üb. Diabetes mellitus. Von Wewer. (80 S.) 886. n. 1. —

Sonderegger, die erste Hülfe bei Unglücksfällen. Vortrag. gr. 8. (31 S.) St. Gallen 884. Scheitlin & Zollikofer. n. — 40

Söndermann, Ad., Doris, die Tochter d. Magnaten, od. die wilden Jäger d. Bakonier-Waldes. Roman. 1. Lfg. gr. 8. (24 S. m. 1 color. Steintaf.) Dresden 886. A. Wolf. — 10
— Robert der Teufel od. das Gespenst e. Millionenstadt. Roman. 1. Lfg. gr. 8. (24 S. m. 1 color. Taf.) Ebend. 885. — 10
— der Sträfling od. unschuldig verurtheilt. Eine Erzählg. 1. Hft. gr. 8. (48 S.) Berlin 885. W. Grosse. — 10

Sonderstellung, die, Galiziens als Zufluchtsort der Polenidee. gr. 8. (20 S.) Teschen 886. Feitzinger. n. — 50

Sondheimer, H., der Pentateuch f. den Schulgebrauch. Urtext, Übersetzg. neben dem einzelnen Worte od. Satze, Erklärg. u. Präparation. Nebst e. Anh.: Das Wichtigste aus der hebr. Elementar- u. Formenlehre. gr. 8. (IV, 343 S.) Frankfurt a/M. 886. Kauffmann. geb. n. 3. —
— geschichtlicher Religionsunterricht. 1. Abtlg.: Biblisch-geschichtl. Religionsunterricht. 4. Aufl. 8. (X, 120 S. m. eingedr. Holzschn.) Lahr 885. Schauenburg geb. n. — 60

Sonette, geharnischte. Dem deutschen Volke dargeboten v. e. Volksfreunde. 8. (IV, 32 S.) Tübingen 886. Osiander. n. — 75

Sonklar Edler v. Innstädten, Carl, Lehrbuch der Geographie f. die k. k. Militär-Real- u. Cadetenschulen. 1. Thl. 3. Aufl. gr. 8. (XXIV, 364 S.) Wien 884. Seidel & Sohn. n. 5. —
— den Überschwemmungen. Enth.: Die Überschwemmgn. im Allgemeinen, Chronik der Überschwemmgn. u. Mittel der Abwehr. gr. 8. (VIII, 151 S.) Wien 883. Hartleben. 3. —

Sonndorfer, R., Handel u. Verkehr m. Niederländisch-Indien. Eine handelspol. Studie m. Rücksicht auf den österreich. Handel u. die Triestiner Schiffart. Mit e. Anh.: Die Exportartikel Niederländisch-Indiens. gr. 8. (125 S.) Wien 884. Hölder. n. 2. 72
— u. Herm. **Anton**, Lehrbuch der Geometrie f. die oberen Classen der Mittelschulen. 1. Thl.: Die Geometrie der Ebene. 2. u. 3. Abth. 3. Aufl. Mit Holzschn. gr. 8. Wien, Braumüller. n. 3. 20
2. Ebene Trigonometrie. (VI, 84 S.) 883. n. 1. 20
3. Analytische Geometrie der Ebene. (VII, 136 S.) 885. n. 2. —

Soennecken, F., die Rundschrift. Zum Selbstunterricht u. f. Lehrer m. Vorwort zur 1. u. 100. Aufl. v. F. Reuleaux in 3 Tln. hrsg. 1. Tl. 101. Aufl. Mit 1 Sortiment, 25 Stück, einfacher u. doppelter Rundschriftfedern. qu. 4. (XXVIII, 32 S.) Bonn 886. Soennecken. n. 2. 50

Sonnemann, Max, das Leipziger Universitäts-Carcer. Eine Sammlung der originellsten Inschriften. 2. Aufl. 8. (62 S.) Leipzig 884. A. Duncker. 1. —

Sonnenberg, Ferd., Lehrer-Adreßbuch f. die Prov. Hannover. Zusammenstellung der Lehrer an Volks- u. Mittelschulen m. Einschluß der seminaristisch gebildeten Lehrer an den höheren Schulen, nebst Übersicht üb. sämtl. Elementarschulen in der Prov. Hannover. Nach amtl. Quellen hrsg. gr. 8. (152 S.) Hannover 885. Meyer. cart. n.n. 3. 60; 1. Nachtrag (8 S.) 886. n.n. — 25

Sonnenblume, geistliche. Ein Gebetbuch, enth. kurze, tägl. Besuchgn. d. allerheiligsten Altars-Sakramentes, sammt Morgen-, Abend-, Meß-, Beicht- u. Kommunion-Gebeten, Litaneien, Kreuzweg- u. vielen andern Andachtsübgn. f. Personen d. geistl. u. weltl. Standes. 2. Aufl. 12. (478 S.) Kempten 884. Kösel. 1. 80

Sonnenburg, Ferd., auf der Grenzwacht. Roman aus der balt. Geschichte d. 16. Jahrh. 3 Bde. 8. (238, 220 u. 226 S.) Berlin 886. Janke. n. 10. —
— am Waldstrom. Roman aus dem norddeutschen Gebirge. 3 Bde. 8. (261, 237 u. 226 S.) Ebend. 885. n. 10. —

Sonnenburg, Rud., Grammatik der englischen Sprache, nebst method. Übungsbuche. Naturgemäße Anleitg. zur Erlerng. u. Einübg. der Aussprache, der Formenlehre u. der Syntax. 10. Aufl. gr. 8. (VIII, 360 S.) Berlin 884. Springer. n. 2. 80
— englisches Übungsbuch. Methodische Anleitg. zum Übersetzen aus dem Deutschen in das Englische. 1. Abtlg.: Zur Einübg. der Aussprache u. der Formenlehre. Mit vollständ. Wörterverzeichnisse. 2. Aufl. gr. 8. (VI, 126 S.) Ebend. 885. n. 1. 20
— grammatisches Übungsbuch der französischen Sprache. Methodische Anleitg. zur Einübg. der syntakt. Regeln. Mit deutsch-französ. Mustersätzen u. e. vollständ. Wörterbuche. gr. 8. (X, 223 S.) Ebend. 884. n. 2. —
— wie sind die französischen Verse zu lesen? gr. 8. (26 S.) Ebend. 885. n. — 80

Sonnenfels, J. v., Briefe üb. die Wienerische Schaubühne, s.: Neudrucke, Wiener.

Sonnenkalb, K. Th., das Staatsrecht d. Herzogth. Sachsen-Altenburg, s.: Handbuch d. öffentlichen Rechts der Gegenwart.

Sonnenschein, der. Ein humorist. Hausfreund, hrsg. u. illustrirt v. Lothar Meggendorfer. 6 Hfte. Fol. (74 S. m. eingedr. farb. Illustr.) Stuttgart 886. Spemann. cart. n. 6. 60

Sonnenschein, Sigm., das Localbahnwesen in Oesterreich. gr. 8. (V, 151 S.) Wien 886. Hartleben. n. 3. —

Sonnleitner, Frz., neuestes alphabetisch verfasstes Nachschlagebuch f. die P. T. Herren Verwaltungs- u. Gemeindebeamten, sowie löbl. Advokaturskanzleien, Notariats- u. Aichämter in Böhmen. Nach besten Quellen u. eigenen Aufzeichngn. verf. 1—14. Lfg. gr. 8. (S. 1—560.) Beneschau 884—86. (Prag, Kytka.) à n.n. 1. —

Sonntag, der weiße. Leichtverständliche Belehrgn. u. Gebete zur Vorbereitg. auf die hl. Kommunion f. Erstkommunikanten u. die gesamte Jugend, welche würdig u. m. Nutzen kommunizieren will. Von e. Priester der Erzdiöcese Freiburg. 2. Aufl. 16. (243 S. m. 1 Chromolith.) Donauwörth 883. Auer. geb. in Halbleinw. n. — 80; in Leinw. n. 1. 30; m. Goldschn. n. 2. —

Sonntag, Jul., erläuternder Katalog der keramischen Materialienmuster-Sammlung an der k. k. Fachschule f. Thonindustrie u. verwandte Gewerbe in Znaim. Zusammengestellt im Auftrag d. k. k. Ministeriums

f. Cultus u. Unterricht. gr. 8. (42 S. u. 44 Bl.) Znaim 883. (Fournier & Haberler.) n. 2. 50

Sonntag, Waldemar, Anti-Funcke. gr. 8. (36 S.) Bremen 886. Roussell. n. — 50

— Bildung u. Religion. Vortrag, geh. im Protestanten-Verein zu Bremen, Hamburg u. Osnabrück. 2. Aufl. gr. 8. (20 S.) Ebend. 886. n. — 30

— Kurz u. Erbaulich. Religiöse Betrachtgn. f. Protestanten. 8. (VIII, 222 S.) Ebend. 886. geb. n. 3. —

— Laienpredigten. Lose Blätter der Lebensweisheit. 1. Sammlg. 2. Aufl. u. 2. Sammlg. 8. (VIII, 336 u. X, 306 S.) Halle 886. Hendel. à 3. —; geb. à n. 4. —

Sonntage, die sechs, zu Ehren d. heil. Aloysius vom Verf. der „Marienkrone". 3. Aufl. 16. (55 S. m. 1 Stahlst.) Donauwörth 886. Auer. geb. n.n. — 45

Sonntagsblatt, Aachener. Red.: M. W. Quadt. 19—21. Jahrg. 1884—1886. à 52 Nrn. (B.) gr. 4. Aachen, Jacobi & Co. à Jahrg. n. 2. —

— Barmer. Haus- u. Kinderfreund. Red.: Kind. 26—28. Jahrg. 1884—1886. à 52 Nrn. ($^1/_2$ B.) gr. 4. Barmen, (Wiemann). à Jahrg. n. 2. —
cf.: Haus- u. Kinderfreund, Barmer.

— Eisleber. Festnummer zur 400jähr. Lutherfeier in Eisleben. Fol. (8 S. m. Holzschn. u. 1 Taf.) Eisleben 883. (Mähnert.) — 50

— evangelisches, aus Bayern. Red.: A. Caselmann. 1—3. Jahrg. 1884—1886. à 12 Nrn. (B.) hoch 4. Rothenburg o/d. Tbr., Peter. à Jahrg. n. 1. 60

— Berliner evangelisches. Hrsg. vom Evangel. Verein f. kirchl. Zwecke. Zur Förderg. der Berliner Stadtmission. Red.: E. Hülle. 5—7. Jahrg. 1883—1885. à 52 Nrn. (B.) 4. Berlin. (Leipzig, Wallmann.) à Jahrg. 3. —

— dasselbe. 8. Jahrg. 1886. 52 Nrn. (B.) 4. Ebend. n. 2. 20

— elsässisches evangelisches. Red.: C. Fr. Bögner. 20—23. Jahrg. 1883—1886. à 52 Nrn. (B.) gr. 8. Straßburg, (Schmidt). à Jahrg. n. 4. —

— Stuttgarter evangelisches. Red.: F. Held. 17—20. Jahrg. 1883—1886. à 52 Nrn. (B.) gr. 4. Stuttgart, Belser. à Jahrg. 2. 10

— freireligiöses. Vereinigung der beiden Wochenschriften: Uhlichs Sonntags-Blatt u. Die freie Gemeinde. Red. v. Ludw. Schwennhagen u. unter Mitwirkg. v. Clara Uhlich. 36. Jahrg. 1885. 52 Nrn. (à 1—2 B.) gr. 4. Magdeburg, Demcker. n. 3. —
cf.: Uhlich's Sonntags-Blatt.

— hannoversches. Red. u. Hrsg.: Freytag. Jahrg. 1883—1886. à 52 Nrn. (à $^1/_2$—1 B.) hoch 4. Hannover, (Meyer). à Jahrg. n.n. 2. 50

— für's Haus. Red. u. Hrsg.: Chrn. Jensen. 14. Jahrg. 1883. 52 Nrn. Nebst dem „Schleswig-Holstein. Missionsblatt". 8. Jahrg. 26 Nrn. (B.) Fol. Breklum 883. Christl. Buchh. 2. —

— für Jedermann aus dem Volke. Begründet v. Otto Ruppius. Red.: A. Phillipps. Jahrg. 1883—1886. à 52 Nrn. ($1^1/_2$ B. m. Holzschn.) gr. 4. Berlin, Volks-Zeitung. à Jahrg. 5. —

— für katholische Christen. Red. v. Hub. Schumacher. 42—45. Jahrg. 1883—1886. à 52 Nrn. (à $^1/_2$—1 B.) Lex.-8. Münster, Theissing. à Jahrg. n. 4. —

— stenographisches. Red.: F. Fieweger. Jahrg. 1883 u. 1884. à 52 Nrn. ($^1/_4$ lith. B.) 8. Breslau, (Aderholz). à Jahrg. n. 4. —

Sonntagsbote, der, aus Kurhessen. Red.: C. Moutoux. 26. Jahrg. 1886. 52 Nrn. (B.) gr. 4. Cassel, (Röttger). n.n. 2. —

Sonntagsfreund, der. Zur Förderg. der Berliner Stadtmission. Hrsg. v. Stöcker. 1. u. 2. Jahrg. 1885 u. 1886. à 52 Nrn. (B.) gr. 4. Berlin, Buchh. der Berliner Stadtmission. à Jahrg. n. 1. 60

— schweizer. Hrsg. v. Freunden d. Sonntags. Red.: Gust. Beyer. Jahrg. 1886. 6 Nrn. ($^1/_2$ B.) gr. 8. Basel, (Spittler). n. — 40

Sonntagskalender 1887. 4. (71 S. m. Illustr.) Freiburg i/Br., Herder. n. — 30

Sonntagsklänge f. evangelische Gemeinden. In Verbindg. m. gleichgesinnten Freunden hrsg. v. H. Strunk u. A. Wächtler. 3—6. Jahrg. 1883—1886. à 52 Nrn. (B.) gr. 4. Halle, Niemeyer. à Jahrg. n. 1. 60

Sonntagsruhe, die. Illustrirtes Volksblatt f. Stadt u. Land. Red.: M. Babenzien. 1. Jahrg. 1884. 52 Nrn. (B. m. Holzschn.) gr. 4. Rathenow, Haase. 3. —
Erscheint nicht mehr.

Sonntags-Schule, die. Red.: Prochnow. 20—23. Jahrg. 1883—1886. à 48 Nrn. ($^1/_2$ B. m. Holzschn.) hoch 4. Berlin. (Leipzig, Bredt.) à Jahrg. n.n. 1. 25

Sonntagsschulfreund, der. Ein Blatt f. Lehrer u. Lehrerinnen der Sonntagsschule. Red.: Prochnow. 20—23. Jahrg. 1883—1886. à 12 Nrn. (à $^1/_2$—1 B.) hoch 4. Berlin. (Leipzig, Bredt.) à Jahrg. 3. —

Sonntagsschul-Gesangbuch der Reformirten Kirche in den Vereinigten Staaten. Hrsg. v. den deutschen Synoden obiger Kirche. (Ausg. ohne Noten.) 16. (313 S.) Cleveland, O. 886. (Philadelphia, Schäfer & Koradi.) geb. n. 1. —

Sonntagsschul-Magazin. Eine Monatsschrift f. Sonntagsschullehrer u. Freunde der Jugend, hrsg. auf Anordnung der jährl. Conferenz der bischöfl. Methodistenkirche in Deutschland u. der Schweiz v. J. H. Breiter. 5—8. Bd. Jahrg. 1883—1886. à 12 Nrn. (B.) gr. 8. Bremen, Verl. d. Tractathauses. à Jahrg. n. 1. 35

Sophokles. Erklärt v. F. W. Schneidewin. 2—5. Bdchn. Neue Aufl., besorgt v. Aug. Nauck. gr. 8. Berlin, Weidmann. 5. 70
2. Oidipus Tyrannos. 8. Aufl. (182 S.) 886. 1. 50
3. Oidipus auf Kolonos. 8. Aufl. (212 S.) 884. 1. 50
4. Antigone. 9. Aufl. (176 S.) 886. 1. 20
5. Elektra. 8. Aufl. (185 S.) 882. 1. 50

— Für den Schulgebrauch erklärt v. Gust. Wolff. 3—5. Tl., bearb. v. Ludw. Bellermann. gr. 8. (VIII, 180 S.) Leipzig, Teubner. 3. 90 (1—5.: 6. 30)
3. Antigone. 4. Aufl. (VIII, 180 S.) 885. 1. 20
4. König Oidipus. 3. Aufl. (IX, 175 S.) 885. 1. 20
5. Oidipus auf Kolonos. (VI, 262 S.) 1. 50

— Deutsch in den Versmaßen der Urschrift v. J. J. C. Donner. 10. Aufl. 2 Thle. in 1 Bd. gr. 8. (III, 355 u. III, 230 S.) Leipzig 883. C. F. Winter. n. 6. —; geb. n.n. 6. 90

— Werke, verdeutscht in der Versweise der Urschrift u. erklärt v. Adf. Schöll. 13., 15—20. Lfg. 8. Berlin 885. 86. Langenscheidt. à n. — 35
13. 15. Ajas. 3. u. 5. Lfg. 4. Aufl. (S. 97—144 u. S. 193—248.) — 16—20. Philoktet. 1—5. Lfg. 2. Aufl. (S. 1—265.)

— dasselbe. Zum Schulgebrauche m. erklär. Anmerkgn. versehen v. N. Wecklein. 1. Bdchn. Antigone. 2. Aufl. gr. 8. (100 S.) München 885. Lindauer. n. 1. 20

— dasselbe, s.: Collection Spemann. — Dichter, griechische, in neuen metrischen Uebersetzungen.

— Aiax, scholarum in usum ed. Frdr. Schubert. 8. (XVIII, 50 S.) Prag 883. Tempsky. — Leipzig, Freytag. n. — 40

— Antigone, scholarum in usum ed. Frdr. Schubert. 8. (XII, 48 S.) Ebend. 883. n. — 40

— dasselbe. Für den Schulgebrauch erklärt v. Geo. Kern. Ausg. A., m. untergesetzten Anmerkgn. gr. 8. (IV, 68 S. m. 2 Tab.) Gotha 883. F. A. Perthes. n. 1. —; Ausg. B., m. besond. Anmerkungenheft (IV, 38 u. 28 S. m. 2 Tab.) n. 1. —

— dasselbe, griechisch u. deutsch hrsg. v. Aug. Boeckh. Nebst 2 Abhandlgn. üb. diese Tragödie im Ganzen u. üb. einzelne Stellen derselben. Neue Ausg. gr. 8. (VIII, 270 S.) Leipzig 884. Teubner. n. 4. 40

— dasselbe, s.: Meyer's Volksbücher.

— Elektra. Für den Schulgebrauch erklärt v. Gerh. Heinr. Müller. Ausg. A., Kommentar unterm Text. gr. 8. (IV, 92 S.) Gotha 885. F. A. Perthes. 1. 20; Ausg. B., Text u. Kommentar getrennt in 2 Hftn. (IV, 51 u. 40 S.) 1. 20

— asselbe, scholarum in usum ed. Frdr. Schubert. 8d (XVIII, 49 S.) Prag 884. Tempsky. — Leipzig, Freytag. n. — 40

— Oedipus auf Kolonos. Für den Schulgebrauch erklärt v. Fr. Sartorius. gr. 8. (III, 66 S.) Gotha 882. F. A. Perthes. n. — 80

— dasselbe, scholarum in usum ed. Frdr. Schubert.

8. (XVIII, 65 S.) Prag 885. Tempsky. — Leipzig, Freytag. n. — 40

Sophokles. Oedipus auf Kolonos. Drama. Aus dem Griech. im antiken Versmaß übertr. v. H. A. Feldmann. gr. 16. (121 S.) Hamburg 885. Grüning. 1. 20; geb. m. Goldschn. 2. —

— König Oidipus. Für den Schulgebrauch erklärt v. Geo. Kern. Ausg. A., Kommentar unterm Text. gr. 8. (VI, 91 S. m. 4 Tab.) Gotha 884. F. A. Perthes. n. 1. —; Ausg. B., Text u. Kommentar getrennt in 2 Hftn. (VI, 44 u. 45 S. m. 4 Tab.) n. 1. —

— dasselbe, scholarum in usum ed. Frdr. Schubert. 8. (XIV, 54 S.) Prag 883. Tempsky. — Leipzig, Freytag. n. — 40

— dasselbe, übers. in den Versmassen d. Originals v. Thdr. Meckbach. 4. (30 S.) Leipzig 886. Fock. n. 1. —

— dasselbe. Tragödie. Uebers. v. Emil Müller. 8. (V, 74 S.) Halle 885. Niemeyer. n. 1. 20

— dasselbe, s.: Meyer's Volksbücher.

— Philoktetes. Für den Schulgebrauch erklärt v. Gerh. Heinr. Müller. Ausg. A., Kommentar unterm Text. gr. 8. (III, 74 S.) Gotha, F. A. Perthes. n. 1. —; Ausg. B., Text u. Kommentar getrennt in 2 Hftn. (III, 51 u. 24 S.) n. 1. —

— dasselbe. Scholarum in usum ed. Frdr. Schubert. 8. (XV, 47 S.) Leipzig 884. Freytag. n. — 40

— dasselbe. Drama. Aus dem Griech. im antiken Versmaaß übertr. v. H. A. Feldmann. 12. (96 S.) Leipzig 886. Unflad. n. 1. 20

— Trachiniae. Scholarum in usum ed. Fr. Schubert. 8. (VI, 59 S.) Leipzig 886. Freytag. n. — 40

— tragoediae ex recensione Guil. Dindorfii. Ed. VI, quam curavit brevique adnotatione instruxit S. Mekler. 8. (CVI, 365 S.) Leipzig 885. Teubner. 1. 50

— dasselbe. Einzelausg. 7 Nrn. 8. Ebend. 885. à — 30

1. Aiax. (IV, 50 S.)
2. Electra. (IV u. S. 51—101.)
3. Oedipus rex. (IV u. S. 103—156.)
4. Oedipus Coloneus. (V u. S. 157—218.)
5. Antigone. (IV u. S. 219—266.)
6. Trachiniae. (IV u. S. 267—313.)
7. Philoctetes. (IV u. S. 315—365.)

— dasselbe. Scholarum in usum ed. Jos. Král. I. Aiax. gr. 8. (48 S.) Prag 885. (Kytka.) n.n. — 30

— dasselbe. Erklärt v. C. Schmelzer. 1—5. Bd. gr. 8. Berlin 885. 86. Habel. n. 9. 60; Schulbd. à n.n. — 30; Leinw.-Bd. à n.n. 1. —

1. König Oedipus. (152 S.) . 1.
2. Aiax. (132 S.) . 1.
3. Antigone. (130 S.) . 1.
4. Electra. (149 S.) n. 1. 80
5. Oedipus in Kolonos. (180 S.) n. 2. 80

— dasselbe. Rec. et explanavit Ed. Wunderus. Vol. II. Sect. 1. continens Electram. Ed. IV., quam curavit N. Wecklein. gr. 8. (132 S.) Leipzig 886. Teubner. 1. 80

— Tragödien, zum Schulgebrauche m. erklär. Anmerkgn. versehen v. N. Wecklein. 7. Bdchn.: Die Trachinierinnen. gr. 8. (84 S.) München 884. Lindauer. n. 1. 20 (1—7.: n. 8. 40)

— dasselbe, übers. v. G. Wendt. 2 Bde. gr. 8. (VII, 330 u. III, 253 S.) Stuttgart 884. Cotta. n. 7. —; geb. n. 9. —

Sophoniae in libros Aristotelis de anima paraphrasis, s.: Commentaria in Aristotelem graeca.

Soeppliedt, F., guter Rat f. Erzieherinnen, die ins Ausland gehen wollen. Nebst Angabe v. Asylen. gr. 8. (15 S.) Frankfurt a/M. 885. Alt. n. — 80

Sorauer, Paul, Handbuch der Pflanzenkrankheiten. Für Landwirthe, Gärtner, Forstleute u. Botaniker bearb. 2. Aufl. 2 Thle. gr. 8. Berlin 886. Parey. geb. n. 34. —

1. Die nicht-parasitären Krankheiten. Mit 19 lith. Taf. u. 61 Textabbildgn. (XVI, 920 S.) n. 20. —
2. Die parasitären Krankheiten. Mit 18 lith. Taf. u. 21 Textabbildgn. (XI, 456 S.) n. 14. —

Sorge, alle eure, werfet auf den Herrn, denn er sorget f. euch. 6 Kreuze m. Initialen in Blumen. Chromolith. 16. Leipzig 883. (Baldamus' Sep. Cto.) n. 1. 40

Sörgel, J., wie steht es m. der Überbürdung an den bayerischen Gymnasien? Rede, geh. bei der Schlußfeier d. Gymnasiums am 8. Aug. 1883. 8. (15 S.) Hof 883. Lion. n. — 20

Sörgel, S., 50 evangelische Kirchenlieder, m. Erläutergn. versehen. 2 Hfte. 8. (VI, 55 u. IV, 45 S.) Essen 883. Bädeker. à n. — 60

— u. **Uhlig,** biblische Geschichte f. Volksschulen. Auf Grund der Bestimmgn. d. „Lehrplanes f. die einfachen Volksschulen d. Königr. Sachsen" bearb. 2. Aufl. gr. 8. (VIII, 208 S. m. 2 chromolith. Karten.) Meißen 883. Schlimpert. cart. n.n. — 90

Sorgenbrecher, der, od. Zwergfellerschütterungen als Mittel zur Erheiterung in trüben Stunden. Hrsg. v. L. Jocus. 1—8. Heft. 8. (à ca. 40 S.) Ilmenau 885. Schröter. à n. — 25; in Bdn. à 4 Hfte. n. 1. —

Sorgenfrei. Wochenschrift zur Unterhaltg. u. Belehrg. Red.: F. A. Günther. 9—12. Jahrg. 1883—1886. à 52 Nrn. (B.) gr. 4. Berlin, Günther. à Jahrg. n. 4. —

Sorger, Frz., üb. die wichtigsten Punkte der Diätetik während e. Karlsbader Kur. 9. Aufl. 8. (79 S.) Karlsbad 884. Feller. n. 1. 20

Sorger, H., kleine Bilder aus dem Leben. 16. (79 S.) Hamburg 883. (H. J. Koch.) n. — 60

Sorhagen, Ludw., die Kleinschmetterlinge der Mark Brandenburg u. einiger angrenzender Landschaften. Mit besond. Berücksicht. der Berliner Arten. gr. 8. (X, 367 S.) Berlin 886. Friedländer & Sohn. n. 6. —

Sosna, A., Seerosen. 16. (57 S.) Bremen 884. Roussell. n. 1. 25; geb. n. 2. —

Sosnowski, M. E., s.: Katalog der Raczyńskischen Bibliothek in Posen.

Sohnitz, J. L., ewiger Kalender. 16. (32 S.) Riga 884. (Jonck & Poliewsky.) n. — 75

Soetbeer, Ad., graphische Darstellungen in Bezug auf die Silberfrage. Angefertigt auf Grund der 2. Ausg. der Materialien zur Erläuterg. u. Beurteilg. der wirtschaftl. Edelmetallverhältnisse u. der Währungsfrage, auf Veranlassg. d. Vereins zur Wahrg. der wirtschaftl. Interessen v. Handel u. Gewerbe gesammelt. gr. 4. (1 Chromolith. in qu. gr. Fol. m. 1 S. Text.) Berlin 886. Puttkammer & Mühlbrecht. n. 1. 40

— Materialien zur Erläuterung u. Beurtheilung der wirthschaftlichen Edelmetallverhältnisse u. der Währungsfrage. Gesammelt v. A. S. Hrsg. vom Vorstande d. Vereins zur Wahrg. der wirthschaftl. Interessen v. Handel u. Gewerbe. gr. 4. (107 S.) Ebend. 885. n. 2. —

— dasselbe. 2. Ausg. gr. 4. (XII, 123 S.) Ebend. 886. n. 6. —

Soetbeer, Heinr., die Stellung der Sozialisten zur Malthus'schen Bevölkerungslehre. Eine v. der philosoph. Fakultät der Georg-Augusts-Universität zu Göttingen gekrönte Preisschrift. gr. 4. (III, 117 S.) Berlin 886. Puttkammer & Mühlbrecht. n. 3. —

Sotier, Alfr., Bad Kissingen. 2. Aufl. Mit 1 (chromolith.) Plan der Stadt Kissingen u. 1 Karte der Umgebg. derselben. 8. (VI, 362 S.) Leipzig 883. Engelmann. n. 3. —; geb. n. 3. 60

Soubhy Bey, A., Grammatik der deutsch-türkischen Sprache. 1. Thl. gr. 8. (383 S.) Wien 886. (Bloch & Hasbach.) n. 4. —

Souchay, Thdr., frisch vom Herzen! Lieder u. Dichtgn. 8. (XV, 354 S.) Stuttgart 886. Greiner & Pfeiffer. geb. m. Goldschn. n. 4. —

Souchon, A. F., die Lehre d. Christentums, in der Ordnung d. kleinen Katechismus Luthers f. Konfirmanden u. Christen aller Stände dargestellt. Nach dem Tode d. Verf. hrsg. v. G. Souchon. 2. Aufl. 12. (111 S.) Berlin 886. Touchy. n. — 50

Souheur, taktische u. strategisch-taktische Aufgaben f. Felddienst-, Gefechts- u. Detachements-Uebungen, Feld-Uebungsreisen u. f. das Kriegsspiel. Entworfen bezw. bearb. Mit 2 Plänen in Steindr. gr. 8. (XII, 72 S.) Berlin 886. Mittler & Sohn. n. 2. 40

Soulié, F., nouvelles, s.: Bibliothèque classique intéressante.

Southey, Rob., the life of Nelson. Erklärt v. Otto Ritter. Mit 2 Schlachtplänen u. 8 Schiffsfig. gr. 8. (X, 152 S.) Berlin 886. Weidmann. cart. 1. 80

— dasselbe, s.: Schulbibliothek, französische u. englische.

Souvenir. Familien-Almanach Weihnachten 1884. hoch 4. (70 S. m. eingedr. Holzschn.) Berlin 885. S. Fischer. geb. 4. —

— O frage nicht! Illustriert v. Georgy, E. Klimsch, Erdm. Wagner etc. 7. Aufl. 12. (VII, 104 S.) Leipzig 885. Amelang. geb. m. Goldschn. n.n. 8. —

— de l'exposition nationale suisse. 16. (19 Steintaf.) Zürich 883. Orell Füssli & Co. Verl. 1. 50

— du St. Gothard. qu. 8. (20 Holzschntaf.) Zürich 883. Schmidt. n. 1. 60

— von Stettin. 16 lith. Ansichten. 16. Stettin 884. Spaethen. geb. 1. 50

Souvestre, Emile, choix de contes et recits, s.: Bibliothèque instructive des écoles secondaires

— au coin du feu. Erklärt v. A. Güth. 2 Bde. 2. Aufl. gr. 8. (96 u. III, 84 S.) Berlin 884. 85. Weidmann. à — 90

— dasselbe, s.: Bibliothèque française.

— confessions d'un ouvrier, s.: Schulbibliothek, französische u. englische.

— zwei Erzählungen aus Les derniers paysans, s.: Prosateurs français.

— dans la prairie. Nouvelle éd. 8. (144 S.) Leipzig 883. Wilfferodt. n. 1. —

Soxhlet, F., üb. Kindermilch u. Säuglings-Ernährung. Vortrag. gr. 8. (16 S.) München 886. J. A. Finsterlin. n. — 45

Soyaux, Ludw., Renate. Eine Künstlergeschichte vom Rhein. 8. (182 S.) Reudnitz-Leipzig 885. Payne. geb. m. Goldschn. n. 3. 50

Soyka, J., zur Assanirung Prags. Bericht, erstattet dem Vereine deutscher Aerzte in Prag am 4 Decbr. 1885 v. seinem Vertreter im städt. Gesundheitsrathe. gr. 8. (41 S.) Prag 886. Dominicus. n. — 80

— Untersuchungen zur Kanalisation. gr. 8. (IV, 153 S.) München 885. Oldenbourg. n. 4. —

— über die Verbreitungsweise der Cholera nach Ort u. Zeit. Vortrag. gr. 8. (35 S.) Berlin 884. Pasch. n. 1. —

Soyka, Karl, Veilchen im Schnee. Gedichte. 16. (X, 88 S.) Reichenberg 885. Fritsche. geb. n. 3. —

Sozialdemokratie. 8. (30 S.) Gernsbach 882. Christl. Colportage-Verein. n. — 8

Sozialgesetz-Sammlung. 1—3. Hft. 8. München 884. Viereck. n. 1. 10

1. Die verschiedenen Vereinsgesetze in Deutschland. (45 S.) n. — 50
2. Hülfskassengesetz m. Novelle, nebst den bayer. Verordngn.: Vollzug der Arbeiterkrankenversicherg., Festsetzg. des ortsübl. Tagelohnes, Verhältniß der eingeschriebenen u. anderen Hülfskassen zur Krankenversicherg. Haftpflichtgesetz, Gesetz üb. die Beschlagnahme d. Arbeitslohnes. Freizügigkeits-Gesetz. Hrsg. v. Fr. Rohleder. (40 S.) — 30
3. Sozialisten-Gesetz m. dem Geschäftsregulativ f. die Reichskommission. Dynamit-Gesetz. Hrsg. v. Fr. Rohleder. (17 S.) — 30

Sozialisten, die, s.: Engelhorn's allgemeine Roman-Bibliothek.

Sozialisten-Prozeß, der, in Chemnitz am 28., 29. u. 30. Septbr. u. 7. Oktbr. 1885. 8. (16 S.) Chemnitz 885. Hager. — 10

Spaing, W., Handelsregister u. Firmenrecht nach deutschem u. außerdeutschem Rechte. gr. 8. (III, 108 S.) Berlin 884. Vahlen. n. 2. —

Spaleny, Norbert, Wahrnehmungen u. Erfahrungen der k. k. Truppen bei der Occupation Bosniens u. der Hercegovina im J. 1878. Nach dem Orig.-Materiale d. militär-wissenschaftl. Vereines zu Wien bearb. gr. 8. (183 S.) Wien 884. (Seidel & Sohn.) n. 2. 40

Spalteholz, R., mein Freund Bellamy, s.: Bibliothek, neue, f. das deutsche Theater.

Spalteholz, Rob., praktische Anleitung zur kaufmännischen Buchhaltung nach einfacher u. doppelter Methode, s.: Treuber, W.

— Geschäftsgänge zur Buchhaltung zum Gebrauche in den Handelslehranstalten. 3. Aufl. gr. 8. (15 S.) Dresden 883. G. Dietze. n. — 50

Spaltenstein, Mich., Gedanken üb. Anwaltsgebühren u. Anwaltszwang. gr. 8. (37 S.) Berlin 887. Puttkammer & Mühlbrecht. n. — 50

Spamer, Alb., Untersuchungen üb. Holzreife. gr. 8. (15 S. m. 1 Steintaf.) Giessen 882. (Leipzig, Fock.) n. — 50

Spangenberg, Max, zum Sieg der freien Wissenschaft. Offener Streitbrief an Hrn. G. Gadow, Verf. der zugleich an Hrn. Max Spangenberg adressirten Schrift „Die Freiheit der Wissenschaft u. Hr. du Bois-Reymond". gr. 8. (32 S.) Hamburg 883. J. F. Richter. n. — 60

Spannagel, Carl, zur Geschichte d. deutschen Heerwesens vom Beginn d. 10. bis zum Ausgang d. 12. Jahrh. gr. 8. (V, 77 S.) Leipzig 885. Fock. n. 1. 50

Spare u. arbeite. Ein wohlgemeintes Wort an die Arbeiter, gegeben in drei gekrönten Volksschriften über den Segen der Sparkassen. Zur Förderg. d. geist. u. materiellen Wohles aller Arbeiter hrsg. v. der Seidenindustrie-Gesellschaft d. Kantons Zürich. 5. Aufl. 8. (67 S.) Zürich 885. Schmidt. n. — 50

Spasović, V. D., Geschichte der slavischen Literaturen, s.: Pypin, A. N.

Späth, A., Martin Luther im Liede seiner Zeitgenossen. 8. (132 S.) Reading, Pa. 883. Pilger-Buchhandlg. geb. n. 2. —

Späth, Charlotte, Maria Werner in ihrer Haushaltung. Koch- u. Wirthschaftsbüchlein. 6. Aufl. 8. (172 S.) Schw. Hall 887. Schober. 1. 50; cart. n. 2. —

— Maria Werner. Die mutterlose Jungfrau in ihrem Leben u. ihrer Haushaltg. Ein unterhalt. u. wirthschaftl. Bildungsbuch f. Frauen u. Töchter. 5. Aufl. 2 Tle. in 1 Bde. 8. (XI, 320 u. 172 S.) Ebend. 885. 4. 50; geb. n. 5. 60; auch in 9 Lfgn. à n. — 50

Späth, Jos., Lehrbuch der Geburtshilfe f. Hebammen. 4. Aufl. Mit 33 Holzschn. gr. 8. (XI, 346 S.) Wien 886. Braumüller. n. 8. —

Spättgen, Doris Freiin v., d. Amerikaners Wort. Roman. 8. (263 S.) Berlin 885. Janke. n. 2. —

— Sphinx. Roman. 8. (307 S.) Leipzig 886. Reißner. n. 4. 50; geb. n. 5. 50

— durch Sturm zum Hafen. Erzählung. 8. (138 S.) Berlin 884. Janke. n. 1. —

Spaziergänge, kosmopolitische, d. Corpsburschen Kurt v. Terzenheim. I. 8. (V, 378 S.) Stuttgart 886. Bonz' Erben. n. 5. —

Specht, Constanze v., Erzählungen e. Großmutter f. kleine Knaben u. Mädchen. Mit 8 Buntbildern v. Mathilde Cöster, ausgeführt v. J. G. Bach in Leipzig, u. Holzschn. nach E. Pezenburg u. A. 8. (IV, 128 S.) Leipzig 886. Strübig. cart. n. 2. —

Specht, Frz. Ant., Geschichte d. Unterrichtswesens in Deutschland von den ältesten Zeiten bis zur Mitte d. 13. Jahrh. [Eine v. der histor. Kommission bei der königl. bayer. Akademie der Wissenschaften gekrönte Preisschrift.] gr. 8. (XII, 411 S.) Stuttgart 885. Cotta. n. 8. —

Specht, Frdr., Abbildungen vorzüglicher Hunde-Rassen. Zeichnungen in Holzschn. ausgeführt v. C. G. Specht. 2. Aufl. Fol. (24 Bl.) Stuttgart 884. Schickhardt & Ebner. In Mappe. n. 7. —

— Abbildungen jagdbarer Tiere aus Wald u. Feld. Zeichnungen, in Holzschn. ausgeführt v. C. G. Specht. 2. Aufl. Fol. (20 Bl.) Ebend. 884. In Mappe. n. 6. —

— die Säugetiere in Wort u. Bild, s.: Vogt, C.

— Tierstudien als Zeichen-Vorlagen u. Zimmerschmuck. (2. Aufl.) gr. Fol. (10 Steintaf.) Stuttgart 886. Jul. Hoffmann. In Mappe. 12. —; einzelne Blätter à 1. —

Specht, H., Versuch e. Geschichte Lußheims u. seiner Kirche seit Einführung d. Christenthums. 8. (64 S.) Karlsruhe 883. (Reiff.) n. — 60

Specht, Karl Aug., der Verfluchte. Trauerspiel in 5 Akten. 3. Aufl. gr. 8. (IX, 147 S.) Gotha 883. Stollberg. n. 1. 50

Special-Adressbuch der sämmtlichen Getreidehändler, Mühlenbesitzer, Malzfabriken u. Brauereibesitzer d. Deutschen Reiches u. Oesterreich-Ungarns. gr. 8.

(VI, 618 S.) Magdeburg 882. (Leipzig, K. F. Köhler.) n. 15. —

Specialdebatte, die, üb. den Mittelschulgesetzentwurf im ungarischen Reichstage. gr. 8. (VII, 148 S.) Hermannstadt 883. (Michaelis.) n. — 60

Special-Handbuch f. das reisende Publikum. Nachweis, Auskunft u. Empfehlgn. der Hotels d. Deutschen Reiches etc. 8. (IV, 100 S.) Berlin 885. Selle. — 75

Special-Katalog der 6. Gruppe der Allgemeinen Landes-Ausstellung zu Budapest, 1885 f. Bergbau, Hüttenwesen u. Geologie. Hrsg. v. der Fachcommission der 6. Gruppe. 8. (LXI, 231 S. m. 24 lith. Curventaf.) Budapest 885. (Kilián.) n. 2. —

Special-Orts-Repertorien der im österreichischen Reichsrathe vertretenen Königreiche u. Länder. Hrsg. v. der k. k. statist. Central-Commission. I—XIII. gr. 8. Wien, Hölder. n. 88. 90

I. Nieder-Oesterreich. (VI, 290 S.) 883. n. 6. 40
II. Ober-Oesterreich. (264 S.) 883. n. 7. 60
III. Salzburg. (70 S.) 883. n. 2. —
IV. Steiermark. (IV, 310 S.) 883. n. 9. —
V. Kärnten. (IV, 119 S.) 883. n. 3. 60
VI. Krain. (IV, 145 S.) 884. n. 5. 40
VII. Küstenland. (IV, 195 S.) 885. n. 5. 80
VIII. Tirol u. Vorarlberg. (177 u. 36 S.) 885. n. 6. 30
IX. Böhmen. (818 S.) 885. n. 19. 20
X. Mähren. (290 S.) 885. n. 5. 60
XI. Schlesien. (69 S.) 885. n. 1. 80
XII. Galizien. (IV, 596 S.) 886. n. 15. —
XIII. Bukowina. 886. n. 1. 20

Speckter, Hans, Heraldik u. Schutzmarke. Vortrag, geh. in der kunstgewerbl. Abthlg. d. Hamburger Gewerbevereins am 7. März 1883. 8. (23 S.) Hamburg 883. Voß. n. — 50

— die Nothwendigkeit e. Museums f. Hamburgische Geschichte. Vortrag. 8. (32 S. m. 1 Situationsplan.) Ebend. 884. n. — 40

Speidel, Luthers Leben, Wirken u. Bedeutung, m. e. Anh.: Ueberblick üb. die Geschichte der Reformation in Württemberg. 8. (108 S.) Stuttgart 883. (J. F. Steinkopf.) n. 1. 40

Speidel, Ludw., u. Hugo **Wittmann**, Bilder aus der Schillerzeit. Mit ungedruckten Briefen an Schiller. gr. 8. (406 S.) Stuttgart 884. Spemann. n. 8. —

Speidel, P., Elementarstilistik der lateinischen Sprache in Übungsbeispielen zur Syntaxis ornata u. Synonymik, f. Schüler von 13—14 Jahren bearb. 1. u. 2. Bdchn. 2. Aufl. 8. Heilbronn, Scheurlen's Verl. 3. 50

1. (VII, 132 S.) 885. 1. 50. — 2. (VIII, 160 S.) 886. 2. —

— dasselbe. Lateinischer Text zu den Uebungsstücken. 2. Bdchn. 2. Aufl. 8. (103 S.) Ebend. 883. n.n. 1. 80

— dasselbe. Griechische Uebersetzg. der 26 Uebungsstücke im 1. Bdchn. 8. (16 S.) Ebend. 884. n.n. — 40

— Übungsbuch f. die lateinische Syntax im Anschluß an die Grammatik v. Ellendt-Seyffert. Mit Beispielen aus den Klassikern f. Unter- u. Obertertia [5. u. 6. Jahreskurs] zusammengestellt. 8. (VIII, 183 S.) Biberach 886. (Dorn.) n.n. 2. 50; latein. Text dazu (135 S.) n.n. 2. 50

Speier, Chr., unser Volk in Waffen, s.: Poten, B.

Speier, Jul., fern im Süd. Spanische Novellen. Uebers. v. J. S. 8. (III, 253 S.) Berlin 885. (Itzleib.) n. 3 —

Speisezimmer, das, und andere Festgaben, dargebracht Ihren kaiserl. u. königl. Hoheiten dem Kronprinzen u. der Kronprinzessin d. Deutschen Reiches u. v. Preussen bei der Feier der Silberhochzeit am 25. Jan. 1883, angefertigt unter Mitwirkg. d. königl. Kunstgewerbe-Museums zu Berlin. Text v. Jul. Lessing. Fol. (30 Lichtdr.-Taf. m. III, 6 S. Text.) Berlin 886. Wasmuth. geb. n. 40. —

Spelthahn, J. H., die französische Aussprache. gr. 8. (22 S.) München 884. Wenger's Buchh. n. — 50

— das Genus der französischen Substantiva. Eine neue Anleitg. das Genus aller französ. Substantiva [üb. 40,000] durch Begriff u. Form zu bestimmen, nebst e. Anh. üb. die Geschlechtsverwandlg. der Nomina auf eur. gr. 8. (61 S.) Amberg 883. Pohl's Verl. n. 1. —

— französisches Vokabular im Anschlusse an die Formen u. Gesetze der Grammatik, nebst e. kurzgefaßten Syntax der französ. Sprache. gr. 8. (134 S.) München 884. Wenger's Buchh. n. 2. —

Spencer, Herbert, System der synthetischen Philosophie. 5. Bd. A. u. d. T.: Die Principien der Psychologie. Autoris. deutsche Ausg. Nach der 3. engl. Aufl. übers. v. B. Vetter. 2. Bd. gr. 8. (VIII, 730 S.) Stuttgart 886. Schweizerbart. n. 15. — (1—5: n. 63. —)

Spencer Wells, Sir Bart., Diagnose u. chirurgische Behandlung der Unterleibs-Geschwülste [Tumoren]. Auf Wunsch d. Verf. übers. v. Wilh. v. Vragassy. Mit 55 Abbildgn. gr. 8. (XIV, 507 S.) Wien 886. Braumüller. n. 9. —

Spendung, die, d. heil. Sakramentes der Firmung u. die Feier d. 10jährigen Bestandes der Gemeinde zu Freiburg i. B. Ein altkathol. Lebenszeichen. gr. 8. (62 S.) Freiburg i/Br. 885. Troemer. n. — 80

Spener's, d. Rappoltsweiler Phil. Jak., Erklärung der Straßburger „Kinderbibel". I. Einleitung u. das erste Hauptstück. Eine Jubiläumsgabe. gr. 8. (VI, 154 S.) Straßburg 885. (Bomhoff.) cart. n. 2. —

Spengel, J. W., die Stellung d. Menschen in der Reihe der Organismen. Vortrag. Mit 1 lith. Taf. 8. (32 S.) Bremen 886. Rocco. n. 1. —

Spengler, F., Wolfgang Schmeltzl, s.: Beiträge zur Geschichte der deutschen Literatur u. d. geistigen Lebens in Oesterreich.

Spengler, Heinr., Abendsegen. Kurze Abendandachten f. jeden Tag d. Jahres. gr. 8. (V, 380 S.) Bielefeld 885. Velhagen & Klasing. n. 2. 60; geb. n. 4. —; in Halbfrz. m. Goldschn. n. 5. —

— tägliche Hausandacht. Morgen- u. Abendgebete. 2. (Titel-)Ausg. gr. 8. (IV, 337 S.) Karlsruhe 885. Müller & Gräff. geb. n. 1. 60; m. Goldschn. n. 1. 80

— aus Kerkermauern. Bilder aus dem Verbrecherleben. 8. (271 S.) Heidelberg 884. Weiß' Verl. n. 4. —

— Morgensegen. Kurze Morgenandachten f. jeden Tag d. Jahres. gr. 8. (IV, 381 S.) Bielefeld 885. Velhagen & Klasing. n. 2. 60; geb. n. 4. —; in Halbfrz. m. Goldschn. n. 5. —

— Pilgerstab. Morgen- u. Abend-Andachten f. das ganze Jahr, m. Berücksicht. der hauptsächlichsten Freuden- u. Trauertage d. Hauses. 6. Aufl. gr. 8. (X, 955 S.) Ebend. 886. n. 6. —; geb. n. 8. —; m. Goldschn. n. 9. —

— aus der Verbrecherwelt. 2. Aufl. 8. (VII, 230 S.) Leipzig 886. Fr. Richter. n. 3. —; geb. n. 4. —

Spennrath, J., Handbuch der Weberei, s.: Reiser, N.

Sperber, Carl Jul., Grundsätze f. den Gemeindeanlagenfuß in allen Staaten u. in jeder Gemeinde. Mit e. Anh. üb. die den Gemeindeanlagen analogen Staatsabgaben u. die Matricularbeiträge im deutschen Reiche. Lex.-8. (102 S.) Dresden 886. Meinhold & Söhne. n. 2. —

Sperber, E., die allgemeinen Bestimmungen d. königl. preußischen Ministers der geistlichen, Unterrichts- u. Medizinal-Angelegenheiten vom 15. Oktbr. 1872, betr. das Volksschul-, Präparanden- u. Seminarwesen, nebst den Prüfungs-Ordnungen f. Volksschul-Lehrer u. Lehrerinnen, durch den Hauptinhalt der wichtigsten später erlassenen Ministerial-Verfüggn. erläutert. 8. (186 S.) Breslau 886. F. Hirt. cart. n. 1. 50

— die Geschichte d. Reiches Gottes, im Anschluß an das Bibellesen f. die Oberstufe mehrklass. Volksschulen bearb. 2 Tle. 8. Gütersloh 882. Bertelsmann. à n. — 60

1. Das Alte Testament. Mit 17 (eingedr. Holzschn.-)Abbildgn. (135 S.)
2. Das Neue Testament. (131 S.)

— die biblische Geschichte m. erklärenden Anmerkungen u. heilsgeschichtlichen Erläuterungen als Grundlage f. die unterrichtliche Behandlung. Für den Seminar- u. Schulgebrauch bearb. 2 Tle. 8. Aufl. 8. (XVI, 397 u. X, 360 S.) Eisleben 884. 86. Kuhnt. à n. 3. —

— die biblischen Geschichten, f. die Mittelstufe mehrklassiger Volksschulen zu Lebensbildern u. Geschichtsbildern zusammengestellt. 2. verb. Aufl. 8. (XVI, 184 S.) Gütersloh 886. Bertelsmann. n. — 60

— die Lutherschule in Eisleben. Eine kurze Geschichte derselben, am Jubelfeste d. 400jähr. Geburtstages D. Martin Luthers zum Besten der Lutherschule unter Mitwirkg. v. **Haupt** hrsg. 8. (91 S.) Eisleben 883. Mähnert. n. 1. —; Velinausg. n. 1. 50

Sperber, E., **Religionsbüchlein** f. die Unterstufe der evangelischen Volksschule, im Anschluß an die v. H. Wendel hrsg. bibl. Geschichten bearb. Nebst e. Vorwort v. H. Wendel. Mit 33 Holzschn. 6. Aufl. 8. (94 S.) Breslau 885. Dülfer. n. — 50; geb. n.n. — 65

Sperber, Joach., Versuch e. allgemeinen Gesetzes üb. die spezifische Wärme. gr. 8. (32 S. m. 1 Steintaf.) Zürich 884. (Schmidt.) n. 1. —

Sperling, Arth. Ghard., Apion der Grammatiker u. sein Verhältnis zum Judentum. Ein Beitrag zu e. Einleitg. in die Schriften d. Josephus. gr. 4. (20 S.) Dresden 886. (v. Zahn & Jaensch.) n. 1. —

Sperrlingk, Alfr., üb. echte Sitophobie. gr. 8. (52 S.) Dorpat 883. (Schnakenburg.) 1. 20

Speßhardt, H. v., der Versicherungsbetrug im Reichsstrafgesetzbuch, unter Berücksicht. der wichtigsten ausländ. Gesetzgebgn. dargestellt. gr. 8. (V, 110 S.) Marburg 885. Elwert's Verl. n. 1. 80

Spetzler, O., die Wasserversorgung der Wohngebäude, die Beseitigung der Schmutzwasser u. der Abfallstoffe, sowie die zugehörigen Anlagen. Zum Gebrauch f. die Bauausführg. u. f. den Unterricht an bautechnischen Fachschulen zusammengestellt. Mit 9 Taf. gr. 8. (46 S.) Karlsruhe 885. Bielefeld's Verl. n. 4. 50

Speyer, O., die Bivalven der Casseler Tertiär-Bildungen, s.: **Abhandlungen** zur geologischen Specialkarte v. Preussen u. den Thüringischen Staaten.

Speyer, Otto, die ältesten **Credit- u. Wechselbanken** in Frankfurt am Main 1402 u. 1403. Nebst e. Ueberblick üb. die Geschichte d. mittelalterl. Zinsverbots in populärer Darstellg. Mit Abdruck der Bank-Concessionsurkunden v. 1403 u. der Schuldurkunde üb. die Frankfurter Stadtanleihe v. 1368, sowie anderer Urkunden. gr. 8. (III, 40 S.) Frankfurt a/M. 883. Jaeger. n. 1. —

— die Frankfurter **Revolution** unter Vincenz Fettmilch 1612—1616. gr. 8. (54 S.) Ebend. 883. n. 1. —

Speyer, Otto, tales from the history of England. Zumeist nach Stephen Percy's tales of the kings and queens of England. Für den Unterricht im Englischen bearb. gr. 8. (IV, 94 S.) Leipzig 885. Baumgärtner. cart. — 90

Spezial-Katalog f. die Ausstellung der Stadtgemeinde Berlin zur allgemeinen deutschen Ausstellung auf dem Gebiete der Hygiene u. d. Rettungswesens Berlin 1883. Hrsg. vom Magistrat zu Berlin. gr. 8. (47 S.) Berlin 883. Springer. n.n. — 50

Sphinx. Monatsschrift f. die geschichtl. u. experimentale Begründg. der übersinnl. Weltanschaug. auf monist. Grundlage, unter Mitwirkg. v. Frhrn. Carl du Prel, Alfr. Russel Wallace, W. F. Barrett etc. hrsg. v. **Hübbe-Schleiden**. 1. Jahrg. 1886. 12 Hfte. gr. 8. (1. Hft. IV, 84 S.) Leipzig, Th. Grieben. n. 10. —; einzelne Hfte. à n. 1. —

— die. Als Tummelplatz f. geistschärf. Aufgaben aller Art, e. zum Nachdenken anreg. Wochenblatt f. die deutsche Familie. Red.: Waldemar **Melz**. 1. Jahrg. 1883/84. 52 Nrn. (2 B.) gr. 4. Leipzig 883. (Gracklauer.) n. 10. —

Spicker, Gideon, Lessing's Weltanschauung dargestellt. gr. 8. (XV, 367 S.) Leipzig 883. G. Wigand. n. 7. —

Spiegel, Bernh., wie weit haben es die Jesuiten bisher gebracht u. was haben wir noch v. ihnen zu erwarten? Vortrag. 2. Aufl. gr. 8. (24 S.) Osnabrück 884. (Rackhorst.) n. — 40

Spiegelbilder aus dem Leben u der Geschichte der Völker. Erzählungen f. die Jugend. 1—12. Bdchn. 12. Leipzig 885. 86. Oehmigke. cart. à — 75

1. Gott verläßt keinen Deutschen. Geschichte e. jungen Seefahrers. Der Jugend erzählt v. Frz. **Kühn**. Mit 1 Titelbild. 2. Aufl. (95 S.)
2. Auf der Steppe. Erlebnisse in e. deutschen Ansiedelg. Rußlands. Der deutschen Jugend erzählt v. Frz. **Kühn**. Mit 1 Titelbild. 2. Aufl. (94 S.)
3. Die Brüder. Erzählung aus der Zeit der Befreiungskriege. Der deutschen Jugend gewidmet v. Frz. **Kühn**. Mit Titelbild. 2. Aufl. (104 S.)
4. Peter Szapar od. die Türken in Ungarn u. vor Wien. Erzählung f. die Jugend v. Frz. **Kühn**. Mit 1 Titelbild. 2. Aufl. (104 S.)
5. Zwei Lebenswege. Erzählung aus dem Leben in den Vereinigten Staaten v. Nordamerika. Von Frz. **Kühn**. Mit 1 Titelbild. 2. Aufl. (105 S.)
6. Treue Freundschaft od. Schloß u. Mühle. Erzählung aus der Franzosenzeit. Der deutschen Jugend gewidmet v. Frz. **Kühn**. Mit 1 Titelbild. 2. Aufl. (102 S.)
7. Die junge Griechin am Hofe d. Kaisers Nero. Von Ferd. **Schmidt**. 3. Aufl. (96 S.)
8. Unter deutschen Eichen zur Zeit Karls d. Großen. Von Frz. **Wiedemann**. 2. Aufl. (96 S.)
9. Treue Anhänglichkeit. Erzählung aus der Vergangenheit Venedigs. Von Frz. **Kühn**. 2. Aufl. (104 S.)
10. Die Schwestern. Erzählung aus e. schles. Gebirgsdorfe. Von Frz. **Kühn**. 2. Aufl. (96 S.)
11. Ein edler Sohn od. im Dienste der Ostindischen Compagnie. Von Fr. **Kühn**. 2. Aufl. (95 S.)
12. Gustav. Eine Erzählg. aus der Geschichte Schwedens. Von Frz. **Kühn**. 2. Aufl. (91 S.)

Spiegel-Kalender, eleganter, 1887. 64. (16 S.) Wien, Perles. geb. in Ldr. n. 1. 80

Spiegler, Ed., üb. einige hochmolekulare Acetoxime der Fettreihe. [Aus dem Laboratorium d. Prof. V. Meyer in Zürich.] Lex.-8. (3 S.) Wien 884. (Gerold's Sohn.) — 15

Spieker, Chr. W., d. Herrn Abendmahl. Ein Beicht- u. Kommunionbuch. 10. Aufl., bearb. v. **Augusti**. 12. (XVI, 255 S. m. 1 Stahlst.) Leipzig 884. Amelang. geb. m. Goldschn. n.n. 3. —

Spieker, G., die allgemeinen Bestimmungen vom 15. Octbr. 1872, nebst Prüfungs-Ordnungen m. den später erlassenen erläut. u. ergänz. Verfüggn. 8. Aufl. 8. (160 S.) Hannover 885. Meyer. cart. n. 1. 60

Spieker, Th., **Lehrbuch** der ebenen Geometrie m. Uebungs-Aufgaben f. höhere Lehranstalten. Mit vielen in den Text gedr. Holzschn. 17. Aufl. gr. 8. (VIII, 294 S.) Potsdam 886. Stein. n. 2. 50

— dasselbe. Ausg. B. Für mittlere Klassen. gr. 8. (IV, 179 S.) Ebend. 886. n. 1. 60; geb. n. 1. 80

— **Lehrbuch** der ebenen u. sphärischen Trigonometrie m. Uebungs-Aufgaben f. höhere Lehranstalten. Mit Holzschn. gr. 8. (IV, 135 S.) Ebend. 885. n. 1. 40

Spiel, das, die Spielerwelt u. die Geheimnisse der Falschspieler. Eine Beleuchtungs- u. Enthüllungs-Schrift v. Signor Domino. Mit Illustr. 8. (VIII, 210 S.) Breslau 886. Kern's Verl. n. 3. —; geb. n. 4. —

— u. **Scherz**. Bilderbuch m. 5 beweg. (chromolith.) Taf. gr. 4. (5 Bl. Text.) Fürth 885. Schaller & Kirn. geb. 1. 75; m. Goldpressg. u. Titelbild 2. 25

— — Ein Bilderbuch f. die lieben Kleinen. Mit Text in Versen u. 6 Farbdr.-Bildern v. Offterdinger. qu. 4. (6 S.) Stuttgart 886. Loewe. cart. n. — 50; Ausg. auf Leinw. n. 1. —

Spielberg, Otto, das **Menschen-Ideal** u. seine Erfüllung. gr. 8. (119 S.) Zürich 886. Verlags-Magazin. n. 2. 40

— der neue **Philosoph** f. die Welt. 1—3. Bdchn. 16. Neuwied 883. 84. Heuser's Verl. à 1. 50

1. Hinter dem Schleier der Maja. (XII, 158 S.)
2. Der neue Sittencodex. (XII, 170 S.)
3. In nomine Dei. Worte d. Herzens. (VIII, 143 S.)

— aus dieser **Welt** der Komödie. gr. 8. (VIII, 320 S.) 884. Ebend. 886. n. 6. —; geb. n.n. 7. 20

Spielbuch, das, f. Kinder. Fol. (3 Chromolith.) in gr. Fol. m. untergedr. Texte.) Wesel 885. Düms. cart. — 60

Spiele, **dramatische**, f. Mädchen. Nr. 1—8. 12. Bonn 86. Hauptmann. n. 3. 45

1. Clara. In 5 Acten. (70 S.) n. — 40
2. Constantia. In 3 Acten. (60 S.) n. — 40
3. Hedwig. In 5 Acten. (82 S.) n. — 40
4. Judith. In 3 Acten. (54 S.) n. — 40
5. Das Madonnenbild. In 5 Acten. (86 S.) n. — 50
6. Elisabeth od. die Verbannten. Schauspiel in 5 Acten. (103 S.) n. — 60

7. Die heilige Nacht. Weihnachtsspiel in 2 Abthlgn. (32 S.) n. — 25
8. Die hl. drei Könige. Religiöses Schauspiel in 3 Acten. (52 S.) n. — 40

Spiele, dramatische, f. heitere Stunden. 2. verb. Aufl. 12. (IV, 195 S.) Bonn 885. Hauptmann. geb. n. 1. —

— vier dramatische, üb. die 2. Türkenbelagerung aus den J. 1683—1685, s.: Neudrucke, Wiener.

Spielereien f. Kinder. 40 in feinstem Farbendr. ausgeführte Bildchen, nebst vielen Verschen v. Karl Thienemann. 5. Aufl. 4. (8 Chromolith. m. 2 S. Text.) Eßlingen 885. Schreiber. geb. n. 1. —

Spielhagen's, Frdr., sämmtliche Werke. 16. u. 17. Bd. 8. Leipzig 886. Staackmann. à n. 3. 50; geb. à n. 4. 50
16. Angela. Roman. 3. Aufl. (444 S.)
17. Uhlenhans. Roman. 5. Aufl. (467 S.)

— die schönen Amerikanerinnen. Novelle. 9. Aufl. (Volksausg.) 8. (212 S.) Ebend. 885. n. 1. —

— drei Erzählungen. 2. Aufl [Die Dorfkokette. Breite Schultern. Der Vergnügungscommissar.] 8. (147 S.) Ebend. 885. n. 1. —

— gerettet. Schauspiel in 4 Akten. 8. (III, 176 S.) Ebend. 884. n. 3. —; geb. n. 4. —

— an der Heilquelle. Novelle. 5. Aufl. 8. (432 S.) Ebend. 886. n. 6. —: geb. n. 7. —

— die v. Hohenstein. Roman. 6. Aufl. 8. (772 S.) Ebend. 885. n. 3. 50; geb. n. 4. 50

— problematische Naturen. Roman. 2 Abthlgn. 8. Ebend. 885. à n. 3. 50; geb. à n. 4. 50
1. 11. Aufl. (693 S.) — 2. 10. Aufl. (564 S.)

— Novellen. 1. Bd. 7. Aufl. 8. (639 S.) Ebend. 885. n. 3. 50; geb. n. 4. 50

— Quisisana. Novelle. 4. Aufl. Taschen-Ausg. 8. (256 S.) Ebend. 886. n. 2. —; geb. n. 3. —

— Röschen vom Hofe. Novelle. 12. Aufl. [Volksausg.] 8. (156 S.) Ebend. 886. n. 1. —

— was die Schwalbe sang. Roman. 6. Aufl. [3. Ster.-Aufl.] 8. (354 S.) Ebend. 885. n. 3. —; geb. n. 4. —

— Sturmflut. Roman. 5. Aufl. 2 Bde. 8. (377 u. 460 S.) Ebend. 883. n. 7. —

— Uhlenhans. Roman. 2 Bde. 3. Aufl. (340 u. 398 S.) Ebend. 884. n. 10. —; geb. n. 12. —

— was will das werden? Roman in 9 Büchern. 3 Bde. 2. Aufl. 8. (390, 424 u. 500 S.) Ebend. 887. n. 15. —; geb. n. 18. —

Spielhagen's Friedrich, Lebensbild, s.: Ziemssen, L.

Spielhagen, Gust., Kunst-Scherben. Gesammelt u. zusammengestellt. 2. Lfg. Fol. (6 Chromolith. m. 1 Bl. Text.) Berlin 884. Spielhagen & Co. In Mappe. 10. — (1. u. 2.: 20. —)

Spielhoff, Wilh., Heimatkunde d. Kreises Iserlohn. Für Schule u. Haus bearb. 2. Aufl. 8. (52 S. m. 1 lith. u. color. Karte.) Schwerte 882. Saatmann. n. — 40

Spielleute, die, der Infanterie. Handbuch f. den gesammten Dienst derselben. Nach den ergangenen Bestimmgn. u. nach Erfahrgn. aus der Praxis bearb. 8. (55 S.) Berlin 886. Mittler & Sohn. n. — 80

Spielmann, C., leicht geschürzt. Neue Humoresken. [6. Bdchn.] 8. (VII, 165 S.) Berlin 885. Eckstein Nachf. n. 1. —

Spielmann, E., Prospect d. „Salzbades“ Lubatschowitz in Mähren, nebst kurzer übersichtl. Darstellg. seiner alkalisch-muriat., jod- u. bromhält. Heilquellen, Bäder-, Milch- u. Molkencuranstalt, sowie deren Wirkungsweise u. Gebrauchsanzeige. 8. (31 S. m. 4 Holzschn.) Wien 886. (Braumüller.) n. — 60

Spielregeln f. Nicht-Mitspieler. 30. Aufl. 16. (3 S.) Leipzig 886. Roegner. n. — 10

Spiel-Zeitung. Red.: Alois Carl Hammer. 1. Jahrg. Juli 1883—Juni 1884. 36 Nrn. (B. m. Illustr.) gr. 4. Wien, Cerny. 6. —

Spies, A., begleitende Worte zu lebenden Bildern, s.: Wallner, E., deutsche Festspiel-Halle.

Spies, J., Untersuchungen üb. die lyrischen Trouvères belges d. XII—XIV. Jahrh., s.: Ausgaben u. Abhandlungen aus dem Gebiete der romanischen Philologie.

Spieß, Adf., die Lehre der Turnkunst. 4. Thl. gr. 8. Basel 885. Schwabe. n. 4. —

Das Turnen in den Gemeinübungen, in e. Lehre v. den Ordnungsverhältnissen bei den Gliedergn. e. Mehrzahl f. beide Geschlechter dargestellt. 2. Aufl. (287 S. m. eingedr. Fig.)

Spieß, Adf., Reigen u. Liederreigen f. das Schulturnen aus dem Nachlasse v. A. S. Mit e. Einleitg., erklär. Anmerkgn. u. e. Anzahl v. Liedern hrsg. v. K. Waßmannsdorff. 2. verb. u. m. e. Anh. „Gang- u. Hüpfarten f. das Mädchenturnen“ verm. Aufl. gr. 8. (XIV, 195 S.) Frankfurt a/M. 885. Sauerländer. n. 2. 40

Spieß, Aug., u. Frdr. **Spieß**, deutsches Lesebuch f. mittlere Gymnasialklassen. 5. Aufl. Hrsg. v. Aug. Spieß. gr. 8. (XXXI, 506 S.) Wiesbaden 885. Limbarth. n. 4. —

Spieß, B., u. C. **Michael**, das schönste Weihnachtsbuch. Artige Geschichten f. artige Kinder. 160 kleine Geschichten u. Erzählgn. f. Knaben u. Mädchen im Alter v. 6 bis 8 Jahren. 3. Aufl. der „Artige Geschichten“. Mit 50 Text-Abbildgn. u. 4 Buntbildern. gr. 8. (VIII, 192 S.) Leipzig 887. Spamer. n. 2. —; cart. n. 2. 50

Spieß, Bernh., Luthers Beziehungen zu Nassau. gr. 8. (VI, 30 S.) Frankfurt a/M. 884. Diesterweg. n. — 40

Spieß, Ed., Gemüthlichkeit geht üb. Alles! Eine Sammlg. älterer u. neuer Vorträge heiteren u. ernsten Inhalts, zu Abendunterhaltgn. f. Gesellschaften, Vereine u. Familien, Polterabendscherze, Tischreden bei Hochzeiten, patriot. Toaste u. Ansprachen ꝛc., Couplets u. Liebes-Gedichte ꝛc. 8. (VII, 135 S.) Berlin 883. Ißleib. n. 1. —

Spieß, Fr., griechische Formenlehre f. Anfänger. 9. Aufl. v. Th. Breiter. 8. (128 S.) Essen 882. Bädeker. geb. n.n. 1. 20

— die wichtigsten Regeln der Syntax nach Siebertis u. Meirings lateinischer Schulgrammatik. Als Anh. zu den latein. Uebungsbüchern f. Quarta u. Tertia. 17. Aufl. 8. (48 S.) Ebend. 883. n. — 40

— Uebungsbuch zum Uebersetzen aus dem Deutschen ins Lateinische, f. Tertia bearb. 12. Aufl. 8. (163 S.) Ebend. 884. n. 1. 25; Einbd. n.n. — 20

— Uebungsbuch zum Uebersetzen aus dem Lateinischen ins Deutsche u. aus dem Deutschen ins Lateinische, f. die untersten Gymnasialklassen bearb. 1. Abtlg.: für Sexta. 54. Aufl. 8. (100 S.) Ebend. 883. geb. n. 1. —

— dasselbe, f. Quinta. 26. Aufl. 8. (170 S.) Ebend. 883. n. 1. 25; geb. n. 1. 50

Spieß, Mor., u. **Berlet**, deutsche Schulgrammatik. 1. u. 2. Kurs. 7. Aufl. 8. (XII, 62 S.) Hildburghausen, Kesselring. à n. — 60
1. Für den Unterricht in Unterklassen. (XII, 67 S.) 883.
2. Für den Unterricht in Mittelklassen. (VIII, 90 S.) 885.

— — Weltgeschichte in Biographien. In 3 koncentrisch sich erweiternden Kursen. 1. u. 2. Kurs. gr. 8. Ebend. à n. 2. 50
1. Für den Unterricht in Unterklassen. 13. Aufl. Mit 1 Uebersichtskarte zur alten Geschichte, sowie 1 Karte von Altgriechenland u. v. Altitalien. (XII, 265 S.) 885.
2. Für den Unterricht in Mittelklassen. 8. durch e. Register verm. Aufl. (XII, 283 S.) 883.

Spieß, Ph., der Klostervogt v. Lichtenstern, s.: Jugend- u. Volksbibliothek, deutsche.

— der Schachtelfrieder, s.: Immergrün.

Spiethoff, Gust., die Großmacht Presse u. das deutsche Schriftsteller-Elend. Ein Wort an alle Zeitungs-Verleger u. Literaten Deutschlands aus Anlaß d. Falles Maron in Berlin. gr. 8. (128 S.) Düsseldorf 883. F. Bagel. 1. 80

Spiller, Phpp., Gott im Lichte der Naturwissenschaften. Studien üb. Gott, Welt, Unsterblichkeit. 2. Ausg. gr. 8. (120 S.) Leipzig 883. Denicke. n. 1. —

— naturwissenschaftliche Streifzüge. 3. Aufl. gr. 8. (III, 235 S.) Ebend. 883. n. 2. —

Spiller, Rhold., Studien üb. Albrecht v. Scharfenberg u. Ulrich Füetrer. gr. 8. (55 S.) Leipzig 883. (Fock.) n. 1. —

Spillmann, Jos., rund um Afrika. Ein Buch m. vielen Bildern f. die Jugend. Aus den Jugendbeilagen der „Kathol. Missionen“ gesammelt u. ergänzt. gr. 4. (IX, 264 S. m. eingedr. Holzschn., 1 Taf. u. 2 Karten.) Freiburg i/Br. 885. Herder. n. 5. —; geb. n. 6. —

Spina, Arnold, Studien üb. Tuberculose. gr. 8. (III, 128 S.) Wien 883. Braumüller. n. 3. —

Spindler, C., der Jude, s.: Universal-Bibliothek.

Spindler, J., Dienstunterricht der königl. bayerischen Infanterie. Leitfaden bei Ertheilg. d. Unterrichts u. Handbuch f. den Infanteristen u. Jäger. 5. Aufl. 8. (96 S.) Bamberg 887. (Schmidt.) n.n. — 50

Spinnstube, die, e. Volksbuch f. d. J. 1887. Begründet von W. O. v. Horn [Wilh. Oertel]. Im Vereine m. namhaften Volksschriftstellern fortgeführt v. H. Oertel. 42. Jahrg. Mit e. Stahlst. u. vielen Holzschn. 8. (XXXII, 164 S.) Wiesbaden, Riedner. n. 1. 30; geb. n. 1. 60

Spinoza, Benedicti de, opera quotquot reperta sunt. Recognoverunt J. van Vloten et J. P. N. Land. Vol. II. gr. 8. (XII, 634 S. m. rad. Portr. u. 1 facsm. Brief.) Haag 883. Nijhoff. geb. n. 20. — (cplt.: n. 38. —)

— Ethik. Uebers., erläutert u. m. Lebensbeschreibg. Spinoza's versehen von J. H. v. Kirchmann. 4. Aufl. 8. (VIII, 255 S.) Heidelberg 886. Weiss' Verl. n. 1. 50; geb. n. 2. —

— der theologisch-politische Traktat, s.: Universal-Bibliothek.

Spir, A., gesammelte Schriften. 4 Bde. od. 16 Lfgn. gr. 8. (XII, 416, 322; VI, 285 u. IX, 226 S.) Leipzig 883–85. Findel. à Lfg. n. 1. —

— Recht u. Unrecht. Eine Erörterg. der Principien. 2. Ausg. gr. 8. (VII, 108 S.) Ebend. 883. n. 1. 20

— Studien. [1. Zwei Naturforscher üb. das Naturerkennen. 2. Was sehen wir? 3. Versöhnung von Wissenschaft u. Religion. 4. Gehirn u. Seelenleben.] 8. (III, 78 S.) Ebend. 883. n. 1. 20

Spira, Francesca, prime letture italiane, rivedute e pubblicate da G. G. Hopf. 12. (III, 76 S.) Nürnberg 883. Korn. n. 1. —

Spiro, Frdr., de Euripidis Phoenissis. Inest tabula. gr. 8. (66 S.) Berlin 884. Weidmann. n. 2. —

Spital, das, der israelitischen Cultusgemeinde Wien seit der Eröffnung am 10. Apr. 1873 bis Ende 1883. Mit 5 autogr. Taf. gr. 8. (VII, 264 S.) Wien 885. Braumüller. n. 8. —

Spitaler, Rud., die Wärmevertheilung auf der Erdoberfläche. Imp.-4. (20 S. m. 1 Tab.) Wien 885. (Gerold's Sohn.) n. 1. 40

Spitta, Carl Joh. Phpp., nachgelassene geistliche Lieder. 5. Aufl. 8. (XVI, 187 S.) Bremen 883. Heinsius. n. 2. —; geb. n. 3. —

— Psalter u. Harfe. 2 Sammlgn. christl. Lieder zur häusl. Erbaug. [I.: 51. Aufl. — II.: 39. Aufl.] Ausg. Nr. 1. Oktav-Volks-Ausg. 8. (IV, 159 u. IV, 100 S.) Ebend. 885. n. 1. 75; geb. in Callico n. 2. —; Ausg. Nr. 2. Dasselbe. geb. m. Goldschn. 3. —; Ausg. Nr. 3. Min.-Ausg. m. Lichtdr.-Bild. [48. u. 36. der Min.-Ausg. 8. Aufl.] gr. 16. 1884. geb. m. Goldschn. n. 4. —; Ausg. Nr. 4. Dasselbe. In vergoldete Decke geb. m. Goldschn. n. 5. —; Ausg. Nr. 5. Oktav-Prachtausg. [49. u. 37. Aufl.] Mit Lichtdr.-Bild. 1884. geb. m. Goldschn. n. 5. —; Ausg. Nr. 6. Dasselbe. In vergoldete Decke geb. m. Goldschn. n. 6. —

— dasselbe. 50. Aufl. Jubel-Ausg. Mit 24 Vollbildern, dem Portr. Spittas, Illustr. u. 42 Initialen nach Originalen v. B. Plockhorst u. F. Wanderer. Neu geordnet nach dem Vater Unser. Mit Einleitg. u. Biographie Spittas v. Jul. Sturm. 16 Lfgn. gr. 4. (VII, 176 S.) Ebend. 884. à n. 1. 20; Einbanddecke n.n. 1. 80 (cplt. geb.: n. 20. —)

Spitta, Frdr., die liturgische Andacht am Luther-Jubiläum. Kritik u. Vorschlag. gr. 8. (33 S.) Halle 883. Niemeyer. n. — 80

— der 2. Brief d. Petrus u. der Brief d. Judas. Eine geschichtl. Untersuchg. gr. 8. (VII, 544 S.) Halle 885. Buchh. d. Waisenhauses. n. 9. —

— Festpredigt, s.: Festwoche, e., der evangel. Gemeinde Hamm.

— Festpredigten. 8. (VIII, 151 S.) Bonn 886. Habicht. n. 2. —; geb. n. 3. —

— Haendel u. Bach. Zwei Festreden. gr. 8. (34 S.) Bonn 885. Hochgürtel. n.n. — 90

— der Knabe Jesus, e. biblische Geschichte u. ihre apokryphischen Entstellungen. Vortrag. 12. (29 S.) Halle 883. Niemeyer. n. — 40

Spitta, Frdr., Luther u. der evangelische Gottesdienst. Vortrag. 8. (40 S.) Halle 884. Niemeyer. n. — 60

— die Passionen nach den vier Evangelisten v. Heinr. Schütz. Ein Beitrag zur Feier d. 300jähr. Schütz-Jubiläums. gr. 8. (V, 65 S.) Leipzig 886. Breitkopf & Härtel. n. 1. 50

— Heinr. Schütz. Eine Gedächtnissrede. gr. 8. (24 S.) Hildburghausen 886. Gadow & Sohn. n. — 40

Spitta-Bey, Guill., contes arabes modernes, recueillis et traduits. gr. 8. (XI, 224 S.) Leiden 883. Brill. n.n. 6. 50

Spitta, Heinr., Einleitung in die Psychologie als Wissenschaft. gr. 8. (IX, 154 S.) Freiburg i/Br. 886. Mohr. n. 3. 60

Spitz, Alex., Uto m. dem Tüchlein. Ein Lied aus Kaiser Rothbarts Tagen. 2. Aufl. gr. 8. (VII, 471 S.) Mainz 883. v. Zabern. n. 6. —; Einbd. n.n. 1. —

Spitz, Carl, Lehrbuch der sphärischen Trigonometrie, nebst vielen Beispielen üb. deren Anwendg., zum Gebrauche an höheren Lehranstalten u. beim Selbststudium. 3. Aufl. Mit 42 Fig. gr. 8. (VIII, 175 S.) Leipzig 886. C. F. Winter. n. 3. 50

Spitz, Karl, neue Zeichenvorlagen. Landschaften aus Baden, f. Anfänger zusammengestellt. qu. gr. 8. (8 Taf.) Freiburg i/Br. 883. Mayer. — 60

Spitzberg-Album. Dichtungen aus Nordböhmen. Gesammelt v. F. Hantschel u. A. Paudler. 8. (VII, 434 S.) Böhm.-Leipa 883. (Hamann.) geb 3. —

Spitzen, alte. 36 Photogr. nach Originalen. Fol. Berlin 886. Claesen & Co. In Mappe. n. 75. —

Spitzer, D., das Herrenrecht. Eine Novelle in Briefen. 11. Aufl. 12. (XI, 100 S.) Wien 882. Klinkhardt. n. 2. —

— Wiener Spaziergänge. 6. Sammlg. 2. Aufl. 8. (VIII, 343 S.) Leipzig 886. Klinkhardt. à n. 4. 50

Spitzer, D., Wegweiser f. den österreichisch-ungarischen Handel m. dem Orient. Jahrg. 1885/86. gr. 8. (XIII, 211 S.) Wien 884. (Perles.) n. 4. —

Spitzer, Hugo, Beiträge zur Descendenztheorie u. zur Methodologie der Naturwissenschaft. gr. 8. (XV, 538 S.) Leipzig 886. Brockhaus. n. 12. —

— über das Verhältniss der Philosophie zu den organischen Naturwissenschaften. Vortrag. gr. 8. (64 S.) Leipzig 883. O. Wigand. n. — 80

Spitzer, Jak., theoretisch-praktisches Hand-Buch der deutschen Sprache. 1. u. 2. Hft. 12. Aufl. 8. Wien 885. Mayer & Co. n. 1. 70
1. (III, 78 S.) n. — 55. — 2. (155 S.) n. 1. 15

Spitzer, Johs., Lautlehre d. arkadischen Dialektes. gr. 8. (VIII, 60 S.) Kiel 883. (Lipsius & Tischer.) n. 1. 60

Spitzer, Simon, neue Studien üb. die Integration linearer Differential-Gleichungen. 3. Fortsetzung [Schluss]. gr. 8. (VI, 78 S.) Wien 883. Gerold's Sohn. n. 3. 60 (Hauptwerk u. 1—3. Fortsetzg.: n. 17. 20)

— Tabellen f. die Zinses-Zinsen- u. Renten-Rechnung mit Anwendung derselben auf Berechnung v. Anlehen, Construction v. Amortisationsplänen etc. 3. Aufl. gr. 8. (VIII, 513 S.) Ebend. 886. n. 15. —; geb. n. 16. —

— Untersuchungen im Gebiete linearer Differential-Gleichungen. 1—3. Hft. gr. 8. (VI, 60; IV, 49 u. VI, 45 S.) Ebend. 884. 85. à n. 3. —

Spitzmüller, J., kurzgefaßte Erdbeschreibung f. deutsche Schulen. gr. 8. (32 S.) Bruchsal 886. Katz, Sohn. n. — 25; in 3 Hftn. à n. — 15
1. Deutsches Reich. 9. Aufl. (10 S.)
2. Europa; die Himmelskörper. 7. Aufl. (12 S.)
3. Die 4 Erdteile: Asien, Afrika, Amerika, Australien; die Himmelskörper. 7. Aufl. (13 S.)

Splittgerber, Frz., aus dem geistlichen Amte. Erinnerungen u. Winke, vornehmlich jüngeren Amtsbrüdern dargeboten. 8. (IV, 252 S.) Leipzig 886. Böhme. n. 2. 60

— aus dem innern Leben. Erfahrungsbeweise f. die Einwirkgn. der unsichtbaren Welt auf das Seelenleben d. Menschen. Ein Beitrag zur christl. Mystik. 2. Aufl. gr. 8. (XVI, 384 S.) Ebend. 884. n. 4. —; geb. n. 4. 80

— das Sterben wahrer Gotteskinder e. Anbruch d. ewigen Lebens. Zwei Vorträge. 8. (VI, 65 S.) Ebend. 884. — 90

— Tod, Fortleben u. Auferstehung. Eine biblisch-apologet. Erörterg. der letzten Dinge d. Menschen. 4. Aufl. 8. (XX, 351 S.) Halle 885. Fricke's Verl. n. 4. —

Spohn, A., deutsche Fibel. 10. Aufl. gr. 8. (80 S.) Leipzig 886. Peter. n. — 30; geb. n. — 45

Spohr, die Bein- u. Hufleiden der Pferde, ihre Entstehung, Verhütung u. arzneilose Heilung, nebst e. Anh. üb. arzneilose Heilg. v. Druckschäden u. Wunden. 3. Aufl. gr. 8. (XVI, 132 S.) Berlin 884. Wilhelmi. n. 2. —

— die Diphtheritis, ihre Entstehg., Verhütg. u. naturgemäße Heilg. ohne Anwendg. v. Arznei. Preisschrift d. Berliner Vereins f. volksverständl. Gesundheitspflege. Vom alten Wasserfreund. 2. Aufl. 8. (46 S.) Hannover 884. Schmorl & v. Seefeld. n. — 50

— die naturgemäße Gesundheitspflege der Pferde als Vorbeugung gegen Krankheiten m. besond. Berücksicht. militär. Verhältnisse, nach 36jähr. eigenen Erfahrgn. bearb. 2. Aufl. gr. 8. (VIII, 188 S.) Ebend. 886. n. 3. —; geb. n. 4. —

Spöhrer, C., die kaufmännische Arithmetik, s.: Handbibliothek der gesamten Handelswissenschaften.

— Gerberei-Buchführung. Praktisches Handbuch zur Selbsterlerng. der Gerbereibuchführg. 8. (160 S.) Neudamm 884. Neumann. geb. 4. —

— die deutsche Handelskorrespondenz, s.: Handbibliothek der gesamten Handelswissenschaften.

Spöndly, H., die Fehlgeburt. Den Frauen gewidmet. 8. (30 S.) Zürich 883. Orell Füßli & Co. Verl. — 75

Spontini's Biographie, s.: Robert, C.

Spoerl, H., wie verhütet u. beseitigt man Zahnschmerzen? od. die Pflege der Zähne. 8. (47 S.) Berlin 884. Kühl. n. — 60

Spörlin, Margaretha, gesammelte Schriften. Autoris. Ausg. (In 20 Lfgn.) 1—9. Lfg. 8. Basel 886. Schneider. à — 60

Elsäßische Lebensbilder. 1. Bd. Bevorwortet v. Ernst Stähelin. 5. Aufl. (IX, 334 S.)
Dasselbe. 2. Bd. 4. Aufl. (182 S.)
Dasselbe. 3. Bd. 2. Aufl. (S. 1—128.)

— elsäßische Lebensbilder. 2. Bdchn. Autoris. Ausg. 4. Aufl. 8. (182 S.) Ebend. 885. n. 1. 50

— dasselbe. 1—17. Hft. 8. Hamburg 886. Evangel. Buchh. n. 1. 68

1. Der Kaisersberger Doktor u. der kleine Matthis. (28 S.) n. — 10
2. Der alte Stephansturm. (16 S.) n. — 6
3. Krumm-Schnäbelchen. (28 S.) n. — 10
4. Die Diener d. Worts. (28 S.) n. — 10
5. Die Flüchtlinge. (32 S.) n. — 10
6. Der Pelzrock. (32 S.) n. — 10
7. Spitzi. (24 S.) n. — 9
8. Der Heimgang. (24 S.) n. — 10
9. Meister Klaus. (32 S.) n. — 10
10. Das Waldhaus. (28 S.) n. — 10
11. Onkel Balthesars Reliquie. (40 S.) n. — 12
12. Ein armer Schüler. (36 S.) n. — 12
13. Eine Stille im Lande. (16 S.) n. — 6
14. Vater Siegrists Rosenstock. (20 S.) n. — 7
15. Der Vetter Hans Jerg. (48 S.) n. — 15
16. Mein Kuckuck. (15 S.) n. — 6
17. Drakenstein od. e. Blick nach Südafrika. (48 S.) n. — 15

Sporn, der. Zentralblatt f. die Gesammt-Interessen d. deutschen Sport's. Organ der Landes-Vollblut-Zucht. Red.: O. v. Estorff, Ad. Carstens u. Konr. Keudell. 22—24. Jahrg. 1884—1886. à 52 Nrn. (à 1—2 B.) gr. 4. Berlin, Exped. à Jahrg. n.n. 30. —

Spörri, Heinr., deutsches Lesebuch f. schweizerische Sekundar-, Real- u. Bezirksschulen. 1—3. Tl. 8. Zürich, Orell Füssli & Co. Verl. cart. n. 9. 50

1. (VIII, 322 S.) 883. n. 3. —. — 2. (IV, 380 S.) 884. n. 3. —. — 3. (V, 518 S.) 885. n. 3. 50

Spörri, Herm., durch Gottes Gnade allein! Predigt, geh. im Festgottesdienst zur Feier d. 400jähr. Geburtstages Zwingli's den 6. Jan. 1884. gr. 8. (20 S.) Hamburg 884. Seippel. n. — 40

— Rede, zur Feier d. 400jähr. Geburtstages Luthers im Verein f. Kunst u. Wissenschaft geh. gr. 8. (21 S.) Ebend. 884. n. — 50

Sport, Organ d. Jockey-Club f. Oesterreich, d. galiz. Vereines f. Pferdezucht u. Rennen, d. Reiter-Club in Wien, d. Vollblutzucht-Vereines f. Oesterreich u. der Gesellschaft zur Prämiirg. guter Campagne-Reiter. Red.: Fr. v. Karst. 20—23. Jahrg. 1883—1886. à 52 Nrn. (à 1—2 B.) Fol. Wien, (F. Beck). à Jahrg. n.n. 36. —

Sport, der, in der Armee. Eine zeitgemäße Betrachtg. v. e. alten Reiter-Offizier. 2. Aufl. gr. 8. (21 S.) Rathenow 886. Babenzien. n. — 40

Sport-Adressen, Wiener. Allgemeines Sport-Adressbuch f. die k. k. Reichshaupt- u. Residenzstadt Wien. Hrsg. v. Johs. Winkler u. Aug. Strasilla. 1886. 16. (55 S.) Troppau 886. Strasilla. n. 2. —

Sport-Industrie, die. Erstes illustriertes Wiener Fach- u. Modeblatt f. Wagenbau, Pferde-Equipirg. etc. Hrsg.: G. A. List u. H. F. Fenderl. 1. u. 2. Jahrg. 1884 u. 1885. à 24 Nrn. (2 B.) hoch 4. Wien, (F. Beck). à Jahrg. n. 20. —

Erscheint nicht mehr.

Sport-Zeitung, allgemeine. Wochenschrift f. alle Sportzweige. Hrsg. u. red. v. Vict. Silberer. 6. u. 7. Jahrg. 1885 u. 1886. à 52 Nrn. (5 B.) Fol. Wien, Verlag der Allg. Sport-Zeitung. à Jahrg. n. 30. —

Sport- u. Spiel-Zeitung, deutsche. Wochenschrift f. Alt u. Jung zur Belebg. d. Sinnes f. edlere Vergnüggn. d. Geistes u. Körpers. Red.: J. D. Georgens. 1. Jahrg. 1885. 52 Nrn. (2 B. m. Illustr.) gr. 4. Elberfeld, Friederichs. n. 4. 80

— dasselbe. 2. Jahrg. 1886. 52 Nrn. (2 B. m. Illustr.) gr. 4. Berlin, Mittag. n. 8. —

Sprach- u. Aufsatzbuch f. Schüler der Unter- u. Mittelstufe. 11. Aufl. 8. (59 S.) Crefeld 884. Klein. n. — 25

Sprachbüchlein f. Volksschulen. Hrsg. v. Lehrern d. Schulpflege-Bezirks M. Gladbach. 3., m. neuer Orthogr. verseh. u. m. prakt. Übgn. f. das Rechtschreiben verm. Aufl. 8. (IV, 52 S.) M. Gladbach 884. Hoster. n. — 40

Sprach- u. Literaturdenkmale, englische, d. 16., 17. u. 18. Jahrh., hrsg. v. Karl Vollmöller. 1—3. Bdchn. 8. Heilbronn, Henninger. n. 7. 20

1. Gorboduc or Ferrex and Porrex. A tragedy by Thom. Norton and Thom. Sackville. A. D. 1561. Ed. by L. Toulmin Smith. (XXIX, 97 S.) 883. n. 2. —
2. Marlowe's Werke. Historisch-krit. Ausg. v. Herm. Breymann u. Albr. Wagner. I. Tamburlaine, hrsg. v. Albr. Wagner. (XL, 211 S.) 885. n. 4. —
3. The life and death of Doctor Faustus, made into a farce. By Mr. Mountford. With the humours of Harlequin and Scaramouche. London, 1697. Mit Einleitg. u. Anmerkgn. hrsg. v. Otto Francke. (XXXVIII, 44 S.) 886. n. 1. 20

Sprache, die, der Blumen. Dargestellt in 12 Reliefs. Chromolith. 4. Leipzig 883. (Baldamus Sep.-Cto.) n. 2. 50

— der Blumen f. Liebe u. Freundschaft. Von G. 16. (93 S.) Brünn 884. Karafiat's Verl. — 80

Sprachenführer, neuer. Leitfaden der Conversations-Sprache, enth.: Gespräche üb. Reisen, Eisenbahnen, Dampfschifffahrt etc. Zum Gebrauch f. Reisende u. f. diejenigen, welche diese Sprachen erlernen wollen. Dänisch u. deutsch, v. Hjelm u. Fischer. Neue Aufl. 12. (V, 246 S. m. 1 Münztab.) Berlin 883. Behr's Verl. cart. 1. 50

— dasselbe. Russisch u. polnisch, v. Boltz u. Forster. Neue Aufl. 12. (V, 246 S. m. 1 Münztab.) Ebend. 883. cart. 1. 50

— dasselbe. Russisch u. schwedisch, v. Boltz u. Lipmanson. Neue Aufl. 12. (V, 246 S. m. 1 Münztab.) Ebend. 883. cart. 1. 50

— dasselbe. Schwedisch u. deutsch, v. Lipmanson u. Fischer. Neue Aufl. 12. (V, 246 S. m. 1 Münztab.) Ebend. 883. cart. 1. 50

Sprachlehre, deutsche, m. mündlichen u. schriftlichen Uebungen v. J. S. 4. Aufl. 8. (88 S.) Lippstadt 885. Harlinghausen. n. — 35

— ausführliche deutsche. Zugleich 4. Stufe der Uebungsschule in der deutschen Sprache. Hrsg. vom Lehrerverein zu Hannover. gr. 8. (VIII, 280 S.) Hannover 885. Hahn. n. 1. 10; geb. n. 1. 35

— kleine deutsche. Hrsg. v. e. Vereine v. Lehrern. 19. verb. u. verm. Aufl. 8. (34 S.) Potsdam 885. Rentel's

Berl. n. — 15; m. Anh.: Uebungsbeispiele zur Orthographie. (16 S.) n. — 20; Anh. ap. n. — 10

Sprachlehre, kurze deutsche, f. Volksschulen. 3. Aufl. 8. (48 S.) Paderborn 884. F. Schöningh. n. — 25

— für die Volksschule, hrsg. v. prakt. Schulmännern. 8. (52 S.) Saarlouis 886. Hausen. n. — 30

Sprachproben, altenglische, nebst e. Wörterbuche, hrsg. v. Ed. Mätzner. 2. Bd.: Wörterbuch. 9. Lfg. Lex.-8. (2. Abth. S. 385—558.) Berlin 885. Weidmann. n. 4. 80 (I—II, 9.: n. 60. —)

Sprech-Saal. Organ der Porzellan-, Glas- u. Thonwaaren-Industrie. Officielle Zeitschrift f. den „Verband keram. Gewerke in Deutschland" u. den „Verband der Glasindustriellen Deutschlands". Red.: Alex. Schmidt. Mitred.: H. E. Benrath. 17—19. Jahrg. 1884—1886. à 52 Nrn. ($1\frac{1}{2}$ B.) gr. 4. Coburg, Müller & Schmidt. à Jahrg. n.n. 12. —

Spreer, Leop., Malte, Fürst u. Herr zu Putbus. Ein Lebensbild. gr. 8. (68 S.) Berlin 886. Weidmann. n. 1. 20

Spreer, O., Straßburgs Eichenkranz, s.: Groschenbibliothek.

Sprengel, C., Erzählungen, s.: Jugendschatz, deutscher.

— junge Mädchenherzen im Wechsel d. Lebens. Zwei Erzählgn. f. die reifere weibl. Jugend. 8. (188 u. 127 S. m. 2 Holzschn.) Kattowitz 886. Siwinna. geb. n. 3. —

Sprenger, A., Babylonien, das reichste Land in der Vorzeit u. das lohnendste Kolonisationsfeld f. die Gegenwart, s.: Sammlung v. Vorträgen.

Sprenger, Heinr., das gesetzliche Veräußerungsverbot [l. 3 § 2 § 3. C. com. de legg. 6. 43.] zur Sicherung u. Ergänzung d. dem Vermächtnißnehmer angefallenen Rechtes. gr. 8. (47 S.) Zürich 884. (Rudolphi & Klemm.) n. — 80

Sprengler, Jos., Lehr- u. Handbuch f. Heilgehilfen [Bader], auch Lesebuch f. Sanitätssoldaten, Krankenwärter 2c. Zum Unterrichte bestimmt u. empfohlen vom königl. Staatsministerium d. Innern gemäß § 8 der Instruction zur Baderordng. 3. Aufl. Mit 19 Illustr. 8. (XI, 221 S.) Augsburg 885. Schlosser. cart. n. 2. 50

Spreu, 3—5. Hampfel, ausgeworfen v. Xanthippus. gr. 8. München, Heinrichs. n. 3. 25 (1—5.: n. 4. 25)
3. Zur Texteskritik Eilharts v. Oberge. (63 S.) Rom 881. 1. 50
4. (28 S.) 883. — 75
5. (44 S.) 885. n. 1. —

Sprichwort, das deutsche, im Dienste d. Religions-Unterrichts in der Volksschule. Geordnet nach den 10 Geboten Gottes u. den 7 Bitten d. Vater unser. 2. (Schluß-) Lfg. gr. 8. (S. 97—216.) Würzburg 883. Staudinger. n. 1. — (cplt.: n. 1. 80)

Sprichwörter, deutsche, als Materialien zu Aufsatz- u. Diktando-Uebungen u. Hausaufgaben f. die Oberklassen der deutschen Volksschulen. Bearb. v. e. unterfränk. Lehrer. 2., 6. u. 7. Hftchn. gr. 8. (à VI, 90 S.) Würzburg 883—85. Staudinger. à n. — 80
2. 2. Aufl.

— in Wort u. Bild, e. Bilderbuch f. artige Kinder m. 8 Orig.-Zeichngn. in feinstem Farbdr. u. begleit. Text v. Carl Distler. 4. (8 Bl. Text.) Stuttgart 884. Hänselmann. cart. n. 2. —; unzerreißbar auf Carton, geb. n. 2. 50; Leinwandbilderbuch ohne Text n. 2. 50

Springer, Ant., Bilder aus der neueren Kunstgeschichte. 2. Aufl. m. Illustr. 2 Bde. gr. 8. (VII, 402 u. V, 409 S.) Bonn 886. Marcus. n. 12. —

— die Genesisbilder in der Kunst d. frühen Mittelalters m. besond. Rücksicht auf den Ashburnham-Pentateuch. Mit 2 (lith.) Taf. Lex.-8. (71 S.) Leipzig 884. Hirzel. n. 4. —

— die Kunst d. 19. Jahrh., s.: Bilderbogen, kunsthistorische.

— Raffael's Schule v. Athen. Erläuternder Text zu dem Kupferstiche v. Louis Jacoby m. (20 eingedr.) Illustr. (in Lichtdr., Lichtkpfrst. u. Zinkogr.) u. (8) Kunstbeilagen (in Fcsm.-Lichtkpfrst.). Imp.-4. (LIV S.) Wien 883. Gesellschaft f. vervielfältigende Kunst. n. 15. —

— Raffael u. Michelangelo. Mit Illustr. (eingedr. Holzschn., 2 Holzschn.- u. 1 Lichtdr.-Taf.). 2. Aufl. 2 Bde. gr. 8. (IV, 344 u. VIII, 398 S.) Leipzig 883. Seemann. In Leinw. cart. à n. 10. 50; in Halbfrzbd. à n. 12. 50

Springer, Ant., Protokolle d. Verfassungs-Ausschusses im österreichischen Reichstage 1848—1849. Hrsg. u. eingeleitet. gr. 8. (L, 386 S.) Leipzig 885. Hirzel. n. 7. —; Einbd. n.n. 1. —

Springer, Ant., Handbuch f. Officiere d. Generalstabes [m. besond. Rücksicht auf deren Dienst im Felde]. Nach Dienstvorschriften, Reglements etc. unter Mitwirkg. einiger Kameraden bearb. u. hrsg. 4. Aufl. 8. (448 S. m. 1 Tab.) Wien 884. (Seidel & Sohn.) geb. n.n. 6. —

— dasselbe. 4. Aufl. 1884 m. Correcturen 1885. 8. (VII, 448 S.) Ebend. 885. geb. n. 6. 40

Springer, Paul Rob., Religionsbuch f. ev.-luth. Schulkinder u. Konfirmanden, enth. den gesamten religiösen Unterrichtsstoff m. Ausnahme der bibl. Geschichte. 8. (VII, 188 S.) Berlin 883. (Klönne & Müller.) n.n. 1. —

Springer, R., das Volk steht auf, der Sturm bricht los, s.: Geschichts- u. Unterhaltungs-Bibliothek, vaterländische.

Springer, Rob., Charakterbilder u. Scenerien. Darstellungen aus der Litteratur- u. Kunstgeschichte. gr. 8. (IV, 244 S.) Minden 886. Bruns. n. 3. 50

— Enkarpa. Culturgeschichte der Menschheit im Lichte der pythagorkischen Lehre. gr. 8. (VI, 544 S.) Hannover 884. Schmorl & v. Seefeld. n. 5. —

— Essays zur Kritik u. Philosophie u. zur Goethe-Litteratur. gr. 8. (XVI, 404 S.) Minden 885. Bruns. n. 6. —

Springer, Rob., Kunsthandbuch f. Deutschland, Oesterreich u. die Schweiz. Eine Zusammenstellg. der Sammlgn., Lehranstalten u. Vereine f. Kunst u. Kunstgewerbe. 3. Aufl. 8. (VI, 601 S.) Berlin 883. Grothe. geb. Herabges. Preis n. 6. —

— dasselbe. 4. Aufl. 8. (XII, 477 S.) Stuttgart 886. Spemann. geb. n. 6. —

Springmühl, Ferd., Italiens Weine u. die Concentration d. Mostes im Vacuum. Studien. gr. 8. (IX, 150 S. m. Holzschn.) Frankfurt a/M. 884. Weller. 4. —

Sprockhoff, A., Anthropologie f. höhere Mädchenschulen u. Lehrerinnen-Seminare. Rev. durch Hrn. Rud. Virchow in Berlin. Bau, Leben u. Pflege d. menschl. Körpers. Mit 66 (eingedr. Holzschn.-)Abbildgn. gr. 8. (92 S.) Hannover 883. Meyer. n. 1. 20

— Grundzüge der Anthropologie f. Lehrer-Seminare u. andere höhere Lehr-Anstalten. Rev. durch Hrn. Rud. Virchow in Berlin. Der Körper d. Menschen, Bau u. Verrichtg. seiner Organe, m. besond. Berücksicht. der Gesundheitslehre. Mit e. Anh.: Die erste Hülfe bei plötzl. Unglücksfällen nach Esmarch in Kiel u. m. 112 instruktiven (eingedr. Holzschn.-)Abbildgn. gr. 8. (VIII, 168 S.) Ebend. 883. n. 2. —

— Grundzüge der Botanik. Ein Hilfsbuch f. den Schulgebrauch u. zum Selbstunterrichte. Anordnungen der Pflanzen, Bau, Gestalt u. Leben, Systematik, Charakteristik der Familien, Beschreibgn. v. Gattgn. u. Arten 2c. Mit vielen Fragen u. 169 Abbildgn. 11. Aufl., m. e. Anleitg. zum Bestimmen der Pflanzen. gr. 8. (XVI, 160 S.) Ebend. 884. n. 1. 60

— Schul-Naturgeschichte. Anthropologie f. Knabenschulen. Rev. durch Hrn. Rud. Virchow in Berlin. Bau d. menschl. Körpers, Thätigkeit u. Pflege seiner Organe. Mit 60 Abbildgn. gr. 8. (80 S.) Ebend. 883. n. 1. —

— dasselbe. 3. Abtlg.: Botanik. Einzelbeschreibungen, Gruppenbilder, Systematik, Bau, Leben u. Verbreitg. der Pflanzen, Anleitg. zum Bestimmen u. Anordngn. nach Standort, Blütezeit u. Bedeutg. Mit vielen Fragen u. 142 Holzschn. 2. Aufl. gr. 8. (128 S.) Ebend. 884. n. 1. 20

Spruchbuch zu den 5 Hauptstücken, nebst e. Anh. v. Gebeten. 4. Aufl. 8. (50 S.) Göttingen 886. Deuerlich. geb. n.n. — 30

Spruch- u. Liederbuch od. Sammlung v. Bibelsprüchen u. Gesangbuchliedern zum Auswendiglernen in den evangel. Schulen d. Königr. Württemberg. Nebst Katechismus u.

Gebeten. Neue Ausg. 8. (146 S.) Reutlingen 884. Fleischhauer & Spohn. geb. n. — 50

Sprüche, goldene. 8. (5 S. m. chromolith. Titel.) Frankfurt a/M. 883. Drescher. n. — 20

— goldene, f. die Jugend. Ein unzerreißbares Bilderbuch f. die lieben Kleinen. 8. (8 Chromolith. m. Text.) Stuttgart 886. Hänselmann. geb. n. 1. —

— 8, der heil. Schrift f. Weihnachten. 4. (Auf starkem Kpfrdr.-Pap.) Hamburg 886. Agentur d. Rauhen Hauses. n. — 60

— des neuen Genfer Philosophen. Nach der 5. Aufl. frei bearb. v. F. A. Stocker. Mit e. Biographie d. Verf. 2. Ausg. 12. (XXXIV, 75 S.) Stuttgart 883. Neff. n. 1. —

Spruch- u. Lieder-Kanon f. den evangelischen Religionsunterricht an höheren Schulen. Aufgestellt v. dem Verbande niederrhein. Religionslehrer zu Düsseldorf. 3. Aufl. 8. (III, 56 S.) Duisburg 886. Ewich. cart. n. — 40

Spruchkarten. 16. (50 Bl. m. Bild.) Basel 884. Spittler. n. — 80

Spruchpraxis, die. Revue üb. die Rechtsprechg. in den obersten Instanzen der im Reichsrathe vertretenen Königreiche u. Länder. Hrsg. unter ständ. Mitwirkg. v. Val. Pogatschnigg, Frdr. Pacák, Karl Stromenger u. Joh. Waltinester v. Ant. Riehl 1—3. Jahrg. 1884—1886. à 6 Hfte. (à 3—4 B.) gr. 8. Wien, Hölder. à Jahrg. n. 6. 40

Spruch-Register, biblisches. Ein Handbuch f. Bibelleser zum leichten Auffinden der wichtigsten Bibelsprüche. 3. Aufl. gr. 8. (IV, 228 S.) Basel 884. Schneider. n. 2. —; geb. n. 2. 80

Spruner-Menke, Hand-Atlas f. die Geschichte d. Mittelalters u. der neueren Zeit. 3. Aufl. von K. v. Spruner's Hand-Atlas, neu bearb. v. Th. Menke. 90 color. Karten in Kpfrst. m. 376 Nebenkarten. 10—23. (Schluss-)Lfg. qu. gr. Fol. Gotha 873—80. J. Perthes. n. 51. 40 (cplt.: n. 85. 60)

10—22. (à 4 Karten.) à n. 3. 80. — 23. (2 Karten m. 1 Bl. Text.) n. 2. —

Sprung, A., Lehrbuch der Meteorologie. Im Auftrage der Direktion der Deutschen Seewarte bearb. Mit 83 Illustr. im Text u. 17 Taf. gr. 8. (XII, 407 S.) Hamburg 885. Hoffmann & Campe Verl. n. 10. —

Sprüngli-Ammann, R., Confiserie, s.: Bericht üb. Gruppe 25 der schweizerischen Landesausstellung Zürich 1883.

Spude, Ed., Geschichte der Stadt Schönlanke u. Umgegend. gr. 8. (104 S.) Deutsch-Krone 885. Garms. n. 1. —

Spurgeon, C. H., alttestamentliche Bilder. Predigten. Mit Autoris. d. Verf. übers. (In 12 Hftn.) 1—6. Hft. gr. 8. (à ca. 80 S.) Hagen 884. 85. Risel & Co. à — 60

— ein Denkmal dem Verstorbenen u. e. Wort an die Lebenden. Eine Predigt. Aus dem Engl. übers. 12. (29 S.) Gernsbach 883. Buchh. d. christl. Colportage-Vereins. n. — 20

— nothwendige Erfordernisse, um m. wirklichem Erfolg predigen zu können. Rede geh. in der Metropolitan-Kirche zu London. Uebersetzung aus dem Engl. 8. (16 S.) Berlin 884. Deutsche evang. Buch- u. Tractat-Gesellschaft. n. — 20

— der Faden f. das Labyrinth. Aus em Engl. übers. 64. (164 S.) Hagen 884. Risel & Co. geb. n. 1. —

— das kommende Gericht üb. die Geheimnisse der Menschen. Predigt, geh. am Sonntagmorgen, den 12. Juli 1885, auf Veranlassg. der bekannten Enthüllgn. der Pall-Mall-Gazette. 8. (23 S.) Breklum 886. Christl. Buchh. — 15

— ganz aus Gnaden. Ein ernstes Wort m. denen, welche Errettg. suchen durch den Herrn Jesum Christum. Autoris. Uebersetzg. v. E. Spliedt. 8. (IV, 139 S.) Bonn 886. Schergens. n. 1. —

— Illustrationen u. Meditationen od. Blumen aus dem Garten e. Puritaners. Destillirt u. dargeboten. 8. (VIII, 352 S.) Hamburg 884. Oncken's Nachf. n. 2. 25; geb. n. 3. —

— Luther-Predigt, geh. am 11. Novbr., Abends, in Exeter Hall vor dem Jünglingsverein. 8. (30 S.) Bonn 883. Schergens. n. — 20

Spurgeon, C. H., für freie halbe Stunden. Aus dem Engl. übers. 8. (IV, 165 S.) Bonn 884. Schergens. n. 1. 25

— aus dem Tabernakel. 7 Predigten. Autoris. Uebersetzg. v. E. Spliedt. Lex.-8. (V, 140 S.) Hagen 886. Risel & Co. n. 1. 50

— überall, u. doch vergessen. Predigt üb. Hiob 12, 9. 10. Aus dem Engl. übers. gr. 8. (16 S.) Hamburg 885. Kloß. — 30

— Vorträge bei Pastoral-Conferenzen. Mit Genehmigg. d. Verf. aus dem Engl. übers. 8. (IV, 176 S.) Bonn 883. Schergens. n. 1. 50

Spyri, Johanna, e. Blatt auf Vrony's Grab. Erzählung. 4. Aufl. 16. (51 S.) Bremen 883. Müller. n. — 75; geb. n. 1. 20

— Geschichten f. Jung u. Alt im Volk. 10 Hfte. 16. (Mit je 1 Titelbild.) Gotha 886. F. A. Perthes. cart. à n. — 20

1. Der Toni v. Kandergrund. 3. Aufl. (48 S.)
2. Beim Weiden-Joseph. 3. Aufl. (61 S.)
3. Rosenresli. 3. Aufl. (31 S.)
4. „Und wer nur Gott zum Freunde hat, dem hilft er allerwegen". 3. Aufl. (32 S.)
5. In sicherer Hut. 3. Aufl. (40 S.)
6. Am Felsensprung. 2. Aufl. (56 S.)
7. Was Sami m. den Vögeln singt. 2. Aufl. (64 S.)
8. Moni, der Geißbub. 2. Aufl. (40 S.)
9. Was der Großmutter Lehre bewirkt. 2. Aufl. (38 S.)
10. Vom This, der doch etwas wird. 2. Aufl. (45 S.)

— kurze Geschichten f. Kinder u. auch f. Solche, welche die Kinder lieb haben. 2. Bd. 8. (276 S.) Ebend. 886. cart. n. 2. 40; geb. n. 3. 60

— Gritlis Kinder kommen weiter. Eine Geschichte f. Kinder u. auch f. Solche, welche die Kinder lieb haben. 8. (166 S.) Ebend. 884. cart. n. 2. 40; geb. n. 3. 60

— Heimatlos. Zwei Geschichten f. Kinder u. auch f. Solche, welche die Kinder lieb haben. 4. Aufl. Mit 4 Bildern v. Wilh. Pfeiffer. 8. (235 S.) Ebend. 882. cart. n. 2. 40

— im Rhonethal. 2. Aufl. 8. (99 S.) Ebend. 886. n. 1. 20; geb. n. 2. 20

— Sina. Eine Erzählg. f. junge Mädchen. 2. Aufl. 8. (231 S.) Stuttgart 885. Krabbe. n. 2. 40; geb. n. 3. —

— dasselbe. 3. Aufl. Mit 93 Illustr. v. R. Pötzelberger. 8. (226 S.) Ebend. 886. geb. n. 5. 50

— der Toni v. Kandergrund, s.: Geschichten f. Jung u. Alt im Volk.

— verschollen, nicht vergessen. Ein Erlebnis, meinen guten Freundinnen, den jungen Mädchen erzählt. 2. Aufl. 8. (202 S.) Gotha 882. F. A. Perthes. n. 2. 40

— zwei Volksschriften. 8. (207 S.) Ebend. 884. cart. n. 2. 40

— was soll denn aus ihr werden? Eine Erzählg. f. junge Mädchen. 8. (270 S.) Ebend. 886. n. 3. —

Squier, E. George, Peru. Reise- u. Forschungs-Erlebnisse in dem Lande der Incas. Ins Deutsche übertr. v. J. Heinr. Schmick. Autoris. Ausg. Mit 260 (eingedr. Holzschn.-)Illustr. 2—19. (Schluss-)Lfg. gr. 8. (XXVI u. S. 41—749.) Leipzig 883. Georgi. à n. — 80 (cplt. geb.: n. 22. 50)

Ssolowjew, S., die Regierung Peters d. Grossen, s.: Sammlung klassischer russischer Schriftsteller.

Staack, G., der Gehilfe d. Teufels,
— eine alltägliche Geschichte,
— ein probates Hausmittel,
— der Herzenswechsel,
— in der Löwengrube,
} s.: Album f. Liebhaber-Bühnen.

Staacke, J., drei Erzählungen. Der Jugend gewidmet. [1. Charles Vaughan. Eine Erzählg. aus dem Tagebuche e. Seemannes. — 2. Wanaba. Eine Erzählg. aus dem amerikan. Freiheitskriege. — 3. „Die Rache ist mein", spricht der Herr. Eine Erzählg. aus Ungarns Vergangenheit.] gr. 8. (214 S.) Berlin 884. Parrisius. cart. n. 2. —

— der Uglei-See. Eine Phantasie. 8. (72 S. m. Farbendr.-Titel.) Ebend. 884. cart. n. 1. 50

Staat u. Gesellschaft der Zukunft. Eine Studie v. R. E. 8. (38 S.) Altona 885. Harz. n. — 75

Staatengeschichte der neuesten Zeit. 25. u. 26. Bd. gr. 8. Leipzig, Hirzel. n. 19. —
25. Deutsche Geschichte im 19. Jahrh. v. Heinr. v. Treitschke. 2. Thl. Bis zu den Karlsbader Beschlüssen. 3. Aufl. (VIII, 638 S.) 886. n. 9. —; geb. n. 10. 25. — 26. Dasselbe. 3. Bd. Bis zur Juni-Revolution. 2. Aufl. (VIII, 778 S.) n. 10. —; geb. n. 11. 25; Sep.-Ausg. geb. n.n. 13. —

Staats, Frdr., üb. Asaron. gr. 8. (30 S.) Breslau 885. (Köhler.) n 1. —

Staats- u. Communal-Adreß-Handbuch f. den Reg.-Bez. Wiesbaden f. 1886/87. Bearb. auf Grund d. gesammelten officiellen Materials u. hrsg. v. G. Ruffart u. O. Knop. gr. 8. (VIII, 810 S.) Wiesbaden 886. (Moritz & Münzel.) cart. n.n. 5. —

Staatsarchiv, das. Sammlung der officiellen Actenstücke zur Geschichte der Gegenwart. Begründet v. Aegidi u. Klauhold. In fortlauf. Heften hrsg. v. Hans Delbrück. 41—46. Bd. à 6 Hfte. gr. 8. (à Hft. ca. 64 S.) Leipzig 883—86. Duncker & Humblot. à Hft. n. 1. 40

Staatsbeamte, der. Jahrbuch f. die k. k. österreich. Civilbeamten pro 1886. Red. u. hrsg. v. Frdr. Hönig. 11. Jahrg. 16. (VII, XVI, 574 S.) Wien, Perles. geb. n. 4. —

Staatsbürger-Handbuch, enth. die wichtigsten Rechte u. Pflichten der Bürger, wie sie bei den Ruggerichten verkündigt werden. Für junge Bürger zur Erinnerg. an den abgelegten Huldigungs-Eid. 8. Aufl. 8. (IV, 260 S.) Heidenheim 886. Rees. n. — 60

Staats-Handbuch der freien Hansestadt Bremen auf d. J. 1886. gr. 8. (VIII, 224 S.) Bremen, Schünemann. n. 3. —; geb. n.n. 3. 50

— kleines, d. Reichs u. der Einzelstaaten. Nach amtl. u. anderen zuverläss. Quellen zusammengestellt. Abgeschlossen am 31. Jan. 1883. 16. (X, 222 S.) Bielefeld 883. Velhagen & Klasing. geb. n. 1. 50

— dasselbe. 2. Jahrg. 1884. Abgeschlossen am 1. Dezbr. 1883. 2. Aufl. 16. (X, 442 S.) Ebend. 884. geb. n. 2. —

— dasselbe. 3. Jahrg. 1885. Abgeschlossen am 31. Dezbr. 1884. 16. (X, 553 S.) Ebend. 885. geb. n. 2. 50

— für das Königr. Sachsen auf die J. 1886 u. 1887. Auf Anordng. d. königl. Gesammtministeriums hrsg. gr. 8. (XVI, 746 S.) Dresden 886. Heinrich. n. 6. 75

— für das Großherzogth. Sachsen-Weimar-Eisenach 1885. gr. 8. (XII, 417 S.) Weimar 885. Böhlau. n.n. 6. —

Staats- u. Adreß-Handbuch d. Herzogth. Sachsen-Altenburg. 1884. gr. 8. (XVI, 275 S.) Altenburg, Schnuphase. cart. n.n. 4. 50

Staats-Kalender, Hamburgischer, auf d. J. 1886. Amtliche Ausgabe. 4. (272 S.) Hamburg 886. (Gräfe.) cart. n. 4. —

— grossherzoglicher Mecklenburg-Schwerinscher. 1886. 111. Jahrg 8. (LI, 451 u. LIII, 354 S.) Schwerin, (Stiller). geb. n.n. 8. —

Staatskonkurs-Aufgaben, die, f. den höheren Justiz- u. Verwaltungsdienst im Königr. Bayern in den J. 1880 bis 1884 incl. Nebst den auf das Prüfungswesen u. den Vorbereitungsdienst der bayer. Rechtskandidaten u. Rechtspraktikanten bezügl. Allerhöchsten Verordngn. u. Ministerial-Entschließgn. Zusammengestellt v. e. Juristen. 8. (408 S.) München 885. Schweitzer. n. 5. —

— dasselbe. II. Sammlg. 1. Lfg.: Die Aufgaben im J. 1885. 8. (81 S.) Ebend. 886. n. 1. 50

Staatsrath, der preußische, u. seine Wiederberufung. Ohne Benutzg. archival. Quellen v. e. Ostpreußen. gr. 8. (III, 92 S.) Leipzig 885. F. Duncker. n. 1. 60

Staatsschriften, preussische, aus der Regierungszeit König Friedrichs II. Im Auftrage der königl. Akademie der Wissenschaften zu Berlin hrsg. v. J. G. Droysen u. M. Duncker. 2. Bd. 1746—1756. Bearb. v. Rhold. Koser. gr. 8. (XV, 509 S.) Berlin 885. A. Duncker. n. 14. — (1. u 2.: n. 31. —)

Staatssteuer-Gesetzgebung, die, d. Großherzogth. Baden. Nachtrag, die seit Erscheinen der Sammlg. v. 1878 erlassenen wichtigeren Steuer-Gesetze u. Verordngn. enth. Zum Gebrauch f. Staats- u. Gemeindebeamte, Handel- u. Gewerbtreibende, sowie sonstige Steuerpflichtige. gr. 8. (VI, 144 S.) Karlsruhe 883. Braun. n. 2. — (Hauptwerk m. Nachtrag: n. 7. —)

Staats- u. Gemeinde-Steuern, die preußischen direkten. Ein Hülfs- u. Nachschlagebuch f. alle Gewerbe- u. Handeltreibenden, Haus- u. Grundbesitzer ꝛc. Mit e. Reihe v. Formularen zu den verschiedensten Steuer-Reklamationen ꝛc. Hrsg. v. e. Verwaltungs-Beamten. 4. Aufl. 8. (III, 219 S.) Mülheim 885. Bagel. 1. 50

Staats- u. Gemeinde-Vakanzen-Zeitung fürs deutsche Reich. 14. Jahrg. 1885. 52 Nrn. (B.) Fol. Berlin, Vakanzen- u. Annoncen-Bureau v. S. Schwartz. n. 10. —

Staatsverträge, die, wegen gegenseitiger Auslieferung v. Verbrechern, sammt den darauf Bezug hab. Verordngn. 8. (IV, 121 S.) Wien 885. Manz. n. — 80

Staats-Wappen aller Länder der Erde, nebst den Landesfarben u. Schifffahrtsflaggen. Neue Ausg. in Schwarzdr. m. Farbenbezeichng. durch Schraffirg. Nach Korrekturen von Fr. Heyer v. Rosenfeld. qu. Fol. (6 Steintaf.) Frankfurt a/M. 885. Rommel. n. 2. —

Stabbert, Fr., der Weg zum Frieden. Schauspiel in 4 Akten. 8. (III, 96 S.) Wiesbaden 885. (Bischkopff.) n. 1. 50

Stabel, Ant., Institution d. französischen Civilrechts [Code Napoléon]. 2. Aufl. gr. 8. (XV, 684 S.) Mannheim 883. Bensheimer's Verl. n. 12. 20

Stabel, Ed., das Ozon u. seine mögliche therapeutische Bedeutung. Mit e. Holzschn. 8. (III, 36 S.) Kreuznach 883. Schmithals. n. — 75

— über den Werth v. Kreuznach u. seine Stellung unter den Soolbädern. Mit 2 Illustr. 8. (20 S.) Ebend. 883. n. 1. —

Stabenow, H., Geschäfts-Reglement f. die Subaltern-Büreaus der kaiserl. deutschen Consulate. 2. Ausg. (IV, 127 S.) Norden 885. Fischer Nachf. n. 3. —

Stache, Guido, Fragmente e. afrikanischen Kohlenkalkfauna aus dem Gebiete der West-Sahara. Bericht üb. die Untersuchg. der v. Osk. Lenz auf der Reise v. Marokko nach Timbuktu gesammelten paläozoischen Gesteine u. Fossilreste. [Mit 7 (lith.) Taf.] Imp.-4. (50 S.) Wien 883. (Gerold's Sohn.) n. 5. 40

— Geologie Siebenbürgens, s.: Hauer, F. Ritter v.

Stachelhaus, Ernst, Liederbuch f. Kaufleute. 8. (XV, 109 S.) Bonn 886. (Hanstein.) n. 1. —

Stacke, Ludw., Erzählungen aus der alten Geschichte. 2 Thle. 8. Oldenburg 884. Stalling's Verl. 3. —; Einbd. in 1 Bd. n. — 80
1. Erzählungen aus der griechischen Geschichte in biograph. Form. Mit 1 Karte. 21. verm. u. verb. Aufl. (VIII, 244 S.)
2. Erzählungen aus der römischen Geschichte in biographischer Form. Mit 2 Karten. 19. Aufl. (VIII, 208 S.)

— Erzählungen aus der mittleren, neuen u. neuesten Geschichte. 2. u. 3. Tl. 8. Ebend. 7. —
2. Neue Geschichte [bis 1815] in biograph. Form. 11. Aufl. (XII, 448 S.) 885. n. 2. 50
3. Neueste Geschichte. [1815—1881.] 5. Aufl. (XII, 624 S.) 886. 4. 50

— Hülfsbuch f. die erste Unterrichtsstufe in der Geschichte. 1. Tl. Altertum. 2. Aufl. 8. (VI, 124 S.) Ebend. 884. n. — 80

Stackelbeck, Dietr., dreiprocentige Zins-Tabelle. Entworfen u. berechnet zum Gebrauch f. Sparkassen. hoch 4. (IV, 21 S.) Osnabrück 886. Meinders. geb. 3. —

Stackelberg, Natalie Freiin v., aus Carmen Sylva's Leben. Mit 2 (Lichtdr.-)Bildnissen u. e. Fcsm. 2. Aufl. gr. 8. (III, 221 S.) Heidelberg 885. C. Winter. n. 6. —; geb. m. Goldschn. n. 7. 50

— dasselbe. 3. u. 4. Aufl. Mit 4 (Lichtdr.-)Bildern u. 1 Fcsm. gr. 8. (234 S.) Ebend. 886. n. 7. —; geb. in Leinw. m. Goldschn. n. 9. —; auf holländ. Büttenpap. in Kalbldrbd. m. Goldschn. n.n. 25. —

— Schloß Hohenburg im Isarthal. 12. (56 S.) Ebend. 886. n. 1. —; geb. m. Goldschn. n. 1. 80

Stackelberg, Rhold. v., Beiträge zur Syntax d. Ossetischen. gr. 8. (V, 99 S.) Strassburg 886. Trübner. n. 3. —

Stade, B., Geschichte d. Volkes Israel, s.: Geschichte, allgemeine, in Einzeldarstellungen.

— über die Lage der evangelischen Kirche Deutschlands.

Academische Festrede. 2. Ausg. 8. (51 S.) Gießen 883. Ricker. n. — 80

Stadele, Simon, das Neueste u. Ganze d. Zinkdruckes. 8. (91 autogr. S. m. 2 Taf.) München 886. (L. Finsterlin's Sort.) n. 4. —

Stadelmann, H. Aug., in Freud' u. Leid. Gedichte. 8. (IX, 191 S.) Hannover 885. Schmorl & v. Seefeld. n. 1. 50

Stadelmann, Lor., Meister Thomas od. der Doppelgänger. Musikalisches Volksdrama in 4 Akten. Musik v. Maurice Chemin-Petit. gr. 8. (68 S.) Nürnberg 883. (Korn.) n. — 60

Stadelmann, R., Preussens Könige in ihrer Thätigkeit f. die Landescultur, s.: Publicationen aus den k. preussischen Staatsarchiven.

Stadelmann, W., die bayerische Gemeindeordnung vom 29. Apr. 1869, sammt den Gesetzen üb. Armen- u. Krankenpflege, Heimat, Verehelichg. u. Aufenthalt, Freizügigkeit, Erwerbg. u. Verlust der Bundes- u. Staatsangehörigkeit, die Aufbringg. d. Bedarfs f. die deutschen Schulen in ihrer derzeit. Geltg.; nebst den hiezu ergangenen Vollzugsvorschriften. Mit vielen erläut. Noten. 2., vollständig umgearb. Aufl. gr. 8. (XVIII, 394 S.) Bamberg 883. Buchner. 4. 50

— die Gemeindeverfassung d. Königr. Bayern. Eine Sammlg. der im Gebiete der Verwaltg. am häufigsten zur Anwendg. komm., insbesondere auch das Gemeindewesen u. die Thätigkeit der Gemeindebehörden u. Standesbeamten betr. Gesetze, Verordngn. u. Ministerial-Entschließgn. m. Erläutergn. u. Citaten aus der einschläg. Literatur, den Entscheidgn. d. Verwaltungsgerichtshofes, d. obersten Gerichtshofes u. d. Reichsgerichts, nebst vielen Formularen. 5. Aufl. 22 Lfgn. gr. 8. (1. Bd. (VIII, 836, 2. Bd. IV, 1168 u. Reg. 60 S.) Ebend. 883. 84. à Lfg. n. 1. 80

— Gewerbeordnung f. das deutsche Reich in der Redaktion nach der Bekanntmachung d. Reichskanzlers vom 1. Juli 1883, m. den Entscheidgn. d. Verwaltungsgerichtshofes, d. Obersten Gerichtshofes, d. Oberlandesgerichts München u. d. Reichsgerichts, den den betreff. Gesetzesstellen unmittelbar angefügten Vollzugsvorschriften vom 4. Dezbr. 1872, 8. Aug. 1879 u. 27. Dezbr. 1883, dann den sämmtl. zu dem Gesetze weiter ergangenen Bestimmgn. u. zahlreichen erläut. Noten hrsg. gr. 8. (X, 141 S.) Ebend. 884. n. 2. 80

— das Militärwesen d. Königr. Bayern im Krieg u. Frieden. Gesetz üb. die Verpflichtg. zum Kriegsdienste, Reichsmilitärgesetz, Gesetz üb. den Landsturm, Gesetz, die Ausübg. der militär. Kontrole üb. die Personen d. Beurlaubtenstandes ꝛc. betr., Ersatz-, Wehr- u. Kontrolordng.; Einquartierg., Vorspann u. sonst. Naturalleistgn., Kriegsleistgn. incl. der Bestimmgn. üb. Mobilmachg., Pferdeaushebungsreglement. Nach den neuesten gesetzl. Bestimmgn., Vollzugsvorschriften, Verordngn. ꝛc. übersichtlich zusammengestellt u. bearb. gr. 8. (X, 421 S.) Ebend. 884. n. 4. —

— das Reichsgesetz betr. die Krankenversicherung der Arbeiter vom 15. Juni 1883, nebst dem bayer. Ausführungsgesetze vom 28. Febr. 1884, sämmtl. Vollzugsvorschriften, den Entwürfen zu Statuten f. Orts- u. Betriebs- [Fabrik-]Krankenkassen, dann zahlreichen erläut. Anmerkgn. gr. 8. (VI, 127 S.) Ebend. 884. n. 2. —

Staden, Johs. v., der erste Unterricht im Zeichnen. Eine vollständ. Lehranweisg. in Verbindg. m. lith. Schülerheften u. m. vielen Holzschn. 8. Aufl. gr. 8. (VIII, 244 S.) Hannover 885. Helwing's Verl. n. 4. —

— Zeichen-Heft. 6. Aufl. 8. (16 S.) Ebend. 886. n. — 15

Stadion, Graf Emerich v., vom Baume der Träume. Erlauschtes. 16. (80 S.) Würzburg 883. Stahel. geb. m. Goldschn. n. 2. —

— in Duft u. Schnee. Gedichte. 8. (VIII, 57 S.) Minden 886. Bruns. geb. n. 2. 40

— Isfried v. der Düne. Ein Märchen aus dem Leben in 3 Akten. 8. (VIII, 74 S.) Ebend. 887. n. 2. —; geb. n. 2. 40

— einsame Lieder. 12. (VIII, 59 S.) Ebend. 885. geb. m. Goldschn. n. 2. 40

Stadion, Graf Emrich v., Zigeuner-Reime aus dem Wanderbuche meines Lebens. 8. (VI, 68 S.) Wien 884. Engel. n. 1. —

Stadler, Aug., Kants Theorie der Materie. gr. 8. (IX, 268 S.) Leipzig 883. Hirzel. n. 5. —

Stadler, Jul., Bericht üb. Gruppe 37 der schweizerischen Landesausstellung Zürich 1883: Kunst der Gegenwart. gr. 8. (36 S.) Zürich 884. Orell Füssli & Co. Verl. n. 1. —

Stadler, S., Beiträge zur Kenntniss der Nectarien u. Biologie der Blüthen. Mit 8 lith. Taf. gr. 8. (V, 88 S.) Berlin 886. Friedländer & Sohn. n. 8. —

Staedler, Karl, französische Grammatik f. höhere Mädchenschulen. 1. u. 2 Kurs., in 3 Jahrespensen. gr. 8. Kassel, Kay. n. 3. —

1. (VIII, 272 S.) 885. n. 2. —; geb. n. 2. 30. — 2. (XVI, 80 S.) 886. n. 1. —

Stadt, e. abenteuerliche, od. was Feen vermögen. Von Cardenio. 8. (64 S.) Melsungen 883. (Kassel, Klaunig.) n. 2. —

— Gottes, die geistliche, Leben der jungfräul. Gottesmutter, unserer Königin Maria, nach ihren Offenbargn. an die ehrwürd. Dienerin Gottes Maria v. Jesus, Aebtissin d. Klosters der Unbefleckten Empfängniß zu Agreda, vom Orden d. hl. Franciscus. Aus dem Span. übers. (In 4 Bdn.) 1—3. Bd. gr. 8. Regensburg 886. Pustet. 13. 80

1. (XCVI, 566 S.) m. 1 Lichtdr.-Portr. 5. —. — 2. (526 S.) 3. 60. — 3. (IV, 723 S.) 5. 20

— Gottes, die heilige. Illustrirte Zeitschrift f. das kath. Volk. Hrsg. vom Missionshause zum hl. Erzengel Michael zu Steyl. 6. Jahrg. 1883. 16 Hfte. (2 B. m. Holzschn.) gr. 4. Steyl, Missionsdruckerei. n. 4. —

— dasselbe. 7—9. Jahrg. 1884—1886. à 20 Hfte. (2 B. m. Holzschn.) gr. 4. Ebend. à Jahrg. n. 4. —

Stadtbahn, die Berliner. Linie — Bau — Betrieb. Von e. Techniker. 8. (44 S.) Berlin 883. Polytechn. Buchh. cart. n. 1. —

Stadtbahn-Project, das, v. Siemens & Halske. gr. 8. (27 S.) Wien 886. (Lechner's Sort.) n. — 80

Stadtbuch, Berlinisches. Neue Ausg., veranstaltet bei der Feier d. 25jähr. Hochzeits-Jubiläums Ihrer k. u. k. Hoheiten d. Kronprinzen Friedrich Wilhelm u. der Kronprinzessin Victoria im Auftrage der städt. Behörden Berlins. Mit 2 (chromolith.) Bildern u. 3 Schriftproben (in Licht- u. Farbendr.). Lex.-8. (XLIX, 303 S.) Berlin 883. (G. Winckelmann.) n.n. 12. —

Städte, die, d. Deutschen Reiches m. Angabe der geographischen Lage. Einwohnerzahl. Nach amtl. u. anderen zuverläss. Quellen zusammengestellt. 8. (64 S.) Schleswig 884. Detleffsen. — 50

Städtebilder u. **Landschaften** aus aller Welt. Nr. 1—18, 21—23, 26—28, 30—37. 8. Zürich 885. 86. Schmidt. à n. — 50

1. 2. München. Von Carl Alb. Regnet. Mit 52 Illustr., 1 Kärtchen u. Stadtplan. (67 S.)

3. 4. Nürnberg. Von J. Priem. Mit 34 Illustr. v. Wilh. Ritter u. 1 Stadtplan. (64 S.)

5. 6. Dresden u. die sächsisch-böhmische Schweiz. Von Heinr. Gebauer. Mit 50 Illustr. u. Stadtplan. (90 S.)

7. 8. Stuttgart u. Cannstatt. Von Jul. Hartmann. Mit 36 Illustr. u. 1 Plan. (60 S.)

9. Frankfurt am Main. Mit 33 Illustr. u. 1 Stadtplan. (55 S.)

10—12. Rheinfahrt von Mainz bis Köln. Von Jak. Nover. Mit 55 Illustr. (111 S.)

13—16. Berlin. Von Paul Lindenberg. Mit 60 Illustr. u. 1 Plan. (120 S.)

17. 18. Potsdam. Von Paul Lindenberg. Mit 27 Illustr. u. 1 Stadtplan. (62 S.)

21. Hannover. Von Th. L. F. Unger. Mit 26 Illustr. u. 1 Plan. (42 S.)

22. Cassel u. Wilhelmshöhe. Von C. Oberbeck. Mit 26 Illustr. u. 2 Plänen. (55 S.)

23. Würzburg. Von A. M. Mit 29 Illustr. u. 1 Stadtplan. (48 S.)

26—28. Hamburg. Von Jul. Pollacsek. Mit 46 Illustr. u. 1 Stadtplan. Illustr. meist nach

Orig.-Zeichngn. v. Herm. Nestel u. Ernst Schmitz. (84 S.)
30—32. Salzburg, nebst Ausflügen nach Reichenhall, Berchtesgaden u. Königsee. Von R. v. Freisauff. Mit 31 Ansichten u. 1 Plan von Salzburg. (96 S.)
33—37. Wien. Von Frdr. Schlögl. Mit 72 Illustr., 1 Plan u. 1 Karte der Umgebgn. von Wien. (190 S.)
Nr. 19, 20, 24, 25, 29 erscheinen später.

Städte-Ordnung f. die Rhein-Provinz u. Gesetz betr. die Gemeinde-Verfassung in der Rhein-Provinz vom 15. Mai 1856. 4. Aufl. gr. 8. (44 S.) Elberfeld 886. Bädeker. n. — 50

Städte-Wappen v. Österreich-Ungarn. Eine Sammlg. v. ca. 500 Wappen der bedeutenderen Städte u. Ortschaften der Monarchie, nebst den Landeswappen u. Landesfarben. Mit Text v. Karl Lind. 4 Lfgn. gr. 4. (28 Chromolith. m. 15 S. Text.) Wien 885. 86. Schroll & Co. à n. 10. —; Luxus-Ausg. à n. 20. — (cplt. geb.: n. 40. —)

Stadt- u. Land-Kalender, österreichisch-ungarischer, f. d. J. 1883. Hrsg.: Alois Fiala. 8. (XVI, 104 S.) Wien, (Edm. Schmid). n. — 80

Stadtländer u. **Lahusen**, Sammlung der Entscheidungs-Gründe d. Ober-Appellations-Gerichts der freien Städte Deutschlands zu Lübeck in bremischen Civil-Rechtssachen aus den J. 1873 bis 1879. gr. 8. (XVIII, 385 S.) Bremen 883. Kühtmann & Co. n. 15. —

Stadtmissionar, der. Ein Sonntagsfreund zur Erbaug. u. Belehrg. zur Seligkeit f. Jedermann, besonders f. diejenigen, welche am Sonntag keiner Verkündigg. d. Wortes Gottes beiwohnen können, dürfen oder wollen. Beilage zum „Gemeinschaftsblatt". 1. u. 2. Jahrg. 1885 u. 1886. à 52 Nrn. (½ B.) gr. 4. Emden, Gerhard. à Jahrg. n. 1. —

Stadtmissionen, die. Eine Uebersicht üb. ihren Bestand im J. 1885, gegeben vom Central-Ausschuß f. die innere Mission der deutschen evangel. Kirche. gr. 8. (46 S.) Berlin 885. Buchh. der Berliner Stadtmission. n. — 40

Stael, v., üb. Deutschland, f.: Universal-Bibliothek.

Stahel's Taschen-Fahrplan f. Bayern r/Rh., nebst den Post- u. Dampfboot-Anschlüssen, sowie den Bahnanschlüssen nach Baden, Hessen, Oesterreich, Preussen, der Rheinpfalz, Kgr. Sachsen, Sachsen-Coburg, Vorarlberg, Schweiz u. Württemberg u. e. (lith.) Uebersichtskärtchen. Jahrg. 1884/85. 2 Hfte. 12. (1. Hft. 83 S.) Würzburg, Stahel. à n. — 35

Stähelin, Alfr., Sommer u. Winter in Südamerika. Reiseskizzen. gr. 8. (VIII, 235 S.) Basel 885. Schwabe. n. 3. 20

Stähelin, Ernst, Kunst u. Religion in ihrem Verhältnisse zu einander. Predigt bei Gelegenheit der neuen Glasgemälde zu St. Theodor. Wegen Unwohlseins nicht gehalten, jetzt auf diesem Wege der Gemeinde dargeboten. 8. (17 S.) Basel 885. Spittler. n. — 20
— das Leben durch die Gerechtigkeit aus dem Glauben. Predigt, geh. am 11. Novbr. zu St. Theodor bei der Gedächtnisfeier Martin Luthers. 8. (15 S.) Ebend. 884. — 15
— Huldreich Zwingli's Predigt an unser Schweizervolk u. unsere Zeit. Vortrag. 8. (31 S.) Basel 884. Detloff. n. — 40

Staehelin, R., die ersten Märtyrer d. evangelischen Glaubens in der Schweiz, f.: Sammlung v. Vorträgen.
— Huldreich Zwingli u. sein Reformationswerk, f.: Schriften d. Vereins f. Reformationsgeschichte.

Stahl u. **Eisen**. Zeitschrift der nordwestl. Gruppe d. Vereins deutscher Eisen- u. Stahlindustrieller u. d. Vereins deutscher Eisenhüttenleute. Hrsg. v. den Vereinsvorständen. Red. v. den Geschäftsführern beider Vereine: H. A. Bueck u. E. Schrödter. 5. u. 6. Jahrg. 1885 u. 1886. à 12 Hfte. Lex.-8. (1. Hft. 60 S. m. 3 Taf.) Düsseldorf, (A. Bagel). à Jahrg. n. 15. —

Stahl, Berthold, brennende Fragen zum Bau- u. Betrieb der Wasserstrassen. Nach den Ergebnissen auf dem 1. internationalen Binnenschifffahrts-Congress zu Brüssel dargestellt. Mit Vorwort v. L. Franzius. Mit 19 autogr. Taf. u. einigen Holzschn. Lex.-8. (VIII, 234 S.) Wiesbaden 886. Bergmann. n. 8. —

Stahl, E., üb. den Einfluss d. sonnigen od. schattigen Standortes auf die Ausbildung der Laubblätter. Mit e. (lith.) Taf. gr. 8. (III, 39 S.) Jena 883. Fischer. n. 1. 50

Stahl, E., das Möbel, — Privat- u. Gemeindebauten, } s.: Lambert, A.

Stahl's, E., Termin-Kalender f. die bayerischen Juristen auf d. J. 1887. Mit Beilagen bearb. v. Osk. Reber. 24. Jahrg. gr. 16. (VIII, 184 u. 256 S.) München, Stahl sen. geb. n. 2. 50

Stahl, Ferd., de Ausonianis studiis poetarum Graecorum. gr. 8. (48 S.) Kiel 886. (Lipsius & Tischer.) n. 1. —

Stahl, Fr. Th., Blätter zur Verbreitung der Chevé'schen Elementar-Gesanglehre [Methode Galin-Paris-Chevé]. 1—3. Hft. gr. 8. Arnsberg 885. Stahl. n. 1. 75
1. 3. Aufl. (104 S.) n. 1. 20. — 2. (V, 33 S.) 884. n. — 30. 3. (24 S.) 884. n. — 25
— Singschule, nach der Chevé'schen Elementar-Gesanglehre bearb. Einzige v. den Verf. autoris., daher allein berechtigte u. authent. deutsche Ausg. der Methode Galin-Paris-Chevé. 1. Thl. 2. Hft. gr. 8. (47 S.) Ebend. 884. n. — 50 (1. Thl. cplt. cart.: n. 1. —)

Stahl's, Heinr., deutsches Sprachbuch. Ein Uebungsheft zum Lesebuch. Neu bearb. v. Adf. Höfer. 1. Hft. Für Mittelklassen. 7. Aufl. 8. (IV, 80 S.) Wiesbaden 886. Limbarth. n. — 40

Stahl, Jgn., die heilige Weihe d. Bischofs nach dem römischen Pontificalbuch. Darstellung d. hl. Weiheactes, der Ceremonien nebst den Gebeten in latein. u. deutscher Sprache. 2. Aufl. 16. (64 S.) Würzburg 884. Woerl. n. — 30

Stahl, Joa. Matthias, quaestiones grammaticae ad Thucydidem pertinentes. Auctas et correctas iterum ed. J. M. St. gr. 8. (66 S.) Leipzig 886. Teubner. n. 1. 60

Stahl, Karl, geburtshülfliche Operationslehre. Nach den Vorlesgn. v. Hegar bearb. 2. Aufl. gr. 8. (VIII, 198 S.) Stuttgart 883. Enke. n. 4. —

Stahl, W., üb. Raffination, Analyse u. Eigenschaften d. Kupfers. gr. 8. (III, 72 S.) Clausthal 886. Uppenborn. n. 2. 80

Stahlberg, W., Leitfaden f. den geographischen Unterricht. In 3 Kursen bearb. 2 Bdchn. gr. 8. Leipzig, Holtze. n. 1. 60
1. 1. u. 2. Kurs. 16. Aufl. (IV, 104 S.) 883. n. — 60
2. 3. Kurs. 13. Aufl. (IV, 168 S.) 884. n. 1. —
— Leitfaden f. den Unterricht in der Geschichte. Mit 4 Kartenskizzen. 13. Aufl. gr. 8. (VIII, 180 S.) Altenburg 884. Pierer. n. 1. 20

Stählin, Adf. v., Festpredigt, f.: Blätter der Erinnerung an das 300jährige Jubiläum d. Collegium bei St. Anna in Augsburg.
— eine Jubiläumsfeier im Lichte der Wege Gottes. Predigt üb. Jesaja 40, 27—31, geh. zur Feier d. 300-jähr. Jubiläums d. Collegiums bei St. Anna in Augsburg am 3. Dezbr. 1882, am h. Adventsfest in der Kirche bei St. Anna daselbst. gr. 8. (16 S.) Augsburg 883. Rieger. n.n. — 20
— unsere Losung am Missionsfest. Predigt üb. Röm. 1, 12, geh. am Missionsfeste zu Nürnberg in der Kirche zu St. Lorenzen den 16. Juni 1885. 8. Aufl. gr. 8. (15 S.) Nürnberg 885. Raw. n. — 20

Stahlmann, Fritz, methodisch geordnete Aufgaben f. den Unterricht im kaufmännischen Rechnen an zweiklassigen Mittelschulen u. an Fortbildungsschulen f. Handels- u. Gewerbs-Lehrlinge. gr. 8. (IV, 92 S.) Augsburg 884. Rieger. cart. n. 1. 50

Stahlmann, Joh., Aufgaben f. den Unterricht in der kaufmännischen Buchführung. 3. Aufl. gr. 8. (62 S.) Ebend. 884. cart. n. 1. 20

Stahlrad, das. Fachzeitschrift f. die Gesammt-Interessen d. Radfahrens. Red.: Th. Weber. 1. Jahrg. Octbr. bis Decbr. 1886. 6 Nrn. (2 B. m. Illustr.) gr. 4. Frankfurt a/M., (Detloff). n. 1. 25

Stahlschmidt, Ernst Frdr., Amerika-Taschenbuch f. Auswanderer. Reiseführer u. Ratgeber, nach den neuesten u. zuverlässigsten Quellen bearb. 5. Tausend. Mit

amerikan. (chromolith.) Eisenbahn-Specialkarte. 12. (100 S.) Bremen 886. Rocco. cart. n. 1. —
Stahlschmidt, Ernst Frdr., lernt Englisch! Deutsch-amerikan. Dolmetscher f. Auswanderer. Nach den besten u. praktischsten Mustern bearb. 12. (133 S.) Bremen 885. Rocco. n. — 50; cart. n. — 75
Stahlstich-Illustrationen, 32, zu Schiller's Räuber, Braut von Messina, Kabale u. Liebe. 2. Ausg. 12. (32 Bl. Text.) Jena 883. Mauke. n. 1. 50
Stahmann, Frdr., Verirrungen der Jugend, ihre Ursachen, die daraus entsteh. Krankheiten u. ihre Heilart. Ein ernstes Mahnwort an alle Eltern, Aerzte, Wundärzte ꝛc. Nach den Erfahrgn. der berühmten Aerzte Hufeland, Tissot, Braun, Morel, Rupembré ꝛc. bearb. 3. Aufl. 8. (V, 73 S.) Oranienburg 884. Freyhoff. 1. 50
Stahr, Adf., Herbstmonate in Oberitalien. 2 Thle. 3. Aufl. Suppl. zu d. Verf. „Ein Jahr in Italien." 8. (290 u. 334 S.) Oldenburg 884. Schulze. n. 6. —; geb. n. 7. 50
— G. E. Lessing. Sein Leben u. seine Werke. 9. verm. u. verb. Aufl. Mit e. Bildnis Lessings u. e. Fksm. aus „Emilia Galotti". 2 Bde. 8. (VIII, 334 u. IV, 368 S.) Berlin 887. Brachvogel & Ranft. n. 6. —; geb. n. 7. 50; auch in 10 Lfgn. à n. — 60
— Tiberius, Leben, Regierg., Charakter. 2. völlig umgearb. Aufl. Neue Ausg. m. 1 Titelbilde. gr. 8. (XII, 378 S.) Ebend. 885. n. 4. 50; geb. n. 5. 50
Stakemann, Aug., Spruchsammlung insbesondere f. höhere Lehranstalten u. mehrklassige Schulen. Nach dem kleinen Katechismus Luthers geordnete, u. nach Jahreskursen bezeichnete bibl. Sprüche, nebst 2 Spruchregistern. Im Anh. der vollständ. kleine Katechismus Dr. Martin Luthers, dessen Katechismuslieder u. die 3 ökumen. Symbole. 3. Aufl. 8. (XX, 124 S.) Oldenburg 886. Stalling's Verl. n. 1. —
Staller, Jos., epitome theologiae moralis. Pars I et II. 8. (VII, 460 u. VIII, 478 S.) Brixen 883. 85. Weger. à n. 4. —
Stallmann, H. J., vom Richten u. Verdammen. Predigt üb. das Evangelium Lukas 6, 36—42, bei Gelegenheit der Synodalversammlg. am 6. Juli 1884 zu Chemnitz geh. 8. (14 S.) Zwickau 884. (Dresden, H. J. Naumann.) n. — 10
Stall-Pflege. Zur Erleichterg. der Information beim Wechsel der Bedieng. im Stall. K. v. K. gr. 8. (68 S. m. eingedr. Fig.) Hannover 883. (Berlin, Liebel.) n. 3. —; Ausg. in 7 Taf. n. 3. —
Stamm, Aug. Thdr., die Ausrottungsmöglichkeit der Pocken ohne jedes Impfen. Zur Belehrg. f. Jedermann. gr. 8. (88 S.) Stuttgart 886. Dietz. n. 1. —
— die sozial-politische Bedeutung der Bodenreform, s.: Zeitfragen, soziale.
— die Erlösung der darbenden Menschheit. Segensreiche Belehrg. üb. die schon überwundenen Eigenthums-Anmaßgn. u. üb. die noch besteh. Codificirg. der Urgrundlage aller Arbeit als Privateigenthum u. verkäufl. Waare, sowie üb. die friedl., sittlich-wirthschaftl. Reform zur fortschreit. Erlösg. vom körperlich-geist. Elend. 3. Aufl. gr. 8. (XXXII, 463 S.) Stuttgart 884. Dietz. n. 3. —
— Krankheiten-Vernichtungslehre, Nosophthorie. Hygienische Lehre der Entstehg., Verhütg. u. der Wege zur Ausrottg. vieler der furchtbarsten Krankheiten. Für alle wahren Hygieniker, Volks-, Gymnasial-, Realschul- u. Universitäts-Lehrer, Staats- u. Kommunalbeamte. 3. Aufl. gr. 8. (XIX, 621 S.) Ebend. 886. n. 4. 50
— die Verhütung der geschlechtlichen Ansteckung. 2. Aufl. 8. (96 S.) Zürich 886. Schmidt. n. 1. —
Stamm's, F. L., Ulfilas, s.: Bibliothek der ältesten deutschen Litteratur-Denkmäler.
Stammbuch, baltisches, edlen Rindviehs, hrsg. v. der kaiserl. livländ. gemeinnütz. u. ökonom. Societät in Dorpat 1885. gr. 8. (VIII, 118 S.) Dorpat 886. (Berlin, Puttkammer & Mühlbrecht.) n. 2. —
— ostfriesischer Rindviehschläge. Hrsg. vom Vorstand d. Vereins ostfries. Stammvieh-Züchter. 1. u. 2. Bd. gr. 8. (XV, 323 S.) Emden 885. 86. Haynel. n. 5. 25

Stammbuch-Aufsätze. Der Liebe u. Freundschaft gewidmet. 16. (64 S.) Chemnitz 884. Hager. — 30
Stammer, H., petit livre de lecture. 9. éd. 16. (V, 137 S.) Trier 885. Lintz. cart. n. 1. —
Stammer, K., Jahresbericht üb. die Untersuchungen u. Fortschritte auf dem Gesammtgebiete der Zuckerfabrikation. 22. Jahrg. 1882. Mit 49 in den Text eingedr. Holzst. gr. 8. (X, 444 S.) Braunschweig 883. Vieweg & Sohn. n. 14. —
— dasselbe. 23. Jahrg. 1883. Mit 35 Holzst. gr. 8. (VIII, 428 S.) Ebend. 884. n. 13. —
— dasselbe. 24. Jahrg. 1884. Mit Holzst. gr. 8. (IX, 592 S.) Ebend. 885. n. 17. —
— dasselbe. 25. Jahrg. 1885. Mit 1 Titelbilde u. 35 Holzst. gr. 8. (XI, 584 S.) Ebend. 886. n. 17. —
— die Reinigung der städtischen Abwässer u. die Reinhaltung der öffentlichen Wasserläufe, e. Lebensfrage f. große u. kleine Städte u. deren Lösung. gr. 8. (24 S.) Breslau 885. Ressel & Schweitzer. n. 1. —
Stammler, Rud., die Behandlung d. römischen Rechtes in dem juristischen Studium nach Einführung d. deutschen Reichs-Civilgesetzbuches. Antrittsrede. 8. (32 S.) Freiburg i/Br. 885. Mohr. n. — 80
Stammler, B., die Morfiumsucht u. der Morfiummarasmus. 8. (27 S.) München 885. (J. A. Finsterlin.) n. — 60
Staemmler, Gesetz betr. die Besteuerung d. Branntweins vom 8. Juli 1868, unter Berücksicht. der Motive u. Verhandlgn. d. Reichstages aus gesammelten amtl. Materialien u. Ausführungsvorschriften d. Bundesraths, sowie Entscheidgn. d. früheren preuß. Ober-Tribunals u. d. Reichs-Gerichts erläutert u. m. Genehmigg. d. Hrn. Finanz-Ministers hrsg. 3. Aufl. 8. (X, 370 S.) Berlin 885. Springer. cart. n. 5. —
Stämmler, R., üb. den Bau neuer evangelischer Kirchen u. Pfarrhäuser in der Mark u. besonders in Berlin. 8. (48 S.) Berlin 884. Wiegandt & Grieben. n. — 60
— über Versicherung v. Rente u. Kapital. Mittheilungen üb. deutsche Anstalten u. Gesellschaften zur Versicherg. v. Renten u. Kapital f. den Erlebensfall u. f. den Todesfall, auf Veranlassg. d. Central-Ausschusses f. die innere Mission der deutschen evangel. Kirche bearb. gr. 8. (46 S.) Berlin 883. Hertz. n. 1. —
Stamm-Register, revidirtes, vorzüglicher Kernobstsorten f. den Kanton Bern, nebst e. Anleitg. üb. Obstbaumzucht, Obstbaumpflege, Verwerthg. d. Obstes u. e. Anh. üb. Behandlg. der Zwergbäume. Hrsg. auf Veranstaltg. der Direktion d. Innern d. Kantons Bern. 8. (103 S.) Bern 886. Wyß. cart. n. — 80
Stammtafel u. **Chronik** der Familie ... Beigebunden das Gesetz üb. die Beurkundg. d. Personenstandes u. die Eheschließg. gr. 8. (60 S.) Berlin 883. (Bohne.) geb. m. Goldschn. n. 2. —
Stammtisch, der. Humoreske v. Ulpius. 8. (55 S. m. eingebr. Illustr.) Berlin 884. Eckstein Nachf. n. 1. —
Stampe, Ernst, das Compensationsverfahren im vorjustinianischen stricti juris judicum. gr. 8. (IV, 99 S.) Leipzig 886. Veit & Co. n. 2. 60
Stampfer, Cölestin, Chronik d. k. k. Gymnasiums zu Meran bis zum J. 1850. gr. 8. (86 S.) Meran 886. (Jandl.) 1. 20
Stampfer, S., logarithmisch-trigonometrische Tafeln, nebst verschiedenen andern nützl. Tafeln u. Formeln u. e. Anweisg., m. Hilfe derselben logarithm. Rechngn. auszuführen. Zum Gebrauche f. Schulen, besonders aber f. jene, welche sich m. der prakt. Anwendg. der Mathematik beschäftigen. 13. Aufl. gr. 8. (XXIV, 122 S.) Wien 885. Gerold's Sohn. n. 2. —
Stand, der ärztliche, u. das Publikum. Eine Darlegg. der beiderseit. u. gegenseit. Pflichten. 6. Aufl. 8. (23 S.) München 885. J. A. Finsterlin. n. — 30
— der vierte, u. der Staatssozialismus. Zur Signatur der deutschen Gegenwart v. e. Nicht-Politiker. gr. 8. (V, 93 S.) Leipzig 884. Hirzel. n. 1. 20
Standarten u. **Flaggen**, die, der kaiserl. deutschen Marine. gr. 8. (15 Chromolith. m. 1 Bl. Text.) Berlin 886. Mittler & Sohn. geb. n. 3. 50
Standesamts-Lexikon f. das Königr. Preussen. Na-

mentliche Nachweisg. sämmtl. Standesamts-Bezirke, sowie der zugehör. Städte, Landgemeinden u. Gutsbezirke, m. Angabe d. zuständ. Amtsgerichtes u. d. Postortes. Bearb. vom königl. statist Bureau. gr. 8. (VI, 607 S.) Berlin 884. Verl. d. k. statist. Bureaus. n. 8. —

Standesbeamte, der. Organ f. die Standesämter in Deutschland u. der Schweiz. Hrsg. nach amtl. Mittheilgn. u. unter Benutzg. amtl. Quellen. 9—12. Jahrg. 1883—1886. à 36 Nrn. (à 1—2 B.) gr. 4. Berlin, Grosser. à Jahrg. n. 8. —

Standfest, Frz., Leitfaden f. den geologischen Unterricht in der obersten Classe der Realschulen. Mit 100 Illustr. gr. 8. (71 S.) Graz 884. Leuschner & Lubensky. n. 1. 60

Stanelli, Rud., physiologische Disharmonien, insbesondere uvuläre Krankheiten, Schwindsucht u. Asthma. Als Ergebniss selbstständ. Denkens in 30jähr. Praxis bearb. gr. 8. (220 S.) Leipzig 883. Denicke. n. 4. 50

— Philosophie der Kräfte. gr. 8. (141 S.) Leipzig 886. Friedrich. n. 3. —

— die Zukunfts-Philosophie d. Paracelsus als Grundlage e. Reformation f. Medicin u. Naturwissenschaften. 8. (XVI, 246 S.) Wien 884. (Gerold's Sohn.) n. 3. —

Stange, üb. Kumyss-Kuren, s.: Handbuch der allgemeinen Therapie.

Stange, A., Auswahl französischer u. englischer Gedichte zum Gebrauch an Realschulen. gr. 8. (VI, 84 S.) Minden 884. Bruns. cart. n. 1. —

Stange, H., vierstimmiges Choralbuch zu dem neuen Schleswig-Holsteinischen Gesangbuch, } s.: Fromm, E.
— Choräle, }

Stange, Paul, Orometrie d. Thüringerwaldes. 4. (44 S.) Halle 885. (Leipzig, Fock.) n. 1. 50

Stangen's illustrirter Führer durch Berlin, Potsdam u. Umgebungen. Mit Plan v. Berlin, v. Potsdam u. Karte der Umgebg. v. Berlin. Nach den neuesten u. besten Quellen bearb. 4. Aufl. 8. (IV, 177 S.) Berlin 886. S. Fischer Verl. cart. n. 2. —

Stangenberger, Johs., Spiele f. die Volksschule. 5. Aufl. 8. (IV, 80 S.) Leipzig 884. Klinkhardt. n. — 80

Stanger, G., die Platonische Anamnesis. gr. 8. (35 S.) Wien 885. (Pichler's Wwe. & Sohn.) n. — 70

Stangl, Thom., Boethiana vel Boethii commentariorum in Ciceronis topica emendationes, ex octo codicibus haustas et auctas observationibus grammaticis composuit Th. St. gr. 8. (IV, 104 S.) Gotha 882. F. A. Perthes. n. 2. 40

— der sog. Gronovscholiast zu 11 ciceronianischen Reden. Ueberlieferung, Text u. Sprache, auf Grund e. Neuvergleichg. der Leydener Handschrift dargestellt. gr. 8. (V, 82 S.) Prag 884. Tempsky. — Leipzig, Freytag. n. 2. 40

Stanhope, Earl [Lord Mahon], Prince Charles Stuart. Students' Tauchnitz edition. Mit deutschen Erklärgn. v. Mart. Krummacher. gr. 8. (XIV, 202 S.) Leipzig 886. B. Tauchnitz. n. 1. 20; cart. n. 1. 30

Stanislas, A., am Wege gepflückt. Eine Liedergabe. 8. (VIII, 150 S.) Berlin 883. Entrich. n. 3. —; geb. n. 4. —

Stanislaus, der heilige, als Vorbild der christlichen Jugend. Für gute u. fromme Kinder dargestellt v. e. Priester der Diözese Hildesheim. 2. Aufl. 16. (77 S. m. 1 Holzschn.) Donauwörth 884, Auer. n. — 50

Stankowic, Zika, das Gefecht. Reglements-Bestimmungen f. den Plänkler, Schwarmführer, Commandanten der Unterstützg., Zugs-Commandanten [auch wenn der Zug detachirt ist], Commandanten der Compagnie-Reserve u. f. den Compagnie-Commandanten. Als Studienbehelf f. Berufs-, Reserve- u. Landwehr-Ober-Offiziere u. als Lehrbehelf f. Truppenschulen u. Bildungsanstalten der Infanterie verf. 12. (IX, 134 S.) Teschen 884. Prochaska. n. 1. 60

Stanley, Henry M., der Kongo u. die Gründung d. Kongostaates. Arbeit u. Forschg. Aus dem Engl. von H. v. Wobeser. Autoris. deutsche Ausg. Mit üb. 100 Abbildgn., 2 grossen u. mehreren kleinen Karten. 2 Bde. gr. 8. (XXXVIII, 557 u. XII, 516 S.) Leipzig 885. Brockhaus. à n. 15. —; in 15 Lfgn. à n. 1. —; cplt. geb. n. 36. —

— Reise durch den dunklen Welttheil. Nach Stanley's Berichten f. weitere Kreise bearb. v. Berthold Volz. 3. Aufl. Mit 54 Abbildgn. u. 1 Karte. gr. 8. (XVI, 369 S.) Ebend. 885. n. 5. —; geb. n. 6. 50

— wie ich Livingstone fand. Reisen, Abenteuer u. Entdeckgn. in Central-Afrika. Autoris. deutsche Ausg. 2. m. e. Lebensabriss Livingstone's verm. Aufl. Mit 54 Abbildgn. in Holzschn. u. 1 Karte. 2 Bde. gr. 8. (XI, 342 u. VIII, 370 S.) Ebend. 885. n. 20. —; in 1 Bd. geb. n. 22. 50

Stanski, V., Führer durch die Reichs- u. preußischen Landesgesetze, sowie durch die Verordngn. u. wichtigeren Erlasse ꝛc. der deutschen u. preuß. Centralbehörden von 1806—1885 [incl.]. Systematisch zusammengestellt unter Zugrundelegg. der amtl. Sammlgn. u. unter besond. Berücksicht. der Grotefend'schen Gesetzsammlg. Nebst e. Anh., enth.: e. alphabet. Verzeichniß der Beamtenkategorien nebst Angabe der Tagegelder ꝛc., sowie e. Zusammenstellg. der jetzt noch in der Prov. Hannover Gültigkeit hab. ehemalig hannov. Gesetze, Verordngn. ꝛc. gr. 8. (VI, 288 S.) Düsseldorf 886. Schwann. n. 4. 50; geb. n. 5. 50

Stapf, Otto, Beiträge zur Flora v. Lycien, Carien u. Mesopotamien. Plantae collectae a Fel. Luschan ann. 1881, 1882, 1883. 1. u. 2. Thl. Imp.-4. Wien, (Gerold's Sohn). n. 4. 50
1. (48 S.) 885. n. 2. 50. — 2. (39 S.) 886. n. 2. —

— die botanischen Ergebnisse der Polak'schen Expedition nach Persien im J. 1882. Plantae collectae a J. E. Polak et Th. Pichler. 1. u. 2. Thl. Imp.-4. Ebend. n. 7. 70
1. (71 S.) 885. n. 3. 70. — 2. (79 S.) 886. n. 4. —

Stapp, die Emmerlinge. Geschichte d. königl. bayer. 4. Infanterie-Regiments König Karl v. Württemberg von 1706—1884. Im Auftrage d. Regiments bearb. f. Unteroffiziere u. Mannschaften. 2. Aufl. 8. (VI, 158 S.) Berlin 884. Mittler & Sohn. n. — 60

Starck, Bernh., J. H. Pestalozzi, e. Wohlthäter d. Volkes. Vortrag. Mit e. Begleitworte v. J. Helm. gr. 8. (28 S.) Nürnberg 886. (Korn.) n.n. — 25

Starck, Henri, Volapük. Aperçu de la langue commerciale universelle de J. M. Schleyer. 8. (IV, 48 S.) Ueberlingen 885. Schoy. n. — 80

Starck, R., Wegweiser durch Bibel u. Gesangbuch zum Gebrauche beim häuslichen Gottesdienste f. das Kirchenj. 1885/86. 28. Jahrg. 16. (64 S.) Riga, Kymmel's Verl. n. — 40

Starcke u. Rühlemann, Leitfaden f. den Unterricht der freiwilligen Krankenträger der Kriegervereine. Im Auftrage d. Centralcomité's der preuß. Vereine zur Pflege im Felde verwundeter u. erkrankter Krieger auf Grund der Instruction f. die Militärärzte zum Unterricht der Krankenträger vom 25. Jan. 1875 u. der Kriegssanitätsordng. vom 10. Jan. 1878 zusammengestellt. v. St., illustrirt v. R. 8. (56 S.) Berlin 883. (Mittler & Sohn.) n.n. — 70

Starcke, C. N., Ludwig Feuerbach. gr. 8. (XVII, 288 S.) Stuttgart 885. Enke. n. 9. —

Starcke, H., Friedrichs erster Waffengang, s.: Wallner's allgemeine Schaubühne.

Starcke, Herrm., die Geige, ihre Entstehg., Verfertigg. u. Bedeutg., die Behandlg. u. Erhaltg. aller ihrer Bestandtheile, u. die Meister der Geigen- u. Lautenbaukunst m. Angabe aller Zettel-Inschriften. Eine Studie nach alten Quellen u. Traditionen. 8. (178 S.) Dresden 884. Seeling. 1. 50

— aus dem Tagebuche e. wandernden Musikanten. 8. (XII, 244 S.) Ebend. 884. 1. 50

Stark, Armin, zu Schutz u. Trutz! Deutscher Sang aus der Ostmark. Gesammelt u. hrsg. 8. (44 S.) Zürich 884. Schmidt. n. — 60

Stark, Frdr., der Kehrreim in der deutschen Literatur. gr. 8. (33 S.) Duderstadt 886. (Göttingen, Vandenhoeck & Ruprecht.) n. 1. —

Starck, Joh. Frdr., Communionbuch, od. die andächt. Seele in der Beicht u. bei dem heil. Abendmahl, sammt 12 Regeln e. feinen äußerl. Zucht, wie man sich zu d. Herrn Tisch nahen soll. Neue Ausg. 8. (190 S. m. 1 Stahlst.) Duchcrow 884. (Leipzig, Buchh. d. Vereinshauses.) geb. n. — 75

— tägliches Handbuch in guten u. bösen Tagen. Enth.: Aufmunterungen, Gebete u. Lieder zum Gebrauche gesunder, betrübter, kranker u. sterb. Christen. Mit der Lebensbeschreibung d. sel. Verf. Joh. Jak. Starck. 56. Aufl. Einzige vollständ. Orig.-Ausg. gr. 8. (XVI, 696 u. Anh. 78 S. m. 4 Taf. u. 1 Portr.) Calw 886. (Vereinsbuchhandlung.) n. 1. —; geb. n. 1. 60; n. 2. — u. n. 3. —

— dasselbe. Mit dem (eingedr.) Bilde d. Verf. u. dem in Photolith. ausgeführten Christuskopfe v. Reni. 1—20. Tausend. gr. 8. (XVI, 572 S.) Kaiserslautern 884. A. Gotthold's Verl. geb. n. 1. 40; n. 2. —; n. 2. 80; n. 4. —; n. 5. —; n. 7. —

— dasselbe. Mit Anh.: Tägliches Gebetbüchlein f. Schwangere, Gebärende u. Wöchnerinnen, sowie auch f. Unfruchtbare. gr. 8. (XVI, 572 u. 80 S.) Ebend. 884. geb. n. 1. 40; n. 2. —; n. 2. 80; n. 4. —; n. 5. —; n. 7. —

— dasselbe. Mit e. Anh. v. Morgen- u. Abend-Gebeten, Aufmuntergn. u. Gesängen f. Schwangere u. Gebärende auf allerlei Zufälle. Wohlf. Ausg. in grobem Druck. Ster.-Ausg. 8. (704 S.) Reutlingen 886. Fleischhauer & Spohn. n. 1. —; geb. n. 1. 50

— evangelisches Haus-Predigtbuch f. alle Sonn- u. Festtage d. Jahres. Aus Anlaß d. 400jähr. Luther-Jubiläums unter Mitwirkg. e. Vereins ev. Prediger, neu hrsg. v. Schneider. Jubiläums-Ausg. Mit 2 Titelbildern (in Holzschn.). gr. 8. (624 S.) Eßlingen 884. Langguth. geb. n. 6. —; auch in 12 Lfgn. à — 40

— Morgen- u. Abend-Andachten frommer Christen auf alle Tage im Jahre, wie solche aus der Quelle d. göttl. Wortes fließen, darin das lebendige Christenthum beschrieben wird. Nebst e. Anh. f. Sonn- u. Fest-Tage, sowie f. besond. Veranlassgn., bearb. v. Fr. Oehler. 2. Aufl. (In 10 Hftn.) 1. Hft. 4. (80 S.) Reutlingen 883. Baur. — 50

— dasselbe, bearb. v. K. Ch. E. Ehmann. 2. Aufl. [Ster.-Ausg.] (In 10 Hftn.) 1. Hft. gr. 8. (IV u. S. 1—64 u. 785—796.) Reutlingen 884. Enßlin & Laiblin. — 40

— Predigten üb. die Sonn-, Fest- u. Feiertags-Evangelien, d. i.: Glaubens-, Lebens- u. Trostlehren f. Gott liebende Seelen. Neu rev., m. dem Lebenslauf d. sel. Verf. u. e. Familienchronik, sowie m. e. Anzahl geistl. Lieder verm. Aufl. Neue Ster.-Ausg. (In 15 Hftn.) 1—4. Hft. gr. 8. (240 S.) Ebend. 885. à — 40

Stark, Karl, der Kampf wider die Trunksucht. Vortrag, geh. auf dem 23. Kongreß f. innere Mission zu Karlsruhe. gr. 8. (40 S.) Frankfurt a/M. 885. Drescher's Verl. n. — 25

Stark, L., Elementar- u. Chorgesang-Schule, s.: Faisst, J.

Stark, Ludw., Kunst u. Welt. Eine Auswahl musikal. u. tourist. Tagebuchsblätter. Mit dem (Lichtdr.-)Portr. d. Verf. 8. (VII, 315 S.) Stuttgart 884. Bonz & Co. n. 4. —; geb. n. 5. —

Starke's, C. M., Branchen-Adreßbücher. Nr. 4. 5—7. 11—13. 16. 17. 19. 21. 24a. 24b. 24c. 24d. 24e. 24g. 25. 27—30. 33. 34. 36. 38. 39. 42. 44. 46. 48a. 49—53. 55. 58. 60. 62. 63. 63a. 64. 68—71. 74. 75. 77. 82. 86. 90. 91. 93. 95a. 101. 103a. 105. 106. 106a. 108. 109. 130. gr. 8. Leipzig 883. 85. C. M. Starke. 302. 55

4. Antiquitäten, ca. 200 Adressen. (4 S.) — 75
5. Apotheken, ca. 4500 Adressen. (94 S.) 6. —
6. Appreturen, ca. 1000 Adressen. (21 S.) n. 2. —
7. Aerzte [ausschließlich Thier- u. Zahnärzte], ca. 10,000 Adressen. (95 S.) 10. —
11. Baumaterialien, ca. 3000 Adressen. (48 S.) 4. —
12. Baumeister [Architekten, Ingenieure, Maurer- u. Zimmermeister], ca. 15,000 Adressen. (180 S.) 12. —
13. Berg- u. Hüttenwerke, ca. 2000 Adressen. (43 S.) 3. —
16. Blechwaarenfabriken, ca. 7000 Adressen. (115 S.) 7. 50
17. Blumenfabriken, ca. 800 Adressen. (14 S.) 2. —
19. Buchbindereien, Linir-, Perforir- u. Punktir-Anstalten, ca. 7000 Adressen. (91 S.) 7. —
21. Büchsenmacher [Sporer, Waffenschmiede], ca. 1500 Adressen. (23 S.) 2. —
24a. Basen, Laugen, Salze, Säuren ꝛc. (II, 156 S.) n. 7. —
24b. Droguen, Farben, Tinte, Wichse. (174 S.) n. 8. 50
24c. Fette, Harze, Oele, Schmiere ꝛc. (209 S.) cart. n. 7. 50
24d. Aetherische Oele ꝛc., ca. 250 Adressen. (8 S.) 1. 50
24e. Chemische Fabriken, ca. 2500 Adressen. (52 S.) 5. —
24g. Feuerwerkskörper ꝛc. (42 S.) n. 3. —
25. Chocolade, Bonbons, Zuckerwaaren-Fabriken, ca. 400 Adressen. (18 S.) 1. 50
27. Colonialwaarenhändler, ca. 44,000 Adressen. (320 S.) cart. n. 20. —
28. Conditoreien, ca. 5000 Adressen. (96 S.) n.n. 6. —
29. Confections-Geschäfte, ca. 18,000 Adressen. (250 S.) 12. —
30. Corset-Fabriken, ca. 500 Adressen. (8 S.) 1. 50
33. Delicatessenhandlungen, ca. 2500 Adressen. (27 S.) 4. —
34. Drahtfabriken, ca. 1500 Adressen. (28 S.) 2. 50
36. Eisen-, Stahl- u. Kurzwaaren, ca. 5000 Adressen. (78 S.) 6. —
38. Elfenbeinwaaren [Bernstein, Meerschaum], ca. 300 Adressen. (6 S.) — 75
39. Färbereien [Bleichereien, Druckereien], ca. 3000 Adressen. (50 S.) 4. —
42. Fleischer [Metzger, Schlächter, Fleischhauer], Wurstfabrikanten, Vieh- u. Darmhändler, Fleischbeschauer, Viehversicherungen, ca. 25,000 Adressen. (232 S.) cart. n. 10. —
44. Galanteriewaaren, ca. 5000 Adressen. (71 S.) n. 5. —
46. Gas-, Wasser- u. Canalisations-Anlagen, ca. 4500 Adressen. (99 S.) n. 7. —
48a. Glas-, Porzellan- u. Steingutfabriken, ca. 4500 Adressen. (70 S.) 5. —
49. Goldleisten-Fabriken [Bilderrahmen, Vergolder], ca. 1500 Adressen. (28 S.) 3. —
50. Graveure [Stempelfabriken], ca. 1500 Adressen. (27 S.) 3. —
51. Gummi- u. Guttapercha-Fabriken u. Handlungen, ca. 1000 Adressen. (20 S.) 1. 50
52. Haus- u. Küchengeräthe, ca. 500 Adressen. (26 S.) 1. 50
53. Hefe-Fabriken, ca. 400 Adressen. (8 S.) 1. 50
55. Hôtels u. Gasthöfe, ca. 7000 Adressen. (93 S.) 8. 50
58. Chirurgische Instrumente, ca. 500 Adressen. (18 S.) 1. 50
60. Optische Instrumente [Mechaniker], ca. 2000 Adressen. (39 S.) 3. —
62. Kaffee-Surrogatfabriken, ca. 300 Adressen. (8 S.) — 50
63. Korbwaaren, ca. 2600 Adressen. (32 S.) 4. —
63a. Kork- u. Korkwaarenfabriken. ca. 350 Adressen. (8 S.) 1. 50
64. Kürschner [Pelzwaaren, Zurichter], ca. 4000 Adressen. (59 S.) 4. —
68. Maschinenfabriken, ca. 7000 Adressen. (85 S.) 7. —
69. Metallgießereien, ca. 2000 Adressen. (47 S.) 3. —
70. Metallwaaren, ca. 2000 Adressen. (43 S.) 3. —
71. Militär-Effekten, ca. 300 Adressen. (8 S.) — 75
74. Ofenfabriken, ca. 1000 Adressen. (24 S.) 1. 50
75. Papier-Industrie. (468 S.) geb. n. 15. 50
77. Photographen, ca. 3000 Adressen. (48 S.) n. 5. —
82. Schirmfabriken, ca. 1500 Adressen. (34 S.) 3. —
86. Schuhmacherartikel u. Geräthefabriken, ca. 800 Adressen. (15 S.) 2. —
90. Spielwaaren, ca. 3000 Adressen. (38 S.) 4. —
91. Spinnereien u. Webereien, ca. 10,000 Adressen. 2. Aufl. (214 S.) cart. n. 10. —
93. Tapetenfabriken, ca. 1000 Adressen. (18 S.) 2. —
95a. Thierärzte, ca. 1200 Adressen. (23 S.) 2. —
101. Wachstuchfabriken, ca. 250 Adressen. (6 S.) — 80
103a. Weinhandlungen [Weinstuben, Champagner], ca. 7000 Adressen. (76 S.) 6. —
105. Wildprethandlungen [Fische, Geflügel], ca. 1500 Adressen. (34 S.) 2. —
106. Wollwaaren, ca. 14,000 Adressen. (175 S.) cart. 10. —
106a. Zahnärzte, ca. 1000 Adressen. (14 S.) 2. —
108. Zuckerfabriken, ca. 350 Adressen. (16 S.) 1. 50
109. Fabriken m. Dampfbetrieb außer Berg- u. Hüttenwerken, Maschinenfabriken, Metallgießereien, Papier- u. Zuckerfabriken, ca. 12,000 Adressen. (144 S.) cart. n. 12. —
130. Größere Gutsbesitzer der Prov. Sachsen m. Angabe d. Besitzthums. (61 S.) 2. —

Starke, G., logarithmisch-tachymetrische Tafeln f. den Gebrauch der logarithmischen Tachymeter nach Patent: Tichý & Starke, nebst Beschreibg. u. Theorie d. Instrumentes. Mit 21 Holzschn. gr. 8. (XLVIII, 101 S.) Wien 885. Seidel & Sohn. n. 6. —

Starke, H., wie ich den Buchhandel erlernte. Ein Versuch, das Technische wie das Geistige im deutschen Buchhandel auf unterhalt. Art anschaulich zu machen. Aus dem Leben u. der vieljähr. Praxis e. Fachgenossen. 5. Aufl. 8. (IV, 188 S.) Leipzig-Reudnitz 886. Rühle. 3. —; cart. 3. 50

Starke, Herm., zur Geschichte d. königl. Friedrich-Wilhelms-Gymnasiums zu Posen. gr. 4. (68 S.) Posen 884. (Merzbach.) n. 1. 50

Starke, K., botanischer Wegweiser f. die Umgegend von Weißenfels, als Beitrag zur Förderg. der Heimatskunde zusammengestellt. 12. (126 S.) Weißenfels 886. Prange. geb. n. 1. —

Starke, Mor., statistisches Universal-Handbuch, Ortslexikon u. Landeskunde f. Deutschland. Fortgesetzt v. Alb. Ferd.

Thieme. 8. Bd. gr. 8. Leipzig 884. A. F. Thieme. geb. n.n. 7. 50

Staatshandbuch u. geographisches Ortslexikon f. die Herzogthümer Sachsen-Coburg u. -Gotha. Auf Grund amtl. Quellen bearb. (XL, 523 S.)

Starke, W., die Ergebnisse der Strafrechtspflege im Königr. Preussen, s.: Zeitschrift d. königl. preuss. statist. Bureaus.

— Verbrechen u. Verbrecher in Preußen 1854—1878. Eine kulturgeschichtl. Studie. Mit 12 graph. (lith.) Taf. gr. 8. (VIII, 249 S.) Berlin 884. Th. Chr. F. Enslin. n. 10. —

Starker, Paul, symbolae criticae ad M. Tullii Ciceronis epistulas. gr. 8. (47 S.) Nissae 882. (Breslau, Görlich & Coch.) n. 1. —

Stark, A., der Einjährig-Freiwillige. Zusammenstellung u. Erläuterg. der f. die im Reichsrathe vertretenen Königreiche u. Länder gilt. einschläg. Bestimmg. d. Gesetzes vom 2. Octbr. 1882, d. Artikels VI. der m. Circular-Verordng. d. k. k. Reichs-Kriegs-Ministerium vom 1. Novbr. 1882 Präs.-Nr. 6731 herabgelangten Durchführungsbestimmgn. der bisher in Kraft besteh. Instruction zur Ausführg. der Wehr-Gesetze vom J. 1868 u. sonst. Nachtrags-Verordngn. gr. 8. (55 S.) Leitmeritz 884. Martin. n. 1. —

Stark, W., u. Frdr. **Čecháč,** physikalische Diagramme u. Bilder zur Erläuterung der Prinzipien u. Apparate beim Unterrichte in der Physik an Hochschulen, Militäranstalten, Mittelschulen, Gewerbeschulen, Lehrer- u. Lehrerinnenbildungsanstalten etc. 8 (lith., z. Thl. farb.) Taf. in 11 Blättern. Imp.-Fol. Nebst kurzgefasster Beschreibg. gr. 8. (7 S.) Prag 886. (Neugebauer.) n. 8. —

Statistik der deutschen u. österreich-ungarischen Aktien-Gesellschaften. Fol. (12 S.) Frankfurt a/M. 886. (Jäger.) n. 1. —

— Breslauer. Im Auftrage d. Magistrats der königl. Haupt- u. Residenzstadt Breslau hrsg. vom städt. statist. Bureau. 2. Serie 2—4. Hft., 3. Serie 3 Hfte. 4. Serie 4 Hfte., 5—8. Serie à 3 Hfte. u. 9. Serie 7 Hfte. Lex.-8. Breslau, Morgenstern's Verl. n. 67.

II. 2. (S. 105—222 m. 1 autogr. graph. Darstellg.) 877. n. 3.
3. (S. 223—362.) 877. n. 3.
4. (S. 363—424 m. 1 chromolith. Stadtplan.) 877. n. 2.
III. 1. (IV, 104 S.) 878. n. 2.
2. (S. 105—200 m. autograph. Darstellg.) 878. n. 2.
3. (S. 201—302.) 878. n. 2.
IV. 1. (III, 104 S.) 879. n. 1.
2. 3. (S. 105—318.) 879. n. 5.
4. (S. 319—434.) 879. n. 3.
V. 1. 2. (XVI, 194 S. m. 2 Steintaf.) 880. n. 4.
3. (S. 195—262.) 880. n. 2.
VI. 1. (118 S.) 881. n. 3.
2. 3. (S. 119—276.) 881. n. 4.
VII. 1. (124 S.) 882. n. 3.
2. 3. (S. 125—284.) 883. n. 4.
VIII. 1. (98 S.) 883. n. 3.
2. (S. 99—166b m. 1 graph. Steintaf.) 883. n. 1. 80
3. (III, u. S. 167—276.) 883. n. 3. [illegible]
IX. (XII, 328 S.) 885. n. 12. 50

— über die Dauer der Schienen in den Hauptgleisen der Bahnen d. Vereins deutscher Eisenbahn-Verwaltungen. Erhebungs-Jahre 1879/1881. Hrsg. v. der geschäftsführ. Direktion d. Vereins deutscher Eisenbahn-Verwaltgn. Imp.-4. (IV, 154 S. m. Abbildgn.) Berlin 884. (Wiesbaden, Kreidel.) n. 16. —

— des Deutschen Reichs. Hrsg. vom kaiserl. statist. Amt. 55. Bd., 56. Bd. 2. Abth., 57. Bd. 2. Thl., 58., 60. 61. Bd., 62. Bd. 1. u. 2. Abth., 63. Bd. Imp.-4. Berlin, Puttkammer & Mühlbrecht. n. 79. — (Bd. 1—63 n. 777. —)

55. Waarenverkehr d. deutschen Zollgebiets m. dem Auslande im J. 1881. 2. Thl. Der auswärt. Waarenverkehr d. deutschen Zollgebiets, dargestellt nach den Ländern der Herkunft bezw. Bestimmg. u. nach den Grenzstrecken d. Eingangs u. Ausgangs, sowie überseeischer Waarenverkehr in den wichtigeren Seehäfen d. Zollgebiets u. den Zollausschlüssen. (V, 332 S.) 882. n. 12. —
56. Statistik der Seeschifffahrt. 2. Abth. Enth.: den Seeverkehr in den deutschen Hafenplätzen u. die Seereisen deutscher Schiffe im J. 1881. (XXVIII, 208 u. 162 S.) 883. n. 8. —
57. Die Volkszählung im Deutschen Reich am 1. Dezbr. 1880. 2. Thl. Alter u. Geschlecht, Familienstand, Geburtsort u. Religionsbekenntniss der Bevölkerung. (LIII—LXXXIV u. 75—251.) 883. n. 5. —
58. Der Verkehr auf den deutschen Wasserstrassen, insbesondere der Schiffs- u. Güterverkehr auf den deutschen Wasserstrassen, nebst den beobachteten Wasserständen im J. 1881. (VIII, 108, 112 u. 21 S.) 882. n. 9. —
60. Waarenverkehr d. deutschen Zollgebiets m. dem Auslande im J. 1882. 1. Thl. Der auswärtige Waarenverkehr d. deutschen Zollgebiets, geordnet nach den einzelnen Waarengattgn., sowie der Veredlungsverkehr. (V, 18, 56, 210, 61, 60, 58 u. 90 S.) 883. n. 12. —
61. Dasselbe. 2. Thl. Der auswärt. Waarenverkehr d. deutschen Zollgebiets, dargestellt nach den Ländern der Herkunft bezw. Bestimmg. u. nach den Grenzstrecken d. Eingangs u. Ausgangs, sowie überseeischer Waarenverkehr in den wichtigeren Seehäfen d. Zollgebiets u. den Zollausschlüssen. (V, 335 S.) 883. n. 12. —
62. 1. Statistik der Seeschifffahrt. 1. Abth. Enh.: die Schiffsunfälle an der deutschen Küste im J. 1882, den Nachweis der im J. 1882 als verunglückt angezeigten deutschen Seeschiffe, sowie den Bestand der deutschen Kauffartheischiffe am 1. Jan. 1883 u. die Bestandesverändergn. vom 1. Jan. 1882 bis 1. Jan. 1883. (177 S.) 883. n. 4. —
62. 2. Dasselbe. 2. Abthlg. Enth. den Seeverkehr in den deutschen Hafenplätzen u. die Seereisen deutscher Schiffe im J. 1882. (XXIX, 374 S.) 883. n. 8. —
63. Der Verkehr auf den deutschen Wasserstrassen, insbesondere: der Schiffs- u. Güterverkehr auf den deutschen Wasserstrassen, nebst den beobachteten Wasserständen im J. 1882. (X, 112; 61 u. 25 S.) 883. n. 9. —

Statistik des Deutschen Reichs. Hrsg. vom kaiserl. statist. Amt. Neue Folge. 1—5. Bd., 6. Bd. 2. Abth., 7—19. Bd. u. 21. Bd. 1. Abth. Imp.-4. Berlin, Puttkammer & Mühlbrecht. n. 215. —

I. Zusammenstellung der zu Anfang d. J. 1884 geltenden Bestimmungen f. die gemeinsame Statistik d. Deutschen Reichs. (IV, 247 S.) 883. n. 6. —
II. Berufsstatistik nach der allgemeinen Berufszählung vom 5. Juni 1882. 1. Berufsstatistik d. Reichs u. der kleineren Verwaltungsbezirke, m. e. Einleitg., betr. die gesammte in den Bdn. 2 bis 4 der neuen Folge der Statistik d. Deutschen Reichs enthaltene Berufsstatistik, u. (18 chromolith.) kartogr. Darstellgn. (VI, 191; 67 u. 575 S.) 883. n. 15. —
III. Dasselbe. 2. Berufsstatistik der deutschen Großstädte. (67 u. 351 S.) 883. n. 8. —
IV. Berufsstatistik der Staaten u. größeren Verwaltungsbezirke nach der allgemeinen Berufszählung vom 5. Juni 1882. 3 Thle. (XX, 1849 S.) 884. n. 30. —
V. Landwirthschaftliche Betriebsstatistik nach der allgemeinen Berufszählung vom 5. Juni 1882. (VI, 49 u. 323 S. m. 6 chromolith. Karten.) 884. n. 10. —
VI. 2. Gewerbestatistik d. Reichs im Ganzen u. der Großstädte nach der allgemeinen Berufszählung vom 5. Juni 1882. 2. Thl. Gewerbestatistik der Großstädte. (IV, 407 S.) 884. n. 6. —
VII. Gewerbestatistik der Staaten u. größeren Verwaltungsbezirke nach der allgemeinen Berufszählung vom 5. Juni 1882. 1. Abschn. Anzahl u. Personal der Gewerbebetriebe. (X, 930 S.) 2. Abschn. Betriebsumfang, Motorenbenutzung, Hausindustrie u. Besitzverhältniß der Gewerbebetriebe m. Mitinhabern, Gehülfen od. Motoren. (X, 829 S.) 886. n. 28. —
VIII. 1. Kriminalstatistik f. d. J. 1882. 1. Thl. Die im J. 1882 rechtskräftig erledigten Strafsachen wegen Verbrechen u. Vergehen gegen Reichsgesetze nach dem Sitze d. erkenn. Gerichts. [Die Amts- u. Landgerichte zusammengefaßt nach Oberlandesgerichten.] (IV, 144 S.) 884. n. 4. —
VIII. 2. Dasselbe. 2. Thl. Die im J. 1882 rechtskräftig erledigten Strafsachen wegen Verbrechen u. Vergehen gegen Reichsgesetze nach dem Ort der That, der Zeit der That, sowie nach Heimath, Wohnort u. persönl. Verhältnissen der Abgeurtheilten; nebst Erläuterungen zu den Uebersichten. (LXXVIII u. S. 145—331.) 884. n. 6. —
IX. Der auswärtige Waarenverkehr d. deutschen Zollgebiets im J. 1883, geordnet nach den einzelnen Waarengattungen, sowie der Veredelungsverkehr. (151 S.) 884. n. 11. —
X. Waarenverkehr d. deutschen Zollgebiets m. dem Auslande im J. 1883. 2. Thl. Der auswärtige Waarenverkehr d. deutschen Zollgebiets, dargestellt nach den Ländern der Herkunft bezw. Bestimmung u. nach den Grenzstrecken d. Eingangs u. Ausgangs, sowie überseeischer Waarenverkehr in den wichtigeren Seehäfen d. Zollgebiets u. den Zollausschlüssen. (162, 75 u. 100 S.) 884. n. 7. —
XI. 1. Statistik der Seeschiffahrt. 1. Abth.; enth.: Die Schiffsunfälle an der deutschen Küste im J. 1883, den Nachweis der im J. 1883 als verunglückt angezeigten deutschen Seeschiffe, sowie den Bestand der deutschen Kauffahrteischiffe am 1. Jan. 1884 u. die Bestandesveränderungen vom 1. Jan. 1883 bis 1. Jan. 1884. (172 S.) 884. n. 4. —
XI. 2. Dasselbe. 2. Abth. Seeverkehr in den deutschen Hafenplätzen u. Seereisen deutscher Schiffe. (VIII, 214 u. 173 S.) 884. n. 8. —
XII. Der Verkehr auf den deutschen Wasserstraßen, insbesondere: der Schiffs- u. Güterverkehr auf den deutschen Wasserstraßen nebst den beobachteten Wasserständen im J. 1883. (III, 134, 63 u. 27 S.) 884. n. 5. —
XIII. Kriminalstatistik f. d. J. 1883. Bearb. im Reichs-Justizamte u. im kaiserl. statist. Amt. (46 u. 331 S.) 885. n. 10. —
XIV. Waarenverkehr des deutschen Zollgebiets m. dem Auslande im J. 1884. 1. Thl. Der auswärtige Waarenverkehr d. deutschen Zollgebiets, geordnet nach den einzelnen Waarengattgn., sowie der Veredelungsverkehr. (19, 54, 210, 62, 64, 58 u. 104 S.) 885. n. 12. —
XV. Waarenverkehr d. deutschen Zollgebiets mit dem Auslande

im J. 1884. 2. Thl. Der auswärtige Waarenverkehr d. deutschen Zollgebiets im J. 1884, dargestellt nach den Ländern der Herkunft bezw. Bestimmg. u. nach den Grenzstrecken d. Eingangs u. Ausgangs, sowie überseeischer Waarenverkehr in den wichtigeren Seehäfen d. Zollgebiets u. den Zollausschlüssen. (343 S.) 885. n. 7. —

XVI. 1. Bestand der deutschen Fluß-, Kanal-, Haff- u. Küstenschiffe am 31. Dezbr. 1882, m. Nachweis der registrirten Seeschiffe bis zu 50 Kubikmeter Bruttoraumgehalt. (94 S.) 885. n. 2. —

XVI. 2. Verkehr der Schiffe u. Güter auf den deutschen Wasserstraßen, nebst den beobachteten Wasserständen im J. 1884. (III u. S. 95—209 u. 85 S.) 885. n. 4. —

XVII. 1. Statistik der Seeschiffahrt f. d. J. 1884 bezw. d. 1. Jan. 1885. 1. Abth. Schiffsunfälle an der deutschen Küste im J. 1884, Nachweis der im J. 1884 als verunglückt angezeigten deutschen Seeschiffe, Bestand der deutschen Kauffahrteischiffe am 1. Jan. 1885 u. Bestandesverändergn. vom 1. Jan. 1884 bis 1. Jan. 1885. (160 S.) 886. n. 4. —

XVII. 2. Dasselbe 2. Aufl. Seeverkehr in den deutschen Hafenplätzen u. Seereisen deutscher Schiffe. (220 u. 180 S.) 885. n. 6. —

XVIII. Kriminalstatistik f. d. J. 1884. Bearb. im Reichs-Justiz-Amt u. im kaiserl. statist. Amt. (85 u. 331 S.) 886. n. 10. —

XIX. Waarenverkehr d. deutschen Zollgebiets m. dem Auslande im J. 1885. 1. Thl. Der auswärtige Waarenverkehr d. deutschen Zollgebiets, geordnet nach den einzelnen Waarengattgn., sowie der Veredlungsverkehr. (446 S.) 886. n. 12. —

XXI. 1. Statistik der Seeschiffahrt f. d. J. 1885 bezw. den 1. Jan. 1886. 1. Abth. Schiffsunfälle an der deutschen Küste im J. 1885, Nachweis der im J. 1885 als verunglückt angezeigten deutschen Seeschiffe, Bestand der deutschen Kauffahrteischiffe am 1. Jan. 1886 u. Bestandesveränderungen vom 1. Jan 1885 bis 1. Jan. 1886. (120 S.) 886. n. 4. —

Statistik der im Betriebe befindlichen Eisenbahnen Deutschlands, nach den Angaben der Eisenbahn-Verwaltgn. bearb. im Reichs-Eisenbahn-Amt. 1. Bd. Betriebsjahr 1880/1881. Fol. (XXIV, 673 S. m. 5 chromolith. Karten.) Berlin 882. Mittler & Sohn. n.n. 24. —

— dasselbe. 2. Bd. Betriebsjahr 1881/82. Fol. (VI, 543 S. m. 2 chromolith. Karten u. 1 Steintaf.) Ebend. 883. n.n. 16. —

— dasselbe. 3. Bd. Betriebsj. 1882/1883. Fol. (V, 534 S. m. 1 chromolith. Karte u. 1 graph. Steintaf.) Ebend. 884. n.n. 16. —

— dasselbe. 4. Bd. Betriebsj. 1883/1884. Fol. (IV, 535 S. m. 1 chromolith. Karte u. 2 graph. Steintaf.) Ebend. 885. n.n. 16. —

— dasselbe. 5. Bd. Betriebsj. 1884/1885. Fol. (IV, 542 S. m. 1 chromolith. Karte u. 2 graph. Steintaf.) Ebend. 886. n.n. 16. —

— der europäischen Eisenbahnen f. d. J. 1882, nebst deren Hauptergebnissen im J. 1883. Hrsg. v. der fachmänn. Commission f. die internationale Eisenbahnstatistik. (Deutsch u. französisch.) Lex.-8. (XIII, 631 S.) Wien 885. Hölder. n. 12. —

— der Güterbewegung auf deutschen Eisenbahnen, nach Verkehrsbezirken geordnet. Jahrg. 1883. 8 Bde. Fol. (1. Bd. 365 S.) Berlin 883. C. Heymann's Verl. n. 96. —; geb. n.n. 108. —; einzelne Bde. à n.n. 12. —; geb. à n.n. 13. 50

— dasselbe. Nr. 1—36. Jahrg. 1883. à 8 Hfte. Fol. (1. Hft. 15 S.) Ebend. 883. à Hft. n. 1. —; pro cplt. à Nr. v. 8 Hftn. n. 8. —

1. Die Provinzen Ost- u. Westpreußen. — 2. Die ost- u. westpreußischen Häfen Memel, Pillau, Königsberg, Elbing, Danzig u. Neufahrwasser. — 3. Die Prov. Pommern. — 4. Die pommerschen Häfen Stolpmünde, Rügenwalde, Colberg, Stettin, Swinemünde, Wolgast, Stralsund. — 5. Die Großherzogthümer Mecklenburg-Schwerin u. -Strelitz. — 6. Die Häfen Rostock, Wismar, Lübeck, Kiel, Flensburg. — 7. Die Prov. Schleswig-Holstein m. dem Fürstenth. Lübeck. — 8. Die Elbhäfen Hamburg, Altona, Glückstadt, Harburg, Stade, Cuxhafen. — 9. Die Weserhäfen Bremen, Vegesack, Geestemünde, Bremerhafen, Nordenham, Brake, Elsfleth. — 10. Die Emshäfen Emden, Leer u. Papenburg. — 11. Die Prov. Hannover u. der Kreis Rinteln, der Reg.-Bez. Cassel, sowie das Herzogth. Braunschweig u. das Herzogth. Oldenburg, das Fürstenth. Schaumburg-Lippe u. v. dem Fürstenth. Waldeck der Kreis Pyrmont. — 12. Die Prov. Posen. — 13. Der Reg.-Bez. Oppeln. — 14. Die Stadt Breslau. — 15. Der Reg.-Bez. Breslau u. der Reg.-Bez. Liegnitz. — 16. Berlin. — 17. Die Prov. Brandenburg. — 18. Der Reg.-Bez. Magdeburg u. das Herzogth. Anhalt. — 19. Reg.-Bez. Merseburg u. Thüringen. — 20. Königr. Sachsen. — 21. Die Prov. Hessen-Nassau, der Kreis Wetzlar, sowie die großherzogl. hessische Prov. Oberhessen. — 22. Das Ruhrrevier, soweit dasselbe zu Westfalen gehört. — 23. Das Ruhrrevier, soweit dasselbe zur Rheinprovinz gehört. — 24. Die Prov. Westfalen u. die Fürstenthümer Lippe-Detmold u. Waldeck [Arolsen]. — 25. Die Rheinprovinz rechts d. Rheins. — 26. Die Rheinprovinz links d. Rheins u. das Fürstenth. Birkenfeld. — 27. Das Saarrevier v. Neunkirchen bis Trier. — 28. Die Rheinhafenstationen Duisburg, Hochfeld, Ruhrort. — 29. Lothringen. — 30. Elsaß. — 31. Die bayerische Pfalz. — 32. Das Großherzogth. Hessen. — 33. Das Großherzogth. Baden. — 34. Mannheim u. Ludwigshafen. — 35. Das Königr. Württemberg, sowie die Hohenzollernschen Lande. — 36. Das Königr. Bayern.

Statistik der Güterbewegung auf deutschen Eisenbahnen, nach Verkehrsbezirken geordnet. 9—16. Bd. 2. u. 3. Jahrg. 1884 u. 1885. à 4 Bde. Imp.-4. (à 363 S.) Berlin, C. Heymann's Verl. à Bd. n.n. 12. —; geb. à Bd. n.n. 13. 50

— dasselbe. 17. Bd. 4. Jahrg. 1. Quartal 1886. Fol. (363 S.) Ebend. n. 12. —; geb. n.n. 13. 50

— des Hamburgischen Staats. Bearb. vom statist. Bureau der Deputation f. direkte Steuern. 12. Hft. 2. Abth. Imp.-4. (IV, 136 S.) Hamburg 883. O. Meissner. n. 7. —

— dasselbe. 13. Hft. gr. 4. (IV, 226 S.) Ebend. 886. n. 11. 60

— der Industrie Mährens. Hrsg. v. dem gemeinsamen statist. Bureau der Handels- u. Gewerbe-Kammern Brünn u. Olmütz. 1. Bd. 1—6. Lfg. u. 2. Bd. 1. Lfg. Lex.-8. (1. Bd. S. 1—480 u. 2. Bd. S. 1—80.) Brünn 882 u. 83. Winkler. à Lfg. n. 1. 20

— österreichische, hrsg. v. der k. k. statist. Central-Commission. 1. Bd. 3 Hfte., 2. Bd. 2 Hfte. 3. Bd. 2 Hfte., 4. Bd. 4 Hfte., 5. Bd. 3 Hfte., 6. Bd. 1., 2. u. 4. Hft., 7. Bd. 4 Hfte, 8. Bd. 3 Hfte., 9. Bd. 5 Hfte., 10. Bd. 2—4. Hft.. 11. Bd. 1., 2. u. 4. Hft. 12. Bd. 1., 2. u. 4. Hft., 13 Bd. 1. Hft. u. 14. Bd. 3. u. 4. Hft. Imp.-4. Wien, Gerold's Sohn. n. 187. 60

I. 1. Die Bevölkerung der im Reichsrathe vertretenen Königreiche u. Länder nach Aufenthalt u. Zuständigkeit. (V, 231 S.) 882. n. 7. —

2. Dasselbe nach Religion, Bildungsgrad, Umgangssprache u. nach ihren Gebrechen. (III, 121 S.) 882. n. 1. 80

3. Dasselbe nach Beruf u. Erwerb. (III, 357 S.) 883. n. 10. 70

II. 1. Dasselbe nach Alter u. Stand. (III, 565 S.) 882. n. 16. 90

2. Ergebnisse der m. der Volkszählung vom 31. Decbr. 1880 verbundenen Zählung der häuslichen Nutzthiere. (II, 79 S.) 882. n. 2. 40

III. 1. Statistik d. Sanitätswesens der im Reichsrathe vertretenen Königreiche u. Länder f. d. J. 1880, nach amtl. Berichten bearb. v. d. k. k. Direction der administrativen Statistik. (XI, 225 S.) 883. n. 9. 40

2. Statistik der Unterrichts-Anstalten in den im Reichsrathe vertretenen Königreichen u. Ländern f. d. J. 1881/82, bearb. v. d. k. k. Direction der administrativen Statistik. (XXII, 83 S.) 884. n. 3. —

IV. 1. Bericht üb. die Erhebung der Handelswerthe u. Haupt-Ergebnisse d. auswärtigen Handels im J. 1882 in Vergleichung m. den Vorjahren. 1. Hft. der Statistik d. auswärt. Handels der österreichisch-ungar. Monarchie im J. 1882 [43. Jahrg. der Handels-Ausweise]. Bearb. v. d. k. k. Direktion der auswärt. Statistik. (194 S.) 884. n. 6. —

2. Waaren-Einfuhr in das allgemeine österreichisch-ungarische Zollgebiet im J. 1882. 2. Hft. der Statistik d. auswärt. Handels der österreichisch-ungar. Monarchie im J. 1882 [43. Jahrg. d. Handelsausweise]. Bearb. v. der k. k. Direktion der administrativen Statistik. (235 S.) 883. n. 7. —

3. Waaren-Ausfuhr aus dem allgemeinen österreichisch-ungar. Zollgebiete im J. 1882. 3. Hft. der Statistik d. auswärt. Handels der österreichisch-ungar. Monarchie im J. 1882 [43. Jahrg. der Handels-Ausweise]. Bearb. v. der k. k. Direktion der administrativen Statistik. (120 S.) 883. n. 3. 60

4. Waaren-Durchfuhr durch das allgemeine österreichisch-ungarische Zollgebiet im J. 1882. 4. Hft. der Statistik d. auswärt. Handels der österreichisch-ungar. Monarchie im J. 1882 [43. Jahrg. der Handels-Ausweise]. Bearb. v. der k. k. Direktion der administrativen Statistik. (131 S.) 883. n. 4. —

V. 1. Bewegung der Bevölkerung der im Reichsrathe vertretenen Königreiche u. Länder in den J. 1881 u. 1882. (XXX, 273 S.) 883. n. 9. 20

2. Statistik d. Sanitätswesens der im Reichsrathe vertretenen Königreiche u. Länder f. d. J. 1881. (XLI, 290 S.) 884. n. 9. 40

3. Die Ergebnisse der Volkszählung vom 31. Decbr. 1880 in den im Reichsrathe vertretenen Königreichen u. Ländern in analytischer Bearbeitung. 6. Hft. der „Ergebnisse der Volkszählg. u. der m. derselben verbundenen Zählg. der häusl. Nutzthiere vom 31. Decbr. 1880". Bearb. v. dem Bureau der k. k. statist. Central-Commission. (LXXIV, 81 S.) 884. n. 4. 80

VI. 1. Die Ergebnisse der Civilrechtspflege in den im Reichsrathe vertretenen Königreichen u. Ländern im J. 1882. 1. Hft. der „Statistik der Rechtspflege" f. d. J. 1882. Bearb. im k. k. Justiz-Ministerium unter Mitwirkg. der k. k. statist. Central-Commission. (XI, 103 S.) 884. n. 3. 60

2. Die Ergebnisse d. Concursverfahrens in den im Reichsrathe vertretenen Königreichen u. Ländern im J. 1882. 2. Hft. der „Statistik der Rechtspflege" in den im Reichs-

rathe vertretenen Königreichen u. Ländern f. d. J. 1882. Bearb. im k. k. Justiz-Ministerium. (XV, 79 S.) 884. n. 2. 80

4. XV. statistische Uebersicht der Verhältnisse der österreichischen Strafanstalten u. der Gerichts-Gefängnisse im J. 1882. Bearb. im k. k. Justiz-Ministerium. (XXVI, 104 S.) 884. n. 4. —

VII. 1. Bericht üb. die Erhebg. der Handelswerthe u. Haupt-Ergebnisse d. auswärtigen Handels im J. 1883 in Vergleichung m. den Vorjahren. 1. Hft. der Statistik d. auswärt. Handels der österreichisch-ungar. Monarchie im J. 1883 [44. Jahrg. der Handels-Ausweise]. (VI, 178 S.) 884. n. 6. —

2. Waaren-Einfuhr in das allgemeine österreichisch-ungarische Zollgebiet im J. 1883. 2. Hft. der Statistik d. auswärt. Handels der österreichisch-ungar. Monarchie im J. 1883 [44. Jahrg. der Handels-Ausweise]. Bearb. v. dem Bureau der k. k. statist. Central-Commission. (89 S.) 884. n. 2. 80

3. Waaren-Ausfuhr aus dem allgemeinen österreichisch-ungarischen Zollgebiet im J. 1883. 3. Hft. der Statistik d. auswärt. Handels der österreichisch-ungar. Monarchie im J. 1883 [44. Jahrg. der Handels-Ausweise]. (56 S.) 884. n. 1. 80

4. Waaren-Durchfuhr durch das allgemeine österreichisch-ungarische Zollgebiet im J. 1883. 4. Hft. der Statistik d. auswärt. Handels etc. (65 S.) 884. n. 2. —

VIII. 1. Statistik der Sparcassen in den im Reichsrathe vertretenen Königreichen u. Ländern f. d. J. 1882. (XLVIII, 31 S.) 884. n. 2. 40

2. Bewegung der Bevölkerung der im Reichsrathe vertretenen Königreiche u. Länder im J. 1883. (XVI, 137 S.) 884. n. 4. 80

3. Statistik d. Sanitätswesens der im Reichsrathe vertretenen Königreiche u. Länder f. d. J. 1882. (XLI, 230 S.) 884. n. 9. 40

IX. 1. Statistik der Unterrichts-Anstalten in den im Reichsrathe vertretenen Königreichen u. Ländern f. d. J. 1882/83. (XIII, 83 S.) 885. n. 3. —

2. Statistik der Banken in den im Reichsrathe vertretenen Königreichen u. Ländern f. d. J. 1882 u. 1883. (XIII, 25 S.) 885. n. 1. 40

3. Statistik der Sparcassen in den im Reichsrathe vertretenen Königreichen u. Ländern f. d. J. 1883. (XX, 31 S.) 885. n. 2. —

4. Der österreichische Haushalt in der Periode 1868—1882, nebst Uebersichten üb. die Landes-, Fonds- u. Gemeinde-Finanzen f. d. J. 1882. (LXVIII, 83 S.) 885. n. 4. 60

5. Statistik der Reichsrathswahlen im J. 1885. Mit 2 Kartogrammen. (XVI, 18 S.) 885. n. 1. 40

X. 2. Waaren-Einfuhr in das allgemeine österreichisch-ungarische Zollgebiet im J. 1884. 2. Hft. der Statistik d. auswärt. Handels der österreichisch-ungar. Monarchie im J. 1884 [45. Jahrg. der Handels-Ausweise]. (80 S.) 885. n. 2. 80

3. Waaren-Ausfuhr aus dem allgemeinen österreichisch-ungarischen Zollgebiete im J. 1884. 3. Hft. der Statistik d. auswärt. Handels der österreichisch-ungar. Monarchie im J. 1884 [45. Jahrg. der Handels-Ausweise]. (56 S.) 886. n. 1. 80

4. Waaren-Durchfuhr durch das allgemeine österreichisch-ungarische Zollgebiet im J. 1884. 4. Hft. der Statistik d. auswärt. Handels der österreichisch-ungar. Monarchie im J. 1884 [45. Jahrg. der Handels-Ausweise]. (65 S.) 886. n. 2. —

XI. 1. Die Ergebnisse der Civilrechtspflege in den im Reichsrathe vertretenen Königreichen u. Ländern im J. 1883. 1. Hft. der „Statistik der Rechtspflege" f. d. J. 1883. (XIV, 105 S.) 886. n. 3. 60

2. Die Ergebnisse d. Concursverfahrens in den im Reichsrathe vertretenen Königreichen u. Ländern im J. 1883. 2. Hft. der „Statistik der Rechtspflege" f. d. J. 1883. Bearb. im k. k. Justiz-Ministerium. (XIII, 79 S.) 886. n. 2. 80

4. XVI. statistische Übersicht der Verhältnisse der österreichischen Strafanstalten u. der Gerichts-Gefängnisse im J. 1883. Bearb. im k. k. Justiz-Ministerium. (XXIV, 109 S.) 886. n. 4. —

XII. 1. Erläuterungen u. Ergänzungen zu den Daten der Viehzählung vom 31. Decbr. 1880. Bearb. im k. k. Ackerbau-Ministerium unter Mitwirkg. der k. k. statist. Central-Commission. (110 S.) 886. n. 3. 40

2. Bewegung der Bevölkerung der im Reichsrathe vertretenen Königreiche u. Länder im J. 1884. Bearb. v. dem Bureau der k. k. statist. Central-Commission. (XXI, 137 S.) 886. n. 4. 80

4. Statistik d. Sanitätswesens der im Reichsrathe vertretenen Königreiche u. Länder f. d. J. 1883. (XLVIII, 231 S.) 886. n. 9. 40

XIII. 1. Bewegung im Besitz- u. Lastenstande der Realitäten in den im Reichsrathe vertretenen Königreichen u. Ländern im J. 1884. (X, 56 S.) 886. n. 2. —

XIV. 3. Waaren-Ausfuhr aus dem allgemeinen österreichisch-ungarischen Zollgebiete im J. 1885. 3. Hft. der Statistik d. auswärt. Handels der österreichisch-ungar. Monarchie im J. 1885 [46. Jahrg. der Handels-Ausweise]. (56 S.) 886. n. 1. 80

4. Waaren-Durchfuhr durch das allgemeine österreichisch-ungarische Zollgebiet im J. 1885. 4. Hft. der Statistik d. auswärt. Handels der österreichisch-ungar. Monarchie im J. 1885 [46. Jahrg. der Handels-Ausweise]. (65 S.) 886. n. 2. —

Statistik, preussische. [Amtliches Quellenwerk.] Hrsg. in zwanglosen Heften vom königl. statist. Bureau zu Berlin. 65. 66. 68. 69. 71—75. Hft., 76. Hft. 3 Thle., 77. Hft. I. II., 78—82. Hft., 83. Hft. 2 Thle., 84—86. u. 88. Hft. Imp.-4. Berlin, Verlag d. k. statist. Bureau. n. 193. 80

65. Die Heilanstalten im preussischen Staate in den J. 1877, 1878 u 1879. (VI, XLIV, 165 S.) 883. n. 5. —

66. Die definitiven Ergebnisse der Volkszählung vom 1. Decbr. 1880 im preussischen Staate. Nebst e. actenmäss. Darstellg. der Vorbereitg. u. Ausführg. der Volkszählg. vom 1. Decbr. 1880, sowie Nachträgen zu den definitiven Ergebnissen der Volkszählg., betr. die Altersverhältnisse der Bevölkerg. am 1. Jan. 1881. Mit 9 Taf. diagrammat. bezw. kartograph. Darstellgn. (LXXXVIII, 295 S.) 883. n. 12. —

68. Die Bewegung der Bevölkerung, m. Einschluss der Wanderungen, im preussischen Staate während d. J. 1881. Mit 2 (lith.) Taf. graph. Darstellgn. (XXXIV, 396 S.) 883. n. 11. 20

69. Die Gebrechlichen in der Bevölkerung d. preussischen Staates nach den Ergebnissen der Volkszählung vom 1. Decbr. 1880. (V, XLIV, 212 S.) 883. n. 6. 80

71. Ergebnisse der meteorologischen Beobachtungen im J. 1882. Veröffentlicht vom königl. meteorolog. Institut. (V, 120 S. m. 1 lith. u. color. Karte.) 883. n. 3. 60

72. Die Sterbefälle im preussischen Staate nach Todesursachen u. Altersklassen der Gestorbenen u. die Selbstmorde u. Verunglückungen während d. J. 1881. (XXIV, 185 S.) 883. n. 5. 40

73. Die Ergebnisse der Ermittelung d. Ernteertrages in Preussen im J. 1882. (XXV, 117 S.) 883. n. 4. —

74. Die Bewegung der Bevölkerung, m. Einschluss der Wanderungen im preussischen Staate während d. J. 1882. (XXI, 268 S.) 884. n. 7. 60

75. Die Kindersterblichkeit in Preussen während d. J. 1882, m. Unterschied d. Religionsbekenntnisses der gestorbenen Kinder. (XIV, 71 S.) 884. n. 2. 40

76. I. Die Ergebnisse der Berufszählung vom 5. Juni 1882 im preussischen Staate. I. Beruf u. Erwerbsthätigkeit der Bevölkerg. (V, 486 S.) 884. n. 12. 40

II. Dasselbe. II. Hauptberuf, Alter u. Familienstand der Bevölkerung. (V, 715 S.) 884. n. 18. —

III. Dasselbe. III. Landwirthschaftsbetriebe, sowie Hauptberuf u. Religionsbekenntniss der Bevölkerg. (V, 386 S.) 884. n. 9. 80

77. I. Die endgültigen Ergebnisse der Viehzählung vom 10. Jan. 1883 im preussischen Staate. (XXXII, 187 S.) 885. n. 5. 60

II. Der Viehbesitzstand der Gehöfte im preussischen Staate nach den Ergebnissen der Viehzählung vom 10. Jan. 1883. (V, XIX, 217 S.) 886. n. 6. 40

78. Ergebnisse der meteorologischen Beobachtungen im J. 1883. Veröffentlicht vom königl. meteorolog. Institut. Mit 1 (chromolith.) Karte. (XIV, 158 S.) 885. n. 4. 60

79. Die Bewegung der Bevölkerung, m. Einschluss der Wanderungen, im preussischen Staate, während d. J. 1883. (XIX, 271 S.) 884. n. 7. 40

80. Die Sterbefälle im preussischen Staate nach Todesursachen u. Altersklassen der Gestorbenen, sowie die Selbstmorde u. Verunglückungen während d. J. 1882. (XXVI, 185 S.) 885. n. 5. 60

81. Die Ergebnisse der Ermittelung der landwirthschaftlichen Bodenbenutzung u. d. Ernteertrages im preussischen Staate im J. 1883. (IV, LXXIII, 171 S.) 884. n. 6. 40

82. Ergebnisse der meteorologischen Beobachtungen im J. 1884. Veröffentlicht vom königl. meteorolog. Institute. Mit 1 Karte. (XVI, 170 S.) 885. n. 5. 20

83. I. Die Gewerbebetriebe im preussischen Staate nach der Aufnahme vom 5. Juni 1882. 1. Thl. Uebersichten f. den Staat, die Provinzen, Bezirke u. Grossstädte. (XII, 551 S.) 885. n. 14. 20

II. Dasselbe. 2. Thl. Uebersichten f. die einzelnen Kreise, nebst e. Darstellg. der Gewerbe nach ihrer örtl. Wichtigkeit u. e. Uebersicht der gewerblich beschäftigten Gefangenen. (V, 628 S.) n. 16. 40

84. Die Sterbefälle im preussischen Staate nach Todesursachen u. Altersklassen der Gestorbenen, sowie die Selbstmorde u. Verunglückungen während d. J. 1883. (XIII, 187 S.) 886. n. 5. 20

85. Die Ergebnisse der Ermittelung d. Ernteertrages im preussischen Staate f. d. J. 1884, nebst e. Anh., enth. die Nachweisg. üb. die Bodenbenutzg. der Gemarkgn. der Städte, Landgemeinden, Guts- u. Forstbezirke im J. 1883, u. e. besond. Beilage, enth. die Ergebnisse der v. den landwirthschaftl. Vereinen im Juli 1885 kreisweise bewirkten Schätzg. der Ernte-Aussichten der wichtigsten feldmässig angebauten Früchte in Preussen, in Prozenten e. Mittelernte ausgedrückt. (XL, 140 S.) 886. n. 4. 80

86. Die Bewegung der Bevölkerung m. Einschluss der Wandergn., im preussischen Staate während d. J. 1884. Nebst e. Uebersicht üb. die während der J. 1881 bis 1884 vorgekommenen Eheschliessgn. v. Analphabeten. (XXXII, 130 S.) 885. n. 3. 60

88. Die Ergebnisse der Ermittelung d. Ernteertrags im preussischen Staate f. d. J. 1885 nebst 2 besond. Beilagen, enth. die Ergebnisse der v. den landwirthschaftlichen Vereinen 1) Ende Juli 1886 kreisweise bewirkten Schätzgn. der Ernte-Aussichten der wichtigsten feldmässig angebauten Früchte in Preussen, in Prozenten e. Mittelernte ausgedrückt, u. 2) im Oktbr. 1886 kreisweise bewirkten Ermittelg. d. Ernteertrages der wichtigsten feldmässig angebauten Früchte im J. 1886. (IV, XXXVII, 113; 15 u. 32 S.) 886. n. 5. 20

Statistik des Sanitätswesens der im Reichsrathe vertretenen Königreiche u. Länder f. d. J. 1879, nach amtl. Berichten bearb. v. Alex. Killiches. Hrsg. v. der k. k. statist. Central-Commission. Imp.-4. (XL, 221 S.) Wien 882. (Gerold's Sohn.) n. 9. 40

— der deutschen Schulen im Reg.-Bez. Oberpfalz u. v. Regensburg. Mit hoher Regierungsbewilligg. aus amtl. Quellen bearb. v. Frdr. Zahn u. Leonh. Reisinger. 2. Aufl. Mit 1 (lith. u. color) Karte der Oberpfalz. gr. 8. (544 u. 64 S.) Regensburg 886. (Pustet.) n. 5. 20

— schweizerische. Hrsg. vom statist. Bureau d. eidgenöss. Departement d. Innern. 54—65. Hft. gr. 4. Bern. Zürich, Orell Füssli & Co. Verl. n. 40. —

54. Pädagogische Prüfung bei der Rekrutirung f. d. J. 1883. (Deutsch u. Französisch.) (VIII, 16 S. m. 1 chromolith. Karte.) 883. n. 2. —
55. Die Bewegung der Bevölkerung in der Schweiz im J. 1881. (XXII, 126 S.) 883. n. 4. —
56. Eidgenössische Volkszählung vom 1. Dezbr. 1880. 2. Bd. Die Bevölkerg. nach Alter, Geschlecht u. Civilstand. (XXIX, 192 S. m. 2 Steintaf.) 883. n. 5. —
57. Die Bewegung der Bevölkerung in der Schweiz im J. 1882. (XXIV, 128 S.) 884. n. 4. —
58. Pädagogische Prüfung bei der Rekrutirung f. d. J. 1884. (Deutsch u. französisch.) (VIII, 16 S. m. 1 chromolith. Karte.) 884. n. 2. —
59. Eidgenössische Volkszählg. vom 1. Dezbr. 1880. 3. Bd. Die Bevölkerg. nach den Berufsarten. (Deutsch u. französisch.) (XLVII, 184 S. m. 2 Karten.) 884. n. 5. —
60. Die Bewegung der Bevölkerung in der Schweiz im J. 1883. (XXII, 136 S.) 884. n. 4. —
61. Pädagogische Prüfung bei der Rekrutirung f. d. J. 1885. (Deutsch u. französisch.) (VIII, 16 S. m. 1 chromolith. Karte. 885. n. 2. —
62. Resultate der ärztlichen Recrutenuntersuchung im Herbste 1884. (XVIII, 31 S.) 885. n. 3. — (Französ. Ausg.) zu gleichem Preise.
63. Die Bewegung der Bevölkerung in der Schweiz im J. 1884. (XIV, 130 S.) 886. n. 4. —; Ausg. in französ. u. italien. Sprache. n. 4. —
64. Pädagogische Prüfung bei der Recrutirung im Herbste 1885. (Deutsch u. französisch.) (XVI, 10 S. m. 1 chromolith. Karte.) 886. n. 2. —
65. Resultate der ärztlichen Recrutenuntersuchung im Herbste 1885. (XV, 40 S.) 886. n. 3. —

— der zum Ressort d. königl. preußischen Ministeriums d. Innern gehörenden Straf- u. Gefangenen-Anstalten pro 1. Apr. 1881/82. gr. 4. (IV, 331 S.) Berlin 883. (v. Decker.) n. 16. 50

— dasselbe pro 1. Apr. 1882/83. gr. 4. (IV, 336 S. m. 1. Taf.) Ebend. 884. n. 16. 50

— dasselbe pro 1. Apr. 1883/84. gr. 4. (IV, 349 S. m. 1 Taf.) Ebend. 885. n.n. 17. —

— dasselbe pro 1. Apr. 1884/85. gr. 4. (IV, 450 S.) Ebend. 886. n.n. 21. 60

— der deutschen Volksschulen im Reg.-Bez. Oberbayern. Hrsg. vom Ausschusse d. oberbayr. Kreis-Lehrerveins. Mit 1 Karte. gr. 8. (XIX, 824 S.) München 885. Lindauer. n.n. 7. —

Statistisches üb. das Volksschulwesen im herzogl. sachsen-meiningischen Kreise Saalfeld auf d. Schulj. 1883/84 u. 1884/85. 4. (19 u. 17 S.) Saalfeld 884. 85. (Riese.) à n. — 50

Statius, P. Papinius. Vol. II. Achilleis et Thebais. Rec. Phpp. Kollmann. Fasc. II. Thebais. Cum indice nominum. 8. (XVIII, 475 S.) Leipzig 884. Teubner. 4. 80 (cplt.: 7. 35)

— Lied v. Theben, deutsch v. A. Imhof. Mit gelegentl. sachl. u. krit. Erläutergn. 1. Thl. 1. bis 6. Buch. gr. 8. (VI, 152 S.) Ilmenau 885. Schröter. n. 2. 50

Status cleri saecularis et regularis Helvetiae dioecesium pro anno communi 1885. 8. (120 S.) Solothurn 885. (Schwendimann.) n. — 60

Statut f. die Ent- u. Bewässerungs-Genossenschaft zu . . . im Kreise . . ., anzuwenden als Normal-Statut (-Formular) laut Erlass d. preuss. Ministers f. Landwirthschaft etc. vom 7. Jan. 1886. (Hrsg. v. Müller-Köpen.) Fol. (6 S.) Berlin 886. Müller-Köpen. n.n. — 40

— für die Knappschafts-Berufsgenossenschaft. 12. (80 S.) Essen 885. Bädeker. geb. n. — 50

— der Pensionskasse f. die Betriebsarbeiter der Saatseisenbahnverwaltung. gr. 4. (25 S.) Berlin 886. C. Heymann's Verl. n. 1. —

— allgemeines, der kaiserl. russischen Universitäten vom 23. Aug. 1884. gr. 8. (58 S.) St. Petersburg 884. (Ricker.) n. 2. —

Statuten, die, das Aufnahms-Regulativ u. die Dienstes-Vorschriften der Wiener freiwilligen Rettungs-Gesellschaft, sowie die Belehrgn. üb. das Sanitäts-Materiale f. den Sanitäts-Dienst. gr. 16. (167 S.) Wien 883. (Huber & Lahme.) geb. n. 1. —

— für die Studirenden der kgl. Forstakademie zu Eberswalde u. Münden. gr. 8. (13 S.) Berlin 884. Springer. n.n. — 50

— für die Lokalvereine d. Mäßigkeitsvereins d. blauen Kreuzes in Deutschland. 8. (7 S.) Bern 886. Leipzig, Buchh. d. Vereinshauses. n.n. — 10; m. Anh.: Das Werk d. blauen Kreuzes. (15 S.) n.n. — 12

— des mähr.-schles. Sudeten-Gebirgs-Vereins. gr. 8. (16 S.) Freiwaldau 884. (Blažek.) — 30

Statuten-Entwurf f. e. Betriebs-[Fabrik-]Krankenkasse, nebst Vorbemerkgn. u. Erläutergn. Veröffentlicht laut Bundesraths-Beschluß. 2. Aufl. 8. (31 S.) Berlin 885. C. Heymann's Verl. cart. u. durchsch. n. — 60

— für e. Orts-Krankenkasse, nebst Vorbemerkgn. u. Erläutergn. Veröffentlicht laut Bundesraths-Beschluß. 3. Aufl. 8. (51 S.) Ebend. 884. n. — 80

Statz, Vinc., gothische Altäre. 1. u. 2. Thl. 2. Aufl. [Zugleich „Gothische Einzelheiten" 1. u. 2. Abth.] Fol. Berlin 886. Claesen & Co. cart. n. 43. —
1. (26 Taf.) n. 25. —. — 2. (20 Taf. u. 7 S. Text.) n. 18. —

— gothische Einzelheiten. 15 Lfgn. gr. 4. (à 12 lith. u. chromolith. Taf.) Ebend. 885. 86. à n. 7. 50

— dasselbe. 2. Aufl. 2 Halbbde. Fol. (180 Taf.) Ebend. 886. In Mappe. n. 120. —

— Glasfenster, im gothischen Style. Entwürfe f. Kunstglaser u Architecten. 15 (lith.) Taf. 2. Aufl. Fol. (1 Bl. Text.) Ebend. 885. cart. n. 12. —

— Holzschnitzereien in gothischem Styl. 14 Taf. 2. Aufl. [Zugleich „Goth. Einzelheiten" V. Abth.] Fol. Ebend. 886. cart. n. 9. —

— Messpulte, Orgeln, Kanzeln, Chorgestühl etc. in gothischem Styl. 18 Taf. 2. Aufl. [Zugleich „Goth. Einzelheiten" IV. Abth.] Fol. Ebend. 886. cart. n. 13. —

— kirchliche Metallgeräthe in gothischem Styl. Monstranzen, Kelche, Ciborien, Cruzifixe, Ampeln, Altarleuchter etc. 38 Taf. 2. Aufl. [Zugleich „Goth. Einzelheiten" VI. Abth.] gr. 4. Ebend. 886. In Mappe. n. 38. —

— Taufbecken, Gedenksäulen, Grabkreuze, Brunnen etc. in gothischem Styl. 31 Taf. 2. Aufl. [Zugleich „Goth. Einzelheiten" III. Abth.) Fol. Ebend. 886. cart. n. 25. —

— Wandmalereien in gothischem Styl. 15 Chromotaf. 2. Aufl. [Zugleich „Goth. Einzelheiten" VIII. Abth.] Fol. Ebend. 886. In Mappe. n. 15. —

Staub, Alfr., zur Diagnostik der Aortenaneurysmen. gr. 8. (42 S.) Breslau 885. (Köhler.) n. 1. —

Staub, Emil, Schnell-Calculator. Hülfstabellen zu schneller Calculation baumwollener Gewebe f. Baumwollwebereien. 8. (VIII, 96 S.) Leipzig 883. (Gracklauer.) geb. n.n. 5. —

Staub, F., s.: Idiotikon, schweizerisches.

Staub's, J., eidgenössischer Briefsteller u. Geschäftsfreund f. den häuslichen u. öffentlichen Verkehr. 7. Aufl. 8. (XVI, 348 S.) Bern 884. Heuberger. cart. n. 2. 40

Staub, J. B., die Fragen der Zeit u. die Fortschrittspartei. gr. 8. (36 S.) Nürnberg 884. (Korn.) n. — 50

Staub, Jul., mehr Licht. 6. (Schluß-)Theil. Die Bedeutg. d. organ. Wachsthums f. die Mineralwelt, insbesondere f. die Formation der Steinkohle. Ein Beitrag zur Lösg. wissenschaftl. Probleme. gr. 8. (38 S. m. lith. Portr. d. Verf.) Pittsburgh, Pa. 882. (Philadelphia, Schäfer & Koradi.) n. 1. — (cplt.: n. 6. —)

Staub, M., mediterrane Pflanzen aus dem Baranyaer Comitate. Mit 4 lith. Taf. Lex.-8. (23 S. m. 4 Bl. Taf.-Erklärgn.) Budapest 882. (Kilian.) n. 2. —

— tertiäre Pflanzen v. Felek bei Klausenburg. Mit 1 lith. Taf. Lex.-8. (19 S.) Budapest 883. (Berlin, Friedländer & Sohn.) n. 1. 20

Stauber, Frz. X., historische Ephemeriden üb. die

Wirksamkeit der Stände v. Oesterreich ob der Enns. Hrsg. vom oberösterreich. Landesausschusse. gr. 8. (VIII, 509 S.) Linz 884. (Fink.) n. 8. —

Staudacher, F., u. H. **Wilhelm,** 750 Pflanzenbezeichnungen zur Benützung bei der Anlage v. Herbarien. I. Blütenpflanzen [Phanerogamae]. Mit besond. Berücksicht. der verbreitetsten Pflanzen alphabetisch geordnet, unter Angabe der Familien, Ordngn. u. Classen, d. Gebrauchswerthes, d. Standortes etc. zusammengestellt. 2. Aufl. gr. 8. (47 Bl. m. je 16 Etiketten.) Teschen 885. (Wien, Frick.) n. 1. 60

Staude, Gust., das Stadt-Theater zu Halle a. S. Ein Beitrag zum Eröffnungstage. Lex.-8. (IX, 50 S. m. eingedr. Illustr. u. 12 Taf.) Halle 886. Tausch & Grosse. n. 9. —; geb. in Leinw. n. 12. —; in Kalbldr. n. 18. —

Staude, Otto, geometrische Deutung der Additionstheoreme der hyperelliptischen Integrale u. Functionen 1. Ordnung im System der confocalen Flächen 2. Grades. gr. 8. (71 S.) Leipzig 883. (Breslau, Köhler.) n. 1. —

Staude, Rich., die biblischen Geschichten d. Alten u. Neuen Testamentes. 8. (IX, 204 S.) Dresden 883. Bleyl & Kaemmerer. cart. n. — 80

— Präparationen zu den biblischen Geschichten d. Alten u. Neuen Testamentes, nach Herbart'schen Grundsätzen ausgearb. 2 Tle. 2. Aufl. gr. 8. Ebend. 885. n. 6. 50
1. Altes Testament. (XVIII, 319 S.) n. 4. —
2. Neues Testament. (VI, 233 S.) n. 2. 50

— dasselbe. 2. Tl.: Neues Testament. 3. Aufl. gr. 8. (VI, 233 S.) Ebend. 887. n. 3. —

Staudek, A., mluvite Česky? [Sprechen Sie Böhmisch?] Böhmischer Sprachführer, enth. die nützlichsten u. nothwendigsten böhmisch-deutschen Gespräche, Redensarten u. Wörtersammlgn., wie man sie im Umgange, Geschäftsverkehr u. auf Reisen gebraucht, nebst e. kurzgefaßten böhm. Grammatik u. zahlreichen Uebersetzungsaufgaben. 8. (VIII, 128 S.) Leipzig 886. C. A. Koch. 1. 50

Staudinger, C., Hundemaulkörbe u. Hundefuhrwerke. Ein Beitrag zur Förderg. d. Thierschutzes. gr. 8. (51 S.) Leipzig 883. G. Wolff. n. — 60

Staudinger, F., die evangelische Freiheit wider den Materialismus d. Bekenntnißglaubens, s.: Zeit- u. Streitfragen, deutsche.

Staudinger, Frz., Noumena. Die „transcendentalen“ Grundgedanken u. die „Widerlegung d. Idealismus“. gr. 8. (VIII, 144 S.) Darmstadt 884. Brill. n. 4. —

Staudinger, Jul., die Anstalten u. Einrichtungen f. künstliche Fischzucht im Königr. Bayern. Eine statistisch beschreib. Studie. Aus Anlaß d. I. Deutschen Fischereitags in München m. geneigter Förderg. Seitens kgl. Stellen u. Behörden u. freundl. Mitwirkg. der bayer. Kreisfischerei-Vereine veröffentlicht vom bayer. Landes-Fischerei-Verein in München. Lex.-8. (18 S. m. 1 Karte.) München 885. (Kaiser.) n.n. 1. —

— die Landesfischereiverordnung f. das Königreich Bayern vom 4. Oktbr. 1884. Mit Erläutergn. 8. (V, 170 S.) Nördlingen 885. Beck. cart. n. 2. —

— das Polizeistrafgesetzbuch f. das Königr. Bayern nach den Landesgesetzen vom 26. Dezbr. 1871, 28. Febr. 1880 u. 20. März 1882, dann m. den sonst. Abänderngn. durch die neuere Gesetzgebg. Mit Einleitg., kurzen Anmerkgn. u. Sachregister. 2. rev. Aufl. 16. (VI, 142 S.) Ebend. 885. cart. n. 1. —

— Sammlung strafrechtlicher Spezialgesetze d. Deutschen Reichs. Textausg. m. kurzen Anmerkgn. 1. Ergänzungsbdchn. 16. (V, 206 S.) Ebend. 886. cart. n. 2. —
(Hauptwerk u. 1. Ergänzungsbdchn.: n. 4. —)

— Sammlung v. Staatsverträgen d. Deutschen Reichs üb. Gegenstände der Rechtspflege. Text-Ausg. m. Anmerkgn., Sachregister &c. 1. Ergänzungsbdchn. 16. (VII, 157 S.) Ebend. 884. cart. n. 2. —
(Hauptwerk u. 1. Ergänzungsbdchn.: n. 6. 40)

— das Strafgesetzbuch f. das Deutsche Reich nach den Gesetzen vom 15. Mai 1871, 10. Dezbr. 1871, 30 November 1874, 6. Febr. 1875, 26. Febr. 1876, 10 Febr. 1877, 14. Mai 1879 u. 24. Mai 1880. Nebst e. Anh., enth. das Reichspreßgesetz, das Reichsgesetz üb. den Verkehr m. Nahrungsmitteln &c., dann die reichsgesetzl. Bestimmgn. üb. die Organisation u. Zuständigkeit der Strafgerichte. Mit Anmerkgn. u. Register. 4. Aufl. 16. (XIV, 227 S.) Nördlingen 884. Beck. n. 1. —

Staudinger, Jul., Strafprozeßordnung f. das deutsche Reich v. 1. Febr. 1877. Textausg. m. Anmerkgn., Auszügen aus dem Reichsgerichtsverfassungsgesetze, anderen einschläg. Gesetzen u. reichsgerichtl. Urtheilen, sowie m. Sachregister. 2. Aufl. 16. (X, 338 S.) Nördlingen 883. Beck. cart. n. 2. —

Staudinger, Karl, das königl. bayerische 2. Infanterie-Regiment „Kronprinz“ 1682 bis 1882. Auf Befehl d. Regiments-Kommandos verf. 2. Lfg. Zeitraum von 1689—1704. gr. 8. (XII u. S. 183—568 u. Anlagen S. 37—84 m. 1 Lichtdr.-Portr. u. 1 lith. Plan.) München 885. Oldenbourg. n. 8. — (1. u. 2.: n. 12. —)

Staudinger, O., u. E. **Schatz,** exotische Schmetterlinge. 1. Thl.: Abbildungen u. Beschreibgn. der wichtigsten exot. Tagfalter in systemat. Reihenfolge m. Berücksicht. neuer Arten. Unter techn. Mitwirkg. v. H. Langhans. Mit gegen 1500 color. Abbildgn. auf 100 (lith. u. color.) Taf. 1—14. Hft Fol. (à 5 Taf. m. Text S. 1—138.) Fürth 884—86. Löwensohn. à n. 4. —

Staudt, Jak. Heinr., seine Blätter verwelken nicht! Ein Jahrgang Predigten. Aus dessen Nachlaß hrsg. v. der Gemeinde Kornthal. gr. 8. (VIII, 552 S. m. Lichtdr.-Portr.) Kornthal 885. (Stuttgart, J. F. Steinkopf.) geb. n. 4. 80

Stauffacher, Jean, Studien u. Compositionen. (Vorlagenwerk f. Zeichner, Textil-Industrielle etc.) 1. Serie. 1. u. 2. Hft. Fol. (14 chemityp. Taf.) St. Gallen 886. Kreutzmann. à n. 8. —

Stauffer, Albr., Hermann Christoph Graf v. Russworm, kaiserl. Feldmarschall in den Türkenkämpfen unter Rudolf II. gr. 8. (VIII, 248 S. m. 1 Portr.) München 884. Th. Ackermann's Verl. n. 4. —

Staupitz, v., Neues aus e. Kloster od. 2 Predigten. 16. (16 S.) Breklum 883. Christl. Buchh. n. — 10

Stave, Ludw., auf Bredendorf. Lustspiel in 3 Acten. 8. (87 S.) Frankfurt a/M. 886. Koenitzer's Verl. n. 1. 50

Stavenow, Bernh., das Caviarfäßchen. Humoresken. 3. Aufl. 8. (III, 152 S.) Görlitz 884. Förster's Verl. n. 1. —; geb. n. 2. —

— Drillinge. Humoristische Erzählgn. 5. Aufl. 8. (219 S.) Norden 883. Fischer Nachf. n. 3. —

— die drei Freier u. andere Humoresken. 2. Aufl. 8. (253 S.) Görlitz 884. Förster's Verl. n. 1. 50; geb. n. 2. 50

— schöne Geister. Künstler-Novellen u. Skizzen. 4. Aufl. 8. (V, 247 S.) Norden 883. Fischer Nachf. n. 4. —

— unheimliche Geschichten, s.: Eckstein's Reisebibliothek.

— der schwarze Handschuh, s.: Novellen-Bibliothek, criminalistische.

— aus allen Kreisen. Humoresken. 4. Aufl. 8. (154 S.) Norden 883. Fischer Nachf. n. 2. —

— der Prozeß. Der Zigeunerhauptmann. Humoresken. 12. (109 S.) Berlin 883. Goldschmidt. n. — 50

— W. G. H., s.: Novellen-Bibliothek, criminalistische.

Stebler, F. G., die besten Futterpflanzen. Abbildungen u. Beschreibgn. derselben, nebst ausführl. Angaben betr. deren Kultur, ökonom. Werth, Samen-Gewinnung., -Verunreinigg., -Verfälschgn. &c. Im Auftrag d. Schweiz. Handels- u. Landwirthschaftsdepartements hrsg., unter Mitwirkg. v. C. Schröter. 2 Thle. Mit à 15 in Farbendr. ausgeführten Taf. u. zahlreichen Holzschn. gr. 4. (IV, 104 u. IV, 78 S.) Bern 883. 84. Wyß. cart. à n. 4. —

— Getreide, s.: Bericht üb. Gruppe 26 der schweizerischen Landesausstellung Zürich 1883.

— der rationelle Getreidebau in der schweizerischen Landwirthschaft. [Vortrag.] gr. 8. (24 S.) Bern 883. Wyß. n. — 40

— die Grassamen-Mischungen zur Erzielung d. größten Futterertrages v. bester Qualität. Vom wissenschaftl. u. prakt. Standpunkt. 2., gänzlich umgearb. Aufl. gr. 8. (IV, 127 S.) Ebend. 883. n. 1. 80

Stebler, F. G., die schweizerische Samen-Kontrol-Station in Zürich. Technischer Jahresbericht pro 1. Juli 1882 bis 30. Juni 1883. gr. 8. (29 S.) Aarau 883. Wirz-Christen. n. — 50

— dasselbe pro 1. Juni 1883 bis 30. Juni 1884. gr. 8. (34 S.) Ebend. 884. n. — 50

— et C. **Schroeter,** les meilleures plantes fourragères. Descriptions et figures avec notices detaillées sur leur culture et leur valeur économique ainsi que sur la récolte des semences et leurs impuretés et falsifications, etc. Ouvrage publié au nom du Département fédéral du Commerce et de l'Agriculture. Traduit par Henri Welter. 2 parties avec à 15 planches chromo-lith. et de nombreuses gravures sur bois. gr. 4. (IV, 116 u. IV, 83 S.) Bern 883. 84. Wyss. cart. à n. 4. —

— u. Eugène **Thiélé,** die schweizerische Samen-Kontrol-Station in Zürich. Technischer Jahresbericht pro 1. Juli 1884 bis 30. Juni 1885. gr. 8. (48 S.) Aarau 885. Wirz-Christen. n. — 60

Steche, R., s.: Darstellung, beschreibende, der älteren Bau- u. Kunstdenkmäler d. Königr. Sachsen.

Stecher, Chr., die Belagerung Wiens v. 1683. Ein histor. Schauspiel in 5 Aufzügen. 8. (II, 170 S.) Wien 883. Mayer & Co. n. 1. 20

— deutsche Dichtung f. die christliche Familie u. Schule. 26—46. Hft. 8. Graz, Styria. à — 60

26—28. Kaiser Octavianus. Ein Schauspiel v. Ludw. Tieck. In 2 Thln. (360 S.) 882.

29—31. Parzival. Ein romantisch-symbol. Epos. Umgedichtet v. Chrn. Stecher. (XXVI, 312 S.) 883.

32. 33. Leben u. Tod der heil. Genovefa. Ein Trauerspiel v. Ludw. Tieck. (251 S.) 883.

34—36. Schiller's Braut v. Messina od. die feindlichen Brüder. Ein Trauerspiel m. Chören. Und Wilhelm Tell. Ein Schauspiel in 5 Aufzügen. (LVI, 267 S.) 883.

37. 38. Erek u. Enite. Ein romant. Epos von Hartmann v. Aue. Umgedichtet v. Chrn. Stecher. (XVII, 270 S.) 884.

39—41. Wilhelm v. Oranse, e. romant. Epos, u. Lother u. Maller od. das Lied v. den zwei treuen Gesellen, e. romant. Heldengedicht. Umgedichtet v. Chrn. Stecher. (XXIV, 344 S.) 884.

42. Die Kindheit Jesu. Ein Legenden-Epos von Konrad v. Fussensbrunnen. Umgedichtet v. Chrn. Stecher. (XIII, 116 S.) 884.

43. 44. Barlaam u. Josaphat. Ein Legenden-Epos von Rudolph v. Ems u. Legenden der Heiligen: Christoph, Georg, Ida von Toggenburg, Rothburga, Fridolin v. Chrn. Stecher. (VII, 276 S.) 885.

45. 46. Marienleben, Legenden-Epos u. Marien-Legenden v. Chrn. Stecher. (VIII, 282 S.) 886.

— Mater admirabilis. 32 Maivorträge. gr. 8. (III, 484 S.) Innsbruck 885. F. Rauch. n. 4. —

Stecher, Frdr., zum Schutze wider die Diphtherie. Erprobte Massnahmen u. neue Vorschläge. gr. 8. (III, 118 S.) Berlin 884. Leipzig, G. Thieme. n. 2. —

— zum Schutze d. Einzelnen vor der Cholera. gr. 8. (67 S.) München 884. Kellerer. n. — 20

Stechert, Carl, definitive Bestimmung der Bahn d. Cometen 1881 IV. gr. 4. (80 S.) Kiel 884. (v. Maack.) n. 1. 80

Stechholz, H. C. W., der Tod d. Frommen u. der Tod d. Gottlosen. Eine Sammlg. v. geschichtl. Begebenheiten aus alter u. neuer Zeit. 8. (IV, 121 S.) St. Louis, Mo. 885. (Dresden, H. J. Naumann.) cart. n. 1. —

Steck, F. X., u. J. **Bielmayr,** Lehrbuch der Arithmetik f. Latein- u. Realschulen. 9. Aufl. gr. 8. (VIII, 119 S.) Kempten 886. Kösel. n. 1. 20

— — Sammlung v. arithmetischen Aufgaben in systematischer Ordnung. Ein Uebungsbuch f. Latein- u. Realschulen. 8. Aufl. gr. 8. (III, 136 S.) Ebend. 885. n. 1. 30; Resultate (32 S.) n. — 45

Steck, R., Goethe u. Lavater, s.: Vorträge, öffentliche, geh. in der Schweiz.

Steckel, E., der Schreibunterricht in der Volksschule. Theorie u. Praxis. Mit üb. 80 in den Text gedr. erläut. Handzeichngn. gr. 8. (III, 48 S.) Eisleben 886. Mähnert. n. — 80

Steen, Anna, die Adoptivkinder. Frei nach dem Engl. Bevorwortet v. Gust. Schlosser. Mit 17 Illustr. 8. (VI, 280 S.) Bremen 884. Heinsius. n. 3. —; geb. 3. 75

— Betty, die treue Magd. Eine wahre Geschichte. Aus dem Engl. v. A. St. 3. Aufl. 12. (IV, 58 S. m. 1 Holzschn.) Ebend. 884. n. — 40

— Dämmerung u. Nacht in Italien. Frei nach dem Engl. Bevorwortet v. Adf. Stöcker. Mit 24 Illustr. 8. (VII, 296 S.) Ebend. 886. n. 3. —; geb. n.n. 3. 75

— in der Fremde u. Daheim. Frei nach dem Engl. 12. (92 S.) Ebend. 884. n. — 60

— Glaucia, die griechische Sklavin. Frei nach dem Engl. Bevorwortet v. G. Chr. Dieffenbach. 2., durchgeseh. Aufl. Mit 16 Illustr. gr. 8. (V, 240 S.) Ebend. 883. n. 3. —

— der Glockenspieler v. Gent. Frei nach dem Engl. Bevorwortet v. L. Tiesmeyer. Mit 20 Illustr. 8. (VIII, 268 S.) Ebend. 885. n. 3. —; geb. n. 3. 75

— der alte Gott lebt noch. Eine Reise nach Birma. Frei nach dem Engl. gr. 16. (30 S.) Hamburg 884. Oncken's Nachf. n. — 15

— Granada od. e. Bild aus dem span. Volksleben. Frei nach dem Engl. bearb. Bevorwortet v. O. Fliedner. 8. (VIII, 136 S. m. eingedr. Holzschn.) Bremen 884. Heinsius. n. 1. 50; geb. n. 2. 40; m. Goldschn. n. 2. 70

— der Helgoländer Fischer. Frei nach dem Engl. gr. 16. (32 S.) Hamburg 884. Oncken's Nachf. n. — 15

— Herolde der Reformation in Frankreich. Frei nach dem Engl. Eine französische Königstochter. Aus dem Holländ. Mit Vorwort von G. v. Zezschwitz. Mit 15 Illustr. 2. Aufl. 8. (IV, 204 u. 90 S.) Bremen 884. Heinsius. n. 3. —; geb. n. 3. 75

— Jack, der kleine Nachfolger Jesu. Aus dem Engl. 2. Aufl. 16. (68 S.) Bremen 877. Verl. d. Tractathauses. cart. n. — 45

— Jenny oder: Ein Licht angezündet vom Herrn. Frei nach dem Engl. (2. Aufl.) 16. (129 S.) Gernsbach 883. Christl. Kolportage-Verein. n. — 60

— der Leuchtthurm auf dem Felsen. Frei nach dem Engl. 12. (63 S.) Hamburg 885. Oncken's Nachf. — 30

— Ida May od. durch Nacht zum Licht. Eine auf Thatsachen beruh. Erzählg. Frei nach dem Engl. Mit Vorwort v. Karl Leimbach. 3. Aufl. 8. (VII, 328 S.) Bremen 885. Heinsius. n. 3. —; geb. n. 3. 75

— verloren u. wiedergefunden. Eine Geschichte aus dem Leben u. f. das Leben. Frei nach dem Engl. 2. Aufl. 16. (131 S.) Berlin 882. Deutsche evangel. Buch- u. Tractat-Gesellschaft. n. — 90; geb. n. 1. 50

— das kleine Zigeunermädchen. Eine Erzählg. f. die Jugend. Nach dem Engl. bearb. 16. (80 S.) Barmen 884. Verl. d. Tractathauses. n. — 35; cart. n. — 50

Steenaerts, Joh. Jos. Xav., Gesellen-Gebetbuch. 32. (VIII, 184 S. m. 1 Holzschn.) Paderborn 885. Bonifacius-Druckerei. geb. n. — 50; m. Goldschn. n. — 75

— Helm d. Heils. Katholisches Lehr-, Gebet- u. Gesangbuch f. den gemeinsamen Gottesdienst u. die Privatandacht. 16. (XIV, 794 S. m. 1 Stahlst.) Ebend. 883. n. 1. 20

— Melodien zu dem kathol. Gebet u. Gesangbuch f. den gemeinsamen Gottesdienst u. die Privatandacht. Unter Mitwirkg. v. Frdr. Könen hrsg. 2. Aufl. 8. (IV, 90 S.) Düsseldorf 885. Schwann. n. — 60

Steenstrup, J. Japetus Sm., Kjøkken-Møddinger. Eine gedrängte Darstellg. dieser Monumente sehr alter Kulturstadien. Mit 3 Holzschn.-Taf. u. 1 Kpfrtaf. gr. 8. (47 S.) Kopenhagen 886. Hagerup. n. 1. 50

Stefan, Aug., die Fabrikation der Kautschuk- u. Leimmasse-Typen, Stempel- u. Druckplatten, sowie die Verarbeitung d. Korkes u. der Korkabfälle. Mit 65 Abbildgn. 8. (VIII, 309 S.) Wien 886. Hartleben. n. 4. —

Stefan, J., üb. die Berechnung der Inductionscoëfficienten v. Drahtrollen. Lex.-8. Wien 883. (Gerold's Sohn.) n.n. — 25

Stefanovič v. Vilovo, Joh. Ritter, Ungarns Stromregulirungen. Mit 30 Plänen, Skizzen u. Pegelstands-Taf. gr. 8. (109 S.) Wien 883. Hartleben. 3. —

Stefanović Bilovsky, Th. Ritter, die Serben im südlichen Ungarn, in Dalmatien, Bosnien u. in der Herzegovina, s.: Völker, die, Oesterreich-Ungarns.

Steffann, Emil, aus e. Pfarrerleben. Erzählung. 8. (58 S.) Barmen 885. Klein. n. 1. —

Steffeck, Hans, der gärtnerische Ackerbau als Hülfe f. die deutsche Landwirthschaft. gr. 8. (VII, 43 S.) Berlin 883. R. Kühn. n. 1. —

Steffen, Karten v. Mykenai. Auf Veranlassg. d. kaiserl. deutschen archäolog. Instituts aufgenommen. 2 Blatt: Mykenai m. Umgebg., 1 : 12 500; Akropolis u. Mykenai, 1 : 750. Kpfrst. u. chromolith. Imp.-Fol. Mit erläut. Text v. St., nebst e. Anh. üb. die Kontoporeia u. das mykenisch-korinth. Bergland v. H. Lolling. Mit (chromolith.) Uebersichtskarte v. Argolis. gr. 4. (48 S. m. eingedr. Fig.) Berlin 884. D. Reimer. n. 12. —

Steffen, H., das Thalhaus zu Halle a. S., s.: Renaissance, deutsche.

Steffen, Max, die Landwirthschaft bei den altamerikanischen Kulturvölkern. gr. 8. (VIII, 139 S.) Leipzig 883. Duncker & Humblot. n. 3. 20

Steffenhagen, Emil, die neue Aufstellung der Universitäts-Bibliothek zu Kiel. Eine Denkschrift zur Orientierg. Mit 1 Beilage u. 2 (lith.) Grundrissen. gr. 8. (28 S.) Kiel 883. (Lipsius & Tischer.) n. 1. 60

— die Entwicklung der Landrechtsglosse d. Sachsenspiegels. III—VI. Lex.-8. Wien, Gerold's Sohn. n. 3. 40 (I—VI.: n. 4. 80)

III. Die Petrinische Glosse. (54 S.) 882. n. — 80
IV. Die Tzerstedische Glosse. (40 S.) 884. n. — 60
V. Die Bockdorf'schen Additionen. (85 S.) 885. n.n. 1. 30
VI. Die Fuldaer Glossenhandschrift. (42 S.) 886. n.n. — 70

— über Normalhöhen f. Büchergeschosse. Eine bibliothektechn. Erörterg. Mit e. Anh., enth. den Aufstellungsplan der Kieler Universitäts-Bibliothek. gr. 8. (119 S.) Kiel 885. Lipsius & Tischer. n. 4. —

— u. Aug. Wetzel, die Klosterbibliothek zu Bordesholm u. die Gottorfer Bibliothek. Drei bibliograph. Untersuchgn. Zur Eröffng. d. neuen Bibliothekgebäudes der Universität zu Kiel hrsg. gr. 8. (VII, 232 S.) Kiel 884. (Universitäts-Buchh.) n. 6. —

Steffenhagen, H., die Armenverwaltung. Eine Zusammenstellg. der gelt. Gesetze, m. Erläutergn. versehen u. hrsg. 3. Aufl. 16. (VIII, 116 S.) Demmin 885. Frantz. n. — 80; geb. n. 1. —

— die Instruktion f. Magisträte u. die denselben untergeordneten Verwaltungs-Deputationen [speziell: Schul- u. Servis-Deputation]. Textausg. m. Anmerkgn. 2. Aufl. 16. (VIII, 99 S.) Ebend. 885. n. — 80; cart. n. 1. —

— hannoversche Städte-Ordnung vom 24. Juni 1858 m. den aus dem Zuständigkeitsgesetze, dem Landesverwaltungsgesetze u. der hannoverschen Kreisordnung sich ergebenden Aenderungen u. Zusätzen. 2. Aufl. 16. (IV, 78 S.) Ebend. 885. n. — 80; cart. n. 1. —

— Städte-Ordnung f. die Provinzen Preußen, Brandenburg, Pommern, Schlesien, Posen u. Sachsen vom 30. Mai 1853 m. den aus § 7—21 d. Zuständigkeitsgesetzes vom 1. Aug. 1883 sich ergeb. Aendergn. u. Zusätzen. 7. Aufl. 16. (XII, 80 S.) Ebend. 885. n. — 80; cart. n. 1. —

Steffens, Arnold, der heilige Arnoldus v. Arnoldsweiler. Historisch-kritisch dargestellt. 8. (139 S.) Aachen 887. Barth. 1. 20

Steffin, Hugo, 'ne Dörpgeschicht. 8. (116 S.) Berlin 883. (Aschenfeldt.) n. — 75

Stegemann, M., Grundriss der Differential- u. Integral-Rechnung. II. Thl.: Integral-Rechng. Mit besond. Rücksicht auf das wissenschaftl. Bedürfniss techn. Hochschulen. 4. Aufl. m. 86 Fig. im Texte, hrsg. v. *** gr. 8. (XII, 446 S.) Hannover 886. Helwing's Verl. n. 7. —

Stegemann, R., Deutschlands koloniale Politik. Mit e. Vorwort: „Deutsche Politik der nächsten Jahre". gr. 8. (128 S.) Berlin 884. Puttkammer & Mühlbrecht. n. 1. 60

Stegemann, Vict., die Gesetze der evangelisch-lutherischen Kirche der Prov. Hannover aus der Zeit vom 9. Octbr. 1864 bis 24. Juni 1885. Text-Ausg. m. chronolog. u. Sach-Register. gr. 8. (88 S.) Hannover 885. Meyer. n. 1. 60

Stegemann, Vict., die Materialien zum Gesetze vom 13. Juli 1883, betr. die Zwangsvollstreckung in das unbewegliche Vermögen. Anh.: Die Materialien zum Gesetze vom 18. Juli 1883, betr. die Gerichtskosten bei Zwangsversteigergn. u. Zwangsverwaltgn. v. Gegenständen d. unbewegl. Vermögens. gr. 8. (IV, 587 S.) Berlin 883. v. Decker. n. 9. —

Steger, Vict., die schwefelführenden Schichten v. Kokoschütz in Oberschlesien u. die in ihnen auftretende Tertiärflora. gr. 8. (30 S.) Ratibor 883. (Breslau, Köhler.) n. 1. —

Steglich, Bruno, Anleitung zum Plan- u. Situationszeichnen. Für Landwirte u. landwirtschaftl. Lehranstalten. Mit 16 lith. Taf. 8. (48 S.) Berlin 884. Parey. cart. n. 2. —

— schematische Darstellung d. Zahnwechsels beim Pferde zur Altersbestimmung aus dem Gebiß. Für Landwirthe, Offiziere, Sportsmen u. Pferdebesitzer entworfen. 8. (2 S. m. 1 Chromolith. in Fol.) Leipzig 885. H. Voigt. n. — 60

Stegmann, A., die Grundlehren der ebenen Geometrie. 3., verb. u. verm. Aufl., hrsg. v. J. Lengauer. gr. 8. (VI, 217 S. m. eingedr. Fig.) Kempten 886. Kösel. n. 2. 25

— dasselbe. Aufgaben dazu, s.: Lengauer, J.

Stegmann, Carl v., ausgewählte Ansprachen, Reden u. Vorträge. gr. 8. (VII, 88 S.) Nürnberg 886. Verlagsanstalt d. Bayr. Gewerbemuseums (C. Schrag). n. 2. —

— Handbuch der Bildnerkunst in ihrem ganzen Umfange, od. Anleitg. zur Erwerbg. der hierzu erforderl. Kenntnisse u. Ratgeber bei den verschiedenen Verfahrungsarten. 2. Aufl., bearb. v. J. Stockbauer. Mit e. Atlas, enth. 9 (lith.) Foliotaf. gr. 8. (XVI, 322 S.) Weimar 884. B. F. Voigt. 9. —

Stegmann, Carl, lateinische Schulgrammatik. gr. 8. (V, 226 S.) Leipzig 885. Teubner. n. 2. —

Stegmann, Conr., theoretisch-praktische, systematisch-geordnete Gesangschule zum Gebrauche f. ungeteilte Volksschulen, höhere Töchter- u. Mittelschulen, sowie die unteren Klassen der Realschulen u. Gymnasien, nach praktisch erprobten Principien. Lehrerheft. Unter-, Mittel- u. Oberstufe. gr. 8. (XI, 270 S.) Hannover 884. Norddeutsche Verlags-Anstalt. n. 6. —

— dasselbe. 1—3. Schülerheft. gr. 8. Ebend. 883. 84. n. 2. —

1. Unterstufe. (37 S.) n. — 50. — 2. Mittelstufe. (84 S.) n. — 75. — 3. Oberstufe. (99 S.) n. — 75

Stegmann, Hans, die Rochus-Kapelle zu Nürnberg u. ihr künstlerischer Schmuck. Kunstgeschichtliche Studie. hoch 4. (58 S. m. 7 Lichtdr.-Taf.) München 885. Verlagsanstalt f. Kunst u. Wissenschaft. n. 5. —

Stehle, J. G. E., kleines Sänger-Brevier. Ein theoretisch-prakt. Gesangbüchlein nach den Grundsätzen der Galin-Paris-Chevé'schen Methode auf Notenschrift angewendet. 2. Aufl. 8. (244 S.) Regensburg 884. Coppenrath. n. 1. 20

Stehlik's Handels-Adressbuch der Kaufleute u. Fabrikanten v. Oesterreich-Ungarn. Ausg. 1886/1887. 8. (646 S.) Wien 886. Hartleben. geb. n. 12. —

Stehr, Hugo, üb. Immanuel Kant. Eine Untersuchg. d. ersten Stückes aus Imman. Kant's „Religion innerhalb der Grenzen der blossen Vernunft", e. Weg, den Darwinismus m. der Religion wieder in Einklang zu bringen. gr. 8. (24 S.) Hannover 883. Hahn. n. — 50

Steht die Fortschrittspartei m. ihrem Anhange auf monarchischem Boden u. fördert sie wirklich das Wohl u. die Freiheit d. Volkes? Ein Wort ohne Umschweife. gr. 8. (59 S.) Hagen 883. Risel & Co. n. — 60

Steichele, Antonius v., das Bisth. Augsburg, historisch u. statistisch beschrieben. 32. u. 33. Hft. gr. 8. (4. Bd. S. 929—996 u. 5. Bd. S. 1—96.) Augsburg 883. 86. Schmid's Verl. à n. 1. 3

Steidinger, J., moderne Titelschriften f. Techniker u. technische Schulen m. Reisszeugconstructionen u. Text. qu. Fol. (10 Steintaf. m. 2 S. Text.) Zürich 884. Orell Füssli & Co. Verl. n. 2. 50

Steigemann, Herm., de Polybii olympiadum ratione et oeconomia. gr. 8. (54 S.) Svidniciae 885. (Leipzig, Fock.) n. 1. —

Steigenberger, Max, die heilige Afra, Martyrin. Religiöses Schauspiel in 3 Aufzügen. 8. (49 S.) Augsburg 884. Literar. Institut v. Dr. M. Huttler. — 30
— die Blume v. Kaufbeuren. Ein Wort zur Würdigg. der Verhandlgn. üb. die Seligsprechg. der ehrwürd. Dienerin Gottes Maria Crescentia Höß v. Kaufbeuren. 3. Aufl. 8. (44 S.) Kempten 886. Kösel. n. — 25
— die Kreuzfahrt d. Lebens. 15 Kanzelvorträge. (Volks-Ausg.) 8. (VII, 159 S.) Augsburg 886. Literar. Institut v. Dr. M. Huttler. n.n. 1. —; illustr. Ausg. m. 14 Autotypien n.n. 2. —
— Mutter Kümmerniß u. ihre Kinder. Ein Büchlein v. der Standeswahl. 12. (VI, 78 S. m. 1 Holzschn.) Ebend. 883. — 40
— Predigt zum 50jähr. Priester-Jubiläum Sr. bischöfl. Gnaden des Hrn. Pancratius v. Dinkel, Bischofs v. Augsburg ꝛc., geh. im hohen Dom daselbst am 31. Aug. 1884. gr. 8. (14 S.) Ebend. 884. n. — 10
— Sanct Pankratius, der Martyrknabe. Eine Firmlings-Weihegabe zum hohen Bischofsjubiläum d. hochwürdigsten Herrn Herrn Pankratius v. Dinkel, Bischofs v. Augsburg. Mit e. Titelbilde nach Kaspar, Autotypie v. Meisenbach. 8. (III, 63 S.) Ebend. 883. n. — 50
— Wohlgeruch d. Himmels. Ein Lehr- u. Gebetbuch aus u. in dem Geiste der ehrwürd. Dienerin Maria Crescentia v. Kaufbeuren vom III. Orden d. hl. Franziscus. 16. (XVI, 401 S.) Ebend. 887. n.n. — 50; geb. in Leinw. n.n. 1. —; in alt-ital. Lederbd. n.n. 6. —

Steiger-Leutewitz, Adf., üb. die Ausbildung junger Landwirthe. Vortrag. 2. Aufl. gr. 8. (16 S.) Dresden 883. G. Schönfeld's Verl. n. — 50
— über Schafzucht, insbesondere Merino-Wollschaf-Zucht. Vortrag. gr. 8. (25 S. m. 7 Taf.) Ebend. 886. n. 1. —

Steiger, Aug., Gedichte. 8. (V, 102 S.) Zürich 885. Schmidt. n. 1. 60

Steiger, C., der Curort Montreux am Genfersee. Eine Frühjahrs-, Herbst- u. Winterstation. 3. Aufl. Mit mehreren Illustr. u. 1 Karte. 8. (160 S.) Zürich 886. Schmidt. n. 2. —

Steiger, Edgar, e. deutsches Pamphlet wider die Schweiz. Ein Wort zu Schutz u. Trutz. gr. 8. (23 S.) Leipzig 885. F. Duncker. n. — 50

Steiger, G., Elias Rotvest's Lieder u. Sprüche. 8. (III, 195 S.) Stuttgart 884. Schröter & Meyer. n. 3. —
— Elias Rotvest. Eine epische Dichtung in Liedern u. Sprüchen. 2. Aufl. 8. (195 S.) Ebend. 884. n. 3. —; geb. n. 4. 25

Steigl, F., Schule d. Freihandzeichnens, s.: Fellner, A.
— Wandtafeln f. den Zeichen-Unterricht. 1. u. 2. Serie. Chromolith. Imp.-Fol. (Mit je 4 S. Text in 4.) Wien 885. Freytag & Berndt. n. 30. —
1. (12 Taf. à 2 Bl.) n. 10. —. — 2. (15 Taf. à 2 Bl.) n. 20. —
— der Zeichenunterricht u. seine Hilfswissenschaften, s.: Fellner, A.

Stein, Frhr. v., s.: Goldschmidt, F.

Stein, deutsches Lesebuch f. die Volksschule. Nach dem Lesebuche d. hess. Lehrervereins f. israelit. Schulen bearb. 2. Aufl. gr. 8. (XI, 282 S.) Kassel 884. (Baier & Co.) n. 1. 80; geb. n. 2. 20

Stein, A. [Marg. Wulff], die kleine Anna. Zur Unterhaltg. f. ganz kleine artige Mädchen. 8. Aufl. Mit 6 Bildern in Farbendr. v. W. Claudius. 8. (III, 137 S.) Berlin 886. Winkelmann & Söhne. geb. n. 3. —
— Anne Marie. Ein Kleinkinder-Buch. Mit 6 color. Bildern. (Große Ausg.) 8. (165 S) Ebend. 885. geb. n. 3. —
— Lebensbuch. Eine Erzählg. f. junge Mädchen. Mit Illustr. v. W. Friedrich. 7. Aufl. 8. (452 S.) Ebend. 883. geb. n. 4. 50

Stein, Alb., die Verstaatlichung der Advokatur. Ein Beitrag zu Socialreform. gr 8. (20 S.) Berlin 885. F. Luckhardt. n. — 80

Stein, Armin [G. Nietschmann], schlichte Geschichten. II. Aus Dorf u. Stadt. 8. (IX, 343 S.) Halle 884. Buchh. d. Waisenhauses. 3. 60; Einbd. n.n. — 60
— deutsche Geschichts- u. Lebensbilder. 1—3. Bd., 8. Bd. 2. Thl., 9—11. Bd. u. 12. Bd. 1. u. 2. Thl. 8. Halle, Buchh. d. Waisenhauses. 28. 80
1. Martin Luther u. Graf Erbach. Historische Erzählg. aus der Reformationszeit. 2. Aufl. Mit dem (Stahlst.-)Bildnis d. Verf. (VIII, 188 S.) 884. 2. 40; Einbd. n.n. — 50
2. Katharina v. Bora, Luthers Ehegemahl. Ein Lebensbild. 3. Aufl. Mit e. Bildnis der Katharina. (X, 265 S.) 886. 3. —; Einbd. n.n. — 60
3. August Hermann Francke. Zeit- u. Lebensbild aus der Periode d. deutschen Pietismus. 2. Aufl. Mit 1 Bildnis in Stahlst., 9 Vollbildern u. 2 Textbildern in Holzst. (XIII, 357 S.) 885. 3. 60; Einbd. n.n. — 75
8. Georg Friedrich Händel. Ein Künstlerleben. 2. Thl. Mit e. (Holzschn.-)Abbildg. v. Händels Denkmal. (368 S.) 883. 3. 45; cart. 3. 90
9. Königin Luise. Mit e. (Holzschn.-)Bildnis der Königin Luise. 2. Aufl. (X, 404 S.) 886. 3. 60; Einbd. n.n. — 60
10. Stella. Historische Erzählg. aus dem 16. Jahrh. (VII, 232 S.) 884. 2. 40; Einbd. n.n. — 50
11. Kaiser u. Kurfürst. Historische Erzählg. aus dem schmalk. Kriege. (314 S.) 885. 3. 30; Einbd. n.n. — 60
12. Der große Kurfürst. Ein Heldenleben. 2 Tle. Mit e. Titelbild. (VIII, 325 u. VI, 378 S.) 886. 7. 5; Einbd. à n.n. — 60

Stein, Armin [G. Nietschmann], Meister Gottfried, s.: Unterhaltungs-Bibliothek, christliche.
— aus dem Jugendleben Johann Friedrich d. Großmüthigen, — ein braver Lützower, s.: Familien-Bibliothek für's deutsche Volk.
— aus tiefer Noth, s.: Hausfreund, Hamburger.
— da hast du Schuld; Gottes Lohn, s.: Groschen-Bibliothek f. das deutsche Volk.
— Wege d. Herrn, s.: Schillingsbücher.

Stein, Carl, Aula u. Turnplatz, Schulliederbuch f. die jungen Tenor- u. Baßstimmen in Gymnasien u. Realschulen, 3- u. 4stimm. bearb. Op. 25. 4. Aufl. 8. (112 S.) Wittenberg 883. Herrosé Verl. n. — 80
— Luthers musikalische Bedeutung u. Wirksamkeit u. ihre segensreichen Folgen. Festschrift zur 400jähr. Lutherfeier. gr. 8. (32 S.) Ebend. 883. n. — 50
— Sammlung v. Liedern u. Gesangübungen, f. den Unterricht in höheren Schulanstalten bearb. 1. Hft., enth. ein- u. zweistimm. Gesangübgn. u. Lieder. 6. Aufl. 8. (119 S.) Potsdam 884. Stein. cart. n. — 80
— Schul-Choralbuch f. die Prov. Sachsen, s.: Reischke, W.
— sursum corda I. Eine Sammlg. geistl. 4stimm. Männergesänge in leicht ausführbarer Weise, zum Gebrauch f. Kirche u. christl. Lehrer in Lehrerseminarien, höheren Lehranstalten, Jünglings- u. Männer-Gesangvereinen, bei besonderen Gelegenheiten, Jubiläen, Lehrer-Konferenzen ꝛc. bearb. u. komponiert. Op. 29. 2. Aufl. gr. 8. (IV, 81 S.) Wittenberg 885. Herrosé Verl. n. 1. —
— dasselbe. II. Eine Sammlg. leicht ausführbarer geistl. Lieder u. Motetten f. gemischten Chor, m. besond. Berücksicht. aller kirchl. Festzeiten u. d. christl. Lebens, zum Gebrauch f. Kirchenchöre u. Gesangvereine sowie Schulchöre in Gymnasien u. Realschulen bearb. u. componiert. Op. 32. gr. 8. (IV, 95 S.) Ebend. 884. n. 1. —
— Volkslieder f. Knaben- u. Mädchenschulen. 8. m. e. Anh. 3stimm. liturg. u. anderer geistl. Choräle verm. Aufl. 8. (80 S) Ebend. 885. n. — 30

Stein, E., e. Frühschoppen, s.: Album f. Liebhaber-Bühnen.
— die Pfalzgräfin Genovefa, s.: Volks-Bibliothek, neue.
— dasselbe, s.: Volks- u. Jugend-Erzählungen.
— telephonisch verbunden, s.: Bloch's, E., Theater-Correspondenz.
— der Tyroler Kampf f. ihr Vaterland, s.: Kracht's, U., Jugend-Bibliothek.

Stein, F. v., Geschichte d. russischen Heeres, vom Ursprunge desselben bis zur Thronbesteigung d. Kaisers Nikolai I. Pawlowitsch. gr. 8. (XI, 367 S.) Hannover 1885. Helwing's Verl. n. 15. —
— die russischen Kosakenheere, s.: Petermann's, A., Mittheilungen aus J. Perthes' geographischer Anstalt.

Stein, Frida, die Kartoffelküche. Leichtfaßliche Anleitg. zur vortheilhaften Zubereitg. v. Kartoffelsuppen, geschmorten u. gebratenen Kartoffeln, Kartoffeln m. Saucen u. Gemüsen, Kartoffel-Breien, Fleisch u. Fisch m. Kartoffelzuspeisen, Kartoffelklößen, Kartoffelpuddings, Kartoffelkuchen u. Backwerke 2c. f. einfache u. feinere Küchen. 8. (64 S.) Oberhausen 884. Spaarmann. — 40

Stein, Frdr. Ritter v., der Organismus der Infusionsthiere, nach eigenen Forschgn. in systemat. Reihenfolge bearb. 3. Abth. 2. Hälfte. A. u. d. T.: Der Organismus der athrodelen Flagellaten. 2. Hälfte. Einleitung u. Erklärg. der Abbildgn. Mit 25 (lith. u. Kpfr.-)Taf. Fol. (30 S. u. 25 Bl. Erklärgn.) Leipzig 883. Engelmann. cart. n. 60. — (I—III.: n. 254. —)

Stein, Frdr., Geschichte Frankens. 2 Bde. gr. 8. (XV, 462 u. VIII, 483 S. m. 2 Karten.) Schweinfurt 884—86. Stoer. n. 19. 20

Stein, Gerh., die Entdeckungsreisen in alter u. neuer Zeit. Eine Geschichte der geograph. Forschgn. m. besond. Berücksicht. d. 19. Jahrh. Mit 110 Holzschn., 4 Aquarellen nach Zeichngn. v. C. Berninger u. A. Obermüllner, 11 Karten u. 1 Fksm. gr. 8. (VIII, 700 S.) Glogau 883. Flemming. geb. n. 18. —; auch in 16 Lfgn. à n. 1. —

— unser Kronprinz in Spanien u. im Morgenlande. Reisen d. deutschen Kronprinzen Friedrich Wilhelm. Für die Jugend erzählt. Reich illustr. m. 4 Aquarellen, 4 ganzseit. Holzschn. u. zahlreichen Bildern im Text. gr. 8. (IV, 218 S.) Berlin 884. Walther & Apolant. geb. n. 4. —

Stein, Glieb., die Bleicherei, Druckerei, Färberei u. Appretur der baumwollenen Gewebe. Ein prakt. Handbuch f. Chemiker, Coloristen, Techniker, Leiter v. Fabriken, Studirende der Chemie auf Universitäten, polytechn. Hochschulen u. anderen Anstalten, zum prakt. Gebrauche u. zum Selbstunterricht. Nach den neuesten, eigenen Erfahrgn. Mit 100 Kattunmustern, deren Fabrikation genau beschrieben, u. 16 Holzst. gr. 8. (XIX, 306 S.) Braunschweig 884. Vieweg & Sohn. n. 14. —

Stein, H., Geschichte d. Lutherhauses in Wittenberg, s.: Festschriften zur 400jähr. Jubelfeier der Geburt Dr. Martin Luthers.

Stein, H. v., Wagner-Lexikon, s.: Glasenapp, C. F.

Stein, H. E., Diskretion! Ein Beitrag zur Münchener Wasser-Frage. 8. (15 S.) München 883. Viereck. — 20

Stein, H. W., die Buchführung f. Gewerbetreibende u. kleinere Handelsleute, s.: Sammlung gemeinnütziger Vorträge.

Stein, Harald, was will die innere Mission? Deutsche autoris. Ausg. v. O. Gleiss. Mit e. Vorwort begleitet v. J. Hesekiel. gr. 8. (XVI, 182 S.) Hamburg 883. Agentur d. Rauhen Hauses. n. 1. 60

Stein, Heinr., Herodotos. Sein Leben u. sein Geschichtswerk. Nebst e. Übersicht seines Dialektes. 3. Abdr. gr. 8. (60 S.) Berlin 883. Weidmann. n. — 40

Stein, Heinr. v., Helden u. Welt. Dramatische Bilder. Eingeführt durch Rich. Wagner. 8. (XV, 193 S.) Chemnitz 883. Schmeitzner. n. 4. 20

Stein, Heinr. Konr., Handbuch der Geschichte f. die oberen Klassen der Gymnasien u. Realschulen. 1. Bd.: Das Altertum. 3. Aufl. gr. 8. (X, 395 S.) Paderborn 885. F. Schöningh. n. 2. 80

Stein, Herm., Kinderfreude. Neue Gedichte, Wünsche u. Lieder f. Schule, Haus u. Kindergarten. 8. (152 S.) Wien 883. Perles. n. 1. 80; cart. n. 2. —

Stein, Hugo, Lebensbild d. Prinzen Albrecht v. Preußen, Regenten d. Herzogt. Braunschweig. 2. Aufl. gr. 8. (52 S. m. 2 Holzschn.-Portr.) Braunschweig 886. Wollermann. n. — 80; Fürsten-Ausg. n. 2. —

Stein, Jul., Geschichte der Stadt Breslau im 19. Jahrh. 10 Lfgn. gr. 8. (XV, 655 S.) Breslau 884. Trewendt. à n. 1. —

Stein, K. Heinr. v., die Entstehung der neueren Ästhetik. gr. 8. (VI, 422 S.) Stuttgart 886. Cotta. n. 8. —

Stein, Leop., morgenländische Bilder in abendländischem Rahmen. Talmudische Parabeln, Gleichnisse u. Erzählgn., ausgewählt u. metrisch wiedergegeben. 8. (XVI, 187 S.) Frankfurt a/M. 885. Auffarth. n. 2. —

— s.: Gedanken e. Mutter üb. biblische Texte.

Stein, Lor. v., die Frau auf dem Gebiete der Nationalökonomie. 6. Aufl. gr. 16. (VII, 163 S.) Stuttgart 886. Cotta. n. 2. 25; geb. n. 3. —

— die Landwirthschaft in der Verwaltung u. das Princip der Rechtsbildung d. Grundbesitzes. Drei Vorträge. gr. 8. (73 S.) Wien 883. Toeplitz & Deuticke. n. 2. —

Stein, Lor. v., Lehrbuch der Finanzwissenschaft. 2 Thle. 5. Aufl. gr. 8. Leipzig, Brockhaus. n. 34. —; geb. n. 40. —

I. Die Finanzverfassg. Europas. Mit specieller Vergleichg. Englands, Frankreichs, Deutschlands, Oesterreichs, Italiens, Rußlands u. anderer Länder. (XI, 476 S.) 885. n. 8. —; geb. n. 9. 50

II. Die Finanzverwaltg. Europas. Mit specieller Vergleichg. Englands, Frankreichs, Deutschlands, Oesterreichs, Italiens, Rußlands u. anderer Länder. 1. Abth. Der Staatshaushalt, die Staatsausgaben, die wirthschaftl. Staatseinnahmen u. der allgemeine Theil der Steuerlehre. (XIII, 561 S.) 885. n. 10. —; geb. n. 11. 50

2. Abth. Die einzelnen Steuern u. ihre Systeme. (XXII, 435 S.) 886. n. 8. —; geb. n. 9. 50

3. Abth. Das Staatsschuldenwesen. (XXIII, 427 S.) 886. n. 8. —; geb. n. 9. 50

— die Verwaltungslehre. 5., 6. u. 8. Thl. gr. 8. Stuttgart, Cotta. n. 28. —

5. Die innere Verwaltung. 2. Hauptgebiet: Das Bildungswesen. 1. Thl. Das System u. die Geschichte d. Bildungswesens der alten Welt. 2. Aufl. (XIX, 455 S.) 883. n. 8. —

6. Die innere Verwaltung. 2. Hauptgebiet. Das Bildungswesen. 2. Thl. Das Bildungswesen d. Mittelalters. Scholastik, Universitäten, Humanismus. 2. Aufl. (XVII, 541 S.) 883. n. 10. —

8. Die innere Verwaltung. 2. Hauptgebiet. Das Bildungswesen. 3. Thl. Von der Reformation bis zur Gegenwart. 1. Hft. Die Zeit bis zum 19. Jahrh. (XI, 530 S.) 884. n. 10. —

Stein, Ludw., Gedichte. [1882—1885.] 8. (VIII, 126 S. m. Lichtdr.-Portr.) Leipzig 886. Mutze. geb. n. 2. —

— Graf Otto der Erste v. Tecklenburg. Eine Dichtg. 8. (68 S.) Münster 884. Brunn's Buchdr. n. 1. —; geb. m. Goldschn. n. 1. 50

Stein, Ludw., es werde Licht! Eine Denkpredigt zur Charakteristik Ed. Laskers. 3. Aufl. gr. 8. (16 S.) Berlin 886. Pinn. — 50

— die Psychologie der Stoa. 1. Bd. Metaphysisch-anthropolog. Tl. gr. 8. (VIII, 216 S.) Berlin 886. Calvary & Co. n. 7. —

Stein, M., Buch f. Mädchen. Erzählungen f. junge Mädchen von 10—12 Jahren. Mit 4 Bildern in Farbendr. 3. Aufl. gr. 8. (190 S.) Stuttgart 885. Schmidt & Spring. geb. 3. 75

Stein, M., B. Weiner u. W. Branky, deutsche Sprachschule. Grammatik, Orthographie u. Stil in concentr. Kreisen. Nach Barons, Junghanns' u. Schindlers „Deutscher Sprachschule" f. österreich. Volks- u. Bürgerschulen bearb. 7 Hfte. 6. Aufl. 8. Wien 883. Klinkhardt. n. 2. 60

1. 2. (43 u. 59 S.) à n. — 30. — 3—7. (86, 96, 83, 86 u. 82 S.) à n. — 40.

— — — dasselbe. Theoretischer Thl. zum 5., 6. u. 7. Hft. Eine kurzgefaßte deutsche Grammatik. 8. (72 S.) Ebend. 882. n. — 40

— — — dasselbe. Theoretischer Thl. zum 5., 6. u. 7. Hft. f. österreich. Volks- u. Bürgerschulen. 2. Aufl. 8. (72 S.) Ebend. 883. n. — 40

— — — Ergänzungsheft. [Redefiguren. Kurze Verslehre. Dichtungsarten. Biographien deutscher Dichter.] 6. Aufl. 8. (63 S.) Ebend. 883. n. — 50

— — — dasselbe. Für österr. Schulen bearb. Ausg. B f. ein- bis vierclass. Schulen. 3 Hfte. 3. Aufl. 8. Ebend. 884. cart. n. 1. 30

1. Unterstufe. (52 S.) n. — 30. — 2. Mittelstufe. (112 S.) n. — 40. — 3. Oberstufe. (142 S.) n. — 60

Stein, R., Titulaturen u. Curialien bei Briefen, Eingaben 2c., sowie die hauptsächlichsten Vorschriften f. Postsendgn. 8. (48 S.) Berlin 883. Nicolai's Verl. n. — 80

Stein, Sigm. Thdr., die allgemeine Elektrisation d. menschlichen Körpers. Elektrotechnische Beiträge zur ärztl. Behandlg. der Nervenschwäche [Nervosität u. Neurasthenie], sowie verwandter allgemeiner Neurosen. 2., vielfach verm. Aufl. Mit 1 Photogr. in Lichtdr. u. 64 Textabbildgn. gr. 8. (X, 144 S.) Halle 883. Knapp. n. 3. —

— Lehrbuch der allgemeinen Elektrisation d. menschlichen Körpers. Elektrotherapeutische Beiträge zur ärztl. Behandlg. der Neurasthenie u. Hysterie, sowie verwandter allgemeiner Neurosen. 3., vielfach verm. Aufl. Mit 1 Photogr. u. 110 Textabbildgn. gr. 8. (XII, 256 S.) Ebend. 886. n. 6. —

— das Licht im Dienste wissenschaftlicher Forschung.

Mit üb. 600 Textabbildgn. u. Taf. 2. Aufl. 1–4. Hft. gr. 8. Halle, Knapp. n. 18. 50

1. Sonnenlicht u. künstliche Lichtquellen f. wissenschaftliche Untersuchungen zum Zwecke photographischer Darstellung. Mit 167 Textabbildgn. u. 2 Taf. (VIII, 152 S.) 884. n. 4. —
2. Das Mikroskop u. die mikrographische Technik zum Zwecke photographischer Darstellung. Mit 136 Textabbildgn. u. 4 photogr. Taf. (X u. S. 153–322.) 884. n. 5. —
3. Das Licht u. die Lichtbildkunst in ihrer Anwendung auf anatomische, physiologische, anthropologische u. ärztliche Untersuchungen. Mit 172 Textabbildgn. u. 2 photogr. Taf. (1. Bd. XVIII u. S. 323–472.) 885. n. 4. 50
4. Die Photographie im Dienste der Astronomie, Meteorologie u. Physik. Mit 135 Textabbildgn. u. 1 photogr. Taf. (VIII, 192 S.) 886. n. 5. —

Steinach, Adelrich, System der organischen Entwickelung, naturwissenschaftlich-kritisch dargestellt. 1. Thl.: Die Entwicklg. der Pflanzen u. Thiere. gr. 8. (VIII, 642 S.) Basel 886. Schwabe. n. 8. — (2 Bde. cplt.: n. 16. —)

Steinach, Eug., Studien üb. den Blutkreislauf der Niere. [Mit 3 (chromolith.) Taf.] [Aus dem physiolog. Institute der Wiener Univ.] Lex.-8. (19 S.) Wien 884. (Gerold's Sohn.) n. 1. 80

Steinach, H., Bayerns technisch-gewerbliche Vereine. Lex.-8. (47 S.) München 886. (Literar.-artist. Anstalt.) n. 1. 50

— tabellarische Uebersicht der grössten technischen Vereine unserer Zeit. gr. 8. (17 S.) Ebend. 886. n. 1. —

Steinacher, Joh., die Syntax d. Hesiodeischen Infinitivs m. stetem vergleichenden Rückblick auf Homer. gr. 8. (55 S.) Wien 885. (Pichler's Wwe. & Sohn.) n. 1. 20

Steinacker, E., Budapest, s.: Europe, illustrated.

Steinau, H., d. Lebens Wellenschlag. Novellen. 2. Aufl. 8. (439 S.) Halle 886. Tausch & Grosse. n. 4. —; geb. in Leinw. n. 5. —; in Halbkalbldr. 6. —

— die Wiedenburgs. Roman in 3 Abthgn. 8. (517 S.) Ebend. 886. n. 4. 50; geb. in Leinw. n. 5. 50; in Halbkalbdr. n. 6. 50

Steinbach's, A., Formulare zur Geschäfts- u. Buchführung d. praktischen Arztes. I. Kranken-Journal nebst Cassabuch. 4. Aufl. Fol. (102 S.) Leipzig 886. G. Thieme. cart. n. 4. —

— dasselbe. II. Hauptbuch. 4. Aufl. Fol. (VIII, 164 S.) Ebend. 886. geb. n. 6. —

— dasselbe. III. Pultmappe u. Krankenbesuchs-Listen f. praktische Aerzte u. Medicinal-Beamte, nebst Beilagen, enth. Krankenbeobachtungs-Formulare, 1887. Fol. (132 S.) Ebend. 886. geb. n. 5. —

Steinbach, Emil, Commentar zu den Gesetzen vom 16. März 1884 üb. die Anfechtung v. Rechtshandlungen, welche das Vermögen e. zahlungsunfähigen Schuldners betreffen, u. üb. die Abänderung einiger Bestimmungen der Concursordnung u. d. Executionsverfahrens. 2. Aufl. gr. 8. (VI, 178 S.) Wien 884. Manz. n. 3. —

— commentario delle leggi sulla impugnazione di atti giuridici riguardanti la sostanza di un debitore insolvente etc., s.: Raccolta di leggi ed ordinanze della monarchia austriaca.

— die Stellung der Versicherung im Privatrechte. Vortrag. 8. (40 S.) Wien 883. Manz. n. 1. —

Steinbach, Jos., Mittel-Rheinland. 2. Aufl. Mit Holzschn., (chromolith.) Karte u. Anh., enth.: Führer zum Niederwald-Denkmal, Notizen üb. Gasthöfe. 8. (XII, 208 u. Anh. 34 S.) Neuwied 884. Heuser's Verl. cart. 2. —

— das National-Denkmal auf dem Niederwalde. Ein Führer. 8. (30 S. m. 1 Holzschn.) Ebend. 885. — 30

— der lustige Philosoph. Humoristisch-philosoph. Vorträge f. heitere Kreise u. gesell. Vereine. 1. Bdchn. 8. (IV, 100 S.) Ebend. 884. cart. 1. —

— die Schule d. Redners. Eine Anleitg., in kurzer Zeit e. gewandter Redner u. Deklamator zu werden, nebst e. großen Auswahl v. Orig.-Vorträgen zu allen festl. Gelegenheiten. 2. unveränd. Aufl. 8. (208 S.) Ebend. 884. cart. n. 1. 60

— Trier u. seine Umgebung. Ein Führer an der Hand der Sage u. der Geschichte. Mit e. (lith.) Plane der Stadt u. der nächsten Umgebg. 16. (52 S.) Trier 883. Stephanus' Verl. cart. n. — 80

Steinbach, Paul, der einfluss d. Crestien de Trois auf die altenglische literatur. gr. 8. (50 S.) Leipzig 886. Fock. n. 1. 80

Steinbart, Quintin, das französische Verbum. Zum Gebrauch f. Schulen. 5. Aufl. 8. (35 S.) Berlin 886. H. W. Müller. n. — 40

— u. H. Wüllenweber, Lehrgang der französischen Sprache f. Schulen. 1. u. 3. Tl. 3., verb. Aufl. gr. 8. Ebend. n. 3. 20

1. Elementarbuch v. Q. Steinbart. (XI, 249 S.) 886. n. 2. — Einbd. n.n. — 20
3. Übungsbuch zum Übersetzen ins Französische f. höhere Lehranstalten, hrsg. v. H. Wüllenweber. (VIII. 171 S.) 884. n. 1. 20

Steinbau, der rationelle. Deutsche Bauweise. Red.: E. H. Hoffmann. 1. Jahrg. Apr. 1884—März 1885. 12 Nrn. (1/2 B. m. Illustr.) gr. 4. Berlin 884. Leipzig, Scholtze. n. 1. 60; cplt. in 1 Bd. n. 3. —

Steinbeck, J., was leistet die Armee dem Volke? 2. Aufl. gr. 8. (15 S.) Dresden 885. Höckner. n. — 25

— das Parole-Buch. Instruktionsbuch f. die Angehörigen d. Deutschen Kriegerbundes, sowie f. alle deutschen Militär-, Landwehr-, Kampfgenossen- u. Veteranen-Vereine. 8. (136 S.) Berlin 887. Funcke & Naeter n.n. — 75.

Steinberg-Skirbs, v., die Alters- u. Invaliden-Versicherung, Vorschläge zu ihrer Verwirklichg. gr. 8. (42 S.) Berlin 884. P. Schettler. — 60

— ein Vortrag üb. die Alters-Versicherung der Arbeiter. gr. 8. (24 S.) Königsberg 886. Rautenberg. n. — 25

Steinberg, S., Erhebendes u. Belebendes aus großer Zeit, s.: Cassau, C.

— deutsche Herzen. Erzählung aus dem Leben. gr. 8. (III, 189 S.) Leipzig 883. (E. Twietmeyer.) n. 2. —

— im Ruhmesglanz. I. Abth. Die Landwehr hat Ruh'. II. Abth. Gut u. Blut für's Vaterland. Fortsetzung v. „Ewig unvergeßlich", gr. 8. (VIII, 405 S.) Hamburg 884. König & Schulz. n. 4. —

Steinbildhauer, Steinmetz u. Steinbruchbesitzer, der deutsche. Fach- u. Offerten-Zeitung f. den gesammten Gross- u. Kleinbetrieb der Granit-, Syenit-, Marmor- u. Sandstein-Industrie Deutschlands u. Oesterreichs m. Berücksicht. der darauf bezügl. Alabaster-, Gyps-, Terracotta-, Porzellan-, Thon-, Cementguss-, Zink- u. Eisenwaaren-Fabrikation. Hrsg. unter Mitwirkg. hervorrag. Fachmänner aus den verschiedensten Theilen Deutschlands. Red.: Rob. Fiedler. 1. Jahrg. 1885/86. 24 Nrn. (B.) gr. 4. Grünberg i/Schl., Fiedler. n. 6. —

Steinbrecht, C., die Baukunst d. Deutschen Ritterordens in Preussen. I. A. u. d. T.: Thorn im Mittelalter. Ein Beitrag zur Baukunst d. Deutschen Ritterordens. Mit 14 (lith.) Taf. u. 39 in den Text gedr. Abbildgn. Fol. (VIII, 45 S.) Berlin 885. Springer. cart. n. 24. —

Steinbrecht, Gust., das Gymnasium d. Pferdes. Bearb., vervollständigt u. hrsg. v. Paul Plinzner. gr. 8. (VII, 269 S.) Potsdam 886. Döring. n. 5. —

Steinbrück, F., quibus de causis Ciceronis de oratore liber videatur dignissimus, qui in prima gymnasii classe legatur. gr. 4. (19 S.) Demmin 884. (Frantz.) n. 1. —

Steinbrück, O., deutsche Aufsätze, in unterrichtl. Weise f. die Mittelstufe der Volks- u. Mittelschule bearb. Neue Folge. gr. 8. (VI, 102 S.) Langensalza 885. Beyer & Söhne. 1. 20

— methodischer Leitfaden der Pflanzenkunde. In 3 Kursen f. den Unterricht in Volks- u. Mittelschulen bearb. Ausg. B f. die Hand der Schüler. 1. Hft. [1. u. 2. Kurs.] 2. Aufl. 8. (IV, 52 S.) Ebend. 886. n. — 30

— der erste Unterricht im deutschen Aufsatz. 106 ausgeführte Aufgaben, nebst Hinweisgn. auf die wichtigsten orthograph. Regeln, f. die Hand d. Lehrers bearb. Ausg. A. 7. Aufl. 8. (VIII, 48 S.) Ebend. 886. n. — 40

— dasselbe. Neue Folge. 8. (VIII, 56 S.) Ebend. 883. n. — 40

Steinbrück, O., der erste Unterricht im deutschen Aufsatz. Neue Folge. Ausgeführte Aufgaben, nebst Hinweisgn. auf die wichtigsten orthograph. Regeln, f. die Hand d. Schülers bearb. 8. (34 S.) Langensalza 884. Beyer & Söhne. n. — 25

Steindachner, Frz., ichthyologische Beiträge [XIII]. [Mit 8 (lith.) Taf.] Lex.-8. (50 S.) Wien 884. (Gerold's Sohn.) n. 3. — (I—XIII.: n.n. 28. 60)

— Beiträge zur Kenntniss der Flussfische Südamerika's. IV. [Mit 7 (lith.) Taf.] Imp.-4. (44 S.) Ebend. 882. n. 5. — (I—IV.: n. 15. 20)

— u. L. **Döderlein,** Beiträge zur Kenntniss der Fische Japan's. [I—III.] Imp.-4. Ebend. n. 15. 50
I. [Mit 7 (lith.) Taf.] (34 S.) 883. n. 4. 50
II. [Mit 7 (lith.) Taf.] (40 S.) 883. n. 5. 60
III. [Mit 7 (lith.) Taf.] (44 S.) 884. n. 5. 40

— u. Geo. **Kolombatović,** Beiträge zur Kenntniss der Fische in der Adria. Mit 2 lith. Taf. Lex.-8. (10 S.) Ebend. 884. n. — 60

Steindel, Ph., Garmisch u. dessen gesammte Umgebung. Ein treuer Führer m. Berücksicht. aller Interessen der Touristen. 8. (VI, 120 S.) Garmisch 882. (Leipzig, Th. Grieben.) geb. n. 1. —

Steindlberger, Ulr., Beicht- u. Communion-Unterricht, im engen Anschluss an den Wortlaut d. Canisischen Katechismus bearb. 16. (32 S.) Salzburg 884. Mittermüller. n. — 10

Steindorff, Ernst, bibliographische Uebersicht üb. Georg Waitz' Werke, Abhandlungen, Ausgaben, kleine kritische u. publicistische Arbeiten. gr. 8. (V, 34 S.) Göttingen 886. Dieterich's Verl. n. 1. —

Steindorff, Geo., Prolegomena zu e. koptischen Nominalclasse. Inaugural-Dissertation. gr. 4. (16 autogr. S.) Berlin 884. (Leipzig, Hinrichs' Verl.) n. 2. —

Steindorff, H., Schattirungskunde. Eine neue Methode der Übertragg. v. gleicher Curven Helligkeit unter Zugrundelegg. der Normalkugel u. e. direkte Darstellg. der Helligkeitswerthe durch die Sonne als Lichtquelle. Mit 5 (lith. u. chromolith.) Taf. Fol. (6 S.) Stuttgart 884. Wittwer. In Mappe. n. 3. —

Steindorff, Herm., üb. die kirchliche Kunst auf der internationalen Ausstellung v. Arbeiten aus edlen Metallen u. Legirungen in Nürnberg 1885. 8. (16 S.) Nürnberg 885. (H. Schrag.) n. — 40

Steine d. Anstosses v. Silhouette. Gesellschaftliche Übelstände. 1—3. Lfg. gr. 8. (96 S.) Prag 885/86. André. à n. — 50

Steinen, Karl v. den, durch Central-Brasilien. Expedition zur Erforschg. d. Schingú im J. 1884. Mit üb. 100 Text- u. Separatbildern von Wilh. v. den Steinen, 12 Separatbildern v. Johs. Gehrts, 1 Specialkarte d. Schingústroms v. Otto Clauss, 1 ethnograph. Kartenskizze u. 1 Übersichtskarte. gr. Lex.-8. (XII, 372 S.) Leipzig 886. Brockhaus. n. 24. —; geb. n. 26. —

Steiner, Ant., Gelegenheitsreden, zusammengestellt. Ergänzungsheft der „Blätter f. Kanzel-Beredsamkeit". gr. 8. (III, 160 S.) Wien 883. Kirsch. n. 1. 60

Steiner, Carl, die Tauernbahn-Frage, beleuchtet u. vorgetragen in der ordentl. Sitzg. der Handels- u. Gewerbekammer vom 10. Novbr. 1885. hoch 4. (14 S.) Salzburg 885. (Kerber.) n. — 75

— zur Tauernbahnfrage Entgegnung auf die neuerl. Abhandlg. dieser Frage durch Herrn Cäsar Combi, Gemeinderath u. Landtags-Abgeordneter in Triest, in dem Journal „Indipendente" vom 17. Dezbr. 1885 u. seiner in Klagenfurt aufgelegten deutschen Broschüre im J. 1885. 4. (14 S. m. 2 Karten.) Ebend. 886. n. 1. —

Steiner, Heinr., Festrede, s.: Zur 50jährigen Stiftungsfeier der Hochschule Zürich.

— der Züricher Professor Joh. Heinr. Hottinger in Heidelberg 1655—1661. gr. 4. (61 S.) Zürich 886. (Schulthess.) n. 2. 40

Steiner, J., functioneller Beweis f. die Richtigkeit der morphologischen Ansicht v. der Entstehung d. asymmetrischen Baues der Pleuronectiden [Flachfische]. Lex.-8. (13 S.) Heidelberg 886. C. Winter. n. 1. —

— Grundriss der Physiologie d. Menschen f. Studirende u. Aerzte. 3., verb. Aufl. Mit Holzschn. gr. 8. (VIII, 452 S.) Leipzig 886. Veit & Co. n 9. —; geb. n. 10. —

Steiner, J., Untersuchungen üb. die Physiologie d. Froschhirns. Mit 32 eingedr. Holzst. gr. 8. (VI, 143 S.) Braunschweig 885. Vieweg & Sohn. n. 5. —

— Verrucaria calciseda. Petractio exanthematica. Ein Beitrag zur Kenntnis d. Baues u. der Entwicklg. der Krustenflechten. gr. 8. (50 S. m. 2 Steintaf.) Wien 885. (Pichler's Wwe. & Sohn.) n. 1. 30

Steiner, Joach., neue Instrumente f. das Dilettanten-Orchester. Ein Beitrag zur Förderg. der Instrumentalmusik an Schulen u. grösseren Erziehungsanstalten. gr. 8. (21 S.) Wien 886. (Hölder.) n. — 72

— Lieder f. die militärische Jugend. 1. Hft. 7 vierstimm. Männerchöre. 2. Aufl. gr. 8. (20 S.) Mähr.-Weisskirchen 885. (Wien, Seidel & Sohn.) n. 1. 80

— Sammlung v. Maturitätsfragen aus der darstellenden Geometrie. Nach den officiellen Jahresberichten der öffentl. Realschulen Oesterreichs zusammengestellt. gr. 8. (IV, 115 S.) Wien 887. (Hölder.) n. 2. —

— Studien-Blätter. Eine systemat. Folge vorgedruckter Annahmen zur graph. Durchführg. grösserer Constructions-Aufgaben aus der darstell. Geometrie. Für das Selbststudium u. den Schulunterricht zusammengestellt u. m. erläut. Text versehen. Durchdringungen. 1. Heft. 4. (18 S. m. 20 Taf.) Ebend. 885. In Mappe. n. 1. 12

— dasselbe. Schattenlehre. 1. Hft. 4. (19 S. m. 20 Taf.) Ebend. 885. n. 1. 12

Steiner, Jos., Sprichwörter u. Sprüche als Übungsstoff f. den Unterricht in der deutschen Rechtschreibung, nach Gleichheit u. nach Ähnlichkeit d. Wortklangs methodisch geordnet u. m. e. Anh. erzähl. Übungsstücke f. Schule u. Haus hrsg. 2. Aufl. gr. 8. (VI, 114 S.) Wien 885. Hölder. n. 1. 20; geb. n.n. 1. 44

Steiner, Ludw., Kardinal Hergenröther. gr. 8. (40 S.) Würzburg 883. Woerl. — 50

Steiner, Max, üb. die Errichtung v. Arbeiterwohnungen in Wien. Ein Vortrag. gr. 8. (28 S.) Wien 884. Hölder. n. — 60

Steiner-Zabern, P., Betrachtungen üb. die Idee e. Weltsprache im allgemeinen, u. das System der Pasilingua insbesondere. gr. 8. (16 S.) Neuwied 886. Heuser's Verl. — 30

— Einleitung in die Erlernung der französischen Sprache. 8. (VI, 89 S.) Ebend. 884. n. 1. 20

— Elementargrammatik nebst Übungsstücken zur Gemein- od. Weltsprache. [Pasilingua.] Deutsche Ausg. 8. (80 S.) Ebend. 885. 1. 50; cart. 1. 75

— eine Gemein- od. Weltsprache. [Pasilingua.] Vortrag. gr. 8. (14 S.) Ebend. 885. — 30

— das Schloss zu Zabern. Vortrag. gr. 8. (20 S.) Ebend. 883. — 60

Steiner, Rud., Grundlinien e. Erkenntnistheorie der Goetheschen Weltanschauung m. besond. Rücksicht auf Schiller. [Zugleich e. Zugabe zu „Goethes naturwissenschaftl. Schriften" in Kürschners deutscher National-Litteratur.] 8. (IV, 92 S.) Stuttgart 886. Spemann. n. 3. —

Steinert, D., Normen zur Benutzung bei Aufstellung v. Fabrik-Ordnungen. gr. 8. (20 S.) Hamburg 883. Friederichsen & Co. n. 1. —

Steinert, K., Lehrgang f. den Unterricht im Schreiblesen, m. e. Geschichte der Methodik d. Lesens u. e. summar. Darstellg. der Methodik der übrigen Zweige d. Unterrichts in der deutschen Sprache. 2. Aufl. gr. 8. (IV, 80 S.) Berlin 884. Stubenrauch. n. — 80

Steinfeld, Hartwig, üb. den Grundsatz der benevolentia f. die Gültigkeit letztwilliger Zuwendungen. Eine erbrechtl. Studie. gr. 8. (42 S.) Celle 884. Capaun-Karlowa. n. — 80

Steinfeld, Wladimir, üb. die Wirkung d. Wismuths auf den thierischen Organismus. gr. 8. (69 S.) Dorpat 884. (Karow.) n. 1. —

Steinhagen, Erklärung üb. den seitens d. Dr. Groeneveld u. Genossen bei königl. Consistorium in Aurich eingelegten „Protest gegen die am 10. Apr. c. vollzogene Wahl d. Past. Steinhagen zum 2. Prediger der reformirten Gemeinde in Leer". gr. 8. (34 S.) Leer 883. (Meyer.) n. — 25

Steinhausen, G., Firma-Schilder. Auswahl ausgeführter Firma-Schilder in Holz, Eisen u. Glas zum Gebrauch f. Tischler, Glaser u. Ladenbesitzer. 1. Hft. Fol. (6 Chromolith.) Karlsruhe 885. Veith. n. 4. 20

— Zimmerwände, Durchfahrten, Vestibules etc. u. ihre decorative Ausstattung f. bürgerliche u. herrschaftliche Wohnungen. 12 (chromolith.) Blatt. 2. Aufl. Fol. (1 Bl. Text.) Weimar 885. B. F. Voigt. In Mappe. 4. 50

Steinhausen, Heinr., Gevatter Tod. Im Armenhause. Mr. Bob Jenkins' Abenteuer. Drei Novellen. 2. Ausg. 8. (III, 423 S.) Barmen 884. Klein. n. 5. —; geb. n.n. 6. —

— Irmela. Eine Geschichte aus alter Zeit. 10. Aufl. Titelbild v. W. Steinhausen. 8. (276 S.) Leipzig 887. Böhme. n. 3. 60; geb. n. 4. 60; m. Goldschn. n. 5. —

— dasselbe. Prachtausg. m. (eingedr. Holzschn.-)Illustr. v. W. Steinhausen. gr. 4. (155 S.) Ebend. 884. geb. m. Goldschn. n. 20. —

— der Korrektor. Szenen aus dem Schattenspiele d. Lebens. 4. Aufl. 8. (VIII, 209 S.) Leipzig 885. Fr. Richter. n. 3. —; geb. n. 4. —; m. Goldschn. n. 4. 20

— die Kunst u. die christliche Moral. Ein Beitrag zur Verständigg. üb. die Bedeutg. der Kunst f. das öffentl. Leben. gr. 8. (88 S.) Wittenberg 886. Herrosé Verl. n. — 80

— Markus Zeisleins großer Tag. Novelle. 12. (134 S.) Barmen 883. Klein. n. 2. —; geb. n. 3. —

— dasselbe, s.: Familien-Bibliothek für's deutsche Volk.

Steinhausen, L. W., Conferenz-Gesänge f. das Seminar zu Neuwied, zugleich Fortsetzg. v. Altes u. Neues f. mehrstimm. Männergesang in Seminarien, Oberklassen der Gymnasien u. Realschulen 2c. Op. 18. 2. Bd. 9. Hft. gr. 8. (16 S.) Neuwied 883. Heuser's Verl. n. — 50

— deutsche Gesänge, drei- u. vierstimmig, f. den Schulgebrauch eingerichtet. Op. 10. 7. Aufl. 8. (IV, 139 S.) Ebend. 886. geb. n.n. 1. 30

Steinhausen, W., die Geschichte v. der Geburt unseres Herrn, f. die deutsche Christenheit in Bildern dargestellt v. W. St., in Worten v. H. Steinhausen. 2. Aufl. gr. 4. (40 S. m. Holzschn.) Frankfurt a/M. 885. Calw, Vereinsbuchhandlung. cart. n. 6. —; geb. n. 8. —

— wie es Schneewittchen bei den sieben Zwergen erging. Seinen Kindern an Winterabenden gezeichnet v. W. St. u. m. Versen versehen v. dessen Gevatter J. F. Hoff. Holzschnitt v. J. Ettling. gr. 4. (24 Bl.) Frankfurt a/M. 886. Alt. cart. n. 4. —

Steinhauser, Adf. R. v., üb. Kirchen u. Kirchenbau in Salzburg. Drei Vorträge, geh. im Frühjahre 1880, 1881 u. 1882 in der Gesellschaft f. Salzburger Landeskunde. 2. Aufl. gr. 8. (164 S.) Salzburg 884. Dieter. n. 4. —

Steinhauser, Ant., die Elemente d. graphischen Rechnens m. besond. Berücksicht. der logarithmischen Spirale. Eine Anleitg. zur Construction algebr. u. transcendenter Ausdrücke f. Bau- u. Maschinen-Techniker, sowie zum Gebrauche an höheren Gewerbeschulen. gr. 8. (VI, 130 S.) Wien 885. Hölder. n. 2. 80

— Lehrbuch der Geographie f. Mittelschulen. 1. u. 2. Thl. 2. Aufl. bearb. v. Karl Rieger. gr. 8. Prag, Tempsky. — Leipzig, Freytag. n. 3. 30
1. Mit 34 Abbildgn. (VI, 761 S.) 883. n. — 80
2. Mit 63 Abbildgn. (XI, 263 S.) 885. n. 2. 50; Einbd. n.n. — 40

— österreichische Vaterlandskunde, s.: Gindely, A.

— Dr. Herm. Wagner's Tafeln der Dimensionen d. Erdsphäroids, auf Minuten-Decaden erweitert. Lex.-8. (35 S.) Wien 885. Hölzel. n. 2. —

Steinhäuser, C., Fibel f. den Sprech-, Schreib- u. Lese-Unterricht. 6. Aufl. gr. 8. (84 S.) Mühlhausen i/Th. 883. Danner. geb. n. — 60

— der geographische Unterricht, sich erbauend auf den bei Ausflügen in die Heimatgegend gewonnenen Anschauungen. Ein Hilfsbuch, Schülern gehobener Volks-, Bürger- u. Mittelschulen zur Wiederholg. u. Weiterarbeit gewidmet. gr. 8. (VIII, 94 S.) Langensalza 885. Beyer & Söhne. cart. n. 1. —

Steinheuer, H., Waldhornklänge. Jagdlieder nach bekannten Melodieen. Mit e. Anh. älterer Lieder. 32. (48 S.) Essen 884. Silbermann. — 25

Steinhofer, Frdr. Christ., Predigt üb. die Stiftung d. heil. Abendmahls. 8. (16 S.) Elberfeld 886. Buchh. d. Evangel. Gesellschaft. n. — 10

Steinhoff, R., der Regenstein. Mit e. (lith.) Karte u. e. Stammtafel. 12. (97 S.) Blankenburg 883. Brüggemann. cart. n.n. — 75

Steininger, Herm., Leitfaden f. den Katechismusunterricht nach D. Mart. Luthers kleinem Katechismus. Zum Gebrauch beim Schul- u. Konfirmandenunterricht f. Lehrer u. Geistliche bearb. gr. 8. (IV, 164 S.) Dresden 886. Huhle. n. 1. 50

Steinitz, Clara, die Häßliche. Roman in 3 Bdn. 8. (143, 161 u. 205 S.) Berlin 884. Freund & Jeckel. n. 10. —

Steinitz, Ed. Ritter v., graphisch-tabellarische Darstellung d. Vorganges bei der Schulung d. Gefechtes vom Plänkler bis zum Bataillon. Lith. Tabelle in 2 Blatt. Imp.-Fol. Prag 884. Calve. n. 1. 60

Steinitz, Heinr., der deutsche Zolltarif in der Gestaltung nach dem Reichs-Gesetze vom 22. Mai 1885. Erläutert durch das amtl. Material der Gesetzgebg. u. unter Beifügg. sämmtl. noch gilt. gesetzl. Bestimmgn. hrsg. gr. 8. (96 S.) Berlin 885. Dümmler's Verl. n. 2. 50

Steinitz, Siegfr., de affirmandi particulis latinis. I. Profecto. gr. 8. (56 S.) Breslau 885. (Köhler.) n. 1. —

Steinitzer, Max, üb. die psychologischen Wirkungen der musikalischen Formen. 8. (IX, 130 S.) München 885. Literar.-artist. Anstalt. n. 2. 40

Steinkohlenbergbau, der, d. Preussischen Staates in der Umgebung v. Saarbrücken. Im Auftrage d. Hrn. Ministers der öffentl. Arbeiten dargestellt v. A. Hasslacher, B. Jordan, R. Nasse u. O. Taeglichsbeck. I—IV. gr. 4. Berlin, Ernst & Korn. n. 42. —
I. Geologische Skizze d. Saarbrücker Steinkohlengebirges v. R. Nasse. Mit 5 (lith.) Taf. (VI, 89 S.) 884. n. 7. 50
II. Geschichtliche Entwickelung d. Steinkohlenbergbaues im Saargebiete v. A. Hasslacher. Mit 3 (lith.) Taf. (IV, 108 S.) 884. n. 7. 50
III. Der technische Betrieb der kgl. Steinkohlengruben bei Saarbrücken v. R. Nasse. Mit 24 (lith.) Taf. (in Fol.). (V, 148 S.) 885. n. 24. —
IV. Die Absatzverhältnisse der kgl. Saarbrücker Steinkohlengruben in den letzten 30 Jahren. Von B. Jordan. Mit 1 (lith.) Taf. (V, 40 S.) 884. n. 3. —

Steinle, Alph. Maria, er hat die Linie passirt. Eine Erzählg. aus der Mappe e. Unbekannten. 8. (149 S.) Mainz 886. Kirchheim. 1. 50

Steinmann-Bucher, Arnold, die Nährstände u. ihre zukünftige Stellung im Staate. Ein Beitrag zur Reform der industriellen, kleingewerbl. u. landwirthschaftl. Interessenvertretg. 2. Aufl. 8. (VII, 285 S.) Berlin 886. v. Decker. n. 5. —

— die Reform d. Konsulatswesens aus dem volkswirthschaftlichen Gesichtspunkte. gr. 8. (VIII, 248 S.) Ebend. 884. n. 4. 50

Steinmann, C., die Grabstätten der Fürsten d. Welfenhauses von Gertrudis, der Mutter Heinrichs d. Löwen, bis auf Herzog Wilhelm v. Braunschweig-Lüneburg. Mit e. Abbildg. v. dem Grabstein Gertrudis, der Mutter Heinrichs d. Löwen. 8. (VIII, 388 S.) Braunschweig 885. Goeritz. n. 6. —; Leinwdbd. n.n. 1. —; Halbfrzbd. n.n. 2. —; Ausg. auf Büttenpap. geb. in Halbfrz. n.n. 11. 50; in Liebhaberhalbfrz. n.n. 12. 50

Steinmann, N., Bericht üb. Gruppe 4 der schweizerischen Landesausstellung Zürich 1883: Leinen-Industrie. gr. 8. (9 S.) Zürich 884. Orell Füssli & Co. Verl. n. — 50

Steinmann, W., Kinderschatz, s.: Schulze, H.

Steinmetz, Emil, 50 evangelische Konfirmations-Gedenkblätter m. Bibelsprüchen u. Liederversen. 3. Serie. (Pracht-Ausg.) gr. 4. Gießen 886. Roth. n. 3. —

Steinmetz, Geo., Uebungsstücke zum Uebersetzen ins Lateinische zur Wiederholung der Deklinationen u. Konjugationen f. die 2. Lateinklasse [Quinta]. gr. 8. (VIII, 87 S.) Regensburg 886. Bauhof. n. 1. 20

Steinmetz, H., üb. Ausbildung u. Leitung der Missionare nach den Grundsätzen der lutherischen Kirche. Vortrag. Lex.-8. (15 S.) Stade 884. Pockwitz. — 30

— wie lieblich sind deine Wohnungen, Herr Zebaoth! Predigt, bei der 1100jähr. Gedenkfeier der Stiftg. d. Bisth. Verden am 29. Juni 1886 geh. 8. (14 S.) Hannover 886. Wolff & Hohorst. n.n. — 25

Steinmeyer, Betrachtungen üb. unser klassisches Schulwesen. Eine Entgegng. 2. durch e. Nachwort verm. Ausg. gr. 8. (VII, 74 S.) Kreuzburg 882. Thielmann. 1. —

— Halbbildung u. Gymnasium. Vorschläge zu e. einheitl. Organisation unseres höheren Schulwesens. gr. 8. (37 S.) Grünberg 886. Weiß' Nachf. n. — 60

Steinmeyer, F. L., Beiträge zum Verständniss d. Johanneischen Evangeliums. I. Das hohepriesterl. Gebet Jesu Christi. gr. 8. (VI, 155 S.) Berlin 886. Wiegandt & Grieben. n. 2. 25

— die Parabeln d. Herrn. gr. 8. (IV, 183 S.) Ebend. 884. n. 2. 50

— die Rede d. Herrn auf dem Berge. Ein Beitrag zur Lösg. ihrer Probleme. gr. 8. (IV, 156 S.) Ebend. 885. n. 2. 25

— die Wunderthaten d. Herrn, zum Erweise d. Glaubens erwogen. gr. 8. (IV, 166 S.) Ebend. 884. n. 2. 25

Steinmeyer, H., üb. Desinfectionslehre u. ihre Anwendung auf die Praxis. Auf Grundlage der Untersuchgn. üb. pathogene Krankheitserreger. Vortrag. gr. 8. (24 S.) Braunschweig 884. E. H. Meyer. — 75

Steinthal, Carl Frdr., experimentelle u. klinische Untersuchungen üb. die Entstehungsweise d. vesiculären Athmungsgeräusches. gr. 8. (31 S. m. 4 Holzschn.) Heidelberg 885. C. Winter. n. — 80

Steinthal, H., allgemeine Ethik. gr. 8. (XX, 458 S.) Berlin 885. Reimer. n. 9. —

— üb. Wilhelm v. Humboldt. Bei Gelegenheit der Enthüllg. der Humboldt-Denkmäler, Montag den 28. Mai 1883, im Festsaale d. Rathhauses. gr. 8. (25 S.) Berlin 883. Dümmler's Verl. n. — 60

Steinthal, Heinr., übersichtl. Zusammenstellung der bei Anwendung d. Expropriationsverfahrens zur Ausführung d. Zollanschlusses Hamburgs maßgebenden gesetzlichen Bestimmungen. 12. (30 S.) Hamburg 883. O. Meißner. n. — 80

Steinweller, F., Pflanzen- u. Tierkunde, s.: Hirt's, F., Realienbuch.

Steinwender, Otto, die nationalen Aufgaben der Deutschen in Oesterreich. Vortrag. gr. 8. (16 S.) Wien 885. (Pichler's Wwe. & Sohn.) n. — 20

— die ethischen Ideen u. die politischen Parteien. Vortrag. gr. 8. (16 S.) Ebend. 883. n. — 40

— die Nordbahnfrage. Lex.-8. (14 S.) Ebend. 884. n. — 30

Steiskal, Karl, Dictierbuch f. den orthographischen Unterricht in Volks- u. Bürgerschulen sowie in den untersten Classen der Mittelschulen Österreichs. Auf Grundlage der vom hohen k. k. Ministerium f. Cultus u. Unterricht f. die österreich. Schulen festgestellten Rechtschreibung bearb. 3. Aufl. 8. (IV, 133 S.) Wien 886. Manz. geb. n. 1. 30

— deutsches Lesebuch f. österreichische Gymnasien, s.: Kummer, K. F.

Steitz, Geo. Ed., Geschichte der v. Antwerpen nach Frankfurt am Main verpflanzten niederländischen Gemeinde Augsburgischer Confession, begonnen v. G. E. St., fortgesetzt u. hrsg. zur Feier d. 300jähr. Bestehens der Gemeinde v. Herm. Dechent. 4. (72 S.) Frankfurt a/M. 885. (Neumann.) n. 2. —

Stellbogen, W., Tabelle der rechtwinkligen Coordinaten zur Bestimmung der einzelnen Polygonpunkte, aus den gegebenen Polygonseiten von 0,01 bis zu 50 Metern m. den zugehörigen Brechungswinkeln berechnet. 4. (IV, 182 S.) Dessau 884. (Berlin, Polytechn. Buchh.) n.n. 6. —

Stellhorn, F. W., kurzgefasstes Wörterbuch zum griechischen Neuen Testament. gr. 8. (VI, 153 S.) Leipzig 886. Dörffling & Franke. n. 3. —

Stellung, die, d. Staates, zur Prostitution u. ihrem Gefolge. Von e. prakt. Juristen. gr. 8. (35 S.) Hannover 883. Helwing's Verl. n. — 60

Stellwag v. Carion, Karl, neue Abhandlungen aus dem Gebiete der praktischen Augenheilkunde. Ergänzungen zum Lehrbuche. Unter Mitwirkg. v. Emil Bock u. Ludw. Herz. Mit 56 Illustr. gr. 8. (VIII, 297 S.) Wien 886. Braumüller. n. 9. —

Stelter, Karl, Compaß auf dem Meer d. Lebens. Weisheitsblüten, die das Herz — pflückte in der Dichtg. Garten. 4. Aufl. Mit Titelbild u. Widmungsblatt v. C. Scheuren. 12. (VIII, 428 S.) Elberfeld 884. Bädeker. geb. m. Goldschn. n. 6. —

— neue Gedichte. 12. (VII, 231 S.) Ebend. 887. n. 3. —

Stelzhamer's, Frz., ausgewählte Dichtungen. Hrsg. v. P. K. Rosegger. 4 Bde. 12. (371, 350, 381 u. LXXXIV, 397 S.) Wien 884. Hartleben. In 2 Bde. geb. 6. —

Stelzig, Ign. Alf., Missionsbüchlein od. neue Beherzigungen f. christl. Hausfrauen. Ein Angebinde zur Mission. 4. Aufl. Mit Titelbild. 16. (438 S.) Regensburg 885. Verlags-Anstalt. — 75

— dasselbe, f. christl. Hausväter. 3. Aufl. 16. (428 S.) Ebend. 885. — 75

— dasselbe, f. christl. Jungfrauen. 11. Aufl. 16. (452 S.) Ebend. 885. — 75

— dasselbe, f. christl. Jünglinge. 7. Aufl. 16. (476 S.) Ebend. 885. — 75

— die barmherzige Schwester, s.: Bibliothek f. die reifere christliche Jugend.

Stelzner, Alfr., Beiträge zur Geologie u. Palaeontologie der Argentinischen Republik. Auf Anordng. der Argentin. National-Regierg. hrsg. I. Geologischer Thl. Beiträge zur Geologie der Argentin. Republik u. d. angrenz., zwischen 32. u. 33.° s. Br. gelegenen Theiles der Chilen. Cordillere. gr. 4. (XXIX, 329 S. m. 3 Profiltaf. u. 1 geolog. Karte.) Kassel 885. Fischer. n. 28. —

Stempelsteuer-Gesetze, die, f. das Deutsche Reich. Gesetz, betr. die Erhebg. v. Reichsstempelabgaben, nach der Bekanntmachg. vom 3. Juni 1885 u. das Gesetz, betr. die Wechselstempelsteuer; nebst den ergänz. Bestimmgn. Mit ausführl. Sachregistern. 3. Aufl. 8. (103 S.) Leipzig 886. Roßberg. n. 1. —

Stempfle, H., e. moderner Don Juan, s.: Bibliothek, neue, f. das deutsche Theater.

Stengel, E., Beiträge zur Geschichte der romanischen Philologie in Deutschland, s.: Ausgaben u. Abhandlungen aus dem Gebiete der romanischen Philologie.

— private u. amtliche Beziehungen der Brüder Grimm zu Hessen. Eine Sammlg. v. Briefen u. Actenstücken, als Festschrift zum 100. Geburtstag Wilhelm Grimms den 24. Febr. 1886 zusammengestellt u. erläutert. 2 Bde. 8. Marburg 886. Elwert's Verl. n. 11. 40

1. Briefe der Brüder Grimm an hess. Freunde. (VIII, 420 S.) n. 5. 40; geb. n. 6. 40
2. Actenstücke üb. die Thätigkeit der Brüder Grimm im hess. Staatsdienste. (441 S.) n. 6. —

— Erinnerungsworte an Friedrich Diez. Erweiterte Fassg. der Rede, welche zur Enthüllungsfeier der an Diez' Geburtshaus angebrachten Gedenktafel in Giessen am 9. Juni 1883 gehalten wurde. Nebst mehreren Anlagen u. e. Anh.: Briefe v. F. Diez an L. Diefenbach, W. Wackernagel, K. Weigand, A. v. Keller, A. Mussafia u. A. Ebert. gr. 8. (104 S.) Ebend. 883. n. 1. 50

— Maître Elie's Übertragung v. Ovid's Ars amatoria, s.: Kühne, H.

— John Gower's Minnesang u. Ehezuchtbüchlein, s.: Ausgaben u. Abhandlungen aus dem Gebiete der romanischen Philologie.

— das anglonormannische Lied vom wackeren Ritter Horn, s.: Brede, R.

— die ältesten französischen Sprachdenkmäler, s.: Ausgaben u. Abhandlungen aus dem Gebiete der romanischen Philologie.

Stengel, J., Entwurf zu e. neuen Elementarlehrer-Dotations-, Pensions- u. Witwen- u. Waisen-Pensions-Gesetz. 8. (58 S.) Ratibor 883. Lindner. n. — 50

Stengel, Karl Frhr. v., Lehrbuch d. deutschen Verwaltungsrechts. gr. 8. (XVI, 459 S.) Stuttgart 886. Enke. n. 8. —; geb. n. 9. —

— die Organisation der preussischen Verwaltung, nach den neuen Reformgesetzen historisch u. dogmatisch dargestellt. gr. 8. (XII, 677 S.) Leipzig 884. Duncker & Humblot. n. 12. —

— die staats- u. völkerrechtliche Stellung der deutschen „Kolonien" u. ihre zukünftige Verfassung, s.: Beiträge zur Förderung der Bestrebungen d. Deutschen Kolonialvereins.

— die Zuständigkeit der Verwaltungsbehörden u. Verwaltungsgerichte, nach dem preuss. Zuständigkeitsgesetze vom 1. Aug. 1883 übersichtlich zusammengestellt. gr. 8. (V, 178 S.) Leipzig 884. Duncker & Humblot. n. 3. —; geb. n. 3. 60

Stengel, W. v., der kleine Zauberkünstler u. Taschenspieler. Eine Sammlg. auserlesener u. überrasch. Taschenspieler- u. Kartenkünste, nebst amüsanten arithmet. u. Scherzaufgaben. 10. Aufl. 8. (96 S.) Oberhausen 885. Spaarmann. n. — 50

Stenger, Edwin, der Hamlet-Charakter. Eine psychiatr. Shakespeare-Studie. gr. 8. (39 S.) Berlin 883. Prenzlau, Biller. n.n. — 90

Stenglein's Mikrophotogramme zum Studium der angewandten Naturwissenschaften. 1. Lfg. 8. (12 Bl. m. 16 S. Text.) Berlin 886. Parey. In Etui. n. 18. —

Stenglein, M., die Strafprozeß-Ordnung f. das Deutsche Reich vom 1. Febr. 1877, nebst dem Gerichtsverfassungs-Gesetz vom 27. Jan. 1877 u. den Einführungsgesetzen zu beiden Gesetzen. Nach den Bedürfnissen der Praxis u. unter besond. Berücksicht. der reichsgerichtl. Rechtsprechg. erläutert. gr. 8. (XI, 707 S.) Nördlingen 885. Beck. n. 10. —; geb. n.n. 12. —

Stennes, W., Übungstafeln zur [Galin-Paris-]Chevé'schen Ziffernmethode. Ausg. A. 24 Tafeln. Imp.-Fol. Essen 884. Bädeker. n. 8. —; aufgezogen auf Pappdeckel n. 21. —

— dasselbe. Ausg. B. [f. 1—3klass. Schulen]. 16 Tafeln. Imp.-Fol. Ebend. 884. n. 5. —; aufgezogen auf Pappdeckel n. 14. —

Stenograf, der. Organ d. Allgem. Schweiz. Stenogr.-Vereins [Stolzescher Centralverein]. Der „Stenogr. Zeitschrift f. die Schweiz", Red.: F. Wenk u. Fr. Wrubel, 24—27. Jahrg. 1883—1886. à 24 Nrn. (1/2 B.) gr. 8. Basel. (Leipzig, Robolsky.) à Jahrg. n.n. 4. —

— der. Zeitschrift f. Arend'sche Stenographen. Organ d. rheinisch-westfäl. u. d. Hannover-Braunschweig. Verbandes Arend'scher Stenographen. Begründet v. Nic. Schüren. Red. v. Jos. Wilms. 8. Jahrg. 1886. 12 Nrn. (1 1/2 B.) gr. 4. Aachen. Ebend. n.n. 4. —

— der deutsche. Organ d. „Deutschen Stenografen-Bundes" System Velten. Red.: C. Klüting. 7—10. Jahrg. Mai 1883—Apr. 1887. à 12 Nrn. (1/2 B.) gr. 8. Essen, Silbermann. à Jahrg. n. 3. —

— der praktische. [Früher „Stenogr. Jugend-Zeitg."] Zeitschrift f. gründl. Aus- u. Fortbildg. in der Gabelsberger'schen Stenographie. Hrsg. v. Frz. Scheller u. Vinc. Zwierzina. 3. u. 4. Jahrg. 1883 u. 1884. à 10 Nrn. (B.) gr. 8. Wien, Edm. Schmid. à Jahrg. 2. —

— dasselbe. 5. u. 6. Jahrg. 1885 u. 1886. à 10 Nrn. (B.) gr. 8. Ebend. à Jahrg. n. 2. 40

Stenografen-Zeitung, deutsche. Hrsg. vom Verbande Rheinisch-Westfäl. Stenografen [System Gabelsberger]. Mit Beiblatt: „Uebungsblatt". Red. v. Ferd. Schrey. 1. Jahrg. 1886. 24 Nrn. (1 1/4 B.) gr. 8. Barmen, (Klein). n.n. 4. —

— allgemeine deutsche. Organ d. sächs. Stenografenbundes, d. südwestdeutschen Verbandes, d. Vereins zu Steyr u. d. deutschen Vereins zu Prag. Hrsg. vom sächs. Stenografenbunde. Red.: Karl Albrecht. 20—23. Jahrg. 1883—1886. à 12 Nrn. (à 1/2—3/4 lith. B.) gr. 4. Leipzig, (Arnold). à Jahrg. 2. 50

— norddeutsche. Hrsg. vom Stolzeschen Stenographen-Verein zu Lübeck. Organ der Vereine zu Lübeck u. Bremen. Red.: W. Behrens. 4. Jahrg. 1886. 12 Nrn. (1/2 autogr. B.) gr. 8. Lübeck, (Carstens). n. 2. —

Stenografie, die. Organ zur Förderg. der Gabelsberger-schen Redezeichenkunst. Im Auftrage d. Deutschen Gabelsberger Stenografenbundes hrsg. vom Dresdner Gabelsberger-Stenografenverein. Red.: Frdr. Wagner. 4—7. Jahrg. 1883—1886. à 4 Nrn. (B.) gr. 4. Dresden, (Huhle). à Jahrg n. — 60

Stenographen-Kalender, allgemeiner, auf d. J. 1885. Hrsg. v. Rud. Schwarz. 3. Jahrg. gr. 16. (184 S.) Leipzig, Robolsky. geb. n. 1. 60

Stenographenverein, der. Wochenschrift f. Stolzesche Stenographie. Hrsg. v. A. Dreinhöfer. Jahrg. 1883. 52 Nrn. (autogr. B.) gr. 8. Berlin 883. Dreinhöfer, W. 62. Joachimsthalsches Gymnasium. n 12. —

Steno-Tachygraphie. Erfinder [1875]: Aug. Lehmann. Leitfaden, das neue Geschwindschrift-System durch Selbstunterricht, sowie in Lehrkursen u. Schulen zum Correspondenz- u. parlamentar. Gebrauch in 5 Stunden zu beherrschen. 14. Aufl. gr. 8. (16 S.) Berlin 886. Boettcher. n. 1. —

Stenzel, Gust., chemische Erscheinungen. Ein Anhang zu A. Trappe's Schul-Physik, sowie zu den gebräuchlichsten Lehrbüchern der Physik. Mit 8 Fig. 3. Aufl. gr. 8. (37 S.) Breslau 884. F. Hirt. n. — 50

Stenzel, K. Gust., Rhizodendron Oppoliense Göpp. Beschrieben. Ergänzungsheft zum 63. Jahresbericht der schles. Gesellschaft f. vaterländ. Cultur. gr. 8. (30 S. m. 3 Steintaf.) Breslau 886. Aderholz. n. 1. 20

Stenzel, P., lasset uns die Vögel schützen! Vortrag. 8. (14 S.) Strehlen 886. Gemeinhardt. — 15

Stenzl, A., ansteckende Kinderkrankheiten, s.: Erziehung, Unterricht, Schulwesen.

Stenzler, Adf. Frdr., Elementarbuch der Sanskrit-Sprache. Grammatik, Text, Wörterbuch. 5. Aufl. gr. 8. (IV, 127 S.) Breslau 885. Köhler. n. 4. —

— Wortverzeichniss zu den Hausregeln v. Açvalâyana, Pâraskara, Çânkhâyana u Gobhila, s.: Abhandlungen f. die Kunde d. Morgenlandes.

Stenzler, Rud., Kaiser Wilhelms Leben u. Thaten. Mit 5 Illustr. in Holzschn. 8. (VIII, 147 S.) Berlin 886. Fr. Schulze's Verl. n. 1. —; cart. n. 1. 20; geb. n.n. 1. 50

Stephan's, Meister, Schachbuch. Ein mittelniederdeutsches Gedicht d. 14. Jahrh. 1. Thl.: Text. Mit 16 lith. Taf. gr. 8. (201 S.) Dorpat 883. (Leipzig, K. F. Köhler.) n. 3. —

Stephani in librum Aristotelis de interpretatione commentarium, s.: Commentaria in Aristotelem graeca.

Stephan, Ant., das hl. Jubiläum unter dem Schutz der allerheiligsten Jungfrau vom Rosenkranz. Hilfsbüchlein zur würd. Feier d. außerordentl., v. Leo XIII. f. d. J. 1886 verkündeten Jubiläums. 7. Aufl. 16. (59 S.) Leutkirch 886. Roth. — 15

Stephan, Eusebius, Beichtspiegel f. Neukommunikanten, nebst Gebeten nach dem Breslauer Diöcesan-Katechismus. 4. Aufl. 16. (16 S.) Frankenstein i/Schl. 884. Philipp. n. — 10

Stephani, Adf., e. Fall v. Aneurysma der Aorta thoracica. gr. 8. (42 S.) Göttingen 884. (Vandenhoeck & Ruprecht.) n. 1. 20

Stephani, Alb. v., das Betriebs-Reglement f. die österr.-ungar. Eisenbahnen u. die Tarif-Enquête vom J. 1883. gr. 8. (III, 133 S.) Brünn 883. Winkler. n. 3. 60

— offene Fragen f. die österreichische Woll-Industrie. Vortrag, geh. in der constituir. General-Versammlg. d. Central-Vereines der schles. Woll-Industriellen am 7. Octbr. im Saale der Handels- u. Gewerbekammer in Troppau. 8. (19 S.) Ebend. 883. n. — 30

— über die wirthschaftliche Lage der Woll-Industrie in England. gr. 8. (207 S.) Ebend. 882. geb. n. 3. 20

Stephanides, Ed., Karlsbad, seine Thermen und übrigen Heilfactoren, deren Bedeutg., Wirkg. u. Anwendg. bei verschiedenen chron. Krankheiten. 8. (173 S.) Karlsbad 883. Knauer. n. 2. —

Stephanitz, Alex., russische Eisenbahn-Werthpapiere. Ein Nachschlagebuch üb. die finanzielle Lage aller russ. Eisenbahn-Gesellschaften, deren Betriebs-Resultate, Vertheilg. der Einnahmen, Statuten etc. f. die J. 1874—1881, nach offiziellen Quellen bearb. Lex.-8 (VI, 148 S.) St. Petersburg 883. (Röttger.) n. 30. —; Suppl. Betriebsj. 1882. (S. 149—163.) 884. n. 1. 50

Stephinsky, Ed., das kleine marianische Officium m. Anmerkungen u. Auslegungen. 16. (V, 224 S.) Dülmen 883. Laumann. n. — 60; geb. n. 1. —

— dasselbe. 2. Aufl. 16. (248 S.) Ebend. 883. n. — 50; geb. n. — 75

— Regelbüchlein u. Ceremonial f. die Mitglieder d. III. Ordens vom h. Franziskus nach den Verordnungen Papst Leo's XIII. 16. (VII, 271 S.) Trier 883. Grach. n. — 70; geb. n. 1. —

— Schatzkästlein der nothwendigsten Gebete. [Anhang zum Regelbüchlein (f. den III. Orden vom h. Franziskus).] 16. (III, 130 S.) Ebend. 885. n. — 40

Sterbenz, J., Sach-Register, s.: Mittheilungen üb. Gegenstände d. Artillerie- u. Genie-Wesens.

Sterblichkeits-Tafeln, deutsche, aus den Erfahrungen v. 23 Lebensversicherungs-Gesellschaften, veröffentlicht im Auftrage d. Collegiums f. Lebensversicherungs-Wissenschaft zu Berlin. Lex.-8. (LXXI, 804 S.) Berlin 883. Mittler & Sohn. n. 30. —; Einbd. n.n. 1. 50

Stereoskopen. Von Margarethe. Mit e. Vorwort v. Herm. Klette. 8. (VII, 110 S.) Leipzig 884. Reißner. n. 2. —; geb. n. 3. —

Stern, der. Familienblatt zur Unterhaltg. u. Belehrg. Red.: Geo. Füllborn. 1. Bd. Jahrg. 1884/85. 52 Nrn. (2 B.) 4. Berlin, Werthmann. n. 5. 20

Stern, A., die Socialisten der Reformationszeit, s.: Sammlung gemeinverständlicher wissenschaftlicher Vorträge.

Stern, Adf., Camoëns. Roman. 8. (384 S.) Leipzig 886. Grunow. n. 5. —; geb. in Leinw. n. 6. 52; in Halbfrz. n.n. 7. 50

— Dürer in Venedig. Novelle. 8. (101 S.) Leipzig 886. Elischer. n. 2. —; geb. m. Goldschn. n. 3. —

— Geschichte der neuern Litteratur. Von der Frührenaissance bis auf die Gegenwart. In 6 Bdn. od. 12 Büchern. (Ausg. in 30 Lfgn.) 8. (VIII, 302, 454, 402, 434, 582, 560, VI, 599 S.) Leipzig 883—85. Bibliograph. Institut. à n. — 50 (cplt. geb.: n. 20. —)

— Geschichte der Weltlitteratur in übersichtlicher Darstellung. (In 12 Lfgn.) 1. Lfg gr. 8. (96 S.) Stuttgart 887. Rieger. n. 1. —

— Hermann Hettner. Ein Lebensbild. Mit e. Portr. (in Lichtdr.). gr. 8. (IX, 306 S.) Leipzig 885. Brockhaus. n. 6. —; geb. n. 7. —

— die deutsche Nationallitteratur vom Tode Goethes bis zur Gegenwart. Lex.-8. (V, 162 S.) Marburg 886. Elwert's Verl. n. 1. 20

— drei venezianische Novellen. [Dürer in Venedig. Die Schuldgenossen. Der neue Merlin.] 8. (235 S.) Leipzig 886. Elischer. n. 4. —; geb. n. 5. 50

— Wanderbuch. Bilder u. Skizzen. 2. verm. Aufl. gr. 8. (V, 263 S.) Oldenburg 886. Schulze. n. 4. —; geb. n. 5. —

Stern, Alb., üb. die Beziehungen Chr. Garve's zu Kant, nebst mehreren bisher ungedruckten Briefen Kant's, Feder's u. Garve's. gr. 8. (VII, 98 S.) Leipzig 884. Denicke. n. 2. —

Stern, Alfr., Abhandlungen u. Aktenstücke zur Geschichte der preußischen Reformzeit 1807—1815. gr. 8. (IX, 410 S.) Leipzig 885. Duncker & Humblot. n. 8. —

Stern, Detlef, ohne Heimat u. Glauben. Roman. 2 Bde. 8. (250 u. 260 S.) Berlin 884. Janke. n. 8. —

— Hypatia. Roman. 8. (284 S.) Ebend. 883. 2. —

— der Sohn der Chiotin. Roman. 3 Bde. 8. (238, 252 u. 255 S.) Ebend. 885. n. 10. —

Stern, Ernst v., Catilina u. d. Parteikämpfe in Rom der J. 66—63. Abhandlung. gr. 8. (178 S.) Dorpat 883. (Karow.) n. 3. 60

— Geschichte der spartanischen u. thebanischen Hegemonie vom Königsfrieden bis zur Schlacht bei Mantinea. (Inaugural-Dissertation.) gr. 8. (X, 248 S.) Dorpat 884. (Karow.) n. 4. 80

Stern, Ghold., Untersuchungen an e. elektro-dynamischen Maschine. gr. 8. (49 S. m. 2 Steintaf.) Hildesheim 885. Lax. n. 1. 50

Stern, Herm., Kabel-Schlüssel f. den Verkehr zwischen .... gr. 8. (III, 160 S.) Heilbronn 885. (Becker.) für 2 Explre. n. 50. —

Stern, J., giebt es Gespenster? Ein Beitrag zur Bekämpfg. d. Aberglaubens. gr. 8. (26 S.) Waldshut 884. Zimmermann. — 20

Stern, J., Lichtstrahlen aus dem Talmud, s.: Universal-Bibliothek.

— die Religion der Zukunft. 2. Aufl. 8. (VIII, 112 S.) Stuttgart 884. Dietz. 1. 50

— unbeschränkte Volksvermehrung od. sind viele Kinder e. Segen? 8. (VII, 75 S.) Stuttgart 883. Scheible. n. 1. —

Stern, J., illustrirter Führer durch Württemberg [Schwaben]. Mit 24 Illustr. u. 3 Karten. 8. (VII, 182 S.) Wien 886. Hartleben. geb. n. 3. 60

Stern, Ludw., die biblische Geschichte, f. israelit. Schulen erzählt. Mit e. Anh.: Das Wichtigste aus der nachbibl. Geschichte Israels. 6. Aufl. 8. (VIII, 215 S.) Frankfurt a/M. 884. Kauffmann. geb. n.n. 1. 40

— die Vorschriften der Thora, welche Israel in der Zerstreuung zu beobachten hat. Ein Lehrbuch der Religion f. Schule u. Familie. 2. Aufl. gr. 8. (XVI, 300 S.) Ebend. 886. geb. n. 2. 70

Stern, M. L., philosophischer u. naturwissenschaftlicher Monismus. Ein Beitrag zur Seelenfrage. gr. 8. (IV, 348 S.) Leipzig 885. Th. Grieben. n. 5. —

— der Socialismus u. die jüdische Weltanschauung. Vortrag. gr. 8. (16 S.) Prag 884. Brandeis. n. — 40

Stern, Mart. Frz., zur Biographie d. Papstes Urban's II. Beiträge aus der Zeit des Investiturstreites. gr. 8. (100 S.) Berlin 883. Weber. n. 2. —

Stern, Maurice Rhold. v., der Gottesbegriff in der Gegenwart u. Zukunft. Ein Versuch zur Verständigg. gr. 8. (128 S.) Zürich 887. Verlags-Magazin. n. 1. 60

Stern, P., die meteorologischen Verhältnisse v. Nordhausen am Harz. Auf Grund 12jähr. Beobachtgn. 4. (18 S.) Nordhausen 885. Haacke. n. — 60

Stern, R., Wiener Arbitrage u. Paritäten-Berechnungen, s.: Loew, A.

Stern, Rich., Erinnerungsblätter an Julius Stern. Seinen Freunden u. Kunstgenossen gewidmet. 8. (X, 262 S.) Leipzig 886. Breitkopf & Härtel. n. 5. —; geb. n. 6. —

Stern, Rob., die gesammte kaufmännische Gesetzgebung in populärer Darstellung u. gedrängter Kürze. Handbüchlein zum Gebrauche in Abendcursen v. Handels- u. Vereinsschulen, sowie zum Selbststudium. 16. (93 S.) Wien 884. O. Frank. cart. n. 1. 60

— Lehrbuch der kaufmännischen Arithmetik zum Gebrauche an Handels- u. Vereinsschulen. gr. 8. (II, 183 S.) Ebend. 885. n. 3. —

— Lehrbuch der kaufmännischen Arithmetik u. Usancenkunde. Mit Berücksicht. der neuesten Bestimmgn. im Waaren-, Wechsel-, Devisen- u. Effecten-Handel. Zum Gebrauche an Handelsakademien, Special- u. höheren Gewerbeschulen. gr. 8. (1. Lfg. 120 S.) Ebend. 883. n. 5. —

Sternau, A., Lydia od. die Gauner e. Weltstadt. Kriminal-Roman. 1. u. 2. Lfg. gr. 8. (64 S.) Dresden 885. A. Wolf. à — 10

— feindliche Mächte od. das verstoßene Soldatenkind aus Indien. Roman. (In 45 Hftn.) 1. Hft. gr. 8. (1. Bd. S. 1—32 m. 1 color. Steintaf.) Ebend. 883. — 20

Sternau, L., e. Advocat als Schwiegersohn. Lustspiel in 1 Act. 8. (29 S.) Wien 883. Frick. n. — 80

Sternbach, S. Leo, meletemata graeca. Pars I. gr. 8. (226 S.) Wien 886. Gerold's Sohn. n. 6. —

Sternbanner-Serie. Amerikanische Humoristen u. Novellisten. 1. u. 2. Bd. 8. Stuttgart 886. Lutz. à n. 2. 50

1. Ruderheim. Häusliche Erlebnisse e. jungen Ehepaares v. Frank R. Stockton. Autoris. Ausg. Deutsch v. M. Jacobi. (VI, 278 S.)
2. Unterwegs u. Daheim. Neue Sammlg. humorist.

Skizzen v. Mark Twain. Deutsch v. Udo Brachvogel, M. Jacobi, G. Kuhr u. A. (VII, 812 S.)

Sternberg, A., die Angriffswaffen im altfranzösischen Epos, s.: Ausgaben u. Abhandlungen aus dem Gebiete der romanischen Philologie.

Sternberg, H., im öffentlichen Dienst. Ein localer Beitrag zur Gesellschafts-, Beamten- u. Press-Moral. gr. 8. (38 S.) Dresden 883. (Knecht.) n. — 50

Sternberg, Hugo, die Liebenden v. Schwanenstadt od. gesprengte Ketten. Erzählung. 4 Bde. od. 100 Hfte. gr. 8. (622, 844, 596 u. 334 S. m. je 1 Chromolith.) Neusalza 884—86. Oeser. à — 10

Sternberg, Max., geometrische Untersuchung üb. die Drehung der Polarisationsebene im magnetischen Felde. [Mit 1 Taf. u. 3 Holzschn.] Lex.-8. (20 S.) Wien 886. (Gerold's Sohn.) n.n. — 50

Sternberg, R., praktischer Lehrgang der Wäscherei, chemischen Reinigung, Kleider- od. Lappenfärberei, wie solche zur Zeit in England ausgeführt wird. Seide — Wolle — Halbwolle — Baumwolle — Handschuhe — Federn — Strohwaaren. Nach Mittheilgn. e. Londoner Praktikers im Dyer bearb. 8. (62 S.) Leipzig 885. G. Weigel. n. 1. 50

Sterne, Carus, Herbst- u. Winterblumen. Eine Schilderg. der heim. Blumenwelt. Mit 71 Abbildgn. in Farbendr., nach der Natur gemalt v. Jenny Schermaul, u. m. vielen Holzst. 15 Lfgn. 8. (XII, 490 S.) Prag 884. 85. Tempsky. — Leipzig, Freytag. à n. 1. — (cplt.: n. 15. —; geb. n. 18. —)

— die Krone der Schöpfung. 14 Essays üb. die Stellg. d. Menschen in der Natur. 8. (318 S.) Teschen 884. Prochaska. n. 4. 50; Einbd. n.n. — 50

— Plaudereien aus dem Paradiese. Der Naturzustand d. Menschen in Wahrheit u. Dichtg. 8. (VII, 275 S.) Ebend. 886. n. 4. 50; geb. n. 5. —

— Sommerblumen. Mit 77 Abbildgn. in Farbendr., nach der Natur gemalt v. Jenny Schermaul, u. m. vielen Holzst. 15 Lfgn. 8. (XVI, 439 S.) Prag 883. 84. Tempsky. — Leipzig, Freytag. à n. 1. — (cplt.: n. 15. —; Einbd. m. Goldschn. n.n. 3. —)

— Werden u. Vergehen. Eine Entwickelungsgeschichte d. Naturganzen in gemeinverständl. Fassg. 3. Aufl. Mit 450 Holzschn. im Text u. 25 Vollbildern in Farbendr.- u. Holzschn. 15 Lfgn. gr. 8. (XVI, 783 S.) Berlin 884. 85. Bornträger. à n. 1. — (cplt.: n. 15. —; geb. n. 17. —)

Sterneberg, F., s.: Forst- u. Jagd-Gesetze, die preußischen, m. Erläuterungen.

Sterneck, R. D. v., Verzeichniss der in den J. 1877—1879 vom k. k. militär-geographischen Institut trigonometrisch bestimmten Höhen in Böhmen, s.: Kořistka, C. R. v.

Stern-Ephemeriden f. d. J. 1886 u. 1887. gr. 8. (à 173 S.) Berlin 884. 85. Dümmler's Verl. à n.n. 6. —

Sterner, Matthäus, Andeutungen zur Anwendung der psychologischen Grundsätze im Volksschulunterrichte. gr. 8. (VI, 99 S.) Straubing 886. Attenkofer. n. 1. 20

— die Methodik der Volksschule unter Berücksicht. der Schulerziehung, der Schulgesundheitspflege u. Schulverwaltung. Ein prakt. Lehr- u. Handbuch f. Schulseminaristen u. Volksschullehrer. In 3. Aufl. neu bearb. gr. 8. (1. Lfg. IX, 226 S.) Ebend. 886. n. 5. 50

— das Wissensnötigste üb. das Volksschulwesen u. die Dienstesverhältnisse der Schullehrer in Niederbayern. Für Seminaristen u. angeh. Lehrer zusammengestellt. gr. 8. (IV, 88 S.) Ebend. 886. n. 1. —

Sternfeld, Alfr., üb. das Studium der Zahnheilkunde in England. gr. 8. (VII, 44 S.) München 883. Th. Ackermann's Verl. n. 1. —

Sternfreund, Geo., astronomischer Führer pro 1885. 10. Jahrg. 8. (24 S. m. 13 lith. Karten.) München 884. Literar.-artist. Anstalt. n. 2. 40

Sternhagen, der kleine Däne. Faßliches Lehr- u. Übungsbuch f. den Unterricht in der dän. Sprache, m. besond. Berücksicht. f. Kaufleute. 7. Aufl. Neu bearb. v. Rud. Ehrenberg. 8. (VIII, 248 S.) Halle 885. Gesenius. geb. n. 3. —

Sternkarte, drehbare. Der Sternenhimmel zu jeder Stunde d. Jahres. Ausg. f. Mittel-Europa. 4. Aufl. Chromolith. 4. (Mit Text auf der Rückseite u. Drehvorrichtg.) Leipzig, Leipziger Lehrmittel-Anstalt v. Dr. Osk. Schneider. n. 1. 25

Sternkopf, Wilh., quaestiones chronologicae de rebus a Cicerone inde a tradita Cilicia provincia usque ad relictam Italiam gestis deque epistulis intra illud tempus [a. 704 et 705] datis acceptisve. gr. 8. (70 S.) Marburg 884. Elwert's Verl. n. 1. 20

Sterzel, Geo. Frdr., A. Comte als Pädagog. Ein Beitrag zur Kenntnis der positiven Philosophie. gr. 8. (85 S.) Leipzig 886. Fock. n. 1. 50

Sterzenbach, K., Anleitung zur Anfertigung v. Geschäftsaufsätzen, Briefen, Eingaben an Behörden, Anweisungen u. Wechseln, sowie auch zur gewerblichen Buchführung u. Berechnung u. Bezeichnung d. Selbstkostenpreises. Für Fortbildungs-Schulen u. Jünglings-Vereine, auch zum Selbstunterricht f. Handwerker, Gewerbtreibende u. a. bearb. 3. Aufl. 8. (VIII, 127 S.) Siegen 887. Montanus. cart. n. 1. 20

Sterzenbach, K., Kaiser Wilhelm, seine Lebensgeschichte u. glorreiche Regierung. Dem deutschen Volke u. besonders der Jugend erzählt. gr. 8. (III, 49 S.) Neuwied 883. Heuser's Verl. — 60

Stetina, Ant., neues österreichisches Kochbuch f. jeden Haushalt. (In 20 Hftn.) 1. Hft. gr. 8. (32 S.) Gablonz a/N. 886. Böhme. n. — 30

Stettenheim, Jul., unter vier Augen. Besuche d. eigenen Interviewers. Mit dem Portr. d. Interviewers v. Gust. Heil. 8. (VII, 136 S.) Leipzig 885. Friedrich. n. 1. 50

— Muckenich's Reden u. Thaten. 8. (140 S.) Ebend. 885. n. 1. 50

— Wippchen's sämmtliche Berichte. 3. Bd. Mit Illustr. v. Gust. Heil. 12. (158 S.) Berlin 884. Hofmann & Co. 1. 50; geb. 2. —

— dasselbe. 4. u. 5. Bd. Mit 2 Portraits Wippchens, gezeichnet v. Gust. Heil. 2. Aufl. 12. (III, 136 u. III, 153 S.) Berlin 886. H. Paetel. à n. 1. 50; geb. à 2. 25

Stetter, Local-Gütertarif f. Stuttgart von u. nach sämmtlichen deutschen Verbands-Stationen, m. den allgemeinen Tarif-Vorschriften nebst Güterklassifikation. gr. 8. (141 S.) Stuttgart 886. (Metzler's Verl.) n.n. 4. 25

Stetter, Compendium der Lehre v. den frischen traumatischen Luxationen f. Studirende u. Ärzte. gr. 8. (VIII, 118 S.) Berlin 886. G. Reimer. n. 2. —

Steub, Ludw., Bilder aus Griechenland. Altes u. Neues. gr. 8. (IV, 384 S.) Leipzig 885. Hirzel. n. 4. 50; Einbd. n.n. 1. 50

— mein Leben, s.: Bücherei, deutsche.

— zur Namens- u. Landeskunde der deutschen Alpen. 8. (IV, 175 S.) Nördlingen 885. Beck. n. 2. 80

— gesammelte Novellen. 2. Aufl. 8. (III, 472 S. m. Holzschn.-Portr.) Stuttgart 883. Bonz & Co. n. 5. —; geb. n. 6. —

Steude, E. G., Beiträge zur Apologetik. gr. 8. (VII, 295 S.) Gotha 884. F. A. Perthes. n. 4. 80

— Glauben u. Wissen, Glauben u. Leben, s.: Zeitfragen d. christlichen Volkslebens.

Steudel, Adph., kritischer Bericht üb. die Lehre der christlich-protestantischen Kirche, Aufruf zu Rechtfertigung od. gründlicher Reform dieser Kirchen-Lehre, u. Austritt aus dieser Kirche. Ein Nachtrag zur „Kritik dieser Religion". gr. 8. (28 S.) Stuttgart 883. (Bonz & Co.) n. — 90

— über Materie u. Geist [zur Verständigung], nebst e. Anh. üb. den Darwinismus. gr. 8. (58 S.) Ebend. 885. n. 1. 20

— Philosophie im Umriss. 2. Thl. Practische Fragen. 3. Abth. Kritische Betrachtgn. üb. die Rechtslehre. gr. 8. (XV, 436 S.) Ebend. 884. n. 7. 20 (I—II, 3.: n. 42. 20

— der Spiritismus vor dem Richterstuhl d. philosophischen Verstandes. gr. 8. (III, 80 S.) Ebend. 886. n. 1. 20

Steuer, A., Anleitung zum Gebrauche d. Lesebuches in der Volksschule, s.: Zeynek, G. Ritter v.

Steuer, L. W., Beschreibung der Großherzogtümer Mecklenburg-Schwerin u. Mecklenburg-Strelitz. Mit 1 Karte.

Für die Hand d. Schüler umgearb. 7. verb. Aufl. 8. (24 S.) Schwerin 886. Schmiedekampf. n. — 30

Steuer, W., Aufgaben f. das schriftliche Rechnen in der Volksschule. Unter Mitwirkung d. F. Wulle bearb. 6 Hfte. 8. (à 32 S.) Strehlen 884. Gemeinhardt. 1. 5
1. 15. Aufl. — 15. — 2. 15. Aufl. — 18. — 3. 11. Aufl. — 18. — 4. 10. Aufl. — 18. — 5. 5. Aufl. — 18. — 6. 3. Aufl. — 18

— dasselbe. Auszug aus dem 5. u. 6. Hft. 2. Aufl. 8. (32 S.) Ebend. 884. — 18

— die Decimalbrüche, ihr Wesen u. ihre Stellung im Rechenunterrichte. Ein Beitrag zur Lösg. e. hochwicht. Zeitfrage. gr. 8. (36 S.) Breslau 885. Woywod. — 75

— Methodik d. Rechenunterrichts. gr. 8. (XI, 404 S. m. 1 Steintaf.) Strehlen 883. Gemeinhardt. n. 4. 50; geb. n. 5. 50

— dasselbe. 2. Aufl. gr. 8. (XVI, 404 S. m. 1 Steintaf.) Breslau 886. Woywod. n. 4. 50; geb. n. 5. 25

— Rechenbuch f. Landschulen. 5 Hfte. Im Einklang m. seiner „Methodik d. Rechenunterrichts" bearb. gr. 8. Strehlen 884. Gemeinhardt. n. — 95
1. 2. Aufl. (32 S.) n. — 15. — 2. 4. unveränd. Aufl. (60 S.) n. — 20. — 3. 4. 5. unveränd. Aufl. (56 u. 60 S.) à n. — 20. — 5. 3. unveränd. Aufl. (60 S.) n. — 20

— Rechenbuch f. Stadtschulen, zugleich f. höhere Töchterschulen, Vorschulen u. untere Klassen höherer Lehranstalten. 7 Hfte. Im Einklang m. seiner „Methodik d. Rechenunterrichts" bearb. gr. 8. Breslau 884. 86. Woywod. n. 1. 65
1. 3. Aufl. (32 S.) n. — 15. — 2. 3. Aufl. (60 S.) n. — 20. — 3. 4. 4. Aufl. (56 u. 60 S.) à n. — 20. — 5. 3. Aufl. (56 S.) n. — 30. — 6. 7. 3. Aufl. (56 u. 64 S.) à n. — 30

— dasselbe. Auflösungen zum 5. u. 6. Hft. gr. 8. (28 u. 24 S.) Ebend. 887. à n. — 25

— eine Sammlung angewandter Aufgaben f. das Kopfrechnen, nebst ausführl. Lehrgang f. Kopf- u. schriftl. Rechnen. 2 Hfte. Im Einklang m. der Methodik d. Rechenunterrichts u. dem Rechenbuch f. Stadt- u. Landschulen bearb. gr. 8. Ebend. 885. n. 2. 50
1. (62 S.) n. 1. —. — 2. (88 S.) n. 1. 50

— ist e. Vereinfachung d. Rechen-Unterrichts geboten? Vortrag, geh. auf der Provinzial-Lehrer-Versammlg. zu Ratibor am 15. Mai 1883. gr. 8. (19 S.) Breslau 883. Priebatsch. n. — 20

Steuergesetze, die, f. das Königr. Bayern. 6. Abth. 1. Lfg. 8. Würzburg 884. Stahel. — 10
Einige Abänderungen an den Gesetzen üb. die direkten Steuern f. das Königr. Bayern. Königl. Deklaration vom 21. April 1884. (2 S.)

— sämmtliche, welche in den Ländern der ungarischen Krone in Gültigkeit sind. 1., 2., 6., 7. u. 13. Hft. gr. 8. Budapest, Ráth. n. 5. —
1. Haussteuer, Erwerbsteuer. Einkommensteuer, Kapitalszinsen- u. Rentensteuer, Eisenbahn- u. Dampfschiffsteuer, Steuer der zur öffentl. Rechnungslegung verpflichteten Unternehmungen u. Vereine, Jagd- u. Jagdgewehrsteuer, f. Dienstboten, Billards-Spiellocalitäten, Pferde u. Wägen zu entrichtende Steuer, Bergwerksteuer. 2., mit den Gesetzartikeln v. J. 1883, üb. die Besteuerg. der Kapitalsanlagen, üb. die Gebühren der Versicherungs- u. ähnl. Verträge, üb. Steuerfreiheit der Taglöhner, u. die Begünstiggn. bei der Abtragg. der Weinzehent-Ablösungs-Schuldigkeiten verm. Aufl. (III, 79 u. 15 S.) 883. n. 1. 20
2. 1881 IV. G.-A. üb. Besteuerung d. Zucker-, Kaffee- u. Bier-Konsums. 2., mit dem 1883 V. G.-A. üb. Aufhebg. der Kaffee-Konsumsteuer u. Abänderg. der auf die Besteuerg. d. Zucker- u. Bierkonsums bezügl. Bestimmgn. d. IV. G.-A. 1881. verm. Aufl. Mit Erläutergn. (34 u. 10 S.) 883. n. 1. —
6. XLIII. Gesetzartikel v. J. 1883 betr. die Errichtung d. Finanz-Verwaltungsgerichtes. Mit Erläutergn., Anmerkgn. u. Parallelstellen. Aus dem Ungar. v. Tibor. Moder. — XLIV. Gesetzartikel v. J. 1883 üb. die Manipulation der öffentlichen Steuern. Mit Erläutergn., Anmerkgn. u. Parallelstellen. Aus dem Ungar. v. Ludw. Gruber. (115 S.) 884. n. 1. 80
7. XLVI. Gesetzartikel v. J. 1883 betr. die Aenderung der Gesetze üb. Grundsteuer, Haussteuer, Kapitalszinsen- u. Rentensteuer, sowie üb. die allgemeine Einkommen-Ergänzungsteuer. Mit Erläutergn. (9 S.) 884. n. — 60
13. XII. Gesetzartikel vom J. 1884 üb. die Art der Erledigung der gegen die Ergebnisse der neuen Grundsteuer-Kataster-Elaborate erhobenen Reclamationen. Mit Erläutergn., Anmerkgn. u. Parallelstellen. (7 S.) 884. n. — 40

— dasselbe. Nebst dem 7. Gesetzartikel vom J. 1875 üb. die Grundsteuer-Regulirg. gr. 8. (7 u. 31 S.) Ebend. 884. n. 1. —

Steuer-Reklamant, der kundige. Eine Anleitg. f. alle Stände, zur vorschriftsmäß. u. Erfolg versprech. Abfassg. v. Reklamationen gegen die Klassen-, klassifizierte Einkommen-, Gewerbe-, Grund-, Gebäude- u. Kommualsteuer, m. 50 Reklamations-Formularen u. den neuesten Gesetzesbestimmgn. v. 1. April 1883. 7. Aufl. 8. (VII, 122 S.) Leipzig 885. G. Weigel. cart. n. 1. 50

Steuerwald, Wilh., Lehrbuch der englischen Aussprache, nebst Vokabular. Mit besond. Berücksicht. der Aussprache v. Eigennamen. Anh.: Redensarten, Gedichte, Abkürzgn. gr. 8. (XVI, 422 S.) München 883. Exped. d. k. Zentral-Schulbücher-Verlages. n. n. 3. —

— englisches Lesebuch f. höhere Lehranstalten. Mit erläut. Anmerkgn. u. Ausssprachebezeichng. der Eigennamen. gr. 8. (VIII, 452 S.) München 886. Stahl sen. geb. n. 3. 60

Steup, Fr. W., petits contes pour les enfants par l'auteur des Oeufs de Pâques. Mit Sprechübgn. u. Wortregister versehen. 15. Aufl. 8. (135 S.) Liegnitz 884. Krumbhaar. n. 1. —

Steup, Jul., thukydideische Studien. 2. Hft. gr. 8. (VII, 100 S.) Freiburg i/Br. 886. Mohr. n. 4. — (1. u. 2.: n. 6. 40)

Stevenson, R. L., new arabian nights, s.: Asher's Collection of English authors.

— Dr. Jekyll and Mr. Hyde, and an inland voyage, } s.: Collection of British authors.

— Treasure Island, } s.: Collection of British authors.

Stevenson, Thom., die Illumination der Leuchtthürme. Eine Beschreibg. d. Holophotal-Systems, der azymuthalverdicht. u. anderer neuer Formen v. Leuchtthurm-Apparaten. Nach der 2. Aufl. d. engl. Originals bearb. u. durch e. Anh. üb. die Berechng. v. Leuchtthurmhöhen u. Leuchtthurm-Apparaten ergänzt v. Chr. Nehls. Mit 16 lith. Taf. Neue Ausg. gr. 8. (XV, 248 S.) Leipzig 885. Baumgärtner. n. 6. —

Stewart, A. M., Erzählungen üb. die acht Seligkeiten, s.: Jugend-Bibliothek.

Stewart, Balfour, Physik. Deutsche Ausg., besorgt v. E. Warburg. Mit Abbildgn. 3. Aufl. 12. (XII, 158 S.) Straßburg 883. Trübner. cart. n. — 80

Steyr, Hans, e. Praktikus. Lustspiel in 1 Aufzuge. 8. (62 S.) Leipzig 885. Mutze. n. — 50

Stiassny, R., Hans Makart u. seine bleibende Bedeutung, s.: Sammlung kunstgewerblicher u. kunsthistorischer Vorträge.

Stick-Album, kleines. 12 Taf. farb. Mustervorlagen f. Tapisserie-Arbeiten. gr. 8. (2 S. Text.) Berlin 883. Gebhardi. 2. 50

Stickerin, die kleine. 12 Taf. farb. Mustervorlagen f. Tapisserie-Arbeiten. 12. (2 S. Text.) Berlin 883. Gebhardi. 1. 25

Stickmuster-Album, neues. 4 Sorten. qu. 16. (14 Chromolith.) Wesel 886. Düms. à — 10

Stickmusterbuch. Vorlagen zum Sticken u. Wäschezeichnen. (Große Ausg.) 1—4. Hft. qu. gr. 16. (à 16 Steintaf.) Leipzig 885. Heitmann. à — 15

— dasselbe. (Kleine Ausg.) 1—8. Hft. qu. gr. 16. (à 8 Steintaf.) Ebend. 885. à — 10

Stieber, Denkwürdigkeiten. Aus seinen hinterlassenen Papieren bearb. v. Leop. Auerbach. gr. 8. (X, 310 S.) Berlin 883. Engelmann. n. 4. —

— dasselbe. (Volksausg.) gr. 8. (X, 310 S.) Ebend. 884. n. 2. —

Stieda, Ludw., Karl Ernst v. Baer. Eine biograph. Skizze. 2. Ausg. Mit 1 (Holzschn.-)Bildnisse Baer's. gr. 8. (XII, 301 S.) Braunschweig 886. Vieweg & Sohn. n. 5. —

Stiefel, L., die Duisburger Stadtrechnung v. 1417, s.: Beiträge zur Geschichte der Stadt Duisburg.

Stiegler, Rich., das Färben u. Waschen der Schmuckfedern u. Strohgeflechte, nebst e. Anh. üb. Filzhut- u. Filzstumpenfärberei. Anleitung zur Färberei f. das Putzfach, unter Berücksicht. der neuesten Verfahren zur Färberei m. Anilin-Farbstoffen. Mit 3 Musterkarten, enth. 20 Farben in Federn u. 8 Farben in Strohgeflechten. gr. 8. (VII, 31 S.) Weimar 886. B. F. Voigt. 2. —

Stieglitz, Alb. v., der juristische Vorbereitungsdienst. Eine Studie üb. die zweckentsprech. Beschäftigg. der jüngeren Juristen. gr. 8. (42 S.) Berlin 886. Puttkammer & Mühlbrecht. n. 1. —

Stieglitz, H. v., das Wesen u. die Vorzüge d. Depositen- u. Check-Verkehrs. gr. 8. (24 S.) Berlin 884. C. Duncker. n. — 50

Stieglitz-Mannichswalde, Löuis v., die Einführg. der Kartoffel in Europa seit 300 Jahren. Vortrag. gr. 8. (31 S.) Dresden 885. G. Schönfeld's Verl. n. — 60

Stiehl, L., die Augenkrankheiten, s.: Hausbibliothek, medicinische.

Stiehler, B., Schule der Geometrie, s.: Jahn, W.

Stiehler, H., der Dichter Johann Fischart u. insbesondere sein „Glückhaft Schiff", das Hohelied v. Manneskraft u. Mannestreu. Mit Einleitg. u. Bemerkgn. Eine Jubelgabe zum 6. deutschen Turnfest. 2. Aufl. 8. (77 S.) Dresden 885. Lehmann'sche Buchdr. — 60

Stiehler, Rich., zur Schulgesundheitspflege. Vortrag. 8. (16 S.) Annaberg 888. Graser. n. — 25

Stiehler, Vict., Diphtherie. Zur Beachtung f. Aerzte u. zur Aufklärg. u. Beruhigg. f. Laien. gr. 8. (48 S.) Freiberg 887. Craz & Gerlach. n. 1. —

Stieler, J., Lebensbilder deutscher Männer u. Frauen. Mit (Holzschn.-)Bildern v. Ludw. Richter, Wold. Friedrich, Eug. Klimsch rc. 8. (451 S.) Glogau 884. Flemming. geb. n. 6. —

Stieler, Karl, drei Buschen. Weil's mi freut! Habt's a Schneid!? Um Sunnawend'. Gedichte in oberbair. Mundart. Mit Illustr. v. Hugo Engl. gr. 8. (XX, 386 S.) Stuttgart 886. Bonz & Co. geb. m. Goldschn. n. 12. —

— aus Fremde u. Heimat. Vermischte Aufsätze. 8. (III, 420 S.) Ebend. 886. n. 5. 40; geb. n. 6. 80

— habt's a Schneid!? Neue Gedichte in oberbair. Mundart. 6. Aufl. 8. (VIII, 117 S.) Ebend. 886. cart. n. 3. —; geb. n. 4. —

— Hochlands-Lieder. 4. Aufl. 8. (XI, 204 S.) Ebend. 886. n. 3. 60. geb. n. 5. —

— neue Hochlands-Lieder. 2. Aufl. 8. (VIII, 176 S.) Ebend. 883. n. 3. 60; geb. n. 5. —

— a Hochzeit in die Berg'. Dichtungen in oberbayer. Mundart zu Hugo Kauffmann's Zeichngn. 2. Aufl. 8. (25 Lichtdr.-Taf. m. 25 Bl. Text.) Ebend. 884. geb. m. Goldschn. n. 8. 50

— durch Krieg zum Frieden. Stimmungsbilder aus den J. 1870—1871. Mit e. Vorwort v. Frdr. Ratzel. 8. (VII, 270 S.) Ebend. 886. n. 4. —; geb. n. 5. —

— Kulturbilder aus Baiern. Mit e. Vorwort v. Karl Thdr. Heigel. 8. (IX, 272 S.) Ebend. 885. n. 4. 80; geb. n. 6. —

— Natur- u. Lebensbilder aus den Alpen. Mit e. Vorwort v. M. Haushofer. gr. 8. (IX, 397 S.) Ebend. 886. n. 5. 40; geb. n. 6. 80

— um Sunnawend'. Neue Gedichte in oberbair. Mundart. 4. Aufl. gr. 8. (XII, 148 S.) Ebend. 885. cart. n. 3. —; geb. n. 4. —

— weil's mi' freut! Neue Gedichte in oberbair. Mundart. 7. Aufl. 8. (XXII, 180 S.) Ebend. 886. cart. n. 3. —; geb. n. 4. —

— ein Winter-Idyll. 4. Aufl. 12. (47 S. m. Lichtdr.-Bild.) Ebend. 886. geb. m. Goldschn. n. 4. —

Stieler, R., aus Schwaben, s.: Paulus, E.

Stiemer, H., der Torf u. dessen Massenproduction nach dem zeitigen Stande der Wissenschaft u. Technik. Nach früher gehaltenen Vorträgen neu bearb. Mit Abbildgn. gr. 8. (IX, 70 S.) Halle 888. Hendel. n. 1. —

Stier, G., corpusculum inscriptionum Vitebergensium. Die latein. Inschriften Wittenbergs, darunter Luthers 95 Sätze. Lateinisch u. deutsch, m. e. Anh. deutscher Inschriften. 2. Gedächtnis-Ausg., durch die Melanchthon-Inschriften verm. 8. (XII, 164 S.) Wittenberg 883. Herrosé Verl. n. — 75

Stier, G., griechisches Elementarbuch, enth. Vokabular, Lesebuch m. Uebungsstoff u. doppeltes Wortregister. Im Anschlusse an G. Stier's Formenlehre, sowie an die Grammatiken v. G. Curtius u. E. Koch zusammengestellt. 4. Aufl. d. griech. Elementarbuchs v. G. Stier u. H. Stier, 2. Tls. gr. 8. (XII, 210 S.) Leipzig 833. Teubner. n. 1. 80

— albanesische Farbennamen, s.: Zur Begrüssung der XXXVII. Versammlung deutscher Philologen u. Schulmänner in Dessau.

Stier, G., kurzgefaßte griechische Formenlehre. Mit e. Anh. üb. die homer. Formen. 4. vervollständ. Aufl. d. griech. Elementarbuchs v. G. u. H. Stier, 1. Tls. gr. 8. (VIII, 142 S.) Leipzig 883. Teubner. n. 1. 20

— Horatiana, s.: Zur Begrüssung der XXXVII. Versammlung deutscher Philologen und Schulmänner in Dessau.

Stier, Geo., französische Sprachschule. Ein Hilfsbuch zur Einführg. in die französ. Konversation. Für den Schul- u. Privatgebrauch hrsg. 2. Aufl. 8. (XII, 350 S.) Leipzig 885. Brockhaus. n. 2. 20; cart. n. 2. 50

Stier, H., Rechenhefte f. die Unter- u. Mittelklassen der Realschulen u. Gymnasien und die entsprechenden Klassen höherer Bürgerschulen. 5 Hfte. gr. 8. Chemnitz 883. 84. Bülz. n. 4. 60

1. 3. Aufl. (40 S.) n. — 60. — 2. 3. Aufl. (51 S.) n. — 80. — 3. 3. Aufl. (50 S.) n. — 80. — 4. 3. Aufl. (63 S.) n. — 90. — 5. (IV, 102 S.) n. 1. 50.

Stier, Hub., die Liebfrauenkirche zu Arnstadt. Studien üb. die baul. Entwicklg. derselben. gr. 8. (31 S. m. 1 Holzschntaf.) Arnstadt 882. Frotscher. n. 1. 25

— aus meinem Skizzenbuch. Architektonische Reisestudien aus Frankreich. (In 10 Lfgn.) 1—4. Lfg. Fol. (à 6 Lichtdr.-Taf.) Stuttgart 885. 86. Wittwer's Verl. à n. 5. —

Stier, Jos., Priester u. Propheten, ihr Wirken u. gegenseitiges Verhältniss. 1. Thl. gr. 8. (III, 130 S.) Wien 884. Lippe. n. 2. —

Stier, Rud., Privat-Agende d. i. allerlei Formular u. Vorrat f. das geistliche Amt. Gleichgesinnten Amtsbrüdern f. Nachahmung od. Gebrauch dargeboten. 8. Aufl., rev., ergänzt u. bevorwortet v. Geo. Rietschel. gr. 8. (XVI, 413 S.) Berlin 886. Hertz. n. 6. —

Stier, Theoph., seria mixta jocis. Carmina XXXVII graeca, latina, theotisca, composuit, composita recognovit ediditque Th. St. Accedunt aliorum carmina vel graece vel latine reddita. gr. 8. (64 S.) Zerbst 884. Zeidler. n. 1. 25

Stierli, G. L., Zucht-Polizei-Gesetz u. peinliches Straf-Gesetz f. den Kanton Aargau. In Verbindg.: mit dem Ergänzungsgesetz betr. die Strafrechtspflege vom 7. Juli 1886, m. dem Gesetz üb. Abänderg. d. peinl. Strafgesetzes vom 19. Febr. 1868, u. m. dem Dekret zur Ausführung d. Art. 65 der Bundesverfassg. betr. die Todesstrafe, vom 13. Wintermonat 1876. 8. (75 S.) Aarau 887. Sauerländer. cart. n. 1. —

Stierlin, Gust., 2. Nachtrag zur Fauna coleopterorum helvetica. gr. 4. (98 S.) Basel 883. (Georg.) n.n. 4. —

Stieve, F., die Politik Baierns 1591—1607, s.: Briefe u. Acten zur Geschichte d. 30jährigen Krieges in den Zeiten d. vorwaltenden Einflusses der Wittelsbacher.

— Wittelsbacher Briefe aus den J. 1590—1610. 1. Abtlg. gr. 4. (114 S.) München 885. (Franz' Verl.) n.n. 3. 40

— dasselbe, s.: Abhandlungen der historischen Classe der königl. bayerischen Akademie der Wissenschaften.

Stiff, A., Stickmuster f. kirchl. Linnenzeug im Styl d. XII—XIII. Jahrh. qu. Fol. (25 autogr. Taf. m. 4 S. deutschem u. französ. Text.) Marienwerth bei Maastricht 884. (Aachen, Barth.) In Mappe. n. 8. —

Stifft, H., die physiologische u. therapeutische Wirkung d. Schwefelwasserstoffgases. Nach Beobachtgn. an der kalten Schwefelquelle zu Weilbach. gr. 8. (VI, 164 S.) Berlin 886. Hirschwald. n. 3. —

Stifler, M., üb. Badebehandlung bei Frauen-Krankheiten. gr. 8. (37 S.) Frankfurt a/M. 886. Alt. n. 1. 20

Stifter's, Adb., ausgewählte Werke. Volks-Ausg. (In 28 Lfgn.) 1. u. 2. Lfg. 8. (à 4 B.) Leipzig 887. Amelang. à n. — 50

— bunte Steine. Ein Festgeschenk. 7. Aufl. 8. (XVI, 238 S.) Ebend. 884. geb. 4. —

— der Weihnachtsabend. Mit Illustr. nach Zeichngn. v. J. M. Kaiser. 2. Aufl. 4. (57 S.) Ebend. 884. geb. 3. —

Stiftungsfest, das, d. Lumpacivagabundus od. der böse Geist als Ahnherr. Schauerlich romant. Komödie in 1 Akt. Vom großen Unbekannten. 8. (22 S.) Berlin 887. Liebel. n. 1. —

Stigell, Herm., üb. Blendung d. Netzhaut. gr. 8. (40 S.) Strassburg 883. (Wiesbaden, Bergmann.) n.n. 1. 20

Stiglotzer, Marcellus, Geschichte der k. Real-Schule Freising. Zum Gedenkfeste d. 50jähr. Bestehens der Anstalt chronologisch geordnet. gr. 8. (62 S.) Freising 883. (Datterer.) n. 1. 50

Stil, militärischer, u. militärisches Rechnungswesen. Leitfaden f. den Verwaltungsunterricht in der Kapitulantenschule. Gesammelte Erfahrgn. aus der Praxis in der Kapitulantenschule d. 1. Bad. Leib-Dragoner-Regiments Nr. 20. gr. 8. (III, 39 S.) Mannheim 885. Remnich. cart. n. 1. —

Stilgebauer, Ed., das Jahr. Ein lyr. Gedicht in 5 Teilen m. e. Prologe u. Epiloge. gr. 8. (24 S.) Frankfurt a/M. 885. Mahlau & Waldschmidt. n. 1. —

Stilke, H., Bibelworte in Blumenschmuck, s.: Reichenbach, M. v.

— deutsches Land u. deutsche Lieder. Ausgewählte Dichtgn. m. Illustr. 3. Aufl. Neue Ausg. Mit 15 Chromolith., gezeichnet v. G. Theuerkauf. (In 15 Lfgn.) 1. Lfg. hoch 4. (XII, 24 S.) Leipzig 886. Reinboth. n. 1. —

Stille, G., unsere Währungsfrage. Vortrag. 8. (24 S.) Osnabrück 886. Wehberg. — 30

Stiller, Berthold, die nervösen Magenkrankheiten. gr. 8. (VI, 202 S.) Stuttgart 884. Enke. n. 6. —

Stiller, Erich, Grundzüge der Geschichte u. der Unterscheidungslehren der evangelisch-protestantischen u. römisch-katholischen Kirche. 23. Aufl. 12. (30 S.) Hamburg 883. Kittler's Verl. n. — 10

Stillfried, Heinr., 100 Strophen à la Klapphorn! Gesammelt. 9. Aufl. 8. (40 S.) Görlitz 885. (Leipzig, Stauffer.) n. — 50

Stillfried-Alcántara, R. Graf, u. Bernh. **Kugler**, die Hohenzollern u. das deutsche Vaterland. Illustrirt v. den ersten deutschen Künstlern. 4. Aufl. Wohlf. Prachtausg. 32 Hfte. hoch 4. (375 S. m. eingedr. Holzschn. u. Holzschntaf.) München 886. Verlagsanstalt f. Kunst u. Wissenschaft. à n. — 50 (cplt. geb.: n. 20. —)

Stilling's, Heinr., Jugend, s.: Collection Spemann.

Stimme, e., aus dem Publikum üb. die Auslegung u. Handhabung d. Reichs-Rayon-Gesetzes zur Beurtheilung d. Entschädigungs-Verfahrens u. der Entschädigungs-Berechtigung der Besitzer f. ihre innerhalb der Rayons der Festung Straßburg i. E. gelegenen Fabrik-Etablissements, Wirthschaftshöfe, Wohnbauten, Baustellen, Acker-, Garten- u. Wiesen-Grundstücke, Kunst- u. Handels-Gärtnereien, sowie Lehm-, Kies- u. Sandgruben. Febr. 1883. gr. 8. (35 S.) Straßburg 883. (Schultz & Co.) n.n. 1. 60

Stimmel, Karl, Grundzüge d. allgemeinen landwirthschaftlichen Pflanzenbaues. Abgerundete Dictate als Grundlage f. den Unterricht an der landwirthschaftl. Winterschule zu Darmstadt. (1—3. Hft.) gr. 8. Darmstadt, (Bergsträßer). n. 4. 40

1. Die Lebensvorgänge in den landwirthschaftl. Kulturpflanzen. (67 S.) 884. n. 1. 20
2. Die Ackererde u. das Klima. (78 S.) 884. n. 1. 20
3. Die Bearbeitung des Bodens. Die Düngung. Die Saat. (131 S.) 885. n. 2. —

Stimmen aus Maria-Laach. Katholische Blätter. Jahrg. 1883—1886. à 10 Hfte. gr. 8. (1. Hft. 112 S.) Freiburg i/Br., Herder. à Jahrg. n. 10. 80

— dasselbe. Register. Die Encyklika Papst Pius IX. vom 8. Dec. 1864 [Syllabus]. Das ökumen. Concil. Bd. I—XXV der Zeitschrift. Bd. I—VI [Hft. 1—24] der Ergänzungshefte. gr. 8. (IV, 112 u. 333 S.) Ebend. 886. n. 6. —

— aus Oesterreich. In zwanglosen Heften. 6. u. 7. Hft. gr. 8. Wien 883. Hartleben. à n. — 20

6. Was bringen uns die neuen Steuervorlagen d. Ministeriums Taaffe? (40 S.)
7. Die Gebührengesetz-Novelle u. die Schulgesetz-Novelle. (32 S.)

— polnische. I. Ausrotten? Aus Anlass der in der „Gegenwart“ 1885 Nr. 1, 2 u. 6 veröffentlichten Aufsätze v. E. v. Hartmann. gr. 8. (35 S.) Zürich 886. Verlags-Magazin. n. — 50

Stimming, Alb., der Troubadour Jaufre Rudel, sein Leben u. seine Werke. (Neue Ausg.) gr. 8. (VIII, 71 S.) Berlin 886. Hettler. n. 1. 50

Stimming, G., vorgeschichtliche Alterthümer aus der Mark Brandenburg, s.: Voss, A.

Stimmungsbilder. Von der Verf. der „Memoiren e. Idealisten“. 2. Aufl. 8. (III, 284 S.) Leipzig 884. Reißner. n. 3. —; geb. n. 4. —

Stinde, Jul., die Familie Buchholz. 3 Thle. gr. 8. Berlin, Freund & Jeckel. n. 10. —; geb. à n. 4. 50

1. Aus dem Leben der Hauptstadt. 14. Aufl. (VIII, 210 S.) 885. n. 3. —; geb. n. 4. 50
2. Aus dem Leben der Hauptstadt. 20. Aufl. (V, 185 S.) 885. n. 3. —; geb. n. 4. 50
3. Frau Wilhelmine. Aus dem Leben der Hauptstadt. (V. 202 S.) 886. n. 4. —; geb. n. 4. 50

— the Buchholz family: Sketches of Berlin life. Translated, from the 49. ed. of the German original, by L. Dora Schmitz. [Authorized translation.] 8. (V, 251 S.) Hamburg 885. J. F. Richter. n. 4. —

— Buchholzens in Italien. Reise-Abenteuer v. Wilhelmine Buchholz. 12. Aufl. gr. 8. (XVI, 168 S.) Berlin 885. Freund & Jeckel. n. 3. —; geb. n. 4. 50

— Waldnovellen. 2. Aufl. 8. (152 S.) Ebend. 885. n. 2. —; geb. n. 3. —

— die Wandertruppe od. das Dekamerone der Verkannten. Parodistische Theaterskizzen. Illustrirt v. Osc. Wagner. 2. Aufl. 8. (V, 185 S.) Ebend. 886. n. 2. —

— u. G. **Engels**, ihre Familie, s.: Bloch's, E., Volks-Theater.

Stingelin, Eman., die Grundwahrheiten d. Christenthums m. besond. Rücksicht auf die kirchlichen Feste. gr. 8. (XII, 646 S.) Berlin 886. G. Reimer. n. 8. —

Stintzing, R., Geschichte der deutschen Rechtswissenschaft, s.: Geschichte der Wissenschaften in Deutschland.

Stintzing, Roderich, Beitrag zur Anwendung d. Arseniks bei chronischen Lungenleiden, insbesondere bei der Lungentuberkulose. Lex.-8. (29 S.) München 883. Rieger. n. 1. 20

— klinische Beobachtungen aus der II. medicinischen Klinik des Hrn. v. Ziemssen [Winter-Semester 1880/81]. gr. 8. (127 S.) München 884. J. A. Finsterlin. n. 3. —

— die Elektro-Mediçin in der internationalen Elektricitäts-Ausstellung zu München im J. 1882. Nebst e. Anh. üb. die Verwendg. der elektr. Beleuchtg. bei anatom., mikroskop. u. spektroskop. Arbeiten v. C. v. Voit. Mit 1 Taf. u. 24 Fig. gr. 4. (37 S.) München 883. Autotypie-Verlag. n. 2. 50

— über Nervendehnung. Eine experimentelle u. klinische Studie. Mit 3 (lith.) Taf. gr. 8. (V, 172 S.) Leipzig 883. F. C. W. Vogel. n. 5. 60

Stir, Alex., Theorie u. Praxis d. Freihandzeichnens, analytisch-synthet. Methode. Für Schul- u. Selbstunterricht bearb. 1. Tl. das Zeichnen geradlin., ebener Gebilde. Mit 24 Taf. in 4. u. eingedr. Holzschn. 4., vollständig umgearb. Aufl. der „Vorschule d. Zeichnens“. gr. 8. (VIII, 96 S.) Leipzig 885. Urban. n. 1. 50; die 24 Taf. n. — 80

Stizenberger, Ernst, lichenes helvetici eorumque stationes et distributio. Fasc. II. gr. 8. (XXIII u. S. 269—377.) St. Gallen 883. (Klöppel.) n. 2. 50 (cplt.: n. 6. 50)

Stobaei, Joa., anthologium, recensuerunt Curt Wachsmuth et Otto Hense. Vol. I et II. Libri duo priores, qui inscribi solent eclogae physicae et ethicae, rec. Curt Wachsmuth. gr. 8. Berlin 884. Weidmann. n. 18. —

I. Librum primum continens. (XL, 502 S.) n. 11. —
II. Librum alterum continens. (332 S.) n. 7. —

Stobbe, Aug., Festspiel zur 75jährigen Jubelfeier der Errichtung d. herzogl. Braunschweigischen Infanterie-Regiments Nr. 92, dargestellt im Theater zu Metz am 24. Apr. 1884. Ausg. A. 2. Aufl. 8. (56 S.) Braunschweig 884. Goeritz. geh. m. Goldschn. n. 1. —; Ausg. B. 3. Aufl. n. — 50

Stobbe, Otto, Handbuch d. deutschen Privatrechts. 2—5. Bd. 2. Aufl. gr. 8. Berlin, Hertz. n. 36. 60 (cplt.: n. 50. 60)

2. (X, 911 S.) 883. n. 10 60. — 3. (XII, 448 S.) 885. n. 8. —. — 4. (VII, 548 S.) 884. n. 10. —. — 5. (X, 430 S.) 885. n. 8. —

Stobbe, U., Regelverzeichnis f. den Handarbeitunterricht. Für den Gebrauch in Schulen entworfen. 2. Aufl. Mit 10 Taf. gr. 8. (VIII, 24 S.) Leipzig 886. Hoffmann & Ohnstein. cart. n. — 80

Stöber, Adf., Epheukranz auf das Grabmal einer Heimgegangenen. Lieder aus dem Trauerjahre. 2. Abdr. 8. (69 S.) Mülhausen i/E. 884. Petry. n. 2. —; geb. n. 3. —

— Margaretha Spörlin, Verfasserin der elsäss. Lebensbilder. Eine biographisch-literar. Skizze. Mit e. Anh. aus M. Spörlins Nachlaß. gr. 8. (24 S.) Ebend. 883. n. 1. —

Stöber, Aug., neue Alsatia. Beiträge zur Landeskunde, Geschichte, Sitten- u. Rechtskunde d. Elsasses, ausgewählt aus 50 Jahren literar. Thätigkeit d. Verf. 1834—1884. Zugleich Schlußband der „Alsatia". gr. 8. (II, 303 S.) Mülhausen i/E. 885. Petry. n. 4. 50

— recherches sur le droit d'asile de Mulhouse au XVIme siècle. Nouvelle éd. revue et augmentée. gr. 8. (70 S.) Ebend. 884. n. 2. —

Stöber, Fritz, zur Kritik der Vita S. Johannis Reomaënsis. Eine kirchengeschichtl. Studie. Lex.-8. (82 S.) Wien 885. (Gerold's Sohn.) n.n. 1. 30

— Quellenstudien zum laurentianischen Schisma [498—514]. Lex. 8. (81 S.) Ebend. 886. n. 1. 20

Stöber, W., Altes u. Neues aus den Altmühlbergen, — ein Held im Kirchenrock, } s.: Jugend- u. Volksbibliothek, deutsche.

Stobitzer, H., Funken unter der Asche, s.: Bloch's, E., Theater-Correspondenz.

— der Sterngucker, s.: Universal-Bibliothek.

Stobwasser, Carl, die Hasenscharten auf der Göttinger chirurgischen Klinik vom Octbr. 1875 bis zum Juli 1882. gr. 8. (14 S.) Leipzig 883. (Göttingen, Vandenhoeck & Ruprecht.) n. — 40

Stock's illustrirte Punktir- u. Wahrsagekunst od. die Wissenschaft, seine eigene u. die Zukunft Anderer in der untrüglichsten Weise zu errathen. Ein heiterer u. ernster Zukunftsspiegel f. Jung u. Alt. Mit e. Anh. v. allerlei scherzhaften Unterhaltgn. 8. (84 S.) Wien 883. Daberkow. — 40

— großes illustrirtes persisch-egyptisches Traum-Buch, enth. die bewährtesten Traum-Ausleggn., nebst erfahrungsgemäß. Gewinn bring. Lotterie-Nummern. Nach den ältesten, bisher gänzlich unbekannten chald., pers. u. egypt. Handschriften v. e. berühmten Magier. 8. Aufl. 8. (VIII, 184 S.) Ebend. 885. n. 1. —; geb. n. 1. 30

Stock, A., Vortrag, geh. auf der VII. General-Versammlg. d. Vereins zur Erhaltg. der evang. Volksschule in Düsseldorf am 12. März 1884. gr. 8. (23 S.) Langenberg 884. Joost. n. — 30

Stock's, Chrn., homiletisches Real-Lexikon, od. reicher Vorrath zur geist- u. weltlichen Beredsamkeit. Neu abgedr. u. m. beigefügter Uebersetzg. der latein. u. griech. Citate verm. 11 Lfgn. hoch 4. (IV, 1059 S.) St. Louis, Mo. 884. Volkening. — Leipzig, K. F. Köhler. à 1. 50

Stock, F., Murten, s.: Wanderbilder, europäische.

Stockalper, E., rapport sur le groupe 16 de l'exposition nationale suisse à Zürich 1883: Produits bruts. gr. 8. (22 S. m. 2 Tab.) Zürich 884. Orell Füssli & Co. Verl. n. 1. —

Stockbridge, Horace Edward, üb. die analytischen Bestimmungen d. Zuckers der Rübe, mittelst älterer u. e. neu construirten Apparates. gr. 8. (40 S. m. 1 Steintaf.) Göttingen 884. (Vandenhoeck & Ruprecht.) n. 1. 20

Stöckel, die Grundbuchberichtigungen nach Ersuchen der Auseinandersetzungs-Behörden. gr 8. (IV, 51 S.) Berlin 886. H. W. Müller. n. 1. 50

Stöckel, Alb., v. der erzieherischen Bedeutung der Musik unter besond. Berücksicht. der Gedanken u. Aussprüche Luthers üb. Musik. Lex.-8. (37 S.) Plauen i/V. 883. Kell. n. — 80

Stöckel's, H. F. A., Bau-, Kunst- u. Möbelschreiner. 8. gänzlich umgearb. u. verb. Aufl. v. Aug. Graef u. Max Graef. Mit e. Atlas, enth. 36 (lith. Fol.-)Taf. gr. 8. (XII, 262 S.) Weimar 885. B. F. Voigt. 10. 50

Stocker, Albr., was die alten Eidgenossen in kirchlichen Dingen gedacht u. gethan haben. Ein Vortrag. 8. (68 S.) Luzern 884. Gebhardt. n. — 50

Stocker, C. W. F. L., die theologische Fakultät an der großherzogl. badischen Universität Heidelberg von 1386—1886. Eine Jubiläumsgabe zum 5. Centenarium. gr. 8. (III, 44 S.) Heilbronn 886. (Heidelberg, Koester.) n. 1. —

Stöcker, Bad Wildungen u. seine Mineralquellen m. besond. Berücksicht. ihrer Heilkräfte bei den Krankheiten der Harnorgane. Neu bearb. v. Marc. 9. Aufl. gr. 8. (40 S.) Bad Wildungen 886. (Arolsen, Speyer.) n. — 50

Stöcker, der falsche u. der wahre. Von e. Mitgliede d. deutschen Reichstags. 2. Aufl. 8. (31 S.) Leipzig 885. Böhme. n. — 40

Stöcker, A., Bericht üb. die sonntägliche Predigt-Vertheilung in dem Kirchenj. 1883/84. 8. (19 S.) Berlin 885. Buchh. der Berliner Stadtmission. — 20

— Christlich-Sozial. Reden u. Aufsätze. gr. 8. (LIV, 526 S.) Bielefeld 885. Velhagen & Klasing. cart. n. 6. —

— Eins ist noth. Ein Jahrgang Volkspredigten üb. freie Texte. 3. Aufl. gr. 8. (VIII, 418 S.) Berlin 885. Buchh. der Berliner Stadtmission. 3. —; geb. n. 4. —; m. Goldschn. n. 4. 50

— o Land, höre d. Herrn Wort! Ein Jahrgang Volkspredigten üb. die Episteln d. Kirchenjahres. 2. Aufl. gr. 8. (VIII, 448 S.) Ebend. 886. n. 3. —; geb. n. 4. —

— Predigten f. d. J. 1883. gr. 8. (Nr. 1. 8 S.) Berlin 883. (Thormann & Goetsch.) n. — 75

— die Schriftenverbreitung als Mittel der Evangelisation. Vortrag, geh. am 18. Novbr. 1885, im „Evangel. Männerverein" zu Leipzig. gr. 8. (16 S.) Frankfurt a/M. 886. Drescher. n. — 30

Stockfleth, H. V., Handbuch der thierärztlichen Chirurgie. Mit Genehmigg. d. Verf. aus dem Dän. übers. v. Chr. Steffen. 7. Lfg. [2. Thl. 3. Hft.] Mit 28 Holzschn. gr. 8. (IV u. S. 361—551.) Leipzig 885. C. A. Koch. n. 5. — (1—7.: n. 30. —)

Stöckhardt, G., Passionspredigten. 2 Abthlgn. gr. 8. (IX, 195; V, 169 u. Anh. 44 S.) St. Louis, Mo. 884. 85. (Dresden, H. J. Naumann.) n. 6. —

— daß die sogenannten unschuldigen weltlichen Vergnügungen doch gar verhängnißvoll sind u. schließlich in's Verderben führen. Predigt üb. Marc. 6, 14—29, geh. am Ostersonntage Oculi in der Kreuz-Kirche zu St. Louis, Mo. 8. (22 S.) Ebend. 884. n. — 30

Stöckhardt, H., die katholische Hofkirche zu Dresden. 12 Taf. Lichtdr. m. begleit. Text. gr. Fol. (8 S.) Dresden 883. Gilbers' Verl. In Mappe. n. 24. —

Stockhausen, Marie, Sagen u. Geschichten aus dem Altertum u. dem Mittelalter. Vorbereitender Kursus f. den Geschichtsunterricht. 8. (VIII, 148 S.) Darmstadt 885. Würtz. geb. n. 1. 20

Stockhorner, O. v., ums Nordkap. Eine Sommerfahrt. Mit 3 Ansichten in Lichtdr. gr. 8. (112 S.) Heidelberg 885. C. Winter. n. 2. —

Stöckicht, W., Text-Verzeichnis zu Kasualpredigten. 2. Tl. der Textnachweise f. Kasualien. gr. 8. (IV, 220 S.) Wiesbaden 884. Riedner. n. 4. —

Stöckl, Alb., das Christenthum u. die modernen Irrthümer. Apologetisch-philosoph. Meditationen. gr. 8. (IV, 499 S.) Mainz 886. Kirchheim. 4. 50

— Geschichte der neueren Philosophie von Baco u. Cartesius bis zur Gegenwart. 2 Bde. gr. 8. (VIII, 502 u. VII, 643 S.) Ebend. 883. n. 15. —

— über Wesen u. Zweck der ästhetischen Kunst. Zu Dr. Jungmanns „Aesthetik". 8. (48 S.) Ebend. 885. — 75

Stöckl, Frz., das Schulturnen. In knappen Zügen dargestellt. gr. 8. (62 S.) Graz 885. Leuschner & Lubensky. n. — 80

— Steirerlieder f. die Jugend. 12. (54 S.) Graz 884. Pechel. n. — 50

Stockmayer, Adf., üb. die Bereitung d. Christen auf das Kommen d. HErrn. 3. Aufl. 8. (20 S.) Gernsbach 885. Christl. Kolportage-Verein. — 6

Stockmayer, Herm., u. Max Fetscher, Aufgaben f. den Rechenunterricht in den mittleren Klassen der Gymnasien, der Realschulen u. verwandter Lehranstalten. 2—4. Bdchn. 4. Aufl. 8. Heilbronn 885. Scheurlen's Verl. cart. n. 2. 45

2. (IV, 76 S.) n. — 75. — 3. (IV, 96 S.) n. — 90. — 4. (VII, 53 S. m. 1 Steintaf.) n. — 80

Stockmayer, Herm., u. W. L. Fick, Aufgaben f. den Rechenunterricht in Gymnasien, Latein- u. Realschulen, höheren Töchterschulen, Volksschulen ꝛc. Neue Folge. 1. Bdchn. Die 4 Grundrechnungsarten. A. Lehrerausg. 8. (VII, 112 S.) Ebend. 887. cart. n. 1. 80; B. Ausg. f. die Schüler (49 S.) cart. n. — 50

Stockmayer, Otto, aus Ansprachen. III. Martha u. Maria. 8. (12 S.) Gernsbach 885. Christl. Kolportage-Verein. — 5

— das Gebetsleben der Kinder Gottes. 3. Aufl. 8. (17 S.) Ebend. 884. n. — 8

— Krankheit u. Evangelium. Ein weiterer Beitrag, Kindern Gottes geboten. 2. Aufl. 8. (VIII, 102 S.) Basel 886. Spittler. n. — 65

Stockmeyer, Imman., Jesus soll die Losung sein! Morgenpredigt am Neujahrstag. 8. (14 S.) Basel 884. Spittler. n. — 20

— Rede bei der Lutherfeier am Abend d. 10. Novbr. 1883 im Münster zu Basel. gr. 8. (8 S.) Basel 884. Detloff. n. — 20

Stockton, F. R., Ruderheim, s.: Sternbanner-Serie.

Stoff, Leop. M. E., diplomatische Geschichte der Abtei Eberbach im Rheingau v. 1331—1803. Als Fortsetzg. v. Bärs diplomat. Geschichte nach gedruckten u. ungedruckten Quellen bearb. 3. Bd. [1. Abth. von 1331—1371.] gr. 8. (149 S.) Wiesbaden 886. Molzberger. n. 2. — (I—III, 1.: n. 15. 40)

Stoffel, J., der deutsche Sprach-Unterricht in der Volks- u. Mittelschule. Ein Buch f. Lehrer u. Seminaristen. gr. 8. (VIII, 318 S.) M.-Gladbach 886. Schellmann. n. 3. 60

— u. A. **Mewis,** drei Schülerhefte zum Gebrauche beim deutschen Sprach-Unterricht in Volksschulen. Orthographie u. Grammatik. 8. (57, 56 u. 48 S.) Ebend. 885. à n. — 25

Stoffers, Bernard, wie ist der Sprachformen-Unterricht in der Taubstummen-Schule zu betreiben m. Rücksicht auf die Ansicht hervorragender Fachgenossen? Conferenz-Vortrag. 12. (67 S.) Büren 886. (Hagen.) n. — 80

Stöger, Joh., das Glück e. Gott geweihten Braut, m. e. Anh. üb. die Geheimnisse in dem heiligsten Herzen Jesu. 5. Aufl. 12. (150 S.) Regensburg 886. Verlags-Anstalt. 1. —

— die Himmelskrone. Das höchste Ziel der christl. Hoffng. 7. Aufl. 8. (326 S.) Ebend. 884. 2. 25

Stöger, M., der fränkische Saalgau u. dessen frühere Ortschaften. Mit e. (lith.) Karte d. Saalgaues. gr. 8. (19 S.) Kissingen 882. (Hailmann.) n. — 80

Stohmann, F., Handbuch der Zuckerfabrikation. 2. Aufl. Mit 132 Holzschn. u. 4 (lith.) Taf. gr. 8. (XVIII, 523 S.) Berlin 885. Parey. geb. n. 18. —

Stohn, Herm., Lehrbuch der deutschen Litteratur f. höhere Mädchenschulen u. Lehrerinnen-Bildungsanstalten. 3. Aufl. gr. 8. (VIII, 164 S.) Leipzig 883. Teubner. 2. 40

— Lehrbuch der deutschen Poetik f. höhere Mädchenschulen u. Lehrerinnenbildungsanstalten. gr. 8. (VII, 100 S.) Ebend. 884. geb. n. 1. 60

Stöhr, Adf., Analyse der reinen Naturwissenschaft Kant's. gr. 8. (VII, 71 S.) Wien 884. Toeplitz & Deuticke. n. 1. 60

— vom Geiste. Eine Kritik der Existenz d. mentalen Bewusstseins. gr. 8. (X, 38 S.) Wien 883. Hölder. n. 1. 20

— Replik gegen Witte. Eine Vertheidigg. meiner Schrift: Analyse der reinen Naturwissenschaft Kant's gegen Prof. J. Witte. gr. 8. (IV, 23 S.) Wien 885. Toeplitz & Deuticke. n. — 80

Stöhr, Karl, üb. die Hydroparacumarsäure. gr. 8. (38 S.) Giessen 884. (Kiel, Lipsius & Tischer.) n. 1. —

Stöhr, Kurt, Erläuterungen u. Anlagen zur Altenburger Dorfordnung vom 13. Juni 1876. 4. (IV, 211 S.) Altenburg 885. Bonde's Verl. geb. n. 4. —

Stöhr, Ph., Beiträge zur mikroskopischen Anatomie d. menschlichen Körpers. Mit 1 lith. Taf. gr. 8. (8 S.) Würzburg 886. Stahel. n. — 80

— Lehrbuch der Histologie u. der mikroskopischen Anatomie d. Menschen m. Einschluss der mikroskopischen Technik. Mit 199 Holzschn. gr. 8. (XV, 255 S.) Jena 887. Fischer. n. 7. —; geb. n. 8. —

Stokar, Karl, Johann Georg Müller, Doktor der Theologie, Professor u. Oberschulherr zu Schaffhausen, Johannes v. Müllers Bruder u. Herders Herzensfreund. Lebensbild. Hrsg. vom historisch-antiquar. Verein in Schaffhausen. Mit Müllers (Lichtdr.-) Portr. nach e. Zeichng. v. E. Stückelberg. gr. 8. (VII, 430 S.) Basel 885. Spittler. n. 4. 40

Stokes, W., u. E. **Windisch,** irische Texte, m. Uebersetzungen u. Wörterbuch hrsg. 2. Serie. 1. Hft. gr. 8. (IV, 216 S.) Leipzig 884. Hirzel. n. 5. — (I. u. II, 1.: n. 29. —)

Stökl, Helene, Er, Sie u. Es. Heitere u. ernste Silhouetten d. häusl. Lebens. 2. Aufl. 12. (132 S.) Leipzig 885. C. A. Koch. geb. m. Goldschn. 2. 40

— Herzens-Kalender. Gedenkblätter. 8. (216 S.) Ebend. 884. geb. m. Goldschn. 3. —

— unsere Kleinen. Plaudereien f. die Großen. 16. (156 S.) Ebend. 885. geb. m. Goldschn. 3. —

— verschlungene Lebenspfade. 4 Erzählgn. f. junge Mädchen. 2. Ausg. 8. (168 S.) Berlin 885. Mitscher. geb. m. Goldschn. n. 3. —

— aus der Mädchenzeit. Geschichten f. Backfische u. Solche, die es gewesen. Mit 4 Bildern, auf Holz gezeichnet v. Bosch. 2. Aufl. 8. (256 S.) Leipzig 884. Gebhardt. geb. 5. —

— „Schneerosen“. Erzählungen aus der Weihnachtszeit. 8. (124 S.) Ebend. 886. geb. 3. —

— die Seeschwalbe ꝛc., s.: Universal-Bibliothek f. die Jugend.

— in Untreue treu. Roman. 8. (188 S.) Berlin 884. Goldschmidt. n. 4. —; billige Ausg. n. 1. —

— unterm Weihnachtsbaum. Festbilder. 16. (123 S.) Leipzig 883. C. A. Koch. geb. m. Goldschn. 2. 40

Stoklaska, Ottokar Hans, historische Gedichte. 8. (IV, 85 S.) Berlin 884. Ißleib. n. 1. —

Stolberg-Wernigerode, Botho Graf zu, Geschichte d. Hauses Stolberg vom J. 1210 bis zum J. 1511. Aus dem Nachlasse d. verewigten Autors hrsg. von G. A. v. Mülverstedt. Mit 2 Stammtaf. Lex.-8. (XVI, 544 S.) Magdeburg 883. (E. Baensch jun.) n. 8. —

Stolberg, Graf Frdr. Leop. zu, die Zukunft. Ein bisher ungedrucktes Gedicht aus den J. 1779—1782. Nach der einzigen bisher bekannt gewordenen Handschrift hrsg. v. Otto Hartwig. gr. 8. (58 S.) Leipzig 885. Teubner. n. 1. 20

Stoll, Fr., Lösung praktischer Rechnungsfälle f. das Notariats- u. Verwaltungsfach. 2 Abtlgn. gr. 8. (XXV, 190 S.) Stuttgart 885. Hoffmann'sche Buchdr. à n. 2. 50

Stoll, H. H., Anthologie griechischer Lyriker f. die obersten Klassen der Gymnasien m litterarhistorischen Einleitungen u. erklärenden Anmerkungen. 2. Abtlg. Melische u. chorische Lieder u. Idyllen. 5. Aufl. gr. 8. (IV, 200 S.) Halle 883. Gesenius. n. 2. 25

Stoll, H. W., Geschichte der Griechen bis zur Unterwerfung unter Rom. 4. Aufl. 8. (VII, 640 S.) Halle 887. Gesenius. n. 5. 50; geb. n. 6. 50

— die Götter u. Heroen d. klassischen Altertums. Populäre Mythologie der Griechen u. Römer. 2 Bde. Mit 42 Abbildgn. 7. Aufl. 8. (XII, 308 u. IV, 262 S.) Leipzig 885. Teubner. 4. 50; in 1 Bd. geb. 6. —

— die Sagen d. klassischen Alterthums. Erzählungen aus der alten Welt. 2 Bde. Mit 90 Abbildgn. 5. Aufl. 8. (XVI, 418 u. XII, 455 S.) Ebend. 884. 7. 20; geb. 9. —

Stoll, J. B., die Befreiungshalle u. deren Umgebung. Neu bearb. v. Jos. Stoll. Mit Stahlst. 6. Aufl. 16. (45 S.) Regensburg 884. Coppenrath. n. — 50

Stoll, Otto, zur Ethnographie der Republik Guatemala. Mit e. chromolith. Beilage: Ethnographische Karte v. Guatemala. gr. 8. (IX, 176 S. m. 1 Stammbaum.) Zürich 884. Orell Füssli & Co. Verl. n. 6. —

— Guatemala. Reisen u. Schildergn. aus den J. 1878—1883. Mit 12 Abbildgn. u. 2 Karten. gr. 8. (XII, 518 S.) Leipzig 886. Brockhaus. n. 15. —; geb. n. 17. —

Stoll, Rud., österreichisch-ungarische Pomologie. Abbildung u. Beschreibg. v. in Oesterreich-Ungarn verbreiteten od. e. Verbreitung werthen Früchten. 4 Bde. gr. 4. (IV, 80 S. u. VIII, 78 S. m. Holzschn. u. 40 Chromolith. Klosterneuburg 883. 84. (Wien, Frick.) n. 32. —

Stolle's, R., neuester Führer v. Harzburg u. Umgegend m. Promenaden-Plan [bis zum Brocken-Ilsenburg-Romkerhall-Oker-Goslar etc.]. Nebst Geschichte u. allem Wissenswerthen v. Harzburg. Touren-Netz, sowie Hôtel- u. Wohnungs-Anzeiger v. Harzburg u. Annoncen-Anh. Zusammengestellt unter güt. Mitwirkg. v. Jacobs, Harweck-Waldstedt u. H. Körber. Mit 1 Ansicht der Harzburg vom J. 1574. gr. 16. (51 u. VII, 112 S.) Harzburg 885. Stolle. 1. 25

Stolley, A., der Gesangfreund. Eine Sammlg. der schönsten ein-, zwei- u. dreistimm. Lieder f. Schule, Haus u. Leben. Hrsg. im Auftrage d. Kieler Lehrervereins. Ausg. A. 3 Hfte. 8. Kiel 886. Lipsius & Tischer. cart. n. 1. —
1. 7. Aufl. (36 S.) n. — 25. — 2. 17. Aufl. (73 S.) n. — 35. — 3. 14. Aufl. (96 S.) n. — 40

— dasselbe. Ausg. B. In 2 Hftn. 8. Ebend. 886. cart. n. — 55; in 1 Hft. n. — 45
1. Lieder f. die Unter- u. Mittelstufe. (47 S.) n. — 25
2. Lieder f. die Oberstufe. (58 S.) n. — 30

— dasselbe. Methodisches Hft. f. die Hand d. Lehrers. Ein Führer f. den Gesangunterricht in der Volksschule. Zugleich e. Begleitwort zu der Liedersammlg.: Gesangfreund von demselben Verf. 7. Aufl. 8. (52 S.) Ebend. 886. cart. n. — 40

Stollwerck, Frz., Geschichte der Pfarre Hohenbudberg. Aus dem Nachlasse d. Verstorbenen hrsg. v. Heinr. Pannes. gr. 8. (IV, 108 S.) Uerdingen 885. (Köln, Boisserée.) n. 1. 60

— Kirchen- u. Profangeschichte der Stadt Uerdingen u. der umliegenden Ortschaften: Pfarre Lank, Linn, Bockum, Oppum, Verberg, Traar, Caldenhausen u. Hohenbudberg. 1. Hauptabth. Historische Beschreibg. der kathol. Pfarrkirche zu Uerdingen, von den ältesten Zeiten bis auf die Gegenwart, sowie d. ehemal. Franciscaner-Klosters u. der Wohlthätigkeitsanstalten: Gasthaus zum hl. Michael u. Hospital zum hl. Joseph. Mit 26 Urkunden. gr. 8. (VII, 191 S.) Uerdingen 881. (Leipzig, Brockhaus' Sort.) n. 3. —

— die Lepidopteren-Fauna der preussischen Rheinlande. Systematische Uebersicht der bis jetzt in der Rheinprovinz aufgefundenen Gross- u. Kleinschmetterlinge, m. besond. Beziehg. auf die Faunen der Städte, Stadt- u. Landkreise Aachen, Bonn, Boppard-Bingen, Crefeld, Elberfeld, Köln u. Trier. gr. 8. (IX, 198 S.) Bonn 863. Ebend. n. 2. —

— die altgermanische Niederlassung u. altrömischer Stationsort Asciburgium, Burgfeld-Asberg bei Mörs. Die Ausgrabgn. u. Funde seit 300 Jahren auf dem Burgfeld bei Asberg — Asciburgium Tac. — Topographie u. Geschichte dieses alten Ortes. Beschreibung der daselbst aufgefundenen Antiquitäten, sowie 1. Nachtrag zu Gelduba's Alterthümern. gr. 8. (XVI, 170 S.) Ebend. 879. n. 3. —

— die älteste, bisher unedirte, wichtigste Urkunde üb. die Erhebg. d. Ortes Uerdingen zur Stadt durch den Erzbischof v. Köln Conrad v. Hochstaden; üb. die Verlegg. derselben, die Freiheiten, Rechte u. Privilegien, sowie die Stiftg. der Pfarrkirche daselbst durch den Erzbischof Siegfried v. Westerburg, u. üb. die neuen ihr vom Erzbischofe Heinrich v. Virnenburg verliehenen Gnaden, ausgestellt v. diesem zu Neuß am 6. Mai 1324. Im latein. Urtexte m. deutscher Uebersetzg. u. erklär. Commentar hrsg. gr. 8. (19 S.) Ebend. 876. n. — 60

Stolp, H., Ortsgesetze, örtliche Polizei, Verwaltungs- u. Benutzungsordnungen, Dienst- u. Ausführungs-Anweisungen, wie Satzungen öffentl. u. gemeinnütz. Einrichtungen u. Anstalten, Genossenschaften u. Vereine. 13—15. Bd. 12. (440, 496 u. 552 S.) Berlin 882—84. Stankiewicz. à n. 4. — (1—15.: n. 57. —)

— die Reform d. Eigenthumsrechts als Grundlage der Social-Reform u. die neue privat- u. wirthschaftsrechtliche Regelung d. gesammten Handwerks- u. Gewerbebetriebes. gr. 8. (IV, 40 S.) Berlin 884. Ißleib. n. 1. —

Stolte, K., Geschichts-Auszüge, verbunden m. geograph. Belehrgn., zum Gebrauch beim Geschichts-Unterricht in 3 konzentr. Kursen bearb. 2. Aufl. 3. Kurs. 8. (164 S.) Neubrandenburg 885. Brünslow. n. 1. 20

— Lehr- u. Uebungsbuch f. den Unterricht in der Geographie, in 4 konzentr. Kursen bearb. 8. Ebend. n. 3. 80
1. 2. 5. Aufl. (IV, 108 S.) 885. n. — 50; geb. n. — 75
3. 2. Aufl. (166 S.) 883. n. 1. —; geb. n. 1. 25
4. 2. Aufl. (IV, 334 S.) 883. n. 1. 30

— dasselbe, in 3 konzentr. Kursen f. mehrklass. Schulen bearb. 3. Kurs. Zweijährig od. f. 2 Klassen. 2. Aufl. 8. (334 S.) Ebend. 882. n. 1. 60

— praktischer Lehrgang f. den Unterricht in der deutschen Sprache, in 4 Stufen bearb. 8. Ebend. 885. 86. n. 2. 50
1. 2. 23. Aufl. (IV, 92 S.) n. — 50; geb. n. — 75
3. 15. Aufl. (128 S.) n. — 80
4. 4. verb. Aufl. (IV, 140 S.) n. 1. 20

— systematisch geordnete deutsche Stilübungen f. Schulen. Ein Ergänzungsbuch zu dem prakt. Lehrgang desselben Verf., in 3 Tln. bearb. 2. Tl. [Ergänzung zum prakt. Lehrg. III.] Kursus mehrjährig. 4. verb. Aufl. 8. (182 S.) Ebend. 884. n. 1. 60

Stolte, L., Lehrbuch der Geometrie, s.: Ernst, Ch.

Stölten, H. O., das Kommen Christi im Weltgericht. Predigt vom 2. Advent 1884, seinen Gemeinden in weiterer Ausführg. als Neujahrsgabe dargeboten. gr. 8. (19 S.) Jena 884. (Neuenhahn.) n. — 25

Stoltze, Adf., das Orakel d. Telephon. Lustspiel in 1 Aufzug. 8. (16 S.) Frankfurt a/M. 884. (Gebr. Knauer.) — 75

Stoltze, Frdr., Gedichte in Frankfurter Mundart. 1. u. 2. Bd. 6. Aufl. Mit dem Bildniß d. Verf. 12. (VI, 376 u. VIII, 376 S.) Frankfurt a/M. 883. 84. Keller. à n. 3. —; geb. à n. 4. —

— Novellen u. Erzählungen in Frankfurter Mundart. Mit (eingedr. Holzschn.-)Illustr. 2. Bdchn. Neue Aufl. 12. (155 S.) Ebend. 885. n. 1. 20
(1. u. 2. in 1 Bd geb. m. Goldschn.: n. 4. —)

Stolz, Madame de, die beiden Prosper. Frei nach dem Franz. v. M. Hoffmann. Mit 43 Illustr. 8. (V, 246 S.) Freiburg i/Br. 886. Herder. 1. 80; geb. in Halbleinw. 2. 50

Stolz, Alban, gesammelte Werke. 3., 4., 6., 7., 12. u. 13. Bd. 8. Freiburg i/Br. Herder. n. 16. 60
3. Kompaß f. Leben u. Sterben. 8. Aufl. Mit dem „ABC f. große Leute". (IV, 127, 132, 124 u. 135 S. m. eingedr. Holzschn.) 883. n. 2. 40
4. Das Vaterunser u. der unendliche Gruß. 15. Aufl. (124, 122, 113 u. 115 S. m. eingedr. Holzschn.) 883. n. 2. 40
6. Wilder Honig. Fortsetzung der „Witterungen der Seele". [1849—1864.] 2. Aufl. m. dem „Wanderbüchlein aus dem J. 1848". (VIII, 671 S.) 886. n. 4. —; geb. n. 5. 40
7. Die heilige Elisabeth. Ein Buch f. Christen. 6. Aufl. Mit 15 (eingedr. Holzschn.-)Bildern. (VIII, 415 S.) 883. n. 3. —
12. Wachholder-Geiß gegen die Grundübel der Welt: Dummheit, Sünde u. Elend. Sammel-Ausg. der Kalender f. Zeit u. Ewigkeit 1873—1878. 2., verm. Aufl. Mit vielen Bildern. (92, 105, 96, 109, 78 u. 86 S.) 886. n. 2. 40; geb. n. 3. 80
13. Homiletik als Anweisung den Armen das Evangelium zu predigen. Nach dem Tode d. Verf. hrsg. v. Jak. Schmitt. (XVI, 303 S.) 885. n. 2. 40; geb. n. 3. 80

— ausgewählte Werke. (1. u. 2. Bd.) gr. 8. Ebend. 885. n. 5. 70
1. Spanisches f. die gebildete Welt. 8. Aufl., m. etwas Türkischem nebst Noten. (VIII, 360 S.) n. 2. 70
2. Die heilige Elisabeth. Ein Buch f. Christen. 5. Aufl. Mit 15 Bildern. (VIII, 415 S.) n. 3. —

— ABC f. große Leute. Kalender f. Zeit u. Ewigkeit 1864. 7. Aufl., m. groben Bildern. gr. 8. (156 S.) Ebend. 885. n. — 60

— Andenken f. Dienstmädchen. 7. Aufl. 16. (16 S.) Ebend. 884. f. 6 Explre. n. — 25

— Armut u. Geldsachen. Kalender f. Zeit u. Ewigkeit 1874. 3. Aufl. 8. (105 S. m. Holzschn.) Ebend. 886. n. — 40

— die gekreuzigte Barmherzigkeit. [Die heil. Elisabeth.] Kalender f. Zeit u. Ewigkeit 1876. 2. Aufl. Mit Bildern v. J. Heinemann. 8. (109 S.) Ebend. 886. n. — 40

— der verbotene Baum f. Katholiken u. Protestanten. 3. Aufl. 16. (56 S.) Ebend. 885. n. — 30

Stolz, Alban, das Bilderbuch Gottes. Kalender f. Zeit u. Ewigkeit. 7. Jahrg. 1859. 6. Aufl. m. Noten. 8. (144 S. m. Holzschn.) Freiburg i/Br. 885. Herder. n. — 60

— ein Stück Brod. Kalender f. Zeit u. Ewigkeit 1878. 2. Aufl. 8. (86 S. m. Holzschn.) Ebend. 886. n. — 40

— Christi Vergißmeinnicht f. das ganze Leben. Für weibl. Jugend, öfters zu lesen. 13. Aufl. 16. (8 S.) Ebend. 885. f. 12 Explre. n. — 25

— der unendliche Gruß. Kalender f. Zeit u. Ewigkeit. 6. Jahrg. 1858. 7. Aufl. 8. (140 S. m. Holzschn.) Ebend. 885. n. — 60

— was der Kirchhof predigt. Vorgetragen zu Königshofen 1865. 16. (16 S.) Ebend. 884. n. — 20

— kohlschwarz m. e. rothen Faden. Kalender f. Zeit u. Ewigkeit 1873. 4. Aufl. 8. (92 S. m. Holzschn.) Ebend. 886. n. — 40

— der heilige Kreuzweg. 3. Aufl., m. Bildern. 16. (71 S.) Ebend. 885. n. — 15; geb. in Leinw. n. — 60; in Ldr. m. Goldschn. n. — 90

— die vornehmste Kunst. [Kalender f. Zeit u. Ewigkeit 1881.] Mit (eingedr. Holzschn.-)Illustr. 4. (36 S.) Ebend. 883. n. — 10

— christlicher Laufpaß, gültig bis zum Tod. Andenken f. männl. Jugend, welche aus der Schule entlassen wird. 16. Aufl. 16. (8 S.) Ebend. 885. f. 12 Explre. n. — 25

— Legende od. der christliche Sternenhimmel. 8. Aufl. Mit vielen (Holzschn.-)Bildern. gr. 4. (907 S.) Ebend. 886. 8. —; auch in 10 Hftn. à — 80

— geistliche Medizin f. Kranke v. e. geistlichen Doktor. 10. Aufl. 16. (8 S.) Ebend. 883. f. 12 Explre. n. — 20

— der Mensch u. sein Engel. Ein Gebetbuch f. kathol. Christen. 7. Aufl., m. Farbentitel u. Stahlst. 16. (VIII, 574 S.) Ebend. 885. — 90

— das Menschengewächs od. wie der Mensch sich u. Andere erziehen soll. Kalender f. Zeit u. Ewigkeit 1844. 16. Aufl. 8. (VIII, 150 S. m. Holzschn.) Ebend. 885. n. — 60

— Mixtur gegen Todesangst. Kalender f. Zeit u. Ewigkeit. 1. Jahrg. 1843. Für das gemeine Volk u. nebenher f. geistl. u. weltl. Herrenleute. 19. Aufl. gr. 8. (150 S. m. Holzschn.) Ebend. 885. n. — 60

— Nachtgebet meines Lebens. Nach dem Tode d. Verf. hrsg. u. durch Erinnergn. an Alban Stolz ergänzt v. Jak. Schmitt. gr. 8. (XI, 276 S.) Ebend. 885. n. 2. 40

— zwischen der Schulbank u. der Kaserne. Wegweiser f. die Jugend. 7. Aufl. 16. (38 S.) Ebend. 885. f. 6 Explre. n. — 50

— Unterricht üb. den Männer-Vincenz-Verein. 3. Aufl. 16. (X, 41 S.) Ebend. 886. n. — 25

— l'uomo e il suo angelo. Libro di preghiera dei cristiani cattolici. Tradotto dalla VI. ed. tedesca. 24. (382 S. m. 1 Chromolith.) Einsiedeln 885. Benziger & Co. — 80

— das Vaterunser. 1. Thl. Kalender f. Zeit u. Ewigkeit. 3. Jahrg. 1845. 16. Aufl. 8. (152 S. m. Holzschn.) Freiburg i/B. 885. Herder. n. — 60

— dasselbe. 2. Thl. [Gib uns heute unser tägl. Brod u. sonst nichts.] Kalender f. Zeit u. Ewigkeit. 4. Jahrg. 1846. 14. Aufl. gr. 8. (138 S. m. eingedr. Holzschn.) Ebend. 885. n. — 60

— dasselbe. 3. Thl. [Essig u. Oel.] Kalender f. Zeit u. Ewigkeit. 5. Jahrg. 1847. 16. Aufl. gr. 8. (135 S. m. Holzschn.) Ebend. 885. n. — 60

— der heil. Vincenz v. Paul. Kalender f. Zeit u. Ewigkeit 1875. 3. Aufl. Mit Bildern. 8. (96 S.) Ebend. 886. n. — 40

— Wetterleuchten. Kalender f. Zeit u. Ewigkeit 1877. 2. Aufl. 8. (78 S. m. Holzschn.) Ebend. 886. n. — 40

Stolz, Alban. Der Kalenderschreiber f. Zeit u. Ewigkeit. Ein treues Lebensbild d. großen Mannes, nach seinen eigenen Schriften entworfen. Mit dem Portr. v. Alban Stolz. 8. (73 S.) Steyl 884. Missionsdruckerei. — 40

— nach seinen Schriften. 8. (14 S. m. Holzschn.-Portr.) Freiburg i/Br. 884. Herder. n. — 20

— Biographie, s.: Hägele, J. M.

Stolz, C., die Basler Mission in Indien. Zugleich als Festschrift zum 50jähr. Jubiläum der Kanara-Mission. Mit e. Karte. 8. (108 S.) Basel 884. Missionsbuchh. n. — 50

Stolz, C., Land u. Leute auf der Westküste Indiens. Nach eigener Anschaug. geschildert. 8. (64 S.) Basel 882. Missionsbuchh. n. — 50

Stolz, Frdr., die zusammengesetzten Nomina in den Homerischen u. Hesiodischen Gedichten. gr. 8. (62 S.) Wien 885. (Pichler's Wwe. & Sohn.) n. 1. 40

Stolz, Otto, Vorlesungen üb. allgemeine Arithmetik. Nach den neueren Ansichten bearb. 1. u. 2. Thl. gr. 8. Leipzig, Teubner. à n. 8. —

1. Allgemeines u. Arithmetik der reellen Zahlen. (VI, 344 S.) 885.
2. Arithmetik der complexen Zahlen m. geometr. Anwendgn. (VIII, 326 S.) 886.

Stolze, F., Persepolis. Die achämenidischen u. sasanidischen Denkmäler u. Inschriften v. Persepolis, Istakhr, Pasargadae, Shâhpûr. Zum ersten Male photographisch aufgenommen. Im Anschlusse an die epigraphisch-archäolog. Expedition in Persien v. F. C. Andreas. Hrsg. auf Veranlassg. d. 5. internationalen Orientalisten-Congresses zu Berlin. Mit e. Besprechg. der Inschriften v. Th. Nöldeke. 2. (Schluss-)Bd. gr. Fol. (VI, 12 S. m. 77 Lichtdr.-Taf. u. 77 Bl. Taf.-Erklärgn.) Berlin 882. Asher & Co. geb. Subscr.-Pr. n.n. 200. —; Ladenpr. n.n. 225. — (cplt.: Subscr.-Pr. n.n. 400. —; Ladenpr. n.n. 450. —)

— u. F. C. **Andreas,** die Handelsverhältnisse Persiens, s.: Petermann's, A., Mittheilungen aus J. Perthes' geographischer Anstalt.

Stolze, Frz., die Stellung u. Beleuchtung in der Photographie. 1. u. 2. Hft. [Mit 11 Photogr. in Lichtdr. auf 6 Fol.-Taf.] (22 S. m. eingedr. Fig.) Halle 884. 85. Knapp. à n. 5. —

Wilh., theoretisch-praktisches Lehrbuch der deutschen ographie f. höhere Schulen u. zum Selbstunterricht. . Tl. gr. 8. Berlin 886. Mittler & Sohn. n. 4. —

Anleitung zur deutschen Stenographie, auf Veranlassg. d. stenograph. Vereins zu Berlin bearb. 46. Aufl., hrsg. v. F. Stolze. (VI, 48 S., wovon 17 autogr.) n. 1. —
Schlüssel zu den Aufgaben in Wilh. Stolze's Anleitung zur deutschen Stenographie. Hrsg. v. Frz. Stolze. 15. Aufl. (32 autogr. S.) n. 1. —
Ausführlicher Lehrgang der deutschen Stenographie. Für den Selbstunterricht bearb. 9. Aufl., hrsg. v. der stenograph. Prüfungs-Commission zu Berlin. Mit 3 Blättern in Steindr. (XIV, 89 S.) n. 2. —

— System der deutschen Stenographie. Hrsg. v. den Verbänden der W. Stolze'schen Schule. 1. Stufe: Schul- u. Korrespondenzschrift. gr. 8. (IV, 32 S. m. 20 autogr. Taf.) Leipzig 886. Klinkhardt. n. 1. —

— dasselbe. Schlüssel zu den Schreibaufgaben u. Leseübgn. Hrsg. v. den Verbänden der W. Stolze'schen Schule. gr. 8. (23 S., wovon 16 autogr.) Ebend. 886. n. — 80

Stolzeaner, die, unter sich. gr. 8. (8 S.) Elberfeld 885. Fassbender. n. — 10; 100 Stück n. 5. —

Stölzel, Adf., Carl Gottlieb Svarez. Ein Zeitbild aus der 2. Hälfte d. 18. Jahrh. [Mit 3 Abbildgn. u. e. Stammtaf.] gr. 8. (XX, 452 S.) Berlin 885. Vahlen. n. 10. —; geb. n. 12. —

Stölzel, C., die Metallurgie, s.: Handbuch der chemischen Technologie.

Stolzissi, P. R., der Attergau. Ein Vademecum bei Bereisg. d. Attergaues m. besond. Berücksicht. d. klimat. Curortes Kammer u. der Attersee-Ufer. gr. 8. (80 S.) Vöcklabruck 883. (Salzburg, Kerber.) — 80

Stommel, Kuno, aus dem Geistesleben der Gegenwart. Bunte Blätter. gr. 8. (VIII, 423 S.) Düsseldorf 886. F. Bagel. n. 7. 50

— die Getreidezölle. Reformvorschläge f. den prakt. Staats- u. Landwirth. gr. 8. (III, 96 S.) Ebend. 885. n. 2. —

— die Kunst gesund zu werden. gr. 8. (VIII, 83 S.) Ebend. 886. n. 1. 50

— die Wiederherstellung der weltlichen Herrschaft d. Papstes durch den Fürsten Bismarck. gr. 8. (55 S.) Ebend. 884. n. 1. —

Stooss, Carl, Bemerkungen zu dem Entwurfe e. schweizer. Militärstrafgesetzbuches. Tödtung u. Körperverletzg. gr. 8. (23 S.) Bern 885. (Fiala.) n. — 30

— Strafgesetzbuch f. den Kanton Bern vom 30. Jan.

1866. Textausg. m. Anmerkgn. 8. (129 S.) Bern 885. (Fiala.) cart. n. 2. 40

Stöpel, Frz., das Geld in der gegenwärtigen Volkswirthschaft, s.: Zeitfragen, soziale.

— soziale Reform. Beiträge zur friedl. Umgestaltg. der Gesellschaft. I—IX. gr. 8. Leipzig, O. Wigand. à n. 1. —
 I. Das Kapital. Enthüllung der Mittel zur Beseitigg. der Geldherrschaft u. Befreig. der Arbeit. (78 S.) 884.
 II. Die Bevölkerungsfrage. (58 S.) 884.
 III. Das Recht auf Arbeit. In seiner Gerechtigkeit u. Heilsamkeit für die Gesellschaft, sowie als Vorbedingg. f. jede rationelle Reform der Armenpflege nachgewiesen. (60 S.)
 IV. V. Der Grundbesitz m. besond. Beziehung auf dessen Lage in Deutschland. Grundzüge e. rationellen Agrarpolitik. (V, 156 S.) 884.
 VI. Die Genossenschaften der Arbeiter u. Handwerker in Gegenwart u. Zukunft. (68 S.) 885.
 VII. Die sozialen Aufgaben d. Staats u. der Gemeinden. (V, 68 S.) 885.
 VIII. Theorie u. Praxis der Besteuerung. Mit besond. Rücksicht auf Preußen u. Deutschland. (V, 65 S.) 885.
 IX. Die Wirthschafts- u. Sozialpolitik d. Fürsten Bismarck. (V, 65 S.) 885.

Stoepel, Paul, preußischer Gesetz-Codex. Ein authent. Abdruck der in der Gesetzsammlg. f. die königl. preuß. Staaten von 1806 bis auf die neueste Zeit enth. Gesetze, Verordngn., Kabinetsordres, Erlasse x. In chronolog. Ordng., m. Rücksicht auf ihre noch jetzige Gültigkeit u. praktische Bedeutg. zusammengestellt. 8—11. Suppl. m. Register. gr. 8. Frankfurt a/O., Trowitzsch & Sohn. n. 18. — (1—11.: n. 51. 40)
 8. 1878—1879. [Suppl. XIII der 1. Aufl.] (VI, 398 S.) 880. n. 7. 50. — 9. 1880—1881. (X, 196 S.) 882. n. 2. 50. — 10. 1882—1883. (360 S.) 882. 3. —. — 11. 1884—1885. (446 S.) 886. n. 5. —

Stoppel, V., Zeichenhefte m. Vorzeichnungen. Ausg. A. [in 4 Hftn.]. qu. 4. (à 28 S.) Hanau 883. Alberti. à n. — 30
 1. 2. 7. Aufl. — 3. 4. 4. Aufl.

— dasselbe. Ausg. A [in 5 Hftn.] Mit Stigmen. 4. (à 28 S.) Ebend. 886. à n. — 30
 1. 23. Aufl. — 2. 3. 22. Aufl. — 4. 5. 20. Aufl. Ausg. f. Knaben resp. Mädchen.

— dasselbe. Ausg. B [in 8 Hftn.]. qu. 4. (à 16 S.) Ebend. 883. à n. — 18
 1. 5. 8. 8. Aufl. — 2—4. 6. 7. 7. Aufl.

— dasselbe. Ausg. B [in 10 Hftn.]. Mit Stigmen. 4. (à 16 S.) Ebend. 886. à n. — 18
 1—3. 22. Aufl. — 4—6. 20. Aufl. — 7. 8. 22. Aufl. 9. 20. Aufl. Ausg. f. Knaben, resp. Mädchen. — 10. 10. Aufl. Ausg. f. Knaben, resp. Mädchen.

— dasselbe. Ausg. B. 1—4. Hft. Ohne Stigmen. 23. Aufl. 4. (à 16 S.) Ebend. 886. à n. — 18

Storch, Karl, das Eisleber Luther-Jubiläum am 10. Novbr. 1883. 2. Aufl. 8. (80 S. m. eingedr. Holzschn.) Eisleben 884. Mähnert. n. — 75

Storch, Thdr., angelsächsische Nominalcomposita. gr. 8. (IV, 72 S.) Strassburg 886. Trübner. n. 1. 50

Storck, J., kunstgewerbliche Vorlage-Blätter f. Real-, gewerbliche Fach- u. Fortbildungsschulen. Im Auftrage der k. k. Ministerien d. Cultus u. Unterrichts u. d. Handels hrsg. 13—15. (Schluss-)Lfg. Imp.-Fol. (à 10 Lith. u. Chromolith. m. 1 Bl. Text.) Wien 883. v. Waldheim. à 15. —

Storck, Wilh., Recepte f. Haus- u. Landwirthschaft. 8. (VIII, 236 S.) Halle 883. Knapp. n. 3. —

— die Thierstoffe. Die Haut, Haare, Wolle, Seide, Blut, Fleisch, Galle, Milch, Fett, Talg, Wachs, Honig, Blase, Leim, Elfenbein, Knochen, Federn x., ihre Gewinng. u. Verwerthg. In 672 Vorschriften u. Recepten dargestellt. 8. (IV, 315 S.) Halle 883. Knapp. n. 3. —

Storck, Wilh., hundert altportugiesische Lieder. Zum ersten Male deutsch v. W. St. 8. (VII, 124 S.) Paderborn 885. F. Schöningh. n. 1. 60; geb. n. 2. 80

Stoerk, Emil, Universal-Münzen-Tabelle, enth. die fert. Umrechng. v. 1 od. 100 jeder belieb. Geldsorte. 2. Aufl. gr. Fol. Wien 884. (Huber & Lahme.) n. 1. 20

— tausendjähriger Wandkalender. Imp.-Fol. Marburg i/Steiermark 884. Stoerk. n.n. 2. —

Stoerk, Fel., Handbuch der deutschen Verfassungen. Die Verfassungsgesetze d. Deutschen Reiches u. seiner Bundesstaaten, nach dem gegenwärt. Gesetzesstande bearb. u. hrsg. gr. 8. (IX, 635 S.) Leipzig 884. Duncker & Humblot. n. 12. —

Stoerk, Fel., zur Methodik d. öffentlichen Rechts. gr. 8. (128 S.) Wien 885. Hölder. n. 2. 80

Storm's, Thdr., gesammelte Schriften. 1. Gesammtausg. 3. Aufl. 14 Bde. 8. (VI, 224; 204, 226, 236, 256, 209, 194, 222, 215, 184, 151, 242, 188 u. 173 S. m. 1 Lichtdr.-Portr.) Braunschweig 884. Westermann. n. 31.50

— aquis submersus. Novelle. 2. Aufl. 8. (195 S.) Berlin 886. Gebr. Paetel. n. 4. —; geb. n.n. 5. 50

— Bötjer Basch. Eine Geschichte. 12. (116 S.) Ebend. 887. geb. m. Goldschn. n. 3. —

— zur Chronik v. Grieshuus. 1883—84. 8. (204 S.) Ebend. 884. n. 5. —; geb. n. 6. 50

— dasselbe, } s.: Paetel's Miniatur-
— ein Fest auf Haderslevhuus, } Ausgaben-Collection.

— Gedichte. 7. Aufl. 12. (262 S.) Berlin 885. Gebr. Paetel. geb. m. Goldschn. n. 6. —

— Immensee. 28. Aufl. 12. (72 S.) Ebend. 887. geb. m. Goldschn. n. 3. —

— dasselbe, s.: Paetel's Miniatur-Ausgaben-Collection.

— zwei Novellen. [Schweigen. — Hans u. Heinz Kirch.] 8. (241 S.) Berlin 883. Gebr. Paetel. n. 4. —; geb. n.n. 5. 50

— John Riew'. Novelle. Min.-Ausg. 12. (92 S.) Ebend. 886. geb. m. Goldschn. n. 3. —

— dasselbe. Ein Fest auf Haderslevhuus. Zwei Novellen. 8. (221 S.) Ebend. 885. n. 5. —; geb. n.n. 6. 50

— vor Zeiten. Novellen. 8. (516 S.) Ebend. 886. n. 8. —; geb. n. 10. —

Störmann, B., die gute Congreganistin. Marianisches Vereinsbuch f. kathol. Jungfrauen. 3. Aufl. 16. (484 S. m. 1 Stahlst.) Dülmen 886. Laumann. n. 1. —; geb. von n. 1. 50 bis n. 6. —

— das Kirchenjahr. Ein Lehr- u. Betbuch f. kathol. Christen, besonders f. die Jugend. 16. (XX, 431 S. m. 1 Stahlst.) Ebend. 886. n. 1. —; geb. n. 1. 50

— die Mädchenerziehung in Pensionaten, s.: Broschüren, Frankfurter zeitgemäße.

— marianisches Vereinsbuch f. katholische Jungfrauen. Die gute Congreganistin. 2. Aufl. 16. (448 S. m. 1 Stahlst.) Dülmen 885. Laumann. n. 1. —

Storp, Ferd., üb. den Einfluss v. Chlornatrium auf den Boden u. das Gedeihen der Pflanzen. gr. 8. (28 S. m. 1 Steintaf.) Berlin 883. (Göttingen, Vandenhoeck & Ruprecht.) n. 1. 40

Storz, J., Handbuch der Wissenschaftslehre od. die Lehre vom Vorstellen, Denken, Erkennen u. Wissen. Nach den besten Quellen bearb. gr. 8. (VIII, 317 S.) Tübingen 886. Fues. n. 5. —

Stosch, G., drei Predigten, Weihnachten 1882 in der Klosterkirche zu Marienberg geh. gr. 8. (18 S.) Marienberg i/Braunschw. 883. (Braunschweig, Wollermann.) n.n. — 50

Stosz, Wilh., Le Sage als Vorkämpfer der Atomistik. gr. 8. (60 S.) Halle 884. (Leipzig, Fock.) n. 1. 50

Stösser, v., üb. Arbeiter-Kolonien. Vortrag, geh. am 26. März 1884 im Rathhaus-Saale zu Karlsruhe. gr. 8. (19 S.) Karlsruhe 885. (Braun.) n. — 20

Stötzner, Ed., Elemente der Geographie, in Karten u. Text methodisch dargestellt. 1. u. 2. Kurs. qu. gr. 4. Annaberg 885. Rudolph & Dieterici. n. 4. —
 1. 13. Aufl. (13 lith. u. color. Karten m. VI, 11 S. Text.) n. 1. 60
 2. 10. Aufl. (13 lith. u. color. Karten m. 15 S. Text.) n. 2. 40

Stot Tai, verurtheilt. Erzählung. 8. (48 S.) Trier 883. Berlin, Kogge & Fritze. n. — 50

Stöter, F., Geschichte u. Beschreibung d. St. Nikolai Kirchenbaues in Hamburg. Mit 19 (Lichtdr.-)Abbildgn. (in Fol.) in e. Mappe. gr. 8. (XI, 215 S.) Hamburg 883. (Boysen.) geb. n. 30. —

Stötzer, die Reformation u. ihre Einführung in Mecklenburg. Schulrede. gr. 8. (15 S.) Bützow 883. (Berg.) n. — 40

— Regeln üb. das Fußballspiel, f. deutsche Verhältnisse nach eigener Erfahrg. zusammengestellt. 12. (4 S. auf Carton.) Rostock 883. Werther. n. — 10

— dasselbe, s.: Bircher, E., Jugend- u. Turnspiele.

Stötzer, H., Waldwegebaukunde. Ein Handbuch f. Praktiker u. Leitfaden f. den Unterricht. Mit 94 Fig. in

Holzschn. u. Lith. 2. Aufl. gr. 8. (VII, 194 S.) Frankfurt a/M. 885. Sauerländer. n. 4. —

Stötzner, Ernst, Lehr- u. Lesebuch f. städtische u. gewerbliche Fortbildungsschulen. Zugleich als Volksbuch hrsg., m. Benutzg. Weberscher Vorarbeiten. 3. Aufl. gr. 8. (VIII, 376 S.) Leipzig 886. Klinkhardt. n. 1. 20; geb. n.n. 1. 55

— dasselbe. Ausgabe f. Preußen. gr. 8. (VIII, 376 S.) Ebend. 886. n. 1. 20

Stoewe, Gust., die Klaviertechnik, dargestellt als musikalisch-physiologische Bewegungslehre. Nebst e. System gymnast. Uebgn. gr. 8. (XII, 151 S.) Berlin 886. Oppenheim. n. 2. 50

Stoy's, Dr. K. V., Leben, Lehre u. Wirken, s.: Fröhlich, G.

Strack, Herm. L., grammaire hébraïque avec paradigmes, exercices de lecture, chrestomathie et indice bibliographique. Traduit de l'allemand par Ant. J. Baumgartner. Éd. revue et augmentée par l'auteur. 8. (XII, 171 u. 79 S.) Berlin 886. Reuther. n. 3. 25

— hebräische Grammatik m. Übungsstücken, Litteratur u. Vokabular. 2. Aufl. [Porta linguarum orientalium, inchoavit J. H. Petermann, continuavit Herm. L. Strack, pars I.] 8. (XVI, 161 u. 69 S.) Ebend. 885. n. 3. —

— dasselbe, s.: Porta linguarum orientalium.

— Paradigmen zur hebräischen Grammatik. 8. (IV, 22 S.) Berlin 887. Reuther. n. — 30

— Herr Adolf Stöcker, christliche Liebe u. Wahrhaftigkeit. 2. Aufl. gr. 8. (IV, 100 S.) Ebend. 886. n. 1. —

— vollständiges Wörterbuch zu Xenophons Anabasis. 4. vielfach verb. Aufl. [Zugleich als 10. Aufl. d. v. Frdr. K. Theiss verf. Wörterbuchs] gr. 8. (VII, 134 S.) Leipzig 884. Hahn's Verl. 1. 20

— u. Carl **Siegfried,** Lehrbuch der neuhebräischen Sprache u. Litteratur. 8. Berlin 884. Reuther. n. 3. —

I. Grammatik der neuhebräischen Sprache v. Carl Siegfried. (XII, 92 S.)

II. Abriss der neuhebräischen Litteratur v. Herm. L. Strack. (S. 93–132.)

Strack, K., Anton Court od. die Kirche der Wüste,

— Prälat D. Karl Zimmermann zu Darmstadt, dessen Leben u. Verdienste um den Gustav-Adolf-Verein,

} s.: Für die Feste u. Freunde d. Gustav-Adolf-Vereins.

Strack, Max, aus Süd u. Ost. Reisefrüchte aus drei Welttheilen. 1. u. 2. Sammlg. Hrsg. v. Herm. L. Strack. 8. Berlin, Reuther. à n. 4. —; geb. à n. 5. —

1. Das geeinte Italien, Sicilien. Bilder aus Griechenland u. Kleinasien. Mit 2 Karten u. 2 Abbildgn. (XX, 314 S.) 885.

2. Adria. Bilder aus Palästina u. Syrien. Aegypten. (X, 346 S.) 886.

Strafbestimmungen, die, zum Schutze der Fischerei f. das Königr. Bayern u. den Reg.-Bez. Oberbayern. Zusammengestellt vom bayer. Fischerei-Verein. 16. (24 S.) München 886. (Kaiser.) n. — 50

Strafgesetzbuch, das, f. das Deutsche Reich in der nach dem Gesetz vom 26. Febr. 1876 abgeänderten Fassung, nebst Einführungsgesetz vom 31. Mai 1870, u. das Wuchergesetz vom 24. Mai 1880. Mit sachgemäßen Erklärgn. 18. Aufl. gr. 8. (110 S.) Berlin 886. Burmester & Stempell. n. — 50

— dasselbe. Nach der jetzt gült. Fassg. Mit ausführl. Sachregister. 2. Aufl. 12. (IV, 128 S.) Breslau 883. Kern's Verl. n. — 50

— dasselbe, nebst dem Wuchergesetz vom 24. Mai 1880. Text-Ausg. 2. Aufl. 16. (154 S.) Dresden 885. Barth & Schirrmeister. cart. n. — 60

— für Russland. Allgemeiner Thl. Entwurf der Redaktionskommission. Nebst Erläutergn. Aus dem Russ. übers. u. v. X. Gretener. gr. 8. (Entwurf 28 u. Erläutergn. VI, 261 S.) St. Petersburg 882. (Berlin, Puttkammer & Mühlbrecht.) n.n. 10. —

— dasselbe. Besonderer Thl. Verbrechen gegen die Person. Entwurf der Redaktionskommission. Aus dem Originale übers. u. an der Hand der Motive erläutert v. X. Gretener. Lex.-8. (III, 57 S.) Ebend. 885. n. 2. 40

Strafhaus-Arbeit, die. Ein Nothruf der Gewerbetreibenden u. der Arbeiterbevölkerg. Oesterreichs. 2. Aufl. 8. (VII, 86 S.) Wien 886. Manz. n. 1. —

Straf-Vollstreckungs-Reglement f. die kaiserl. Marine. Anhang. gr. 8. (7 Bl.) Berlin 884. Mittler & Sohn. n. — 20 (Hauptwerk u. Anh.: n. 1. 40)

Strahalm, Frz., politisch-statistische Tafel der Oesterr.-Ung. Monarchie. 6. Jahrg. 1883. Imp.-Fol. Wien 883. Hartleben. 1. —

Strahl, Predigt am Feste der feierlichen Glockenweihe zu Rohrdorf im Allgäu den 14. Juni 1883. gr. 8. (14 S.) Leutkirch 883. Roth. n. — 20

Strahl, Ed. Ritter v., die Kunstzustände Krains in den vorigen Jahrhunderten. Eine culturhistor. Studie. 8. (54 S.) Graz 884. (Laibach, v. Kleinmayr & Bamberg.) n. — 50

Strahl, H., üb. Wachsthumsvorgänge an Embryonen v. Lacerta agilis. gr. 4. (63 S. m. 5 Steintaf.) Frankfurt a/M. 884. (Diesterweg.) n. 7. —

Strahler, das öffentliche Gesundheitswesen d. Reg.-Bez. Bromberg in den J. 1873 bis 1882. Verwaltungsbericht, m. besond. Berücksicht. einzelner Infectionskrankheiten. gr. 8. (IV, 125 S.) Bromberg 883. (Mittler.) n. 2. —

Strahlmann, Gerh., üb. die Wirkung d. Oleum Thujae u. seiner Bestandtheile. gr. 8. (33 S.) Göttingen 884. (Vandenhoeck & Ruprecht.) n. — 80

Strand, Gabr., Hadrian. Eine Tragödie in 5 Aufzügen. 8. (123 S.) Lübeck 885. (Dittmer.) n. 3. —

— Atalanta van der Hege, s.: Collection Spemann.

Stranitzky, J. A., Ollapatrida d. durchgetriebenen Fuchsmundi,

— lustige Reiss-Beschreibung aus Salzburg in verschiedene Länder,

} s.: Neudrucke, Wiener.

Stransky, Carl v., u. Carl **Prévôt,** Feld-Taschenbuch f. Truppen-Offiziere. 7. Aufl. gr. 16. (VI, 180 S.) Teschen 886. Prochaska. geb. n.n. 3. 60

Stransky, Sigm., Versuch der Entwicklung e. allgemeinen Ästhetik auf Schopenhauerischer Grundlage. gr. 8. (67 S.) Wien 886. Löwit. n. 1. —

Strantz, M. v., Fest u. Treu. Gedenkblätter. 8. (XVI, 191 S. m. photolith. Titelbl.) Berlin 885. (A. Duncker.) geb. m. Goldschn. n. 3. —

Strasburger, Ed., die Controversen der indirecten Kerntheilung. Mit 2 (lith.) Taf. gr. 8. (62 S.) Bonn 884. Cohen & Sohn. n. 2. 40

— das botanische Practicum. Anleitung zum Selbststudium der mikroskop. Botanik. Für Anfänger u. Fortgeschrittenere. Mit 182 Holzschn. gr. 8. (XXXVI, 664 S.) Jena 884. Fischer. n. 14. —; geb. n. 15. —

— das kleine botanische Practicum f. Anfänger. Anleitung zum Selbststudium der mikroskop. Botanik u. Einführg. in die mikroskop. Technik. Mit 114 Holzschn. gr. 8. (VIII, 285 S.) Ebend. 884. n. 6. —

— neue Untersuchungen üb. den Befruchtungsvorgang bei den Phanerogamen als Grundlage f. e. Theorie der Zeugung. Mit 2 lith. Taf. gr. 8. (XI, 176 S.) Ebend. 884. n. 5. —

Straschun, D. O., der Tractat Taanit d. babylonischen Talmud, zum ersten Male ins Deutsche übertr., m. steter Rücksichtnahme auf Talmud Jeruschalmi, Midrasch Rabbot, Tanchuma, Pesikta de Rab Kahana, Midrasch Tillim, Abot de R. Nathan, Pirke de R. Elieser, Scheiltot de Rab Achai Gaon, Sifra, Sifri u. Mechilta. Mit e. Vorwort v. Aug. Wünsche. gr. 8. (XIX, 185 S.) Halle 883. Niemeyer. n. 6. —

Strassburg in der Westen-Tasche. Kleines Verkehrshandbuch. Sommer 1884. 128. (98 S.) Strassburg 884. v. Wilmowski. n. — 20

Straßburger, B., Geschichte der Erziehung u. d. Unterrichts bei den Israeliten. Von der vortalmud. Zeit bis auf die Gegenwart. 10 Lfgn. 8. (XV, 310 S.) Stuttgart 884. 85. Levy & Müller. à n. — 50

— Memorier- u. Gesangbuch f. israelitische Schulen. 2. verm. u. m. Noten vers. Aufl. gr. 8. (104 S.) Ebend. 884. cart. n. 1. 60

Straßburger, H., der Liebe Lohn, s.: Volksbücher, Reutlinger.

Straßen, Gassen u. Plätze der k. k. Reichs- Haupt- u. Residenzstadt Wien u. der Ortschaften in der Umgebung. [Nebst Nachweis sämmtl. Höfe, Linienämter u. Brücken.] 12. (68 S.) Wien 886. Hölder. n. — 40

Straßenfeger, der kleine. Des Schuhmachers Töchterlein. Gott die Zeit stehlen. Drei Erzählgn. Aus dem Engl. übers. 16. (50 S.) Gernsbach 888. Christl. Kolportage-Verein. n. — 25

Straßenordnung f. den Stadtkreis Potsdam. gr. 8. (47 S.) Potsdam 886. Döring. n.n. — 50

Straßer, G., f. unsere Auswanderer, s.: Volksschriften, Berner.

— das Berner-Oberland im Spiegel der Dichtung. 8. (87 S.) Interlaken 885. (Bern, Nydegger & Baumgart.) n. — 80

— die Poesie d. Sonntags. 8. (III, 105 S.) Bern 883. Huber & Co. n. 1. 50; geb. n. 2. 50

— dasselbe, s.: Volksschriften, Berner.

Strasser, H., üb. den Flug der Vögel. Ein Beitrag zur Erkenntniss der mechan. u. biolog. Probleme der activen Locomotion. gr. 8. (263 S. m. Fig.) Jena 885. Fischer. n. 7. —

— zur Kenntniss der functionellen Anpassung der quergestreiften Muskeln. Beitrage z. e. Lehre v. dem kausalen Zusammenhang in den Entwickelungsvorgängen d. Organismus. Mit 2 lith. Taf. gr. 8. (III, 115 S.) Stuttgart 883. Enke. n. 4. —

Sträßle's, Frz., illustrirte Naturgeschichte der drei Reiche. 4. Aufl., vollständ. umgearb. v. Frz. Sträßle u. Ludw. Baur. Mit vielen Abbildgn. in Farbendr. nach Aquarellen v. Frdr. Specht, C. Offterdinger, Alfr. Greiner u. m. mehr als 200 Holzschn. im Text. (In ca. 36 Lfgn.) 1—3. Lfg. gr. 8. (S. 1—56.) Stuttgart 886. Nitzschke. à n. — 50

Strassmaier, J. N., alphabetisches Verzeichniss der assyrischen u. akkadischen Wörter im 2. Bde. der „Cuneiform inscriptions of Western Asia“, s.: Bibliothek, assyriologische.

— Wörterverzeichniss zu den babylonischen Inschriften im Museum zu Liverpool, nebst andern aus der Zeit von Nebukadnezar bis Darius. veröffentlicht in den Verhandlgn. d. VI. Orientalisten-Congresses zu Leiden. [Aus: „Alphabet. Verzeichniss der assyr. u. akkad. Wörter der Cuneiform inscriptions of Western Asia vol. II“.] gr. 4. (III, 66 S.) Leipzig 886. Hinrichs' Verl. n. 8. —

Straßmann, R., das Evangelium v. Christo e. Gotteskraft. Festpredigt. gr. 8. (10 S.) Bunzlau 883. Kreuschmer. — 30

Stratmann, Frz. Heinr., mittel-englische Grammatik. gr. 8. (IV, 52 S.) Köln 885. (Crefeld, Pläschke.) n. 2. —

Straub, v., thierärztliches Recept-Taschenbuch, s.: Grebner, J. v.

Straub, C. W., Sophokles' Antigone, verdeutscht in den Formen der Urschrift, m. Erläutergn. u. Analysen der einzelnen Scenen u. Chorlieder u. e. Versuch üb. Ursprung u. Wesen der antiken Tragödie. 8. (XIV, 161 S.) Stuttgart 886. Cotta. n.n. 1. 80

Straub, J. W., deutsches Lesebuch f. höhere Unterrichtsanstalten, Kantons-, Bezirks-, Sekundar- u. Bürgerschulen. Nach d. Verf. Tode neu bearb. v. G. J. Koch. 2 Bde. gr. 8. Aarau 886. Wirz-Christen. n. 4. 60

1. Für die untern Klassen. 9. Aufl. (IV, 311 S.) n. 2. —
2. Für die obern Klassen. 7. Aufl. (VI, 390 S.) n. 2. 60

Straub, St., Blüten-Kalender der wichtigsten v. Bienen beflogenen Pflanzen. 2. Aufl. 8. (24 S.) Schwäb. Gmünd 886. Schmoldt. — 30

— die vereinigte Grammatik u. Orthographie in der Elementarklasse II (Vorschule e. höheren Lehranstalt]. Für die Hand der Schüler bearb. gr. 8. (IV, 95 S.) Ebend. 885. n.n. — 70

Straube, C., s.: Reise-Harfe.

Strauch, K. A., die Städte-Feuer-Societät der Prov. Brandenburg, insbesondere das revidirte Reglement derselben vom J. 1885. 2. Aufl. gr. 8. (53 S.) Guben 886. Koenig. n. 1. 50

Strauch, Phpp., Pfalzgräfin Mechthild in ihren litterarischen Beziehungen. Ein Bild aus der schwäb. Litteraturgeschichte d. 15. Jahrh. gr. 8. (68 S.) Tübingen 883. Laupp. n. 1. 50; auf Büttenpap. n. 3. —

Strauch, R., Grundriß der allgemeinen Ackerbaulehre, }
— Grundriß der landwirtschaftlichen Betriebslehre, } s.: Taschenbibliothek, deutsche landwirtschaftliche.

Sträuli, E., Kommentar zum Gesetze betr. die züricherische Rechtspflege vom 2. Christmonat 1874 u. 13. Brachmonat 1880. gr. 8. (XIV. 570 S.) Winterthur 883. Bleuler-Hausheer & Co. Verl. n. 8. —

Sträuli, Hans, das Retentionsrecht nach dem Bundesgesetz üb. das Obligationenrecht. gr. 8. (137 S.) Winterthur 885. Bleuler-Hausheer & Co. n. 2. —

Strausz, Adf., Bosnien, Land u. Leute. Historisch-ethnographisch-geograph. Schilderg. 2. Bd. gr. 8. (VII, 328 S.) Wien 884. Gerold's Sohn. n. 7. —

Strauß, Carl, das Ende der Gewerkschaft nach dem allgemeinen Berggesetz f. die Preußischen Staaten vom 24. Juni 1865. Eine bergrechtl. Skizze. gr. 8. (27 S.) Berlin 885. Allg. Verlags-Agentur. — 60

Strauß, Dav. Frdr., das Leben Jesu, f. das deutsche Volk bearb. 2 Thle. in 1 Bd. 4. Aufl. gr. 8. (XXXII, 403 u. VII, 296 S.) Bonn 877. Strauß. n. 9 —; geb. n. 11. 50

Strauß, Frz. Thdr. [in Tauris (Persien)], Reisen u. Erlebnisse in fernen Landen. 8. (IV, 68 S.) Plauen i/V. 84. Kell. n. — 50

Strauß, Frdr. Adph., liturgische Andachten der königl. Hof- u. Dom-Kirche f. die Feste d. Kirchenjahres. Im Auftrage hrsg. 4., sehr verm., m. e. ausführl. Begräbniß-Liturgie bereich. Aufl. Mit e. vollständ. Sammlg. leicht auszuführ. kirchl. Chorgesänge. gr. 8. (VI, 189 S.) Berlin 886. Hertz. n. 2. 80; geb. n. 4. —

— Predigt bei dem 150jährigen Jubiläum der königl. Hof- u. Garnisonkirche zu Potsdam am 20. Aug. 1882. gr. 8. (8 S.) Gotha 884. Schloeßmann. — 30

Strauß u. Torney, V. v., der altchinesische Monotheismus, s.: Sammlung v. Vorträgen.

— die Schule d. Lebens. Drei Novellen. 8. (460 S.) Heidelberg 885. C. Winter. n. 6. —; geb. n. 7. 50

Sträußchen, e., Vergißmeinnicht od. Erinnerungen an die große St. Adalbero Feier in Lambach. Aus dem Tagebuche eines Theilnehmers. 12. (92 S.) Lambach 885. (Linz, Haslinger.) n. — 60

Strebel, C. W., Handbuch d. Hopfenbaues. Eine Anleitg. zur rationellen Kultur d. Hopfens. Mit 86 Holzschn. u. 2 kolor. Taf., enth. die wichtigsten schädl. u. nützl. Tiere der Hopfenpflanze. gr. 8. (VI, 177 S.) Stuttgart 887. Ulmer. n. 4. —; Einbd. n.n. 1. —

Strebel, Herm., Alt-Mexiko. Archäologische Beiträge zur Kulturgeschichte seiner Bewohner. Mit 17 Lichtdr.- u. 2 chromolith. Taf. gr. 4. (142 S.) Hamburg 885. Voss. In Mappe. n. 50. —

Strebel, Joh. Valentin, e. musikalisches Pfarrhaus — gezeichnet v. seinem alten Haupte J. V. Strebel. 8. (VII, 192 S.) Basel 886. Detloff. n. 2. 80

— die Rauchhexe. Heiteres u. Ernstes vom Tabak u. der Cigarre, alten u. jungen Gliedern des Raucherordens gewidmet. Neue Ausg. 8. (115 S.) Rudolstadt 884. Hartung & Sohn. n. 1. —; cart. n. 1. 30

Strebel, V., u. E. **Reicherter,** neues illustrirtes Haus-Tierarzneibuch. Mit vielen Holzschn. 12 Hfte. gr. 8. (IV, 1764 S.) Reutlingen 885. 86. Enßlin & Laiblin. à — 40

Strecker, üb. den Rückzug der Zehntausend. Eine Studie. Mit e. farb. Karte in Steindr. gr. 8. (29 S.) Berlin 886. Mittler & Sohn. n. 1. 25

Strecker, Carl, de Lycophrone, Euphronio, Eratosthene comicorum interpretibus. gr. 8. (86 S.) Gryphiswaldiae 884. (Leipzig, Fock.) n. 1. 50

Strecker, Karl, üb. e. Reproduction der Siemens'schen Quecksilbereinheit. gr. 4. (54 S. m. eingedr. Fig.) München 885. Franz' Verl. n.n. 1. 60

Streckfuß, Adph., Dorenburg. Erzählung. 3. Aufl. 8. (111 S.) Berlin 888. Goldschmidt. n. — 50

Streckfuß, Adph., 500 Jahre Berliner Geschichte. Vom Fischerdorf zur Weltstadt. Geschichte u. Sage. 4. Aufl. (34 Lfgn.) hoch 4. (1364 S.) Berlin 885. 86. Goldschmidt. à n. — 60 (cplt. in 2 Bde. geb. n. 22. 50)
— der Herr Präsident. Kriminal-Novelle. 3. Aufl. 12. (192 S.) Ebend. 885. n. 1. —
— Sliko Roman. 3 Bde. 8. (332, 395 u. 358 S.) Ebend. 886. n. 15. —
— der Sternkrug. Kriminal-Novelle. 6. Aufl. 12. (199 S.) Ebend. 885. n. 1. —
— ein Thaler. Kriminal-Novelle. 2. Aufl. 8. (214 S.) Ebend. 883. n. 1. —
— die wilde Toni. Novelle. (2. Aufl.) 8. (240 S.) Ebend. 885. n. 1. —

Streckfuß, G., Aug' um Auge, Zahn um Zahn, s.: Bloch's, E., Dilettanten-Bühne.

Streff, E., d. Burschen Heimkehr od. der tolle Hund. Lustspiel in 4 Aufzügen. In der Mundart der Darmstädter verf. 3. Aufl. 12. (111 S.) Darmstadt 884. Schlapp. n. 1. —

Streffleur's österreichische militärische Zeitschrift. Red. von Mor. Ritter v. Brunner, Rud. Baron Potier u. Carl Skala. 24—27. Jahrg. 1883—1886. à 12 Hfte. Lex.-8. (à Hft. 112 S. m. Holzschn. u. Steintaf.) Wien, (v. Waldheim.) à Jahrg. n. 24. —

Strehle, F., die Brüder, s.: Jugend- u. Volksbibliothek, deutsche.

Strehlke, Fr., Goethe's Briefe. Verzeichniß derselben unter Angabe v. Quelle, Ort, Datum u. Anfangsworten. Uebersichtlich nach den Empfängern geordnet, m. e. kurzen Darstellg. d. Verhältnisses Goethe's zu diesen u. unter Mittheilg. vieler bisher ungedruckten Briefe Goethe's. 14—27. (Schluß-)Lfg. gr. 8. (2. Bd. S. 145—513 u. 3. Bd. 247 S.) Berlin 883. 84. Dümmler's Verl. à n. 1. —
— deutsche Lieder in lateinischer Uebersetzung. 12. (72 S.) Ebend. 885. n. 1. —

Streich, v., Präjudizien d. Reichsgerichts. gr. 8. (7 S.) Tübingen 884. Fues. n. — 20
— der Thatbestand d. Civilurtheils. gr. 8. (22 S.) Ebend. 884. n. — 50

Streich, T. F., kurzgefaßte Geographie v. Deutschland, s.: Kühnle, H.
— illustrirte Geographie v. Württemberg. Mit 4 beigegebenen Kärtchen in Farbendr. u. 43 Abbildgn., f. die Hand der Schüler. 25. Aufl. 8. (40 S.) Eßlingen 885. (Weismann.) n.n. — 40; Text ap. n.n. — 30
— kurzgefaßte Geographie v. Württemberg. Mit 4 beigegebenen Kärtchen in Farbendr. u. 4 Abbildgn., f die Hand der Schüler. 24. Aufl. 8. (22 S.) Ebend. 885. n.n. — 30; Text ap. n.n. — 17
— illustrierte Geographie u. Geschichte v. Württemberg. Mit 4 beigegebenen Kärtchen in Farbendr. u. 59 Abbildgn., f. die Hand der Schüler. Der Geographie 25. Aufl. 8. (61 S.) Ebend. 885. n.n. — 40; Text ap. n.n. — 30; Kärtchen ap. n.n. — 25
— u. J. Vatter, ausgewählte biblische Geschichten aus dem alten u. neuen Testament. Für christl. Mütter, f. Volks- u. Taubstummenschulen. Mit e. Weihewort v. Gerok. Nebst Abbildgn. u. e. (chromolith. Vogelschau-) Karte. gr. 8. (VIII, 80 S.) Calw 883. Vereinsbuchh. n. — 80; cart. n.n. 1. —

Streintz, Heinr., die physikalischen Grundlagen der Mechanik. gr. 8. (XII, 142 S.) Leipzig 883. Teubner. n. 3. 60

Streißler, Fr., König Ludwig II. v. Bayern. Ein deutsches Fürstenleben, biographisch u. charakteristisch dargestellt. 8. (III, 60 S.) Leipzig-Reudnitz 886. Rühle. — 60

Streissler, Jos., die geometrische Formenlehre [1. Abth.] in Verbindung m. dem perspectivischen Zeichnen. Für die 1. Realclasse u. f. die 1. Unterrichtsstufe im Zeichnen [1. u. 2. Classe]. Mit 115 Fig. u. 3 Taf. 7. rev. Aufl. gr. 8. (VII, 54 S.) Triest 885. Schimpff. geb. n. 1. 60

Streit, der serbisch-bulgarische, u. seine Folgen. Bemerkungen zur Balkanfrage in 11 Leitartikeln d. „Pester Lloyd" u. e. Schlusswort. gr. 8. (V, 114 S.) Wien 886. Braumüller. n. 2. —

Streit, Wilh., geschichtliche Gedenkstätten. Geographisch-histor. Hülfsbuch f. den geschichtl. Unterricht. 8. (56 S.) Gera 885. Th. Hofmann. n. — 50

Streitkräfte, die, der bedeutenderen continentalen europäischen Staaten m. Ausschluss Österreich-Ungarns. Nach den neuesten Quellen. IV. Deutschland. [Publication d. militär-wissenschaftl. Vereines in Wien.] 8. (X, 235 S. m. 1 Tab.) Wien 883. (Seidel & Sohn.) n. 3. 40 (I—IV.: n. 11. 40)

Strele, Karl, Handbuch der Porzellan- u. Glasmalerei. 4. Aufl., hrsg. v. Emil Tscheuschner. Mit e. Farbentaf. u. 64 in den Text eingedr Holzschn. gr. 8. (XVI, 220 S.) Weimar 883. B. F. Voigt. 6. 75

Strele, R. v., „der Lamberg". Ein Erinnerungsblatt. 12. (11 S.) Salzburg 884. Kerber. n. — 30

Stremler, Louise, das beste Kochbuch. 12. Aufl. 8. (175 S.) Landsberg a/W. 886. Volger & Klein. 1. —

Streng, Adf., Studien üb. Entwicklung, Ergebnisse u. Gestaltung d. Vollzugs der Freiheitsstrafe in Deutschland. gr. 8. (XI, 211 S.) Stuttgart 886. Enke. n. 6. —

Streng, Herm., Altes u. Neues aus der Eisenbahn-Statistik. gr. 4. (56 S.) Zürich 884. (Orell Füssli & Co. Verl.) n. 3. —

Stretton, Hesba, allein. Eine Erzählg. Uebers. v. Agnes Ebers. 3. Aufl. 12. (32 S.) Basel 884. Spittler. n. — 20
— William Baxter's Stiefschwester. Eine Erzählg. Frei nach dem Engl. v. M. K.-G. Autoris. Ausg. m. 8 Holzschn. 4. Aufl. 12. (252 S.) Ebend. 884. n. 1. 20
— Carola. Aus dem Engl. übers. v. Auguste Daniel. Autoris. Ausg. 8. (IV, 317 S.) Gotha 884. F. A. Perthes. geb. n. 4. 60
— Stephan Fern. Eine Erzählg. Frei nach dem Engl. Autoris. Ausg. m. 5 Bildern. 3. Aufl. 12. (210 S.) Basel 885. Spittler. n. 1. —
— Jessika's Mutter. Für jung u. alt erzählt. 2. Aufl. Mit 5 Bildern. 12. (62 S.) Ebend. 885. — 30
— Hester Morley's Versprechen. Roman. Aus dem Engl. übers. v. L. Ernst. Autoris. deutsche Ausg. 3 Bde. 8. (154, 154 u. 134 S.) Hannover 883. Norddeutsche Verlags-Anstalt. n. 6. —
— des HErrn Schatzmeister. Eine Erzählg. f. Alt u. Jung. 12. (IV, 178 S.) Basel 884. Spittler. n. — 80
— die Schatzmeister des Herrn: Aus dem Engl. übers. v. Auguste Daniel. Autoris. Ausg. 8. (X, 210 S.) Gotha 885. F. A. Perthes. geb. n. 4. —
— im Sturm d. Lebens. Eine Erzählg. f. Jung u. Alt. Uebers. v. Anna Böcler. 4. Aufl. 12. (139 S.) Basel 885. Spittler. n.n. — 70
— verloren in London u. in Jerusalem. Eine Erzählg. Frei nach dem Engl. v. M. K.-G. Autoris. Ausg. 4. Aufl. 12. (142 S.) Ebend. 885. n.n. — 70

Strich-Chapell, Ferd., aus'm Herze'. Schwäbische Volksklänge. Eine Auswahl der besten Gedichte in schwäb. Mundart. Mit vielen Illustr. 8. (XV, 192 S.) Stuttgart 886. Greiner & Pfeiffer. geb. n. 3. —

Stricker, Aug., üb. traumatische Stricturen der männlichen Harnröhre u. deren Behandlung. gr. 8. (15 S.) Leipzig 882. (Göttingen, Vandenhoeck & Ruprecht.) n. — 60

Stricker, S., üb. den Anschauungs-Unterricht in den medicinischen Schulen. gr. 8. (32 S.) Wien 886. Hölder. n. 1. —
— allgemeine Pathologie der Infectionskrankheiten. gr. 8. (VI, 173 S.) Ebend. 886. n. 4. —
— Physiologie d. Rechts. gr. 8. (X, 144 S.) Wien 884. Toeplitz & Deuticke. n. 3. 60
— neuroelektrische Studien. Mit 19 (eingedr.) Holzschn. gr. 8. (VII, 60 S.) Wien 883. Braumüller. n. 2. —
— Vorlesungen üb. allgemeine u. experimentelle Pathologie. Mit 2 lith. Taf. u. 14 Holzschn. 3. Abth. 3. [Schluss-]Lfg. gr. 8. (XXXVI u. S. 683—868.) Ebend. 883. n. 4. 60 (cplt.: n. 18. —)

Strickland's, J., ausgewählte Erzählungen, s.: Universal-Bibliothek f. die Jugend.

Strickler, Joh., Actensammlung zur schweizerischen Reformationsgeschichte in den J. 1521—1532, im Anschluss an die gleichzeit. eidgenöss. Abschiede bearb. u. hrsg. 5. Bd. Nachträge u. Register. gr. 8. (381 S.) Zürich 884. (Meyer & Zeller.) n. 15. — (cplt.: n. 95. —)

— neuer Versuch e. Literatur-Verzeichnisses zur schweiz. Reformationsgeschichte, enth. die zeitgenössische Literatur [1521—1532]. [Aus: „Actensammlung zur schweiz. Reformationsgesch.“] gr. 8. (81 S.) Ebend. 884. n.n. 2. 50

Strickler, Seline, Arbeitsschulbüchlein, enth. Strumpfregel, Maßverhältnisse, Schnittmuster, Flickregeln zc. Zum Selbstgebrauch f. die Schülerinnen bearb. Mit 80 Fig. im Texte. gr. 8. (IV, 68 S.) Zürich 883. Schultheß. n. 1. —

— Bericht üb. Unterrichtswesen, s.: Wettstein, H.

— der weibliche Handarbeits-Unterricht. Ein Leitfaden f. Arbeitslehrerinnen, Mitglieder v. Schulbehörden u. Frauenkommissionen. 3. Hft. enth.: 1. das Musterstricken, 2. das Formenstricken, 3. das Weißsticken, letzteres als Anh. Mit 111 Fig. im Text u. 2 lith. Taf. gr. 8. (IV, 159 S.) Zürich 884. Schultheß. n. 3. — (1—3.: n. 6. 60)

Strick-Musterstreifen, der, in der Schule, od. Anleitg. zur Anfertigg. v. 100 leichten Strickdessins [Piqué- u. Löchle-System]. Von e. bad. Lehrfrau. 5., neu durchgeseh. u. m. Mustern zu Spitzen verm. Aufl. gr. 8. (IV, 60 S.) Freiburg i/Br. 885. Herder. n. — 40

Strickrodt, Ludw. Heinr. Carl, Widdekind u. Edelinthe, od. Schwarzburg an der Schwarza u. die Sorbenburg in Saalfeld. Trauerspiel in 7 Aufzügen. (In 13 Lfgn.) 1. Lfg. 8. (48 S.) Kahla 886. Heyl. n. — 50

Strien, G., choix de poésies françaises à l'usage des écoles secondaires. 8. (VI, 57 S.) Halle 884. Strien. cart. n. 1. —

— die unregelmäßigen französischen Zeitwörter, nebst e. Abriß der französ. Syntax. 8. (III, 34 S.) Ebend. 883. n. — 50

Strigel, J., die Reformbedürfnisse der Zeit u. der Geist u. seine Wunder, m. Bezugnahme auf die Schriften d. amerikan. Sehers Andrew Jackson Davis. 8. (IV, 263 S.) Leipzig 884. Rud. Besser. n. 4. —

Striller, F., de Stoicorum studiis rhetoricis, s.: Abhandlungen, Breslauer philologische.

Strnadt, Jul., die Geburt d. Landes ob der Ens. Eine rechtshistor. Untersuchg. üb. die Devolution d. Landes ob der Ens an Oesterreich. gr. 8. (125 S.) Linz 886. Ebenhöch. n. 3. —

Strobl, Carl Wolfg., Bausteine zum Tempel Humanitas. Freimaurerische Skizzen u. Aufsätze. gr. 8. (24 S.) Kattowitz 885. Siwinna. — 60

Strobl, J., Reduction d. Auwers'schen Fundamental-Cataloges auf die Le Verrier'schen Praecessions-coëfficienten, s.: Herz, N.

Strobl, Jos., Hilfsbuch f. den Unterricht in der deutschen Grammatik an Gymnasien. 1. u. 2. Bdchn. gr. 8. Wien 885. Graeser. n. 1. 8

1. Für die 5. Gymnasialklasse. (III, 40 S.) n. — 60
2. Für die 6. Gymnasialklasse. (36 S.) n. — 48

Strodtmann, Adf., Dichterprofile. Literaturbilder aus dem 19. Jahrh. 2 Thle. in 1 Bd. 2. Ausg. gr. 8. (VII, 292 u. 179 S.) Halle 883. Abenheim. n. 5. —

— H. Heine's Leben u. Werke. 3. Aufl. 2 Bde. 12. (VIII, 712 u. III, 460 S. m. 1 genealog. Tab.) Hamburg 884. Hoffmann & Campe Verl. n. 6. —; geb. n. 7. 50

Ströfer, J. F., üb. die Notwendigkeit e. Reform der hergebrachten Schulverwaltung. gr. 8. (27 S.) Bremen 885. Wiegand. n. — 40

— wem gehört die Schule? Ein Beitrag zur Verständigg. üb. die Schulverfassungsfrage zwischen Familie, Kirche, Gemeinde u. Staat f. alle, welche bei der Jugenderziehg. interessirt sind. gr. 8. (16 S.) Ebend. 885. n. — 30

Strohal, Emil, Succession in den Besitz nach römischem u. heutigem Recht. Civilistische Untersuchg. gr. 8. (VII, 236 S.) Graz 885. Leuschner & Lubensky. n. 6. —

Strohmer, F., üb. die Bildung v. Fett aus Kohlehydraten im Thierkörper, s.: Meissel, E.

Stroll, Mor., die staatssozialistische Bewegung in Deutschland. Eine histor.-krit. Darstellg. gr. 8. (VIII, 82 S.) Leipzig 885. Duncker & Humblot. n. 1. 40

— über Gegenwart u. Zukunft d. deutschen Notenbankwesens. gr. 8. (22 S.) Ebend. 886. n. — 60

— das Reichsgesetz, betr. die Kommanditgesellschaften auf Aktien u. die Aktiengesellschaften. Mit erläut. Einleitg., Anmerkgn. u. Sachregister. 12. (IV, 132 S.) Nördlingen 884. Beck. cart. n. 1. 20

Stromberger, Chr. W., die geistliche Dichtung in Hessen. Ein Vortrag, durch biograph. u. literar. Bemerkgn. u. e. Auswahl v. Dichtgn. erweitert. 8. (IV, 176 S.) Darmstadt 886. Waitz. n. 2. 50; geb. n. 3. 30

Stromer, Th., viaje por España. Sprachführer f. Deutsche in Spanien. Praktisches Handbuch der span. Umgangssprache, unter Mitwirkg. v. Don Santiago Espino. 12. (VIII, 147 S.) Berlin 883. Herbig. n. 1. 30; geb. n. 1. 70

Stroschein, Edwin, üb. passive Bewegungen d. menschlichen Körpers während der Muskelruhe. gr. 8. (30 S. m. 10 Fig.) Jena 885. (Neuenhahn.) n. 1. 35

Ströse, A., kleine deutsche Grammatik in Beispielen, Überschriften, Tabellen u. Wörterverzeichnissen. Als Grundlage f. den Unterricht zusammengestellt. 4. Aufl. gr. 8. (32 S.) Köthen 884. Schettler's Erben. n. — 30

— Anhaltische Heimatskunde. Material f. den Unterricht in der Geographie u. Geschichte v. Anhalt. Mit e. (chromolith.) Höhenschichtenkarte. 3., f. Benutzg. der amtlich eingeführten Wandkarte d. Herzogtums eingerichtete Aufl. 8. (45 S.) Zerbst 886. Luppe. n. — 70

Strötzenreuther, Thdr., deutsches Lesebuch f. die Jugend. 2. Tl. fürs 3. Schuljahr. 4. Aufl. Vollständig umgearb. v. Frdr. Rosenhauer u. Matth. Wettschureck. gr. 8. (IV, 218 S.) Nürnberg 884. Korn. n. 1. 30; Einbd. n.n. — 20

Strott, G. K., die Baumaterialien. Ihre Herstellg., Bearbeitg. u. Verwendung in 590 Recepten. 8. (XV, 245 S.) Halle 883. Knapp. n. 3. —

— Einiges üb. Gyps u. Kalkstein, Alabaster u. Marmor, deren Eigenschaften, Bearbeitung u. Verwendg. im Bauwesen, nebst e. Methode d. Verfassers, marmorähnl. Platten [Fußbodenplatten] v. Gyps, weiß u. farbig, billig u. v. großer Haltbarkeit herzustellen. gr. 8. (48 S.) Ebend. 883. n. — 80

— Physik f. die unteren Klassen der Schulen f. Bauhandwerker, Maschinenbauer etc. 2. Aufl. Mit 25 in den Text gedr. Holzschn. gr. 8. (VIII, 60 S.) Holzminden 886. Müller. n. 1. —

Strouhal, V., u. C. **Barus,** üb. die Definition d. Stahls auf Grundlage d. elektrischen Verhaltens d. Eisens beim wachsenden Kohlenstoffgehalt. gr. 4. (25 S.) Prag 884. (Calve.) n. — 66

— — das Wesen der Stahlhärtung, vom elektrischen Standpunkte aus betrachtet, besonders im Anschluss an das entsprech. Verhalten einiger Silberlegirgn. 4. (27 S.) Ebend. 884. n. — 72

Strubberg, F. A. [Armand], der Freigeist. Schauspiel in 3 Aufzügen. gr. 8. (47 S.) Kassel 883. (Hühn.) n. 1. 50

— die Quadrone. Schauspiel in 3 Aufzügen, neu f. die Bühne bearb. gr. 8. (76 S.) Kassel 885. (Keßler.) n. 1. 25

Strube, Ph., fürchtet euch nicht! Ein Wort an Kinder Gottes. 12. (24 S.) Mühlheim 883. Buchh. d. evangel. Vereinshauses. — 15

— Hülfsbüchlein f. Helfer u. Helferinnen in Sonntagsschulen bei Behandlung der biblischen Geschichten. 1. Tl.: Die bibl. Geschichten d. alten Testaments. 8. (112 S.) Ebend. 883. n. — 75

Strübing, F., preußischer Kinderfreund, s.: Günther.

— Sprachstoff zu den Bildern f. den Anschauungs- u. Sprachunterricht. 4. Hft. Bild VII u. VIII. Garten u. Gebirgsgegend v. Voigt. gr. 8. (IV, 71 S.) Berlin 884. Winckelmann & Söhne. n. — 50

Strübing, Paul, die Laryngitis haemorrhagia. Mit 1 Farbentaf. gr. 8. (25 S.) Wiesbaden 886. Bergmann. n. 1. 20

Struck, E., der internationale Geldmarkt im J. 1885. gr. 8. (61 S.) Leipzig 886. Duncker & Humblot. n. 1. 20

— Skizze d. englischen Geldmarktes. gr. 8. (74 S.) Ebend. 886. n. 1. 60

Struckmann, C., neue Beiträge zur Kenntniss d. oberen Jura etc. s.: Abhandlungen, palaeontologische.

Struckmann, J., u. R. **Koch**, die Civilprozeßordnung f. das Deutsche Reich, nebst den auf den Civilprozeß bezügl. Bestimmgn. d. Gerichtsverfassungsgesetzes u. den Einführungsgesetzen, erläutert. 4. Aufl. gr. 8. (XXXIX, 1229 S.) Berlin 883. Guttentag. n. 24. —; Halbfrzbd. n.n. 2. —

— — dasselbe. 5. Aufl. 1—4. Lfg. gr. 8. (S. 6—736.) Ebend. 886. à n. 3. —

Strümpell, Adf., Lehrbuch der speciellen Pathologie u. Therapie der inneren Krankheiten. Für Studirende u. Aerzte. 2 Bde. in 3 Thln. 3. Aufl. gr. 8. Leipzig 886. F. C. W. Vogel. n. 32. —

I. Acute Infectionskrankheiten. Krankheiten der Respirationsorgane, der Circulationsorgane u. der Digestionsorgane. Mit 54 Abbildgn. (X, 782 S.) n. 14. —
II. 1. Krankheiten d. Nervensystems. Mit 48 Abbildgn. (VIII, 518 S.) n. 10. —
II. 2. Krankheiten der Nieren u. der Bewegungsorgane. Constitutionskrankheiten. Vergiftungen. Receptformeln. Mit 8 Abbildgn. (VI, 384 S.) n. 8. —

— über die Ursachen der Erkrankungen d. Nervensystems. Antrittsvorlesg. gr. 8. (22 S.) Ebend. 884. n. 1. —

Strümpell, Ludw., die Einleitung in die Philosophie vom Standpunkt der Geschichte der Philosophie. gr. 8. (VIII, 484 S.) Leipzig 886. Böhme. n. 6. 75

— Grundriß der Psychologie od. der Lehre v. der Entwickelung d. Seelenlebens im Menschen. gr. 8. (VII, 309 S.) Ebend. 884. n. 4. 20

Strützki, Ed., u. St. **Genzmer,** Leitfaden zum Studium d. preußischen Rechts insbesondere f. Anwärter d. Gerichtsschreiberamtes. 8. u. 9. (Schluß-)Lfg. gr. 8. (XXVIII u. S. 673—848.) Berlin 883. Vahlen. à n. 1. 50 (cplt. geb.: n. 15. —)

Struve, A., üb. die Schichtenfolge in den Carbonablagerungen im südlichen Theil d. Moskauer Kohlenbeckens, s.: Mémoires de l'académie impériale des sciences de St.-Pétersbourg.

Struve, H., üb. die allgemeine Beugungsfigur in Fernröhren, — Studien üb. Blut, — zur Theorie der Talbot'schen Linien, s.: Mémoires de l'académie impériale des sciences de St.-Pétersbourg.

Struve, Ludw., Resultate aus den in Pulkowa angestellten Vergleichungen v. Procyon m. benachbarten Sternen. Imp.-4. (III, 48 S.) St. Petersburg 883. (Dorpat, Karow.) n. 2. —

— dasselbe, s.: Mémoires de l'académie impériale des sciences de St.-Pétersbourg.

Struve, Otto, Sammlung der Beobachtungen v. Sternbedeckungen während der totalen Mondfinsterniss 1884 Octbr. 4. 4. (VIII, 32 S.) St. Petersburg 885. Leipzig, Voss' Sort. n. — 70

— tabulae quantitatum pro annis 1885 ad 1889 computatae. [Contin. tabularum annis 1861, 1867, 1871 et 1879 editarum.] gr. 8. (III, 40 S.) Ebend. 885. n. 2. —

Struve, R., s.: Versuche üb. die Verdaulichkeit der Weizenkleie etc.

Struwwelpeter, kurzer gynaekologischer. Nach den neuesten Forschgn. zusammengestellt v. C. H. S. Mit 12 in den Text gedr. Illustr. Zum ersten Male veröffentlicht zum Leipziger klin. Vogelschießen am 29. Juli 1882. 2. Aufl. 8. (30 S.) Heidelberg 884. Bangel & Schmitt. n. 1. —

Struwwelpeter-Geschichten. 4 Hfte. gr. 8. (à 4 Chromolith. m. 4 S. Text.) Stuttgart 886. G. Weise. à — 30; in 2 Hfte. cart. à n. — 50; in 1 Bd. geb. 1. 20

Struwwelpeter in Wort u. Bild. 8. (16 color. Taf. m. eingedr. Text auf Carton.) Reutlingen 886. Enßlin & Laiblin. geb. — 90

Stryk, L. v., Beiträge zur Geschichte der Rittergüter Livlands. 2. Thl. Der lett. District. Auf Veranlassg. der kaiserl. livländ. gemeinnütz. u. ökonom. Societät hrsg. gr. 8. (609 S.) Dresden 885. (Berlin, Puttkammer & Mühlbrecht.) n. 20. — (1. u. 2.: n. 40. —)

Strzemcha, Paul, Geschichte der deutschen National-Literatur. Zum Gebrauche an Schulen u. zum Selbst-Unterrichte bearb. 3. Aufl. gr. 8. (VI, 202 S.) Brünn 883. Knauthe. n. 1. 80

Strzygowski, Jos., Iconographie der Taufe Christi. Ein Beitrag zur Entwicklungsgeschichte der christl. Kunst. Mit 169 Skizzen auf 22 (autogr.) Taf. hoch 4. (VII, 76 S.) München 885. Literar.-artist. Anstalt. n. 12. —

Stuart-Phelps, heimgebracht, s.: Hausfreund, Hamburger.

Stuart, C. F., Nachtschatten. Gedichte. Fragmente. Tagebuchblätter e. Sonderlings. 8. (X, 196 S.) Minden 884. Bruns. n. 2. 25

Stuart, Cäsar, Graf Lothar. Dramatische Dichtg. in 3 Akten. 8. (VII, 136 S.) Leipzig 886. Wartig's Verl. n. 2. —; geb. n. 3. —

Stubba, A., Aufgaben f. die rechnende Geometrie. Für die Oberklassen der Volksschulen u. gewerbl. Fortbildungsschulen zusammengestellt. 1. Hft.: Aufgaben, welche durch die 4 Species bestritten werden können. 4., v. G. Krause nach den neuesten Maß- u. Gewichtsbezeichngn., als auch nach neuer Orthogr. bearb. Aufl. gr. 8. (VIII, 64 S.) Leipzig 884. Kummer. — 90

— Aufgaben zum Zifferrechnen f. Schüler in Stadt- u. Landschulen. Von Gutsche u. Teige ergänzt u. nach den maßgeb. Verfüggn. berichtigt. 1—6. Hft. 8. (à 16 S.) Bunzlau 886. C. Appun Verl. à — 13

1. 56. Aufl. — 2. 50. Aufl. — 3. 53. Aufl. — 4. 51. Aufl. — 5. 22. Aufl. — 6. 15. Aufl.

— dasselbe. Facit-Büchlein zum 1—4. u. 6. Hft. 8. Ebend. 884. à — 25

1. 9. Aufl. (12 S.) — 2. 7. Aufl. (12 S.) — 3. 9. Aufl. (16 S.) — 4. 9. Aufl. (8 S.) — 6. 7. Aufl. (8 S.)

— Lehrbuch der Geometrie f. Stadtschulen u. Lehrerseminare. 9., v. G. Krause nach den neuen Maß- u. Gewichtsbezeichngn., als auch nach der neuen Orthogr. bearb. Aufl. Mit 352 Fig. gr. 8. (VIII, 260 S.) Leipzig 884. Kummer. 2. 70

Stubbe, Chrn., die Ehe im alten Testament. gr. 8. (III, 71 S.) Jena 886. Dabis. n. 1. 50

Stube, H., Rechenübungen f. deutsche Schulen. 1—4. Hft. 8. Berlin, Luckhardt. n. — 85

1. 2. (à 16 S.) 883. à n. — 20. — 3. (24 S.) 885. n. — 25. — 4. (24 S.) 885. n. — 20

Stübel, Alph., the necropolis of Ancon in Peru, s.: Reiss, W.

— Skizzen aus Ecuador, dem VI. deutschen Geographentage gewidmet. Illustrirter Katalog ausgestellter Bilder. Fol. (XIII, 96 S.) Berlin 886. Asher & Co. n. 6. —

— das Todtenfeld v. Ancon in Peru, s.: Reiss, W.

Stubenrauch, Mor., Commentar zum österreichischen allgemeinen bürgerlichen Gesetzbuche. 4., nach dem neuesten Stande der Gesetzgebg., der Rechtssprechg. u. der Literatur bearb. Aufl. 2 Bde. gr. 8. (VII, 879 u. X, 932 S.) Wien 884. Manz. n. 24. —; geb. n. 28. —

Stublick, C. Graf, Eisenbahn-Schema f. Oesterreich-Ungarn, s.: Lausch, A.

Stück, H., Vermessung der Freien u. Hansestadt Hamburg. 1. Thl. Geschichte d. Hamburgischen Vermessungswesens. gr. 4. (XII, 87 S.) Hamburg 885. Friederichsen & Co. n. 4. —

Stuckenberg, Alex., Materialien zur Kenntniss der Fauna der devonischen Ablagerungen Sibiriens, s.: Mémoires de l'académie impériale des sciences de St.-Pétersbourg.

Studt, Gottl., Natur — Mensch — Gott. Populär-wissenschaftl. Abhandlgn. f. Lehrer u. gebildete Laien aller Stände. gr. 8. (III, 482 S.) Bern 883. 84. Schmid, Francke & Co. n. 5. —

Stuckrad, v., die Cernirungen v. Metz, Paris u. Plewna, s.: Beiheft zum Militär-Wochenblatt.

Studemund, G., s.: Anecdota varia graeca et latina

Studenten-Führer, österreichischer. Die Organisation der österreich. Mittelschulen, Special-Lehranstalten u. Hochschulen, sowie die aus dem Besuche derselben entspring. Begünstiggn. u. Berechtiggn. Zur Orientirg. f. die studier. Jugend übersichtlich dargestellt v.

e. Schulmanne. gr. 8. (148 S. m. 2 Tab.) Mähr.-Ostrau 883. Prokisch. n. 1. 50

Studenten-Kalender, Fromme's österreichischer, f. Mittelschulen, Fach- u. Bürgerschulen f. d. Studienj. 1886/87. Red. v. J. Dassenbacher. 7. Jahrg. Mit dem Portr. d. G. Curtius. 16. (135 u. 111 S.) Wien, Fromme. geb. in Halbleinw. n. 1. —; in Leinw. 1. 60

Studentenleben, Heidelberger, einst u. jetzt. 36 (Lichtdr.-)Bilder nach Naturaufnahmen, Handzeichngn. u. Kupferstichen unter vorzugsweiser Benutzg. der Sammlg. d. Hrn. Alb. Mays m. erläut. Texte. qu. 4. (42 Bl. Text.) Heidelberg 886. Bangel & Schmitt. geb. m. Goldschn. n.n. 25. —

Studentenschaft, die deutsche, u. das deutsche Vaterland v. Germanicus. 8. (24 S.) Berlin 885. Eckstein Nachf. n. — 50

Studenten-Zeitung. Central-Organ f. die Studirenden Deutschlands. Red.: M. Baumgart. 3. Jahrg. 1883. 52 Nrn. (à $1^1/_2$—2 B.) Fol. Berlin, S. Schwartz. n. 6. —

Fortsetzung davon:

— deutsche. Central-Organ f. die Studirenden Deutschlands. Red.: Conr. Küster u. G. Wolff. 4—6. Jahrg. 1884—1886. à 52 Nrn. (à $1^1/_2$—2 B.) Berlin, Asschenfeldt. à Jahrg. n. 6. —

Studer, G., üb. Eis u. Schnee. Die höchsten Gipfel der Schweiz u. die Geschichte ihrer Besteigg. Suppl.-Bd. 8. (XI, 392 S.) Bern 883. Schmid, Francke & Co. n. 5. — (cplt.: n. 10. —; 1—3. Bd. geb. n. 6. 20)

Studer, H., Berechtigung u. Ausführbarkeit der proportionalen Vertretung bei unseren politischen Wahlen, s.: Hagenbach-Bischoff.

Studer, Jul., Walliser u. Walser. Eine deutsche Sprachverschiebg. in den Alpen. 8. (56 S.) Zürich 886. (Schultheß.) n. 1. —

Studer, Th., s.: Bericht üb. die wissenschaftlichen Leistungen in der Naturgeschichte der niederen Thiere.

— Isopoden, gesammelt während der Reise S. M. S. Gazelle um die Erde 1874—76. Mit 2 (lith.) Taf. gr. 4. (28 S.) Berlin 884. (G. Reimer.) cart. n. 2. 50

— Übersicht üb. die Ophiuriden, welche während der Reise S. M. S. Gazelle um die Erde 1874—1876 gesammelt wurden. Mit 3 (lith.) Taf. gr. 4. (37 S.) Ebend. 883. cart. n. 3. 50

— Verzeichniss der während der Reise S. M. S. Gazelle um die Erde 1874—1876 gesammelten Asteriden u. Euryaliden. Mit 5 (lith.) Taf. gr. 4. (64 S.) Ebend. 884. cart. n. 4. 50

— Verzeichniss der Crustaceen, welche während der Reise S. M. S. Gazelle an der Westküste v. Afrika, Ascension u. dem Cap der guten Hoffnung gesammelt wurden. Mit 2 (lith.) Taf. gr. 4. (31 S.) Ebend. 883. cart. n. 2. 50

Studia Nicolaitana. Dem scheidenden Rektor Hrn. Thdr. Vogel dargebracht v. dem Lehrerkollegium der Nikolaischule zu Leipzig. gr. 8. (XI, 145 S.) Leipzig 884. Giesecke & Devrient. n. 4. 20

Studien, altitalische. Hrsg. v. Carl Pauli. 1—4. Hft. gr. 8. Hannover, Hahn. n. 27. —

1. Mit 1 lith. Taf. (VIII, 72 S.) 883. n. 3. —. — 2. Mit 5 lith. Taf. (148 S.) 883. n. 8. —. — 3. Mit 1 lith. Taf. (VII, 199 S.) 884. n. 8. —. — 4. (VIII, 176 S.) 885. n. 8. —

— architektonische, hrsg. vom Architekten-Verein am kgl. Polytechnikum in Stuttgart. 55—64. Hft. gr. Fol. (à 6 autogr. Taf.) Stuttgart 883—86. Wittwer. à n. 2. 40

— balneologische, üb. Wiesbaden. Unter Mitwirkg. v. Fachmännern hrsg. v. Emil Pfeiffer. Mit e. Vorworte v. E. Seitz. gr. 8. (XXIV, 73 S.) Wiesbaden 883. Bergmann. n. 2. 50

— baltische. Hrsg. v. der Gesellschaft f. pommersche Geschichte u. Alterthumskunde. Red.: v. Bülow. 33—35. Jahrg. 1883—1885. à 4 Hfte. gr. 8. (à Hft. 112 S.) Stettin, Herrcke & Lebeling. à Jahrg. n. 6. —

— dermatologische. Hrsg. v. P. G. Unna. 1. u. 2. Hft. gr. 8. Hamburg 886. Voss. n. 6. 60

1. Die Lepra-Bacillen in ihrem Verhältniss zum Hautgewebe v. P. G. Unna. Mit 1 chromolith. Taf. Zur Morphologie d. Mikroorganismus der Lepra v. Adph. Lutz. Mit 1 Abbildg. in Holzschn. (100 S.) n. 5. —
2. Ichthyol u. Resorcin als Repräsentanten der Gruppe reduzierender Heilmittel v. P. G. Unna. (85 S.) n. 1. 60

Studien, englische. Organ f. engl. philologie unter mitberücksicht. d. engl. unterrichtes auf höherenschulen. Hrsg. v. Eug. Kölbing. 6—10. Bd. gr. 8. (à Hft. ca. 162 S.) Heilbronn 883—86. Henninger. à Bd. n. 15. —

— französische. Hrsg. v. G. Körting u. E. Koschwitz. 4. Bd. 5 Hfte. gr. 8. Ebend. 883. Subscr.-Pr. n. 13. —; Einzelpr. n. 17. 80

1. Nivelle de la Chaussée's Leben u. Werke. Ein Beitrag zur Litteraturgeschichte d. 18. Jahrh. u. insbesondere zur Entwickelungsgeschichte der „Comedie larmoyante". Von Johs. Uthoff. (II, 67 S.) n. 2. 40
2. Die Quantität der betonten Vocale im Neufranzösischen. Von Jul. Jäger. (IV, 68 S.) n. 2. 40
3. Boileau-Despréaux im Urtheile seines Zeitgenossen Jean Desmarets de Saint-Sorlin. Von Wilh. Bornemann. (148 S.) n. 5. —
4. Vokalismus u. Konsonantismus d. Cambridger Psalters. Mit e. Anh.: Nachträge zur Flexionslehre desselben Denkmals. Von Wilh. Schumann. (II, 69 S.) n. 2. 40
5. Geschichtliche Entwicklung der Mundart von Montpellier [Languedoc] v. Wilh. Mushacke. (166 S.) n. 5. 60

— dasselbe. 5. Bd. 1—3. Hft. gr. 8. Ebend. 886. n. 14. 60

1. Zur Syntax Robert Garniers v. A. Haase. (100 S.) n. 3. 40
2. Beiträge zur Geschichte der französischen Sprache in England. Von Dietr. Behrens. 1. Zur Lautlehre der französ. Lehnwörter im Mittelenglischen. (228 S.) n. 7. 60
3. Die nordwestlichen Dialekte der Langue d'Oïl. Bretagne, Anjou, Maine, Touraine. Von Ewald Görlich. (104 S.) n. 3. 60

— Gießener, auf dem Gebiet der Geschichte. III. gr. 8. Gießen 885. Ricker. n. 1. 80 (I—III.: n. 11. 80)

Beiträge zur neueren Geschichte. I. Zum Zeitalter Friedrichs d. Großen. II. Ein angeblicher Brief d. Frhrn. vom Stein. III. Zur Maria-Stuart-Frage. Von Wilh. Oncken. (VI, 90 S.)

— aus der Specialschule von Th. R. v. Hansen, hrsg. vom Vereine der Architekten an der k. k. Akademie der bild. Künste in Wien. 2. Lfg. 9—11. Hft. Fol. Wien 883. (Gerold & Co.) à n.n. 3. —

9. Entwurf zu e. Justiz-Palast v. Geo. Horčička. Entwurf zu e. Musikpavillon v. Jos. Chlebeček. (6 autogr. u. Lichtdr.-Taf.)
10. 11. Entwurf zu e. römischen Bade v. J. Herzberg. Entwurf zu e. Börse v. K. D. Tangen. Pompejanische Wandmalerei v. J. G. Ilkits. (12 Taf.)

— historische. Hrsg. v. W. Arndt, C. v. Noorden u. G. Voigt etc. 9—15. Hft. gr. 8. Leipzig, Veit & Co. n. 25. 60

9. Der deutsche Reichstag in den J. 1273—1378. Ein Beitrag zur deutschen Verfassungsgeschichte v. Herm. Ehrenberg. Eingeleitet v. W. Arndt. (VIII, 136 S.) 883. n. 3. 60
10. Die territoriale Politik d. Erzbischofs Philipp I. v. Köln [1167—1191]. Ein Beitrag zur Geschichte d. XII. Jahrh. v. Herm. Hecker. Eingeleitet v. C. Varrentrapp. (VIII, 128 S.) 883. n. 3. —
11. Die Entstehung d. ausschliesslichen Wahlrechts der Domkapitel. Mit besond. Rücksicht auf Deutschland. Von Geo. v. Below. Eingeleitet v. M. Ritter. (VII, 51 S.) 883. n. 1. 60
12. Der deutsche Reichstag in den J. 911—1125. Ein Beitrag zur deutschen Verfassungsgeschichte v. Paul Guba. Eingeleitet v. W. Arndt. (V, 132 S.) 884. n. 3. —
13. Landgraf Philipp v. Hessen u. die Pack'schen Händel. Mit archival. Beilagen. Von Hilar Schwarz. Eingeleitet v. W. Maurenbrecher. (VII, 166 S.) 884. n. 4. 60
14. Beiträge zur Kritik der Histoire de mon temps

Friedrichs d. Grossen. Von H. Disselnkötter. Eingeleitet v. W. Maurenbrecher. (VIII, 139 S.) 885. n. 3. 80

15. Das Königtum Wilhelms v. Holland. Von Otto Hintze. Eingeleitet v. J. Weizsäcker. (VIII, 220 S.) 885. n. 6. —

Studien, indische, Beiträge f. die Kunde d. ind. Alterthums. Im Vereine m. mehreren Gelehrten hrsg. v. Albr. Weber. Mit Unterstützg. der deutschen morgenländ. Gesellschaft. 16. u. 17. Bd. gr. 8. (à ca. 480 S.) Leipzig 883. 84. Brockhaus. à n. 15. —

— im Leipziger Karzer. Orig.-Skizze v. R. — Jetzt u. vor 200 Jahren. Eine bierolog. Studie v. R. 8. (32 S.) Heiligenstadt 885. Brunn's Wwe. n. — 30

— gesammelte, zur Kunstgeschichte. Eine Festgabe f. Ant. Springer. gr. 4. (VII, 267 S. m. eingedr. Fig. u. 13 Taf.) Leipzig 885. Seemann. cart. n. 25. —

— neuphilologische. Hrsg. v. Gust. Körting. 5 Hfte. gr. 8. Paderborn, F. Schöningh. n. 8. —

1. Ueber Sage, Quelle u. Komposition d. Chevalier au lyon d. Crestien de Troyes. Von Heinr. Goossens. (62 S.) 883. n. 1. —
2. Der altfranzösische Roman de Troie d. Benoit de Sainte-More als Vorbild f. die mittelhochdeutschen Trojadichtungen d. Herbort v. Fritslâr u. d. Konrad v. Würzburg. Von Clem. Fischer. (S. 63—142.) 883. n. 1. 20
3. Komposition u. Quellen der Rätsel d. Exeterbuches. Von Aug. Prehn. (S. 143—285.) 883. n. 1. 60
4. Darstellung der Syntax in Cynewulfs Elene. Von Jos. Schürmann. (S. 287—398.) 884. n. 1. 35
5. Neucatalanische Studien. Von Eberh. Vogel. (194 S.) 886. n. 3. —

— pädagogische. Neue Folge. Hrsg. v. W. Rein. Jahrg. 1883—1885. à 4 Hfte. gr. 8. (à Hft. ca. 56 S.) Dresden, Bleyl & Kaemmerer. à Jahrg. n. 3. 60; einzelne Hfte. à n. 1. —

— dasselbe. Jahrg. 1886. 4 Hfte. gr. 8. (1. Hft. 64 S.) Ebend. n. 4. —

— pädagogische, f. Eltern, Lehrer u. Erzieher. 3—5. Hft. gr. 8. Leipzig, Siegismund & Volkening. n. 3. 50 (1—5.: n. 6. —)

3. (77 S.) 883. n. 1. —. — 4. (132 S.) 884. n. 1. 50. — 5. (80 S.) 886. n. 1. —

— Berliner, f. classische Philologie u. Archaeologie, hrsg. v. Ferd. Ascherson. 1. Bd. gr. 8. (IV, 183 S.) Berlin 883. 84. Calvary & Co. n. 19. 25

— dasselbe. 2. Bd. gr. 8. (XII, 490 S.) Ebend. 884. 85. n. 17. —

— dasselbe. 3. Bd. gr. 8. Ebend. 886. n. 12. —

— dasselbe. 4. Bd. gr. 8. (XII, 314 S.) Ebend. 886. n. 10. —

— dasselbe. 5. Bd. gr. 8. (1. Hft. VI, 400 S.) Ebend. 886. Subscr.-Pr. n. 10. —; Einzelpr. n. 13. —

— Leipziger, zur classischen Philologie, hrsg. v. G. Curtius, L. Lange, O. Ribbeck, H. Lipsius, C. Wachsmuth, C. Rohde. 5. Bd. gr. 8. (III, 428 S.) Leipzig 882. Hirzel. n. 8. —

— dasselbe. 6. Bd. gr. 8. (V, 331 S.) Ebend. 883. n. 7. 90

— dasselbe. 7. Bd. gr. 8. (III, 415 S.) Ebend. 884. n. 8. —

— dasselbe. 8. Bd. gr. 8. (V, 390 S.) Ebend. 885. n. 9. —

— dasselbe. 9. Bd. 1. Hft. gr. 8. (170 S.) Ebend. 886. n. 4. —

— philosophische, hrsg. v. Wilh. Wundt. 1. Bd. 4. (Schluss-)Hft. gr. 8. (III u. S. 473—617.) Leipzig 883. Engelmann. n. 4. — (I. Bd. cplt.: n. 16. —)

— dasselbe. 2. Bd. gr. 8. (III, 657 S. m. 6 Steintaf.) Ebend. 883. 84. n. 17. —

— dasselbe. 3. Bd. gr. 8. (III, 691 S. m. Holzschn. u. 4 Taf.) Ebend. 885. 86. n. 18. —

— psychische. Monatliche Zeitschrift, vorzüglich der Untersuchg. der wenig gekannten Phänomene d. Seelenlebens gewidmet. Hrsg. u. red. v. Alex. Aksakow, unter freundl. Mitwirkg. mehrerer deutscher u. ausländ. Gelehrten. 10—13. Jahrg. 1883—1886. à 12 Hfte. (3 B.) gr. 8. Leipzig, Mutze. à Jahrg. n. 10. —

Studien über Regeneration der Gewebe. Von A. Bockendahl, R. Drews, O. Möbius, E. Paulsen, J. Schaedel u. W. Flemming. Mit 2 (lith.) Taf. Aus dem anatom. Institut in Kiel. gr. 8. (V, 103 S.) Bonn 885. Cohen & Sohn. n. 4. —

— zur Religionsunterrichtsfrage m. Berücksicht. d. Organisationsentwurfes f. Gymnasien. gr. 8. (32 S.) Wien 884. Hölder. n. — 80

— romanische, hrsg. v. Ed. Boehmer. 20. u. 21. Hft. [6. Bd. 2. u. 3. Hft.] gr. 8. Bonn, Weber. n. 7. 50 (1—21.: n. 105. 50)

20. Verzeichniss rätoromanischer Litteratur v. Ed. Boehmer. (S. 109—218.) 883. n. 3. 50
21. Rätisches. Verzeichniss rätoroman. Litteratur. Ein engandin. Schauspiel v. 1564 nach Gengenbach. Ein Ineditum von W. v. Humboldt u. Mtth. Conradi. (S. 219—338.) 885. n. 4. —

— Strassburger. Zeitschrift f. Geschichte, Sprache u. Litteratur d. Elsasses, hrsg. v. Ernst Martin u. Wilh. Wiegand. 1. Bd. 4. Hft. gr. 8. (III u. S. 301—482.) Strassburg 883. Trübner. n. 5. — (1. Bd. cplt.: n. 12. —)

— dasselbe. 2. Bd. gr. 8. (III, 504 S.) Ebend. 883. 84. n. 15. —

— dasselbe. 3. Bd. 1. Hft. gr. 8. (146 S.) Ebend. 885. n. 8. —

— theologische, aus Württemberg. Unter Mitwirkg. v. Braun, Häring, Rud. Kittel etc. hrsg. v. Thdr. Hermann u. Paul Zeller. 4—7. Jahrg. 1883—1886. à 4 Hfte. (ca. 5 B.) gr. 8. Ludwigsburg, Neubert. à Jahrg. n. 8. —

— Wiener. Zeitschrift f. class. Philologie. Suppl. der Zeitschrift f. österr. Gymnasien. Red.: W. v. Hartel, K. Schenkl. 5—8. Jahrg. 1883—1886. à 2 Hfte. gr. 8. (à Hft. ca. 174 S. m. Lichtdr.-Taf.) Wien, Gerold's Sohn. à Jahrg. n. 10. —

— u. **Forschungen**, veranlaßt durch meine Reisen im hohen Norden. Hrsg. von Adf. Erik Frhrn. v. Nordenskiöld. Ein populär-wissenschaftl. Supplement zu Die Umsegelung Asiens u. Europas auf der Vega. Autoris. deutsche Ausg. Mit üb. 200 Abbildgn., 8 Taf. u. Karten. gr. 8. (IX, 521 S.) Leipzig 885. Brockhaus. n. 24. —; geb. n. 26. —

— u. **Kritiken**, theologische. Eine Zeitschrift f. das gesamte Gebiet der Theologie, begründet v. C. Ullmann u. F. W. C. Umbreit u. in Verbindg. m. G. Baur, W. Beyschlag, J. A. Dorner u. J. Wagenmann hrsg. v. J. Köstlin u. E. Riehm. 57—60. Jahrg. 1884—1887. à 4 Hfte. gr. 8. (à Hft. ca. 201 S.) Gotha, F. A. Perthes. à Jahrg. n. 15. —

— u. **Mittheilungen** aus dem Benedictiner- u. Cistercienser-Orden, m. besond. Berücksicht. der Ordensgeschichte u. Statistik. Zur bleib. Erinnerg. an das Ordens-Jubiläum begründet u. hrsg. v. Mitgliedern, Freunden u. Gönnern d. Benedictiner-Ordens. Haupt-Red.: Maurus Kinter. 4—7. Jahrg. 1883—1886. à 4 Hfte. gr. 8. (à Hft. ca. 229 S.) Würzburg, Woerl. à Jahrg. n. n. 7. —

Studien-Blätter nach J. M. W. Turner's Aquarellen in der „National-Gallery“ u. dem „Kensington-Museum“ zu London. qu. gr. 16. (16 Chromolith.) Leipzig 885. (Baldamus Sep.-Cto.) n. 4. 50

— architectonische. Hrsg. vom Verein „Architectura“ am eidg. Polytechnicum in Zürich. 1. Hft. Rathaus Zürich. gr. Fol. (12 autogr. u. photolith. Taf.) Zürich 883. Orell Füssli & Co. Verl. n. 6. —

Studien-Plan, akademischer, f. Mediciner, nebst den neuen gesetzl. Vorschriften f. die medicin. Prüfgn. im Deutschen Reich. 3. Aufl. 8. (32 S.) Jena 883. Deistung. n. — 60

— für Mediziner. Empfohlen v. der medizin. Fakultät der königl. Ludwig-Maximilians-Universität München. Im Anh.: Die Bekanntmachgn. d. Bundesraths vom 2. Juni 1883 betr. die ärztl. Prüfg. u. die ärztl. Vorprüfg., sowie die k. b. allerh. Verordng.

Suchier, H., s.: Denkmäler provenzalischer Literatur u. Sprache.

Suchsland, E., die gemeinschaftliche Ursache der electrischen Meteore u. d. Hagels, erklärt. gr. 8. (IV, 59 S.) Halle 886. Schmidt. n. 1. 20

Sucro, Wilh., Predigt, am I. p. Trin. 1886 in der St. Lorenzkirche beim Amtsantritt geh. üb. I. Joh. 16—21. gr. 8. (14 S.) Nürnberg 886. v. Ebner. n.n. — 25

Sudendorf, H., s.: Urkundenbuch zur Geschichte der Herzöge v. Braunschweig u. Lüneburg u. ihrer Lande.

Südgrenze, unsere. Ein Mahnwort an die schweizer. Eidgenossenschaft. 8. (48 S.) Zürich 886. Schmidt. n. 1. —

Sudhölter, Wilh., Beiträge zur Frage: Ist der acute Gelenkrheumatismus e. Infectionskrankheit? gr. 8. (28 S.) Göttingen 883. (Vandenhoeck & Ruprecht.) n. — 80

Sudre, Alfrd., Geschichte d. Communismus od. histor. Widerlegg. der socialist. Utopien. Nach der 5. Aufl. d. v. der französ. Akademie preisgekrönten Originals übers. v. Osc. Friedrich. Mit e. ergänz. Nachtrage v. Otto Wenzel. 2. Aufl. gr. 8. (XIII, 450 S.) Berlin 887. Staude. n. 6. —; geb. n. 8. —

Sue, Eug., die Geheimnisse v. Paris. 15 Thle. in 5 Bdn. 11. Aufl. 12. (96, 105, 89, 94, 84, 98, 88, 99, 92, 87, 105, 88, 98, 111 u. 131 S.) Leipzig 885 O. Wigand. n. 5. —

Sueton's Werke, s.: Collection Spemann.

Sühring, H., Aufgaben f. den Rechen-Unterricht in den ersten Schuljahren m. besond. Berücksicht. d. Kopfrechnens. 3 Hfte. 8. Potsdam 885. Rentel's Verl. n. — 60; geb. n. — 90

1. 15. verb. Aufl. (33 S.) n. — 15; geb. n. — 25. — 2. (33 S.) n. — 15; geb. n. — 25. — 3. (56 S.) n. — 30; geb. n. — 40

— Rechenfibel. Zahlenkreis 1—5, 1—10, 1—20 u. 1—100. Hrsg. v. e. Vereine v. Lehrern. 10. verb. Aufl. 8. (33 S.) Ebend. 883. n. — 15

Suhrlandt's, Rud., Lebensbild, s.: Portig, G.

Suida, W., zur Gewinnung v. Indol aus Derivaten d. Orthotoluipins, s.: Mauthner, J.

Sulcerana badensia, s.: Linder, G.

Sully, J., die Illusionen, s.: Bibliothek, internationale wissenschaftliche.

Sulpiciae saturae, s.: Persius Flaccus, A.

Sulpicii Severi opuscula de S. Martino episcopo Turonensi, s.: Patrum, sanctorum, opuscula selecta.

Sulze, E., üb. die Aufgaben der evangelischen Kirche gegenüber den socialen Fragen der Gegenwart. Vortrag. gr. 8. (23 S.) Dresden 884. Höckner. n. — 30

— Ermattung u. Belebung der evangelischen Kirche. 8. (32 S.) Ebend. 886. n. — 30

— Feinde kirchlicher Gemeindebildung. 8. (34 S.) Ebend. 885. n. — 40

— die finanzielle Unselbstständigkeit der sächsischen Landeskirche, ihre nachtheiligen Folgen u. ihre Ueberwindung. Vortrag, am 18. Novbr. 1884 im Protestantenverein zu Dresden geh. gr. 8. (20 S.) Ebend. 884. n. — 50

Sulzer, A., der Eigenthumserwerb durch Specification. Eine civilist. Abhandlg. gr. 8. (IX, 180 S.) Zürich 883. Orell Füssli & Co. Verl. n. 3. —

Sulzer, Dav., die Iridectomie bei primärem Glaucom. gr. 8. (107 S.) Hottingen-Zürich 882. (Wiesbaden, Bergmann.) n. 2. 40

Summa, C. G., zur Erinnerung an den Trauergottesdienst f. weil. Se. Majestät König Ludwig II. v. Bayern am 25. Juni 1886. 8. (15 S.) Hof 886. Lion. n. — 20

— die Freude d. Konfirmationstages. Konfirmationsrede üb. 3. Epist. St. Joh. V. 4, geh. am Trinitatisfest 20. Juni 1886. 8. (13 S.) Ebend. 886. n. — 20

— Krankenbesuch u. Krankenseelsorge. Vortrag, bei der Diöcesansynode zu Erlangen den 28. Juli 1886 geh. 8. (16 S.) Erlangen 886. Deichert. n. — 20

— Predigt üb. Offenbarung St. Joh. 22, 20 beim feierlichen Schlußgottesdienst der vereinigten Generalsynode der evangelisch-lutherischen Kirche Bayerns am Donnerstag, den 1. Oktbr. 1885 geh. in der St. Gumbertus-Kirche zu Ansbach. 8. (15 S.) Ansbach 885. Junge. n. — 20

Summarien, die Württemberger, d. i.: Kurzgefaßte Auslegg. der heil. Schrift Alten u. Neuen Testaments. Neu hrsg. v. einigen evangelisch-luther. Geistlichen Bayerns. 39—47. Hft. gr. 8. (A. T. 1. Bd. S. 1—576.) Gütersloh 886. Bertelsmann. à n. — 60

— dasselbe. 6. Bd. A. u. d. T.: Kurzgefaßte Auslegg. d. Neuen Testaments. 2. Bd. Die Episteln u. die Offenbarg. St. Johannis. 2. Aufl. gr. 8. (532 S.) Ebend. 882. n. 4. 80

— dasselbe. Neue Heftausg. 1. Hft. gr. 8. (A. T. 1. Bd. S. 1—192.) Ebend. 886. n. 1. 80

Sumner, William Graham, sociale Pflichten od. was die Klassen der Gesellschaft einander schuldig sind. Autoris. Uebersetzg. v. M. Jacobi. Mit e. Vorwort v. Th. Barth. 8. (VII, 96 S.) Berlin 887. Staude. n. 1. 50

Sumpf, K., Anfangsgründe der Physik. In 2 getrennten Lehrstufen. Unter Anlehng. an d. Verf. Schulphysik bearb. 2. Aufl. Mit 185 in den Text gedr. Abbildgn. u. e. farb. Sonnenspektrum. gr. 8. (IV, 111 S.) Hildesheim 885. Lax. n. 1. 20

— Schulphysik. Methodisches Lehr- u. Übungsbuch in zwei getrennten Lehrstufen. Mit 465 in den Text gedr. Abbildgn. u. 1 Spektraltaf. in Farbendr. 2. Aufl. gr. 8. (IV, 388 S.) Ebend. 885. n. 4. 50; Einbd. n.n. — 45

Sundby, Thor, Blaise Pascal, sein Kampf gegen die Jesuiten u. seine Verteidigung d. Christentums. Aus dem Dän. übers. v. Heinr. P. Junker. gr. 8. (VIII, 90 S.) Oppeln 885. Franck. n. 1. 20

Sundermann, F., Klaus Störtebeker in Sang u. Sage, s.: Frahm, L.

Sunem. Ein Berliner Wochenblatt f. christl. Leben u. Wissen. Hrsg. v. Paulus Cassel. 9—11. Jahrg. 1883—1885. à 52 Nrn. (½ B.) gr. 8. Berlin, (Ißleib). à Jahrg. n. 4. —

Supan, A., Archiv f. Wirtschaftsgeographie, s.: Petermann's, A., Mitteilungen aus Just. Perthes' geographischer Anstalt.

— Charakterbilder zur Länderkunde, s.: Kirchhoff, A.

— Grundzüge der physischen Erdkunde. Mit 139 Abbildgn. im Text u. 20 Karten in Farbendr. gr. 8. (XII, 492 S.) Leipzig 884. Veit & Co. n. 10. —

— Lehrbuch der Geographie nach den Principien der neueren Wissenschaft f. österreichische Mittelschulen u. verwandte Lehranstalten, sowie zum Selbstunterrichte. 5. Aufl. Mit 48 Holzschn. gr. 8. (VIII, 298 S.) Laibach 883. v. Kleinmayr & Bamberg. n. 2. 40; geb. n. 2. 80

Superarbitrirungs-Vorschrift f. die Personen d. k. k. Heeres. gr. 4. (VI, 86 S.) Wien 885. Hof- u. Staatsdruckerei. n. 1. —

Süpfle, Karl Frdr., Aufgaben zu lateinischen Stilübungen. Mit besond. Berücksicht. v. Ellendt-Seyfferts, Zumpts u. F. Schultz' latein. Grammatiken, sowie K. F. Süpfles prakt. Anleitg. zum Lateinschreiben u. m. Anmerkgn. versehen. Nebst e. Beigabe v. Themata zu latein. Aufsätzen u. Reden. 3 Tle. gr. 8. Karlsruhe, Groos. n. 9. 40

1. Für untere u. mittlere Klassen. 18., verb. u. verm. Aufl. (XII, 342 S.) 882. n. 2. 80
2. Für obere Klassen. 19. verb. Aufl. (X, 430 S.) 884. n. 3. 40
3. Für oberste Klassen. 10. verb. Aufl. (VI, 410 S.) 884. n. 3. 20

— Übungsschule der lateinischen Syntax. Sammlung v. Übungsbeispielen u. zusammenhäng. Aufgaben zum Übersetzen aus dem Deutschen in das Lateinische, in unmittelbarem Anschluß an die Syntax u. m. besond. Berücksicht. v. Ellendt-Seyffert's latein. Grammatik u. K. F. Süpfle's prakt. Anleitg. zum Lateinschreiben. 5. Aufl. gr. 8. (VIII, 287 S.) Ebend. 884. n. 2. —

Süpfle, Th., Geschichte d. deutschen Kultureinflusses auf Frankreich m. besond. Berücksicht. der litterarischen Einwirkung. 1. Bd. Von den ältesten german. Einflüssen bis auf die Zeit Klopstocks. gr. 8. (XXII, 359 S.) Gotha 886. Thienemann. n. 7. —

— über den Kultureinfluss Deutschlands auf Frankreich. gr. 4. (32 S.) Metz 882. (Scriba.) n. 1. —

Suphan, B., s.: Lesebuch, deutsches, f. höhere Lehranstalten.

Supp', Gemüs' u. Fleisch. Ein Kochbuch f. bürgerl. Haushaltgn. 135. Tausend. Mit e. Titelbild. 8. (XXXVI, 400 S.) Darmstadt 886. Köhler. n. 2.—; Einbd. n.n. — 50

Suppantschitsch, Vict., Album f. Postmarken-Sammler bei erster Anlage v. Sammlungen. Mit 524 Illustr. hoch 4. (64 S.) Lahr 883. Schauenburg. cart. 1. 50

— kleines illustriertes Briefmarken-Album. gr. 8. (64 S.) Ebend. 884. cart. — 50; geb. — 80 u. n. 1. —

— Welt-Briefmarken-Album. Mit 514 Abbildgn. u. 84 Staatenwappen. gr. 4. (IV, 666 S.) Ebend. 884. geb. n. 10. —

Suppe, Ed., Dein Wort ist meines Fußes Leuchte. Casualreden. 2. Abth. Gelegenheitsreden u. Casualpredigten. gr. 8. (VI, 242 S.) Leipzig 882. Frankfurt a/M., Drescher. n. 2. 80; geb. n. 3. 60 (1. u. 2.: n. 5. 60; geb. n. 7. 20)

Supplementum codicis apocryphi. I. gr. 8. Leipzig 883. Mendelssohn. n. 5. —

Acta Thomae graece partim cum novis codicibus contulit partim primus ed., latine rec., praefatus est, indices adjecit Max Bonnet. (XXVII, 220 S.)

— Aristotelicum, editum consilio et auctoritate academiae litterarum regiae borussicae. Vol. I. pars 1 et 2. gr. 8. Berlin, G. Reimer. n. 15. —

1. Excerptorum Constantini de natura animalium libri II. Aristophanis historiae animalium epitome, subiunctis Aeliani, Timothei aliorumque eclogis. Ed. Spyridon P. Lambros. (XX, 282 S.) 885. n. 10. —
2. Prisciani Lydi quae extant. Metaphrasis in Theophrastum et solutionum ad Chosroem liber. Ed. J. Bywater. (XIII, 136 S.) 886. n. 5. —

— ad breviarium romanum, complectens officia a superiori saeculo usque ad hunc diem a s. Sede edita, praemisso B. M. V. per annum. Accedunt duae tabulae ex rubricis generalibus reformatis excerptae nec non psalmi aliaque communia ad horas canonicas commodius recitandas. Ed. II. 8. (XII, 380 u. 87 S.) Kempten 885. Kösel. n. 6. —

— ad diurnalis romani editionem Campodunensem majorem, complectens officia recens vel ad altiorem ritum elevata, vel kalendario romano noviter inserta, vel aliquibus dioecesibus concessa. Accedunt officia votiva per annum pro singulis hebdomadae feriis. 8. (28 S.) Ebend. 885. n. — 40

— idem, ad editionem minorem. 12. (24 S.) Ebend. 885. n. — 40

Supprian, K., deutsches Lesebuch m. Bildern, } s.: Gabriel, H.
— deutsche Schreib-Lese-Fibel m. Bildern, }

Surin, Jean Jos., üb. die Liebe zu Gott. Aus dem Franz. übers. von Frdr. Mathias Graf v. Spee. 16. (XVI, 176 S.) Mainz 883. Kirchheim. 1. 50

Suermondt-Museum zu Aachen, s.: Verzeichniss, beschreibendes, der Gemälde etc.

Sursum corda! Katholisches Gesang- u. Gebetbuch f. die Diöcese Paderborn. 40. Aufl. gr. 16. (XVI, 592 S. m. 1 Stahlst.) Paderborn 885. Junfermann. n. 1. —

— dasselbe. Ausg. m. großer Schrift. 12. (XV, 736 S.) Ebend. 884. 1. 50

Süs, Gust., Tierbüchlein. Bilderbuch f. artige Kinder. Nach Orig.-Zeichngn. v. G. S. Verse v. W. Emil Stephan. gr. 4. (16 Chromolith. m. eingedr. Text.) Dresden 885. Meinhold & Söhne. geb. 3. —

Susemihl, A. F., das Eisenbahn-Bauwesen, f. Bahnmeister u. Bauaufseher als Anleitg. f. den prakt. Dienst u. zur Vorbereitg. f. das Bahnmeister-Examen gemeinfaßlich dargestellt. 4. Aufl. Mit Holzschn. u. 12 lith. Taf. Nach d. Verf. Tod hrsg. v. G. Barkhausen. 8. (VIII, 295 S.) Wiesbaden 886. Bergmann. n. 4. 20

Susemihl, Frz., analecta Alexandrina chronologica. 4. (18 S.) Gryphiswaldiae 885. (Berlin, Calvary & Co.) n. 1. 60

— de carminis Lucretiani prooemio et de vitis Tisiae, Lysiae, Isocratis, Platonis, Antisthenis, Alcidamantis, Gorgiae quaestiones epicriticae. gr. 4. (22 S.) Gryphiswaldiae 884. (Berlin, Calvary & Co.) n. 1. 60

Susemihl, Frz., de politicis Aristoteleis quaestiones criticae. gr. 8. (128 S.) Leipzig 886. Teubner. n. 2. 40

Süskind, G. A., Dispositionen zur heiligen Passion. gr. 8. (VII, 284 S.) Heilbronn 887. Henninger. n. 3. 60

— Passionsschule. 3. Tl. gr. 8. (VIII, 461 S.) Bremen 885. Heinsius. n. 5. 25; geb. n. 6. 50 (1—3.: n. 15. 75; geb. n. 19. 50)

Suso's, Heinr., genannt Amandus, Leben u. Schriften. Nach den ältesten Handschriften u. Drucken m. unverändertem Texte in neuerer Schriftsprache hrsg. v. Melch. Diepenbrock. Mit e. Einleitg. v. J. Görres. 4. Aufl. gr. 8. (616 S.) Regensburg 884. Verlags-Anstalt. 6. —

Suess, Ed., das Antlitz der Erde. Mit Abbildgn. u. Kartenskizzen. (In 3 Abthlgn.) 1. u. 2. Abth. Lex.-8. (1. Bd. IV, 779 S.) Prag 883. 85. Tempsky. — Leipzig, Freytag. à n. 10. —

— die Sintfluth. Eine geolog. Studie. Lex.-8. (74 S.) Ebend. 883. n. 4. —

Suter, J. J., Festrede an der Schlachtfeier in Sempach, s.: Erni, J.

Sutermeister, Otto, für d'Chinderstube. Poesie u. Prosa in den Mundarten der Schweiz. Gesammelt u. hrsg. 8. (187 S.) Zürich 885. Orell Füßli & Co. Verl. n. 2. —; geb. n. 4. 50

— Dichtungen in Basler Mundart. Gesammelt. 8. (64, 64, 64 u. 128 S.) Ebend. 885. geb. 6. —

— Dichtungen in Berner Mundart. Gesammelt v. O. S. 8. (192 S.) Ebend. 885. 3. 50

— Dichtungen in Graubündner Mundart. Gesammelt. 8. (64 u. 135 S.) Ebend. 885. geb. 4. —

— Dichtungen in Luzerner Mundart. Gesammelt. 8. (64 u. 112 S.) Ebend. 885. geb. 4. —

— Dichtungen in Thurgauer Mundart. Gesammelt. 8. (63 u. 64 S.) Ebend. 885. geb. 3. 50

— Dichtungen in Züricher Mundart. Gesammelt. 8. (64, 64, 64, 64, 64 u. 53 S.) Ebend 885. geb. 6. —

— Gedenkblätter. Neue Lieder u. Sprüche. 8. (190 S.) Zürich 886. Schröter & Meyer. n. 2. 50; geb. n. 3. 75

— Kornblumen. Neue Fabeln u. Märchen. Mit 6 Bildern in Oelfarbendr. 4. (66 S.) Wesel 884. Düms. geb. 1. —

— Schwizer-Dütsch. Sammlung deutsch-schweizer. Mundart-Literatur. 13—38. Hft. 8. (à 64 S.) Zürich 883—86. Orell Füßli & Co. Verl. à n. — 50

13. 23. 24. Aus dem Kanton Basel. 2—4. Hft.
14—17. 25. Aus dem Kanton Zürich. 2—6. Hft.
18. Aus dem Kanton Solothurn. 2. Hft.
19. Aus dem Kanton Graubünden. 1. Hft.
20. 33. Aus dem Kanton Thurgau. 1. u. 2. Hft.
21. Aus den Kantonen Zug, Freiburg, Wallis. 1. Hft.
22. Schlußheft der 1. Serie: Wörterverzeichniß, Nachwort, Berichtigungen u. Ergänzungen. (55 S.)
26—28. Für d'Chinderstube. Poesie u. Prosa in den Mundarten der Schweiz.
29. 30. Bilder aus dem Volksleben d. Vorder-Prättigau's alter u. neuer Zeit v. Mich. Kuoni.
31. 32. Aus dem Kanton Luzern. 2. u. 3. Hft.
34. Aus den Kantonen St. Gallen u. Appenzell. 2. Hft. (55 S.)
35. 36. Aus den Kantonen Uri, Schwyz u. Unterwalden. 2. u. 3. Hft. (104 S.)
37. Aus dem Kanton Bern. 3. Hft. (64 S.)
38. Vier einaktigi Lustspiel, liecht uufz'fiehre i Vereine u. Familie. Vo W. F. Riedermann.

Suttner, A. v., der Bationo. Roman. 8. (295 S.) Stuttgart 886. Deutsche Verlags-Anstalt. n. 5. —

Suttner, A. G. v., e. Azaaour. Kaukasischer Roman. 8. (309 S.) München 886. Heinrichs. n. 4. 20; geb. n. 5. 20

— Darebjan. Mingrelisches Sittenbild. 8. (268 S.) Ebend. 885. n. 3. 60; geb. n. 4. 60

Suttner, B. v. (B. Oulot), High-life. 8. (312 S.) München 886. Heinrichs. n. 4. 20; geb. n. 5. 20

— Daniela Dormes. Roman. 8. (315 S.) Ebend. 886. n. 3. —; geb. n. 4. —

— ein Manuscript! 8. (V, 217 S.) Leipzig 885. Friedrich. n. 4. —; geb. n. 5. —

— ein schlechter Mensch. Roman. 8. (247 S.) München 885. Heinrichs. n. 3. 60; geb. n. 4. 60

Suttner, Gust. Frhr. v., die Garelli. Ein Beitrag zur Culturgeschichte d. XVII. u. XVIII. Jahrh. Lex.-8. (VII, 104 S.) Wien 885. Gerold & Co. n. 10. —

Sutugin, Wassily, Hyperemesis gravidarum. Das übermäss. Erbrechen der Schwangeren. gr. 8. (32 S.) Berlin 883. Grosser. n. — 50

Svarz, Carl Glieb., Biographie, s.: Stölzel, A.

Svetlin, Wilh., die Privatheilanstalt f. Gemüthskranke auf dem Erdberge zu Wien, III, Leonhardgasse 3 u. 5. Bericht üb. deren Geschichte u. Thätigkeit, anlässlich d. 50jähr. Bestandes u. der Uebersiedelg. in e. neues Anstaltsgebäude zusammengestellt. gr. 8. (VII, 142 S. m. 2 Ansichten u. 1 chromolith. Plan.) Wien 884. Braumüller. n. 3. —

Svoboda, A. V., Franz v. Defregger, ⎫ s.: Bücherei,
— P. K. Rosegger, ⎭ deutsche.

Svoboda, Adb., kritische Geschichte der Ideale. Mit besond. Berücksicht. der bild. Kunst. 1. Bd. gr. 8. (IV, 680 S.) Leipzig 885. Th. Grieben. n. 12. 60

Swain's, Will. Paul, chirurgisches Vademecum. Die ärztl. Hilfeleistgn. in dring. Fällen: bei Verletzgn., Vergiftgn. u. Geburten. Zum Gebrauch f. Aerzte u. Studirende. Nach der 3. Aufl. der „Surgical emergencies" autoris. deutsche Ausg. v. Siegfr. Hahn. Mit 117 Abbildgn. 2. Aufl. 8. (VIII, 263 S.) Berlin 883. Dümmler's Verl. n. 6. —

Swatek, W., 23 (lith.) Tafeln enth. Schlittschuhlauf-Figuren u. diverse Arten d. Eislaufes. gr. 8. (1 Bl. Text.) Wien 885. Hartleben. n. 1. 80

Swatosch, Hugo, Mann gegen Mann. Eine Parallele zwischen der Kriegführg. d. XVII. u. XIX. Jahrh., erläutert durch Kriegsbilder aus den Feldzügen 1859 u. 1866. gr. 8. (108 S.) Wien 883. (Seidel & Sohn.) n. 1. 60

Swedelin, Alex., e. Beitrag zur Anatomie der Doppeldaumen. gr. 8. (45 S.) Dorpat 883. (Schnakenburg.) n. 1. —

Sweet, Alex. E., u. J. Armoy **Knox,** humoristische Reise durch Texas von Galveston bis zum Rio Grande. Aus dem Engl. v. Rhold. Teuscher. Mit 167 Illustr. im Text u. 10 Holzschn.-Taf. gr. 8. (XII, 475 S.) Jena 884. Costenoble. n. 10. —

Sweet, Henry, Elementarbuch d. gesprochenen Englisch. Grammatik, Texte u. Glossar. 8. (LXIV, 63 S.) Oxford 885. Leipzig, T. O. Weigel. geb. n. 2. 40

Swida, F., Krain, Küstenland u. Dalmatien, s.: Länder, die, Oesterreich-Ungarns in Wort u. Bild.

Swiecianowski, Jul., Trocken-Apparate zur Bedienung der Abtrittsanlagen u. der Abflusskanäle. Fol. (15 S. m. 3 Taf.) Warschau 883. (Berlin, Stuhr.) n. 3. —

Swientochowski, A., aus dem Volksleben, s.: Universal-Bibliothek.

Swietens, Gerh. van, Biographie, s.: Müller, W.

Swift's, J., Werke, s.: Collection Spemann.

— the battle of the books and other short pieces. gr. 16. (192 S.) Leipzig 886. Gressner & Schramm. n. — 80

— Gullivers Reisen in unbekannte Länder. Für die Jugend u. deren Freunde frei nach dem Engl. bearb. v. Frz. Hoffmann. 8. Aufl. Mit 9 Illustr. in Farbendr. nach Aquarellen v. C. Offterdinger. gr. 8. (173 S.) Stuttgart 883. Thienemann. cart. n. 4. 50

— Gulliver's travels, s.: Schulbibliothek, französische u. englische.

— Gulliver's voyage to Brobdingnag, ⎫ s.: Schüler-Bibliothek,
— Gulliver's voyage to Liliput, ⎭ englische.

Swinburne, Algernon Charles, Chastelard. Tragödie. Deutsch v. Ost. Horn. 2. Aufl. 12. (IV, 195 S.) Norden 886. Fischer Nachf. n. 2. —

Swoboda, H., in den schwarzen Bergen, ⎫ s.: National-
— Agda Sjöström, ⎬ Bibliothek,
— ein Vandale, ⎭ deutsch-österreichische.

Swoboda, Hanns, Lehrbuch der Handels-Arithmetik. gr. 8. (VI, 248 S.) Wien 884. Gerold's Sohn. n. 4. 80

Swoboda, Karl, Lehrbuch der Naturlehre f. den Unterricht an achtclassigen Volks- u. Bürgerschulen. Dem vorgeschriebenen Lehrplane entsprechend in 3 concentr. Lehrstufen bearb. 1. u. 3. Lehrstufe. gr. 8. Wien 884. Hölder. à n. — 52

1. Mit 105 Versuchen u. 52 in den Text eingedr. Holzschn. 5. Aufl. (IV, 68 S.)
3. Mit 42 Versuchen u. 52 in den Text eingedr. Holzschn. 3. Aufl. (79 S.)

Swoboda, Karl, Naturlehre f. Bürgerschulen. In 3 concentr. Lehrstufen. Den neuen Lehrplänen entsprechend bearb. v. Laurenz Mayer. 1. Stufe f. die I. Classe. 7. Aufl. Mit 54 Holzschn. gr. 8. (VI, 98 S.) Wien 886. Hölder. n. — 64

— dasselbe. 2. Stufe f. die II. Classe. 3. Aufl. Mit 105 Holzschn. gr. 8. (VI, 138 S.) Ebend. 886. n. — 90

Swoboda, Otto, die kaufmännische Arbitrage. Eine Sammlg. v. Notizen u. Usancen sämmtl. Börsenplätze f. den prakt. Gebrauch. 6. Aufl. 8. (897 S.) Berlin 886. Gaertner. geb. n. 10. —

— der internationale Arbitrageur. Ein unentbehrl. Rathgeber f. Arbitrageure, Banken, Geldwechsler u. Capitalisten. 2—5. Lfg. gr. 4. Bern 883. Nydegger & Baumgart. n. 21. — (1—5.: n. 24. —)

2. A. Lotterie-Anleihen. B. Stadt-Obligationen. (45 S.) n. 3. —
3. Die in Europa gehandelten Eisenbahn-Stammactien. (96 S.) n. 6. —
4. Die in Europa gehandelten Eisenbahn-Prioritäten. (96 S.) n. 6. —
5. Die in Europa gehandelten Bankpapiere. (91 S.) n. 6. —

— die gesammten Comtoirwissenschaften. Ein prakt. Lehrbuch f. den Unterricht, sowie ein Hülfsbuch f. die Comtoire der Bank- u. Waarengeschäfte. 2 Bde. 2. Aufl. gr. 8. Berlin 883. Springer. à n. 7. —; geb. à n. 8. —

1. Die einfache u. doppelte Buchführung, nebst e. Abhandlg. üb. die Vereinfachg. der doppelten Buchführg. (VI, 443 S.)
2. Das Bankgeschäft. (XVI, 450 S.)

Sybel, H. v., s.: Commission, die historische, bei der königl. bayerischen Akademie der Wissenschaften 1858—1883.

— Gedächtnissrede auf Leopold v. Ranke. gr. 8. (18 S.) Berlin 886. (G. Reimer.) n. 1. —

— s.: Kaiserurkunden in Abbildungen.

— Vorträge u. Aufsätze. 3. unveränd. Aufl. gr. 8. (III, 363 S.) Berlin 885. Allgemeiner Verein f. deutsche Litteratur. n. 5. —

Sybel, Ludw. v., Kritik d. ägyptischen Ornaments. Archaeologische Studie. Mit 2 lith. Taf. gr. 8. (41 S.) Marburg 883. Elwert's Verl. n. 1. 20

Sydow, Clara v., alte Gefährten. Zwei Novellen. 8. (464 S.) Dresden 887. Pierson. n. 6. —

— das selbe Lied. Novelle. 8. (238 S.) Berlin 884. Gebr. Paetel. n. 4. —; geb. n. 5. 50

Sydow-Dobberphul, H. v., die Silberentwerthung u. die internationale Krisis der Landwirthschaft, der Industrie u. d. Welthandels, s.: Schriften d. Deutschen Vereins f. internationale Doppelwährung.

Sydow, J. v., Lieschens Puppenstube, s.: Gregor, E.

Sydow, Marie, Dr. Adolf Sydow. Ein Lebensbild, den Freunden gewidmet. gr. 8. (203 S. m. 1 Stahlst.-Portr.) Berlin 885. G. Reimer. n. 2. 50

Sydow, P., Anleitung zum Sammeln der Kryptogamen. 8. (IV, 144 S.) Stuttgart 885. J. Hoffmann. n. 2. 50; geb. n. 3. —

Sydow, R., Civilprozeßordnung m. Gerichtsverfassungsgesetz, Einführungsgesetzen, Nebengesetzen u. Ergänzungen. Text-Ausg. m. Anmerkgn. u. Sachregister. 3. Aufl. 16. (XX, 578 S.) Berlin 884. Guttentag. cart. n. 2. 50

— Gebührenordnung f. Rechtsanwälte. Textausg. m. Anmerkgn., Kostentabellen u. Sachregister. 2. Aufl. 16. (V, 64 S.) Ebend. 884. cart. n. — 50

— Konkursordnung m. Einführungsgesetz, Nebengesetzen u. Ergänzungen. Text-Ausg. m. Anmerkgn. u. Sachregister. 3. Aufl. 16. (XXIII, 144 S.) Ebend. 886. cart. n. — 80

— Rechtsanwaltsordnung. Text-Ausg. m. Anmerkgn. u. Sachregister. 2. Aufl. 16. (VI, 64 S.) Ebend. 884. cart. n. — 50

Sylva, Carmen (Elisabeth Königin v. Rumänien), Astra. Roman v. Dito u. Idem. 8. (385 S.) Bonn 886. Strauß. geb. n. 7. —

Sylva, Carmen, s.: Astra.
— s.: Aus C. S.'s Königreich.
— s.: Aus zwei Welten.
— s.: Dichtungen, rumänische.
— ein Gebet. 2. Aufl. 8. (80 S.) Berlin 883. A. Duncker. n. 2. —; geb. n. 3. —
— Handzeichnungen. 8. (III, 274 S.) Ebend. 884. n. 5. —; geb. n. 6. —
— Jehovah. 2. Aufl. 8. (77 S.) Leipzig 883. Bonn, Strauss. n. 2. 50; geb. in Leinw. n. 4. —; in Ldr. n. 5. —
— Leidens Erdengang. Ein Märchenkreis. 2. Aufl. 8. (III, 169 S.) Berlin 885. A. Duncker. n. 4. —; geb. n. 5. —
— Pelesch-Märchen. Mit 3 Illustr. u. Fcsm. A. u. d. T.: Aus Carmen Sylva's Königreich. 2. Aufl. 8. (VII, 224 S.) Leipzig 883. Bonn, Strauß. n. 5. —; Einbd. n.n. 1. —
— mein Rhein! Dichtungen. Illustrirt v. E. Doepler d. J. Nebst 20 landschaftl. Radirgn., unter Leitg. v. Hans Meyer ausgeführt v. F. Krostewitz u. R. Heinrich. 3. Aufl. 4. (64 S.) Leipzig 886. Titze. geb. m. Goldschn. n. 10. —
— meine Ruh'. Mit e. Titelbild (in Lichtdr.). gr. 8. (VIII, 447 S.) Berlin 884. A. Duncker. n. 7. 50; geb. n. 10. —
— dasselbe. 2. Aufl. 4 Bdchn. 8. Ebend. 885. n. 10. —; geb. n. 14. —
1. Balladen u. Romanzen. (VI, 132 S.) n. 3. —; geb. n. 4. —
2. Höhen u. Tiefen. (X, 149 S.) n. 3. —; geb. n. 4. —
3. Mutter u. Kind. (VI, 57 S.) n. 2. —; geb. n. 3. —
4. Weltweisheit. (VIII, 70 S.) n. 2. —; geb. n. 3. —
— Stürme. 2. Aufl. 8. (V, 195 S.) Bonn 886. Strauß. geb. n. 6. —

Sylva, Carmen, aus deren Leben, s.: Stackelberg, N. Freiin v.

Sylvester, H., s.: Königswort, e.

Sylvester, Hckt., Quasimodo. Ein Roman in Versen. 8. (VI, 294 S.) Leipzig 885. Rust. n. 3. —; geb. n. 4. —

Symmachi, Q. A., quae supersunt, s.: Monumenta Germaniae historica.

Symonds, J. A., sketches in Italy, \ s.: Collection
— new italian sketches, / of British authors.

Sympher, der Nord-Ostsee-Canal, s.: Canäle.
— Transportkosten auf Eisenbahnen u. Kanälen. Mit 1 Bl. Zeichngn. u. mehreren in den Text gedr. Holzschn. gr. 8. (V, 112 S.) Berlin 885. Ernst & Korn. n. 3. —

Symposiast, der. Festzeitung u. Programm d. Kostüm-Festes d. Schriftstellervereins Symposion u. der Mitglieder der Genossenschaft deutscher Bühnenangehöriger d. Leipziger Stadttheaters am 8. März 1884 in den Gesammträumen d. Krystall-Palastes zu Leipzig. Fol. (10 S. m. eingedr. Illustr. u. Fcsms.) Leipzig 884. Friedrich. — 50

Synagogenbrand-Prozeß, der Neustettiner, vor den Geschworenen zu Cöslin u. Konitz. Eine genaue Darstellg. der Anklage, der Zeugenverhöre, der Vertheidigg. u. des Urtheils. 8. (46 S.) Stuttgart 884. Levy & Müller. n.n. — 50

Synodal-Bericht, 3., d. Canada-Distrikts der deutschen evang.-luth. Synode v. Missouri, Ohio u. anderen Staaten. Im J. 1882. gr. 8. (56 S.) St. Louis, Mo. 882. (Dresden, H. J. Naumann.) n. — 75
— dasselbe. Im J. 1883. gr. 8. (43 S.) Ebend. 883. n. — 75
— dasselbe. Im J. 1885. gr. 8. (67 S.) Ebend. 885. n. — 75
— 7., d. Illinois-Distrikts der deutschen evang.-luth. Synode v. Missouri, Ohio u. anderen Staaten, versammelt zu Chicago, Ills. A. D. 1883. gr. 8. (96 S.) Ebend. 883. n. 1. 25
— dasselbe, versammelt zu Quincy, Ills. A. D. 1885. gr. 8. (98 S.) Ebend. 885. n. 1. —
— dasselbe, versammelt zu Chicago, Ill. A. D. 1886. gr. 8. (84 S.) Ebend. 886. n. 1. —
— 4., d. Iowa-Distrikts der deutschen evang.-luth. Synode v. Missouri, Ohio u. anderen Staaten. A. D. 1883. gr. 8. (94 S.) Ebend. 883. n.n. 1. 25

Synodal-Bericht, 5., d. Iowa-Distrikts der deutschen evang.-luth. Synode v. Missouri, Ohio u. anderen Staaten. A. D. 1885. gr. 8. (68 S.) St. Louis, Mo. 885. (Dresden, H. J. Naumann.) n. — 75
— 2., d. Minnesota- u. Dakota-Distrikts der deutschen evang.-luth. Synode v. Missouri, Ohio u. anderen Staaten 1883. gr. 8. (84 S.) Ebend. 883. n. 1. 25
— dasselbe. 3. Bericht. versammelt zu Lewiston. Minn., vom 17. bis 23. Juni 1885. gr. 8. (103 S.) Ebend. 886. n. 1. —
— dasselbe. 4. Bericht, versammelt zu Benton, Minn., vom 16. bis 22. Juni 1886. gr. 8. (136 S.) Ebend. 886. n. 1. 50
— 1. d. Nebraska-Distrikts der deutschen evang.-luth. Synode v. Missouri, Ohio u. anderen Staaten. A. D. 1882. gr. 8. (55 S.) Ebend. 882. n. — 75
— dasselbe. 2. Bericht A. D. 1883. gr. 8. (80 S.) Ebend. 883. n. 1. 25
— dasselbe. 3. Bericht. A. D. 1885. gr. 8. (59 S.) Ebend. 885. n. — 75
— 24., d. westlichen Distrikts der deutschen evang.-luth. Synode v. Missouri, Ohio u. anderen Staaten. A. D. 1882. gr. 8. (83 S.) Ebend. 882. n. 1. 25
— dasselbe. 25. Bericht. A. D. 1883. gr. 8. (78 S.) Ebend. 883. n. 1. —
— dasselbe. 26. Bericht. A. D. 1885. gr. 8. (59 S.) Ebend. 885. — 75
— 2., d. Wisconsin-Distrikts der deutschen evang.-luth. Synode v. Missouri, Ohio u. anderen Staaten versammelt zu Sheboygan, Wis., vom 12. bis 18. Juni 1883. gr. 8. (80 S.) Ebend. 883. n. 1. 25
— dasselbe. 3. Bericht, versammelt zu Milwaukee, Wis., vom 3. bis 9. Juni 1885. gr. 8. (79 S.) Ebend. 885. n. — 75
— 19., der allgemeinen deutschen ev.-luth. Synode v. Missouri, Ohio u. anderen Staaten, versammelt als 4. Delegaten-Synode zu St. Louis, Mo., im J. 1884. gr. 8. (189 S.) Ebend. 884. n. 1. 60

System, welches, der direkten Steuern ist das gerechteste u. zweckmäßigste? Eine brenn. Zeitfrage u. deren Beantwortg. Hrsg. vom 1. schwäb. Bauern-Verein in Mertingen. gr. 8. (51 S.) Augsburg 883. (Donauwörth, Veith.) n. — 30

Szajnocha, Ladisl., zur Kenntniss der mittelcretacischen Cephalopoden-Fauna der Insel Elobi an der Westküste Afrika's. [Mit 4 (lith.) Taf.] Imp.-4. (8 S.) Wien 884. (Gerold's Sohn.) n. 2. —

Szczepanski, F. v., Rossica u. Baltica. Verzeichniss der in u. üb. Russland u. die balt. Provinzen im J. 1884 erschienenen Schriften in deutscher, französ. u. engl. Sprache. I. Jahrg. 12. (62 S.) Reval 885. Lindfors' Erben. n. — 40
— dasselbe. II. Jahrg. 12. (31 S.) Ebend. 886. n.n. — 50

Szczepański, G. v., s: Schwindel, der romantische, in der deutschen Mythologie u. auf der Opernbühne.

Széesen, Ant. Graf, Denkrede auf Georg v. Mailáth. Deutsche Ausg. gr. 8. (20 S.) Budapest 884. Kilián. n. — 80

Szegheő, Ign., der Entwurf e. ungarischen Strafprocessordnung. gr. 8. (63 S.) Wien 883. Manz. n. 1. 20

Szemere, Alb., der See- u. klimatische Winter-Kurort Abbazia, seine Heilmittel u. deren physiolog. u. therapeut. Bedeutg. gr. 8. (VIII, 116 S.) Stuttgart 885. Enke. n. 2. —

Szenen, bunte, aus der Tierwelt. 4. (8 Chromolith. m. Text.) Stuttgart 886. G. Weise. n. — 50; unzerreißbar geb. 1. 50

Szilllay, J., u. E. László, Führer durch die Landes-Ausstellung. Mit e. kurzen Wegweiser v. Budapest. Deutsch v. Geo. Mayer. 8. (III, 117 S. m. lith. Portr. d. Kronprinzen Rudolf u. 1 lith. Plan der Ausstellg.) Budapest 885. Lampel. n. — 80

Szilágyi, Alex., Georg Rákóczy I. im 30jährigen Kriege 1630—1640. Mit Urkunden aus schwed. u. ungar. Archiven. Deutsche Ausg. gr. 8. (XXVI, 145 S.) Budapest 883. Kilian. n. 3. —

Szkolny, Isidor, Theorie u. Praxis der Prämiengeschäfte, nach e. originalen Methode dargestellt. Nebst

2 Hilfstab. 8. (VIII, 104 S.) Frankfurt a/M. 883. Sauerländer. geb. n. 2. 40

Szold, Benj., das Buch Hiob, nebst e. neuen Commentar. (In hebr. Sprache.) gr. 8. (XXIV, 498 S.) Baltimore 886. (Leipzig, K. F. Köhler.) geb. n. 10. —

Szterényi, Hugo, üb. die eruptiven Gesteine des Gebietes zwischen O-Sopot u. Dolnya-Lyubkova im Krassó-Szörényer Comitate. Mit 2 lith. Taf. Lex.-8. (72 S. m. 2 Bl. Erklärgn.) Budapest 883. (Berlin, Friedländer & Sohn.) n. 2. —

Szymkowski, H. v., ich gratulire! Glückwünsche u. Gelegenheits-Dichtgn. f. Groß u. Klein. Nebst Stammbuchversen u. Toasten. 5. Aufl. 8. (243 S.) Berlin 884. Mode's Verl. 2. 25

Szymanowski, Oswald Korwin, Beiträge zur Geschichte d. Adels in Polen. gr. 8. (XI, 103 S.) Zürich 884. Schulthess. n. 3. 20

Szymanski, Th., Methode d. geographischen Unterrichts in Volksschulen, s.: Knaak, H.

Szyrwid's Punkty Kazań, s.: Drucke, litauische u. lettische, d. 16. u. 17. Jahrh.

T.

Tabaksmonopol, das. Eine Grabrede. 8. (20 S.) Stuttgart 882. Kohlhammer. — 20

Tabak-Zeitung, deutsche. Wochenschrift f. Tabak-Fabrikanten, Händler u. Producenten. Organ d. Vereins der deutschen Tabak-Fabrikanten u. Händler, sowie d. v. der Westdeutschen Versicherungs-Actien-Bank in Essen garantirten Feuerversicherungs-Verbandes f. die deutsche Tabak-Industrie. Red.: G. Lewinstein. 16—19. Jahrg. 1883—1886. à 52 Nrn. (B.) Fol. Berlin, W. Peiser's Verl. à Jahrg. n. 12. —

Tabarz u. **Cabarz** mit ihrer Umgebung. Gewidmet ihren Freunden u. Solchen, die es werden wollen. 2. Aufl. [Mit 2 Karten.] 12. (VIII, 148 S.) Friedrichroda 883. (Gotha, Thienemann.) cart. n. 1. —

Tabelle f. die Berechnung der Frachtzuschläge bei Declaration d. Werthes f. Güter u. Tabelle f. die Berechnung der Frachtzuschläge bei Declaration d. Interesses rechtzeitiger Lieferung v. Gütern. qu. Fol. (2 Bl.) Berlin 885. Siemenroth. n. — 20

— zur sanskritischen Deklination u. Konjugation. Fol. (4 lith. S.) Dorpat 884. Krüger. n. — 80

— zur Ermittelung der Abzüge in Procenten bei Rübenlieferungen. Ein Hülfsbuch f. Zuckerfabriken. 2. verm. Aufl. gr. 4. (57 S.) Strehlen 885. Gemeinhardt. n. 6. —

— kunstgeschichtliche, zum Gebrauch beim Besichtigen v. Kunstwerken zusammengestellt von B. v. d. K. qu. gr. 4. (39 S.) Leipzig 886. Hirt & Sohn. n. 2. 25

Tabellen aus der landwirthschaftlichen u. landwirthschaftl.-technischen Verhältnisskunde. Auszug aus dem österreich. landwirthschaftl. Kalender 1883. gr. 16. (IV u. S. 57—261.) Prag 883. Calve. n. 1. —

— militair-statistische, aller souverainen Länder der Erde. 2. Aufl. 8. (III, 52 S.) Leipzig 884. Ruhl. n. 1. —

— zum Unterricht in Volksschulen. gr. 8. (19 S. m. 4 Karten.) Bielefeld 885. Velhagen & Klasing. n.n. — 25

— der Wittwen- u. Waisengeld-Beiträge, der Pensionen, sowie der gesetzl. Wittwen- u. Waisengelder der preußischen Staatsbeamten bez. der Hinterbliebenen derselben. Lex.-8. (35 S.) Leipzig 885. Bredow. n. — 80

— u. **Durchschnitte,** geologische, üb. den Grossen Gotthardtunnel. Spezialbeilage zu den Berichten d. Schweizer. Bundesrathes üb. den Gang der Gotthard-Unternehmg. 9. u. 10. Lfg. Fol. (86 u. 53 S. m. 10 resp. 9 Steintaf.) Zürich 882. Orell Füssli & Co. Verl. à n. 12. — (1—10.: n. 78. 40)

Tableaux anatomiques pour écoles. Nr. 1, 4 et 5. Chromolith. Imp.-Fol. Karlsruhe 885. Bielefeld's Verl. Auf Leinw. gedr. u. m. Stäben. à n. 6. —

1. Les organes de la respiration et de la circulation du sang de l'homme et ceux des reptiles et des poissons.
4. Le squelette de l'homme.
5. Le système nerveux. Les nerfs du cerveau et les nerfs spinaux avec les ganglions vue d'en bas et de face.

Tableaux servant à l'analyse chimique. 2 parties. Traduites de l'allemand par Jean Krutwig. Lex.-8. Bonn 885. Weber. geb. à n. 2. 50

1. Caractères des éléments et de leurs combinaisons. Subliés par Otto Wallach. (14 Tab.)
2. Méthodes de recherche et de séparation des éléments. Publiées par Aug. Kekulé et Otto Wallach. 2. éd. française. (16 Tab.)

Tachymeter, die Wagner-Fennel'schen, d. mathematisch-mechanischen Instituts v. Otto Fennel in Cassel. hoch 4. (XII, 43 S. m. eingedr. Fig.) Cassel 886. Berlin, Springer. n. 2. —

Taciti, Cornelii, libri qui supersunt. Quartum recognovit Carolus Halm. 2 tomi. 8. Leipzig 883. Teubner. à 1. 20

1. Libros ab excessu divi Augusti continens. (IV, 373 S.)
2. Historias et libros minores continens. (396 S.)

— ab excessu divi Augusti libri. Quartum recognovit Carolus Halm. Fasc. I et II. Lib. I—XVI. 8. (373 S.) Ebend. 884. à — 75

— dasselbe. Rec. W. Pfitzner. Partic. I. gr. 8. (71 S.) Gotha 883. F. A. Perthes. — 60

— opera quae supersunt. Rec. Joa. Müller. Vol. I. Libros ab excessu divi Augusti continens. 8. (VI, 336 S.) Leipzig 884. Freytag. n. 1. 50

— opera quae supersunt, ad fidem codicum Mediceorum ab Jo. Geo. Baitero denuo excussorum ceterorumque optimorum librorum rec. atque interpretatus est Jo. Casp. Orellius. Vol. II. Germania. Dialogus de claris oratoribus. Agricola. Historiae. Ed. II. curaverunt H. Schweizer-Sidler, G. Andresen, C. Meiser. Fasc. 4 et 5. Historiarum liber I et II, ed. Carolus Meiser. gr. 8. (S. 223—390.) Berlin 884. 86. Calvary & Co. à 4. 50

— erklärt v. Karl Nipperdey. 1. Bd. Ab excessu divi Augusti I—VI. 8. verb. Aufl., besorgt v. Geo. Andresen. gr. 8. (418 S.) Berlin 884. Weidmann. 3. —

— Werke. Deutsch m. Erläutergn., Rechtfertiggn. u. geschichtl. Supplementen v. Karl Ludw. Roth. 4—7. 12. 14—18. 20. 23—25. Lfg. 8. Berlin, Langenscheidt. à n. — 35

4. Annalen. 4—7. Lfg. 4. Aufl. (1. Bd. S. 129—168 u. 2. Bd. S. 1—140.)
12. 14—18. Dasselbe. 3. Aufl. (4. Bd. S. 49—95. 5. Bd. 114 u. 6. Bd. 144 S.)
20. Historien. 1. Lfg. 4. Aufl. (7. Bd. S. 1—48.)
23—25. Dasselbe. 4—8. Lfg. 3. Aufl. (7. Bd. S. 145—292.)

— dasselbe, s.: Collection Spemann.

— dasselbe, s.: Prosaiker, römische, in neuen Uebersetzungen.

— Agrikola u. Germania. Uebers. u. m. den nöthigsten Anmerkgn. versehen v. C. H. Krauß. Mit Anhängen f. philologisch-gebildete Leser. gr. 8. (VI, 92 S.) Stuttgart 883. Metzler's Verl. n. 2. 20

— annales. Für den Schulgebrauch erklärt v. W. Pfitzner. 1. u. 2. Bdchn. Buch I—VI. gr. 8. (IV, 293 S.) Gotha 883. 84. F. A. Perthes. 2. 70

— dasselbe. 3. Bdchn. Buch XI—XIII. Ausg. A. Kommentar unterm Text. gr. 8. (S. 295—427.) Ebend. 885. 1. 20; Ausg. B. Text u. Kommentar getrennt in 2 Hftn. (S. 165—232 u. 66 S.) 1. 20

— dasselbe. 4. Bdchn. Buch XIV—XVI. Ausg. A. Kommentar unterm Text. gr. 8. (S. 427—558.) Ebend. 885. 1. 50; Ausg. B. Text u. Kommentar getrennt in 2 Hftn. (S. 233—304 u. 67—126.) 1. 50 (1—4.: 5. 40)

— Annalen, s.: Collection Spemann.

— Germania. Agricola. Dialogus de oratoribus. Quartum recognovit Carolus Halm. 8. (100 S.) Leipzig 883. Teubner. — 45

— dasselbe. Erläutert v. Heinr. Schweizer-Sidler. 4. neu bearb. Aufl. gr. 8. (XVI, 95 S.) Halle 884. Buchh. d. Waisenh. n. 1. 80

— dasselbe. Erklärt v. Karl Tücking. 6. verb. Aufl. gr. 8. (73 S.) Paderborn 885. F. Schöningh. n. — 60

— dasselbe, Schulwörterbuch dazu, s.: Wolff, E.

— s.: Germania antiqua.

Taciti, Cornelii, historiarum libri qui supersunt. Schulausg. v. Carl Heraeus. 1. u. 2. Bd. gr. 8. Leipzig, Teubner. à 1. 80
1. Buch I u. II. 4. Aufl. (VI, 256 S.) 885.
2. Buch III—V. 3. Aufl. (232 S.) 884.
— dasselbe. Erklärt v. Ed. Wolff. 1. Bd. Buch I u. II. Mit 1 Karte v. H. Kiepert. gr. 8. (VI, 236 S.) Berlin 886. Weidmann. 2. 25
— Historien. 1—5. Buch. Für den Schulgebrauch erklärt v. Ign. Prammer. gr. 8. (X, 119 u. VIII, 167 S.) Wien 883. 85. Hölder. n. 3. 20
— das Leben d. Agricola. Schulausg. v. A. Draeger. 4. Aufl. gr. 8. (IV, 50 S.) Leipzig 884. Teubner. — 60
— dasselbe, s.: Universal-Bibliothek.
— de origine, situ, moribus ac populis Germanorum liber. Für den Schulgebrauch erklärt v. Glob. Egelhaaf. Ausg. A. Kommentar unterm Text. gr. 8. (IV, 48 S.) Gotha 885. F. A. Perthes. — 60; Ausg. B. Text u. Kommentar getrennt in 2 Hftn. (IV, 19 u. 29 S.) — 60
— dasselbe. In usum scholarum ed. Jos. Müller. 8. (VII, 27 S.) Leipzig 885. Freytag. n. — 30
— Kaiser Tiberius [Annalen Buch 1—6], übers. v. Bict. Pfannschmidt. 8. (429 S.) Leipzig 884. Kempe. n. 2. —

Tadra, Ferd., Cancellaria Johannis Noviforensis episcopi Olomucensis [1364—1380]. Briefe u. Urkunden d. Olmützer Bischofs Johann v. Neumarkt. Hrsg. v. F. T. Lex.-8. (157 S.) Wien 886. (Gerold's Sohn.) n. 2. 40

Tafel, Eugenie, aus dem Alltagsleben. Erzählung. 8. (84 S.) Langenberg 886. Joost. n. — 80
— Anna-Marie. Erzählung. 8. (111 S.) Ebend. 884. n. 1. —
— im Buchecker Pfarrhaus. Erzählung. 8. (47 S.) Ebend. 884. n. — 50
— Daheim. Erzählung. 8. (156 S.) Ebend. 885. n. 1. 50
— Einsam. Tagebuchblätter. Erzählung. 8. (63 S.) Ebend. 884. n. — 60
— Frauenliebe. Erzählung. 8. (87 S.) Ebend. 886. n. — 80
— Lotte Lebrecht. Erzählung. 8. (87 S.) Ebend. 884. n. — 90
— im stillen Wald. Novelle. 8.. (88 S.) Zürich 886. Schröter. n. 1. —

Tafel-Lieder f. Lehrer-Versammlungen. 8. (16 S.) Wiesbaden 885. Bechtold & Co. n. — 25

Tafel- u. Gesellschafts-Lieder. 6. Aufl. 16. (31 S.) Crefeld 883. Klein. n. — 10

Tafeln, nautische, der k. k. Kriegsmarine. Auf Anordnung d. k. k. Reichs-Kriegs-Ministeriums [Marine-Section] zusammengestellt u. hrsg. vom hydrograph. Amte der k. k. Kriegsmarine. Ster.-Ausg. gr. 8. (XVI, 272 S.) Pola 882. (Triest, Dase. — Schimpff.) n.n. 6. —
— dasselbe. 2. Aufl. gr. 8. (XVI, 298 S.) Pola 885. (Triest, Schimpff.) geb. n.n. 4. —

Tag, der geheiligte, d. Christen. Ein Gebetbuch f. Katholiken. Mit der hl. Messe, m. der jedem Sonn- u. Festtage d. Jahres eigenen Vesper-Andacht, m. Litaneien, Todtenvesper xc., lateinisch u deutsch nach dem röm. Missale u. Breviere. Ausg. Nr. 1 in kleinem Format. 32. (319 S. m. 1 Chromolith.) Einsiedeln 883. Benziger & Co. — 35
— der große. Gebete u. Gesänge zur Festfeier der ersten heil. Communion. Hrsg. v. der Direction d. k. k. Waisenhauses in Wien. 12. (50 S.) Wien 884. (Woerl.) n. — 20
— ein, in der alten freien Reichsstadt Nürnberg v. e. kunstliebenden Niedersachsen. gr. 8. (46 S.) Schwerin 886. (Stiller.) n. 1. —
— ein, in Salzburg. Kurzer Wegweiser f. Stadt u. nächste Umgebg. Mit neuem (chromolith.) Plan, gezeichnet v. E. Hettwer. 12. (8 S.) Salzburg 883. Dieter. n. — 60

Tage, drei, in Augsburg u. in der schwäbischen Kreis-Industrie-, Gewerbe- u. kunsthistorischen Ausstellg. Kleiner Wegweiser f. die Stadt u. ihre Umgebgn., sowie f. die Ausstellg. Mit Angabe der Anstalten, Bäder, Behörden, Fabriken, Gasthäuser, Gesellschaften, Institute, Kaffeehäuser, Kirchen, Klöster, Leihbibliotheken, Sehenswürdigkeiten, Umgebgn., Vergnügungs- u. Unterhaltungs-Plätze, Weinhäuser etc., in alphabet. Ordng. 10. verm. u. verb. Aufl. Mit neurev. Stadtplane u. mehreren Ansichten. 12. (77 u. Ausstellungsführer 22 S.) Augsburg 886. Schmid's Verl. n. — 60; ohne Führer n. — 50

Tage, drei, in Hamburg. Ein prakt. Führer f. Fremde, um die Sehenswürdigkeiten der Stadt u. Umgegend auf die genussreichste Weise in drei Tagen kennen zu lernen. Mit den Plänen von Hamburg u. Altona, 2 Kärtchen der Umgegend, dem Plane d. zoolog. Gartens u. e. Anh.: Fahrpläne u. Taxen der Eisenbahnen, Dampfschiffe, Fuhrwerke etc. enth. Nebst Rathschlägen bei längerem Aufenthalte, sowie e. Beschreibg. der Fahrten nach Kiel, Lübeck u. Helgoland, m. Beigabe e. Planes v. Helgoland u. e. Elbu. See-Karte. 14. verb. u. verm. Aufl. 8. (VIII, 154 S.) Hamburg 885. Gassmann's Verl. n. 2. —
— die letzten, d. wendischen Rostock. Geschichtsbild aus Mecklenburg's Vorzeit v. Amosis. 8. (III, 154 S.) Schwerin 884. (Rostock, Werther.) n. 1. 20
— acht, in Wien. Sehenswürdigkeiten der österreich. Reichshaupt- u. Residenzstadt. Nebst 1 (chromolith.) Plane der Stadt u. Vorstädte. 11. Aufl. 16. (IV, 134 S.) Wien 884. Braumüller. geb. n. 2. —

Tageblatt der 55. Versammlung deutscher Naturforscher u. Aerzte in Eisenach vom 18. bis 22. Septbr. 1882. Unter Mitwirkg. der Schriftführer der Sektionen red. v. G. Kühn. gr. 4. (IV, 331 S.) Eisenach 883. (Baerecke.) geb. n.n. 6. —
— der 56. Versammlung deutscher Naturforscher u. Aerzte in Freiburg i. B. 1883. Red.: Ad. Claus. gr. 4. (Nr. 1—5. 104 S.) Freiburg i/Br. 883. Wagner. n. 6. —
— der 57. Versammlung deutscher Naturforscher u. Aerzte in Magdeburg 18—23. Septbr. 1884. Red. v. Aufrecht. gr. 4. (III, 400 S.) Magdeburg 884. Faber. 6. —
— der 58. Versammlung deutscher Naturforscher u. Aerzte in Strassburg 18—23. Septbr. 1885. Red.: J. Stilling. gr. 4. (Nr. 1: 3 B.) Strassburg 885. (Trübner.) n.n. 8. —
— der 59. Versammlung deutscher Naturforscher u. Aerzte in Berlin vom 18. bis 24. Septbr. 1886. Red. v. Guttstadt, S. Guttmann u. Sklarek. gr. 4. (Nr. 1: 60 S.) Berlin 886. (O. Enslin.) n.n. 9. —

Tagebuch. Blätter der Erinnerg. u. Lebensweisheit. 3. Aufl. Mit Namen-Register u. e. Tabelle zur Ermittelg. der Wochentage auf jedes Datum d. 19. Jahrh. 16. (407 S.) Leipzig 884. Zehl. geb. m. Goldschn. n. 3. 60
— dasselbe. Mit Denksprüchen, biograph. Daten u. 12 (chromolith.) Illustr. von Marie v. Reichenbach u. E. Leistner-Beckendorff. 4. Aufl. Mit Namen-Register u. Tabelle zur Ermittelg. der Wochentage. 12. (409 S.) Ebend. 886. geb. m. Goldschn. n. 9. —; ohne Illustr. geb. m. Goldschn. n. 4. —
— für d. Jahr 1885. 16. (62 u. 192 S.) Wien, Verl. der Photograph. Correspondenz. geb. n. 1. —
— ärztliches, nebst Liquidations-Register. Fol. (280 S.) Berlin 883. Dreyer. geb. n. 6. —
— für Comptoire, Fabriken, Bureaux, Kanzleien u. Guts-Administrationen f. d. J. 1886. schmal Fol. (281 S.) Prag, Mercy. geb. n. 2. 40
— für Comptoire u. Geschäftsleute. Hülfsbuch f. den großen u. kleinen Geschäftsverkehr. 1887. schmal Fol. (384 S.) Düsseldorf, F. Bagel. geb. n. 2. 80
— der königl. sächsischen Hoftheater vom J. 1885. Von Frdr. Gabriel u. Fr. Rößler. 69. Jahrg. 8. (81 S.) Dresden 886. (Warnatz & Lehmann.) n.n. 1. 50
— das, Kaiser Karl's VII. aus der Zeit d. österreichischen Erbfolgekriegs, nach dem Autograf hrsg. v. Karl Thdr. Heigel. gr. 8. (XIX, 234 S.) München 883. Rieger. n. 8. —

Tagebuch, kleines, Gedenkblätter f. alle Tage d. Jahres, m. Sinnsprüchen, biograph. Daten u. 4 (chromolith.) Illustr. v. Jul. Hoeppner. Mit Anh.: Namenregister u. Tabelle zur Ermittelg. der Wochentage f. jedes Datum d. 19. Jahrh. 3. Aufl. 16. (407 S.) Leipzig 885. Zehl. geb. m. Goldschn. n. 5. —

— eines unartigen Knaben. Aus dem Amerikan. 8. (III, 204 S.) Leipzig 886. Fr. Richter. n. 1. 50; geb. n. 2. —

— das, d. Kronprinzen. Aussprüche, Briefe u. andere Kundgebgn. 1831—1886. 3. Aufl. 8. (272 S.) Berlin 886. Steinitz. n. 5. —; Velinpap. n. 6. 50; Einbd. n.n. 1. 50

Tagebüchlein f. katholische Lehrerinnen. Von e. Schulfreunde. 16. (27 S.) Trier 883. Groppe's Verl. n. — 40

Tagesfragen, sogenannte. Erwiderung auf e. Artikel der Revue des deux mondes „Torpilleurs et Cannonières" v. e. Seeofficier. gr. 8. (42 S.) Braunschweig 885. Göritz. n. — 80

Tagesgrüße. Worte zur tägl. Erhebg. u. Förderg. 8. (60 S.) Berlin 885. Bouillon. n. 1. —

Tageszeiten. 4 Chromolith. 8. Leipzig 883. (Baldamus Sep.-Cto.) n. 1. —

Täglichsbeck, Otto, die Fahnen d. Infanterie-Regiments v. Treskow [Nr. 17] im Gefecht bei Halle an der Saale am 17. Oktbr. 1806. Ein kriegsgeschichtl. Beitrag zur Geschichte d. Jahres 1806 u. zur Lokalgeschichte v. Halle a. S. Unter Benutzg. der Akten d. königl. Kriegsarchivs in Berlin. Mit 2 (chromolith.) Uniformsbildern, 1 Plane u. 2 Anlagen. gr. 8. (VIII, 108 S.) Halle 886. Niemeyer. n. 3. 60

Tagzeiten v. der unbefleckten Empfängnis der seligsten Jungfrau u. Mutter Gottes Maria. Mit 2 Musikbeilagen. 16. (22 S.) Donauwörth 885. Auer. n. — 10

— zum heiligsten Herzen Jesu. 9. Aufl. 16. (20 S.) St. Louis, Mo. 886. Freiburg i/Br., Herder. f. 12 Explre. n.n. 1. 60

Tahintzis, C. Th., e. Fall v. Prolapsus vaginae bei e. Jungfrau. gr. 8. (32 S.) Strassburg 884. Trübner. n. 1. —

Taine, H., die Entstehung d. modernen Frankreich. Autoris. deutsche Bearbeitg. v. L. Katscher. 2. Bd.: Das revolutionäre Frankreich. 3. Abth. gr. 8. (XXVII, 571 S.) Leipzig 885. Abel. n. 12. — (I—II, 3.: n. 36. —)

— Philosophie der Kunst. Autoris. deutsche Uebersetzg. 2. Ausg. 8. (XIV, 144 S.) Leipzig 885. Le Soudier. 3. —

Tait, Lawson, u. E. Gryzanowski, kritische Beleuchtungen der Vivisectionsdebatte im preußischen Abgeordnetenhause. 8. (22 S.) Dresden 883. Internationaler Verein zur Bekämpfg. d. wissenschaftl. Thierfolter. — 20.

Tait, P. G., Wärmelehre. Autoris. deutsche Ausg., besorgt v. Ernst Lecher. Mit 53 Holzschn. gr. 8. (VIII, 327 S.) Wien 885. Toeplitz & Deuticke. n. 8. —

Tait, W. Cave, die Arbeiter-Schutzgesetzgebung in den Vereinigten Staaten. gr. 8. (VIII, 178 S.) Tübingen 884. Laupp. n. 3. —

Taktik-Notizen. 8. Teschen 884. 85. Prochaska. n. 7. —; geb. n. 9. —

I. Einleitung u. Elementartaktik der Infanterie. (93 S. m. 4 Steintaf.) n. 1. —
II. Elementartaktik der Kavallerie. (S. 95—196 m. 2 Steintaf.) n. 1. —
III. Elementartaktik der Artillerie u. Kampf ungleicher Waffen gegen einander. (S. 197—267 m. 1 Steintaf.) n. 1. —
IV. Angewandte Taktik. Märsche, Lager, Kantonirgn. u. Verpflegg. im Felde. (S. 269—430.) n. 1. —
V. Dasselbe. Nachrichten- u. Sicherungsdienst. (S. 431—694 m. 1 Tab.) n. 2. —
VI. Angewandte Taktik. Vom Gefechte. (S. 695—866.) n. 1. —

Talmage, T. de Witt, die Lebendigen u. die Todten. Eine Predigt. Aus dem Engl. v. L. Rehfueß. 8. (20 S.) Bonn 883. Schergens. n. — 15

— zwölf Predigten. Aus dem „Christian Globe" übers. 8. (153 S.) Hagen 883. Risel & Co. n. 1. 50

Talmud, der, od. die Sittenlehre d. Judenthums, nebst Kulturgeschichte d. Judenthums, Aussprüchen hervorrag. Männer aller Zeiten, jüdisch-deutschem Wörterbuch 2c. 5. Aufl. Wohlf. Volksausg. gr. 8. (45 S.) Berlin 884. M. Schulze. — 50

Tamamchef, J. v., der Kampf um Constantinopel in seiner Vergangenheit, Gegenwart u. Zukunft. Ein historisch-polit. Beitrag. 8. (VI, 448 S.) Wien 887. (Huber & Lahme.) n. 3. —

Tambor, Max., die Stenographie u. die Volksschule. Mit besond. Beziehung auf das Stolze'sche Kurzschriftsystem. gr. 8. (29 S.) Hannover 886. Meyer. n. — 60

— stenographische Streifzüge. Vereinen u. Lehrern der Stenographie gewidmet. 1. Hft. 8. (32 S.) Ebend. 887. n. — 50

Tamburini, A., u. G. **Seppilli,** Anleitung zur experimentellen Untersuchung d. Hypnotismus. Mit Genehmigg. der Verff. übertr. u. bearb. v. M. O. Fränkel. 2. Hft. gr. 8. (V, 44 S. m. 1 Taf.) Wiesbaden 885. Bergmann. n. 2. — (1. u. 2.: n. 4. —)

Tamchyna, Fr., Sammlung v. Beispielen in besonderen Zahlen zur analytischen Geometrie der Kegelschnitte. gr. 8. (III, 78 S.) Prag 884. Storch Sohn. n. 1. 40

Tamm, H. Chr., der Realismus Jesu in seinen Gleichnissen. Erörtert. gr. 8. (209 S.) Jena 886. Dabis. n. 2. 40

Tammen, Herm., Definition u. experimentelle Bestimmung e. neuen Konstanten der Elasticitätstheorie. Nachweis d. Bedürfnisses nach e. solchen, Korrektur d. Elasticitätsmoduls durch dieselbe. Mit 1 (lith.) Taf. gr. 8. (53 S.) Leipzig 881. (Zwickau, Thost) n. 1. —

Tanchuma ben Rabbi Abba, Rabbi, Midrasch Tanchuma, e. agadischer Commentar zum Pentateuch. Zum ersten male nach Handschriften aus den Bibliotheken zu Oxford, Rom, Parma u. München hrsg. Kritisch bearb., commentirt u. m. e. ausführl. Einleitg. versehen v. Salomon Buber. 3 Bde. gr. 8. (212, 356 u. 339 S) Wilna 885. (Berlin, Adf. Cohn.) n. 9. —

Tanck, W., Rechenbuch. Eine Sammlg. methodisch geordneter Übungsaufgaben. 1—8. Hft. [Ausg. f. Lehrer.] 8. Meldorf 883. 84. Bremer. cart. n. 5. 40; Ausgabe f. Schüler zu gleichem Preise.

1. 2. Aufl. (50 S.) n. — 40. — 2. (S. 49—112.) n. — 45. — 3. (S. 113—176.) n. — 45. — 4. (70 S.) n. — 50. — 5. (S. 73—165.) n. — 70. — 6. (III u. S. 167—281.) n. — 90. — 7. 8. (119 u. 104 S.) à n. 1. —

— dasselbe. Begleitwort zum 1. u. 2. Hft. 8. (14 S.) Ebend. 882. n. — 15

— Auflösungen zum 1—3. u. 5—6. Hft. 8. (16, 26, 28, 26 u. 25 S.) Ebend. 883. cart. n. 1. 10

— das Rechnen auf der Unterstufe, nebst Beitrag zur Frage nach der Entstehg. der Zahlenbegriffe. gr. 8. (99 S.) Elmshorn 884. Groth. n. 1. 20

Tandem, C. F., s.: Extramundana.

Tandler, J., ps. Florus Retland, Gedichte. 2. Aufl. 12. (240 S.) Wien 887. Konegen. n. 2. —

Tangen, K. D., Entwurf zu e. Börse, s.: Studien aus der Special-Schule von Th. R. v. Hansen.

Tangermann, Jos. D., Licht, Harmonie u. Kraft. Eine naturwissenschaftlich-philosoph. Studie. gr. 8. (70 S.) Leipzig 883. Mutze. n. 1. 20

Tangermann, W. (Victor Granella), Philosophie u. Poesie. Sonettenkränze. 8. (VII, 218 S.) Leipzig 886. C. H. Mayer. n. 4. —; geb. n. 5. —

— das liberale Princip in seiner ethischen Bedeutung f. Staat u. Kirche, Wissenschaft u. Leben. 3. m. e. Vorwort verm. Aufl. gr. 8. (XVI, 248 S.) Ebend. 886. n. 4. —

Tangl, Ed., zur Lehre v. der Continuität d. Protoplasmas im Pflanzengewebe. Lex.-8. (29 S.) Wien 884. (Gerold's Sohn.) n.n. — 50

— zur Morphologie der Cyanophyceen. [Mit 3 (lith. u. color.) Taf.] Imp.-4. (14 S.) Ebend. 883. n. 3. —

— Studien üb. das Endosperm einiger Gramineen. [Mit 4 (lith.) Taf.] Lex.-8. (38 S.) Ebend. 885. n. 1. 50

Tanhäuser, der neue. 13. Tausend: Editio ne varietur; nebst e. Tanhäuser-Bibliographie, sowie dem Texte d. Volksliedes v. dem Tanhäuser. hoch 4. (171 u. 21 S.) Berlin 885. F. & P. Lehmann. n. 6. —

— in Rom. 6. Tausend. Mit e. Titelbordüre aus dem Vitruv-Drucke Philipps de Giunta Florenz M. D. X. J. J. J. 12. (142 S.) Ebend. 886. n. 3. —

Tannen, Karl, de dösige Hinrich a's Tüge vöör Gericht. Ländlich kom. Scene in 1 Act. 12. (32 S.) Bremen 883. Diercksen & Wichlein. n. — 50

Tannenbaum, Maria, Blumensträußlein od. Erzählungsbüchlein f. Kinder. 16. (95 S.) Dülmen 883. Laumann. cart. n. — 35

— Handarbeitsbüchlein f. Kinder, enth. Vorlagen f. Strick-, Häkel-, Stick-, Näharbeiten rc. 8. (62 S. m. Illustr.) Düsseldorf 885. Schwann. n. — 60

Tannenburg, Rosa v., od. der Segen d. 4. Gebotes. Eine rühr. Geschichte aus der Ritterzeit. Neu bearb. f. die Jugend. 8. (64 S.) Reutlingen 883. Bardtenschlager. — 25

Tannenhofer, C., die Ammergauer Lise, s.: Universal-Bibliothek.

Tannenzweige. Sechs Erzählgn. f. die Weihnachtszeit. 16. (48 S.) Berlin 884. Hauptverein f. christl. Erbauungsschriften. — 30

Tanner, A., Predigt üb. die geistige Auferstehung, geh. am hl. Ostertage 1885 in der Hofkirche zu Luzern. gr. 8. (23 S.) Luzern 885. Räber. n. — 40

Tanner, Dan., vor dem Feierabend. Gebetbüchlein f. Alte. Als Auszug aus dem Gebetbuche „Senum labores optimi“ d. i. „der alten Leute beste Arbeit“ zur Feier d. 100jähr. Bestehens der oberöst. evangel. Gemeinden Ruzenmoos u. Wallern hrsg. 8. (XV, 139 S.) Gmunden 883. (Mänhardt.) n. 1. —

Tanner, H., et **E. Ziegg,** de Frobourg à Waldenbourg, excursion dans le Jura Soleurois et Bâlois, s.: l'Europe illustrée.

Tannert, Rich., die Entwickelung d. Vorstimmrechtes unter den Staufen u. die Wahltheorie d. Sachsenspiegels, e. Vorgeschichte der Entstehg. d. Kurfürstencollegs. gr. 8. (IX, 90 S.) Köln 884. Alb. Ahn. n. 3. —

— wider die Zünftelei in der Musik. Eine Streitschrift. 8. (60 S.) Oldenburg 885. Stalling's Verl. n. — 80

Tanz-Unterricht, neuester. Nach der Natur d. Tanzes u. nach ältern u. neuern Lehrern dargestellt. Ein nützl. u. nothwend. Büchlein f. alle Liebhaber, Freunde u. Feinde d. Tanzes, f. Eltern u. Kinder, Jung u. Alt. „Mane, Thekel, Phares“. 16. Aufl. 16. (60 S.) Dülmen 885. Laumann. — 15

Tapezereyen, königl. französische, od. überaus schöne Sinnbilder, in welchen die vier Elemente sammt den vier Jahreszeiten vorgestellt werden. [J. U. Krauss in Augsburg 1687.] Fol. (8 Lichtdr.-Taf.) Wien 886. Schroll & Co. In Mappe. n. 18. —

Tapezirer-Vorlagen. Vorbilder f. die Praxis. Zusammengestellt aus der illustr. Fachzeitschrift „Die Mappe“ v. Fr. Rauert. 1—8. Serie. gr. 4. Leipzig 885. (Scholtze.) n. 9. 30

1. (15 Taf.) n. 1. 80. — 2. (14 Taf.) n. 1. 80. — 3. (13 Taf.) n. 1. 60. — 4. (11 Taf.) n. 1. 50. — 5. (7 Taf.) n. 1. —. — 6. (5 Taf.) n. — 60. — 7. (4 Taf.) n. — 60. — 8. (3 Taf.) n. — 40

Tapla, Thdr., Leitfaden f. den Unterricht im geometrischen u. projectiven Zeichnen. Mit Rücksicht auf die Bedürfnisse der gewerbl. Praxis u. e. sehr beschränkte Unterrichtszeit. Nach dem am Hausindustrie-Curse d. technolog. Gewerbe-Museums eingehaltenen Lehrgange bearb. Mit 7 lith. (z. Thl. farb.) Taf. Mit Unterstützg. d. k. k. Ministerium f. Cultus u. Unterricht hrsg. vom technolog. Gewerbe-Museum. Lex.-8. (VI, 52 S.) Wien 883. Graeser. n. 1. 92

Tappe, L., Zeugnisse v. Christo. Predigten. Ausgewählt u. hrsg. v. Fr. Witten. gr. 8. (108 S.) Helmstedt 884. (Braunschweig, Wollermann.) n. 1. —

Tappe, W., der Lungenbrand der Pferde, s.: Vorträge f. Thierärzte.

Tappehorn, Ant., Anleitung zur Verwaltung d. heil. Bußsacraments. 3. Aufl. gr. 8. (IV, 412 S.) Dülmen 886. Laumann. 4. —; geb. n. 5. —

— Brod der Engel. Vollständiges Andachtsbuch f. die Verehrer d. allerheil. Altarssacraments. Ausg. in feinem Druck. 12. Aufl. 16. (XVI, 576 S. m. 1. Stahlst. u. Farben-Titel.) Ebend. 886. n. 1. 50; geb. von n. 2. — bis n. 30. —

— dasselbe. Ausg. in grobem Druck. 3. Aufl. 16. (XVI, 576 S. m. 1 Stahlst. u. Farben-Titel.) Ebend. 883. n. 1. 50; geb. von n. 2. — bis n. 10. —

— Erklärung u. Predigtentwürfe zu den sonn- u. festtäglichen Evangelien d. katholischen Kirchenjahres. 2. Thl., welcher die festtägl. Evangelien behandelt. 1. u. 2. Abth. gr. 8. (S. 1—384.) Dülmen 883. Laumann. à n. 1. 80 (I—II, 2.: n. 10. 60)

Tappehorn, Ant., Friede im Herrn. Ein vollständ. Gebetbuch f. katholische Christen. [Mit vielen Belehrgn.] 6. Aufl. 24. (XVI, 536 S. m. Farbentitel u. 1 Stahlst.) Dülmen 886. Laumann. n. 1. 20; geb. von n. 1. 80 bis n. 25. —

— Himmelsleiter. Vollständiges Gebet- u. Andachtsbuch f. kathol. Christen. 24. (XVI, 528 S.) Ebend. 883. n. 1. 20; geb. von n. 2. — bis n. 20. —

— ausserbiblische Nachrichten, od. die Apokryphen üb. die Geburt, Kindheit u. das Lebensende Jesu u. Mariä. Beleuchtet. gr. 8. (89 S.) Paderborn 885. F. Schöningh. n. 1. —

— der Priester am Kranken- u. Sterbebette. Anleitung zur geistl. Krankenpflege. 2. Aufl. 16. (X, 264 S.) Ebend. 886. n. 1. 40

— die läßliche Sünde. Eine moral- u. pastoral-theolog. Abhandlg. gr. 8. (IV, 80 S.) Dülmen 883. Laumann. n. — 75

Tappeiner, Frz., Studien zur Anthropologie Tirols u. der Sette Comuni. Lex.-8. (64 S. u. 40 Tab.) Innsbruck 883. Wagner. n. 6. —

Tappeiner, H., Anleitung zu chemisch-diagnostischen Untersuchungen am Krankenbette. 8. (62 S.) München 885. Rieger. cart. n. — 80

— dasselbe. Mit 8 Holzschn. 2. Aufl. 8. (VI, 81 S.) Ebend. 886. cart. n. 1. —

Tappen, Ad., Geschichte d. Hannoverschen Pionier-Bataillons Nr. 10 von seiner Formation bis zum J. 1885, nach offiziellen Quellen zusammengestellt u. bearb. Mit mehreren Plänen u. Brücken-Zeichngn. gr. 8. (VIII, 286 u. 58 S.) Minden 885. Bruns. n. 7. 50; geb. n. 10. 50

Täpper, Willem, Doctor H. Brands plattdütsche Lachpillen. Lustig taurecht gebreiht. Dat 2. u. 3. Döſken. gr. 8. (à 15 S.) Bochum 885. (Hengstenberg.) à n. — 30

2. 2. Dutzend.

— Festlieder f. die Hochzeits-Feier. 8. (8 S. m. 2 autogr. S. Melodien.) Ebend. 885. n. n. — 25

— plattdütsche Gesundheitspillen vam ollen Doktor Hannes Brands. Lustig taurecht gebreiht. Dat 1. Döſken, taum twedden Mol gefüllt. gr. 8. (14 S.) Ebend. 885. n. — 30

— Lieder f. Deutschlands Feuerwehren. gr. 16. (V, 78 S.) Ebend. 882. cart. n. — 60

Tappert, W., Bilder u. Vergleiche aus dem Orlando innamorato Bojardo's u. dem Orlando furioso Ariosto's, s.: Ausgaben u. Abhandlungen aus dem Gebiete der romanischen Philologie.

— Für u. Wider. Eine Blumenlese aus den Berichten üb. die Aufführgn. d. Bühnenweihfestspieles Parsifal. gr. 8. (50 S.) Berlin 882. Barth. n. — 80

— Richard Wagner, sein Leben u. seine Werke. gr. 8. (VIII, 101 S. m. Holzschn.-Portr. u. 1 phototyp. Facsim.) Elberfeld 883. Lucas. n. 2. —

Tarenetzky, A., Beiträge zur Craniologie der grossrussischen Bevölkerung der nördlichen u. mittleren Gouvernements d. europäischen Russlands, s.: Mémoires de l'académie impériale des sciences d. St.-Pétersbourg.

Targum Onkelos. Hrsg. u. erläutert v. A. Berliner. 2 Thle. Mit Unterstützg. der k. Akademie der Wissenschaften in Berlin. Lex.-8. (242 u. X, 266 S.) Berlin 884. Mampe. n. 10. —

Tarifreform u. Eisenbahn-Verstaatlichung in Oesterreich. gr. 8. (12 S.) Prag 886 Řivnáč.) n. — 72

Tarifverträge, die, d. Deutschen Reiches m. dem Auslande im Auszug, nebst e. Einleitg. u. e. Zusammenstellg. der durch diese Tarifverträge bewirkten Abändergn. der Zollsätze d. allgemeinen deutschen Zolltarifs v. 22. Mai 1885. Ein Suppl. zum allgemeinen deutschen Zolltarif vom 22. Mai 1885. 16. (38 S.) Nördlingen 885. Beck. n. — 40

Tarmess, Gisep, la spousa dil solegl. Romanza. gr. 8. (8 S.) Solothurn 885. (Chur, Kellenberger.) — 25

Tarnowsky, B., die krankhaften Erscheinungen d. Geschlechtssinnes. Eine forensisch-psychiatr. Studie. gr. 8. (III, 152 S.) Berlin 886. Hirschwald. n. 3. —

Taschen-Adressbuch u. **Fremden-Führer** v. Frankfurt a. M. [Sachsenhausen, Bornheim u. Bockenheim.] Mit 1 Doppelplan. 8. Aufl. 12. (68 S.) Frankfurt a/M. 886. Erras. — 50

Taschen-Almanach, illustrirter, f. 1887. 32. (57 S.) Troppau, Strasilla. geb. — 50

Taschenberg, E. L., die Schädigung d. Hopfens durch Insekten. 8. (20 S.) Halle 884. Knapp. n. 1. 20

— Wandtafel zur Darstellung der Reblaus u. der Blutlaus. 2. Aufl. Chromolith. qu. gr. Fol. Mit erläut. Text f. Schule u. Haus. gr. 8. (32 S.) Stuttgart 885. Ulmer. In Mappe. n. 2. 20

— Was sind Holzwürmer u. wie erwehrt man sich ihrer? gr. 8. (40 S. m. eingedr. Holzschn.) Halle 883. Knapp. n. 1. —

Taschenberg, O., s.: Bibliotheca zoologica.

— Bilder aus dem Tierleben, s.: Wissen, das, der Gegenwart.

Taschenbibliothek, deutsche bautechnische. 1. 3—7. 49. 50. 81. 92—97. 105. 108—114. 118—122. Hft. 8. Leipzig, Scholtze. n. 56. 40

1. Die deutsche Villa. In Bezug auf die Bestimmg., Grösse, Möblierg. etc. aller jener Räume, welche als Bestandteile d. freihsteh. Familienhauses aufgefasst werden können. Bearb. v. Hittenkofer. 2. Aufl. Mit 114 Holzst. (VIII, 96 S.) 885. n. 3. —

3. 4. Das freistehende Familien-Wohnhaus. Die Vorführg. kleiner u. grösserer Wohnhäuser, die nur v. e. Familie bewohnt werden. Mit Darlegg. d. Raumbedürfnisses, der Raumverteilg., Raumbenutzg. Bearb. v. Hittenkofer. 2. Aufl. (VII, 103 S. m. 110 eingedr. Holzst.) 885. n. 4. —

5. 6. Der Schulhausbau in bezug auf konstruktive Gestaltung u. praktische Gesundheitspflege v. Hittenkofer. 2. Aufl. Mit 209 Abbildgn. (VII, 240 S. m. 2 Tab.) 887 n. 6. —

7. Die Bauten v. Stein. [Landbau.] Rationelle Steinbauten v. E. H. Hoffmann. 3. Aufl. Durch 93 Abbildgn. erläutert. (III, 170 S.) 884. n. 2. —

49. Die Ventilation der bewohnten Räume. Nach den neuesten Erfindgn. u. Erfahrgn. bearb. v. Ahrendts. 2. Aufl. Mit 59 Abbildgn. (90 S.) 885. n. 2. —

50. Die Zentral-Heizungen der Wohnhäuser, öffentlichen Gebäude etc. Nach den neuesten Erfindgn. u. Erfahrgn. bearb. v. Ahrendts. 2. Aufl. Mit 92 in den Text gedr. Abbildgn. (102 S.) 885. n. 2. —

81. Die Fabrikation d. Mehls u. seiner Neben-Produkte, nebst Beschreibg. der f. die Mehlbereitg. gebräuchl. Einrichtgn., speziell der Getreide-Mühlen. Von Herm. Meyer. 1. Thl. Der Mahlprozess im Allgemeinen. Durch 32 Abbildgn. erläutert. (72 S.) 884. n. 2. —

92—94. Der gesamte Eisenbahnbau. Unter besond. Berücksicht. d. Erdbaues u. d. Oberbaues in bezug auf Haupt- u. Sekundärbahnen. Mit ausführl. Angaben v. Preisen u. Kosten. Ein Handbuch in kurzer u. leichtfassl. Darstellg. f. Ingenieure, Bahnmeister, Aufseher, Studierende der techn. Hochschulen u. der Baugewerbeschulen. Von Geo. Osthoff. Mit zahlreichen Abbildgn. 1—3. Hft. (S. 1—240.) 883. à n. 2. —

95—97. Der gesamte Eisenbahnbau. Unter besond. Berücksicht. der Sekundär- u. Tertiärbahnen, d. Erdbaues, der Trambahnen u. der Seilbahnen. Mit Angaben üb. Preise u. Kosten. Ein Handbuch in kurzer u. leicht fassl. Darstellg. f. Ingenieure, Juristen, Kameralisten, Studierende der techn. Hochschulen u. f. Bahnmeister. Bearb. v. Geo. Osthoff. Mit Abbildgn. 4—6. (Schluss-)Hft. (XVI u. S. 241—574.) 883. à n. 2. —

105. Die Bau-Maschinen. Von W. Jeep. 3. Hft.: Wagenwinden, Schrauben zum Heben, Rammmaschinen. Mit 89 (eingedr.) Abbildgn. (66 S.) 883. n. 2. —

108. 109. Die ländlichen Wirtschafts-Gebäude u. Baulichkeiten in ihrer Anlage, Einrichtung u. Ausführung m. Beifügung der generellen Kostenüberschläge. Zum Gebrauche f. Architekten, Maurer- u. Zimmermeister, Studierende d. Baufachs u. Landwirte etc. Bearb. v. A. Knäbel. 5. u. 6. (Schluss-)Hft. (IV u. S. 321—484 m. Holzst.) 883. à n. 2. —

110. Die Bau-Maschinen. Von W. Jeep. 4. Hft. Ausziehen der Pfähle, Abschneiden der Pfähle. Baggermaschinen. Mit 61 (eingedr.) Abbildgn. (91 S.) 883. n. 2. —

111. Dasselbe. 5. Hft. Erdbohrer, Mörtelmaschinen, Zerkleinerungsmaschinen. Mit 89 Abbildgn. (70 S.) 883. n. 2. —

112. Dasselbe. 6. Hft. Transport auf horizontalen u. geneigten Bahnen. Seilbahnen. Mit 100 Abbildgn. (87 S.) 883. n. 2. —

113. Dasselbe. 7. Hft. Die Kolbenpumpen. Mit 124 Holzst. (70 S.) 883. n. 2. —

114. Dasselbe. 8. Hft. Eimer, Schaufeln, Schnecken, Zentrifugalpumpen, Rotationspumpen etc. Mit 31 Abbildgn. (58 S.) 883. n. 2. —

118. Die Herberge zur Heimat. Bau u. Einrichtg. derselben. Von Herm. Cuno. Mit 16 (eingedr.) Abbildgn. (26 S.) 883. n. 1. 20

119. Die Fabrikation d. Mehls u. seiner Neben-Produkte, nebst Beschreibg. der f. die Mehlbereitg. gebräuchl. Einrichtgn. speziell der Getreide-Mühlen, v. Herm. Meyer. 2. Thl. Spezielle Ausführg. d. Mahlprozesses. Durch 50 Abbildgn. erläutert. (83 S.) 884. n. 2. —

120. Anhaltspunkte zum Entwerfen u. Veranschlagen v. Hochbauten. Mit e. Anh. üb. Anhaltspunkte zur stat. Berechng. v. Eisen- u. Holzkonstruktionen. Zusammengestellt f. Bau-Beamte, Bau-Ingenieure, Maurer- u. Zimmer-Meister v. Karl Holz. Mit 23 Abbildgn. (68 S.) 884. n. 2. —

121. Die Haus-Kanalisation. Prinzipien u. prakt. Winke f. e. rationelle Anlage v. Haus-Entwässergn. Eine bau-hygien. Skizze v. W. P. Gerhardt. (36 S.) 885. n. 1. 20

122. Methode zur Erlernung u. Anwendung der Perspektive f. Architekten u. Ingenieure, besonders aber f. Bauhandwerker, dargestellt v. Rob. Krause. Neue Ausg. (30 S. m. eingedr. Holzschn.) 885. n. 1. —

Taschenbibliothek, deutsche forstwirtschaftliche. 1., 16., 22., 24. Bd. 8. Leipzig, Scholtze. n. 8. 90

1. Wald-Hege u. -Pflege. Ein Repetitorium f. das Jäger- u. Forstexamen. Ein Hilfsbuch f. Privatwald-Besitzer, Guts-Verwalter, Gemeinde-Beamte ꝛc. v. Frhr. Mücke. (VIII, 251 S.) 885. n. 2. 80; geb. n. 3. —

16. Grundriß der allgemeinen Ackerbaulehre. Ein Leitfaden f. den Unterricht an landwirtschaftl. Lehranstalten u. zum Selbstunterricht v. R. Strauch. 3. Aufl. Mit 30 Holzst. (XII, 121 S.) 886. n. 1. 80

22. Grundriß der landwirtschaftlichen Betriebslehre. Ein Leitfaden f. den Unterricht an landwirtschaftl. Lehranstalten. Von R. Strauch. 2. Aufl. (VIII, 116 S.) 883. n. 1. 80

24. Grundriß der landwirtschaftlichen Tierzucht-Lehre. Ein Leitfaden f. den Unterricht an landwirtschaftl. Lehranstalten u. zum Selbstunterricht. Von B. Römer. 2. Aufl. Mit 62 Abbildgn. (VIII, 180 S.) 884. n. 2. 50

— deutsche kunstgewerbliche. 7., 29—31. Hft. 8. Ebend. 886. n. 9. —

7. Die deutsche Schirm-Industrie u. deren verwandte Nebenzweige in der Entwickelung u. den fortschreitenden Erfindungen u. Verbesserungen. Unter Mitwirkg. namhafter Fachmänner bearb. v. P. J. Achtelstetter. Mit Abbildgn. (VIII, 104 S.) n. 3. —

29. Grundriß der Lehre vom Gartenbau. Ein Leitfaden f. den Unterricht an landwirtschaftl. Lehranstalten, Gartenbau-Schulen u. zum Selbstunterricht. Von O. Hüttig. 1. Tl.: Allgemeines. Mit 22 in den Text gedr. Abbildgn. (XIX, 196 S.) n. 2. 40

30. Dasselbe. 2. Tl.: Die Kultur der Topf- u. Kübelpflanzen u. das Treiben v. Nutz- u. Ziergewächsen. Mit 1 Titelbilde u. 53 Abbildgn. (XVI, 160 S.) n. 1. 80

31. Dasselbe. 3. Tl.: Der Schulgarten m. dem Gartenkalender, d. i. Erinnerg. an die Arbeiten jeden Monates im Jahre f. den Blumen-, Gemüse-, Obst- u. Treibgarten. Mit 1 Titelbilde u. 24 Abbildgn. (XVI, 144 S.) n. 1. 80

Taschenbibliothek, illustrirte, f. Maschinentechniker. Hrsg. v. M. Anton. 1. Serie. 1—7. Bd. gr. 8. Leipzig, Verlag d. Maschinenbauer. à n. — 75

1. 2. Praktische Werkzeuge u. neue Arbeitsmethoden. Kurzes Handbuch zum Gebrauche f. Schlosser, Dreher, Modelltischler, Former, Giesser, Studirende techn. Schulen u. Gebildete aller Stände v. M. Anton. 2 Bde. (128 S. m. Fig.) 883.
3—5. Compound-Maschinen. (à 64 S. m. Fig. u. 1 Taf.) 883. 84.
6. 7. Elektro-magnetische Maschinen. (S. 1—128.) 884.

Taschen-Briefmarken-Album f. die Jugend, zugleich zur Aufbewahrg. v. Doubletten eingerichtet. Raum f. 1200 Briefmarken. Mit Marken-Abbildgn. 8. (80 S.) Ulm 885. G. Buck d. Gebr. Nübling. n. — 20

Taschenbuch, ärztliches. Hrsg. v. Greg. Schmitt. 1886. 34. Jahrg. [N. F. 26. Jahrg.] gr. 16. (VI, 183 u. 346 S.) Würzburg, Stahel. geb. in Leinw. n. 2. 40; durchsch. n. 2. 80; in Ldr. n. 3. 20

— der Baupreise f. Süddeutschland. Bearb. v. M. Sapper. 1. Jahrg. 1886. gr. 16. (VI, 247 u. 111 S.) Zürich, Schmidt. geb. n. 3. —

— Berner, auf d. J. 1886. Gegründet v. Ludw. Lauterburg, in Verbindg. m. Freunden fortgesetzt v. Emil Blösch. 35. Jahrg. Mit 2 Abbildgn. 8. (VI, 322 S.) Bern, Nydegger & Baumgart. n. 3. 50

— für Chemiker u. Hüttenleute. Hrsg. v. dem Verein „Hütte". Mit 220 Holzschn. 8. (XIX, 952 S.) Berlin 883. Ernst & Korn. n. 8. —

— für den katholischen Clerus. 1886. 8. Jahrg. gr. 16. (192 S.) Würzburg, Etlinger. geb. n. 1. 20

— für die k. k. österr. Finanz- u. Steuerbeamten 1885. 5. Jahrg. 16. (IV, 229 S.) Wien, Perles. geb. n. 3. —

— genealogisches, der adligen u. gräflichen Familie v. Bassewitz. 2. Aufl. 8. (32 S.) Rostock 883. (Stiller.) n. 1. —

— genealogisches, der adeligen Häuser. 1883—1887. 8—12. Jahrg. 16. (à XXIV, 613 S. m. 1 Steintaf.) Brünn, Buschak & Irrgang. geb. à n. 8. —

— Gothaisches genealogisches, s.: Hofkalender, Gothaischer, genealogischer.

— Gothaisches genealogisches, der freiherrlichen Häuser. 1883—1886. 33—36. Jahrg. 16. (à ca. XIII, 1055 S. m. 1 Stahlst.) Gotha, J. Perthes. geb. à n. 8. —; Prachtausg. à n. 11. 40

— dasselbe, der gräflichen Häuser. 1883—1886. 56—59. Jahrg. 16. (à ca. XVI, 1127 S. m. 1 Stahlst.) Ebend. geb. à n. 8. —; Prachtausg. à n. 11. 40

— für Gymnasiasten u. Realschüler. Enth. Tabellen, Jahreszahlen u. Formeln aus der Welt-, Kirchen-, Litteratur- u. Kunstgeschichte, der Mathematik, Astronomie, Physik, Chemie, Naturkunde u. Geographie, nebst e. Uebersicht der Maass-, Gewichts- u. Münz-Systeme u. Chronologie. 4. Aufl. 12. (IV, 244 S.) Leipzig 886. Violet. cart. 2. —; geb. 2. 25

— der Handelskorrespondenz in deutscher u. englischer Sprache. Versehen m. e. Anleitg. zum leichten Erlernen d. kaufmänn. Briefstils. 2 Tle. Ursprünglich hrsg. v. L. Simon, Chr. Vogel, H. P. Skelton u. W. C. Wrankmore. 12. Aufl. Durchgesehen u. verb. v. Leland Mason u. Chr. Vogel. gr. 8. Leipzig 885. Gloeckner. à n. 2. —; geb. à n. 2. 60

1. Englisch-Deutsch. (XII, 308 S.) — 2. Deutsch-Englisch. (XII, 232 S.)

Taschenbuch der Handelskorrespondenz in deutscher u. französischer Sprache. In 2 Tln. Ursprünglich hrsg. v. J. Schantz, Fr. Courvoisier, P. H. Skelton, D. Kaltbrunner u. C. F. Dénervaud. Versehen m. e. Anleitg. zur leichtern Erlerng. d. kaufmänn. Briefstils. Erweitert u. verb. v. Chr. Vogel. gr. 8. Leipzig, Gloeckner. à n. 2. —; geb. à n. 2. 60

1. Französisch-deutsch. 14. Aufl. (VIII, 197 S.) 887.
2. Deutsch-französisch. 13. Aufl. (XII, 239 S.) 885.

— dasselbe, in italienischer u. deutscher Sprache. 2 Tle. Hrsg. v. Guglielmo Locella. 2. Aufl. gr. 8. Ebend. 884. à n. 2. 25; geb. à n. 2. 85

1. Italienisch-Deutsch. (X, 176 S.) — 2. Deutsch-Italienisch. (XII, 184 S.)

— dasselbe in ungarischer u. deutscher Sprache. Hrsg. v. Halasz u. Budai. 2 Tle. gr. 8. Ebend. 884. à n. 2. 50; geb. à n. 3. —

1. Deutsch-Ungarisch. (XII, 171 S.) — 2. Ungarisch-Deutsch. (XII, 166 S.)

— historisches. Begründet v. Frdr. v. Raumer. Hrsg. v. Wilh. Maurenbrecher. 6. Folge. 3—5. Jahrg. 8. (à ca. VII, 388 S.) Leipzig 884—86. Brockhaus. à n. 8. —; geb. à n. 9. —

— landwirthschaftliches, f. die Großherzogthümer Mecklenburg auf d. J. 1887. 25. Jahrg. gr. 16. (XIX, 183 u. 132 S. m. 1 chromolith. Eisenbahnkarte.) Wismar, Hinstorff's Verl. geb. in Leinw. n. 2. 50; in Ldr. n. 3. —; u. durchsch. n. 4. —

— milchwirtschaftliches, f. 1887. Hrsg. v. Benno Martiny. 11. Jahrg. gr. 16. (200 u. 162 S.) Bremen, Heinsius. geb. n. 2. 50

— der Militär-Gymnastik als praktischer Anhalt f. Offiziere u. Unteroffiziere v. e. Front-Offizier. 8. (IV, 163 S.) Metz 885. Scriba. geb. n.n. 1. —

— praktisches, f. den Post- u. Telegraphen-Verkehr. Sämmtliche Bestimmgn. in alphabet. Reihenfolge, zum Gebrauch f. das Publikum bearb. v. e. höheren Postbeamten. 2 Thle. in 1 Bd. 8. (112 u. 22 S.) Leipzig 884. Kempe. geb. n. 1. —; Postverkehr ap. (112 S.) geb. n. — 90; Telegraphenverkehr ap. (22 S.) n. — 20

— des deutschen Rechts. Nachtrag. 16. (48 S.) Leipzig 884. C. A. Koch. n. — 40 (cplt. geb.: n. 2. 50)

— für Stadt u. Kreis Schmalkalden. Ein Führer u. Ratgeber f. Einheimische u. Fremde m. Notiz-Kalender f. 1884. 64. (66 S.) Schmalkalden 884. Wilisch. geb. n. — 50

— für Deutschlands Schüler f. 1887. Hrsg. v. F. Koch. 16. (VII, 167 S.) Leipzig, Siegismund & Volkening. cart. n. — 60

— für die Schüler in Österreich-Ungarn. Ausg. vom 1. Oktbr. 1886 bis dahin 1887. Hrsg. v. F. Koch. 16. (IV, 181 S. m. 1 Bild.) Ebend. cart. n. — 60

— für Schülerinnen vom 1. Oktbr. 1886 bis dahin 1887. Hrsg. v. F. Koch. 16. (VII, 476 S. m. 1 Holzschn.-Bild.) Ebend. cart. n. — 60

— für Tapezierer u. Decorateure. Vorhänge, Portièren u. Lambrequins. 35 (lith.) Taf. 16. Berlin 884. Claesen & Co. geb. n. 8. —

— für schweizerische Thierärzte. Zusammengestellt v. J. Brauchli. 5. Jahrg. 1886. 16. (55 u. IV, 271 S.) Weinfelden, (Gleditsch). geb. n. 4. —

— für Vereins-Vorstände u. Vorstands-Mitglieder f. d. J. 1886. gr. 16. (221 S.) Berlin-Rixdorf, Bickhardt. geb. n. 1. 25

— veterinärärztliches. Hrsg. v. Th. Adam. 1886. 25. Jahrg. gr. 16. (IV, 199 u. 219 S.) Würzburg, Stahel. geb. in Leinw. n. 2. 40; durchsch. n. 2. 80; in Ldr. n. 3. 20

— für Wetter-Beobachter. Hrsg. v. Assmann. Für Stationen II. Ordng. gr. 16. (190 u. 31 S.) Magdeburg 884. Faber. geb. n. 2. —

— dasselbe. Für Stationen niederer Ordng. gr. 16. (118 u. 16 S.) Ebend. 884. geb. n. 1. 75

— Zürcher, auf d. J. 1887. Hrsg. v. e. Gesellschaft zürcher. Geschichtsfreunde. Neue Folge: 10. Jahrg. Mit 1 Abbildg. (in Lichtdr.). gr. 8. (III, 287 S. m. eingedr. Illustr.) Zürich 887. Höhr. n. 5. —

Taschenbuch, Züricher akademisches, f. 1886/87. Nach offiziellen Quellen bearb v. Rudolphi & Klemm. gr. 16. (XII, 48 S.) Zürich, Rudolphi & Klemm. cart. n. 1. —

Taschenfahrplan f. den Bezirk der königl. Eisenbahn-Directionen zu Elberfeld. Ausg. vom 1. Jan. 1884. 12. (VI, 90 S. m. 1 Eisenbahnkarte.) Elberfeld 884. Bädeker. — 20

— für Elsass-Lothringen. 1886. 2 Hfte. 32. (84 u. 86 S.) Strassburg, Schultz & Co. Verl. à n. — 20

— der ostfriesischen Küstenbahn [gültig vom 15. Juni 1883 ab]. 2. Aufl. 32. (8 S.) Norden 883. Braams. n. — 10

— sämmtlicher schweiz. Eisenbahnen u. Dampfschiffe. Sommer-Saison 1884. 16. (64 S.) Bern 884. R. F. Haller-Goldschach. — 30

Taschen-Fremdwörterbuch, neuestes u. vollständigstes, in welchem mehr als 22,000 fremde Wörter enthalten sind, die in der Umgangssprache, in Büchern, Zeitgn., amtl. u. gerichtl. Geschäftsstile 2c. vorkommen u. hier m. Rechtschreibg., Aussprache, Abstammg. u. Geschlecht verdeutscht erklärt werden. 186. Tausend. 12. (VI, 542 Sp.) Brünn 885. F. Karafiat's Verl. — 90

Taschen-Kalender f. d. J. 1887. 12. Jahrg. 64. (79 S.) Leipzig, Stauffer. geb. — 25

— akademischer, f. 1886. 64. (81 S.) Leipzig, C. A. Koch. n. — 50

— allgemeiner, f. 1884. 16. (19 S.) Stuttgart, Rupfer. geb. n. — 20; in Leinw. n. — 40; m. Goldschn. n. — 55

— dasselbe. (Kleine Ausg.) 32. (62 S.) Ebend. geb. in Leinw. — 25; m. Goldschn. n. — 40; in Ldr. n. — 60

— Arnsberger, f. d. J. 1887. 16. (64 S. m. Illustr.) Werl, Stein. — 15

— aerztlicher, m. Tagesnotizbuch. Ein unentbehrl. Taschenbuch f. prakt. Aerzte mit besond. Rücksicht auf Universitäten, Badeärzte u. Curorte. 11. Jahrg. 1884. Hrsg. v. Holzer. Mit dem Portr. d. Hrn. Bernh. S. Schultze in Jena (in Lichtdr.). 16. (IV, 197 u. 190 S.) Wien, Perles. geb. m. Goldschn. n. 3. —

— für Beamte auf d. J. 1887. gr. 16. (IV, 184 u. 256 S.) Berlin, C. Heymann's Verl. geb. n. 2. 50

— für das deutsche Blecharbeiter-Gewerbe 1887. 8. Jahrg. Bearb. v. Rich. Just. gr. 16. (VII, 128 u. 166 S. m. Illustr., 8 Taf. m. Erläutergn. u. 1 Karte.) Aue. (Schneeberg, Goedsche.) geb. n. 1. 80

— für Eisenbahn-Expeditions-Beamte im Deutschen Reich auf d. J. 1887. Von Carl Foerster [Flister]. 4. Jahrg. Mit 1 Uebersichtskarte der Eisenbahnen v. Mittel-Europa. gr. 16. (332 S.) Berlin, Siemenroth. geb. n. 1. 60

— für den österreichischen Forstwirth f. d. J. 1887. 6. Jahrg. [Mit 1 Eisenbahnkarte.] Hrsg. v. Gust. Hempel. gr. 16. (VIII, 264 S.) Wien, Perles. geb. in Leinw. n. 3. —; in Ldr. n. 4. 40

— für Gemeinnützigkeit u. Vereinswesen in Aarau pro 1881—1882. 16. (IV, 101 S.) Aarau, Sauerländer. n. 1. —

— Grazer, auf d. J. 1885. 32. (64 S.) Graz, Leykam. n.n. — 28; geb. n.n. — 36

— hamburgischer, (Damen-Kalender) auf d. J. 1884. 32. (94 S.) Hamburg, Nestler & Melle. geb. m. Goldschn. n. 1. —

— für die deutschen Haus- u. Landwirthe f. d. J. 1886. Begründet u. hrsg. v. Will. Löbe. 28. Jahrg. gr. 16. (272 u. 158 S.) Leipzig, Reichenbach. geb. in Leinw. n. 2. —; in Ldr. n. 2. 50

— dasselbe f. die österreichisch-ungarischen Haus- u. Landwirthe. gr. 16. (272 u. 103 S.) Ebend. geb. in Leinw. n. 2. —; in Ldr. n. 2. 50

— dasselbe f. die preußischen Haus- u. Landwirthe. gr. 16. (272 u. 158 S.) Ebend. geb. in Leinw. n. 2. —; in Ldr. n. 2. 50

— dasselbe für die sächsischen Haus- u. Landwirthe f. d. J. 1887. 29. Jahrg. gr. 16. (272 u. 153 S.) Ebend. geb. in Leinw. n. 2. —; in Ldr. n. 2. 50

— für das Heer, m. Genehmigg. d. königl. Kriegsministeriums hrsg. von W. Frhrn. v. Fircks. 10. Jahrg. 1887. [Dienstjahr vom 1. Oktbr. 1886—30. Septbr. 1887.] 16. (479 S.) Berlin, Bath. geb. n. 4. —

Taschen-Kalender für die studierende Jugend auf d. J. 1887. 9. Jahrg. 12. (143 S.) Donauwörth, Auer. cart. n.n. — 40; geb. n.n. — 60

— für den Landwirth f. d. J. 1887. Hrsg. u. red. v. Hugo H. Hitschmann. 9. Jahrg. [Mit 1 Eisenbahnkarte.] Zugleich: Oesterreichischer landwirthschaftl. Kalender, begründet u. 1861—1882 hrsg. von A. E. Ritter v. Komers, fortgesetzt u. 1883—1885 hrsg. von Jos. Ritter v. Bertel. 27. Jahrg. 2 Thle. (2. Thl.: Vademecum, kleine Ausg.) gr. 16. (1. Thl. 367 S.) Wien, Perles. geb. in Leinw. n. 7. 20; in Ldr. n. 9. —; m. 2. Thl., grosse Ausg. geb. in Leinw. n. 8. 40; in Ldr. n. 10. 80; 1. Thl. ap. geb. in Leinw. n. 2. 40; in Ldr. n. 3. 20; 2. Thl., kleine Ausg. ap. geb. in Leinw. n. 5. 60; in Ldr. n. 6. 60; 2. Thl., grosse Ausg. geb. n. 7. —; in Ldr. n. 8. 40

— landwirthschaftlicher, f. Sachsen, Altenburg u. Thüringen auf d. J. 1887. Nach langjähr. prakt. Erfahrgn. zusammengestellt u. hrsg. v. Fr. Otto Heinichen. 5. Jahrg. 12. (XXX, 54 u. 240 S.) Leipzig, Hillmar Bennewitz. n. 1. 50

— für Lehrer. 1887. 13. Jahrg. Bearb. v. J. Böhm. 16. (176 S. m. 2 Bildern.) München, Oldenbourg. geb. n.n. — 90

— für die Lehrer sämtlicher höherer Schulen Deutschlands auf d. Schulj. 1887/1888. 1. Jahrg. gr. 16. (130 u. 90 S.) Zwickau, (Konegen). geb. n. 1. 20

— 1885 f. Beamte der Militär-Verwaltung. Hrsg. v. H. Sickmann. 8. Jahrg. 16. (XL, 418 S.) Berlin, Bath. geb. n. 4. —

— Münchener, f. d. J. 1886. 49. Jahrg. 32. (80 S.) München, Franz' Verl. cart. n. — 20; geb. in Leinw. n.n. — 90; in Ldr. als Brieftasche m. Spiegel n. 1. 40

— neuer Münchener, f. d. J. 1887. 23. Jahrg. 64. (64 S.) München, J. A. Finsterlin. n. — 10; geb. n. — 20; — 30 bis 1. 20

— für Musikfreunde auf d. J. 1885. 64. (32 S.) Leipzig, M. Hesse. geb. — 20

— oldenburgischer, auf d. J. 1884. 33. Jahrg. 16. (48 S.) Oldenburg 883. Schulze. — 10

— für Pflanzen-Sammler. 3. Aufl. 16. (IV, 228 S.) Leipzig 883. Leiner. geb. n. 2. —

— für den deutschen Pharmaceuten auf d. J. 1886. Red. v. Otto Linde. 1. Jahrg. 16. (IV, 253 S.) Neudamm, Neumann. n. 1. 50

— der Photographischen Korrespondenz f. d. J. 1885. 3. Jahrg. m. Verlagskatalog, Statuten der Photograph. Gesellschaft in Wien u. Verzeichniss der photogr. Vereine in Europa u. der Photographen in mehreren grösseren Städten. 16. (90 S.) Wien, Verl. der Photograph. Correspondenz. n. — 60

— praktischer, auf d. J. 1886. Hrsg. v. Jos. Hubertus. Mit Illustr. 16. (58 S.) Aachen, Schweitzer. — 20; cart. — 30

— rheinisch-westfälischer, auf d. J. 1887. 16. (56 S. m. Illustr.) Düsseldorf, F. Bagel. — 10

— für das Herzogth. Sachsen-Altenburg u. das Fürstenth. Reuß jüngere Linie f. d. J. 1884. Hrsg. v. Geo. Herm. Jüngling. 64. (115 S.) Altenburg, Schnuphase. n. — 30

— St. Petersburger, f. 1885. 16. (40 S.) St. Petersburg, Schmitzdorff. n. — 50

— für die Schiedsmänner u. deren Stellvertreter in Preußen auf d. J. 1887. Mit verschiedenen der Kenntniß u. Ausübg. d. Schiedsmannsamts förderl. Beilagen. 5. Jahrg. gr. 16. (VI, 198 u. 121 S.) Berlin, C. Heymann's Verl. geb. n. 2. 25

— für deutsche Spediteure auf d. J. 1887. Von Carl Foerster [Flister]. 2. Jahrg. 2 Thle. Mit 1 Uebersichtskarte der Eisenbahnen v. Mittel-Europa. gr. 16. u. 8. (332 u. 207 S.) Berlin, Siemenroth. geb. u. cart. n. 2. 50

— Sulzbacher, auf d. J. 1887. 26. Jahrg. 32. (64 S.) Sulzbach, v. Seidel. n. — 20; geb. n. — 60 u. n. 1. 60

— für schweizerische Wehrmänner 1886. 10. Jahrg. 16. (164 S. m. eingedr. Fig., 4 Chromolith., 1 Stahlst. u. 1 Karte.) Frauenfeld, Huber. geb. n. 1. 20

— für Weinbau u. Kellerwirthschaft f. d. J. 1887.

3. Jahrg. [Mit 1 Eisenbahnkarte.] Hrsg. u. red. v. Jos. Bersch unter Mitwirkg. v. Rob. Schröer. gr. 16. (IV, 245 u. 188 S.) Wien, Perles. geb. in Leinw. n. 3. —; in Ldr. n. 4. —

Taschen-Kalender, Fromme's Wiener, f. d. J. 1887. 23. Jahrg. 16. (32 S.) Wien, Fromme. — 40; Leder-Brieftaschen-Ausg. 2. —

— für Zuckerfabrikanten. 9. Jahrg. 1885/86. Hrsg. v. Karl Stammer. gr. 16. (190 u. 146 S.) Berlin, Parey. geb. n. 4. —

Taschen-Kursbuch, neues, f. Nord- u. Mitteldeutschland. Mit Fahrpreisen, Saisonbillets u. Bestimmgn. üb. Rundreisen etc. Mit Eisenbahnkarte u. Skizze der Stadt- u. Ringbahn. 16. (208 S.) Berlin 886. E. Fischer. n. — 80

Taschen-Liederbuch. Eine ausgewählte Sammlg. der beliebtesten deutschen Lieder u. Gesänge zur Erhöhg. gesell. Freude. 16. (127 S.) Köln 886. Püttmann. — 25

— für das deutsche Volk. 16. (XII, 272 S.) Breslau 883. Goerlich. geb. — 75

— für das deutsche Volk. Eine ausgewählte Sammlg. der beliebtesten u. bekanntesten Volks-, Studenten, Jäger-, Soldaten-, Liebes-, Trink-, Turner-, Wander-, Opern- u. Gesellschafts-Lieder. 46. Aufl. 16. (XIV, 492 S.) Ilmenau 886. Schröter. cart. n. 1. —

— illustriertes. Eine vollständige Sammlg. der schönsten u. beliebtesten Volks-, Vaterlands-, Jäger-, Soldaten-, Studenten-. Turner-, Wander-, Gesellschafts-, Trinklieder rc. Mit vielen Bildern. Neueste Aufl. 16. (288 S.) Reutlingen 884. Enßlin & Laiblin. cart. — 90

— illustriertes deutsches. Eine reichhalt. Sammlg. der beliebtesten u. bekanntesten Volks-, Gesellschafts- u. Tafellieder. 12. Aufl. 16. (96 S.) Oberhausen 884. Spaarmann. cart. — 25

— kleines, f. gesellige Kreise. 16. (64 S.) Düsseldorf 886. F. Bagel. — 15

— [zugleich Notizbuch] f. deutsche Knaben u. Jünglinge. Zusammengestellt v. e. prakt. Schulmann. 8. (64 S.) Elberfeld 886. Faßbender. geb. in Halbleinw. n. — 80; in Leinw. n. 1. —

— neuestes. Eine ausgewählte Sammlg. der beliebtesten, bekanntesten u. schönsten Volkslieder. 15. Aufl. 16. (288 S.) Köln 885. Püttmann. cart. — 60; kleine Ausg. (192 S.) cart. — 40

— neuestes, enth.: 325 der auserwähltesten beliebtesten Vaterlands-, Volks-, Soldaten-, Jäger-, Liebes-, Turner- u. Gesellschaftslieder. Für alle Freunde d. Gesangs. Ster.-Ausg. 16. (288 S.) Reutlingen 883. Bardtenschlager. cart. — 75

Taschen-Notizbuch f. Turner. Hrsg. vom Brieger Turn-Verein. 16. (37 S.) Brieg 886. (Bänder.) geb. — 90

Taschen-Notiz-Kalender f. d. J. 1887. Mit humorist. Erzählgn., e. Zinsberechnungs-, sowie e. Besoldungs- u. Liedlohns-Tabelle. 64. (80 S.) Würzburg, Etlinger. — 15; geb. n. — 40

— auf das J. 1886. Ein Tage- u. Notizbuch f. Advokaten, Beamte u. Reisende, sowie f. den Geschäfts-, Privat- u. Gewerbemann. gr. 16. (IV, 183 u. 48 S.) Würzburg, Stahel. geb. n. 1. —; durchsch. n. 1. 40

— für das Herzogt. Anhalt. 1887. Mit 1 Eisenbahnkarte v. Deutschland u. 1 Specialkarte v. Anhalt. gr. 16. (IV, 148 S.) Dessau, Baumann. geb. n. 1. —

Taschenspieler u. Hexenmeister, der kleine. Eine reiche Auswahl der überraschendsten u. ohne große Schwierigkeit auszuführ. Taschenspiel- u. Karten-Kunststücke. Kleine Ausg. d. „unübertroffenen Taschenspieler". 2. Aufl. 12. (XI, 96 S.) Dresden 884. Kaufmann's Verl. — 60

— — der unübertroffene. Die beste u. reichste Auswahl der überraschendsten u. ohne große Schwierigkeit auszuführ. Taschenspiel-, Karten- u. Rechen-Künste. 22. Aufl. 12. (XXVIII, 164 S.) Ebend. 884. n. 1. —

Taschenspieler-Vorstellung, e., in Krähwinkel, s.: Theater-Repertoir, Wiener.

Taschen-Verzeichniss der bei der Stadtfernsprech-Einrichtung in Dresden u. Umgegend betheiligten Firmen. 12. (IV, 108 S.) Dresden 886. Teich. n. — 60

Tasso's, T., Werke, s.: Collection Spemann.

Taubald, J., s.: Geschichtsrepetition.

Taube, die. Ein Bote der Liebe u. Barmherzigkeit. Kleine Berliner Thierschutz-Zeitg. Hrsg. u. red. unter Mitwirkg. d. neuen Berliner Thierschutzvereins von Br. Schimmelfennig v. d. Oye.. Jahrg. 1884—1886. à 12 Nrn. (B.) gr. 8. Berlin, (Deutsche evangel. Buch- u. Tractat-Gesellschaft). à Jahrg. n. 2. —

Taube, Emil, praktische Auslegung der Psalmen, zur Anregg. u. Förderg. der Schrifterkenntniß den Hirten wie der Heerde Christi dargeboten. 6 Hfte. 3. Aufl. gr. 8. (146, 148, 148, 153, 174 u. 120 S.) Berlin 884. Gaertner. à n. 1. 80 (cplt.: n. 10. 80; geb. n. 12. 80)

— „Gottes Brünnlein hat Wassers die Fülle!" Predigten üb. freie Texte im Anschluß an das Kirchenjahr. 2. Aufl. gr. 8. (IV, 548 S.) Hamburg 883. Agentur d. Rauhen Hauses. n. 5. —

Taube, Max, die Entstehung der menschlichen Rachendiphtherie. Nach Beobachtgn. während der letzten Leipziger Diphtherie-Epidemie 1883—84. gr. 8. (67 S.) Leipzig 884. Reissner. n. 1. 50

— der bunte Hans. Ein Bilderbuch zur Entwickelg. d. Farbensinnes f. Kinder von 1—5 Jahren. Gezeichnet v. Adf. Reinheimer. gr. 4. (10 color. Steintaf. auf Carton m. eingedr. Text.) Ebend. 883. geb. 4. —

Taube, Wold., üb. hypochondrische Verrücktheit. gr. 8. (74 S.) Dorpat 886. (Karow.) n. 1. 20

Tauben-Freund, der, od. auf Erfahrung gegründete Belehrungen üb. das Ganze der Taubenzucht, namentlich die verschiedenen Arten u. Abarten, Nahrg. u. Fortpflanzg., Behandlg., Pflege, Nutzen u. Schaden, Züchtg., Feinde u. Krankheiten der Tauben. 9. Aufl. Verb., theilweise umgearb. u. verm. v. M. J. Schuster. 8. (123 S.) Ilmenau 883. Schröter. n. 1. —

Täuber, Ernst, üb. die Einwirkung v. Kaliumpermanganat auf Japancampher. gr. 8. (34 S.) Breslau 882. (Köhler.) n. 1. —

Taubert, Emil, gesammelte Schriften. 1. Bd. 8. Weimar 885. A. Krüger. n. 3. —

Die Niobide. Fidelio. Die Zwillingsschwester. Drei Novellen. (269 S. m. Holzschn.-Portr.)

— der Goldschmied zu Bagdad. Ein morgenländ. Märchen. Am Kochelsee. Ein Elegieen-Cyclus. Die Cicaden. Eine Geschichte in Terzinen. 2. Aufl. 8. (256 S.) Ebend. 884. 2. 50

— Laterna magica. Märchen u. Geschichten. 8. (293 S.) Gera 886. Th. Hofmann. n. 2. 40; geb. n. 3. 50

— Marianne. Novelle. 8. (109 S.) Berlin 883. Walther & Apolant. n. 1. —; Einbd. n.n. — 80

— Simson. Novelle. 8. (93 S.) Gera 886. Th. Hofmann. n. 1. 50

— Sphinx Atropos. Novelle. 8. (208 S.) Berlin 883. Walther & Apolant. n. 1. 50; Einbd. n.n. — 80

Taubert, Frz., Anleitung zum rationellen Betrieb der Nutztaubenzucht. Mit e. Titelbild u. 18 Abbildgn. im Text. gr. 8. (VI, 42 S.) Berlin 884. Parey. n. 1. —

— Handbuch d. Luft-Sport. Mit 42 Abbildgn. 8. (XV, 291 S.) Wien 883. Hartleben. geb. 5. 40

Tauberth, Johs., die Abbildung d. ebenen Kreissystemes auf den Raum. gr. 8. (31 S.) Dresden 885. (Jena, Deistung.) n. — 80

Taubstummen-Courier. Hrsg. u. Red.: J. Haas. 1. Jahrg. 1885. 12 Nrn. (1 1/2 B.) 4. Wien 885. Administration. n. 4. —

Tauffer, Emil, Beiträge zur neuesten Geschichte d. Gefängnißwesens in den europäischen Staaten [1883—1884]. [Zur Orientirg. f. den internationalen Gefängnißkongreß.] gr. 8. (104 S.) Stuttgart 885. Enke. n. 3. —

— die Erfolge d. progressiven Strafvollzuges u. der eigenen Staatsregie in der königl. kroatischen Landesstrafanstalt zu Lepoglava. gr. 8. (IX, 155 S.) Berlin 883. Puttkammer & Mühlbrecht. n. 5. —

Taulier, Jules, die zwei kleinen Robinsone der Großen Chartreuse. Illustr. Ausg. m. Holzschn. v. E. Bayard u. H. Clerget. In's Deutsche übertr. v. Heinr. Flemmich. 8. (VI, 190 S.) Freiburg i/Br. 883. Herder. 1. 80; geb. n. 2. 50

Taund-Szyll, v., Darstellung e. neuen Bug-[Positions-] lichter-Systemes zur Verhütung v. Zusammenstössen der Seeschiffe bei Nacht. Mit 14 Holzschn. gr. 8. (33 S.) Graz 885. (Pechel.) n. 1. —

Taunide, C. F., Krebs, genannt „der Klopfer", Schulhalter zu Blechhausen um d. J. 1770. Den Lehrern u. Freunden humorist. Lectüre gewidmet. Mit Illustr. v. C. M. Seyppel. gr. 8. (61 S.) Düsseldorf 886. F. Bagel. 1. 50

Taunide, K., Luther-Sagen, Wittenberger Inschriften u. Wahrzeichen. 8. (V, 34 S.) Essen 883. Silbermann. — 60

Taunusführer. Mit 1 Routenkarte. 2 Plänen u 1 Taf. Ansichten. Hrsg. vom Taunusklub in Frankfurt a/M. 8. (78 S.) Frankfurt a/M. 885. Ravenstein. cart. n. 2. —

Tausch, Leop., üb. einige Conchylien aus dem Tauganyika-See u. deren fossile Verwandte. [Mit 2 (lith.) Taf.] Lex.-8. (15 S.) Wien 884. (Gerold's Sohn.) n. — 80

— über die Fauna der nicht-marinen Ablagerungen der oberen Kreide d. Csingerthales bei Ajka im Bakony [Veszprimer Comitat, Ungarn] u. üb. einige Conchylien der Gosaumergel v. Aigen bei Salzburg. Mit 3 (lith.) Taf. Imp.-4. (32 S. m. 3 Bl. Erklärgn.) Wien 886. (Hölder.) n. 6. —

Tausch- u. Sammelbuch f. Briefmarken. 12. (58 S.) Leipzig 886. Heitmann. In Leinw. cart. — 25

Tausche, Ant., der Schulgarten in landwirtschaftlicher Beziehung. Eine Artikelreihe m. bunten Winken f. Errichtg., Betrieb u. Nützg. insbesondere landwirtschaftl. Schulgärten. Lex.-8. (38 S.) Reichenberg 886. (Fritsche.) n. — 60

Tauscher, J., Geschichte der Jahre 1815 bis 1871. Kurz zusammengefaßt. gr. 8. (VIII, 300 S.) Gotha 886. F. A. Perthes. n. 5. —

Taussig's illustrirter Wiener Hausfrauen-Kalender pro 1887. Hrsg. v. der Red. der Wiener Hausfrauen-Ztg. 8. Jahrg. 8. (XXXII, 96 u. 52 S.) Wien, Perles. cart. n. 1. 20; geb. n. 2. —

Taussig, A., die Versprechungen der „New York" u. der „Equitable". 8. (26 S.) Wien 885. (Edm. Schmid.) n. — 80

Taute, Rhold., maurerische Bücherkunde. Ein Wegweiser durch die gesammte Literatur der Freimaurerei m. literarisch-krit. Notizen. Verzeichniss der Bibliothek der Loge Carl zu den 3 Ulmen in Ulm. gr. 8. (VIII, 168 S.) Leipzig 885. Findel. Subscr.-Preis 7. 50; Ladenpr. n. 12. —

Tautropfen, auf dem Pilgerweg. Bibelsprüche auf alle Tage im Jahre m. Versen aus Alb. Knapps Liedern. 9. Aufl. Min.-Ausg. 16. (VII, 366 S.) Ludwigsburg 886. Neubert. geb. m. Goldschn. n. 2. —

Taxordnung f. das ärztliche Personal im Königr. Bayern. Amtliche Ausg. gr. 8. (24 S.) München 886. Grubert. n. — 60

Taylor's, Bayard, Lebensbild, s.: Hansen-Taylor, M., u. H. E. Scudder.

Taylor, George, Antinous. Historischer Roman aus der röm. Kaiserzeit. Mit dem (Stahlst.-) Bildniß d. Antinous. 6. Aufl. 8. (VIII, 375 S.) Leipzig 886. Hirzel. n. 6. —; geb. n.n. 8. 50

— Elfriede. Eine Erzählg. 2. Aufl. 8. (371 S.) Ebend. 885. n. 6. —; geb. n.n. 8. 50

— Jetta. Historischer Roman aus der Zeit der Völkerwanderung. 3. Aufl. 8. (525 S.) Ebend. 884. n. 8. —; geb. n. 10. 50

— dasselbe, s.: Asher's collection of English authors.

— Klytia. Historischer Roman aus dem 16. Jahrh. Mit 1 Titelkpfr. 5. Aufl. 8. (401 S.) Leipzig 884. Hirzel. n. 6. —; geb. n. 8. 50

— dasselbe, s.: Collection of German authors.

Taylor, T., the contested election, } s.: Theatre,
— an unequal match, } English.

Taysen, A. v., die militärische Thätigkeit Friedrichs d. Großen während seines letzten Lebensjahres. Dem Andenken d. großen Königs bei der 100jähr. Wiederkehr seines Todestages gewidmet. Mit Titelbild (in Lichtdr.) u. 2 Plänen. (V, 135 S.) Berlin 886. Mittler & Sohn. n. 3. 50

Teale, T., **Pridgin,** M. A., Lebensgefahr im eigenen Hause. Ein illustrirter Führer zur Erkenng. gesundheitl. Mängel im Wohnhause. Nach der 4. Aufl. d. Originals übers. v. I. K. H. Prinzessin Christian v. Schleswig-Holstein, Prinzessin v. Grossbritannien u. Irland. Für deutsche Verhältnisse bearb. v. Heinr. Wansleben. Mit e. Vorrede v. F. Esmarch. gr. 8. (XXIII, 145 S. m. color. Fig.) Kiel 886. Lipsius & Tischer. geb. n. 8. —

Tebsima od. der Verbannte der Wüste. Autoris. Uebersetzg. aus dem Franz. d. E. B.*** Mit 3 Illustr. 8. (183 S.) Einsiedeln 884. Benziger & Co. 1. 60; geb. 2. 20

Techen, L., zwei Göttinger Machzorhandschriften, beschrieben. gr. 8. (79 S.) Göttingen 884. Dieterich's Verl. n. 3. —

Techmer, C., bei'm Herr Commissarius, s.: Liebhaber-Bühne, neue.

Techmer, F., zur Veranschaulichung der Lautbildung. Lex.-8. (32 S., nebst 1 lith. Wandtaf. in gr. Fol. m. Leinw.-Einfassg. u. Ringen.) Leipzig 885. Barth. n. 1. 60; Text ap. n. 1. —

Techniker, der. Internationales Organ üb. die Fortschritte der Wissenschaft, Erfindgn. u. Gewerbe. Hrsg. u. Red.: Paul Goepel. 5. Jahrg. 1883. 24 Nrn. (2 B. m. Holzschn.) gr. 4. New York. Berlin, (Polytechn. Buchh.) n. 9. —

— dasselbe. 6—8. Jahrg. 1884—86. à 24 Nrn. (2 B. m. eingedr. Holzschn.) gr. 4. Ebend. à Jahrg. n. 12. —

Tecklenburg, Elise v., Dolitha. Ein Lebensbild f. die reifere weibl. Jugend. 8. (88 S.) Erlangen 883. Deichert. n. 1. —; cart. n. 1. 20

Tecklenburg, Otto v., Hülfsbüchlein f. das erweiterte Studium der italienischen Sprache, verglichen m. dem Deutschen u. die bezügliche Korrespondenz, enth. einige Hundert characterist. italien. Sätze, Redewendgn., Sprichwörter u. Worte, besonders üb. Handels-, Post-, telegraph. u. Eisenbahn-Verhältnisse, aber auch dem maritimen u. militär. Leben etc., nebst einigen Handelsbriefen im Anhang. 8. (IV, 68 S.) Berlin 885. (Polytechn. Buchh.) 1. —

Tecklenburg, Th., Handbuch der Tiefbohrkunde. 1. Bd. Das engl., deutsche u. canad. Bohrsystem. Mit 34 Holzschn. u. 22 lith. Taf. Lex.-8. (VIII, 116 S.) Leipzig 886. Baumgärtner. n. 8. —

Teelen, Adf., e. Beschreibung u. Anleitung zur Selbstanfertigung e. verbesserten Hectographen [Vervielfältigungs-Apparat f. Schreib- u. Zeichensachen]. gr. 8. (II, 10 S.) Barmen 883. (Inderau.) n. — 60

Tegge, Studien zur lateinischen Synonymik. Ein Beitrag zur Methodik d. Gymnasialunterrichts. gr. 8. (VIII, 439 S.) Berlin 886. Weidmann. n. 10. —

Tegnér's, Esaias, Werke. Uebers. u. hrsg. von Gfr. v. Leinburg. 4 Bde. 2. Aufl. (Feine Ausg.) gr. 8. (VI, 280; IX, 266; IX, 258 u. VII, 215 S. m. 3 Holzschntaf. u. 1 Portr. in Stahlst.) Leipzig 885. Dürselen. geb. n. 30. —

— dasselbe. Auswahl in 7 Bdn. 6—23. (Schluß-)Lfg. 8. (à 3—4 B.) Ebend. 883—85. à n. — 50

— poetische Werke. Deutsch v. P. J. Willatzen. 1. Bd. u. 2. Bd. in 2 Abtlgn. 8. Halle 885. Gesenius. n. 7. 20; in 2 Bde. geb. à n. 5. —

I. Lyrische Gedichte. (XV, 436 S.) n. 3. 60
II. 1. Kleinere epische Gedichte. (180 S.) n. 1. —
2. Frithjofs-Sage. Uebersetzung v. G. Mohnike, neu bearb. v. P. J. Willatzen. (176 S.) n. 1. 80

— ausgewählte poetische Werke, s.: Bibliothek, Cotta'sche, der Weltlitteratur.

— die Abendmahlskinder. Aus dem Schwed. v. Edm. Zoller. Illustrirt v. Erwin Oehme. 2. Aufl. gr. 4. (36 S. m. 4 Lichtdr.-Taf.) Leipzig 884. Titze. geb. m. Goldschn. 12. —

— die Frithjofs-Sage. Aus dem Schwed. v. G. Berger. 10. Aufl. Mit 2 Titelbildern (in Holzschn.), gezeichnet v. Emilie Weisser. 16. (167 S.) Stuttgart 883. Rieger. geb. m. Goldschn. 2. 10

— dasselbe. Uebers. von Gfr. v. Leinburg. Mit 1 Titelbild in Holzschn.: Frithjofs Bautastein von Leo v. Leinburg. 14., durchgehends umgearb. Aufl. (Feine Ausg.) gr. 8. (280 S.) Leipzig 885. Dürselen. geb. n. 10. —

— dasselbe. Aus dem Schwed. v. Glieb. Mohnike. 19. Aufl. 12. (XVI, 224 S. m. 1 Stahlst.) Halle 885. Gesenius. geb. m. Goldschn. n. 3. —

Tegnér, Esaias, die Frithjofs-Sage. Aus dem Schwed. v. Glieb. Mohnike. 8. (IV, 103 S. m. Bild.) Halle 886. Hendel. geb. m. Goldschn. 1. 20

— dasselbe. Aus dem Schwed. v. Glieb. Mohnike. Mit Illustr. v. Ernst Roeber. 2. Aufl. Fol. (85 S. m. eingedr. Holzschn. u. 6 Lichtdr.-Taf.) Berlin 884. Grote. geb. m. Goldschn. n. 12. —

— dasselbe. Im Versmaß d. Originals aus dem Schwed. übertr. v. Pauline Schanz. 2. Aufl. 16. (VII, 172 S.) Frankfurt a/M. 883. Sauerländer. geb. n. 2. —

— dasselbe. Mit den Abendmahlskindern. Uebers. v. Karl Simrock. 4. durchgeseh. Aufl. 16. (208 S.) Stuttgart 883. Brettinger. n. 3. —; geb. m. Goldschn. n. 3. 50

— dasselbe, s.: Schiff, J., stenographisches Lese-Cabinet.

— kleinere epische Gedichte. Uebers. von Gfr. v. Leinburg. 2., neu durchgeseh. u. m. den Dedicationen an G. v. Leopold u. M. Norberg verm. Aufl. Mit e. Titelbilde (in Holzschn.) von Leo v. Leinburg. (Feine Ausg.) gr. 8. (VII, 260 S.) Leipzig 885. Dürselen. geb. n. 10. —

— lyrische Gedichte. Uebers. von Gfr. v. Leinburg. 2 Thle. Mit dem Bildniß d. Dichters in Stahlst. 2. Aufl. (Feine Ausg.) gr. 8. (VII, 258 S. u. V, 215 S.) Ebend. 885. In 1 Bd. geb. n. 15. —

Tegtmeyer, Emilie, die Tochter des Bürgermeisters. Eine Erzählg. aus der bremischen Vergangenheit. 8. (164 S.) Bremen 885. Schünemann. n. 2. 50

Teich, Chrn., Rathgeber f. Bureau u. Comptoir. gr. 8. (81 S.) Dresden 886. Teich. geb. n. 1. 50

Teichert, Paul, de fontibus Quintiliani rhetoricis. 8. (58 S.) Königsberg 884. (Beyer.) n. 1. 20

Teichmann, Alb., die Universität Basel in den 50 Jahren seit ihrer Reorganisation im J. 1835. Programm zur Rectoratsfeier u. zu dem m. ihr verbundenen Jubiläum der freiwill. akadem. Gesellschaft, im Auftrag e. e. Regenz unter Mitwirkung der Anstaltsvorsteher zusammengestellt. gr. 4. (120 S.) Basel 885. (Georg.) n. 2. 40

Teichmann, C., Christentum im Leben. Vortrag, geh. am 18. Febr. 1886 im Saale der polytechn. Gesellschaft zu Frankfurt a/M. gr. 8. (23 S.) Frankfurt a/M. 886. Neumann. n. — 25

— Konfirmandenbüchlein f. die Jugend evangelischer Gemeinden. 8. (III, 68 S.) Frankfurt a/M. 886. Diesterweg. cart. n. — 60

— Lehrbuch der christlichen Religion. Für evangel. Lehrer- u. Lehrerinnen-Seminare, auch f. die Primen v. Gymnasien u. Realgymnasien u. zum Privatstudium. Mit e. (chromolith.) Welt-Missionskarte. gr. 8. (IV, 285 S.) Frankfurt a/M. 884. Rommel. n. 3. 60

Teichmann, F., der Mineralog. Darstellung d. Gesammtgebietes der Mineralogie. Mit in den Text gedr. Abbildgn. u. 1 color. Taf. Für jugendl. Mineraliensammler bearb. 4. Aufl. 12. (VIII, 106 S.) Halle 886. Hendel. geb. n. 1. —

Teichmann, K., u. H. **Gress,** vierstellige mathematische Tafeln. 2. Aufl. 8. (20 S.) Stuttgart 886. Wittwer. n. — 60

Teichmüller, E., Luther als Reformator der Kirche, s.: Vorträge, öffentliche, zur Feier d. 400jähr. Geburtstages D. Martin Luthers geh.

Teichmüller, Gust., literarische Fehden im 4. Jahrh. v. Chr. 2. Bd. Zu Platon's Schriften, Leben u. Lehre. Die Dialoge d. Simon. gr. 8. (XXVI, 390 S.) Breslau 884. Koebner. n. 10. — (1. u. 2.: n. 18. —)

— Religionsphilosophie. gr. 8. (XLVI, 558 S.) Ebend. 886. n. 14. —

Teisseyre, Lor., e. Beitrag zur Kenntniss der Cephalopodenfauna der Ornatenthone im Gouvernement Rjäsan [Russland]. [Mit 8 (lith.) Taf. u. 2 (eingedr.) Holzschn.] Lex.-8. (91 S.) Wien 883. (Gerold's Sohn.) n. 3. 20

Teitienne, J., méthode d'écriture et de lecture. Faite suivant les principes professés au cours méthodologique de Metz. 8. éd. 8. (72 S.) Metz 883. Gebr. Even. cart. n. — 32

Tekturen u. **Nachträge** zur Wehr- u. Heer-Ordnung. 8. (10 Bl.) Berlin 886. Mittler & Sohn. n.n. — 10

Telegraph, der elektro-magnetische. Ein Repetitorium für die im Bezirke der k. k. Post- u. Telegraphen-Direction unter der Enns abgehaltenen Lehrcurse. gr. 8. Wien 886. Hof- u. Staatsdruckerei. n. 6. —
I. Die Grundlehren. Bearb. v. Alfr. Calgary.
II. Batterien, Apparat- u. Schaltungslehre. Bearb. v. Joh. N. Teufelhart. (IX, 177 u. 176 S. m. eingedr. Fig.)

Telegraphen-Kalender f. d. J. 1884. Hrsg. v. Adb. Kästner. 19. Jahrg. 8. (IV, 75 u. 73 S.) Wien, Fromme. 1. 40

Telegraphen-Ordnung f. das Deutsche Reich vom 18. Aug. 1880. Mit Abänderg. vom 11. Juni 1886. 8. (26 S.) Berlin 886. v. Decker. — 30

— dasselbe. In der vom 1. Juli 1886 ab gelt. Fassg. 2. Aufl. gr. 8. (30 S.) Berlin 886. C. Heymann's Verl. n. — 40

Telegraphen-Tarif, der neue, f. das Deutsche Reich u. das Ausland. Gültig vom 1. Juli 1886 an. Tabelle. gr. 4. Düsseldorf 886. F. Bagel. — 20

Telegraphen-Vertrag, internationaler [abgeschlossen zu St. Petersburg am 10./22. Juli 1875), nebst Ausführungs-Uebereinkunft u. Tarif-Tabellen f. den internationalen Telegraphen-Verkehr [Berliner Revision vom 17. September 1885]. gr. 4. (131 S.) Berlin 886. (v. Decker.) n.n. 1. 50

Telephon, das, das Mikrophon u. der Phonograph. (Aus: „Jahrbuch der Erfindgn."] 2. Aufl. Mit 70 Holzschn. gr. 8. (IV, 139 S.) Leipzig 883. Quandt & Händel. n. 2. 25

Tell, Wilhelm. Urner Volkskalender f. d. J. 1884. 6. Jahrg. 4. (87 S.) Altdorf 883. (Bern, Jenni.) n. — 40

Telle, Carl, die Assassinen. Ballet in 3 Acten. Musik v. J. Forster. 8. (16 S.) Wien 883. Künast. n. — 40

— an der Beressina. Ballet in 2 Akten [7 Tableaux]. Nach dem Ital.: „Carlo il Quastatore" v. J. Rota. Musik v. P. Giorza. 8. (9 S.) Ebend. 883. n. — 60

— der Vater der Debütantin. Komisches Ballet in 3 Bildern. Nach dem gleichnam. Schwanke bearb. Musik v. A. M. Willner. 8. (16 S.) Ebend. 884. n. — 40

Teller, Ed., kleines Lehrer-Album. Pädagogische Sentenzen u. Aphorismen in poet. Gewande. Aus Mußestunden. 16. (80 S.) Bernburg 885. (Bacmeister.) n. — 80

Telmann, Konr., schwerer Diebstahl, s.: Wallner's allgemeine Schaubühne.

— dunkle Existenzen. Roman. 4 Bde. 8. (VII, 260; 225, 306 u. 328 S.) Leipzig 886. Reißner. n. 14 —; in 2 Bde. geb. n. 16. —

— Gerichtet, s.: Collection Spemann.

— in Glück u. Leid. Novellen. [7. Folge.] 2 Bde. 8. (349 u. 380 S.) Leipzig 885. Bergmann. n. 8. —

— Götter u. Götzen. Roman. 3 Bde. 8. (V, 390, 385 u. 524 S.) Leipzig 884. Reißner. n. 15. —

— im Hochland. Novellen. [5. Folge.] 8. (281 S.) Dresden 884. Steffens. 4. 50

— moderne Ideale. Roman. 3 Bde. 8. (194, 228 u. 147 S.) Leipzig 886. Reißner. n. 9. —

— Lebensfragmente. Novellen. [4. Folge.] 8. (273 S.) Breslau 884. Schottländer. n. 5. —; geb. n. 6. —

— Lichter u. Schatten. Novellen. [3. Folge.] 1. u. 2. Bd. 8. Hannover, Weichelt. n. 4. —
1. (211 S.) 883. n. 1. 50. — 2. (304 S.) 885. n. 2. 50

— Menschenschicksale. Novellen. [8. Folge.] 2 Bde. 8. (304 u. 263 S.) Minden 885. Bruns. n. 6. —

— das Spiel ist aus! Roman. 3 Bde. 8. (179, 301 u. 168 S.) Leipzig 884. Reißner. n. 9. —

— Vae victis! Roman. 8. (III, 428 S.) Minden 886. Bruns. n. 4. —

— vom Wegrand. Novellistische Skizzen. 8. (III, 248 S.) Leipzig 886. Mutze. n. 3. —; geb. n. 4. —

Temme, J. D. H., zur linken Hand. 12. (89 S.) Berlin 884. Goldschmidt n. — 50

— die Tochter d. Pfarrers. Erzählung. (2. Aufl.) 8. (123 S.) Ebend. 885. n. — 50

— ein Verlobungsfest. Kriminalgeschichte. 12. (107 S.) Ebend. 885. n. — 50

— die Weddinger. Criminal-Novelle 12. (101 S.) Ebend. 884. n. — 50

Tempel der Heiligen Gottes. Vollständiges Andachts- u. Gebetbuch f. kathol. Christen. Aus den Schriften der Heiligen: Augustinus, Alphons v. Liguori, Bernard, Bonaventura, Chrysostomus, Ephräm, Frz. v. Sales, Gertrudis, Mechthildis, Theresia u. anderer heil. u. gottsel. Personen, sowie aus dem röm. Missale u. Vesperale. Von e. Priester der Diöcese Freiburg. Ausg. Nr. 2. 24. (479 S. m. 1 Stahlst.) Einsiedeln 884. Benziger & Co. 1. —

— dasselbe. Ausg. Nr. 3. 16. (479 S. m. 1 Stahlst. u. farb. Titel.) Ebend. 884. 1. —

Tempel, Wilh., üb. Nebelflecken. Nach Beobachtgn., angestellt in den J. 1876—1879 m. dem Refractor v. Amici auf der königl. Sternwarte zu Arcetri bei Florenz. [Mit 2 Taf.] gr. 4. (29 S.) Prag 885. (Calve.) n. 3. —

Tempelhof, Hugo v., Barowski, e. Freund d. Volkes u. der Sohn d. Verfluchten. Historisch-romant. Erzählg. 60 Lfgn. gr. 8. (2 Thle. à 960 S.) Leipzig 883. Bergmann. à — 10

Temperatur-Curven, Würzburger, f. Aerzte, Naturforscher etc. Ausg. B. gr. 8. (9 Taf.) Würzburg 883. Stahel. n. — 40

Tenbering, Fritz, die Schlacht bei Spichern am 6. Aug. 1870. Vortrag. 8. (32 S.) Saarbrücken 883. (Klingebeil.) n. — 70

Tenger, M., der letzte Capy, \ f.: Bachem's Novellen-
— der Glöckner v. St. Diège, / Sammlung.

— Hann Kuljevich, f.: Bachem's Roman-Sammlung.

Tennecker, S. v., die Geheimnisse der Pferdehändler, ihre Handelsvorteile u. Verschönerungskünste. 5. Aufl. 8. (VIII, 203 S.) Weimar 886. B. F. Voigt. 2. —

Tenner, Armin, Amerika. Der heut. Standpunkt der Kultur in den Vereinigten Staaten. Monographieen aus der Feder hervorrag. deutsch-amerikan. Schriftsteller, gesammelt u. hrsg. v. A. T. Dazu als Anh.: Tenner's deutsch-amerikan. Vademecum od. kurzgefasste Erläutergn. amerikan. Eigenthümlichkeiten in Sprache u. Leben. gr. 8. (XII, 484 u. Anh. 116 S. m. 1 Taf.) Berlin 884. Stuhr. n. 8. —

— dasselbe. 2. Aufl. gr. 8. (XII, 484 u. Anh. 166 S. m. 1 Taf.) Ebend. 886. n. 5. —

— deutsch-amerikanisches Vademecum od. kurzgefasste Erläutergn. amerikan. Eigenthümlichkeiten in Sprache u. Leben. Alphabetisch geordnet. Ein Hand- u. Nachschlagebuch f. Jedermann. gr. 8. (III, 116 S.) Ebend. 884. n. 2. 50

Tennyson, Lord, Enoch Arden and other poems. Students' Tauchnitz edition. Mit deutschen Erklärgn. v. Alb. Hamann. gr. 8. (VIII, 111 S.) Leipzig 886. B. Tauchnitz. n. — 70; cart. n. — 80

— dasselbe. Deutsch v. Carl Eichholz. 3. Aufl. 12. (55 S.) Hamburg 887. J. F. Richter. geb. n. — 80; m. Goldschn. n. 2. —

— dasselbe. Aus dem Engl. übers. v. Rob. Waldmüller [Ed. Duboc]. 26. Aufl. Autoris. Ausg. Illustrirt v. Conr. Ermisch, Holzschn. v. Th. Burckhardt. 16. (56 S.) Hamburg 885. Grüning. geb. 1. 50; m. Goldschn. 2. —

— dasselbe. 5. autoris. Volks-Ausg. [24. Aufl.] 12. (61 S.) Ebend. 883. geb. n. — 60

— dasselbe, illustrirt v. Paul Thumann. 3. Aufl. gr. 4. (71 S.) Berlin 883. Grote. geb. m. Goldschn. n. 10. —

— dasselbe, s.: Authors, English.

— dasselbe and other poems, s.: Rauch's English readings.

— dasselbe and Aylmer's field, s.: Library, English.

— Becket; the cup; the falcon, s.: Collection of British authors.

— idylls of the king Enid, s.: Rauch's English readings.

— Königsidyllen, f.: Universal-Bibliothek.

Tenscherz, J. G., Tarif-Buch. Eine systemat. Zusammenstellung der die kgl. bayer. Staatseisenbahn-Linien berühr. Güter-, Leichen-, Fahrzeuge- u. Vieh-Tarife m. besond. Berücksicht. der hiefür gültigen transport- u. tarifreglementären Bestimmgn., sowie der in den einzelnen Verkehren zu Ausnahme-Frachtsätzen zu befördernden Artikel. gr. 8. (224 S.) München 886. (Lindauer.) n.n. 3. —

Tephilath adath Jeschurun. Vollständiges Gebetbuch f. alle Tage d. Jahres m. deutscher Bezeichng. der Gebetstücke, geordnet nach den Gebetbüchern v. W. Wessely u. Letteris. 8. (342 S.) Prag 884. Brandeis. geb. n.n. — 90

— Israel. Gebete f. sämmtl. Wochentage u. Sabbate. 5. Aufl. 32. (414 S.) Ebend. 883. geb. m. Goldschn. n. — 50

Teplow, M. N., die Schwingungsknoten-Theorie der chemischen Verbindungen. [Aus dem Russ. übers. v. L. Jawein.] Lex.-8. 1. u. 2. Lfg. (IV, 136 S. m. eingedr. Fig. u. 2 Taf.) St. Petersburg 885. 86. (Leipzig, Voss' Sort.) n. 5. —

Terenti Afri, P., comoediae, rec. Carolus Dziatzko. Ed. ster. gr. 8. (XL, 296 S.) Leipzig 884. B. Tauchnitz. 1. 20

— ausgewählte Komödien, zur Einführg. in die Lektüre der altlatein. Lustspiele, erklärt v. Karl Dziatzko. 1. Bdchn. Phormio. 2. unveränd. Aufl. gr. 8. (IV, 141 S.) Leipzig 885. Teubner. 1. 50

— Lustspiele. Deutsch v. Johs. Herbst. 5. u. 6. Lfg. 2. Aufl. 8. (3. Bdchn. S. 1—91.) Berlin 885. Langenscheidt. à n. — 35

— Eunuch, \
— Phormio, / f.: Universal-Bibliothek.

Teresius a sancta Maria, Marienlieder, dreistimmig komponiert. 2. Hft. Partitur u. Stimmen. qu. 16. Regensburg 884. Seiling. n. 2. —
Partitur, zugleich 3. Stimme. (VII, 99 S.) n. 1. 20. — 1. u. 2. Stimme. (IX, 84 S.) n. — 80

Tergast, die Münzen Ostfrieslands. 1. Thl. Bis 1466. Mit Abbildgn. Lex.-8. (XII, 160 S.) Emden 883. Haynel. n. 4. 50

Ter-Gregoriantz, Grigor Kasparian, üb. Hemialbumosurie. gr. 8. (31 S.) Dorpat 883. (Schnakenburg.) n. 1. —

Terlago-Terlago, Gräfin Caroline, Gedichte. 8. (VI, 116 S.) Gera 885. Schulbuchh. 1. —

Terlinden, H., der reiche Schotte, e. neuer Beitrag zu der alten Frage: „Was ist Wahrheit?" 2. Aufl. 8. (39 S.) Duisburg 886. (Ewich.) n. — 25

Terlinden, J., Handbuch d. Rechenunterrichts in Volksschulen. 2. Tl. 2. Aufl. 8. (X, 194 S.) Neuwied 883. Heuser's Verl. geb. n. 2. 50

— Rechenbuch f. Volksschulen, Mittelschulen, höhere Töchterschulen etc. Nach der neuen Maß-, Gewichts- u. Münzordng. u. den neuesten darauf bezügl. gesetzl. Bestimmgn. f. das deutsche Reich, sowie nach neuer Orthogr. umgearb. 50. Aufl. 8. (VIII, 176 S. m. 1 Steintaf.) Ebend. 885. geb n. 1. —

— dasselbe. Ausg. B in 4 Hftn. Neu bearb. v. L. Kauer u. A. Sulzbacher. Ebend. 886. n. 1. 47
1. (57 S.) n. — 32. — 2. (68 S.) n. — 35. — 3. 4. (à 72 S.) à n. — 40

Terlinden, Johannes. Skizze e. Seminarlehrer-Lebens, veröffentlicht zu seinem 50jähr. Amtsjubiläum. [Aus: „Rhein. Schulmann".] gr. 8. (16 S.) Neuwied 885. Heuser's Verl. n. — 30

Termin-Kalender f. d. J. 1887. gr. 16. (216 S.) Düsseldorf, F. Bagel. geb. in Leinw. n. 1. 50; m. Pap. durchsch. n. 2. 50; in Ldr. als Brieftasche n. 2. 80

— auf d. J. 1887. Für Beamte u. Geschäfts-Leute. 33. Jahrg. gr. 4. (56 S.) Sulzbach, v. Seidel. n. — 60

— für deutsche Gerichtsvollzieher auf d. J. 1887. Mit vielen den prakt. Dienst erleichternden Beilagen hrsg. v. Heinr. Walter. gr. 16. (VIII, 223 u. 228 S.) Berlin Siemenroth. geb. n. 2. 50

— für die Justizbeamten in Preußen, Mecklenburg, den Thüringischen Staaten, Braunschweig, Waldeck, Lippe u. den Hansastädten auf d. J. 1887. Nach amtl. Quellen. Mit verschiedenen den prakt. Dienst erleicht. Beilagen. 49. Jahrg. 16. (IV, 183 u. 280 S.) Berlin, C. Heymann's Verl. geb. n. 3. —; durchsch. n. 3. 50

— für Justiz- u. Verwaltungs-Beamte in Elsaß-Lothringen auf d. J. 1887. Nach amtl. Quellen. gr. 16. (IV, 204 u. 78 S.) Straßburg, Schultz & Co. Verl. geb. n. 2. 50

Termin-Kalender zum Gebrauche f. die Justiz- u. Verwaltungs-Beamten der Rheinprovinz f. d. J. 1887. gr. 16. (IV, 192 u. 141 S.) Köln, Rommerskirchen. geb. n. 2. 50; durchsch. n. 3. —

— preußischer, f. d. J. 1887. Red. im Büreau d. Justizministeriums. 35. Jahrg. Mit e. (lith. u. color.) Karte d. Oberlandesger.-Bez. Frankfurt a/M. Zum Gebrauch f. Justizbeamte. gr. 16. (VIII, 160 u. 342 S.) Berlin, v. Decker. geb. n. 3. —; durchsch. n. 3. 50

— für die deutschen Rechtsanwälte, Notare u. Gerichtsvollzieher auf d. J. 1887. Hrsg. unter Mitwirkg. d. Vereins deutscher Anwälte. 28. Jahrg. 16. (IV, 176 u. 246 S.) Berlin, C. Heymann's Verl. geb. n. 3. 60; durchsch. n. 4. —

— für Verwaltungs- u. Polizei-Beamte, Amts-Anwälte u. Standes-Beamte auf d. J. 1884 v. Otto Bock. 5. Jahrg. gr. 16. (IV, 184 u. 346 S.) Düsseldorf, Schwann. geb. n. 2. 50

Termin- u. Notiz-Kalender, preußischer, auf d. J. 1887. Zum Gebrauch der Beamten der allgemeinen Verwaltg. d. Innern. Unter Benutzg. officieller Quellen v. Beamten d. Ministeriums d. Innern bearb. 18. Jahrg. 16. (VI, 186 u. 176 S.) Berlin, F. Schulze's Verl. geb. n. 2. 50; durchsch. n. 3. —

Termin- u. Geschäfts-Notizbuch, hannoversches, auf d. J. 1887. Unter Mitwirkg. v. Gerichtsbeamten hrsg. v. Louis Pockwitz. 8. (XVI, 397 S.) Stade, Pockwitz. geb. n. 2. 25; durchsch. n.n. 2. 75

Tersöverst, Aloys, methodisch geordnete Uebungen in der Stenographie nach Gabelsbergers System. Für den Unterricht u. zur Selbstfortbildg. 5. Aufl. gr. 8. (64 S.) Mittelwalde i/Schl. 886. Hoffmann. n. — 50

Terrasse, die Brühl'sche. Humoreske v. H. J. L(ichtenberger.) 8. (42 S.) Dresden 884. (Pierson.) n. 1. —

Tersteegen's, Gerh., geistliches Blumengärtlein inniger Seelen, nebst der Frommen Lotterie, nach der Ausgabe letzter Hand berichtigt u. m. einigen Zusätzen verm., sammt dem Lebenslauf d. sel. Verf. Ster.-Ausg. 7. Abdr. 12. (XXIV, 482 S.) Stuttgart 884. J. F. Steinkopf. n. 1. —; Velin-Ausg. geb. m. Goldschn. n. 3. —

— Tropfen zur Gesundheitspflege d. neuen Menschen. Statt d. Vorwortes m. e. Gebrauchsanweisg. versehen v. Christlieb Jul. Heinersdorff. 2. verb. Aufl. 32. (VIII, 64 S.) Bonn 886. Schergens. geb. n. — 60

Terzenheim, K. v., s.: Spaziergänge, kosmopolitische.

Tesch, Johs., Katechismus f. Bremser- u. Schaffner-Aspiranten. Für die Prüfgn. zum Bremser u. Schaffner nach den vom Bundesrath f. das Deutsche Reich erlassenen Bestimmgn. üb. die Befähigg. v. Bahnpolizeibeamten u. Locomotivführern bearb. 8. (VIII, 102 S.) Berlin 885. Siemenroth. geb. n. 1. 50

— Katechismus f. die Prüfungen zum Bahnwärter der Staats-Eisenbahnen. Unter Berücksicht. der neuesten bezügl. Bestimmgn. bearb. 8. (VII, 74 S.) Ebend. 887. cart. n. 1. —

— Katechismus f. die Prüfung zum Lademeister der Staats-Eisenbahnen. 8. (VII, 147 S.) Ebend. 886. geb. n. 2. —

— Katechismus f. Packmeister- u. Zugführer-Aspiranten. Für die Prüfgn. zum Packmeister u. Zugführer nach den vom Bundesrath f. das Deutsche Reich erlassenen Bestimmgn. üb. die Befähigg. v. Bahnpolizeibeamten u. Locomotivführern bearb. 8. (VIII, 99 S.) Ebend. 886. geb. n. 1. 40

— Katechismus f. die Prüfungen zum Subaltern-Beamten I. u. II. Klasse d. inneren Dienstes u. zum technischen Eisenbahn-Sekretär der Staats-Eisenbahnen. Unter Berücksicht. der neuesten bezügl. Bestimmgn. bearb. gr. 8. (XII, 567 S.) Ebend. 885. n. 9. —; geb. n. 10. 25

— Katechismus f. die Prüfungen zum Telegraphisten, Stations-Assistenten, Stations-Vorsteher u. Güter-Expedienten der Staats-Eisenbahnen. Unter Berücksicht. der neuesten bezügl. Bestimmgn. bearb. gr. 8. (VIII, 383 S.) Ebend. 885. n. 6. —; geb. n. 7. —

— Katechismus f. die Prüfungen zum Weichensteller der Staats-Eisenbahnen. Nach den vom Bundesrath f. das Deutsche Reich erlassenen Bestimmgn. üb. die Befähigg. der Bahnpolizeibeamten u. Locomotivführer, sowie unter Berücksicht. d. Reglements üb. die Prüfg. der nicht im Stations-, Expeditions- od. Bureau-Dienst beschäftigten mittleren u. niederen Staats-Eisenbahn-Beamten bearb. Mit 3 Abbildgn. 8. (VII, 49 S. m. Fig.) Berlin 887. Siemenroth. cart. n. — 80

Tesch, Johs., Organisation der Staats-Eisenbahn-Verwaltung. Mit ergänz. Anmerkgn. 8. (III, 53 S.) Berlin 886. Siemenroth. cart. n. — 80

— u. Casp. **Comes**, Katechismus f. die Prüfungen zum Bahnmeister der Staats-Eisenbahnen. Unter Berücksicht. der neuesten bezügl. Bestimmgn. bearb. Mit 14 lith. Taf. gr. 8. (VIII, 386 S.) Ebend. 886. n. 7. 50; geb. n. 8. 50

— u. Ernst **Holzbecher**, Katechismus f. die Prüfungen zum Lokomotivheizer, Dampfkesselheizer u. Lokomotivführer der Staats-Eisenbahnen. Mit 7 Taf. in 4. 8. (VIII, 229 S.) Ebend. 886. geb. n. 3. —

Tesch, P., die Normalwortmethode u. ihre Behandlung in der Volksschule. 2. Aufl. gr. 8. (IV, 95 S.) Danzig 884. Axt. n. 1. 50

Teschendorff, Toni, Kreuzstich-Muster f. Leinenstickerei. 1. u. 2. Hft. Imp.-4. (à 10 Chromolith.) Berlin, Wasmuth. n. 17. 50
1. 879. n. 7. 50
2. 882. n. 10. —

Tesdorpf, W., der Römerzug Ludwigs d. Baiern 1327—1330. gr. 8. (84 S.) Königsberg 885. (Koch & Reimer.) n. 1. 20

Tesoro lirico, scelta di poesie italiane. 2. ed. 64. (161 S.) Leipzig 883. Lenz. — 75; geb. n. 1. 25

Tetta, G. del, il vero blasone, s.: Biblioteca italiana.

Testament, das, od. die gestohlene Uhr. Charakterstück in 6 Akten. Nach e. ältern Stück bearb. f. Institute u. Gesellen-Vereine v. J. M. 8. (50 S.) Regensburg 886. (Amberg, Habbel.) n. — 80

— altdeutsches neues. Nach dem Codex Teplensis u. der ersten gedruckten deutschen Bibel. Zum prakt. Gebrauche überarb. nach der vom Hl. Stuhle approbirten deutschen Uebersetzg. v. Allioli. 16. (IV, 955 S.) Augsburg 1887. Literar. Institut v. Dr. M. Huttler. n. 5. —

— das Neue, unsers Herrn u. Heilandes Jesu Christi. Nach der in Zürich kirchlich eingeführten Uebersetzg. aufs Neue m. Sorgfalt durchgesehen. 16. (624 S.) Zürich 881. Dépôt der evang. Gesellschaft. geb. in Leinw. n. — 65; in Ldr. m. Goldschn. n. 2. —; Ausg. m. Psalmen (624 u. 152 S.) geb. in Leinw. n. 1. —; in Ldr. m. Goldschn. n. 2. 40

— dasselbe, verdeutscht v. Mart. Luther. Nebst den Psalmen Davids. Galvanotyp-Ausg. 7. Aufl. gr. 8. (856 u. 208 S.) Barmen 885. Wiemann. 3. 50; geb. n. 5. —; m. Goldschn. n. 6. —

— das Neue, ins Hebräische übers. v. Frz. Delitzsch. Hrsg. v. der Brit. u. Ausländ. Bibelgesellschaft. gr. 8. (III, 483 S.) Leipzig 885. (J. Naumann) geb. n. 2. —; Ausg. in 12., 6. Aufl. (III, 471 S.) n. — 70

— das Neue, griechisch nach Tischendorfs letzter Recension u. deutsch nach dem revidirten Luthertext m. Angabe abweichender Lesarten beider Texte u. ausgewählten Parallelstellen, hrsg. von Osk. v. Gebhardt. 2. Ster.-Ausg. gr. 8. (XVIIII, 913 S.) Leipzig 884. B. Tauchnitz. 5. —

— dasselbe, griechisch, m. kurzem Commentar nach W. M. L. de Wette. 1. Bd. 1. Hälfte, enth. die 3 ersten Evangelien. gr. 8. (357 S.) Halle 886. Anton. n. 7. 20

— dasselbe. 2. Tl., enth. die Briefe u. die Apokalypse. Lex.-8. (VI, 762 S.) Ebend. 885. n. 15. —
Der 1. Tl. 2. Hälfte erscheint später.

— the new, in the colloquial of the Hakka dialect. By some missionaries of the Basel evangel. missionary society. gr. 8. (178 S.) Basel 883. Missionsbuchh. geb. n. 2. —

— pädagogisches, e. königl. Kreisschulinspektors. Hrsg. v. den Hinterbliebenen. gr. 8. (IV, 58 S.) Wittenberg 886. Herrosé Verl. n. — 80

Testamentum, novum, graece. Rec. Const. de Tischendorf. Ed. ster. X. ad ed. VIII. majorem compluribus locis emendatam conformata. gr. 8. (XXX, 437 S.) Leipzig 886. B. Tauchnitz. 2. 70

— dasselbe. Theilii editionem recognovit perpetuaque collatione textus et Tregellesiani et Tischendorfiani ante et post inventum sinaiticum editi locupletavit Osc. de Gebhardt. Ed. ster. XIV. 16. (XXVI, 646 S.) Ebend. 885. 2. 25

— dasselbe. Recensionis Tischendorfianae ultimae textum cum Tregellesiano et Westcottio-Hortiano contulit et brevi adnotatione critica additisque locis parallelis illustravit Osc. de Gebhardt. Ed. ster. III. gr. 8. (XII, 492 S.) Ebend. 3. —; geb. n. 4. —

— dasselbe, ad antiquissimos testes denuo rec., apparatum criticum apposuit Constantinus Tischendorf. Ed. VIII. critica major. Vol. III. pars 1. gr. 8. Leizig 884. Hinrichs' Verl. n. 10. — (I—III, 1.: n. 48. —)
Prolegomena, scripsit Casparus Renatus Gregory, additis curis † Ezrae Abbot. Pars 1. (VI, 440 S.)

— dasselbe. Rec. inque usum academicum omni modo instruxit Const. de Tischendorf. Ed. academica XV. ad ed. VIII. criticam maiorem conformata. Cum tabula duplici terrae sanctae. 16. (LXXII, 930 S.) Leipzig 886. Mendelssohn. n. 2. —; geb. in Leinw. n. 3. —; in Ldr. m. Goldschn. n. 3. 50

— dasselbe, graece et latine. Textus latinus ex vulgata versione Sixti V. P. M. jussu recognita et Clementis VIII. P. M. auctoritate edita repetitus. Ed. ster. VII. 8. (983 S.) Leipzig 884. B. Tauchnitz. 3. —

— dasselbe, graece et latine. Graecum textum addito lectionum variarum delectu rec., latinum Hieronymi notata Clementina lectione ex auctoritate codicum restituit Constant. de Tischendorf. Ed. II. cum tabula duplici terrae sanctae. 2 voll. (LXXII, XXXVII, 1860 S.) Leipzig 886. Mendelssohn. n. 4. —; geb. in Leinw. n. 6. —; in Ldr. m. Goldschn. n.n. 7. —

— vetus, graece iuxta LXX interpretes. Textum ex codice vaticano ed., lacunas supplevit ex codice Alexandrino et ex bibliis polyglottis Valentinus Loch. Ed. II. seculum tertium decreti a Papa Sixto V. de publicandis bibliis iuxta LXX interpretes dati d. VIII. Octobr. 1586 celebrans. gr. 8. (XVI, 944 S.) Regensburg 886. Verlags-Anstalt. n. 5. —

— dasselbe, graece, s.: Lagarde, P. de.

Testimonia minora de quinto bello sacro, e chronicis occidentalibus excerpsit et ed. Rhold. Röhricht. [Publications de la société de l'orient latin, série historique, III.] gr. 8. (LXXIV, 381 S.) Genève 882. (Leipzig, Harrassowitz.) n. 12. —

Tetmajer, L., s.: Baumaterialien, die, der Schweiz an der Landesausstellung 1883.

— s.: Mittheilungen der Anstalt zur Prüfung v. Baumaterialien am eidg. Polytechnikum in Zürich.

— Normen f. e. einheitliche Nomenclatur, Classification u. Prüfung der Bau- u. Constructionsmaterialien. Hydraulische Bindemittel. Hrsg. durch den schweiz. Ingenieur- u. Architecten-Verein. gr. 8. (15 S.) Zürich 883. (Schmidt.) n. — 50

— dasselbe. Eisen u. Stahl. Im Princip angenommen u. hrsg. durch den schweiz. Ingenieur- u. Architecten-Verein. gr. 8. (14 S.) Ebend. 884. n. — 50

— règles normales pour une classification uniforme, la nomenclature et l'épreuve des matériaux de construction. Fer et acier. Adoptés en principe et publiés par la société suisse des ingénieurs et architectes. gr. 8. (50 S. m. eingedr. Fig. u. 1 Steintaf.) Ebend. 883. n. 1. —

Tettau, W. J. A. Frhr. v., Beiträge zu e. vergleichenden Topographie u. Statistik v. Erfurt, s.: Jahrbücher der königl. Akademie gemeinnütziger Wissenschaften zu Erfurt.

Teuber, Osc., Geschichte d. Prager Theaters. Von den Anfängen d. Schauspielwesens bis auf die neueste Zeit. 1. Thl. Von den Keimen d. Theaterwesens in Prag bis zur Gründg. d. gräfl. Nostitz'schen Theaters, d. späteren deutschen Landestheaters. gr. 8. (XVI, 376 S.) Prag 883. Haase. n. 5. —

Teuber, Osc., grüß' Dich! Neue Skizzen aus dem militär. Jugendleben. 8. (VIII, 206 S.) Wien 884. Seidel & Sohn. n. 2. —

Teufel, der. Humoristische Zeitschrift. Red.: Joh. Mayer. 1. Jahrg. Juli 1885—Juni 1886. 52 Nrn. (2 B. m. Illustr.) Fol. Leipzig, Dürselen. n. 8. —; Volksausg. à Nr. — 10

Teufeleien. Aus der Pariser Verbrecherwelt. Von Satanelli. 8. (III, 272 S.) Leipzig 886. Unflad. n. 3. —

Teufelhart, J. N., Batterien, Apparat- u. Schaltungslehre, s.: Telegraph, der elektro-magnetische.

Teufelskralle, die. Eine düstere Erzählg. v. Einst f. Jetzt. Zur Geschichte der „Blutopfer". gr. 8. (36 S.) Leipzig 884. G. Wolf. n. — 50

Teuscher, O., e. ehrliche Arbeit, s.: Universal-Bibliothek.

Teuta, Schau- u. Festspiel in 4 Aufzügen v. Teutsthumsehr. 8. (73 S.) Leipzig 883. (Mutze.) n. 1. —

Teutsch, G. D., die Synodalverhandlungen der evang. Landeskirche A. B. in Siebenbürgen im Reformationsjahrhundert, s.: Urkundenbuch der evangelischen Landeskirche A. B. in Siebenbürgen.

Teutsch, Joh., die Not der evangelischen Kirche u. das Rettungswerk d. Gustav-Adolf-Vereines. Predigt über Psalm 50, 14, 15, geh. in der evang. Kirche A. B. in Hermannstadt am 19. Aug. 1884 bei Gelegenheit d. Festgottesdienstes der siebenbürg. Hauptversammlg. d. Gustav-Adolf-Vereines. gr. 8. (7 S.) Hermannstadt 884. (Schäßburg, Herrmann.) n. — 30

Teutschlaender, W. St., Michael der Tapfere, ein Zeit- u. Charakterbild aus der Geschichte Rumäniens. 8. (255 S.) Wien 879. Graeser. n. 4. 40

Teweles, Heinr., die Armen. Kleine Romane. 8. (251 S.) Leipzig 885. Reißner. n. 3. —

— der Kampf um die Sprache. Linguistische Plaudereien. 8. (III, 138 S.) Ebend. 884. n. 2. —

— Presse u. Staat. Eine Untersuchg. 8. (37 S.) Prag 886. (Wien, Bensinger.) n. — 50

Textbibliothek, altdeutsche, hrsg. v. H. Paul. Nr. 5—7. 8. Halle, Niemeyer. n. 5. 50
5. Kudrun. Hrsg. v. B. Symons. (VII, 306 S.) 883. n. 2. 80
6. König Rother. Hrsg. von K. v. Bahder. (162 S.) 884. n. 1. 50
7. Reinhart Fuchs. Hrsg. v. Karl Reissenberger. (IV, 111 S.) 886. n. 1. 20

— altnordische. Nr. 1. 8. Ebend. 886. n. 1. 60
1. Gunnlaugssaga Ormstungu. Mit einleitg. u. glossar hrsg. v. E. Mogk. (XX, 57 S.) n. 1. 60

Texte, rhätoromanische, hrsg. v. Jak. Ulrich. I. u. II. 8. Halle 883. Niemeyer. n. 7. 60
I. Vier Nidwaldische Texte. (VII, 195 S.) n. 3. 60
II. Bifrun's Uebersetzung d. Neuen Testaments [Vorworte, Ev. Matthaei, Ev. Marci]. (VII, 199 S.) n. 4. —

— u. Untersuchungen zur Geschichte der altchristlichen Literatur von Osc. Gebhardt u. Adf. Harnack. 1. Bd. 3. u. 4. Hft. gr. 8. Leipzig 883. Hinrichs' Verl. n. 13. 50 (1. Bd. cplt.: n. 22. 50)
III. 1. Die Altercatio Simonis Judaei et Theophili Christiani, nebst Untersuchgn. üb. die antijüd. Polemik in der alten Kirche. Von Adf. Harnack. (III, 136 S.) — 2. Die Acta Archelai u. das Diatessaron Tatians. Von Adf. Harnack. (S. 137—153.) — 3. Zur handschriftlichen Ueberlieferung der griechischen Apologeten. 1. Der Arethascodex, Paris. Gr. 451. Von Osc. v. Gebhardt. (S. 154—196.) n. 6. —
IV. 1. Die Evangelien d. Matthäus u. d. Marcus aus dem Codex purpureus Rossanensis, hrsg. von Osc. v. Gebhardt. (LIV, 96 S.) — 2. Der angebliche Evangeliencommentar d. Theophilus v. Antiochien, v. Adf. Harnack. (S. 97—176.) n. 7. 50

— — dasselbe. 2. Bd. 1—5. Hft. gr. 8. Ebend. n. 22. 50
1. 2. Lehre der zwölf Apostel, nebst Untersuchgn. zur ältesten Geschichte der Kirchenverfassg. u. d. Kirchenrechts v. Adf. Harnack. Nebst e. Anh.: Ein übersehenes Fragment der Διδαχή, in alter lateinischer Übersetzung mitgetheilt

von Osc. v. Gebhardt. (Text 70 u. Prolegomena 294 S.) 884. n. 10. —
3. Die Offenbarung Johannis e. jüdische Apokalypse in christlicher Bearbeitung, v. Eberh. Vischer. Mit e. Nachwort v. Adf. Harnack. (137 S.) 886. n. 5. —
4. Des h. Eustathius, Erzbischofs v. Antiochien, Beurtheilung d. Origenes betr. die Auffassung der Wahrsagerin 1. Kön. [Sam.] 28 u. die diesbezügliche Homilie d. Origenes, aus der Münchener Hds. 331 ergänzt u. verb., m. krit. u. exeget. Anmerkgn. v. Alb. Jahn. (XXVII, 75 S.) 886. n. 3. 50; Einzelpr. n. 4. 50
5. Die Quelle der sogenannten apostolischen Kirchenordnung, nebst e. Untersuchg. üb. den Ursprung d. Lectorats u. der anderen niederen Weihen v. Adf. Harnack. (106 S.) 886. n. 4. —

Textil-Industrie, die. Erstes deutsch-österreichisch-ungar. Organ f. die Woll-, Baumwoll-, Seiden- u. Leinen-Industrie, f. Spinnerei, Weberei, Druckerei, Färberei, Bleicherei u. Appretur. Hrsg.: Gust. Pappenheim. Red.: Vict. Spurny. Nebst: Oesterreichisches Handels-Journal. Jahrg. 1885 u. 1886. à 52 Nrn. (à 2—2½ B.) Fol. Wien, (Perles). à Jahrg. n.n. 18. —; ohne Handels-Journal n.n. 12. —

Textil-Kalender, österreichisch-ungarischer. Taschenbuch f. Spinnerei, Weberei, Färberei, Bleicherei, Appretur, Druckerei etc. Hrsg. v. der Red. v. Pappenheim's „Textil-Industrie". 2. Jahrg. 1887. gr. 16. (VI, 171 u. 130 S.) Wien, Perles. geb. in Leinw. n. 3. —; in Ldr. n. 4. 40

Textor, G., einige Stoßseufzer bei Anlaß der Schweizerischen Landesausstellung in Zürich. gr. 8. (16 S.) Zürich 883. (Schröter & Meyer.) — 30

Thaa, Geo. Ritter v., das Hausirwesen in Oesterreich. Mit Benutzg. der amtl. Quellen dargestellt. gr. 8. (VII, 136 S.) Wien 884. Manz. n. 2. 40

Thackeray, Miss, a book of Sibyls, } s.: Collection
— Mrs. Dymond, } of British authors.

Thackeray's, W. M., Werke, s.: Collection Spemann.
— die vier George, s.: Universal-Bibliothek.
— lectures on the english humourists of the 18th. century, s.: Materialien f. das neuengl. Seminar.
— Samuel Titmarsh and the great Hoggarty Diamond. Students' Tauchnitz edition. Mit deutschen Erklärgn. v. George Boyle. gr. 8. (VIII, 184 S.) Leipzig 886. B. Tauchnitz. n. 1. 20; cart. n. 1. 30
— the Yellowplush Papers, Major Gahagan, and the fatal boots. 8. (382 S.) Leipzig 886. Gressner & Schramm. geb. n. 3. —

Thal, das, v. Amerika. Eine Erzählg. f. die gesammte edlere Lesewelt, besonders f. die reifere Jugend. Von dem Verf. der Beatushöhle. 12., verb. Aufl. Mit 2 Stahlst. 8. (158 S.) Regensburg 886. Verlags-Anstalt. 1. 15

Thal, Rich., erneute Untersuchungen üb. Zusammensetzung u. Spaltungsproducte d. Ericolins u. üb. seine Verbreitung in der Familie der Ericaceen, nebst e. Anh. üb. die Ledìtannsäure, die Callutannsäure u. das Pinipikrin. gr. 8. (47 S.) St. Petersburg 883. (Dorpat, Karow.) n. 1. —

Thale, K. v., die Aushebung, s.: Theater-Album, militärisches.

Thaler, Lenel, Verse. 2. Aufl. 12. (117 S.) Leipzig 886. G. Wolf. n. 2. —

Thalhaus, Frz., die neue Antigone od. die Geächteten. Historische Erzählg. aus den Zeiten Konradins v. Schwaben. Nach Loyau-d'Amboise bearb. 4. Aufl. 8. (278 S.) Aachen 882. Cremer. 1. 50

Thalheim, Louise, Büchlein Bimbam. Illustr. v. L. Th. 4. (20 color. Steintaf. m. eingedr. Text.) Berlin 885. Plahn. geb. 2. 50
— das Büchlein Kunterbunt. 4. (20 color. Steintaf. m. eingedr. Text.) Ebend. 883. geb. 2. 50

Thalhofer, V., Handbuch der katholischen Liturgik, s.: Bibliothek, theologische.

Thalia, deutsche. Haupt-Organ f. die Interessen der gesammten deutschen Schauspielkunst. Hrsg. u. Red.: Alwin Vormeng. 1. Jahrg. 1886. 24 Nrn. (B.) gr. 4. Berlin, Ißleib. n. 8. —

Thallwitz, Rob., Gedichte. 12. (VIII, 143 S.) Döbeln 883. (Schmidt.) n. 1. —

Thalnitscher, Joa. Greg., historia cathedralis ecclesiae Labacensis, anno 1701. gr. 4. (93 S. m. 6 Taf.) Labaci 882. (Klagenfurt, Raunecker.) n.n. 5. —

Thanhoffer, Ludw. v., Grundzüge der vergleichenden Physiologie u. Histologie. Mit 195 Holzschn. gr. 8. (XX, 752 S.) Stuttgart 885. Enke. n. 16. —

Tharau, Hans, die Studiengenossen. 2. Aufl. 8. (VIII, 244 S.) Norden 885. Soltau. n. 3. —
— ein Wort zu seiner Zeit f. Sonntagsschullehrer. gr. 8. (61 S.) Bonn 883. Schergens. n. — 50

Thätigkeit, die, der Kavallerie-Divisionen im Kriege. Nebst e. Anh.: Anleitung zum Bau v. Feldbrücken u. zur Wiederherstellg. zerstörter Brücken durch Mannschaften v. Kavallerie-Regimentern. Mit 4 Skizzen u. 2 Taf. Abbildgn. gr. 8. (VI, 208 S.) Berlin 884. Mittler & Sohn. n. 4. 50

Thaulow, Gust., was müssen wir Kieler in dem Decennium Ostern 1883 bis Ostern 1893 zu effectuiren uns bemühen. Eine Ostergabe f. Kiel u. die Provinz. gr. 8. (36 S.) Kiel 883. Universitäts-Buchh. — 50

Thausing, Mor., Dürer. Geschichte seines Lebens u. seiner Kunst. Mit Illustr. u. Titelkpfr. 2. Aufl. in 2 Bdn. gr. 8. (XVI, 384 u. IV, 336 S.) Leipzig 884. Seemann. Englisch cart. à n. 10. —; in Halbfrzbd. à n. 12. —
— Wiener Kunstbriefe. Mit e. Titelbildnisse (in Holzschn.) u. e. erklär. Holzschn. am Schluss. gr. 8. (VII, 398 S.) Ebend. 884. Englisch cart. n. 6. —

Thautropfen. Ziehkästchen. 32. (160 Bl.) Gernsbach 885. Christl. Kolportage-Verein. In Leinw.-Umschlag u. Futteral. n. — 80

Thayer, William M., Abraham Lincolns Leben. Autoris. Uebers. aus dem Engl. v. Auguste Daniel. gr. 8. (V, 315 S.) Gotha 886. F. A. Perthes. geb. n. 7. —

Theater, das deutsche. Illustrirte Zeitg. f. Theater, Musik, Kunst u. Literatur. Hrsg.: G. R. Kruse. 2. Jahrg. 1884. 24 Nrn. (2 B. m. Illustr.) Fol. Berlin, Kruse. n. 12. —
— deutsches. Begründet v. C. A. Görner. 46—48. Bdchn. 8. Hamburg 884. Kramer. n. 4. —
46. Luther. Charakterbild in 1 Aufzuge v. Rhold. Ortmann. (31 S.) 1. 50
47. Hinter dem Vorhang. Schwank in 1 Aufzuge v. F. Herrmann. (52 S.) 1. 50
48. Der Mutter Abschiedsgruß. Dramatisches Gedicht. Eine Unterrichtsstunde Ludwig Devrients. Dramatische Scene f. 2 Herren. Von Rhold. Ortmann. (28 S.) n. 1. —
— kleines. [Familien- u. Vereins-Theater.] Nr. 104—133. 135—150. 12. Paderborn 883—86. Kleine. 27. 90
104. „Lustig ist die Jägerei". Schwank ohne Frauenrolle in 3 Akten v. Jos. Becks. (23 S.) — 45
105. „Trau, schau, wem!" Schwank in 6 Aufzügen v. Jos. Becks. (31 S.) — 45
106. Christian in der Fremde od. „Thu' nur das Rechte in deinen Sachen, das andere wird sich v. selber machen". Schauspiel in 4 Akten v. J. W. Jmandt. (36 S) — 60
107. Finchen u. Röschen od. die Kunst e. Mann zu bekommen. Schwank in 1 Akt v. M. L. Greiner. (16 S.) — 45
108. Ein Esel schimpft den andern Langohr. Posse in 1 Aufzuge v. A. Kamps. (14 S.) — 45
109. „Du trägst die Pfanne fort." Posse in 1 Akt, [bearb. nach Fritz Reuter] v. Jos. Boventer. (14 S.) — 45
110. Franz Anton, der Rentier vom Lande. Posse in 4 Akten u. 7 Bildern v. Fr. Walter-Dittrich. (48 S.) — 75
111. Die Macht d. Geldes. Schauspiel in 6 Bildern v. Fr. Jos. Walter-Dittrich. (42 S.) — 60
112. Bei Kerzenschein u. Glockenlaut. Historisches Schauspiel in 9 Bildern v. Fr. Jos. Walter-Dittrich. Musik v. F. Günther. (61 S.) — 60

113. Aus dem Regen in die Traufe. Musikalisches Lustspiel in 3 Akten v. Jos. Becks. (16 S.) — 50

114. Johann Georg Drüppel im Verhör. Posse m. Gesang in 1 Aufzuge v. W. Kayser. (23 S.) — 60

115. Hauptmann Ratzius. Posse in 1 Akte v. W. Kayser. (32 S.) — 60

116. Todt u. Lebendig. Tragödie in 9 Bildern v. Walter-Dittrich. (78 S.) — 90

117. Der Komet. Posse in 1 Aufzuge v. W. Kayser. (32 S.) — 60

118. Nur immer gemüthlich. Lustspiel in 2 Aufzügen ohne Frauenrollen v. Jos. Becks. (16 S.) — 50

119. Unverhofft kommt oft. Lustspiel in 4 Akten v. Jos. Becks. (24 S.) — 60

120. Des Menschen Wille ist sein Himmelreich. Komisches Lebensbild in 8 Aufzügen v. Jos. Becks. (24 S.) — 60

121. Im fremden Revier. Schwank in 2 Aufzügen v. Jos. Boventer. (13 S.) — 45

122. Träume sind Schäume. Schwank in 3 Aufzügen v. Jos. Boventer, u. Der fehlende Knopf. Dramatisches Bild aus dem Soldatenleben v. A. Rheinländer. (30 S.) — 60

123. Ein schlechtes Geschäft. Schwank in 1 Akt v. Fr. Jos. Walter-Dittrich. (16 S.) — 45

124. Man soll den Schein vermeiden. Schwank in 1 Akt v. Walter-Dittrich. (16 S.) — 45

125. Meister Strebsam od. die Versöhnung am Weihnachtsbaum. Lebensbild in 5 Aufzügen v. Wilh. Kayser. (68 S.) — 90

126. Uebermuth thut niemals gut. Jäger-Schwank in 3 Akten v. Jos. Becks. (16 S.) — 45

127. Der geprellte Jude. Lustspiel in 3 Aufzügen v. J. Boventer. (24 S.) — 60

128. Der geplagte Hauswirt. Lustspiel in 2 Akten v. Leonh. Charlier. (20 S.) n. — 50

129. Der Retter in der Noth. Lustspiel in 1 Akt von T. v. Heinz. (16 S.) n. — 50

130. Die Bisquit. Lustspiel in 5 Aufzügen v. Pfr. G. Wolfgarten. (76 S.) 1. 20

131. Hansjörg, der Findling. Lustspiel in 1 Akt. Nach dem Holl. bearb. v. Jos. Boventer. (23 S.) n. — 50

132. Ehrenämter. Schwank in 1 Aufzuge v. Karl Pauli. (15 S.) n. — 50

133. De Hasepfeffer od. Meister Pitter un sing Familje. Posse in 2 Auftritten v. H. Boventer. (20 S.) n. — 50

135. Eine Geduldprobe od. der verwechselte Officierbursche. Posse in 1 Aufzuge v. W. Kayser. (46 S.) — 60

136. Die beiden Tauben. Lustspiel in 1 Akt v. Jules Moinaux. Nach dem Franz. bearb. v. J. Boventer. (24 S) — 50

137. Leonore od. der bekehrte Geizhals am heil. Weihnachtsfeste. Posse in 3 Aufzügen v. W. Kayser. (36 S.) — 60

138. Wahl macht Qual. Lustspiel in 2 Akten [ohne Frauenrollen] v. Jos. Becks. (23 S.) — 60

139. De clavibus aedium. Comoedia comica in 2 actis, antea germanica ab Hirthe, nunc in linguam latinam translata a Cooper Carl Essler. (20 S.) — 50

140. Die Merowingerpfalz zu Kirchheim [König Dagobert II.]. Historisches Trauerspiel in 5 Akten v. Alb. Hägeli. (VIII, 104 S.) Straßburg 885. n. 2. —

141. Der neue Gutsherr. Lustspiel in 1 Akt. Nach dem Franz. frei bearb. v. F. A. Biermann. (31 S.) — 60

142. Frisch gewagt ist halb gewonnen. Dramatisches Lebensbild in 6 Aufzügen [ohne Frauenrolle] v. Jos. Becks. (31 S.) — 60

143 Der gemüthliche Hausdiener. Posse m. Gesang in 1 Aufzuge v. W. Kayser. (24 S.) — 60

144. Ländlich sittlich. Lustspiel in 3 Akten v. Jos. Becks. (16 S.) — 60

145. Die Ritter v. Rabenstein u. Falkenhorst. Ritterschauspiel m. Gesang in 5 Aufzügen v. Wilh. Kayser. (76 S.) — 90

146. Ueber den Löffel barbiert. Jägerschwank in 3 Aufzügen v. R. Beuerarius. (14 S.) — 50

147. „Mir nichts, Dir nichts." Lustspiel in 4 Akten v. Jos. Becks. (24 S.) — 50

148. Dünnbein u. Knickebein od. die verhängnißvolle Katze. Posse in 1 Aufzuge v. Wilh. Kayser. (19 S.) — 50

149. 5 Tage strengen Arrest. Lustspiel in 1 Akte nach e. Humoreske v. Ph. Laicus. Für die Bühne bearb. v. J. Boventer. (32 S.) — 50

150. Der verstoßene Vater od. die Grafen v. Kickeritz. Lebensbild in 1 Aufzuge v. Wilh. Kayser. (24 S.) — 50

Theater, neues Wiener. Nr. 112—122. 8. Wien 883—86. Künast. n. 14. —

112. Der erste Brief. Orig.-Lustspiel in 1 Act v. Ferd. Groß. (25 S.) n. 1. 20

113. Krieg m. Marokko. Lustspiel in 1 Aufzuge. Von Ed. J. Andor. (33 S.) n. 1. 20

114. Die Burgruine. Lustspiel in 1 Aufzuge v. Carl Caro. (30 S.) n. 1. 20

115. Ein Concipient. Lustspiel in 1 Act v. Wilh. Herbst. (21 S.) n. 1. 20

116. Meister Pathelin, altfranzösischer Schwank in 3 Aufzügen. Uebers. u. f. die deutsche Bühne bearb. v. Albr. Graf. Wickenburg. (72 S.) n. 2. —

117. Ein lieber Mensch. Lustspiel in 1 Acte v. S. Fritz. (48 S.) n. 1. 20

118. Meister Potier. Lustspiel in 1 Aufzuge v. R. Tyrolt u. M. Loebel. (28 S.) n. 1. 20

119. Eine Ballcharade. Lustspiel in 1 Aufzuge v. J. Schütz. (17 S.) n. 1. 20

120. In der Höhle d. Löwen. Lustspiel in 1 Act v. Jul. Freund. (20 S.) n. 1. 20

121. Von 3 bis 4. Schwank in 1 Aufzuge v. Tihamér Almási. Deutsch v. Alex. Rosen. (42 S.) n. 1. 20

122. Zimmer Nr. 18. Schwank in 1 Akt von Paul v. Schönthan. (24 S.) n. 1. 20

Theater-Album, militärisches. Nr. 1. 4. 6—8. 10—24. 26—30. gr. 8. Landsberg a/W. 883—86. Volger & Klein. à n. 1. —

1. Das Bild des Kaisers. Dramolet in 1 Akt v. Fritz Volger. 2. Aufl. (20 S.)

4. Im Lager vor Metz od. e. Kurmärker v. 1870. Militärischer Schwank m. Gesang in 1 Akt v. Fritz Volger. Musik v. C. Heyer jun. 2. Aufl. (17 S.)

6. Preußische Farben. Militärischer Schwank in 1 Akt v. Fritz Volger. 2. Aufl. (14 S.)

7. Eine gemischte Ehe od. Infanterie u. Kavallerie. Militärischer Schwank m. Gesang in 1 Akt [m. freier Benutzg. e. Winterfeld'schen Humoreske] v. Fritz Volger. 2. Aufl. (14 S.)

8. Zu Befehl Herr Hauptmann! oder: die Ordre ist Schnarchen. Schwank in 1 Akt v. Fritz Volger. 2. Aufl. (15 S.)

10. Jochen Päsel od. zu Befehl, Herr Lieutenant! Militärischer Schwank in 1 Akt v. Fritz Volger. (13 S.)

11. Grüner Jäger. Schwank in 1 Akt v. Fritz Volger. (15 S.)

12. Im Rock d. Königs. Schwank m. Gesang in 1 Akt v. Fritz Volger. Musik vom Kapellmstr. Fritz Richter. (13 S.)

13. Königin Luise od. der Genius Preußens. Dramatisches Bild in 1 Akt v. Fritz Volger. 2. Aufl. (12 S.)

14. Vater Blücher. Genrebild in 1 Akt v. Fritz Volger. (13 S.)

15. Der Trompeter v. Schöneberg. Schwank in 1 Akt v. Geo. Volger. (14 S.)

16. Schlafrock u. Uniform. Schwank in 1 Akt, nach

e. älteren Stoffe als Herren-Specialität eingerichtet v. B. Behrens. (16 S.)
17. Vor Paris nichts Neues od. Kutschke's Memoiren. Schwank m. Gesang in 1 Akt v. Fritz Bolger. (16 S.)
18. „Unser Fritz." Schwank in 1 Akt v. Geo. Bolger. (12 S.)
19. Ein Küchendragoner od. Köck u. Guste. Schwank in 1 Akt nach e. älteren Stoffe von C. v. Fels. (16 S.)
20. O, welche Lust Soldat zu sein! Militärische Posse m. Gesang in 1 Akt von Rob. v. Gerland. Musik v. C. Heyer. (15 S.)
21. Ein lustiger Krieg. Schwank m. Gesang in 1 Akt v. Fritz Bolger. (16 S.)
22. Hurrah vier Könige! od. e. alter Veteran. Charakterbild in 1 Akt. Nach e. älteren Stoffe neu f. die Bühne bearb. v. Heinr. Schmidt. (18 S.)
23. Was sich die Kantine erzählt. Militärischer Schwank in 1 Akt v. Fritz Bolger. (20 S.)
24. Kutschke in Afrika. Schwank m. Gesang in 1 Akt v. Emil Hildebrand. Musik v. Carl Heyer. (18 S.)
26. Vom Fels zum Meer. Patriotisches Festspiel in 1 Aufzuge v. Adf. Bolger. (15 S.)
27. Einquartiert. Schwank in 1 Akt v. Fritz Bolger. (17 S.)
28. Die Aushebung od. drei Helden. Posse m. Gesang in 1 Akt von K. v. Thale. (18 S.)
29. Ein Stündchen beim alten Dessauer. Historisches Genrebild [m. Benutzg. e. älteren Stoffes] in 1 Akt v. Fritz Bolger. (16 S.)
30. Ein Düppler od. im Casino. Posse in 1 Akt v. Geo. Bolger. (15 S.)

Theater-Bibliothek f. die Jugend. 9—12. Hft. 12. Hermannstadt 884. Schmiedicke. n. 1. 50
9—11. Ob der Zweck die Mittel heiligt. Drama in 4 Aufzügen von Emma v. Kreybig. (109 S.) n. 1. —
12. Thue Rechtes nur m. Rechtem. Lustspiel in 1 Akte von Emma v. Kreybig. (42 S.) n. — 50
— für Seminarien u. Gesellenvereine. Nr. 1—12. 8. Regensburg 883. (Amberg, Habbel.) n. 20. —
1. Aus Händels Jugend. Lustspiel in 1 Akt v. Ferd. Bonn. (22 S.) n. — 40
2. „Der Tilly kommt". Schwank in 3 Aufzügen v. Ferd. Bonn. (56 S.) n. — 50
3. Wenn er nicht närrisch ist, so wird er's. Spaß in 1 Akt. (34 S.) n. — 50
4. Ein paar Stunden die Wahrheit. Schauspiel in 1 Akte. (27 S.) n. — 40
5. Das liederliche Kleeblatt. Umarbeitg. d. Restroy'schen „Lumpazivagabundus", m. Auslassg. der weibl. Rollen. Posse m. Gesang in 5 Aufzügen. Mit Partitur v. Adf. Müller in gr. 4. (51 u. Partitur 20 S.) n. 2. 40
6. Der Stern v. Bethlehem. Ein Weihnachtsspiel, m. Zugrundelegg. d. „Krippenspieles" v. Bocci bearb. v. Jos. Schwabl. Musik vom † Domkapellmstr. Rampis. Mit Partitur in gr. 4. (41 u. Partitur 21 S.) n. 2. 40
7. Joseph u. seine Brüder. Biblisches Drama in 3 Akten m. Gesang. Nach der gleichnam. Oper v. Mehul gedichtet v. Jos. Schwabl. Mit Partitur in gr. 4. (49 u. Partitur 22 S.) n. 2. —
8. Der Verschwender. Lebensbild m. Gesang in 3 Akten [5 Aufzügen]. Nach dem gleichnam. Raimund'schen Drama m. Auslassg. der Frauenrollen bearb. Mit Partitur in gr. 4. (63 u. Partitur 24 S.) n. 2. 40
9. Der Diamant d. Geisterkönigs. Zauberdrama in 4 Aufzügen. [Nach Raimund.] Mit Partitur in gr. 4. (32 u. Partitur 7 S.) n. 1. 20
10. Schattenspiel. Drama m. Musik. 4. Mit Partitur in gr. 4. (16 u. Partitur 10 S.) n. 1. 40
11. Catilina. Historisches Schauer-Drama m. Gesang u. Tanz in 4 Aufzügen v. Ant. Goß. Mit Partitur in Lex.-8. (31 u. Partitur 35 S.) n. 2. 40
12. Die Griechen v. Troja. Historisches Gemälde nach den neuesten Ausgrabgn. Komische Operette f. 6 Männerstimmen v. A. Goß. Mit Partitur in gr. 4. (48 u. Partitur 79 S.) n. 4. —

Theater- u. Concert-Blatt, Züricher. 5. Jahrg. 1885. 365 Nrn. (¹/₄ B.) hoch 4. Zürich, Schmidt. n. 8. —

Theater-Diener, neuer. Organ f. Kunst- und Theater-Interessen. Red.: Th. Entsch. 25. u. 26. Jahrg. 1883 u 1884. à 52 Nrn. (B.) Fol. Berlin, E. Mecklenburg, Journal-Ausg. à Jahrg. n.n. 18. —

Theater-Journal, Münchener, f. dramatische u. bildende Kunst, Literatur, Musik, Geselligkeit u. f. die Gesammt-Interessen der Bühnenwelt. Hrsg. u. Red.: A. Blume. 29—31. Jahrg. 1883—85. à 52 Nrn. (B.) Fol. München, (Franz' Verl.). à Jahrg. n.n. 10. 40

Theater-Lexikon, deutsches. Eine Encyklopädie alles Wissenswerthen der Schauspielkunst u. Bühnentechnik. Hrsg. v. Adf. Oppenheim u. Ernst Gettke unter Mitwirkg. hervorrag. Gelehrter u. Fachmänner. (In ca. 30 Hftn.) 1. Hft. gr. 8. (32 S.) Leipzig 886. Reißner. — 60

Theater-Mappe. Nr. 63—69. gr. 8. Berlin 883—85. Kühling & Güttner. à 2. —
63. Der listige Krieg. Posse in 1 Akt v. C. A. Paul. (20 S.)
64. Daniel in der Löwengrube. Orig.-Schwank in 1 Akt v. G. Láng. (16 S.)
65. Der kleine Moltke. Lustspiel in 1 Aufzuge [nach e. vorhandenen Stoffe] v. Edm. Braune. (25 S.)
66. Eine große Gesellschaft. Schwank in 1 Akt v. Felix Geber. (12 S.)
67. Der Dragoner. Lustspiel in 1 Aufzuge v. C. Karlweis. (20 S.)
68. Am Hochzeitsmorgen. Lustspiel in 1 Aufzuge v. Carl Laufs. (21 S.)
69. Vergißmeinnicht. Lustspiel in 1 Akt v. Edm. Braune. (26 S.)

Theater-Repertoir, Wiener. 6., 32., 366—369., 375—381. u. 383. Lfg. gr. 8. Wien 883—86. Künast. n. 19. 90
6. Der Pelzpalatin u. der Kachelofen od. der Jahrmarkt zu Rautenbrunn. Posse m. Gesang in 3 Aufzügen v. Frdr. Hopp. Musik v. Kapellmstr. Hebenstreit. 2. Aufl. (49 S.) n. 1. 40
32. Eulenspiegel od. Schabernack üb. Schabernack. Posse m. Gesang in 4 Acten v. Joh. Restroy. Musik v. Kapellmstr. Adph. Müller. 4. Aufl. (86 S.) n. 2. —
366. Lord Beeffteak. Schwank in 1 Aufzug v. Al. Pick. (10 S.) n. 1. 20
367. Verdächtige Gäste. Schwank in 1 Aufzug v. Jul. Meixner u. J. Marion. (16 S.) n. 1. 20
368. Die Welt, in der man sich langweilt. Lustspiel in 3 Akten v. E. Pailleron. (48 S.) n. 2. 50
369. Mein Naserl. Burleske m. Gesang in 1 Act v. J. L. Weber. (14 S.) n. 1. 20
375. Eine Taschenspieler-Vorstellung in Krähwinkel. — Ritter Toggenburg, od. Liebe, Haß, Rache, Reue, Romantik, Selbstmord u. moral. Bewußtsein. (14 S.)
376. Konversation zwischen e. Stotternden, e. Schwerhörenden u. e. Schnofelnden üb. die deutsche u. italienische Oper. — Das Solo-Lustspiel. Von M. Saphir. — Der Schauspiel-Director. Eine dramat. Scene v. Frdr. Saß. (12 S.) n. 1. 20
377. Der erste April. Lustspiel in 1 Acte nach dem Franz. d. Quatrelles übers. v. Louis Gauthier. (17 S.) n. 1. 20
378. Ein Aprilscherz. Lustspiel in 1 Act v. Carl Albert. (22 S.) n. 1. 60
379. Die kleine Gräfin. Lustspiel in 1 Akt. v. Jos. Philippi. (20 S.) n. 1. 20
380. Fräulein Shylock. Lustspiel in 2 Acten v. Carl Albert. (31 S.) n. 1. 60
381. Vollblut. Schwank in 2 Acten nach dem Franz. v. Aug. Fresenius. (22 S.) n. 1. 20
383. System in der Liebe. Orig.-Lustspiel in 1 Act v. Jos. Grönland. (23 S.) n. 1. 20

Theatre, English. Mit Anmerkgn. u. Wörterverzeichnis. Nr. 1, 2, 4, 6, 9—15. 16. Berlin 883—86. Friedberg & Mode. à n. — 50; cart. à — 60
1. Money. A comedy in 5 acts. By E. L. Bulwer. 4. ed. (128 S.)
2. Patrician and Parvenu or confussion worse confounded. A comedy in 5 acts. By John Poole. (108 S.)
4. An unequal match. A comedy in 3 acts. By Tom Taylor. (131 S.)
6. Retired from business. A comedy in 3 acts by Douglas Jerrold. (111 S.)
9. Bubbles of the day. A comedy in 5 acts. By Douglas Jerrold. (126 S.)
10. The contested election. A comedy in 3 acts by Tom Taylor. (116 S.)
11. The school for scandal. A comedy in 5 acts by Rich. Brinsley Sheridan. Ed. by A. W. Kastan. (112 u. Wörterverzeichnis 11 S.)
12. Society. A comedy in 3 acts by T. W. Robertson. Ed. by A. W. Kastan. (90 u. Wörterbuch 8 S.)
13. She stoops to conquer, or, the mistakes of a night. A comedy in 5 acts by Oliver Goldsmith. Erläutert u. m. e. Wörterverzeichnis versehen v. A. Matthias. (109 u. 8 S.)
14. The Lady of Lyons or love and pride. A play in 5 acts by E. L. Bulwer. Mit Anmerkgn. u. Wörterbuch. Hrsg. v. C. Th. Lion. (87 u. 16 S.)
15. Married in haste. An original comedy in 4 acts, by Henry J. Byron. Mit Anmerkgn. u. Wörterverzeichnis hrsg. v. C. Th. Lion. Copyright ed. for the Continent. (97 u. 24 S.)

— français. Avec notes et vocabulaires. Nr. 1—6, 9, 11, 12, 14, 16, 18—20, 24, 25, 27, 39, 52, 53, 58, 67, 71, 74, 77, 81, 113 et 115. 16. Ebend. 883—86. à — 30; cart. à — 40
1. Le verre d'eau ou les effets et les causes. Comédie en 5 actes et en prose par Scribe. 17. éd. (108 u. 7 S.)
2. Le Tartuffe. Comédie en 5 actes par Molière. 7. éd. (128 S.)
3. L'avare. Comédie en 5 actes par J. B. Poquelin de Molière. 12. éd. (99 S.)
4. Athalie. Tragédie en 5 actes par J. Racine. 9. éd. (83 S.)
5. Les contes de la Reine de Navarre ou la revanche de Pavie. Comédie en 5 actes par Scribe et Legouvé. 8. éd. (144 S.)
6. L'abbé de l'Épée. Comédie historique en 5 actes par M. J. N. Bouilly. 4. éd. (88 S.)
9. Phèdre. Tragédie en 5 actes et en vers. Par J. Racine. 5. éd. (76 S.)
11. Bataille des dames ou un duel en amour. Comédie en 3 actes par Scribe et Legouvé. 6. éd. (99 S.)
12. Iphigénie. Tragédie en 5 actes et en vers par J. Racine. 5. éd. (80 S.)
14. Mademoiselle de la Seiglière. Comédie en 4 actes par Jules Sandeau. 7. éd. (125 S.)
16. Horace. Tragédie en 5 actes et en vers par Corneille. 5. éd. (89 S.)
18. Le Diplomate. Comédie-vaudeville en 2 actes par Scribe et Delavigne. 4. éd. (65 S.)
19. Les doigts de fée. Comédie en 5 actes par Scribe et Legouvé. 7. éd. (136 S.)
20. Les enfants d'Édouard. Tragédie en 3 actes et en vers par Casimir Delavigne. 4. éd. (133 S.)
24. Esther. Tragédie en 3 actes et en vers par Racine. 6. éd. (64 S.)
25. Le Cid. Tragédie en 5 actes et en vers par P. Corneille. 9. éd. (99 S.)
27. La joie fait peur. Comédie en 1 acte et en prose. Par Mme. Emile de Girardin. 4. éd. (58 S.)
39. Le bourgeois gentilhomme. Comédie-Ballet en 5 actes par Molière. 7. éd. (116 S.)
52. Hernani ou l'honneur castillan. Drama en 5 actes et en vers par Victor Hugo. 5. éd. (143 S.)
53. La passion secrète. Comédie en 3 actes par Scribe. 2. éd. (95 S.)
58. Le gendre de M. Poirier. Comédie en 4 actes par E. Augier et J. Sandeau. 4. éd. (95 S.)
67. Polyeucte. Tragédie en 5 actes et en vers par P. Corneille. 8. éd. (93 S.)
71. Andromaque. Tragédie en 5 actes et en vers par Racine. 3. éd. (77 S.)
74. L'école des femmes. Comédie en vers et en 5 actes par Molière. 2. éd. (105 S.)
77. Mademoiselle de Belle-Isle. Drame en 5 actes par Alexandre Dumas. 2. éd. (101 S.)
81. Molière. Drame en 5 actes par Georges Sand. 2. éd. (139 S.)
113. Le gant et l'éventail. Comédie mêlée de chant, en 3 actes par Bayard et Sauvage. (95 S.)
115. Le roman d'un jeune homme pauvre. Comédie en 5 actes et 7 tableaux. Par Octave Feuillet. Éd. par A. W. Kastan. (122 S.)

Théatre, français, publié par C. Schütz. 1. série. 3. 6. 7. et 10. livr., 2. série 7. livr., 3. série 12. livr., 4. série 12. livr., 7. série 5. livr., 9. série 3. livr., 10. série 7. livr., 12. série 1. livr., 13. série 4. livr., 14. série 1. livr., 15. série 5. livr., 16. série 8. livr., 17. série 5. livr., 18. série 5. livr. et 19. série 2. livr. Nouvelle éd. 16. Bielefeld 883. 84. Velhagen & Klasing. n. 9. 10
I. 3. Le mariage d'argent par Eug. Scribe. Annotée par E. Grube. (127 u. Wörterverzeichnis 15 S.) — 50
6. Les deux Philibert. Comédie en 3 actes. Par L. B. Picard. Revue et annotée par E. Schmid. (110 u. Wörterverzeichnis 25 S.) — 50
7. L'Avare. Comédie en 5 actes par Molière. Revue et annotée par E. Friese. (131 S.) — 50; Wörterbuch (18 S.) — 15
10. Avant, pendant et après. Esquisses historiques par Scribe et de Rougemont. Annotée par G. Opitz. (111 u. Wörterverzeichnis 31 S.) — 50
II. 7. La jeune femme colère. Par C. G. Étienne. Revue et annotée par W. Begemann. (53 u. Wörterverzeichnis 16 S.) — 40
III. 12. Le gamin de Paris. Par Bayard et E. Vanderburgh. Revue et annotée par Chr. Rauch. (104 u. Wörterverzeichnis 35 S.) — 50
IV. 12. Les demoiselles di Saint-Cyr par Alex. Dumas. Revue et annotée par Chr. Rauch. (156 S.) — 60
VII. 5. Lucrèce. Tragédie en 5 actes, en vers, par Franc. Ponsard. Annotée par Wilh. Scheffler. (132 u. Wörterverzeichnis 40 S) — 50
IX. 3. Louis XI. Tragédie en 5 actes par Casimir Delavigne. Annotée par Alb. Benecke. (247 S.) — 60
X. 7. Le bourgeois gentilhomme. Par Molière. Revue et annotée par Fischer. (144 S.) — 60; Wörterbuch (18 S.) — 15
XII. 1. Les contes de la reine de Navarre ou la revanche de Pavie. Comédie en 5 actes. Par E. Scribe et R. Legouvé. Annotée par Chrn. Rauch. (183 u. Wörterverzeichnis 16 S.) — 50
XIII. 4. Les robes blanches par Léon Gozlan. Annotée par Alb. Benecke. (69 S.) — 50; Wörterbuch (18 S.) — 15
XIV. 1. L'honneur et l'argent par F. Ponsard. Annotée par Ch. Bandow. (176 u. Wörterverzeichnis 13 S.) — 50
XV. 5. Les femmes savantes par Molière. Revue et annotée par F. Fischer. (147 u. Wörterverzeichnis 20 S.) — 50

XVI. 8. Les doigts de fée. Comédie en 5 actes par E. Scribe et E. Legouvé. Annotée par S. Waetzoldt et Alb. Benecke. (163 u. Wörterverzeichnis 18 S.) — 50
XVII. 5. Les précieuses ridicules. Comédie [1659] par Molière. Annotée par Guill. Scheffler. (83 S.) — 50; Wörterbuch (25 S.) — 15
XVIII. 5. Athalie. Tragédie tirée de l'écriture sainte 1691. Par J. Racine. Revue et annotée par Alb. Benecke. (135 u. Wörterverzeichnis 23 S.) — 50
XIX. 2. Les premières amours par Eug. Scribe. Revue et annotée par W. Begemann. (55 u. Wörterverzeichnis 16 S.) — 40

Théatre, français. 2. Folge. 2. Lfg., 3. Folge 8. Lfg., 8. Folge 2. Lfg. u. 19. Folge 2. Lfg. 12. Bielefeld 885. 86. Velhagen & Klasing. cart. 2. 20
II. 2. Le verre d'eau ou les effets et les causes par E. Scribe. Mit Anmerkgn. zum Schulgebrauch hrsg. v. Chr. Rauch. (144 S.) — 60
III. 3. Les fourberies de Scapin. Comédie en 3 actes par Molière. Mit Anmerkgn. hrsg. v. Wilh. Scheffler. (103 S.) — 50
VIII. 2. L'école des femmes. Comédie en cinq actes par Molière. Mit Anmerkgn. Hrsg. v. Wilh. Scheffler. Ausg. A. Mit Anmerkgn. unter dem Text. (153 S.) — 60; Ausg. B. Mit Anmerkgn. in e. Anh. (124 u. 34 S.) — 60
XIX. 2. Le Congé. Petit drame en un acte par Arnaud Berquin. Mit Anmerkgn. zum Schulgebrauch hrsg. v. Th. Weischer. (40 S.) — 50

Theden, Dietr., für's Kind. Geschichten. Mit e. Farbendr.-Bilde v. Bernh. Mörlins. 8. (116 S.) Leipzig 884. E. Twietmeyer. geb. n. 3. —

Theel, F. W., Hand-Fibel f. den Lese- u. Schreib-Unterricht. 2. Tl. als Vorstufe zum Lesebuche. 20. Aufl. 8. (IV, 84 S.) Berlin 885. Wohlgemuth. n. — 40
— dasselbe. Ausg. A. 333. Aufl. [Ster.-Ausg.] 8. (40 S. m. Illustr.) Ebend. 885. n. — 20
— dasselbe. Ausg. B. 1. Abtlg. 60. Aufl. 8. (54 S. m. Illustr.) Ebend. 885. n. — 30

Theele, Wilh. Bernh., die Stadt Alfeld u. deren nächste Umgebung, urkundlich beschrieben. 8. (XI, 114 S.) Hildesheim 886. Borgmeyer. n. 1. —
— s.: Urkunden zur Geschichte der Nikolai-Kirche zu Alfeld.

Thegan, Lebensbeschreibung Ludwigs d. Fr., s.: Universal-Bibliothek.

Theile, F., die Eiszeit, m. besond. Beziehg. auf die Gegend v. Dresden, die Oltersteine u. andere erratische Blöcke der Dresdner Heide u. die geschliffenen Geschiebe. [Dreikantner]. Mit Abbildgn. 8. (85 S.) Dresden 886. Warnatz & Lehmann. n. 1. 50
— geschliffene Geschiebe [Dreikantner], ihre Normaltypen u. ihre Entstehung. 8. (37 S.) Ebend. 886. n. 1. —

Theile, Frdr. Wilh., Gewichtsbestimmungen zur Entwickelung d. Muskelsystems u. d. Skelettes beim Menschen. Durch e. biograph. Notiz eingeleitet v. W. His. gr. 4. (339 S.) Halle 884. (Leipzig, Engelmann.) n. 20. —

Theis, Alfr., die Katastrophe u. das frühe Ende Ludwigs II., Königs v. Bayern. 8. (32 S.) Düsseldorf 886. F. Bagel. — 30

Theisz, Jules, petite histoire de la littérature française depuis son origine jusqu'à nos jours redigé d'après les ouvrages de Demogeot, Géruzez, Sainte-Beuve etc. 2. éd. gr. 8. (72 S.) Löcse (Leutschau) 882. (Leipzig, Siegismund & Volkening.) n. — 60

Thelemann, Otto, Calvin's Leben. 12. (157 S. m. lith. Portr.) Cleveland, O. 884. (Philadelphia, Schaefer & Koradi.) geb. 1. 50

Themar, H., Prärie u. Niagarafall, } s.: Volks-Erzählungen, kleine.
— der Reiter ohne Kopf, }

Themistii quae fertur in Aristotelis Analyticorum priorum librum I paraphrasis, s.: Commentaria in Aristotelem graeca.

Thémistor, J., s.: L'Instruction et l'éducation du clergé.

Then, Frz., Katalog der österreichischen Cicadinen. Lex.-8. (59 S.) Wien 886. Hölder. n. 1. 60

Thenen, J., der Sohn der Schrift. Die Wunderthäter v. Kotzk u. Plotzk. Zwei Novellen. 12. (104 S.) Wien 883. Rosner. n. 1. 60

Thenius, Geo., die Meiler- u. Retorten-Verkohlung. Die lieg. u. steh. Meiler. Die gemauerten Holzverkohlungs-Oefen u. die Retorten-Verkohlg. Ueber Kiefer-, Kien- u. Buchenholztheer-Erzeugg., sowie Birkentheer-Gewinng. Die technisch-chem. Verarbeitg. der Nebenproducte der Holzverkohlg., wie Holzessig, Holzgeist u. Holztheer. Die Rothsalz-Fabrikation, das schwarze u. graue Rothsalz. Die Holzgeist-Erzeugg. u. die Verarbeitg. d. Holztheeres auf leichte u. schwere Holztheeröle, sowie die Erzeugg. d. Holztheer-Paraffins u. Verwerthg. d. Holztheerpeches. Nebst e. Anh.: Ueber die Rußfabrikation aus harzigen Hölzern, Harzen, harzigen Abfällen u. Holztheerölen. Mit 80 Abbildgn. 8. (XIX, 302 S.) Wien 885. Hartleben. n. 4. 50

Theobald, Max, die Gesetze üb. das Grundbuchwesen im Bezirk d. vormaligen Appellationsgerichts zu Kassel m. Ausschluß d. Amtsgerichtsbezirks v. Vöhl m. Anmerkgn. zum prakt. Gebrauch. 8. (VII, 172 S.) Kassel 885. Wigand. geb. n. 4. —

Theodoroff, J., historische u. experimentelle Studien üb. den Kephir. gr. 8. (28 S.) Würzburg 886. Stahel. n. 1. 20

Theodulfi episcopi Aurelianensis de iudicibus versus ab Herm. Hagen recogniti. gr. 4. (XIII, 31 S.) Bern 882. (Dalp.) n. 1. 20

Theokritos, Bion u. **Moschos.** Deutsch im Versmaße der Urschrift v. Ed. Mörike u. Frdr. Notter. 5. u. 6. Lfg. 2. Aufl. 8. (S. 177—271.) Berlin 885. 86. Langenscheidt. à n. — 35

Theophanis chronographia, rec. Carolus de Boor. 2 voll. Opus ab academia regia bavarica praemio zographico ornatum. gr. 8. Leipzig, Teubner. n. 50. —
1. Textum graecum continens. (VIII, 5J3 S.) 883. n. 20. —
2. Theophanis vitas, Anastasii bibliothecarii historiam tripertitam, dissertationem de codicibus operis Theophanei, indices continens. (788 S.) 885. n. 30. —

Theopold, üb. das Hebammenwesen im Fürstenth. Lippe. Ein Beitrag zur Reform. Inauguraldissertation zur Erneuerg. d. Diploms. gr. 8. (30 S.) Detmold 885. Hinrichs. n. — 80

Theorie d. Schießens. Verwendung d. Gewehrs. Entfernungs-Schätzen. Die verschiedenen Feuer-Arten. Zur Benutzg. f. die Instruction der Unteroffiziere u. älteren Soldaten der Infanterie. Von M. A. 12. (16 S.) Rathenow 886. Babenzien. n. — 20
— u. **Praxis.** Modenzeitung u. Organ F. A. Mayer's höherer Lehranstalt f. Herrenschneider. Hrsg.: F. A. Mayer. 1—3. Jahrg. 1884—1886. à 12 Nrn. (1/2 B. m. Schnittbeilagen u. Modekpfrn.) gr. 4. Dresden, (Weise). à Jahrg. n.n. 13. —

Therese, Prinzessin v. Bayern, s.: Reiseeindrücke u. Skizzen aus Rußland.

Therianos, Dionys., philologische Aufzeichnungen. (Griechisch.) 8. (V, 387 S.) Triest 885. Schimpff. n. 5. —

Thesen, 7, zu dem Dr. Gobat'schen Programm der Revision d. Unterrichtsplanes f. Progymnasien u. Gymnasien d. Kantons Bern. Bone. Schulmann. 8. (14 S.) Bern 886. (Nydegger & Baumgart.) n. — 16
— die Haiber u. Salzburger, üb. die Handwerkerfrage, Arbeiterfrage u. Agrarfrage. Ein nachträgl. Commentar v. e. deutschen Mitgliede d. Comités kathol. Socialpolitiker. gr. 8. (68 S.) Frankfurt a/M. 884. Foesser Nachf. n. 1. 20
— 95, zum gegenwärtigen Stand der religiösen Dinge in Deutschland. gr. 8. (38 S.) Berlin 883. C. Duncker. n. — 60
— u. **Antithesen,** zweimal 95, Dr. Martin Luther betr. Epilog zum Lutherjubiläum. Angeschlagen an das schwarze Brett der Universitäten zu Berlin, Bonn, Breslau ꝛc. Von e. protestant. Theologen, Verf. der Broschüre: „Die Berechtigung der Reformation". gr. 8. (59 S.) Frankfurt a/M. 883. Foesser Nachf. n. 1. —

Thoma, Rich., das Problem der Entzündung. Festrede. gr. 4. (19 S.) Dorpat 886. Schnakenburg. 2. —

— über einige senile Veränderungen d. menschlichen Körpers u. ihre Beziehungen zur Schrumpfniere u. Herzhypertrophie. Antrittsvorlesung. gr. 8. (28 S.) Leipzig 884. F. C. W. Vogel. n. 1. —

Thomas, d. alten Schäfer, Prophezeiung auf die J. 1884/5. gr. 8. (16 S.) Leipzig 883. Milde. — 10

Thomae Aquinatis, sancti, doctoris ecclesiae, opera omnia, jussu impensaque Leonis XIII. P. M. edita. Tom. II et III. (Ausg. III.) Imp.-4. Romae. (Freiburg i/Br., Herder.) n.n. 30. 40; Ausg. I, Fol., feines Handpap. n.n. 45. 60; Ausg. II. Imp.-4., Handpap. n.n. 33. 60 (I—III. Ausg. I.: n.n. 85. 60; Ausg. II. n.n. 61. 60; Ausg. III. n.n. 54. 40)

II. Commentaria in octo libros physicorum Aristotelis ad codices manuscriptos exacta, cura et studio fratrum ordinis praedicatorum. (XX, 480 S.) 884. n.n. 12. 80; Ausg. I. Fol., feines Handpap. n.n. 20. —; Ausg. II. Imp.-4. Handpap. n.n. 14. 40

III. (XL, 618 S.) 886. n.n. 17. 60; Ausg. I., Fol., feines Handpap. n.n. 25. 60; Ausg. II., Imp.-4., Handpap. n n. 19. 20

— goldene Kette, od. fortlauf., ganz aus den Stellen der Kirchenväter u. Kirchenschriftsteller besteh. u. kunstvoll verbundene Auslegg. der vier Evangelien. Aus dem Lat. v. Joh. Nep. Dischinger. Mit e. Vorrede v. Fr. X. Reithmayr. 6. u. 7. (Schluß-)Bd. Evangelium nach Johannes. 2. Aufl. gr. 8. (333 u. 320 S.) Regensburg 888. Verlags-Anstalt. à 3. 75

— quaestiones disputatae, accedit liber de ente et essentia. Cum commentariis r. d. p. Thomae de Vio Cajetani cardinalis. Ed. novissima. Ad fidem optimarum editionum diligenter recognita et exacta commendataque a S. S. Leone PP. XIII. 4 voll. gr. 8. (XXXIX, 724; 784, 701 u. 574 S.) Luxemburg 885. Brück. n. 19. 20

— summa theologica. Diligenter emendata, Nicolai, Sylvii, Billuart, et C.-J. Drioux notis ornata. 8 voll. Ed. XIII. gr. 8. (XVIII, 578; 635, 608; XXIII, 660; 659; XXVI, 639; 735 u. 658 S.) Regensburg 884. Coppenrath. n.n. 20. —

— de veritate catholicae fidei contra gentiles libri IV. Ed. II. Ad fidem optimarum accuratissime expressa. gr. 8. (XXIX, 654 S.) Ebend. 884. n.n. 5. —

— die katholische Wahrheit od. die theologische Summa, deutsch wiedergegeben v. Ceslaus Maria Schneider. 1. u. 2. Bd. gr. 8. Regensburg 886. Verlags-Anstalt. n. 7. 80

1. Erster Hauptteil. über Gott u. seine Werke in der Natur. 1. Abhandlg. Der einige Gott u. seine Vollkommenheiten. (434 S.) n. 5. —
2. Dasselbe. 2. Abhandlg. Die heil. Dreieinigkeit. (222 S.) 2. 80

Thomas a Kempis, de imitatione Christi libri IV. Ad optimarum editionum fidem accurate editi. Ed. ster. 16. (XI, 243 S.) Leipzig 884. Bredt. 1. —

— vier Bücher v. der Nachfolge Christi. Aus der lateinischen Urschrift auf's Neue übers. u. m. Lebensbeschreibg. nebst Bildnis d. sel. Thomas u. m. 4 weiteren Kpfrn. versehen. 2. Aufl. 16. (LXXXII, 366 S.) Ducherow 884. (Leipzig, Buchh. d. Vereinshauses.) geb. n. — 80

— dasselbe. Aus der latein. Urschrift übers. v. e. Geistlichen der Erzdiöcese Köln. Mit Vorwort v. W. Smets. Nebst e. Anh. v. Morgen-, Abend-, Meß-, Beicht- u. Kommunion-Gebeten, sowie Kreuzwegbetrachtgn. 16. Aufl. Mit e. Farbendr.-Titel u. 4 Stahlst. 32. (VIII, 472 S.) Reutlingen 884. Fleischhauer & Spohn. geb. in Leinw. 1. 35; in Ldr. n. 2. —

— dasselbe. Im J. 1617 aus dem Lat. v. Joh. Arnd. Neue Ster.-Ausg. 16. (300 S.) Stuttgart 884. J. F. Steinkopf. geb. m. Goldschn. n. 1. 50

— dasselbe, f. evangel. Christen bearb. u. m. noch zwei kleinen Schriften desselben Verf., so wie m. Buß-, Beicht- u. Abendmahlsliedern als doppeltem Anh. versehen von Frz. Jul. Bernhard. 11. Ster.-Aufl. 8. (XXII, 288 S. m. Titel in Stahlst. u. 1 Stahlst.) Leipzig 886. Teubner. 1. 20; geb. 1. 80; m. Goldschn. 3. —

— dasselbe. Neu hrsg. m. Zugrundelegg. der Gossnerschen Uebersetzg. v. W. Ebert. Mit Orig.-Zeichngn. v. Carl Merkel. 3. Aufl. gr. 4. (VI, 276 S.) Frankfurt a/M. 883. Drescher's Verl. geb. in Leinw. m. Goldschn. 12. —; in Ldr. 15. —

Thomas v. Kempis, vier Bücher v. d. Nachfolge Christi. [Görres' Uebersetzg.] Mit Orig.-Zeichngn. von Jos. Ritter v. Führich. In Holzschn. ausgeführt v. K. Oertel. Volks-Ausg. gr. 4. (VII, 288 S.) Leipzig 884. A. Dürr. n. 9. —; geb. n.n. 12. 50; Pracht-Ausg. n. 20. —; geb. in Leinw. m. Goldschn. n. 26. —; in Ldr. n. 34. —

— dasselbe. Nach der rev. übersetzg. v. Guido Görres. Mit e. Anh. v. Gebeten u. e. prakt. Register. Ausg. A. 16. (468 S.) Paderborn 883. Bonifacius-Druckerei. n. — 40; Ausg. B. 12. (822 S. m. 1 Stahlst.) 1. 20

— dasselbe. Ausg. in grobem Druck. 12. (498 S. m. 1 Stahlst.) Ebend. 884. 1. 20

— dasselbe. Nach der deutschen Uebersetzg. d. Guido Görres, in stenograph. Schrift autogr. v. Hieron. Grazmüller. 3. Aufl. 16. (XII, 212 S.) Lindau 886. Stettner. n. 1. 80; geb. n. 2. 40; m. Goldschn. n. 2. 80

— dasselbe, f. evangel. Christen bearb. u. m. Beicht- u. Communiongebeten versehen v. Aug. Ludw. Glob. Krehl. Mit Illustr. v. Alex. Straehuber, xylogr. v. E. Kretzschmar. 14. Aufl. 8. (XIV, 358 S.) Hildburghausen 885. Kesselring. n. 1. 20; geb. m. Goldschn. n. 2. 40

— daßelbe. Nach dem latein. Original neu bearb. v. Bernh. Leskker. Nebst e. Gebetbuch. Ausg. Nr. 1. 32. (478 S. m. farb. Titel u. 2 Chromolith.) Einsiedeln 886. Benziger & Co. — 55

— dasselbe. Feine Ausg. Nr. 5. 24. (478 S. m. Farbentitel u. 2 Stahlst.) Ebend. 886. 1. 30

— dasselbe. Aus dem Lat. übers. v. J. M. Sailer. Nebst e. Anh. v. Gebeten. 3. Aufl. 32. (452 S. m. 1 Stahlst.) Paderborn 888. F. Schöningh. n. — 40

— dasselbe, übers. v. Alb. Werfer, m. Orig.-Zeichngn. v. Karl Gehrts. (4 Bde.) hoch 4. (446 S.) Ulm 884—86. Ebner. 9. —

Thomas, A., Hilfsbuch f. den Unterricht in der deutschen Geschichte, } s.: Lohmeyer, K.
— dasselbe, in der brandenburgisch-preußischen Geschichte. } s.: Lohmeyer, K.

— Leitfaden f. den ersten Unterricht in der alten Geschichte. gr. 8. (VIII, 82 S.) Hannover 886. Meyer. n. — 80

— etymologisches Wörterbuch geographischer Namen, namentlich solcher aus dem Bereiche der Schulgeographie. gr. 8. (IV, 192 S.) Breslau 886. F. Hirt. n. 3. —

Thomas, A., s.: Versuche üb. die Verdaulichkeit der Weizenkleie etc.

Thomas, Ferd., kleine Beiträge zur Geschichte d. Volksschulwesens in Deutsch-Böhmen. 8. (57 S.) Böhm.-Leipa 884. Küstner. n. — 60

— Peter K. Rosegger, s.: Jugendbibliothek.

Thomas, Frz., kleiner Jugendfreund. Zur Unterhaltg. u. Belehrg. f. die deutsche Jugend. Mit vielen Illustr. gr. 8. (160 S.) Düsseldorf 886. F. Bagel. geb. 2. 50

Thomas, Frz., das Denkmal auf dem Niederwald. Festgabe zur Einweihg. d. deutschen Nationaldenkmals auf dem Niederwald am 28. Septbr. 1883. Mit zahlreichen Illustr. Lex.-8. (23 S.) Düsseldorf 883. F. Bagel. — 75

— Düsseldorf. Ein Führer durch die Stadt und ihre nächste Umgebg. Mit e. Plane der Stadt u. e. solchen d. Stadttheaters. 2. Aufl. 8. (24 S.) Ebend. 885. — 50

— der Nothstand auf der Eifel 1883. Mit mehreren (eingedr. Holzschn.-)Bildern aus den Eifelgegenden u. e. Karte d. Nothstandsbezirkes. Lex.-8. (14 S.) Ebend. 883. — 50

— Deutschlands Reichskanzler. 1815—1885. Das Leben u. Wirken d. Reichskanzlers Fürsten Bismarck. Zum 1. Apr. 1885 dem deutschen Volke gewidmet. Mit zahlreichen Illustr. Lex.-8. (48 S.) Ebend. 885. — 75

— die Rhein-Ueberschwemmungen. Zur Erinnerg. an die großen Ueberschwemmgn. d. Rheins u. seiner Nebenflüsse Ende Novbr. u. Decbr. 1882. Mit zahlreichen (eingedr.) Holzschn. nach Orig.-Zeichngn. hervorrag. Künstler. Fol. (12 S.) Ebend. 883. 1. —

Thomas, Frz., Kaiser Wilhelm I. Sein Leben u. Wirken, dem deutschen Volke erzählt. Mit vielen Illustr. gr. 8. (72 S.) Düsseldorf 886. F. Bagel. — 75

Thomas, Frz., Anwendung der doppelten Buchhaltung in 3 Beispielen: a) Bei e. Offiziers-Uniformirungs-Verwaltung. b) Bei e. Offiziers-Tafel- u. Consumartikel-Verwaltung. c) Bei Verwaltung d. Einkommens od. Privat-Vermögens e. einzelnen Person od. Familie. Populär verf. gr. 8. (204 S.) Brünn 885. (Winkler.) n. 5. —

Thomas, G., das königl. Ostseebad Cranz bei Königsberg in Pr. 2. durch Schubert vervollständ. Aufl. m. 7 durch J. Wentscher gefertigten Illustr. u. 2 Situationsplänen. gr. 8. (66 S.) Cranz 884. (Königsberg, Gräfe & Unzer.) n. 1. 60; geb. n. 2. —

Thomas, Geo. Mart., Handelsvertrag zwischen der Republik Venedig u. dem Königreich Granada vom J. 1400. Eingeleitet u. hrsg. gr. 4. (32 S.) München 885. (Franz' Verl.) n.n. — 90

Thomas-Badenweiler, H. J., üb. die Riviera u. das Klima v. Nervi, s.: Sonderabdrücke der Deutschen Medizinal-Zeitung.

Thomas, L., üb. das Klima v. Freiburg. Vortrag. gr. 8. (26 S.) Freiburg i/Br. 884. Kiepert. n. — 50

Thomas, Louis, Buch der denkwürdigsten Entdeckungen auf dem Gebiete der Länder u. Völkerkunde. In den späteren Auflagen bearb. v. der „Redaktion d. Buchs der Reisen". II. Entdeckungen u. geographisch bedeutsame Unternehmgn. nach Auffindg. der Neuen Welt bis zur Gegenwart. 6. Aufl. Mit üb. 100 Text-Illustr. u. e. bunten Titelbilde. gr. 8. (VIII, 256 S.) Leipzig 884. Spamer. n. 2. —; cart. n. 2. 50

— die denkwürdigsten Erfindungen bis zu Ende d. XVIII. Jahrh. Schilderungen f. die reifere Jugend. In Verbindg. m. F. Luckenbacher hrsg. 8. verm., umgearb. Aufl., durchgesehen u. verb. v. Th. Schwartze. Mit 185 Text-Illustr. u. e. bunten Titelbilde. gr. 8. (X, 254 S.) Ebend. 887. n. 2. —; cart. n. 2. 50

— biblische Geschichten, } s.: Berthelt, A.
— Lebensbilder, }

— s.: Muttersprache, die.

— Rechenschule, s.: Berthelt, A.

Thomas, R., die Sprachübungen in der österreichischen Bürgerschule, s.: Bruhns, A.

Thomaschewsky, Alb., statistische Notizen f. das Deutsche Reich 1883. Das Wichtigste der amtl. Erhebgn. im Deutschen Reiche, nach den neuesten Veröffentlichgn. zusammengestellt. 2. Jahrg. 16. (VI, 35 S.) Berlin 883. Springer. n. — 50

— dasselbe 1885—1886. 3. Jahrg. 16. (VI, 33 S.) Ebend. 885. n. — 50

Thomasius, G., Christi Person u. Werk. Darstellung der evangelisch-luther. Dogmatik vom Mittelpunkte der Christologie aus. 3. Aufl., nach d. Verf. Tode bearb. v. F. J. Winter. 1. Bd. Die Voraussetzgn. der Christologie u. die Person des Mittlers. gr. 8. (XII, 642 S.) Erlangen 886. Deichert. n. 9. —

— die christliche Dogmengeschichte, als Entwicklungsgeschichte d. kirchl. Lehrbegriffs dargestellt. 2. Aufl. Nach d. Verf. Tode hrsg. v. Bonwetsch u. Seeberg. 1. Bd. Die Dogmengeschichte der alten Kirche. Periode der Patristik. Hrsg. v. N. Bonwetsch. gr. 8. (XIV, 620 S.) Ebend. 886. n. 9. —

— Grundlinien zum Religionsunterricht an den mittleren Klassen gelehrter Schulen. [1. Kurs.] 5. Aufl. gr. 8. (X, 102 S.) Ebend. 885. n. 1. 60

— Grundlinien zum Religions-Unterricht an den oberen Klassen gelehrter Schulen, nebst der Augsburg. Confession, m. Einleitg. u. Erklärg. 7. Aufl. gr. 8. (XIV, 200 S.) Nürnberg 883. Ebend. n.n. 2. 25; Einbd. n.n. — 25

Thomassen, J. H., Bibel u. Natur. Allgemein verständl. Studien üb. die Lehren der Bibel vom Standpunkte der heut. Naturwissenschaft u. Geschichte. 5. Aufl. gr. 8. (VIII, 267 S.) Leipzig 885. Mayer. geb. n. 5. —

— Geschichte u. System der Natur. Allgemein verständl. Darstellg. der natürl. Entstehg. u. d. Kreislaufs der Welt, sowie der Entwickelungsgeschichte ihrer Bewohner. 5. Aufl. Mit zahlreichen Illustr. gr. 8. (XVI, 448 S.) Leipzig 885. Mayer. geb. n. 7. 50

Thomé's, Otto Wilh., Flora v. Deutschland, Oesterreich u. der Schweiz in Wort u. Bild f. Schule u. Haus. Mit Orig.-Zeichngn. v. Walter Müller. [3 Bde. m. gegen 600 Taf. in Farbendr. od. in ca. 36 Lfgn.] 1—18. Lfg. gr. 8. (1. Bd. S. 1—192 u. 2. Bd. VI, 242 S. m. 270 Chromolith.) Gera 885. 86. Köhler's Verl. n. 1. —

— Lehrbuch der Botanik f. Gymnasien, Realgymnasien, Real- u. Bürgerschulen, landwirthschaftl. Lehranstalten ꝛc., sowie zum Selbstunterrichte. Mit ungefähr 600 Holzst., sowie m. e. pflanzengeograph. Karte in Buntdr. 6. Aufl. gr. 8. (XII, 384 S.) Braunschweig 883. Vieweg & Sohn. n. 3. —

— Lehrbuch der Zoologie f. Gymnasien, Realgymnasien, Real- u. höhere Bürgerschulen, landwirtschaftliche Lehranstalten ꝛc., sowie zum Selbstunterrichte. Mit 680 Holzst. 5. Aufl. gr. 8. (XV, 436 S.) Ebend. 886. n. 3. —

Thomen, Gust., Beitrag zur Lehre der Leukaemie. gr. 8. (50 S.) Lahr 885. (Göttingen, Vandenhoeck & Ruprecht.) n. 1. 40

Thoemes, Nic., das Stift der königl. Kapelle zum Heiligen Geist u. die Universität Heidelberg in ihrer Verbindung v. 1413. Orig.-Stiftungsurkunden d. Kurfürsten Ludwig III, zur 500jähr. Jubelfeier d. Hochschule veröffentlicht. gr. 8. (23 S.) Heidelberg 886. C. Winter. n. 1. —

Thompson, Sir Henry, zur Chirurgie der Harnorgane. 6 Vorträge, geh. im Royal College of Surgeons in London. Mit 25 Abbildgn. Deutsche Ausg. v. Edm. Dupuis. gr. 8. (XI, 162 S.) Wiesbaden 885. Bergmann. n. 3. 60

— die Tumoren der Harnblase m. Rücksicht auf Wesen, Symptome u. Behandlung derselben. Autoris. deutsche Ausg., bearb. v. Rich. Wittelshöfer. Mit den Abbildgn. d. Originals. gr. 8. (VIII, 99 S.) Wien 885. Toeplitz & Deuticke. n. 4. —

Thoms, G., Beitrag zur Kenntniß des Phosphorsäure-Gehalts baltischer Ackerböden u. Torfarten. gr. 8. (33 S. m. 2 Tab.) Riga 883. Deubner. n. 1. 20

— zur Kleeseidefrage u. aus der Samen-Controlstation am Polytechnikum zu Riga. gr. 8. (33 S. m. 1 Tab.) Riga 884. (Stieda.) n. 1. 20

— die Prüfung der Hefe nach der Methode v. Meißl. gr. 8. (15 S. m. 1 Tab.) Ebend. 886. n. — 50

— die landwirthschaftlich-chemische Versuchs- u. Samen-Control-Station am Polytechnikum zu Riga. Bericht üb. deren Thätigkeit v. 1881/82. 5. Hft. gr. 8. (XII, 56 S.) Riga 883. Deubner. n. 2. — (1—5.: n. 14. —)

Thomsen, Gesammtbericht üb. die Thätigkeit d. deutschen Juristentags in den 25 Jahren seines Bestehens 1860—1885. Jubiläumsschrift, im Auftrage der ständ. Deputation verf. gr. 8. (VI, 240 S.) Berlin 885. (Guttentag.) n. 4. 50

Thomsen, Jul., thermochemische Untersuchungen. 3. u. 4. Bd. gr. 8. Leipzig, Barth. n. 27. — (cplt.: n. 51. —)

3. Wässerige Lösung u. Hydratbildung. Metalle. Mit 6 lith. Taf. (XVI, 567 S.) 883. n. 15. —
4. Organische Verbindgn. Mit 1 (lith.) Taf. (XVI, 429 S.) 886. n. 12. —

Thomsen, R., taler de Dansk? [Sprechen Sie Dänisch?] Dänischer Sprachführer, enth. die kurzgefaßte Grammatik, Gespräche, Wörtersammlg. u. Lesestücke. 2. verb. Aufl. 8. (IX, 109 S.) Leipzig 885. C. A. Koch. 1. 50

Thomson, J., Expedition nach den Seen v. Central-Afrika, s.: Bibliothek geograpischer Reisen u. Entdeckungen.

— durch Massai-Land. Forschungsreise in Ostafrika zu den Schneebergen u. wilden Stämmen zwischen dem Kilima-Ndjaro- u. Victoria-Njansa in den J. 1883 1884. Autoris. deutsche Ausg. Aus dem Engl. von W. v. Freeden. Mit 62 Abbildgn. in Holzschn. u. 2 Karten. gr. 8. (XIX, 526 S.) Leipzig 885. Brockhaus. n. 15. —; geb. n. 17. —

Thomson's, Sir Will., Tafeln zur Erleichterung der An-

wendung der Sumner'schen Methode, neu berechnet v. Max. Boczek u. Albr. Frhr. Portner v. Höflein. Anordng. d. k. k. Reichs-Kriegs-Ministeriums, Marine-Section, u. m. Bewilligg. d. Verf. hrsg. vom hydrograph. Amte d. k. k. Kriegsmarine. Fol. (25 S.) Pola 884. (Triest, Schimpff.) n.n. 2. —

Thon, Wilh., neuer Geschäfts- u. Familien-Briefsteller. Nach der neuen Rechtschreibg. bearb. 5. Aufl. 8. (128 S.) Oberhausen 884. Spaarmann. — 60

Thoene, Otto, die lautlichen Eigenthümlichkeiten der französischen Sprache d. XVI. Jahrh. nach den Grammatikern jener Zeit, m. Berücksicht. der Lautverhältnisse der Satyre Menipee. gr. 4. (44 S.) Marienburg 883. (Göttingen, Vandenhoeck & Ruprecht.) n. 2. —

Thönes, Carl, der Herr ist mein Hirt. Predigten. gr. 8. (VI, 281 S.) Leipzig 883. Hinrichs' Verl. n. 4. 50; geb. n. 5. 50

Thonindustrie-Zeitung. Wochenschrift f. die Interessen der Ziegel-, Terracotten-, Töpferwaaren-, Steingut-, Porcellan-, Cement- u. Kalkindustrie. Hrsg. v. H. Seeger u. Jul. Aron. 7—10. Jahrg. 1883—86. à 52 Nrn. (à 1—3 B. m. Holzschn.) Fol. Berlin, (Polytechn. Buchh.) à Jahrg. n. 12. —

Thonwaarenfabrikant, der. Zeitschrift f. Ziegler, Hafner, Kalk- u. Cement-Industrie. Organ d. schweizer. Ziegler-Vereins. Hrsg.: Jac. Bührer. 9—12. Jahrg. 1883—886. à 24 Nrn. (à 1/2—1 B.) gr. 4. Konstanz. (Stuttgart, Ullrich) à Jahrg. n. 4. 80

Thorbecke, Aug, Geschichte der Universität Heidelberg, im Auftrage der Universität dargestellt. 1. Abtlg.: Die älteste Zeit. 1386—1449. gr. 8. (VII, 116 u. Anmerkgn. 94 S.) Heidelberg 886. Koester. n. 3. —

Thorbecke, H., Reisehandbuch f. den Teutoburger Wald, Detmold, Hermannsdenkmal, Externsteine, u. das Wesergebiet; sowie Touren v. den Externsteinen, Hermannsdenkmal, Berlebeck u. Meinberg als Standquartier; auch Rundreisebilletstouren v. Hannover nach dem Teutoburger Walde u. an die Weser. Mit 1 Karte d. Teutoburger Waldes, m. 3 Ansichten der Externsteine u. e. Eisenbahnskizze f. die Externsteine. 3. Aufl. 8. (X, 110 S.) Detmold 884. (Hinrichs.) n. 1. 25

Thorbecke, H., Ibn Duraid's Kitâb almalâhin, s.: Festschrift f. die orientalische Section der XXXVI. Versammlung deutscher Philologen u. Schulmänner in Karlsruhe.

— s.: Muffaddalîjât, die.

Thoresen, Magdalene, gesammelte Erzählungen. Frei nach dem Norw. v. Walter Reinmar. 1—5. Bd. 2. Aufl. 8. Berlin 884. Guttentag. à n. 2. —; Einbd. à n. — 50
1. Dorfgeschichten aus Norwegen. 1. Bd. (VIII, 282 S.)
2. Dasselbe. 2. Bd.: Inga, die Sonne d. Siljethales. (317 S.)
3. Dasselbe. 3. Bd.: Der Student. Skizzen. (299 S.)
4. Dasselbe. 4. Bd.: Signe. (287 S.)
5. Bilder v. der Westküste Norwegens. (241 S.)

Thormälen, Johs., üb secundären Lungenkrebs. gr. 8. (48 S.) Göttingen 885. (Vandenhoeck & Ruprecht) n. 1. 20

Thormölen, Emma, Schreib-Vorlagen. 1—3. Hft. qu. gr. 8. (à 24 Steintaf.) Hamburg 883. O. Meissner. geb. n. 5. —
1. 2. à n. 1. 50. — 3. n. 2. —

Thorn, W., e. Wort gegen die jetzt übliche Art der Anwendung d. Sublimats in der Geburtshülfe, s.: Sammlung klinischer Vorträge.

Thörner, Wilh., die Verwendung der Projectionskunst im Anschauungsunterricht. Experimental-Vortrag. gr. 8. (24 S. m. eingedr. Fig.) Düsseldorf 885. Liesegang. n. — 75

Thóroddsen, Jón Thórdarson, Jüngling u. Mädchen. Eine Erzählg. aus dem isländ. Volksleben der Gegenwart. Aus dem Neuisländ. übersetzt u. m. e. Einleitg. u. Anmerkg. üb. Land u. Leute versehen v. J. C. Poestion. gr. 8. (155 S.) Berlin 883. Parrisius. n. 3. —; geb. n. 4. —

Thorsch, Berthold, Iwan Turgenjew. Charakterbild e. modernen Dichters. 8. (90 S.) Leipzig 886. F. Duncker. n. 1. 50

Thorwaldsen's Biographie, s.: Lücke, H.

Thouar, P., racconti, s.: Biblioteca italiana.

Thrane, Carl, Friedrich Kuhlau. Rechtmäßige deutsche Uebersetzg. aus „Danske Komponister". 8. (IV, 110 S.) Leipzig 886. Breitkopf & Härtel. n. 1. —; geb. n. 1. 50

Threni, s.: Volumina, quinque.

Thukydides. Für den Schulgebrauch erklärt v. Gfr. Boehme. 1. Bd. 2. Hft. u. 2. Bd. 1. Hft. 4. verb. u. verm. Aufl., besorgt v. Simon Widmann. gr. 8. Leipzig 885. Teubner. à 1. 50
I. 2. Buch III. u. IV. (VIII, 204 S.)
II. 1. Buch V. u. VI. (V, 174 S.)

— erklärt v. J. Classen. 7. u. 8. Bd. 7. u. 8. Buch. 2. Aufl. gr. 8. Berlin, Weidmann. 4 5
7. (VI, 177 S.) 884. 1. 80
8. (XXVIII, 200 S.) 885. 2. 25

— Mit erklär. Anmerkgn. hrsg. v. K. W. Krüger. 1. Bds. 2. Hft. [III—IV. Buch]. 3. Aufl., besorgt v. W. Bökel. gr. 8. (III, 219 S.) Leipzig 885. K. W. Krüger. n. 3. —

— de bello peloponnesiaco libri VIII. Ad optimorum librorum fidem editos explanavit Ernst Frdr. Poppo. Ed. III., quam auxit et emendavit Joa. Matthias Stahl. Vol. I. Sect. 1. gr. 8. (IV, 360 S.) Leipzig 886. Teubner. 4. 50

— dasselbe. Ed. II., quam auxit et emendavit Joa. Matth. Stahl. Vol. IV. Sect. II. gr. 8. (230 S.) Ebend. 883. 2. 70

— 2. Buch, Kap. 1—65. Erklärende Ausg., nebst Einleitg. in die Thukydideslektüre f. den Schul- u. Privatgebrauch v. Frz. Müller. gr. 8. (IX, 144 S.) Paderborn 886. F. Schöningh. n. 1. 30

— dasselbe. Schulausg. nebst Einleitg. in die Thukydideslektüre v. Frz. Müller. 8. (III, 55 S.) Ebend. 886. geb. n. — 80

— Geschichte d. Peloponnesischen Krieges. Uebers. v. A. Wahrmund. 6., 7., 12. u. 13. Bdchn. 8. Berlin, Langenscheidt. à n. — 35
6. 7. 3. Aufl. (3. Bd. IV, u. S. 175—260.) 886. — 12. 13. 2. Aufl. (6. Bd. S. 75—156.) 884.

— dasselbe, s.: Prosaiker, griechische, in neuen Uebersetzungen.

— dasselbe, s.: Universal-Bibliothek.

Thudichum, Frdr., Rechtsgeschichte der Wetterau. 2. Bd. 1. u. 2. Hft. gr. 8. (S. 1—104.) Tübingen 874 u. 85. (Laupp.) n. 2. 20 (I—II, 2.: n. 7. 70)

Thudichum, Ludw. J. W., Grundzüge der anatomischen u. klinischen Chemie. Analecten f. Forscher, Aerzte Studirende. gr. 8. (VIII, 348 S.) Berlin 886. Hirschwald. n. 10. —

Thum, Rud., neue englische Grammatik f. den Kaufmann, sowie f. Gewerbtreibende. Mit vollständ. Bezeichng. der Aussprache nach e. neuen, leichten u. das richtige Aussprechen sichernden Methode; sowie e. grossen Anzahl durchgängig dem Geschäftsleben entnommener Beispiele u. Übungssätze, so dass die Grammatik zugleich in die Handelskorrespondenz einführt. 6. Aufl. gr. 8. (XII, 272 S.) Leipzig 885. Gloeckner. n. 2. 25; geb. n. 2. 75

— neue französische Grammatik f. den Kaufmann u. f. Gewerbtreibende, s.: Mey, M. E.

— englisch-deutsche Konversationsschule. Gespräche aus dem Geschäftsleben m. erklär. Anmerkgn. II. Kurs.: Für Geübtere. Bearb. unter Mitwirkg. v. W. A. Nettleton. 3. Aufl gr. 8. (XV, 190 S.) Leipzig 887. Gloeckner. n. 2. —; geb. n. 2. 50

— französisch-deutsche Konversationsschule, s.: Konversations-Handbuch, kaufmännisches.

Thumann, Paul, Amor u. Psyche. (9 Lichtdr.-)Bilder zu der gleichnam. Dichtg. v. Rob. Hamerling. Grösse V. 8. Leipzig 883. Titze. In Leinw.-Mappe. 10. —

— dasselbe, s.: Hamerling, R.

— Bilder zu Heinr. Heine's Buch der Lieder. 8. 9 Photogr.) Leipzig 884. Titze. In Carton. 10. —

— s.: Chamisso, A. v., Frauen-Liebe u. Leben. — Lebens-Lieder u. Bilder.

— s.: Heine's, H., Buch der Lieder.

— Vater Unser in Bildern. Mit e. Dichtg. v. Mart. Luther. gr. 4. (7 Kpfrtaf. u. 21 Bl. Text m. eingedr. Holzschn.) Leipzig 886. Titze. geb. in Calico m. Goldschn. n. 12. —; in Ldr. n. 20. —

Thümen, v., Tabellen f. das Turnen der Truppen zu Pferde. 16. (44 S.) Nordhausen 885. Koppe. n. — 35

Thümen, Fel. v., die Bacterien im Haushalte d. Menschen. Unsere Freunde u. unsere Feinde unter den kleinsten Organismen. Eine populäre Darstellg. gr. 8. (39 S.) Wien 884. Faesy. n. 1. —

— Beiträge zur Kenntniss der auf der Schwarzföhre [Pinus austriaca Höss] vorkommenden Pilze, s.: Mittheilungen aus dem forstlichen Versuchswesen Oesterreichs.

— die Bekämpfung der Pilzkrankheiten unserer Culturgewächse. Versuch e. Pflanzentherapie zum prakt. Gebrauche f. Land- u. Forstwirthe, Gärtner, Obst- u. Weinzüchter. gr. 8. (X, 160 S.) Wien 886. Faesy. n. 3. 60

— s.: Dietrich's, D., Forst-Flora.

Thümmel, A., Truppenmesser. 16. (2 Steintaf. auf Carton.) Berlin 886. Mittler & Sohn. n.n. — 75

Thümmel, Herm, Confirmandenbuch. Eine Gabe f. junge Christen. 17. Aufl. 8. (176 S.) Barmen 886. Wiemann. n. — 50

— Sammlung biblischer Geschichten, Reden, Gebete u. Sprüche Jesu Christi, der Propheten u. Apostel. Nebst Anh.: Geschichte d. jüd. Volkes von Abraham bis David nach Apostelgeschichte 7 u. Psalm 78. (In deutscher Prosa u. latein. Versen.) 8. (187 S.) Ebend. 886. n. 3. —; geb. n. 4. —

Thumser, Vict., de civium Atheniensium muneribus eorumque immunitate. gr. 8. (151 S.) Wien 885. Gerold's Sohn. 4. —

Thun, A., Bilder aus der russischen Revolution, s.: Zeit- u. Streit-Fragen, deutsche.

Thun, Alph., Geschichte der revolutionären Bewegungen in Russland. gr. 8. (XII, 376 S.) Leipzig 883. Duncker & Humblot. n. 7. —

Thun, Jaroslav Graf v., Vater u. Sohn. Nach General Baron Ambert aus dem Franz. übers. 8. (97 S.) Mainz 884. Kirchheim. 2. —

Thünen, Joh. Heinr. v. Ein Forscherleben. 2. Aufl. Mit dem (Lichtdr.-)Portr. v. Thünens nach e. Gemälde v. Ternite. gr. 8. (XI, 323 S.) Rostock 883. Hinstorff's Verl. n. 6. —

Thüngen, C. E. Frhr. v., die Jahreszeiten d. Waidmanns. Belletristische Schildergn. aus dem Jägerleben in Prosa u. Poesie zur Charakteristik d. deutschen Waidwerks. Neue Ausg. gr. 8. (XIV, 220 S.) Berlin 885. Parey. n. 3. —

— das Rebhuhn, dessen Naturgeschichte, Jagd u. Hege. Ein monograph. Beitrag zur Jagd- u. Naturkunde. 2. Aufl. gr. 8. (X, 125 S.) m. 1 Holzschntaf.) Weimar 884. B. F. Voigt. n. 1. —

Thüngen-Roßbach, Carl Frhr. v., die Nachtheile der Goldwährung. Eine Ergänzg. der Schrift: „Die Goldwährung" von Löll. gr. 8. (IV, 81 S.) Würzburg 886. (Hertz.) n. — 50

Thürach, Hans, üb. das Vorkommen mikroskopischer Zirkone u. Titan-Materialien in Gesteinen. Mit 1 lith. Taf. gr. 8. (82 S.) Würzburg 884. Stahel. n. 2. 80

Thurein, Herm., elementare Darstellung der Planetenbahnen durch Konstruktion u. Rechnung. Mit 1 Taf. gr. 8. (34 S.) Berlin 886. Gaertner. n. 1. —

Thüringerwald-Führer, kleiner. Eine Sammlg. v. 22 auserlesenen Parthien nach dem Thüringerwald. Hrsg. v. e. Mitgliede d. Thüringerwald-Vereins [Zweigverein Gotha]. 8. (81 S. m. Fahrplan-Tab.) Gotha 886. Thienemann. cart. n. — 80

Thurm, Emil Alfr., de Romanorum legatis reipublicae liberae temporibus ad exteras nationes missis. gr. 8. (150 S.) Leipzig 883. (Fock.) n. 2. —

Thurn, Erwin, e. musikalische Familie. 2. Aufl. gr. 8. (136 S.) Wien 886. Anger. n. 3. —

Thurneysen, Ed., Sonntagsbüchlein auf dem Lebensweg junger Christen. Hrsg. v. der Sonntagsheiligungs-Gesellschaft in Basel. 2. Aufl. 8. (55 S.) Basel 884. Spittler. n. — 20

Thurneysen, Rud., Keltoromanisches. Die kelt. Etymologieen im etymolog. Wörterbuch der roman. Sprachen v. F. Diez. gr. 8. (V, 128 S.) Halle 884. Niemeyer. n. 3. 60

Thurneysen, Rud., der Saturnier u. sein Verhältniss zum späteren römischen Volksverse, untersucht. gr. 8. (III, 63 S.) Halle 885. Niemeyer. n. 1. 60

Thyr, Max Ritter v., Taktik. 2. u. 3. Bd. 2. Aufl. gr. 8. Wien 883. Seidel & Sohn. n. 12. 80 (cplt.: n. 20. —)

2. Die Gefechtsweise nach Waffengattungen u. Oertlichkeiten. Mit 45 Fig. im Text u. 8 Taf. (V, 379 S.) n. 7. 20
3. Die taktischen Thätigkeiten ausserhalb d. Gefechtes. Mit 22 Fig. im Text u. 3 (lith.) Taf. (III, 243 S.) n. 5. 60

Tjaden, Herm., e. Beitrag zur Kenntniss der multiplen Sklerose d. Gehirnes u. Rückenmarkes. gr. 8. (52 S.) Helmstedt 884. (Göttingen, Vandenhoeck & Ruprecht.) n. 1. 40

Tibulli carmina, s. Catullus.

— Deutsch in der Versweise der Urschrift v. Wilh. Binder. 1. u. 3. Lfg. 2. Aufl. 8. (S. 1—48 u. 97—143.) Berlin 885. 86. Langenscheidt. à n. — 35

— elegiae cum carminibus pseudotertullianis. Ed. Ed. Hiller. Accedit index verborum. Ed. ster. gr. 8. (XXIV, 105 S.) Leipzig 885. B. Tauchnitz. — 60

Tiburtius, Karl, Kandidat Bangbüx. 8. (271 S.) Stralsund 884. Bremer. n. 3. —

Tibus, Adph., der letzte Dombau zu Münster. Mit 6 (autogr.) Blatt Zeichngn. von H. Hertel. 8. (61 S.) Münster 883. Regensberg. cart. n. 1. 25

— das Grab Bischof Dietrich's III., geb. Grafen v. Isenburg, im Dom zu Münster. 8. (47 S.) Ebend. 886. n. — 60

— Gründungsgeschichte der Stifter, Pfarrkirchen, Klöster u. Kapellen im Bereiche d. alten Bisth. Münster m. Ausschluß d. ehemaligen friesischen Theils. 1. Thl. Die vom h. Liudger gegründeten Kirchen. 7. Hft. Zusätze, Verbessergn, Erläutergn., Register u. (chromolith. u. color.) Karte d. alten Bisth. Münster. gr. 8. (S. 1231—1320 u. 80 S. Register.) Ebend. 885. n. 2. — (1. Thl. cplt.: n. 15. —)

— die Jakobipfarre in Münster von 1508—1523. Ein Beitrag zur Sittengeschichte Münsters. gr. 8. (XXX, 141 S.) Ebend. 885. n. 3. —

Tichelmann, Ludw., de versibus ionicis a minore apud poetas graecos obviis. gr. 8. (64 S.) Königsberg 884. (Gräfe & Unzer.) n. 1. —

Tichy, Ant., die Forsteinrichtung in Eigenregie d. auf e. möglichst naturgesetzliche Waldbehandlung bedachten Wirthschafters. gr. 8. (37 S. m. 1 Steintaf.) Berlin 884. Parey. n. 1. 60

Tieck's, L., Werke, s.: Collection Spemann — National-Litteratur, deutsche.

— ausgewählte Werke, s.: Bibliothek, Cotta'sche, der Weltlitteratur.

— die Gesellschaft auf dem Lande, }
— des Lebens Ueberfluß; musikalische Leiden u. Freuden, } s.: Universal-Bibliothek.

— dasselbe, s.: Haus-Bibliothek f. Stolze'sche Stenographen.

— Rotkäppchen, }
— Wunderlichkeiten, } s.: Universal-Bibliothek.

Tiedke, H., Nonniana. gr. 4. (24 S.) Berlin 883. Gaertner. n. 1. —

Tiedtke, Wilh., Waldlieschen. Erzählung f. die reifere Jugend. gr. 8. (122 S.) Leipzig 884. Siegismund & Volkening. 1. 20; geb. 1. 60

Tiefquellen-Wasserleitungs-Project, Wiener-Neustädter. Kritik der Flugschrift: „Ende der Wassernoth". gr. 8. (16 S.) Wien 883. Spielhagen & Schurich. n. — 40

Tieftrunk, Karl, böhmisches Lesebuch. 2. Thl. 2., verb. Aufl. Mit e. Wörterbüchlein. gr. 8. (VIII, 336 S.) Prag 884. Kober. n. 1. 80

Tiek, L., Leben u. Tod der heil. Genovefa, }
— Kaiser Octavianus, } s.: Stecher, Ch., deutsche Dichtung f. die christliche Familie u. Schule.

Tiele, C. P., babylonisch-assyrische Geschichte, s.: Handbücher der alten Geschichte.

— Kompendium der Religionsgeschichte. Ein Handbuch zur Orientirg. u. zum Selbststudium, übers. u. hrsg. v. F. W. T. Weber. 2. Aufl. 12. (XI, 299 S.) Prenzlau 887. Biller. n. 3. 60

Tielen, Joh. Chrph., Protocollum wegen d. Güstrowschen u. Rostocker Districts gehaltenen General-Synodi vom 14. bis den 18. Junii Ao. 1659, m. Fleiße gehalten. Nach dem Orig. im großherzogl. Geheimen u. Haupt-Archiv zu Schwerin. Lex.-8. (50 S.) Schwerin 883. (Stiller.) n. 1. —

Tiemann, C., der Blitzableiter. Kurze Beschreibg. seiner Einrichtg., Nützlichkeit u. Nothwendigkeit f. Wohn- u. Wirthschaftsgebäude ꝛc. Mit 3 Holzschn. 4. Aufl. gr. 8. (40 S.) Freiburg i/Br. 886. (Wagner.) n. — 45

Tierbilder, bunte. qu. 4. (12 Chromolith. auf Carton.) Stuttgart 886. Loewe. geb. 1. 20

Tier-Bilderbuch. 2 Sorten. gr. 8. (6 Chromolith. m. 4 S. Text.) Wesel 885. Düms. à — 30

— neuestes. Zahme u. wilde Tiere m. Text. Kleine Ausg. m. Verschen v. Herm. Pilz. 4. (10 Chromolith.) Görlitz 886. Foerster's Verl. geb. n. 1. 50

— unzerreißbares. 8 (chromolith.) Bildertaf. m. 21 Abbildgn. u. Reimen f. artige Kinder. 4. (Mit eingedr. u. 1 Bl. Text.) Eßlingen 884. Schreiber. geb. n. 1. 60

— neuestes unzerreißbares, f. das kleine Volk. qu. 4. (14 Chromolith. auf Carton.) Chemnitz 884. Troitzsch. geb. n. 2. —

Tierfreund, der kleine. 12 Hfte. 12. (à 8 S. m. 8 farb. Illustr.) Leipzig 883. Abel. à n. — 20

Tiermaler, der kleine. Kolorier-Bilderbuch. 2 Sorten. gr. 8. (à 8 Steintaf., wovon 4 color., m. 1 S. Text.) Wesel 885. Düms. cart. à — 30

Tiersch, O., allgemeine Musiklehre, s.: Erk, L.

— das Notensingen nach der Schreiblesemethode f. Knaben- u. Mädchenschulen in Dorf u. Stadt [kleine Notenschreibschule] in 3 Hftn. qu. 4. (à 20 S.) Berlin 883. Oppenheim. à — 15

— Rhythmik, Dynamik u. Phrasierungslehre der homophonen Musik. Ein Lehrgang theoretisch-prakt. Vorstudien f. Kompositionen u. Vortrag homophoner Tonsätze. gr. 8. (VIII, 158 S.) Ebend. 886. n. 2. 75

— die Unzulänglichkeit d. heutigen Musikstudiums an Conservatorien u. Hochschulen, nebst Reformvorschlägen. Ein Mahnruf an Lehrer, Studierende u. Freunde der Tonkunst. Auf Anregg. durch Rich. Wagners Schilderg. seines eigenen künstler. Entwickelungsganges dargestellt. gr. 8. (VIII, 53 S.) Ebend. 883. n. 1. —

Tierschutz-Kalender, deutscher, f. d. J. 1887. 16. (32 S. m. Abbildgn.) Donauwörth, Auer. n. — 10

— dasselbe. 5. Jahrg. 16. (32 S. m. Illustr.) Würzburg 886. Etlinger. n. — 10

Tiesenhausen, Hildebert Baron, Beitrag zum Nachweise d. Chloralhydrats im Thierkörper. gr. 8. (30 S.) Dorpat 885. (Karow.) n. 1. —

Tiesmeyer, J., Liedersammlung f. Schule u. Haus. Ausg. ohne Noten. 12. Aufl. 8. (48 S.) Osnabrück 885. Beith. n. — 20

Tiesmeyer, L., die Praxis d. Jünglingsvereins. Ein Hilfsbuch f. Leiter u. Mitglieder evangel. Jünglingsvereine. gr. 8. (VII, 272 S.) Bremen 885. Heinsius. n. 3. 60

— u. P. Zauleck, das Buch der Weihnachtslieder. Deutsche Weihnachtslieder, gesammelt u. gesichtet. Musikalisch bearb. v. H. Putsch. gr. 8. (VIII, 145 S.) Bremen 884. Müller. n. 1. 50; cart. n. 1. 80; Text-Ausg. 16. (IV, 76 S.) — 30

— — die Festgottesdienste der Kinder. 12 liturg. Andachten f. die Oster-, Pfingst- u. Trinitatiszeit. 2 Hfte. [I. Liturgischer Tl. — II. Musikalischer Tl., bearb. v. H. Putsch.] gr. 8. (72 u. 32 S.) Bielefeld 884. Velhagen & Klasing. n. 1. 50

— — die Weihnachtsfeier der Kinder. 6 Weihnachtsandachten m. vollständ. Begleitg. sämtl. vorkomm. Weihnachtslieder. 2. Aufl. 2 Tle. gr. 8. (47 u. 31 S.) Ebend. 886. n. 1. 20

Tietz, Hugo, Vorlagen zum Tuschen v. Façaden m. umgebender Landschaft. Fol. (5 Taf. in Lichtdr. u. Chromolith.) Karlsruhe 885. Bielefeld's Verl. In Mappe. n. 6. —

Tietz, O., Gesangbuch f. evangelische Gymnasien,
— Turn- u. Wanderlieder f. Schüler höherer Lehranstalten,
} s.: Henke, O.

Tietze, E., geologische Uebersicht v. Montenegro. Mit e. geolog. Karte v. Montenegro in Farbendr. Lex.-8. (110 S.) Wien 884. Hölder. n. 4. 80

Tietzel, Heinr., de conjunctionum temporalium usu Euripideo. gr. 8. (78 S.) Bonn 885. (Behrendt.) n. 1. 20

Tietzen, Johs., die acute Erweichung d. Rückenmarks [sog. spontane Myelitis acuta transversalis]. Mit 1 Taf. gr. 8. (37 S.) Marburg 886. Elwert's Verl. n. 1. 20

Tiktin, H., Studien zur rumänischen Philologie. 1. Thl. gr. 8. (V, 119 S.) Leipzig 884. Breitkopf & Härtel. n. 3. —

Tiling, Wilh., Antikritik od. Zurechtweisung? Anfrage an den Herausgeber u. Redacteur der Mittheilungen u. Nachrichten. gr. 8. (13 S.) Riga 885. Stieda. n. — 60

— das Leben der Christen e. Gottesdienst. Essay zu Nutz u. Frommen der christl. Gesellschaft verf. gr. 8. (XX, 170 S.) Ebend. 885. n 3. 60

— das Wort Gottes, betrachtet u. beschrieben zu Nutz u. Frommen unserer christl. Gesellschaft. Essay. gr. 8. (IX, 35 S.) Ebend. 885. n. 1. —

— dasselbe. 2. Aufl. gr. 8. (XI, 40 S.) Ebend. 885. n. 1. 20

Tilkowsky, A., der Einfluss d. Alkoholmissbrauchs auf psychische Störungen, s.: Klinik, Wiener.

Tillier, C., mon oncle Benjamin, s.: Bibliothèque classique intéressante.

— dasselbe, s.: Collection Spemann. — Universal-Bibliothek.

Tillmann, H., Rechenschule, s.: Lieb, A.

Tillmann, H. A., die Stadt Hof u. ihre näheren u. weiteren Umgebungen Fichtelgebirge, Vogtland, Frankenwald. Ein Führer f. Fremde u. Einheimische. Mit 1 Plan der Stadt Hof. 8. (XVI, 132 S.) Hof 886. Lion. geb. n. 1. 50

Tilly's, Graf v., Biographie, s.: Keym, F.

Tilmann, [illegible]., Jagd u. Fischerei, s.: Beschreibung, statistische, d. Reg.-Bez. Wiesbaden.

Tilšer, Frz., kritische Bemerkungen zur Einführung in die Anfangsgründe der Géométrie descriptive. 1. Hft. Mit 1 lith. Taf. gr. 8. (XLIV, 96 S.) Wien 883. Hölder. n. 3. 60

Tilsley, M. J., an der Mutter Hand. Kleine Geschichtchen u. kleine Gedichtchen, wie Mutter sie lehrt u. Kindchen sie hört. 4. (32 Chromolith. m. eingedr. Text.) Leipzig 883. Abel. geb. n. 4. —

Timaeus, Alb., Träume. Fünf einfache Geschichtchen, meinen Kindern erzählt. 8. (63 S.) Dresden 886. Warnatz & Lehmann. n. 1. 20

Timm, Jul., u. Rud. Franck, Kinderleben. Ein Lesebuch f. deutsche Schulen. 1. Tl. 1. u. 2. Schulj. 8. (VIII, 136 S.) Valparaiso 885. (Rostock, Meyer.) cart. n. 1. —

Timon v. Athen. Ein Festspiel m. Gesang in 5 Aufzügen. Aufgeführt den 27. März 1883 bei der Zusammenkunft ehemal. Schüler d. Stadtgymnasiums zu Halle a. d. S. Als Hdschr. gedr. 8. (109 S.) Halle 883. (Hendel.) n. 2. —

Timotheus. Ein Geschenk f. die confirmirte Jugend. Bearb. nach Hiller, u. hrsg. v. der evang.-luth. Synode v. Missouri, Ohio u. andern Staaten. 16. Aufl. 12. (174 S.) St. Louis, Mo. 886. (Dresden, H. J. Naumann.) geb. n. — 75

Timpe, Thdr., graphische Darstellung d. Nährwerthes der künstlichen Kinderpraeparate mit u. ohne Milchzusatz. qu. 8. (18 S. m. eingedr. color. Lith.) Magdeburg 886. (Wennhacke & Zincke.) n. — 50

Tingl, Frz. Ant., libri quinti confirmationes ad beneficia ecclesiastica Pragensem per archidioecesim nunc prima vice divulgatae incipiendo ab a. 1393 usque 1399. (Finis.) gr. 8. (S. 151—328.) Prag 866. (Řivnáč.) n.n. 1. 80 (cplt.: n.n. 3. 60)

Tinkhauser's, G., topographisch-historisch-statistische Beschreibung der Diöcese Brixen m. besond. Berücksicht. der Kulturgeschichte u. der noch vorhandenen Kunst- u. Baudenkmale aus der Vorzeit. Fortgesetzt v. Ludw.

Rapp. 3. Bd. gr. 8. (IV, 738 S.) Brixen 880-86. Weger. n. 8. — (I-III.: n. 24. 50)

Tinsch, Heinr., die Staatsanwaltschaft im deutschen Reichsprozessrecht. gr. 8. (VI, 206 S.) Erlangen 883. Deichert. n. 3. —

Tinter, Wilh., Bestimmung der Polhöhe u. d. Azimuthes auf der Sternwarte Kremsmünster. Mit 3 Holzschn. gr. 4. (56 S.) Wien 884. (Gerold's Sohn.) n. 3. —

Tintoretto's Biographie, s.: Hübner, J.

Tippel, M., experimentelle Untersuchungen üb. die Willensthätigkeit, s.: Rieger, K.

Tiraboschi, G., vite dei grandi poeti italiani, s.: Bibliothek gediegener klassischer Werke der italienischen Litteratur.

Tirocinium philologum sodalium regii seminarii Bonnensis. gr. 8. (IV, 135 S.) Berlin 883. Weidmann. n. 3. —

Tischendorf, Const. de, synopsis evangelica. Ex IV evangeliis ordine chronologico concinnavit, brevi commentario illustravit, ad antiquos testes denuo rec. C. de T. Ed. V. emendata. gr. 8. (LX, 184 S.) Leipzig 884. Mendelssohn. n. 4. —

Tischer, Adf., Luther-Büchlein. Fest-Gruß zum 400jähr. Geburtstage d. großen Reformators. Mit 3 Illustr. 16. (32 S.) Sorau 883. Zeidler. n. — 10

Tischer, G. A., zur Geschichte d. Evangeliums in Westpreußen u. Ermland, s.: Bruderliebe, evangelische.

— der veltliner Mord, s.: Glaube, der evangelische, nach dem Zeugnis der Geschichte.

— Thorns Schreckenstage, } s.: Für die Feste u. Freunde
— die Waldenser, } d. Gustav-Adolf-Vereins.

Tischgespräch, das, auf dem Rheindampfer. Der hochwürd. Fakultät der evangel. Theologie zu Bonn u. allen unbefangenen Herzen gewidmet v. J. M. Arouet. 4. Aufl. gr. 8. (XIV, 50 S.) Bonn 884. Strauß. n. 1. 20

Tischhauser, Chrn., Luthers Leben. Für das Volk geschrieben zum 400jähr. Geburtstage Luthers. 8. (IV, 220 S. m. Holzschn.-Portr.) Basel 883. Detloff. n. 2. —

— dasselbe. 3. Aufl. 8. (224 S.) Ebend. 888. n. 1. —

— 3 Tabellen zur Kirchengeschichte. qu. gr. Fol. Ebend. 885. In Mappe. n. 1. 20

— pädagogische Winke f. Haus u. Schule. 3., bedeutend verm. Aufl. 8. (IX, 230 S.) Basel 884. Schneider. n. 1. 60; geb. n. 2. 40

Tischler, Franziskus Ser., Handweiser f. den hochwürdigen Klerus in Sachen d. III. Ordens d. hl. Vaters Franziskus. gr. 16. (382 S.) Salzburg 886. Mittermüller. geb. 1. 80

Tischler, O., Beiträge zur Kenntniss der Steinzeit in Ostpreussen u. den angrenzenden Gebieten. (II.) Mit 11 (eingedr.) Zinkogr. gr. 4. (32 S.) Königsberg 883. (Koch & Reimer.) n. 1. 50 (I. u. II.: n. 3. —)

Tischler-Kalender, deutscher, f. d. J. 1884. Praktisches Hilfs- u. Nachschlagebuch f. Bau-, Möbel- u. Modelltischler, sowie f. Fabrikanten u. Werkführer der Holzindustriebranche. Bearb. v. Geo. Albert. 1. Jahrg. gr. 16. (XII, 112 u. 93 S. m. eingedr. Fig.) Berlin, Polytechn. Buchh. geb. n. 2. —

Tischler-Zeitung, allgemeine. Verbands-Blatt der deutschen Tischler-Inngn. Organ f. die Interessen der gesammten Tischlerei rc. Chef-Red.: Ad. Schulz. 3. Jahrg. 1886. 24 Nrn. (2 B. m. Fig. u. Taf.) hoch 4. Berlin, Harrwitz' Nachf. 6. —

— deutsche. Organ f. die gesammte Tischlerei. Hrsg.: F. A. Günther. 10—12. Jahrg. 1883—1885. à 24 Nrn. (1½ B.) Imp.-4. Nebst Gratis-Beilage: Sorgenfrei. Wochenschrift f. Unterhaltg. u. Belehrg. 9—11 Jahrg. à 52 Nrn. (B.) gr. 4. Berlin, Günther. à Jahrg. n. 10. —

— dasselbe. 13. Jahrg. 1886. 52 Nrn. (B.) Imp.-4. gr. 4. Ebend. n. 10. —

Tischner, Aug., the fixed idea of astronomical theory. gr. 8. (83 S. m. 3 Holzschn.-Porträts.) Leipzig 885. Fock. n. 1. 20

— the sun changes its position in space, therefore it cannot be regarded as being „in a condition of rest". 12. (37 S.) Ebend. 883. n. — 50

Tisdel, W. P., Kongo. Berichte an das Staats-Sekretariat in Washington. Deutsche autoris. Ausgabe. Uebers. v. A. Helms. 2. Aufl. gr. 8. (VIII, 58 S.) Leipzig 886. Frohberg. n. 1. —

— Kongo. Offenes Schreiben an den Staatssekretär in Washington. Deutsche autoris. Ausg. v. A. Helms. Im Anh. Auszüge aus den Berichten v. O. Lenz, Taunt, Leddihn etc. [Schluss v. „Kongo". Berichte an das Staatssekretariat in Washington.] gr. 8. (VI, 40 S.) Ebend. 886. n. — 80

Titelius, M., die kleinen Fremdlinge, } s.: Immergrün.
— die goldene Kette, }
— krumm u. doch gerade, }
— versorgt, }

Titians Madonna u. andere Novellen. Von H. Aus dem Schwed. übers. v. J. Lorenzen. 2. Aufl. 8. (240 S.) Norden 886. Fischer Nachf. n. 3. —

Tittel, Ign., Statistik u. Beamten-Schematismus d. Gross-Grundbesitzes in der Markgrafsch. Mähren u. im Herzogth. Schlesien. Lex.-8. (VIII, 234 S) Wien 885. Hölzel. n n. 10. —

Tittmann, C. E., das Ideal. Roman. 8. (231 S.) Stuttgart 887. Deutsche Verlags-Anstalt. n. 4. —

Titz, K. W., Frauenhaar. Plauderei in 1 Aufzuge. 8. (32 S.) Prag 884. (Dominicus.) n. — 60

Titzenthaler, Frz., kurzgefasste Anweisungen über Fundgeräthschaften. Erscheinungs- u. Fangzeiten, Fangstellen u. Ködermittel v. Schmetterlingen, Käfern, Wanzen u. anderen Insecten, deren Behandlg. beim Einfangen, Tödten, Verpacken u. Transportiren aus entfernten Gegenden. Für Sammler u. Naturfreunde. gr. 8. (16 S.) Dresden 884. (Huhle.) n. — 50
In engl. od. französ. Sprache zu gleichem Preise.

Tkač, J., liber informationum et sententiarum, čili Naučeni Brněnská Hradišt'ské městské etc., s.: Monumenta rerum bohemico-moravicarum et silesiacarum.

Tobler, A., s.: Bericht üb. physikalische Industrie.

— die elektrischen Uhren u. die elektrische Feuerwehr-Telegraphie, s.: Bibliothek, elektro-technische.

Tobler, Adf., vermischte Beiträge zur französischen Grammatik, gesammelt, durchgesehen u. verm. gr. 8. (XI, 239 S.) Leipzig 886. Hirzel. n. 5. —

— das Buch d. Uguçon da Laodho. gr. 4. (96 S.) Berlin 884. (G. Reimer.) n. 5. —

— li dis dou vrai aniel. Die Parabel v. dem ächten Ringe, französ. Dichtg. d. 13. Jahrh., aus e. Pariser Handschrift zum 1. Male hrsg. 2. Aufl. gr. 8. (XXXIV, 37 S.) Leipzig 884. Hirzel. n. 1. 60

— das Spruchgedicht d. Girard Pateg. gr. 4. (74 S.) Berlin 886. (G. Reimer.) n. 5. —

— die altvenezianische Uebersetzung der Sprüche d. Dionysius Cato. gr. 4. (87 S.) Ebend. 883. n. 3. 50

— vom französischen Versbau alter u. neuer Zeit. Zusammenstellung der Anfangsgründe. 2. Aufl. gr. 8. (VII, 149 S.) Leipzig 883. Hirzel. n. 3. —

Tobler, L., s.: Idiotikon, schweizerisches.

— schweizerische Volkslieder, s.: Bibliothek älterer Schriftwerke der deutschen Schweiz.

Tobler, S., s.: Nationalbibliothek, schweizerische.

Tobolewski, F. R., kurze Uebersicht üb. Bau, Zweck u. Krankheiten der Haare, s.: Vorträge f. Thierärzte.

Toeche, Thdr., Leopold v. Ranke an seinem 90. Geburtstage 21. Dezbr. 1885. Ansprachen u. Zuschriften, gesammelt. gr. 8. (38 S.) Berlin 886. Mittler & Sohn. n. — 80

Töchter-Album. Unterhaltungen im häusl. Kreise zur Bildg. d. Verstandes u. Gemüthes der heranwachs. weibl. Jugend. Unter Mitwirkg. v. W. Buchner, Marie Hutberg, Clara Jäger rc. hrsg. von Thekla v. Gumpert. 29—32. Jahrg. 1883—1886. à 12 Lfgn. (3 B. m. 2—3 Chromolith.) gr. 8. Glogau, Flemming. à Hft. n. — 50 (cplt. à Jahrg. geb. n. 6. 75; eleg. in Calico n. 7. 50; in roth Calico n. 7. 75; m. Goldschn. n. 8. 70)

Tod, der, d. Frommen u. der Tod d. Gottlosen. Eine Sammlg. v. geschichtl. Begebenheiten aus alter u. neuer Zeit. 8. (IV, 121 S.) St. Louis, Mo. 884. (Dresden, H. J. Naumann.) cart. n. 1. —

Todt, B., griechisches Vokabularium f. den Elementarunterricht in sachlicher Anordnung. 5. Aufl. gr. 8. (X, 78 S.) Halle 885. Buchh. d. Waisenhauses. n. 1. —

Todt, R., die Ursachen der Unkirchlichkeit u. ihre Abhilfe, s.: Zeitfragen d. christlichen Volkslebens.

Todtenhaupt, G., Jesus Christus, der Welterlöser. Ein Heilandsbild, nach den 3 ersten Evangelien dargestellt. 2. Ausg. 8. (VI, 192 S.) Leipzig 886. Reißner. n. 2. —

Todtenhof, G., Verzeichniss sämmtlicher Ortschaften der Prov. Sachsen. Nebst Angabe der topograph. Bezeichng., Einwohnerzahl, Regierungsbezirke, Kreise, Amtsbezirke, Standesämter, Amtsgerichte, Postanstalten, Telegraphenämter, Fernsprechämter. Nach amtl. Materialien hrsg. 2. Aufl. gr. 8. (VI, 216 S.) Halle 883. Pfeffer. n. 3. —

Tödter, H., Anfangsgründe der Arithmetik u. Algebra. Für den Schul- u. Selbstunterricht in entwickelnder Lehrform bearb. 1. Tl. Ausg. A. (Mit den Anleitgn.) 3. Aufl. gr. 8. (V, 129 S.) Bielefeld 885. Velhagen & Klasing. n. 1. 20

— dasselbe. Ausg. B. (Nur die Aufgaben enth.) 3. Aufl. gr. 8. (III, 70 S.) Ebend. 885. n. — 60

Toggenburg, G. Carlmann v., Friedens-Blätter u. Blumen. Gesammelt f. das kath. Schweizervolk zum Andenken an die Ernenng. d. hochwürdigsten Hrn. Dompropstes Dr. Frdr. Fiala zum Bischof v. Basel durch Se. Heil. Papst Leo XIII. den 19. Jan. 1885. 8. (99 S. m. 4 Bildern.) Solothurn 885. Schwendimann. n. 1. 60; Pracht-Ausg. n. 3. 20

— die wahre Union u. die Zwinglifeier. Antwort auf Pfr. Joh. Mart. Usteri's „Festschrift: Ulrich Zwingli, e. Martin Luther ebenbürt. Zeuge d. evangel. Glaubens, zur Beförderg. wahrer Union auf dem Boden der Freiheit;" m. besond. Berücksicht. der „Festschrift" v. G. Finsler, Pfarrer am Großmünster in Zürich. 8. (VIII, 190 S.) St. Gallen 884. Moriell. n. 1. 20

Toggenburg, Ritter, s.: Theater-Repertoir, Wiener.

Toifel, Karl, die Türken vor Wien im J. 1683. Ein österreich. Gedenkbuch. Mit e. Anh., 7 Beilagen u. 110 Illustr. [Karten, Plänen, Porträts, Städteansichten, Schlachtenbildern, Kriegsscenen rc. rc.] nach zeitgenöss. Bildern. gr. 8. (X, 674 S. m. 103 Taf.) Prag 883. Tempsky. — Leipzig, Freytag. n. 15. —; geb. n. 20. —

Toifel, Wilh. J., Keramik. Eine Sammlg. Orig.-Entwürfe zur Ausführg. in Glas, Fayence, Porzellan, Majolika, Terracotta, Thon, Steinzeug, Marmor, Metall etc., zum prakt. Gebrauch f. Fabrikanten, Modelleure, Decorateure etc., hrsg. unter Mitwirkg. vorzügl. Fachmänner. 8—10. Lfg. Fol. (à 5 Lichtdr.-Taf.) Dresden 885. 86. Gilbers. à n. 6. —

Toischer, W., die Brüder Grimm,
— die Lieder der Landsknechte u. die Soldatenlieder, } s.: Sammlung gemeinnütziger Vorträge.

Toldt, Carl, Lehrbuch der Gewebelehre, m. vorzugsweiser Berücksicht. d. menschl. Körpers dargestellt. Mit 195 Abbildgn. in Holzschn. 2. Aufl. gr. 8. (XIV, 679 S.) Stuttgart 884. Enke. n. 14. —

— zur Waldfrage in den österreichischen Alpengebieten. Eine Denkschrift d. deutschen u. österreich. Alpenvereines. gr. 8. (24 S.) Prag 883. Dominicus. n. — 16

Tolhausen, Alexandre, dictionnaire technologique dans les langues française, anglaise et allemande, renferment les termes techniques usités dans les arts et métiers et dans l'industrie en général. Revu par Louis Tolhausen. Français-allemand-anglais. 3. éd., augmentée d'un grand supplément. 8. (XII, 809 u. Suppl. 165 S.) Leipzig 883. B. Tauchnitz. n. 10. —, Suppl. ap. n. 3. —

— technical dictionary in the english, german and french languages, containing about 76,000 technical terms and locutions employed in arts, trades and industry in general. Revised by Louis Tolhausen. 2. part. English-german-french. 3. ed., with a new grand supplement. 8. (XIV, 837 u. Suppl. 117 S.) Ebend. 885. n. 9. —; Suppl. ap. n. 1. —

Tolhausen, Louis, nouveau dictionnaire de poche espagnol-français et français-espagnol. Éd. stér. 12. (VI, 276 u. 206 S.) Leipzig 884. B. Tauchnitz. 1. 50; geb. 2. 25

— neues spanisch-deutsches u. deutsch-spanisches Wörterbuch. (In 20 Lfgn.) 1. u. 2. Lfg. gr. Lex.-8. (1. Bd. IV u. S. 1–160.) Ebend. 886. à n. — 75

Tolkmitt, G., das Entwerfen u. die Berechnung der Brückengewölbe. Lex.-8. (26 S. m. Fig.) Berlin 885. Ernst & Korn. n. 1. 20

Tolle, Konr., das Betheuern u. Beschwören in der altromanischen Poesie m. besond. Berücksicht. der französischen. Eine vergleich. Studie. gr. 8. (61 S.) Erlangen 883. Deichert. n. 1. 20

Toelle, Alfr., üb. die Einwirkung v. Aethylenbromid auf Dimethylparatoluidin. gr. 8. (34 S.) Göttingen 883. (Vandenhoeck & Ruprecht.) n. — 80

Tolmatchoff, Paul, le décousu logique de notre temps. 8. (102 S.) Dresden 882. Meinhold & Söhne. 1. 50

Tölner's, J., Handlungsbuch von 1345—1350, s.: Geschichtsquellen der Stadt Rostock.

Tolstoi, Graf D. A., e. Blick auf das Unterrichtswesen Russlands im XVIII. Jahrh. bis 1782. Aus dem Russ. übers. von P. v. Kügelgen. Lex.-8. (121 S.) St. Petersburg 884. (Leipzig, Voss' Sort.) n. 1. 70

— das akademische Gymnasium u. die akademische Universität im XVIII. Jahrh., s.: Beiträge zur Kenntniss d. Russischen Reiches u. der angrenzenden Länder Asiens.

Tolstoi, Graf Leo N., Bekenntnisse. Was sollen wir denn thun? Aus dem russ. Manuskript übers. v. H. v. Samson-Himmelstjerna. 8. (VIII, 218 S.) Leipzig 886. Duncker & Humblot. n. 4. 20

— kleine Erzählungen u. Kriegsbilder. Aus dem Russ. übers. v. Wilh. Paul Graff. 8. (266 S.) Berlin 886. Wilhelmi. n. 3. —

— Anna Karenina. Roman in 6 Büchern. Aus dem Russ. übers. v. Wilh. Paul Graff u. m. e. Vorwort v. Eug. Zabel. 2. Aufl. 3 Bde. 8. (XII, 251; 210 u. 281 S.) Ebend. 886. n. 10. —

— die Kosaken. Kaukasische Novelle. Aus dem Russ. v. G. Keuchel. 2. Aufl. 8. (252 S.) Berlin 887. Deubner. n. 3. —

— Krieg u. Frieden. Historischer Roman. Mit Genehmigg. d. Autors hrsg. deutsche Uebersetzg. v. Ernst Strenge. 4 Bde. 8. (392, 310, 360 u. 346 S.) Ebend. 885. n. 15. —

— Paul, s.: Geschichten, russische.

— worin besteht mein Glaube? Eine Studie. Aus dem russ. Manuskript übers. v. Sophie Behr. gr. 8. (VII, 294 S.) Leipzig 885. Duncker & Humblot. n. 6. —

Tolstrup, Karl, aus dem Seemannsleben. Aus dem Dän. v. O. Gleiss. Mit e. Vorwort v. Tiesmeyer. Autoris. deutsche Ausg. 8. (VIII, 164 S. m. Illustr.) Bielefeld 887. Velhagen & Klasing. n. 2. 80; n. geb. 3. 50

Tomaschek, J. A., üb. e. in Oesterreich in der 1. Hälfte d. XIV. Jahrh. geschriebene Summa legum incerti auctoris u. ihr Quellenverhältniss zu dem Stadtrechte v. Wiener-Neustadt u. dem Werböczischen Tripartitum. Lex.-8. (90 S.) Wien 883. (Gerold's Sohn.) n. 1. 40

Tomaschek, Karl, Schiller's Wallenstein. 2. Aufl. gr. 8. (38 S.) Wien 886. Gerold's Sohn. n. — 80

Tomaschek, Wilh., zur historischen Topographie v. Persien. I. u. II. Lex.-8. Wien, (Gerold's Sohn). n. 3. 80

I. Die Strassenzüge der Tabula Peutingerana. (89 S.) 883. n. 1. 40

II. Die Wege durch die pers. Wüste. [Mit 1 (chromolith.) Karte.] (94 S.) 885. n. 2. 40

Tommy, Miss, s.: Collection of British authors.

Tömösváry, Edm., die Kolumbaczer Mücke. Im Auftrage d. königl. ung. Ministeriums f. Ackerbau, Industrie u. Handel verf. Uebers. v. J. Weny. [Mit e. den Text erläut. Taf.] gr. 8. (24 S.) Ung.-Weisskirchen 885. Hepke. n. — 40

Tomssa, Thdr., die Geldrechnung u. Ertragsnachweisung bei landwirthschaftlichen Gütern m. Ausschluss construirter Preise f. marktlose Ware. gr. 8. (23 S.) Prag 883. Calve. n. — 80

Ton, der gute. Anleitung, um sich in den verschiedensten Verhältnissen d. Lebens u. der Gesellschaft als feiner, gebildeter Mann zu benehmen. Von Joh. Edler v. K..ski. 4. Aufl. 8. (126 S.) Wien 883. Hartleben. 1. 20

Tondeur, A., s.: Gigantomachie, die, d. Pergamenischen Altars.

Tondichter-Album, deutsches. (12) Photogr. nach Originalen v. Zimmermann u. Hader. Mit Orig.-Biographien v. Fr. v. Hohenhausen. gr. 4. (72 S.) Berlin 884. (Neufeld.) geb. m. Goldschn. 25. —

Tonger, Andr., Berlin u Potsdam. Ein nach eigenen Anschaugn. u. Erfahrgn. zusammengestellter Führer. Mit neuem Plan der Residenz u. verschiedenen Karten. 8. (108 S.) Berlin, Tonger & Greven. geb. 1. 50; Plan sp. in Leinw.-Cart., m. Strassenverzeichniss. 8. (8 S.) — 75; Album v. Berlin 886. 8. (12 Lichtdr.-Taf.) In Leinw.-Mappe. 2. 50; cplt.: m. Plan u. Album, in Leinw.-Mappe. 3. 50

Tongers, H. J., die Nordsee-Insel Langeoog u. ihr Seebad. Mit 1 Plane der Insel u. 1 Karte d. nördl. Teiles v. Ostfriesland, nebst Angabe der Reisewege. 8. (IV, 72 S.) Emden 886. Haynel. n. 1. 25

Tonkunst, die. Zeitschrift f. den Fortschritt in der Musik. Organ d. Verbandes der deutschen Tonkünstler-Vereine. Begründet von Alb. Hahn. Hrsg. v. Otto Wangemann. 9. Jahrg. Oktbr. 1883—Septbr. 1884. 24 Nrn. (ca. 1 B.) gr. 4. Demmin 883. Frantz. n. 4. 80

— dasselbe. 10. Jahrg. Oktbr. 1884 — Septbr. 1885. 18 Nrn. (ca. 1 B.) gr. 4. Ebend. n. 3. 50

— dasselbe. 11. Jahrg. Oktbr. 1885 — Septbr. 1886. 24 Nrn. (B.) gr. 4. Spandau, Neugebauer. n. 4. —
Erscheint nicht mehr.

Tönnies, Alb., üb. e. seltene Missbildung des Herzens. [Transposition der grossen arteriellen Gefässe m. Defect im hinteren Theile der Kammerscheidewand.] gr. 8. (61 S. m. 9 Taf.) Göttingen 884. (Vandenhoeck & Ruprecht.) n. 5. 20

Topelius, Zach., Märchen u. Erzählungen f. Kinder, s.: Sammlung v. Kinderschriften.

— schwedisches Märchenbuch. Deutsch von Alma v. Podewils. 8. (V, 210 S.) Wiesbaden 885. Bergmann. n. 2. 70; geb. n. 3. 60

— aus hohem Norden. Aus dem Schwed. v. R. Gleiß. 1—4. Bd. 8. Gütersloh, Bertelsmann. n. 9. 40
1. Die Herzogin v. Finnland. Erzählung. (266 S.) 886 n. 2. 40
2. Jugendträume. Erzählung. (164 S.) 885. n. 1. 60
3. Der Handschuh d. Königs. Erzählung. (259 S.) 886. n. 3. —
4. Das goldene Gespenst. Erzählung. (198 S.) 886. n. 2. 40

Topf, Aug., das Strafrecht der deutschen Volksschulen. Gemeinverständlich dargestellt. Neue Ausg. gr. 8. (X, 132 S.) Wien 887. Pichler's Wwe. & Sohn. n. 1. 50

Toepfer, Aug., Möbel f. die bürgerliche Wohnung. Eine Sammlg. v. ausgeführten Entwürfen nebst Detailzeichngn. in Naturgrösse aus der techn. Anstalt f. Gewerbtreibende zu Bremen, ausgewählt u. hrsg. 5. —10. Hft. Fol. (à 4 photolith. Taf. m. 4 Bog. Details in Imp.-Fol. m. je 1 Bl. Text.) Leipzig 883. Seemann. à n. 2. —

Toepfer, C., Hermann u. Dorothea, s.: Universal-Bibliothek.

Toepfer, R., album poético español. 8. (XII, 250 S.) Berlin 886. Behr's Verl. n. 4. —

Töpfer-Zeitung, deutsche. Fachblatt f. Töpfer, Porzellan- u. Ofenfabrikanten, Ziegler u. die damit verwandten Industriezweige. Offizielles Organ d. „Verbandes der Arbeitgeber d. Töpfergewerbes f. Deutschland" u. d. „Vereins deutscher Thonrohrfabrikanten". 7—10. Jahrg. 1883—1886. à 52 Nrn. (B.) gr. 4. Naumburg, Ludwig. à Jahrg. n. 12. —

Töpfer- u. Ziegler-Zeitung, deutsche. Organ d. „Ziegler- u. Kalkbrenner-Vereins". Begründet v. A. Türrschmiedt. Red. v. Frdr. Hoffmann. 14—17. Jahrg. 1883—1886. à 52 Nrn. (B.) Imp.-4. Halle, Knapp. à Jahrg. n. 12. —

Toepffer, Joa., quaestiones Pisistrateae. Lex.-8. (148 S.) Dorpat 886. (Karow.) n. 2. 50

Töpffer, R., la bibliothèque de mon oncle, s.: Prosateurs français.

— Genfer Novellen, s.: Collection Spemann.

— zwei Genfer Novellen, s.: Haus-Bibliothek f. Stolze'sche Stenographen.

Topinard, Paul, Anthropologie. Nach der 3. französ. Aufl. übers. v. Rich. Neuhauss. Mit 52 in den Text gedr. Abbildgn. 1. u. 2. Lfg. gr. 8. (S. 1 — 192.) Leipzig 886. Frohberg. à n. 1. 80

Toepke, E., u. E. **Leunenschloss**, Zins-Tabellen f. die Bank- u. Geschäftswelt. Eine mechan. Zins-Controle zum Ersatz jeder Zins-Berechng., enth. die Zins-Resultate f. sämmtl. Capital-Beträge von 1 bis 10,000,000 f. 1 bis 360 Tage in 52 Zinsfüssen. Dargestellt auf 360 Tabellen. (Mit Text in deutscher, französ. u. engl. Sprache.) gr. 4. (XVI, 360 S.) Berlin 886. Leunenschloss. n. 16. —; geb. n. 18. —

Toepke, Gust., die Matrikel der Universität Heidelberg von 1386 bis 1662. Bearb. u. hrsg. 2 Thle. gr. 8. Heidelberg, (C. Winter). à n.n. 25. —
1. Von 1386—1553. Nebst e. Anh. enth.: I. Calendarium academicum vom J. 1387. II. Juramenta intitulandorum. III. Vermögensverzeichniss der Universität Heidelberg vom J. 1396. IV. Accessionskatalog der Universitätsbibliothek von 1396 bis 1432. (LXXVI, 697 S.) 884.
2. Von 1554 bis 1662. Nebst e. Anh., enth.: I. Matricula universitatis 1663—1668. II. Album magistrorum artium 1391—1620. III. Matricula alumnorum juris 1527—1581. IV. Catalogus promotorum in jure 1386—1581. V. Matricula studiosorum theologiae 1556—1685. VI. Promotiones factae in facultate theologica 1404—1686. VII. Syllabus rectorum universitatis 1386—1668. (622 S.) 886.

Töpke, H., Rechenbuch f. Bürgerschulen. 1., 3., 4. u. 5. Hft. 8. Braunschweig, Bruhn's Verl. n. 1. 20
1. 2. Aufl. (32 S.) 884. n. — 20
3. 5. Aufl. (36 S.) 886. n. — 30
4. 4. Aufl. (44 S.) 884. n. — 30
5. (70 S.) 886. cart. n. — 40

— Rechenheft f. untere Klassen v. Bürgerschulen. 2. u. 3. Schuljahr. 8. Ebend. à n. — 30
2. 3. Aufl. (48 S.) 883. — 3. 2. Aufl. (34 S.) 881.

Toepler, Edm., zur Ermittlung d. Luftwiderstandes nach der kinetischen Methode. Lex.-8. (24 S.) Wien 886. (Gerold's Sohn.) n. 1. —

Toepler, Glieb. Ed., theoretisch-praktische Grammatik der ungarischen Sprache. 7. Aufl. gr. 8. (XIV, 303 S.) Budapest 882. (Leipzig, Haessel.) n. 2. —

Topographie v. Niederösterreich [Schilderung v. Land, Bewohnern u. Orten], unter Mitwirkg. v. J. Bauer, M. A. Becker, Carl Czaslawsky 2c. nach den besten Quellen u. dem neuesten Stande der Forschg. bearb. u. hrsg. vom Verein f. Landeskunde v. Niederösterreich. 2. Bd. 9—13. Hft. gr. 4. (S. 321—632.) Wien 881—87. (Braumüller). à n.n. 2. —

— dasselbe. 3. Thl. Der alphabet. Reihenfolge. [Schilderung] der Ortschaften v. M. A. Becker. 2. Bd. 1. Hft. gr. 4. (S. 1—64.) Ebend. 886. n.n. 2. —

Toporski, A., Beitrag zur Casuistik der Beckengeschwülste in geburtshilflicher Beziehung. gr. 8. (42 S.) Breslau 884. (Köhler.) n. 1. —

Topp, F., Madagaskar, s.: Broschüren, Frankfurter zeitgemäße.

Toeppe, H., abrégé de l'histoire de la littérature française. A l'usage des écoles supérieures. 2. éd., revue par H. Robolsky. 8. (IV, 32 S.) Potsdam 883. Stein. cart. n. — 50

Toeppen, Hugo, hundert Tage in Paraguay. Reise in's Innere. Paraguay im Hinblick auf deutsche Kolonisations-Bestrebungen. Mit 1 (photolith.) Karte v. Paraguay. gr. 8. (III, 264 S.) Hamburg 885. Friederichsen & Co. n. 6. —

Toeppen, M., s.: Acten der Ständetage Ost- u. Westpreussens.

Toepper, R., die neueren Erfahrungen üb. die Aetiologie d. Milzbrandes, s.: Vorträge f. Thierärzte.

Torkos, Paul v., Einiges üb. Ungarns volkswirthschaftliche Zustände. gr. 8. (38 S.) Wien 885. Künast. n. — 70

Törne, Chr., Biostatik der im Dörptschen Kreise gelegenen Kirchspiele Ringen, Randen, Nüggen u. Kawelecht in den J. 1860—1881. gr. 8. (76 S.) Dorpat 886. (Karow.) n. 1. 20

Törner, Heinr., Taschen-Liederbuch f. Deutschlands Handwerker u. Arbeiter. 16. (184 S.) Rathenow 884. (Haase.) cart. n. — 50

Tornier, Gust., der Kampf m. der Nahrung. Ein Beitrag zum Darwinismus. gr. 8. (XI, 207 S.) Berlin 884. Issleib. n. 4. —

Tornow, Wilh., Kurfürst Joachim II. od.: Berlin im J. 1549. Orig.-Erzählg. gr. 8. (384 S.) Berlin 884. Werthmann. n. 1. —

Tornwaldt, G. L., üb. die Bedeutung der Bursa pharyngea f. die Erkennung u. Behandlung gewisser Nasenrachenraum-Krankheiten. gr. 8. (119 S.) Wiesbaden 885. Bergmann. n. 3. 60

Török v. Posor, A., Abhandlung, s.: Arany, J., Frau Agnes.

Torpedowesen, das, in der deutschen Marine in seiner organisatorischen u. materiellen Entwickelung. Entnommen aus den beiden, dem Reichstage im März 1883 vorgelegten Denkschriften des Chefs der Admiralität, betr. die Ausführg. d. Flottengründungsplans v. 1873 u. die weitere Entwickelg. der kaiserl. Marine. gr. 8. (25 S.) Berlin 884. Mittler & Sohn. n. — 40

Toselowski, F., Raumlehre od. Geometrie f. Stadtschulen u. Handwerkerschulen. 6. Aufl. gr. 8. (V, 53 S. m. eingedr. Fig.) Berlin 885. Mittler & Sohn. n. — 60

— Schul-Hygiene. Aus den Verhandlgn. d. medicinisch-pädagog. Vereins unter Betheiligg. von Ranke, Kübler, Bonnel rc. zusammengestellt. gr. 8. (VI, 111 S.) Berlin 883. Staude. n. 2. —

Tóth, Kasp., Vertheidigung der Ungarn gegen Prof. Dr. Johann Sepp's Angriffe. Als Erwiderg. auf die im Werke: „Ein Volk v. zehn Millionen od. der Bayernstamm. Eine Kampfschrift gegen Czechen u. Magyaren" erhobenen Anklagen. gr. 8. (VII, 188 S.) Pressburg 884. (Stampfel.) n. 3. —

Tottmann, Alb., kurzgefaßter Abriß der Musikgeschichte von der ältesten Zeit bis auf die Gegenwart. 1. u. 2. Bdchn. 64. (167 u. 188 S. m. 1 Taf.) Leipzig 883. 84. Lenz. à — 75; geb. n. 1. 25

— 45 ausgewählte Choräle in dreistimmigem Satze, nach dem neuen königl. sächs. Landeschoralbuche bearb. gr. 8. (28 S.) Leipzig 885. C. A. Klemm. — 60

— Führer durch den Violin-Unterricht. Ein krit., progressiv geordnetes Verzeichniss der instruktiven, sowie der Solo- u. Ensemble-Werke f. Violine. Nebst e. kurzgefassten Repertorium der Bratschenlitteratur u. e. bibliograph. Anh. 2. Aufl. 8. (XV, 396 S.) Leipzig 886. Schuberth & Co. geb. 3. —

Totzke, Aug., Deutschlands Kolonien u. seine Kolonialpolitik. Mit 11 Karten-Skizzen. 12. (VIII, 488 S.) Minden 885. Bruns. n. 4. —

Toula, Frz., üb. Amphicyon, Hyaemoschus u. Rhinoceros [Aceratherium] v. Göriach bei Turnau in Steiermark. [Mit 4 (lith.) Taf.] Lex.-8. (23 S.) Wien 883. (Gerold's Sohn.) n. 1. 80

— mineralogische u. petrographische Tabellen. Mit 18 Fig. gr. 8. (161 S.) Prag 886. Tempsky. — Leipzig, Freytag. n. 4. —

— geologische Untersuchungen im centralen Balkan u. in den angrenzenden Gebieten. (I.) Übersicht üb. die Reiserouten u. die wichtigsten Resultate der Reise. [Mit 1 (chromolith.) Routenkarte.] Lex.-8. (35 S.) Wien 885. (Gerold's Sohn.) n. 1. 20

Den 2. Thl. cfr.: Zlatarski, G. N.

— geologische Untersuchungen im westlichen Theile d. Balkan u. in den angrenzenden Gebieten. [X.] Von Pirot nach Sofia, auf den Vitoš, üb. Penik nach Trn u. üb. Stol nach Pirot. Mit 9 (lith.) Taf. u. 6 Holzschn. Lex.-8. (68 S.) Ebend. 884. n. 4. —

— geologische Unternehmungen in der „Grauwacken-Zone" der nordöstlichen Alpen. Mit besond. Berücksicht. d. Semmeringgebietes. [Mit 1 Karte, 1 Taf u. 43 Holzschn.] Imp.-4. (64 S.) Wien 885. (Gerold's Sohn.) n. 5. —

Toula, Frz., u. Joh. A. **Kail,** üb. e. Krokodil-Schädel aus den Tertiärablagerungen v. Eggenburg in Niederösterreich. Eine paläontolog. Studie. [Mit 3 lith. Taf. u. 3 Text-Illustr.] Imp.-4. (60 S.) Wien 885. (Gerold's Sohn.) n. 5. 20

Touren-Verzeichniss u. Touristenführer f. die Ost-Karawanken u. Sannthaler-Alpen m. besond. Berücksicht. d. Sectionsgebietes, Eisenkappel u. Umgebung. Hrsg. v. der Section Eisenkappel d. österr. Touristenclub. 2. Aufl. 8. (64 S.) Eisenkappel 885. (Klagenfurt, v. Kleinmayr.) n.n. — 52

Tourist, der. Internationaler Eisenbahnführer f. Schweizer Reisende. Officielle Fahrtenpläne der Schweizer. Eisenbahnen, Dampfboote u. Posten. Directe Routen v. Frankreich, England, Holland etc. nach der Schweiz, Italien u. dem Littoral. Mit e. internationalen Routen-Karte u e. Spezial-Karte der schweizer. Verkehrsanstalten. Sommerdienst 1885. 8. (XVI, 266 S.) Bern 885. Wyss. n. 1. —

— der. Eisenbahnführer f. Reisende in der Schweiz. Offizielle Fahrtenpläne der schweizer. Eisenbahnen, Posten u. Dampfschiffe. Winter-Saison 1884/85. Mit 1 (lith.) Karte. 8. (XVI, 172 S.) Ebend. 884. n. — 40

— dasselbe. Directe Routen von Frankreich, England, Holland etc. nach der Schweiz, Italien u. dem Littoral. Mit e. internationalen Routen-Karte u. e. Spezial-Karte der schweiz. Verkehrsanstalten. Sommerdienst 1884. 8. (XVI, 266 S.) Ebend. 884. n. 1. —

— der. Allgemeine Reise-Zeitg. Red.: P. Gisbert [Pniower]. 2. Jahrg. Juli 1885—Juni 1886. 24 Nrn. (B. m. Illustr.) gr. 4. Berlin, C. Stangen's Reise-Bureau. n. 3. —

— der. Allgemeine Reise- u. Bäder-Zeitung. Hrsg. v. Gg. G. Brueckner. 3. Jahrg. Juli 1886—Juni 1887. 24 Nrn. (B. m. Illustr.) Berlin, Verl. der „Deutschen Weltpost". n.n. 3. —

— der. Unabhängiges Organ f. Touristik, Alpen- u. Naturkunde. Begründet 1869 v. Gust. Jäger. Unter Mitwirkg. hervorrag. Alpenkenner u. Fachmänner hrsg. v. W. Jäger. 15—18. Jahrg. 1883—1886. à 24 Nrn. (à $1^1/_2$—2 B.) gr. 4. Wien, (F. Beck). à Jahrg. n. 10. —

Touristen-Führer. Hrsg. vom oesterreich. Touristen-Club. 1. 4. 6—15. 17—20. 8. Wien, Bretzner & Co. n. 27. —

1. Der Führer auf der Linie Leobersdorf-Gutenstein der k. k. priv. niederösterreichischen Staatsbahnen m. besond. Berücksicht. v. Gutenstein u. Schwarzau sammt Umgebungen. (Von Joh. Ziegler.) 2. Aufl. (55 S.) 884. 1. 20
4. Das Traisenthal u. das Pielachthal. Ein Führer auf den Linien: St. Pölten-Scheibmühl, Scheibmühl-Hainfeld u. Scheibmühl-Schrambach der k. k. niederösterreichischen Staatsbahnen. Von Jos. Rabl. 2. Abth. (108 S.) 884. 1. 50
6. Führer auf den Semmering u. Umgebung, m. besond. Berücksicht. d. neuen Hôtels. Von A. Silberhuber u. Jos. Rabl. 2. Aufl. Mit Hôtel-Ansicht u. Plan, 1 Karte u. 1 Panorama. (IV, 55 S.) 883. 2. 60
7. Führer auf den Dürrenstein u. in die Sommerfrischen Lunz, Göstling u. Gaming. Von C. Fruwirth, unter Mitwirkg. v. Freunden u. Kennern d. Gebietes. Mit 1 Illustr. (VIII, 52 S.) 882. 1. 20
8. Die Eisenbahn Wien-Aspang u. ihre Gebirgs-Umgebung. Von L. Märsroth. 2. Aufl. Ergänzt, verb. u. erweitert v. C. Fruwirth. Mit 8 Illustr. v. A. Blamauer. (X, 72 S.) 884. 1. 50
9. Zwettl u. das Kampthal m. seinen Umgebungen v. Jos. Rabl. Mit 6 Illustr. v. A. Blamauer. (X, 85 S.) 884. 1. 50
10. Der Schneeberg in Nieder-Oesterreich. Von Fritz Leeder. Mit 2 Ansichten u. 1 Tab. (X, 50 S.) 883. 1. 20
11. Ein Ausflug auf den Monte Baldo. Von J. Frischauf. Mit 1 Panorama u. 1 Illustr. (IV, 34 S.) 883. geb. n. 1. 80
12. Führer durch Windisch-Garsten u. seine Umgebungen, Ober-Oesterreich. Mit e. Panorama, 3 Illustr., 1 Plane u. 1 Eisenbahn-Kärtchen. Hrsg. v. der Section Windisch-Garsten d. österr. Touristen-Club (40 S.) 883. cart. n. 1. 20; geb. n. 1. 60
13. Von Innsbruck nach Bludenz. Eine Monographie d. Ober-Innthals v. Isidor Müller. (112 S.) 883. 2. —
14. Die Raxalpe. Von Jos. Rabl. 2. verb. u. verm. Aufl. Mit 1 Ansicht, 1 Distanzkarte u. Anh: Das Carl Ludwig-Haus auf der Raxalpe. (VIII, 84 S.) 883. 1. 80
15. J. Frischauf's Gebirgsführer durch die österreichischen Alpen u. die angrenzenden Theile v. Bayern, Italien u. Montenegro. Oestlicher Thl. 3., gänzlich umgearb. Aufl. (XII, 274 S.) 883. 3. 60
17. Waidhofen a. d. Ybbs u. seine Umgebungen im Ybbs- u. Ennsthale, v. Thdr. Zelinka. 4. Aufl. (VII, 110 S.) 885. n. 2. —

18. Mariazell, seine Umgebung u. Zugangsrouten. Von C. Fruwirth. Mit 6 Illustr. (60 S.) 885. n. 1. 80
19. Innsbruck, seine Umgebung u. angrenzenden Berge v. e. Mitgliede. Mit 1 Lichtdr.-Bilde. (32 S. m. 1 Plan.) 885. n. — 60
20. Touristen-Führer durch das Lechthal. Von Jos. Ludw. Klotz. Mit 4 Illustr. (120 S.) 886. n. 1. 50

Touristen-Führer durch die Stadt Flensburg u. ihre Umgebungen, namentlich die Ostsee-Bäder Glücksburg, Gravenstein u. Kollund. Mit 3 Specialkarten. 12. (15 S.) Flensburg 884. Westphalen. n. — 50

Touristen-Kalender, österreichischer, f. d. J. 1883. 2. Jahrg. Hrsg. vom Oesterreich. Touristen-Club in Wien. gr. 16. (VIII, 129 S. m. 1 Holzschn.-Portr.) Wien, Hölder. geb. n. 2. 80

Touristen-Zeitung, deutsche. Zeitschrift f. Touristik, Geographie u. Naturkunde. Organ d. Verbandes deutscher Touristen-Vereine. Hrsg. v. Thdr. Petersen. 1. Jahrg. April 1883—März 1884. 12 Hfte. (2 B. m. eingedr. Holzschn.) gr. 4. Frankfurt a/M. 883. Mahlau & Waldschmidt. 5. —

— allgemeine deutsche. Zentral-Organ f. Touristik u. die touristist. [Gebirgs- u. Verschönerungs-]Vereine. Red.: L. A. Nicol. 3. Jahrg. 1886. 24 Nrn. (B.) gr. 4. Frankfurt a/M. 886. Nephuth. n. 6. —

— österreichische. Hrsg. vom österreich. Touristen-Club. Red. v. Edm. Graf u. A. Silberhuber. 5. u. 6. Jahrg. 1885 u. 1886, à 24 Nrn. (1½ B.) hoch 4. Wien, (Bretzner & Co.). à Jahrg. n. 8. —

Toussaint, Charles, u. G. **Langenscheidt,** Französisch f. Kaufleute. Unter Mitwirkg. v. Fachmännern. 4. Aufl. gr. 8. (90 S.) Berlin 884. Langenscheidt. n. 2. —; geb. 2. 50

— — Lehrbuch der französischen Sprache f. Schulen [nicht f. den Selbst-Unterricht]. 1. u. 2. Kurs. Mit besond. Berücksicht. der Aussprache u. Angabe letzterer nach dem phonet. System der Methode Toussaint-Langenscheidt. gr. 8. Ebend. 883. n. 3. 50
1. 12. Aufl. (XX, 223 S.) n. 1. 50
2. 6. Aufl. (XII, 273 S.) n. 2. —

— — brieflicher Sprach- u. Sprech-Unterricht f. das Selbststudium Erwachsener. Französisch. 33. Aufl. gr. 8. (736 9 Beilagen u. 320 S.) Ebend. 886. In Leinw.-Decke u. Futteral. 27. —

Toussaint, F. W., der landwirthschaftliche Grundbesitz u. die Arbeiter im landwirthschaftlichen Betriebe. Mit krit. Bemerkgn. von v. Wedemayer-Schoenrade. Lex.-8. (26 S.) Berlin 884. F. Luckhardt. n. — 75

— der moderne Staat u. das Judenthum, s.: Zeitfragen, soziale.

— die Wiese, deren Technik, Pflege u. ökonomische Bedeutung. Mit 12 Holzschn. im Text u. 24 lith. Abbildgn. der vorzüglichsten Wiesengräser (auf 9 Taf.). gr. 8. (XI, 276 S.) Breslau 885. Korn. n. 4. 50

Toussaint, J. P., e. Büchlein üb die Liebe Gottes. Nach dem Franz. bearb. 16. (IV, 95 S.) Dülmen 884. Laumann. n. — 25

— Gott meine Zuflucht. Vollständiges Lehr- u. Andachtsbuch f. kathol. Christen, welche in den Leiden u. Gefahren dieses Lebens wahren Trost u. e. zuverläss. Führer zu Gott suchen. 2. Aufl. 24. (XVI, 528 S. m. chromolith. Titel u. 1 Stahlst.) Ebend. 884. n. 1. 20; geb. von n. 2. — bis n. 20. —

— Leben d. heil. Philippus Benitius aus dem Servitenorden. Quellenmäßig dargestellt. 8. (VII, 262 S.) Ebend. 886. n. 1. 20

— Predigten auf alle Sonntage d. Jahres. gr. 8. (IV, 384 S.) Mainz 884. Kirchheim. 4. —

— rette deine Seele! 50 Missionspredigten. 2., verb. Aufl. gr. 8. (478 S.) Dülmen 885. Laumann. n. 3. —

— geistliche Uebungen f. Firmlinge. Ein Hülfsbuch f. Priester u. Lehrer od. auch zum Selbstgebrauche der Kinder. 16. (IV, 316 S.) Mainz 883. Kirchheim. 1. 50

Towns and landscapes of all the world. Dir.: J. A. Preuss. Nr. 1 and 2. 8. Zürich 886. Schmidt. à n. — 50
Munich by C. A. Regnet. With 52 illustrations, a map of the lake of Starnberg and a plan of Munich. (65 S.)

Toews, H., kurze Chronik der Stadt Insterburg. Zusammengestellt u. zur 3. Säkularfeier der Stadt veröffentlicht. gr. 8. (III, 188 S.) Insterburg 883. Hopf. n. 1. 50

Traber, W. L., die Raumgrössen-Rechnung in systematischer Zusammenstellung. Ein Handbuch in kurzer, deutl. u. leichtfassl. Darstellg. f. Baumeister, Bautechniker, Schüler techn. Lehranstalten, sowie f. die dem Baugewerbe nahesteh. Gewerbtreibenden m. 80 dem Text beigedr. Fig. zusammengestellt. 8. (64 S.) Grossenhain 884. Baumert & Ronge. n. 1. 20

Traberbuch f. 1885. Hrsg. v. Vict. Silberer. 16. (VI, 115 S.) Wien 885. Verl. der Allg. Sport-Zeitung. geb. n. 5. 40

Trachbrodt's, E., Stenografen-Kalender f. 1886 u. 1887. 4. (52 autogr. S. m. eingedr. Illustr. u. 1 Chromolith.) Leipzig, F. Geißler. n. — 85; geb. n. 1. 25

Trachsler-Wettstein, E., das Turnen m. dem Gummistrang. Eine Anleitg. zum Selbstunterricht f. Privatturnen u. Turnvereine. Mit 50 Illustr. (14 Steintaf.). 8. (15 S.) Schaffhausen 884. (Bern, Jenni.) n. 1. 50

Trachten, neue, f. deutsche Schützen. Fol. (1 lith. u. color. Modentafel. 1 Schnittmusterbogen u. 1 Reduktionstaf.) Leipzig 884. Exped. v. Schmidt's Modenzeitg. n. 1. 50

Tragau, K., die Geflügelzucht,
— der Getreidebau auf wissenschaftlich-praktischer Grundlage,
— die Kartoffel u. ihre Kultur,
— die Wiesen u. ihre Kultur,
} s.: Sammlung gemeinnütziger Vorträge.

Traeger, Alb., Gedichte. 16. Aufl. 12. (XVIII, 418 S.) Leipzig 884. Keil's Nachf. geb. m. Goldschn. n. 5. 25

Train-Vorschrift f. die Armee im Felde. 8. (IV, 74 S. m. 3 Steintaf.) Wien 884. Hof- u. Staats-Druckerei. n. — 60

Trais, Frdr. v., Heimathsklänge aus der Wetterau. Gedichte in Wetterauer Mundart. 8. (IV, 76 S.) Gießen 883. Roth. n. 1. —

Trall, R. T., die einzig wahre u. sichere Hülfe f. kranke, sieche u. geschwächte Männer, welche ihr Nervensystem durch Jugendsünden, geheime Krankheiten u. Ausschweifungen zerrüttet haben. Deutsche Ausg. v. Emil Weilshäuser. 2. Aufl. gr. 8. (68 S.) Leipzig 884. Th. Grieben. n. — 75

Trambahn-Führer, Münchener. Mit (lith.) Stadtplan, Verzeichniss der Sehenswürdigkeiten, der königl. u. städt. Behörden etc. 32. (16 S. m. Lokalfahrplan.) München 883. L. Finsterlin. n. — 20

Tramnitz, Adf., Tramnitzluft. Ein Weidwerksgedicht in 5 Gesängen. 16. (91 S.) Breslau 883. (Morgenstern.) cart. n.n. 1. 50

Trampler, R., Atlas der österreich.-ungarischen Monarchie [m. Mittel-Europa, Europa u. Planigloben]. Für Volksschulen bearb. qu. gr. 4. (20 chromolith. Karten.) Wien 883. Hof- u. Staatsdruckerei. n. 1. 40

— Atlas f. die gewerblichen Vorbereitungs- u. Fortbildungsschulen Niederösterreichs. qu. gr. 4. (6 chromolith. Karten.) Ebend. 886. n. — 60

— Mittelschul-Atlas. 2. verb. u. verm. Aufl. Grosse Ausg. in 60 Haupt- u. 77 Nebenkarten. Chromolith. qu. gr. 4. (1 Bl. Text.) Ebend. 885. In Lex.-8. geb. n. 6. —

— dasselbe. 2. verb. u. verm. Aufl. Kleine Ausg. in 40 Haupt- u. 53 Nebenkarten. Chromolith. qu. gr. 4. (1 Bl. Text.) Ebend. 885. In Lex.-8. geb. n. 4. 40

Transfeldt, die Dienstpflichten d. Infanterie-Unteroffiziers im inneren Dienst der Kompagnie. 4. Aufl. gr. 8. (IV, 111 S.) Berlin 884. Mittler & Sohn. n. 1. —

— Dienst-Unterricht f. die zur Uebung eingezogenen Ersatz-Reservisten 1. Klasse, Volksschullehrer, Reservisten u. Landwehrmänner der deutschen Infanterie. Nach den neuesten Bestimmgn. bearb. 3. Aufl. Mit 37 in den Text gedr. Holzschn. u. e. Ordenstaf. gr. 8. (V, 94 S.) Ebend. 883. n.n. — 25

— Dienst-Unterricht f. den Infanteristen d. deutschen Heeres. Nach den neuesten Bestimmgn. bearb. 18. Aufl. Mit 42 in den Text gedr. Holzschn., 1 Ordens- und 1 Croquir-Taf. gr. 8. (VI, 142 S.) Ebend. 886. n.n. — 50

— Kommando-Buch f. jüngere Offiziere u. f. Unteroffiziere der deutschen Infanterie v. e. alten Compagnie-Chef. 2. Aufl. 12. (VIII, 117 S.) Ebend. 885. n. — 60

Transfeldt, kleines Kommando-Buch f. angehende Unteroffiziere u. f. Rekruten-Gefreite der deutschen Infanterie. 12. (IV, 54 S.) Berlin 885. Mittler & Sohn. n. — 35
— die Kontrolversammlung. 8. (28 S.) Ebend. 883. n. — 50

Tranzschel, Frdr. Geo., Beichtrede üb. Luc. 23, 39—43, geh. am Charfreitag, 23. Apr. 1886, in der Kirche zu St. Georg in Leipzig. gr. 8. (10 S.) Leipzig 886. Buchh. d. Vereinshauses. n. — 20
— „Israel, zu deinen Hütten!" Predigt u. Taufrede bei e. Proselytentaufe am 6. Epiphaniensonntag, 14. Febr. 1886, in der Kirche zu St. Georg in Leipzig geh. gr. 8. (21 S.) Leipzig 886. Dörffling & Franke. n. — 40
— „Lasset euch Jerusalem im Herzen sein!" Predigt u. Taufrede bei der Taufe v. Martha Johanna Fanny Gertrud Lehmann, geb. am 3. Dec. 1868 in Halberstadt, geh. am 1. Sonntag nach Trinitatis, 27. Juni 1886, in der Kirche zu St. Georg in Leipzig. gr. 8. (24 S.) Ebend. 886. n. — 30
— was der Mensch säet, das wird er ernten! Erntefestpredigt, geh. am 12. Sonntage nach Trinitatis den 12. Septbr. 1886 in der Kirche zu St. Georg in Leipzig. gr. 8. (16 S.) Leipzig 886. Dyk. — 30
— etliche Proben wahren Christenthums an wunden Stellen unsers täglichen Verkehrs unter einander. Predigt üb. Röm. 12, 14—21, geh. am 3. Epiphaniensonntag, 24. Jan. 1886, in der Kirche zu St. Georg zu Leipzig. gr. 8. (18 S.) Leipzig 886. Buchh. d. Vereinshauses. — 30
— Thau aus der Morgenröte. Taufgottesdienst m. Predigt u. Taufrede beim Uebertritt e. Jüngers der Wissenschaft aus Israel zum Christenthum, geh. zu Sanct Georg in Leipzig am 3. S. n. Trinit. 29. Juni 1884. gr. 8. (24 S.) Erlangen 884. Deichert. — 30

Trapp, Ed., u. Herm. **Pinzke**, das Bewegungsspiel. Seine geschichtl. Entwickelg., sein Wert u. seine method. Behandlg., nebst e. Sammlg. v. üb. 200 ausgewählten Spielen u. 25 Abzählreimen. Auf Grund u. im Sinne d. Ministerial-Reskripts vom 27. Oktbr. 1882 bearb. gr. 8. (VIII, 126 S.) Langensalza 884. Beyer & Söhne. n. 1. 20
— — dasselbe. 2. verm. u. verb. Aufl. 12. (XI, 176 S.) Ebend. 885. geb. n. 1. 60

Trappe, Alb., Schul-Physik. 10. verb. u. verm. Aufl. Mit 263 in den Text gedr. Abbildgn. gr. 8. (319 S.) Breslau 886. F. Hirt. n. 3. —

Tratado de terapeutica homoeopática, escrito bajo et punto de vista actual de la medicina y utilizando los últimos adelantos de la literatura homoeopática, con un resumen de anatomia y fisiologia, humanas reglas para la inspeccion clinica, diagnostico, tratamiento y dietética, y con 200 grabados anatómicos y patológicos intercalados en el testo, para uso de los médicos y personas instruidas. Traducido al español, corregido y aumentado de la 3. y última edicion alemana, por Paz Alvarez. gr 8. (XVI, 1283 S.) Leipzig 885. Dr. W. Schwabe. n. 20 —; geb. n. 22. 50

Trau, C., die rothe Braut, s.: Volksbücher, Reutlinger.

Traub, Berthold, das Strafgesetzbuch f. das Deutsche Reich, nebst den bad. Einführungs- u. Vollzugs-Bestimmgn., dem Polizeistrafgesetzbuche u. den wichtigeren, auf das Strafrecht bezügl. Reichs- u. bad. Landes-Gesetzen, m. den Entscheidgn. d. Reichsgerichts u. d. bad. Ober-Landesgerichts zum prakt. Gebrauche, insbesondere auch f. Schöffen u. Geschworene. 5. Aufl. gr. 8. (XV, 400 S.) Mannheim 885. Bensheimer's Verl. n. 3. —; geb. n. 4. —
— die Strafprozeßordnung u. Gerichtsverfassung f. das deutsche Reich m. den Entscheidungen d. Reichsgerichts u. d. badischen Oberlandesgerichtes. gr. 8. (VIII, 272 S.) Heidelberg 883. Emmerling & Sohn. n. 3. —; geb. n. 3. 60
— dasselbe m. den Einführungs- u. Vollzugsbestimmungen, den Vorschriften üb. den Strafvollzug u. das Kostenwesen, sowie den Auslieferungsverträgen. gr. 8. (XII, 595 S.) Ebend. 888. n. 6. —

Traube, Ludw., varia libamenta critica. gr. 8. (39 S.) München 883. (Buchholz & Werner.) n. 1. —

Trauerreden nach dem Abscheiden Sr. Königl. Hoh. d. Großherzogs Friedrich Franz II. v. Mecklenburg-Schwerin. gr. 8. (45 S.) Schwerin 883. Hildebrand's Verl. n. — 80

Trauerspiel, das, im Kochbuch od. Poesie u. Prosa. Duo-Posse. 8. (14 S.) Wien 885. Neidl. n. — 40

Traugott, Emma, durch Nacht zum Licht. Eine Erzählg. f. jung u. alt. 12. (56 S.) Basel 885. Spittler. — 30

Traum u. Leben. Liederklänge aus Schleswig-Holstein v. Adelaide Marie. 8. (VIII, 203 S.) Garding 886. Lühr & Dircks. n. 2. 40; geb. m. Goldschn. n. 4. —

Traumbuch, das große egyptische. Große illustr. Ausg. Anh.: Träume in zahlreichen Bildern dargestellt, nebst Angabe der betr. Lotterie-[Lotto-]Gewinn-Nummern. 16. Aufl. 12. (119 S.) Dresden 884. Kaufmann's Verl. — 75
— das wahre egyptische. Nach alten egypt., schwed. u. arab. Handschriften bearb., sowie nach den Aufzeichngn. d. Mönches Ambrosius. 8. (36 S. m. 1 Chromolith.) Landsberg a/W. 885. Volger & Klein. — 25
— neuestes, od. die vollständ. u. zuverläss. Deutg. aller Arten Träume. 11. Aufl. 16. (32 S.) Elbing 883. Ostdeutsche Verlags-Anstalt. — 20
— vollständiges erneuertes u. vielvermehrtes, od. die Kunst, nächtl. Vorbildgn. u. Träume richtig zu deuten u. hieraus die Zukunft vorher zu sagen. 25. Aufl. 8. (64 S.) Quedlinburg 884. Ernst. — 30
— vollständiges untrügliches. Naturgemäße Deutg. der verschiedenartigsten Träume. Nach den Papieren der Mlle. Lenormand. 9. Aufl. 8. (64 S.) Oberhausen 884. Spaarmann. n. — 25
— neues vollständiges, od. humorist. Auslegg. u. Deutg. sämmtl. Träume. 3. Aufl. 12. (64 S.) Mühlheim 883. Bagel. — 30
— das wahre u. echte egyptische, od. wahrhafte Auslegg. aller Träume, welche im menschl. Leben vorkommen. Nach egypt. Wahrsagern. (64 S.) Reutlingen 883. Bardtenschlager. — 25

Traum-Büchlein, neuestes, f. Jedermann, in welchem die meisten Arten Träume m. ihrer natürl. Auslegg. nach dem Alphabete aufgeführt sind. 8. Aufl. 12. (16 S.) Landsberg a/W. 884. Volger & Klein. — 10

Traumüller, Frdr., die Mannheimer meteorologische Gesellschaft [1780—1795]. Ein Beitrag zur Geschichte der Meteorologie. Mit 38 Fig. gr. 8. (III, 48 S.) Leipzig 885. Dürr'sche Buchh. n. 1. 50

Traun, Jul. v. der, die Aebtissin v. Buchau, s.: Bibliothek f. Ost u. West.
— der Liebe Müh' umsonst. 3 Novellen. 8. (291 S.) Teschen 884. Prochaska. n. 3. 50; Einbd. n.n. — 50
— der Schelm v. Bergen. Einer unverklungenen Sage nacherzählt. 4. Aufl. 12. (166 S. m. Lichtdr.-Portr.) Wien 885. Rosner. n. 2. 40

Traunwieser, Joh., die mittelhochdeutsche Dichtung Lohengrin „e. Mosaik aus Wolfram Eschenbach". gr. 8. (65 S.) Wien 888. (Pichler's Wwe. & Sohn.) n. 1. 30

Trauscheine, 25. 2. Aufl. qu. gr. 4. Frankfurt 884. Drescher. n. 2. —; ohne Text n. 2. —
— 20, m. Bibelsprüchen u. Liederversen. Mit Zeichngn. v. C. Andreae. Pracht-Ausg. 1. u. 2. Hft. gr. 4. (à 20 Bl. in Buntdr.) Bielefeld 883. Velhagen & Klasing. à n. 2. —

Trausil, M., der Henker wider Willen,
— die Kröte als Verräterin,
— der Mörder seiner selbst,
— die Polizei v. der Polizei überlistet,
} s.: Novellen-Bibliothek, criminalistische.
— Vademecum f. Dilettanten. Eine theoretisch-prakt. Anleitg. zum öffentl. Auftreten. 8. (III, 100 S.) Leipzig 887. C. A. Koch. n. 1. 20

Traut, Anselm, e. Opfer der Wilden od. unter den Cannibalen. Erzählung f. das Volk u. die reifere Jugend. 8. (64 S.) Hamburg 884. Kramer. — 25

Traut, Ant., Zeichenunterricht in der Elementarschule. 1. u. 2. Hft. qu. 4. (à 12 Steintaf.) Crefeld 885. Brocker. à n. — 35

1. 13. Aufl. — 2. 9. Aufl.

Traut, Georges, cours complet de langue allemande en deux parties. 1. partie. 3. éd. 8. (VII, 438 u. 3 lith. S.) Frankfurt a/M. 885. Jügel. geb. 4. 20; Clef. (144 S.) geb. 1. 80

— Lexikon üb. die Formen der griechischen Verba. Nebst 2 Beilagen: I. Verzeichniss der Declinations- u. Conjugations-Endgn. II. Grammatische Schlüssel. 2. Ausg. gr. 8. (VIII, 718 u. 44 Sp. u. S.) Giessen 886. Roth. n. 2. —

Traut, H. Th., englische Aufsatz- u. Briefschule. Eine Sammlg. v. Musteraufsätzen, Briefen u. Entwürfen. Mit Einleitgn. u. Präparationen. Für die Oberklassen höherer Schulen u. zum Privatstudium. gr. 8. (VIII, 164 S.) Bernburg 886. Bacmeister. n. 1. 80

— französische Aufsatz- u. Briefschule. Eine Sammlg. v. Musteraufsätzen, Briefen u. Entwürfen. Mit Einleitg. u. Präparationen. Für die Oberklassen höherer Schulen u. zum Privatstudium. gr. 8. (VIII, 170 S.) Ebend. 886. n. 1. 80

— methodisches Hilfsbuch bei dem Unterricht in der Grammatik der deutschen Sprache. Mit Beispielen u. Übungsaufgaben. In 4 Kursen. Für höhere Lehranstalten. gr. 8. Gotha 885. Behrend. n. — 95

1. 6. Klasse. (19 S.) n. — 20. — 2. 5. Klasse. (24 S.) n. — 25. — 3. 4. Klasse. (24 S.) n. — 25. — 4. 3. Klasse. (24 S.) n. — 25

— systematisches Hilfsbuch bei dem Unterricht in der deutschen Litteratur-Geschichte. Mit e. Inhalts- u. Namenregister. Für die Oberklassen höherer Lehranstalten. 2. Aufl. gr. 8. (IV, 76 S.) Ebend. 885. n. — 70

— englischer Reise-Hotel-Dolmetscher. Neuestes System, Original. [Ster.-Ausg.] 8. (IV, 137 S.) Leipzig 884. Blüher. geb. n. 1. 20

— Vingt et une Coeur- u. Pique-Damen. Historische Feuilletons. 8. (VIII, 440 S.) Ebend. 884. n. 4. —; geb. 5. —

Trautmann, F., anatomische, pathologische u. klinische Studien üb. Hyperplasie der Rachentonsille, sowie chirurgische Behandlung der Hyperplasie zur Verhütung v. Erkrankungen d. Gehörorgans. Mit 7 lith. Taf. u. 12 stereoskop. Photogr. nach Sectionspräparaten. Fol. (V, 150 S.) Berlin 886. Hirschwald. cart. n. 40. —

Trautmann-Rosa, F., Fragment der Zeit. Aus der Bibel der Natur e. ungelehrten Greises. gr. 8. (34 S.) Straßburg 886. Treuttel & Würtz. n. — 60

Trautmann, Frz., aus dem Burgfrieden. Alt-Münchener Geschichten. 8. (III, 347 S.) Augsburg 886. Literar. Institut v. Dr. M. Huttler. 6. —

— die Glocken v. Sanct Alban. Stadt- u. Familien-Roman aus bewegten Zeiten d. 17. Jahrh. 3 Thle. 2. Aufl. 8. (IV, 855 S.) Regensburg 884. Pustet. n. 5. —

— Hell u. Dunkel. Poësieen aus allen Stimmgn. Mit dem (Lichtdr.-)Bildnisse d. Verf. 8. (VII, 358 S.) Augsburg 885. Literar. Institut v. Dr. M. Huttler. n. 5. —

— im Münchener Hofgarten. Oertliche Skizzen u. Wandelgestalten. 12. (VIII, 236 S.) München 884. Stahl sen. n. 1. 80

— Traum u. Sage. 8. (V, 207 S. m. farb. Titel.) Augsburg 887. Literar. Institut v. Dr. M. Huttler. n. 3. —; geb. n.n. 4. —

Trautmann, Mor., die Sprachlaute im Allgemeinen u. die Laute d. Englischen, Französischen u. Deutschen im Besonderen. Mit 10 Holzschn. gr. 8. (VIII, 330 S.) Leipzig 884. Fock. n. 7. —; geb. n. 8. —

Trautvetter, E. R. v., incrementa florae phaenogamae rossicae. gr. 8. (IV, 929 S.) Petropoli 883. 84. (Berlin, Friedländer & Sohn.) n. 18. —

Trautwein, Th., Führer durch München u. seine Umgebung. Mit den vollständ. Katalogen der beiden Pinakotheken, der Glyptothek u. der Schack'schen Galerie. 13. vollständig umgearb. Aufl. d. v. Morin begründeten Handbuchs. Nebst e. grossen Plan v. München u. Umgebg., Orientirungsplan, Tableau der inneren Eintheilg. der 3 kgl. Theater, 9 Grundrissen, e. Kärtchen d. Starnberger Sees u. Plan v. Nymphenburg. 12. (XXVIII, 231 S.) München 885. Kaiser. n. 2. —; geb. n. 2. 60

Trautwein, Th., das bairische Hochland u. das angrenz. Tirol u. Salzburg, nebst Salzkammergut. 3. neubearb. Aufl. Mit 20 Karten u. 2 Stadtplänen. 8. (XII, 204 S.) Augsburg 886. Lampart's alpiner Verl. geb. n. 3. —

— das Kaisergebirge in Tirol. Für Einheimische u. Fremde geschildert. Mit 1 Karte d. Kaisergebirges (in Kpfrst.). Erweiterter Wiederabdr. aus der Zeitschrift d. Deutschen u. Oesterr. Alpenvereins. 8. (64 S.) Kufstein 885. (München, Lindauer.) n.n. 1. 30

— Südbaiern, Tirol u. Salzburg, Oesterreich, Steiermark, Kärnten, Krain, Küstenland u. die angrenzenden Theile v. Ober-Italien. Wegweiser f. Reisende. 7. Aufl. Mit Ergänzgn. bis 1884. Mit 1 Uebersichtskarte u. 11 Specialkarten. 8. (XXVI, 419 S.) Augsburg 885. Lampart's alpiner Verl. geb. n. 5. —

Trauzl, Isid., sprengtechnische Fragen. I. Zur Schlagwetter-Frage. gr. 8. (15 S.) Wien 885. (Spielhagen & Schurich.) n. — 50

Treadwell, F. P., Tabellen zur qualitativen Analyse. Zum Gebrauche im chemisch-analyt. Laboratorium d. eidg. Polytechnikums bearb. unter Mitwirkg. v. Vict. Meyer. 2. Aufl. gr. 8. (IV, 4 S. m. 16 Tab.) Berlin 884. Dümmler's Verl. cart. n. 4. —

Trebe, Joh. Heinr. Herm., les trouvères et leurs exhortations aux croisades. gr. 4. (23 S.) Leipzig 886. (Hinrichs' Verl.) n. 1. —

Treblin, A., 66 Choralmelodien zum Schulgesangbuch (f. die Prov. Schlesien). 8. (16 S.) Breslau 883. Korn. n.n. — 15

— 80 Kirchenlieder nach dem Texte d. im J. 1879 hrsg. Gesangbuchs f. evangel. Gemeinden Schlesiens, nebst e. Auswahl v. 18 Psalmen, sowie Luthers kleinem Katechismus u. tägl. Gebeten. Für den Schulgebrauch zusammengestellt. 7. Aufl. 8. (64 S.) Breslau 884. Korn. n.n. — 12

— Schulgesangbuch. (Große Ausg.) 8. (XII, 276 S.) Ebend. 880. n. — 75; Melodieen-Anh. (16 S.) n.n. — 15

— dasselbe. (Kleine Ausg.) 2. Aufl. 8. (XII, 172 S.) Ebend. 883. n. — 60

Trede, Paul, Lena Ellerbrok. Ein plattdütsch Stückschen ut ole Tiden. 16. (112 S.) Garding 884. Lühr & Dircks. n. 1. —; geb. m. Goldschn. n. 1. 80

Trede, Th., die Propaganda fide in Rom, s.: Zeit- u. Streit-Fragen, deutsche.

— das geistliche Schauspiel in Süditalien, s.: Sammlung gemeinverständlicher wissenschaftlicher Vorträge.

Tréfort, Aug. v., Denkrede auf Graf Melchior Lónyay. Autoris. deutsche Ausg. gr. 8. (26 S.) Budapest 886. Kilián. n. — 60

— Gedenkrede auf Franz Guizot, auswärt. Mitglied der Ungar. Akademie. Gelesen in der Sitzg. vom 26. Oktbr. 1885. Aus dem Ung. übers. gr. 8. (20 S.) Ebend. 885. n. — 40

— Mignet u. seine Werke. Gelesen in der ungar. Akademie der Wissenschaften am 26. Jan. 1885. gr. 8. (27 S.) Ebend. 885. n. — 80

— Reden u. Studien. gr. 8. (XII, 298 S.) Leipzig 883. Elischer. n. 5. —

Treibel, Uebersicht der geschichtlichen Entwickelung d. Taubstummen-Bildungswesens m. besond. Berücksicht. der königl. Taubstummen-Anstalt zu Berlin. Imp.-4. (9 S.) Berlin 883. Verl. d. k. statist. Bureau's. n. — 40

Treiben, das dunkle, der Freimaurerei, an der Hand d. Rundschreibens d. Papstes Leo XIII. vom 20. Apr. 1884 beleuchtet v. e. Exilierten. 8. (55 S.) Paderborn 885. Bonifacius-Druckerei. — 30

— fröhliches, in Stadt u. Land. Ein Bilderbuch f. die lieben Kleinen. Mit hübschen Verschen. qu. 4. (4 Chromolith. m. eingedr. u. 1 Bl. Text.) Eßlingen 884. Schreiber. geb. n. 1. —

— fröhliches, der kleinen Welt. Unzerreißbares Bilderbuch m. 6 Farbendr.-Bildern v. F. Lipps u. kleinen Erzählgn. gr. 4. (6 S. Text.) Stuttgart 884. G. Weise. geb. 2. 50

Treichler, J. J., politische Wandlungen der Stadt Z

s.: Sammlung gemeinverständlicher wissenschaftlicher Vorträge.

Treitel, Th., Tafeln zur numerischen Bestimmung d. Lichtsinnes. gr. 8. (12 Taf. auf Carton m. eingeklebten farb. Quadraten u. 4 S. Text.) Königsberg 885. (Hartung.) In Carton. n. 8. —

Treitschke, Heinr. v., historische u. politische Aufsätze. 5., verm. Aufl. 3 Bde. gr. 8. (V, 499; III, 569 u. IV, 645 S.) Leipzig 886. Hirzel. n. 18. —

— die königl. Bibliothek in Berlin. [Aus: „Preuß. Jahrb."] gr. 8. (27 S.) Berlin 884. G. Reimer. n. — 40

— deutsche Geschichte d. 19. Jahrh., s.: Staatengeschichte der neuesten Zeit.

— Luther u. die deutsche Nation. Vortrag, geh. in Darmstadt am 7. Novbr. 1883. 2. Abdr. gr. 8. (29 S.) Berlin 883. G. Reimer. n. — 50

Treller, Frz., Gela. Ein Bild aus deutscher Vorzeit. 8. (VII, 407 S.) Dresden 886. Minden. n. 5. —; geb. n.n. 6. —

Trempenau, Wilh., der Auctionator, Commissionär u. Concipient. Theoretische u. prakt. Anleitg. zum Geschäftsbetriebe dieser Gewerbe m. 150 Formularen. 2. Aufl. gr. 8. (IX, 229 S.) Berlin 884. C. Heymann's Verl. n. 3. —

— die neuen Börsensteuer- u. Wechselstempel-Gesetze u. Tarife d. Deutschen Reiches. 2. Aufl. 8. (VI, 136 S.) Leipzig 886. G. Weigel. cart. 1. 20

— deutsche Brauerei-Buchführung. Neueste Methode zur schnellen u. gründl. Erlerng. e. höchst einfachen aber prakt. Buchführg. f. Bierbrauereien. Theoretisch u. praktisch dargestellt f. kleinere u. mittlere Bierbrauereien. gr. 8. (IV, 156 S.) Augsburg 885. Stuttgart, Waag. n. 3. 60

— unentbehrlicher Briefsteller f. den deutschen Handwerkerstand u. andere Gewerbtreibende. 8. (116 S.) Berlin 885. S. Mode's Verl. 1. 50

— unentbehrlicher Briefsteller f. Stellensuchende, Handwerker u. Privatbedienstete. gr. 8. (87 S.) Gera 885. Literar. Institut v. R. Hahn. n. 1. —

— praktische Buchführung f. Detail-Geschäfte. 8. (VIII, 152 S.) Leipzig 885. G. Weigel. n. 1. 50

— das kaufmännische Conto-Corrent m. u. ohne Zinsen sowie rothen Zinszahlen nach der progressiven, retrograden u. Staffelrechnungsmethode. Nützliches Hilfsbuch f. Kaufleute u. Industrielle. gr. 8. (104 S.) Leipzig 883. M. Schäfer. 1. 50

— die Decimal-Rechnung u. ihre praktische höchst vortheilhafte Anwendung auf das decimale Münz-, Maß- u. Gewichtssystem d. Deutschen Reiches. Nebst 400 Uebungsaufgaben m. Auflösgn. u. 32 Regeln der Schnellrechenkunst. Zum Selbstunterricht u. f. den tägl. Verkehr. 2. Ausg. gr. 8. (IV, 107 S.) Weimar 883. B. F. Voigt. 1. —

— neuester Gurkenpreisberechner, speziell f. Gurkenbau u. Gurkenhandel berechnet u. f. Jedermann übersichtlich zusammengestellt. 16. (IV, 50 S.) Calbe 883. Bachr. geb. n. — 60

— praktisches Lehrbuch zum kaufmännischen Briefschreiben f. junge Kaufleute u. Gewerbetreibende. 3. Aufl. 8. (VII, 222 S.) Quedlinburg 884. Ernst. 2. —

— die Liqueur-Fabrikation od. 300 neueste Recepte e. prakt. Destillateurs u. Liqueur-Fabrikanten. 8. (XVI, 128 S.) Ebend. 883. 1. 50

— die kaufmännische Procent-Rechnung u. deren Anwendung bei der Discont-, Termin-, Contocorrent-, Zins- u. Wechselrechnung. Erläutert durch Schemas u. Beispiele, nebst 250 Rechenaufgaben m. Lösgn., ausgeführt nach der deutschen Reichswährg. 2. Ausg. gr. 8. (VIII, 163 S.) Weimar 883. B. F. Voigt. 1. 25

— Schlüssel zur richtigen Verbuchung schwieriger u. außergewöhnlicher Geschäftsfälle u. Anlegung e. verbesserten Geheimbuchführung. 8. (VIII, 334 S.) Quedlinburg 883. Ernst. 2. 50

— Universal-Receptbuch f. Handel, Gewerbe, Haus- u. Landwirthschaft, enth. üb. 770 Recepte zur Selbstanfertigg. v. Bedarfs-Artikeln aller Art u. gemeinnütz. Mitteln. Mit e. übersichtl. Nachschlage-Verzeichnisse. Nach langjähr. Erfahrgn. gesammelt. Lex.-8. (171 S.) Gera 884. Literar. Institut v. Rob. Hahn. 2. 50

Trempenau, Wilh., praktischer Unterricht in der einfachen u. doppelten Buchführung; neueste u. einfachste Methode f. Kaufleute, Gewerbtreibende u. Fabrikanten, um ihre Handlungsbücher deutlich, übersichtlich u. allgemein verständlich zu führen. Nebst Anweisgn. üb. 1) Schnellrechenkunst, 2) Münz-, Maß- u. Gewichtskunde d. deutschen Reichs, 3) zur richt. Ausstellung v. Wechseln, Verträgen u. Kontrakten, 4) üb. Rechngn. u. Contocorrenten, 5) Anleitg. zur gerichtl. Einklagg. v. Buchschulden, 6) das Konkursverfahren. 9. Aufl. 8. (VIII, 381 S.) Quedlinburg 883. Ernst. 3. 50

— Werthberechnungs-Tabellen f. den Ein- u. Verkauf v. Mastschweinen. Nützliches Hilfsbuch f. Landwirthe, Viehhändler, Fleischer, Schmelzer u. Private. 8. (VII, 63 S.) Neuhaldensleben 883. Eyraud. n. 1. —

— wie bewirbt man sich korrekt u. Erfolg versprechend um offene Stellen? Nützliches Handbuch f. Stellungsuchende jedes Berufes. 3. Aufl. 8. (VI, 103 S.) Leipzig 886. G. Weigel. n. — 75

— wie werden im Deutschen Reiche Handel u. Gewerbe, Industrie, Künste u. Erfindungen geschützt u. wie erlangt man e. Patent? 12. (V, 73 S.) Ebend. 885. cart. — 75

— der Zoll-Tarif d. Deutschen Reiches in seiner jetzigen u. früheren Gestalt, nebst dem Vertrags-[Ausnahme-]Zolltarif u. den v. dem Bundesrath festgestellten Tarasätzen, sowie sämmtl. auf Abänderg. d. Zolltarifs bezügl. Bundesrathsbeschlüsse u. Ministerialerlasse. Unentbehrliches Nachschlagebuch, in Zollangelegenheiten jeder Art f. Kaufleute, insbesondere auch Zucker-Fabrikanten, Tabak-Importeure u. -Händler, Industrielle, Gewerbtreibende, Tabakbauer, Land- u. Volkswirthe. 2. Aufl. 12. (127 S.) Ebend. 886. cart. 1. —

Trenck's, Friedr. Frhr. v., merkwürdige Lebensgeschichte, s.: Collection Spemann.

Trendelenburg, Verletzungen u. chirurgische Krankheiten d. Gesichts, s.: Chirurgie, deutsche.

Trendelenburg, Adf., s.: Gigantomachie, die, d. Pergamenischen Altars.

— die Laokoongruppe u. der Gigantenfries d. Pergamenischen Altars. Ein Vortrag. Mit 2 Lichtdr.-Taf. 8. (39 S.) Berlin 884. Gaertner. n. 1. 20

Trentler, Rob., 6275 deutsche Sprüchwörter u. Redensarten. 8. (211 S.) München 884. Leipzig, Unflad. n. 2. —; geb. n. 2. 80

Trenkner, W., der Kurort Grund am Harze. 3., verb. u. verm. Aufl. v. Freymuth. 8. (VIII, 133 S.) Clausthal 885. Grosse. n. 1. 40

Trescher, Herm., Flatterfahrten. Ein Berliner Skizzenbuch. 8. (VII, 115 S.) Berlin 886. Janke. n. 1. —

Treske, E., das Hohenzollernhaus. Geschichte der brandenburgisch-preuß. Regenten aus dem Hause Hohenzollern. Für Schule, Volk u. Heer bearb. Mit 18 Portraits. 8. (IV, 127 S.) Leipzig 884. G. Wigand. cart. n. 1. —

Tresor, der. Zeitschrift f. Volkswirthschaft u. Finanzwesen. Hrsg. u. Red.: S. Heller. 13—15. Jahrg. 1884—1886. à 52 Nrn. (2 B.) Fol. Wien, (Hölder). à Jahrg. n. 16. —

Tretau, F. W., der kleine Zeichner. Eine Anleitg. f. den Elementar-Unterricht im Freihandzeichnen. Zum Gebrauche an Volksschulen u. zum Selbstunterricht. 8. Aufl. gr. 8. (XXXIV S. u. 66 lith. S. m. eingedr. Text.) Leipzig 884. Klinkhardt. cart. n. 2. —

Treu, Geo., zum Gedächtnis Ludwig Richter's. Rede. gr. 8. (15 S.) Dresden 884. v. Zahn & Jaensch. n. 1. 50

— sollen wir unsere Statuen bemalen? Ein Vortrag. gr. 8. (40 S.) Berlin 884. Oppenheim. n. 1. —

Treuber, Osk., Beiträge zur Geschichte der Lykier. gr. 4. (32 S.) Tübingen 886. (Fues.) n. 1. 40

Treuber, Wilh., u. Rob. **Spalteholz,** praktische Anleitung zur kaufmännischen Buchhaltung nach einfacher u. doppelter Methode, m. Uebungsaufgaben versehen u. durch Formulare in Schreibschrift veranschaulicht. Für Handelsschulen, sowie zum Selbst-

unterricht. 2 Tle. gr. 8. u. 4. Dresden 883. G. Dietze. n. 6. —
1. Bestehend aus e. theoretischen Abtheilung u. den Aufgaben, sowie den umgearbeiteten Beispielen. gr. 8. (X, 216 S.)
2. Enthaltend die Formulare in Schreibeschrift. gr. 4. (17 S.)

Treuberg, Frdr. Frhr. v., die französische Fremden-Legion in Algier. Ein Mahnwort an die Jugend Elsaß-Lothringens. 8. (20 S.) Würzburg 886. Memminger's Buchdr. — 25

Treuge, Jul., der Anschauungsunterricht. Seine theoret. Begründg. u. prakt. Ausführg. Im Anschlusse an die Winckelmannschen Bildertafeln bearb. 3. Aufl. 8. (VIII, 282 S.) Münster 885. Coppenrath. n. 2. —
— aus allen Erdteilen, s.: Hellinghaus, O.
— Liederbuch f. den Schulgesang. Zum Gebrauche f. die unteren Klassen höherer Lehranstalten, sowie f. die oberen Klassen der Volksschulen hrsg. 8. (104 S.) Münster 885. Riemann. n. 1. —

Treutlein, P., die Durchquerungen Afrikas, s.: Sammlung gemeinverständlicher wissenschaftlicher Vorträge.
— Lehrbuch der Elementar-Geometrie, s.: Henrici, J.

Treves, Frdr., Darmobstruction. Ihre Arten, sowie ihre Pathologie, Diagnose u. Therapie. Deutsche autoris. Ausg. v. Arth. Pollack. Mit 60 in den Text gedr. Abbildgn. 8. (VIII, 520 S.) Leipzig 886. Arnold. geb. n. 8. —

Trewendt's Haus-Kalender f. 1887. 40. Jahrg. Mit e. (chromolith.) Titelbild u. zahlreichen in den Text gedr. Holzschn. 8. (104 S.) Breslau, Trewendt. n. — 40; cart. n. — 50
— Jugendbibliothek. 15. 21. 22. 26. 29 u. 35. Bdchn. 8. Ebend. 885. 86. cart. à — 75
15. Fiorita, das Räubermädchen. Erzählung f. die Jugend u. ihre Freunde v. Rich. Baron. 3. Aufl. Mit 4 Stahlst. (107 S.)
21. Das Testament. Eine Erzählg. f. die reifere Jugend v. Rich. Baron. 2. Aufl. (130 S.)
22. Zwei feindliche Brüder. Eine Erzählg. f. die reifere Jugend v. Rich. Baron. 2. Aufl. (118 S.)
26. Die Ueberschwemmung. Eine Erinnerg. an das J. 1854. Erzählung f. die Jugend u. ihre Freunde v. Rich. Baron. 2. Aufl. (125 S.)
29. Kalifornien in der Heimat. Eine Erzählg. f. die Jugend u. Volk v. Rich. Baron. 2. Aufl. Mit 4 Stahlst. (115 S.)
35. Trudchen, das Waisenkind. Eine Erzählg. f. die reifere Jugend v. Rich. Baron. 2. Aufl. Mit 4 Stahlst. (102 S.)
— dasselbe. (Neue Folge.) 1. 8—20. Bdchn. 8. Ebend. 883—86. à — 60; cart. à — 75; geb. à — 90
1. Der Henkeldukaten. Frisches Wagen. Der Schiffbruch. Drei Erzählgn. f. die Jugend v. Frz. Hoffmann. 3. Aufl. Mit 1 Stahlst. (128 S.)
8. Heimgebracht. Erzählung f. die reifere Jugend v. M. Meisner. (123 S.)
9. Der Vetter Stadtschreiber. Erzählung f. die Jugend u. das Volk v. Heinr. Grosch. (120 S.)
10. Der Tigerjäger od. bleibe im Lande u. nähre dich redlich. Erzählung f. die Jugend v. Rich. Roth. (107 S.)
11. Er führet es herrlich hinaus. Erzählung f. die Jugend v. Rich. Roth. (108 S.)
12. Die Wallfahrt nach Ebersdorf od. deutsche Redlichkeit bringt gute Ausbeut'. Ein Bild aus ferner Zeit f. Jung und Alt v. Rich. Rother. (112 S.)
13. Der Tolpatsch. Erzählung f. die Jugend v. Rich. Roth. (115 S.)
14. Marx Hornfried, der Einbrecher. Erzählung f. die Jugend u. das Volk v. Heinr. Grosch. (118 S.)
15. Kleinbürgerlich. Erzählung f. die Jugend u. das Volk v. M. Meisner. (126 S.)
16. Erst wägen, — dann wagen! Erzählung f. die reifere Jugend v. M. Meisner. (109 S.)
17. In Schnee u. Eis. Erzählung f. die reifere Jugend v. E. Halden. (118 S.)
18. Unsträflich. Eine Erzählg. f. die Jugend v. E. Kortüm. (125 S.)
19. Gott führet alles wohl. Eine Erzählg. f. die Jugend v. Rich. Rother. (127 S.)
20. Gesühnt. Erzählung f. die reifere Jugend v. Rich. Roth. (100 S.)

Trewendt's Volks-Kalender f. 1887. Mit Beiträgen v. Osk. Justinus, Paul Landeck, Th. Nöthig 2c. 43. Jahrg. Mit vielen Vollbildern u. zahlreichen in den Text gedr. Illustr. v. E. Horstig, R. Knötel, G. Kotschenreiter 2c. 8. (XXXII, 234 S.) Breslau, Trewendt. cart. n. 1. 25; geb. n. 1. 50

Trial, L., l'idée de Dieu dans la poésie de Victor Hugo. Conférence prononcée à Strasbourg, Montbéliard, Saint Étienne, Nîmes, Aiges-Vives, Vauvert, Tonneins et Mazamet. 8. (35 S.) Strassburg 886. (Treuttel & Würtz.) — 60

Triangulirungsarbeiten, die, zur Vermessung Rigas. Lex.-8. (11 S. m. 1 Steintaf.) Riga 882. (Kymmel.) n. 1. 20

Tribe, A., die chemische Theorie, der secundären Batterien [Accumulatoren] nach Planté u. Faure, s.: Gladstone, J. H.

Tribunal, das. Zeitschrift f. prakt. Strafrechtspflege. Unter Mitwirkung zahlreicher in- u. ausländ. Criminalisten hrsg. v. S. A. Belmonte. 1. u. 2. Jahrg. 1885 u. 1886. à 12 Hfte. gr. 8. (à Hft. ca. 64 S.) Hamburg, J. F. Richter. à Jahrg. 12. —

Triebel, A., Repetitorium der Turnübungen an den Geräten f. Gymnasiasten, Realschüler, Seminaristen 2c. 16. (24 S.) Naumburg 886. Domrich. geb. n. — 40

Triebel, Frdr., Militär-Novellen. 8. (115 S.) Berlin 883. Goldschmidt. n. — 50

Triebel, R., die gebräuchlichsten Lieder der evangel. Kirche, f. die Schule erläutert, s.: Schultz, F.

Triebel, R., üb. Oelbehälter in Wurzeln v. Compositen. Mit 7 (lith.) Taf. gr. 4. (44 S.) Halle 885. (Leipzig, Engelmann.) n. 6. 50

Triebel, Rob., die wichtigsten biblischen Geschichten, nach ihrem religiösen u. sittlichen Inhalte f. die Schule erläutert. gr. 8. (XVI, 152 S.) Breslau 883. F. Hirt. n. 1. 75; geb. n. 2. —

Trientl, Adf., die Landwirthschaft in den Gebirgsländern. 1. Hft. Allgemeine Betrachtgn. üb. die Bauernwirthschaft u. Grundzüge der Düngg. gr. 8. (IV, 146 S.) Innsbruck 884. Wagner. n. — 80

Trier u. seine Sehenswürdigkeiten. Ein kurzgefasster Führer durch die Stadt und deren nähere Umgebg. Mit 1 Plänchen. 2. Aufl. 12. (46 S.) Trier 886. Lintz. cart. n. 2. —

Trieschmann, Ed., Aufgaben f. das praktische Rechnen zum Gebrauch in den Volksschulen. 1—5. Hft. 8. Weimar, A. Krüger. à n. — 20
1—3. 8. Aufl. (32, 24 u. 32 S.) 885.
4. 7. Aufl. (32 S.) 884.
5. 2. Aufl. (24 S.) 883.
— dasselbe. Resultate, nebst Andeutgn. zu Auflösgn. 5. Hft. 2. Aufl. 8. (10 S.) Ebend. 883. n.n. — 25

Trinius, Aug., Geschichte d. Krieges gegen Dänemark 1864, — Geschichte d. Krieges gegen Oesterreich u. d. Mainfeldzuges 1866, } s.: Geschichte der Einigungskriege 1864, 1866. 1870/71.
— Recht f. Recht. Schauspiel in 1 Aufzuge. gr. 8. (44 S.) Minden 886. Bruns. n. — 60
— vom grünen Strand der Spree. Berliner Skizzenbuch. gr. 8. (VII, 140 S.) Ebend. 885. n. 2. —
— märkische Streifzüge. Nördlich v. Berlin — An der Oberspree — Havellandschaften — Quer üb. den Fläming. 8. (VII, 310 S.) Berlin 884. Schmidt & Sternaux. n. 4. 50; geb. n. 5. 50; in Liebhaber-Einbd. n. 6. 50
— dasselbe. Neue Folge. Oestlich v. Berlin — Im Lande Lebus — Spree-Landschaften — An der Nuthe — Havel-Landschaften. 8. (VIII, 383 S.) Ebend. 885. n. 4. 50; geb. n. 5. 50; in Liebhaberbd. n. 6. 50
— dasselbe. (1. Bd.) 2. Aufl. 8. (VIII, 351 S.) Minden 887. Bruns. n. 4. 50; geb. n. 5. 50

Trinius, Aug., Thüringer Wanderbuch. 1. Bd. 8. (XII, 438 S.) Minden 886. Bruns. n. 6. 50; geb. n. 8. —

Trinius, Wilh., Erinnerungen an Fritz Reuter. 8. (28 S. m. Lichtdr.-Portr.) Wismar 886. Hinstorff's Verl. n. 1 —

Trinks, F., der Finanz-Haushalt der Stadt Hildburghausen in der Zeit vom 24. Apr. 1861 bis 31. Octbr. 1881. gr. 8. (V, 123 S.) Hildburghausen 883. (Gadow & Sohn.) n. 1. 20

Trinksprüche. Eine Auslese der schönsten alten u. neuen Sprüche in Wirtshäusern, Trinkstuben u. an Trinkgeräth. 8. (48 S.) Altenburg 883. Wermann. n. — 60

Trinkwasser, das, der Stadt Kiel auf Grundlage v. Analysen aller Brunnenwasser Kiels, ausgeführt im Herbst 1883 im Auftrage der Städt. Gesundheits-Commission durch das agriculturchemische Laboratorium der landwirthschaftl. Versuchsstation zu Kiel. gr. 4. (34 S.) Kiel 886. Lipsius & Tischer. n. 2. —

Trippe, F., die Missionsfrage, s.: Broschüren, Frankfurter zeitgemäße.

Tritscheler, Ernst Emil, Geographie f. Schulen. Für die Hand der Schüler bearb. 1. u. 4. Hft. 6. Aufl. gr. 8. Karlsruhe 884. Bielefeld's Verl. à n. — 20

1. Baden. (16 S.) — 4. Die Elemente der mathemat. Geographie, Menschenarten u. s. w. Asien, Afrika, Amerika u. Australien. (16 S.)

Trog, C. Fürst Bismarck! Festgabe zum 1. Apr. 1885. Dem deutschen Volke erzählt. 8. (42 S. m. Holzschn.-Portr.) Essen 885. Silbermann. n. — 20

— aus der Chronik v. Köln. Sagen, Geschichten u. Schwänke. Gesammelt u. bearb. 12. (IV, 233 S.) Ebend. 883. n. 1. 50

— Festgabe zum 25jährigen Regierungs-Jubiläum Sr. Maj. Wilhelm I., Kaiser v. Deutschland u. König v. Preußen am 2. Jan. 1886. gr. 8. (32 S.) Ebend. 885. — 30

— der Festredner. Reden u. Toaste zu Vaterlands-, Vereins- u. Familienfesten 8. (106 S.) Ebend. In Leinw. cart. n. 2. —

— Friedrich der Große, König v. Preußen. Gedenkschrift zum 17. Aug. 1886, dem 100jähr. Todestag. gr. 8. (32 S.) Ebend. 886. — 30

— Friedrich Wilhelm, Kronprinz d. Deutschen Reichs u. v. Preußen. Ein Lebensbild für's deutsche Volk. Mit e. (Holzschn.-)Bilde: Die kronprinzl. Familie darstellend. 8. (48 S.) Ebend. 883. — 30

— Germania. Patriotische Deklamationen, Prologe u. Lieder. Ausg. f. Schulen. 8. (VI, 120 S.) Düsseldorf 884. F. Bagel. — 60; Ausg. f. Vereine (VIII, 232 S.) geb. 1. 20

— unser Kaiser. Wilhelm der Siegreiche, der Beste unter den Besten seines Volkes. Erzählungen, edle Charakterzüge, Bilder, Erinnergn., Anekdoten u. s. w. aus dem Leben Sr. Maj. Kaiser Wilhelm I. Für das deutsche Volk zur Erweckg. u. Belebg. der Liebe zu Kaiser u. Reich. Gesammelt, bearb. u. hrsg. Mit 8 Holzschn. [Vollbildern]. 8. (176 S.) Mülheim 883. Bagel. 1. 20

— allerlei Kunststückchen, Vexierspiele, Scherze, Foppereien, Neck-Rätsel 2c. zur Erheiterung u. Unterhaltung in Familien- u. Gesellschaftskreisen. 8. (120 S.) Ebend. 885. 1. —

— General-Feldmarschall Graf Helmut Moltke. Festschrift zum 26. Oktbr. 1885. Lebensbild. 8. (33 S. m. Portr.) Essen 885. Silbermann. — 30

— Rheinlands Wunderhorn. Sagen, Geschichten u. Legenden, auch Ränke u. Schwänke aus den alten Ritterburgen, Klöstern u. Städten der Rheinufer u. d. Rheingebietes, von den Quellen bis zur Mündg. d. Stromes. 5—9. 11—15. (Schluß-)Bd. 12. (à IV, 235 S.) Ebend. 883. à n. 1. —

— der Soldatenfreund. Ernste u. heitere Geschichten, Charakterzüge 2c. aus den vaterländ. Kriegen dieses Jahrhunderts. 1—3. Bdchn. 12. Ebend. n. 2. 20

1. (96 S.) 883. n. — 60. — 2. (96 S.) 884. n. — 60. — 3. (96 S.) 885. n. 1. —

— Unterhaltungs-Spiele f. alle Gesellschaftskreise im Freien u. im Zimmer, Maskeraden, Kartoffelkomödien 2c. 8. (132 S. m. Illustr.) Mülheim 885. Bagel. 1. —

— Zollernsagen, auch sagenhafte Züge u. Charakterzüge aus dem Leben der Hohenzollern. Der Jugend erzählt. 3 Bde. Mit je 8 Abbildgn. nach Zeichngn. v. G. Marx. 8. (IV, 203, V, 200 u. IV, 294 S) Düsseldorf 885. 86. F. Bagel. cart. à 1. 20

Tröger, C., kleine französische Sprachlehre, in Gestalt e. Elementar- u. Übungsbuches f. Mittelschulen bearb. 1. u. 2. Tl. gr. 8. Breslau, Kern's Verl. n. 1. 60

1. 5. verb. Aufl. (VIII, 76 S.) 883. n. — 60
2. 4. Aufl. (IV, 123 S.) 880. n. 1. —

Trojan, Johs., kleine Bilder. Ernstes u. Heiteres. 8. (200 S.) Minden 886, Bruns. n. 2. 50

— Kinderhumor, s. Lohmeyer, J.

— Prinzessin Wunderhold, s.: Lipps, J.

Trojan, Johs., Gedichte. (1. Thl.) 12. (VI, 258 S.) Leipzig 883. Liebeskind. n. 2. 40

— Scherzgedichte. 12. (VIII, 271 S.) Ebend. 883. n. 2. 60

Troje, Abänderung der Bestimmungen d. Begleitschein-Regulativs m. Mustern. [Beschluß d. Bundesraths d. Zollvereins vom 20. Dezbr. 1869.] [2. Nachtrag zum 1. Bde. der Regulative.] gr. 8. (53 S.) Harburg 886. Elkan. n. 1. 20

— Anleitung zum Studium der Zoll- und Steuer-Gesetze u. der auf diese gegründeten Verwaltungs-Vorschriften. Ein Hülfsbuch f. jüngere u. ältere Beamte insonderheit zum Zweck der Repetition u. Prüfg. 2 Thle. gr. 8. Ebend. n. 8. 75; geb. n. 9. 50

I. 1. Organisation. 2. Zollwesen, m. Einschluß d. Prozeßverfahrens. 3. Rechnungswesen. 4. Zolltarif. 5. Statistik. [Troje's Bibliothek, 8. Bd.] (VI, 143 S.) 883. n. 3. —; geb. n. 3. 75; u. durchsch. n. 4. 50
II. Sämmtliche die indirekten Steuern betreff. Gesetze. [Troje's Bibliothek, Bd. VIII a.] (VII, 238 S.) 885. geb. n. 5. 75

— das Dienstverhältniß der preußischen Zoll- u. Steuerbeamten. 2. Aufl. gr. 8. (VI, 218 S.) Ebend 883. n. 3. —; geb. n. 4. —

— die Regulative u. sonstige das Zollwesen betreffende Bestimmungen. 3. Bd. gr. 8. (60 S.) Ebend. 886. n. 1. 25

— dasselbe. Nachtrag zum 1. u. 2. Bd. gr. 8. (19 u. 21 S.) Ebend. 886. à — 30

— die Rübenzucker-Steuer d. Deutschen Reichs, nebst e. kurzen Ueberblick üb. die Geschichte der Besteuerg. u. die Entwickelg. der Fabrikation d. Rübenzuckers. Ein Handbuch f. Steuerbeamte, Industrielle u. Kaufleute. [Troje's Bibliothek, Bd. VIII. 3.] gr. 8. (VII, 179 S.) Ebend. 886. n. 4. —; geb. n. 4. 50

— das Vereinszollgesetz. Nachtrag. gr. 8. (12 S.) Ebend. 886. — 25 (Hauptwerk u. Nachtrag: n. 3. 25)

— alphabetisches Verzeichniss der im ganzen deutschen Zollvereine vorhandenen Haupt-Zoll- u. Haupt-Steuerämter, Neben-Zollämter I. u. Steuerämter m. Angabe ihrer gewöhnlichen u. erweiterten Befugnisse bezüglich 1. der Waaren-Abfertigung zur Verzollung, 2. der Waaren-Abfertigung mit Begleitscheinen I. u. II., 3. der Waaren-Abfertigung m. Ladungs-Verzeichniss u. Begleitzettel im Eisenbahn-Verkehr, 4. der Aus- u. Umladungen der auf den Eisenbahnen unter Wagen-Verschluss beförderten Güter, 5. der Erneuerung d. Eisenbahn-Wagen-Verschlusses bei stattgehabter Verschlussverletzung, 6. der Ausfertigung u. Erledigung v. Begleitscheinen üb. inländisches Salz, 7. der Ausfertigung u. Erledigung v. Uebergangsscheinen, 8. der Abfertigung v. Zucker, Branntwein, Bier, Tabak, Salz, behufs Bonification, 9. der Erhebung d. Spielkartenstempels, 10. der Ein- u. Ausfuhr v. Pflänzlingen, die nicht zur Rebe gehören. Handbuch f. Zoll- u. Eisenbahnbeamte, Spediteure u. Kaufleute. Nach amtl. Quellen neu bearb. 8. Aufl. gr. 4. (IV, 134 S.) Ebend. 884. n. 3. —; geb. n. 4. —; durchsch. n. 4. 75

— Zolltarif u. Waaren-Verzeichniß zu demselben, verbunden m. dem statist. Waaren-Verzeichniß; nebst dem Gesetz, betr. die Statistik d. Waaren-Verkehrs u. Ausführungs-Bestimmgn. zum Zolltarifgesetz. gr. 8. (LIX, 521 S.) Ebend. 885. 3. 60; geb. 4. 50

Troll-Borostyáni, Irma v., im freien Reich. Ein Memorandum an alle Denkenden u. Gesetzgeber zur Beseitigg. sozialer Irrtümer u Leiden. gr. 8. (287 S.) Zürich 884. Verlags-Magazin. n. 4. —

Trolle, Alb., das italienische Volkstum u. seine Abhängigkeit v. den Naturbedingungen. Ein anthropogeograph. Versuch. gr. 8. (XI, 147 S.) Leipzig 885. Duncker & Humblot n. 3. —

Trollope, A., an autobiography,
— la mère Bauche and other stories,
— Alice Dugdale and other stories,
— Frau Frohmann and other stories,
— kept in the dark,
— an old man's love,
— the mistletoe bough and other stories,
} s.: Collection of British authors.

— Mr. Scarborough's family, s.: Asher's collection of English authors.

Tröltsch, A. v., gesammelte Beiträge zur pathologischen Anatomie d. Ohres u. zur Geschichte der Ohrenheilkunde. gr. 8. (VII, 256 S.) Leipzig 883. F. C. W. Vogel. n. 7. —

Tröltsch, E. Frhr. v., Fund-Statistik der vorrömischen Metallzeit im Rheingebiete. Mit zahlreichen Abbildungen u. 6 Karten in Farbendr. hoch 4. (VI, 119 S.) Stuttgart 884. Enke. cart. n. 15. —

Trommau, Adf., die Geographie in der Volksschule. Ein methodolog. Hilfsbuch f. den erdkundl. Unterricht. gr. 8. (158 S.) Gera 886. Th. Hofmann. n. 1. 60

— der religiöse Lern- u. Merkstoff f. evangelische Schulen, s.: Mischke, C.

Trömner, Rich., Wilhelmshöhe. Eine Schilderg. in Hexametern. 8. (56 S.) Kassel 886. Freyschmidt. n. 1. —

Tromp, T. H. A., die gepanzerten Flotten. Leitfaden f. Küsten-Artilleristen. 1. England. Mit e. Atlas (v. 17 z. Thl. color. Steintaf. in gr. 4.). gr. 8. (III, 55 S.) Haag 886. (Berlin, Mittler & Sohn.) n. 6. —

Tröndlin, B., Bismarck als Staatsmann u. Parlamentarier, s.: Windscheid, B.

Troost, B., Abschluss der Lichtäther-Hypothese zur Erklärung der Entstehung der Naturkräfte, der Grundstoffe, der Körper, d. Bewusstseins u. der Geistesthätigkeit d. Menschen, naturwissenschaftlich begründet u. gemeinfasslich dargestellt. gr. 8. (III, 122 S.) Leipzig 884. (Klötzsch.) n. 2. —

— eine Lichtäther-Hypothese zur Erklärung der Entstehung der Naturkräfte, der Grundstoffe, der Körper, d. Bewusstseins u. der Geistesthätigkeit d. Menschen, naturwissenschaftlich begründet u. gemeinfasslich dargestellt. 3. Aufl. gr. 8. (54 S.) Ebend. 884. n. 2. —

— Nachweis der Unzulänglichkeit der Kirchhoff'schen Erklärung der Entstehung der dunkeln Fraunhofer'schen Linien im Sonnenspectrum. Mit 7 Fig. in Holzschn. 2. Aufl. gr. 8. (20 S.) Ebend. 884. n. 1. 25

Troost, J., angewandte Botanik. Genaue Beschreibg. v. 250 häufig vorkomm., zur Nahrg., landwirthschaftl., techn. u. medicin. Anwendg. geeigneten wildwachs. Pflanzen [Phanerogamen], nebst Anleitg. zur Aufsuchg., Gewinng., Verwendg., Zubereitg. u. Cultivirg. derselben, m. 208 Holzschn.-Illustr. gr. 8. (XVI, 265 S.) Wiesbaden 884. Troost. 3. —; auf Postpap., geb. 4. 50

— ein Hausbuch f. Jedermann. Kostenlose u. gute Nahrungs- u. Hausmittel aus Wald, Trift u. Aue, nebst Anleitg. zur Aufsuchg., Gewinng. u. Zubereitg. derselben mit 64 Abbildgn. (auf 4 Chromolith.). gr. 8. (231 S.) Ebend. 883. 4. —; geb. 4. 50

— Küchen-Kalender. 100 wildwachs. Pflanzen aus Wald, Trift u. Aue f. die Küche. gr. 8. (4 S. m. 2 Tab. in qu. Fol.) Ebend. 884. n. — 50

— 250 wildwachsende Pfanzen f. die Küche. [Tabellarischer Auszug aus: „Angewandte Botanik".] gr. 8. (12 S. m. 6 Tab.) Ebend. 884. n. 1. —

— 100 wildwachsende Pflanzen aus Wald, Trift u. Aue f. den Blumentisch. gr. 8. (4 S. m. 2 Tab. in qu. Fol.) Ebend. 884. n. — 50

— Uebersicht der Familien der deutschen Flora nach natürlichem u. künstlichem System, nebst Tabellen zur Vergleichg. der hauptsächlichsten Pflanzenfamilien d. De Candolle'schen m. den Klassen d. Linné'schen Systems. Suppl. zu „Angewandte Botanik". gr. 8. (27 S. m. 2 Tab. in gr. Fol.) Ebend. 884. — 60; die 2 Tabellen ap. — 30

Troska, A., die Vorherbestimmung d. Wetters mittelst d. Hygrometers. Gemeinfaßlich dargestellt. Anh.: Tabelle der Hygrometer-Wetterregeln. 8. (76 S.) Köln 886. Bachem. cart. n. 1. —

Tröster, der stille, in Worten der Schrift auf alle Tage e. Monats, besonders Kranken dargeboten, daß in stillen Stunden ihr Blick auf diesen Kernworten der hl. Schrift ruhe u. sich ihr Herz daran erhebe zum Himmel. 2. Aufl. Fol. (31 Bl.) Stuttgart 884. Buchh. der Evangel. Gesellschaft. An Rolle. n. 2. —

Tröstungen u. **Rathschläge** aus der Erfahrung. Aus d. m Franz. 3. Aufl. 16. (VIII, 72 S.) Hamburg 886. Agentur d. Rauhen Hauses. cart. n. — 50

Trostworte, evangelische, f. Kranke u. Leidende v. e. Mitgenossen an der Trübsal. 8. (VI, 226 S.) Gotha 886. F. A. Perthes. n. 2. 40; geb. n. 3. 40

Trotha, Heribert, Herr Reichstagsabgeordneter Barth üb. die deutsche Textil-Industrie. Lex.-8. (27 S.) Berlin 883. Burmester & Stempell. n. — 50

Trotha, Thilo v., die Operationen im Etropol-Balkan. Ein Beitrag zu der Geschichte d. russisch-türk. Krieges 1877—78. Kriegsgeschichtliche Studie. gr. 8. (VII, 264 S. m. 8 lith. u. chromolith. Karten.) Hannover 887. Helwing's Verl. n. 8. —

Troubadour, der. Fachblatt f. die gesammten Interessen d. Zitherspieles. Hrsg. u. Red.: Heinr. Heilsberg. 1—3. Jahrg. 1883—1885. à 12 Nrn. ($1^1/_2$ B.) gr. 4. Wien. (Leipzig, Eulenburg.) à Jahrg. n. 8. —

Trowitzsch's landwirthschaftlicher Notiz-Kalender auf d. J. 1887. 24. Jahrg. gr. 16. (302 S.) Berlin, Trowitzsch & Sohn. geb. in Leinw. n. 1. 50; in Ldr. n. 2. —

— Volks-Kalender 1887 m. (4) Stahlst. u. zahlreichen (eingedr.) Holzschn. 60. Jahrg. 8. (247 S. m. lith. Titel.) Ebend. n. 1. —

Trueb, R., Tabak, s.: Bericht üb. Gruppe 25 der schweizerischen Landesausstellung Zürich 1883.

Truhn, F. H., üb. Gesangskunst u. Lehre d. Kunstgesanges. 2. Aufl. gr. 8. (40 S.) Minden 885. Bruns. n. — 80

Trümpelmann, A., Predigt im Hauptgottesdienste d. Lutherfestes in Torgau am 11. Novbr. 1883. gr. 8. (8 S.) Torgau 883. Jacob. n.n. — 25

Trunk, Rud., der praktische Dekorationsmaler. Eine Sammlg. einfacher Decken- u. Wandmalereien. (In 10 Lfgn.) 1—6. Lfg. Fol. (à 1 Chromolith. m. 5 Bog. Details.) Ravensburg 886. Dorn. à 2. 50

Truppenführer, praktischer. Ein Feldtaschenbuch zum Gebrauche bei takt. Arbeiten, Kriegsspiel- u. Felddienstübgn., Manövern u. im Kriege. Im Speciellen f. den schweizer. Truppenführer bearb. 12. (X, 179 S.) Zürich 886. Schmidt. cart. n. 3. —

Tschache, G., Aufsatz-Uebungen f. Volksschulen. Für die Unter- u. Mittelstufe. 3. Aufl. 8. (VIII, 108 S.) Breslau 886. Kern's Verl. 1. 80

— Material zu deutschen Aufsätzen in Stilproben, Dispositionen u. kürzeren Andeutungen f. die mittlere Bildungsstufe. Neue Folge. 3. Aufl. gr. 8. (VIII, 168 S.) Ebend. 884. 2. 40

Tschackert, Paul, [Johs. Briessmanns] flosculi de homine interiore et exteriore, fide et operibus, die erste, grundlegende Reformationsschrift aus dem Ordenslande Preussen vom J. 1523, aus Gieses Antilogikon zum erstenmale hrsg. u. untersucht. hoch 4. (32 S.) Gotha 887. F. A. Perthes. n. 1. 20

— evangelische Polemik gegen die römische Kirche. gr. 8. (XV, 441 S.) Ebend. 885. n. 8. —

— Vorteile u. Gefahren, welche der Mission aus der Kolonialpolitik erwachsen, s.: Lehmann's grüne Hefte.

Tschammer-Dromsdorf, Baron, wie kann die deutsche Landwirthschaft erhalten werden? 5. Tausend. gr. 8. (35 S.) Berlin 886. Walther & Apolant. n. — 50

Tschammer, Paul, zur Statistik der Wirbelfracturen. gr. 8. (58 S. m. 1 Taf.) Breslau 886. (Köhler.) n. 1. —

Tschampel, Heinr., Gedichte in schlesischer Gebirgsmundart, nebst e. Anh., m. e. Widmungs-Gedicht v. Max Heinzel. 5. Aufl. 12. (XIV, 254 S.) Schweidnitz 886. Heege. n. 1. 50; geb. n. 2. 25; m. Goldschn. n. 2. 50

Tscharner, v., Anleitung zur Ertheilung d. Unterrichtes bei der Feld-Artillerie. 12. (VIII, 144 S.) St. Gallen 884. Huber & Co. cart. n. 1. 60

Tscharner, B. de, les beaux-arts en Suisse année 1882. gr. 8. (52 S. m. 1 Heliograv.) Bern 883. (Schmid, Francke & Co.) n. 1. —

— dasselbe, 1884. 8. (71 S.) Ebend. 885. n. 1. —

— die bildenden Künste in der Schweiz im J. 1882. Uebersichtliche Darstellg. gr. 8. (46 S. m. 1 Heliogr.) Ebend. 883. n. 1. —

— dasselbe, im J. 1884. 8. (64 S.) Ebend. 885. n. 1. —

— dasselbe, im J. 1885. 8. (78 S.) Ebend. 886. n. 1. —

Tscheng Ki Tong, China u. die Chinesen. Einzige autoris. Uebersetzg. v. Adph. Schulze. 8. (IV, 307 S.) Leipzig 885. Reissner. n. 3. 50

Tschermak, Gust., Beitrag zur Classification der Meteoriten. Lex.-8. (25 S.) Wien 883. (Gerold's Sohn.) n.n. — 45

— die mikroskopische Beschaffenheit der Meteoriten, erläutert durch photograph. Abbildgn. Die Aufnahmen v. J. Grimm in Offenburg. gr. 4. (12 S. m. 75 Taf. u. 25 Bl. Erklärgn.) Stuttgart 883—85. Schweizerbart. In Mappe. n.n. 50. —

— Lehrbuch der Mineralogie. 3. [Schluss-]Lfg. gr. 8. (IX u. S. 369—589.) Wien 883. Hölder. n. 6. 60 (cplt.: n. 18. —)

— dasselbe. 2. Aufl. gr. 8. (IX, 597 S. m. 756 Abbildgn. u. 2 Chromolith.) Ebend. 885. n. 18. —

— die Skapolithreihe. [Mit 1 (lith.) Taf.] Lex.-8. (38 S.) Wien 883. (Gerold's Sohn.) n. — 80

Tschernow, C., neue, vom Finanzminister bestätigte Regeln f. den Export u. Transport von Spiritus, Branntwein u. den daraus verfertigten Producten nebst e. Anh., übersetzt. gr. 8. (25 S.) Reval 884. (Wassermann.) n.n. 2. 50

Tschernyschewskij, N. G., was thun? Erzählungen v. neuen Menschen. Roman. Aus dem Russ. übertragen. 3 Thle. 8. (VIII, 339; 325 u. 239 S.) Leipzig 883. Brockhaus. 15. —

Tscheuschner, E., Handbuch der Glasfabrikation nach allen ihren Haupt- u. Nebenzweigen. 5. Aufl. v. Leng-Graegers Handbuch der Glasfabrikation, in gänzl. Neubearbeitg. hrsg. Mit e. Atlas v. 34 (lith.) Fol.-Taf., enth. 421 Abbildgn. (u. 4 S. Text). gr. 8. (XVI, 666 S.) Weimar 885. B. F. Voigt. 18. —; geb. 24. —

Tschiedel, A., Methodik d. Unterrichts in der Geometrie u. im geometrischen Zeichnen, s.: Bauer, E.

Tschirch, A., Erläuterungen zu den botanischen Modellen v. Rob. Brendel in Berlin. gr. 8. (V, 68 S. m. 4 Fig.) Berlin 885. R. Brendel's Selbstverl., W. Kurfürstendamm 101. cart. n. 1. —

— Grundlagen der Pharmacognosie, s.: Flückiger, F. A.

— Untersuchungen üb. das Chlorophyll. Mit 3 lith. (z. Thl. color.) Taf. gr. 8. (V, 155 S.) Berlin 884. Parey. n. 8. —

Tschirch's Rud., Volkssänger. [Eine einfache Darstellg. u. Erklärg. der ersten Elemente der Musikwissenschaft. — Das Atemholen u. die richt. Aussprache. Die Schule zum richt. Treffen.] Vollständ. umgearb. v. Ludw. Liebe. 3 Hfte. in 1 Bd. 13., resp. 3. Aufl. gr. 16. (44, 30 u. 42 S.) Regensburg 886. Coppenrath. n. 1. —

Tschirch, Wilh., 54 zwei- u. dreistimmige Lieder u. Gesänge f. obere Knabenklassen v. Volks- u. Bürgerschulen u. f. mittlere Klassen v. Gymnasien u. Realschulen. 5. Aufl. gr. 8. (41 S.) Leipzig 885. Siegismund & Volkening. n. — 25

Tschischwitz, Benno, das Sängerfest als Ehestifter. Humoreske. 12. (47 S.) Celle 883. Literar. Anstalt. — 60

— die Villa zur Waldeinsamkeit. Humoreske. 12. (48 S.) Ebend. 884. — 60

Tschudi, Frdr. v., u. A. **Schultheß,** der Obstbaum u. seine Pflege. Ein Leitfaden f. Landwirthe, Baumwärter u. landwirthschaftl. Fortbildungsschulen m. besond. Rücksicht auf die schweizer. Verhältnisse. Vom schweiz. Obst- u. Weinbauverein gekrönte Preisschrift. Mit 83 Abbildgn. 3. Aufl. gr. 8. (VIII, 188 S.) Frauenfeld 883. Huber. cart. n. 1. —

Tschudi, H. v., s.: Landes-Gemälde-Gallerie in Budapest.

Tschudi, J. J., Organismus der Khetšua-Sprache. gr. 8. (XVI, 534 S.) Leipzig 884. Brockhaus. n. 25. —

Tschudi, Iwan v., der Tourist in der Schweiz u. d. angrenzenden Süd-Deutschland, Ober-Italien u. Savoyen. Reisetaschenbuch. 28. Aufl. Mit vielen Karten, Gebirgsprofilen u. Stadtplänen. 12. (LXXXVIII, 660 S.) St. Gallen 886. Scheitlin & Zollikofer. geb. n. 10. 80

— Turisten-Atlas der Schweizer-Eisenbahnen. Topographischer Reisebegleiter. Neue Ausg. 1885. 16. (79 chromolith. Kärtchen m. S. Text.) Ebend. n. 2. 40

Tübingen u. seine Umgebung. Ein Führer f. Fremde u. Einheimische. 3. Aufl. Mit 1 (lith.) Karte der Umgegend. 8. (V, 104 S. m. 1 Stahlst.) Tübingen 884. (Osiander.) cart. n. 1. 50

— u. seine Umgebung, geschildert f. Fremde u. Einheimische. 2. vollständig umgearb. Aufl. Mit zahlreichen Illustr., 1 Plane der Stadt u. Karten der Umgegend. 1. Hft. Tübingen. 8. (IV, 108 S.) Tübingen 884. Fues. cart. n. 2. —

Tuch, Gust., der erweiterte deutsche Militärstaat in seiner socialen Bedeutung. gr. 8. (XII, 482 S.) Leipzig 886. Duncker & Humblot. n. 10. —

— Schutzzoll u. deutsche Waarenausfuhr. gr. 8. (III, 91 S.) Ebend. 883. n. 2. —

Tuckermann, W. P., die Gartenkunst der italienischen Renaissance-Zeit. Mit 21 Lichtdr.-Taf. u. 52 Textbildern. Lex.-8. (XV, 187 S.) Berlin 885. Parey. cart. n. 20. —

Tücking, K., Bilder aus der vaterländischen Geschichte. Für den ersten Unterricht bearb. 6. Aufl. 8. (64 S.) Paderborn 886. F. Schöningh. n. — 30

Tuczek, Frz., Beiträge zur pathologischen Anatomie u. zur Pathologie der Dementia paralytica. Mit 3 lith. Taf. gr. 8. (III, 151 S.) Berlin 885. Hirschwald. n. 6. —

Tugend- u. Gebets-Schule d. hl. Franz v. Sales, allen Verehrern dieses großen u. liebenswürd. Vorbildes u. Lehrers der Frömmigkeit gewidmet. 12. (VIII, 720 S. m. 1 Stahlst.) Regensburg 886. Pustet. 1. 80; Einbd. in Leinw. n.n. — 60; in Ldr. n.n. 1. 40; in Chagrin n.n. 2. —

Tuma, Ant., die östliche Balkan-Halbinsel, militärisch-geographisch, statistisch u. kriegs-historisch dargestellt. Mit 4 Karten u. Plan-Skizzen. gr. 8. (XII, 269 S.) Wien 886. Gerold's Sohn. cart. n. 7. —

Tumbült, G., die Siegel der Bischöfe, s.: Siegel, die westfälischen, d. Mittelalters.

Tümler, B., deutsche Wild- u. Wald-Bilder. Mit 12 Holzschn. v. F. Specht. gr. 4. (V, 143 S.) Freiburg i/Br. 883. Herder. n. 6. —; geb. n. 9. —

Tumlirz, K., die tragischen Affecte Mitleid u. Furcht nach Aristoteles. gr. 8. (40 S.) Wien 885. (Pichler's Wwe. & Sohn.) n. — 90

— deutsche Grammatik f. Gymnasien. Mit e. Anh., enth. Hauptpunkte der Stilistik. gr. 8. (V, 156 S.) Prag 884. Dominicus. n. 1. 68

— dasselbe. 2. Aufl. gr. 8. (VIII, 187 S.) Ebend. 885. n. 1. 50

— dasselbe. 2. Thl. [Abth. f. die 5. u. 6. Classe.] gr. 8. (VI, 78 S.) Ebend. 885. n. — 80

— Tropen u. Figuren, nebst e. kurzgefaßten deutschen Metrik. Zum Gebrauche f. Mittelschulen u. zum Selbstunterricht. 2. Aufl. gr. 8. (VI, 95 S.) Ebend. 883. n. 1. 20

Tumlirz, O., das Potential u. seine Anwendung zu der Erklärung der elektrischen Erscheinungen, s.: Bibliothek, elektrotechnische.

— die elektromagnetische Theorie d. Lichtes. gr. 8. (VIII, 158 S.) Leipzig 883. Teubner. n. 3. 60

— über das Verhalten d. Bergkrystalls im magnetischen Felde. [Mit 2 Holzschn.] Lex.-8. (10 S.) Wien 885. (Gerold's Sohn.) n.n. — 25

Tunner, S., die Reinheit der Claviertechnik. 8. (126 S.) Graz 885. Leuschner & Lubensky. n. 3. —

Tupetz, Thdr, der Streit um die geistlichen Güter u. das Restitutionsedict [1629]. [Mit 2 (lith.) Karten.] Lex.-8. (254 S.) Wien 883. (Gerold's Sohn.) n. 5. —

Turban, F., u. F. **Mrazek**, die Walzenstühle f. die Mehlfabrikation. Ein Beitrag zur Geschichte ihrer Vervollkommnung. Mit 12 Holzschn. gr. 8. (81 S.) Wien 883. Spielhagen & Schurich. n. 2. —

Turfbuch f. 1883. Hrsg. v. Vict. Silberer. 16. (LXIV, 217 S.) Wien 883. Verl. d. Allgemeinen Sport-Zeitung. geb. 4. —

— für 1885. Hrsg. v. Vict. Silberer. 16. (XVI, 285 S.) Ebend. 885. geb. n. 5. 40

— für 1886. Hrsg. v. Vict. Silberer. 16. (XVI, 311 S.) Ebend. 886. geb. n. 5. 40

Turgénjew's, Iwan Serg., ausgewählte Werke. 3—5., 11. u. 12. Bd. 8. Hamburg, Behre. à n. 4. 50

3. Rudin. Drei Begegnungen. Mumu. 3 Novellen. 2. Aufl. (349 S.) 884.
4. Das adelige Nest. Drei Portraits. 2 Novellen. 2. Aufl. (363 S.) 884.
5. Visionen. Helene. 2 Novellen. 2. Aufl. (339 S.) 884.
11. Stillleben. Faust. Die erste Liebe. 3 Novellen. (390 S.) 881.
12. Zwei Freunde. Eine seltsame Geschichte. Jakow Passinkoff. Tagebuch e. Ueberflüssigen. Hamlet u. Don Quichotte. 5 Novellen. (358 S.) 884.

— Annuschka. Erzählung. Deutsch v. Adf. Gerstmann. 8. (136 S.) Berlin 885. Janke. n. 1. —

— vermischte Aufsätze. Aus dem Russ. übertr. v. E. S. Mit e. Einleitg. v. Eug. Zabel. gr. 8. (VIII, 183 S.) Berlin 885. Deubner. n. 3. —

— drei Begegnungen. Erzählung. Deutsch v. Adf. Gerstmann. 8. (66 S.) Berlin 886. Janke. n. — 50

— Briefe. 1. Sammlg. [1844—1883]. Hrsg. v. der „Gesellschaft zur Unterstützg. hilfsbedürft. Schriftsteller u. Gelehrten". Aus dem Russ. übers. u. m. biograph. Einleitg. u. Anmerkgn. versehen v. Heinr. Ruhe. Mit Turgéniew's (Holzschn.-)Bildnis. gr. 8. (XVI, 502 S.) Leipzig 886. v. Biedermann. n. 7. 50

— der Brigadier. Erzählung. Deutsch v. Adf. Gerstmann. 8. (72 S.) Berlin 885. Janke. n. — 50

— zwei dramatische Dichtungen. Aus dem Russ. übers. u. f. die deutsche Bühne bearb. v. Eug. Zabel. 8. Sondershausen 885. Eupel. n. 1. 90

Die Provinzialin. Lustspiel in 1 Aufzuge. Natalie. Schauspiel in 4 Aufzügen. (138 S.)

— vier letzte Dichtungen. Mit Autoris. d. Verf. übers. v. Const. Jürgens. 8. (282 S.) Mitau 888. Felsko. n. 3. —

— Dunst. Roman. Aus dem Russ. frei bearb. von H. v. Lankenau. 4. Aufl. 8. (140 S.) Berlin 884. Janke. n. 1. —

— Erzählungen e. alten Mannes. Aus dem Russ. v. Adf. Gerstmann. 3. Aufl. 8. (124 S.) Ebend. 886. n. 1. —

— vier Erzählungen. 2—4. Folge. Aus dem Russ. übertr. v. G. St. 8. Leipzig, O. Wigand. n. 7. — (1—4.: n. 9. —)

2. Das Lied der triumphir. Liebe. Fragmente aus eigenen u. fremden Erinnergn.: I. Alte Portraits. II. Der Verzweifelte. Der Gasthof. (III, 216 S.) 884. n. 2. —
3. Der Jude. Petuschkow. Der Raufbold. Der Traum. (237 S.) 885. n. 2. 50
4. Andrei Kolossow. Zwei Freunde. Der Hund. Der Brigadier. (242 S.) 885. n. 2. 50

— Frühlingswogen. Roman. Deutsch v. Adf. Gerstmann. gr. 8. (219 S.) Berlin 888. Janke. n. 2. —

— Gedichte in Prosa. Mit Autoris. d Verf. übers. v. R. Löwenfeld. 3. Aufl. 8. (X, 116 S.) Breslau 883. Trewendt. n. 1. 50

— dasselbe,
— Lieutenant Jergunoff; } s.: Universal-Bibliothek.
e. seltsame Geschichte,

— Lieutenant Jergunow's Abenteuer. Erzählung. Deutsch v. Adf. Gerstmann. 8. (72 S.) Berlin 885. Janke. n. — 50

— aus der Jugendzeit. Deutsch v. Adf. Gerstmann. 8. (122 S.) Ebend. 886. n. 1. —

— erste Liebe,
— Memoiren e. Jägers, } s.: Universal-Bibliothek.

Turgénjew's, Iwan Serg., Klara Militsch. Novelle. Uebers. v. Wilh. Henckel. 12. (111 S.) München 883. Stroefer. n. 1. —; geb. n. 2. —

— dasselbe. 2. Aufl. 12. (111 S. m. autotyp. Bild.) Ebend. 886. geb. n. 1. 50

— dasselbe, s.: Collection Manassewitsch.

— das adelige Nest. Roman. Deutsch v. Adf. Gerstmann. 8. (252 S.) Berlin 885. Janke. n. 2. —

— Neuland. Roman. Aus dem Russ. 4. Aufl. 8. (234 S.) Ebend. 886. 1. 50

— dasselbe,
— Rauch, } s.: Collection Spemann.

— der Raufbold; Lukerja, s.: Universal-Bibliothek.

— Dimitri Rudin. Roman. Deutsch v. Adf. Gerstmann. gr. 8. (171 S.) Berlin 884. Janke. 1. 50

— Senilia. Dichtungen in Prosa. Nach dem russ. Orig. übers. v. Wilh. Henckel. 2. Aufl. 16. (IV, 106 S.) Leipzig 883. F. Duncker. n. 1. —

— der Steppenjunker. Erzählung. Deutsch v. Adf. Gerstmann. 8. (124 S.) Berlin 886. Janke. n. 1. —

— Tagebuch e. Ueberflüssigen, s.: Universal-Bibliothek.

— Väter u. Söhne. Roman. Aus dem Russ. v. Adf. Gerstmann. 2. Aufl. 8. (204 S.) Berlin 885. Janke. n. 2. —

— dasselbe, s.: Collection Spemann. — Universal-Bibliothek.

— Visionen; der Faktor, s.: Universal-Bibliothek.

Turinski, Hans, Taxe f. nicht officinelle Arzneistoffe. Nach den neuesten Preislisten zusammengestellt. Hrsg. v. Hans Heger. 16. (20 S.) Wien 886. Perles. n. — 40

Türk, Chrn., die geologischen Verhältnisse d. Herzogth. Coburg u. seiner angrenzenden Ländergebiete als Begleitwort zu der geognostischen Karte. gr. 8. (IV, 48 S.) Coburg 885. Albrecht. n. — 60

Türk, Jak. v., zum Gedächtniß Sr. Maj. d. Königs Ludwig II. Ansprache geh. in der St. Michaelshofkirche am 21. Juni 1886. Autoris. Ausg. gr. 8. (8 S.) München 886. Stahl sen. n. — 10

Türk, Mor., de Propertii carminum quae pertinent ad antiquitatem romanam auctoribus. gr. 8. (64 S.) Halis Sax. 885. (Berlin, Mayer & Müller.) n. 1. 20

Türke, Otto, deutsches Liederbuch f. Mittel- u. Volksschulen. Eine Sammlg. ein-, zwei- u. dreistimm. Lieder u. Gesänge in 3 Hftn. 8. Leipzig 886. Klinkhardt. n. 1. 25

1. 14. Aufl. (52 S.) n. — 25. — 2. 15. Aufl. (84 S.) n. — 40. — 3. 7. Aufl. (130 S.) n. — 60

Türkenzüge, brandenburgisch-polnische, von 1671—1688, s.: Einzelschriften, kriegsgeschichtliche.

Turmair's, Joh., gen. Aventinus, sämmtliche Werke. Auf Veranlassg. Sr. Maj. d. Königs v. Bayern hrsg. v. der k. Akademie der Wissenschaften. 3. Bd., 4. Bd. 2. Hälfte u. 5. Bd. gr. 8. München, Kaiser. n. 40. 60 (cplt.: n. 80. —)

III. Annales ducum Boiariae. Hrsg. v. Sigm. Riezler. (690 S.) 883. 84. n. 13. 30
IV. 2. Bayerische Chronik. Hrsg. v. Matthias Lexer. 1. Bd. 2. Hälfte. [Buch II.] (S. 581—1164.) 883. n. 11. 60
V. Bayerische Chronik. Hrsg. von Matth. Lexer. 2. Bd. (XV, 1809 S.) 884. 86. n. 15. 70

Turnau, W., die Grundbuch-Ordnung vom 5. Mai 1872 m. Ergänzungen u. Erläuterungen. 3. Aufl. 1. Thl. gr. 8. (XIX, 791 S.) Paderborn 883. F. Schöningh. n. 12. — (2 Thle. cplt.: n. 20. —)

— das Reichsbeamtengesetz vom 31. Mai 1873 m. den zur Abänderung u. Ergänzung desselben erlassenen Gesetzen u. Verordnungen. Nebst e. Zusammenstellg. der besond. Vorschriften f. einzelne Beamtenklassen. Text-Ausg. m. Anmerkgn. u. Sachregister. 2. Aufl. 16. (XVIII, 400 S.) Berlin 886. Guttentag. cart. n. 2. 40

Turner, A., die Geologie der primitiven Formationen. Theorie der primären Entwicklungsstadien d. Erdkörpers. 3. Aufl. gr. 8. (VI, 88 S.) Leipzig 886. Thomas. n. 2. —

— die Kraft u. die Materie im Raume. Grundlage e. neuen Schöpfungtheorie. Mit 10 (chromolith.) Taf. gr. 8. (XLVI, 218 S.) Ebend. 886. n. 6. —

Turner's, J. M. W., Aquarelle, s.: Studien-Blätter.

Turner, M. A., monumentale Profanbauten, Palais, Villen u. Schlossgebäude. 1. Serie. 50 Taf. Fol. (2 Bl. Text.) Berlin 884. Claesen & Co. In Mappe. n. 80. —

Turner, Roger, die englische Sprache. Eine kurze Geschichte der engl. Sprache, nebst Glossar m. Angabe der Abstammg. u. Aussprache der engl. Wörter. — — The English language. A concise history of the English language with a glossary showing the derivation u. pronunciation of the English words. 12. (VII, 88 S.) Marburg 884. Elwert's Verl. n. 1. 20

Turner, Wilh., Beiträge zur vergleichenden Anatomie der Bixaceen, Samydaceen, Turneraceen, Cistaceen, Hypericaceen and Passifloreen. gr. 8. (74 S.) Göttingen 885. (Vandenhoeck & Ruprecht.) n. 1. 80

Turner-Kalender, deutscher, f. d. J. 1887. Von Hans Brendicke. 16. (IV, 152 S. m. 2 Bildern.) Wiesbaden, Moritz & Würzel. geb. n. — 80

Turnerliederbuch, allgemeines deutsches. Unter musikal. Redaktion v. Frdr. Erk. 8. gänzlich umgearb. u. bedeutend verm. Aufl. 8. (VI, 351 S. m. Farben-Titel.) Lahr 885. Schauenburg. n. 1. —; cart. n. 1. 20; geb. n. 2. —

Turn- u. Volkslieder f. deutsche Schulen. Unter Benutzg. d. „Turnliederbuches f. die deutsche Jugend" v. Ludw. Erk hrsg. vom Berliner Turnlehrer-Verein, der Turnvereinigg. Berliner Lehrer u. dem Turnlehrer-Verein der Mark Brandenburg. 12. (IV, 124 S.) Berlin 885. Th. Ch. F. Enslin. n. — 60

Turnliederbuch, für die deutsche Jugend. Hrsg. vom Vorstande der „Berliner Turngemeinde". 32. (VI, 122 S.) Berlin 883. Salewski. cart. — 25

Turnwald, Jos., die administrative Theilung Böhmens u. das Curiatvotum am Landtage. 4. Aufl. gr. 8. (IV, 32 S.) Reichenberg 884. Schöpfer's Verl. n. — 40

Turn-Zeitung, deutsche. Blätter f. die Angelegenheiten d. gesammten Turnwesens. Organ der deutschen Turnerschaft. 28—31. Jahrg. 1883—1886. à 52 Nrn. (à ½ — 1 B.) gr. 4. Leipzig, Strauch. à Jahrg. n. 6. —

— schweizerische, zur Besprechung d. gesammten Turnwesens. Organ d. schweiz. Turnvereins u. d. Turnlehrervereins. Red.: J. Niggeler. 26—28. Jahrg. 1883—1885. à 24 Nrn. (½ B.) gr. 8. Bern, (Nydegger & Baumgart). à Jahrg. n. 4. —

— dasselbe. Red.: J. J. Egg, K. Ziegler, E. Zschokke. 29. Jahrg. 1886. 24 Nrn. (¾ B.) Lex.-8. Zürich. (Hof, Lion.) n. 5. —

Türst, C., de situ confoederatorum descriptio, s.: Quellen zur Schweizer Geschichte.

Turen, F., aus der Kinderwelt, s.: Sammlung v. Kinderschriften.

— an die Konfirmanden. Mit Genehmigg. der Verf. übers. v. L. Fehr. 8. (108 S.) Gotha 884. F. A. Perthes. geb. m. Goldschn. n. 2. —

Tüzstig, J., Untersuchungen üb. die Entwickelung der primitiven Aorten, s.: Schriften, hrsg. v. der Naturforscher-Gesellschaft bei der Universität Dorpat.

Twain, M., the adventures of Huckleberry Finn, — life on the Mississippi, — sketches, } s.: Collection of British authors.

— ausgewählte Skizzen, s.: Universal-Bibliothek.

— Unterwegs u. Daheim, s.: Sternbanner-Serie.

Twiehausen, O., das deutsche Märchen u. seine Bedeutung f. den Unterricht, — Rousseaus Pädagogik u. die Nachwirkungen derselben bis auf die Neuzeit, } s.: Lehrer-Prüfungs- u. Informations-Arbeiten.

Tylor, Edward B., Einleitung in das Studium der Anthropologie u. Civilisation. Deutsche autoris. Ausg. v. G. Siebert. Mit 78 Holzst. gr. 8. (XIX. 538 S.) Braunschweig 883. Vieweg & Sohn. n. 10. —

Tyndall, John, elektrische Erscheinungen u. Theorien. Kurzer Abriss e. Curses v. 7 Vorlesgn., abgeh. in der Royal Institution of Great Britain. Mit d. Autors Bewilligg. ins Deutsche übertr. von Jos. v. Rosthorn. 8. (VI, 95 S.) Wien 884. Hartleben. geb. n. 1. 80

— Vorträge üb. Elektricität. Mit d. Autors Erlaubniss ins Deutsche übertr. von Jos. v. Rosthorn. Mit 58 Abbildgn. 8. (VIII, 148 S.) Wien 884. Hartleben. geb. n. 2. 25

Typen u. Trachten aus dem Egerlande. Lichtdr.-Bilder v. Haufler, Schmutterer & Co. in Wien. 8. (8 Bl.) Eger 886. (Wien, Frick.) n. 2. —

Typographia, helvetische. Zur Besprechg. sozialer u. techn. Fragen f. Buchdruckerei u. verwandte Fächer. Organ d. schweiz. Typographenbundes. Red.: H. Kleiber. 26—29. Jahrg. 1883—1886. à 52 Nrn. (½ B.) gr. 4. Basel. (Bern, Huber & Co.) à Jahrg. n. 6. 75

Tyrmann, J., die Krankheiten der Keilbein-Höhle u. d. Siebbein-Labyrinthes u. ihre Beziehungen zu Erkrankungen d. Sehorganes, s.: Berger, E.

Tyrol, M., der Abt. Ein Sang aus Preußens Ritterzeit. 8. (135 S.) Leipzig 885. Reißner. n. 2. —; geb. n. 3. —

Tyroler-Kalender f. d. J. 1885. 7. Jahrg. 4. (103 S. m. Illustr.) Innsbruck, F. Rauch. n.n. — 56

Tyrolt, R., u. M. Loebel, Meister Potier, s.: Theater, neues Wiener.

Tyszka, Winrich v., zur Beurtheilung militärischer Prinzipien. Eine krit. Studie. gr. 8. (IV, 48 S.) Berlin 886. Wilhelmi. n. 1. —

Tytler, S., the bride's pass, s.: Asher's collection of English authors.

Tzénos, Panagiotis, τὰ 'Ανακρεοντεία γλωσσικῶς ἐξεταζόμενα πρὸς τῷ τῆς τῶν δοκιμῶν συνηθείας ἀπέχουσιν. gr. 8. (42 S.) Jena 884. Pohle. n. 1. —

Tzschoppe, W. v., Beiträge zur Finanzstatistik der Gemeinden in Preussen, s.: Herrfurth, L.

U.

Ubbelohde, s.: Aus e. höheren Bürgerschule.

Ubbelohde, C., Erörterungen zum Lüneburgischen Stadtrechte. gr. 8. (VII, 139 S.) Lüneburg 884. (Lütke.) cart. n. 3. —

Übelacker, M., Leitfaden zum Unterricht in der deutschen Sprache f. Unteroffizierschulen, nach Maßgabe der Direktiven der königl. Inspektion der Infanterieschulen vom 10. Juli 1883, sowie f. Kapitulantenschulen u. zum Selbstunterricht bearb. 8. (XI, 132 S.) Berlin 887. Liebel. cart. n. 1. 20

Uber, Felix, quaestiones aliquot Sallustianae grammaticae et criticae. gr. 8. (53 S.) Berolini 882. (Göttingen, Vandenhoeck & Ruprecht.) n. 1. 80

Ueber die Akustik der Säle. Von e. prakt. Architekten. gr. 8. (20 S. m. 4 Fig.) St. Gallen 886. Kreutzmann. n. — 60

— die Anwendbarkeit der sogenannten Minoritätenvertretung bei den eidgenössischen Wahlen. gr. 8. (72 S.) Bern 883. (Jenni.) n.n. 1. 50

— Arbeiterverbindungen. Verhandlungen der St. Louiser Gesammtgemeinde vom 24. Mai, 31. Mai u. 6. Juni 1886. 8. (45 S.) St. Louis, Mo. 886. (Dresden, H. J. Naumann.) n. — 40

— die Ausbildung der Compagnie zum Gefecht. 2. Aufl. gr. 8. (62 S.) Hannover 884. Helwing's Verl. n. 1. 20

— die Ausbildung in der zerstreuten Fechtart. Von e. österreich. Offizier. gr. 8. (22 S.) Ebend. 884. n. — 50

— die Bedeutung der neuesten Entwickelung d. Geschützwesens in Deutschland. Von e. inaktiven Stabsofficier der Artillerie. gr. 8. (48 S.) Paderborn 883. F. Schöningh. n. — 80

— Berg u. Thal. Organ d. Gebirgsvereins f. die sächsisch-böhm. Schweiz. Im Auftrage d. Zentral-Ausschusses red. v. F. Theile. 6—9. Jahrg. 1883—1886. 12 Nrn. (B.) gr. 4. Dresden, Meinhold & Söhne. à Jahrg. n. 2. —

— die Bewaffnung, Ausbildung, Organisation u. Verwendung der Reiterei. gr. 8. (96 S.) Berlin 883. F. Luckhardt. n. 3. —

— die Beziehungen zwischen Landwirthschaft u. Forstwirthschaft im Großherzogth. Baden. gr. 8. (48 S.) Tübingen 885. Laupp. n. 1. —

Ueber die Correction d. Rheins auf der Strecke von Mainz bis Bingen. [Amtlich.] gr. 4. (24 Sp. m. 1 lith. Karte.) Berlin 883. Ernst & Korn. n. 1. 50
— den Einfluss der Luftdruck-Schwankungen auf die Entwicklung v. Schlagwettern. Bericht üb. die in Bezug auf diese Frage in der erzherzogl. Albrecht-schen Steinkohlengrube bei Karwin in Oesterreich-Schlesien ausgeführten Versuche. Mit 12 lith. Taf. 2. Aufl. gr. 4. (20 S.) Teschen 886. Prochaska. n. 5. —
— Erlangung brillanter Negative u. schöner Abdrücke, mit Gelatine-Trockenplatten, Collodion, Eiweiss-Papier, Chlorsilber-Collodion u. Gelatine-Papier. Nebst e. Anh. üb. die Wahl der Apparate. 9. Aufl. 8. (32 S.) Düsseldorf 886. Liesegang. n. — 50
— gottgewolltes Geben. 3. Aufl. 12. (32 S.) Berlin 886. Deutsche Evangel. Buch- u. Tractat-Gesellschaft. n. — 12
— die Geheimlehre. Betrachtungen v. O. H. gr. 8. (22 S.) Leipzig 886. Th. Grieben. n. — 50
— deutsche hohe Schulen im Mittelalter. Ein Vortrag v. G. H. gr. 8. (35 S.) Salzburg 885. Oberer's sel. Wwe. n. — 75
— Irren-Anstalten m. besond. Rücksichtnahme auf Ober-Bayern. gr. 8. (15 S. m. 1 Tab.) München 883. (Kellerer's Buchh.) n. — 50
— Land u. Meer. Allgemeine illustr. Zeitg. Red.: Edm. Zoller. 26—29. Jahrg. Oktbr. 1883—Septbr. 1887. à 52 Nrn. (5 B. m. eingedr. Holzschn.) Fol. Stuttgart, Deutsche Verlags-Anstalt. à Jahrg. 12. —; in 26 Hftn. à — 50
— dasselbe. Monatsausg. in 8°. 1—3. Jahrg. 1884/87. à 12 Hfte. Lex.-8. (à Hft.: ca. 216 S.) Ebend. à Hft. n. 1. —
— die Lehenbücher der Kurfürsten u. Pfalzgrafen Friedrich I. u. Ludwig V. Zur 500jähr. Jubelfeier der Ruprecht-Carls-Universität in Heidelberg überreicht vom grossh. General-Landesarchiv u. der bad. histor. Commission. gr. 4. (21 S. m. 1 Lichtdr.- u. 2 Farbendr.-Taf.) Karlsruhe 886. (Frankfurt a/M., Rommel.) n. 4. 50
— die Notwendigkeit der Erbauung e. Aussichtsthurmes auf der Schneekoppe. Zur Begrüssg. der Generalversammlg. d. R.-G.-V. in Hirschberg [15. Juni 1886] v. e. Mitgliede. (In latein. Sprache.) 8. (14 S.) Hirschberg 886. Kuh. n. — 40
— den Nutzeffekt magneto-elektrischer Maschinen, insbesondere bei der elektrischen Kraftübertragung. Von M. R. H. gr. 8. (23 S.) Münster 883. Aschendorff. n. — 50
— Oesterreich f. Oesterreich v. e. Oesterreicher. gr. 8. (50 S.) Wien 884. (Mayer & Co.) n. 1. 20
— Religion. Ein Gespräch. 2. Aufl. gr. 8. (39 S.) Leipzig 883. Findel. n. 1. —
— Schleichpatrouillen. Instruktion zur Ausbildg. der Patrouillen-Führer. Von S. [Aus: „Unteroffizier-Zeitg."] 12. (14 S.) Berlin 884. Liebel. n.n. — 15
— Paul Schönfelds Satiren u. Epigramme. Mit e. offenen Briefe an denselben als Vorwort. Von Xanthippus. 8. (18 S.) Kaiserslautern 886. A. Gotthold's Verl. n. — 50
— Testamente der Geistlichen. Eine prakt. Abhandlg., wie e. Testament muß abgefaßt werden, daß es den kirchlichen Bestimmungen entspricht u. nach den weltl. Gesetzen gültig ist, nebst allen dahin gehör. gesetzl. Bestimmgn. üb. Intestaterben, Antritt u. Entsagg. der Erbschaft, Erbschaftssteuer, Tarif, Befreig. davon, staatl. Genehmigg., Enterbg., Pflichttheil, Erbverträge, 15 Formulare f. Testamente u. Erb- u. Uebertragungsverträge 2c. Anh.: Die ehel. Gütergemeinschaft. Zunächst f. Geistliche, aber auch f. Laien 2. Aufl. gr. 8. (64 S.) Paderborn 884. Bonifacius-Druckerei. — 60
— Testamente der Geistlichen u. Laien. Praktische Belehrg. u. Anweisg. f. Geistliche zur gesetzl. Anfertigg. der eigenen u. Anderer Testamente. Anh.: Die ehel. Gütergemeinschaft. 2. verb. Aufl. gr. 8. (64 S.) Ebend. 884. — 60
— Touristenreisen. Praktische Rathschläge v. e. Wanderer. 12. (58 S.) Leipzig 885. Reißner. n. — 50
Über's Meer. Taschenbibliothek f. deutsche Auswanderer. Hrsg. v. Rich. Lesser u. Rich. Oberländer. 1—3. 5. 6. 8. 9. 11. u. 12. Bd. 12. Gera, Weltpost-Verl. geb. n. 8. 75
1. Wegweiser v. der alten zur neuen Heimat. Von Rich. Lesser. Mit Illustr. u. Karten. (XIII, 214 S.) 883. n. 1. —
2. Englischer Dolmetscher f. Auswanderer v. Ernest Hayne l. (X, 131 S.) 883. n. 1. —
3. Wisconsin. Nach eigenen Erfahrgn. u. Beobachtgn. v. Heinr. Lemcke. Mit 1 (lith. u. color.) Karte v. Wisconsin. (X, 142 S.) 883. n. 1. —
5. Argentinien v. Carl Beck-Bernard. (III, 170 S. m. 2 Holzschn. u. 2 Karten.) 883. n. 1. —
6. Kanada. Nach eigenen Erfahrgn. u. den Berichten hervorrag. Deutscher dargestellt v. Rob. S. Arndt. Mit (2 Holzschn.-)Illustr. u. 1 chromolith.) Karte. (VI, 131 S.) 883. n. 1. —
8. Kalifornien. Nach eigenen Beobachtgn. u. Erfahrgn., unter Benutzg. der besten Quellen v. Paul Alexander. Mit (eingedr.) Illustr. u. 1 (lith. u. color.) Karte. (VIII, 165 S.) 883. n. 1. —
9. Oregon. Nach eigenen Beobachtgn. v. Heinr. Semler. Mit e. (chromolith.) Karte der Vereinigten Staaten. (V, 128 S.) 883. n. 1. —
11. 12. Rio Grande do Sul von Herm. v. Ihering. Mit Titelbild u. 1 Karte. (XI, 250 S.) 885. n. 1. 75

Ueberfüllung, die, d. Juristenstandes, s.: Fragen, zeitbewegende.
Überlée, Abb., Chorgesangschule. Eine Anleitg. zum Chorgesange f. höhere Knaben- u. Mädchenschulen u. f. die Oberklassen der Volksschulen. gr. 8. (48 S.) Leipzig 886. Rud. Winkler. n. — 60
Ueberraschungen. 2. Folge. 2 Humoresken. 12. Berlin 883. Goldschmidt. n. — 50 (1. u. 2.: n. 1. —)
Viola. Von Levin Schücking. Elke. Von Otto Girndt. (100 S.)
Ueberschaer, A. G. M., Ein' feste Burg ist unser Gott. Festschrift zur 400jähr. Geburtsfeier d. großen Gottesmannes voll Glauben u. Kraft Dr. Martin Luther. Mit e. Vorwort v. Ed. Sperber-Eisleben. Ausg. f. Lehrer. 8. (48 S. m. Holzschn.-Portr.) Neuhaldensleben 883. Besser. n. — 50; Ausg. f. Schüler (40 S.) n. — 30
— der Verkehr d. Lehrers m. den vorgesetzten Behörden. Handbuch zur Abfassg. v. Eingaben aller Art an Schulbehörden u. die m. der Schule in Verbindg. steh. Privaten. Mit vielen Formularen u. eingeh. Erläutergn. 3. Aufl. 8. (VII, 101 S.) Neuwied 885. Heuser's Verl. cart. n. 1. —
Überschau, nach Materien geordnete, der berg- u. hüttenmännischen Litteratur Deutschlands u. d. Auslandes, sowie verwandter Zweige [unter Berücksicht. v. Aufsätzen einschlag. Zeitschriften], nach Befinden m. kurzen bibliograph. Besprechgn. Ein Wegweiser f. Berg- u. Hüttenbeamte, Ingenieure u. Studierende. Jahrg. 1883. ca. 4 Nrn. gr. 8. (Nr. 1. 2. B.) Freiberg, Engelhardt. n. — 80
— periodische u. nach Materien geordnete, der litterarischen Erscheinungen auf dem Gebiete der deutschen Rechtswissenschaft [d. Privat- u. öffentl. Rechts], ihrer Hilfsfächer sowie der Justiz- u. Verwaltungs-Gesetzgebung u. -Praxis [unter Berücksicht. v. einschlag. Zeitschriften] nach Befinden m. kurzen bibliograph. Besprechgn. Ein Wegweiser f. Justiz- u. Verwaltungsbeamte, Rechtsanwälte u. Studierende. 2. Jahrg. 1883. ca. 6 Nrn. gr. 8. (Nr. 1. 9 S.) Ebend. n. 1. 25
Uebersetzung, deutsche, der Bedingungen, zu welchen auf der Börse in Rotterdam Versicherungen abgeschlossen werden. Festgestellt durch Assecurateure zu Rotterdam. Jan. 1881. gr. 8. (32 S.) Berlin 881. Mittler & Sohn. n.n. 1. 25
Uebersicht der in Bayern bestehenden Actien-Gesellschaften m. Angabe der Stückzahl der Actien im Nominalwerthe u. Totalbetrage. Tabelle. qu. gr. Fol. München 883. Franz' Verl. n. — 50
— über den Umfang der öffentlichen Armenunterstützung im Königr. Württemberg vor u. nach der Einfüh-

rung d. Reichsgesetzes üb. den Unterstützungswohnsitz vom 6. Juni 1870. Hrsg. v. dem k. Ministerium d. Innern. gr. 4. (43 S.) Stuttgart 883. (Kohlhammer.) n. 2. —

Uebersicht, systematische, der im Deutschen Reiche geltenden gesetzlichen u. polizeilichen Bestimmungen üb. die Vornahme gewerblicher Arbeiten an Sonn- u. Festtagen. Fol. (21 S.) Berlin 886. C. Heymann's Verl. n. 1. 20

— des gegenwärtigen Standes u. der Amtsbezirkseintheilung der k. u. k. österr.-ungar. Consularämter in sämmtlichen fremden Staaten. Jänner 1886. Zusammengestellt im k. k. Ministerium d. kais. Hauses u. d. Aeussern. gr. 8. (35 S.) Wien 886. Hof- u. Staatsdruckerei. n. — 40

— der Eisenbahntarife, auf welche sich die Verhandlgn. der Tarif-Enquête beziehen u. welche am 1. Apr. 1882 in Kraft gewesen sind. Lex.-8. (52 S.) Ebend. 884. n. — 40

— monatliche, der bedeutenderen Erscheinungen d. deutschen Buchhandels. 9—12. Jahrg. 1883—1886. à 13 Nrn. (B.) 8. Leipzig, Hinrichs' Verl. à Jahrg. n. 2. —

— wissenschaftliche, der bedeutenderen Erscheinungen d. deutschen Buchhandels. Jahrg. 1883—1886. à 13 Nrn. (B.) Fol. Ebend. à Jahrg. n. 1. 50

— alphabetische, sämmtlicher Gemeinden etc. d. Königr. Sachsen, nebst Angabe der Amtshauptmannschaft u. der vorläufig ermittelten Einwohnerzahl nach der Zählg. vom 1. Decbr. 1885, sowie der Postbestellanstalten, Eisenbahnstationen u. Eisenbahnhaltestellen. 8. (115 S.) Dresden 886. Heinrich. n. — 50

— der k. k. Gerichte u. der Gerichts-Eintheilung 1886. Fol. (IV, 57 Bl.) Wien 885. Hof- u. Staatsdruckerei. n. 3. —

— der in dem kleinen Katechismus Luthers, hrsg. v. O. Fr. O. Nicolai, enthaltenen biblischen Sprüche, Beispiele u. Lesestücke, nach der Reihenfolge der bibl. Bücher geordnet. gr. 8. (16 S.) Weimar 886. Böhlau. n. — 30

— über den Stand d. landwirthschaftlichen Fortbildungs-Unterrichtes in Oesterreich zu Ende Febr. 1885. Zusammengestellt im k. k. Ackerbau-Ministerium. gr. 8. (9 S.) Wien 886. Hölder. n. — 40

— der gewerblichen Marken, welche bei den Handels- u. Gewerbekammern der im Reichsrathe vertretenen Königreiche u. Länder u. in den Ländern der ungarischen Krone registrirt u. gelöscht wurden. Zusammengestellt im k. k. Handelsministerium. Jahrg. 1882. 12—16. Hft. Lex.-8. (à ca. 16 S. m. eingedr. Fig.) Wien 883. Hof- u. Staatsdruckerei. à n. — 50

— dasselbe. Jahrg. 1883. 14 Hfte. Lex.-8. (à 16 S.) Ebend. 883. 84. à n. — 50

— dasselbe. Jahrg. 1884. 18 Hfte. Lex.-8. (à ca. 16 S. m. eingedr. Fig.) Ebend. 884. 85. à n. — 50

— dasselbe. Jahrg. 1885. 21 Hfte. Lex.-8. (à 1—1½ B. m. eingedr. Fig.) Ebend. 885. 86. à n. — 50

— dasselbe. Jahrg. 1886. 1. u. 2. Hft. Lex.-8. (à 1—1½ B. m. eingedr. Fig.) Ebend. 886. à n. — 50

— der Meierei-Ergebnisse d. Gutes-Hofes .... in 5jährigen Perioden. Mit Kalkulationen behufs Ermittelg. der Ausnutzg. der Weideschläge, d. Kraftfutters u. d. Heus, entworfen v. e. holstein. Gutsbesitzer. Fol. (4 lith. S.) Kiel 884. Biernatzki. — 50

— tabellarische, der bei der Feststellung der Tauglichkeit der Militärpflichtigen geltenden gesetzlichen Bestimmungen. Hrsg. vom Bezirks-Commando d. 2. Bataillons 7. Kgl. Sächs. Landwehr-Regiments Nr. 106. qu. gr. Fol. Leipzig 886. Ruhl. n.n. — 30

— der Ortsentfernungen in Elsass-Lothringen. 1886. Nach amtl. Ermittelgn. zusammengestellt in dem statist. Büreau d. kaiserl. Ministerium f. Elsass-Lothringen. gr. 8. (416 S.) Strassburg 886. Schultz & Co. Verl. n. 8. —

— von D. Friedr. Schleiermacher, der christliche Glaube. Wörtlicher Abdruck der Paragraphen, sammt dem Inhaltsverzeichniß. 8. (X, 48 S.) Halle 886. Kaemmerer & Co. n. 1. —

— monatliche, der auf Grund d. Gesetzes vom 21. Oct. 1878 im Deutschen Reiche erlassenen Verfügungen gegen die Socialdemokratie. Alphabetisch-tabellarisch zusammengestellt nach den amtl. Publicationen. Jahrg. 1884—1886. à 2 Nrn. (½ B.) gr. 4. Lobenstein, Teich. à Jahrg. n. 1. —

Uebersicht, XIV. statistische, der Verhältnisse d. k. k. österreichischen Strafanstalten im J. 1881. Fol. (73 S.) Wien 883. Hof- u. Staatsdruckerei. n. 2. —

— der Verwaltungsergebnisse der einzelnen Sparkassen im preussischen Staate im Geschäftsj. 1882 bezw. 1882/83. Aufgestellt vom königl. statist. Bureau in Berlin. Imp.-4. (28 S.) Berlin 884. Verl. d. statist. Bureaus. n. 1. —

— der Waaren-Ein- u. -Ausfuhr d. österreichisch-ungarischen Zollgebietes im J. 1883—1885. Zusammengestellt vom Rechnungs-Departement d. k. k. Finanzministeriums. [Abtheilung f. die indirecten Abgaben.] Hrsg. vom statist. Departement im k. k. Handelsministerium. Lex.-8. (à 26 S.) Wien 884. Hof- u. Staatsdruckerei. à n. 1. —

— vergleichende statistische, der Wahlen zum deutschen Reichstage von 1881—1884. Zusammengestellt unter Benutzg. der vom kaiserl. statist. Amte ausgearb. Statistik der allgemeinen Wahlen f. die VI. Legislaturperiode d. deutschen Reichstags im J. 1884, sowie A. Phillips Statistik der Wahlen v. H. D. 4. (12 S.) Stuttgart 885. Dietz. n. — 20

— chronologische, der Weltgeschichte. 3. Aufl. gr. 16. (32 S.) Miltenberg 885. Halbig. — 12

Uebersichten, tabellarische, d. Hamburgischen Handels im J. 1882—1885, zusammengestellt v. dem handelsstatist. Bureau. Imp.-4. (à VIII, 252 S.) Hamburg 883—86. (Nolte.) à n. 2. 40

— tabellarische, d. Lübeckischen Handels im J. 1881—1885. Zusammengestellt im Bureau der Handelskammer. gr. 4. (à ca. X, 131 S.) Lübeck 882—86. Grautoff. à n n. 2. 50

Uebersichtstafeln zur Repetition d. römischen u. Pandektenrechts. gr. 4. (73 S.) Erlangen 883. Deichert. n. 2. —

Ueberweg's, Frdr., Grundriss der Geschichte der Philosophie. 1—3. Thl. Mit e. Philosophen- u. Litteratoren-Register verseh. Aufl., bearb. u. hrsg. v. Max Heinze. gr. 8. Berlin 886. Mittler & Sohn. n. 18. 50

1. Das Alterthum. 7. Aufl. (IX, 360 S.) n. 5. 50
2. Die mittlere od. die patristische u. scholastische Zeit. 7. Aufl. (VIII, 305 S.) n. 5. —
3. Grundriss der Geschichte der Philosophie der Neuzeit von dem Aufblühen der Alterthumsstudien bis auf die Gegenwart. 6. Aufl. (VIII, 503 S.) n. 8. —

— Schiller als Historiker u. Philosoph. Mit e. biograph. Skizze Ueberweg's v. Fr. A. Lange. Hrsg. v. Mor. Brasch. gr. 8. (XLVII, 270 S. m. Lichtdr.-Portr. d. Verf.) Leipzig 884. Reißner. n. 8. —

Uebrick, K. F., die 80 Kirchen-Lieder der preußischen Regulative, nebst dem allgemeinen Kirchengebete, m. ihren Choral-Melodien hrsg. 8. verb. Aufl. 8. (56 S.) Thorn 886. E. Lambeck. n. — 20

Uebungen, fromme, m. Ablässen begnadigte, zum Troste der armen Seelen im Fegfeuer f. die Mitglieder der Armenseelen-Bruderschaft. 16. (84 S.) Donauwörth 885. (Auer.) n. — 40

— zur deutschen Orthographie. Auf Grund der amtl. Regeln hrsg. v. e. Vereine v. Lehrern. 4. Aufl. 8. (16 S.) Potsdam 885. Rentel's Verl. n. — 10

Uebungsbuch beim Unterricht im Rechtschreiben. Für Volksschüler. Hrsg. v. der Lehrer-Conferenz d. Landkreises Düsseldorf. 8. (44 S.) Münster 883. Aschendorff. n. — 30

Uebungsheft f. griechische Currentschrift. 2. Aufl. gr. 8. (16 lith. S.) Leipzig 884. Morgenstern. n. — 30

Uebungshefte f. die Rundschrift in methodischer Folge. 5—7. Hft. qu. 4. (à 24 S.) München 885. Exped. d. k. Zentral-Schulbücher Verlags. à n.n. — 25

Uebungsschule in der deutschen Sprache. 1—3. Stufe. Hrsg. vom Lehrerverein zu Hannover. 8. Hannover, Hahn. geb. n.n. 1. 15

1. 9. Aufl. (24 S.) 885. n. — 20
2. 8. Aufl. (56 S.) 884. n.n. — 30
3. 5. Aufl. (144 S.) 884. n. — 65

Uebungsstoff für den Rechenunterricht in Vorschulen. Bearb. v. Lehrern der königl. Vorschule zu Berlin. 8. 2 Hfte. Berlin 884. Oehmigke's Verl. n. 1. 40
1. Mündliche Uebungen im Zahlenkreis von 1—1000. Stoff f. die ersten 3 Semester. (108 S.) n. — 60
2. Mündliche u. schriftliche Uebungen im unbegrenzten Zahlenkreise. Die 4 Species m. unbenannten, einfach benannten u. mehrfach benannten ganzen Zahlen. Stoff f. die letzten 3 Semester. (136 S.) n. — 80

— für die Vorturner-Ausbildungsstunde der Berliner Turnerschaft [Korporation]. Im Auftrage d. Vorstandes hrsg. v. der Vorturnerschaft. 2. Aufl. 12. (189 S.) Berlin 885. R. Schmidt. geb. n.n. — 75

Uebungstafeln f. das Riegenturnen. Hrsg. v. dem Vorstande der Berliner Turnerschaft. 3. Aufl. 16. (XV, 200 S. m. 1 Tab.) Berlin 884. Mayer & Müller. cart. n. — 85

— die, nach den Vorschriften üb. das Turnen der Infanterie v. 27.5. 1886, zusammengestellt zum prakt. Gebrauch f. den Lehrer. 16. (4 S. auf Cartonpap.) Berlin 886. Bath. n. — 20

Uebungs-Vorschriften der freiwilligen Feuerwehr in Neutitschein. 16. (47 S.) Neutitschein 883. (Hosch.) n. — 40

Uchard, Mario, mein Onkel Barbassou. Roman. Aus dem Franz. 2 Bde. 8. (156 u. 157 S.) Basel 885. Bernheim. n. 3. —

— Ines Parker. Roman. Einzige autoris. Uebersetzg. aus dem Franz. von C. v. Craigmnie. 8. (266 S.) Berlin 883. F. Luckhardt. n. 4. —

Uechtritz, Friedrich v., s.: Erinnerungen an denselben.

Uechtritz-Steinkirch, O. v., der Adel in der christlich-socialen Bewegung der Gegenwart, s.: Zeitfragen d. christl. Volkslebens.

— Heinrich Tobias Frhr. v. Haslingen. Ein Beitrag zur Geschichte der Befreiung Wiens im J. 1683. Lex.-8. (32 S.) Breslau 883. (Korn.) n. 1. —

Ufer, Chr., durch welche Mittel steuert der Lehrer ausserhalb der Schulzeit den sittlichen Gefahren der heranwachsenden Jugend? 2. Aufl. gr. 8. (32 S.) Langensalza 885. Beyer & Söhne. n. — 40

— Vorschule der Pädagogik Herbarts. 4. Aufl. gr. 8. (XI, 96 S.) Dresden 886. Bleyl & Kaemmerer. n. 1. 50

Uferschutz u. Schutz gegen Ueberschwemmungen. Gesetz vom 28. Mai 1852. 2. Aufl. 8. (8 S.) Würzburg 885. Stahel. — 20

Uferschutzwerke auf den ostfriesischen Inseln. Mit 3 (lith.) Blatt Zeichngn. gr. 4. (7 S.) Berlin 883. Ernst & Korn. n. 2. —

Uffelmann, Hugo, das Zuschneiden der Gardinen. Handbuch f. Tapezierer sowie f. Fachschulen. Mit e. Atlas v. 14 Steintaf. in qu. Fol. gr. 8. (31 S.) Bremen 886. (Rühle & Schlenker.) n. 4. —

Uffelmann, J., das Brot u. dessen diätetischer Werth, } s.: Sammlung gemeinverständlicher wissenschaftlicher Vorträge.
— die Entwickelung der altgriechischen Heilkunde, } s.: Sammlung gemeinverständlicher wissenschaftlicher Vorträge.

— die Ernährung d. gesunden u. kranken Menschen, s.: Munk, J.

— Jahresbericht üb. die Fortschritte u. Leistungen auf dem Gebiete der Hygiene, s.: Vierteljahrsschrift, deutsche, f. öffentliche Gesundheitspflege.

Ugény, E. v., Russland u. England. Aeussere u. innere Gegensätze. 2. Aufl. 8. (256 S.) Leipzig 883. Friedrich. n. 3. —

Uhde, H., die schöne Müllerin, s.: Bloch's, E., Dilettanten-Bühne.

Uhden, Herm., die Lage der lutherischen Kirche in Deutschland, kirchengeschichtlich erwogen. gr. 8. (VII, 145 S.) Hannover 883. Feesche. n. 2. —

Uhl, E., die Stenographie im Eisenbahndienst, s.: Sammlung v. Vorträgen aus dem Gebiete der Stenographie.

Uhl, Frdr., Farbenrausch. Roman. 2 Bde. 8. (182 u. 171 S.) Berlin 887. Gebr. Paetel. n. 8. —; in 1 Bd. geb. n. 9. 50

Uhland, L., Graf Eberhard der Rauschebart; des Sängers Fluch, s.: Volksbibliothek d. Lahrer Hinkenden Boten.

Uhland, L., Ernst, Herzog v. Schwaben. Ein Trauerspiel in 5 Aufzügen, Schulausg. m. Anmerkgn. v. Heinr. Weismann. 7. Aufl. 12. (XLII, 97 S.) Stuttgart 885. Cotta. cart. n. 1. —

— Gedichte u. Dramen. (Neue Ausg.) 3 Tle. 12. (XXIV, 220; VIII, 324 u. VII, 196 S.) Ebend. 883. n. 4. —; in 1 Bd. geb. n. 5. —

— dasselbe. Jubiläums-Ausg. zum 100. Geburtstage d. Dichters. [1787.1887.] Mit e. Portr. Uhlands nach dem Original v. Morff aus dem J. 1818 u. e. Gedicht in Facsm. gr. 8. (XXVIII, 640 S.) Ebend. 887. geb. m. Goldschn. n. 7. —

Uhland, Ludw., als Dichter u. Patriot, s.: Dederich, H.

Uhland, W. H., Fortschritte der Industrie u. Technik. Bericht üb. Construction, Anlage u. Betrieb der Maschinen u. Apparate f. die wichtigsten Industriezweige. Unter Mitwirkg. vieler Fachgenossen d. In- u. Auslandes hrsg. 1. Bd. 2. Thl. u. 2. Bd. gr. 8. Jena, Costenoble. à n. 9. — (I. u. II.: n. 24. —)
I. Die Hebeapparate u. deren Construction, Anlage u. Betrieb. Mit gegen 400 Textfig., 11 Holzschn.-Taf. u. 14 Taf. in Photolith. 2. Thl. (S. 113—224.) 883.
II. Die Brotbäckerei, Biscuit- u. Teigwarenfabrikation. Mit 148 Textfig., 7 Holzschntaf. u. 14 Taf. in Photolith. (VIII, 204 S.) 885.

— Handbuch f. den praktischen Maschinen-Constructeur. Eine Sammlg. der wichtigsten Formeln, Tabellen, Constructionsregeln u. Betriebsergebnisse f. den Maschinenbau u. die m. demselben verwandten Branchen. Unter Mitwirkg. erfahrener Ingenieure u. Fabrikdirectoren hrsg. [4 Bde. m. 3—4000 Textfig. u. ca. 70 Taf. in Photolith.] 30—52. Lfg. gr. 4. (à 4 B.) Leipzig 883—86. Baumgärtner. à n. 3. —

— dasselbe. Ausg. in 4 Bdn. od. 10 Abthlgn. gr. 4. Ebend. 883. In 4 Halbfrzbdn. n. 120. —; 10 Abthlgn. in Halbleinw. geb. n. 104. —
I. 1. Die Maschinentheile, Anlage der Transmissionen, Bewegungsmechanismen u. Fundamente. Mit 778 Textfig. u. 4 Taf. (IV, 122 S.) n. 10. —
2. Die Motoren. Mit 424 Textfig. u. 6 Taf. (III u. S. 123—224.) n. 10. —
3. Die Maschinen u. Apparate zum Messen u. Wägen, regulirende Maschinentheile, Pumpen, Gebläse, Luftpumpen u. Compressionsmaschinen. Mit 336 Textfig. u. 3 Taf. (III u. S. 225—301.) n. 6. —
II. 1. Der Hochbau, die Feuerungsanlagen, Heizung u. Lüftung, Beleuchtung, Wasserbau, Wasserversorgung u. Baumaschinen. Mit 795 Textfig. u. 4 Taf. (IV, 140 S.) n. 10. —
2. Der Strassenbau, Eisenbahnbau u. Betrieb, Brückenbau, Anlage v. Fabrik- u. Grubenbahnen, Hebeapparate, Schiffbau. Mit 367 Textfig. u. 5 Taf. (III u. S. 141—214.) n. 6. —
III. 1. Das Hüttenwesen, die Eisen- u. Metallgiesserei, die mechanische Eisen- u. Metallbearbeitung, Holzbearbeitung, Steinbearbeitung. Mit 660 Textfig. u. 7 Taf. (IV, 138 S.) n. 12. —
2. Die Spinnerei u. Weberei, Bleicherei, Färberei u. Appretur, Bäder- u. Waschanstalten, Fabrikation v. Leder u. Kautschuk, Papier-Fabrikation, Buch-, Stein- u. Kupferdruckerei, Buchbinderei. Mit 356 Textfig. u. 13 Taf. (IV u. S. 139—292.) n. 14. —
3. Die Mehl-Fabrikation, Bäckerei u. Teigwaaren-Fabrikation, Zucker-Fabrikation, Stärke-, Traubenzucker-, Dextrin- u. Sago-Fabrikation, Cichorien-, Chocolade- u. Zuckerwaaren-Fabrikation. Mit 294 Textfig. u. 17 Taf. (III u. S. 293—399.) n. 14. —
4. Die Eisfabrikation, Kühlapparate, Brennerei u. Hefenfabrikation, Oel-, Seifen- u. Kerzenfabrikation, Gyps-, Cement- u. Thonwaarenfabrikation, elektrische Beleuchtung. Mit 114 Textfig. u. 15 Taf. (III u. S. 400—479.) n. 12. —
IV. Mathematik, Mechanik, Hydraulik, Physik, Chemie, Feldmessen u. Nivelliren, Münz-, Maass- u. Gewichts-Tabellen, Industriegesetze. Mit 244 Textfig. (IV, 158 S.) n. 10. —

— dasselbe. Suppl.-Bd. 4 Abthlgn. gr. 4. Ebend. 886. geb. in Halbleinw. n. 40. —
1. Berechnung u. Construction der Maschinenelemente u. Triebwerke, sowie der regulirenden Maschinentheile. Mit 25 Textfig. u. 7 Taf. (III, 129 S.) n. 12. —
2. Berechnung u. Construction der Motoren, sowie der Dampfkessel u. Dampfmaschinen. Mit 381 Textfig. u. 15 Taf. (S. 130—324.) n. 18. —
3. Berechnung u. Construction der Pumpen, Gebläse u. Ventilatoren, sowie der Pressen. Mit 256 Textfig. u. 3 Taf. (S. 325—428.) n. 6. —
4. Berechnung u. Construction der Hebeapparate, v. Hochbau- u. Brücken-Constructionen. Mit 126 Textfig. u. 5 Taf. (S. 429—486.) n. 4. —

— das elektrische Licht u. die elektrische Beleuchtung. Mit e. Anhang üb. die Kraftübertragg. durch Elektricität.

Für Ingenieure, Architekten, Industrielle u. das gebildete Publikum. Mit üb. 200 Abbildgn. im Texte u. 22—24 Vollbildern neben dem Texte. gr. 8. (X, 566 S.) Leipzig 883. 84. Veit & Co. n. 10. —

Uhland, W. H., Skizzenbuch f. den praktischen Maschinen-Constructeur. Ein Hilfsbuch f. Maschinentechniker aller Branchen, sowie f. Schüler techn. Lehr-Anstalten. 51—80. Hft. qu. gr. 4. (à 12 autogr. Taf. m. je 2—3 S. Text.) Leipzig 883—85. Baumgärtner. Subscr.-Pr. à n. 1. —; Einzelpr. à n. 1. 20

— dasselbe. 1. Bd. 2. Aufl. gr.-4. (120 Taf. m. 20 Bl. Text.) Ebend. 886. n. 10. —

Uhle, Heinr., griechische Schulgrammatik. In Verbindg. m. Aug. Prockſch u. Th. Büttner-Wobst. Der Elementargrammatik 3. Aufl. gr. 8. (X, 238 S.) Leipzig 883. Grunow. geb. n. 2. 80

Uhle, M., seltene Waffen aus Afrika, Asien u. Amerika, s.: Meyer, A. B., Publicationen d. königl. ethnographischen Museums zu Dresden.

Uhle, Paul, quaestiones de orationum Demostheni falso addictarum scriptoribus. Particula I et II. De orationum XXXIII—XXXV. XXXXIII. XXXXVI—L. LII. LIII. LVI. LIX. scriptoribus. gr. 8. (120 u. 32 S.) Hagen 884. 86. Risel & Co. n. 3. 20

Uhle, Thdr., Leitfaden f. die Pflege bei Augen-Krankheiten u. Operationen. 8. (39 S.) Dresden 886. Warnatz & Lehmann. cart. n. — 80

Uhlenhuth, Ed., vollständige Anleitung zum Formen u. Gießen od. genaue Beschreibg. aller in den Künsten u. Gewerben dafür angewandten Materialien, als: Gyps, Wachs, Schwefel, Leim, Harz, Guttapercha, Thon, Lehm, Sand u. deren Behandlg. behufs Darstellg. v. Gypsfiguren, Stuckatur, Thon-, Cement-, Steingut- etc. Waaren, sowie beim Guß v. Statuen, Glocken u. den in der Messing-, Zink-, Blei- u. Eisengießerei vorkomm. Gegenständen. Mit 17 Abbildgn. 2. Aufl. 8. (IX, 160 S.) Wien 886. Hartleben. n. 2. —

Uhlhorn, Gerh., das vatikanische Concil. [1. Die ökumen. Concilien bis zur Reformation. 2. Vom tridentin. bis zum vatikan. Concil. 3. Der Verlauf d. vatikan. Concils. 4. Die Unfehlbarkeit d. Papstes.] 4 Vorträge. Neue Einzel-Ausg. 8. (S. 235—350.) Stuttgart 886. Gundert. n. 1. —

— zu socialen Frage. [1. Socialismus u. Christentum. 2. Von der christl. Barmherzigkeitsübg.] 2 Vorträge. Neue Einzel-Ausg. 8. (S. 353—410.) Ebend. 886. n. — 60

— der Kampf d. Christentums m. dem Heidentum. Bilder aus der Vergangenheit als Spiegelbilder f. die Gegenwart. 4. verb. Aufl. 8. (438 S.) Ebend. 886. n. 3. —; geb. n. 4. —

— die christliche Liebesthätigkeit. 2. Bd. Das Mittelalter. 8. (VIII, 531 S.) Ebend. 884. n. 7. —; geb. n. 8. — (1. u. 2.: n. 13. —; geb. n. 15. —)

— s.: Lohmann, Th., Kirchengesetze der evangel.-luther. Kirche der Prov. Hannover.

— Referat üb. die Sonntagsruhe. Auf der Konferenz f. Innere Mission in Celle am 27. Oktbr. 1885 erstattet. 8. (15 S.) Hannover 885. Feesche. — 30

— aus der Reformationsgeschichte. 5 Vorträge. Neue Einzel-Ausg. 8. (S. 39—231.) Stuttgart 886. Gundert. n. 1. 40

— Thomas a Kempis u. das Buch v. der Nachfolge Christi. Vortrag. Neue Einzel-Ausg. 8. (36 S.) Ebend. 886. n. — 40

— die practische Vorbereitung der Candidaten der Theologie f. das Pfarr- u. Schulinspectoratsamt. Referat f. die Conferenz der deutschen evangel. Kirchenregiergn. in Eisenach. gr. 8. (52 S.) Stuttgart 886. Grüninger. 1. —

Uhlich's Sonntagsblatt. Gegründet v. Uhlich. Red.: C. Uhlich. 34. u. 35. Jahrg. 1883 u. 1884. à 52 Nrn. (1/2 B.) gr. 4. Magdeburg, Demcker. à Jahrg. n. 3. — cf.: Sonntagsblatt, freireligiöses.

Uhlich, Altes u. Neues zur Lehre v. den merkwürdigen Punkten d. Dreiecks. gr. 4. (34 S. m. 1 Taf.) Grimma 886. (Gensel.) n. 1. —

Uhlich, Heinr., Predigten üb. das Leben Luthers, geh. in der Rüstzeit. Eine Jubiläumsgabe, dargebracht als e. Baustein zu e. Lutherkirche in der Reichshauptstadt. 8. (VIII, 143 S.) Berlin 883. Deutsche evangel. Buch- u. Tractat-Gesellschaft. n. 1. 20

Uhlich, P., die Festigkeitslehre u. ihre Anwendung. Zum Gebrauch in der Praxis u. f. Studirende leicht verständlich bearb. Mit sorgfältig gewählten Beispielen u. 126 Fig. 2. Aufl. gr. 8. (VIII, 150 S.) Dresden 886. Knecht. n. 3. 50; geb. n. 4. —

— die Hebmaschinen. 1. Thl. Mit zahlreichen Skizzen u. Beispielen. gr. 4. (II, 106 autogr. S. m. 2 Taf.) Ebend. 886. n. 4. —

Uhlig, F., biblische Geschichte f. Volksschulen, s.: Sörgel, S.

Uhlig, G., die Stundenpläne f. Gymnasien, Realgymnasien u. lateinlose Realschulen in den bedeutendsten Staaten Deutschlands, zusammengestellt. 2. Aufl. gr. 8. (52 S.) Heidelberg 884. C. Winter. n. — 80

Uhlig, V., üb. das Vorkommen u. die Entstehung d. Erdöls, s.: Sammlung gemeinverständlicher wissenschaftlicher Vorträge.

Uhlig, Vict., die Cephalopodenfauna der Wernsdorfer Schichten. [Mit 32 (lith.) Taf.] Imp.-4. (166 S.) Wien 883. (Gerold's Sohn.) n. 20. —

Uehlin, G., 's Föhri-Liseli. E' G'schichtli us'em Wiesethal. 8. (78 S.) Schopfheim 885. Uehlin. n. — 80

Uhlmann, Frdr., italienische Anthologie. Methodisch geordnete Abschnitte aus ältern u. neuern italien. Schriftstellern in Prosa u. Poesie. Mit Erläutergn. u. Wörterbuch. Für deutsche höhere Lehranstalten u. f. den Selbstunterricht. gr. 8. (XIII, 386 S.) München 884. Oldenbourg. n. 3. 20

Uhr, keine, ohne e. Uhrmacher. 8. (16 S.) Gernsbach 882. Christl. Colportage-Verein. n. — 4

Uhrig, s.: Humoresken, akademische.

Uhrmacher-Zeitung, deutsche. Organ d. Central-Verbandes der deutschen Uhrmacher. Red.: L. Heimann. 7—10. Jahrg. 1883—1886. à 24 Nrn. (à 1—3 B.) Fol. Berlin, (Kühl). à Jahrg. n. 6. —

— österreichisch-ungarische. Organ d. Vereines der Wiener Uhrmacher u. der Wiener Uhrmacher-Genossenschaft. Red.: J. Flamm. 2—4. Jahrg. Octbr. 1882—Septbr. 1885. à 12 Nrn. (B.) gr. 4. Wien, (Sintenis). à Jahrg. n.n. 5. —

Uhrmann, Virgil, die Accordlöhnung im Landwirthschaftsbetriebe. gr. 8. (32 S.) Wien 884. Perles. n. 1. 20

Uhthoff, Beiträge zur Pathologie d. Sehnerven u. der Netzhaut bei Allgemeinerkrankungen, s.: Schoeler.

Ujfalvy, Karl Eug. v., aus dem westlichen Himalaya. Erlebnisse u. Forschungen. Mit 181 Abbildgn. nach Zeichngn. v. B. Schmidt u. 5 (lith. u. chromolith.) Karten. gr. 8. (XXVI, 330 S. m. 4 Tab.) Leipzig 884. Brockhaus. n. 18. —; geb. n. 20. —

Ulanski, Alfr. Otto v., philosophisch-historische Abhandlung üb. die Entstehung der Kirche u. d. Staates. Praktisches Heilmittel f. mancherlei Krankheiten u. Schäden aller großer Redner u. Schriftsteller, namentlich ultra-orthodoxer Theologen beider Konfessionen u. solcher, die es werden wollen nach Art der alten Häretiker. gr. 8. (IV, 68 S.) Neu-Ruppin 883. (Petrenz.) n. 1. —

Ulbing, Ernst, Velden am Wörthersee in Kärnten [klimatischer Cur- u. Badeort] m. Umgebung. Ein kleiner Führer f. Fremde. gr. 16. (42 S.) Velden 884. (Klagenfurt, Heyn.) n. — 40

Ulbrich, Jos., üb. Credit- u. Bankwesen, s.: Sammlung gemeinnütziger Vorträge.

— Grundzüge d. österreichischen Verwaltungsrechtes m. Berücksicht. der Rechtssprechung d. Verwaltungsgerichtshofes. 8. (XII, 336 S.) Prag 884. Tempsky. — Leipzig, Freytag. n. 5. —

— das Staatsrecht der österreichisch-ungarischen Monarchie, s.: Handbuch d. öffentlichen Rechts der Gegenwart.

Ulbrich, O., Elementarbuch der französischen Sprache f. höhere Lehranstalten. gr. 8. (VII, 208 S.) Berlin 887. Gaertner. n. 1. 60; Einbd. n.n. — 30

— über die französische Lektüre an Realgymnasien. gr. 4. (30 S.) Ebend 884. n. 1. —

Ulbricht, E., Grundzüge der Geschichte, s.: Kaemmel, O.

Ule's, Otto, Warum u. Weil. Fragen u. Antworten aus den wichtigsteu Gebieten der gesamten Naturlehre. Für Lehrer u. Lernende in Schule u. Haus methodisch zusammengestellt. Physikalischer Tl. Von Otto Ule. 6. Aufl. sorgfältig durchgesehen u. wesentlich verm. v. F. Langhoff. Mit 116 Holzschn. gr. 8. (VI, 216 S.) Berlin 886. Klemann. n. 3. 50; geb. n. 4. —

— die Wunder der Sternenwelt. Ein Ausflug in den Himmelsraum. 3. Aufl. Für Gebildete aller Stände u. Freunde der Natur hrsg. u. nach dem neuesten Stande der Wissenschaft bearb. v. Herm. J. Klein. Mit etwa 300 Text-Abbildgn., 5 Chromolith., e. Frontispiz, 2 Tondr.-Taf., 2 Sternkarten u. dem Portr. v. Otto Ule etc. 8 Lfgn. gr. 8. (XVI, 520 S.) Leipzig 883. Spamer. à n. 1. —

Ulff, Herm. Wilh. Ein Lebensbild aus der schwed. Kirche. 8. (22 S.) Augsburg 885. Preyß. n. — 25

Ulfilas, s.: Bibliothek der ältesten deutschen Litteratur-Denkmäler.

Uljanin, B., die Arten der Gattung Doliolum, s.: Fauna u. Flora d. Golfes v. Neapel u. der angrenzenden Meeres-Abschnitte.

Ulk. Illustrirtes Wochenblatt f. Humor u. Satire. Red.: Siegm. Haber. 12—15. Jahrg. 1883—1886. à 52 Nrn. (B. m. eingedr. Holzschn.) Fol. Berlin, Mosse. à Jahrg. 9. —

— allerlei. Lustige Anekdoten u. Witzraketen aus aller Welt. Von Hilarius Kurzweil. 8. (48 S.) Oberhausen 884. Spaarmann. n. — 20

Ullmann, Dominik, das österreichische Zivilprozeßrecht. 8. (XXXI, 580 S.) Prag 885. Tempsky. — Leipzig, Freytag. n. 9. 60

— dasselbe. 2. durchgeseh. Aufl. gr. 8. (XXXII, 755 S.) Ebend. 887. n. 10. 80

Ullmann, E., Julius Glaser. Gedenkrede, geh. in der außerordentl. Plenarversammlg. der Wiener Jurist. Gesellschaft am 20. März 1886. gr. 8. (14 S.) Wien 886. Manz. n. — 40

Ullrich, Heinr., Leitfaden f. den Confirmanden-Unterricht. Im Auftrage der oberspreethaler Predigerconferenz bearb. 4. Aufl. 8. (75 S.) Leipzig 884. Böhme. cart. n.n. — 30

Ullrich, Leop., Duplik zu meiner Schrift üb. die Wasserversorgungsfrage Reichenbergs. Eine Verantwortungsrede zu derselben, gegen die Einreden der Reichenberger Wasserversorgungs-Commission u. d. Hrn. Staatsgewerbeschuldir. Richter insbesondere. gr. 8. (36 S.) Reichenberg 885. Schöpfer's Verl. n. — 80

— die Wasserversorgungsfrage Reichenbergs. Betrachtungen üb. ihre bisher. Entwicklg., ihren gegenwärt. Stand u. den Weg zu ihrer Lösg. Ein Mahnwort an Reichenberg. gr. 8. (44 S.) Ebend. 884. n. — 80

Ullrich, Val., die horizontale Gestalt u. Beschaffenheit Europas u. Nordamerikas. Ein Beitrag zur Morphologie beider Erdenräume. gr. 8. (VIII, 182 S.) Leipzig 888. Duncker & Humblot. n. 4. —

Ulm, E., der unentbehrliche Ratgeber im Verkehr m. allen Staats- u. Gemeinde-Behörden. Ein Handbuch f. jedermann zur sachgemäßen Abfassg. v. Gesuchen u. Beschwerden aller Art in allen Verwaltungs- u. Polizei-Angelegenheiten. Mit vielen Formularen. 3. Aufl. 8. (IV, 138 S.) Leipzig 885. G. Weigel. cart. n. 1. 80

Ulmann, Heinr., Kaiser Maximilian I. Auf urkundl. Grundlage dargestellt. 1. Bd. gr. 8. (XVIII, 870 S.) Stuttgart 884. Cotta. n. 14. —

Ulmann, J., „nimm mich mit!" Unentbehrlicher Reisebegleiter f. jeden Italienreisenden. Italienische Speisenkarte. 16. (48 S.) München 884. Franz' Verl. n. — 60

Ulmer, Karl, der deutsche Satzbau. Zum Unterricht u. zur Selbstbildg. 4. verb. u. nach der neuen Rechtschreibung eingerichtete Aufl. gr. 8. (64 S.) Ansbach 884. Seybold. n. — 60

Ulmi, K., populäre Mittheilungen üb. Heizung u. Ventilation, m. Vorschlägen zur Einführg. der antiken Heizungs- u. Ventilations-Methode, zum Gebrauch f. Hausbesitzer, Anstaltsvorsteher u. Bauhandwerker. Mit 11 autogr. Taf. gr. 8. (VII, 141 S.) Bern 883. Krebs. n. 2. —

Ulpiani, Domitii, quae vulgo vocantur fragmenta sive ex Ulpiani libro singulari regularum excerpta. Accedunt eiusdem institutionum reliquiae ex codice Vindobonensi. 8. (83 S.) Leipzig 886. Teubner. — 75

Ulpius, s.: Stammtisch, der.

Ulrich v. Lichtenstein, Frauendienst, s.: Volksbibliothek f. Kunst u. Wissenschaft.

Ulrich, A., Rechenaufgaben, s.: Schmelzkopf, J.

Ulrich, Chrn., Elevator der Hauptstadt Budapest System „Ulrich". Fol. (IV, 60 S. m. Lichtdr.-Taf.) Wien 885. Frick. In Mappe. n. 60. —

Ulrich, Frz., das Eisenbahntarifwesen im Allgemeinen u. nach seiner besonderen Entwickelung in Deutschland, Österreich-Ungarn, der Schweiz, Italien, Frankreich, Belgien, den Niederlanden u. England. gr. 8. (XII, 504 S.) Berlin 886. Guttentag. n. 10. —

Ulrich, Fr., krystallographische Figurentafeln zum Gebrauche bei mineralogischen Vorlesungen. qu. Fol. (8 z. Thl. color. Taf.) Hannover 884. Schmorl & v. Seefeld. n. 2. —

Ulrich, Gust., Refraction u. Papilla optica der Augen der Neugeborenen. 8. (25 S.) Königsberg 884. (Beyer.) n. 1. —

Ulrich, J., rhätoromanische Chrestomathie. Texte, Anmerkgn., Glossar. 1. Thl. A. u. d. T.: Oberländische Chrestomathie. gr. 8. (VIII, 275 S.) Halle 883. Niemeyer. n. 6. — (1. u. 2.: n. 11. —)

— altitalienisches Lesebuch XIII. Jahrh. gr. 8. (VIII, 160 S.) Ebend. 886. n. 2. 80

— s.: Texte, rhätoromanische.

Ulrich, R., le congrès international de droit commercial à Anvers 1885. Résumé des travaux et résolutions de la 2. section — droit maritime. gr. 4. (III, 55 S.) Berlin 885. Mittler & Sohn. n. 2. 50

— grosse Haverei. Die Gesetze u. Ordngn. der wichtigsten Staaten üb. Havarie-Grosse im Orig.-Text u. in Übersetzg., nebst Commentar u. e. vergl. Zusammenstellg. der darin enthaltenen Einzelbestimmgn. gr. 8. (LXI, 547 S.) Ebend. 884. n. 25. —

Ulrich, Wilh., Italiens Dichterfürsten während der goldenen Tage Ferraras. Eine historisch-litterar. Studie. gr. 8. (20 S.) Langensalza 886. Wendt & Klauwell. n. — 50

— Tabellen zur englischen Geschichte u. Litteratur. Nebst e. alphabet. Verzeichnisse der engl. u. amerikanischen Schriftsteller. Für höhere Schulen, sowie f. Freunde der engl. Litteratur hrsg. gr. 8. (51 S.) Langensalza 884. Beyer & Söhne. n. — 80

— 50 genealogische Tabellen f. den Geschichtsunterricht in den oberen Klassen höherer Lehranstalten, sowie zum Selbststudium, nach den besten Quellen bearb. gr. 8. (IV, 48 S.) Hannover 885. Meyer. n. 1. —

— Ximenes, der große Kardinal u. Reichsverweser Spaniens. Ein Lebensbild, nach histor. Quellen entworfen. 8. (IV, 64 S. m. Portr.) Langensalza 883. Schulbuchh. — 75

Ulrichs, Carlo Enrico, Matrosengeschichten. 1. Buch. Suliteima. Atlantis. Manor. Der Mönch v. Sumbö. 8. (XIV, 98 S.) Leipzig 885. F. E. Fischer. n. 1. 60; geb. n. 2. 60

Ulrici, Alb., das Maingebiet in seiner natürlichen Beschaffenheit u. deren Rückwirkung auf die Geschichte, namentlich die Besiedelung u. Kultur d. Mainlandes. [3. Jahresbericht d. Vereins f. Erdkunde zu Cassel.] gr. 8. (VI, 137 S.) Cassel 885. Keßler. n. 1. 80

Ulrici, C., s.: Walling, G.

Ultzmann, R., üb. Potentia generandi u. Potentia coeundi, — über Pyurie [Eiterharnen] u. ihre Behandlung, } s.: Klinik, Wiener.

Umann, Ludw., Leitfaden f. den Unterricht im Plan- u. Kartenlesen, sowie im Skizziren in dem durch die „Instruction f. die Truppenschulen d. k. k. Heeres" f. die Unterofficiersschulen bezeichneten Umfange. 2. Aufl. 8. (79 S. m. eingedr. Fig.) Wr.-Neustadt 885. (Wien, Seidel & Sohn.) n. 2. —

Umé, G., Verzierungs-Kunst in allen Stylen u. Epochen d. XV. bis XVIII. Jahrh. Eine Auswahl aus den Werken der berühmtesten Künstler der Renais-

Universal-Bibliothek

in Religionssachen u. dem Dialog zwischen Sulla u. Eukrates. Mit Erläutergn. u. Berichtiggn. deutsch hrsg. v. Rob. Habs. (246 S.)

1724. Vor hundert Jahren. Komisches Sittengemälde in 4 Aufzügen v. Ernst Raupach. (55 S.)

1725. Das Goldmacherdorf. Eine anmuth. u. wahrhafte Geschichte f. Schule u. Haus. Von Heinr. Zschokke. (146 S.)

1726. Kausika's Zorn. [Tschandakauçika.] Ein ind. Drama v. Kschemisvara. Zum ersten Male u. metrisch übers. v. Ludw. Fritze. (86 S.)

1727. 1728. Blanca. Novelle v. H. F. Ewald. Aus dem Dän. v. Wilh. Lange. (232 S.)

1729. Die Unverschämten. Schauspiel in 5 Aufzügen v. Emil Augier. Deutsch v. Max Röttinger. (107 S.)

1730. Elegieen d. Properz. Von Karl Ludw. v. Knebel. Neue Ausg. (128 S.) geb. n. — 60

1731. Von der Freiheit e. Christenmenschen, nebst zwei andern Reformationsschriften aus dem J. 1520 v. Dr. Martin Luther. Bearb., m. Einleitg. u. Anmerkgn. versehen v. Karl Pannier. (70 S.)

1732. Erste Liebe. Von Iwan Turgenjeff. Aus dem Russ v. Wilh. Lange. (88 S.)

1733. Lichtstrahlen aus dem Talmud. Von Rabb. J. Stern. (76 S.) geb. n. — 60

1734. 1735. Sammlung leichterer Schachaufgaben. Hrsg. v. Jean Dufresne. 2. Thl. (268 S.) geb. n. — 80

1736. Fähnrichsgeschichten. Humoresken v. Rhold. Cronheim. (83 S.)

1737. Surrogat. Lustspiel in 1 Aufzug v. Otto Benzon. Deutsch v. Wilh. Lange. (32 S.)

1738—1740. Sein od. Nichtsein. Roman in 3 Thln. v. H. C. Andersen. Frei aus dem Dän. übers. v. H. Denhardt. (300 S.) geb. n. 1. —

1741—1743. Paul Gerhardt's geistliche Lieder, getreu nach den besten Ausgaben abgedruckt. Hrsg. von Fr. v. Schmidt. (372 S.) geb. n 1. —

1744. Phantasien u. Geschichten v. Nik. Gogol. Uebers. v. Wilh. Lange u. Phpp. Löbenstein. 2. Bdchn.: Der Hader zweier Mirgoroder Größen. Der König der Erdgeister. (123 S.)

1745. Eine Nacht im Hyacinthen-Tunnel. Burleske m. Gesang u. Tanz in 2 Abtheilgn. v. Carl Görlitz. (147 S.)

1746. Musiker-Biographien. Von Ludw. Nohl. 6. Bd.: Weber. (96 S.)

1747. Die Plaudertasche. Lustspiel in 3 Aufzügen v. Frz. Bitton u. Bernh. Busch. (84 S.)

1748. Arne. Erzählung v. Björnstjerne Björnson. Deutsch v. H. Denhardt. (26 S.)

1749. 1750. Picciola v. H. B. Saintine. Aus dem Franz. übers. v. A. Thuten. (158 S.)

1751—1758. Ueber Deutschland. Von Frau v. Staël. Mit Einleitg. u. Anmerkgn. Deutsch v. Rob. Habs. 2 Bde. (484 u. 436 S.) geb. n. 2. 25

1759. Genrebilder. Von Jan Neruda. Uebers. v. Ant. Smital. (98 S.)

1760. Die Zähne u. ihre Pflege v. Jul. Parreidt. (112 S. m. eingedr. Holzschn.) geb. n. — 60

1761. 1762. Gedichte v. Alex. Petöfi. Aus dem Ungar. v. J. Goldschmidt. (232 S.) geb n. — 80

1763. Vom Theater. Humoristische Erzählgn. v. Louis Nötel. 5. Bdchn. (115 S.)

1764. Die Gefangenen der Czaarin od. Alles durch die Frauen. Lustspiel in 2 Aufzügen nach Bayard u. Lafont frei bearb. v. Carl Frdr. Wittmann. (56 S.)

1765. 1766. Maria Schweidler, die Bernsteinhexe. Der interessanteste aller bisher bekannten Hexenprozesse, nach e. defecten Handschrift ihres Vaters, d. Pfarrers Abraham Schweidler in Coserow auf Usedom, hrsg. v. Wilh. Meinhold. Mit e. Studie üb. Meinhold v. Rob. Habs. (268 S.)

1767. Phantasien u. Geschichten v. Nik. Gogol. Uebers. v. Wilh. Lange u. Phpp. Löbenstein. 3. Bdchn. [Eine Mainacht. Die Nase. Ein Landjunker.] (114 S.)

1768. Die Familie Schroffenstein. Ein Trauerspiel in 5 Aufzügen von Heinr. v. Kleist. (101 S.)

1769. 1770. Der Gesellschaftsvertrag od. die Grundsätze d. Staatsrechtes v. J. J. Rousseau. Deutsch v. H. Denhardt. (164 S.) geb. n. — 80

1771—1778. Martin Chuzzlewit. Von Charles Dickens. Aus dem Engl. v. Jul. Seybt. 2 Bde. (534 u. 505 S) geb. n 2. 25

1779. Der Pariser Taugenichts. Lustspiel in 2 Aufzügen v. Bayard u. E. Vanderburgh. Deutsch v. Max Röttinger. (62 S.)

1780. Musiker-Biographien. Von Ludw. Nohl. 7. Bd.: Spohr. (91 S.)

1781. 1782. Gewerbeordnung f. das Deutsche Reich nach dem Gesetz vom 1. Jul. 1883, nebst den Gesetzen üb. die Beschlagnahme d. Arbeitslohnes u. die eingeschriebenen Hülfskassen, den wichtigsten Ausführungsbestimmgn. u. dem Normalinnungsstatut. Textausg. m. Anmerkgn. u. Sachregister. Hrsg. v. e. prakt. Juristen. (200 S.) geb. n. — 80

1783. Nur nicht Fluchen! Schwank in 1 Akt v. Pet. Berton. Für die deutsche Bühne bearb. v. Carl Frdr. Wittmann. (38 S.)

1784. Tagebuch e. Ueberflüssigen. Von Iwan Turgenjeff. Aus dem Russ. v. Wilh. Lange. (76 S.)

1785. Platon's Laches od. v. der Tapferkeit. Uebers. v. Frdr. Schleiermacher. Neu hrsg. v. Otto Güthling. (44 S.)

1786. Margarethe v. Burgund. [La tour de Nesle.] Historisches Trauerspiel in 5 Aufzügen. Nach Gaillardet übers. u. f. die deutsche Bühne frei bearb. v. Andrä Heinr. Fogowitz. (78 S.)

1787. Gregorius od. der gute Sünder. Eine Erzählg. von Hartmann v. Aue. Aus dem Mittelhochdeutschen übers. v. Karl Pannier. (131 S.) geb. n. — 60

1788. Emil u. Emilie. Lustspiel in 1 Aufzug v. Demetrius Schrutz. (40 S.)

1789. Die hölzerne Clara. Von Hendrick Conscience. Aus dem Vläm. v. Rud. Müllerer. (94 S.)

1790. Kleine Humoresken von Franz v. Schönthan u. Paul v. Schönthan. 2. Bdchn. (104 S.)

1791—1795. Gespensterbuch. Hrsg. v. A. Apel u. F. Laun. (663 S.) geb. n. 1. 50

1796. Im Negligé. Plauderei in 1 Aufzug. — In eigener Schlinge. Schwank in 1 Aufzug. Von Hans v. Reinfels. (47 S.)

1797. 1798. Blinde Liebe. Laurina's Gatte. Von Salvatore Farina. Aus dem Ital. v. Wilh. Lange. (210 S.)

1799. Kleine Hände. Lustspiel in 3 Aufzügen nach dem Franz. d. Labiche von Frz. v. Schönthan. (68 S.)

1800 Die Schule d. Lebens. Schauspiel in 5 Aufzügen v. Ernst Raupach. Zur Aufführg. durchgesehen v. Carl Frdr. Wittmann. (96 S.)

1801. Die Prinzessin. Novelle v. Emil Peschkau. (79 S.)

1802—1805. Vollständige Anleitung zur Algebra v. Leonh. Euler. Neue Ausg. (527 S.) geb. n. 1. 20

1806. Freigesprochen. Schwank in 1 Aufzug v. Ferd. Nesmüller. (42 S.)

1807—1809. Wer ist schuld? Roman v. Alex. Herzen. Aus dem Russ. v. Wilh. Lange. (295 S.)

1810. Gerettet. Schauspiel in 2 Aufzügen v. Alfhild Agrell. Einzige autoris. deutsche Uebers. v. Jens Christensen. (67 S.)

1811—1816. Thukydides' Geschichte d. Peloponnesischen Krieges, aus dem Griech. übers. v. Joh. Dav. Heilmann. Neu hrsg. v. Otto Güthling. 2 Bde. (407 u. 332 S.)

1817. 1818. Königsidyllen v. Alfr. Tennyson. Im Metrum des Originals v. Carl Weiser. (175 S.) geb. n. — 80

1819. Vergeßlichkeit. Lustspiel in 1 Aufzug v. Carl Görlitz. (27 S.)
1820. Der Hausfreund. Novelle v. Karl Frenzel. (98 S.) geb. n. — 60
1821—1824. Chr. Fr. D. Schubart's Gedichte. Historisch-krit. Ausg. v. Gust. Hauff. (488 S.) geb. n. 1. 20
1825. 1826. Prager Ghettobilder v. S. Kohn. (220 S.)
1827. Der Traum Scipio's. [Cicero „Vom Staate" Buch VI.] Uebers. u. erklärt v. Edm. Boesel. Mit e. Vorwort v. C. Graf v. Wartensleben. (64 S.)
1828. Gespenster. Ein Familiendrama in 3 Aufzügen v. Henrik Ibsen. Aus dem Norweg. von M. v. Borch. (78 S.)
1829. Aus dem Volksleben. Erzählungen v. Alex. Swientochowski. [Wladislaw Okonski.] Aus dem Poln. übertr. u. bevorwortet v. Phpp. Löbenstein. (140 S.)
1830. Der versiegelte Bürgermeister. Posse in 2 Aufzügen v. Ernst Raupach. Zur Aufführg. durchgesehen v. Carl Frdr. Wittmann. (58 S.)
1831—1834. Japhet, der seinen Vater sucht. Von Capit. Marryat. Deutsch von M. v. Borch. (509 S.)
1835. Drei Schwänke f. Liebhaberbühnen. Von Wilh. Frerking. [Kurirt. Ein Geheimnis. Eine angenehme Ueberraschung.] (46 S.)
1836. Phantasien u. Geschichten v. Nik. Gogol. Uebers. v. Wilh. Lange u. Phpp. Löbenstein. 4. Bdchn.: Der Zauberer. Memoiren e. Wahnsinnigen. (86 S.)
1837. 1838. Die Tragödie v. Stillwater v. Thom. Bailey Aldrich. (288 S.)
1839. Der Degen. Dramatischer Scherz in 2 Aufzügen. Der Platzregen als Eheprocurator. Dramatisirte Anekdote in 2 Aufzügen. Von E. Raupach. Zur Aufführg. durchgesehen v. Carl Fr. Wittmann. (52 S.)
1840. Ueber das Immergrün unsrer Gefühle u. andere kleinere Dichtungen v. Jean Paul. (116 S.) geb. n. — 60
1841. Berlin. Von Paul Lindenberg. 1. Bdchn. Bilder u. Skizzen. (114 S.)
1842. 1843. Eine Katastrophe. Roman v. A. Godin. 2. Aufl. (192 S.)
1844. Malata u. Madhava. Ein ind. Drama v. Bhavabhuti. Zum 1. Male u. metrisch aus dem Original ins Deutsche übers. v. Ludw. Fritze. (125 S.)
1845. Eisenbahngeschichten v. Jos. Siklósy. (95 S.)
1846. Ein neuer Hausarzt. Lustspiel in 1 Aufzug, nach e. Hans Arnold'schen Humoreske dramatisirt v. Const. Bulla. (25 S.)
1847—1849. Ausgewählte Schriften d. Philosophen Lucius Annäus Seneca. (312 S.) geb. n. 1. —
1850. Peter Munk. Volksschauspiel in 4 Aufzügen u. 1 Vorspiel v. Ernst Wichert. (86 S.)
1851. 's Almstummerl. Eine Erzählg. aus dem bayer. Hochland v. Max. Schmidt. (91 S.)
1852. Zum Vortrage. Gedichte v. Feod. Wehl. (90 S.)
1853. Don Juan. Ein dramat. Gedicht v. Nic. Lenau. Hrsg. v. G. Emil Barthel. (71 S.)
1854. Novellen v. Svatopluk Čech. Mit Genehmigg. d. Verf. aus d. Böhm. übers. v. Frz. Bauer. (110 S.)
1855. 1856. Xenophon's Erinnerungen an Sokrates. Uebers. v. Otto Güthling. (168 S.) geb. n. — 80
1857. Isidor u. Olga od. die Leibeigenen. Trauerspiel in 5 Aufzügen v. Ernst Raupach. Zur Aufführg. durchgesehen v. Carl Frdr. Wittmann. (72 S.)
1858. Die Judenbuche. Ein Sittengemälde aus dem gebirgigten Westphalen v. Annette Freiin v. Droste-Hülshoff. (68 S.)
1859. Ein armer Edelmann. [Le roman d'un jeune homme pauvre.] Schauspiel in 5 Aufzügen v. Octave Feuillet. Für die deutsche Bühne bearb. von Wilh v. Hoxar. (82 S.)
1860. Der Raufbold. Lukerja. 2 Erzählgn. v. Iwan Turgenjeff. Aus dem Russ. v. Wilh. Lange. (89 S.)
1861—1865. Wilh. v. Humboldt's Briefe an e. Freundin. Mit e. Einleitg. v. Rob. Habs. (616 S.) geb. n. 1. 50
1866. Köpnickerstraße 120. Schwank in 4 Aufzügen von G. v. Moser u. E. Heiden. (102 S.)
1867. Kleine Erzählungen v. Björnstjerne Björnson. Aus dem Norweg. v. H. Denhardt. (88 S.)
1868. Des Publius Terentius Afer Eunuch, metrisch übers. v. G. G. S. Köpke. Neu hrsg. v. Otto Güthling. (86 S.)
1869. Desselben Phormio, metrisch übers. v. G. G. S. Köpke. Neu hrsg. v. Otto Güthling. (78 S.)
1870. Berlin. Von Paul Lindenberg. 2. Bdchn. Die National-Galerie. Eine Wanderg. durch dieselbe, nebst dem vollständ. Verzeichnis der Gemälde u. Sculpturen, sowie ihrer Meister u. den biograph. Notizen der letzteren. (132 S.)
1871—1877. Philanders v. Sittewald wunderliche u. wahrhaftige Gesichte v. Hans Mich. Moscherosch. Sprachlich erneuert v. Karl Müller. 2 Thle. (352 u. 441 S.)
1878. 1879. Pepita Jimenez. Andalusischer Roman v. Juan Valera. Aus dem Span. v. Wilh. Lange. (208 S.)
1880. Die Royalisten od. die Flucht Karl Stuart II. von England. Schauspiel in 4 Aufzügen v. Ernst Raupach. Bühnen-Einrichtg. Zur Aufführg. neuerlich durchgesehen v. Carl Frdr. Wittmann. (51 S.)
1881. Die Gesellschaft auf dem Lande. Novelle v. Ludw. Tieck. (128 S.)
1882. Vor der Ballpause. [Vor der Raststunde.] Schwank in 1 Aufzug v. Frdr. Schwab u. Jul. Linden. (31 S.)
1883. 1884. Der bucklige Taquinet. Komischer Roman v. Paul de Kock. Deutsch v. H. Denhardt. (240 S.)
1885. Die Bekenntnisse e. armen Seele. Lustspiel in 1 Aufzug v. Ernst Wichert. (41 S.)
1886. Ein Witwenstand. Erzählung v. S. Schandorph. Aus dem Dän. übers. v. J. D. Ziegler. (88 S.)
1887. Der Mann m. der eisernen Maske od. die Geheimnisse e. Königshauses. Schauspiel in 5 Abtheilgn., nebst e. Vorspiel. Frei nach dem Franz. d. Arnold u. Fourier bearb. v. Demetrius Schrutz. (82 S.)
1888. Novelletten v. Alex. L. Kielland. Aus dem Norweg. von M. v. Borch. (104 S.)
1889. 1890. Cicero's drei Bücher üb. die Pflichten an seinen Sohn Marcus, übers. v. Frdr. Richter. (218 S.)
1891. Ein fröhlicher Bursch. Bauernnovelle v. Björnstjerne Björnson. Deutsch v. H. Denhardt. (105 S.)
1892. Valerie. Komödie in 2 Aufzügen nach Scribe u. Melesville f. die deutsche Bühne frei bearb. v. Carl Frdr. Wittmann. (35 S.)
1893. Genrebilder. Von Jan Neruda. Uebers. v. Ant. Smital. 2. Bdchn. (89 S.)
1894. Seine Ottilie. Lustspiel in 1 Aufzug v. Rud. Jarosy. (23 S.)
1895. 1896. Die Blutrache. Das Haus zur ballspielenden Katze. Die Mundtodterklärung. Erzählungen v. Honoré de Balzac. Deutsch v. H. Denhardt. (263 S.)
1897. Axel u. Walburg. Trauerspiel in 5 Aufzügen v. Adam Oehlenschläger. Neu durchgesehen nach der Ausg. letzter Hand. (76 S.)
1898—1900. Kleinere philosophische Schriften v. G. W. Leibniz. Mit Einleitg. u. Erläutergn. Deutsch v. Rob. Habs. (332 S.) geb. n. 1. —
1901—1904. Gedichte von Annette Freiin v. Droste-Hülshoff. (455 S.) geb. n. 1. 20
1905. Kriminal-Humoresken. Skizzen u. Typen aus den Wiener Gerichtssälen v. Ed. Pötzl. (118 S.)
1906. Ein Duell unter Richelieu. Schauspiel in 3 Auf-

zügen nach Lokroy u. Badon frei bearb. v. Carl Frdr. Wittmann. Bühneneinrichtung. (52 S.)

1907. Das Lob der Thorheit. [Encomium moriae.] Aus dem Lat. d. Erasmus v. Rotterdam ins Deutsche übertragen v. Heinr. Hersch. (154 S.)

1908. Die Leute v. Hohen-Selchow. Volksstück m. Gesang in 3 Aufzügen v. Adf. Gerstmann. (83 S.)

1909. 1910. Lebenslänglich verurtheilt. Erzählung v. Jonas Lie. Aus dem Norweg. v. M. v. Borch. (188 S.)

1911—1916. Notre Dame in Paris. Von Vict. Hugo. Nach der letzten Ausg. neu übers. v. Frdr. Bremer. 2 Bde. (281 u. 332 S.) geb. n. 1. 75

1917. Macaulay's kritische u. historische Aufsätze. Deutsch v. J. Moellenhoff. 5. Bd.: Warren Hastings. (171 S.)

1918. Der Nasenstüber. Posse in 3 Aufzügen v. Ernst Raupach. Zur Aufführg. durchgesehen v. Carl Frdr. Wittmann. (58 S.)

1919. Berlin. Von Paul Lindenberg. 3. Bdchn. Die Umgebg. Berlin's. (64 S.) 2. Aufl.

1920. Martin Luther. Reformationsdrama in 5 Aufzügen u. e. Vorspiel v. Wilh. Henzen. (85 S.)

1921—1924. Anthologie lyrischer u. epigrammatischer Dichtungen der alten Griechen. Unter Zugrundelegg. der Fr. Jacobs'schen Auswahl hrsg. v. Edm. Boesel. (423 S.) geb. n. 1. 20

1925. Des Lebens Ueberfluß. Musikalische Leiden u. Freuden. 2 Novellen v. Ludw. Tieck. (132 S.)

1926. Der Redacteur. Als Mädchen. 2 span. Novellen. v. J. B. Widmann. (128 S.)

1927. Schierlingssaft. [La Ciguë.] Lustspiel in 2 Aufzügen v. Emile Augier. Mit besond. Bewilligg. d. Verf. frei übertr. u. f. die deutsche Bühne bearb. v. Ant. Bing. (61 S.)

1928—1930. Die Liebe hat hundert Augen. Roman v. Salvatore Farina. Aus dem Ital. übers. v. F. Schrader. Vom Verf. autoris. Uebersetzg. (365 S.)

1931—1838. Die Theodicee v. G. W. Leibnitz. Nebst den Zusätzen der Desbosses'schen Uebertragg., m. Einleitg. u. Erläutergn. deutsch v. Rob. Habs. 2 Bde. (481 u. 371 S.) geb. n. 2. 25

1939. Kleine Humoresken von Frz. v. Schönthan u. Paul v. Schönthan. 3. Bdchn. (108 S.)

1940. Lieutenant Jergunoff. Eine seltsame Geschichte. 2 Erzählgn. v. Iwan Turgenjeff. Aus dem Russ. v. Wilh. Lange. (80 S.)

1941—1945. Lexikon der deutschen Dichter u. Prosaisten von den ältesten Zeiten bis zum Ende d. 18. Jahrh. Bearb. v. Frz. Brümmer. (612 S.) geb. n. 1. 50

1946. 1947. Cara. Pariser Sittenbild v. Hect. Malot. Autoris. Bearbeitg. v. Paul Perron. (275 S.)

1948. Ein Morgenbesuch. Salonlustspiel in 1 Aufzug. Frei nach Charles Dance bearb. v. Carl Friedr. Wittmann. (28 S.)

1949. 1950. Merk's Wien! Von Abraham a Santa Clara. Bearb. u. hrsg. v. Th. Ebner. (180 S.)

1951. Das glückhafte Schiff v. Zürich, nebst dem Schmachspruch u. Kehrab u. einigen verwandten Gedichten v. Joh. Fischart. Erneut u. erläutert v. Karl Pannier. (119 S.)

1952. 1953. Mein Onkel Benjamin. Social-Roman v. Claude Tillier. Deutsch v. H. Denhardt. (259 S.)

1954. 1955. Imman. Kant's allgemeine Naturgeschichte u. Theorie d. Himmels, nebst zwei Supplementen. Hrsg. v. Karl Kehrbach. (191 S.) geb. n. — 80

1956. Villa Blancmignon. Lustspiel in 3 Aufzügen nach Chivot u. Duru von Frz. v. Schönthan. (85 S.)

1957. Die Marquise v. O... u. andere Erzählungen von H. v. Kleist. (115 S.)

1958. Elisabeth. Von Frau Cottin. Deutsch v. H. Denhardt. (108 S.)

1959. 1960. Ueber die Ehe. Von Thdr. Glieb. v. Hippel. Mit Einleitg. u. Anmerkgn. hrsg. v. Gust. Moldenhauer. Mit Hippel's (Holzschn.-)Bildnis. (296 S.) geb. n. — 80

1961. Gedichte v. Alexei Kolzow. Deutsch v. Friedr. Fiedler. (93 S.) geb. n. — 60

1962. Das Glas Wasser od. Ursachen u. Wirkungen. Lustspiel in 5 Aufzügen nach Scribe v. A. Cosmar. Hrsg. u. durchgesehen v. Carl Frdr. Wittmann. Bühneneinrichtung. (96 S.)

1963. 1964. Die Frau v. dreißig Jahren. Erzählung v. Honoré de Balzac. Deutsch v. H. Meerholz. (236 S.)

1965. 1966. Kleines Lehrbuch d. Damenspiels. Von Jean Dufresne. (195 S.) geb. n. — 80

1967. Er muß taub sein! Schwank in 1 Aufzug, nach Moinaux frei bearb. v. Carl Frdr. Wittmann. Bühneneinrichtung. (40 S.)

1968. 1969. Lukis Laras. Eine Erzählg. aus den griech. Freiheitskriegen v. D. Bikelas. Aus dem Neugriech. v. Wilh. Lange. (191 S.)

1970. Die Ostereier. Der Weihnachtsabend. 2 Erzählgn. v. Chrph. v. Schmid. (119 S. m. 1 Holzschn.)

1971—1974. Physiologie d. Geschmacks od. transcendentalgastronomische Betrachtungen v. Brillat-Savarin. Mit Einleitg. u. Anmerkg. deutsch v. Rob. Habs. (508 S.) geb. n. 1. 25

1975. Der Klub. Lustspiel in 3 Aufzügen v. Edmond Gondinet. Deutsch bearb. v. Osc. Blumenthal. (79 S.)

1976—1978. Kleinseitner Geschichten. Von Jan Neruda. Autoris. Uebersetzg. v. Frz. Jurenka. (285 S.)

1979. Der bethlehemitische Kindermord. Lustspiel in 2 Aufzügen von Ludw. Geyer. Mit e. Vorworte hrsg. u. scenisch durchgearb. v. Carl Frdr. Wittmann. (76 S.)

1980. Kriminal-Humoresken. Skizzen u. Typen aus den Wiener Gerichtssälen v. Ed. Pötzl. 2. Bdchen. (111 S.)

1981—1990. Lexikon der deutschen Dichter u. Prosaisten d. 19. Jahrh. Bearb. v. Frz. Brümmer. 2 Bde. 2. Aufl. (538 u. 543 S.) In 1 Bd. geb. n. 2. 50

1991. 1992. Ideen zu e. Versuch, die Grenzen der Wirksamkeit d. Staats zu bestimmen. Von Wilh. v. Humboldt. Mit e. Einleitg. (206 S.)

1993. 1994. Helene's Kinderchen. Humoreske v. John Habberton. Deutsch v. M. Greif. (172 S.) geb.

1995. Ich heirate meine Tochter. Lustspiel in 1 Aufzug v. A. J. Groß v. Trockau. (38 S.)

1996. Die Lebensbeschreibungen Karls d. Gr. u. Ludwigs d. Fr. v. Einhard u. Thegan. Deutsch v. Ernst Meyer. (76 S.)

1997. 1998. Waterloo. Fortsetzung der Geschichte e. Anno 1813 Conscribirten. Erzählung v. Erckmann-Chatrian. Deutsch v. H. Denhardt. (277 S.)

1999. Kaiser Joseph II. Lebensbild in 4 Abthlgn. u. e. Vorspiel v. Ed. Ille. 2. Aufl. (78 S.)

2000. Zum wilden Mann. Eine Erzählg. v. Wilh. Raabe. Mit dem (Holzschn.-)Bildnis d. Verf. (107 S.)

2001. Epiktet's Handbüchlein der Moral. Nebst anderen Bruchstücken der Philosophie Epiktet's aus dem Griech. übers. v. H. Stich. (80 S.) geb. n. — 60

2002. Dosia. Eine Erzählg. v. Henry Greville. Deutsch v. H. Meerholz. (162 S.)

2003. Eine anonyme Korrespondenz. Lustspiel in 1 Aufzug von Rich. Frhr. v. Fuchs-Nordhoff. 2. Aufl. (43 S.)

2004. Berlin. Von Paul Lindenberg. 4. Bdchn. Stimmungsbilder. (112 S.)

2005—2010. Gespräche m. Goethe in den letzten Jahren seines Lebens. Von Joh. Pet. Eckermann. Mit Einleitgn. u. Anmerkgn. hrsg. v. Gust. Moldenhauer. 3 Bde. (282, 251 u. 292 S.) In 1 Bd. geb. n. 1. 75

2011. Ausgewählte Novellen v. Enrico Castelnuovo. Frei nach dem Ital. v. Siegfr. Lederer. (89 S.)
2012. Die Unglücklichen. Lustspiel in 1 Aufzug nach Aug. v. Kotzebue frei bearb. v. Carl Frdr. Wittmann. Bühneneinrichtung. (39 S.)
2013 St. Real's Geschichte d. Dom Carlos. Die Stoffquelle zu Schiller's, „Don Carlos". Ins Deutsche übertr. v. Heinr. Hersch. (86 S.)
2014. Sicilianische Bauernehre. [Cavalleria rusticana.] Volksscenen aus Sicilien v. Giovanni Verga. Autoris. Übersetzg. u. deutsche Bühnenbearbeitg. v. A. Kellner. (31 S.)
2015. Irdisches Vergnügen in Gott. Von Pfalzgraf Ratshr. B. H. Brockes. In Auswahl hrsg. v. Heinr. Stiehler. (90 S.)
2016. Singoalla. Eine Phantasie v. Vict. Rydberg. Aus dem Schwed. übertr. v. M. L. Sunder. Autoris. Übersetzg. (146 S.)
2017. Der Lumpensammler v. Paris. Gemälde aus dem Volksleben in 5 Aufzügen, nebst 1 Vorspiel. [11 Bilder.] Frei nach dem Franz. d. Felix Pyat f. die deutsche Bühne bearb. v. Demetrius Schrutz. (70 S.)
2018. Auf dem Edelhofe. Eine Novelle v. Adf. Dygasiński. Autoris. Übersetzg. v. Ruhe u. A. Grabowski. (74 S.)
2019. Chrn. Weise's Schulkomödie v. Tobias u. der Schwalbe. Aufgeführt im J. 1682. Hrsg. u. eingeleitet v. Otto Lachmann. (110 S.)
2020. Aus England. Bilder u. Skizzen v. Leop. Katscher. (109 S.)
2021—2026. Die drei Musketiere. Von Alex. Dumas. Deutsch v. H. Meerholz. 2 Thle. (441 u. 423 S.) geb. n. 1. 75
2027. Hermann u. Dorothea. Idyllisches Familiengemälde in 4 Aufzügen. Nach Goethe's Gedicht v. Carl Toepfer. (76 S.)
2028. Rosa v. Tannenburg. Erzählung v. Chrph. v. Schmid. Mit 1 Titel- u. 1 Textbild. (146 S.)
2029. Die Ballschuhe. Lustspiel in 1 Aufzug. Nach Octave Gastineau bearb. v. Carl Frdr. Wittmann. Bühneneinrichtung. (26 S.)
2030. Die vier George v. W. M. Thackeray. Ins Deutsche übertr. v. J. Augspurg. (153 S.)
2031—2035. Titus Livius, römische Geschichte. Uebers. v. Konr. Heusinger. Neu hrsg. v. Otto Güthling. 1. Bd.: Buch I—VIII. (744 S.) geb. n. 1. 50
2036. Die Schuld e. Frau. Sittenbild in 3 Aufzügen v. Emile de Girardin. Für die deutsche Bühne bearb. v. Julian Olden. (39 S.)
2037. 2038. Der Mann m. dem abgebrochenen Ohre. Nach Edm. About. Deutsch v. H. Meerholz. (208 S.)
2039. Bertha Malm. Schauspiel in 4 Aufzügen v. Osk. Wijkander. Deutsch bearb. v. Wilh. Lange. Einzige vom Verf. autoris. deutsche Bühnenbearbeitg. (88 S.)
2040. Die schöne Müllerin. Lustspiel in 1 Aufzug nach Melesville u. Duveyrier frei bearb. v. Carl Frdr. Wittmann. (50 S.)
2041—2043. Die Narrenbeschwörung v. Thom. Murner. Erneut u. Erläutert v. Karl Pannier. (286 S.) geb. n. 1. —
2044. Rotkäppchen. Dramatisches Kindermärchen in 1 Aufzug v. Ludw. Tieck. Zum Zwecke e. Weihnachtsdarstellg. f. die Bühne bearb. u. eingerichtet v. Feod. Wehl. (37 S.)
2045. Visionen. Der Faktor. 2 Novellen v. Iwan Turgenjeff. Deutsch v. Adf. Gerstmann. (74 S.)
2046. Platon's Georgias. Uebers. v. Frdr. Schleiermacher. Neu hrsg. v. Otto Güthling. (158 S.)
2047—2049. Der Schatz Donina's. Von Salvatore Farina. Autoris. Übersetzg. aus dem Ital. v. Moritz Smets. (344 S.)
2050. 25 Dienstjahre. Lustspiel in 1 Aufzug v. Ernst Wichert (26 S.)
2051—2054. Montesquieu's persische Briefe. Mit Einleitg. u. Kommentar deutsch v. Ed. Bertz. (408 S.) geb. n. 1. 20
2055. Mimili. Eine Erzählg. v. H. Clauren. Mit e. krit. Einleitg. v. Ad. Stern. (80 S.)
2056. Zu schön! Lustspiel in 1 Aufzug nach Trop beau pour rien faire d. Ed. Plouvien u. J. Adonis. Für die deutsche Bühne frei bearb. von Wilh. v. Hoxar. (44 S.)
2057—2059. Großmutter. Bilder aus dem böhm. Landleben v. Božena Němcova. Aus dem Böhm. übers. v. Ant. Smital. (304 S.)
2060. Gute Zeugnisse. Lustspiel in 3 Aufzügen v. C. Mallachow u. O. Elsner. [Nach der Einrichtg. d. Hamburger Stadt-Theaters.] (70 S.)
2061. 2062. Erzählungen v. Rud. Schmidt. Aus dem Dän. übers. u. eingeleitet v. J. C. Poestion. (189 S.)
2063. Erträumt. Schwank in 1 Aufzug v. Julian Olden. Bühneneinrichtung. (34 S.)
2064. Wunderlichkeiten. Novelle v. Ludw. Tieck. (108S.)
2065. Wien. Hrsg. v. Ed. Pötzl. 1. Bdchn. Skizzen v. Ed. Pötzl. (119 S.)
2066. Falkenström u. Söhne. Schauspiel in 4 Aufzügen v. John Paulsen. Nach dem norweg. Orig.-Mskr. übers. v. Emil Jonas. (68 S.)
2067—2070. Jos. Königs Geist der Kochkunst, überarb. von K. F. v. Rumohr. Nebst Grimod de la Reynières Küchen-Kalender u. Grundzügen d. gastronom. Anstandes m. Vorwort u. Anmerkgn. neu hrsg. v. Rob. Habs. (408 S.) geb. n. 1. 20
2071. Eine kurtze Comedien v. der Geburt d. Herren Christi. Nach der Handschrift vom J. 1589 hrsg. u. m. e. Einleitg. versehen v. Adf. Gerstmann. (74 S.)
2072. Ausgewählte Skizzen v. Mark Twain. 4. Bdchn. Deutsch v. H. Oswin. (99 S.)
2073. Mutter Gertrud. Schauspiel in 4 Aufzügen v. Rich. Voß. (70 S.)
2074. Die Löwenhaut. Von Charles de Bernard. Uebers. v. H. Meerholz. (154 S.)
2075. Don Cäsar v. Bazan. Komödie in 5 Akten, nach dem französ. Melodrama v. Dumanoir und d'Ennery f. die deutsche Bühne bearb. v. Karl Saar. (68 S.)
2076—2080. Titus Livius römische Geschichte. Uebers. v. Konr. Heusinger. Neu hrsg. v. Otto Güthling. 2. Bd.: Buch IX—XXVI. (700 S.) geb. n. 1. 50
2081—2085. Waverley od. es ist sechzig Jahre her. Von Sir Walter Scott. Deutsch von M. v. Borch. (576 S.) geb. n. 1. 50
2086. Der Wollmarkt. Lustspiel in 4 Aufzügen v. H. Clauren. Durchgesehen u. hrsg. v. Carl Frdr. Wittmann. (80 S.)
2087. Die Madonna m. den Lilien u. andere Erzählungen v. A. Godin. (109 S.)
2088. Wider Hans Wurst v. Dr. Mart. Luther. Bearbeitet, m. Einleitg. u. Anmerkgn. versehen v. Karl Pannier. (93 S.)
2089. Bajazzo u. Familie. Schauspiel in 5 Aufzügen, nach d'Ennery u. Marc-Fournier frei bearbeitet v. Carl Frdr. Wittmann. Bühneneinrichtung m. Regieanmerkgn. u. Kostümangaben. (105 S.)
2090. Jede Pott findt sien'n Deckel. Die Schoolinspecktschon. 2 plattdeutsche Lustspiele v. Aug. Zinck. (48 S.)
2091—2095. Rätselschatz. Sammlung v. Rätseln u. Aufgaben. Hrsg. v. E. S. Freund. (555 S. m. Fig.) geb. n. 1. 50
2096. Tantchen Rosmarin. Das blaue Wunder. Zwei Humoresken v. Heinr. Zschokke. (120 S.)
2097. Joh. Chr. Gottscheb's sterbender Cato. Nach der ältesten Ausg. v. 1732 hrsg. u. eingeleitet v. Otto F. Lachmann. (109 S.)
2098. 2099. Unter dem Wasser. Erzählung v. G. Rovetta. Autoris. Uebersetzg. aus dem Ital. von B. u. M. Arnous. (186 S.)

2100. Treu dem Herrn. Schauspiel in 4 Aufzügen v. Rich. Voß. (79 S.)

2101. Wien. Hrsg. v. Ed. Pötzl. 2. Bdchn. Alt-Wiener Studien v. Ed. Hoffmann. (130 S.)

2102. Der Jesuit u. sein Zögling. Lustspiel in 4 Aufzügen v. Alois Schreiber. Hrsg. u. durchgesehen v. Carl Frdr. Wittmann. Bühneneinrichtung m. Regieanmerkgn. 2. Aufl. (77 S.)

2103—2105. Andrer Leute Kinder od. Bob u. Teddi in der Fremde. Von John Habberton. Deutsch v. M. Greif. (300 S.) geb. n 1. —

2106. Eine Nacht der Täuschungen. [She stoops to conquer.] Lustspiel in 5 Aufzügen v. Oliver Goldsmith. Aus dem Engl. übers. v. E. Dornheim. (79 S.)

2107. 2108. Honorine. Oberst Chabert. Erzählungen v. Honoré de Balzac. Deutsch v. H. Denhardt. (189 S.)

2109. Die drei Lebemänner. [Les trois amants.] Sittenbild in 2 Aufzügen v. Madame de Girardin. Deutsch v. Otto Neumann-Hofer. Bühnenbearbeitung m. Regieanmerkgn. (54 S.)

2110. Das Gastmahl d. Kallias v. Xenophon. Aus dem Griech. übertr. v. P. E. Meyer. (60 S.)

2111—2115. Titus Livius, römische Geschichte. Uebers. v. Konr. Heusinger. Neu hrsg. v. Otto Güthling. 3. Bd.: Buch XXVII—XXXVI. (730 S.) geb. n. 1. 50

2116. Nala u. Damayanti. Ein altind. Märchen aus dem Mahâbhârata. Sinngetreue Prosaübersetzg. v. Herm. Camillo Kellner. (116 S)

2117. Wenn Frauen lachen. Lustspiel in 1 Aufzug v. Ch. Narrey. Für die deutsche Bühne bearb. v. Julian Olden. Bühneneinrichtung. (23 S.)

2118—2120. Die Herren Golowljew. Roman, aus dem Russ. d. Saltykow-Schtschedrin v. Hans Moser. (392 S.)

2121—2125. Linguet's Denkwürdigkeiten üb. die Bastille. Mit umfass. Ergänzgn. u. Berichtiggn. deutsch hrsg. v. Rob. Habs. Mit e. Plane der Bastille. (558 S.) geb. n. 1. 50

2126. Erzählungen v. F. M. Dostojewskij. Frei nach dem Russ. v. Wilh. Goldschmidt. (120 S.)

2127. Der Bräutigam aus Mexiko. Schauspiel in 5 Aufzügen v. H. Clauren. Durchgesehen u. hrsg. v. Carl Frdr. Wittmann. (87 S.)

2128. Notre Dame de Flots. Eine Glocknerfahrt. Zwei Novellen v. Karl Erdm. Edler. (104 S.)

2129. Wilhelm Tell od. die freie Schweiz v. Florian. Deutsch v. H. Meerholz. (73 S.)

2130. Gedichte v. Henrik Ibsen. Vollständige Ausg. Uebertragen u. erläutert v. L. Passarge. (149 S.) geb. n. — 60

2131. Berlin. Von Paul Lindenberg. 5. Bdchn. Neu-Berlin. Skizzen u. Schildergn. (73 S.)

2132. 2133. 50 ausgewählte Briefe Seneca's an Lucilius. (185 S.) geb. n. — 80

2134. Neue Novelletten v. Alex. L. Kielland. Deutsch von M. v. Borch. (84 S.)

2135. Liebe kann Alles. Lustspiel in 4 Aufzügen nach Frz. v. Holbein frei bearb. v. Carl Frdr. Wittmann. Bühneneinrichtung m. Regieanmerkgn. (52 S.)

2136. 2137. Renée Mauperin. Roman von Edmond u. Jules v. Goncourt. Deutsch v. H. Meerholz. (241 S.)

2138. 2139. J. W. L. Gleim's ausgewählte Werke. Hrsg. v. Leonh. Lier. (195 S.) geb. n. — 80

2140. Die goldne Spinne. Schwank in 4 Aufzügen von Frz. v. Schönthan. Mit dem Bildnis d. Verf (89 S.)

2141. 2142. So'n Mann wie mein Mann. Eine Ehestands-Humoreske v. Mary A. Denison. Aus dem Engl. übertr. v. Paul Heichen. (176 S.) geb. n. — 80

2143. Dido. Scherzspiel in 1 Aufzuge v. Ernst Wichert. (26 S.)

2144. Der Dreispitz. Aus dem Span. d. D. Pedro de Alarcon übers. v. Hulda Meister. (104 S.)

2145. Der Advokat. Schauspiel in 5 Aufzügen v. Felix Philippi. (76 S.)

2146—2150. Titus Livius, römische Geschichte. Uebers. v. Konr. Heusinger. Neu hrsg. v. Otto Güthling. 4. Bd.: Buch 37—45. (667 S.) geb. n. 1. 50

2151—2153. Die Ruinen u. das natürliche Gesetz v. Const. François Volney. Deutsch v. Geo. Forster. Mit e. Biographie Volneys neu hrsg. v. Rob. Habs. (304 S.) geb. n. 1. —

2154. 2155. Der Pfingstmontag. Lustspiel in Straßburger Mundart v. J. G. D. Arnold. Mit vervollständigtem Wörterverzeichnis u. e. Biographie Arnolds v. Rob. Habs. (213 S.)

2156. Die Glücksmühle. Novelle v. Jan Slavici. Aus dem Rumän. v. Leon Schönfeld. (159 S.)

2157. Des Hauses Dämon. Schauspiel in 2 Aufzügen v. George Sand. Frei übertr. u. f. die deutsche Bühne bearb. v. Ant. Bing. (57 S.)

2158—2160. Im Banne der Versuchung. Roman v. Hector Malot. Autoris. Uebersetzg. aus dem Franz. v. Mor. Smets. Mit e. Einleitg. (380 S.)

2161—2168. Bojardo's verliebter Roland. Deutsch v. J. D. Gries. Neu hrsg. v. Wilh. Lange. 2 Thle. (506 u. 498 S.) geb. n. 2. 25

2169. Wien. Hrsg. v. Ed. Pötzl. 3. Bdchn. Neues humorist. Skizzenbuch v. Ed. Pötzl. (108 S.)

2170. Ueber die Kraft. Von Björnstjerne Björnson. Uebers. v. L. Passarge. (79 S.)

2171—2174. Wanda. Roman v. Ouida. Autoris. deutsche Uebersetzg. v. Arth. Roehl. (480 S.)

2175. Der Kernpunkt. Schwank in 4 Aufzügen nach E. Labiche v. Adf. Gerstmann. (100 S.)

2176. Ausgewählte Novellen v. Edgar Allan Poe. Deutsch v. J. Möllenhoff. 3. Bdchn. (120 S.)

2177—2180. Der theologisch-politische Traktat v. B. Spinoza. Neu übers. u. m. e. biograph. Vorwort versehen v. J. Stern. (385 S.) geb. n. 1. 20

2181—2186. Der Jude. Deutsches Sittengemälde aus der 1. Hälfte d. 15. Jahrh. Von C. Spindler. 3 Thle. (306, 308 u. 285 S.)

2187. Der Spion v. Rheinsberg. Lustspiel in 5 Aufzügen von Rud. v. Gottschall. [Neue Bühneneinrichtg.] (82 S.)

2188. Kindermund. Aussprüche u. Scenen aus dem Kinderleben, gesammelt von Paul v. Schönthan. (82 S.)

2189. Aus England. Bilder u. Skizzen v. Leop. Katscher. 2. Hft. (113 S.)

2190. Alexandra. Drama in 4 Aufzügen v. Rich. Voß. (79 S.)

2191. 2192. Das verlorene Paradies. Von John Milton. Deutsch v. Adf. Böttger. (313 S.) geb. n. — 80

2193. Marguerite. [Les Ganaches.] Komödie in 4 Aufzügen v. Victorien Sardou. Deutsch v. J. Bettelheim. Einrichtung d. Residenz-Theaters in Berlin. (112 S.)

2194. 2195. Robinson Crusoe. Von Daniel de Foe. Aus dem Engl. übers. v. A. Tuhten. (357 S.)

2196. Goldhärchen. Zaubermärchen m. Gesang u. Tanz in 4 Aufzügen u. 7 Bildern v. Rob. Hertwig. (64 S.)

2197—2199. Memoiren e. Jägers. Aus dem Russ. d. Iwan Turgenjeff übers. v. Hans Moser. (420 S.) geb. n. 1. —

2200. Mosaik. Kleine Erzählgn. in Prosa u. Versen von Karl v. Heigel. (85 S.)

2201—2206. Die Geschichten d. Herodotos, übers. v. Frdr. Lange. Neu hrsg. v. Otto Güthling. 2 Tle. (407 u. 368 S.) geb n 2. —

2207. Die Danischeffs. Schauspiel in 4 Aufzügen v. Pierre Newsky. Einzige autoris. Uebersetzg. u. Bühnenbearbeitg. Einrichtung d. Residenztheaters in Berlin. (70 S.)

2208. Die Reise um die Erde in achtzig Tagen, nebst

e. Vorspiel: Die Wette um e. Million. Spektakelstück m. Gesang, Tanz, Evolutionen u. Aufzügen in 5 Abtlgn. u. 15 Tableaux von d'Ennery u. Jules Verne. Einzig autoris. Uebersetzg. u. Bühnenbearbeitg. (110 S.)

2209. Ferréol. Schauspiel in 4 Aufzügen v. Victorien Sardou. Deutsch v. R. Schelcher. Einzige autoris. Uebersetzg. u. Bühnenbearbeitg. (98 S.)

2210. Schulröschen. Lustspiel in 5 Aufzügen von Rud. v. Gottschall. [Neue Bühnenbearbeitg.] (85 S.)

2211. Ueber die deutsche Litteratur. Von Friedrich dem Großen. Uebers. u. m. Justus Möser's Gegenschrift hrsg. v. Heinr. Simon. (94 S.)

2212. Boris Godunow. Dramatisches Gedicht v. Alex. Puschkin. Uebers. v. Frdr. Fiedler. (68 S.)

2213. Das Blumenkörbchen. Eine Erzählg., dem blüh. Alter gewidmet von Chrph. v. Schmid. Mit 1 Titelbild. (118 S.)

2214. Die Ammergauer Lise. Orig.-Volksstück m. Gesang in 4 Aufzügen u. e. Vorspiel in 1 Aufzug: Der Rosenkranz-Wirt v. Carl Tannenhofer. Verbesserte Ausg. (72 S.)

2215. 2216. Silas Marner, der Leinweber v. Raveloe. Von George Eliot. Ins Deutsche übertr. v. J. Augspurg. (256 S.)

2217. Eine eheliche Anleihe. Lustspiel in 1 Aufzuge v. Osc. Teuscher. Bühneneinrichtung m. Regieanmerkgn. (82 S.)

2218. Konkursordnung f. das Deutsche Reich, nebst dem Anfechtungsgesetz. Textausg. m. kurzen Anmerkgn. u. Sachregister. Hrsg. v. e. prakt. Juristen. (180 S.) geb. n. — 60

2219. Am Abgrund. Novellen v. Emil Peschkau. (110 S.)

2220. Kyritz-Pyritz. Posse m. Gesang in 3 Aufzügen v. H. Wilken u. O. Justinus. Musik v. Gust. Michaelis. Autoris. Bühneneinrichtg. (81 S.)

Alphabetisches Verzeichniß der Autoren.

Universal-Bibliothek, geographische. Nr. 1–20. 16. Weimar 884–86. Geograph. Institut. à n. — 20

1. Die Zukunft der Kongo- u. Guineagebiete. Von J. Falkenstein. (36 S.)
2. Die deutschen Niederlassungen an der Guinea-Küste. Von Brix Förster. (36 S.)
3. Im Reiche d. Fo. Eine Charakteristik d. chines. Volkes. Von Amand Frhr. v. Schweiger-Lerchenfeld. (44 S.)
4. Die Eisenbahn zwischen den Städten New-York u. Mexiko, nebst e. allgemeinen Schilderg. Mexikos. Von Rob. v. Schlagintweit. (38 S.)
5. Die Goldküste u. ihre Bewohner. von Ant. Reichenow. (40 S.)
6. 7. Die Araber der Gegenwart u. die Bewegung im Islam. Von Amand Frhr. v. Schweiger-Lerchenfeld. (62 S.)
8. Stanleys Forschungsreise quer durch Afrika in den J. 1874–1877. Von H. Daum. (38 S.)
9. 10. Die Ozean-Dampfschiffahrt u. die Post-

dampferlinien nach überseeischen Ländern. Von Ad. Zetzsch. Mit 1 Karte der deutschen u. ausländ. subventionierten Dampferlinien. (55 S.)

11—13. Deutschland u. England in Süd-Afrika. Mit 1 Karte v. Lüderitzland. (88 S.)

14—16. Sansibar u. das deutsche Ost-Afrika. Von G. Westphal. (94 S.)

17. 18. Die Riviera di Ponente. Von Osk. Schneider. (69 S.)

19. Die Erforschung der Nilquellen. Von H. Daum. (33 S.)

20. Timbuktu. Von Karl Lüders. Mit e. Übersichtskarte. (25 S.)

Universal-Bibliothek f. die Jugend. 133—201. Bdchn. 12. Stuttgart 883—86. Kröner. à n. — 20

133. Kaiser Wilhelm. Ein Lebensbild v. Karl Neumann-Strela. Mit 2 Abbildgn. (64 S.) geb. n. — 60

134—136. Vom schwarzen Kontinente. Baron Karl Klaus v. der Decken's Reisen u. Erlebnisse in Ostafrika. Für die reifere Jugend bearb. v. Gust. Plieninger. Mit 11 Abbildgn. (239 S.) geb. n. 1 —

137. 138. Kleine Erzählungen aus dem Tierleben. Von Julie Dungern. Mit e. Anh.: Tierfabeln. Mit zahlreichen Abbildgn. v. Frdr. Lossow. (122 S.) geb. n. — 80

139. Schloß Heimburg. Bilder aus der Zeit d. 30jähr. Krieges v. J. Ludwig. Mit 4 Abbildgn. v. Wold. Friedrich. (63 S.) geb. n. — 60

140—142. Alwin u. Theodor. Erzählungen v. Frdr. Jacobs. Neu hrsg. v. Dietr. Theden. Mit 5 Abbildgn. v. G. Hahn. (204 S.) geb. n. 1. —

143—145. Marks Riff. Nach der Erzählg. v. J. F. Cooper f. die Jugend bearb. v. M. Barack. Mit 6 Abbildgn. v. E. Kepler. (228 S.) geb. n. 1. —

146—157. Die schönsten Sagen d. klassischen Altertums. Nach seinen Dichtern u. Erzählern v. Gust. Schwab. 3 Tle. Mit je 4 Abbildgn. v. E. Weisser u. A. Kull. (316, 340 u. 336 S.) geb. à n. 1. 20

158. 159. Kleine moralische Erzählungen. Für jüngere Kinder gesammelt v. Werner Werther. Mit 4 Abbildgn. v. Fritz Bergen. (131 S.) geb. n. — 80

160—162. Jane Strickland's ausgewählte Erzählungen f. die reifere Jugend. Nach dem Engl. v. Gust. Plieninger. Mit 6 Abbildgn. v. Fritz Bergen. (230 S.) geb. n. 1. —

163. David Copperfield od. Gott ist der Waisen Vater. Nach der Erzählg. v. Boz f. die Jugend bearb. v. Emil Wolff. Mit 2 Abbildgn. v. Fritz Bergen. (68 S.) geb. n. — 60

164. 165. Die Feierabende in Mainau. Erzählungen v. Frdr. Jacobs. Neu hrsg. v. Dietr. Theden. Mit 4 Abbildgn. v. Geo. Hahn. (131 S.) geb. n. — 80

166. Erzählungen aus dem amerikanischen Leben. Von T. S. Arthur. Mit 2 Abbildgn. v. Fritz Bergen. (72 S.) geb. n. — 60

167. Die Seeschwalbe. Das Lappenmädchen. Im Thale der Tuareks. Erzählungen v. Helene Stökl. Mit 2 Abbildgn. v. Fritz Bergen. (71 S.) geb. n. — 60

168. 169. Kleine Erzählungen d. alten Pfarrers v. Mainau. Von Frdr. Jacobs. Neu hrsg. v. Dietr. Theden. Mit 4 Abbildgn. v. G. Hahn. (144 S.) geb. n. — 80

170. 171. Hilfe in der Not od. Errettungen aus großen Lebensgefahren. Aus glaubwürd. Berichten zusammengestellt v. Gust. Plieninger. Mit 4 Abbildgn. v. Fritz Bergen. (128 S.) geb. n. — 80

172. Ein Mann v. Wort. „Zu spät!" Historische Erzählgn. v. Hermine C. Proschko. Mit 2 Abbildgn. v. Fritz Bergen. (84 S.) geb. n. — 60

173. Krieg u. Frieden. 3 Erzählgn. v. Th. Messerer. [Die Bilder der Großeltern. Die beiden Grenadiere. Das Medaillon.] Mit 2 Abbildgn. v. Fritz Bergen. (80 S.) geb. n. — 60

174. 175. Ausgewählte Erzählungen d. Rheinländischen Hausfreundes v. J. P. Hebel. Für die Jugend, besonders auch f. Schul- u. Ortsbibliotheken zusammengestellt v. Gust. Plieninger. Mit 4 Abbildgn. (136 S.) geb. n. — 80

176. 177. Skizzen aus dem Mädchenleben v. Jean Ingelow. Für die deutsche Jugend bearb. v. Meta Greif. [Das gestohlene Kleinod. Das Bild meiner Großtante.] Mit 4 Abbildgn. v. Fritz Bergen. (116 S.) geb. n. — 80

178. Das Institutskind. Erzählung v. J. Knogler. Mit 2 Abbildgn. v. Fritz Bergen. (64 S.) geb. n. — 60

179. Ein nordischer Held. Ein Bild aus der Geschichte. Für die Jugend entworfen v. Rich. Roth. Mit 2 Abbildgn. v. Fritz Bergen. (62 S.) geb. n. — 60

180. 181. Ausgewählte Erzählungen von Chrph. v. Schmid. Mit e. Abrisse seines Lebens v. Gust. Plieninger. I. Die Ostereier. Der Weihnachtsabend. Mit 4 Abbildgn. v. Fritz Bergen. (126 S.) geb. n. — 80

182. 183. Dasselbe. II. Rosa v. Tannenburg. Mit 4 Abbildgn. v. C. Kolb. (134 S.) geb. n. — 80

184. Dasselbe. III. Heinrich v. Eichenfels. Das Täubchen. Mit 2 Abbildgn. v. C. Kolb. (72 S.) geb. n. — 60

185. 186. Dasselbe. IV. Das Blumenkörbchen. Der Kanarienvogel. Das Johanniskäferchen. Mit 4 Abbildgn. v. C. Kolb. (142 S.) geb. n. — 80

187—189. Gumal u. Lina. Eine Geschichte f. Kinder v. Kasp. Frdr. Lossius. Neu bearb. v. Agnes Willms. Mit 6 Abbildgn. v. Fritz Bergen. (176 S.) geb. n. 1. —

190. Paul u. Virginie od. die Einsiedler auf Isle de France. Eine Erzählg. aus den Kolonien d. Ind. Oceans. Nach Saint-Pierre frei f. die Jugend bearb. v. A. H. Fogowitz. Mit 2 Abbildgn. (68 S.) geb. n. — 60

191. 192. Der Jugend Rätselschatz. 664 der schönsten Rätsel, gesammelt u. alphabetisch geordnet v. Werner Werther. (132 S.) geb. n. — 80

193. 194. Oberon, der Elfenkönig, od. Ritter Hüons Abenteuer. Für die Jugend erzählt v. K. A. Müller. Mit 4 Abbildgn. v. Herm. Fieg. (112 S.) geb. n. — 80

195—197. Der Knabe d. Tell. Eine Geschichte f. die Jugend v. Jerem. Gotthelf. Mit 6 Abbildgn. v. Herm. Fieg. (179 S.) geb. n. 1. —

198. 199. Beispiele d. Guten. Zur Nacheiferg. f. die Jugend ausgewählt v. Gust. Plieninger. Mit 4 Abbildgn. v. Geo. Hahn. (148 S.) geb. n. — 80

200. 201. Fürchte Gott, thue recht u. scheue niemand! Erzählung v. Frz. Hoffmann. Mit 4 Abbildgn. v. J. R. Wehle. (128 S.) geb. n. — 80

Universal-Bibliothek, juristische. Nr. 1—7. 12. Berlin 884. Schildberger. à — 20

1. Gesetz betr. die Krankenversicherung der Arbeiter. Vom 15. Juni 1883. Mit Sachregister. (40 S.)

2. 3. Gesetz betr. die Unfallversicherung d. Arbeiter. Vom 6. Juli 1884. Mit Sachregister. (64 S.)

4. Gesetz üb. die eingeschriebenen Hülfskassen. Vom 7. April 1876. Gesetz, betr. die Abänderung des Gesetzes üb. die eingeschriebenen Hülfskassen vom 7. April 1876. Vom 1. Juni 1884. Gesetz, betr. die Abänderung d. Tit. VIII der Gewerbe-Ordnung. Vom 8. Apr. 1876. (23 S.)

5. 6. Gesinde-Ordnung f. sämmtliche Provinzen der Preußischen Monarchie vom 8. Novbr. 1810, 19. Aug. 1844 u. 11. Apr. 1845. Mit Anmerkgn. u. ausführl. Sachregister. (II, 60 S.)

7. Wucher-Gesetz vom 24. Mai 1880, nebst dem Gesetz betr. die vertragsmäß. Zinsen vom 14. Novbr. 1867. Mit erklär. Anmerkgn. v. Hugo Marcuse. (16 S.)

— der bildenden Künste. Nr. 1—9. 12. Leipzig 886. Lemme. à n. — 20

1. Lukas Cranach. Mit 5 Illustr. (32 S.)
2. Hans Holbein d. J. Mit 8 Illustr. (37 S.)
3—5. Hans Holbein d. J., Todtentanzbilder. Mit 27 Illustr. (63 S.)

6. David Teniers Vater u. Sohn. Mit 13 Illustr. (27 S.)
7. Tintoretto. Mit 13 Illustr. (35 S.)
8. 9. Paolo Veronese. Mit 14 Illustr. (50 S.)

Universal-Bibliothek der Gabelsbergerschen Stenographie. 1. Serie. 1—9. Bd. 16. Dresden. (Stuttgart, Hugendubel) n. 9. —; einzeln à n. 1. 20
1. Meister Martin der Küfner u. seine Gesellen v. E. Th. A. Hoffmann. In stenogr. Schrift übertr. v. Zeibig. 2. Aufl. (64 S.) 884.
2. 3. Luise. Ein ländl. Gedicht in 3 Idyllen v. Joh. Heinr. Voss. In stenograph. Schrift übertr. v. Zeibig. 2 Thle. (98 S.) 883.
4. Des Feldpredigers Schmelzle Reise nach Flätz v. Jean Paul. (53 S.) 883.
5. Das Wirthshaus im Spessart v. Wilh. Hauff. (58 S.) 884.
6. 7. Der Scheik v. Alessandria u. seine Sklaven v. Wilh. Hauff. 2 Bdchn. (S. 59—186.) 884. 85.
8. 9. Egmont. Ein Trauerspiel in 5 Aufzügen von W. v. Goethe. 2 Thle. (116 S.) 885.

Universal-Kalender, illustrirter, auf d. J. 1886. Jahrbuch d. Unterhaltenden u. Nützlichen f. Stadt u. Land. 4. (128, 56, 54, 80, 66 u. 20 S.) Winterberg, Steinbrener. cart. n.n. 2. 40

Universal-, Militär- u. Wirthschafts-Kalender, kroatisch-slavonisch-dalmatischer, f. d. J. 1883. 68. Jahrg. 4. (108 S.) Agram, Suppan. n. 1. —

Universal-Lexikon der Kochkunst. 3. Aufl. 2 Bde. od. 12 Lfgn. gr. 8. (XXXV, 644 u. 662 S.) Leipzig 886. Weber. à 1. 20; cplt. geb.: n. 20. —

Universal-Liederbuch, illustrirtes. Eine vollständ. Sammlg. der schönsten u. beliebtesten Volks-, Vaterlands-, Jäger-, Soldaten-, Studenten-, Turner-, Wander-, Gesellschafts-, Trinklieder &c. Mit vielen (eingedr.) Bildern. Neueste Aufl. gr. 16. (384 S.) Reutlingen 884. Enßlin & Laiblin. cart. 1. 20

Universal-Militär-Taschen-Kalender „Austria" f. das österreichisch-ungarische Heer 1887. [Militärisches Jahrbuch.] 3. Jahrg. Hrsg. v. Offizieren u. Militär-Beamten. Red. v. O. J. Schmid. 16. (IV, 339 S.) Wien, (Seidel & Sohn). geb. n. 3. 40

Universal-Modenzeitung f. Herren-Garderobe. Red.: H. Klemm. 23—26. Jahrg. 1883—1886. à 12 Nrn. (B. m. eingedr. planotyp. Zeichngn., Schnittbeilagen u. 2 color. Modekpfrn.) gr. Fol. Dresden, Exped. der europ. Modenzeitg. à Jahrg. n. 16. —

Universal-Schreib- u. Wirthschafts-Kalender, illustrirter neuer Agramer, f. alle Stände auf d. J. 1887. Für Katholiken, Protestanten, Griechen, Juden u. Türken. 4. (151 S.) Agram, Hartman's Verl. n. 1. —

Universal-Wörterbuch, neues, der deutschen, englischen, französischen u. italienischen Sprache. Nach e. neuen System bearb. gr. 16. (XII, 1199 S.) Berlin 886. Trowitzsch & Sohn. geb. n. 6. —

Universitäts-Jubiläum, die Heidelberger, der früheren Jahrhunderte v. K. Rupertophilus. gr. 8. (15 S.) Heidelberg 886. C. Winter. n. — 20

Universitäts-Kalender, deutscher. 30. Ausg. Winter-Semester 1886/87. Hrsg. v. F. Ascherson. 2 Thle. 16. (70 u. IV, 269 S.) Berlin, Simion. In 1 Bd. geb. n. 2. 50; 2. Thl. geh. ap. n. 1. 80

— Wiener, f. d. Studienjahr 1886/87. Als neue Folge d. „Taschenbuches d. gesammten Studienwesens an den Hochschulen zu Wien" hrsg. u. m. Benützg. amtl. Quellen bearb. v. L. Hermann. 16. (XVIII, 85 S.) Wien, Halm & Goldmann. geb. n. 1. 80

Universitäts-Sternwarte, die neue, auf der Türkenschanze bei Wien. Zur Erinnerg. an den 5. Juli 1883. gr. 8. (18 S.) Wien 883. (Gerold's Sohn.) n. — 60

Universum. Illustrirte Monatsschrift. 1. Jahrg. Octbr. 1884—Septbr. 1885. 12 Hfte. (5 B. m. eingedr. Illustr. u. Lichtdr.-Taf.) Lex.-8. Dresden, W. Hoffmann. à Hft. n. 1. —

— Illustrirte Zeitschrift. Belletristik, Kunst u. Wissenschaft. Hrsg.: Eug. Friese. Red.: Jesko v. Puttkamer. 2. u. 3. Jahrg. Octbr. 1885—Septbr. 1887. à 24 Hfte. (6 B. m. eingedr. Illustr. u. Lichtdr.-Taf.) hoch 4. Dresden, Verlag d. Universum [E. Friese]. à Hft. n. — 50

Universum für Gewerbetreibende u. Geschäfts-Leute. Unentbehrlicher Ratgeber u. Führer in allen Fällen d. gewerbl. u. geschäftl. Lebens. Zugleich Hand- u. Nachschlagebuch f. viele Verhältnisse d. Privatlebens. 1. Bd.: Der Geschäftsfreund. 1—5. Lfg. gr. 8. (S. 1—240.) Waldshut 884. Zimmermann. à — 30

— das neue. Die interessantesten Erfindgn. u. Entdeckgn. auf allen Gebieten. Ein Jahrbuch f. Haus u. Familie, besonders f. die reifere Jugend. (4. u. 5. Bd.) Mit e. Anh. zur Selbstbeschäftigung „Häuslicher Werkstatt". gr. 8. (à ca. 396 S. m. eingedr. Holzschn. u. 1 Chromolith.) Stuttgart 883. 84. Spemann. geb. à n. 6. —; auch in 12 Hftn. à n. — 50

— dasselbe. (6. u. 7. Bd.) gr. 8. (à ca. 396 S. m. eingedr. Holzschn. u. Taf.) Ebend. 885. 86. à n. 6. 75; auch in 12 Hftn. à n. — 50

Unna, P. G., das Ekzem im Kindesalter, s.: Sonderabdrücke der deutschen Medicinal-Zeitung.

— Ichthyol u. Resorcin als Repräsentanten der Gruppe reduzierender Heilmittel,
— die Lepra-Bacillen in ihrem Verhältnis zum Hautgewebe,
} s.: Studien, dermatologische.

— Leprastudien, s.: Baelz, E.

— über medicinische Seifen, s.: Sammlung klinischer Vorträge.

— die Stauungsdermatosen d. Unterschenkels u. ihre Behandlung, s.: Sonderabdrücke der Deutschen Medicinal-Zeitung.

Unrein, Otto, de Aviani aetate. gr. 8. (64 S.) Jena 885. (Neuenhahn.) n. 2. —

Unruh, v., Denkschrift üb. die Ausführung d. Reichsgesetzes betr. die Krankenversicherung der Arbeiter vom 15. Juni 1883 im Kreise Ploen, nebst e. Anh., enth. e. Zusammenstellg. u. Erläuterg. der Befugnisse, welche dem weiteren Kommunalverbande [Kreistage] durch das Gesetz ertheilt worden sind. Ausgearb. im Auftrage d. Landr. Frhrn. v. Brackel. gr. 4. (52 u. Anh. 20 S.) Ploen 884. (Hahn.) n. 1. —

Unschuld, die betende. Gebetbüchlein f. fromme Kinder. 2. Aufl. 32. (192 S. m. eingedr. Holzschn.) Dülmen 886. Laumann. n. — 25; geb. n. — 35

Unschuld v. Melasfeld, Ritter, Terrainlehre, e. gesonderte Wissenschaft. Behandelt die Entstehung der Formgebilde v. Unebenheiten unserer Erdoberfläche u. ihre Darstellg., als Vorschule f. Geologie. Ein Leitfaden f. jeden Militär u. f. Alle, welche sich dem Studium der Geologie widmen. Nach den Grundzügen d. verstorbenen Ritter v. Hauslab bearb. u. zusammengestellt. gr. 8. (XIV, 248 S. m. eingedr. Fig.) Wien 884. (Hölder.) n. 12. —

Unter dem Kreuze. Kirchliches Volksblatt aus Niedersachsen. Red. in Vertretg.: Edgar Bauer. 8. Jahrg. 1883. 52 Nrn. (1/2 B) Lex.-8. Hannover. (Dresden, H. J. Naumann.) n. 4. —

— dasselbe. Hrsg. v. L. Grote. Red. i. V.: Edgar Bauer. 9. Jahrg. 1884. 52 Nrn. (1/2 B.) Lex.-8. Hannover 886. (Schulbuchh.) 6. —

— dasselbe. 10. Jahrg. 1885. 52 Nrn. (B.) hoch 4. Ebend. n.n. 5. —

— dem geflügelten Rad oder Humanität u. Courszettel. Eine Lanze f. die Angestellten der Eisenbahnen. gr. 8. (28 S.) Wien 885. Spielhagen & Schurich. n. — 70

— dem Sargdeckel. Fragmentarische Enthüllgn. aus dem großen ***Nichts*** genannt: □ vulgo „Freimaurerlogen". Nebst e. kurzen Blumenlese aus: „Tant de bruit pour une omelette" genannt: Encyklika d. Papstes Leo XIII. gegen die Freimaurer. Von „Bruder" Narrenfeind. gr. 8. (50 S.) Zürich 884. Verlags-Magazin. n. 1. —

Unterefer, Predigt zur Feier der Glockenweihe in Hofs, geh. den 20. März 1884. gr. 8. (16 S.) Leutkirch 884. (Roth.) n. — 20

Untergang, der, d. großen Auswandererschiffes „Cimbria", durch welchen üb. 400 Menschen den Tod in dem Meere

Für Ingenieure, Architekten, Industrielle u. das gebildete Publikum. Mit üb. 200 Abbildgn. im Texte u. 22—24 Vollbildern neben dem Texte. gr. 8. (X, 566 S.) Leipzig 883. 84. Veit & Co. n. 10. —

Uhland, W. H., Skizzenbuch f. den praktischen Maschinen-Constructeur. Ein Hilfsbuch f. Maschinentechniker aller Branchen, sowie f. Schüler techn. Lehr-Anstalten. 51—80. Hft. qu. gr. 4. (à 12 autogr. Taf. m. je 2—3 S. Text.) Leipzig 883—85. Baumgärtner. Subscr.-Pr. à n. 1. —; Einzelpr. à n. 1. 20

— dasselbe. 1. Bd. 2. Aufl. gr.-4. (120 Taf. m. 20 Bl. Text.) Ebend. 886. n. 10. —

Uhle, Heinr., griechische Schulgrammatik. In Verbindg. m. Aug. Brocksch u. Th. Büttner-Wobst. Der Elementargrammatik 3. Aufl. gr. 8. (X, 238 S.) Leipzig 883. Grunow. geb. n. 2. 80

Uhle, M., seltene Waffen aus Afrika, Asien u. Amerika, s.: Meyer, A. B., Publicationen d. königl. ethnographischen Museums zu Dresden.

Uhle, Paul, quaestiones de orationum Demostheni falso addictarum scriptoribus. Particula I et II. De orationum XXXIII—XXXV. XXXXIII. XXXXVI—L. LII. LIII. LVI. LIX. scriptoribus. gr. 8. (120 u. 32 S.) Hagen 884. 86. Risel & Co. n. 3. 20

Uhle, Thdr., Leitfaden f. die Pflege bei Augen-Krankheiten u. Operationen. 8. (39 S.) Dresden 886. Warnatz & Lehmann. cart. n. — 80

Uhlenhuth, Ed., vollständige Anleitung zum Formen u. Gießen od. genaue Beschreibg. aller in den Künsten u. Gewerben dafür angewandten Materialien, als: Gyps, Wachs, Schwefel, Leim, Harz, Guttapercha, Thon, Lehm, Sand u. deren Behandlg. behufs Darstellg. v. Gypsfiguren, Stuckatur, Thon-, Cement-, Steingut- etc. Waaren, sowie beim Guß v. Statuen, Glocken u. den in der Messing-, Zink-, Blei- u. Eisengießerei vorkomm. Gegenständen. Mit 17 Abbildgn. 2. Aufl. 8. (IX, 160 S.) Wien 886. Hartleben. n. 2. —

Uhlhorn, Gerh., das vatikanische Concil. [1. Die ökumen. Concilien bis zur Reformation. 2. Vom tridentin. bis zum vatikan. Concil. 3. Der Verlauf d. vatikan. Concils. 4. Die Unfehlbarkeit d. Papstes.] 4 Vorträge. Neue Einzel-Ausg. 8. (S. 235—350.) Stuttgart 886. Gundert. n. 1. —

— zu socialen Frage. [1. Socialismus u. Christentum. 2. Von der christl. Barmherzigkeitsübg.] 2 Vorträge. Neue Einzel-Ausg. 8. (S. 353—410.) Ebend. 886. n. — 60

— der Kampf d. Christentums m. dem Heidentum. Bilder aus der Vergangenheit als Spiegelbilder f. die Gegenwart. 4. verb. Aufl. 8. (438 S.) Ebend. 886. n. 3. —; geb. n. 4. —

— die christliche Liebesthätigkeit. 2. Bd. Das Mittelalter. 8. (VIII, 531 S.) Ebend. 884. n. 7. —; geb. n. 8. — (1. u. 2.: n. 13. —; geb. n. 15. —)

— s.: Lohmann, Th., Kirchengesetze der evangel.-luther. Kirche der Prov. Hannover.

— Referat üb. die Sonntagsruhe. Auf der Konferenz f. Innere Mission in Celle am 27. Oktbr. 1885 erstattet. 8. (15 S.) Hannover 885. Feesche. — 30

— aus der Reformationsgeschichte. 5 Vorträge. Neue Einzel-Ausg. 8. (S. 39—231.) Stuttgart 886. Gundert. n. 1. 40

— Thomas a Kempis u. das Buch v. der Nachfolge Christi. Vortrag. Neue Einzel-Ausg. 8. (36 S.) Ebend. 886. n. — 40

— die practische Vorbereitung der Candidaten der Theologie f. das Pfarr- u. Schulinspectoratsamt. Referat f. die Conferenz der deutschen evangel. Kirchenregiergn. in Eisenach. gr. 8. (52 S.) Stuttgart 886. Grüninger. 1. —

Uhlich's Sonntagsblatt. Begründet v. Uhlich. Red.: C. Uhlich. 34. u. 35. Jahrg. 1883 u. 1884. à 52 Nrn. (1/2 B.) gr. 4. Magdeburg, Demcker. à Jahrg. n. 3. — cf.: Sonntagsblatt, freireligiöses.

Uhlich, Altes u. Neues zur Lehre v. den merkwürdigen Punkten d. Dreiecks. gr. 4. (34 S. m. 1 Taf.) Grimma 886. (Gensel.) n. 1. —

Uhlich, Heinr., Predigten üb. das Leben Luthers, geh. in der Rüstzeit. Eine Jubiläumsgabe, dargebracht als e. Baustein zu e. Lutherkirche in der Reichshauptstadt. 8. (VIII, 143 S.) Berlin 883. Deutsche evangel. Buch- u. Tractat-Gesellschaft. n. 1. 20

Uhlich, P., die Festigkeitslehre u. ihre Anwendung. Zum Gebrauch in der Praxis u. f. Studirende leicht verständlich bearb. Mit sorgfältig gewählten Beispielen u. 126 Fig. 2. Aufl. gr. 8. (VIII, 150 S.) Dresden 886. Knecht. n. 3. 50; geb. n. 4. —

— die Hebmaschinen. 1. Thl. Mit zahlreichen Skizzen u. Beispielen. gr. 4. (II, 106 autogr. S. m. 2 Taf.) Ebend. 886. n. 4. —

Uhlig, F., biblische Geschichte f. Volksschulen, s.: Sörgel, G.

Uhlig, G., die Stundenpläne f. Gymnasien, Realgymnasien u. lateinlose Realschulen in den bedeutendsten Staaten Deutschlands, zusammengestellt. 2. Aufl. gr. 8. (52 S.) Heidelberg 884. C. Winter. n. — 80

Uhlig, V., üb. das Vorkommen u. die Entstehung d. Erdöls, s.: Sammlung gemeinverständlicher wissenschaftlicher Vorträge.

Uhlig, Vict., die Cephalopodenfauna der Wernsdorfer Schichten. [Mit 32 (lith.) Taf.] Imp.-4. (166 S.) Wien 883. (Gerold's Sohn.) n. 20. —

Uehlin, G., 's Föhri-Liseli. E' G'schichtli us'em Wiesethal. 8. (78 S.) Schopfheim 885. Uehlin. n. — 80

Uhlmann, Frdr., italienische Anthologie. Methodisch geordnete Abschnitte aus ältern u. neuern italien. Schriftstellern in Prosa u. Poesie. Mit Erläutergn. u. Wörterbuch. Für deutsche höhere Lehranstalten u. f. den Selbstunterricht. gr. 8. (XIII, 386 S.) München 884. Oldenbourg. n. 3. 20

Uhr, keine, ohne e. Uhrmacher. 8. (16 S.) Gernsbach 882. Christl. Colportage-Verein. n. — 4

Uhrig, s.: Humoresken, akademische.

Uhrmacher-Zeitung, deutsche. Organ d. Central-Verbandes der deutschen Uhrmacher. Red.: L. Heimann. 7—10. Jahrg. 1883—1886. à 24 Nrn. (à 1—3 B.) Fol. Berlin, (Kühl). à Jahrg. n. 6. —

— österreichisch-ungarische. Organ d. Vereines der Wiener Uhrmacher u. der Wiener Uhrmacher-Genossenschaft. Red.: J. Flamm. 2—4. Jahrg. Octbr. 1882—Septbr. 1885. à 12 Nrn. (B.) gr. 4. Wien, (Sintenis). à Jahrg. n.n. 5. —

Uhrmann, Virgil, die Accordlöhnung im Landwirthschaftsbetriebe. gr. 8. (32 S.) Wien 884. Perles. n. 1. 20

Uhthoff, Beiträge zur Pathologie d. Sehnerven u. der Netzhaut bei Allgemeinerkrankungen, s.: Schoeler.

Ujfalvy, Karl Eug. v., aus dem westlichen Himalaya. Erlebnisse u. Forschungen. Mit 181 Abbildgn. nach Zeichngn. v. B. Schmidt u. 5 (lith. u. chromolith.) Karten. gr. 8. (XXVI, 330 S. m. 4 Tab.) Leipzig 884. Brockhaus. n. 18. —; geb. n. 20. —

Ulanski, Alfr. Otto v., philosophisch-historische Abhandlung üb. die Entstehung der Kirche u. d. Staates. Praktisches Heilmittel f. mancherlei Krankheiten u. Schäden aller großer Redner u. Schriftsteller, namentlich ultra-orthodoxer Theologen beider Konfessionen u. solcher, die es werden wollen nach Art der alten Häretiker. gr. 8. (IV, 68 S.) Neu-Ruppin 883. (Petrenz.) n. 1. —

Ulbing, Ernst, Velden am Wörthersee in Kärnten [klimatischer Cur- u. Badeort] m. Umgebung. Ein kleiner Führer f. Fremde. gr. 16. (42 S.) Velden 884. (Klagenfurt, Heyn.) n. — 40

Ulbrich, Jos., üb. Credit- u. Bankwesen, s.: Sammlung gemeinnütziger Vorträge.

— Grundzüge d. österreichischen Verwaltungsrechtes m. Berücksicht. der Rechtsprechung d. Verwaltungsgerichtshofes. 8. (XII, 336 S.) Prag 884. Tempsky. — Leipzig, Freytag. n. 5. —

— das Staatsrecht der österreichisch-ungarischen Monarchie, s.: Handbuch d. öffentlichen Rechts der Gegenwart.

Ulbrich, O., Elementarbuch der französischen Sprache f. höhere Lehranstalten. gr. 8. (VII, 208 S.) Berlin 887. Gaertner. n. 1. 60; Einbd. n.n. — 30

— über die französische Lektüre an Realgymnasien. gr. 4. (30 S.) Ebend 884. n. 1. —

Ulbricht, E., Grundzüge der Geschichte, s.: Kaemmel, O.

Ule's, Otto, Warum u. Weil. Fragen u. Antworten aus den wichtigsten Gebieten der gesamten Naturlehre. Für Lehrer u. Lernende in Schule u. Haus methodisch zusammengestellt. Physikalischer Tl. Von Otto Ule. 6. Aufl. sorgfältig durchgesehen u. wesentlich verm. v. F. Langhoff. Mit 116 Holzschn. gr. 8. (VI, 216 S.) Berlin 886. Klemann. n. 3. 50; geb. n. 4. —

— die Wunder der Sternenwelt. Ein Ausflug in den Himmelsraum. 3. Aufl. Für Gebildete aller Stände u. Freunde der Natur hrsg. u. nach dem neuesten Stande der Wissenschaft bearb. v. Herm. J. Klein. Mit etwa 300 Text-Abbildgn., 5 Chromolith., e. Frontispiz, 2 Tondr.-Taf., 2 Sternkarten u. dem Portr. v. Otto Ule ꝛc. 8 Lfgn. gr. 8. (XVI, 520 S.) Leipzig 883. Spamer. à n. 1. —

Ulff, Herm. Wilh. Ein Lebensbild aus der schwed. Kirche. 8. (22 S.) Augsburg 885. Preyß. n. — 25

Ulfilas, s.: Bibliothek der ältesten deutschen Litteratur-Denkmäler.

Uljanin, B., die Arten der Gattung Doliolum, s.: Fauna u. Flora d. Golfes v. Neapel u. der angrenzenden Meeres-Abschnitte.

Ulk. Illustrirtes Wochenblatt f. Humor u. Satire. Red.: Siegm. Haber. 12—15. Jahrg. 1883—1886. à 52 Nrn. (B. m. eingedr. Holzschn.) Fol. Berlin, Mosse. à Jahrg. 9. —

— allerlei. Lustige Anekdoten u. Witzraketen aus aller Welt. Von Hilarius Kurzweil. 8. (48 S.) Oberhausen 884. Spaarmann. n. — 20

Ullmann, Dominik, das österreichische Zivilprozeßrecht. 8. (XXXI, 580 S.) Prag 885. Tempsky. — Leipzig, Freytag. n. 9. 60

— dasselbe. 2. durchgeseh. Aufl. gr. 8. (XXXII, 755 S.) Ebend. 887. n. 10. 80

Ullmann, E., Julius Glaser. Gedenkrede, geh. in der außerordentl. Plenarversammlg. der Wiener Jurist. Gesellschaft am 20. März 1886. gr. 8. (14 S.) Wien 886. Manz. n. — 40

Ullrich, Heinr., Leitfaden f. den Confirmanden-Unterricht. Im Auftrage der oberspreethaler Predigerconferenz bearb. 4. Aufl. 8. (75 S.) Leipzig 884. Böhme. cart. n.n. — 30

Ullrich, Leop., Duplik zu meiner Schrift üb. die Wasserversorgungsfrage Reichenbergs. Eine Verantwortungsrede zu derselben, gegen die Einreden der Reichenberger Wasserversorgungs-Commission u. d. Hrn. Staatsgewerbeschuldir. Richter insbesondere. gr. 8. (35 S.) Reichenberg 885. Schöpfer's Verl. n. — 80

— die Wasserversorgungsfrage Reichenbergs. Betrachtungen üb. ihre bisher. Entwicklg., ihren gegenwärt. Stand u. den Weg zu ihrer Lösg. Ein Mahnwort an Reichenberg. gr. 8. (44 S.) Ebend. 884. n. — 80

Ullrich, Val., die horizontale Gestalt u. Beschaffenheit Europas u. Nordamerikas. Ein Beitrag zur Morphologie beider Erdenräume. gr. 8. (VIII, 182 S.) Leipzig 883. Duncker & Humblot. n. 4. —

Ulm, E., der unentbehrliche Ratgeber im Verkehr m. allen Staats- u. Gemeinde-Behörden. Ein Handbuch f. jedermann zur sachgemäßen Abfassg. v. Gesuchen u. Beschwerden aller Art in allen Verwaltungs- u. Polizei-Angelegenheiten. Mit vielen Formularen. 3. Aufl. 8. (IV, 138 S.) Leipzig 885. G. Weigel. cart. n. 1. 80

Ulmann, Heinr., Kaiser Maximilian I. Auf urkundl. Grundlage dargestellt. 1. Bd. gr. 8. (XVIII, 870 S.) Stuttgart 884. Cotta. n. 14. —

Ulmann, J., „nimm mich mit!“ Unentbehrlicher Reisebegleiter f. jeden Italienreisenden. Italienische Speisenkarte. 16. (48 S.) München 884. Franz' Verl. n. — 60

Ulmer, Karl, der deutsche Satzbau. Zum Unterricht u. zur Selbstbildg. 4. verb. u. nach der neuen Rechtschreibung eingerichtete Aufl. gr. 8. (64 S.) Ansbach 884. Seybold. n. — 60

Ulmi, K., populäre Mittheilungen üb. Heizung u. Ventilation, m. Vorschlägen zur Einführg. der antiken Heizungs- u. Ventilations-Methode, zum Gebrauch f. Hausbesitzer, Anstaltsvorsteher u. Bauhandwerker. Mit 11 autogr. Taf. gr. 8. (VII, 141 S.) Bern 883. Krebs. n. 2. —

Ulpiani, Domitii, quae vulgo vocantur fragmenta sive ex Ulpiani libro singulari regularum excerpta. Accedunt eiusdem institutionum reliquiae ex codice Vindobonensi. 8. (83 S.) Leipzig 886. Teubner. — 75

Ulpius, s.: Stammtisch, der.

Ulrich v. Lichtenstein, Frauendienst, s.: Volksbibliothek f. Kunst u. Wissenschaft.

Ulrich, A., Rechenaufgaben, s.: Schmelzkopf, J.

Ulrich, Chrn., Elevator der Hauptstadt Budapest System „Ulrich“. Fol. (IV, 60 S. m. Lichtdr.-Taf.) Wien 885. Frick. In Mappe. n. 60. —

Ulrich, Frz., das Eisenbahntarifwesen im Allgemeinen u. nach seiner besonderen Entwickelung in Deutschland, Österreich-Ungarn, der Schweiz, Italien, Frankreich, Belgien, den Niederlanden u. England. gr. 8. (XII, 504 S.) Berlin 886. Guttentag. n. 10. —

Ulrich, Fr., krystallographische Figurentafeln zum Gebrauche bei mineralogischen Vorlesungen. qu. Fol. (8 z. Thl. color. Taf.) Hannover 884. Schmorl & v. Seefeld. n. 2. —

Ulrich, Gust, Refraction u. Papilla optica der Augen der Neugeborenen. 8. (25 S.) Königsberg 884. (Beyer.) n. 1. —

Ulrich, J., rhätoromanische Chrestomathie. Texte, Anmerkgn., Glossar. 1. Thl. A. u. d. T.: Oberländische Chrestomathie. gr. 8. (VIII, 275 S.) Halle 883. Niemeyer. n. 6. — (1. u. 2.: n. 11. —)

— altitalienisches Lesebuch XIII. Jahrh. gr. 8. (VIII, 160 S.) Ebend. 886. n. 2. 80

— s.: Texte, rhätoromanische.

Ulrich, R., le congrès international de droit commercial à Anvers 1885. Résumé des travaux et résolutions de la 2. section — droit maritime. gr. 4. (III, 55 S.) Berlin 885. Mittler & Sohn. n. 2. 50

— grosse Haverei. Die Gesetze u. Ordngn. der wichtigsten Staaten üb. Havarie-Grosse im Orig.-Text u. in Übersetzg., nebst Commentar u. e. vergl. Zusammenstellg. der darin enthaltenen Einzelbestimmgn. gr. 8. (LXI, 547 S.) Ebend. 884. n. 25. —

Ulrich, Wilh., Italiens Dichterfürsten während der goldenen Tage Ferraras. Eine historisch-litterar. Studie. gr. 8. (20 S.) Langensalza 886. Wendt & Klauwell. n. — 50

— Tabellen zur englischen Geschichte u. Litteratur. Nebst e. alphabet. Verzeichnisse der engl. u. amerikanischen Schriftsteller. Für höhere Schulen, sowie f. Freunde der engl. Litteratur hrsg. gr. 8. (51 S.) Langensalza 884. Beyer & Söhne. n. — 80

— 50 genealogische Tabellen f. den Geschichtsunterricht in den oberen Klassen höherer Lehranstalten, sowie zum Selbststudium, nach den besten Quellen bearb. gr. 8. (IV, 48 S.) Hannover 885. Meyer. n. 1. —

— Ximenes, der große Kardinal u. Reichsverweser Spaniens. Ein Lebensbild, nach histor. Quellen entworfen. 8. (IV, 64 S. m. Portr.) Langensalza 883. Schulbuchh. — 75

Ulrichs, Carlo Enrico, Matrosengeschichten. 1. Buch. Sulitelma. Atlantis. Manor. Der Mönch v. Sumbö. 8. (XIV, 98 S.) Leipzig 885. F. E. Fischer. n. 1. 60; geb. n. 2. 60

Ulrici, Alb., das Maingebiet in seiner natürlichen Beschaffenheit u. deren Rückwirkung auf die Geschichte, namentlich die Besiedelung u. Kultur d. Mainlandes. [3. Jahresbericht d. Vereins f. Erdkunde zu Cassel.] gr. 8. (VI, 187 S.) Cassel 885. Keßler. n. 1. 80

Ulrici, E., s.: Walling, G.

Ultzmann, R., üb. Potentia generandi u. Potentia coeundi, } s.: Klinik, Wiener.
— über Pyurie [Eiterharnen] u. ihre Behandlung, }

Umann, Ludw., Leitfaden f. den Unterricht im Plan- u. Kartenlesen, sowie im Skizziren in dem durch die „Instruction f. die Truppenschulen d. k. k. Heeres“ f. die Unterofficiersschulen bezeichneten Umfange. 2. Aufl. 8. (79 S. m. eingedr. Fig.) Wr.-Neustadt 885. (Wien, Seidel & Sohn.) n. 2. —

Umé, G., Verzierungs-Kunst in allen Stylen u. Epochen d. XV. bis XVIII. Jahrh. Eine Auswahl aus den Werken der berühmtesten Künstler der Renaissance bis Ludwig XVI. 121 Taf. 2. Aufl. 10 Lfgn. Fol. (à 12 Taf.) Berlin 885. 86. Claesen & Co. à n. 5 40 (cplt. in Mappe: n. 54. —)

Umfrid, O., Göthe's Faust-Dichtungen. gr. 8. (92 S.) Tübingen 881. Fues. 1. 20

— zur Sammlung f. e. Gedenktafel zu Ehren Karl Planeks. gr. 8. (14 S.) Ebend. 888. n. — 40

Umgebung, die, v. Ango-Ango am unteren Congo. [Mit 1 (lith.) Karte.] gr. 8. (15 S.) Wien 886. Hölzel. n. 1. —

Umhöfer, H., deutsches Lesebuch f. 9stufige höhere Töchterschulen m. 5, 6 od. 7 Klassen. 4 Tle. gr. 8. Halle, Anton. n. 9. —

1. III. Schulj. (XII, 128 S.) 885. n. — 80. — 2. IV. u. V. Schulj. (XX, 304 S.) 885. n. 1. 80. — 3. VI. u. VII. Schulj. (VIII, 442 S.) 886. n. 2. 80. — 4. VIII. u. IX. Schulj. (XVI, 574 S.) 886. n. 3. 60

Umlauff v. Frankwell, Vict., namenlos. Ein Liederkreis. 16. (IX, 146 S.) Wien 883. Braumüller. n. 2. —; geb. m. Goldschn. n. 3. —

Umlauft, Frdr., die Alpen, Handbuch der gesammten Alpenkunde. Mit 30 Vollbildern, 75 Textbildern u. 25 Karten [wovon 20 im Texte]. gr. 8. (488 S.) Wien 885. 86. Hartleben. 9. —; geb. n. 10. 80

— Lehrbuch der Geographie f. die unteren u. mittleren Classen österreichischer Gymnasien u. Realschulen. 1. u. 2. Curs. gr. 8. Wien, Hölder. n. 2. 56

1. Grundzüge der Geographie. [Für die 1. Classe.] (IV, 56 S. m. Fig.) 884. n. — 64

2. Länderkunde. Im Anh.: Mathematische Geographie. [Für die 2. u. 3. Classe.] Mit 12 Fig. (IV, 220 S.) 886. n. 1. 92

— geographisches Namenbuch v. Österreich-Ungarn. Eine Erklärg. v. Länder-, Völker-, Gau-. Berg-, Fluss- u. Ortsnamen. gr. 8. (240 S.) Ebend. 885. 86. n. 4. —

— Wanderungen durch die österreichisch-ungarische Monarchie. Landschaftliche Charakterbilder in ihrer geograph. u. geschichtl. Bedeutg. Im Auftrage d. k. k. Ministeriums f. Cultus u. Unterricht hrsg. Neue Ausg. Mit 55 Orig.-Illustr. gr. 8. (VIII, 504 S.) Wien 883. Graeser. n. 5. 60

Umpfenbach, Karl, die Altersversorgung u. der Staatssozialismus. gr. 8. (41 S.) Stuttgart 883. Enke. n. 1. —

Umschau, naturwissenschaftlich-technische. Illustrirte populäre Halbmonatsschrift üb. die Fortschritte auf den Gebieten der angewandten Naturwissenschaften u. techn. Praxis. Für Gebildete aller Stände. 1—3. Jahrg. 1885—1887. à 24 Hfte. (2 B.) gr. 8. Jena, Mauke. à Jahrg. n. 12. —

— die, auf dem Gebiete d. Zoll- u. Steuer-Wesens. Fachschrift f. Zoll- u. Steuerbeamte. Auskunftsblatt f. Handel, Spedition, Gewerbe u. Industrie in Zoll- u. Steuerfragen. Hrsg. v. Alb. Schneider. 5. Jahrg. 1886. 12 Nrn. (2½ B.) gr. 4. Minden 886. Schneider. n. 4. 50

Unbehaun, G., Wert d. Violinspiels f. den Lehrer u. Methode d. Violinunterrichts. gr. 8. (28 S.) Gotha 885. Thienemann. n. — 80

Unbescheid, Herm., Beitrag zur Behandlung der dramatischen Lektüre. Mit 1 Taf. zu Schillers Dramen. 4. (84 S.) Dresden 886. Warnatz & Lehmann. n. 2. 60

Und ob der Vogel leicht sich schwingt m. Lust v. Ast zu Aesten: daheim, daheim, wie süß das klingt! daheim ist's doch am besten. 4 Nester m. Eiern. Chromolith. 16. Leipzig 883. (Baldamus Sep.-Cto.) n. — 80

Underhill, E. B., die Bahnbrecher christlicher Kultur in Kamerun. [Alfred Saker.] Frei nach dem Engl. v. J. G. Lehmann. 8. (XII, 168 S. m. Illustr. u. 1 Karte.) Hamburg 885. Oncken's Nachf. 1. 25; geb. 2. —

Undset, Ingvald, e. kyprisches Eisenschwert. gr. 8. (5 S. m. 1 Taf.) Christiania 886. (Dybwad.) n. — 70

Unfallversicherung, die, f. das deutsche Reich. Gesetz vom 6. Juli 1884, nebst den Bekanntmachungen d. Reichsversicherungsamtes, der bayr. Verordng. vom 14. u. 19. Juli 1884 u. der bayer. Ministerial-Entschliessg. vom 28. Juli 1884. 8. (69 S.) Würzburg 884. Stahel. — 40

Unfallversicherungsgesetz vom 6. Juli 1884, nebst den Bekanntmachgn. d. Reichskanzlers u. d. Reichsversicherungsamts vom 14. Juli 1884, 22. Jan. 1885 u. 27. Mai 1886. Mit e. ausführl. Sachregister. 2. Aufl. 8. (VI, 74 S.) Leipzig 887. Roßberg. n. — 60; cart. n. — 75

Unfallversicherungsgesetz, deutsches, vom 6. Juli 1884 m. erläuternden Noten u. den einschlägigen Vollzugsbestimmungen. 8. (81 S.) Bamberg 885. Buchner. n. 1. —

— dasselbe, nebst der dazu ergangenen Anleitung. Textausg. m. Inhaltsverzeichniß u. Sachregister. gr. 8. (IV, 47 S.) Berlin 884. v. Decker. — 40

— dasselbe, nebst der Bekanntmachg. vom 14. Juli 1884, betr. die Anmeldg. der unfallversicherungspflicht. Betriebe. Mit ausführl. Inhaltsverzeichniß. 2. bericht. Aufl. 8. (68 S.) Berlin 884. C. Heymann's Verl. cart. n. 1. —

— dasselbe, u. Gesetz üb. die Ausdehnung der Unfall- u. Krankenversicherung vom 28. Mai 1885, nebst den Bekanntmachgn. betr. die Anmeldg. der unfallversicherungspflicht. Betriebe. 2. Aufl. 8. (88 S.) Ebend. 885. cart. n. 1. 20

— dasselbe. Für den prakt. Gebrauch v. Behörden, Versicherern u. Versicherten erläutert aus den Materialien d. Reichstags. 2 Thle. in 1 Bde. 8. (VIII, 160 u. 108 S.) Berlin 884. Schettler's Erben. n. 3. —; geb. n. 3. 50

— dasselbe. Mit Verweisstellen u. ausführl. Sach- u. Materien-Register. 8. (IV, 96 S.) Ebend. 885. n.n. — 75

— dasselbe. Arbeiter-Ausg. 16. (VIII, 87 S.) Berlin 886. Siemenroth. cart. — 30

— dasselbe. 2. Aufl. 16. (VIII, 87 u. Anh. 16 S.) Ebend. 886. cart. n. — 35

— dasselbe. Textausg. m. Ausführungsbestimmgn. im Anh. u. Sachregister. 16. (IV, 92 S.) Berlin 884. Bahlen. cart. — 60

— dasselbe. Nebst Bekanntmachg., betr. die Anmeldg. der unfallversicherungspflicht. Betriebe. Vom 14. Juli 1884. Mit ausführl. Sachregister. 16. (88 S.) Breslau 884. Kern's Verl. n. — 50

— dasselbe. 16. (89 S.) Dresden 884. Barth & Schirrmeister. n. — 40

— dasselbe, m. Ausführungsbestimmungen. 8. (48 S.) Kempten 884. Dannheimer. — 40

— dasselbe, nebst Ausführungsverordng. (Deutsch u. französisch.) 8. (119 S.) Straßburg 886. Schultz & Co. Verl. cart. n. 1. —

— dasselbe, f. Beamte u. Personen d. Soldatenstandes. Unfall- u. Krankenversicherungsgesetz f. land- u. forstwirthschaftliche Arbeiter. Mit ausführl. Inhaltsverzeichniß u. Register. 8. (48 S.) Düsseldorf 886. F. Bagel. — 50

Ungar, Max, die Reduction Abel'scher Integrale auf Normalintegrale. Lex.-8. (16 S.) Wien 882. (Gerold's Sohn.) n.n. — 30

Ungarn u. **Siebenbürgen** in zahlreichen, nach der Natur aufgenommenen, künstlerisch ausgeführten Orig.-Stahlstichen. Malerische Ansichten romant. Gegenden, Städte, Kirchen u. Burgen, sowie Paläste alter u. neuer Zeit. (In ca. 12 Hftn.) 1. Hft. qu. Fol. (5 Bl.) Wien 885. Szelinski. n. 3. —

Ungaro di Monteiasse, F., italienisches Lesebuch. Geschichten u. Anekdoten, aus den besten u. berühmtesten italien. Schriftstellern zusammengestellt. gr. 8. (VIII, 154 S.) Berlin 886. Herbig. n. 1. 50

— leyendas españolas. Spanisches Lesebuch. Ausgewählt aus den besten span. Schriftstellern u. m. deutschen Erklärgn. hrsg. 8. (VIII, 136 S.) Leipzig 887. U. Kracht Nachf. geb. n. 2. —

Unger, v., die Pferdezucht in den Herzogtümern Bremen-Verden u. dem Lande Hadeln. Aus der Festschrift zur 50jähr. Jubelfeier d. Provinzial-Landwirtschaftsvereins in Bremervörde [Reg.-Bez. Stade]. gr. 8. (33 S.) Celle 885. Literar. Anstalt. n. — 80

Unger, F., Aufgaben f. das Zahlenrechnen, s.: Löwe, M.

Unger, Geo. Frdr., die troische Aera d. Suidas. gr. 4. (93 S.) München 885. (Franz' Verl.) n.n. 2. 70

— Kyaxares u. Astyages. gr. 4. (85 S.) Ebend. 882. n.n. 2. 50

— die Zeitverhältnisse d. Anaxagoras u. Empedokles, s.: Philologus.

Unger, Joach. Jac., Dichtungen. (In hebr. Sprache.) 2. Aufl. 8. (VII, 175 S.) Iglau 885. Bayer. n. 4. —

Unger, Jos., Julius Glaser. Ein Nachruf. 8. (12 S.) Wien 885. Gerold's Sohn. n. — 40

Unger, Jos., Sammlung v. civilrechtlichen Entscheidungen d. k. k. obersten Gerichtshofes, s.: Glaser, J.

Unger, S., Fortschritt u. Socialismus. gr. 8. (128 S.) Berlin 886. Puttkammer & Mühlbrecht. n. 2. 40

Unger, Th. L. F., Hannover, s.: Städtebilder u. Landschaften aus aller Welt.

Ungewitter's, F. H., neueste Erdbeschreibung u. Staatenkunde od. geographisch-statistisch-histor. Handbuch. Zugleich e. Leitfaden beim Gebrauche der neuesten Atlanten v. Andree, Kiepert, Stieler &c., sowie e. überall sichere Auskunft geb. Nachschlagebuch. 6., auf den neuesten Standpunkt der Wissenschaft gebrachte Aufl. Bearb. v. Sophus Ruge. (In 2 Bdn. od. ca. 45 Lfgn.) 1. Lfg. gr. 8. (1. Bd. S. 1—48.) Dresden 887. G. Dietze. n. — 50

Ungläubigen, d., Erzählung. 16. (20 S.) Bonn 883. Schergens. n. — 12

Unglenk, Ludw., Geographie u. Geschichte d. Großherzogt. Baden m. (autogr.) Karte v. Baden. gr. 8. (16 u. 8 S.) Mannheim 883. Bender. n.n. — 30

— Heimatkunde der Stadt Mannheim u. ihrer Umgebung. Für die Hand der Schüler bearb. Mit e. (eingedr.) Plane v. Mannheim u. e. (color.) Karte der Umgegend Mannheims. 4. Aufl. 8. (41 S.) Mannheim 883. Löffler. cart. n.n. — 50

— Leitfaden f. den Unterricht in der Naturgeschichte. 2. u. 3. Hft. 2. Aufl. 8. Mannheim 884. Bender. n.n. — 55

2. (24 S.) n.n. — 25. — 3. (32 S.) n.n. — 30

— u. Carl **Pfeiffenberger**, deutsche Schreib-Lese-Fibel, unter Mitwirkg. v. Lehrern der Mannheimer Volksschule nach dem bad. Normallehrplane u. unter Zugrundelegg. der bad. Normalschreibschrift bearb. 53. Aufl. gr. 8. (III, 98 S. m. Illustr.) Mannheim 886. Bensheimer's Verl. geb. n.n. — 50

Unglück, das, in der Kohlengrube Camphausen am 18. März 1885. 8. (8 S.) Chemnitz 885. Hager. — 10

— kein, je die Seel' betrübt, die in Geduld zu Kreuz sich giebt. 4 Kreuze aus abgebrochenen Aesten. Chromolith. 16. Leipzig 883. (Baldamus Sep.-Cto.) n. — 80

Uniformen, die, der deutschen Armee. 1. Abth.: Uebersichtliche Farbendarstellungen der Uniformen. Mit ausführl. Liste der sämmtl. Truppentheile u. Landwehr-Bataillone, nebst Angabe der Standquartiere u. genauen Erläutergn. der Farbendarstellgn. 11. Aufl. 8. (23 Chromolith. m. 47 S. Text. Leipzig 886. Ruhl. n. 1. 50; geb. n. 2. —

— dasselbe. 2. Abth.: Darstellungen der Abzeichen der militair. Grade, sowie der sonst. Auszeichngn. an den Uniformen der deutschen Armee. Nebst Erläutergn. zu den Darstellgn. 8. (23 Chromolith. m. 12 S. Text.) Ebend. 885. n. 1. 50; geb. n. 2. —

— die, der deutschen Marine in detaillirten Beschreibungen u. Farbendarstellungen. Nebst Mittheilgn. üb. Organisation, Stärke etc., sowie e. Liste sämmtl. Kriegsfahrzeuge u. den genauen Abbildgn. aller Standarten u. Flaggen. Nach authent. Quellen hrsg. 2. Aufl. gr. 8. (IV, 64 S. m. 24 Chromolith.) Ebend. 884. n. 2. 50

Uniformirung, die, d. deutschen Reichs-Heeres. 4. Aufl. 8. (78 S.) Berlin 885. Liebel. n. — 75

l'Union postale. Journal publié par le bureau international de l'union postale universelle. Année 1883—1886. à 12 nrs. (à 2—3 B.) gr. 4. Bern, (Huber & Co.). à Jahrg. n. 6. —

Universal-Bibliothek. Nr. 185. 836. 951—955. 1280. 1411—1415. 1681—2220. 16. Leipzig 883—86. Ph. Reclam jun. à n. — 20

185. Der Nachtwächter. Eine Posse in Versen u. e. Aufzug. Joseph Heyderich od.: Deutsche Treue. Eine wahre Anekdote, als Drama in e. Aufzug. Von Thdr. Körner. (48 S.)

836. Das Leben d. Agricola v. Cornelius Tacitus. Aus dem Lat. m. Einleitg. u. Erläutergn. v. Max Oberbreyer. 2. Aufl. (77 S.)

951—955. Deutsche Lyrik seit Goethe's Tode. Ausgewählt v. Max. Bern. Neue Ausg. 10., verb. Aufl. (XVI, 638 S.) geb. n. 1. 50; m. Goldschn. n. 2. —

1280. Die Hexe. Novelle v. Karl Emil Franzos. 4. Aufl. (81 S.)

1411—1415. Kleines Lehrbuch d. Schachspiels. Von Jean Dufresne. 4. verm. Aufl. (XV, 606 S.) geb. n. 1. 50

1681—1686. Handlexikon der Musik. Eine Encyklopädie der ganzen Tonkunst. Hrsg. v. Frdr. Bremer. (793 S.) geb. n. 1. 75

1687. 1688. Das Volksbuch v. Till Eulenspiegel. Nach der ältesten Ausg. v. 1519 erneuert, m. Einleitg. u. Anmerkgn. versehen v. Karl Pannier. (196 S.) geb. n. — 80

1689. Der Sternguder. Lustspiel in 1 Aufzug v. Heinr. Stobitzer. (52 S.)

1690. Der Herr Hofschauspieler. Schwank in 1 Aufzug v. Louis Rötel. (54 S.)

1691—1695. Matthias Claudius' ausgewählte Werke. Mit e. Lebensbilde u. m. Anmerkgn. hrsg. v. Wilh. Flegler. (LXIV, 592 S.) geb. n. 1. 50

1696. Auf eigenen Füßen. Gesangsposse in 6 Bildern v. Emil Pohl u. H. Wilken. (90 S.)

1697. Zwei Humoresken von Alfr. Frhr. v. Wolzogen. (104 S.)

1698. Der Müller u. sein Kind. Volksdrama in 5 Aufzügen v. Ernst Raupach. (57 S.)

1699. Leila. Von A. R. Rangabé. Aus dem Neugriech. übers. v. Felix Morahl. (120 S.)

1700. Musiker-Biographien. 5. Bd.: Wagner. Von Ludw. Nohl. (121 S.) 2. Aufl.

1701. Gedichte in Prosa. Von Iwan Turgenjeff. Aus dem Russ. v. Wilh. Lange. (100 S.) geb. n. — 60

1702. Ein Volksfeind. Schauspiel in 5 Aufzügen v. Henrik Ibsen. Deutsch v. Wilh. Lange. Einzige vom Verf. autoris. deutsche Ausg. (105 S.)

1703. Ausgewählte Novellen v. Edgar Allan Poe. Deutsch v. J. Möllenhoff. 2. Bdchn. (112 S.)

1704. Das Preßgesetz, nebst den Gesetzen üb. das Urheberrecht, dem Musterschutz-, Markenschutz- u. Patentgesetz. Textausg. m. kurzen Anmerkgn. u. Sachregister. Hrsg. v. e. prakt. Juristen. (134 S.) 2. Aufl. geb. n. — 60

1705. Der Schleichhändler. Lustspiel in 4 Aufzügen v. Ernst Raupach. (57 S.)

1706. Maria Botti. Novelle v. Rich. Voß. (100 S.)

1707. Die wunderbaren Abenteuer d. Herrn Tartarin aus Tarascon. Von Alphonse Daudet. Deutsch v. Adf. Gerstmann. (148 S.)

1708. Platon's Protagoras od. die Sophisteneinkehr Uebers. v. Frdr. Schleiermacher. Neu hrsg. v Otto Güthling. (86 S.)

1709. Arme Dolores! Andalusische Erzählg. v. Fernan Caballero. Aus dem Span. v. Wilh. Lange. (79 S.)

1710. Schiller's Balladen. Für den Schul- u. Privatgebrauch hrsg. u. m. alphabetisch geordneten Erläutergn. versehen v. Adf. Ey. (97 S.)

1711—1714. Hetmanssünden. Ein Zeitbild aus dem Ende d. 18. Jahrh. v. J. J. Kraszewski. Aus dem Poln. übertr. u. bevorwortet v. Phpp. Löbenstein. Autoris. Ausg. (385 S.)

1715. Klein Geld. Posse m. Gesang u. Tanz in 3 Akten u. 6 Bildern v. Emil Pohl. (100 S.)

1716. Phantasien u. Geschichten v. Nic. Gogol. Deutsch v. Wilh. Lange u. Phpp. Löbenstein. 1. Bdchn.: Der Mantel. Die Nacht vor Weihnachten. (104 S.)

1717. Alle fürchten sich! od. die Hasen in der Hasenhaide. Singspiel in 1 Aufzug, nach dem Franz. frei bearb. v. L. Angely. Musik v. Nicolo Isouard. Zur Aufführg. neuerlich durchgesehen v. Carl Frdr. Wittmann. (48 S.)

1718—1720. Die Fabeln v. Jean de Lafontaine. Ins Deutsche übertr. v. J. Wege. 2. Aufl. (280 S.) geb. n. 1. —

1721. Maria la Brusca. Novelle v. Ernst Eckstein. (92 S.)

1722. 1723. Montesquieu's Betrachtungen üb. die Ursachen der Größe der Römer u. deren Verfall, nebst der Abhandlg. üb. die Politik der Römer in Religionssachen u. dem Dialog zwischen Sulla u. Eukrates. Mit Erläutergn. u. Berichtiggn. deutsch hrsg. v. Rob. Habs. (246 S.)

1724. Vor hundert Jahren. Komisches Sittengemälde in 4 Aufzügen v. Ernst Raupach. (55 S.)

1725. Das Goldmacherdorf. Eine anmuth. u. wahrhafte Geschichte f. Schule u. Haus. Von Heinr. Zschokke. (146 S.)

1726. Kausika's Zorn. [Tschandakauçika.] Ein ind. Drama v. Kschemisvara. Zum ersten Male u. metrisch übers. v. Ludw. Fritze. (86 S.)

1727. 1728. Blanca. Novelle v. H. F. Ewald. Aus dem Dän. v. Wilh. Lange. (232 S.)

1729. Die Unverschämten. Schauspiel in 5 Aufzügen v. Emil Augier. Deutsch v. Max Röttinger. (107 S.)

1730. Elegieen d. Properz. Von Karl Ludw. v. Knebel. Neue Ausg. (128 S.) geb. n. — 60

1731. Von der Freiheit e. Christenmenschen, nebst zwei andern Reformationsschriften aus dem J. 1520 v. Dr. Martin Luther. Bearb., m. Einleitg. u. Anmerkgn. versehen v. Karl Pannier. (70 S.)

1732. Erste Liebe. Von Jwan Turgenjeff. Aus dem Russ v. Wilh. Lange. (88 S.)

1733. Lichtstrahlen aus dem Talmud. Von Rabb. J. Stern. (76 S.) geb. n. — 60

1734. 1735. Sammlung leichterer Schachaufgaben. Hrsg. v. Jean Dufresne. 2. Thl. (268 S.) geb. n. — 80

1736. Fähnrichsgeschichten. Humoresken v. Rhold. Cronheim. (83 S.)

1737. Surrogat. Lustspiel in 1 Aufzug v. Otto Benzon. Deutsch v. Wilh. Lange. (32 S.)

1738—1740. Sein od. Nichtsein. Roman in 3 Thln. v. H. C. Andersen. Frei aus dem Dän. übers. v. H. Denhardt. (300 S.) geb. n. 1. —

1741—1743. Paul Gerhardt's geistliche Lieder, getreu nach den besten Ausgaben abgedruckt. Hrsg. von Fr. v. Schmidt. (372 S.) geb. n 1. —

1744. Phantasien u. Geschichten v. Nik. Gogol. Uebers. v. Wilh. Lange u. Phpp. Löbenstein. 2. Bdchn.: Der Hader zweier Mirgoroder Größen. Der König der Erdgeister. (123 S.)

1745. Eine Nacht im Hyacinthen-Tunnel. Burleske m. Gesang u. Tanz in 2 Abtheilgn. v. Carl Görlitz. (147 S.)

1746. Musiker-Biographien. Von Ludw. Nohl. 6. Bd.: Weber. (96 S.)

1747. Die Plaudertasche. Lustspiel in 3 Aufzügen v. Frz. Bitton u. Bernh. Busch. (84 S.)

1748. Arne. Erzählung v. Björnstjerne Björnson. Deutsch v. H. Denhardt. (26 S.)

1749. 1750. Picciola v. H. B. Saintine. Aus dem Franz. übers. v. A. Thuten. (158 S.)

1751—1758. Ueber Deutschland. Von Frau v. Staël. Mit Einleitg. u. Anmerkgn. Deutsch v. Rob. Habs. 2 Bde. (484 u. 436 S.) geb. n. 2. 25

1759. Genrebilder. Von Jan Neruda. Uebers. v. Ant. Smital. (98 S.)

1760. Die Zähne u. ihre Pflege v. Jul. Parreidt. (112 S. m. eingedr. Holzschn.) geb. n. — 60

1761. 1762. Gedichte v. Alex. Petöfi. Aus dem Ungar. v. J. Goldschmidt. (232 S.) geb n. — 80

1763. Vom Theater. Humoristische Erzählgn. v. Louis Nötel. 5. Bdchn. (115 S.)

1764. Die Gefangenen der Czaarin od. Alles durch die Frauen. Lustspiel in 2 Aufzügen nach Bayard u. Lafont frei bearb. v. Carl Frdr. Wittmann. (56 S.)

1765. 1766. Maria Schweidler, die Bernsteinhexe. Der interessanteste aller bisher bekannten Hexenprozesse, nach e. defecten Handschrift ihres Vaters, d. Pfarrers Abraham Schweidler in Coserow auf Usedom, hrsg. v. Wilh. Meinhold. Mit e. Studie üb. Meinhold v. Rob. Habs. (268 S)

1767. Phantasien u. Geschichten v. Nik. Gogol. Uebers. v. Wilh. Lange u. Phpp. Löbenstein. 3. Bdchn. [Eine Mainacht. Die Nase. Ein Landjunker.] (114 S.)

1768. Die Familie Schroffenstein. Ein Trauerspiel in 5 Aufzügen von Heinr. v. Kleist. (101 S.)

1769. 1770. Der Gesellschaftsvertrag od. die Grundsätze d. Staatsrechtes v. J. J. Rousseau. Deutsch v. H. Denhardt. (164 S.) geb. n. — 80

1771—1778. Martin Chuzzlewit. Von Charles Dickens. Aus dem Engl. v. Jul. Seybt. 2 Bde. (534 u. 505 S) geb. n 2. 25

1779. Der Pariser Taugenichts. Lustspiel in 2 Aufzügen v. Bayard u. E. Vanderburgh. Deutsch v. Max Röttinger. (62 S.)

1780. Musiker-Biographien. Von Ludw. Nohl. 7. Bd.: Spohr. (91 S.)

1781. 1782. Gewerbeordnung f. das Deutsche Reich nach dem Gesetz vom 1. Jul. 1883, nebst den Gesetzen üb. die Beschlagnahme d. Arbeitslohnes u. die eingeschriebenen Hülfskassen, den wichtigsten Ausführungsbestimmgn. u. dem Normalinnungsstatut. Textausg. m. Anmerkgn. u. Sachregister. Hrsg. v. e. prakt. Juristen. (200 S.) geb. n. — 80

1783. Nur nicht Fluchen! Schwank in 1 Akt v. Pet. Berton. Für die deutsche Bühne bearb. v. Carl Frdr. Wittmann. (33 S.)

1784. Tagebuch e. Ueberflüssigen. Von Jwan Turgenjeff. Aus dem Russ. v. Wilh. Lange. (76 S.)

1785. Platon's Laches od. v. der Tapferkeit. Uebers. v. Frdr. Schleiermacher. Neu hrsg. v. Otto Güthling. (44 S.)

1786. Margarethe v. Burgund. [La tour de Nesle.] Historisches Trauerspiel in 5 Aufzügen. Nach Gaillardet übers. u. f. die deutsche Bühne frei bearb. v. Andrä Heinr. Fogowitz. (78 S.)

1787. Gregorius od. der gute Sünder. Eine Erzählg. von Hartmann v. Aue. Aus dem Mittelhochdeutschen übers. v. Karl Pannier. (131 S.) geb. n. — 60

1788. Emil u. Emilie. Lustspiel in 1 Aufzug v. Demetrius Schrutz. (40 S.)

1789. Die hölzerne Clara. Von Hendrick Conscience. Aus dem Vläm. v. Rud. Müldener. (94 S.)

1790. Kleine Humoresken von Franz v. Schönthan u. Paul v. Schönthan. 2. Bdchn. (104 S.)

1791—1795. Gespensterbuch. Hrsg. v. A. Apel u. F. Laun. (663 S.) geb. n. 1. 50

1796. Im Negligé. Plauderei in 1 Aufzug. — In eigener Schlinge. Schwank in 1 Aufzug. Von Hans v. Reinfels. (47 S.)

1797. 1798. Blinde Liebe. Laurina's Gatte. Von Salvatore Farina. Aus dem Ital. v. Wilh. Lange. (210 S.)

1799. Kleine Hände. Lustspiel in 3 Aufzügen nach dem Franz. d. Labiche von Frz. v. Schönthan. (68 S.)

1800 Die Schule d. Lebens. Schauspiel in 5 Aufzügen v. Ernst Raupach. Zur Aufführg. durchgesehen v. Carl Frdr. Wittmann. (96 S.)

1801. Die Prinzessin. Novelle v. Emil Peschkau. (79 S.)

1802—1805. Vollständige Anleitung zur Algebra v. Leonh. Euler. Neue Ausg. (527 S.) geb. n. 1. 20

1806. Freigesprochen. Schwank in 1 Aufzug v. Ferd. Resmüller. (42 S.)

1807—1809. Wer ist schuld? Roman v. Alex. Herzen. Aus dem Russ. v. Wilh. Lange. (295 S.)

1810. Gerettet. Schauspiel in 2 Aufzügen v. Alfhild Agrell. Einzige autoris. deutsche Uebers. v. Jens Christensen. (67 S.)

1811—1816. Thukydides' Geschichte d. Peloponnesischen Krieges, aus dem Griech. übers. v. Joh. Dav. Heilmann. Neu hrsg. v. Otto Güthling. 2 Bde. (407 u. 332 S.)

1817. 1818. Königsidyllen v. Alfr. Tennyson. Im Metrum des Originals v. Carl Weiser. (175 S.) geb. n. — 80

1819. Vergeßlichkeit. Lustspiel in 1 Aufzug v. Carl Görlitz. (27 S.)
1820. Der Hausfreund. Novelle v. Karl Frenzel. (98 S.) geb. n. — 60
1821—1824. Chr. Fr. D. Schubart's Gedichte. Historisch-krit. Ausg. v. Gust. Hauff. (488 S.) geb. n. 1. 20
1825. 1826. Prager Ghettobilder v. S. Kohn. (220 S.)
1827. Der Traum Scipio's. [Cicero „Vom Staate" Buch VI.] Uebers. u. erklärt v. Edm. Boesel. Mit e. Vorwort v. C. Graf v. Wartensleben. (64 S.)
1828. Gespenster. Ein Familiendrama in 3 Aufzügen v. Henrik Ibsen. Aus dem Norweg. von M. v. Borch. (78 S.)
1829. Aus dem Volksleben. Erzählungen v. Alex. Swientochowski. [Wladislaw Okonski.] Aus dem Poln. übertr. u. bevorwortet v. Phpp. Löbenstein. (140 S.)
1830. Der versiegelte Bürgermeister. Posse in 2 Aufzügen v. Ernst Raupach. Zur Aufführg. durchgesehen v. Carl Frdr. Wittmann. (58 S.)
1831—1834. Japhet, der seinen Vater sucht. Von Capit. Marryat. Deutsch von M. v. Borch. (509 S.)
1835. Drei Schwänke f. Liebhaberbühnen. Von Wilh. Frerking. [Kurirt. Ein Geheimnis. Eine angenehme Ueberraschung.] (46 S.)
1836. Phantasien u. Geschichten v. Nik. Gogol. Uebers. v. Wilh. Lange u. Phpp. Löbenstein. 4. Bdchn.: Der Zauberer. Memoiren e. Wahnsinnigen. (86 S.)
1837. 1838. Die Tragödie v. Stillwater v. Thom. Bailey Aldrich. (288 S.)
1839. Der Degen. Dramatischer Scherz in 2 Aufzügen. Der Platzregen als Eheprocurator. Dramatisirte Anekdote in 2 Aufzügen. Von E. Raupach. Zur Aufführg. durchgesehen v. Carl Fr. Wittmann. (52 S.)
1840. Ueber das Immergrün unsrer Gefühle u. andere kleinere Dichtungen v. Jean Paul. (116 S.) geb. n. — 60
1841. Berlin. Von Paul Lindenberg. 1. Bdchn. Bilder u. Skizzen. (114 S.)
1842. 1843. Eine Katastrophe. Roman v. A. Godin. 2. Aufl. (192 S.)
1844. Malata u. Madhava. Ein ind. Drama v. Bhavabhuti. Zum 1. Male u. metrisch aus dem Original ins Deutsche übers. v. Ludw. Fritze. (125 S.)
1845. Eisenbahngeschichten v. Jos. Siklósy. (95 S.)
1846. Ein neuer Hausarzt. Lustspiel in 1 Aufzug, nach e. Hans Arnold'schen Humoreske dramatisirt v. Const. Bulla. (25 S.)
1847—1849. Ausgewählte Schriften d. Philosophen Lucius Annäus Seneca. (312 S.) geb. n. 1. —
1850. Peter Munk. Volksschauspiel in 4 Aufzügen u. 1 Vorspiel v. Ernst Wichert. (86 S.)
1851. 's Almstummerl. Eine Erzählg. aus dem bayer. Hochland v. Max. Schmidt. (91 S.)
1852. Zum Vortrage. Gedichte v. Feod. Wehl. (90 S.)
1853. Don Juan. Ein dramat. Gedicht v. Nic. Lenau. Hrsg. v. G. Emil Barthel. (71 S.)
1854. Novellen v. Svatopluk Čech. Mit Genehmigg. d. Verf. aus d. Böhm. übers. v. Frz. Bauer. (110 S.)
1855. 1856. Xenophon's Erinnerungen an Sokrates. Uebers. v. Otto Güthling. (168 S.) geb. n. — 80
1857. Isidor u. Olga od. die Leibeigenen. Trauerspiel in 5 Aufzügen v. Ernst Raupach. Zur Aufführg. durchgesehen v. Carl Frdr. Wittmann. (72 S.)
1858. Die Judenbuche. Ein Sittengemälde aus dem gebirgigten Westphalen v. Annette Freiin v. Droste-Hülshoff. (58 S.)
1859. Ein armer Edelmann. [Le roman d'un jeune homme pauvre.] Schauspiel in 5 Aufzügen v. Octave Feuillet. Für die deutsche Bühne bearb. von Wilh v. Hoxar. (82 S.)
1860. Der Raufbold. Lukerja. 2 Erzählgn. v. Iwan Turgenjeff. Aus dem Russ. v. Wilh. Lange. (89 S.)
1861—1865. Wilh. v. Humboldt's Briefe an e. Freundin. Mit e. Einleitg. v. Rob. Habs. (616 S.) geb. n. 1. 50
1866. Köpnickerstraße 120. Schwank in 4 Aufzügen von G. v. Moser u. E. Heiden. (102 S.)
1867. Kleine Erzählungen v. Björnstjerne Björnson. Aus dem Norweg. v. H. Denhardt. (88 S.)
1868. Des Publius Terentius Afer Eunuch, metrisch übers. v. G. G. S. Köpke. Neu hrsg. v. Otto Güthling. (86 S.)
1869. Desselben Phormio, metrisch übers. v. G. G. S. Köpke. Neu hrsg. v. Otto Güthling. (78 S.)
1870. Berlin. Von Paul Lindenberg. 2. Bdchn. Die National-Galerie. Eine Wanderg. durch dieselbe, nebst dem vollständ. Verzeichnis der Gemälde u. Sculpturen, sowie ihrer Meister u. den biograph. Notizen der letzteren. (132 S.)
1871—1877. Philanders v. Sittewald wunderliche u. wahrhaftige Gesichte v. Hans Mich. Moscherosch. Sprachlich erneuert v. Karl Müller. 2 Thle. (352 u. 441 S.)
1878. 1879. Pepita Jimenez. Andalusischer Roman v. Juan Valera. Aus dem Span. v. Wilh. Lange. (208 S.)
1880. Die Royalisten od. die Flucht Karl Stuart II. von England. Schauspiel in 4 Aufzügen v. Ernst Raupach. Bühnen-Einrichtg. Zur Aufführg. neuerlich durchgesehen v. Carl Frdr. Wittmann. (51 S.)
1881. Die Gesellschaft auf dem Lande. Novelle v. Ludw. Tieck. (128 S.)
1882. Vor der Ballpause. [Vor der Raststunde.] Schwank in 1 Aufzug v. Frdr. Schwab u. Jul. Linden. (31 S.)
1883. 1884. Der bucklige Taquinet. Komischer Roman v. Paul de Kock. Deutsch v. H. Denhardt. (240 S.)
1885. Die Bekenntnisse e. armen Seele. Lustspiel in 1 Aufzug v. Ernst Wichert (41 S.)
1886. Ein Witwenstand. Erzählung v. S. Schandorph. Aus dem Dän. übers. v. J. D. Ziegler. (88 S.)
1887. Der Mann m. der eisernen Maske od. die Geheimnisse e. Königshauses. Schauspiel in 5 Abtheilgn., nebst e. Vorspiel. Frei nach dem Franz. d. Arnold u. Fourier bearb. v. Demetrius Schrutz. (82 S.)
1888. Novelletten v. Alex. L. Kielland. Aus dem Norweg. von M. v. Borch. (104 S.)
1889. 1890. Cicero's drei Bücher üb. die Pflichten an seinen Sohn Marcus, übers. v. Frdr. Richter. (218 S.)
1891. Ein fröhlicher Bursch. Bauernnovelle v. Björnstjerne Björnson. Deutsch v. H. Denhardt. (105 S.)
1892. Valerie. Komödie in 2 Aufzügen nach Scribe u. Melesville f. die deutsche Bühne frei bearb. v. Carl Frdr. Wittmann. (35 S.)
1893. Genrebilder. Von Jan Neruda. Uebers. v. Ant. Smital. 2. Bdchn. (89 S.)
1894. Seine Ottilie. Lustspiel in 1 Aufzug v. Rud. Jarosy. (23 S.)
1895. 1896. Die Blutrache. Das Haus zur ballspielenden Katze. Die Mundtodterklärung. Erzählungen v. Honoré de Balzac. Deutsch v. H. Denhardt. (263 S.)
1897. Axel u. Walburg. Trauerspiel in 5 Aufzügen v. Adam Oehlenschläger. Neu durchgesehen nach der Ausg. letzter Hand. (76 S.)
1898—1900. Kleinere philosophische Schriften v. G. W. Leibniz. Mit Einleitg. u. Erläutergn. Deutsch v. Rob. Habs. (332 S.) geb. n. 1. —
1901—1904. Gedichte von Annette Freiin v. Droste-Hülshoff. (455 S.) geb. n. 1. 20
1905. Kriminal-Humoresken. Skizzen u. Typen aus den Wiener Gerichtssälen v. Ed. Pötzl. (118 S.)
1906. Ein Duell unter Richelieu. Schauspiel in 3 Auf-

zügen nach Lokroy u. Badon frei bearb. v. Carl Frdr. Wittmann. Bühneneinrichtung. (52 S.)

1907. Das Lob der Thorheit. [Encomium moriae.] Aus dem Lat. d. Erasmus v. Rotterdam ins Deutsche übertragen v. Heinr. Hersch. (154 S.)

1908. Die Leute v. Hohen-Selchow. Volksstück m. Gesang in 3 Aufzügen v. Adf. Gerstmann. (83 S.)

1909. 1910. Lebenslänglich verurtheilt. Erzählung v. Jonas Lie. Aus dem Norweg. v. M. v. Borch. (188 S.)

1911—1916. Notre Dame in Paris. Von Vict. Hugo. Nach der letzten Ausg. neu übers. v. Frdr. Bremer. 2 Bde. (281 u. 332 S.) geb. n. 1. 75

1917. Macaulay's kritische u. historische Aufsätze. Deutsch v. J. Moellenhoff. 5. Bd.: Warren Hastings. (171 S.)

1918. Der Nasenstüber. Posse in 3 Aufzügen v. Ernst Raupach. Zur Aufführg. durchgesehen v. Carl Frdr. Wittmann. (58 S.)

1919. Berlin. Von Paul Lindenberg. 3. Bdchn. Die Umgebg. Berlin's. (64 S.) 2. Aufl.

1920. Martin Luther. Reformationsdrama in 5 Aufzügen u. e. Vorspiel v. Wilh. Henzen. (85 S.)

1921—1924. Anthologie lyrischer u. epigrammatischer Dichtungen der alten Griechen. Unter Zugrundelegg. der Fr. Jacobs'schen Auswahl hrsg. v. Edm. Boesel. (423 S.) geb. n. 1. 20

1925. Des Lebens Ueberfluß. Musikalische Leiden u. Freuden. 2 Novellen v. Ludw. Tieck. (132 S.)

1926. Der Redacteur. Als Mädchen. 2 span. Novellen. v. J. V. Widmann. (128 S.)

1927. Schierlingssaft. [La Ciguë.] Lustspiel in 2 Aufzügen v. Emile Augier. Mit besond. Bewilligg. d. Verf. frei übertr. u. f. die deutsche Bühne bearb. v. Ant. Bing. (61 S.)

1928—1930. Die Liebe hat hundert Augen. Roman v. Salvatore Farina. Aus dem Ital. übers. v. F. Schrader. Vom Verf. autoris. Uebersetzg. (365 S.)

1931—1938. Die Theodicee v. G. W. Leibnitz. Nebst den Zusätzen der Desbosses'schen Uebertragg., m. Einleitg. u. Erläutergn. deutsch v. Rob. Habs. 2 Bde. (481 u. 371 S.) geb. n. 2. 25

1939. Kleine Humoresken von Frz. v. Schönthan u. Paul v. Schönthan. 3. Bdchn. (108 S.)

1940. Lieutenant Jergunoff. Eine seltsame Geschichte. 2 Erzählgn. v. Iwan Turgenjeff. Aus dem Russ. v. Wilh. Lange. (80 S.)

1941—1945. Lexikon der deutschen Dichter u. Prosaisten von den ältesten Zeiten bis zum Ende d. 18. Jahrh. Bearb. v. Frz. Brümmer. (612 S.) geb. n. 1. 50

1946. 1947. Cara. Pariser Sittenbild v. Hect. Malot. Autoris. Bearbeitg. v. Paul Perron. (275 S.)

1948. Ein Morgenbesuch. Salonlustspiel in 1 Aufzug. Frei nach Charles Dance bearb. v. Carl Friedr. Wittmann. (28 S.)

1949. 1950. Merk's Wien! Von Abraham a Santa Clara. Bearb. u. hrsg. v. Th. Ebner. (180 S.)

1951. Das glückhafte Schiff v. Zürich, nebst dem Schmachspruch u. Kehrab u. einigen verwandten Gedichten v. Joh. Fischart. Erneut u. erläutert v. Karl Pannier. (119 S.)

1952. 1953. Mein Onkel Benjamin. Social-Roman v. Claude Tillier. Deutsch v. H. Denhardt. (259 S.)

1954. 1955. Imman. Kant's allgemeine Naturgeschichte u. Theorie d. Himmels, nebst zwei Supplementen. Hrsg. v. Karl Kehrbach. (191 S.) geb. n. — 80

1956. Villa Blancmignon. Lustspiel in 3 Aufzügen nach Chivot u. Duru von Frz. v. Schönthan. (85 S.)

1957. Die Marquise v. O... u. andere Erzählungen von H. v. Kleist. (115 S.)

1958. Elisabeth. Von Frau Cottin. Deutsch v. H. Denhardt. (108 S.)

1959. 1960. Ueber die Ehe. Von Thdr. Glieb. v. Hippel. Mit Einleitg. u. Anmerkgn. hrsg. v. Gust. Moldenhauer. Mit Hippel's (Holzschn.-)Bildnis. (296 S.) geb. n. — 80

1961. Gedichte v. Alexei Kolzow. Deutsch v. Friedr. Fiedler. (93 S.) geb. n. — 60

1962. Das Glas Wasser od. Ursachen u. Wirkungen. Lustspiel in 5 Aufzügen nach Scribe v. A. Cosmar. Hrsg. u. durchgesehen v. Carl Frdr. Wittmann. Bühneneinrichtung. (96 S.)

1963. 1964. Die Frau v. dreißig Jahren. Erzählung v. Honoré de Balzac. Deutsch v. H. Meerholz. (236 S.)

1965. 1966. Kleines Lehrbuch d. Damenspiels. Von Jean Dufresne. (195 S.) geb. n. — 80

1967. Er muß taub sein! Schwank in 1 Aufzug, nach Moinaux frei bearb. v. Carl Frdr. Wittmann. Bühneneinrichtung. (40 S.)

1968. 1969. Lukis Laras. Eine Erzählg. aus den griech. Freiheitskriegen v. D. Bikelas. Aus dem Neugriech. v. Wilh. Lange. (191 S.)

1970. Die Ostereier. Der Weihnachtsabend. 2 Erzählgn. v. Chrph. v. Schmid. (119 S. m. 1 Holzschn.)

1971—1974. Physiologie d. Geschmacks od. transcendentalgastronomische Betrachtungen v. Brillat-Savarin. Mit Einleitg. u. Anmerkg. deutsch v. Rob. Habs. (508 S.) geb. n. 1. 25

1975. Der Klub. Lustspiel in 3 Aufzügen v. Edmond Gondinet. Deutsch bearb. v. Osc. Blumenthal. (79 S.)

1976—1978. Kleinseitner Geschichten. Von Jan Neruda. Autoris. Uebersetzg. v. Frz. Jurenka. (285 S.)

1979. Der bethlehemitische Kindermord. Lustspiel in 2 Aufzügen von Ludw. Geyer. Mit e. Vorworte hrsg. u. scenisch durchgearb. v. Carl Frdr. Wittmann. (76 S.)

1980. Kriminal-Humoresken. Skizzen u. Typen aus den Wiener Gerichtssälen v. Ed. Pötzl. 2. Bdchen. (111 S.)

1981—1990. Lexikon der deutschen Dichter u. Prosaisten d. 19. Jahrh. Bearb. v. Frz. Brümmer. 2 Bde. 2. Aufl. (588 u. 543 S.) In 1 Bd. geb. n. 2. 50

1991. 1992. Ideen zu e. Versuch, die Grenzen der Wirksamkeit d. Staats zu bestimmen. Von Wilh. v. Humboldt. Mit e. Einleitg. (206 S.)

1993. 1994. Helene's Kinderchen. Humoreske v. John Habberton. Deutsch v. M. Greif. (172 S.) geb.

1995. Ich heirate meine Tochter. Lustspiel in 1 Aufzug v. A. J. Groß v. Trockau. (38 S.)

1996. Die Lebensbeschreibungen Karls d. Gr. u. Ludwigs d. Fr. v. Einhard u. Thegan. Deutsch v. Ernst Meyer. (76 S.)

1997. 1998. Waterloo. Fortsetzung der Geschichte e. Anno 1813 Conscribirten. Erzählung v. Erckmann-Chatrian. Deutsch v. H. Denhardt. (277 S.)

1999. Kaiser Joseph II. Lebensbild in 4 Abthlgn. u. e. Vorspiel v. Ed. Ille. 2. Aufl. (78 S.)

2000. Zum wilden Mann. Eine Erzählg. v. Wilh. Raabe. Mit dem (Holzschn.-)Bildnis d. Verf. (107 S.)

2001. Epiktet's Handbüchlein der Moral. Nebst anderen Bruchstücken der Philosophie Epiktet's aus dem Griech. übers. v. H. Stich. (80 S.) geb. n. — 60

2002. Dosia. Eine Erzählg. v. Henry Gréville. Deutsch v. H. Meerholz. (162 S.)

2003. Eine anonyme Korrespondenz. Lustspiel in 1 Aufzug von Rich. Frhr. v. Fuchs-Nordhoff. 2. Aufl. (43 S.)

2004. Berlin. Von Paul Lindenberg. 4. Bdchn. Stimmungsbilder. (112 S.)

2005—2010. Gespräche m. Goethe in den letzten Jahren seines Lebens. Von Joh. Pet. Eckermann. Mit Einleitgn. u. Anmerkgn. hrsg. v. Gust. Moldenhauer. 3 Bde. (282, 251 u. 292 S.) In 1 Bd. geb. n. 1. 75

Universal-Bibliothek

2011. Ausgewählte Novellen v. Enrico Castelnuovo. Frei nach dem Ital. v. Siegfr. Lederer. (89 S.)

2012. Die Unglücklichen. Lustspiel in 1 Aufzug nach Aug. v. Kotzebue frei bearb. v. Carl Frdr. Wittmann. Bühneneinrichtung. (39 S.)

2013 St. Real's Geschichte d. Dom Carlos. Die Stoffquelle zu Schiller's, „Don Carlos". Ins Deutsche übertr. v. Heinr. Hersch. (86 S.)

2014. Sicilianische Bauernehre. [Cavalleria rusticana.] Volksscenen aus Sicilien v. Giovanni Verga. Autoris. Übersetzg. u. deutsche Bühnenbearbeitg. v. A. Kellner. (31 S.)

2015. Irdisches Vergnügen in Gott. Von Pfalzgraf Ratshr. B. H. Brockes. In Auswahl hrsg. v. Heinr. Stiehler. (90 S.)

2016. Singoalla. Eine Phantasie v. Vict. Rydberg. Aus dem Schwed. übertr. v. M. L. Sunder. Autoris. Übersetzg. (146 S.)

2017. Der Lumpensammler v. Paris. Gemälde aus dem Volksleben in 5 Aufzügen, nebst 1 Vorspiel. [11 Bilder.] Frei nach dem Franz. d. Felix Pyat f. die deutsche Bühne bearb. v. Demetrius Schrutz. (70 S.)

2018. Auf dem Edelhofe. Eine Novelle v. Adf. Dygasiúski. Autoris. Übersetzg. v. Ruhe u. A. Grabowski. (74 S.)

2019. Chrn. Weise's Schulkomödie v. Tobias u. der Schwalbe. Aufgeführt im J. 1682. Hrsg. u. eingeleitet v. Otto Lachmann. (110 S.)

2020. Aus England. Bilder u. Skizzen v. Leop. Katscher. (109 S.)

2021—2026. Die drei Musketiere. Von Alex. Dumas. Deutsch v. H. Meerholz. 2 Thle. (441 u. 423 S.) geb. n. 1. 75

2027. Hermann u. Dorothea. Idyllisches Familiengemälde in 4 Aufzügen. Nach Goethe's Gedicht v. Carl Toepfer. (76 S.)

2028. Rosa v. Tannenburg. Erzählung v. Chrph. v. Schmid. Mit 1 Titel- u. 1 Textbild. (146 S.)

2029. Die Ballschuhe. Lustspiel in 1 Aufzug. Nach Octave Gastineau bearb. v. Carl Frdr. Wittmann. Bühneneinrichtung. (26 S.)

2030. Die vier George v. W. M. Thackeray. Ins Deutsche übertr. v. J. Augspurg. (153 S.)

2031—2035. Titus Livius, römische Geschichte. Uebers. v. Konr. Heusinger. Neu hrsg. v. Otto Güthling. 1. Bd.: Buch I—VIII. (744 S.) geb. n. 1. 50

2036. Die Schuld e. Frau. Sittenbild in 3 Aufzügen v. Emile de Girardin. Für die deutsche Bühne bearb. v. Julian Olden. (39 S.)

2037. 2038. Der Mann m. dem abgebrochenen Ohre. Nach Edm. About. Deutsch v. H. Meerholz. (208 S.)

2039. Bertha Malm. Schauspiel in 4 Aufzügen v. Osk. Wijkander. Deutsch bearb. v. Wilh. Lange. Einzige vom Verf. autoris. deutsche Bühnenbearbeitg. (88 S.)

2040. Die schöne Müllerin. Lustspiel in 1 Aufzug nach Melesville u. Duveyrier frei bearb. v. Carl Frdr. Wittmann. (50 S.)

2041—2043. Die Narrenbeschwörung v. Thom. Murner. Erneut u. Erläutert v. Karl Pannier. (286 S.) geb. n. 1. —

2044. Rotkäppchen. Dramatisches Kindermärchen in 1 Aufzug v. Ludw. Tieck. Zum Zwecke e. Weihnachtsdarstellg. f. die Bühne bearb. u. eingerichtet v. Feod. Wehl. (37 S.)

2045. Visionen. Der Faktor. 2 Novellen v. Iwan Turgenjeff. Deutsch v. Adf. Gerstmann. (74 S.)

2046. Platon's Georgias. Uebers. v. Frdr. Schleiermacher. Neu hrsg. v. Otto Güthling. (158 S.)

2047—2049. Der Schatz Donina's. Von Salvatore Farina. Autoris. Übersetzg. aus dem Ital. v. Moritz Smets. (344 S.)

2050. 25 Dienstjahre. Lustspiel in 1 Aufzug v. Ernst Wichert (26 S.)

2051—2054. Montesquieu's persische Briefe. Mit Einleitg. u. Kommentar deutsch v. Ed. Bertz. (408 S.) geb. n. 1. 20

2055. Mimili. Eine Erzählg. v. H. Clauren. Mit e. krit. Einleitg. v. Ad. Stern. (80 S.)

2056. Zu schön! Lustspiel in 1 Aufzug nach Trop beau pour rien faire d. Ed. Plouvien u. J. Adonis. Für die deutsche Bühne frei bearb. von Wilh. v. Hozar. (44 S.)

2057—2059. Großmutter. Bilder aus dem böhm. Landleben v. Bożena Němcova. Aus dem Böhm. übers. v. Ant. Smital. (304 S.)

2060. Gute Zeugnisse. Lustspiel in 3 Aufzügen v. C. Mallachow u. O. Elsner. [Nach der Einrichtg. d. Hamburger Stadt-Theaters.] (70 S.)

2061. 2062. Erzählungen v. Rud. Schmidt. Aus dem Dän. übers. u. eingeleitet v. J. C. Poestion. (189 S.)

2063. Erträumt. Schwank in 1 Aufzug v. Julian Olden. Bühneneinrichtung. (34 S.)

2064. Wunderlichkeiten. Novelle v. Ludw. Tieck. (108 S.)

2065. Wien. Hrsg. v. Ed. Pötzl. 1. Bdchn. Skizzen v. Ed. Pötzl. (119 S.)

2066. Falkenström u. Söhne. Schauspiel in 4 Aufzügen v. John Paulsen. Nach dem norweg. Orig.-Mskr. übers. v. Emil Jonas. (68 S.)

2067—2070. Jos. Königs Geist der Kochkunst, überarb. von K. F. v. Rumohr. Nebst Grimod de la Reynières Küchen-Kalender u. Grundzügen d. gastronom. Anstandes m. Vorwort u. Anmerkgn. neu hrsg. v. Rob. Habs. (408 S.) geb. n. 1. 20

2071. Eine kurtze Comedien v. der Geburt d. Herren Christi. Nach der Handschrift vom J. 1589 hrsg. u. m. e. Einleitg. versehen v. Adf. Gerstmann. (74 S.)

2072. Ausgewählte Skizzen v. Mark Twain. 4. Bdchn. Deutsch v. H. Oswin. (99 S.)

2073. Mutter Gertrud. Schauspiel in 4 Aufzügen v. Rich. Voß. (70 S.)

2074. Die Löwenhaut. Von Charles de Bernard. Uebers. v. H. Meerholz. (154 S.)

2075. Don Cäsar v. Bazan. Komödie in 5 Akten, nach dem französ. Melodrama v. Dumanoir und d'Ennery f. die deutsche Bühne bearb. v. Karl Saar. (68 S.)

2076—2080. Titus Livius römische Geschichte. Uebers. v. Konr. Heusinger. Neu hrsg. v. Otto Güthling. 2. Bd.: Buch IX—XXVI. (700 S.) geb. n. 1. 50

2081—2085. Waverley od. es ist sechzig Jahre her. Von Sir Walter Scott. Deutsch von M. v. Borch. (576 S.) geb. n. 1. 50

2086. Der Wollmarkt. Lustspiel in 4 Aufzügen v. H. Clauren. Durchgesehen u. hrsg. v. Carl Frdr. Wittmann. (60 S.)

2087. Die Madonna m. den Lilien u. andere Erzählungen v. A. Godin. (109 S.)

2088. Wider Hans Wurst v. Dr. Mart. Luther. Bearbeitet, m. Einleitg. u. Anmerkgn. versehen v. Karl Pannier. (98 S.)

2089. Bajazzo u. Familie. Schauspiel in 5 Aufzügen, nach d'Ennery u. Marc-Fournier frei bearbeitet v. Carl Frdr. Wittmann. Bühneneinrichtung m. Regieanmerkgn. u. Kostümangaben. (105 S.)

2090. Jede Pott findt sien'n Deckel. Die Schoolinspecktschon. 2 plattdeutsche Lustspiele v. Aug. Zinck. (48 S.)

2091—2095. Rätselschatz. Sammlung v. Rätseln u. Aufgaben. Hrsg. v. E. S. Freund. (555 S. m. Fig.) geb. n. 1. 50

2096. Tantchen Rosmarin. Das blaue Wunder. Zwei Humoresken v. Heinr. Zschokke. (120 S.)

2097. Joh. Chr. Gottsched's sterbender Cato. Nach der ältesten Ausg. v. 1732 hrsg. u. eingeleitet v. Otto F. Lachmann. (109 S.)

2098. 2099. Unter dem Wasser. Erzählung v. G. Rovetta. Autoris. Uebersetzg. aus dem Ital. von B. u. N. Arnous. (186 S.)

2100. Treu dem Herrn. Schauspiel in 4 Aufzügen v. Rich. Voß. (79 S.)
2101. Wien. Hrsg. v. Ed. Pötzl. 2. Bdchn. Alt-Wiener Studien v. Ed. Hoffmann. (130 S.)
2102. Der Jesuit u. sein Zögling. Lustspiel in 4 Aufzügen v. Alois Schreiber. Hrsg. u. durchgesehen v. Carl Frdr. Wittmann. Bühneneinrichtung m. Regieanmerkgn. 2. Aufl. (77 S.)
2103—2105. Andrer Leute Kinder od. Bob u. Teddi in der Fremde. Von John Habberton. Deutsch v. M. Greif. (300 S.) geb. n. 1. —
2106. Eine Nacht der Täuschungen. [She stoops to conquer.] Lustspiel in 5 Aufzügen v. Oliver Goldsmith. Aus dem Engl. übers. v. E. Dornheim. (79 S.)
2107. 2108. Honorine. Oberst Chabert. Erzählungen v. Honoré de Balzac. Deutsch v. H. Denhardt. (189 S.)
2109. Die drei Lebemänner. [Les trois amants.] Sittenbild in 2 Aufzügen v. Madame de Girardin. Deutsch v. Otto Neumann-Hofer. Bühnenbearbeitung m. Regieanmerkgn. (64 S.)
2110. Das Gastmahl d. Kallias v. Xenophon. Aus dem Griech. übertr. v. P. E. Meyer. (60 S.)
2111—2115. Titus Livius, römische Geschichte. Uebers. v. Konr. Heusinger. Neu hrsg. v. Otto Güthling. 3. Bd.: Buch XXVII—XXXVI. (730 S.) geb. n. 1. 50
2116. Nala u. Damayanti. Ein altind. Märchen aus dem Mahâbhârata. Sinngetreue Prosaübersetzg. v. Herm. Camillo Kellner. (116 S.)
2117. Wenn Frauen lachen. Lustspiel in 1 Aufzug v. Th. Narrey. Für die deutsche Bühne bearb. v. Julian Olden. Bühneneinrichtung. (28 S.)
2118—2120. Die Herren Golowljew. Roman, aus dem Russ. d. Saltykow-Schtschedrin v. Hans Moser. (392 S.)
2121—2125. Linguet's Denkwürdigkeiten üb. die Bastille. Mit umfass. Ergänzgn. u. Berichtiggn. deutsch hrsg. v. Rob. Habs. Mit e. Plane der Bastille. (558 S.) geb. n. 1. 50
2126. Erzählungen v. F. M. Dostojewskij. Frei nach dem Russ. v. Wilh. Goldschmidt. (120 S.)
2127. Der Bräutigam aus Mexiko. Schauspiel in 5 Aufzügen v. H. Clauren. Durchgesehen u. hrsg. v. Carl Frdr. Wittmann. (87 S.)
2128. Notre Dame de Flots. Eine Glocknerfahrt. Zwei Novellen v. Karl Erdm. Edler. (104 S.)
2129. Wilhelm Tell od. die freie Schweiz v. Florian. Deutsch v. H. Meerholz. (73 S.)
2130. Gedichte v. Henrik Ibsen. Vollständige Ausg. Uebertragen u. erläutert v. L. Passarge. (140 S.) geb. n. — 60
2131. Berlin. Von Paul Lindenberg. 5. Bdchn. Neu-Berlin. Skizzen u. Schilderggn. (73 S.)
2132. 2133. 50 ausgewählte Briefe Seneca's an Lucilius. (185 S.) geb. n. — 80
2134. Neue Novelletten v. Alex. L. Kielland. Deutsch von M. v. Borch. (84 S.)
2135. Liebe kann Alles. Lustspiel in 4 Aufzügen nach Frz. v. Holbein frei bearb. v. Carl Frdr. Wittmann. Bühneneinrichtung m. Regieanmerkgn. (52 S.)
2136. 2137. Renée Mauperin. Roman von Edmond u. Jules v. Goncourt. Deutsch v. H. Meerholz. (241 S.)
2138. 2139. J. W. L. Gleim's ausgewählte Werke. Hrsg. v. Leonh. Lier. (195 S.) geb. n. — 80
2140. Die goldne Spinne. Schwank in 4 Aufzügen von Frz. v. Schönthan. Mit dem Bildnis d. Verf. (89 S.)
2141. 2142. So'n Mann wie mein Mann. Eine Ehestands-Humoreske v. Mary A. Denison. Aus dem Engl. übertr. v. Paul Heichen. (176 S.) geb. n. — 80
2143. Dido. Scherzspiel in 1 Aufzuge v. Ernst Wichert. (26 S.)

Universal-Bibliothek

2144. Der Dreispitz. Aus dem Span. d. D. Pedro de Alarcon übers. v. Hulda Meister. (104 S.)
2145. Der Advokat. Schauspiel in 5 Aufzügen v. Felix Philippi. (76 S.)
2146—2150. Titus Livius, römische Geschichte. Uebers. v. Konr. Heusinger. Neu hrsg. v. Otto Güthling. 4. Bd.: Buch 37—45. (667 S.) geb. n. 1. 50
2151—2153. Die Ruinen u. das natürliche Gesetz v. Const. François Volney. Deutsch v. Geo. Forster. Mit e. Biographie Volneys neu hrsg. v. Rob. Habs. (304 S.) geb. n. 1. —
2154. 2155. Der Pfingstmontag. Lustspiel in Straßburger Mundart v. J. G. D. Arnold. Mit vervollständigtem Wörterverzeichnis u. e. Biographie Arnolds v. Rob. Habs. (213 S.)
2156. Die Glücksmühle. Novelle v. Jan Slavici. Aus dem Rumän. v. Leon Schönfeld. (159 S.)
2157. Des Hauses Dämon. Schauspiel in 2 Aufzügen v. George Sand. Frei übertr. u. f. die deutsche Bühne bearb. v. Ant. Bing. (57 S.)
2158—2160. Im Banne der Versuchung. Roman v. Hector Malot. Autoris. Uebersetzg. aus dem Franz. v. Mor. Smets. Mit e. Einleitg. (380 S.)
2161—2168. Bojardo's verliebter Roland. Deutsch v. J. D. Gries. Neu hrsg. v. Wilh. Lange. 2 Thle. (508 u. 498 S.) geb. n. 2. 25
2169. Wien. Hrsg. v. Ed. Pötzl. 3. Bdchn. Neues humorist. Skizzenbuch v. Ed. Pötzl. (108 S.)
2170. Ueber die Kraft. Von Björnstjerne Björnson. Uebers. v. L. Passarge. (79 S.)
2171—2174. Wanda. Roman v. Ouida. Autoris. deutsche Uebersetzg. v. Arth. Roehl. (480 S.)
2175. Der Kernpunkt. Schwank in 4 Aufzügen nach E. Labiche v. Adf. Gerstmann. (100 S.)
2176. Ausgewählte Novellen v. Edgar Allan Poe. Deutsch v. J. Möllenhoff. 3. Bdchn. (120 S.)
2177—2180. Der theologisch-politische Traktat v. B. Spinoza. Neu übers. u. m. e. biograph. Vorwort versehen v. J. Stern. (385 S.) geb. n. 1. 20
2181—2186. Der Jude. Deutsches Sittengemälde aus der 1. Hälfte d. 15. Jahrh. Von C. Spindler. 3 Thle. (306, 308 u. 285 S.)
2187. Der Spion v. Rheinsberg. Lustspiel in 5 Aufzügen von Rud. v. Gottschall. [Neue Bühneneinrichtg.] (82 S.)
2188. Kindermund. Aussprüche u. Scenen aus dem Kinderleben, gesammelt von Paul v. Schönthan. (82 S.)
2189. Aus England. Bilder u. Skizzen v. Leop. Katscher. 2. Hft. (113 S.)
2190. Alexandra. Drama in 4 Aufzügen v. Rich. Voß. (79 S.)
2191. 2192. Das verlorene Paradies. Von John Milton. Deutsch v. Adf. Böttger. (313 S.) geb. n. — 80
2193. Marguerite. [Les Ganaches.] Komödie in 4 Aufzügen v. Victorien Sardou. Deutsch v. J. Bettelheim. Einrichtung d. Residenz-Theaters in Berlin. (112 S.)
2194. 2195. Robinson Crusoe. Von Daniel de Foe. Aus dem Engl. übers. v. A. Tuhten. (357 S.)
2196. Goldhärchen. Zaubermärchen m. Gesang u. Tanz in 4 Aufzügen u. 7 Bildern v. Rob. Hertwig. (64 S.)
2197—2199. Memoiren e. Jägers. Aus dem Russ. d. Iwan Turgenjeff übers. v. Hans Moser. (420 S.) geb. n. 1. —
2200. Mosaik. Kleine Erzählgn. in Prosa u. Versen von Karl v. Heigel. (85 S.)
2201—2206. Die Geschichten d. Herodotos, übers. v. Frdr. Lange. Neu hrsg. v. Otto Güthling. 2 Tle. (407 u. 368 S.) geb n. 2. —
2207. Die Danischeffs. Schauspiel in 4 Aufzügen v. Pierre Newsky. Einzige autoris. Uebersetzg. u. Bühnenbearbeitg. Einrichtung d. Residenztheaters in Berlin. (70 S.)
2208. Die Reise um die Erde in achtzig Tagen, nebst

e. Vorspiel: Die Wette um e. Million. Spektakelstück m. Gesang, Tanz, Evolutionen u. Aufzügen in 5 Abtlgn. u. 15 Tableaux von d'Ennery u. Jules Verne. Einzig autoris. Uebersetzg. u. Bühnenbearbeitg. (110 S.)

2209. Ferréol. Schauspiel in 4 Aufzügen v. Victorien Sardou. Deutsch v. R. Schelcher. Einzige autoris. Uebersetzg. u. Bühnenbearbeitg. (98 S.)

2210. Schulröschen. Lustspiel in 5 Aufzügen von Rud. v. Gottschall. [Neue Bühnenbearbeitg.] (85 S.)

2211. Ueber die deutsche Litteratur. Von Friedrich dem Großen. Uebers. u. m. Justus Möser's Gegenschrift hrsg. v. Heinr. Simon. (94 S.)

2212. Boris Godunow. Dramatisches Gedicht v. Alex. Puschkin. Uebers. v. Frdr. Fiedler. (68 S.)

2213. Das Blumenkörbchen. Eine Erzählg., dem blüh. Alter gewidmet von Chrph. v. Schmid. Mit 1 Titelbild. (118 S.)

2214. Die Ammergauer Lise. Orig.-Volksstück m. Gesang in 4 Aufzügen u. e. Vorspiel in 1 Aufzug: Der Rosenkranz-Wirt v. Carl Tannenhofer. Verbesserte Ausg. (72 S.)

2215. 2216. Silas Marner, der Leinweber v. Raveloe. Von George Eliot. Ins Deutsche übertr. v. J. Augspurg. (256 S.)

2217. Eine eheliche Anleihe. Lustspiel in 1 Aufzuge v. Osc. Teuscher. Bühneneinrichtung m. Regieanmerkgn. (32 S.)

2218. Konkursordnung f. das Deutsche Reich, nebst dem Anfechtungsgesetz. Textausg. m. kurzen Anmerkgn. u. Sachregister. Hrsg. v. e. prakt. Juristen. (130 S.) geb. n. — 60

2219. Am Abgrund. Novellen v. Emil Peschkau. (110 S.)

2220. Kyritz-Pyritz. Posse m. Gesang in 3 Aufzügen v. H. Wilken u. O. Justinus. Musik v. Gust. Michaelis. Autoris. Bühneneinrichtg. (81 S.)

Alphabetisches Verzeichniß der Autoren.

Universal-Bibliothek, geographische. Nr. 1—20. 16. Weimar 884—86. Geograph. Institut. à n. — 20

1. Die Zukunft der Kongo- u. Guineagebiete. Von J. Falkenstein. (36 S.)
2. Die deutschen Niederlassungen an der Guineaküste. Von Brix Förster. (36 S.)
3. Im Reiche d. Fo. Eine Charakteristik d. chines. Volkes. Von Amand Frhr. v. Schweiger-Lerchenfeld. (44 S.)
4. Die Eisenbahn zwischen den Städten New-York u. Mexiko, nebst e. allgemeinen Schilderg. Mexikos. Von Rob. v. Schlagintweit. (38 S.)
5. Die Goldküste u. ihre Bewohner. von Ant. Reichenow. (40 S.)
6. 7. Die Araber der Gegenwart u. die Bewegung im Islam. Von Amand Frhr. v. Schweiger-Lerchenfeld. (62 S.)
8. Stanleys Forschungsreise quer durch Afrika in den J. 1874—1877. Von H. Daum. (38 S.)
9. 10. Die Ozean-Dampfschiffahrt u. die Post-

dampferlinien nach überseeischen Ländern. Von Ad. Zetzsch. Mit 1 Karte der deutschen u. ausländ. subventionierten Dampferlinien. (55 S.)
11—13. Deutschland u. England in Süd-Afrika. Mit 1 Karte v. Lüderitzland. (88 S.)
14—16. Sansibar u. das deutsche Ost-Afrika. Von G. Westphal. (94 S.)
17. 18. Die Riviera di Ponente. Von Osk. Schneider. (69 S.)
19. Die Erforschung der Nilquellen. Von H. Daum. (88 S.)
20. Timbuktu. Von Karl Lüders. Mit e. Übersichtskarte. (25 S.)

Universal-Bibliothek f. die Jugend. 133—201. Bdchn. 12. Stuttgart 883—86. Kröner. à n. — 20
133. Kaiser Wilhelm. Ein Lebensbild v. Karl Neumann-Strela. Mit 2 Abbildgn. (64 S.) geb. n. — 60
134—136. Vom schwarzen Kontinente. Baron Karl Klaus v. der Decken's Reisen u. Erlebnisse in Ostafrika. Für die reifere Jugend bearb. v. Gust. Plieninger. Mit 11 Abbildgn. (239 S.) geb. n. 1 —
137. 138. Kleine Erzählungen aus dem Tierleben. Von Julie Dungern. Mit e. Anh.: Tierfabeln. Mit zahlreichen Abbildgn. v. Frdr. Lossow. (122 S.) geb. n. — 80
139. Schloß Heimburg. Bilder aus der Zeit d. 30jähr. Krieges v. J. Ludwig. Mit 4 Abbildgn. v. Wold. Friedrich. (63 S.) geb. n. — 60
140—142. Alwin u. Theodor. Erzählungen v. Frdr. Jacobs. Neu hrsg. v. Dietr. Theden. Mit 5 Abbildgn. v. G. Hahn. (204 S.) geb. n. 1. —
143—145. Marks Riff. Nach der Erzählg. v. J. F. Cooper f. die Jugend bearb. v. M. Barack. Mit 6 Abbildgn. v. E. Kepler. (228 S.) geb. n. 1. —
146—157. Die schönsten Sagen d. klassischen Altertums. Nach seinen Dichtern u. Erzählern v. Gust. Schwab. 3 Tle. Mit je 4 Abbildgn. v. E. Weisser u. A. Kull. (316, 340 u. 336 S.) geb. à n. 1. 20
158. 159. Kleine moralische Erzählungen. Für jüngere Kinder gesammelt v. Werner Werther. Mit 4 Abbildgn. v. Fritz Bergen. (131 S.) geb. n. — 80
160—162. Jane Strickland's ausgewählte Erzählungen f. die reifere Jugend. Nach dem Engl. v. Gust. Plieninger. Mit 6 Abbildgn. v. Fritz Bergen. (230 S.) geb. n. 1. —
163. David Copperfield od. Gott ist der Waisen Vater. Nach der Erzählg. v. Boz f. die Jugend bearb. v. Emil Wolff. Mit 2 Abbildgn. v. Fritz Bergen. (68 S.) geb. n. — 60
164. 165. Die Feierabende in Mainau. Erzählungen v. Frdr. Jacobs. Neu hrsg. v. Dietr. Theden. Mit 4 Abbildgn. v. Geo. Hahn. (131 S.) geb. n. — 80
166. Erzählungen aus dem amerikanischen Leben. Von T. S. Arthur. Mit 2 Abbildgn. v. Fritz Bergen. (72 S.) geb. n. — 60
167. Die Seeschwalbe. Das Lappenmädchen. Im Thale der Tuareks. Erzählungen v. Helene Stökl. Mit 2 Abbildgn. v. Fritz Bergen. (71 S.) geb. n. — 60
168. 169. Kleine Erzählungen d. alten Pfarrers v. Mainau. Von Frdr. Jacobs. Neu hrsg. v. Dietr. Theden. Mit 4 Abbildgn. v. G. Hahn. (144 S.) geb. n. — 80
170. 171. Hilfe in der Not od. Errettungen aus großen Lebensgefahren. Aus glaubwürd. Berichten zusammengestellt v. Gust. Plieninger. Mit 4 Abbildgn. v. Fritz Bergen. (128 S.) geb. n. — 80
172. Ein Mann v. Wort. „Zu spät!" Historische Erzählgn. v. Hermine C. Proschko. Mit 2 Abbildgn. v. Fritz Bergen. (84 S.) geb. n. — 60
173. Krieg u. Frieden. 3 Erzählgn. v. Th. Messerer. [Die Bilder der Großeltern. Die beiden Grenadiere. Das Medaillon.] Mit 2 Abbildgn. v. Fritz Bergen. (80 S.) geb. n. — 60
174. 175. Ausgewählte Erzählungen d. Rheinländischen Hausfreundes v. J. P. Hebel. Für die Jugend, besonders auch f. Schul- u. Ortsbibliotheken zusammengestellt v. Gust. Plieninger. Mit 4 Abbildgn. (136 S.) geb. n. — 80
176. 177. Skizzen aus dem Mädchenleben v. Jean Ingelow. Für die deutsche Jugend bearb. v. Meta Greif. [Das gestohlene Kleinod. Das Bild meiner Großtante.] Mit 4 Abbildgn. v. Fritz Bergen. (116 S.) geb. n. — 80
178. Das Institutskind. Erzählung v. J. Knogler. Mit 2 Abbildgn. v. Fritz Bergen. (64 S.) geb. n. — 60
179. Ein nordischer Held. Ein Bild aus der Geschichte. Für die Jugend entworfen v. Rich. Roth. Mit 2 Abbildgn. v. Fritz Bergen. (62 S.) geb. n. — 60
180. 181. Ausgewählte Erzählungen von Chrph. v. Schmid. Mit e. Abrisse seines Lebens v. Gust. Plieninger. I. Die Ostereier. Der Weihnachtsabend. Mit 4 Abbildgn. v. Fritz Bergen. (126 S.) geb. n. — 80
182. 183. Dasselbe. II. Rosa v. Tannenburg. Mit 4 Abbildgn. v. C. Kolb. (134 S.) geb. n. — 80
184. Dasselbe. III. Heinrich v. Eichenfels. Das Täubchen. Mit 2 Abbildgn. v. C. Kolb. (72 S.) geb. n. — 60
185. 186. Dasselbe. IV. Das Blumenkörbchen. Der Kanarienvogel. Das Johanniskäferchen. Mit 4 Abbildgn. v. C. Kolb. (142 S.) geb. n. — 80
187—189. Gumal u. Lina. Eine Geschichte f. Kinder v. Kasp. Frdr. Lossius. Neu bearb. v. Agnes Willms. Mit 6 Abbildgn. v. Fritz Bergen. (176 S.) geb. n. 1. —
190. Paul u. Virginie od. die Einsiedler auf Isle de France. Eine Erzählg. aus den Kolonien d. Ind. Oceans. Nach Saint-Pierre frei f. die Jugend bearb. v. A. H. Fogowitz. Mit 2 Abbildgn. (68 S.) geb. n. — 60
191. 192. Der Jugend Rätselschatz. 664 der schönsten Rätsel, gesammelt u. alphabetisch geordnet v. Werner Werther. (182 S.) geb. n. — 80
193. 194. Oberon, der Elfenkönig, od. Ritter Hüons Abenteuer. Für die Jugend erzählt v. K. A. Müller. Mit 4 Abbildgn. v. Herm. Fieg. (112 S.) geb. n. — 80
195—197. Der Knabe d. Tell. Eine Geschichte f. die Jugend v. Jerem. Gotthelf. Mit 6 Abbildgn. v. Herm. Fieg. (179 S.) geb. n. 1. —
198. 199. Beispiele d. Guten. Zur Nacheiferg. f. die Jugend ausgewählt v. Gust. Plieninger. Mit 4 Abbildgn. v. Geo. Hahn. (143 S.) geb. n. — 80
200. 201. Fürchte Gott, thue recht u. scheue niemand! Erzählung v. Frz. Hoffmann. Mit 4 Abbildgn. v. J. R. Wehle. (128 S.) geb. n. — 80

Universal-Bibliothek, juristische. Nr. 1—7. 12. Berlin 884. Schildberger. à — 20
1. Gesetz betr. die Krankenversicherung der Arbeiter. Vom 15. Juni 1883. Mit Sachregister. (40 S.)
2. 3. Gesetz betr. die Unfallversicherung d. Arbeiter. Vom 6. Juli 1884. Mit Sachregister. (64 S.)
4. Gesetz üb. die eingeschriebenen Hülfskassen. Vom 7. April 1876. Gesetz, betr. die Abänderung des Gesetzes üb. die eingeschriebenen Hülfskassen vom 7. April 1876. Vom 1. Juni 1884. Gesetz, betr. die Abänderung d. Tit. VIII der Gewerbe-Ordnung. Vom 8. Apr. 1876. (23 S.)
5. 6. Gesinde-Ordnung f. sämmtliche Provinzen der Preußischen Monarchie vom 8. Novbr. 1810, 19. Aug. 1844 u. 11. Apr. 1845. Mit Anmerkgn. u. ausführl. Sachregister. (II, 60 S.)
7. Wucher-Gesetz vom 24. Mai 1880, nebst dem Gesetz betr. die vertragsmäß. Zinsen vom 14. Novbr. 1867. Mit erklär. Anmerkgn. v. Hugo Marcuse. (16 S.)

— der bildenden Künste. Nr. 1—9. 12. Leipzig 886. Lemme. à n. — 20
1. Lukas Cranach. Mit 5 Illustr. (32 S.)
2. Hans Holbein d. J. Mit 8 Illustr. (37 S.)
3—5. Hans Holbein d. J., Todtentanzbilder. Mit 27 Illustr. (63 S.)

6. David Teniers Vater u. Sohn. Mit 18 Illustr. (27 S.)
7. Tintoretto. Mit 13 Illustr. (35 S.)
8. 9. Paolo Veronese. Mit 14 Illustr. (50 S.)

Universal-Bibliothek der Gabelsbergerschen Stenographie. 1. Serie. 1—9. Bd. 16. Dresden. (Stuttgart, Hugendubel.) n. 9. —; einzeln à n. 1. 20
1. Meister Martin der Küfner u. seine Gesellen v. E. Th. A. Hoffmann. In stenogr. Schrift übertr. v. Zeibig. 2. Aufl. (64 S.) 884.
2. 3. Luise. Ein ländl. Gedicht in 3 Idyllen v. Joh. Heinr. Voss. In stenograph. Schrift übertr. v. Zeibig. 2 Thle. (98 S.) 883.
4. Des Feldprediger Schmelzle Reise nach Flätz v. Jean Paul. (53 S.) 883.
5. Das Wirthshaus im Spessart v. Wilh. Hauff. (58 S.) 884.
6. 7. Der Scheik v. Alessandria u. seine Sklaven v. Wilh. Hauff. 2 Bdchn. (S. 59—186.) 884. 85.
8. 9. Egmont. Ein Trauerspiel in 5 Aufzügen von W. v. Goethe. 2 Thle. (116 S.) 885.

Universal-Kalender, illustrirter, auf d. J. 1886. Jahrbuch d. Unterhaltenden u. Nützlichen f. Stadt u. Land. 4. (128, 56, 54, 80, 66 u. 20 S.) Winterberg, Steinbrener. cart. n.n. 2. 40

Universal-, Militär- u. Wirthschafts-Kalender, kroatisch-slavonisch-dalmatischer, f. d. J. 1883. 63. Jahrg. 4. (103 S.) Agram, Suppan. n. 1. —

Universal-Lexikon der Kochkunst. 3. Aufl. 2 Bde. od. 12 Lfgn. gr. 8. (XXXV, 644 u. 662 S.) Leipzig 886. Weber. à 1. 20; cplt. geb.: n. 20. —

Universal-Liederbuch, illustrirtes. Eine vollständ. Sammlg. der schönsten u. beliebtesten Volks-, Vaterlands-, Jäger-, Soldaten-, Studenten-, Turner-, Wander-, Gesellschafts-, Trinklieder etc. Mit vielen (eingedr.) Bildern. Neueste Aufl. gr. 16. (384 S.) Reutlingen 884. Enßlin & Laiblin. cart. 1. 20

Universal-Militär-Taschen-Kalender „Austria" f. das österreichisch-ungarische Heer 1887. [Militärisches Jahrbuch.] 3. Jahrg. Hrsg. v. Offizieren u. Militär-Beamten. Red. v. O. J. Schmid. 16. (IV, 339 S.) Wien, (Seidel & Sohn). geb. n. 3. 40

Universal-Modenzeitung f. Herren-Garderobe. Red.: H. Klemm. 23—26. Jahrg. 1883—1886. à 12 Nrn. (B. m. eingedr. planotyp. Zeichngn., Schnittbeilagen u. 2 color. Modelkpfrn.) gr. Fol. Dresden, Exped. der europ. Modenzeitg. à Jahrg. n. 16. —

Universal-Schreib- u. Wirthschafts-Kalender, illustrirter neuer Agramer, f. alle Stände auf d. J. 1887. Für Katholiken, Protestanten, Griechen, Juden u. Türken. 4. (151 S.) Agram, Hartman's Verl. n. 1. —

Universal-Wörterbuch, neues, der deutschen, englischen, französischen u. italienischen Sprache. Nach e. neuen System bearb. gr. 16. (XII, 1199 S.) Berlin 886. Trowitzsch & Sohn. geb. n. 6. —

Universitäts-Jubiläum, die Heidelberger, der früheren Jahrhunderte v. K. Rupertophilus. gr. 8. (15 S.) Heidelberg 886. C. Winter. n. — 20

Universitäts-Kalender, deutscher. 30. Ausg. Winter-Semester 1886/87. Hrsg. v. F. Ascherson. 2 Thle. 16. (70 u. IV, 269 S.) Berlin, Simion. In 1 Bd. geb. n. 2. 50; 2. Thl. geh. ap. n. 1. 80

— Wiener, f. d. Studienjahr 1886/87. Als neue Folge d. „Taschenbuches d. gesammten Studienwesens an den Hochschulen zu Wien" hrsg. u. m. Benützg. amtl. Quellen bearb. v. L. Hermann. 16. (XVIII, 85 S.) Wien, Halm & Goldmann. geb. n. 1. 30

Universitäts-Sternwarte, die neue, auf der Türkenschanze bei Wien. Zur Erinnerg. an den 5. Juli 1883. gr. 8. (18 S.) Wien 883. (Gerold's Sohn.) n. — 60

Universum. Illustrirte Monatsschrift. 1. Jahrg. Octbr. 1884—Septbr. 1885. 12 Hfte. (5 B. m. eingedr. Illustr. u. Lichtdr.-Taf.) Lex.-8. Dresden, W. Hoffmann. à Hft. n. 1. —

— Illustrirte Zeitschrift. Belletristik, Kunst u. Wissenschaft. Hrsg.: Eug. Friese. Red.: Jeslo v. Puttkamer. 2. u. 3. Jahrg. Octbr. 1885—Septbr. 1887. à 24 Hfte. (6 B. m. eingedr. Illustr. u. Lichtdr.-Taf.) hoch 4. Dresden, Verlag d. Universum [E. Friese]. à Hft. n. — 50

Universum für Gewerbetreibende u. Geschäfts-Leute. Unentbehrlicher Ratgeber u. Führer in allen Fällen d. gewerbl. u. geschäftl. Lebens. Zugleich Hand- u. Nachschlagebuch f. viele Verhältnisse d. Privatlebens. 1. Bd.: Der Geschäftsfreund. 1—5. Lfg. gr. 8. (S. 1—240.) Waldshut 884. Zimmermann. à — 30

— das neue. Die interessantesten Erfindgn. u. Entdeckgn. auf allen Gebieten. Ein Jahrbuch f. Haus u. Familie, besonders f. die reifere Jugend. (4. u. 5. Bd.) Mit e. Anh. zur Selbstbeschäftigung „Häuslicher Werkstatt". gr. 8. (à ca. 396 S. m. eingedr. Holzschn. u. 1 Chromolith.) Stuttgart 883. 84. Spemann. geb. à n. 6. —; auch in 12 Hftn. à n. — 50

— dasselbe. (6. u. 7. Bd.) gr. 8. (à ca. 396 S. m. eingedr. Holzschn. u. Taf.) Ebend. 885. 86. à n. 6. 75; auch in 12 Hftn. à n. — 50

Unna, P. G., das Ekzem im Kindesalter, s.: Sonderabdrücke der deutschen Medicinal-Zeitung.

— Ichthyol u. Resorcin als Repräsentanten der Gruppe reduzierender Heilmittel, } s.: Studien, dermatologische.
— die Lepra-Bacillen in ihrem Verhältnis zum Hautgewebe, } s.: Studien, dermatologische.

— Leprastudien, s.: Baelz, E.

— über medicinische Seifen, s.: Sammlung klinischer Vorträge.

— die Stauungsdermatosen d. Unterschenkels u. ihre Behandlung, s.: Sonderabdrücke der Deutschen Medicinal-Zeitung.

Unrein, Otto, de Aviani aetate. gr. 8. (64 S.) Jena 885. (Neuenhahn.) n. 2. —

Unruh, v., Denkschrift üb. die Ausführung d. Reichsgesetzes betr. die Krankenversicherung der Arbeiter vom 15. Juni 1883 im Kreise Ploen, nebst e. Anh., enth. e. Zusammenstellg. u. Erläuterg. der Befugnisse, welche dem weiteren Kommunalverbande [Kreistage] durch das Gesetz ertheilt worden sind. Ausgearb. im Auftrage d. Landr. Frhrn. v. Brackel. gr. 4. (52 u. Anh. 20 S.) Ploen 884. (Hahn.) n. 1. —

Unschuld, die betende. Gebetbüchlein f. fromme Kinder. 2. Aufl. 32. (192 S. m. eingedr. Holzschn.) Dülmen 886. Laumann. n. — 25; geb. n. — 35

Unschuld v. Melasfeld, Ritter, Terrainlehre, e. gesonderte Wissenschaft. Behandelt die Entstehung der Formgebilde v. Unebenheiten unserer Erdoberfläche u. ihre Darstellg., als Vorschule f. Geologie. Ein Leitfaden f. jeden Militär u. f. Alle, welche sich dem Studium der Geologie widmen. Nach den Grundzügen d. verstorbenen Ritter v. Hauslab bearb. u. zusammengestellt. gr. 8. (XIV, 248 S. m. eingedr. Fig.) Wien 884. (Hölder.) n. 12. —

Unter dem Kreuze. Kirchliches Volksblatt aus Niedersachsen. Red. in Vertretg.: Edgar Bauer. 8. Jahrg. 1883. 52 Nrn. (1/2 B) Lex.-8. Hannover. (Dresden, H. J. Naumann.) n. 4. —

— dasselbe. Hrsg. v. L. Grote. Red. i. V.: Edgar Bauer. 9. Jahrg. 1884. 52 Nrn. (1/2 B.) Lex.-8. Hannover 886. (Schulbuchh.) 6. —

— dasselbe. 10. Jahrg. 1885. 52 Nrn. (B.) hoch 4. Ebend. n.n. 5. —

— dem geflügelten Rad oder Humanität u. Courszettel. Eine Lanze f. die Angestellten der Eisenbahnen. gr. 8. (28 S.) Wien 885. Spielhagen & Schurich. n. — 70

— dem Sargdeckel. Fragmentarische Enthüllgn. aus dem großen *** Nichts *** genannt: □ vulgo „Freimaurerlogen". Nebst e. kurzen Blumenlese aus: „Tant de bruit pour une omelette" genannt: Encyklika d. Papstes Leo XIII. gegen die Freimaurer. Von „Bruder" Narrenfeind. gr. 8. (50 S.) Zürch 884. Verlags-Magazin. n. 1. —

Untereker, Predigt zur Feier der Glockenweihe in Hofs, geh. den 20. März 1884. gr. 8. (16 S.) Leutkirch 884. (Roth.) n. — 20

Untergang, der, d. großen Auswandererschiffes „Cimbria", durch welchen üb. 400 Menschen den Tod in dem Meere gefunden haben. 2. Aufl. 8. (16 S.) Berlin 883. Weichert. n. — 10

Unterhaltungs-Abend, der. Eine Auswahl beliebter u. erprobter Aufführgn., darstellbar ohne weitere Bühnenkenntniß, nebst Anleitg. zu deren wirksamster Vorführg. 6. Hft. gr. 8. Hamburg 886. Kramer. à — 75

Zweiter Cyclus classischer Citate, travestirt in lebenden Bildern. Von Heinr. Jürs. (31 S.)

Unterhaltungs-Bibliothek. Nr. 1327—1335. 16. Mühlheim 883. Bagel. à — 30

1327. Das Grab d. Medicinmannes. Eine Erzählg. aus den Cordilleren v. M. Kümmel. (79 S.)

1328. Der Squatter in Arkansas. Eine Erzählg. aus dem Westen Nordamerikas v. Felix Lilla. (80 S.)

1329. Im Lande der Schwarzfüße. Ein Bild aus dem Leben der Trapper u. Rothhäute v. A. H. Fogowitz. (79 S.)

1330. Pedrilla Xaltros, die Heldin der Guerillas. Eine Begebenheit aus der Zeit der span. Guerillas-Insurrektion. Nach e. histor. Aufzeichng. v. A. H. Fogowitz. (80 S.)

1331. Wenonda, das Mandanenmädchen. Eine Indianergeschichte v. Carl Zastrow. (80 S.)

1332. Verschlagen auf dem Ozean. Eine Schiffbruchs-Geschichte v. Otfried Mylius. (80 S.)

1333. Der Schlangen-Jäger. Eine Erzählg. v. H. Kümmel. (79 S.)

1334. In der Eisregion od. verloren u. wiedergefunden. Eine Geschichte aus der Polarwelt. Nach e. engl. Motiv v. A. H. Fogowitz. (79 S.)

1335. Auge um Auge, Zahn um Zahn! Eine Geschichte v. der Indianer-Grenze v. Otfrid Mylius. (79 S.)

— dasselbe. 3. Jahrg. 8—12. Bdchn. 12. Münster 883. Aschendorff. à n. 1. —

8. Erzählungen v. Boosboom-Toussaint. Aus dem Holl. übers. v. E. G. (204 S.) 882.

9. So wurde er reich. Eine Erzählg. aus unseren Tagen v. Aug. Snieders. Aus dem Holl. übers. (300 S.)

10. Annunziata. Novelle v. Melati van Java. Aus dem Holl. übers. v. E. G. (226 S.)

11. Eine einzige Tochter. Novelle v Melati van Java. Aus dem Holl. übers. v. E. G. (182 S.)

12. Allein in der Welt. Von Aug. Snieders. (269 S.)

— dasselbe. 4. Jahrg. 1—9. Bdchn. 12. Ebend. 884. 85. n. 9. 40

1. Die Königstochter v. Kippen. Novelle aus der schott. Geschichte d. 16. Jahrh von Otto v. Schaching. (215 S.) n. 1. —

2. Zu spät. Preisgekrönte Novelle v. J. de Reysa. Aus dem Franz. frei übers. v. E. G. — Graziella. Bianca Paestra. (307 S.) n. 1. —

3. Emma u. Delphine. — Robert Anatole. — Das Schmuckkästchen der Tante Jette. — Mein ältester Bruder. — Schloß Schlesheim. (303 S.) n. 1. —

4. Die beiden Amerikanerinnen. Aus dem Franz. frei übers. — Lady Maria Grey. — Der Republik muß gehorsamt werden. (238 S.) n. 1. —

5. Donna Gracia aus dem Franz. frei übers. (272 S.) n. 1. —

6. Eine Erzählung am Toilette-Spiegel. Eine angenehme Ueberraschung. Das Fräulein v. Malepeire. Die Stiefmutter. (378 S.) n. 1. 20

7—9. David Copperfield. Aus dem Engl. v. Charles Dickens frei übers. 1—3. Thl. (996 S.) n. 3. 20

— christliche. Nr. 5—12. Neue Ausg. 8. Halle 883. 84. Fricke's Verl. à n. 1. —

5. Die Reinards od. vom Frieden Gottes u. vom Unfrieden der Welt. Erzählg. v. der Verf. der „Margaretha", d. „Ulrich" u. der „Nachbarstöchter". 2 Thle. in 1 Bd. (284 u. 260 S.)

6. Die Nachbarstöchter. Ohn all Verdienst u. Würdigkeit. Eine Erzählg. v. der Verf. der „Margarethe" u. d. „Ulrich". (349 S.)

7. Hast du gelernt? Wohl dem, dem seine Sünden vergeben sind. — Barbara v. Eichstetten. Bevorwortet von Phpp. v. Nathusius. (270 u. 173 S.)

8. Elmhausen. Charakter- u. Lebens-Bilder, gezeichnet v. Frauenhand. (291 S.)

9. Im Kampfe Frieden. Ein einfaches Bild aus großer Zeit. Von Silas. (III, 212 S.)

10. Meister Gottfried. Eine Dorfgeschichte, für's Volk erzählt v. Armin Stein. — Ulrich. Eine Erzählg. v. der Verf. v. „Margarethe". (IV, 139 u. 227 S.)

11. Constanze. Eine Geschichte in 4 Abschnitten. [Aus: „Volksbl. f. Stadt u. Land".] (IV, 224 S.)

12. Gegenwart u. Zukunft. Ein Zeitbild. (205 S.)

Unterhaltungs-Bibliothek für Reise u. Haus. 1. 6—9. 26. 29. 30. 35—47. Bd. 8. Jena, Costenoble. n. 16. —

1. Im Busch. Australische Erzählg. Von Frdr. Gerstäcker. 5. Aufl. 3. Ster.-Ausg. (368 S.) 883. n. 1. 50

6. Nach dem Schiffbruch. Erzählung v. Frdr. Gerstäcker. 3. Aufl. (66 S.) 884. n. — 50

7. Das Wrack d. Piraten. Erzählung v. Frdr. Gerstäcker. 3. Aufl. (90 S.) 884. n. — 50

8. Kriegsbilder e. Nachzüglers aus dem deutsch-französischen Kriege. Von Frdr. Gerstäcker. 3. Aufl. (VII, 176 S.) 885. n. — 50

9. Die Franctireurs. Erzählung v. Frdr. Gerstäcker. 3. Aufl. (115 S.) 884. n. — 50

26. Eine Hochzeitsreise. Erzählung v. Frdr. Gerstäcker. 3. Aufl. (111 S.) 884. n. — 50

29. Der Wilddieb. Erzählung v. Frdr. Gerstäcker. 3. Aufl. (184 S.) 884. n. — 50

30. Jack u. Bill. Die Erbschaft. Erzählungen v. Frdr. Gerstäcker. Neu bearb. v. Ferd. Schmidt. 4—6. Tausend. (180 S.) 886. n. — 50

35. 36. Seltsame Seeabenteuer Arthur Gordon Pym's. Nach dem Engl. Edgar Allan Poe's von A. v. Winterfeld. 1. u. 2. Bd. ((VII, 153 u. 147 S.) 883. n. 1. —

37. 38. Wiener Sittenbilder. 2 Thle. [Mein Weib. (Preisgekrönt.) Das Sakrament der Liebe.] Von F. v. Kapff-Essenther. (264 S) 884. n. 2. —

39. Den Teufel an die Wand malen. Erzählung v. Frdr. Gerstäcker. 3. Aufl. (131 S.) 885. n. — 50

40. Hasemanns Abenteuer u. andere Erzählungen. Von Frdr. Gerstäcker. 3. Aufl. (70 S.) 885. — 50

41. Das Walfischboot. Erzählung v. Frdr. Gerstäcker. 3. Aufl. (101 S.) 885. n. — 50

42. Das Luftbad. Eine schreckl. Geschichte u. andere Erzählgn. v. Frdr. Gerstäcker. 3. Aufl. (89 S.) 885. n. — 50

43. Jayhawkers. Erzählung v. Frdr. Gerstäcker. 3. Aufl. (114 S.) 885. n. — 50

44. König Zambiri. Afrikanische Skizze u. andere Erzählgn. v. Frdr. Gerstäcker. 3. Aufl. (104 S.) 885. n. — 50

45. 46. Moderne Helden. Charakterbilder. 2 Tle. [Nur e. Mensch. Hans, der nicht sterben wollte. Sommernachtstraum.] Von F. v. Kapff-Essenther. (418 S.) 885. n. 3. —

47. Charlotte Oldenstätt. Kriminal-Novelle v. Amanda Klock. (226 S.) 886. n. 2. —

— Gabelsberger stenographische. 1—6. Bdchn. 12. Barmen, Klein. n. 9. 60

1. Minna v. Barnhelm od. das Soldatenglück. Ein Lustspiel in 5 Aufzügen v. Gotth. Ephr. Lessing. In stenograph. Schrift übertr. v. Louis Glöckner. (128 S.) 884. n. 1. 60

2. Deutsche Treue. Eine Reise in's Freiherrnschloss. 2 Erzählgn. v. Emil Frommel. In stenograph. Schrift übertr. v. Ferd. Schrey. (93 S.) 884. n. 1. 20

3. Das Käthchen v. Heilbronn od. die Feuerprobe. Grosses histor. Ritterschauspiel in 5 Acten von Heinr. v. Kleist. In stenograph. Schrift übertr. v. R. Tombo. (163 S.) 884. n. 2. —

4—6. Lichtenstein. Romantische Sage v. Wilh. Hauff. 1—3. Abth. In stenograph. Schrift übertr. v. Wilh. Schrey. (389 S.) 885. 86. à n. 1. 60

Unterhaltungsblatt, Wiener phonographisches. Red.: Carl Ritter. Hrsg.: Emil Kramsall. 1. Jahrg. 1884. 12 Nrn. (³/₄ autogr. B.) gr. 8. Wien 884. (Bermann & Altmann.) n.n. 3. —
cf.: Unterhaltungsblätter f. Faulmann's Stenographie.

— rheinisches, f. Familie u. Haus. Jahrg. 1885. 52 Nrn. (B.) gr. 4. Wiesbaden 885. Bechtold & Co. n. 2. —

— dasselbe. Jahrg. 1886. 52 Nrn. (B.) gr. 4. Ebend. 2. 20

— illustrirtes schweizerisches, f. Stolze'sche Stenografen. Red.: H. Bebie. 6—8. Jahrg. 1883—1885. à 24 Nrn. (¹/₂ B.) gr. 8. Wetzikon. (Leipzig, Robolsky.) à Jahrg. n.n. 3. —

— dasselbe. 9. Jahrg. 1886. 24 Nrn. (¹/₂ B.) gr. 8. Ebend. n.n. 3. 50

— stenographisches. 18. Jahrg. 1883. 52 Nrn. (¹/₄ lith. B.) gr. 8. Bamberg, (Buchner.) n. 4. 80

— dasselbe. 19—21. Jahrg. 1884—1886. à 52 Nrn. (¹/₄ lith. B.) gr. 8. Ebend. à Jahrg. n. 4. —

— Wiener stenografisches. Hrsg. u. Red.: Jul. Edler v. Kaschnitz. 7—10. Jahrg. 1883—1886. à 12 Nrn. (¹/₂ B.) gr. 8. Wien, (Bermann & Altmann.) à Jahrg. n. 2. —

Unterhaltungsblätter f. Faulmann's Stenographie, hrsg. u. red. v. Emil Kramsall. Red.: Carl Ritter. 2. Jahrg. 1885/86. 12 Nrn. (³/₄ B.) gr. 8. Wien 885. (Bermann & Altmann.) n. 2. —
cf.: Unterhaltungsblatt, Wiener phonographisches.

— stenographische. Hrsg. v. der „Stenograph. Gesellschaft nach Stolze" zu Berlin. 8. Jahrg. 1883. 12 Nrn. (B.) 8. Berlin. A. Hohn. n. 1. 50

— dasselbe. 9—11. Jahrg. 1884—1886. à 12 Nrn. (B.) 8. Ebend. à Jahrg. n. 3. —

Unterhaltungsbuch am häuslichen Herde f. Jung u. Alt. Hrsg. v. A. W. Mit 1 Titelbilde (in Stahlst.). 8. (239 S.) Regensburg 886. Verlags-Anstalt. 1. 50

Unterkircher, Pet., die Oesterreicher in der Krivošcije. gr. 8. (48 S.) Innsbruck 886. (C. Rauch.) n. 1. —

Unteroffiziers-Kalender f. die k. k. Armee. 1884. 1. Jahrg. 16. (120 S.) Iglau, Lehmann. geb. n. 1. —

Unteroffizier-Zeitung. Militär-Wochenschrift f. die Avancirten d. deutschen Heeres. Red. v. G. Lange. Neue Folge. 10—13. Jahrg. 1883—1886. à 52 Nrn. (à 1—1¹/₂ B.) gr. 4. Berlin, Liebel. à Jahrg. n. 10. 80

Unterricht, christlicher, üb. den heiligen Ehestand in Fragen u. Antworten. 8. (26 S.) Erlangen 882. Deichert. n. — 20

— für die Erstbeichtenden. 16. (31 S.) Donauwörth 886. Auer. n. 10. —

— technischer, f. die k. k. Genie-Truppe. 12. Thl. Beständige Befestigg. [Mit 1 lith. Taf.] 8. (XV, 122 S.) Wien 884. Hof- u. Staatsdruckerei. n. 1. 20

— über die formelle Geschäftsbehandlung u. die Verrechnung der unmittelbaren Gebühren f. die hierzu bestellten Behörden u. Aemter. hoch 4. (IV, 201 S.) Wien 885. Hof- u. Staatsdruckerei. n. 2. —; geb. n. 2. 40

— der grammatische, in der einklassigen Volksschule. Von e. Landschullehrer. 8. (IV, 63 S.) Langensalza 886. Schulbuchh. — 60

— der, in weiblichen Handarbeiten, nach der Methode der in Karlsruhe stattfind. Kurse zur Ausbildg. v. Arbeitslehrerinnen dargestellt im Auftrage der Abteilg. I. d. Badischen Frauenvereins. 3. Aufl. 8. (48 S. m. 18 Steintaf.) Karlsruhe 883. Bielefeld's Verl. n. — 90

— für Liebhaber der Kanarienvögel, wie auch der Nachtigallen, Rothkelchen, Buchfinken, Stieglitze, Hänflinge, Zeisige, Dompfaffen, Amseln, Staare, Lerchen u. Zaunkönige. Mit e. Anweisg. Vögel zu fangen, zu zähmen u. zu unterrichten. 14. illustr. Aufl. 8. (IV, 123 S.) Quedlinburg 886. Ernst. n. 1. —

— in der christlichen Lehre, hauptsächlich auf Grundlage d. Heidelberger Katechismus bearb. 4. Aufl. 8. (46 S.) Basel 884. Detloff. cart. n. — 40

— technischer, f. die k. k. Pionnier-Truppe. 12. Thl. Beständige Befestigg. [Mit 1 lith. Taf.] 8. (XIV, 122 S.) Wien 884. Hof- u. Staatsdruckerei. n. 1. 20

Unterricht, technischer, f. d. k. k. Pionnier-Truppe. 18. Thl. Bau v. Noth- u. halbpermanenten Brücken. [Mit e. eigenen Fig.-Hft. (32 Steintaf. in qu. Fol.).] 8. (XXXIII, 317 S.) Wien 882. Hof- u. Staatsdruckerei. n. 5. 40

— dasselbe. 19. Thl. Truppen-Übergänge üb. Gewässer. [Mit 3 Beilagen.] 8. (XX, 271 S.) Ebend. 885. n. 2. —

Unterrichtsbuch f. Lazarethgehülfen. Mit 55 Abbildgn. im Text. 8. (XVI, 272 S.) Berlin 886. Mittler & Sohn. n.n. 1. —; cart. n.n. 1. 25; geb. n.n. 1. 50

— kleines, üb. die Seemannskunde. Die gebräuchlichsten Begriffe derselben, erläutert f. Nichtseeleute. Mit 13 Taf. in Steindr. 16. (60 S.) Ebend. 886. n. — 80

Unterrichts- u. Andachtsbuch, seraphisches, f. die Mitglieder d. 3. Ordens U. L. Frau vom Berge Karmel u. der heil. seraph. Jungfrau Teresia. Verf. v. e. unbeschuhten Karmeliten der bayer. Provinz. 3. Aufl. gr. 16. (VI, 696 S. m. 1 Stahlst.) Regensburg 886. Pustet. 1. 50

Unterrichtsbücher, praktische, f. Bautechniker. I—III. gr. 8. Halle 885. Hofstetter. n. 13. 60; geb. n. 15. 60

I. Darstellende Geometrie. Das geometr. Zeichnen. — Die Projektionslehre. — Die Lehre vom Steinschnitt. — Die Schattenkonstruktionen. — Die Perspektive u. die Farbenlehre, leicht faßlich dargestellt f. Selbstunterricht u. Schulgebrauch v. H. Diesener. Mit 296 Holzschn. (IV, 128 S.) n. 4. —; geb. n. 4. 50

II. Die technische Naturlehre u. die Mechanik. Für Selbstunterricht u. Schulgebrauch bearb. v. H. Diesener. Mit 81 Holzschn. (VII, 104 S.) n. 2. 80; geb. n. 3. 30

III. Die Festigkeitslehre u. die Statik im Hochbau. Mit zahlreichen Beispielen, ausführl. Berechngn. u. Tabellen zu Holz-, Stein- u. Eisenconstructionen. Für die Bedürfnisse der Praxis, zum Selbstunterricht u. Schulgebrauch bearb. v. H. Diesener. Mit 231 Holzschn. (VIII, 250 S.) 887. n. 6. 80; geb. n. 7. 80

Unterrichts-Lektionen aus verschiedenen Lehrfächern. Zusammengestellt v. der Redaktions-Kommission der Neuen Pädagog. Zeitung. gr. 8. (IV, 130 S.) Quedlinburg 886. Vieweg. n. 1. 20

Unterrichts-Methode, neueste. Der theoret. Unterricht (f. den Soldaten) strenge nach den Vorschriften in Scherzgedichten m. Gesang zur Lust u. Lehr' f. jeden deutschen Mann, nebst e. kleinen Sammlg. v. kom. Antworten im Unterrichte v. Siwell. 12. (32 S.) Speyer 883. Neidhard. n. — 20

Unterrichtssprache, die, unserer Volksschule. Ein Beitrag zur Lösg. e. vieldiscutierten Frage. Von *,*. gr. 8. (III, 82 S.) Prag 884. (Řivnáč.) n. 1. 20

Untersuchung, die, der Brunnenwässer v. Aussig. Bericht an die löbl. Sanitätssection. Erstattet im Febr. 1884. 4. (33 S. m. 1 chromolith. Plan.) Aussig 884. (Grohmann.) n. — 40

— der Lage u. Bedürfnisse der Landwirthschaft in Elsaß-Lothringen 1884. Hrsg. vom Ministerium f. Elsaß-Lothringen. gr 4. (XXIII, 100 u. 276 S.) Straßburg 885. Schmidt. n. 12. —

Untersuchungen, biologische, hrsg. von Gust. Retzius. 2. Jahrg. 1882. Mit 8 (lith.) Taf. Lex.-8. (V, 153 S.) Stockholm 882. Leipzig, F. C. W. Vogel. n. 12. —

— aus dem botanischen Institut zu Tübingen. Hrsg. v. W. Pfeffer. 1. Bd. 2—4 Hft. gr. 8. (III u. S. 135—717 m. 31 eingedr. Holzschn. u. 3 Steintaf.) Leipzig 883. Engelmann. n. 15. —
(1. Bd. cplt.: n. 18. —)

— dasselbe. 2. Bd. 1. u. 2. Hft. gr. 8. (418 S. m. 4 Taf.) Ebend. 886. n. 10. —

— aus dem botanischen Laboratorium der Universität Göttingen. Hrsg. v. J. Reinke. III. gr. 8. Berlin 883. Parey. n. 6. — (I—III, cplt.: n. 24. —)
Studien üb. das Protoplasma. 2. Folge. I. Ein Bei-

trag zur physiologischen Chemie v. Aethalium septicum. Von J. Reinke. (V, 10 S.) — II. Die Kohlenstoffassimilation im chlorophylllosen Protoplasma. Von J. Reinke. (S. 11—50.) — III. Ueber Turgescenz u. Vacuolenbildung im Protoplasma. Von J. Reinke. (S. 51—57 m. 1 Steintaf.) — IV. Ueber das Vorkommen u. die Verbreitung flüchtiger reducirender Substanzen im Pflanzenreiche. Von J. Reinke u. L. Krätzschmar. (S. 59—76.)

Untersuchungen aus dem forstbotanischen Institut zu München. Hrsg. v. Rob. Hartig. III. Mit 11 lith. Taf. u. 13 (eingedr.) Holzschn. Lex.-8. (IV, 151 S.) Berlin 883. Springer. cart. n. 12. — (I—III.: n. 34. —)

— aus der alten Geschichte. 5. Hft. gr. 8. Wien 884. Konegen. n. 3. —
 Geschichte d. Kaisers L. Septimius Severus v. Carl Fuchs. (IV, 124 S.)

— historische. Hrsg. v. J. Jastrow. 1—4. Hft. gr. 8. Berlin 886. Gaertner. n. 20. —
1. Die Volkszahl deutscher Städte zu Ende d. Mittelalters u. zu Beginn der Neuzeit. Ein Ueberblick üb. Stand u. Mittel der Forschg. v. J. Jastrow. (VIII, 219 S.) n. 6. —
2. Die Wahl Albrechts II. zum römischen Könige. Nebst e. Anh., enth. Urkunden u. Aktenstücke. Von Wilh. Altmann. (X, 118 S.) n. 3. —
3. Prolegomena zu e. römischen Chronologie. Von Wilh. Soltau. (VIII, 188 S) n. 5. —
4. Das Königslager vor Aachen u. vor Frankfurt in seiner rechtsgeschichtlichen Bedeutung. Von Karl Schellhass. (VIII, 207 S.) 887. n. 6. —

— zur Naturlehre d. Menschen u. der Thiere. Hrsg. v. Jac. Moleschott. 13. Bd. 2—5. Hft. Mit 6 lith. Taf. gr. 8. (S. 111—450) Giessen 883—85. Roth. à n. 3. — (1—5.: n. 16. —)

— philologische, hrsg. v. A. Kiessling u. U. v. Wilamowitz-Moellendorff. 6—9. Hft. gr. 8. Berlin, Weidmann. n. 16. — (1—9.: n. 36. 40)
6. Analecta Eratosthenica. Scripsit Ernst Maass. (153 S.) 883. n. 3. —
7. Homerische Untersuchungen von Ulr. v. Wilamowitz-Moellendorff. (XI, 426 S.) 884. n. 7. —
8. Quaestiones Phaetonteae. Scripsit Geo. Knaack. (81 S.) 886. n. 2. —
9. Isyllos v. Epidauros. (VII, 201 S.) 886. n. 4. —

— zur deutschen Staats- u. Rechtsgeschichte, hrsg. v. Otto Gierke. XV—XXI. gr. 8. Breslau, Koebner. n. 24. 60
XV. Handelsgesellschaften in den deutschen Stadtrechtsquellen d. Mittelalters v. Frdr. Gust. Adf. Schmidt. (V, 96 S.) 883. n. 2. 60
XVI. Mutterrecht u. Raubehe u. ihre Reste im germanischen Recht u. Leben v. Loth. Dargun. (VII, 161 S.) 883. n. 4. —
XVII. Die Ständegliederung bei den alten Sachsen u. Angelsachsen. Eine rechtsgeschichtl. Quellenstudie v. E. Hermann. (V, 148 S.) 884. n. 4. —
XVIII. Die Grundsätze üb. den Schadenersatz in den Volksrechten. Von Arthur Benno Schmidt. (VIII, 64 S.) 885. n. 2. —
XIX. Die Lehre vom Schadenersatze nach dem Sachsenspiegel u. den verwandten Rechtsquellen. Ein Beitrag zur Geschichte der Schadenersatzverbindlichkeit in Deutschland v. Otto Hammer. (XIII, 108 S.) 885. n. 3. —
XX. Die Grundelemente der altgermanischen Mobiliarvindication. Eine rechtsgeschichtl. Studie v. E. Hermann. (XII, 194 S.) 886. n. 5. —
XXI. Das Recht d. Überhangs u. Überfalls. Eine rechtsgeschichtl. u. rechtsvergleich. Studie aus dem Gebiete der Nachbarrechte v. Arth. Benno Schmidt. (VIII, 149 S.) 886. n. 4. —

— mikroskopische, v. Textil-Rohstoffen. Nach Studien der städt. höheren Webeschule zu Mülheim a. Rhein. Nebst 4 Taf. in Buntdr. nach Zeichngn. der Schüler. gr. 4. (6 S.) Berlin 885. Expeb. d. Centralblatts f. die Textil-Industrie. n. 1. 50

Unterweger, Joh., Beiträge zur Erklärung der kosmisch-terrestrischen Erscheinungen. [Mit 2 Taf. u. 3 Holzschn.] Imp.-4. (40 S.) Wien 885. (Gerold's Sohn.) n. 3. 40

Unterweisung f. Patrouillenführer unter besond. Berücksicht. der französischen Verhältnisse. Von H. 12. (7 S.) Berlin 886. Liebel. n. — 10

Unterweisungen, zehn, üb. die christliche Erziehung der Jugend f. Eltern, Seelsorger u. Lehrer v. e. Priester der Erzdiöcese Cöln. gr. 8. (IV, 120 S.) Aachen 886. A. Jacobi & Co. n. 1. 20

Unwin, W. Cawthorne, die Elemente der Maschinenkonstruktion. Nach der 6. Aufl. ins Deutsche übertr. v. Herm. Fritz. Mit 323 Abbildgn. 8. (XV, 414 S.) Leipzig 885. Gebhardt. n. 6. —; geb. n. 7. —

Unzulänglichkeit, die, d. theologischen Studiums der Gegenwart. Ein Wort an Dozenten, Pfarrer u. Studenten. 2. Aufl. gr. 8. (XV, 109 S.) Leipzig 886. Fr. Richter. n. 1. 20

Uphues, Karl, Grundlehren der Logik. Nach Rich. Shute's Discourse on truth bearb. gr. 8. (IV, 303 S.) Breslau 883. Koebner. n. 7. 20

Uppenborn, F., das internationale Maasssystem, im Zusammenhange m. anderen Maasssystemen dargestellt. [Enthält die Beschlüsse der beiden Pariser Congresse (1881 u. 1884) nebst genauer Erläuterg. v. deren Consequenzen.] 2. Aufl. gr. 8. (26 S.) München 884. Oldenbourg. n. 1. —

Upstallsboom, der. Ostfriesischer Kalender nebst Volksbuch auf d. J. 1887. Organ d. Fechtvereins f. e. allgemeines ostfries. Waisenhaus. Mit e. musikal. u. volksschriftl. Beilage. Hrsg. v. Frdr. Sundermann u. f. Ostfriesland u. dessen nähere Umgebg. berechnet v. S. M. Freese. 2. Jahrg. 4. (XXXII, 48 S. m. 1 Musikbeilage.) Norden 886. (Braams.) n. — 50

Urania. Musik-Zeitschrift f. Orgelbau u. Orgelspiel insbesondere, sowie f. musikal. Theorie, kirchl., instructive Gesang- u. Clavier-Musik. Hrsg. v. A. W. Gottschalg. 41—44. Bd. à 12 Nrn. (B.) gr. 8. Erfurt 883—86. Körner. à Bd. n. 2. 50

— Zeitschrift f. Belletristik, Musik, Kunst, Theater, Literatur, Volkswirthschaft etc. Hrsg. v. Otto Keller. 1. Jahrg. 1886/87. 24 Nrn. (2 B.) hoch 4. Wien, (Edm. Schmid). n. 12. —

Urban's Dresden. Rathgeber f. Einheimische u. Fremde. Sommer 1886. 12. (123 S.) Dresden, Urban. — 25

Urban II., s.: Stern, M. F.

Urban, J., V. May, W. Bauhofer, J. Kreibich, der Handarbeits-Unterricht f. die männliche Jugend u. der Slöjdunterricht in der Schule vom Standpunkte der Pädagogik, s.: Erziehung, Unterricht, Schulwesen.

Urban, Ign., Monographie der Familie der Turneraceen. Mit 2 (lith.) Taf. gr. 8. (III, 152 S.) Berlin 883. Bornträger. n. 4. 50

Urban, Jos., kurze Anthropologie, Gesundheitslehre, Hilfeleistung bei Unglücks- u. plötzlichen Erkrankungsfällen u. Sanitätsdienst im Frieden u. im Felde. gr. 8. (V, 213 S.) Wien 885. Seidel & Sohn. n. 3. 60

Urban, M., Phrenologie od. Erziehung. Eine pädagog. Studie. gr. 8. (36 S.) Berlin 885. Parrisius. n. — 60

Urbanitzky, Alfr. Ritter v., die elektrischen Beleuchtungs-Anlagen,
— Blitz- u. Blitz-Schutzvorrichtungen,
} s.: Bibliothek, elektro-technische.

— die Elektricität im Dienste der Menschheit. Eine populäre Darstellg. der magnet. u. elektr. Naturkräfte u. ihrer prakt. Anwendgn. Nach dem gegenwärt. Standpunkte der Wissenschaft bearb. Mit ca. 600 Illustr. gr. 8. (X, 1092 S.) Wien 883—85. Hartleben. geb. n. 13. —

— Elektricität u. Magnetismus im Alterthume,
— das elektrische Licht,
} s.: Bibliothek, elektro-technische.

Urbanowicz, Petrus, drei Fälle v. Schädelverletzungen

im Gebiete der beiden centralen Hirnwindungen. Ein Beitrag zur Trepanationsfrage. gr. 8. (25 S.) Frankfurt a/M. 885. Gebr. Knauer. — 75

Urbańsky, Jos., das analytische Verfahren bei der Aufnahme v. Querprofilen an steilen, hohen Felsen-Einschnittsböschungen u. Felslehnen m. Berücksicht. der hiefür aufgestellten Gleichungen bei Präcisionsmessungen v. unzugänglichen Höhen, Tiefen u. Entfernungen. Mit 8 Holzschn. u. 1 (lith.) Taf. gr. 8. (72 S.) Wien 884. Spielhagen & Schurich. n. 3. —

Urbantschitsch, Vict., Lehrbuch der Ohrenheilkunde. 2. vollständig neu bearb. Aufl. Mit 73 Holzschn. u. 8 Taf. gr. 8. (VIII, 436 S.) Wien 884. Urban & Schwarzenberg. n. 10. —; geb. n. 12. —

Urbas, Ant., die Reiche der heil. drei Könige, ihr Sterndienst, ihre Reise nach Bethlehem rc. Nach den Gesichten der gottsel. Katharina Emmerich im Vergleiche m. den Aussagen der Geografie, der Geschichte, der heil. Schrift u. der Alterthümer. Gesammelt u. verf. Mit 1 (lith.) Karte. 2. Aufl. gr. 8. (VI, 102 S.) Laibach 884. (Kathol. Buchh.) n. 1. 60

Urbaschek, Felix, üb. die Verhütung u. Behandlung der Cholera asiatica. gr. 8. (V, 108 S.) Wien 887. Braumüller. n. 3. —

Urff, üb. Forstkulturen. Rathschläge f. Landwirthe, welche sich m. Holzzucht befassen. Mit 22 Abbildgn. im Text. 8. (VI, 121 S.) Berlin 885. Parey. geb. n. 2. 50

Urkunde der Wissenschaft. Grundriß zur systemat. Encyklopädie f. Wissenschaft, Kunst u. Religion, m. e. besond. Abschnitt: Gesetz d. Kreises u. e. Anh.: Tabellarische Uebersicht der Kunstgesetze. gr. 8. (VIII, 147 S. m. 1 Tab.) Berlin 885. Bohne. n. 5. —

Urkunden, die, d. Deutsch-Ordens-Centralarchives zu Wien. In Regestenform hrsg. m. Genehmigg. Sr. k. u. k. Hoh. d. hochwürdigst-durchlauchtigsten Hrn. Hoch- u. Deutschmeisters Erzherzogs Wilhelm v. Oesterreich etc. von Ed. Gaston Grafen v. Pettenegg. 1. Bd. [1170—1809]. gr. 8. (XXXV, 742 S.) Prag 887. Tempsky. — Leipzig, Freytag. n. 12. —

— zur Geschichte der Nikolai-Kirche zu Alfeld, hrsg. v. Wilh. Bernh. Theele. (1. Hft.) gr. 8. (51 S.) Hildesheim 883. Borgmeyer. n. 1. —

— zur Geschichte der Stadt Speyer. Dem histor. Verein der Pfalz zu Speyer gewidmet v. Heinr. Hilgard-Villard. Gesammelt u. hrsg. v. Alfr. Hilgard. hoch 4. (XII, 565 S. m. 1 photolith. Fcsm.) Strassburg 885. Trübner. n. 25. —

— die, des regulirten Chorherrenstiftes Herzogenburg vom Jahre seiner Uebertragung v. St. Georgen: 1244 bis 1450. Mit einigen erläut. Anmerkgn. hrsg. v. Mich. Faigl. gr. 8. (IV, 557 S.) Wien 886. (Mayer & Co.) n. 6. 80

— u. **Akten** der Stadt Strassburg. Hrsg. m. Unterstützg. der Landes- u. der Stadtverwaltg. 1. Abth. Urkundenbuch. 2. u. 3. Bd. hoch 4. Strassburg, Trübner. à n. 24. — (I, 1—3. u. II, 1.: n. 92. —)

2. Politische Urkunden von 1266—1332, bearb. v. Wilh. Wiegand. (VI, 482 S.) 886.

3. Privatrechtliche Urkunden u. Amtslisten von 1266 bis 1332, bearb. v. Aloys Schulte. (XLVIII, 451 S.) 884.

— u. **Actenstücke** zur Geschichte d. Kurfürsten Friedrich Wilhelm v. Brandenburg. Auf Veranlassg. Sr. königl. Hoh. d. Kronprinzen v. Preussen. 8. Bd. gr. 8. Berlin 884. G. Reimer. n. 14. — (1—10.: n. 140. —)

Politische Verhandlungen. 5. Bd. Hrsg. v. B. Erdmannsdörffer. (VIII, 751 S.)

Urkundenbuch der Landschaft Basel. Hrsg. v. Heinr. Boos. 2. Thl.: 1371—1512. 2 Hälften. gr. 8. (X u. S. 401—1319.) Basel 884. Detloff. n. 15. — (cplt.: n. 23. —)

— zur Berlinischen Chronik. Hrsg. v. dem Verein f. die Geschichte Berlins. (1. Bd.) 1232—1550. Begonnen durch F. Voigt. Fortgesetzt durch E. Fidicin. Fol. (XVI, 514 S.) Berlin 869—80. Mittler & Sohn. n. 21. —

Urkundenbuch zur Geschichte der Herzöge v. Braunschweig u. Lüneburg u. ihrer Lande. Gesammelt u. hrsg. v. H. Sudendorf. 11. Thl. 3. (Schluss-)Abth. Alphabetisch geordnetes Orts-Register, bearb. v. Sattler. gr. 4. (V u. S. 289—391.) Göttingen 883. Vandenhoeck & Ruprecht's Verl. n. 6. — (cplt.: n. 152. —)

— Bremisches. Im Auftrage d. Senats der freien Hansestadt Bremen hrsg. v. D. R. Ehmck u. W. v. Bippen. 4. Bd. gr. 4. (XIV, 606 S.) Bremen 883—86. Müller. n. 25. — (I—IV.: n. 100. —)

— Dortmunder. Bearb. v. Karl Rübel. 1. Bd. 2. Hälfte. [Nr. 548—878] 1341—1372. gr. 8. (XXVII u. S. 377—737.) Dortmund 885. Köppen. à n. 9. —

— der Stadt Duderstadt bis zum J. 1500. Hrsg. v. J. Jaeger. gr. 8. (XII, 516 S. m. 8 Taf.) Hildesheim 883. 86. Lax. n. 15. —

— des Landes ob der Enns. Hrsg. vom Verwaltungs-Ausschuss d. Museums Francisco-Carolinum zu Linz. 8. Bd. gr. 8. (894 S.) Wien 883. (Gerold's Sohn.) n. 16. — (1—8.: n. 116. 80)

— der evangelischen Landeskirche A. B. in Siebenbürgen. 2. Thl. gr. 8. Hermannstadt 883. (Michaelis.) n. 4. 80 (1. u. 2.: n 8. 80)

Die Synodalverhandlungen der evang. Landeskirche A. B. in Siebenbürgen im Reformationsjahrhundert. Von Geo. Dan. Teutsch. Zur Feier d. 400jähr. Geburtstages v. D. Martin Luther hrsg. vom Landesconsistorium der genannten Kirche. (XV, 280 S.)

— Fürstenbergisches. Sammlung der Quellen zur Geschichte d. Hauses Fürstenberg u. seiner Lande in Schwaben. Hrsg. v. dem fürstl. Archive in Donaueschingen. 5. Bd Quellen zur Geschichte der Fürstenberg. Lande in Schwaben vom J. 700—1359. Imp.-4. (IV, 563 S. m. 12 Taf. Siegel-Abbildgn.) Tübingen 885. (Laupp.) n. 12. - (1—5.: n. 58. —)

— des Hochstiftes Halberstadt u. seiner Bischöfe, s.: Publicationen aus den k. preußischen Staatsarchiven.

— der Universität Heidelberg. Zur 500jähr. Stiftungsfeier der Universität im Auftrage derselben v. Ed. Winkelmann. 2 Bde. Lex.-8. (XIV, 496 u. 405 S.) Heidelberg 886. C. Winter. n.n. 40. —

— der Stadt Hildesheim. Im Auftrage d. Magistrats zu Hildesheim hrsg. v. Rich. Doebner. 2. Thl. Von 1347—1400. gr. 8. (VIII, 762 S.) Hildesheim 886. Gerstenberg. n. 16. — (1. u. 2.: n. 30. —)

— liv-, est- u. curländisches. Begründet v. F. G. v. Bunge, im Auftrage der balt. Ritterschaften u. Städte fortgesetzt v. Herm. Hildebrand. 8. Bd. 1429 Mai — 1435. gr. 4. (XXXVII, 687 S.) Riga 884. Deubner. n.n. 20. — (1—8.: n.n. 184. —)

— der Stadt Lübeck. Hrsg. v. dem Vereine f. Lübeckische Geschichte u. Alterthumskunde. 7. Thl. 3—12. Lfg. gr. 4. (S. 161—934.) Lübeck 882—85. Grautoff. à n. 3. — (7. Bd. cplt.: n. 36. —)

— dasselbe. 8. Thl. 1. u. 2. Lfg. 4. (S. 1—160.) Lübeck 886. Schmersahl. à n. 3. —

— meklenburgisches, hrsg. v. dem Verein f. meklenburg. Geschichte u. Alterthumskunde. 13. Bd. 1351—1355. gr. 4. (XX, 715 S.) Schwerin 884. (Stiller.) n. 15. —

— dasselbe. 14. Bd. 1356—1360. gr. 4. (IV, 677 S.) Ebend. 886. n. 15. —

— pommersches. II. Bd. 2. Abth. 1278—1286. Bearb. u. hrsg. v. Rodgero Prümers. gr. 4. (XX u. S. 389—619.) Stettin 885. v. der Nahmer. n. 6. — (I. u. II.: n. 27. —)

— preußisches. Politische Abthellg. 1. Bd. Die Bildung d. Ordensstaats. 1. Hälfte. Hrsg. m. Unterstützg. d. Hrn. Ministers der geistl., Unterrichts- u Medicinal-Angelegenheiten v. Philippi in Verbindg. m. Wölky. gr. 4. (IV, 240 u. Register 9 S.) Königsberg 882. Hartung. n. 12. 50

— neues preussisches. Westpreussischer Thl. Hrsg. v. dem westpreuss. Geschichtsverein. 2. Abth. Urkunden der Bisthümer, Kirchen u. Klöster. 1. Bd. Urkundenbuch d. Bisth. Culm. Bearb. v. C. P. Woelky.

1—3. Hft. Urkunden Nr. 1—964. gr. 4. (VII, 808 S.) Danzig 884—85. (Bertling.) à n. 10. —

Urkundenbuch, Siegener. Im Auftrage d. Vereins f. Urgeschichte u. Alterthumskunde zu Siegen u. m. Unterstützg. der Stadt u. d. Kreises Siegen hrsg v. F. Philippi. 1. Abth. bis 1350. Mit 1 Siegeltaf. u. 1 histor. Karte. gr. 8. (XXXIX, 249 S.) Siegen 887. (Kogler.) n. 6. —

— des Klosters Teistungenburg im Eichsfelde. Bearb. v. Jul. Jaeger. 2 Thle. gr. 4. (III, 70 S.) Halle 878 u. 79. (Hildesheim, Lax) n. 2. —

— zur Geschichte d. schloßgesessenen Geschlechtes der Grafen u. Herren v. Wedel. Bearb. u. hrsg. von Heinr. Frdr. Paul v. Wedel. 1. Bd. Die Herren v. Wedel in Stormarn u. Holstein, in Meklenburg u. in den Gebieten an der unteren Weser. 1212—1439. Mit 2 Siegeltaf. gr. 4. (VIII, 108 S.) Leipzig 885. (Berlin, Eisenschmidt.) n. 15. —

— westfälisches. Fortsetzung v. Erhards Regesta historiae Westfaliae. Hrsg. v. dem Vereine f. Geschichte u. Alterthumskunde Westfalens. Suppl., bearb. v. Wilh. Diekamp. 1. Lfg. [bis 1019.] Mit 4 (Lichtdr.-)Taf. Urkunden-Abbildgn. gr. 4. (120 S.) Münster 885. (Regensberg.) n.n. 6. —

Urkundensammlung zur Geschichte d. Fürstenth. Oels bis zum Aussterben der Piastischen Herzogslinie. Hrsg. v. Wilh. Haeusler. gr. 4. (III, 192 S.) Breslau 883. Max & Co. n. 6. —

Urlichs, L. v., archaeologische Analekten. 18. Programm d. v. Wagner'schen Kunstinstituts. gr. 8. (23 S.) Würzburg 885. (Stahel's Verl.) n. — 80

— Beiträge zur Kunstgeschichte. Mit 20 Taf. in Stein- u. Lichtdr. gr. 8. (VIII, 156 S.) Leipzig 885. T. O. Weigel. n. 8. —

— römischer Bilderhandel. 17. Programm zur Stiftungsfeier d. v. Wagnerschen Kunstinstituts. gr. 8. (24 S.) Würzburg 885. (Stahel's Verl.) n. — 80

— Pergamenische Inschriften. 16. Programm d. v. Wagnerschen Kunstinstituts. gr. 8. (31 S.) Ebend. 883. n. — 80

— Pergamon. Geschichte u. Kunst. Ein am 8. März 1883 in Würzburg geh. Vortrag. gr. 8. (31 S.) Leipzig 883. T. O. Weigel. n. 1. —

Ursin, Nic. R. af, de Lusitania provincia romana. Lex.-8. (150 S.) Helsingiae 884. (Berlin, Mayer & Müller.) n. 2. 50

Ursprung, Entwickelung u. Schicksale der Taufgesinnten od. Mennoniten, in kurzen Zügen übersichtlich dargestellt v. Frauenhand. gr. 8. (XX, 447 S.) Norden 884. Soltau. n. 6. —; Einbd. n.n. 1. 50

Urtheile u. Annalen d. Reichsgerichts in Civilsachen. Sammlung aller wicht. civilrechtl. Entscheidgn. d. Reichsgerichts, sowie aller auf die Reichsrechtsprechg. in Civilsachen bezügl. Erlasse u. Verfüggn. Hrsg. v. Hans Blum. 1. u. 2. Bd. à 6 Hfte. gr. 8. (à Hft. ca. 84 S.) Berlin 885. 86. Guttentag. à Bd. n. 9. —

Urväter-Hausrath in Spruch u. Lehre. Von dem Hrsg. der „Deutschen Inschriften an Haus u. Geräth". 12. (VII, 231 S.) Berlin 885. Hertz. n. 3. —; geb. n. 4. —

Uschner, K. R. W., die Fee v. Heidelberg. Festspiel in 3 Aufzügen. Zur 500jähr. Jubelfeier der Universität Heidelberg. 12. (62 S.) Heidelberg 886. C. Winter. n. 1. —

Uslar, B. v., kurze Anleitung zur Kultur unserer einheimischen Obstsorten, besonders die Pflege derselben in Gärten u. an Straßen, sowie die rationellsten Verwendungsarten. Mit 50 in den Text gedr. Abbildgn. gr. 8. (152 S.) Hildesheim 885. Lax. n. 2. —; geb. n. 2. 50

Ussing, J. L., Erziehung u. Jugendunterricht bei den Griechen u. Römern, s.: Calvary's philologische u. archaeologische Bibliothek.

Usteri, Alfr., Lichtstrahlen aus den Schriften religiöser Dichter u. Denker aller Zeiten. 8. (124 S.) Frauenfeld Huber. n. 2. —; geb. n. 3. 20

Usteri, Joh. Mart., 60 Fragen u. Antworten v. d. Christen Glauben u. Leben m. Beigabe v. Sprüchen u. Bibelstellen zum Auswendiglernen u. zu weiterer Förderg. in der christl. Erkenntniß. Für den Konfirmanden-Unterricht zusammengestellt. 2. Aufl. 8. (VII, 56 S.) Zürich 883. Höhr. cart. n. — 60

Usteri, Joh. Mart., 60 Fragen u. Antworten v. d. Christen Glauben u. Leben m. Beigabe v. Sprüchen u. Bibelstellen zum Auswendiglernen u. zu weiterer Förderg. in der christl. Erkenntniß. Für den Konfirmanden-Unterricht zusammengestellt 4. Aufl. 8. (IX, 56 S.) Zürich 885. Höhr. cart. n.n. — 45

— „Hinabgefahren zur Hölle". Eine Wiedererwägg. der Schriftstellen: 1 Petr. 3, 18—22 u. Kap. 4, Vers 6. gr. 8. (58 S.) Ebend. 886. n. 1. —

— Ulrich Zwingli, e. Martin Luther ebenbürtiger Zeuge d. evangelischen Glaubens. Festschrift auf die 400jähr. Geburtstage der Reformatoren zur Beförderg. wahrer Union auf dem Boden der Freiheit. Mit e. Vorwort von Frhrn. Herm. v. d. Goltz. [Mit besond. Berücksicht. der Janssen'schen Angriffe.] gr. 8. (XI, 144 S.) Ebend. 883. n. 1. 80

— Zwingli u. Erasmus. Eine reformationsgeschichtl. Studie. Ergänzende Beigabe zu der Festschrift d. Verf. üb. Zwingli. gr. 8. (39 S) Ebend. 885. n. — 80

Usteri, M., Gedichte, s.: Nationalbibliothek, schweiz.

Ustrich, Frdr., Lehrbuch der Arithmetik f. Latein-, Real-, Bürger- u. gewerbl. Fortbildungs-Schulen. 2. Aufl. gr. 8. (VII, 176 S.) München 884. Fritsch. n. 2. 40

Ut omnes unum. Auf daß Alle Eins seien. Correspondenzblatt zur Verständigg. u. Vereinigg. unter den getrennten Christen. Unter Mitwirkg. hervorrag. Männer aus beiden Confessionen hrsg. v. C. Seltmann. 5. u. 6. Jahrg. Oktbr. 1883—Septbr. 1885. à 12 Nrn. (à 1—$1^1/_2$ B.) gr. 4. Erfurt, Brodmann. à Jahrg. n. 4. —

Uthoff, J., Nivelle de la Chaussée's Leben u. Werke, s.: Studien, französische.

Utis, f.: Phantasus, neuer.

Utz, der Messkircher Rindviehschlag u. derjenige der Baar, s.: Heizmann.

Utz, G., deutsches Sprachbuch, f.: Kühnle, H.

Utzinger, H., Bericht üb. Unterrichtswesen, s.: Wettstein, H.

Uzel, Chrn., Hülfsbuch f. den Cassendienst, enth. Tafeln zur Werthbemessung beschädigter österrreich. Staats- u. Banknoten, Vorschriften üb. die Behandlg. beschädigter ausländ. Noten, zur Zollzahlg. zugelassene Gold- u. Silbermünzen, besondere Bestimmgn. f. den Verkehr in Valuten [Usancen der Wiener Börse], nebst Normalgewichtstafeln u. Mancotabellen. Nach amtl. Quellen bearb. qu. 4. (50 S.) Wien 885. (Edm. Schmid.) geb. n. 2. 40

V.

Vaagd, W. van, der perfecte Holländer. Eine Anleitg., in 14 Tagen Holländisch richtig lesen, schreiben u. sprechen zu lernen. Mit beigefügter Aussprache. 16. (109 S.) Berlin 885. Berliner Verlagsanstalt. — 60

Vacano-Freiberg, E. M., König Phantasus. Roman e. Unglücklichen. 8. (254 S.) Mannheim 886. Bensheimer's Verl. n 1. 50

Vacanzen-Liste. [Früher Retemeyer'sche.] Central-Nachweiseblatt offener Stellen aller Gebiete u. Branchen. 24. Jahrg. 1888. 313 Nrn. ($^1/_2$ B.) gr. 4. Berlin. Deutsches Vakanzen-Bureau [S. Schwartz'sche Buchh.] n. 35. —; halbjährlich n. 18. 50; vierteljährlich n. 10. —; monatlich n. 4. —; wöchentlich n. 1. —

cf.: Vakanzen-Zeitung.

Vacek, M., üb. die Fauna der Oolithe v. Cap S. Vigilio verbunden m. e. Studie üb. die obere Liasgrenze. Mit 20 lith. Taf. u. 3 Zinkotypien. [Abhandlungen der k. k. geolog. Reichsanstalt, 12. Bd. Nr. 3.] Imp.-4. (156 S. m. 20 Bl. Erklärgn.) Wien 886. (Hölder.) n. 44. —

Vademecum f. Bau-Ingenieure. [Aus: „Techn. Brieftasche f. Bau-Ingenieure".] In 2. Aufl. bearb. v. Frdr. Steiner. gr. 16. (IV, 177 S.) Wien 883. Spielhagen & Schurich. 2. 75

Vademecum für den deutschen Burschenschafter zusammengestellt v. E. Litten. Mit Nachträgen bis Sommersemester 1885. Hrsg. v. Carl Hahn & Sohn in Jena. gr. 16. (8 Chromolith.) Jena 885. (Leipzig, Rossberg.) n.n. 1. —

— practisches, f. den A. D. C. Burschenschafter 1884. 12. (29 S.) Ebend. 885. n.n. — 60

— für den deutschen Corpsstudenten. 10. Aufl. Mit Nachträgen bis Pfingsten 1886. 16. (18 color. Steintaf.) Ebend. 886. n.n. 1. —

— das wahre, der Elektrohomöopathie. 5. Aufl. Deutsche Ausg., auf specielle Anordng. d. Verf. aus dem Ital. übers. Für Jeden, der sich auf sichere u. leichte Art selbst kurieren will. 8. (127 S. m. 1 Taf.) Regensburg 886. (Verlags-Anstalt.) n.n. — 50

— für Elektrotechniker. Praktisches Hilfs- u. Notizbuch f. Elektrotechniker, Ingenieure, Werkmeister, Mechaniker etc. Hrsg. unter Mitwirkg. bewährter Fachkräfte v. E. Rohrbeck. 3. Jahrg. d. Kalenders f. Elektrotechnik. 1886. Mit vielen Holzschn. gr. 16. (XXIV, 160 S.) Berlin 885. Polytechn. Buchh. geb. n. 2. 50

— geistliches. Vollständiges Gebet- u. Andachtsbuch zum Gebrauch f. die studir. Jugend. 24. (XII, 528 S. m. 1 Stahlst.) Dülmen 886. Laumann. 1. 20

— geistliches. Taschengebetbuch f. kathol. Christen. 6. Aufl. 16. (96 S.) Köln 884. Du Mont-Schauberg. geb. m. Goldschn. n. 1. 50

— ad infirmos pro missionariis Americae septentr. cont.: Preces lingua anglica et germanica pro cura infirmorum utiles. Ed. 2. 16. (74 S.) S. Ludovici 883. Freiburg i/B., Herder. n. — 50

— für den Landwirth. [Beilage zur „Wiener landwirthschaftl. Zeitg."] 7. Aufl. Hrsg. u. red. v. Hugo H. Hitschmann. gr. 16. (XVI, 650 S.) Wien 886. Perles. geb. n. 5. 60

— sacerdotum continens preces ante et post missam, modum providendi infirmos nec non multas benedictionum formulas. 32. (64 S. m. 1 Lichtdr.) Einsiedeln 883. Benziger & Co. — 40

— of the sodality of the blessed virgin Mary; by a father of the society of Jesus. 24. (233 S.) St. Louis, Mo. 882. Freiburg i/Br., Herder. geb. n. 2. 50

Vadian, s.: Aus dem Briefwechsel.

Vadnai, Carl, der böse Nachbar. Erzählung. Deutsch v. Marg. Hetsch. Einzige autoris. Uebersetzg. gr. 8. (109 S.) Wien 884. (Engel.) n. — 70; cart. n. 1. —; geb. n. 1. 25

Vahlen, J., üb. die Annalen d. Ennius. gr. 4. (38 S.) Berlin 886. (G. Reimer.) n. 2. —

Vaihinger, die Kant-Bibliographie d. J. 1882, s.: Reicke, H.

— zu Kants Widerlegung d. Idealismus, s.: Abhandlungen, Strassburger, zur Philosophie.

Vakanzen-Zeitung, akademische. Centralblatt f. Kultus, Gesundheitspflege, Rechtspflege u. Kanzleifach, Pädagogik, Litteratur, Kunst etc. 3. u. 4. Jahrg. 1883 u. 1884. à 52 Nrn. (B.) Fol. Berlin, Deutsches Vakanzen-Bureau [S. Schwarz'sche Buchh.]. à Jahrg. n. 10. —; halbjährlich n. 5. 50; vierteljährlich n. 3. —; monatlich n. 1. —

— deutsche, f. Stellensuchende aller Wissenschaften, Verwaltungszweige, Künste, Gewerbe etc. 25. u. 26. Jahrg. 1884 u. 1885. à ca. 300 Nrn. (B.) Fol. Ebend. à Jahrg. n. 20. —; halbjährlich n. 11. —; vierteljährlich n. 6. —; zweimonatlich n. 4. —; monatlich n. 2. —; wöchentlich n. 1. —

cf.: Vacanzen-Liste.

— kaufmännische. Centralblatt f. Stellen-Gesuche u. Stellen-Angebote aller Branchen auf dem gesamten Handels-Gebiet. 3—5. Jahrg. 1883—1885. à 52 Nrn. (B.) Fol. Ebend. à Jahrg. n. 10. —; halbjährlich n. 5. 50; vierteljährlich n. 3. —; monatlich n. 1. —

— pädagogische. Centralblatt f. Stellengesuche u. Stellenangebote im gesamten Erziehungs- u. Unterrichtswesen. 13—15. Jahrg. 1883—1885. à 52 Nrn. (B.) Fol. Ebend. à Jahrg. n. 10. —; halbjährlich n. 5. 50; vierteljährlich n. 3. —; monatlich n. 1. —

Vakanzen-Zeitung, polytechnisch-industriell-gewerbliche. Centralblatt f. Stellen-Gesuche u. Stellen-Angebote auf dem gesamten Gebiete aller technisch-gewerbl. Fächer. 3. u. 4. Jahrg. 1883 u. 1884. à 52 Nrn. (B.) Fol. Berlin, Deutsches Vakanzen-Bureau [S. Schwarz'sche Buchh.]. à Jahrg. n. 10. —; halbjährlich n. 5. 50; vierteljährlich n. 3. —; monatlich n. 1. —

— wirtschaftliche. Centralblatt f. Stellen-Gesuche u. Stellen-Angebote in der Staats-, Militär-, Gesellschafts-, Vereins- u. Gemeindewirtschaft, Landwirtschaft, Forstwirtschaft, Gartenbauwirtschaft, Gastwirtschaft, Hauswirtschaft, im Rechnungsführer- u. Buchhalterfach etc. 3—5. Jahrg. 1883—1885. à 52 Nrn. (B.) Fol. Ebend. à Jahrg. n. 10. —; halbjährlich n. 5. 50; vierteljährlich n. 3 —; monatlich n. 1. —

Valdés, Juan de, instrucion cristiana pra los niños. En ocho lenguas. — Christliche Kinderlehre. Die Übersetzgn. d 16. Jahrh. ins Italienische, Lateinische, Polnische u. neue aus dem Italienischen ins Deutsche, Englische, Französische, Engadinische, nebst Rückübersetzg. ins Spanische. Lex.-8. (64 S.) Bonn 884. Weber. n. 6. —

Valenta, E., die Klebe- u. Verdickungsmittel, s.: Waarenkunde u. Rohstofflehre, allgemeine.

Valenti, de, die Ehe, biblisch u. ärztlich beleuchtet. Ein Not- u. Hülfsbüchlein f. junge Ehemänner. 2. Aufl. 8. (VIII, 72 S.) Basel 885. Detloff. n. 1. 20

Valentin, Fr., der ächte kleine Italiener. Anleitung, die italien. Sprache in 8 Tagen ohne Lehrer richtig lesen, schreiben u. sprechen zu lernen. Mit beigefügter Aussprache. 5. Aufl. 16. (160 S.) Hamburg 886. Berendsohn. — 60

Valentin, Karl, Studien üb. die schwedischen Volksmelodien. gr. 8. (XII, 73 S.) Leipzig 885. Breitkopf & Härtel. n. 1. 60

Valentin, V., Cornelius, Overbeck, Schnorr, Veit, Führich, s.: Kunst u. Künstler d. 19. Jahrh.

— Neues üb. die Venus v. Milo, s.: Beiträge zur Kunstgeschichte.

Valentin, Veit, Rede auf Ludwig Börne. Bei dessen 100jähr. Geburtsfeier am 6. Mai 1886 im Auftrag e. Fest-Ausschusses Frankfurter Bürger geh. gr. 8. (16 S.) Frankfurt a/M. 886. Neumann. n. — 50

Valentiner, die Kronenquelle zu Ober-Salzbrunn u. ihre wissenschaftliche Vertretung; Reclame od. Studium? Ein offenes Schreiben an Hrn. Prof. Dr. Gscheidlen zu Breslau. gr. 8. (22 S.) Wiesbaden 884. Kreidel. n. — 40

Valentiner, W., Beobachtungen am Meridiankreis, s.: Veröffentlichungen der grossherzogl. Sternwarte in Karlsruhe.

— die Kometen u. Meteore, s.: Wissen, das, der Gegenwart.

Valera, J., Pepita Jimenez, s.: Universal-Bibliothek.

Valerius, J. P., Freihandzeichnen-Hefte, ⎫
— Linearzeichnen-Hefte, ⎬ s.: Brovot, A.
— das Zeichnen in der Volksschule, ⎭

Valiante, R., le Cystoseirae del golfo di Napoli, s.: Fauna u. Flora d. Golfes v. Neapel u. der angrenzenden Meeres-Abschnitte.

Vallés, Camilo, nuevo método para aprender el idioma aleman segun el sistema de F. Ahn. 1. y 2. curso. 2. ed. 8. (IV, 144 u. IV, 102 S.) Leipzig 883. Brockhaus. n. 2. 20

— dasselbe. Clave para los ejercicios de traduccion del primero y segundo curso. 2. ed. 8. (36 S.) Ebend. 884. n. — 60

Vallis, Aug., lateinische Aufsätze u. Dispositionen f. obere Gymnasial-Klassen. gr. 8. (XIII, 236 S.) Kattowitz 883. Siwinna. n. 3. 50

Valuy, Benedict, Lebensrichtschnur d. Priesters in seinem Privat- u. öffentlichen Leben. Nach der 10. französ. Aufl. deutsch bearb. v. Adph. Bourier. 3. Aufl. 12. (VIII, 231 S.) Augsburg 884. Schmid's Verl. 1. 20

Valvasor, Frhr. Joh. Weichard, topographia Archiducatus Carinthiae antiquae et modernae completa: Das ist vollkommne u. gründl. Land-Beschreibg. dess berühmten Erz-Herzogthums Kärnbten, beydes nach dem vormal. u.

jetz. Zustande desselben: Darinn alle dessen Städte, Märckte, Klöster u. Schlösser, nebst andren Beschaffenheiten, u. Miteinführg. mancher, entweder zur Erläuterg. dienl. od. sonsten sich dazu bequem. Geschichten, nicht allein m. e. wahrhafften Feder, sondern auch Naturähnl. Abriß der beschriebenen Oerter, u. in Kupffer gebrachten Plätze. Ans Licht gestellt. Nürnberg, in Verlegg. Wolfg. Mor. Endters, 1688. Hrsg. v. J. Krajec. 15. (Schluß-) Lfg. hoch 4. (4 S. m. 13 Steintaf.) Rudolfswert 883. (Wien, Reger.) n. 1. 20 (cplt.: n. 18. —)

Vambéry, Herm., die Scheïbaniade. Ein özbegisches Heldengedicht in 76 Gesängen v. Prinz Mohammed Salih aus Charezm. Text, Übersetzg. u. Noten v. H. V. Lex.-8. (XXI, 468 S.) Budapest 885. (Kilián.) n. 30. —

— das Türkenvolk, in seinen ethnologischen u. ethnographischen Beziehungen geschildert. Mit 2 Taf. u. mehreren Holzschn. gr. 8. (XII, 638 S.) Leipzig 885. Brockhaus. n. 18. —

— der Zukunfts-Kampf um Indien. Aus dem Engl. v. Bruno Walden. Mit 1 Karte in Farbendr., das Fortschreiten Russlands gegen Indien darstellend. Autoris. Uebersetzg. gr. 8. (III, 158 S.) Wien 886. Gerold's Sohn. cart. n. 4. —

Vandenesch, Heinr., Grundzüge e. praktischen Gesundheitspflege in der Volksschule. Mit 5 Zeichngn. 3. Aufl. gr. 8. (80 S.) Dortmund 885. W. Crüwell. n. 1. —

Vanderburgh, E, le gamin de Paris, } s.: Bayard.
— der Pariser Taugenichts, }

Vaníček's, A., Biographie, s.: Glaser, K.

Vaníček, J., die doppelte Buchführung im Landwirthschaftsbetriebe. Ein vereinfachtes Rechnungsprincip der Wirthschafsbuchführg., monographisch dargestellt in den Durchschnittsziffern zehnjähr. Betriebsperiode auf e. nordostböhm. Grossgute. gr. 8. (VI, 99 S.) Prag 885 Calve. n. 2. 40

Vanino, Ludw., der englisch sprechende Pharmaceut. Medicinisch-pharmaceut. Wörter- u. Conversationsbüchlein in engl. u. deutscher Sprache f. Aerzte u. Apotheker. gr. 8. (22 S.) Lüneburg 883. König. 1. —

Vanité et dépense. Lettres à une amie. 16. (56 S.) Bern 883. (Nydegger & Baumgart.) n.n. — 50

Vargha, Jul., das österreichische Strafprocessrecht. Systematisch dargestellt. [Compendien d. österreich. Rechtes, 1. Bd.] gr. 8. (XII, 399 S.) Berlin 885. C. Heymann's Verl. geb. n. 8. —

Varnbüler, Thdr. v., die Lehre vom Sein. gr. 8. (XVI, 103 S.) Prag 883. Tempsky. — Leipzig, Freytag. n. 2. —

Varnhagen, Herm., Longfellows tales of a wayside inn u. ihre Quellen, nebst Nachweisen u. Untersuchgn. üb. die vom Dichter bearb. Stoffe. gr. 8. (VIII, 160 S. m. 2 Tab.) Berlin 884. Weidmann. n. 3. —

Varrelmann, G., ausgeführte Stilarbeiten. Ein Hülfsbuch f. Lehrer beim stilist. Unterrichte in Volks- u. Mittelschulen, enth. 117 Aufsätze, bearb. nach ausgewählten Lesestücken, nebst e. Sammlg. v. 49 Aufsätzen üb. freigewählte Themata, 34 Briefen u. 25 Geschäftsaufsätzen. 3. Aufl. gr. 8. (XIV, 176 S.) Hannover 884. Helwing's Verl. n. 2. —

Varronis, M. Terent., de lingua latina libri, emendavit, apparatu critico instruxit, praefatus est Leonardus Spengel. Leonardo patre mortuo ed. et recognovit filius Andr. Spengel. gr. 8. (XC, 286 S.) Berlin 885. Weidmann. n. 8. —

— rerum rusticarum libri III, s.: Catonis, M. P., de agricultura liber.

Vasari, Giorgio, Sammlung ausgewählter Biographien V.'s. Zum Gebrauche bei Vorlesgn. hrsg. v. Carl Frey. I. u. III. 8. Berlin, Hertz. n. 4. —

I. Vita di Donato scultore Fiorentino. (VIII, 60 S.) 885. n. 1. —.

III. Vita di Lorenzo Ghiberti scultore Fiorentino con i commentarj di Lorenzo Ghiberti en con aggiunte e note. (XI, 115 S.) 886. n. 3. —

Der 2. Bd. erscheint später.

Vasili, Graf Paul, die Wiener Gesellschaft. Autoris. Uebersetzg. 8. (542 S.) Leipzig 885. Le Soudier, Sep.-Cto. n. 5. —

Vassis, S., s.: Codicis Ciceroniani nova collatio.

Vaterland, unser, in Wort u. Bild geschildert v. e. Verein der bedeutendsten Schriftsteller u. Künstler Deutschlands u. Oesterreichs. 5. Bd. Die Rheinfahrt. Von den Quellen d. Rheins bis zum Meere. Schilderungen v. Karl Stieler, Hans Wachenhusen u. F. W. Hackländer. Illustrirt v. R. Püttner, A. Baur, C. F. Deiker 2c. 15—22. (Schluß-)Lfg. Fol. (VIII u. S. 241—360 m. eingedr. Holzschn. u. Holzschntaf.) Stuttgart 888. Kröner. à n. 1. 50 (5. Bd. cplt.: geb. n. 40. —)

Vaterlands-Kalender, illustrirter deutscher, f. d. J. 1887. Ein histor. Jahrbuch f. das deutsche Volk. Zur Belehrg. u. Unterhaltg. f. Stadt u. Land hrsg v. e. Vaterlandsfreunde. 25. Jahrg. 4. (46 S. m. eingedr. Holzschn.) Würzburg, Etlinger. n. — 30

Vaterlandsliebe u. **Treue** in Kampf u. Tod, od. Richard, der edle Gebirgsjäger am Königssee. Eine histor. Erzählg. f. die reifere Jugend u. das Volk. 4. Aufl. Mit 1 Stahlst. 8. (165 S.) Straubing 886. Volks- u. Jugendschriften-Verl. cart. 1. 20

Vaterunser, das, u. der englische Gruß, nach dem Katechismus in poet. Form bearb. f. alt u. jung v. J. K. 16. (14 S.) Augsburg 885. Kranzfelder. n. — 10

— das, in Bild u. Wort. Neun Blätter, gezeichnet von Jos. Ritter v. Führich. Mit erklär. Texte v. Frz. Hattler. 8. (VI, 60 S.) Regensburg 884. Verlags-Anstalt. n. 1. —

Vatke's, Wilh., historisch-kritische Einleitung in das Alte Testament. Nach Vorlesgn. hrsg. v. Herm. G. S. Preiss. Mit e. Vorwort v. A. Hilgenfeld. gr. 8. (XVIII, 754 S.) Bonn 886. Strauss. n. 10. —

Vatke's, Wilh., Leben u. Schriften, s.: Benecke, H.

Vatter, J., der verbundene Sach- u. Sprachunterricht. Ein Lesebuch, zunächst f Taubstummen-Anstalten. 1. u. 2. Abtlg. gr. 8. Frankfurt a/M., Bechhold. à n. 1. 20

1. 5. Aufl. (VIII, 143 S.) 886.
2. 3. Aufl. (VIII, 120 S.) 883.

— Sprachstoffe. Ein Hülfsmittel f. den Begriffsunterricht in Taubstummenanstalten u. zugleich e. Nachschlagebuch f. geschulte Taubstumme. gr. 8. (VIII, 168 S.) Ebend. 883. n. 1. 80

— zehn Sprechtafeln. Stoff zur Pflege e. technisch guten u. logisch richt. Sprechens bei Taubstummen. In Buchdr. Imp.-Fol. Mit Text. gr. 8. (8 S.) Ebend. 885. n. 4. —

— wie lehrt man Taubstumme gut sprechen? Ein Vortrag. gr. 8. (24 S.) Ebend. 884. n. — 50

Vautier, Benjamin, Kurzweil u. Zeitvertreib. Bilder aus dem Leben in 12 Bleistiftzeichnungen (in Lichtdr.). Fol. München 884. Adf. Ackermann. In Leinw.-Mappe. 20. —

Vautrey, Mgr., histoire des évêques de Bâle. Ouvrage publié sous les auspices de S. G. Mgr. Lachat, évêque de Bâle. Avec chromos, nombreuses illustrations, portraits, vues, armoiries, sceaux etc. (En 4 tomes.) Tom I—III. Lex.-8. (1. Bd. XIV, 526 S. u. 2. Bd. S. 1—276.) Einsiedeln 884—86. Benziger & Co. à n. 8. —

Vay, Adelma Freiin v., geb. Gräfin Wurmbrand, „Hephata". Gebete. 2. Aufl. 8. (199 S.) Gonobitz 886. (Wien, Lechner's Sort.) geb. n.n. 4. —

— dem Zephir abgelauscht. Eine Sammlg. v. Mährchen. 8. (167 S.) Ebend. 885. geb. n.n. 4. —

Veckenstedt, Edm., 25 Jahre zur See. Tagebuch d. Kapitän [Waterschout] J. F. Inge zu Libau. Bearb. u. hrsg. 8. (VI, 210 S. m. 1 Taf. Leipzig 885. Denicke. n. 2. —; geb. n. 3. —

— die Mythen, Sagen u. Legenden der Zamaiten [Litauer] Gesammelt u. hrsg. 2—8. (Schluß-) Lfg. 8. (1. Bd. VII u. S. 81—307 u. 2. Bd. IV, 315 S.) Heidelberg 883. C. Winter. à n. 1. — (cplt : n. 10. —)

— Pumphut, e. Kulturdämon der Deutschen, Wenden, Litauer u. Zamaiten. Mit Orig.-Sagen der Litauer u. Zamaiten. gr. 8. (VI, 33 S.) Leipzig 885. Denicke. n. 1. —

— Sztukoris, der Till Eulenspiegel der Litauer u. Zamaiten, u. Schut Fomka, sein russisches Ebenbild. Mit Originalschwänken, Streichen u. Sagen aus dem Russ., Zamait. u. Lit. 8. (50 S.) Ebend. 884. n. 1. —

Veesenmeyer, E., s.: Familien-Bibel d. Neuen Testamentes.
— u. W. **Nebeling**, zwei Gastpredigten, geh. in der Hauptkirche zu Wiesbaden am 1. u. 2. Advent 1885. gr. 8. (19 S.) Wiesbaden 885. Rodrian. n. — 50
Vega, Geo. Frhr. v., logarithmisch-trigonometrisches Handbuch. Neue vollständig durchgeseh. u. erweit. Ster.-Ausg., bearb. v. C. Bremiker. 69. Aufl. v. F. Tietjen. gr. 8. (XXVIII, 575 S.) Berlin 886. Weidmann. 4. 20
Vegeti Renati, Flavi, epitoma rei militaris. Rec. Carol. Lang. Ed. II. 8. (LI, 256 S.) Leipzig 885. Teubner. 3. 90
Vehge, Johannes, e. deutscher Prediger d. XV. Jahrh. Zum ersten Male hrsg. v. Frz. Jostes. gr. 8. (LVI, 468 S.) Halle 883. Niemeyer. n. 12. —
Vejas, P., Mittheilungen üb. den Puls u. die vitale Lungencapacität bei Schwangeren, Kreissenden u. Wöchnerinnen, s.: Sammlung klinischer Vorträge.
Vejdovský, Frz., die Süsswasser-Schwämme Böhmens. Mit 3 lith. Taf. gr. 4. (44 S.) Prag 883. (Calve.) n. 2. —
— System u. Morphologie der Oligochaeten. Bearb. im Auftrage d. Comités f. naturhistor. Landesdurchforschg. Böhmens. Mit 16 (lith.) Taf. u. 5 (eingedr.) Holzschn. Veröffentlicht durch Subvention der kais. Akademie der Wissenschaften in Wien u. der königl. böhm. Gesellschaft der Wissenschaften in Prag. Fol. (172 S. m. 16 Bl. Erklärgn.) Prag 884. (Řivnáč.) cart. n. 80. —
Velhmann, Otto, en Tiedmärken v. B. T. gr. 8. (112 S.) Osterwieck 884. Zickfeldt. n. — 75
Veit's Biographie, s.: Valentin, V.
Veit, G., s.: Bericht üb. Gruppe 22 der schweizerischen Landesausstellung Zürich 1883: Maschinen-Industrie.
Veit, J., die Eileiterschwangerschaft. Ein Beitrag zur Pathologie u. Therapie derselben. gr. 8. (V, 67 S. m. 1 Steintaf.) Stuttgart 884. Enke. n. 2. 40
— üb. Endometritis decidua, } s.: Sammlung
— über Perimetritis, } klinischer Vorträge.
Veith, Carl v., das römische Köln, nebst 1 Plane der röm. Stadt m. Einzeichng der bemerkenswerthesten Funde. Im Auftrage d. Vorstandes d. Vereins v. Alterthumsfreunden im Rheinlande. Fest-Programm zu Winckelmann's Geburtstagsfeier am 9. Dezbr. 1885. 4. (IV, 63 S.) Bonn 885. A. Marcus. n.n. 5. —
Veith, H. A. H., Einführung in das Rechnen m. Logarithmen. Zum Selbstunterricht bearb. gr. 8. (51 S.) Clausthal 885. Grosse. n. 1. —
Veith, Joh. Em., die Leidenswerkzeuge Christi. 5. Aufl. 8. (III, 306 S.) Wien 886. Mayer & Co. n. 1. 60
Velatus, L., Schlangenmoos. Novelle. 8. (267 S.) Breslau 884. Schottländer. n. 3. —; geb. n. 4. —
Velde, C. F. van der, das Liebhaber-Theater, s.: Volksbibliothek d. Lahrer Hinkenden Boten.
Velden, R. v. den, üb. Hypersekretion u. Hyperacidität d. Magensaftes, s.: Sammlung klinischer Vorträge.
Velenowský, J., Beiträge zur Kenntniss der bulgarischen Flora. gr. 4. (47 S.) Prag 886. (Calve.) n. 1. 20
— die Gymnospermen der böhmischen Kreideformation. Mit 13 (lith.) Taf. Veröffentlicht m. Subvention d. Comité f. die naturwissenschaftl. Durchforschg. Böhmens. Imp.-4. (V, 34 S. m. 12 Bl. Erklärgn.) Prag 885. (Řivnáč.) cart. n. 32. —
Velocipedist, der. Organ d. deutschen u. deutsch-österreich. Velocipedisten-Bundes. Red.: Carl Langer. 1. Jahrg. 1883. 12 Nrn. (à 1—2 B.) gr. 4. München. (Leipzig, Gracklauer.) n. 4. —
— der. Zeitschrift f. Radfahrer. Red.: F. M. Rittinger. 4. Jahrg. 1886. 24 Nrn. (1½ B.) gr. 4. München, (Lindauer). n. 5. —
Velten, Erna, Blau-Blümchen. Erzählungen f. junge Mädchen. 8. (V, 262 S.) Leipzig 886. Peterson. geb. n. 3. —
— für's Dämmerstündchen. Erzählungen f. die weibl Jugend von 11 bis 16 Jahren. 2. Aufl. 8. (IV, 216 S.) Leipzig 885. Peterson. cart. n. 2. 50
Velten, Wilh., Niemals! Niemals! Sach- u. fachgemäße Beantwortg. der Frage: „Darf die Gabelsberger'sche Stenografie in die höheren Schulen eingeführt werden?" 4. Aufl. gr. 8. (88 S., wovon 10 autogr.) Essen 884. Silbermann. n. 1. 20
— panem, non circenses! [Brot, nicht Spiele!] Gedanken e. Lehrers üb. die wahren Aufgaben der Körperpflege-Vereine. gr. 8. (24 S.) Essen 883. Fredebeul & Koenen. n. — 30
— Schlüssel u. Lesebuch zu dem Lehrbuch der deutschen Schulstenographie. 8. Aufl. gr. 8. (32 S.) Essen 883. Silbermann. n. 1. —
— warum verwehrt man der Stenografie den Eingang in die höheren Schulen? od. „die Stenografie u. ihre Gegner". 4. Aufl. gr. 8. (43 S.) Ebend. 884. — 75
Veltheim, H. v., Napoleon Potée, } s.: Bachem's
— der Versucher, } Novellen-Sammlung.
Veltmann, Herm., Funde v. Römermünzen im freien Germanien u. die Oertlichkeit der Varusschlacht. gr. 8. (131 S.) Osnabrück 886. Rackhorst. n. 1. 60
Veltmann, W., Ausgleichung der Beobachtungsfehler nach dem Princip symmetrisch berechneter Mittelgrössen. gr. 8. (43 S.) Marburg 886. Elwert's Verl. n. 1. 20
— u. Otto **Koll**, Formeln der niederen u. höheren Mathematik, sowie der Theorie der Beobachtungsfehler u. der Ausgleichung derselben nach der Methode der kleinsten Quadrate. Zum Gebrauch beim geodät. Studium u. in der geodät. Praxis zusammengestellt. gr. 8. (47 S.) Bonn 886. Strauss. geb. n. 3. —
Vely, E., Dorfluft. Erzählungen. [Auf der rauhen Alb. Adam's zweite Frau. Bärbele. Der Gnadenlöhner.] 2 Bde. 8. (463 u. 434 S.) Leipzig 885. Simon. n. 10. —
— Episoden. Roman. 2 Bde. 8. (299 u. 291 S.) Ebend. 884. n. 9. —
— Herodias. Roman. 2 Bde. 8. (219 u. 211 S.) Ebend. 883. n. 8. —
— Schiffbruch. Roman. 8. (260 S.) Ebend. 885. n. 8. —
Velzen, H. Thoden van, üb. die Geistesfreiheit vulgo Willensfreiheit. Psychologischer Nachweis. Lex.-8. (VII, 78 S.) Leipzig 886. Fues. n. 1. 80
Venerand, Wolfg., Asbest u. Feuerschutz. Enth.: Vorkommen, Verarbeitg. u. Anwendg. d. Asbestes, sowie den Feuerschutz in Theatern, öffentl. Gebäuden 2c., durch Anwendg. v. Asbestpräparaten, Imprägnirgn. u. sonst. bewährten Vorkehrgn. Mit 47 Abbildgn. 8. (VI, 216 S.) Wien 886. Hartleben. n 3. 25
Veneta, Mathilde, Dorcas Mora. Erzählung aus dem Leben e. Schauspielerin. 8. (VIII, 181 S.) Berlin 886. Stuhr. n. 2. —
Venite adoremus! Katholisches Gebet- u. Gesangbuch f. die studier. Jugend. 2. Aufl. Mit 1 Stahlst. 16. (XV, 246; 82 u 71 S.) Freiburg i/Br. 886. Herder. n. 1. 40; geb. n. 2. 20; n. 3. 25; n. 3. 50 u. n. 5. 25
Venn's, Jos., deutsche Aufsätze, verbunden m. e. Anleitg. zum Anfertigen v. Aufsätzen, 335 Dispositionen, sowie üb. 500 Themata zur Auswahl, vorzugsweise f. die oberen Klassen der Gymnasien u. höheren Lehranstalten. 31. Aufl. gr. 8. (IV, 460 S.) Altenburg 886. Pierer. n. 4. —; geb. n. 4. 50
Venosta, F., der Begleiter der Sprachlehren od. Verzeichniß v. Wörtern, Redensarten u. techn. Ausdrücken in den vier Hauptsprachen Europa's. Mit einigen der gebräuchlichsten Sprichwörter. Zum Gebrauche der Sprachbeflissenen u. Reisenden. gr. 8. (XX, 433 S.) London 883. Williams & Norgate. geb. n. 5. —
Venter, Frdr., das gute Recht der preußischen evangelischen Kirche auf Gewährung e. Dotation seitens d. Staates. gr. 8. (48 S.) Essen 886. Bädeker. n. — 80
Ventura, Seb., die Trencsén-Teplicer Schwefel-Thermen in Ungarn. 5. Aufl. Mit e. Eisenbahnkarte u. mehreren Illustr. 12. (136 S.) Wien 884. (Breslau, Woywod.) n. 1. 50
Venzoni, Joh. S., aus dem Tagebuche e. Gesanglehrers. Neue Folge. 8. (VIII, 86 S.) Hannover 884. Weichelt. n. 1. 50 (1. u. 2.: n. 2. 70)

Verakoff, Ernst, Kunst u. Leben. Schauspiel in 3 Aufzügen. 8. (87 S.) München 886. Behrens. 1. 20

Verbandsblätter. Mittheilungen vom Verbande Deutscher Handlungsgehülfen. Hrsg. u. Red.: Geo. Hiller. 1. Jahrg. 1885/86. 26 Nrn. (½ B.) gr. 4. Leipzig, (Gloeckner). 2. 40

Verbands-Kalender, mittelrheinischer, f. Landwirthe u. landwirthschaftliche Genossenschaften auf d. J. 1886. Hrsg. im Auftrage d. Ausschusses d landwirthschaftl. Versicherungs-Verbandes „Mittelrhein". gr. 4. (187 S. m. Illustr.) Frankfurt a/M., Neumann. n.n — 60

Verbandsliederbuch der kaufmännischen Congregationen u. der kath. kaufmännischen Vereine Deutschlands. 16. (XII, 291 S.) Breslau 883. Goerlich. cart. - 80

Verbeek, R. D. M., O. **Boettger** u. K. v. **Fritsch**, die Tertiärformation v. Sumatra u. ihre Thierreste, s.: Palaeontographica.

Verbrecherwelt, die, v. Berlin. Von Λ. Σ. 2. Ausg. 8. (IV, 243 S.) Berlin 886. Guttentag. n. 2. —

Verbrugghe, Louis, u. Georges **Verbrugghe**, Reisen u. Jagden in Nord-Amerika. Autoris. Uebersetzg. v. H. Schubert. 2. Aufl. 8. (IV, 352 S.) Norden 883. Fischer Nachf. n. 5. —

Verdellet, Jules, geometrisches Handbuch f. Tapezierer. Mit 65 (lith.) Taf. [Nach der 4. Aufl. d. französ. Originals „Manuel du tapissir" bearb.] (In 8 Lfgn.) 1—7. Lfg. Fol. (à 8 Taf. m. IV, 36 S.) Berlin 886. Claesen & Co. In Mappe. à n. 9. —

— Tapezirkunst. Vorlagen f. Tapezirer u. Decorateure. 2. Aufl. 60 Foliotaf. (In 5 Serien.) 1. Serie. Fol. (12 Taf.) Ebend. 886. In Mappe. n. 12. —

Verdet, E., Vorlesungen üb. die Wellentheorie d. Lichtes. Deutsche Bearbeitg. v. Karl Exner. Mit in den Text eingedr. Holzst. 1. Bd. 2. Abth. gr. 8. (XI—XVIII u. S 337—490.) Braunschweig 883. Vieweg & Sohn. n. 4. — (1. Bd. cplt.: n. 12. 40)

— dasselbe. 2. Bd. gr. 8. (336 S.) Ebend. 884. 85. n. 8. 30

Verdeutschung der Speise-Karte, sowie der hauptsächlichsten in der Küche u. im Gastwirts-Gewerbe vorkommenden entbehrlichen Fremdwörter. Bearb. v. dem Dresdner Zweigverein d. allg. Deutschen Sprachvereins in Verbindg. m. dem Verein Dresdner Gastwirte u. dem Verein Dresdner Köche. 8. (24 S.) Dresden 886. Teich. n. — 25

Verdy du Vernois, J. v., üb. praktische Felddienst-Aufgaben. Mit 1 Croquis. 3. unveränd. Aufl. 8. (62 S.) Berlin 886. Eisenschmidt. n. 1. 20

— Studien üb. Truppen-Führung. 4. Hft. [Mit e. (lith.) Plan.] Schluß der 1. Studie üb. die Infanterie-Division im Verbande d. Armee-Korps. 2. Aufl. gr. 8. (III, 88 S.) Berlin 883. Mittler & Sohn. n. 2. —

Veredarius, O., das Buch v. der Weltpost. Entwickelung u. Wirken der Post u. Telegraphie im Weltverkehr. gr. 4. (IV, 400 S. m. eingedr. Illustr., 14 chromolith. u. Lichtdr.-Taf. u. 2 Karten.) Berlin 885. Meidinger. n. 20. —; geb. n. 30 —

Verehrer, der wahre, d. heiligsten Herzens Jesu vor dem Altare d. göttlichen Meisters. 16. (32 S.) Luxemburg 884. Brück. — 30

Verein, nordwestdeutscher, f. Gefängnißwesen. 11. Vereinshft. Red. vom Vorstande. gr. 8. (118 S.) Oldenburg 883. Schulze. n. 1. 60

— dasselbe. 12—15. Vereinsheft. gr. 8. (150, 191, 178 u. 187 S.) Hamburg 883—85. Hoffmann & Campe Sort. à n. 2. —

— allgemeiner, f. deutsche Literatur. 7. Serie. 3. u. 4. Bd., 8. u. 9. Serie. à 4 Bde. u. 10. Serie 1. Bd. 8. Berlin 883—85. Allg. Verein f. deutsche Literatur. n. 63. —; geb. n. 74. —

VII. 3. Gedichte v. Hans Hopfen. 4 Tausendmal. (XII, 284 S.) n. 5. —; geb. n. 6. —

4. Das moderne Ungarn. Essays u. Skizzen von Joh. v. Asbóth, Agay, Ludw. Aigner ꝛc., hrsg. v. Ambros Neményi. (VII, 429 S.) n. 5. —; geb. n. 6. —

VIII. 1. Lebenskunst u. Kunstleben v. H. Ehrlich. (IV, 332 S.) n. 5. —; geb. n. 6. —

2. Aus dem Opernleben der Gegenwart. [Der „Modernen Oper" III. Thl.] Neue Kritiken u. Studien v. Ed. Hanslick. (IV, 379 S.) n. 5. – ; geb. n. 6. —

3. Eine Reise quer durch Indien im J. 1881. Erinnerungsblätter v. F. Reuleaux. (XV, 288 S. m. 1 Holzschntaf. u. 1 Chromolith.) n. 7. —; geb. n. 8. —

4. Astronomische Abende. Allgemein verständl. Unterhaltgn. üb. Geschichte u. Resultate der Himmels-Erforschg. Von Herm. J. Klein. (X, 379 S.) n. 5. —; geb. n. 6. —

IX. 1. Heinrich v. Kleist. Von Otto Brahm. Gekrönt m. dem ersten Preise d. Vereins f. deutsche Literatur. (VII, 391 S.) n. 7. —; geb. n. 8. —

2. Deutsche Geschichte im Zeitalter der Reformation. Von Glob. Egelhaaf. Gekrönte Preisschrift d. Allgemeinen Vereins f. deutsche Literatur. 2. Aufl. (VI, 450 S.) n. 7. —; geb. n. 8. —

3. Geschichte d. deutschen Einheitstraumes u. seiner Erfüllung. In den Grundlinien dargestellt v. J. Jastrow. Gekrönte Preisschrift. 2. Aufl. (IX, 399 S.) n.n. 6. —; geb. n. 7. —

4. Literarische Todtenklänge u. Lebensfragen. Von Rud. v. Gottschall. 2. Aufl. (VIII, 379 S.) n.n. 6. —; geb. n. 7. —

X. 1. Aus Natur- u. Menschenleben. Von W. Preyer. (V, 362 S.) n. 5. —; geb. n. 6. —

Vereine, die niederländischen, u. die niederländische Gesetzgebung gegen den Misbrauch geistiger Getränke. Bericht der Reise-Commission d. Deutschen Vereins gegen den Misbrauch geistiger Getränke. gr. 8. (59 S.) Bremen 883. (Bonn, Strauß.) n. 1. 20

Vereinigung, die, aller Erwerbsklassen u. Berufskreise zu großen Verbänden: — f. Welthandel, Weltverkehr u. Colonisation — „Hansa-Abtheilungen" u. deren Zusammentreten zu dem nationalen Bunde: „Deutsche Hansa". Eine wirthschaftliche u. sociale Frage. Ein Weg zur Besserg. der wirthschaftl. Verhältnisse u. zu möglichster Beiseitigg. socialer Mißstände. Von O. T. R. gr. 8. (55 S.) Leipzig 885. Th. Grieben. n. 1. 50

— die, der Kinder Gottes u. ihre Trennung von der Welt. Hrsg. vom Ausschusse der „freien evangel. Gemeinen u. Gemeinschaften". 8. (16 S.) Düsseldorf 886. (Bonn, Schergens.) n. — 80

— der christlichen Völker zur Sühn-Anbetung. 12. (16 S.) Amsterberg 884. Habbel. n. — 10

Vereinsblatt, ärztliches, f. Deutschland, Organ d. deutschen Aerztevereinsbundes. Begründet v. Herm. Eberh. Richter. Hrsg. v. dem Geschäftsausschusse: Graf, Aub, Brauser etc. Red.: Heinze. 12—15. Jahrg. 1883—1886. à 12 Nrn. (à 1—2 B.) gr. 4. Leipzig, (F. C. W. Vogel). à Jahrg. n. 5. —

— conservatives. Organ d. Conservativen Landesvereins im Königreich Sachsen. Red.: C. Wolsborn. 4. Jahrg. 1886. 24 Nrn. (B.) gr. 4. Leipzig, Teubner. n. 2. 40

— landwirthschaftliches, der kleineren Landwirthe Mecklenburgs. Organ d. Feuer-Versicherungs-Vereins f. kleinere Landwirthe zu Rostock. Hrsg. v. F. Ahrens u. Aemil Ritter. Jahrg. 1883. 52 Nrn. (½ B.) gr. 4. Rostock, Wismar, Hinstorff's Verl. n. 4. —

— dasselbe. Jahrg. 1884. 12 Nrn. (B.) gr. 8. Ebend. n. 2. 40

— landwirthschaftliches, f. Oberfranken. Hrsg. vom Kreis-Comité d. landwirthschaftl. Vereins. Red.: Ludloff u. Kraker. 14—17. Jahrg. 1883—1886. à 52 Nrn. (½ B.) gr. 8. Bayreuth, (Giessel). à Jahrg. n.n. 1. 20

— hannoversches land- u. forstwirthschaftliches. Hrsg.: C. Boysen u. E. Michelsen. 22—25. Jahrg. 1883—1886. à 52 Nrn. (à 1—1½ B.) gr. 8. Hildesheim, Gerstenberg. à Jahrg. n. 2. —

— für Freunde der natürlichen Lebensweise. [Vegetarianer.] Hrsg.: Ed. Baltzer. 16—19. Jahrg. 1883—1886. à 10 Nrn. (B.) gr. 8. Grötzingen. (Rudolstadt, Hartung & Sohn.) à Jahrg. n. 4. —

Vereinsblatt für deutsches Versicherungswesen. Red.: J. Neumann. 11—14. Jahrg. 1883—1886. à 12 Nrn. (à 2—2½ B.) gr. 8. Berlin, Mittler & Sohn. à Jahrg. n. 12. —

Vereins-Buch, Stuttgarter. gr. 8. (XII, 158 S.) Stuttgart 885. Kohlhammer. n. 2. —; geb. n. 2. 80

Vereins-Catalog. [Begonnen 1870.] Die v. dem Referentencollegium d. Cäcilien-Vereins f. alle Länder deutscher Zunge in den „Vereins-Catalog" aufgenommenen kirchenmusikal. oder auf Kirchenmusik bezügl. Werke enth. Eine selbständ. Beilage zu den „Flieg. Blätter f. kathol. Kirchen-Musik v. Fr. Witt". (4. Abth.) Nr. 468—690. Sep.-Ausg. hoch 4. (S. 197—272.) Regensburg 883. Pustet. n. — 90 (I—IV.: n. 3. 60)

Vereins-Gabe d. württembergischen Kunst-Gewerbe-Vereins f. Weihnachten 1884. 1. Lfg. Fol. (5 Lichtdr.-Taf. m. 2 Bl. Text.) Stuttgart 885. Wittwer's Verl. n. 5. —

Vereins-Kalender, illustrirter landwirthschaftlicher, f. das Königr. Sachsen u. die Thüringischen Staaten. 1887. 11. Jahrg. Hrsg. von K. v. Langsdorff. Mit e. Titelbild u. 41 Holzschn. 4. (80 S.) Dresden, (G. Schönfeld's Verl.). n.n. — 50

Vereinsschrift f. Forst-, Jagd- u. Naturkunde. Hrsg. vom böhm. Forstvereine. Red. v. Jos. Zenker. Jahrg. 1883—1886. à 6 Hfte. [Der ganzen Folge 121—146. Hft.] (Deutsch u. böhmisch.) gr. 8. (à Hft. ca. 233 S.) Prag, (André). à Jahrg. n. 16. —

Vereinstag, der 2., d. Vereins f. christliche Volksbildung in Rheinland u. Westfalen am 16. Juni 1884 zu Köln. [Verhandlungen → Festreden.] Hrsg. vom Vorstand d. Vereins. Lex.-8. (46 S.) Barmen 884. Wiemann. n. — 40

Vereins- u. Haus-Theater. 1—4. Hft. 8. Bern 885. 86. Jenni. n. 3. 20

1. O, diese Weiber! od. e. verunglückte Entführung. Dramatischer Scherz v. Gebh. Schätzler. (7 S.) n. — 40
2. Jack, der Steuermann. Orig.-Schauspiel in 1 Aufzuge v. Gebh. Schätzler. (22 S.) n. 1. —
3. Auf dem Polizeibureau. Orig.-Posse in 1 Aufzug v. Gebh. Schätzler. (22 S.) n. 1. —
4. Getäuschte Weiberlist. Lustspiel in 1 Akt v. Jos. Urb. Allenspach. (22 S.) n. — 80

Vereinszeitung, österreichische ärztliche. Blätter f. ärztl. Vereinswesen u. öffentl. Gesundheitspflege. Officielles Organ d. österreich. Aerzte-Vereinsverbandes u. der österr. Gesellschaft f. Gesundheitspflege etc. Hrsg. u. red. v. Carl Kohn. 7—10. Jahrg. 1883—1886. à 24 Nrn. (à 1—1½ B.) gr. 4. Wien, (Leipzig, Siegismund & Volkening). à Jahrg. n. 6. —

— deutsche. Anerkanntes Central-Organ f. sämmtl. Vereine jeden Charakters. Offizielles Organ der hervorragendsten Vereine Deutschlands. Red.: Joh. Mayer. 1. Jahrg. 1885/86. 52 Nrn. Mit Beiblatt: Die Neuzeit. Illustr. Blatt f. Ernst u. Scherz. (1½ B.) gr. 4. München, Verl. der Deutschen Vereinszeitg. n. 6. —

Verena, Sophie, v. allen Zweigen. Neuere lyr. Dichtgn., ausgewählt. Mit 16 (Holzschn.-)Illustr. 2. Aufl. 12. (VIII, 275 S.) Berlin 886. H. W. Müller. geb. m. Goldschn. n. 3. —

Verfahren, das, außer Streitsachen nach dem kaiserl. Patente vom 9. Aug. 1854, dann die Bestimmungen üb. Todeserklärung u. Amortisirung v. Urkunden, nebst e. Anh. [Feilbietungsordng., Mitwirkg. der Gemeinden u. ihrer Vorsteher bei Rechtsangelegenheiten außer Streitsachen u. Mitwirkg. der Gerichte bei Bemessg. u. Einhebg. der Verlassenschaftsgebühren]. Mit alphabet. u. chronolog. Register. (9. Aufl.) 8. (IV, 285 S.) Wien 885. Manz. n. 2. —

Verfassungsgesetze, die, d. Königr. Bayern. 2. Aufl. 8. (IV, 233 S.) Würzburg 884. Stahel. 1. 80

Verfügung betr. die theilweise Abänderung der §§ 2, 3 u. 7 bis 13 d. Regulativs üb. Ausbildung, Prüfung u. Anstellung f. die unteren Stellen d. Forstdienstes in Verbindung m. dem Militärdienst im Jägercorps vom 15. Febr. 1879. gr. 4. (3 S.) Berlin 883. Springer. n. — 10

— allgemeine, vom 8. März 1883, enth. Abänderungen der Anweisung vom 30. Aug. 1879 betr. die Behandlung der bei den Justizbehörden entstehenden Einnahmen u. Ausgaben. gr. 8. (24 S.) Berlin 883. v. Decker. n. — 15

Verga, G., sicilianische Bauernehre, s.: Universal-Bibliothek.

— ihr Gatte, s.: Engelhorn's allgemeine Roman-Bibliothek.

Vergebet, so wird euch vergeben. 4 Blumen m. steh. Kreuz. Chromolith. 12. Leipzig 883. (Baldamus, Sep.-Cto.) n. 1. 30

Vergewaltigung, die, der russischen Ostsee-Provinzen. Appell an das Ehrgefühl d. Protestantismus. Von e. Balten. gr. 8. (64 S.) Berlin 886. Deubner. n. 1. —

Vergilii Maronis, P., opera, scholarum in usum ed. W. Klouček. Pars II. Aeneis. 8. (VII, 338 S.) Leipzig 886. Freytag. n. 1. 25; Einbd. n.n. — 25

— Deutsch in der Versweise der Urschrift v. Wilh. Binder. 7. Lfg. 8. Berlin, Langenscheidt. à n. — 35

Aeneis. 4. Lfg. 4. Aufl. (3. Bd. S. 1—48.)

— Werke, s.: Collection Spemann.

— Aeneis. Für den Schulgebrauch erklärt v. Osk. Brosin. 1—3. Bdchn. Buch I—IX. Ausg. A. Text u. Kommentar in 1 Bd. gr. 8. Gotha, F. A. Perthes. n. 6. 90; Ausg. B., Text u. Kommentar jedes f. sich, in 2 Hftn. 6. 90

1. Buch I—III. (VIII u. S. 1—134.) Ausg. A., Text u. Kommentar in 1 Bd. n. 2. 40; Ausg. B., Text u. Kommentar getrennt in 2 Hftn. (S. 1—138 u. 1—134.) n. 2. 40
2. Buch IV—VI. Ausg. A. Kommentar unterm Text. (S. 253—506.) 2. 40; Ausg. B., Text u. Kommentar getrennt in 2 Hftn. (S. 65—133 u. 185—365.) n. 2. 40
3. Buch VII—IX. Ausg. A., Kommentar unterm Text. (S. 507—725.) 2. 10; Ausg. B., Text u. Kommentar getrennt in 2 Hftn. (S. 135—200 u. 367—518.) 2. 10

— dasselbe. 1. Bdchn. Buch I u. II. 2. Aufl. Ausg. A. Kommentar unterm Text gr. 8. (137 S.) Ebend. 886. n. 1. 30; Ausg. B., Text u. Kommentar getrennt in 2 Hftn. (43 u. 92 S.) n. 1. 30

— dasselbe. Anhang. [Einleitung u. allgemeinere Bemerkgn.] gr. 8. (24 S.) Ebend. 884. — 30

— dasselbe, f. Schüler bearb. v. Walther Gebhardi. 3. Tl.: Der Aeneide 5. u. 6. Buch. gr. 8. (XII, 183 S.) Paderborn 883. F. Schöningh. n. 1. 60 (1—3.: n. 4. 40)

— dasselbe. Für den Schulgebrauch erläutert v. Karl Kappes. 2. Hft.: Aeneis IV—VI. 3. verb. Aufl. gr. 8. (IV, 138 S.) Leipzig 884. Teubner. 1. 20

— Aeneidos libri XII. Ed. Geo. Thilo. Ed. ster. gr. 8. (S. 87—346.) Leipzig 886. B. Tauchnitz. — 90

— Bucolica. Georgica. Aeneis. Recognovit Otto Güthling. 2 tomi. 8. Leipzig 886. Teubner. 1. 35

1. Bucolica. Georgica. (XXI, 89 S.) — 45
2. Aeneis. (XXXVI, 274 S.) — 90

— Bucolica et Georgica, ed. Geo. Thilo. Ed. ster. gr. 8. (86 S.) Leipzig 886. B. Tauchnitz. — 45

— carmina, ed. Geo. Thilo. gr. 8. (XLVIII, 426 S.) Ebend. 886. 1. 50

— Gedichte. Erklärt v. Th. Ladewig. 1—3. Bdchn. v. Carl Schaper. gr. 8. Berlin, Weidmann. 5. 85

1. Bucolica u. Georgica. 7. Aufl. (VIII, 211 S.) 883. 1. 80
2. Aeneide. Buch I—VI. 10. Aufl. (V, 271 S.) 884. 1. 80
3. Dasselbe. Buch VII—XII. 8. Aufl. (III, 291 S.) 886. 2. 25

— dasselbe. Wörterbuch dazu, s.: Koch, G. A.

— s.: Virgil.

Vergißmeinnicht. Eine Auswahl aus Adalb. v. Chamisso, Joh. Wolfg. v. Göthe, Nic. Lenau, Aug. Graf v. Platen, Frdr. Rückert, Frdr. v. Schiller, Jul. Sturm, Ludw. Uhland f. Geist u. Gemüth. 16. (208 S.) Wiesbaden 883. Limbarth. geb. m. Goldschn. n. 3. —

— Auswahl der besten Stammbuch-Verse, Denk-Sprüche, Akrosticha u. Devisen. Der Liebe u. Freundschaft gewidmet. 8. Aufl. 8. (64 S.) Oberhausen 884. Spaarmann. — 25

— Christliche Denksprüche u. Liederverse f. alle Tage des Jahres. 16. (393 S.) Cannstatt 884. Bosheuyer. geb. m. Goldschn. n. 2. —

— Lehre, Verheißung, Trost in Bibelsprüchen u. Liederversen f. jeden Tag d. Jahres. Bevorwortet v. Emil Frommel. 18. Aufl. 32. (246 S.) Barmen 886. Wiemann. geb. u. durchschn. n. — 75; m. Goldschn. n. 1. —; m. Goldschn. u. Klappe n. 1. 25

Vergißmeinnicht, christliche, auf dem Lebenswege. 20. Aufl. 64. (378 S.) Reutlingen 884. Kurtz. geb. m. Goldschn. n. 1. —

— christliches. 22. Aufl. 32, (384 S.) Stuttgart 886. Buchh. der Evang. Gesellschaft. geb. in Leinw. n. — 80; m. Goldschn. n. 1. —; in Ldr. m. Klappe u. Goldschn. n. 1. —; ohne Klappe m. 6 Blumenkarten n. 2. —

— christliches. Ein frommer Gedanke auf jeden Tag d. Jahres, aus Gotteswort u. Dichterwort zusammengestellt v. e. evangl. Geistlichen. 7. Aufl. 82. (375 S.) Bielefeld 886. Helmich. geb. n. 1. 20; m. Goldschn. n. 1. 50

— christliches. 15. Aufl. 64. (368 S.) Kreuznach 884. Schmithals. geb. mit goldgesterntem Rothschn. n. 1. 20; m. Goldschn. n. 1. 50

— christliches. Denkblätter auf alle Tage d. Jahres. 9. Aufl. 64. (VIII, 512 S.) Reutlingen 884. Fleischhauer & Spohn. geb. m. Goldschn. 1. 50

— klassisches. Lichtstrahlen u. Leitsterne vornehmlich aus dem Schatze der deutschen Litteratur. Für alle Tage d. Jahres. 3. Aufl. 32. (378 S.) Kreuznach 886. Schmithals. geb. n. 1. 20; m. Goldschn. n. 1. 50

— ein, oder: Von der heiligen Messe. 15 Predigten, zu Augsburg auf dem Reichstag im J. 1548 geprediget. Durch Michaelem, Bischof v. Sidonien, Mainzischen Suffraganeum. 1. Joh. 2. Ingolstadt 1548. Neu hrsg. v. Vinc. Hasak. gr. 8. (234 S.) Regensburg 884. Verlags-Anstalt. n. 2. 80

Vergueiro, Nicolau P. de C., Lithotripsie in e. künstlichen Blase nach der Punctio vesica suprapubica. gr. 8. (13 S. m. 2 Holzschntaf.) Paris 883. (Berlin, Hirschwald.) n. 2. —

Verhandlungen d. III. österreichischen Agrartages 1885. gr. 8. (IV, 248 S.) Wien 885. Frick. n. 4. —

— der 8. Synode der Altkatholiken d. Deutschen Reiches, geh. zu Bonn am 16. Mai 1883. Amtliche Ausg. gr. 8. (76 S.) Bonn 883. Neusser. n. 2. —

— dasselbe. 9. Synode, geh. zu Bonn am 27. Mai 1885. Amtliche Ausg. gr. 8. (107 S.) Ebend. 885. n. 2. —

— der 9. ordentlichen Bezirkssynode der Stadt Osnabrück am 14. Mai 1884. 8. (74 S.) Osnabrück 884. (Rackhorst.) n. — 50

— des botanischen Vereins der Prov. Brandenburg. 24. Jahrg. 1882. Mit den Sitzungsberichten aus dem J. 1882 u. Beiträgen v. P. Ascherson, S. Berggren, H. Buchholz etc. Mit 4 (2 lith. u. 2 Kpfr.-)Taf. u. 11 (eingedr.) Holzschn. Red. u. hrsg. v. P. Ascherson, E. Koehne, F. Dietrich. gr. 8. (VI, XLVI, 291 S.) Berlin 883. Gaertner. n. 8. —

— dasselbe. 25. Jahrg. 1883. gr. 8. (LV, 220 S.) Ebend. 884. n. 5. 60

— dasselbe. 26. Jahrg. 1884. Mit 2 Taf. u. 1 Holzschn. Lex.-8. (XXXIV, 210 S.) Ebend. 885. n. 6. —

— dasselbe. 27. Jahrg. 1885. Mit 1 Taf. u. 4 Holzschn. Lex.-8. (LVI, 190 S.) Ebend. 886. n. 6. —

— der deutschen Gesellschaft f. Chirurgie. 11. Congress, abgeh. zu Berlin, vom 31. Mai—3. Juni 1882. Mit 6 (lith.) Taf. Abbildgn. u. (eingedr.) Holzschn. gr. 8. (XIX, 355 S.) Berlin 882. Hirschwald. n. 15. —

— dasselbe. 12. Congress, abgeh. zu Berlin, vom 4—7. April 1883. Mit 5 Taf. Abbildgn. u. Holzschn. gr. 8. (XIX, 108 u. 357 S.) Ebend. 883. n. 18. —

— dasselbe. 13. Congress, abgeh. zu Berlin, vom 16—19. Apr. 1884. Mit 5 Taf. Abbildgn. u. Holzschn. gr. 8. (XX, 133 u. 315 S.) Ebend. 884. n. 18. —

— dasselbe. 14. Congress, abgeh. zu Berlin, vom 8—11. Apr. 1885. Mit 13 Taf. Abbildgn. u. Holzschn. gr. 8. (XXII, 543 S.) Ebend. 885. n. 25. —

— über Cholera im Aerztlichen Verein zu München. 1884/85. gr. 8. (III, 91 S.) München 885. J. A. Finsterlin. n. 2. 40

— der Direktoren-Versammlungen in den Provinzen d. Königr. Preussen seit dem J. 1879. 14—35. Bd. Lex.-8. Berlin, Weidmann. n. 69. — (1—25.: n. 127. —)

14. 2. Direktoren-Versammlung in der Prov. Schleswig-Holstein 1883. (VIII, 237 S.) 883. n. 4. —
15. 4. Direktoren-Versammlung in der Prov. Sachsen. (VIII, 282 S.) 883. n. 5. —
16. 10. Direktoren-Versammlung in den Provinzen Ost- u. Westpreussen 1883. (VIII, 492 S.) 883. n. 8. —
17. 21. Direktoren-Versammlung der Prov. Westfalen. (VIII, 154 S.) 885. n. 3. —
18. 7. Direktoren-Versammlung in der Prov. Posen. (VII, 224 S.) 885. n. 4. —
19. 2. Direktoren-Versammlung in der Rheinprovinz. (XI, 299 S.) 885. n. 5. —
20. 4. Direktoren-Versammlung in der Prov. Hannover. (VIII, 383 S.) 885. n. 7. —
21. 9. Direktoren-Versammlung in der Prov. Pommern. (XII, 464 S.) 885. n. 8. —
22. 7. Direktoren-Versammlung in der Prov. Schlesien. (V, 242 S.) 885. n. 4. —
23. 3. Direktoren-Versammlung in der Prov. Schleswig-Holstein. (VIII, 240 S.) 886. n. 4. —
24. 11. Direktoren-Versammlung der vereinigten Provv. Ost- u. Westpreussen. (VII, 510 S.) 886. n. 8. —
25. 5. Direktoren-Versammlung in der Prov. Sachsen. (VIII, 528 S.) 886. n. 9. —

Verhandlungen der Gesellschaft f. Erdkunde zu Berlin, s.: Zeitschrift der Gesellschaft f. Erdkunde zu Berlin.

— der gelehrten estnischen Gesellschaft zu Dorpat. 11. Bd. Mit 16 lith. Taf. gr. 8. (201 S.) Dorpat 883. (Leipzig, K. F. Köhler.) n. 3. —

— dasselbe. 12. Bd. gr. 8. (V, 133 S. m. eingedr. Holzschn., 4 Steintaf. u. 1 chromolith. Karte.) Ebend. 884. n. 3. 50

— des 4. Vereinstages der landeskirchlichen evangel. Vereinigung, geh. in Berlin den 23—25. Octbr. 1882. Im Auftrag d. Vereinstages hrsg. v. dem geschäftführ. Vorstand d. evangel. Synodal-Vereins in der Prov. Brandenburg. gr. 8. (81 S.) Halle 882. (Strien.) n. 1. —

— des österreichischen Forstcongresses 1883 u. 1884. gr. 8. (III, 205 u. III, 152 S.) Wien 883. 84. Frick. à n. 1. 60

— des Harzer Forst-Vereins. Hrsg. v. dem Vereine. Jahrg. 1883—1885. gr. 8. (à ca. IV, 90 u. Anh. 38 S. m. 1 Tab.) Wernigerode 885. 86. (Jüttner.) à n. 3. —

— des Hils-Solling-Forst-Vereins. Hrsg. v. dem Vereine. Jahrg. 1882 u. 1884. 23. u. 24. Hauptversammlg. gr. 8. (III, 91 u. III, 78 S.) Berlin 883. 85. Springer. à n. 1. 20

— der Forstwirthe v. Mähren u. Schlesien. Hrsg. v. Heinr. C. Weeber. Jahrg. 1883—1885. à 4 Hfte. Der ganzen Folge 131—142. Hft. gr. 8. (à Hft. ca. 112 S.) Brünn, (Winiker). à Jahrg n. 8. —

— der 6. Jahresversammlung der Synode der evang.-luth. Freikirche in Sachsen u. a. St. A. D. 1882 üb. den Hausgottesdienst u. die Lehre v. den Sakramenten insgemein. gr. 8. (104 S.) Zwickau 883. (Dresden, H. J. Naumann.) n. 1. 35

— dasselbe der 7. Jahresversammlung 1883 üb. die Lehre v. der Person Christi u. der brüderlichen Bestrafung. gr. 8. (136 S.) Ebend. 884. n. 1. 60

— dasselbe der 8. Jahresversammlung 1884 üb. die Lehre vom hohenpriesterlichen Amte Christi u. zur Bibelrevisionsfrage. gr. 8. (128 S.) Ebend. 884. n. 1. 60

— der vereinigten Generalsynode zu Ansbach im J. 1885. gr. 8. (VI, 298 S.) Ansbach 885. (Brügel & Sohn.) n. 1. 50

— der 2. ordentlichen Generalsynode der evangelischen Landeskirche Preußens, eröffnet am 17. Octbr. 1885, geschlossen am 29. Octbr. 1885. Hrsg. v. dem Vorstande der Generalsynode. Lex.-8. (1109 S.) Berlin 886. Wiegandt & Grieben. n. 12. — (1. u. 2.: n. 24. 60)

— des 3. deutschen Geographentages zu Frankfurt a/M. am 29., 30 u. 31. März 1884. Mit 2 (chromolith.) Karten. gr. 8. (III, 208 S.) Berlin 883. G. Reimer. n. 5. —

— des 4. deutschen Geographentages zu München am 17., 18. u. 19. April 1884. Hrsg. v. F. Ratzel. Mit e. (chromolith.) Höhenkarte der Schneelinie in Europa v. Albr. Penck. gr. 8. (IV, 191 S.) Ebend. 884. n. 3. —

— des 5. deutschen Geographentages zu Hamburg am 9., 10. u. 11. Apr. 1885. Hrsg. v. H. Michow. Mit 2 Karten. gr. 8. (IV, 238 S.) Ebend. 885. n. 4. —

— der k. k. geologischen Reichsanstalt. 17—20. Jahrg. 1883—1886. à 17—18 Nrn. (à 1—$1^1/_2$ B.) Lex.-8. Wien, Hölder. à Jahrg. n. 6. —

Verhandlungen der deutschen Gesellschaft f. öffentliche Gesundheitspflege zu Berlin. 1884. gr. 8. (78 S.) Berlin 885. Grosser. n. 1. —
— dasselbe. 1885. gr. 8. (III, 136 S.) Ebend. 886. n. 2. —
— dasselbe, üb. Canalisation u. Berieselung in den Sitzungen am 29. Jan., 26. Febr., 19. März u. 23. Apr. 1883. Mit e. Anh.: Bericht d. kaiserl. Gesundheitsamtes u. d. Hrn. Tiemann zu Berlin. gr. 8. (99 S. m. 2 Tab.) Berlin 883. Pasch. n. — 60
— der 3. General-Versammlung d. Vereins f. Gesundheits-Technik zu Wien am 14., 15. u. 16. Septbr. 1881, in Gemeinschaft m. der 9. Versammlg. d. deutschen Vereins f. öffentl. Gesundheitspflege. Stenographischer Bericht. gr. 8. (148 S. m. 1 Steintaf.) Berlin 882. Polytechn. Buchh. n.n. 5. —
— dasselbe, der 4. General-Versammlung d. Vereins. gr. 8. (50 S.) Ebend. 883. n.n. 3. —
— des Vereins zur Beförderung d. Gewerbfleisses. Red.: A. Slaby. Jahrg. 1883—1886. à 10 Hfte. gr. 4. (1. Hft. 82 S. m. eingedr. Fig. u. 3 Steintaf.) Berlin, Simion. à Jahrg. n. 30. —
— dasselbe. Inhalts-Verzeichniss f. die ersten 60 Bde. [1822 bis 1881.] Im Auftrage d. Vereins zusammengestellt v. H. Kempert. gr. 4. (135 S.) Ebend. 883. n. 18. —
— der vom 11. bis zum 15. Septbr. 1882 im Haag vereinigten permanenten Commission der europäischen Gradmessung, red. v. A. Hirsch u. Th. v. Oppolzer. Zugleich m. dem Generalbericht f. die J. 1881 u. 1882, hrsg. v. dem Centralbureau der europ. Gradmessg. Mit 2 lith. Taf. gr. 4. (VI, 155 S.) Berlin 883. G. Reimer. n. 9. —
— der vom 15. bis zum 24. Oktbr. 1883 in Rom abgeh. 7. allgemeinen Conferenz der europäischen Gradmessung, red. v. A. Hirsch u. Th. v. Oppolzer. Zugleich m. dem Generalbericht f. d. J. 1883 hrsg. v. dem Centralbureau der europ. Gradmessg. Mit 10 lith. Taf. gr. 4. (IX,613 S.) Ebend. 884. n. 30. —
— der deutschen Gesellschaft f. Gynäkologie. 1. Kongress. abgeh. zu München vom 17—19. Juni 1886. Im Auftrage d. Kongresses hrsg v. F. Winckel u. R. Frommel. gr. 8. (XIV, 350 S.) Leipzig 886. Breitkopf & Härtel. n. 7. —
— des 11—14. deutschen Handelstages zu Berlin 1882. 1884. 1885 u. 1886. gr. 4. (à ca. IX, 66 S.) Berlin 882—86. Simion. à n. 1. 20
— des historischen Vereines v. Oberpfalz u. Regensburg. 37—39. Bd. der gesamten Verhandlgn. u. 29—31. Bd. der neuen Folge. Mit Abbildgn. gr. 8. (à ca. IV, 270 S.) Stadtamhof 883. 85. (Regensburg, Verlags-Anstalt. à n. 6. 70
— des I. österr. Jagd-Congresses in Wien vom 19. bis 22. Mai 1885. gr. 8. (269 S.) Wien 885. (Frick.) n. 3. 60
— des 16. deutschen Juristentages. Hrsg. v. dem Schriftführer-Amt der ständ. Deputation. 2. Bd. gr. 8. (VIII, 47 u. 368 S.) Berlin 883. (Guttentag.) n. 7. — (1. u. 2.: n. 13. 50)
— des 17. deutschen Juristentages. 2 Bde. gr. 8. (394 u. L, 332 S.) Berlin 884. 85. Guttentag. n. 13. —
— des 18. deutschen Juristentages. Hrsg. v. dem Schriftführer-Amt der ständ. Deputation. 1. Bd. gr. 8. (IV, 305 S.) Ebend. 886. n. 6. —
— der XXX. General-Versammlung der Katholiken Deutschlands zu Düsseldorf, am 10., 11., 12. u. 13. Septbr. 1883. Nach stenograph. Aufzeichng. hrsg. vom Lokal-Komité. gr. 8. (XLIV, 334 S.) Düsseldorf 883. (Henry.) n. 3. —
— dasselbe, der XXXI. General-Versammlung zu Amberg vom 31. Aug. bis 4. Septbr. 1884. gr. 8. (319 S.) Amberg 884. Habbel. n. 3. —
— dasselbe, der XXXII. General-Versammlung zu Münster i. W. vom 30. Aug. bis 3. Septbr. 1885. gr. 8. (491 S.) Münster 885. (Verl. d. „Westfäl. Merkur".) n. 4. —
— der 1. Versammlung der Gesellschaft f. Kinderheilkunde in der pädiatrischen Section auf der 56. Versammlung deutscher Naturforscher u. Ärzte in Freiburg i. B. 1883. gr. 8. (155 S.) Leipzig 884. Teubner. n. 3. —

Verhandlungen der 11. Landeskirchenversammlung 1882. Hrsg. vom Landesconsistorium der evangel. Kirche A. B. in Siebenbürgen. gr. 8. (231 S.) Hermannstadt 883. (Michaelis.) n. 2. 40
— dasselbe, der 12. Landeskirchenversammlung 1885. Lex.-8. (V, 228 S.) Ebend. 885. n. 2. —
— des V. Vereinstages der landeskirchlichen evangel. Vereinigung, geh. in Berlin den 17. u. 18. Apr. 1884. Im Auftrage d. Vereinstages hrsg. v. dem geschäftsführenden Vorstand d. evangel. Synodal-Vereins in der Prov. Brandenburg. gr. 8. (39 S.) Halle 884. (Strien.) — 60
— dasselbe d. VI. Vereinstags zu Halle a. S., am 26. u. 27. Mai 1886. gr. 8. Ebend. 886. n. 1. —
Bericht üb. den Gang der Verhandlungen. Referat v. Rößler üb. unsere nationale Einheit u. kirchliche Zerrissenheit. Referat v. Schrader üb. den evangelischen Charakter unserer Volksschule. (62 S.)
— der 4. evangelisch-lutherischen Landessynode im Königr. Sachsen. 1886. gr. 4. (VI, 486 u. Sachregister 42 S.) Dresden 886. Leipzig, Teubner. n. 6. —
— des Vereins zur Beförderung der Landwirthschaft zu Sondershausen, zunächst f. die Mitglieder d. Vereins red. u. hrsg. vom Vorstand d. Vereins. 43. Jahrg. 1882/83. gr. 8. (XVI, 124 S.) Sondershausen 883. Eupel. 1. 50
— der XVI—XX. allgemeinen schleswig-holstein. Lehrerversammlung 1882—1886. gr. 8. (à ca. 167 S.) Flensburg 882. Westphalen. à n. 1. 50
— des Congresses f. innere Medicin. 2. Congress, geh. zu Wiesbaden, 18—23. Apr. 1883. Im Auftrage d. Congresses hrsg. v. E. Leyden u. Emil Pfeiffer. 1. Abth. gr. 8. (XX, 341 S.) Wiesbaden 883. Bergmann. n. 7. —
— dasselbe. 3. Congress, geh. zu Berlin, vom 21—24. April 1884. Im Auftrage d. Congresses hrsg. v. E. Leyden u. Emil Pfeiffer. Mit 7 Taf. gr. 8. (XX, 389 S.) Ebend. 884. n. 8. —
— dasselbe. 4. Congress, geh. zu Wiesbaden, vom 8—11. Apr. 1885. Im Auftrage d. Congresses hrsg. v. E. Leyden u. Emil Pfeiffer. Mit 13 Abbildgn. u. 4 Taf. gr. 8. (XX, 470 S.) Ebend. 885. n. 10. —
— dasselbe. 5. Congress, geh. zu Wiesbaden, vom 14.—17. Apr. 1886. Im Auftrage d. Congresses hrsg. v. E. Leyden u. Emil Pfeiffer. Mit 5 Taf. u. mehreren Holzschn. gr. 8. (XX, 521 S.) Ebend. 886. n. 10. —
— der Konferenz f. Innere Mission zu Hannover am 14. u. 15. Oktbr. 1884. 8. (67 S.) Hannover 885. (Feesche.) n. — 40
— des XXIII. Kongresses f. innere Mission zu Karlsruhe vom 23—25. Septbr. 1884. Hrsg. vom Sekretariate d. Kongresses. gr. 8. (VIII, 200 S.) Frankfurt a/M. 884. n. 2. —
— der zur Beratung üb. Fragen aus dem Gebiet d. Mittelschulwesens im Grossherzogt. Baden v. dem grossherzogl. Badischen Oberschulrat im Juni 1883 einberufenen Versammlung, sowie der im Anschluss an diese Versammlung abgeh. 3. Badischen Direcktorenkonferenz. gr. 8. (125 S.) Karlsruhe 883. (Braun.) n.n. 1. 80
— der naturforschenden Gesellschaft in Basel. 7. Thl. 2. u. 3. Hft. Mit 9 Taf. gr. 8. (IV u. S. 257—914.) Basel 884. 85. Georg. n. 12. 80 (cplt.: n. 16. 80)
— dasselbe. 8. Thl. 1. Hft. gr. 8. (248 S.) Ebend. 886. n. 3. 60
— des naturhistorischen Vereines der preussischen Rheinlande u. Westfalens. Hrsg. v. C. J. Andrä. 39—42. Jahrg. 4. Folge: 9. u. 10. Jahrg. u. 5. Folge: 1. u. 2. Jahrg. à 2 Hälften. gr. 8. (Verhandlgn. ca. 316, Correspondenzblatt ca. 154 u. Sitzungsberichte ca. 232 S. m. eingedr. Holzschn. u. Steintaf.) Bonn 882—85. (Cohen & Sohn.) à n. 9. —
— dasselbe, s.: Autoren- u. Sachregister.
— des naturhistorisch-medicinischen Vereins zu Heidelberg. Neue Folge. 3. Bd. 2—5. Hft. gr. 8. (IV u. S. 97—637 m. 3 Steintaf. u. 1 Karte.) Heidel-

X. 7. öffentliche Versammlung der balneologischen Sektion am 14. u. 15. März 1885. Hrsg. v. Brock. (IV, 129 S.) 885. n. 2. —
XI. 8. öffentliche Versammlung der balneolog. Section am 20. u. 21. März 1886. Hrsg. v. Brock. (III, 114 S.) 886. n. 2. —

Veröffentlichungen der Gesellschaft f. Heilkunde in Berlin. Vorträge, geh. im J. 1884. Im Auftrage der Gesellschaft hrsg. v. H. Brock, O. Liebreich, E. Mendel. gr. 8. (III, 230 S. m. 1 Steintaf.) Berlin 885. G. Reimer. n. 5. —

— dasselbe. Vorträge, geh. im J. 1885. Im Auftrage der Gesellschaft hrsg. v. H. Brock, O. Liebreich, E. Mendel. gr. 8. (III, 118 S.) Berlin 886. Hirschwald. n. 3. —

— der Stadtbibliothek in Köln. 1. u. 2. Hft. gr. 8. Köln 886. Du Mont-Schauberg. n. 9. —
1. Die Stadtbibliothek in Köln. Ihre Organisation u. Verwaltg. Beiträge zu ihrer Geschichte v. Adf. Keysser. Mit 2 Taf. in autotyp. Druck. (VIII, 109 S.) n. 4. —
2. Die Ausgabe der Imitatio Christi in der Kölner Stadtbibliothek. Bibliographisch bearb. v. E. Fromm. (XVI, 129 S.) n. 5. —

— der grossherzogl. Sternwarte zu Karlsruhe. Hrsg. v. W. Valentiner. 1. u. 2. Hft. gr. 4. Karlsruhe, Braun. n. 22. —
1. Beobachtungen am Meridiankreis, angestellt v. W. Valentiner. (XX, 78 S.) 884. n. 6. —
2. Beobachtungen am Meridiankreis. (XII, 213 S.) 886. n. 16. —

Veronese, F., Syphilis als ätiologisches Moment bei Erkrankungen d. Nervensystems, s.: Klinik, Wiener.

Verordnung, betr. die Anlage u. den Betrieb von Dampfkesseln vom 3. Novbr. 1884. (Deutsch u. französisch.) 8. (49 S.) Straßburg 885. Schultz & Co. Verl. cart. n. — 80

— allerhöchste, üb. die Disziplinar-Strafordnung f. das Heer. Vom 31. Oktbr. 1872. Amtliche Ausg. 8. (23 S.) Berlin 883. Mittler & Sohn. — 15

— über die Ergänzung der Offiziere d. Friedensstandes vom 11. März 1880. 1. Nachtrag. gr. 8. (S. 31—54.) Berlin 884. v. Decker. n. — 20; (Verordng. u. 1. Nachtrag: n.n. — 50)

— S. Heiligkeit d. Papstes Leo XIII. üb. die Regel d. 3. Ordens d. heil. Franciscus f. Weltleute. Wortlaut der päpstl. Constitution vom 30. Mai 1883. 2. Aufl. 16. (16 S.) Dülmen 884. Laumann. n. — 10

— des k. k. Handelsministers vom 1. Juli 1880, betr. die Regelung d. Transportes explodirbarer Artikel auf Eisenbahnen. Nebst dem Handelsministerial-Erlasse vom 1. Juli 1880, Z. 17454, betr. die Durchführg. obiger Verordng. Giltig vom 1. Aug. 1880 angefangen. II. amtl. Ausg. v. J. 1885. Unter Einbeziehg. der Abändergn. u. Ergänzgn. 8. (III, 31 S.) Wien 885. Hof- u. Staatsdruckerei. n. — 20

— betr. die Landgemeinde-Verfassungen im Gebiete der Herzogthümer Schleswig u. Holstein. Vom 22. Sept. 1867. [Im Herzogth. Lauenburg m. geringen Modificationen eingeführt durch Gesetz vom 2. Novbr. 1874.] gr. 8. (16 S.) Schleswig 885. Bergas. n. — 30

— die Realschulen II. Ordnung betreffend, vom 20. März 1884, nebst Lehr- u. Prüfungs-Ordng. v. demselben Tage. gr. 4. (28 S.) Dresden 884. Meinhold & Söhne. n. — 50

— allerhöchste, üb. die Ergänzung d. Seeoffizierkorps nebst Ausführungsbestimmgn. d. Chefs der Kaiserl. Admiralität. gr. 8. (38 S.) Berlin 885. Mittler & Sohn. n. — 60

— dasselbe. 8. (36 S.) Berlin 885. v. Decker. — 50

— die Sicherung der Schauspielhäuser gegen Feuersgefahr betr.; vom 28. Decbr. 1882. gr. 8. (16 S.) Dresden 884. Teich. n. — 50

— über die Verhütung e. die gesetzliche Freiheit u. Ordnung gefährdenden Mißbrauchs d. Versammlungs- u. Vereinigungsrechtes. Vom 11. März 1850. — Gesetz, gegen die gemeingefährlichen Bestrebungen der Sozialdemokratie. Vom 21. Oktbr. 1878. Textausgabe m. Parallelstellen u. Sachregister. gr. 8. (23 S.) Berlin 884. v. Decker. n. — 20

Verordnungen üb. den Dienst im Felde f. die russische Armee vom J. 1881. Mit 6 Holzschn. u. Beilagen. Aus dem Russ. übers. v. Bichler. 12. (VIII, 135 S.) Hannover 884. Helwing's Verl. n. 1. 80

— Frankfurter. Zusammenstellung einzelner gesetzl. u. polizeil. Vorschriften u. städt. Verordngn. im Auszuge. Amtlich bearb. f. das Frankfurter Adressbuch. 32. (XII, 112 S.) Frankfurt a/M. 883. Mahlau & Waldschmidt. n.n. — 50

— betr. das Schulwesen d. Reg.-Bez. Magdeburg. Aus amtl. Quellen zusammengestellt. gr. 8. (XVI, 360 S.) Breslau 884. F. Hirt. n. 4. 50

— betr. die Untersuchung d. Schweinefleisches auf Trichinen in der Prov. Brandenburg. gr. 8. (15 S.) Rathenow 885. Haase. — 15

— betr. die Volksschulen im Reg.-Bez. Königsberg. Aus den Acten der königl. Regierg. gr. 8. (XII, 314 S.) Königsberg 883. Hartung. cart. n. 4. 80

— über Waisencassen u. Depositenwesen. 9., verm. Aufl. 8. (IV, 126 S.) Wien 884. Manz. n. 1. —

Verordnungsblatt f. das k. k. Heer. Normal-Verordnungen. [Separat-Ausg.] Jahrg. 1884—1886. gr. 4. (Nr. 1. 1/4 B.) Wien, Hof- u. Staatsdruckerei. à Jahrg. n. 6. 65

— dasselbe. Personal-Angelegenheiten. Jahrg. 1885 u. 1886. gr. 4. (Nr. 1. 3/4 B.) Ebend. à Jahrg. n. 4. —

— des k. k. Justizministeriums. Red. im k. k. Justizministerium. 1. u. 2. Jahrg. 1885 u. 1886. Lex.-8. (1. Stück 10 S.) Ebend. à Jahrg. n. 5. 35

— für die k. k. Landwehr. Jahrg. 1884. gr. 4. (Nr. 1. 1/2 B.) Ebend. n.n. 6. —

— dasselbe. Jahrg. 1885 u. 1886. gr. 4. (Nr. 1. 3/4 B.) Ebend. à Jahrg. n. 8. —

— des großherzogl. Oberschulrats. Jahrg. 1883—1886. gr. 4. (Nr. 1. 1 B.) Karlsruhe, (Groos). à Jahrg. n. 2. —

Verpflegungsstationen, die, zur Fürsorge f. herumziehende, arbeitslose Personen. gr. 8. (12 S.) Magdeburg 884. Faber. — 15

Verron, A., englisches Lesebuch f. die unteren u. mittleren Klassen der höheren Lehranstalten. gr. 8. (VIII, 267 S.) Münster, Coppenrath. n. 2. 40

Versäumnis-Liste f. Volksschulen f. 144 Schüler. Fol. (24 S.) Osnabrück 886. Veith. n. — 60

Versmann, E., zur Erinnerung a. d. Tag d. Confirmation. 75. Tausend. 8. (34 S.) Itzehoe 886. Nusser. n. — 15

— der Gottestisch. 7 Betrachtgn. üb. die im Kirchenbuche f. Schleswig u. Holstein enthaltene Ansprache an Communicanten. 4. Aufl. gr. 8. (95 S.) Ebend. 886. n. 1. 20; geb. m. Goldschn. n. 2. 25

Versorgungs-, Unterstützungs- u. Stiftungs-Beneficien f. Offiziere u. Militär-Beamte d. activen u. nichtactiven Verhältnisses, d. Ruhestandes u. d. Landsturmes, sowie f. deren Kinder, Witwen u. Waisen, nebst e. Zusammenstellg. der Staats- u. Privat-Stiftgn. Hrsg. v. Fachmännern. Red.: O. J. Schmid. gr. 8. (IV, 187 S.) Wien 885. (Seidel & Sohn.) n. 3. 20

Verstaatlichung, die, d. Grundkredits. Ideen zu e. nationalen Verwaltungsrecht d. Grundbesitzes. Von H. F. gr. 8. (III, 49 S.) Jena 885. Fischer. n. 1. —

— die, d. Hagel-Versicherungswesens im Königr. Bayern. Von L. in A. 12. (8 S.) Berlin 883. H. J. Meidinger. — 15

— die, der Mobiliarversicherung in der Schweiz. Eine Warng. zur rechten Zeit. Von Ignotus. gr. 8. (VIII, 129 S.) Bern 884. (Jent & Reinert.) n. 1. 60

Verstegl, die kirchliche Leinwandstickerei. Muster-Blätter im roman. u. goth. Style. 3. Lfg. qu. gr. 4. (24 Steintaf.) Düsseldorf 883. Schwann. In Mappe. n. 5. — (1—3.: n. 13. —)

Verstraeten, Fr., et Em. Doms, cours complet de langue flamande à l'usage des établissements d'instruction moyenne. 1. partie. Cours élémentaire. 6. éd. 8. (IV, 180 S.) Köln 885. Du Mont-Schauberg. n. 1. 60

— — volledige leergang van duitsche taal, ten gebruike der gestichten van middelbaar onderwijs. Naar den leergang van G. Möhl. 1. deel. Voor eerstbeginnenden. 8. (IV, 175 S.) Ebend. 885. n. 1. 35

Versuch, der 2. M. Deprez'sche, der electrischen Kraftübertragung. Von M. R. H. gr. 8. (13 S.) Münster 883. Aschendorff. n. — 20

— einer Lösung der socialen Frage d. deutschen Apothekerstandes. Von e. deutschen Apotheker. gr. 8. (38 S.) Leipzig 885. (O. Gracklauer.) n. — 50

Versuche, critische u. nicht critische. Von Egmont. I—IV. gr. 8. Danzig 885. Axt. n. 2. 85

I. Erdachsen im Verhältnis zum Werden u. Vergehen. Mit 1 lith. Skizze. (22 S.) n. — 50
II. Die Nächte d. Orients von Adf. Frdr. Graf v. Schack.
III. Die göttliche Comödie v. Dante Alighieri. (15 u. 25 S.) n. — 75
IV. Faust. Tragödie v. Goethe. (100 S.) n. 1. 60

— über die Verdaulichkeit der Weizenkleie u. deren Veränderung durch verschiedene Arten der Zubereitung u. Verabreichung, sowie üb. die Verdaulichkeit d. Wiesenheus im trockenen u. angefeuchteten Zustande. Auf der landwirthschaftl. Versuchs-Station Möckern in den J. 1877—1881 ausgeführt v. Gust. Kühn, Frz. Gerver, Max Schmöger, A. Thomas, O. Kern, R. Struve u. O. Neubert. [Referent: G. Kühn.] gr. 8. (214 S.) Berlin 883. Parey. n. 5. —

Versuchs-Stationen, die landwirthschaftlichen. Organ f. naturwissenschaftliche Forschgn. auf dem Gebiete der Landwirthschaft. Unter Mitwirkg. sämmtl. deutschen Versuchs-Stationen hrsg. v. Frdr. Nobbe. 29—33. Bd. à 6 Hfte. gr. 8. (à Hft. 100 S.) Berlin 883—86. Parey. à Bd. n. 12. —

Versuchswesen, das forstliche. 2. Bd. 2. Hft. Unter Mitwirkg. forstl Autoritäten u. tücht. Vertreter der Naturwissenschaften hrsg. v. Aug. Ganghofer. gr. 8. (VII u. S. 273—477 m. 1 graph. Steintaf.) Augsburg 884. (Schmid's Verl.) n. 5. — (I. u. II.: n. 23. —)

Vertrags-Zolltarif f. China. gr. 4. (8 S.) Berlin 884. Mittler & Sohn. n. — 60

Vertrauen um Vertrauen. Soziale Skizzen aus dem Leben e. Fabrikdorfes v. H. L. 8. (68 S.) Trier 885. Paulinus-Druckerei. n. — 50

Vertretung, die prozessualische, d. Reichsfiskus bezüglich d. Festungseigenthums. gr. 8. (9 S.) Tübingen 884. Fues. n. — 20

Verwaltungs-Bericht d. Magistrats der königl. Haupt- u. Residenzstadt Breslau f. die drei Etatsjahre vom 1. April 1880 bis 31. März 1883. Lex.-8. (XVI, 384 S.) Breslau 884. (Morgenstern's Verl.) n.n. 6. —

— des Rathes der Stadt Leipzig f. d. J. 1884. Lex.-8. (VIII, 736 S. m. 3 Taf.) Leipzig 886. Duncker & Humblot. geb. n. 16. —

— der Vorderstadt Neubrandenburg f. d. J. 1885. gr. 8. (32 S.) Neubrandenburg 886. (Brünslow.) n. — 50

— der königl. württembergischen Verkehrsanstalten f. das Rechnungsj. 1881/82. Hrsg. v. dem königl. Ministerium der auswärt. Angelegenheiten, Abtheilg. f. die Verkehrsanstalten. Mit Anh.: Die geognost. Profilirg. der württemberg. Eisenbahnlinien. Von Osc. Fraas. Lex.-8. (V, 200 S. m. 2 chromolith. Profiltaf.) Stuttgart 883. (Metzler's Verl.) n.n. 5. —

— dasselbe. Rechnungsj. 1882/83. Lex.-8. (V, 192 S. m. 1 lith. u. color. Längenprofil in schmal gr. Fol.) Ebend. 883. n.n. 5. —

— dasselbe, f. das Rechnungsj. 1884/85. Lex.-8. (V, 366 S. m. 2 Tab.) Ebend. 886. n.n. 9. —

— der Reichshaupt- u. Residenzstadt Wien f. d. J. 1883. Vorgelegt von Ed. Uhl. Mit 3 Plänen. Lex.-8. (XII, 214 S.) Wien 884. (Manz.) geb. n. 6. —

Verwaltungs-Bestimmungen üb. die Uebungsmunition der Marinetheile u. in Dienst gestellten Schiffe. gr. 8. (IV, 42 S. m. 1 autogr. u. color. Taf.) Berlin 886. Mittler & Sohn. n. 1. —

Verwaltungs-Blatt, preussisches. Wochenschrift f. Verwaltg. u. Verwaltungsrechtspflege in Preussen. Hrsg.: Binseel. 5—8. Jahrg. Oktbr. 1883—Septbr. 1887. à 52 Nrn. (B.) gr. 4. Berlin, Drewitz. à Jahrg. n. 16. —

Verwaltungsgerichtshofs-Erkenntnisse, nach § 6 d. Gesetzes vom 22. Octbr. 1875, R. G. B. ex 1876 Nr. 36 geschöpft ohne vorausgegangene mündl. Verhandlg. Zusammengestellt von Adam Frhrn. v. Budwinski. 3. Hft. Jahrg. 1881—1882. gr. 8. (III, 124 S.) Wien 884. Manz. n. 2. —

Verwaltungsgerichtshofs-Erkenntnisse, nach § 6 d. Gesetzes vom 22. Octbr. 1875, R. G. B. ex 1876 Nr. 36 geschöpft ohne vorausgegangene mündl. Verhandlg. Zusammengestellt von Adam Frhrn. v. Budwinski. 4. Hft. Jahrg. 1883—1884. gr. 8. (III, 119 S.) Wien 886. Manz. n. 2. —

Verwaltungs-Gesetze, die neuen preussischen, f. die Prov. Hessen-Nassau. Text-Ausg. Mit alphabet. Sachregister. 8. (IV, 244 S.) Kassel 886. Freyschmidt. cart. n. 2. —

Verwertung, die industrielle, d. Rothbuchenholzes. Eine Denkschrift, hrsg. v. e. Commission, welche v. dem österreichisch-ungar. Verein der Holzproducenten, Holzhändler u. Holz-Industriellen u. dem technolog. Gewerbe-Museum eingesetzt wurde. gr. 8. (IX, 71 S.) Wien 884. Graeser. n. 3. 60

Verwiebe, Karl, traurige Zustände. Eine Anregg. zur Abhülfe d. Nothstandes unter den Technikern Deutschlands. Eine soziale Frage f. Jedermann. 2. Aufl. 8. (XXII, 38 S.) Eisleben 884. (Reichenbach i/Schl., Hoefer.) n. 1. —

Verzeichniss der Advokaten u. k. k. Notare in den im Reichsrathe vertretenen Königreichen u. Ländern der österreichisch-ungarischen Monarchie 1886, m. statist. Uebersichten hrsg. vom k. k. Justizministerium. 3. Jahrg. gr. 8. (105 S.) Wien 886. Hof- u. Staatsdruckerei. n. 1. 20

— sämmtlicher Apotheken, chemischen Fabriken u. Laboratorien, Droguerien, Kolonialwaarenhandlungen etc. der Schweiz. 16. (32 S.) Schaffhausen 885. Stötzner. n. 1. 50; m. Schreibpap. durchsch. n. 2. —

— officielles, der verliehenen Auszeichnungen bei der internationalen Ausstellung v. Arbeiten aus edlen Metallen u. Legirungen in Nürnberg 1885. hoch 4. (8 S.) Nürnberg 885. Verlagsanstalt d. bayr. Gewerbemuseums, (C. Schrag). n.n. — 40

— der Behörden u. Beamteten d. Kant. Basel-Stadt, sowie der schweizerischen Bundesbehörden f. d. J. 1884. 8. (124 S.) Basel, Schwabe. n. 1. —

— der Beschäler d. Hannov. Landesgestütes. 1. u. 2. Nachtrag. [Decbr. 1883 u. Jan. 1886.] 12. (4 u. 6 S.) Celle 884. 86. Literar. Anstalt. à n. — 10
(Hauptwerk u. 1. u. 2. Nachtrag: n. 1. 20)
cf.: Landesgestüt, das hannoversche, zu Celle.

— der Bibelstellen d. Bibel-Lese-Vereins f. das Kirchenjahr 1885—86. 28. Jahrg. Ausg. f. das Königr. Sachsen. 8. (4 S.) Fürstenwalde 885. (Leipzig, Buchh. d. Vereinshauses.) — 3

— der Sammlungen d. Börsenvereins der deutschen Buchhändler. I. Katalog der Bibliothek. gr. 8. (XXXVI, 708 S.) Leipzig 885. (Exped. d. Börsenblattes.) n. 10. —

— der Bücher, Landkarten ꝛc., welche vom Juli bis Decbr. 1882 neu erschienen od. neu aufgelegt worden sind, mit Angabe der Seitenzahl, der Verleger, der Preise, literar. Nachweisgn. u. e. wissenschaftl. Uebersicht. 169. Fortsetzg. 8. (CXII, 506 S.) Leipzig 883. Hinrichs' Verl. n. 3. 60; Schreibpap. n. 4. 80

— dasselbe 1883. 2 Bde. 170. u. 171. Fortsetzg. 8. (CVI, 484 u. CXX, 836 S.) Ebend. 883. 84. à n. 3. 60; Schreibpap. à n. 4. 80

— dasselbe, 1884. 2 Bde. 172 u. 173. Fotsetzg. 8. (CXV, 524 u. CXII, 515 S.) Ebend. 884. 85. à n. 4. —; Schreibpap. à n.n. 5. —

— dasselbe, 1885. 2 Bde. 174. u. 175. Fortsetzg. 8. (CXIII, 517 u. CXXIII, 584 S.) Ebend. 885. 86. à n. 4. —; Schreibpap. à n.n. 5. —

— dasselbe, 1886. I. 176. Fortsetzg. 8. (CXIV, 508 S.) Ebend. 886. n. 4. —; geb. n. 4. 60; Einbd.-Decke n.n. — 40; Schreibpap. geb. n.n. 5. —

— der in den J. 1875—1885 ausserhalb Russlands erschienenen russischen Bücher. (In russ. Sprache.) gr. 8. (32 S.) Berlin 885. Stuhr. n. — 80

— der Bücher, Zeitschriften, Karten u. Pläne der Ausstellungs-Bibliothek, umfassend das Gebiet der Hygiene u. d. Rettungswesens. gr. 8. (XIV, 144 S.) Berlin 883. (Gutmann.) n. — 80

Verzeichniß der Bücher-Sammlung d. kaiserl. Gesundheits-Amtes. gr. 8. (VII, 410 S.) Berlin 886. (Springer.) cart. n.n. 6. —

— der Burger u. Niedergelassenen der Stadt Zürich im J. 1882. Von J. J. Schultheß u. Joh. Bernh. Eßlinger. gr. 8. (III, 565 u. 486 S.) Zürich 882. Schultheß. geb. n. 10. —

— der Communalsteuerpflichtigen der Oberbürgermeisterei Crefeld, Umlage pro 1886/87 v. e. der Communal-Einkommensteuer unterliegenden Einkommen von 900—1050 Mark an aufwärts, m. dem bezügl. Steuersatztarif. gr. 8. (49 S.) Crefeld 886. (Klein.) n.n. 1. —

— der kaiserl. deutschen Consulate. Jan. 1883. Auswärtiges Amt d. Deutschen Reiches. 4. (35 S.) Berlin 883. Mittler & Sohn. n. 1. —

— dasselbe. Febr. 1884. gr. 4. (57 S.) Ebend. 884. n. 1. 25

— dasselbe. Mai 1885. gr. 4 (57 S.) Ebend. 885. n. 1. 25

— dasselbe. März 1886. gr. 4. (61 S.) Ebend. 886. n. 1. 25

— der Corpsburschen der zur Zeit bestehenden fünf Heidelberger Corps, hrsg. vom Heidelberger S.-C. gr. 8. (218 S.) Heidelberg 886. Petters. n.n. 2. —

— der in Kraft stehenden u. der in Bearbeitung befindlichen Dienstbücher u. Vorschriften, als Anhang I zur Geschäftsordnung f. das k. k. Heer. hoch 4. (50 S.) Wien 885. Hof- u. Staatsdruckerei. n. — 48

— officielles, der vom Preisgericht ertheilten Diplome der schweizerischen Landesausstellung Zürich 1883. gr. 8. (123 S.) Zürich 883. Orell Füssli & Co. Verl. n. 1. 80

— der Fahrtaxen, resp. d. ortsüblichen Fuhrlohnes von den Eisenbahn-Stationen der im Reichsrathe vertretenen Königreiche u. Länder in die nächstgelegenen Ortschaften. Hrsg. vom k. k. Handels-Ministerium 1886. gr. 8. (27 S.) Wien 886. Hof- u. Staatsdruckerei. n. — 60

— der Feld-Ausrüstung e. Offiziers. 4. (15 S) Rathenow 886. Babenzien. n.n. — 25

— der Theilnehmer der allgemeinen Fernsprecheinrichtung in Hamburg u. Altona. gr. 8. (116 S.) Hamburg 883. (J. F. Richter.) n. 2. —

— ausgewählter litterarischer Festgeschenke katholischer u. wissenschaftlicher Richtung f. Jung u. Alt. 2. Jahrg. Festzeit 1884. gr. 8. (40 S.) Aachen 884. Schweitzer. n — 20

— der autorisirten Führer in den deutschen u. österreichischen Alpen. Hrsg. v. der Sektion Berlin d. d. u. ö. Alpen-Vereins. 2. Aufl. 12. (VI, 22 S.) Berlin, Mitscher. — 50

— neuestes alphabetisches, sämmtlicher Gassen u. Plätze Prags u. der Vororte, sowie aller öffentlichen Gebäude, Anlagen, Sammlungen u. dgl., nebst Angabe der Quadrate, in welchen dieselben aufzufinden sind. Mit dem Tramway-Tarif u. der Droschken- u. Fiaker-Taxe. Mit 1 (chromolith.) Plan v. Prag u. Umgebg. 8. (30 S.) Prag 885. Řivnáč. cart. n. 1. 40

— alphabetisches, der in dem zoologischen Jahresberichte f. 1-81 enthaltenen neuen Gattungsnamen. Hrsg. v. der zoolog. Station zu Neapel. gr. 8. (10 S.) Leipzig 883. Engelmann. n. — 40

— beschreibendes, der Gemälde d. Suermondt-Museums zu Aachen. Lex.-8. (V, 89 S. m. Holzschn.-Portr. u. eingedr. Fcsms.) Aachen 883. (M. Jacobi.) cart. n.n. 2. —; m. 8 Photogr. u. 2 Lichtdr. n.n. 5. —

— der im Vorrat der Galerie befindlichen, sowie der an andere Museen abgegebenen Gemälde der königl. Museen zu Berlin. Anh. zum beschreib. Verzeichnis der Gemälde v. 1883. Hrsg. v. der Generalverwaltg. 8. (VI, 266 S.) Berlin 886. Spemann. n.n. 4. —

— beschreibendes, der Gemälde der königl. Museen zu Berlin. 2. Aufl. v. 1883. Nachtrag. 8. (IV, 68 S.) Ebend. 885. n.n. – 50

— der Berliner Gemeinde-Lehrer u. Lehrerinnen, geordnet nach Dienstalter, Gehalt, Lebensalter, lauf. Nummer der Schulen u. alphabet. Namensfolge [nebst e. Anh.] f. d. J. 1885/86. 42. Jahrg. Hrsg. v. Heinr. Gaulke. gr. 8. (90 S.) Berlin 885. (H. R. Mecklenburg.) n. 1. 50

Verzeichniß, alphabetisches, der Gewerbezweige, welche z. d. bis zum 1. Oktbr. 1885 gebildeten Berufsgenossenschaften gehören. Nachweisung der Namen, Sitze u. Bezirke der Berufsgenossenschaften, der Sektionen u. der Schiedsgerichte; ferner der Namen u. Wohnorte der Vorsitzenden der Genossenschafts- u. Sektions-Vorstände, sowie der Schiedsgerichte. I. Berufsgenossenschaften. II. Reichs- u. Staatsbetriebe. gr. 4. (82 S.) Berlin 885. Asher & Co. cart. n. 1. —

— über die auf Grund der Gewerbeorduung [§ 16, Zahl 13 der Gewerbeordng. vom 20. Decbr. 1859, R. G. Bl. Nr. 227 u. § 15, Zahl 14 der Gewerbeordng. in der Fassg. d. Gesetzes vom 15. März 1883, R. G. Bl. Nr. 39] in den im Reichsrathe vertretenen Königreichen u. Ländern zum Absatze v. Giften berechtigten Gewerbsleute nach dem Stande vom 31. Octbr. 1885. Auf Grund ämtl. Quellen zusammengestellt. gr. 8. (27 S.) Wien 1886. Hof- u. Staatsdruckerei. n. — 80

— der Gipsabgüsse der königl. Museen zu Berlin. Kleine Ausg. Hrsg. v. der Generalverwaltg. 3. Abdr. 8. (II, 127 S. m. 1 Grundriss.) Berlin 883. Weidmann. . n.n. — 50

— der Inhaber v. Giro-Conten bei der Reichsbank. Zusammengestellt nach amtl. Material. Abgeschlossen am 1. Apr. 1886. 8. (196 S.) Berlin 886. Bath. cart. n.n. 1. 75

— der in der königl. katholischen Hofkirche zu Dresden v. der königl. musikalischen Kapelle u. den Kirchensängern auszuführenden Gottesdienste. 1886. Entworfen v. Paul Brendler. 8. (9 S.) Dresden 886. Warnatz & Lehmann. n. — 40

— alphabetisches, der activen Hof- u. Staatsdiener d. Großherzogth. Baden, nebst kurzen Personalnachrichten. 3. Ausg. [Nach dem Stande v. Anfang März 1885.] Nach amtl. Quellen bearb. u. m. e. Anh. versehen, welcher Verzeichnisse der activen Anwälte, Notare, Steuerkommissäre u. Bezirksthierärzte, der Referendäre, Praktikanten ꝛc., sowie der seit der 2. Ausg. ausgeschiedenen Diener enthält. 8. (IV, 197 S.) Karlsruhe 885. Braun. n. 3. —

— alphabetisches, der durch das königl. sächs. Landesnivellement bestimmten Höhen. Mit 1 Netzkarte. gr. 4. (IV, 47 S.) Berlin 886. Stankiewicz. n. 4. —

— der v. den k. k. Schulbehörden zur Aufnahme in die österreichischen Schülerbibliotheken f. ungeeignet befundenen Jugendschriften, nebst den darauf Bezug hab. wichtigsten Verordngn. u. Erlässen. 12. (26 S.) Brünn 886. Winkler. n. — 40

— von Jugend- u. Volksschriften, nebst Beurteilg. derselben. Unter besond. Berücksicht. der Bedürfnisse kathol. Schulen u. Familien hrsg. vom Verein kathol. Lehrer Breslaus. 1. Hft. 8. (XVI, 96 S.) Breslau 886. Aderholz. n. 1. 20

— der fremden Konsuln im Deutschen Reich. 1886. 4. (31 S.) Berlin 886. Mittler & Sohn. n. — 80

— der Werke lebender Künstler auf der LVI. Ausstellung der kgl. Akademie der Künste zu Berlin im Polytechnikum an der Charlottenburger Chaussee vom 3. Mai bis 1. Juli 1883. Mit 127 (eingedr.) Illustr. in Fcsm.-Reproduktionen nach den Orig.-Zeichngn. der Künstler. gr. 8. (XXIV, 164 S.) Berlin 883. Schuster. n.n. 1. —

— der Mitglieder, Haupt- u. Zweigvereine der königl. Landwirtschafts-Gesellschaft, Zentral-Verein f. die Prov. Hannover, im J. 1885, nebst geschichtl. Rückblicken. Auf Grundlage v. Berichten der Hauptvereins-Vorstände hrsg. v. dem Zentral-Ausschuß der königl. Landwirtschafts-Gesellschaft durch Chrn. Jessen. Mit e. Uebersichtskarte der landwirtschaftl. Vereine der Prov. Hannover. [Ausg. im Oktbr. 1885.] gr. 8 (VII, 231 S.) Hannover 885. (Meyer.) n. 8. —

— des Lehrpersonales an den Volksschulen d. Kreises Oberbayern nach dem Stande vom 15. Novbr. 1885. Aus ganz verläss. Quellen zusammengestellt u. hrsg. v. J. Maiß. gr. 8. (98 S.) München 886. (Lindauer.) n.n. 1. —

— der Leuchtfeuer u. Nebelsignalstationen aller Meere. Hrsg. v. dem hydrograph. Amt der Admiralität.

1—7. Hft. hoch 4. Berlin 886. (Mittler & Sohn.) n. 6. 90; Einbd. à n.n. — 50

1. Ostsee, Belte, Sund, Kattegat u. Skagerrak [Betrifft Karten Titel I u. II]. (VI, 85 S.) n. 1. —
2. Nordsee, Nördliches u. Südliches Eismeer. [Betrifft Karten Titel III u. XIII.] (VI, 97 S.) n. 1. —
3. Englischer Kanal, Westküste v. England u. Schottland, die Küsten v. Irland. [Betrifft Karten Titel IV.] (VI, 82 S.) n. 1. 10
4. Mittelmeer, Schwarzes u. Asow'sches Meer. [Betrifft Karten Titel V.] (VI, 142 S.) n. 1. 30
5. Nördlicher Atlantischer Ocean. [Betrifft Karten Titel VI.] (VI, 217 S.) n. 1. 50
6. Westindien u. südlicher atlantischer Ocean. [Betrifft Karten Titel VII u. VIII.] (VI, 93 S.) n.n. — 50
7. Indischer Ocean u. ostindischer Archipel. [Betrifft Karten Titel IX u. X.] (VI, 106 S.) n.n. — 50

Verzeichniß der den Militäranwärtern im preußischen Staatsdienste vorbehaltenen Stellen. gr. 4. (24 S.) Wiesbaden 885. Bechtold & Co. — 50

— der Mitglieder der königl. böhmischen Gesellschaft der Wissenschaften 1784—1884. gr. 8. (42 S.) Prag 884. (Calve.) n. — 60

— der erblichen u. lebenslänglichen Mitglieder d. Herrenhauses. [X. Session.] 22. Septbr. 1885. gr. 8. (59 S.) Wien 886. Hof- u. Staatsdruckerei. n. — 80

— der Mitglieder der französisch-reformirten Gemeinde zu Berlin, nebst e. Anh., enth. den Nachweis derjenigen Bewohner der Vororte, welche sich zur Berliner Gemeinde halten, zusammengestellt u. hrsg. v. dem Consistorium der französ. Kirche. gr. 8. (IV, 200 S.) Berlin 886. (Mittler & Sohn.) n. 3. —

— der Mitglieder d. Reichstages nach den Fraktionen. 6. Legislatur-Periode. 1. Session 1884. gr. 8. (40 S.) Berlin 884. C. Heymann's Verl. n. — 80

— dasselbe. II. Session 1885/86. gr. 8. (40 S.) Ebend. 886. n. 1. —

— dasselbe. 4. Aufl. 6. Legislatur-Periode. IV. Session 1886/87. gr. 8. (40 S.) Ebend. 886. n. 1. —

— der im J. 1882 erschienen Musikalien, auch musikalischen Schriften u. Abbildungen, m. Anzeige der Verleger u. Preise. In alphabet. Ordng. nebst systematisch geordneter Uebersicht. 31. Jahrg. od. 5. Reihe 3. Jahrg. gr. 8. (CIV, 400 S.) Leipzig 883. Hofmeister. n. 14. —; auf Schreibpap. n. 16. —

— dasselbe. Jahrg. 1883. 32. Jahrg. od. 6. Reihe 3. Jahrg. gr. 8. (XCIII, 310 S.) Ebend. 884. n. 13. —; auf Schreibpap. n. 15. —

— dasselbe. Jahrg. 1884. 33. Jahrg. od. 5. Reihe 5. Jahrg. gr. 8. (C, 342 S.) Ebend. 885. n. 13. —; auf Schreibpap. n. 15. —

— dasselbe. Jahrg. 1885. 34. Jahrg. od. 5. Reihe 6. Jahrg. gr. 8. (CI, 364 S.) Ebend. 886. n. 13. —; auf Schreibpap. n. 15. —

— von 1000 Mustervorlagewerken Deutschlands u. d. Auslandes f. Kunstindustrie u. Kunstgewerbe. in neuester Zeit erschienen od. neu hrsg. Mit Sachregister. 12. (82 S.) Dresden 886. Dieckmann. n. — 50

— der Nivellements-Fixpunkte auf dem Gebiete d. Rigaschen Stadtpolizeibezirks. Lex.-8. (14 S.) Riga 882. (Kymmel.) n. 1. 20

— sämmtlicher Ortschaften sowie der einzeln liegenden Anwesen, Gehöfte, Förstereien, Mühlen, Ziegelhütten etc. v. Elsass-Lothringen. Zum Dienstgebrauch f. die Postanstalten zusammengestellt bei der kaiserl Ober-Postdirektion in Strassburg [Els.] Octbr. 1882. gr. 8. (XII, 146 u. Nachtrag in Fol. 6 S) Berlin 883. (Strassburg, Schultz & Co.) geb. n. 4. —

— sämmtlicher Ortschaften der Prov. Sachsen m. Angabe der Ortsbezeichnung, Einwohnerzahl, Regierungsbezirke, Kreise, Amtsbezirke, Standesämter, Amtsgerichte, Postanstalten, Telegraphenämter, Fernsprechämter. Nebst Anh.: Alphabetisches Verzeichniss der Städte unter Angabe ihrer in den Zählungsjahren 1867, 1871, 1875 u. 1880 ermittelten Bevölkerung u. der in dem Zeitraum von 1867—1880 entstandenen Zu- bezw. Abnahme der Bevölkerg. Die Grössenfolge der Städte. Alphabetisches Verzeichniss der Standesämter. Alphabetisches Verzeichniss der Amtsgerichte. Das Religionsbekenntniss der Bevölkerg. in den einzelnen Provinzen d. Preuss. Staates. 3. Aufl. gr. 8. (VII, 216 S.) Halle 884. Pfeffer. n. 1. 50

Verzeichniss sämmtlicher Ortschaften d. Prov. Schleswig-Holstein [m. Einschluss d. Kreises Herzogth. Lauenburg], der Grossherzogthümer Mecklenburg-Schwerin u. Mecklenburg-Strelitz, d. grossherzogl. oldenburg. Fürstenth. Lübeck u. der Hansestädte Hamburg u. Lübeck. Zum Dienstgebrauche f. die Postanstalten bearb. Kiel 1885. gr. 8. (XIX, 427 S.) Berlin 885. (Kiel, Lipsius & Tischer.) geb. n.n. 10. —

— sämtlicher Ortschaften u. besonders benannter Wohnplätze d. Kreises Wongrowitz. Mit Angabe d. Amtsgerichts-Bezirks, d. Polizei-Distrikt-Amtes u. der Postanstalt, durch welche die Bestellg. der Postsendgn. erfolgt. Beilage zur Spezialkarte d. Kreises Wongrowitz. gr. 8. (16 S.) Ostrowo 884. Priebatsch. — 25

— der v. dem kaiserl. Patentamt im J. 1882 ertheilten Patente. hoch 4. (IV, 208 S.) Berlin 883. C. Heymann's Verl. n. 5. —; geb. n. 7. —; f. die Abonnenten d. Patentblattes n. 4. —; geb. n. 6. —

— dasselbe im J. 1883, Jahrg. 1883. Lex.-8. (239 S.) Ebend. 884. n. 6. —

— dasselbe im J. 1885. Jahrg. 1885. hoch 4. (213 S.) Ebend. 886. n. 9. —; geb. n. 11. —

— der Post- u. Telegraphen-Aemter, ferner der Eisenbahn- u. Dampfschiffs-Stationen in Oesterreich-Ungarn u. in Bosnien-Herzegowina. Verf. im Post-Cours-Bureau d. k. k. Handels-Ministeriums. Geschlossen m. 31. Decbr. 1886. gr. 8 (VIII, 311 S.) Wien 886. v. Waldheim. n. 3. —

— der Post-Anstalten, welche im Umkreise v. 10 geograph. Meilen v. Aschersleben bestehen. Ferner diejenigen öffentl. Bestimmgn. u. Verordngn., welche v. allgemeinem Interesse sind. Hrsg. nach amtl. Mittheilgn. 8. (29 S.) Aschersleben 886. Siever. n. — 40

— der Post- u. der Telegraphenanstalten im Deutschen Reiche, nebst e. Anh. enth. e. Verzeichniss der Posthülfsstellen u. Telegraphenhülfsstellen im deutschen Reichs-Postgebiete. Lex.-8. (VII, 765 S.) Berlin 884. v. Decker. n. 4. 75; geb. n. 6. —

— vollständiges, der Postorte d. Deutschen Reiches u. der Oesterreich-Ungarischen Staaten, m. genauer Bezeichng. der Länder, Provinzen etc., in denen dieselben gelegen sind, sowie der Taxquadrat-Nummern zur Berechng. d. Packetpostportos v. jedem Postort ab. 8. Aufl. Nebst e. Anh. m. den Tarifen u. Versendungsbedinggn. über: 1. Gewöhnliche Briefsendgn., 2. Briefe m. Werthangabe, 3. Postaufträge, 4. Postanweisgn., 5. Packetsendgn. innerhalb Deutschlands u. nach Oesterreich-Ungarn, 6. Packetsendgn. nach dem Auslande, 7. Tarif f. Telegramme u. e. graph. Darstellg. der Taxquadratur-Eintheilg. d. Deutschen Reiches u. Oesterreich-Ungarns, zur Feststellg. der Zonen v. jedem belieb. Postort aus. Nach amtl. Vorlagen bearb. gr. 8. (147 u. XIV S.) Leipzig 884. Ruhl. n. 2. 50

— aller Post-, Eisenbahn-, Telegraphen- u. Dampfschiff-Stationen in Oesterreich-Ungarn. 15. Jahrg. 1886. 20. Aufl. gr. 8. (91 S.) Teschen 886. Prochaska. n. 1. 20

— der Leiter u. Mitglieder d. königl. Prediger-Seminars zu Wittenberg f. die Zeit vom 1. Juli 1817 bis 1. Septbr. 1883 [m. biograph. Notizen], zum 400jähr. Luther-Jubiläum neu bearb. u. hrsg. v. der Seminargemeinschaft. Beigabe: „Zwei Seminarbrüder als Zeugen Christi in der Heidenwelt". gr. 8. (III, 216 S.) Wittenberg 883. (Wunschmann.) n. 2. —

— der Rektoren, Lehrer u. Lehrerinnen an den Berliner Gemeinde-Schulen f. d. J. 1886/87. 43. Jahrg. Begründet v. Heinr. Gaulke. Hrsg. vom Berliner Lehrer-Verein. gr. 8. (40 S.) Berlin 886. (Rosenthal.) n.n. — 50

— der Rübenzuckerfabriken, Raffinerien u. Candis-Fabriken im Deutschen Reiche, sowie in Oesterreich-Ungarn, Russland, Belgien, Holland, Dänemark, Schweden, England, Italien u. Spanien. Nebst e. Adressbuch der Bezugsquellen v. Bedarfs-Artikeln f. Zuckerfabriken u. Empfehlungsanzeiger e. Anzahl Firmen, welche m. der Zuckerfabrikation in Verbindg. stehen. Neu bearb. u. zusammengestellt v. J.

Neumann. Ausg. f. die Campagne 1886/87. gr. 8. (128 S.) Magdeburg 886. Neumann. n. 4. —
Verzeichniss der Rübenzuckerfabriken u. Raffinerien in Russland. Nebst e. Adressbuch d. Bezugsquellen v. Bedarfsartikeln f. Zuckerfabriken u. Empfehlungs-Anzeiger e. Anzahl Firmen, welche m. d. Zuckerfabrikation in Verbindg. stehen. Mit e. Karte der Zuckerfabriken u. Raffinerien in Russland. Auf Grund authent. u. statist. Materials neu bearb. u. zusammengestellt v. J. Ehrlich. Odessa. 3. Jahrg. 1886/87. gr. 8. (48 u. 70 S.) Magdeburg 886. Rathke. n. 6. —
— vollständiges, der activen Sanitäts-Offiziere d. deutschen Reichs-Heeres u. der kaiserl. Marine m. genauer Angabe der Beförderungen in die einzelnen Rangstufen, zusammengestellt J. 3. Jahrg. 4. (39 S.) Burg 884. Hopfer. n. 1. —
— der in Wien wohnhaften Sanitätspersonen f. d. J. 1886. Im Auftrage d. k. k. Ministeriums d. Innern vom 26. Septbr. 1873, Z. 10765, u. der k. k. n.-ö. Statthalterei vom 3. Oktbr. 1873, Z. 28828 [kundgemacht im Landesgesetz- u. Verordnungsblatte d. Erz-, herzogth. Oesterreich unter der Enns, XXXVI. Stück, Nr. 55] verf. vom Wiener Stadtphysikate u. hrsg. v. dem Magistrate der k. k. Reichshaupt- u. Residenzstadt Wien. 8. (XXXI, 87 S.) Wien 886. Braumüller. n. 1. 20
— der v. der Weser fahrenden bremer, oldenburger u. preussischen Seeschiffe am 1. Jan. 1885. qu. 16. (22 S.) Bremen 885. Heinsius. 1. —
— der antiken Skulpturen der königl. Museen zu Berlin, m. Ausschluss der Pergamen. Fundstücke. Hrsg. v. der Generalverwaltg. 8. (XVI, 260 S.) Berlin 885. Spemann. n.n. 1. —
— der Sommer-Aufenthaltsorte in Kärnten. 2. Aufl. gr. 8. (24 S.) Klagenfurt 885. (v. Kleinmayr.) n. — 60
— der bei der Stadt-Fernsprech-Einrichtung in Dresden Betheiligten. April 1883 m. 5 Nachträgen bis Decbr. 1883. gr. 8. (52 S. u. Nachträge 11 Bl.) Dresden 884. Teich. n. — 50
— der bei der Stadt-Fernsprecheinrichtung in Freiberg [Sachsen] nebst Vororten Betheiligten. Aufgestellt bei der kaiserl. Ober-Post-Direction in Dresden im Septbr. 1886. gr. 8. (16 S.) Ebend. 886. n. — 50
— alphabetisches, der im Königr. Sachsen belegenen Stadt- u. Landgemeinden m. den zubehörigen, besonders benannten Wohnplätzen, ingleichen der Rittergüter u. sonstigen exemten Grundstücke, nach Kreishauptmannschaften u. amtshauptmannschaftl. Verwaltungsbezirken geordnet, nebst alphabet. Register. Bearb. nach officiellen Unterlagen durch das statist. Bureau d. königl. Ministeriums d. Innern. gr. 8. (X, 705 S.) Dresden 884. Heinrich. n. 3. —
— aller Stationen d. Post-, Eisenbahn-, Telegraphen- u. Dampfschiff-Verkehrs in Oesterreich-Ungarn. 12. Jahrg. 1883. 17. Aufl. gr. 8. (75 S.) Teschen 883. Prochaska. n. 1. 20
— der Straßen u. Plätze Berlins m. Angabe der Lage in den Postbezirken u. der Postanstalten. Neueste vervollständigte Ausgabe. Tabelle. gr. Fol. Hamburg 883. Mohr. — 15
— systematisches, der Schriften aus dem Gebiete der Textilindustrie, Färberei, Druckerei, Bleicherei, Appretur, Spinnerei, Weberei, Wollen- u. Baumwollenindustrie, Tuchfabrikation, Seidenindustrie etc., welche in den J. 1850—1883 im Deutschen Buchhandel erschienen sind. 8. (III, 66 S.) Leipzig 884. Gracklauer. n.n. 1. —
— vollständiges, der Verse, welche im Gesangbuch f. die evangel. Kirche in Württemberg enthalten sind. 2. Aufl. 8. (48 S.) Stuttgart 886. Buchh. der Evang. Gesellschaft. n. — 25
— der Hamburger Volksschullehrer u. Lehrerinnen, geordnet nach dem Dienstalter, nach dem Alphabet u. nach den Schulen. Nebst e. Anh. Für d. Schulj. 1883/84. Hrsg. vom Verein Hamburger Volksschullehrer u. vom Verein Hamburger Landschullehrer. gr. 8. (64 S.) Hamburg 883. O. Meißner. n. 1. —
— der Vorlesungen an den deutschen medicinischen Facultäten im Winter-Semester 1886/87. gr. 4. (9 S.) München 886. J. A. Finsterlin. — 50
Verzeichniss empfehlenswerther Werke aus dem Gebiet der Literatur, Kunst u. Wissenschaft. Weihnachts- u. Neujahrs-Katalog. 8. (104 S.) Olten 885. Schweizer. Vereins-Sortiment. n.n. — 20
— von Werken u. Aufsätzen, welche in älterer u. neuerer Zeit üb. die Geschichte u. Sprache der Zigeuner veröffentlicht worden sind. gr. 8. (15 S.) Leipzig 886. List & Francke. n. — 60
— der österreichisch-ungarischen Zollämter u. Zollstellen mit Angabe ihrer Kategorie u. Befugnisse. Mit anderen wicht. Erlässen, Instructionen u. Verordngn. in Zollangelegenheiten. Geschlossen Ende März 1883. 8. (120 S.) Prag 883. Mercy. n. 1. —
Vesperpsalmen, die, f. die wichtigsten Feste d. katholischen Kirchenjahres nebst dem Completorium. gr. 8. (40 S.) Wien 884 (Woerl.) n.n. — 25
Vesta. Taschenbuch f. Deutschlands Frauen u. Jungfrauen. Hrsg. v. Elise Polko. 5. Jahrg. Mit (3 rad.) Illustr. berühmter Meister. 8. (236 S.) Berlin 885. Eckstein Nachf. geb. m. Goldschn. n. 5. —
Veteranen-Kalender, illustrirter, f. d. J. 1884. 6. Jahrg. 8. (220 S. m. Holzschn.) Wien, Perles. n. 1. —
Veterinär-Kalender f. d. J. 1887. Bearb. v. C. Müller u. W. Dieckerhoff. 2 Abthlgn. gr. 16. (VIII, 208; 115 u. 109 S.) Berlin, Hirschwald. geb. u. geh. n. 4. —
— pro 1887. Taschenbuch f. Thierärzte m. Tagesnotizbuch. Verf. u. hrsg. v. Alois Koch. Mit dem Portr. v. Rud. Leuckert in Leipzig. 10. Jahrg. Ausg. f. Deutschland. 16. (167 u. 130 S.) Wien, Perles. geb. in Leinw. n. 3. —; in Ldr. n. 4. —
Vetter, der, aus Bremen. Haus- u. Familien-Kalender f. Stadt u. Land. 1887. 8. (XI, 144 S. m. eingedr. Illustr. u. 1 Taf.) Bremen, Rocco. n. — 50
— der, vom Rhein. Ein neuer Kalender aus Lahr auf d. J. 1887. (Süddeutsche Ausg.) 4. (78 S. m. Illustr.) Lahr, Schömperlen. n. — 30
Vetter's, A., allgemeiner Wohnungs-Anzeiger, nebst Handels- u. Gewerbe-Adreßbuch f. die Landeshauptstadt Troppau 1885/1886. 1. Jahrg. gr. 8. (X, 152 S.) Troppau 885. (Zenker.) n.n. 2. —
Vetter, A., üb. die Reflexe als diagnostisches Hilfsmittel bei schweren Erkrankungen d. centralen Nervensystems, s.: Sammlung klinischer Vorträge.
Vetter, Ferd., das S. Georgen-Kloster zu Stein am Rhein. Ein Beitrag zur Geschichte u. Kunstgeschichte. Mit Urkunden. Lex.-8. (87 S. m. 1 Titelkpfr.) Lindau 884. (Stettner.) n. 1. 20
— dasselbe. Historisch-artist. Schilderg., Führer u. Gedenkblatt f. dessen Besucher. Mit 3 Ansichten. gr. 8. (56 S.) Basel 884. Schwabe. n. 1. 60
Vetter, K. W., der evangelische Heilsweg in Luthers Leben u. Lehre, den evangelischen Christen dargeboten als Festgruß zum 400jähr. Geburtstage Dr. Martin Luthers. Mit 6 Holzschn. u. e. Anh.: Die 21 Lehrartikel der Augsburgischen Konfession. 8. (155 S.) Breslau 883. Dülfer. n. — 60; geb. n.n. — 90
— christliche Reisebilder. 3. Bdchn. 8. Ebend. 885. n. — 75 (1—3.: n. 3. 55)
Kirchliche Umschau in Norwegen. Ein Beitrag zur Kenntnis der Natur u. Geschichte d. skandinav. Nordens. (VIII, 156 S.)
Vetter, Ludw., deutsches Lesebuch f. die Oberstufe der Elementarschulen im französischen Sprachgebiet v. Elsaß-Lothringen. gr. 8. (277 S.) Metz 883. Gebr. Even. geb. n. 1. 20
— erstes deutsches Lese- u. Sprachbuch f. Schulen im französischen Sprachgebiete v. Elsaß-Lothringen. 2. Aufl. gr. 8. (90 S.) Ebend. 883. cart. n. — 50
— pädagogische Sprüche, Sentenzen u. Aphorismen. Gesammelt u. nach dem Inhalte alphabetisch geordnet. 8. (70 S.) Straßburg 883. Schultz & Co. Verl. cart. n. — 80
— Stoff zu Sprechübungen f. die Unterstufe der Elementarschulen im französischen Sprachgebiete, sowie f. Kleinkinderschulen im deutschen u. französ. Sprachgebiete. gr. 8. (53 S.) Metz 882. Gebr. Even. geb. n. — 50
Vetters, Karl Ludw., die Blattstiele der Cycadeen.

gr. 8. (26 S. m. 2 Taf.) Leipzig 884. (Rossberg.) n. 1. —

Veyder Malberg, Arth. Frhr. v., üb. die Einheit aller Kraft. Eine Abhandlg. gr. 8. (V, 129 S.) Wien 884. (Seidel & Sohn.) n. 5. —

Via Franciscana ad coelestem Hierusalem. Continens s. regulam et testamentum seraphici patris S. Francisci, una cum selectissimis precibus, litaniis et appendice diversorum Franciscanis viatoribus pro quotidiano usu ac devotione accommodata. 16. (XLVIII, 464 S.) Innsbruck 882. F. Rauch. n. 1. 20

Vianney, Joh. Bapt. Maria, Predigten auf die Sonn- u. Festtage. Aus dem Franz. übers. v. J. Firnstein. Autoris. Ausg. 4 Bde. gr. 8. Regensburg, Verlags-Anstalt. à 3. 60

1. Vom 1. Adventsonntag bis zum Karfreitag. (VIII, 380 S.) 884.
2. Vom weißen Sonntag bis zum 11. Sonntage nach Pfingsten. (480 S.) 885.
3. Vom 12. Sonntag bis zum 23. Sonntage nach Pfingsten. (394 S.) 885.
4. Festpredigten. (372 S.) 885.

Viator, B. M., Lucius, s.: Jugend- u. Volksbibliothek, deutsche.

Victoria, Königin v. England, s.: Blätter, neue, aus meinem Tagebuche in den Hochlanden.

— leaves from the journal of our life in the highlands, — more leaves from the journal of a life in the highlands, } s.: Collection of British authors.

Vidéky, Ludw., illustrirtes Hand- u. Hilfsbuch d. Colonial- u. Spezereiwaaren-Handels. Mit zahlreichen Illustr. gr. 8. (797 S.) Wien 885. Bondy. geb. n. 15. —

Vidmar, Const. Joan., introductio in corpus juris utriusque tum canonici cum civilis romani. gr. 8. (X, 137 S.) Wien 886. Manz. n. 2. —

— exegetisch-apologetischer Vortrag üb. die durch Wereschagin's blasphemische Bilder angegriffene Glaubenslehre. Geh. in der Wiener Ressource am 17. Novbr. 1885. 2. Aufl. 8. (30 S.) Wien 885. Mayer & Co. n. — 12

Viedebantt, H., die vier Hauptfragen in Betreff der Religion: Was ist Religion? Was nützt Religion? Was muß an uns geschehen, um Religion zu erlangen? Was müssen wir thun, daß es geschehe? Beantwortung v. Jesu Christo. Vortrag. gr. 8. (12 S.) Bonn 883. Schergens. — 15

— wo kommt die Liebe her. Apologetischer Vortrag, geh. in e. theol. Konferenz zu Köln. 8. (16 S.) Ebend. 886. n. — 20

Viehofer, Carl Rob., die Methode der reinen Anschauung in ihren Grundzügen. 8. (VI, 37 S.) Leipzig 886. Fock. n. 1. —

Viehstand, der, der Gemeinden u. Gutsbezirke im Reg.-Bez. Aachen nach der Viehzählung vom 10. Jan. 1883. Bearb. vom königl. statist. Bureau. Lex.-8. (10 S.) Berlin 884. Verl. d. k. statist. Bureaus. n. — 60

— dasselbe. Reg.-Bez. Arnsberg. Lex.-8. (19 S.) Ebend. 884. n. — 40

— dasselbe. Landdrosteibez. Aurich. Lex.-8. (8 S.) Ebend. 884. n. — 20

— dasselbe. Stadtkreis Berlin u. Reg.-Bez. Potsdam. Lex.-8. (49 S.) Ebend. 884. n. — 80

— dasselbe. Reg.-Bez. Breslau. Lex.-8. (71 S.) Ebend. 884. n. 1. —

— dasselbe. Reg.-Bez. Bromberg. Lex.-8. (42 S.) Ebend. 884. n. — 80

— dasselbe. Reg.-Bez. Danzig. Lex.-8. (25 S.) Ebend. 884. n. — 40

— dasselbe. Reg.-Bez. Düsseldorf. Lex.-8. (13 S.) Ebend. 884. n. — 40

— dasselbe. Reg.-Bez. Erfurt. Lex.-8. (13 S.) Ebend. 884. n. — 40

— dasselbe. Reg.-Bez. Frankfurt. Lex.-8. (52 S.) Ebend. 884. n. — 80

— dasselbe. Reg.-Bez. Gumbinnen. Lex.-8. (70 S.) Rbend. 884. n. 1. —

— dasselbe. Landdrosteibez. Hannover. Lex.-8. (16 S.) Ebend 884. n. — 40

Viehstand, der, der Gemeinden u. Gutsbezirke im Landdrosteibez. Hildesheim nach der Viehzählung vom 10. Jan. 1883. Bearb. vom königl. statist. Bureau. Lex.-8. (17 S.) Berlin 884. Verlag d. k. statist. Bureaus. n. — 40

— dasselbe. Reg.-Bez. Kassel. Lex.-8. (36 S.) Ebend. 884. n. — 60

— dasselbe. Reg.-Bez. Koblenz. Lex.-8. (23 S.) Ebend. 884. n. — 40

— dasselbe. Reg.-Bez. Köln. Lex.-8. (9 S.) Ebend. 884. n. — 40

— dasselbe. Reg.-Bez. Königsberg. Lex.-8. (78 S.) Ebend. 884. n. 1. 20

— dassolbe. Reg.-Bez. Köslin. Lex.-8. (38 S.) Ebend. 884. n. — 80

— dasselbe. Reg.-Bez. Liegnitz. Lex.-8. (54 S.) Ebend. 884. n. — 80

— dasselbe. Landdrosteibez. Lüneburg. Lex.-8. (30 S.) Ebend. 884. n. — 40

— dasselbe. Reg.-Bez. Magdeburg. Lex.-8. (29 S.) Ebend. 884. n. — 60

— dasselbe. Reg.-Bez. Marienwerder. Lex.-8. (44 S.) Ebend. 886. n. — 80

— dasselbe. Reg.-Bez. Merseburg. Lex.-8. (44 S.) Ebend. 884. n. — 60

— dasselbe. Reg.-Bez. Minden. Lex.-8. (12 S.) Ebend. 884. n. — 40

— dasselbe. Reg.-Bez. Münster. Lex.-8. (8 S.) Ebend. 884. n. — 40

— dasselbe. Reg.-Bez. Oppeln. Lex.-8. (53 S.) Ebend. 884. n. — 80

— dasselbe. Landdrosteibez. Osnabrück. Lex.-8. (14 S.) Ebend. 884. n. — 40

— dasselbe. Reg.-Bez. Posen. Lex.-8. (63 S.) Ebend. 884. n. 1. —

— dasselbe. Reg.-Bez. Schleswig. Lex.-8. (V, 45 S.) Ebend. 884. n. 1. —

— dasselbe. Reg.-Bez. Siegmaringen. Lex.-8. (5 S.) Ebend. 884. n. — 40

— dasselbe im Landdrosteibez. Stade. Lex.-8. (17 S.) Ebend. 884. n. — 40

— asselbe. Reg.-Bez. Stettin. Lex.-8. (36 S.) Ebend. 884. n. — 60

— dasselbe. Reg.-Bez. Stralsund. Lex.-8. (18 S.) Ebend. 884. n. — 60

— dasselbe. Reg.-Bez. Trier. Lex.-8. (24 S.) Ebend. 884. n — 40

— dasselbe. Reg.-Bez. Wiesbaden. Lex.-8. (20 S.) Ebend. 884. n. — 40

— der, der einzelnen Kreise d. preussischen Staates 1883 u. 1873. Vorläufige Ergebnisse der Viehzählg. vom 10. Jan. 1883 verglichen m. den definitiven Ergebnissen vom 10. Jan. 1873. Bearb. vom königl. statist. Bureau. Imp.-4. (22 S.) Ebend. 883. n. — 20

Viehstands-Lexikon f. das Königr. Preussen. Nachweisung d. Viehstandes der einzelnen Gemeinden u. Gutsbezirke nach der Aufnahme vom 10. Jan. 1883. 1—3. Hft. Bearb. vom königl. statist. Bureau. Lex.-8. Berlin 884. Verl. d. k. statist. Bureaus. n. 17. 60

1. Prov. Ostpreussen. (V, 149 S.) n. 2. —
2. Prov. Westpreussen. (V, 70 S.) n. 1. —
3. Stadtkreis Berlin u. Prov. Brandenburg. (V, 406 S.) n. 1. 60
4. Prov. Pommern. (V, 93 S.) n. 1. 60
5. Prov. Posen. (V, 106 S.) n. 1. 60
6. Prov. Schlesien. (VI, 179 S.) n. 2. 40
7. Prov. Sachsen. (VI, 87 S.) n. 1. 40
8. Prov. Schleswig-Holstein bezw. Reg.-Bez. Schleswig. (V, 45 S.) n. 1. —
9. Prov. Hannover. (VI, 108 S.) n. 1. 60
10. Prov. Westfalen. (V, 40 S.) n. — 80
11. Prov. Hessen-Nassau. (V, 57 S.) n. 1. —
12. Prov. Rheinland. (VI, 80 S.) n. 1. 20
13. Hohenzollernsche Lande. (V, 5 S.) n. — 40

Viel Castel, Comte Horace de, mémoires sur le regne de Napoléon III [1851—1864], publiés d'après le manuscrit original et ornés d'un portrait (gravé sur bois) de l'auteur. Avec une préface par L. Léouzon le Duc. 6 tomes. 8. Paris 883. (Bern, Nydegger & Baumgart. n. 22. 50; Éd. in gr. 8. n. 68. 50

I. 1851. (XXII, 259 S.) 883. n. 3. 50; éd. in gr. 8. n. 8. [illegible]
II. 1852—1853. (XVI, 301 S.) 883. n. 4. —; éd. in gr. 8. n. 12. [illegible]

III. 1854—1856. (XVIII, 338 S.) 884. n. 4. —; éd. in gr. 8. n. 12. —
IV. 1857—1858 (XII, 356 S.) 883. n. 4. —; éd. in gr. 8. n. 12. —
V. 1859. (XI, 365 S.) 884. n. 4. —; éd. in gr. 8. n. 12. —
VI. 1860—1864. (XVII, 335 S.) 884. n. 4. —; éd. in gr. 8 n. 12. —

Viel Castel, Comte Horace de, mémoires sur le regne de Napoléon III [1851—1864], publiés d'après le manuscrit original et ornés d'un portrait (gravé sur bois) de l'auteur. Avec une préface par L. Léouz on le Duo. I. 1851. 2. éd. 8. (XXIV, 259 S.) Paris 883. (Bern, Nydegger & Baumgart.) n. 7. 50
— dasselbe. II. 1852—53. 2. éd. (XVI, 301 S.) Ebend. 884. n. 4. —

Vielhaber, Leop., Aufgaben zum Übersetzen ins Lateinische zur Einübung der Syntax. 2. Hft. Verbale Rection. Für die 4. Classe der Gymnasien. 4., gekürzte u. verb. Aufl., besorgt v. Karl Schmidt. gr. 8. (VI, 93 S.) Wien 886. Hölder. n. 1. 32

Viereck, L., was der Reichstag that u. was er nicht that, s.: Zeit- u. Streitfragen, sozialpolitische.
— statistische Tafel der sozialistischen Wahlen von 1867—1881. 2. Aufl. 4. (7 S.) München 884. (Viereck.) — 20; auf Schreibpap. — 25

Vierhapper, Fr., Prodromus e. Flora d. Innkreises in Oberösterreich. 1. Thl. gr. 8. (37 S.) Ried 885. (Wien, Pichler's Wwe. & Sohn.) n. — 80

Vierhuff, Ghard., die Frage: Wo lag die Burg „Alt-Wenden"? beantwortet. Lex.-8. (19 S.) Riga 884. Kymmel. n. — 75

Vierhuff, Jul., üb. Anthrax intestinalis beim Menschen. gr. 8. (53 S.) Dorpat 885. (Karow.) n. 1. —

Vierke, A. Rich., de μή particulae cum indicativo coniunctae usu antiquiore. Pars I et II. gr. 8. Lipsiae. (Schleiz, Lämmel.) à n. 1. —
1. Usque ad Aeschylum pertinens. (63 S.) 876.
2. Aeschylum continens. (28 S.) 883.

Vierordt, Heinr., neue Balladen. 12. (VII, 116 S.) Heidelberg 888. C. Winter. n. 2. —; geb. n. 3. —
— Lieder u. Balladen. 2. Ausg. 12. (VIII, 304 S.) Ebend. 885. n. 4. —; geb. m. Goldschn. n. 5. —

Vierordt, Herm., Abhandlung üb. den multilokulären Echinococcus. gr. 8. (VII, 172 S.) Freiburg i/Br. 886. Mohr. n. 5. 60
— kurzer Abriss der Perkussion u. Auskultation. 2. Aufl. gr. 8. (IV, 57 S.) Tübingen 888. Fues. n. 1. 20
— die einfache chronische Exsudativ-Peritonitis. gr. 8. (V, 141 S.) Tübingen 884. Laupp. n. 3. —
— Albrecht v. Haller. gr. 8. (25 S.) Tübingen 888. Fues. n. — 80
— die Messung der Intensität der Herztöne. gr. 8. (X, 133 S.) Tübingen 884. Laupp. n. 3. —

Vierordt, Karl v., die Schall- u. Tonstärke u. das Schalleitungsvermögen der Körper. Physikalische u. physiolog. Untersuchgn. Nach dem Tode d. Verf. hrsg. u. m. e. Biographie desselben versehen v. Herm. Vierordt. Mit dem (Lichtdr.-)Bildnis d. Verf. gr. 8. (XXII, 274 S.) Tübingen 884. Laupp. n. 8. —

Vierow, C. S., Lehrbuch der Navigation u. ihrer mathematischen Hülfswissenschaften, s.: Albrecht, M. F.

Vierteljahresbericht, kritischer, üb. die berg- u. hüttenmännische u. verwandte Literatur. Unter Mitwirkg. v. Fachmännern hrsg. 1—5. Jahrg. 1882—1886. à 4 Nrn. (B. m. Beilagen.) gr. 4. Freiberg, Craz & Gerlach. à Jahrg. n. 2. —

Vierteljahrs-Catalog aller neuen Erscheinungen im Felde der Literatur in Deutschland. Nach den Wissenschaften geordnet. Mit alphabet. Register. Jahrg. 1882—1885. à 4 Hfte. gr. 8. à Jahrg. ca. XLIII, XXXVIII, XL, XLVI, 662 S) Leipzig, Hinrichs' Verl. à Hft. n. 1. 80
— aller in Deutschland erschienenen Werke aus dem Gebiete der Bau- u. Ingenieurwissenschaft. Bergbau u. Hüttenkunde. Jahrgang 1884. 3 Hfte. gr. 8. (18 S.) Ebend. 884. n. — 40
— dasselbe. Jahrg. 1885. 4 Hfte. gr. 8. (22 S.) Ebend. n. — 60
— dasselbe. Forst- u. Jagdwissenschaft. Haus- u. Landwirthschaft. Gartenbau. Jahrg. 1884. 3 Hfte. gr. 8. (16 S.) Ebend. n. — 40

Vierteljahrs-Catalog aller in Deutschland erschienenen Werke aus dem Gebiete der Forst- u. Jagdwissenschaft. Haus- u. Landwirthschaft. Gartenbau. Jahrg. 1885. 4 Hfte. gr. 8. (27 S.) Leipzig, Hinrich's Verl. n. — 60
— dasselbe. Kriegswissenschaft u. Pferdekunde. Jahrg. 1884. 3 Hfte. gr. 8. (15 S.) Ebend. n. — 40
— dasselbe. Jahrg. 1885. 4 Hfte. gr. 8. (22 S.) Ebend. n. — 60
— dasselbe. Medicin u. Naturwissenschaft. Jahrg. 1882—1885. à 4 Hfte. gr. 8. (à Jahrg. ca. 76 S.) Ebend. à Jahrg. n.n. 1. 20
— dasselbe. Pädagogik. Jahrg. 1882—1885. à 4 Hfte. gr. 8. (à Jahrg. ca. 108 S.) Ebend. à Jahrg. n.n. 1. 60
— dasselbe. Theologie u. Philosophie. Jahrg. 1882—1885. à 4 Hfte. gr. 8. (à Jahrg. ca. 72 S.) Ebend. à Jahrg. n.n. 1. 20

Vierteljahrshefte, württembergische, f. Landesgeschichte. In Verbindg. m. dem Verein f. Kunst u. Alterthum in Ulm u. Oberschwaben, dem württemb. Alterthumsverein in Stuttgart, dem histor. Verein f. das württemb. Franken u. dem Sülchgauer Alterthumsvereins hrsg. v. dem k. statistisch-topograph. Bureau. 6—9. Jahrg. 1884—1886. 4 Hfte. Lex.-8. (à Hft. ca. 80 S. m. eingedr. Fig.) Stuttgart, Kohlhammer. à Jahrg. n. 4. —

Vierteljahrsschrift der astronomischen Gesellschaft. Hrsg. v. den Schriftführern der Gesellschaft: E. Schoenfeld u. A. Winnecke. 16. Jahrg. 4 Hfte. gr. 8. (IV, 371 S. m. 1 Lichtdr.) Leipzig 881. (Engelmann.) n. 8. —
— dasselbe. 17. Jahrg. 4 Hfte. gr. 8. (V, 300 S. m. 1 Lichtdr.) Ebend. 882. n. 8. —
— dasselbe. 18. Jahrg. 4 Hfte. gr. 8. (VI, 310 S. m. 1 Steintaf. u. 2 Lichtdr.) Ebend. 883. n. 8. —
— dasselbe. 19. Jahrg. 4 Hfte. gr. 8. (IV, 300 S. m. 3 Lichtdr.-Portr.) Ebend. 884. n. 8. —
— dasselbe. 20. Jahrg. 1885. 4 Hfte. gr. 8. (IV, 342 S. m. 1 Steintaf.) Ebend. 885. n. 8. —
— dasselbe. 21. Jahrg. 4 Hfte. gr. 8. (IV, 279 S. m. 1 Lichtdr.-Bild.) Ebend. 886. n. 8. —
— über die Fortschritte auf dem Gebiete der Chemie der Nahrungs- u. Genussmittel, der Gebrauchsgegenstände, sowie der hierher gehör. Industriezweige. Unter Mitwirkg. v. Degener, Hochstetter, P. Lohmann etc. hrsg. v. A. Hilger, R. Kayser, J. König, E. Sell. 1. Jahrg. Das J. 1886. 1. u. 2. Hft. gr. 8. (186 S.) Berlin, Springer. n. 5. —
— für Dermatologie u. Syphilis. Unter Mitwirkg. v. M' Call Anderson, Behrend, Bergh etc. hrsg. v. H. Auspitz, F. J. Pick, J. Caspari, A. Neisser, 10—13. Jahrg. 1883—1886. [Der Reihenfolge 15—18. Jahrg.] à 4 Hfte. gr. 8. (à Hft. ca. 205 S. m. Taf.) Wien, Braumüller. à Jahrg. n. 24. —
— österreichische, [früher Monatsschrift] f. Forstwesen. Hrsg. vom österreich. Reichsforstvereine. Red. v. Rob. Micklitz u. Adf. Ritter v. Guttenberg. Neue Folge. 1—4. Bd. Der ganzen Folge 33—36. Bd. 1883—1886. à 4 Hfte. gr. 8. (à Hft. ca. 104 S.) Wien, (Perles.) à Jahrg. n. 10. —
— für Geschichte u. Heimathskunde der Grafsch. Glatz. Red. v. Edm. Scholz. 3—5. Jahrg. [1883/86]. à 4 Hfte. gr. 8. (à Hft. ca. 88 S.) Habelschwerdt, Franke. à Jahrg. n. 3. —
— kritische, f. Gesetzgebung u. Rechtswissenschaft, hrsg. v. A. Brinz u. M. Seydel. [Fortsetzung der krit. Ueberschau der deutschen Gesetzgebg. u. Rechtswissenschaft u. der Heidelberger krit. Zeitschr.] Neue Folge 6. Bd. Der ganzen Folge 25. Bd. 4 Hfte. gr. 8. (1. Hft. 159 S.) München 883. Oldenbourg. n. 14. —
— dasselbe. Neue Folge 7. Bd. Der ganzen Folge 26. Bd. 4 Hfte. u. Suppl.-Hft. gr. 8. (V, 705 S.) Ebend. 884. n. 17. 50
— dasselbe. Neue Folge. 8. Bd. Der ganzen Folge 27. Bd. 4 Hfte. gr. 8. (1. Hft. 160 S.) Ebend. 885. n. 14. —
— dasselbe. Neue Folge. 9. Bd. Der ganzen Folge

28. Bd. 4 Hfte. gr. 8. (1. Hft. 160 S.) München 886. Oldenbourg. n. 14. —

Vierteljahrsschrift, deutsche, f. öffentliche Gesundheitspflege. Hrsg. v. Finkelnburg, Göttisheim, Aug. Hirsch etc. Red. v. Geo. Varrentrapp u. Alex. Spiess. Mit in den Text eingedr. Holzst. 15. Bd. 4 Hfte. gr. 8. (XI, 880 S.). Braunschweig 883. Vieweg & Sohn. n. 20. 10

— dasselbe. 16. Bd. 4 Hfte. gr. 8. (X, 788 S. u. 2 Taf.) Ebend. 884. n. 18. 80

— dasselbe. 16. Bd. Suppl. gr. 8. Ebend. 884. n. 5. —
Jahresbericht üb. die Fortschritte u. Leistungen auf dem Gebiete der Hygiene im J. 1883. Von Uffelmann. (VII, 244 S.)

— dasselbe. 17. Bd. 4 Hfte. gr. 8. (XII, 737 S.) Ebend. 885. n. 17. —

— dasselbe. 17. Bd. Suppl. gr. 8. Ebend. 885. n. 5. —
Jahresbericht üb. die Fortschritte u. Leistungen auf dem Gebiete der Hygiene im J. 1884. Von J. Uffelmann. (VIII, 260 S.)

— dasselbe. 18. Bd. 4 Hfte. gr. 8. (XXIV, 766 S.) Ebend. 886. n. 18. —

— dasselbe. 18. Bd. Suppl. gr. 8. Ebend. 886. n. 5. 50
3. Jahresbericht üb. die Fortschritte u. Leistungen auf dem Gebiete der Hygiene. Jahrg. 1885. Von J. Uffelmann. (VIII, 296 S.)

— juristische. Organ d. deutschen Juristenvereines in Prag. Unter fachmänn. Mitwirkg. hrsg. v. Dominik Ullmann u. Otto Frankl. Der Mittheilgn. d. deutschen Juristen-Vereines 17. u. 18. Bd., der neuen Folge 1. u. 2. Bd. 1885 u. 1886. à 4 Hfte. gr. 8. (1. Hft. 48 S.) Prag, Tempsky. — Leipzig, Freytag. à Jahrg. n. 5. —
cf.: Mittheilungen d. deutschen Juristenvereins in Prag.

— katechetische, f. Geistliche u. Lehrer. Ein Beiblatt der Pastoralblätter f. Homiletik, Katechetik u. Seelsorge, hrsg. unter der Red. v. G. Leonhardi u. C. Zimmermann. 20. u. 21. Jahrg. 1884 u. 1885. à 4 Hfte. gr. 8. (à Hft. ca. 56 S.) Leipzig, Teubner. à Jahrg. n. 3. 60
Erscheint nicht mehr.

— für moderne Kindergarderobe. 8—11. Jahrg. 1883—1886. à 4 Hfte. (2 Schnittmusterbog. in Imp.-Fol. u. 1 chromolith. Modekpfr.) Dresden, Exped. der Europ. Modenzeitung. à Jahrg. n. 6. —

— kirchenmusikalische. Organ d. Salzburger Cäcilien-Vereins. Hrsg. v. Joh. Katschthaler. 1. Jahrg. 1886. 4 Hfte. gr. 8. (1. Hft. 48 S.) Salzburg, Mittermüller. n. 2. —

— für Kultur u. Literatur der Renaissance. Hrsg. v. Ludw. Geiger. 1. u. 2. Jahrg. 1885 u. 1886. à 4 Hfte. gr. 8. (à Hft. ca. 144 S.) Berlin, Hettler. à Jahrg. n. 16. —

— für gerichtliche Medicin u. öffentliches Sanitätswesen. Unter Mitwirkg. der königl. wissenschaftl. Deputation f. das Medicinalwesen im Ministerium der geistl., Unterrichts- u. Medicinal-Angelegenheiten hrsg. v. Herm. Eulenberg. Neue Folge. 38—45. Bd. od. Jahrg. 1883—1886. à 4 Hfte. gr. 8. (à Hft. ca. 192 S.) Berlin, Hirschwald. à Jahrg. n. 14. —

— dasselbe. 39. Bd. od. Jahrg. 1883. Suppl. gr. 8. Ebend. 883. n. 3. —
Gutachten der königl. wissenschaftlichen Deputation f. das Medicinalwesen in Preussen üb. die Canalisation der Städte. Hrsg. v. Herm. Eulenberg. (156 S.)

— dasselbe. Neue Folge. 40. Bd. Jahrg. 1884. Suppl.-Hft. gr. 8. Ebend. 884. n. 1. 60
Gutachten der königl. wissenschaftlichen Deputation f. das Medicinalwesen in Preussen betr. das Liernur'sche Reinigungsverfahren in Städten. Hrsg. v. Herm. Eulenberg. (61 S)

— dasselbe. General-Register zum Jahrg. 1852—1883 incl. gr. 8. (53 S.) Ebend. 885. n. 1. 60

— für Musikwissenschaft. Hrsg. v. Frdr. Chrysander u. Phpp. Spitta, red. v. Guido Adler. 1. u. 2. Jahrg. 1885 u. 1886. à 4 Hfte. gr. 8. (à Hft. ca. 140 S.) Leipzig, Breitkopf & Härtel. à Jahrg. n. 12. —

Vierteljahrsschrift der naturforschenden Gesellschaft in Zürich. Red. v. Rud. Wolf. 28—31. Jahrg. à 4 Hfte. gr. 8. (à Hft. ca. 96 S.) Zürich 883—86. Höhr. à Jahrg. n. 3. 60

— für wissenschaftliche Philosophie, unter Mitwirkg. v. M. Heinze u. W. Wundt hrsg. v. R. Avenarius. 7—10. Jahrg. 1883—1886. à 4 Hfte. gr. 8. (à Hft. ca. 128 S.) Leipzig, Fues. à Jahrg. n. 12. —

— österreichische, f. wissenschaftliche Veterinärkunde. Hrsg. v. den Mitgliedern d. Wiener k. k. Thierarznei-Institutes. Red.: Müller u. Forster. [Jahrg. 1883—1885.] 59—64. Bd. à 2 Hfte. gr. 8. (à Hft. ca. 150 S.) Wien, Braumüller. à Jahrg. n. 12. —

— für Volkswirtschaft, Politik u. Kulturgeschichte. Hrsg. v. Ed. Wiss. Unter Mitwirkg. v. K. Biedermann, E. Blau, M. Block etc. 21—23. Jahrg. 1884—1886. à 8 Hfte. gr. 8. (à Hft. ca. 192 S.) Berlin, Herbig. à Jahrg. n. 20. —

— österreichisch-ungarische, f. Zahnheilkunde. Red.: Heinr. Schmidt. Hrsg.: Jul. Weiss. 1. u. 2. Jahrg. 1885 u. 1886. à 4 Hfte. gr. 8. (à Hft. ca. 57 S. m. eingedr. Holzschn.) Wien, (Künast). à Jahrg. n. 6. —

24 Stunden-Uhr, die. Ein Wort an das Publikum v. e. Freunde d. Fortschrittes. gr. 8. (8 S.) Dresden 885. Warnatz & Lehmann. n. — 30

Vietinghoff, Lilly Baronin v., was die Großmutter erzählte. Bilder u. Märchen f. die Frauenwelt. 8. (222 S.) Dorpat 885. Schnakenburg. n. 2. —

— neue Märchen. 8. (230 S.) Dorpat 883. Karow. n. 2. 80; geb. n. 4. —

Vietor, Wilh., die Aussprache d. Englischen nach den deutsch-englischen Wörterbüchern vor 1750. gr. 8. (IV, 16 S.) Marburg 886. Elwert's Verl. n. — 50

— die Aussprache der in dem Wörterverzeichnis für die deutsche Rechtschreibung zum Gebrauch in den preussischen Schulen enthaltenen Wörter. Mit e. Einleitg.: Phonetisches. — Orthoepisches. 8. (IV, 64 S.) Heilbronn 885. Henninger. n. 1. —

— Elemente der Phonetik u. Orthoepie d. Deutschen, Englischen u. Französischen m. Rücksicht auf die Bedürfnisse der Lehrpraxis. gr. 8. (VIII, 271 S. m. 14 eingedr. Fig.) Ebend. 884. n. 4. 80; geb. n. 5. 60

— german pronunciation; practice and theory. The „best german" — german sounds, and how they are represented in spelling — the letters of the alphabet, and their phonetic values — german accent — specimens. 8. (V, 123 S.) Ebend. 885. n. 1. 50; geb. n. 2. —

— der Sprachunterricht muss umkehren. Ein Beitrag zur Überbürdungsfrage v. Quousque tandem [W. V.]. 2. um e. Vorwort verm. Aufl. 8. (VI, 32 S.) Ebend. 886. n. — 60

Vieweg, L., Sammlung der besten deutschen Volkslieder f. die Ober- u. Mittelstufe deutscher Volksschulen, hrsg. im Auftrage der Landlehrer-Konferenz der Diöcese Gera im Fürstent. Reuß j. L. gr. 8. (IV, 112 S.) Gera 884. Köhler. n. — 50

Vieze, Herm., de Demosthenis in Androtionem et Timocratem orationibus. gr. 8. (44 S.) Leipzig 886. Fock. n. 1. —

Vigier, Guillaume, la chute de l'ancienne confédération. Année 1798. Drame historique en 5 actes. Traduit en français par un citoyen vaudois. 8. (90 S.) Bern 885. Wyss. n. 1. —

— der Fall der alten Eidgenossenschaft Anno 1798. Volksschauspiel in 5 Akten. 8. (83 S.) Ebend. 884. n. 1. —

Vignetten, 98, zu den Erzählungen d. Boccaccio. Zumeist nach Entwürfen v. H. Gravelot aus e. italien. Ausg. in 5 Bdn. London 1757. hoch 4. (38 Bl. in Lichtdr.) Wien 886. Schroll & Co. In Leinw.-Mappe. n. 25. —

Vigny, Alfr. de, ausgewählte Gedichte, übertr. v. Johs. Karsten. Nebst e. biograph. Charakteristik. 2. Aufl. 8. (LIX, 132 S.) Norden 883. Fischer Nachf. n. 4. —

Vigny, Alfr., Soldatenschicksal. Nach der 13. Aufl. d. französ. Originals übertr. v. Johs. Karsten. 2. Aufl. 8. (188 S.) Norden 883. Fischer Nachf. n. 3. —

Vigouroux, F, die Bibel u. die neueren Entdeckungen in Palästina, in Ägypten u. in Assyrien. Mit 124 Plänen, Karten u. Illustr. nach den Monumenten v. Douillarp. Autoris. Übersetzg. nach der 4. verb. u. verm. Aufl. v. Joh. Ibach. 4 Bde. 8. Mainz 885. 86. Kirchheim. n. 25. —
1. (XV, 431 S.) n. 5. 40. — 2. (544 S.) n. 6. 60. — 3. (508 S.) n 6. 30. — 4. (544 S.) n. 6. 70.

Vikoler, Hans, der Templer. Trauerspiel in 5 Aufzügen. 8. (86 S.) Meran 886. (Pötzelberger.) n. 1. —

Viktor, M., drei Erzählungen, s.: Bibliothek f. Ost u. West.

— Sommer u. Winter. Ein Roman in 2 Bdn. 8. (307 u. 319 S.) Leipzig 884. Friedrich. n. 9. —; geb. n. 10. 80

Viktors v. Vita, Geschichte der Glaubensverfolgung im Lande Afrika, übers. v. M. Zink. gr. 8. (XI, 90 S.) Bamberg 883. (Schmidt.) n. 1. —

— Verfolgung der afrikanischen Kirche durch die Vandalen. Eine wicht. Quellenschrift aus dem 5. Jahrh. Aus dem Lat. Mit Vorrede, Einleitg., Anmerkgn., Inhaltsverzeichniß u. vollständ. Namens- u. Ortsregister v. Adam Mally. 8. (XVI, 164 S.) Wien 883. Mayer & Co. n. 1. 60

Villamaria, im Bann der Kinderträume. Novellen. 8. (257 S.) Berlin 885. Gebr. Paetel. n. 4. —; geb. n.n. 5. 50

— Elfenreigen. Deutsche u. nord. Märchen aus dem Reiche der Riesen u. Zwerge, der Elfen, Nixen u. Kobolde. Der Jugendwelt, vornehmlich deutschen Töchtern, gewidmet. 5. verm. Aufl. Mit 56 in den Text gedr. Abbildgn. u. e. aquarellirten Titelbilde. gr. 8. (VIII, 430 S.) Leipzig 885. Spamer. n. 4. 50; cart. 5. 50; geb. n. 6. —

Villaret, Alb., gesammelte Aufsätze üb. die allgemeine deutsche Ausstellung f. Gesundheitspflege u. Rettungswesen Berlin 1883. [Vervollständigter Sep.-Abdr. aus der Berliner klin. Wochenschr.] 1. Thl. gr. 8. (III, 71 S.) Berlin 884. Hirschwald. n. 2. —

— Leitfaden f. d. Krankenträger in 100 Fragen u. Antworten m. e. Anh. 4. Aufl. Mit 3 Abbildgn. 8. (24 S.) Berlin 885. O. Enslin. n.n. — 25

— die bisherge Wirkung der antiseptischen Behandlung der königl. preussischen Armee u. dem XIII. [königl. württemberg.] Armeekorps, s.: Sonderabdrücke der Deutschen Medicinal-Zeitung.

Villari, Pasquale, Niccolo Machiavelli u. seine Zeit. Durch neue Dokumente beleuchtet. 3. u. letzter Bd. Mit d. Verf. Erlaubniß übers. v. M. Heusler. gr. 8. (VIII, 389 S.) Rudolstadt 883. Hartung & Sohn. n. 8. —; geb. n. 9. — (cplt.: n. 26. —)

Villatte, Césaire, Not-Wörterbuch der französischen u. deutschen Sprache f. Reise, Lectüre u. Konversation. 3 Tle. gr. 16. Berlin 884. Langenscheidt. geb. à n. 2. —
1. Französisch-Deutsch. (XVI, 394 S.)
2. Deutsch-Französisch. (XVI, 395 S.)
3. Sachwörterbuch [Land u. Leute in Frankreich]. (XVI, 269 u. Anh.: Voyage à Paris 98 S.)

— Parisismen. Alphabetisch geordnete Sammlg. der eigenart. Ausdrucksweisen d. Pariser Argot. Ein Suppl. zu allen franz.-deutschen Wörterbüchern. gr. 8. (XII, 287 S.) Ebend. 884. n.n. 4. —; geb. n. 4. 50

Villen u. Wohnhäuser. Sammlung v. kleineren ländl. Wohnhäusern, entworfen u. ausgeführt v. hervorrag. Architekten. Fol. (50 Holzschn.-Taf. m. 2 Bl. Text) Berlin 884. Wasmuth. cart. n. 20. —

Villers, v., die Heilung der Diphtherie durch Mercurius cyanatus. Rathschläge f. Laien. 2. verm. Aufl. 8. (16 S.) Dresden 885. (Warnatz & Lehmann.) n. — 50

Villicus, Frz., arithmetische Aufgaben m. theoretischen Erläuterungen f. Unter-Gymnasien. 1. u. 2. Thl. gr. 8. Wien, Pichler's Wwe & Sohn. à n. 2. —
1. Für die 1. u. 2. Gymnasialclasse. (IV, 212 S.) 883.
2. Für die 3. u. 4. Gymnasialclasse. Mit 100 methodisch geordneten Aufgaben. (VIII, 200 S.) 885.

— dasselbe f. die unteren Classen der Realschulen. Auf Grundlage d. f. die österr. Realschulen vorgeschriebenen Normallehrplanes methodisch geordnete Aufgabensammlg. aus der Arithmetik. 1. u. 2. Thl. gr. 8. Wien 884. Pichler's Wwe. & Sohn. n. 2. 90
1. Für die I. Realclasse. (V, 110 S.) n. 1. 20
2. Für die II. Realclasse. (VIII, 176 S.) n. 1. 70

Villicus, Frz., Aufgaben aus dem kaufmänn. Rechnen m. Beispielen u. Erläuterungen f. Handels-Lehranstalten. 1. Thl. Elementare kaufmänn. Arithmetik. Mit 800 Aufgaben [640 Aufgaben zum schriftl. u. 160 Aufgaben zum mündl. Rechnen]. gr. 8. (IV, 148 S.) Wien 884. Pichler's Wwe. & Sohn. n. 1. 60

— Aufgaben-Sammlung zur gewerblichen Buchhaltung m. Fragen u. erläuternden Beispielen. Für Bürgerschulen u. gewerbl. Fortbildungsschulen. Mit e. Anh. üb. die Wechselkunde. gr. 8. (72 S.) Ebend. 883. n. 1. 20

— zur Geschichte der Rechenkunst m. besond. Rücksicht auf Deutschland u. Oesterreich. Enth. 25 Illustr. u. 2 tabellar. vergleich. Zusammenstellgn. v. Zahlwörtern aus 59 Sprachen. gr. 8. (VI, 100 S.) Ebend. 883. n. 2. 40

— Lehrbuch der räumlichen Geometrie [Stereometrie]. Für die IV. Classe der Realschulen. 3. Tl. der Geometrie m. 93 Holzschn., nebst zahlreichen Constructions- u. Rechnungsaufgaben. gr. 8. (III, 100 S.) Ebend. 884. n. 1. 40

— Lehr- u. Übungsbuch der Arithmetik f. Unter-Realschulen. 3. Thl. f. die III. Classe. 5. Aufl. gr. 8. (IV, 158 S.) Wien 885. Seidel & Sohn. geb. n. 1. 50

— Muster- u. Übungshefte f. die gewerbliche Buchhaltung. 3. Aufl. 3 Hfte. Fol. (16, 20 u. 22 S.) Wien 885. Pichler's Wwe. & Sohn. à n — 24

— Rechenbuch f. dreiclassige Bürgerschulen. 1. Thl. Für die 1. Classe der selbständ. Bürgerschulen. 4. Aufl. Mit zahlreichen Beispielen u. 888 Aufgaben. gr. 8. (IV, 160 S.) Wien 884. Seidel & Sohn. n. 1. 20

— die Wechselkunde in kaufmännischer Hinsicht auf Grundlage d. österr. Wechselgesetzes. Nebst Erläuterg. d. Verfahrens in Wechselgeschäften an prakt. Beispielen. Für Handelsschulen. 2. verm. Aufl. Mit Wechselformularien. gr. 8. (IV, 60 S.) Wien 885. Pichler's Wwe. & Sohn. n. — 80

Villinger, H., der lange Hilarius, s.: Volksbibliothek d. Lahrer Hinkenden Boten.

— aus dem Kleinleben. Erzählungen. 8. (189 S. m. Portr. in Heliograv.) Lahr 886. Schauenburg. n. 2. —; geb. n. 2. 50

— Zenz u. andere Erzählungen, s.: Collection Spemann.

Vilmar, Aug. Frdr. Chrn., Collegium biblicum. Praktische Erklärg. der heil. Schrift Alten u. neuen Testaments. Aus dem handschriftl. Nachlaß der akadem. Vorlesgn. hrsg. v. Chrn. Müller. Des alten Testaments 4. Tl.: Die Propheten. gr. 8. (VIII, 368 S.) Gütersloh 883. Bertelsmann. n. 6. — (cplt.: n. 38. —)

— Geschichte der deutschen National-Litteratur. 21. Aufl. gr. 8. (XII, 560 S.) Marburg 883. Elwert's Verl. n. 6. 50; auch in 3 Abthlgn. à n. 2. 20

— dasselbe. 22. verm. Aufl. Mit e. Anh.: „Die deutsche Nationallitteratur vom Tode Goethes bis zur Gegenwart" v. Adf. Stern. Lex.-8. (XIV, 726 S.) Ebend. 886. n. 7. —; Anh. ap. (V, 162 S.) n. 1. 20

— Handbüchlein f. Freunde d. deutschen Volksliedes. 3. Aufl. gr. 8. (XIX, 260 S.) Ebend. 886. n. 2. 40

— hessisches Historien-Büchlein. 3. Aufl. 8. (IX, 191 S.) Ebend. 886. n. — 90

— Idiotikon v. Kurhessen. Neue bill. Ausg. gr. 8. (VIII, 479 S.) Ebend. 883. n. 2. 40

— dasselbe, mundartliche u. stammheitliche Nachträge dazu, s.: Pfister, H. v.

— Lebensbilder deutscher Dichter u. Germanisten, nebst litteraturgeschichtl. Uebersicht. 2. Aufl., hrsg. v. Max Koch. gr. 8. (XVI, 282 S.) Marburg 886. Elwert's Verl. n. 2. 40; geb. n. 3. 20

— Martin Luther. 8. (71 S.) Gütersloh 883. Bertelsmann. n. — 80

— Schulreden üb. Fragen der Zeit. 3. Aufl. gr. 8. (VIII, 268 S.) Ebend. 886. n. 2. 80

Vilmar, J. W. G., meine amtliche Rechtsstellung in der hessischen Kirche als Träger d. geistl. Amtes auf Grund d. unbewegl. Rechtsbestandes der hess. Kirchenordng. vom J. 1657. Ein testamentar. Schlußwort. gr. 8. (48 S.) Kassel 883. Klaunig. n. — 50

Vilmar, L., Protest gegen die beabsichtigte Synodal-Verfassung. gr. 8. (13 S.) Kassel 885. Klaunig. n. — 20

Vilmorin's illustrirte Blumengärtnerei. 2. Aufl., neu bearb. u. verm. v. Th. Rümpler. Mit 1416 in den Text gedr. Holzschn. Neuer Abdr. gr. 8. (VIII, 1273 S.) Berlin 883. Parey. n. 20. —

Vinassa, Eug., Beiträge zur pharmakognostischen Mikroskopie. Mit 4 Holzschn. gr. 8. (19 S.) Braunschweig 886. H. Bruhn. n. — 80

Vincent, J., die Heimkehr der Prinzessin, s.: Engelhorn's allgemeine Romanbibliothek.

Vincke, Gisbert Frhr. v., das Leben — ein Traum. Schauspiel in 5 Aufzügen Mit freier Benutzg. Calderons. gr. 8. (63 S.) Freiburg i/Br. 883. Wagner. n. 1. 60

— ein kleines Sündenregister. 2. Aufl. 8. (109 S.) Ebend. 883. cart. n. 1. 80

— dasselbe. 3. Aufl. 8. (150 S.) Ebend. 884. cart. n. 2. —

Vining, Edward P., das Geheimniß d. Hamlet. Ein Versuch zur Lösg. e. alten Problems. Aus dem Engl. v. Augustin Knoflach. 8. (X, 102 S.) Leipzig 883. (Brockhaus' Sort.) n. 2. —

Viola, Joh., mathematische Sophismen. 2. Aufl. 8. (24 S.) Wien 886. Gerold's Sohn. — 60

Violet's Juristen-Bibliothek. Für Jünger der Rechtswissenschaft. Nach den Quellen u. den anerkanntesten Lehrbüchern bearb. v. e. prakt. Juristen in Verbindg. m. mehreren Fachmännern. I. Abth. Die römischen Rechtsquellen in sinngetreuer deutscher Uebersetzg., nebst sprachl. u. sachl. Erläutergn., Glossarien u. Indices. 6—8. Hft. 8. Leipzig 883. Violet. à n. — 75
Justinian's Pandekten. 2—4. Hft. (IV u. S. 81—332.)

Virchow, Hans, Beiträge zur Kenntniss der Bewegungen d. Menschen. gr. 8. (42 S.) Würzburg 883. Stahel. n. 1. —

Virchow, Rud., das Gräberfeld v. Koban im Lande der Osseten, Kaukasus. Eine vergleichend-archäolog. Studie. Mit e. Atlas v. 11 (Lichtdr.-)Taf. (gr. Fol. in Mappe). Fol. (III, 157 S. m. eingedr. Holzschn.) Berlin 883. Asher & Co. n. 48. —

— über alte Schädel v. Assos u. Cypern. (Mit 5 (Lichtdr.-)Taf. gr. 4. (55 S.) Berlin 884. (G. Reimer.) cart. n. 5. —

— die Sections-Technik im Leichenhause d. Charité-Krankenhauses, m. besond. Rücksicht auf gerichtsärztl. Praxis erörtert. Im Anh. das Regulativ f. das Verfahren der Gerichtsärzte bei den gerichtl. Untersuchgn. menschl. Leichen vom $\frac{\text{8. Jan.}}{\text{13. Febr.}}$ 1875. 3. Aufl. Mit 1 lith Taf. gr. 8. (IV, 109 S.) Berlin 883. Hirschwald. n. 3. —

— u. Alb **Guttstadt**, die Anstalten der Stadt Berlin f. die öffentliche Gesundheitspflege u. f. den naturwissenschaftlichen Unterricht. Zusammengestellt v. den städt. Behörden. Mit Holzschn., 3 graph. Tab., 1 geognost. Karte, 1 Karte d. Rieselfelder u. 1 Plan v. der Stadt Berlin. gr. 8. (IV, 400 S.) Berlin 886. Stuhr. n. 10. —; geb. n. 12. —

Virgilius Maro, Publius. Deutsch in der Versweise der Urschrift v. Wilh. Binder. 4. Lfg. 8. Berlin 885. Langenscheidt. n. — 35
Aeneis. 1. Hft. 5. Aufl. (48 S.)

— Werke, s.: Dichter, römische.

— s.: Vergil.

Virgilii Maronis grammatici opera, ed. Joha. Huemer. 8. (XV, 195 S.) Leipzig 886. Teubner. 2. 40

Vischer, E., die Offenbarung Johannis e. jüdische Apokalypse in christlicher Bearbeitung, s.: Texte u. Untersuchungen zur Geschichte der altchristlichen Literatur.

Vischer, Frdr. Thdr., auch Einer. Eine Reisebekanntschaft. 3., neu durchgeseh. Aufl. 2 Bde. 8. (397 u. 426 S.) Stuttgart 884. Deutsche Verlags-Anstalt. n. 9. —; geb. n. 11. —

Vischer, Frdr. Thdr., nicht I, a. Schwäbisches Lustspiel in 3 Aufzügen. 8. (104 S.) Stuttgart 884. Bonz & Co. n. 1. 80; geb. n. 3. —

Vischer, Friedrich, als Poet, s.: Weltrich, R.

Vischer, Otto, die Enkelin. Schauspiel in 5 Akten. 8. (III, 100 S.) Leipzig 885. Reißner. n. 2. —

Vischer, Rob., Studien zur Kunstgeschichte. gr. 8. (IX, 632 S.) Stuttgart 886. Bonz & Co. n. 10. —

Višek, Ant., die Civilehe vor dem Forum des Rechtes u. d. Gewissens. gr. 8. (VI, 151 S.) Prag 884. Cyrillo-Method'sche Buchh. n. 2. —

Vita, la, di Gesû narrata ai fanciulli. Versione libera dall' inglese, con una prefazione di L. C. Businger, volta ora in italiano da M. P. Ed. ornata de 70 incisioni in legno e 4 cromolitografie. 16. (158 S.) Einsiedeln 883. Benziger & Co. cart. 1. 30; geb. m. Goldschn. 2. —

Vitalis Aulularia, s.: Comoediae elegiacae.

Vité, L., der kleine Franzose od. die Kunst die französ. Sprache in kurzer Zeit verstehen, lesen, schreiben u. sprechen zu lernen. 16. (IV, 204 S.) Berlin 884. Friedberg & Mode. 1. 25; geb. 1. 50

Vitzthum v. Eckstädt, Graf, zur Geschichte d. Türkenkrieges im J. 1683, s.: Hassel, P.

Vitzthum v. Eckstädt, Carl Frdr. Graf, Berlin u. Wien in den J. 1845—52. Politische Privatbriefe. 2. Aufl. gr. 8. (XXIX, 338 S.) Stuttgart 886. Cotta. n. 5. —; geb. n. 6. —

— St. Petersburg u. London in den J. 1852—1864. Aus den Denkwürdigkeiten d. damal. k. sächs. ausserordentl. Gesandten u. bevollmächtigten Ministers am k. grossbritann. Hofe C. F. Graf V. v. E. 2 Bde. gr. 8. (XVI, 356 u. XVIII, 390 S.) Ebend. 886. n. 12. —

Vivat academia! (Liederbuch.) 16. (64 S.) Winterthur 883. Kieschke. geb. n. — 80

— academia. Liederbuch f. student. Kreise. Hrsg. vom Verbande wissenschaftl. Vereine an der Universität Halle-Wittenberg. 1. Tl.: Texte. 2. Aufl. 12. (XV, 174 S.) Halle 885. Niemeyer. geb. — 75

— floreat, crescat Lipsia! Das Leben an der Universität Leipzig. Von Regrebma, cand. jur. et cam. Praktischer Führer f. solche, welche sich üb. die Verhältnisse in Leipzig orientiren wollen. 16. (40 S.) Leipzig 883. G. Schulze. cart. n. — 50

— Mathematica. Epos in 10 Gesängen. Im Triumphe der Reimkunst durch Aetherius v. Himmelshausen. Mit Zeichngn. v. Frdr. Kaskeline. gr. 8. (86 S.) Wien 886. (Engel.) n. — 80

Vivenot, Alfr. Ritter v., Quellen zur Geschichte der deutschen Kaiserpolitik Oesterreichs während der französischen Revolutionskriege. 1790—1801. Fortgesetzt v. der kaiserl. Akademie der Wissenschaften durch Heinr. Ritter v. Zeissberg. 4. Bd. A. u. d. T.: Quellen zur Geschichte der Politik Oesterreichs während der französ. Revolutionskriege [1793—1797] m. besond. Berücksicht. der Verhältnisse Oesterreichs zu Frankreich u. Preussen. Urkunden, Staatsschriften, diplomat. u. militär. Actenstücke, sowie vertraul. Correspondenzen, nach bisher ungedr. Orig.-Documenten u. Copien der k. k. österreich. Archive m. Unterstützg. d. k. u. k. Reichs-Kriegsministeriums hrsg. v. der kais. Akademie der Wissenschaften durch Heinr. Ritter v. Zeissberg. 2. Bd. Räumung Belgiens. — „Finis Poloniae". [Jan. bis Septbr. 1794]. gr. 8. (XX, 500 S.) Wien 885. Braumüller. n. 12. — (1—4.: n. 56. —)

Vives', J. L., ausgewählte Schriften, s.: Klassiker, pädagogische.

— satellitium animi. Neu hrsg. v. Jac. Wychgram. 12. (VI, 51 S.) Wien 883 Pichler's Wwe. & Sohn. n. — 60; m. latein. Einleitg. (V, 51 S.) n. — 60

Vivisection, die, vor dem Forum d. deutschen Reichsstrafgesetzbuchs. Sep.-Abdr. d. dem preuß. Abgeordnetenhause m. der Petition d. hannov. Vereins zur Bekämpfg. der wissenschaftl. Thierfolter unterbreiteten strafrechtl. Gutachtens. gr. 8. (13 S.) Dresden 883. v. Zahn & Jaensch. n.n. — 50

Vlach, J., die Čecho-Slaven, s.: Völker, die, Oesterreich-Ungarns.

Vocabulaire arabe-français à l'usage des étudiants. Par un père missionaire de la c^ie de Jesus. 8. (X, 1007 S.) Beyrouth 883. (Leipzig, K. F. Köhler's Antiqu.) cart. n.n. 12. —

— **militaire**, Sammlung militär. Ausdrücke. Deutsch-Französisch. Unter Benutzg. v. Ribbentrop, vocabulaire militaire, zusammengestellt v. Fachmännern beider Nationalitäten. gr. 8. (16 S.) Berlin 884. Langenscheidt. n. 1. —

— u. **Regelheft** f. die ersten Jahre d. französischen Unterrichtes. Zu selbständ. Gebrauch u. zur Repetition der Vocabeln, Wortformen u. Regeln aus Louvier „die fünf ersten Jahre französ. Unterrichtes". 8. (IV, 82 S.) Wolfenbüttel 884. Zwissler. cart. n. 1. —

Vocabularium, systematisches, in deutscher, lettischer, russischer u. estnischer Sprache. Anleitung zu Uebgn. in den betr. Umgangssprachen. 12. (VII, 183 S.) Dorpat 885. Schnakenburg. n. 1. 20; geb. n. 1. 50; in Leinw. n. 1. 60

— zu den **Uebungsbeispielen** in Schenkl's griechischem Elementarbuche. 5. Aufl. gr. 8. (64 S.) Riga 886. Stieda's Verl. cart. n. 1. 60

Vöchting, Herm., üb. **Organbildung** im Pflanzenreich. Physiologische Untersuchgn. üb. Wachsthumsursachen u. Lebenseinheiten. 2. Thl. Mit 4 Taf. u. 8 Holzschn. gr. 8. (IX, 200 S.) Bonn 884. Strauss. n. 8. — (1 u. 2.: n. 15. —)

— über **Zygomorphie** u. deren Ursachen. Mit 5 Taf. gr. 8. (50 S.) Berlin 886. Borntraeger. n. 5. —

Vocke, zur **Behandlung** d. Diabetes, s.: **Sonderabdrücke** der Deutschen Medizinal-Zeitung.

— die **Zuckerkrankheit**. gr. 8. (85 S.) Neuwied 887. Heuser's Verl. n. 2. —

Vocke, A., u. C. **Angelrodt,** Flora v. Nordhausen u. der weiteren Umgegend. Systematisches Verzeichnis der wildwachs. u. häufig kultivierten Gefässpflanzen. Im Auftrage d. naturwissenschaftl. Vereins zu Nordhausen hrsg. gr. 8. (VIII, 332 S.) Berlin 886. Friedländer & Sohn. n. 3. —

Vocke's, Karl, Reise-Taschenbuch f. junge Handwerker u. Künstler. Ein allgemeiner Wegweiser durch ganz Deutschland u. die angrenz. Länder m. 1141 Reiseplänen, Beschreibg. der Merkwürdigkeiten v. üb. 300 der bedeutendsten Städte Deutschlands u. der Schweiz, nebst e. Münz-, Maß- u. Gewichtsverzeichnis u. 1 kolor. Reisekarte. 14. Aufl. 12. (IV, 271 S.) Eisleben 886. Kuhnt. 1. —; cart. 1. 10

Voduŝek, M., neue exacte Methode f. die Bahnbestimmung der Planeten u. Kometen, nebst e. neuen Störungstheorie. gr. 8. (V, 162 S. m. eingedr. Fig.) Laibach 884. v. Kleinmayer & Bamberg. n. 4. —

Vogel's, homöopathischer Hausarzt. Hrsg. v. Hugo **Billig**. 19., wesentlich verm. u. verb., m. zahlreichen Abbildgn. verseh. Aufl. 8. (XIV, 471 S.) Leipzig 886. W. Schwabe. n. 3. 75; geb. n. 4. 50

Vogel, Aug., **Bilder** aus dem Mineralreiche. gr. 8. (28 S.) München 884. Rieger. n. 1. —

— zur **Geschichte** der Liebig'schen Mineraltheorie, s.: **Sammlung** gemeinverständlicher wissenschaftlicher Vorträge.

— **Skizzen** aus dem Pflanzenleben. 2. Aufl. 8. (VIII, 70 S.) Erfurt 883. Körner. n. — 60

Vogel, Aug., systematische **Darstellung** der Pädagogik Johann Heinrich Pestalozzis m. durchgängiger Angabe der quellenmäßigen Belegstellen aus sämtlichen Werken. Mit 1 Portr. nach Diogg nebst Fcsm. Pestalozzis. gr. 8. (VIII, 276 S.) Hannover 886. Meyer. n. 3. 80

— neues deutsches **Lesebuch** f. Volks- u. Bürgerschulen. Nach „typischer" Methode verf. 3 Tle. gr. 8. Gera 884. Th. Hofmann. n. 3. 45

1. Unterstufe. Nebst Begleitwort: Die typische Methode u. ihre Anwendg. auf das Lesebuch. (15 u. 184 S.) n. — 75
2. Mittelstufe. (352 S.) n. 1. 20
3. Oberstufe. (472 S.) n. 1. 50

Vogel, Aug., die **Pädagogik** Johann Heinrich Pestalozzi's in wortgetreuen Auszügen aus seinen Werken. Zusammenhängend dargestellt. 2. unveränd. Aufl. gr. 8. (VII, 137 S.) Gotha 882. Behrend. n. 1. 20

— **philosophisches Repetitorium**, enth. die Geschichte der Philosophie, Logik u. Psychologie, f. Studierende u. Kandidaten der Philologie u. Theologie. 1. Thl. A. u. d. T.: Geschichte der Philosophie, nebst e. tabellar. Übersicht u. drei vergleich. Zeittabellen. 3. Aufl. gr. 8. (X, 181 S.) Güterslohi 886. Bertelsmann. n. 2. 50

Vogel, Aug., nach **Kanaan**. Tagebuch e. Reise durch Ägypten, Palästina u. Griechenland. Mit 4 (eingedr.) Plänen. gr. 8. (III, 200 S.) Gütersloh 885. Bertelsmann. n. 2. 80; geb. n. 3. 60

Vogel, Bernh., Richard **Wagner**. Sein Leben u. seine Werke. 8. (VI, 144 S. m. 2 Holzschn.) Reudnitz-Leipzig 883. Rühle. n. 1. 50

Vogel, Chrn., **enseñanza practica** para aprender pronta y fácilmente la lengua alemana. Tomo II. 3. ed.. aumentada y enteramente revisada. gr. 8. (VIII, 171 S.) Halle 885. Gesenius. n. 2. 50

— **manual** of mercantile correspondence in two languages — English and French. 2 vols. gr. 8. Leipzig 886. Gloeckner. à n. 4. —; geb. à n. 4. 60

1. English-French. Collection of English commercial letters and formularies with notes, explanatory and grammatical, prepared after a quite new and easy system to facilitate their being translated into French. To which is added a dictionary of commercial terms and expressions in English and French. (XXIV, 283 S.)
2. French-English. Collection of English commercial letters and formularies with notes, explanatory and grammatical, prepared after a quite new and easy system to facilitate their being translated into French. To which is added a dictionary of commercial terms and expressions in French and English. (XXVI, 281 S.)

Vogel, E., neucatalanische Studien, s.: **Studien**, neuphilologische.

Vogel, Ed., spezielle **Arzneimittellehre** f. Thierärzte. 3. verm. u. verb. Aufl. gr. 8. (VI, 704 S.) Stuttgart 886. Neff. n. 12. —

— die **Massage**, ihre Theorie u. practische Verwerthung in der Veterinärmedicin. gr. 8. (VIII, 78 S.) Ebend. 884. n. 1. 50

— ist **Mondblindheit** Hauptmangel, auch wenn grauer Staar hinzugetreten? Besprochen. 8. (32 S.) Stuttgart 884. Schickhardt & Ebner. n. — 50

Vogel, Ferd., **Nepos plenior**. Lateinisches Lesebuch f. die Quarta der Gymnasien u. Realschulen. 3. umgearb. Aufl., besorgt v. Karl **Jahr**. Mit e. Karte v. H. Kiepert. gr. 8. (XVIII, 114 S.) Berlin 885. Weidmann. n. 1. 60

Vogel, Friederike, **Blumenstudien**. gr. 4. (6 Chromolith.) Leipzig 884. (Baldamus Sep.-Cto.) n. 6. —; einzelne Blätter à n. 1. 50

Vogel, Geo., **Jubelfestpredigt**, s.: **Hofmeyer**, J.

— **Dein Reich komme!** 2 Missionsfestpredigten. 8. (43 S.) Darmstadt 887. Waitz. n. — 60

Vogel, H., 150 **Uebungs-Beispiele** zur Vorbereitung f. den mehrstimmigen Chor, nach der Chor-Schule v. A. B. Marx zusammengestellt. 8. (15 S.) Allenstein 883. Harich. n. — 35

Vogel, H., die chemischen **Wirkungen** d Lichts u. die Photographie in ihrer Anwendung in Kunst, Wissenschaft u. Industrie, s.: **Bibliothek**, internationale wissenschaftliche.

Vogel, H. C., einige **Beobachtungen** m. dem grossen Refractor der Wiener Sternwarte, s.: **Publicationen** d. astrophysikalischen Observatoriums zu Potsdam.

— einige spectralanalytische **Untersuchungen** an Sternen, ausgeführt m. dem grossen Refractor der Wiener Sternwarte. [Mit 1 (lith.) Taf.] Lex.-8. (25 S.) Wien 884. (Gerold's Sohn.) n.n. — 70

— u. G. **Müller**, spectroskopische Beobachtungen der Sterne bis einschliesslich 7. 5ter Grösse in der Zone von — 1° bis + 20° Declination, s.: **Publicationen** d. astrophysikalischen Observatoriums zu Potsdam.

Vogel, H. W., die **Photographie** farbiger Gegenstände in den richtigen Tonverhältnissen. Handbuch der farbenempfindl. [isochromat. od. orthochromat.] Verfahren. Mit 1 Farbendr.-Beilage, 2 danach angefertigten Lichtdrucken u. 15 in den Text gedr. Holzst. gr. 8. (VIII, 157 S.) Berlin 885. Oppenheim. n. 4. —

Vogel, Hans, üb. Milchuntersuchung u. Milchkontrolle. Vortrag, geh. bei Gelegenheit der 1. Versammlg. bayer. Chemiker zu München. gr. 8. (23 S.) München 884. Stuber's Verl. n. — 40

— s.: Vorträge aus dem Gebiete der Nahrungsmittel-Chemie.

Vogel, Heinr., Anthropologie u. Gesundheitslehre. Für die Hand der Schüler bearb. Mit 18 (eingedr.) Abbildgn. 2. Aufl. gr. 8. (32 S.) Leipzig 883. Peter. cart. n. — 20

— Materialien f. Zoologie in Oberklassen. Mit Berücksicht. der Leutemann-Lehmann'schen zoolog. Tafeln bearb. Materialien f. Naturgeschichte in Oberklassen. 2. Tl. gr. 8. (VIII, 430 S.) Plauen 885. Neupert. n. 3. 75; geb. n. 4. 25

— Mineralogie. Wiederholungsbuch f. Schüler in Mittelklassen u. mehrklass. Volksschulen. Mit 11 Abbildungen. 8. (30 S.) Leipzig 886. Siegismund & Volkening. n. — 30; cart. n. — 35

— Naturgeschichte. Für mehrklass. Volks- u. Töchterschulen bearb. 2. Aufl. In 3 Stufen. Mit 275 Abbildgn. im Texte. gr. 8. Leipzig 884. Peter. n. 1. 50; in 1 Bd. geb. n. 1. 80

1. (48 S.) cart. n. — 30. — 2. (68 S.) n. — 40; geb. n. — 50. 3. (173 S.) n. — 80; geb. n. 1. —

— kleine Naturlehre f. einfache Schulverhältnisse. Mit 30 Abbildgn. im Text. 2. Aufl. gr. 8. (56 S.) Ebend. 884. n. — 35

— Physik. Für mehrklass. Volks- u. Töchterschulen bearb. 2., verb. Aufl. Mit 228 Abbildgn. im Text. gr. 8. (174 S.) Ebend. 886. n. 1. —; geb. n. 1. 20

— Tierkunde. Wiederholungsbuch f. Schüler in Mittelschulen u. mehrklass. Volksschulen. Mit 44 Abbildgn. gr. 8. (104 S.) Leipzig 885. Siegismund & Volkening. n. — 60; geb. n. — 70

— u. Aug. **Krusche,** Schul-Naturgeschichte. Ausg. A. Ein Handbuch f. Lehrer. Nach Direktiven v. Ad. Grüllich bearb. u. hrsg. (In 5 Hftn.) 1—3. Hft. gr. 8. (Pflanzenkunde 128 u. Tier- u. Mineralienkunde VIII, 160 S.) Meißen 886. Schlimpert. à n. 1. —

Vogel, Jul., Anleitung zur qualitativen u. quantitativen Analyse d. Harns, s: Neubauer, C.

— das Mikroskop u. die wissenschaftlichen Methoden der mikroskopischen Untersuchung in ihrer verschiedenen Anwendung. 4. Aufl. vollständig neu bearb. v. Otto Zacharias, unter Mitwirkg. v. E. Hallier u. E. Kalkowsky. gr. 8. (289 S. m. eingedr. Holzschn.) Leipzig 884. Felix. n. 6. —

— die Trichinenkrankheit u. die zu ihrer Verhütung anzuwendenden Mittel. Nach zahlreichen eigenen Erfahrgn. allgemein faßlich geschildert. Nach dem Stande der neuesten Forschgn. bearb. v. O. Reyher. 2. Aufl. Mit Gratisbeilage d. „Trichinenspiegels" (in Fol.). gr. 8. (54 S.) Ebend. 883. n. — 60; Trichinenspiegel ap. — 25

Vogel, Jul., Scenen Euripideischer Tragödien in griechischen Vasengemälden. Archäologische Beiträge zur Geschichte d. griech. Dramas. gr. 8. (VI, 156 S.) Leipzig 886. Veit & Co. n. 4. —

Vogel, Jul., Friedhof-Predigten, geh. in der Friedhofskapelle zu Plauen i. V. gr. 8. (1? S.) Plauen 884. Neupert. n. — 20

— Gedächtniß-Predigt, zur Erinnerung an die große Wasserfluth vom 22. Juli 1884 geh. in der Hauptkirche zu Plauen i. V. am Dienstag, den 22. Juli 1884. 8. (8 S.) Ebend. 886. n. — 15

Vogel, Karl, die Stedinger. Trauerspiel in 5 Akten. gr. 8. (63 S.) Mannheim 884. (Dieter.) n. 1. 50

Vogel, M., das britische Colonialreich. Geographisch, geschichtlich u. statistisch beschrieben. Mit 1 Uebersichtskarte. gr. 8. (III, 144 S.) Berlin 887. Schneider & Co. Verl. n. 3. 50

Vogel, Matthäus, Führer zum Himmel. Gebet- u. Belehrungsbüchlein f. glaubenseifrige Katholiken. Ausg. Nr. 1. 10. Aufl. 24. (511 S. m. 1 Stahlst.) Salzburg 882. Pustet. — 75; Ausg. Nr. 2. 10. Aufl. 16. (447 S. m. 1 Stahlst.) — 90

Vogel, Mor., „Ossian". 100 geistl. u. weltl. Gesänge älterer u. neuerer Komponisten f. Männerchor, zusammengestellt u. zunächst zum Gebrauche in Seminarien, Gymnasien u. Realschulen bestimmt. gr. 8. (VIII, 163 S.) Leipzig 884. Merseburger. 1. 50

Vogel, Otto, Lehre vom Satz u. Aufsatz. Ein Hülfs- u. Uebungsbuch f. den deutschen Unterricht in den unteren u. mittleren Klassen höherer Schulen. 8. (VIII, 86 S.) Potsdam 883. Stein. cart. n. — 80

— **Karl Müllenhoff,** Felix **Kienitz-Gerloff,** Leitfaden f. den Unterricht in der Botanik. Nach method. Grundsätzen bearb. 3 Hfte. 8. Berlin 885. Winckelmann & Söhne. cart. n. 3. 40

1. Kurs. 1 u. 2. [§ 1—50.] Mit 3 (lith.) Taf. 6. Aufl. (IV, 129 S.) n. 1. 20
2. Kurs. 3 u. 4. [§ 51—100.] 5. Aufl. (143 S.) n. 1. 20
3. Kurs. 5. [§ 101—125.] 4. Aufl. (VII, 83 S.) n. 1. —

— — — Leitfaden f. den Unterricht in der Zoologie. Nach method. Grundsätzen bearb. 1. Hft. Kurs. 1 u. 2. [§ 1—50.] 7. Aufl. 8. (IV, 175 S.) Ebend. cart. n. 1. 20

— u. O. **Ohmann,** zoologische Zeichentafeln. Im Anschluss an den Leitfaden f. den Unterricht in der Zoologie v. O. Vogel, K. Müllenhoff, F. Kienitz-Gerloff hrsg. 1—3. Hft. qu. gr. 4. Nebst Vorwort u. Verzeichniss der Abbildgn. gr. 8. (29 S.) Ebend. n. 3. 5

1. (16 Steintaf.) 883. n. — 80. — 2. (24 Steintaf.) 884. n. 1. 25. — 3. (14 Steintaf.) 886. n. 1. —

Vogel, Paul, mit Verlaub! Altbayerische Reime. 8. (VII, 108 S.) München 883. Th. Ackermann's Verl. cart. n. 1. 80

Vogel, R., kritische Bearbeitung u. Darstellung der Geschichte d. thüringisch-hessischen Erbfolgekrieges 1247—1264, s.: Ilgen, Th.

Vogel, Rud., Lutherrede, geh. zu Zell im Wiesenthale am 11. Novbr. 1883. 8. (18 S.) Freiburg i/Br. 884. (Ragoczy.) n. — 50

Vogel, W., Handbuch d. öffentlichen Rechts d. Königr. Bayern, } s.: Handbuch des öffentlichen Rechts der Gegenwart.
— das Staatsrecht d. Königr. Bayern, }

Vögel, die nützlichen, od. die Freunde d. Landmannes. Beschreibung der f. die Landwirtschaft nützlichsten Vogelarten nach C. G. Friedrich. Mit 60 Holzschn., ausgeführt nach den Gemälden v. Paul Robert. 8. (127 S.) Lausanne 886. Bern, Nydegger & Baumgart. n. 1. 50

Vogelgesang, s.: Missions-Vorträge, acht.

Vögelin, Salomon, das alte Zürich. Historisch u. antiquarisch dargestellt. 2. Aufl. 9. (Schluss-)Lfg. gr. 8. (XII u. S. 385—671.) Zürich 883. Orell Füssli & Co. Verl. n. 6. — (cplt.: n. 18. —; geb. n. 20. —)

Vogelius, Lauritz Spandet, üb. den Alkohol, speciell sein Einfluss auf die Respiration, en Harn u. die Körpertemperatur. Eine physiolog. Untersuchg. gr. 8. (112 S. m. 1 Steintaf.) Kiel 885. (Lipsius & Tischer.) n. 2. 40

Vogel-Liebhaber, der. Anleitung zur Pflege u. Zucht der beliebtesten in- u. ausländ. Sing- u. Ziervögel. Hrsg. v. erfahrenen Vogelwirten. 2. Aufl. 8. (156 S.) Köln 885. Büttmann. 1. 50

Vogels, Aegidius, vertrauliche Zwiegespräche m. Jesus im heiligsten Altarssacramente u. m. der allerseligsten Jungfrau Maria. 2. Aufl. 16. (XVI, 544 S.) Dülmen 886. Laumann. n. 1. —; geb. von n. 1. 50 bis n. 6. —

Frhr. C. v., gesammelte Aufsätze üb. social- u. verwandte Themata. 1—7. Hft. gr. 8. (392 gsburg 885. 86. Literar. Institut v. Dr. M. Huttler. à n. 1. —

— die Konkurrenzfähigkeit in der Industrie. gr. 8. (24 S.) Wien 883. Kirsch. n. — 40

— Zins u. Wucher. Ein Separatvotum in dem vom deutschen Katholikentage eingesetzten socialpolit. Comité. gr. 8. (93 S.) Ebend. 884. n. 1. —

Vogelsanger, J., der schweizerische Grütliverein. Dessen Entstehg., Geschichte u. Thätigkeit. Im Auftrage d. Zentral-Komites auf die schweizer. Landes-Ausstellung 1883 bearb. gr. 8. (IV, 160 S.) St. Gallen 883. (Chur, Kellenberger.) n. 2. —

Vogelwelt, die. Zeitschrift üb. Vogelschutz, Züchtg. v. ausländ Sing- u. Schmuckvögeln, u. üb. Geflügelzucht, m. der Monatsbeilage „Der süddeutsche Canarienzüchter." Central-Organ d. Landesverbandes der Vereine der Vogelfreunde in Württemberg. Hrsg. v. Carl Ritsert. 5—7. Jahrg. 1883—1885. à 24 Nrn. (B.) gr. 4. Heilbronn, (Becker). à Jahrg. n. 3. —

— dasselbe. 8. Jahrg. 1886. 24 Nrn. (B.) Fol. Kaiserslautern, Kayser. 3. —

Voges, Ernst, das Pflanzenleben d. Meeres. Mit 25 Holzschn.-Illustr. gr. 8. (83 S.) Leipzig 886. Frohberg. n. 1. 50

— an der See. Reisebriefe aus dem Moore u. v. der Nordsee. 8. (V, 178 S.) Emden 884. Haynel. n. 3. —

Vogesengrün. Ein elsäss. Familienkalender v. Maria Rebe. 1887. 8. (186 S. m. Illustr.) Straßburg 886. Heitz. cart. 1. 50

Vogl, A. E., Lehrbuch der Arzneimittellehre, s: Bernatzik, W.

Vogl's, Joh. Nep., Volks-Kalender f. d. J. 1887. Red. v. Aug. Silberstein. Mit Beiträgen v. Leop. Hörmann, Hugo Klein, Heinr. Littrow 2c. u. m. e. Composition v. Ed. Kremser. 43. Jahrg. 8. (LV, 179 S. m. Illustr.) Wien, Fromme. 1. 20; geb. n. 2. —

Vogl, Jos., Anleitung zur praktischen Behandlung der im k. k. Schulbücher-Verlage zu Wien erschienenen Fibel nach der analytisch-synthetischen Schreiblese-Methode. gr. 8. (132 S. m. 1 lith. Schrifttaf.) Krems 884. Löhner. n. 1. 20

— der kleine Zeichner im 1. u. 2. [bezw. 3.] Schuljahre. 374 Übgn., darunter 200 Nachbildgn. leichter, dem Sachunterrichte entnommener Gegenstände. gr. 8. (11 Steintaf.) Krems 885. (Wien, Sallmayer.) n. n. — 40

Vogler, Ch. Aug., Lehrbuch der praktischen Geometrie. 1. Tl. Vorstudien u. Feldmessen. Mit 248 Holzst. u. 10 Taf. gr. 8. (XVII, 688 S.) Braunschweig 885. Vieweg & Sohn. n. 16. —

Vogler, Max, der Herr Kommerzienrath. Eine moderne Geschichte. 8. (230 S.) München 886. Viereck. 3. —

Vogler, Max, die Verwahrlosung d. modernen Charakters. Ein Straf- u. Mahnwort an die Zeitgenossen. 2. Aufl. gr. 8. (VI, 89 S.) Leipzig 884. Frohberg. n. 1. 20

Vogrinz, Gfr., Beiträge zur Formenlehre d. griechischen Verbums. gr. 8. (86 S.) Paderborn 886. F. Schöningh. n. — 50

Vogt, Adf., üb. die gesundheitliche Stellung d. Buchdruckergewerbes in der Schweiz m. besond. Berücksicht. der Lungenschwindsucht. Vortrag. 8. (23 S.) Basel 884. (Bernheim.) n. — 40

Vogt, Carl, Eduard Desor, s.: Bücherei, deutsche.

— u. F. **Specht**, die Säugetiere in Wort u. Bild. 2—28. (Schluß-)Lfg. Fol. (XXII u. S. 1—8 u. 25—440 m. eingedr. Holzschn. u. Holzschntaf.) München 883. Verlags-Anstalt f. Kunst u. Wissenschaft. à n. 1. 50 (cplt. cart: n. 45. —; geb. n. 48. —)

Vogt, Carl, u. Emil **Yung**, Lehrbuch der praktischen vergleichenden Anatomie. Mit zahlreichen Abbildgn. 1—7. Lfg. gr. 8. (S. 1—448.) Braunschweig 885. 86. Vieweg & Sohn. à n. 2. —

Vogt, Edm., s.: Zur Erinnerung an ihn.

Vogt, Emil, leichtfaßliche Anleitung zur Anwendung d. schweizerischen Obligationenrechts im alten Theile d. Kantons Bern. 2. (Schluß-)Hft. gr. 8. (S. 161—323.) Bern 883. Jenni. n. 3. — (cplt.: n. 6. —)

— dasselbe. Neue Ausg. gr. 8. (323 S.) Ebend. 885. n. 3. 50

Vogt, H., die Straßen-Namen Berlins, s.: Schriften d. Vereins f. die Geschichte Berlins.

Vogt, Herrm., 1870/71. Kriegstagebuch e. Truppenoffiziers. gr. 8. (III, 295 S.) Berlin 886. Eisenschmidt. n. 5. —

— das Buch vom deutschen Heere, dem deutschen Volke gewidmet. Mit etwa 150 Illustr. v. R. Knötel. 8 Abtlgn. gr. 8. (VI, 569 S.) Bielefeld 885. Velhagen & Klasing. à n. 3. —; (cplt. geb.: n. 10. —)

Vogt, Herrm., das VIII. deutsche Bundesschießen zu Leipzig 1884. Enthaltend die Festbauten in 11 Lichtdr.-Bildern nach photogr. Aufnahmen, nebst e. histor. Uebersicht. Mit e. vollständ. Verzeichniß der Schießresultate, m. Angabe der Preise u. der Namen der Sieger, auf Grund der offiziellen Statistik d. Schießausschusses. Fol. (33 S.) Leipzig 884. Gebhardt. In Leinw.-Mappe. n. 20. —

— deutsches Heer- u. Wehrbuch. Zum Nachschlagen f. Jung u. Alt. Nach amtl. Quellen zusammengestellt. 12. (IX, 290 S.) Berlin 886. v. Decker. cart. n. 3. —

— die europäischen Heere der Gegenwart. Illustrationen v. Rich. Knötel. 1—7. Hft. gr. 8. Rathenow 886. Babenzien. à n. — 50

1. 2. Die Kriegsmacht der Franzosen. (36 S.)
3. 4. Die Wehrkraft d. österr. ungar. Kaiserstaates. (36 S.)
5—7. Der russische Koloss. (48 S.)

— zum 18. October! Friedrich Wilhelm, Kronprinz d. deutschen Reiches u. Kronprinz v. Preußen. Ein Fürstenbild. Dem gesammten Volke in Waffen als patriot. Festgabe zugeeignet. 8. (IV, 64 S. m. Holzschn.-Bild.) Berlin 886. Eisenschmidt. n. — 60

Vogt, Joh., Beiträge zur Gymnasial-Pädagogik. I. Das Alumnatsleben auf dem ev. Gymnasium A. B. zu Kronstadt in Siebenbürgen in den J. 1829/30—1839/40. 8. (183 S.) Kronstadt 886. Buchdruckerei Alexi. n. 1. —

Vogt, K., Handbuch f. Vorturner, — das Turnen in der Volks- u. Bürgerschule, } s.: Buley, W.

Vogt, P., s.: Mittheilungen aus der chirurgischen Klinik in Greifswald.

— moderne Orthopädik. I. Die mechan. Behandlg. der Kyphose. II. Zur Behandlg. d. angeborenen Klumpfusses. III. Die Scoliose u. ihre Behandlg. Mit 19 lith. Taf. 2. Aufl. gr. 8. (IV, 167 S. m. 19 Bl. Taf.-Erklärgn.) Stuttgart 883. Enke. n. 6. —

Vogt, Thdr., das pädagogische Universitäts-Seminar in seinem Verhältniss zu den in Preussen u. Österreich bestehenden gesetzlichen Vorschriften üb. die Bildung der Lehrer an höheren Schulen. gr. 8. (64 S.) Leipzig 884. Veit & Co. n 1. 20

Vogtherr, s.: Adolar.

Vogtherr, A., Liebes-Plänkelei, s.: Novitäten-Bühne, Frankfurter.

Voegtlin, Adf., Walther v. Rheinau u. seine Marienlegende. Inaugural-Dissertation. gr. 8. (V, 73 S.) Aarau 886. Sauerländer. n. 1. 60

Vöhringer, Ludw., deutsches Rechtschreib- u. Aufsatzbuch, nebst sprachl. Übgn., in 4 stufenmäß. geordneten Kursen f. höhere u. niedere Schulen m. Berücksicht. der amtlich festgestellten Regeln üb. die neue Orthographie, sowie d. Normallehrplanes f. die württemb. Volksschulen, auch m. Anschluß an den 1. Tl. d. Lesebuchs f. die ev. Volksschulen Württembergs, methodisch bearb. 4 Kurse. 2. Aufl. 8. Stuttgart 884. Metzler's Verl. n. 1. 60

1. 2. (IV, 52 u. IV, 60 S.) à n. — 35. — 3. 4. (72 u. IV, 76 S.) à n. — 45

Voigt, Garten u. Gebirgsgegend, s.: Strübing, F., Sprachstoff zu den Bildern f. den Anschauungs- u. Sprachunterricht.

Voigt, A., Anweisung zur Behandlung der biblischen Geschichte als Vorstufe zum systematischen Religionsunterrichte in der Schule. gr. 8. (X, 201 S.) Gotha 884. Thienemann. n. 2. 60

— biblische Geschichte als Vorstufe zum systemat Religionsunterrichte. 3. Aufl. 8. (VIII, 136 S.) Ebend. 884. geb. n.n. — 60

Voigt, Alb., üb. den Bau u. die Entwickelung d. Samens u. Samenmantels v. Myristica fragans. gr. 8. (36 S.) Göttingen 885. (Vandenhoeck & Ruprecht.) n. 1. —

Voigt, Alb., kurze Beschreibung d. Herzogt. Sachsen-Altenburg u. der Unterherrschaft Gera d. Fürstent. Reuß j. L. 8. (16 S. m. 1 lith. u. color. Karte.) Leipzig 883. Siegismund & Volkening. n. — 50

Voigt, C., Choräle f. 2 Soprane u. Alt, zum Gebrauche f. Schulen bearb. 6. Aufl. 8. (72 S.) Hamburg 884. O. Meißner's Verl. cart. n. — 80

Voigt, E., kleines Volk. Bilder u. Geschichten zur Lust u. Lehre f. die Kleinen. Zeichnungen v. E. W. Erzählungen v. M. Th. May. Verse v. W. Emil Stephan. gr. 4. (20 Chromolith. m. eingedr. u. 40 S. Text.) Dresden 885. Meinhold & Söhne. geb. n. 5. —

Voigt, G., Militär-Geschäftskenntnis. Ein Nachschlagebuch f. Offiziere, Feldwebel ꝛc. der bayer. Armee. 2. verm. u. veränd. Aufl. Umgearb. von Ed. v. Lilier. 2 Tle. in 1 Bd. gr. 8. (X, 135 u. 152 S.) Neuburg a/D. 885. Grießmayer. n. 4. —; 1. Tl.: Schriftenverkehr, ap. (VIII, 135 S.) n. 2. —

Voigt, Gust., Zins-Tabellen f. Institute, Banken, Sparkassen, Kapitalisten u. Gewerbtreibende zur Berechnung der Zinsen von 1 bis 900000 Mark, Gulden, Frano, Rubel, Dollar, Pfd. Sterling etc., bearb. auf 20 Tabellen in 20 Zinsfüssen 1/2, 1, 1 1/4, 1 1/2, 1 3/4, 2, 2 1/4, 2 1/2, 3, 3 1/4, 3 1/2, 3 3/4, 4, 4 1/4, 4 1/2, 4 3/4, 5, 5 1/2, 6, 6 1/2 Procent f. Jahr, Monate u. Tage, nebst e. gründl. Anweisg. im Zinsen-Kurzrechnen. qu. gr. 4. (IV, 20 S.) Wiesbaden 885. Bechtold & Co. n. 1. 50

Voigt, Gust., der Erzengel Michael. Die guten u. die bösen Engel. Eine Michaelis-Predigt. 8. (12 S.) Berlin 885. Deutsche Evangel. Buch- u. Tractat-Gesellschaft. n. — 15

Voigt, Joh. Frdr., die Haftbarkeit d. Einkaufskommissionairs f. die Bestellungsmäßigkeit der den Kommittenten übersandten Waare, begründet durch das Handelsgewohnheitsrecht u. die Analogie d. Art. 347 d. Handelsgesetzbuchs. gr. 8. (29 S.) Hamburg 884. Gräfe. — 75

— das deutsche Seeversicherungs-Recht. Commentar zu Buch 5 Titel 11 d. Allgemeinen deutschen Handelsgesetzbuchs u. zu den „Allgemeinen Seeversicherungs-Bedinggn. v. 1867". 1—3. Abth., den 1. Abschnitt d. Titels 11 „v. den Allgemeinen Grundsätzen" betr. gr. 8. (XVII, 630 S.) Jena 884. 85. Fischer. n. 11. 80

Voigt, Jul., vom Besitz d. Sequester nach dem römischen Recht zur Zeit der klassischen Jurisprudenz. gr. 8. (68 S.) Freiburg i/Br. 885. Mohr. n. 1. 60

Voigt, Karl, die Lehre der Formula Concordiae v. der Prädestination [m. Berücksicht. der missourischen Lehre]. 8. (56 S.) Schwerin 886. (Schmale.) n. — 80

Voigt, Mor., die XII Tafeln. Geschichte u. System d. Civil- u. Criminal-Rechtes, wie -Processes der XII Tafeln, nebst deren Fragmenten. 2 Bde. gr. 8. Leipzig, Liebeskind. n. 30. —
1. Geschichte u. allgemeine jurist. Lehrbegriffe der XII Tafeln, nebst deren Fragmenten. (XII, 859 S.) 884. n. 16. 40
2. Civil- u. Criminalrecht der XII Tafeln. (X, 845 S.) 883. n. 13. 60

Voigt, Paul, Sorani Ephesii liber de etymologiis corporis humani quatenus restitui possit. gr. 8. (49 S.) Gryphiswaldiae 882. (Berlin, Mayer & Müller.) n. 1. —

Voigt, Th., deutsche Gedichte, f. den Schulgebrauch ausgewählt u. nach Jahreskursen geordnet. 2. Aufl. (XII, 147 S.) Jena 883. Bufleb. cart. n. 1. —

— aus der Schule. Pädagogische Skizzen. gr. 8. (IV, 215 S.) Bielefeld 884. Velhagen & Klasing. n. 2. —

Voigt, W., Unterrichts-Briefe f. das Selbst-Studium der englischen Sprache, s.: Allen, D. A.

Voigt, W., die Curmittel Oeynhausens [Rehme's], ihre Anwendungsweise u. ihr Nutzen in den verschiedenen m. ihnen behandelten Krankheiten. Im Anh.: Beschreibung Oeynhausens u. seiner den Kurgast interessir. Einrichtgn. 8. (IV, 172 S.) Braunschweig 883. Wreden. n. 2. 40; geb. n. 3. —

Voigt, W., Händels Samson u. Bachs Matthäus-Passion. Ein Vortrag. gr. 8. (31 S.) Göttingen 885. Vandenhoeck & Ruprecht's Verl. n. — 80

Voigtländer's Bad Kreuznach, Bad Münster am Stein u. das Nahethal. Führer f. Besucher d. Nahethals. 11. Aufl. Mit Karten u. Plan v. Kreuznach. 12. (VIII, 106 S.) Kreuznach 884. Voigtländer's Sort. cart. n. 1. 50

— Pfalzführer. Wegweiser f. die Besucher der bayer. Pfalz u. der Städte Mannheim, Heidelberg, Karlsruhe, Weissenburg, Worms, Mainz, Saarbrücken, Kreuznach u. Bingen. 5. umgearb. Aufl. Mit 4 Übersichtskarten. 8. (VIII, 226 S.) Ebend. 885. geb. n. 2. —

Voigts, F., Latomiablumen, s.: Rauschenbusch, E.

Voissin-Bey, die Seehäfen Frankreichs. Deutsche autoris. Ausg. nebst Anmerkgn. v. G. Franzius. Mit 12 Taf. Lex.-8. (IV, 188 S. m. 1 Tab.) Leipzig 886. Engelmann. n. 11. —

Voit, Carl, üb. die Ursachen der Fettablagerung im Thierkörper. Vortrag. 8. Abdr. gr. 8. (23 S.) München 884. Rieger. n. 1. —

Voit, G., Militär-Geschäftskenntnis. Nachträge, bearb. von Ed. v. Lilier. gr. 8. (34 Bl.) Neuburg a/D. 883. Griessmayer. n. — 80

— dasselbe. 2. Nachtrag. gr. 8. (15 Bl.) Ebend. 884. — 60 (Hauptwerk m. 1. u. 2. Nachtrag: n. 4. 10)

Volapükaklubs. [Yelüp folid.] Red.: Fieweger Y. 3. Jahrg. 1886. 12 Nrn. (1/2 B.) gr. 8. Breslau, (Aderholz). n. 2. —

Volbehr, Thdr., Antoine Watteau. Ein Beitrag zur Kunstgeschichte d. 18. Jahrh. gr. 8. (58 S.) Hamburg 885. Haendcke & Lehmkuhl. n. 2. —

Volck, W., die Bibel als Kanon. Drei Vorträge. gr. 8. (54 S.) Dorpat 885. Karow. n. 1. 60

— die rechte Feier d. Bibelfestes. Bibelfestpredigt üb. 2. Petri 1, 19—21, geh. in der Universitäts-Kirche zu Dorpat am Sonntag Cantate. gr. 8. (15 S.) Ebend. 886. n. — 60

— Festrede zur Jahresfeier der Stiftung der Universität Dorpat am 12. Decbr. 1883 geh. Hrsg. v. der kaiserl. Universität Dorpat. 4. (23 S.) Dorpat 884. (Schnakenburg.) n. 2. —

— zur Lehre v. der heil. Schrift. Beleuchtung der offenen Erklärg. der Glieder der Öselschen Synode zu ihrem Synodal-Proteste vom J. 1884 betr. die Lehre v. der h. Schrift. gr. 8. (21 S.) Dorpat 885. Karow. n. — 80

— in wie weit ist der Bibel Irrthumslosigkeit zuzuschreiben? Vortrag. gr. 8. (20 S.) Ebend. 884. n. — 60

Voelcker, John Augustus, die chemische Zusammensetzung d. Apatits, erschlossen aus zahlreichen eigenen vollständ. Analysen u. ausgedrückt durch e. abgeänderte Apatit-Formel. gr. 8. (34 S.) Giessen 883. (Frankfurt, Völcker.) n. 1. —

Volckmar, W., Handbuch der Musik. gr. 8. (VI, 265 S.) Langensalza 885. Beyer & Söhne. n. 7. —; geb. n. 9. —

Vold, J. Mourly, Albrecht Krause's Darstellung der Kantischen Raumtheorie u. der Kantischen Lehre v. den Gegenständen beurtheilt. gr. 8. (29 S.) Christiania 885. (Dybwad.) n. — 80

Völderndorff, Otto Frhr. v., das bayerische Gesetz vom 26. März 1859, die Gewährleistung bei Viehveräußerungen betr., m. Bezugnahme auf die badisch-württemberg. Gesetze. Erläutert. 2. Aufl. Mit umfass. Register. 8. (III, 150 S.) München 883. Kaiser. n. 1. 20

— Kommentar zum Allgemeinen Deutschen Handelsgesetzbuche, s.: Anschütz, A.

— die Konkursordnung f. das Deutsche Reich, nebst dem Einführungsgesetz u. dem Reichsgesetz vom 21. Juli 1879, betr. die Anfechtung v. Rechtshandlungen eines Schuldners außerhalb d. Konkursverfahrens. Erläutert. 3 Bde. 2. Aufl. Lex.-8. (VI, 691; VIII, 722 u. VI, 222 u. 70 S.) Erlangen 884. 85. Palm & Enke. n. 28. 40

— dasselbe. Registerheft. 2. Aufl. Lex.-8. (61 S.) Ebend. 885. n. 1. 20

— das Reichsgesetz betr. die Kommanditgesellschaften auf Aktien u. die Aktiengesellschaften, s.: Gesetzgebung, die, d. Deutschen Reichs m. Erläuterungen.

Volger, A., vom Fels zum Meer, s.: Theater-Album, militairisches.

— wer die Wahl hat, s.: Wallner's allgemeine Schaubühne.

— die Wogenbraut. Episches Gedicht in 4 Gesängen. 16. (82 S.) Altenburg 885. Bonde. geb. m. Goldschn. n. 1. 75

Volger, E., die junge Frau, s.: Kühling's, A., Volksschaubühne.

— die Hausfee, s.: Volks-Schaubühne.

— in der eigenen Schlinge gefangen, s.: Bibliothek, rothe.

Volger, Ed., die hauptsächlichsten Verlags-Veränderungen im Buch-, Kunst-, Musikalien- u. Landkarten-Handel während der 10 Jahre 1873 bis incl. 1882

Volks-Bibliothek

1—5. Die Brüder. Ein Stück aus dem Volksleben. Preiserzählung v. Alb. Bürklin. (44 S.)
6. Der Verschollene. Eine Geschichte v. Ludw. Anzengruber. (29 S.)
7—9. Fürst u. Leiermann. Eine Episode aus dem Leben d. „alten Dessauer“. Von Karl May. (36 S.)
10—13. Das Schwedenstübchen. Eine Erzählg. aus der Zeit d. 30jähr. Krieges. Von M. Barak. (45 S.)
14. Die Geschichte v. der abgehauenen Hand. Von Wilh. Hauff. (21 S.)
15—19. Doktor u. Apotheker. Erzählung v. Alb. Bürklin. (45 S.)
20—22. Treff-Aß. Eine Geschichte. Pfahlbaute m. Nutzanwendung. Skizze v. Ludw. Anzengruber. (25 S.)
23. Der zerbrochene Krug. Humoristische Novelle v. Heinr. Zschokke. (24 S.)
24—28 Diem perdidi. Eine wahre Geschichte v. Alb. Bürklin. (47 S.)
29. Das Wünschelmännchen. Ein Märchen v. Mises [G. Th. Fechner]. (25 S.)
30-33. Die Pocken. Erzählung v. Alb. Bürklin. (56 S.)
34—37. Zu fromm. Eine Geschichte v. Ludw. Anzengruber. (35 S.)
38—42. Der Meierfritz u. der Müllerhans. Eine Erzählg., aus der man etwas lernen kann. Von Rob. Hase. (62 S.)
43. Wie m. dem Herrgott umgegangen wird. Eine Geschichte m. einigen „Merks“ v. L. Anzengruber. (14 S.)
44—48. Das Konzert in Rübenthal. Eine merkwürd. Geschichte v. Alb. Bürklin. (66 S.)
49—53. Der Bahnwärter Martin od. e. Weihnachts-Abend. Von Alb. Bürklin. (50 S.)
54—56. Der Hoisel-Loisel. Eine Räubergeschichte v. Ludw. Anzengruber. (32 S.)
57. Das Lied v. der Glocke. Von Frdr. Schiller. (16 S)
58. 59. Die Errettung Fatmes. Von Wilh. Hauff. ([illegible]2 S.)
60. Der 70. Geburtstag. Von J. H. Voß. (12 S.)
61—64. Das stählerne Herz od. e. Tag aus dem Leben e. Lokomotivführers. Von Alb. Bürklin. (40 S.)
65. Blutrache. Nordische Sage. — Das Mahl zu Heidelberg. — Das Gewitter. Von Gust. Schwab. (16 S.)
66—70. Blätter aus dem Tagebuch d. armen Pfarrvikars v. Wiltshire. Novelle v. H. Zschokke. (44 S.)
71. Der Kampf m. dem Drachen. Die Bürgschaft. Von Frdr. Schiller. (17 S.)
72—75. Die drei Prinzen. Ein Märchen. — Das Wünschen. Eine nachdenkl. Geschichte. Der Weib-Fromme. — Über die Freiheit d. menschlichen Willens. Gespräch zweier Spitzbuben. Von Ludw. Anzengruber. (44 S.)
76. 77. Die Geschichte v. dem kleinen Muck. Von W. Hauff. (23 S.)
78. Der Kaiser u. der Abt. Lenore. 2 Gedichte v. G. Bürger. (17 S.)
79—82. Wie der liebe Gott heutzutage Wunder macht. Eine einfache Geschichte v. Alb. Bürklin. (52 S.)
83—85. Der Hackelbernd. Eine Hexengeschichte aus dem 19. Jahrh. Von Karl Weitbrecht. (32 S.)
86. Graf Eberhard der Rauschebart. Des Sängers Fluch. Von L. Uhland. (17 S.)
87—92. Das Abenteuer der Neujahrsnacht. Humoristische Novelle. Von Heinr. Zschokke. (61 S.)
93. Der Gang nach dem Eisenhammer. Der Taucher. Von Fr. Schiller. (16 S.)
94—98. Die Märchen d. Steinklopferhans v. Ludw. Anzengruber. (63 S.)
99. 100. Auf u. nieder. Eine Wäldergeschichte v. C. Geres. (28 S.)

Volks-Bibliothek

101. Der wilde Jäger. Das Lied vom braven Manne. Von G. A. Bürger. (15 S.)
102—106. Othello. Novelle v. Wilh. Hauff. (52 S.)
107—112. Der Kanzleirat. Erzählung v. Alb. Bürklin. (82 S)
113. 114. Numero Dreizehn. Erzählung v. Alb. Bürklin. (35 S)
114—121. Jonathan Frock. Novelle v. Heinr. Zschokke. (79 S.)
122—125. Der Täuferhof od. Eure Rede sei ja, ja — nein, nein. Erzählung v. E. Diethoff. (40 S.)
126—128. Ein braver Mann. Erzählung v. Alb. Bürklin. (31 S.)
129—135. Das Bild d. Kaisers. Novelle v. Wilh. Hauff. (103 S.)
136—139. Der Löwe d. Dorfes. Erzählung v. E. Diethoff. (48 S.)
140—143. Verurteilt. Erzählung v. Alb. Bürklin. (42 S.)
144—146. Das blaue Wunder. Humoristische Novelle v. Heinr. Zschokke. (31 S.)
147—150. Rot, Schwarz u. Gold. Eine Dorfgeschichte v. E. Diethoff. (48 S.)
151—154. Walpurgisnacht. Novelle v. Heinr. Zschokke. (40 S.)
155. 156. Das Märchen vom falschen Prinzen. 6. Erzählg. aus „Die Karawane“ v. W. Hauff. (29 S.)
157—162. Hermann u. Dorothea. Von Wolfg. v. Goethe. (71 S.)
163. Die Geschichte vom Kalif Storch. 1. Erzählg. aus „Die Karawane“ v. W. Hauff. (18 S.)
164. Die Geschichte v. dem Gespensterschiff. Erzählg. v. W. Hauff. (15 S.)
165. 166. Weshalb Fritz Hedrich nicht umkehrte. Von Vict. Blüthgen. (15 S.)
167—170. Des hinkenden Boten Standrede üb. die Erde. Von Alb. Bürklin. (36 S.)
171. 172. Tapfer u. treu bis ans Ende. Schulprüfung. Lehre u. Beispiel v. A. Bürklin. Der Vater. Eine Erzählg. aus Norwegen. (20 S.)
173—182. Aus wilder Zeit. Nach geschichtl. Quellen v. C. Geres. (94 S.)
183—189. Der zerbrochene Krug. Ein Lustspiel von Heinr. v. Kleist. (79 S.)
190—194. Der Winkel- u. der Wunderdoktor. Ein Bildchen aus dem Volke der Alpen. „Auf der Alm giebt's ka Sünd“. Der letzte Schuß. Eine Geschichte aus dem Gebirge. Von P. K. Rosegger. (26 S.)
195—199. Hedwig, die Banditenbraut. Drama in 3 Aufzügen v. Thdr. Körner. (58 S.)
200. Ein amerikanisches Duell. Von A. Bürklin. (14 S.)
201. 202. Ein Karnevalscherz. Humoreske v. S. Behrend. (18 S.)
203. 204. Der Kanonier in der Tonne. Humoreske aus e. Barackenlazarett v. S. Behrend. (20 S.)
205—207. Weinsegen. Von Vict. Blüthgen. (25 S.)
208—212. Shakespeare's Julius Cäsar. In deutsche Sprache übertr. von Alfr. v. d. Velde. (89 S.)
213—216. Drei brave Männer aus dem Volke v. Alb. Bürklin. (40 S.)
217—219. Der Rundreise-Hut. Kannst du schweigen, Margarete? Zwei Erzählgn. v. Alb. Bürklin. (28 S.)
220—223. Eine Strichbewilligung. Eine neue Entdeckg. auf dem Gebiete der Photographie. Der Mausdoktor. Ein belohnter Krawattenmacher. Von C. Gehres. (30 S.)
224—226. Scharfe Ladung. Es ischt halt einmal eso. Von C. Geres. (16 S.)
227. Deutscher Mut u. welsche Tücke. Ein Heldenstücklein aus dem großen Kriege. Von O. Höcker. (16 S.)
228—233. Der Walfischfahrer. Orig.-Humoreske v. Alb. Jaenich. (52 S.)
234—239. Meister Martin, der Küfner u. seine Gesellen. Erzählung v. E. T. A. Hoffmann. (68 S.)

240—245. Prinz Friedrich v. Homburg. Ein Schauspiel von Heinr. v. Kleist. (82 S.)

246—251. Pachter Feldkümmel v. Tippelskirchen. Ein Fastnachtsspiel in 5 Aufzügen von Aug. v. Kotzebue. (74 S.)

252—256. Toni. Ein Drama in 3 Aufzügen v. Thdr. Körner. (42 S.)

257—261. Die Stricknadeln. Ein Schauspiel in 4 Aufzügen von Aug. v. Kotzebue. (61 S.)

263—269. Der goldene Topf. Ein Märchen aus der neuen Zeit v. E. T. A. Hoffmann. (96 S.)

270—276. Nula, der unglückliche Zuluhäuptling. Der deutschen Jugend u. dem Volke erzählt v. F. M. Fog. (80 S.)

277—286. Das Liebhaber-Theater. Humoreske aus dem ersten Zehntel d. 19. Jahrh. v. C. F. van der Velde. (134 S.)

287. 288. Ein Sterben im Walde. Eine Erinnerg. aus Kindestagen v. P. K. Rosegger. (16 S.)

289—293. Die Ostereier. Eine Erzählg. zum Ostergeschenke f. Kinder. Von Chrph. v. Schmidt. (47 S.)

294—298. Der gehörnte Siegfried. Von G. Schwab. (39 S.)

299. 300. Der lange Hilarius. Von H. Billinger. (16 S.)

Volks-Bibliothek, neue. Nr. 174—185. 12. Oberhausen 883. Spaarmann. à — 25

174. Die Schiffbrüchigen od. Gottes Fügungen sind wunderbar. Eine Erzählg. f. die Jugend v. R. Widhalm. (64 S.)
175. Der Pirat. Erzählung v. W. Frei. (64 S.)
176. Das Geheimnis d. Deportierten. Erzählung v. W. Frei. (64 S.)
177. Unter den Sioux. Erzählung aus dem Indianerleben v. W. Frei. (64 S.)
178. Die Tochter des Pflanzers. Erzählung aus dem Negerleben v. Frdr. Moest. (64 S.)
179. Das Schloß im Argonner Walde. Eine Geschichte aus dem deutsch-französ. Kriege v. R. Waldheim. (64 S.)
180. Giacomo Rossi, der Abruzzenräuber. Eine Geschichte aus dem italien. Gebirgsland v. A. H. Fogowitz. (64 S.)
181. Der „Mälström“ od. der Untergang d. „Albatros“. Erinnerung aus dem Leben e. Seemannes. Von A. H. Fogowitz. (64 S.)
182. Die Sklavenjäger. Erzählung aus dem Negerleben v. Frdr. Moest. (64 S.)
183. Der Löwe der Wildnis od. die verfolgten Goldsucher. Eine Abenteurergeschichte v. A. H. Fogowitz. (64 S.)
184. Unter falscher Flagge. Erzählung v. W. Frei. (64 S.)
185. Die Abenteuer e. Offiziers während der Belagerung v. Paris od. Pierot der Idiot. Für die Jugend erzählt v. M. Danaschat. (64 S.)

— dasselbe. Nr. 4. 5. 8. 14. 22—24. 29. 32. 36. 49. 71. 2. Aufl. 12. (à 64 S) Ebend. 883. à n. — 25

4. Enoch Arden, der Verschollene. Eine Erzählg. v. Ferd. Hoffmann.
5. Falkenauge, der weiße Häuptling, od. Mary's u. Ellen's wunderbare Rettung. Eine Indianererzählg. v. Carl Baron.
8. Der Todeskampf v. White Wood od. e. Rothhaut Haß u. Liebe. Indianer-Erzählg. v. Carl Baron.
14. Harold, der Zigeunerkönig, od. die Geige v. Edelény. Eine Erzählg. v. Ferd. Hoffmann.
22. Pfadfinder od. zwischen den Stromschnellen d. Oswego. Eine Indianer-Erzählg. v. Carl Baron.
23. Die Skalpjäger v. Südamerika od. auf den Strominseln d. Uruguay. Indianererzählg. v. Edgar Brown.
24. Das Schneegrab in der Sierra od. verhungert in der Silbermine. Eine Erzählg. aus Amerika v. Edgar Braun.
29. Die Ansiedler an den Quellen d. Susquehannah od. des Panthers Klauen u. des Waldbrands Flamme. Nach Cooper erzählt v. Edgar Braun.
32. Auf der Prairie od. die Räuber vom Platte-River. Erzählg. v. Edgar Brown.
36. Im Flammenmeer auf der Prairie od. gegen rote u. weiße Feinde. Eine Erzählg. aus dem Westen v. James Cooper.
49. Die Pfalzgräfin Genovefa od. Sieg der Unschuld. Erzählg. v. Ernst Stein.
71. Rosa von Tannenburg od. Feindeshaß u. Kindesliebe. Eine Ritter-Erzählg. v. Jasso Billung.

Volks- u. Familien-Bibliothek, deutsche. Hrsg. v. Alb. Johannsen. 1. Bd. 6 Hfte. 8. (1. Hft. 48 S.) Husum 884. Cristiansen & Vollmann. à Hft. n. — 15

Volks- u. Jugendbibliothek. Red.: A. Chr. Jessen. Nr. 51—65. 12. (Mit Holzschn.) Wien 882—85. Pichler's Wwe. & Sohn. cart. à — 70

51. Unglück versöhnt. Eine Erzählg. f. die reifere Jugend u. das Volk. Von Frz. Frisch. (50 S.)
52. Wanderungen durch Krain. Von Joh. Sima. (106 S.)
53. Franz Grillparzer. Biographisches Charakterbild f. die reifere Jugend. Von Rud. Hanke. (96 S.)
54. Erdbeben u. Vulcane. Von Eug. Netoliczka. (64 S.)
55. Die Höhlen d. Radhoſt. Eine mähr. Sage. Von E. Biller. (65 S.)
56. Verschiedene Lebenswege. Eine Erzählg. v. Frz.
57. Frisch. (73 S.)
Wallenstein. Für das Volk u. die reifere Jugend v. Guido Jöndl. (71 S.)
58. Wanderungen durch Bosnien u. die Herzegowina. Von Ludw. Pauer. (74 S.)
59. Die Türken vor Wien 1683. Von Emil Brandeis. (67 S.)
60. Lemuel Gulliver's Reise nach Brobdingnag, dem Land der Riesen. Reise-Märchen, f. die Jugend bearb. v. Frdr. Seidel. (66 S.)
61. Die Geschichte e. Braven. Erzählt v. Frz. Frisch. (72 S.)
62. Sagen aus dem Böhmerlande. Von Rob. Manzer. (74 S.)
63. Friedrich Hebbel. Biographisches Charakterbild f. die reifere Jugend v. Rud. Hanke. (78 S.)
64. Flut u. Ebbe od. die drei Brüder. Eine Erzählg. f. die reifere Jugend v. M. Glock. (52 S.)
65. Vergelt's Gott tausendmal! Selig sind die Barmherzigen. 2 Erzählgn. f. Mädchen von 12—15 Jahren. Von Ferd. Maria Wendt. (68 S.)

Volks-Bildungs-Kalender, illustrierter f. d. J. 1887. Mit Orig.-Beiträgen v. A. Eberharz, Ludw. Aug. Frankl, Ernst Freimund ɪc. 3. Jahrg. 8. (116 S.) Wien, Szelinski. n. — 50

Volksblatt. Hrsg. v. Chr. G. Hottinger. 6—8. Jahrg. 1883—1885. à 52 Nrn. (à 1—2 B. m. eingedr. Holzschn.) 4. Straßburg, Strohmeyer. à Jahrg. n. 2. 60

— braunschweigisches. Für den Feierabend. Hrsg.: K. Palmer. 17—20. Jahrg. 1883—1886. à 52 Nrn. (à ½—1 B. m. eingedr. Holzschn.) gr. 4. Braunschweig, Wollermann. à Jahrg. n. 3. —

— religiöses. Organ f. kirchl. Fortschritt. Red.: H. Albrecht. 14—17. Jahrg. 1883—1886. à 52 Nrn. (½ B.) gr. 8. St. Gallen. (Bern, Huber & Co.) à Jahrg. n.n. 4. —

Volksbote, der. Illustriertes Monatsblatt zur Aufklärg. u. Belehrg. d. christl. Volkes. 13. u. 14. Jahrg. 1883 u. 1884. à 12 Nrn. (B.) 8. Wien, Kirsch. à Jahrg. n. 1. —

— Ein gemeinnütz. Volks-Kalender auf d. J. 1887. Mit e. Notizkalender. 50. reich illustr. Jahrg. 8. (274 S.) Oldenburg, Schulze. n. — 50

— der, aus Baden. Kalender f. Stadt u. Land. Jahrg. 1886. 4. (56 S. m. Bildern.) Karlsruhe, Reiff. n. — 20

— christlicher, aus Basel. Hrsg.: Th. Sarasin-Bischoff. Jahrg. 1883—1886. à 52 Nrn. (B.) gr. 4. Basel, Schneider. à Jahrg. n. 4. 40

— Schaumburger. Ein Kalender auf d. J. 1886 f. den Bürger u. Landmann. Mit unterhalt. u. nützl.

Erzählgn., nebst e. Verzeichniß der Jahrmärkte u. Messen. 37. Jahrg. 8. (80 S.) Rinteln, Bösendahl. — 30

Volksbote, der, aus Württemberg. Illustrirter Kalender f. Stadt u. Land auf d. J. 1884. 4. (48 S. m. eingedr. Holzschn.) Stuttgart, Kupfer. n. — 20

Volksboten, d., Schweizer-Kalender auf d. J. 1887. 45. Jahrg. 4. (80 S. m. Illustr.) Basel, Schneider. n. — 30

Volksbuch, niedersächsisches. Unter Mitwirkg. v. F. W. Bode, H. Cuno, M. Frommel etc. hrsg. v. K. Dorenwell. 1. u. 2. Bd. Mit Holzschn. 8. (VIII, 200 u. 192 S.) Hannover 883. 86. Meyer. à n. 1. 60; geb. à n. 2. —

— das, v. Till Eulenspiegel, s.: Universal-Bibliothek.

Volksbücher. I—IV. [Hrsg. vom Evang. Verein Karlsruhe.] gr. 8. Karlsruhe 885. 86. Evang. Schriftenverein f. Baden. n. — 50

1. Charles Gordon, e. Soldat u. e. Christ (nach engl. Quellen bearb. von A. v. St.). 2. Aufl. (54 S.) n. — 20
2. Der Zweifel. Vortrag, geh. im evangel. Vereinshaus zu Karlsruhe am 18. Jan. 1885 v. G. Hafner. (14 S.) n. — 10; Ausg. auf Zeitungspap. n. — 8
3. Augustinus, menschliche Verirrungen u. göttliche Führungen in seinem Jugendleben. Vortrag v. Fritz Barth. (16 S.) n. — 10
4. Der Glaube. Vortrag, geh. im evangel. Vereinshaus zu Karlsruhe am 7. Februar 1886 v. G. Hafner. (16 S.) n. — 10

— Kärntner. 1—10. Hft. 16. Klagenfurt 884. Leon sen. à — 30

1. Märchen aus Kärnten. Dem Volksmunde nacherzählt v. Frz. Franzisci. (64 S.)
2. Aus der kärntischen Alpenwelt. Von F. K. Keller. (52 S.)
3. Gräfin Salamanca. Eine oberkärnt. Sage. Nacherzählt v. Frz. Mauthner. (68 S.)
4. Ulrich v. Lichtenstein u. das Turnier zu Friesach. Von Frz. Frisch. (46 S)
5. Sigmund, der Erblandstabelmeister v. Tanzenberg. Nacherzählt von C. v. Falkenau. (65 S.)
6. Sagen u. Märchen aus Kärnten. Dem Volksmunde nacherzählt v. Frz. Franzisci. (64 S.)
7. Aus dem Leben e. Flüchtlings. Eine Episode aus den Franzosenkriegen v. F. Carlmann. (67 S.)
8. Aus der Vogelwelt der kärntischen Alpen. Von F. K. Keller. (66 S.)
9. Heimatliche Dichter. Eine Sammlg. kärnt. Poesien m. biograf. Daten u. e. Vorworte v. Jul. Reinwald. (67 S.)
10. Die Helden vom Predil. Eine Episode aus den Franzosenkriegen. Dargestellt v. F. K. Keller. (64 S.)

— neue. Nr. 302—305. 308. 309. 311. u. 312. 12. (à 64 S.) Leipzig 886. Rasch & Co. à — 25

302. Der wilde Seekadet. Eine Erzählg. v. W. Frey.
303. Der Piratenkapitän. Eine geschichtl. Erzählg. aus den Zeiten der Flibustiers v. W. Frey.
304. Der Wolfsjäger. Eine Erzählg. f. das deutsche Volk v. W. Fricke.
305. Der Straßenkehrer v. Paris. Eine Erzählg. v. W. Frey.
308. Das Blockhaus in der Wildnis. Eine Erzählg. v. W. Frey.
309. Der Indianerhäuptling. Eine geschichtl. Erzählg. v. W. Frey.
311. Im hohen Norden. Eine Erzählg. v. W. Frey.
312. Der Zug durch die Wüste. Eine Erzählg. aus den Kriegen d. Mahdi v. W. Frey.

— Reutlinger. Nr. 357—372, 378—385. 8. Reutlingen 883—85. Bardtenschlager. à — 25

357. Die Station am Murray. Ein Lebensbild aus Australien. Für das Volk erzählt v. Ed. Günther. (64 S.)
358. Im Urwald. Eine Erzählg. aus dem Indianerleben v. W. Helm. (64 S.)
359. Metacom, der Indianer-Häuptling, od. die rothe Geißel Südamerikas. Erzählg. aus der Wildniß Connecticuts von Osk. v. Kellen. (64 S.)
360. Mianta, der blumige Schnee, od. die Beweinte v. Wischtonhill. Eine Indianergeschichte v. Ed. Günther. (64 S.)
361. Der letzte Häuptling der Seminolen. Eine Erzählg. aus den Kämpfen der Nordamerikaner gegen die Indianer Florida's. Von Gust. Höcker. (64 S.)
362. Die Quadronen. Eine Erzählg. aus dem Pflanzerleben v. W. Helm. (63 S.)
363. Die rothe Braut. Eine Erzählg. aus dem Westen Nordamerikas v. Carl Trau. (64 S.)
364. Das Paradies im Goldlande. Eine Geschichte aus Kalifornien. Erzählt v. Ed. Günther. (64 S.)
365. Der Aufstand der Chipeways. Eine Erzählg v. D. Kalos. (64 S.)
366. Der Liebe Lohn. Novelle v. Hugo Straßburger. (64 S.)
367. Die Königin der Savannen od. der Schrecken der Komanchen. Eine Erzählg. aus dem Gebiet der freien Indianer. (64 S.)
368. Der Prairieteufel. Eine Erzählg. aus dem Indianergebiet d. Arkansas. (64 S.)
369. Olitipa, die Blume der Prairie. Eine Erzählg. aus den Indianergebieten d. Missouri. Von W. Helm. (64 S.)
370. Der letzte Miko-König der Oconees. Eine Indianer-Geschichte aus der texan. Wildniß. (64 S.)
371. Unter den Indianern d. Pampas. Erzählg. f. Volk u. Jugend v. W. Helm. (64 S.)
372. Der Kapitän der Grenzreiter od. die Jagd auf das wilde Roß der Prairie. Eine mexikan. Kriegs- u. Indianergeschichte. (64 S.)
378. Unter mexikanischen Banditen. Erzählg. v. R. Waldheim. (64 S.)
379. Die Braut d. Prairie-Räubers. Eine Indianer-Geschichte v. Wilh. Emil. (64 S.)
380. Diggborn, der Trapper u. Karawanenführer. Eine Geschichte aus der Prairie v. Wilh. Emil. (64 S.)
381. Verrat u. Rache. Erzählung aus dem Gebiete der Mississippi-Indianer v. Wilh. Emil. (64 S.)
382. Tom Floyd, der Halbindianer. Eine Geschichte aus Florida v. Wilh. Emil. (64 S.)
383. Ein Jahr an der Indianergrenze. Erzählung aus dem Leben der Haciendero's v. W. Helm. (64 S.)
384. Die Indianer von Neufundland. Eine Erzählg., frei nach Murray bearb. v. Wilh. Emil. (64 S.)
385. Otaitsa, die Tochter d. Häuptlings. Eine Erzählg. aus dem Westen v. R. Waldheim. (64 S.)

Volksbücher, siebenbürgisch-deutsche. 1—3. Bd. 8. Wien 885. Graeser. n. 12. 80; cart. n. 14. — geb. n. 16. 40

1. Siebenbürgische Sagen, gesammelt u. hrsg. v) Frdr. Müller. 2. Aufl. (XXXVII, 404 S., n. 5. 60; cart. n. 6. —; geb. n. 6. 80
2. Deutsche Volksmärchen aus dem Sachsenlande in Siebenbürgen. Gesammelt v. Jos. Haltrich. Mit zahlreichen Illustr. nach Orig.-Zeichngn. v. Ernst Peßler. 4. Aufl. (VIII, 332 S.) n. 4. —; cart. n. 4. 40; geb. n. 5. 20
3. Bilder aus dem sächsischen Bauernleben in Siebenbürgen. Ein Beitrag zur deutschen Culturgeschichte v. Fr. Fronius. 3. Aufl. (XVI, 252 S.) n. 3. 20; cart. n. 3. 60; geb. n. 4. 40

Volks-Erzählungen, kleine. Nr. 372. 603. 613. 618. 627. 631. 641. 656. 661. 672. 677. 705. 712. 724. 725. 727. 731. 735. 736. 743. 751. 1610—1773. 8. Mühlheim 883—86. Bagel. à n. — 25

372. Der Brand d. Seeadlers. Eine Erzählg. v. W. Frey. 2. Aufl. (64 S.)
603. Die weiße Schwalbe. Eine Indianer-Geschichte v. H. Hellborn. 3. Aufl. (63 S.)
613. Die Wunderhöhle auf Hunga. Eine geschichtl. Robinsonade v. W. Frey. 3. Aufl. (62 S.)
618. Gerold, der Friesenheld. Eine geschichtl. Erzählg.

aus Bremens Vergangenheit v. W. Frey. 2. Aufl. (63 S.)
627. Der Tod e. Verräters. Eine Erzählg. aus der Heldenzeit Frieslands v. W. Frey. 2. Aufl. (64 S.)
631. Das Blockhaus. Eine Erzählg. aus dem Indianerleben v. W. Frey. 3. Aufl. (64 S.)
641. Die rote Ceder od. der Utah-Häuptling. Eine Erzählg. aus dem Indianergebiet v. B. Hansen. 3. Aufl. (64 S.)
656. Der Mohrenfürst. Eine Erzählg. v. Wilh. Baum. 2. Aufl. (64 S.)
661. Rolands Schildknappen. Volks-Märchen, nach Musäus frei bearb. v. Karl Zastrow. 2. Aufl. (62 S.)
672. Das Fräulein v. Jever od. die Fehde um das Lehnserbe. Geschichtliche Erzählg. aus dem 16. Jahrh. v. B. Adolfi. 2. Aufl. (63 S.)
677. Die Macht d. Gewissens. Eine Erzählg. v. W. Frey. 2. Aufl. (61 S.)
705 Die beiden Matelotеn od. unter den Bukaniern. Eine Erzählg. aus den Meeren Amerikas v. W. Frey. 2. Aufl. (64 S.)
712. Das Afghanenmädchen. Eine geschichtl. Erzählg. aus den Kämpfen der Engländer in Asien v. W. Frey. 2. Aufl. (62 S.)
724. Abenteuer unter den Chippewa-Indianern. Eine wahre Erzählg v. W. Frey. 3. Aufl. (63 S.)
725. Die Sturmmöve od. unter Piraten auf Sumatra. Eine Erzählg. v. W. Frey. 2. Aufl. (64 S)
727. Trapperleben in der Prärie. Eine Erzählg. v. W. Frey. 2. Aufl. (60 S.)
731. Negertreue u. Negerrache. Eine Erzählg. aus Texas v. H. Wilhelmi. 2. Aufl. (64 S.)
735. Tarassee od. der Ansiedler in der Prärie. Eine Erzählg. v. W. Frey. 2. Aufl. (63 S.)
736. Mecum, der Ulmen v. Arauca. Eine Erzählg. aus den Kordilleren v. Chile v. R. Weber. 2. Aufl. (63 S.)
743. Der Pedlar. Eine Erzählg. aus den Wäldern d. Arkansas v. W. Frey. 2. Aufl. (64 S.)
751. Edle Rache e. Kanadiers. Eine Erzählg. aus der Zeit der Kolonisierg. Kentuckys v. W. Frey. 2. Aufl. (64 S.)
1610. Der Alkalde. Eine Erzählg. aus Mexiko v. Max. Fuhrmann. (61 S.)
1611. Wani, das Hindumädchen. Eine ind. Erzählg. v. W. Frey. (63 S.)
1612. Die vergessene Feste. Eine Erzählg. aus Indien v. W. Frey. (64 S.)
1613. Bis in die Prärie verfolgt. Eine Erzählg. v. W. Frey. (64 S.)
1614. Konduira, die weiße Indianerin. Eine Erzählg. aus den Zeiten der Gründg. Tennessees v. W. Frey. (64 S.)
1615. Die Vergeltung od. in den Wildnissen Australiens. Eine Erzählg. v. W. Frey. (63 S.)
1616. Fort Buffalo. Eine Erzählg. v. P. Marquardt. (64 S.)
1617. Nigrello, der Häuptling der Berge, Abenteuer auf der Insel Cuba. Eine Erzählg. v. W. Frey. (63 S.)
1618. Halifax, der Schmuggler. Eine Erzählg. v. W. Frey. (63 S.)
1619. An Bord der Cassiopeja. Geschichte aus dem chines. Meere, nach den Mitteilgn. e. deutschen Seemannes erzählt v. Rob. Nellenburg. (64 S.)
1620. Der Deserteur bei den Hayda-Indianern. Eine Erzählg. v. H. Kümmel. (60 S.)
1621. Auf dem Wrack. Eine Erzählg. vom Meeresstrande v. Max. Fuhrmann. (64 S.)
1622. Waicos, der Keltenhäuptling. Eine Erzählg. aus grauer Vorzeit v. W. Frey. (64 S.)
1623. Wawanna, die Indianerbraut. Eine Erzählg. aus der Prärie v. W. Frey. (64 S.)
1624. In den Goldminen v. Oraibe od. die Stadt der Zunis. Eine Erzählg. v. Max. Kümmel. (64 S.)
1625. Das Blockhaus d. Puritaners. Eine Erzählg. aus den Wildnissen v. Arkansas v. W. Frey. (60 S.)
1626. Aschantipoo, der Letzte der Himassee-Indianer. Eine Erzählg. v. W. Frey. (64 S.)
1627. Der lange Ephraim od. Abenteuer zu Wasser u. zu Lande. Eine Erzählg. v. W. Frey. (64 S.)
1628. Die Eisenbahn der Wildnis od. der entflohene Buchhalter. Eine Erzählg. v. W. Frey. (63 S.)
1629. Mibois Rache od. der Aufstand auf der Insel Neu-Kaledonien. Geschichtliche Erzählg. aus dem J. 1878 v. Rob. Keil. (60 S.)
1630. Der Bagnosträfling od. unschuldig verurtheilt. Eine Erzählg. v. Rob. Keil. (64 S.)
1631. Luliba, die Indianerin, od. e. Spiel ums Leben. Eine Erzählg. aus den Urwäldern Brasiliens v. M. Kümmel. (59 S.)
1632. Der Pelzhändler od. der Überfall am Saskatschewan-See. Eine Erzählg. aus dem Nordwest-Gebiet d. brit. Nordamerika v. Max. Fuhrmann. (64 S.)
1633. Talascoola, der Häuptling der Wyandots. Eine Erzählg. v. W. Frey. (63 S.)
1634. Auf e. Insel verschlagen od. d. Superkargos Tod. Eine Erzählg. v. W. Frey. (62 S.)
1635. Die mutige Farmerstochter od. die Verlobung auf der Missouri-Insel. Eine Erzählg. aus dem Indianerleben v. Rob. Keil. (64 S.)
1636. Mein verschollener Bruder od. das Wiedersehen im Indianergebiet. Eine Erzählg. aus meinen Erlebnissen unter den Indianern v. Rob. Keil. (64 S.)
1637. Der stumme Jäger od. Kiön-Stoman, der Dreitöter. Szenen aus dem texan. Kriegsleben v. A. H. Fogowitz. (63 S.)
1638. Seeabenteuer od. unter Piraten. Eine Erzählg. v. P. Marquardt. (64 S)
1639. Der Arriero od. die geheimnisvolle Botschaft. Eine Erzählg. aus dem Mexikanerleben v. Rob. Keil. (64 S.)
1640. Die Strandräuber v. Hörnum. Erzählg. v. Fel. Lilla. — Die Tigerin. Ein Seeabenteuer. — Ein blinder Passagier. Von R. Waldheim. (61 S.)
1641. Die Pulvermine im Blockhaus. Eine Erzählg. aus dem Indianerleben v. Rob. Keil. (64 S.)
1642. Der Schutzgeist der Prärie. Eine Erzählg. aus dem Indianerleben v. Rob. Keil. (64 S.)
1643. Im Dorfe d. roten Pfeifenthons od. Palinque u. Maschukka. Eine indian. Geschichte aus der Savannengegend v. A. H. Fogowitz. (64 S.)
1644. Das schwarze Rebhuhn, der große Pottawatomiehäuptling. Eine geschichtl. Erzählg. v. W. Frey. (64 S.)
1645. In den Ruinen d. Inkaspalastes. Eine Erzählg. aus der Zeit der südamerikan. Revolution v. Rob. Keil. (64 S.)
1646. Ottawa, der Sohn d. Pawneehäuptlings. Eine Erzählg. v. H. Kümmel. (64 S.)
1647. Charilokoola, die weiße Indianerin. Eine Erzählg. v. W. Frey. (64 S.)
1648. Verschollen u. wiedergefunden od. e. Expedition nach den Salomons-Inseln. Eine Erzählg. v. Max. Fuhrmann. (64 S.)
1649. Die Wunder-Niederlassung am Mississippi od. wie St Louis gegründet ward. Erzählung aus dem J. 1780 v. A. H. Fogowitz. (64 S.)
1650. Die Braut d. Goldgräbers. Eine Erzählg. aus dem Goldgräberleben Kaliforniens v. Rob. Keil. (64 S.)
1651. Lorana, die indische Fürstentochter. Eine Erzählg. v. P. Marquardt. (64 S.)
1652. Die geraubte Indianerin. Eine Erzählg. v. Max. Kümmel. (64 S.)
1653. Pacatari, die weiße Taube. Eine indian. Erzählung v. W. Frey. (64 S.)
1654. Büffelauge, der Sohn d. Dakota-Häuptlings Sitting Bull. Eine Erzählg. v. W. Frey. (61 S.)
1655. Die Flucht aus dem Lepra-Hospitale. Eine Er-

zählg. aus dem Leben in den südamerikan. Freistaaten v. Rob. Keil. (63 S.)

1656. Die gestohlene Yacht od. Abenteuer unter chines. Seeräubern. Eine Seemannsgeschichte v. Otfrid Mylius. (64 S.)

1657. Ein Ritt üb. die Grenze. Verirrt in der Wildnis. 2 Erzählgn. v. Otfrid Mylius. 3. Aufl. (63 S.)

1658. Das Opfer d. Mandanenhäuptlings. Eine Erzählg. v. H. Kümmel. (61 S.)

1659. Hawkins Farm od. e. Abenteuer am Missouri. Erzählung v. Rob. Keil. (64 S.)

1660. Der weiße Renner der Prairieen. Wunderbare mittelamerikan. Jagdtouren v. A. H. Fogowitz. (64 S.)

1661. Opfermut u. Treue bei den Soshones. Erlebnisse zweier Deutschen im Idaho-Distrikt u. in den Felsenbergen. Von A. H. Fogowitz. (64 S.)

1662. Die Gräber der Osagenhäuptlinge. Eine Erzählg. v. H. Kümmel. (60 S.)

1663. Prärie u. Niagarafall od. die Jagd nach dem Glücke. Eine Geschichte aus Stadt u. Wildnis v. Hans Themar. (63 S.)

1664. Der kreisende Adler. Eine Erzählg. aus den Wildnissen v. Texas v. W. Frey. (64 S.)

1665. Die Tochter d. Sklavenhalters. Erzählung v. Rob. Keil. (64 S.)

1666. Attala, der Häuptling der Maronneger. Eine Erzählg. v. H. Kümmel. (61 S.)

1667. Chinawaru, der Adler der Berge. Eine Erzählg. aus den Wildnissen am Oregon v. W. Frey. (60 S.)

1668. Der Reiter ohne Kopf. Eine Erzählg. aus der texan. Wildnis v. Hans Themar. (59 S.)

1669. Doppelzahn, der Häuptling der Flatheads. Eine Erzählg. v. W. Frey. (63 S.)

1670. Das Indianergrab od. am Nicaragua-See. Abenteuer u. Erlebnisse e. jungen Deutschen v. Otfrid Mylius. (64 S.)

1671. Tanaquil, de[r] Letzte seines Stammes. Aus der Skizzenmappe e. Reisenden. Von A. H. Fogowitz. (60 S.)

1672. Der Urteilsspruch d. Häuptlings. Eine Erzählg. aus dem Indianerleben v. Rob. Keil. (63 S.)

1673. Das Totem d. Mohikaners. Eine Erzählg. v. W. Frey. (64 S.)

1674. Verschlungene Wege. Eine Erzählg. v. W. Frey. (64 S.)

1675. Auf verlorenem Posten. Eine Erzählg. v. H. Kümmel. (63 S)

1676. Abenteuer im Busch. Der Bündelmann. 2 austral. Erzählgn. v. Fel. Lilla. (62 S.)

1677. Durch eigene Schuld. Der Eisgang. 2 Erzählgn. v. Fel. Lilla. (64 S.)

1678. Der Postwagenraub. Eine Kriminalgeschichte v. R. Nellenburg. Das brennende Schiff v. R. Müldener. (61 S.)

1679. Die Rache d. Irokesen. Der alte Boon. 2 Erzählgn. v. H. Kümmel. (64 S.)

1680. Der Waldmensch oder verirrt in der Urwildnis. Eine wahre Geschichte aus den Wäldern im Kanzaslande v. A. H. Fogowitz. (61 S.)

1681. Der Zug durch die Wüste del Nort. Eine Erzählg. aus dem Leben an der Indianergrenze u. in der Wüste v. A. H. Fogowitz. (64 S.)

1682. Sakuntala. Eine Erzählg. aus den Wildnissen Minnesotas v. Wilh. Frey. (62 S.)

1683. In den Händen der Thugs. Eine Erzählg. aus dem Sepoys-Aufstande v. Max Müller. (64 S.)

1684. Unter den Antilopen-Comanchen od. e. indian. Brautwerbg. u. Heirat. Erzählg. u. Sittenschilderung v. A. H. Fogowitz. (64 S.)

1685. Der Pandurenoberst Trenck. Eine geschichtl. Erzählg. v. Carl Zastrow. (63 S.)

1686. Seeleiden Isbrand Bontekoes u. seiner Gefährten od. Irrfahrten auf dem ind. Ozean. Erzählung nach Bontekoes eigenen Aufzeichngn. v. A. H. Fogowitz. (62 S.)

Volks-Erzählungen

1687. Erlebnisse e. Nomaden-Jägers am Pecos-River. Prärie-, Wald- u. Wüstenbilder v. A. H. Fogowitz. (62 S.)

1688. Die Meuterer. Eine Seegeschichte v. Wilh. Frey. (62 S.)

1689. Dekannoh od. Indianertreue. Eine indian. Erzählg. v. W. Frey. (64 S.)

1690. Abenteuer in Kalifornien. Erzählung v. C. Seydel. (62 S.)

1691. Der geraubte Saphir. Eine Erzählg. aus Indien v. H. Kümmel. (61 S.)

1692. Das Jakutenmädchen od. die Reise nach der Elfenbeinmine d. Nordpols. Nordische Abenteuer v. A. H. Fogowitz. (61 S.)

1693. Des Marabout Diamant od. die Tauschhändler am Senegal. Abenteurerfahrten im Lande der Dscholoffen u. Bambaras v. A. H. Fogowitz. (61 S.)

1694. Bramalo, der Kattawahäuptling. Eine Erzählg. v. W. Frey. (61 S.)

1695. Die weiße Sklavin. Eine Erzählg. aus dem Pflanzerleben v. W. Frey. (64 S.)

1696. Ura, die Tochter d. Mulatten. Eine Erzählung aus dem Sklavenleben v. W. Frey. (64 S.)

1697. Kriegsadler, der Winipeghäuptling. Eine Erzählg. v. W. Frey. (62 S.)

1698. Ein Jahr am Meeresstrande od. der Leuchtturmwächter. Von *** Eine verhängnisvolle Jagd. Erzählung v. H. Kümmel. (63 S.)

1699. Zaubervogel od. das weiße Mädchen der Mönnitarrisindianer. Episoden aus e. Sommeraufenthalt unter den Indianern d. Rocky-Mountain-Territoriums. Von A. H. Fogowitz. (64 S.)

1700. Der Deserteur auf Java. Eine Erzählung v. H. Kümmel. (61 S.)

1701. Das Vermächtnis d. Trappers. Eine Erzählg. aus dem wilden Westen v. R. Albrecht. (64 S.)

1702. Auf falscher Fährte. Kriminal-Erzählg. v. Ant. Seydler. (64 S.)

1703. Der Raub der Faktors-Tochter od. aus dem Reich der Mitte. Abenteuerliche Scenen im Lande der Chinesen. Von A. H. Fogowitz. (64 S.)

1704. Ivanhu od. die Trapperstochter unter den Soschonen. Eine Erzählg. v. W. Frey. (64 S.)

1705. Die deutschen Kolonisten. Eine Erzählg. aus dem Waldleben Nordamerikas v. W. Frey. 3. Aufl. (62 S.)

1706. Das unheimliche Wrack. Erzählung v. Frz. Pistorius. (63 S.)

1707. Im Königskraal od. aus dem Lande der Zulus. Erzählung v. H. Kümmel. (63 S.)

1708. Die Schiffsmühle in der Donau. Erzählung aus dem Ungarlande v. Guido Werner. 2. Aufl. (63 S.)

1709. Im Grabgewölbe oder unter chinesischen Freibeutern. Eine Erzählg. v. H. Hoffmann. 2. Aufl. (64 S.)

1710. Indianische Freundschaft od. die Rettung der Verurteilten. Erzählung aus Neu-Mexiko v. A. H. Fogowitz. (54 S.)

1711. Der Fakir od. Ab[e]nteuer in Indien. Erzählg. v. H. Kümmel. (62 S.)

1712. Im Felsenthale d. Colorado. Erzählg. v. M. Kümmel. (63 S.)

1713. Die Ansiedler am Red-River. Ein Außenposten in den Pampas. 2 Erzählgn. v. R. Günther. Der Fährmann v. Devil-Bayou. Von Felix Lilla. (64 S)

1714. Chiavoni od. das Gasthaus zu Terracina. Eine Erzählg. v. M. Kümmel. (63 S.)

1715. Prairie-Justiz. Die Goldmine am Colorado. 2 Erzählgn. aus der texan. Wildnis v. Felix Lilla. Eine Kreuzfahrt auf Sulupiraten. Deportiert nach den Philippinen. Von R. Günther. (64 S.)

1716. Die Gefangene der Komanchen. Eine Erzählg. aus dem Indianerleben v. W. Frey. 3. Aufl. (64 S.)

1717. Maconaqua, die weiße Indianerin. Eine Erzählg. v. W. Frey. 2. Aufl. (64 S.)
1718. Im Lande der Aschantis. Erzählg. v. H. Kümmel. (61 S.)
1719. Die Goldschlucht. Der Millionär v. St. Louis. 2 Erzählgn. v. Valentin Fern. (63 S.)
1720. Das Schiffermädchen v. Caudebec. Erzählung v. Felix Lilla. Die Braut d. Schwarzadler. Erzählung v. Kurt Kurtius. (61 S.)
1721. Das Silberschiff. Erzählung v. Frz. Pistorius. (64 S.)
1722. Ulrich Hauser, der Gemsenjäger, oder bis zum Gletscher-Eis. Erzählung m. Zugrundelegg. e. älteren Sujets v. A. H. Fogowitz. (63 S.)
1723. Das Truglicht od. an Norwegens Küste. Erzählung v. A. H. Fogowitz. (63 S.)
1724. Die Rache d. Indianers. Erzählung v. Frdr. Müller. 3. Aufl. (64 S.)
1725. Pontiac, der Ottawahäuptling. Eine geschichtl. Erzählg. v. Berth. Hansen. 2. Aufl. (63 S.)
1726. Ein Jahr in Atschin. Erzählung v. Rob. Keil. (62 S.)
1727. Unter den Australnegern. Erzählung v. Frz. Pistorius. (64 S.)
1728. Der sausende Speer. Eine Indianergeschichte v. W. Frey. 2. Aufl. (63 S.)
1729. Der Sträfling v. Botany-Bai. Eine Erzählung v. Max Kümmel. 2. Aufl. (63 S.)
1730. Unter den Maron-Negern. Eine Erzählg. aus dem Waldleben Brasiliens v. W. Frey. 3. Aufl. (64 S.)
1731. Die Ansiedlung am Rio Pardo. Erzählung v. R. Waldheim. 2. Aufl. (61 S.)
1732. Auf den Wogen der Südsee. Eine Erzählg v. W. Frey. 2. Aufl. (62 S.)
1733. Abenteuer auf Palawan. Von P. Marquardt. 2. Aufl. (64 S.)
1734. Ben Hortons merkwürdige Schicksale od. 2 Jahre auf einsamen Inselriffen. Eine Robinsonade v. A. H. Fogowitz. (64 S.)
1735. Zwei Welten od. die ersten Ansiedler am Mohawksee. Geschichtliche Erzählg. v. A. H. Fogowitz. (64 S.)
1736. Ukukani od. die geraubte Boerntochter. Eine Erzählg. aus der Zeit der Kaffernkriege v. Rob. Keil. (61 S.)
1737. Taubenfeder, die Tochter d. Sioux-Häuptlings. Eine Erzählg. v. W. Frey. 2. Aufl. (64 S.)
1738. In der Gefangenschaft der Shawnee-Indianer. Nach e. wirkl. Begebenheit. Unter Piraten u. auf e. wüsten Insel. Abenteuer u. Erlebnisse e. amerikan. Seemanns. Von Karl Müller. (64 S.)
1739. Im Herzen Südamerikas od. die Flucht aus dem Kerker zu Assuncion. Eine Erzählg. v. H. Kümmel. (64 S.)
1740. Der Negerkönig v. Lunda. Eine Erzählg. v. Frz. Pistorius. (64 S.)
1741. Das Gasthaus am Redriver. Erzählung v. Frz. Pistorius. (64 S.)
1742. Eine Nacht im Urwalde. Eine Indianer-Geschichte v. C. Seydel. (64 S.)
1743. Unter den Wilden der Südsee. Erlebnisse u. Abenteuer e. jungen Deutschen in Neubritannien u. Neuguinea. Von Otfried Mylius. (64 S.)
1744. Murzuk, der Häuptling der Ostiaken Eine Erzählung von W. Frey. 2. Aufl. (64 S.)
1745. Alohi, der Perlenfischer, od. die Rache d. Südsee-Insulaners. Von Max Kümmel. 2 Aufl. (64 S.)
1746. Die Poststation im Ocean. Erzählung v. Frz. Pistorius. (64 S.)
1747. Erlebnisse in Kamerun. Erzählung v. H. Kümmel. (64 S.)
1748. Die Inseln der Glücklichen. Eine histor. Erzählg. v. Max Kümmel. 2. Aufl. (64 S.)
1749. Abenteuer e. Schiffsjungen. Erzählung aus den Zonen d. stillen Oceans v. W. Frey. 2. Aufl. (64 S.)
1750. Aus Angra-Pequena od. der Missionar im Namaqua-Lande. Erzählung v. H. Kümmel. (64 S.)
1751. Das versunkene Schiff. Erzählung v. Frz. Pistorius. (64 S.)
1752. Die Hacienda im Grenzland. Episode aus den chilenisch-araukan. Feldzügen. Erzählt v. P. F. (64 S.)
1753. Der Medizinmann der Pequod-Indianer. Eine indian. Erzählg. v. W. Frey. 2. Aufl. (64 S.)
1754. Die Erzählungen d. Kundschafters. Eine Mutter. Von Frdr. Zimmermann. (64 S.)
1755. Die Rebellen. Eine Erzählg. aus dem amerikan. Bürgerkriege v. Frz. Pistorius. (64 S.)
1756. Die Tochter d. Pflanzers. Eine Erzählg. aus dem Leben der Südstaaten v. W. Frey. 2. Aufl. (64 S.)
1757. Mariette, d. Blume d. Ohio. Eine Erzählg. aus den Urwäldern Amerikas v. W. Frey. 2. Aufl. (64 S.)
1758. Der Fall v. Soochow. Erzählung aus dem Kriegsleben d. General Gordon in China v. F. Pistorius. (64 S.)
1759. Die Missionsstation auf den Karolineninseln. Erzählung v. H. Kümmel. (64 S.)
1760. Die Tochter d. Kerkermeisters od. die Flucht e. Unschuldigen aus dem Gefängnis der Bleidächer zu Venedig. Eine Erzählg. v. W. Frey. 2. Aufl. (64 S.)
1761. Chingaruru od. der wandelnde Schatten. Eine Erzählg. aus den Zeiten der Gründg. v. Tenessee v. W. Frey. 2. Aufl. (64 S.)
1762. Gordon u. Ben Nassar od. der Untergang d. Sklavenhändlers. Erzählung v. Frz. Pistorius. (64 S.)
1763. Die Rache der Pausias. Erzählung aus West-Afrika v. H. Kümmel. (64 S.)
1764. Edward Warton, der dankbare Texaner. Eine Volks- u. Jugend-Erzählg. v. R. Waldheim. 2. Aufl. (64 S.)
1765. Charly, der Waldläufer. Eine Erzählg. aus den Urwäldern d. Ohio v. W. Frey. 2. Aufl. (64 S.)
1766. Der Held v. Khartum od. Gordon's Tod. Erzählung v. Frz. Pistorius. (64 S.)
1767. Die Goldstadt in den Cordilleren. Erzählung v. H. Kümmel. (64 S.)
1768. Singu, der Kaffernhäuptling. Eine Erzählg. aus den Wildnissen Südafrikas v. W. Frey. 2. Aufl. (64 S.)
1769. Der Tod in der Wüste. Eine geschichtl. Erzählg. aus dem Indianerleben v. B. Hansen. 3. Aufl. (64 S.)
1770. Glutauge, der Pastanowa, od. nur e. Wilder. Eine Erzählg. aus dem Leben der Kolonisten an der indian. Grenze v. A. H. Fogowitz. (64 S.)
1771. Am Grabe d. Trappers od. die Frau d. Biberjägers. Erzählung aus dem Biberfängerleben im Norden [am Bärensee] v. A. H. Fogowitz. Der Schmuggler. Eine ostfries. Geschichte. (64 S.)
1772. Der Charlottenschacht. Eine Bergwerksgeschichte v. Louis Rosenthal. Die Totenbraut v. Falun. Von Felix Lilla. (64 S.)
1773. Der treue Seekadett. Eine geschichtl. Erzählung v. Berth. Hansen. 3. Aufl. (64 S.)

Volks- u. Jugend-Erzählungen. Nr. 49. 90. 130. 175—177. 184. 186—196. 350—393. 8. (à 64 S.) Oberhausen 884—86. Spaarmann. à — 25

49. Die Pfalzgräfin Genovefa od. Sieg der Unschuld. Erzählung v. Ernst Stein. 3. Aufl.
90. Till Eulenspiegel. Nach der Ueberlieferg. erzählt v. Ernst Linden. 2. Aufl.
130. Reguin der Scalpjäger, od. die Königin der Navajoes. Nach Capit. Reid frei bearb. f. Volk u. Jugend v. Fritz Brentano. 2. Aufl.
175. Der Pirat. Erzählung v. W. Frey. 2. Aufl.
176. Das Geheimnis d. Deportierten. Erzählung v. W. Frey. 2. Aufl.
177. Unter den Sioux. Erzählung aus dem Indianerleben v. W. Frey. 2. Aufl.

184. Unter falscher Flagge. Erzählung v. W. Frey. 2. Aufl.
186. Der Afrika-Jäger. Eine Erzählg. nach e. wahren Begebenheit. Von Osk. Höcker.
187. Das Goldthal v. San Pistachio. Neu-Mexikanische Bilder u. Szenen v. A. H. Fogowitz.
188. Unter französischen Piraten. Erlebnisse zur See v. A. H. Fogowitz.
189. Durch Feuer u. Schwert. Eine Erzählg. aus der Zeit v. Straßburgs Fall. Für Volk u. Jugend. Von Osk. Höcker.
190. Das geraubte Kind. Eine Erzählg. aus der Türkei. Von Osk. Höcker.
191. Der Auswanderer u. seine Familie. Erzählung aus dem Trapper- u. Indianerleben. Von Osk. Höcker.
192. Die Chakra Seguidilla od. Abenteuer in Arkansas. Erzählung aus den westl. Distrikten. Mit Zugrundelegg. e. älteren Sujets v. A. H. Fogowitz.
193. Die Meuterer auf Pitcairn. Eine geschichtl. Erzählg. v. Jul. Norden.
194. Hakiba-ben-Fatme. Eine arab. Erzählg. v. Jul. Norden.
195. Der Freibeuter. Eine Erzählg. v. der fries. Küste v. Jul. Norden.
196. Der Untergang d. Piraten. Eine Seegeschichte v. Jul. Norden.
350. Die Flüchtlinge. Eine Seegeschichte v. Jul. Norden.
351. Die Goldquelle in der Sierra Nevada. Eine Erzählg. v. Mart. Heinrich.
352. Der letzte König der Inkas. Eine geschichtl. Erzählg. v. Jul. Norden.
353. Der Pawneehäuptling. Eine Erzählg. v. Mart. Heinrich.
354. Tscharraomini, der Chipewayhäuptling. Erzählung v. D. Walos.
355. Graf Kunibert v. Rammelsburg od. e. deutsches Bauernmädchen. Erzählg. aus der Zeit d. Bauernkrieges v. F. Kästner.
356. Die Schreckenstage v. Hamburg od. e. zweiter Robespierre. Eine Erzählg. aus der Zeit d. deutschen Freiheitskrieges v. Ferd. Kästner.
357. Regulatoren u. Pferdediebe. Eine Geschichte aus Arkansas v. Gust. Höcker.
358. Des Komanchen Häuptlings Dank u. Hilfe. Erzählung aus dem Grenzleben der amerikan. Wildnis v. Gust. Höcker.
359. Mareipotama, die Tochter der Pampas. Erzählung aus dem Indianerleben v. E. Ilm.
360. Der Medizinmann der Komanchen. Erzählung v. E. Ilm.
361. Die Würger Indiens od. die Geheimnisse der Mahrattenburg. Eine Erzählg. aus dem Lande der Hindu's v. Gust. Höcker.
362. Der weiße Blitz od. auf der Kriegsfährte der Komanchen. Eine Erzählg. aus dem mexikan. u. indian. Grenzleben v. Gust. Höcker.
363. Ein Kriegsabenteuer in Persien. Eine Erzählg. aus dem letzten russisch-pers. Kriege v. Gust. Höcker.
364. Die Trapper am Kanadian. Eine Erzählg. aus dem Prairieleben. Von Gust. Höcker.
365. Der Gefangene der Chiquitos. Erzählung aus dem Indianerleben v. E. Ilm.
366. Der Squatter v. Red Maple. Eine Erzählung aus dem Westen v. R. Waldheim.
367. Adlerflügel, der Häuptling der Abenakis, od. die Tochter d. Schwarzen Schakal. Eine Erzählg. aus dem Leben der nord Indianer v. A. H. Fogowitz.
368. Kama, die Samojedin. Eine Erzählg v. W. Frey.
369. Der weiße Häuptling. Frei nach dem Engl. d. Kapit. Mayne Reid v. E. Ilm.
370. An der Indianergrenze od. die Hacienda del Toro. Mexikan. Erzählg. v. E. Ilm.
371. Der Flüchtling v. Angra Pequena od. im Lande der Namaquas. Erzählung v. E. Ilm.
372. Melita, die Negerfürstin am Gabun. Eine Erzählg. aus den afrikan. Kolonien v. W. Frey.
373. Die Tochter d. Piraten. Eine Seegeschichte v. W. Frey.
374. Dreimal gekapert. Eine Seegeschichte v. W. Frey.
375. Die Rache d. roten Mannes. Eine Geschichte aus dem Westen v. A Waldheim.
376. Die Goldsucher. Eine Erzählg. aus den Minen Californiens v. W. Frey.
377. Wyaconda, der Schrecken der Sioux. Erzählung. aus dem Indianerleben v. E. Ilm.
378. Der Rächer. Prairiebilder aus Arizona v. Max Fuhrmann. 2. Aufl.
379. Das Goldthal. Eine Indianergeschichte v. Carl Cassau.
380. Ein moderner Robinson. Erzählung v. Carl Cassau 2. Aufl.
381. Der letzte Sioux. Eine Indianergeschichte v. Carl Cassau.
382. Schmalspur, der Tallahassee-Häuptling. Eine Geschichte aus dem Indianer- u. Ansiedlerleben v. Carl Cassau. 2. Aufl.
383. Ein echter Trapper. Erzählung aus dem Indianerleben zur Zeit der nordamerikan. Freiheitskriege v. Carl Cassau. 2. Aufl.
384. Die Kolonisten auf Neu-Guinea, od. Abenteuer unter den Buschrändschern u. Papuas auf Neu-Guinea. Eine transatlant. Geschichte. Nach e. Skizze v. Max Wirth.
385. Die Mine der Inkas. Erzählung aus dem Leben der Indianer v. Carl Cassau. 2. Aufl.
386. An den Ufern des Ganges od. der Sohn des Hindu-Piraten. Gemälde aus dem Leben im engl. Indien. Von A. H. Fogowitz.
387. Zur See aufgelauert od. in der Gewalt marokkan. Seeräuber. Eine Geschichte v. der Aequatorgegend v. A. H. Fogowitz.
388. Deutsch-Afrika od. die Vorgänge in Kamerun. Volkserzählung aus den neuesten deutschen Niederlassgn. im Westen d. „dunklen Welttheils". Von A. H. Fogowitz.
389. Eine edle Rache od. Nils Christensons schönste That. Eine Stockholmer Geschichte aus den bewegten Tagen der schwedisch-poln. Doppelherrschaft. Von A. H. Fogowitz.
390. Der Kuguar od. der Aufstand der Apachen. Erzählung aus dem Indianerleben v. E. Ilm.
391. Uaktehno, der Steppenräuber. Frei nach dem Franz. v. E. Ilm.
392. Der rote Wolf od. die Indianer in Mexiko. Eine Erzählg. f. das Volk v. Fritz Brentano.
393. Der Kriegs-Adler der Delawaren. Frei nach Murray f. Volk u. Jugend bearb. v. Fritz Brentano.

Volkserzieher, der. Organ d. „Bayr. Landesvereins f. Volkserziehg." Hrsg. vom Hauptausschuß desselben. Red.: L. Graßmüller. 1. Jahrg. Juli 1884—Juni 1885. 12 Nrn. (B.) hoch 4. Augsburg, Kuczynski. n. 1. 80

Volkserziehung, die moderne, vor Gericht. Aktenmäßige Darstellg. d. gegen Autor u. Verleger der Schrift: „Der moderne Bildungsschwindel" vor dem Landesgericht zu Leipzig Strafkammer II geführten Kriminalprozesses, nebst der Entscheidg. d. Reichsgerichts. gr. 8. (41 S.) Leipzig 886. Elischer. n. 1. —

Volksfest-Liederbuch, deutsches. 105. Aufl. 32. (64 S.) Potsdam 885. Rentel's Verl. n. — 10

Volksfreund, der. Bote d. Breslauer Vereins gegen das Branntweintrinken. Hrsg. v. Kutta. 37—39. Jahrg. 1883—1885. 10 Nrn. (1/2 B.) gr. 4. Breslau, (Dülfer). à Jahrg. n. 1. 20

Erscheint nicht mehr.

— der. Kalender f. 1886. 13. Jahrg. Nebst e. Wandkalender als Gratisprämie. 8. (192 S. m. Illustr.) Breslau, Goerlich. — 50

Volks-Kalender auf das J. 1887. Mit 19 Abbildgn. 24. Jahrg. 8. (48 S.) Sulzbach, v. Seidel. — 15

— vereinigt m. dem Landwirthschafts-Kalender f. Tirol u. Vorarlberg auf d. J. 1886. 66. Jahrg. 4. (86 S.) Innsbruck, Wagner. n.n. — 50

— für d. J. 1885. Mit der amtlich ausgegebenen Zeitrechng., dem monatl. u. alphabet. Marktverzeichnisse. Gegründet v. E. Süskind. 4. (46 S. m. eingedr. Holzschn.) Ulm, Nübling. n. — 20

— althannoverscher, f. d. J. 1887, hrsg. v. Ludw. Grote. 13. Jahrg. 4. (72 S. m. Holzschn.) Leipzig. (Hannover u. Celle, Schulbuchh.) n.n. — 50

— althessischer, auf d. J. 1887. 12. Jahrg. 4. (52 S.) Melsungen. Ebend. n.n. — 35

— Amberger, f. d. J. 1886. 4. (31 S. m. eingedr. Illustr.) Amberg, Habbel. n. — 20

— braunschweigischer, f. 1887. 17. Jahrg. Hrsg.: G. Eißfeldt. 4. (80 S. m. Illustr. u. 1 Wandkalender.) Braunschweig, Wollermann. n. — 50; geb. n.n. — 75

— Breslauer, f. 1887. 14. Jahrg. Mit Titelbild (in Lichtdr.): Raphaels Sixtinische Madonna u. e. Wandkalender. 4. (78 S. m. Illustr.) Breslau, Goerlich. — 50

— christlicher, ein freundlicher Erzähler u. Ratgeber f. die liebe Christenheit auf d. J. 1887. Mit tägl. Bibelsprüchen als Losgn. u. e. Psalmen-Lesetafel f. das ganze Jahr, sowie m. vielen Abbildgn. (in eingedr. Holzschn.). 46. Jahrg. Mit Jahrbuch f. christl. Unterhaltg. 8. (72 u. Jahrb. 120 S.) Kaiserswerth, Buchh. der Diakonissen-Anstalt. n. — 50; durchschossen n. — 60; cart. u. durchsch. n. — 90

— christlicher, aus Minden-Ravensberg auf d. J. 1886. 28. Jahrg. Mit vielen Bildern. 8. (216 S.) Gütersloh, Bertelsmann. n.n. — 60

— deutscher. Insbesondere zum Gebrauch f. Israeliten auf d. J. 1887. Mit literar. Beiträgen. Hrsg. v. H. Liebermann. 34. Jahrg. 8. (76 u. 107 S.) Brieg. (Breslau, Baumann.) n. 1. 25

— evangelischer, aus Bayern f. d. J. 1886. 4. (59 S. m. Illustr.) Rothenburg o/T. 885. Peter. n. — 20

— Frankfurter, 1887. 4. (53 S. m. Illustr.) Frankfurt a/M., Foesser Nachf. n. — 40

— gemeinnütziger, f. d. J. 1886. 46. Jahrg. 8. (76 u. 89 S. m. eingedr. Illustr., 1 Chromolith. u. 1 Wandkalender.) Neuhaldensleben, Eyraud. — 60

— hannoverscher. 18. Jahrg. 1887. Hrsg.: Freytag. 4. (76 S. m. Illustr. u. 1 Wandkalender.) Hannover, Feesche. — 50

— neuer hannoverscher, 1887. 17. Jahrg. 4. (79 S. m. Holzschn., 1 Chromolith. u. 1 Wandkalender.) Hannover, Klindworth. n. — 50

— humoristisch-satirischer, d. Kladderadatsch f 1885. Hrsg. v. Johs. Trojan. Illustr. v. Scholz, Wanjura, Roehling, Brand u. A. 36. Jahrg. 8. (104 S.) Berlin, A. Hofmann & Co. n. 1. —

— des „Israelit" f. das J. 5647 n. E. d. W. [Vom 30. Sept. 1886 bis 18. Sept. 1887.] 4. Jahrg. 16. (92 S. m. 1 Bild.) Mainz. Frankfurt a/M., Kauffmann. n. — 35

— illustrirter israelitischer, f. das J. der Welt 5647 vom 30. Septbr. 1886 bis 18. Septbr. 1887. Gesammelt, geordnet u. hrsg. v. Jak. W. Pascheles. 35. Jahrg. 16. (178 S. m. 1 lith. Portr.) Prag, Pascheles. n. — 60

— illustrirter katholischer, f. d. J. 1887. Zur Förderg. d. kathol. Sinnes. Von H. A. Jarisch. 36. Jahrg. 8. (XVI, 174 S.) Wien, Perles. n. 1. 8; geb. n. 2. —

— großer, d. Lahrer Hinkenden Boten f. d. J. 1887. 4. (132 S. m. Illustr.) Lahr, Schauenburg. cart. n. 1. —

— neuer, f. d. J. 1887. 12. (48 S.) Wien, Perles. n. — 24; geb. n. — 40

— Neutitscheiner, 1887. Mit e. Anh.: Vollständiges Personal-Handbuch d. Neutitscheiner Kreises. 4. (134 S. m. Illustr. u. 1 Chromolith.) Neutitschein, Hosch. n. 1. —

— niederrheinischer, auf d. J. 1887. 52. Jahrg. Illustrirt nach Orig.-Zeichngn. Düsseldorfer Künstler. 8. (XLII, 176 S.) Düsseldorf, F. Bagel. n. 1. —; geb. n. 1. 25

— niedersächsischer, f. 1887. 13. Jahrg. hoch 4. (78 S. m. Illustr., 1 Chromolith. u. 1 Wandkalender.) Bremen, Roussell. n. — 50

Volks-Kalender, Oldenburger, auf d. J. 1885. 33. Jahrg. Mit vielen Illustr. 4. (30 S.) Oldenburg, Schulze. — 20

— praktischer, auf d. J. 1884 f. das Fürstenth. Osnabrück, Großherzogth. Oldenburg u. die angrenzenden Landestheile. 16. (128 S. m. Illustr.) Osnabrück, (Veith). n. — 20

— illustrirter österreichischer, 1887. 43. Jahrg. Red. v. Frdr. Petz. Mit literar. Beiträgen v. Ludw. Anzengruber, Ada Christen, Joh. Geo. Fischer etc. Bilder v. Alois Greil u. Ernst Juch. Musik v. Jos. Mathans. 8. (XXXII, 206 S.) Wien, Perles. n. 1. 20; cart. n. 1. 30; geb. n. 2. —

— für die Prov. Ostpreußen, Westpreußen, Pommern, Posen u. Schlesien f. d. J. 1887. 19. Jahrg. Mit vielen Holzschn. 8. (70 u. 120 S.) Thorn, E. Lambeck. — 75

— ost- u. westpreußischer, auf d. J. 1887. 12. (XXVI, 112 S.) Königsberg, Hartung. — 45; durchsch. — 50

— kleiner ost- u. westpreußischer, auf d. J. 1887. 12. (XXVIII, 52 S.) Ebend. — 25; durchsch. — 30

— rhätischer, f. d. J. 1887. 4. (80 S. m. Illustr. u. 1 Wandkalender.) Chur, (Rich). n. — 40

— rheinischer, auf d. J. 1886. 4. (69 S. m. Illustr.) Wiesbaden, Bechtold & Co. — 25

— sächsischer. Hrsg. vom Schriftenverein zu Dresden. 4. (80 S. m. Illustr. u. 1 Chromolith.) Dresden. (Leipzig, Buchh. d. Vereinshauses) n. — 40

— für Schleswig-Holstein auf d. J. 1887. 8. (XL, 143 S. m. Holzschn.) Breklum, Christl. Buchh. n. — 40

— schweizerischer, 1885. 4. (62 S. m. Illustr. u. 1 Chromolith.) Schaffhausen. (Bern, Jenni.) n. — 40

— Vierwaldstätter. 7. Jahrg. 1886. 4. (28 S. m. Illustr.) Luzern, Prell. n. — 20

Volks- u. Haus-Kalender, katholischer, f. d. J. 1887. 4. (64 S.) Stuttgart, Verlag d. deutschen Volksblatt. n. — 30

Volks- u. Landwirthschafts-Kalender f. Tirol u. Vorarlberg auf d. J. 1883. 63. Jahrg. 4. (94 S. m. eingedr. Holzschn.) Innsbruck, Wagner. n.n. — 50

Volkslieder, 100 der schönsten deutschen. Eine Sammlg. zweistimm. Lieder f. die Hand der Schüler der Mittel- u. Oberstufe deutscher Schulen. Hrsg. v. der Lehrer-Konferenz Egeln. 4. Aufl. gr. 8. (71 S.) Leipzig 885. M. Hesse. n. — 30

— für die deutsche Jugend, ausgewählt u. hrsg. vom pädagog. Verein zu Freiberg. 2 Hfte. 3. Aufl. 8. (116 S.) Freiberg, (Maucksch). n. — 35; 4. Aufl., in 1 Bd. n. — 25

1. I—IV. Schulj. (42 S.) — 15
2. V—VIII. Schulj. (S. 43—116.) n. — 20

Volkslieder-Buch, deutsches. Enth. die beliebtesten u. bekanntesten deutschen Volkslieder. 16' (96 S.) Chemnitz 884. Hager. — 20

— neues illustriertes. Eine reichhalt. Sammlg. der beliebtesten u. bekanntesten Volks-, Gesellschafts- u. Tafellieder. 12. Aufl. 16. (96 S.) Oberhausen 884. Spaarmann. cart. — 25

Volkssänger, der. Eine Sammlg. volkstüml. Lieder. Mit besond. Berücksicht. der nationalen Festtage. Zunächst f. den Schulgebrauch. Zusammengestellt v. prakt. Schulmännern. Ausg. m. Noten v. W. Schrage. Neue umgearb. Aufl. v. Knabe u. Schriek. 8. (III, 192 S.) Lippstadt 883. Rempel. cart. n. 1. —

Volks-Schaubühne. Nr. 65—67. gr. 8. Berlin, Kühling & Güttner. à 2. 50

65. Durchlaucht haben geruht! Lustspiel in 4 Akten v. Fritz Brentano. (68 S.) 883.
66. Die Hausfee. Lustspiel in 4 Akten v. Ed. Volger. (72 S.) 885.
67. Sein einziges Gedicht. Orig.-Lustspiel in 3 Akten v. Rud. Kneisel. (60 S.) 885.

cf.: Kühling's, A., Volks-Schaubühne.

Volksschrift auf die Sempacher Jubelfeier am 5. Juli 1886. Mit ca. 50 Illustr. v. K. Jauslin. 8. (72 S.) Zürich 886. (Bern, Jenni.) n. 1. —

Volksschriften. Neu hrsg. v. Fritz Jonas. 1—6. Hft. 8. Berlin 886. Oehmigke's Verl. n. 2. 10

1. Zur Erinnerung an Friedrich den Großen. Von Otto Schulz. Gekürzt u. zum Gebrauch in Fortbildungsschulen eingerichtet v. F. J. (48 S.) n. — 20
2. Das Goldmacherdorf. Eine anmut. u. wahrhafte Geschichte f. Schule u. Haus. Von Heinr. Zschokke. Gekürzt u. zum Gebrauch in Fortbildungsschulen eingerichtet v. F. J. (123 S.) n. — 40
3. Geschichte e. patriotischen Kaufmanns. Gekürzt u. zum Gebrauch in Fortbildungsschulen eingerichtet v. F. J. (64 S.) n. — 30
4. Auserlesene Gespräche u. Boten aus Thüringen. Von Chrn. Gotth. Salzmann. Gekürzt u. zum Gebrauch in Fortbildungsschulen eingerichtet v. F. J. (112 S.) n. — 40
5. Herr Lorenz Starck. Ein Charaktergemälde v. J. J. Engel. Gekürzt u. zum Gebrauch in Fortbildungsschulen eingerichtet v. F. J. (128 S.) n. — 40
6. Aus dem Leben Joachim Nettelbecks. Gekürzt u. zum Gebrauch in Fortbildungsschulen eingerichtet v. F. J. (112 S.) 887. n. — 40

Volksschriften, Berner. Nr. 5—18. 8. Bern 883—85. (Huber & Co.) n. 4. 75
5. Der neue Todtentanz od. die verbesserte Brandweinwaage. Von E. Nil. (31 S.) n. — 25
6. Gottes Rath u. Vorsehung. Jesaja 55, 8. 9. Aus dem Holl. d. C. E. van Koetsveld übers. v. Ernst Müller. (22 S.) n. — 25
7. Aus armen Hütten. Eine Erzählg. v. E. Müller. (34 S.) n. — 30
8. Jeremia, der Prophet. Ein bibl. Lebensbild v. E. Schädelin. (58 S.) n. — 45
9. Das rechte Zaubermittel. Eine Erzählg. nach wahren Erlebnissen. Von L. S. (40 S.) n. — 30
10. Venner Manuel v. Bern od. die Reformation im Leben e. Reformators. Von G. F. Ochsenbein. (58 S.) n. — 50
11. Weine nicht! Christlicher Trost f. Trauernde. Von Geo. Langhans. (52 S.) n. — 35
12. Ulrich Zwingli. Ein bernischer Beitrag zur Zwinglifeier v. Ernst Müller. (60 S. m. Holzschn.-Portr.) n. — 40
13. Für unsere Auswanderer. Von Gfr. Straßer. (80 S.) n. — 40; cart. n. — 50
14. Die Nothstände d. Volkslebens u. die christliche Liebe. Ein Appell an die treuen Glieder der Landeskirche v. Geo. Langhans. (48 S.) n. — 30
15. Der Herr ist mein Hirte. Lebensbild e. Stillen im Lande. Von Elise B. Eingeleitet v. Heinr. Rettig. (IV, 22 S.) n. — 20
16. Menschliche u. göttliche Erziehung. 2 Predigten v. Hieron. Ringier. (24 S.) n. — 20
17. Der Leutpriester Diebold Baselwind. Ein Lebensbild aus dem alten Bern v. Emil Blösch. (32 S.) n. — 25
18. Die Poesie d. Sonntags. Von Gfr. Straßer. 2. Aufl. (III, 91 S.) n. — 60

— illustrirte. Nr. 1—3. 534. 536—540. 4. (à 4 S. m. eingedr. Holzschn.) Gernsbach 883. 85. Christl. Colportage-Verein. à — $2^1/_2$
— des blauen Kreuzes. Nr. 2 u. 3. 8. Bern 884. (Leipzig, Buchh. d. Vereinshauses.) n.n. — 15
2. Errettet! Ein Blick in amerikan. u. engl. Mäßigkeitsverhältnisse. (34 S.) n.n. — 10
3. Der Branntwein e. Gift. Von e. alten Doktor. (12 S.) n.n. — 5

Volks- u. Jugendschriften, ausgewählte. Hrsg. m. Einleitgn. u. kurzen Erläutergn. v. O. Hellinghaus. 1—15. Bdchn. gr. 16. Münster 885. 86. Aschendorff. à n. — 20; cart. à n. — 30
1. Chrph. v. Schmid, die Ostereier. Heinr. v. Eichenfels. Das Johanniskäferchen. [Vorher: Das Leben Christophs v. Schmid.] (VIII, 110 S.)
2. Derselbe, der Weihnachtsabend. Das Vogelnestchen. [Vorher: Christoph v. Schmid als Jugendschriftsteller.] (VIII, 88 S.)
3. Derselbe, Genoveva. (VI, 120 S.)
4. 5. Chrph. v. Schmid, Rosa v. Tannenburg. Das Täubchen. (IV, 187 S.)
6. Deutsche Volksbücher [nach G. Schwab]. Der gehörnte Siegfried. Herzog Ernst. (VIII, 104 S.)
7. Dasselbe. Die vier Heimonskinder. (IV, 140 S.)
8—10. Märchen f. Söhne u. Töchter gebildeter Stände v. Wilh. Hauff. (440 S.)
11. Chrph. v. Schmid, Gottfried, der junge Einsiedler. Das Marienbild. Die Margaretablümchen. (IV, 124 S. m. 1 Bild.)
12. Derselbe, das Lämmchen. Das Rothkelchen. (IV, 92 S. m. 1 Bild.)
13. 14. Derselbe, das Blumenkörbchen. Das stumme Kind. Die Wasserflut am Rhein. (IV, 220 S.)
15. Derselbe, die Hopfenblüten. Die Kapelle bei Wolfsbühel. (VI, 118 S.)

Volks- u. Jugendschriften, österreichische, zur Hebung der Vaterlandsliebe. Nr. 1. 19—24. 8. (Mit je 1 Bild.) Wien 881—85. Manz. cart. à n. — 80
1. Maria Theresia v. Isidor Proschko. 3. Aufl. (228 S.)
19. Geschichtliches aus Ungarn. Von Isidor Proschko. (160 S.)
20. Ein Gang durch Böhmen. Von Isidor Proschko. (158 S.)
21. Aus Oberösterreich. Von Isidor Proschko (168 S.)
22. Aus Oesterreichs Seegebiete m. See- u. Geschichtsbildern verschiedener Länder v. Isidor Proschko. (187 S.)
23. Ein Gang durch Alt-Wien nach Neu-Wien v. Isidor Proschko. (177 S.)
24. Haus Oesterreich, e. Gang durch seine innerste Kammer. Von Isidor Proschko. (176 S.)

Volks-Schul-Atlas, kleiner, f. einfache Schulverhältnisse. 8 Karten in Farbendr., nebst Heimatkarte. gr. 4. Gera 885. Th. Hofmann. Sep.-Cto. n. — 30

Volksschulbote, hannoverscher. Red. u. Hrsg.: C. G. C. Leverkühn. 28—31. Jahrg. 1883—1886. à 26 Nrn. (à $^1/_2$—$1^1/_2$ B.) gr. 8. Hannover, (Hahn.) à Jahrg. n.n. 2. 80

Volksschule, die. Eine pädagog. Monatsschrift. Red. im Auftrage d. württemberg. Volksschullehrer-Vereins v. J. Ch. Laistner. 43—46. Jahrg. 1883—1886. à 12 Hfte. (3 B.) gr. 8. Stuttgart, Aue. à Jahrg. n. 4. 80
— die. Pädagogisch-literar. Wochenschrift f. den vaterländ. Lehrerstand. Red.: Ant. Katschinka. 23—26. Jahrg. 1883—1886. à 52 Nrn. (à 1—$1^1/_2$ B.) Lex.-8. Wien, Graeser. à Jahrg. n. 8. —
— die deutsche. Magazin f. Praxis u. Literatur der Erziehg. u. d. Unterrichts. Hrsg. unter Mitwirkg. vieler Schulmänner. 14—17. Jahrg. 1883—1886. à 36 Nrn. (B.) hoch 4. Leipzig, Siegismund & Volkening. à Jahrg. n. 4. —
— Elsaß-Lothringische. Wochenschrift f. Theorie u. Praxis der Erziehg. u. d. Unterrichts u. f. amtl. Schulnachrichten. Unter Mitwirkg. v. prakt. Schulmännern hrsg. v. J. J. Alexandre. 8—10. Jahrg. 1883—1885. à 52 Nrn. (B.) gr. 8. Straßburg, (Trübner). à Jahrg. n.n. 6. 50
Erscheint nicht mehr.

Volks- u. Mittelschulen, die, Oesterreich-Ungarns. Geschichte, Organisation u. Statistik. [Aus: „Schmid's Encyklopädie, 2. Aufl."] Oesterreich, m. Benutzg. d. Artikels der 1. Aufl. v. Ad. Ficker bearb. v. Erich Wolf, Ungarn v. Schwicker. gr. 8. (141 S.) Leipzig 882. Fues. n. 4. —

Volksschulfreund, der. Eine Zeitschrift, begründet von A. E. Preuß, m. Unterstützg. der evangel. Schulräthe u. unter Mitwirkg. v. Schulmännern hrsg. v. G. Müller. 47—50. Jahrg. 1883—1886. à 26 Nrn. (B.) gr. 4. Königsberg, Bon's Verl. à Jahrg. n. 3. —

Volksschulgesetz, das, nach den Abänderungen durch das Gesetz vom 2. Mai 1883 u. m. der Durchführungsverordnung vom 8. Juni 1883, enth. ausführl. Bestimmgn. u. Ueberſichten der Schulbesuchs-Erleichtergn. Nebst den einschläg. Gesetzen üb. die allgemeinen Rechte der Staatsbürger, das Verhältniß der Schule zur Kirche u. die

Regelg. der interconfessionellen Verhältnisse der Staatsbürger. Mit e. alphabet. Sachregister. 2. Aufl. 8. (91 S.) Prag 883. Mercy. n. — 80

Volksschulgesetz, das, im Abgeordnetenhause d. österreichischen Reichsrathes während der Aprilstage 1883. 8. (46 S.) Amberg 883. Habbel. — 45

Volksschulgesetzgebung, die württembergische, im 50. Jahre ihres Bestands. Eine Vergleichg. ihrer Bestimmgn. m. den Bedürfnissen der Zeit. Vom Ausschusse d. württemberg. Volksschullehrervereins. gr. 8. (162 S.) Stuttgart 886. Aue's Verl. n. 2. —

Volksschul-Praxis, die. Archiv f. prakt. Unterricht. Sammlung v. Lehrproben, Lehrplänen, pädagog. Aufsätzen ꝛc., unter Mitwirkg. namhafter Schulmänner hrsg. v. M. Ueberschaer. Mit der Beilage: Pädagogischer Anzeiger f. das deutsche Reich. 1—3. Hft. gr. 8. (S. 1—172 u. 1—28.) Minden 886. Bruns. à n. 1. —

Erscheint nicht mehr.

Volksschulwesen, das, im Königr. Sachsen in den J. 1874 u. 1884. Eine auf amtl. Quellen beruh. vergleich. Statistik. 8. (III, 58 S.) Leipzig 885. Roßberg. n. 1. —

Volks-Theater, deutsches. Nr. 1. gr. 8. Landsberg a/W. 884. Volger & Klein. 2. 50

Der wilde Jäger. Phantastisches Volksstück m. Gesang in 5 Akten u. 7 Bildern. Mit theilweiser Benutzg. der gleichnam. Jul. Wolff'schen Dichtg. v. F. A. Volger. Musik v. Leonh. Hartmann. (47 S.)

Volkswohl. Allgemeine Ausg. der „Social-Correspondenz". Organ d. Centralvereins f. das Wohl der arbeit. Klassen. Hrsg. v. Vict. Böhmert. 9. u. 10. Jahrg. 1885 u. 1886. à 52 Nrn. (½ B.) gr. 4. Dresden, Minden. à Jahrg. n. 6. 40

cf.: Social-Correspondenz.

— das. Wochenschrift f. bild. u. heitere Unterhaltg., Gesundheitspflege u. soziale Frage. Hrsg.: A. Fischer-Dückelmann u. Arnold Fischer. 2. Jahrg. 1886. 52 Nrn. (B.) gr. 4. Frankfurt a/M., Berth. Mühlbach. n. 4. —

Volkwein, Vict., üb. Cataracta diabetica. gr. 8. (24 S.) Sigmaringen 885. (Tappen.) n. 1. —

Vollbrecht, C., Dissonanzen. Zwei Novellen. 8. (220 S.) Weimar 887. A. Krüger. n. 2. 50; geb. n. 3. 50

Vollbrecht, Ferd., Wörterbuch zu Xenophons Anabasis. Für den Schulgebrauch bearb. 6. verb. Aufl., besorgt unter Mitwirkg. v. Wilh. Vollbrecht. Mit 78 in den Text eingedr. Holzschn., 3 lith. Taf. u. m. 1 Uebersichtskarte. gr. 8. (IV, 265 S.) Leipzig 886. Teubner. 1. 80

Vollbrecht, Wilh., griechisches Lesebuch f. Untertertia, aus Xenophons Kyropädie u. Hellenika zusammengestellt u. bearb. Nebst e. Wörterverzeichnis u. e. grammatikalisch geordneten Vokabularium. gr. 8. (VI, 138 S.) Leipzig 883. Teubner. n. 1. 20

Vollendung, die, d. göttlichen Geheimnisses, dargelegt in e. kurzgefaßten Auslegung der Offenbarung Johannis. Aus dem Nachlasse e. verstorbenen Geistlichen. 8. (143 S.) Basel 885. (Spittler.) n. 1. 20

Voller, Aug., üb. e. neue Form d. Differentialgalvanometers u. üb. die direkte Messung d. elektrischen Leitungs-Widerstandes glühender Kohlenfäden. gr. 4. (12 S. m. 1 Taf.) Hamburg 884. (Nolte.) n.n. 1. 50

Vollhering, Wilh., Lehrbuch der Geometrie f. höhere Lehranstalten. 1. Tl.: Geometrie der Alten. gr. 8. (IV, 75 S. m. 2 Steintaf.) Bautzen 884. Rühl. n. 1. 50

— das höhere Schulwesen Deutschlands vom Gesichtspunkte d. nationalen Bedürfnisses, f. Behörden, Schulmänner u. Familienväter. 3. Aufl. gr. 8. (46 S.) Leipzig 885. Peterson. n. 1. —

Vollmar, A., nicht allein. Eine Erzählg. f. Jung u. Alt. gr. 8. (16 S.) Berlin 886. Wiegandt & Grieben. n. — 15

— unter bestem Dach. Eine Erzählg. f. Alt u. Jung. gr. 8. (16 S.) Ebend. 886. n. — 15

— Großmutter. Eine Erzählg. f. Alt u. Jung. 2. Aufl. 8. (IV, 123 S. m. 1 Holzschn.) Ebend. 885. n. 1. —

— zwischen Himmel u. Wasser. Eine Erzählg. f. Alt u. Jung. gr. 8. (24 S.) Ebend. 884. n. — 20

Vollmar, A., bei Licht besehen. Erzählungen. 8. (V, 179 S.) Berlin 883. Wiegandt & Grieben. n. 1. 80

— der Lokomotivführer. Eine Erzählg. f. Alt u. Jung. gr. 8. (24 S.) Ebend. 886. n. — 20

— eine Nacht. Eine Erzählg. f. Jung u. Alt. 8. (24 S.) Ebend. 883. n. — 20

— das Pfarrhaus im Harz. Eine Erzählg. 9. Aufl. Mit 1 Titelbilde in Farbendr. 8. (IV, 328 S.) Ebend. 886. 3. —

— dasselbe. 2. Thl.: Das Pfarrhaus in Indien. Eine Erzählg. 5. Aufl. 8. (340 S.) Ebend. 886. n. 3. —

— Tannenzweige. 5 Erzählgn. 2. Aufl. 8. (IV, 154 S.) Ebend. 887. n. 1. 50

— Weihnachten drüben — Weihnachten hüben. Eine Erzählg., auf Thatsachen beruhend. gr. 8. (32 S.) Ebend. 884. n. — 24

— ein wunderbarer Weihnachtsabend. Eine Erzählg. f. Jung u. Alt. 8. (32 S.) Ebend. 883. n. — 24

— Weihnachtsgrün. 7 Geschichten 8. (223 S.) Ebend. 884. n. 2. —

Vollmer, Ed., Berliner Theater-Kritiker. Eine Kritik der Kritik. [Karl Frenzel. F. Mauthner. Paul Lindau. Th. Fontane. Fr. Adami. O. Blumenthal. R. Elcho. A. Rosenberg. O. Brahm. Th. Zolling.] 2. Aufl. 8. (74 S.) Berlin 884. Internationale Buchh. n. 1. 25

Vollmer, W., s.: Lesebuch.

Vollrath, Fr., zur Förderung d. Obstbaues. Vortrag, geh. im landwirthschaftl. Verein [Lokal-Abtheilg. Wesel]. Nebst Anh.: Kalendarium f. den Obstzüchter. 8. (43 S.) Wesel 885. Fincke & Mallinckrodt. n. — 40

Volney, C. F., die Ruinen u. das natürliche Gesetz, s.: Universal-Bibliothek.

Völschau, illustrirtes Hühner-Buch. Enth. das Gesammte der Hühnerzucht, als: Anlage der Hühnerställe, Anschaffg. v. Hühnern, Behandlg. derselben, Krankheiten, ꝛc. Mit 40 naturgetreuen Abbildgn. in Farbendr. u. 36 (eingedr.) Holzschn. nach Orig.-Zeichngn. v. Ch. Förster. gr. 4. (IV, 282 S.) Hamburg 883. 84. J. F. Richter. n. 25. —; geb. n. 28. —

— die Hühnerzucht. Ein Leitfaden f. angeh. Züchter. Anlage der Hühnerställe, Anschaffg. v. Hühnern, Fütterg. derselben, das Brüten, das Aufziehen der Küchlein, die Behandlg. erkrankter Thiere nebst kurzgefaßter Beschreibg. der bekanntesten Hühnerarten. 3. Aufl. gr. 8. (VII, 54 S.) Ebend. 887. n. 1. 50

Völsing, Ch., theoretisch-praktische Chorschule f. den ersten Anfang. Mit besond. Rücksicht auf die Pflege d. Chorals u. d. Volksliedes als Ergänzg. der Vorschule zum Notensingen. 2. Hft.: Weltliche Lieder. 8. (40 S.) Darmstadt 885. (Schlapp.) n.n. — 50 (1. u. 2.: n.n. — 80)

— Vorschule zum Notensingen u. theoretisch-praktische Chorschule f. den ersten Anfang. 2. Aufl. 8. (20 u. 17 S.) Ebend. 884. n.n. — 55; Vorschule ap. n.n. — 30; Chorschule ap. n.n. — 30

Voltaire's ausgewählte Dramen. Erklärt von E. v. Sallwürk. 4. Bd.: Alzire. gr. 8. (VI, 84 S.) Berlin 884. Weidmann. — 90 (1—4.: 4. 50)

— histoire de Charles XII, roi de Suède. Erklärt v. Emil Pfundheller. 3. Aufl. Mit 2 Karten v. H. Kiepert. gr. 8. (XXII, 260 S.) Ebend. 886. cart. 2. 10

— dasselbe. Texte complet, revue avec soin, suivi de notes. 8. (256 S.) Bremen 884. Heinsius. n. 1. 20

— dasselbe. Avec des notes grammaticales et historiques et un vocabulaire par Ed. Hoche. A l'usage des écoles. 24. Aufl. 12. (240 S.) Berlin 886. Friedberg & Mode. n. 1. —

— dasselbe. Enrichie de notes grammaticales et d'un vocabulaire suffisant par M. A. Thibaut. A l'usage des écoles. 34. éd. 8. (VI, 240 S.) Leipzig 884. Renger. n. 1. —

— dasselbe, s.: Schulausgaben ausgewählter klassischer Werke.

— dasselbe, Wörterverzeichniss dazu, s.: Wiemann, A.

— Mahomet. Erklärt v. K. Sachs. gr. 8. (99 S.) Berlin 884. Weidmann. n. 1. —; Zusätze (40 S.) n. — 60

— siècle de Louis XIV. Erklärt v. Emil Pfundheller. 1. Tl.: Das Zeitalter Ludwigs XIV. bis zur spanischen Erbfolgekriege. 2. Aufl. gr. 8. (XXVIII, 219 S.) Berlin 886. Weidmann. cart. 2. 40

Voltaire's Charakterbild, s.: Kreiten, W.

— Leben u. Werke, s.: Mahrenholtz, R.

Voelter, Dan, die Entstehung der Apokalypse. 2. Aufl gr. 8. (VII, 192 S.) Freiburg i/Br. 885. Mohr. n. 4. —

— die Offenbarung Johannis keine ursprünglich jüdische Apokalypse. Eine Streitschrift gegen die Herren Harnack u. Vischer. gr. 8. (49 S.) Ebend. 886. n 1. —

— der Ursprung d. Donatismus, nach den Quellen untersucht u. dargestellt. gr. 8. (VII, 194 S.) Ebend. 883. n. 5. 60

Völter, Imman. Erhard, Dr. Martin Luther. Ein Jubelbild zu seinem 400. Geburtstag am 10. Novbr. 1883. 15. Aufl. 8. (32 S. m. Holzschn.-Portr.) Frankfurt a/M. 883. Drescher. n. — 20

— was hast du an deiner Kirche? Eine Frage an das evangel. Christenvolk zum 400. Geburtstag Dr. Martin Luthers am 10. Novbr. 1883. gr. 8. (16 S.) Ebend. 883. n. — 20

Voltz, Hans, die Ethik als Wissenschaft m. besond. Berücksicht. der neueren engl. Ethik. Ein philosoph Abhandlg. gr. 8. (V, 55 S.) Strassburg 886. Trübner. n. 1. 80

Volz, J. R., Rechenbuch f. Volksschulen, s.: Rigetiet, H.

Volumina, quinque. Canticum canticorum. Ruth. Threni. Ecclesiastes. Esther. Textum masoreticum accuratissime expressit, e fontibus masorae varie illustravit, notis criticis confirmavit S. Baer. Praefatus est edendi operis adjutor Franc. Delitzsch. gr. 8. (VIII, 100 S.) Leipzig 886. B. Tauchnitz. 1. 20

Volz, Berth, geographische Charakterbilder. Mit zahlreichen Illustr. u. Karten. 3. u. 4. Tl. Aus den Orig.-Berichten der Reisenden gesammelt. gr. 8. Leipzig, Fues. à n. 5. —

3. Asien. Mit 78 Illustr. (X, 394 S.) 887.
4. Afrika. Mit 80 Illustr. u. 1 Karte. (VIII, 424 S.) 886.

— dasselbe, s.: Daniel, H. A.

Volz, R., der ärztliche Beruf, s.: Sammlung gemeinverständlicher wissenschaftlicher Vorträge.

Vom Cheder zur Werkstätte. Eine Erzählg. aus dem Leben der Juden in Galizien von F. v. St. G. 8. (40 S.) Wien 885. (Hölder.) n. — 60

— Fels zum Meer. Spemann's illustr. Zeitschrift f. das deutsche Haus. Red.: Jos. Kürschner. 3—6. Jahrg. Oktbr. 1883—Septbr. 1887. à 12 Hfte. (7½ B. m. Holzschn.) gr. 8. Stuttgart, Spemann. à Hft. n. 1. —

— Jura zum Schwarzwald. Geschichte, Sage, Land u. Leute. Hrsg. unter Mitwirkg. e. Anzahl Schriftsteller u. Volksfreunde v. F. A. Stocker. 1—3. Bd. à 4 Hfte. gr. 8. (à Hft. ca. IV, 80 S.) Aarau 884—86. Sauerländer. à Bd. n. 5. —

— literarischen Blocksberg. Zahme Xenien aus der Gegenwart. Gesammelt u. hrsg. v. Mephisto dem Jüngeren u. A. 2. Aufl. 8. (IV, 84 S.) Leipzig 885. Lindig. n. 1. 50

— Rattenfänger, u. Heimathsklänge. Festschrift zu der 600jähr. Erinnerungsfeier an den Ausgang der Hamelschen Kinder. 16. (46 S.) Hameln 884. Brecht. — Fuendeling. — 75

— Reißbrett der Johannis-Loge „Lessing" Or.: Valparaiso. Auswahl v. Reden u. Vorträgen Johanni 1879 bis 1882. Zusammengestellt vom Schriftführer der Loge. 8. (V, 72 S.) Leipzig 883. Findel. n. 1. —

— gehörigen äußern Verhalten an der Communionbank. [Belehrungen e. betagten Geistlichen an Erstcommunicanten.] 24. (8 S.) Dülmen 884. Laumann. n. — 3

Von Bach zu Wagner. Ein Gedenkblatt zum 21. März 1885, als zur 200jähr. Gedenkfeier der Geburt Johann Sebastian Bach's [1685—1750], in wörtl. Anführgn. aus den Schriften Wagner's zusammengestellt u. vom Wagner-Verein zu Riga hrsg. gr. 8. (32 S.) Riga 885. (Nellin & Meldner.) n.n. — 70

— schönen Büchern. Mit vielen (eingedr.) Illustr. gr. 8. (80 S.) Bremen 883. Nordwestdeutscher Volksschriften-Verl. — 20

Von allem Etwas. Freundliche Bilder f. das zarte Kindesalter, entworfen v. Heinr. Dibbern, m. Reimen v. Herm. Pilz. 2. Aufl. 4. (7 Chromolith. m. 7 Bl. Text.) Görlitz 886. Foerster's Verl. geb. 2. 50

— Fehlsprüchen der Geschworenen. Von e. Richter. gr. 8. (52 S.) Hannover 886. Helwing's Verl. n. 1. —

— Gibraltar nach der Oase Biskra. Reiseskizzen von A. v. S. 8. (59 S.) Bonn 884. Strauß. n. 1. —

— den Küsten u. aus See. Organ der deutschen Gesellschaft zur Rettg. Schiffbrüchiger. Hrsg. u. red. vom Bureau der Gesellschaft. 12. Jahrg. 1883. 4 Hfte. gr. 8. (1. Hft. 20 S.) Bremen, Heinsius. n. 1. 50

— dasselbe. 13—15. Jahrg. 1884—1886. à 4 Hfte. gr. 8. (à Hft. ca. 20 S.) Bremen, Diercksen & Wichlein. à Jahrg. n. 1. 25

— Mainz bis Köln auf Rheines Well'n. Ein Führer in der Westentasche, verfasst bei e. Rheinweinflasche. 12. (16 S.) Coblenz 886. Groos. — 30

— Mara nach Elim. Dichtungen zum Katechismus. 12. (X, 168 S.) Frankfurt a/M. 886. Drescher. geb. m. Goldschn. n. 3. —

— Nah u. Fern. Illustrirte Wochenschrift f. die deutsche Familie. Red.: Edm. Beckenstedt. 1. Jahrg. Octbr. 1884—Septbr. 1885. 52 Nrn. (2 B.) gr. 4. Leipzig, Denicke. n. 6. 40; in 26 Hftn. à n. — 30

— dasselbe. 2. u. 3. Jahrg. Octbr. 1885—Septbr. 1887. à 52 Nrn. (2 B.) gr. 4. Ebend. à Jahrg. n. 6. —; in 26 Hftn. à n. — 25; in Nrn. à n. — 10

— Pol zu Pol. Internationale Revue f. das geist. Leben aller Nationen. Hrsg. v. A. Brehmer. Neue Folge. 1. Jahrg. 12 Hfte. (6 B.) gr. 8. Laibach 884. (Kleinmayr & Bamberg.) à Hft. n. 1. —

— Savoyen f. die Schweiz. Eine militär-polit. Studie v. e. schweizer. Offizier. gr. 8. (47 S.) Zürich 885. Schulthess. n. 1. —

— der Weichsel zum Dnjepr. Geographische, kriegsgeschichtl. u. operative Studie v. Sarmaticus. Mit 1 Uebersichtskarte u. 14 Skizzen. gr. 8. (XI, 328 S.) Hannover 886. Helwing's Verl. n. 7. —

Vondrák, W., zur Kritik der altslovenischen Denkmale. Lex.-8. (44 S.) Wien 886. (Gerold's Sohn.) n.n. — 70

Voneschen, J. P., il Peregrin. Ina collecziuns de canzuns a 2 e 3 vuschs per las classas superiuras. 3. fasc. 8. (80 S.) Chur 887. Rich. n. — 80

Vor fünfzehn Jahren. 150 Tage vor Paris. Erinnerungen aus dem Großen Hauptquartier v. H. R. Mit e. Plan v. Paris u. Umgebg. 8. (III, 204 S.) Leipzig 886. Renger. n. 3. —; Einbd. n.n. — 80

— dem Kampfe. Drohende Stimmen aus Osten u. Westen. Von e. deutschen Kassandra. 2. Aufl. 8. (48 S.) Leipzig 886. Greßner & Schramm. n. — 60

— auf u. nach der Reise. Passagier-Rechte u. Eisenbahn-Vorschriften. Auszüge aus den f. den Personen- u. Gepäck-Verkehr besteh. Bestimmgn. 12. (32 S.) Elberfeld 885. Lucas. n. — 50

Vorbereitung, die, zur juristischen Carriere in Bayern. Sammlung aller diesbezügl. Allerh. Verordngn. u. Ministerial-Entschließgn. 8. (42 S.) München 886. Schweitzer. — 50

Vorbereitungs-Schule, die, f. den Eintritt in die Subaltern- u. Unterbeamtenstellen bei den Reichs- u. Staatsbehörden. Ein Handbuch f. Militair-Anwärter bezw. Civilversorgungsberechtigte der deutschen Armee, welche ihre zukünft. Lebensstellg. vor Verlassen der militair. Laufbahn in ernstl. Erwägg. ziehen wollen. Auf Grund der neuesten vom Bundesrath beschlossenen u. f. die Besetzg. der Subaltern- u. Unterbeamtenstellen bei den Reichs- u. Staatsbehörden m. Militairanwärtern maßgeb. Grundsätze, zusammengestellt v. mehreren früheren Avancirten u. Invaliden, späteren Staatsbeamten. 2. Aufl. Lex.-8. (IV, 178 S.) Aachen 884. Mayer. n. 2. 50

Vorberg, Max, Irrgangs Heimfahrt. Eine Geschichte in 24 Abenteuern. 2. Aufl. gr. 8. (VI, 117 S.) Gotha 886. F. A. Perthes. n. 2. —; geb. n. 3. —

— der Lutherhof v. Gastein. 2. Aufl. gr. 8. (VIII, 167 S. m. 1 Autotypie.) Ebend. 886. n. 3. —; geb. n. 4. —

— bis Weihnachten! Blätter aus dem Leben zweier Schwestern. gr. 8. (III, 141 S.) Ebend. 885. n. 2. —

Vorbilder f. die Kleinkunst in Bronce. 20 (photolith.) Taf. Abbildgn. verschiedener Objecte aus der Antike, dem Mittelalter u. der Renaissance. Zum Gebrauch f. kunstindustrielle u. gewerbl. Lehranstalten. Unter Leitg. v. H. Herdtle aufgenommen v. Schülern der Kunstgewerbeschule d. k. k. österr. Museums. Fol. (1 Bl. Text.) Wien 884. Hölder. n. 10. 80; in Mappe n. 12. —

Vordermayr, Pet., Kitzbühel u. ſeine Umgebung. Beigabe: Zwei Tiroler Lieder. 12. (IV, 76 S. m. 2 Holzſchn.) Going (Tirol) 886. (Salzburg, Puſtet.) n.n. — 70

Vorell, G, Hülfsbüchlein zu dem deutſchen Leſebuch m. Bildern [Ausg. A, B u. C] v. Gabriel u. Supprian. Verzeichnis der Leſeſtoffe u. Nachweis derjenigen Leſeſtücke, welche e. Bearbeitg. gefunden haben. gr. 8. (56 S.) Bielefeld 884. Velhagen & Klaſing. n. — 60

Voretzsch, Max, Untersuchung e. speciellen Fläche constanter mittlerer Krümmung, bei welcher die eine der beiden Schaaren der Krümmungslinien v. ebenen Curven gebildet wird. gr. 8. (67 S.) Göttingen 883. Vandenhoeck & Ruprecht's Verl. n. 1. 80

Vorgang, systematischer, zur Ausbildung d. Cavalleristen im Felddienst bei e. Escadron. Von e. österreich. Cavallerie-Officier. 8. (57 S.) Wien 884. Seidel & Sohn. n. 1. —

Vorlageblätter, architektonische, zum Zeichnen u. Kolorieren. 1—10. 12—17. Serie. 16 Leipzig 884. 85. Leipziger Lehrmittelanstalt v. Dr. Osk. Schneider. 8. 20

1. 2. (à 24 z. Thl. color. Steintaf.) à — 25
3. 4. (à 24 z. Thl. color. Steintaf.) à — 30
5. (32 z. Thl. color. Steintaf.) n. — 40
6. (32 Steintaf., wovon 16 color.) n. — 35
7. (32 Steintaf., wovon 16 color.) n. — 40
8. (32 Steintaf., wovon 16 color.) n. — 45
9. u. 10. (à 32 zur Hälfte color. Steintaf.) à n. — 60
12. (64 Steintaf., wovon 32 color.) n. — 75
14. (32 Steintaf., wovon 16 color.) n. — 50
15. (32 Steintaf., wovon 16 color.) n. — 60
16. (32 Steintaf., wovon 16 color.) n. 1. —
17. (32 Steintaf., wovon 16 color.) n. 1. 45

— dasselbe. 5. Serie, 2. Hft.; 7. Serie, 2. Hft.; 9. Serie, 2. Hft.; 15. Serie, 1. Hft.; 16. Serie u. 17. Serie, 1. Hft. qu. 8. u. qu. gr. 8. (à 32 zur Hälfte color. Taf.) Ebend. 885. 4. 50

V, 2. — 35. — VII, 2. — 50. — IX, 2. — 60. — XV, 1. — 60. — XVI, 1. —. — XVII, 1. 1. 45

— für Buchbinder-Arbeiten, vorwiegend nach Entwürfen der hervorragendsten Meister der Neuzeit, insbesondere v. Groner, Laufberger, Macht etc. Fol. (17 Taf. in Holzschn. u. Chromolith. m. 1 Bl. Text.) Wien 883. v. Waldheim. In Mappe. n. 8. —

— für den Handfertigkeits-Unterricht. Hrsg. auf Veranlassg d. deutschen Centralkomitees f. Handfertigkeits-Unterricht u. Hausfleiss. 1. Abtlg. Fol. Leipzig 884. Seemann. In Mappe. n. 8. —
Kerbschnitt-Vorlagen v. C. Grunow. 12 Taf. in Lichtdr. v. H. Rückwardt in Berlin. (2 Bl. Text.)

— für Holzbrandzeichnungen, Niello, Aetzen, Intarſia u. Lederpreſſung. gr. 4. (6 Bl.) Leipzig 886. Heitmann. n. 2. —; einzelne Bl. à n. — 50

— für Holzmalerei. Eingeführt v. A. u. G. Ortleb. 3. Serie. qu. 4. (8 Chromolith. m. 1 Bl. Text.) Leipzig 883. Ruhl. n. 2. 25

— für Holzmalerei nach Orig.-Entwürfen hervorragender Künstler, wie E Döpler, H. Ehrentraut u. A. [Collection Mancke.] 1—3. Lfg. Leipzig 886. Zehl. 20. 15

1. kl. 4. (12 Bl.) n. 7. 20
2. schmal Fol. (2 Bl.) n. 5. 75
3. hoch 4. (8 Bl.) n. 7. 20

— moderne kalligraphische, zum Schul- u. Selbstgebrauch. qu. 16. (7 Steintaf.) Zittau 883. (Löbau i/S., Oliva.) — 20

— für keramische Arbeiten, vorwiegend nach Entwürfen der hervorragendsten Meister der Neuzeit, insbesondere v. Brausewetter, Dollischek, Copeland and Sons etc. Fol. (38 z. Thl. farb. Taf. m. 1 Bl. Text.) Wien 884. v. Waldheim. In Mappe. n. 12. —

— für Malerei auf Porzellan, Holz, Seide, Pergament ꝛc. gr. 4. (15 Chromolith. m. 3 S. Text.) Leipzig 886. Heitmann. n. 5. —; einzelne Bl. à n. — 50

Vorlageblätter zum Zeichnen v. Gartenplänen. Zunächst f. die Zöglinge d. Pomolog. Instituts in Reutlingen, u. ähnl. Lehranstalten, wie auch f. den Selbstunterricht. 2., um mehr als die Hälfte verm. Aufl. 20 lith. Taf., worunter 2 kolor. Fol. Mit Text. 8. (8 S.) Stuttgart 886. Ulmer. cart. n. 2. —

Vorlegeblätter zum Nachzeichnen. 10 Hfte. qu. gr. 8. (à 8 Steintaf.) Wesel 886. Düms. à — 30

1. Geradlinige u. krummlinige Figuren. — 2. Teile d. menschlichen Körpers. — 3. Leicht ausgeführte Landschaften. — 4. Verzierungen u. verzierte Gegenstände. — 5. Geräte. — 6. Tiere. — 7. Ausgeführte Landschaften. — 8. Figuren. — 9. Blumen u. Früchte. — 10. Ausgeführte Köpfe.

Vormann, W. H., aus den Fremdenbüchern v. Rigi-Kulm. Eine Sammlg. der interessantesten Einzeichngn. Nach den Orig.-Bänden zusammengestellt u. durch e. Geschichte der Kulmhäuser eingeleitet. Mit 6 (Holzschn.-)Illustr. 8. (VI, 106 S.) Bern 883. Nydegger & Baumgart. n. 1. —

— von den Ufern der Passer. Meraner Federzeichngn. 8. (IX, 216 S.) Meran 884. Pötzelberger. n. 3. —

Vormundſchafts-Geſetze, die preußiſchen. Vormundſchafts-Ordng. vom 5. Juli 1875. Geſetz, betr. die Koſten, Stempel u. Gebühren in Vormundſchaftsſachen, vom 21. Juli 1875. Geſetz, betr. die Geſchäftsfähigkeit Minderjähriger u. die Aufhebg. der Wiedereinſetzg. in den vor. Stand wegen Minderjährigkeit, vom 12. Juli 1875. Auszug aus der Hinterlegungsordng. vom 14. März 1879. Mit ausführl. Sachregiſter. 4. Aufl. 12. (71 S.) Breslau 886. Kern's Verl. n. — 50

Vormundſchaftsordnung, preußiſche, nebſt dem Geſetz, betr. die Geſchäftsfähigkeit Minderjähriger ꝛc. Hrsg. v. der Redaction d. Reichs-Geſetzbuches. gr. 8. (III, 16 S.) Berlin 886. Bruer & Co. geb. — 50

Vormung, Frdr., die reducirten Quer-Summen u. ihre Anwendung zur Controle v Rechnungs-Ergebniſſen, in leichtfaßl. Anweiſg. f. Bau- u. Rechnungs-Beamte, Kaufleute u. Landwirthe, ſowie ſtatiſt. u. ſonſtige wiſſenſchaftl. Rechner. Mit e. Vorworte v. Förſter. 2. Aufl. 8. (17 S.) Eberswalde 886. (Wolfram.) n. — 50

Vorrechte, die, der Offiziere im Staate u. in der Geſellſchaft. 6. Tauſend. gr. 8. (34 S.) Berlin 883. Walther & Apolant. n. — 40

— daſſelbe. Ein Wort zur Abwehr u. Verſtändigg. v. e. preuß. Offizier. 4. Abdr. gr. 8. (48 S.) Berlin 883. Liebel. n. — 60

Vorſchläge zur Aenderung d. deutſchen Strafrechts v. ? gr. 8. (21 S.) Berlin 884. Ißleib. n. — 50

— für die Ordnung d Hauptgottesdienſtes auf Grundlage d. Entwurfs e. Gottesdienſtordnung f die evangeliſch-lutheriſche Kirche der Provinz Schleswig-Holſtein. Von e. Mitgliede der ſchlesw.-holſt. Geſammtſynode. gr 8. (16 S.) Kiel 884. Lipſius u. Tiſcher. n. — 30

Vorſchrift üb. das Verfahren bei Aufrechnungs-Bedeckungen, Paſſirungen u. Erſatz-Verhandlungen. hoch 4. (VI, 81 S.) Wien 884. Hof- u. Staatsdruckerei. n. — 60

— für die Auswahl u. Eintheilung der Rekruten u. Erſatz-Reſerviſten d. ſtehenden Heeres u. der Kriegsmarine zu den verſchiedenen Waffen-Gattungen u. Anſtalten. gr 8. (18 S.) Ebend. 883. n. — 20

— für das Bettenweſen im k. k. Heere. (XII, 271 S.) Ebend. 883. n. 2. —

— über Ergänzung, Ausbildung u. Beförderung d. Botteliërperſonals der kaiſerl. Marine. [Auszug aus den Organiſator. Beſtimmgn f. d. kaiſerl. Marine] gr. 8. (4 S.) Berlin 885. Mittler & Sohn. — 15

— daſſelbe d. Büchſenmacherperſonals der kaiſerl. Marine. gr. 8. (6 S.) Ebend. 885. n. — 20

— daſſelbe d. Lazarethgehülfen-Perſonals der kaiſerl. Marine. gr. 8. (9 S.) Ebend. 885. n. — 33

— daſſelbe d. Maſchinen- u. Heizerperſonals der kaiſerl. Marine gr. 8. (29 S.) Ebend. 885. n. — 65

— daſſelbe d. aktiven u. d. Reſerve-Materialienverwalter-Perſonals der kaiſerl. Marine. gr. 8. (7 S.) Ebend. 885. — 30

Vorschrift über Ergänzung, Ausbildung u. Beförderurg d. Schiffsbäckerpersonals der kaiserl. Marine. gr. 8. (2 S.) Berlin 885. Mittler & Sohn. n. — 8

— dasselbe d. Schreiberpersonals der kaiserl. Marine. gr. 8. (4 S.) Ebend. 885. — 15

— dasselbe d. Steuermannspersonals der kaiserl. Marine. gr. 8. (3 S.) Ebend. 885. — 15

— dasselbe d. Zahlmeisterpersonals d. kaiserl. Marine. gr. 8. (12 S.) Ebend. 885. — 40

— für die Instandhaltung der Waffen bei den Truppen. 8. (VI, 104 S. m. 1 Tab. u. 4 Taf.) Ebend. 885. cart. n. 1. 35

— über die Methode, den Umfang u. die Eintheilung d. Unterrichts auf den königl. Kriegsschulen. 2., auf Grund der gelt. Bestimmgn. abgeänd. Aufl. gr. 8. (III, 35 S.) Berlin 884. v. Decker. n. — 40

— für die Sicherstellung u. Verwertung der Militär-Unterkünfte. 4. (IV, 92 S.) Wien 885. Hof- u. Staatsdruckerei. n. 1. —

— für die Ueberweisung der Bedürfnisse zu den Schießübungen u. den Instruktions-Laboratorien-Arbeiten der Artillerie u. f. die Verwaltung der Schießübungsgelder. [Schießplatz-Verwaltungs-Vorschrift.] gr. 8. (IV, 55 S.) Berlin 883. (v. Decker.) n. — 80

— für die Verdingung v. Lieferungen u. Leistungen bei den Truppen in Hinsicht auf die Bekleidungs-Wirthschaft. Nachtrag. gr. 8. (1 Bl.) Berlin 886. Mittler & Sohn. n.n. — 5

— zur Verfassung der Qualifications-Listen üb. Stabs- u. Oberofficiere d. Soldatenstandes, dann Cadetten im k. k. Heere vom J. 1883. 1. u. 2. Nachtrag vom J. 1884, resp. 1885. 8. (à 3 S.) Wien 885. Hof- u. Staatsdruckerei. à n.n. — 4

— für die Verpflegung d. k. k. Heeres. 1. Thl. Verpflegung im Frieden. I—XII. Hauptstück. Nebst Beilagenbd. 8. (XXIV, 458 u. Beilagen VI, 381 S. m. Tab. u. Taf.) Ebend. 884. n. 3. 60

— dasselbe. 1. Thl. [Auszug f. die Unterabtheilgn. d. k. k. Heeres.] 8. (X, 121 S.) Ebend. 884. n. — 60

— dasselbe. II. Thl. Verpflegung im Kriege. Nebst Beilagen. 8. (VIII, 224 u. VIII, 293 S. m. 2 Steintaf.) Ebend. 883. n. 1. 40

— für die Verwaltung der königl. technischen Institute der Artillerie excl. Pulverfabriken vom 26. Novbr. 1874. Nachtrag I. gr. 8. (21 Bl.) Berlin 886. Mittler & Sohn. n.n — 30

— zur Verwaltung der königl. Pulverfabriken vom 13. März 1879. Nachtrag I. gr. 8. (7 Bl.) Ebend. 886. n.n. — 10

— für die Verwaltung d. Uebungs-Materials der Fuß-Artillerie u. der hierzu gewährten Gelder. 8. (IV, 51 S.) Berlin 883. (v. Decker.) cart. n. — 75

Vorschriften üb. die ärztlichen Prüfungen f. das Deutsche Reich nach den Bekanntmachungen d. Reichskanzleramts vom 2. Juni 1883. — I. Bekanntmachung, betr. die ärztl. Prüfung vom 2. Juni 1883. II. Bekanntmachung, betr. die ärztl. Vorprüfg., vom 2. Juni 1883. [„tentamen physicum"] 2. Abdr. gr. 8. (19 u. 9 S.) Tübingen 884. Fues. n. — 60

— über die Ausbildung u. Prüfung f. den Staatsdienst im Baufache. Rev. Abdr. aus dem Deutschen Reichs- u. Königl. Preuß. Staatsanzeiger Nr. 171. 1886. 12. (40 S.) Berlin 886. Polytechn. Buchh. — 75

— dasselbe. Nebst Anh.: Die Erhöhung der Rangstellung der königl. Regierungs-Bauführer u. Regierungs-Baumeister. gr. 8. (34 S.) Berlin 886. Ernst & Korn. n. — 80

— dasselbe, nebst ergänz. Bestimmgn. 3. Aufl gr. 8. (44 S.) Berlin 886. C Heymann's Verl. n. 1. —

— über Ausbildung, Prüfungen u. Anstellung im Försterdienst u. im Forstverwaltungsdienst. 2. Aufl. gr. 8. (72 S.) Ebend. 886. n. 1. 50

— über die Ausführung d. Unfallversicherungsgesetzes vom 6. Juli 1884 u. d. Gesetzes üb. die Ausdehnung der Unfall- u. Krankenversicherung vom 28. Mai 1885 im Ressort der kaiserl. Marine. 8. (18 S.) Berlin 885. Mittler & Sohn. n.n. — 50

Vorschriften für die ärztliche Ausrüstung S. M. Schiffe u. Fahrzeuge. gr. 8. (42 S.) Berlin 886. Mittler & Sohn. n. 1. —

— über die Befähigung zu den technischen Aemtern bei den Bergbehörden d. Staates. Vom 12. Septbr. 1883. gr. 8. (26 S.) Berlin 883. v. Decker. n. — 35

— dasselbe u. üb. die Prüfg. der Markscheider. 2. Aufl. gr. 8. (42 S.) Berlin 886. C. Heymann's Verl. n. — 80

— über die Beförderung v. Personen, Thieren, Gütern ꝛc. auf deutschen Eisenbahnen. Unter Berücksicht. der Bestimmgn. f. Oesterreich-Ungarn u. das Gebiet d. Vereins deutscher Eisenbahn-Verwaltgn., sowie der einschlag. Reichs- u. Landes-Gesetzgebg. bearb. v. e. Fachmann. Text d. Betriebs-Reglements f. die Eisenbahnen Deutschlands durchgesehen im Reichs-Eisenbahn-Amt. 8. (XXIX, 266 S.) Berlin 883. P. Schettler's Erben. geb. n. 3. 60

— specielle, f. Brücken- u. Dachstuhlconstructionen. gr. 8. (15 S.) Zürich 884. (Schmidt.) n. — 50

— die, auf Buchhandel u. Presse bezüglichen gesetzlichen, in Deutschland, Oesterreich u. Schweiz. 8. (110 S.) Berlin 884. Ißleib. n.n. 1. 25

— über den Dienstweg u. die Behandlung v. Beschwerden der Militär-Personen d. Heeres u. der Marine, sowie der Civilbeamten der Militär- u. Marineverwaltung. Amtliche Ausg. 8. (21 S.) Berlin 883. Mittler & Sohn. n. — 20

— in Beziehung auf die Feuerungsanlagen, Kamine, Schornsteine u. Schornsteinfeger, nebst dem neuen Schornsteinfeger-Tarif. 8. (16 S.) Wiesbaden 885. Limbarth. n. — 25

— über die Beitreibung der Gerichtskosten u. Geldstrafen, nebst Anh. [Gerichtsvollzieherordng. ꝛc.] u. Sachregister, zusammengestellt im Bureau d. Justizministeriums. gr. 8. (90 S.) Berlin 885. v. Decker. — 75

— für das Hiebfechten. gr. 8. (35 S. m. eingedr. Fig.) Berlin 884. Mittler & Sohn. n.n. — 50

— oberpolizeiliche, vom 20. Novbr. 1885 üb. die Leichenschau u. die Zeit der Beerdigung. 8. (20 S.) Ansbach 886. Brügel & Sohn. n. — 20

— die, betr. den Abel'schen Petroleumprober u. seine Anwendung sowie seine Prüfg. u. Beglaubigg. nach der kaiserl. Verordng. vom 24. Febr. 1882 u. den in Ausführg. derselben erlassenen Bekanntmachgn. zusammengestellt u. m. Erläutergn. hrsg. v. der kaiserl. Normal-Aichungs-Kommission. gr. 8. (67 S. m. 2 Taf.) Berlin 883. C. Heymann's Verl. n. 2. —

— über die Prüfung, öffentliche Anstellung, Beschäftigung u. Gebühren der Landmesser u. Feldmesser in Preußen. 2. Aufl. gr. 8. (56 S.) Ebend. 886. n. 1. —

— allgemeine, f. die höheren Schulen in Elsaß-Lothringen vom 20. Juni 1883. Lex.-8. (III, 61 S.) Straßburg 883. Schultz & Co. n. — 50

— für das Stoßfechten. gr. 8. (VI, 34 S. m. eingedr. Fig.) Berlin 884. Mittler & Sohn. n.n. — 50

— über das Turnen der Infanterie. 8. (VI, 94 S. m. eingedr. Fig. u. 4 Taf.) Ebend. 886. n.n. — 75

— dasselbe. Entwurf zu Abändergn. der §§ 33 u. 34. 8. (15 S. m. eingedr. Fig. u. 2 Steintaf.) Ebend. 885. n.n. — 50 (Hauptwerk m. Abänderungs-Entwurf: n.n. 1. 5)

— für die Untersuchung u. Abnahme der 3,7 cm-Revolver-Kanone der Schiffs-Artillerie u. ihrer Munition. gr. 8. (VI, 117 S.) Ebend. 886. n. 2. —

— über Vorbereitungsdienst, Prüfung u. Anstellung der Justizsubaltern- u. Unterbeamten in Preußen. 2. Aufl. gr. 8. (57 S.) Berlin 886. C. Heymann's Verl. n. 1. —

— die gesetzlichen, üb. die Wahlen der Landtagsabgeordneten f. die Städte u. Oberamtsbezirke in Württemberg. Mit den amtl. Formularen u. e. Sachregister nebst Inhaltsverzeichniß. Zum prakt. Gebrauch der m. dem Wahlgeschäfte betrauten Behörden u. Personen, sowie zur Belehrg. der Wähler bearb. 8. (55 S.) Stuttgart 882. Kohlhammer. n. — 50

— für Zubereitung v. Fischen, insbesondere Seefischen. Gesammelt vom Fischerei-Verein f. den Kreis Norden [Ostfriesland] unter Zugrundelegg. v. Cheap recipes for fish cookery prepared by Mrs. Charles Clarke. 8. (36 S.) Norden 886. Braams. n. — 25

Vorstand u. Aufsichtsrath sowie persönlich haftende Gesellschaften unter dem Aktiengesetze vom 18. Juli 1884. Eine übersichtl. Zusammenstellg. der Rechte u. Pflichten. 16. (27 S.) Berlin 884. Springer. n. — 80

Vorstellung betr. das Kadettenwesen an die tit. Erziehungsdirektion d. Kantons Bern. 8. (16 S.) Burgdorf 883. (Langlois.) — 30

Vorsynode, die, am 19. u. 20. Mai 1886 zu S. Leopoldo, Provinz Rio Grande do Sul. 8. (55 S.) S. Leopoldo 886. Evang. Buchh. n. — 40

Vorträge, öffentliche, zur Feier d. 400jähr. Geburtstages D. Martin Luthers, geh. in der Schloß- u. Stadtkirche zu St. Marien zu Dessau. I—VI. 8. Dessau 883. Baumann. à n. — 50

I. Luther als Reformator der Kirche v. Ernst Teichmüller. (33 S.)

II. Luther u. das christliche Haus v. Karl Werner. (23 S.)

III. Luther als deutscher Schriftsteller v. Adf. Rümelin. (29 S.)

IV. Luther als Lehrer u. Erzieher v. F. Seelmann. (32 S.)

V. Luther u. die deutsche Nation v. Rich. Köhler. (15 S.)

VI. Luther u. der Papst v. Karl Grape. (33 S.)

— zur Förderung u. Belebung d. reformirten Bekenntnisses! [Veranstaltet vom reformirten Schriftenverein.] I. 8. Barmen 885. Exped. d. Reformirten Schriftenvereins. n. — 20

Die Geschichte d. Heidelberger Katechismus in Deutschland. Vortrag v. H. Calaminus. (15 S.)

— über Gesundheitspflege u. Rettungswesen, geh. im Vortrags-Pavillon der Hygiene-Ausstellg. zu Berlin 1882—83. Hrsg. v. Paul Boerner. 1. Cyclus. 1—3., 5., 9—11. Vortrag. gr. 8. Berlin 883. Pasch. Subscr.-Pr. f. 1 Cyclus v. 12 Vorträgen n. 10. —; Einzelpr. à n. 1. —

1. Esmarch, üb. Samariter-Schulen. (16 S.)
2. J. Mundy, üb. das freiwillige Rettungswesen in Europa. (S. 17—27.)
3. Jul. zur Nieden, üb. die Errichtung v. Pflegestätten im Kriege. Vortrag. (24 S.)
5. H. Fleck, üb. die Chemie in ihrer Bedeutung f. die Gesundheitspflege. (28 S.)
9. L. Wittmack, die Krankheiten der Nährpflanzen u. ihre Beziehungen zur Hygiene. Vortrag. (22 S.)
10. v. Kerschensteiner, die Verbreitung von Masern, Scharlach u. Blattern. Ein Stück der Schulgesundheitspflege. Vortrag, geh. am 26. Juni 1883. (19 S.)
11. Vl. Gjorgjewitj, die öffentliche Gesundheitspflege in Serbien. (24 S.)

— dasselbe. 2. Cyclus. I. Vortrag. gr. 8. Ebend. 883. n. 1. —

J. Felix, üb. die sanitären Zustände Rumäniens. Vortrag. (37 S.)

— 31, zu Ehren der Himmelskönigin f. die Maiandachten. Von e. Pfarrer im Riesengebirge. gr. 8. (230 S.) Regensburg 885. Verlags-Anstalt. 2. 25

— über Kalidüngung u. Steigerung der Erträge. Geh. im „Club der Landwirthe" zu Berlin im Winterhalbjahr 1882/83 von Schulz-Lupitz, Grahl-Berlin, Maercker-Halle, Gruner-Berlin. gr. 4. (62 S.) Berlin 883. (Parey.) n. 2. —

— zur Förderung der Bestrebungen d. Deutschen Kolonialvereins. 1—3. Hft. gr. 8. Frankfurt a/M. 884. Verlag d. Deutschen Kolonialvereins. n. 1. 10

1. Ist die Welt vergeben? Vortrag, geh. v. A. Fick. (12 S.) n. — 50
2. Ein reicher Staat — e. mächtiger Staat. Vortrag, geh. v. Frz. Moldenhauer. (11 S.) n. — 30
3. Die handelspolitische Erziehung d. deutschen Kaufmanns. Vortrag, geh. v. Ernst Hasse. (12 S.) n. — 30

cf.: Beiträge zur Förderung der Bestrebungen d. deutschen Kolonialvereins.

— komische. Auserwählte Sammlg. der besten u. berühmtesten Vorträge, Scenen u. Couplets in Poesie u. Prosa. gr. 8. (96 S.) Bremen 885. Haake. n. 1. —

Vorträge, neue komische, u. heitere Deklamationen v. erprobter Wirkung. 1—6. Bdchn. 8. (à 32 S.) Oberhausen 884. Spaarmann. à n. — 20

— populäre kunstgewerbliche. Nr. 1. gr. 8. Basel 883. Schwabe. n. 1. —

Die künstlerische Ausstattung der bürgerlichen Wohnung v. Frdr. Fischbach. (43 S.)

— 5, geh. zur Vorbereitung der Lutherfeier in Görlitz vom 4. bis 9. Novbr. 1883. gr. 8. Görlitz 884. (Remer.) n. — 80; einzeln à n. — 20

1. Luthers Bedeutung f. die christliche Kirche. Von Schultze. (18 S.)
2. Luther u. die Bibel. Von Fischer. (21 S.)
3. Luther u. die Schwarmgeister. Von Wernicke. (15 S.)
4. Luther als deutscher Dichter. Von Linn. (14 S.)
5. Luther u. das deutsche Haus. Von Eitner. (18 S.)

— über Militär-Verpflegungswesen in technischer u. administrativer Beziehung, geh. am theoret. Kurse f. Einjährig-Freiwillige d. Verpflegsdienstes im Jahre 1883. I. Technischer Thl. 1. u. 2. Hft. Als Mscr. gedr. gr. 8. Wien 883. Seidel & Sohn. à n. 5. —

1. Waarenkunde in Bezug auf Verpflegs-Artikel. (342 S.)
2. Verarbeitung der Rohstoffe f. Verpflegszwecke; das Verpacken, Messen u. Wägen der Verpflegs-Artikel; Menagebereitung. (S. 343—607 m. 9 Steintaf.)

— dasselbe. II. Administrativer Thl. 1. Hft. gr. 8. (S. 609—983.) Ebend. 883. n. 5. —

— 6, aus dem Gebiete der Nahrungsmittel-Chemie, geh. bei Gelegenheit der 1. Versammlg. bayer. Chemiker zu München v. Holzner, Kayser, List, Prior, Sendtner, Vogel. Im Auftrage der Referenten zusammengestellt v. Edm. List. gr. 8. (III, 64 S.) Würzburg 883. Stuber's Verl. n. 1. 80

— öffentliche, geh. in der Schweiz. Hrsg. v. Benno Schwabe unter gef. Mitwirkg. v. Steph. Born, Alb. Heim, Ludw. Hirzel, Albr. Müller u. L. Rütimeyer. 7. u. 8. Bd. à 12 Hfte. u. 9. Bd. 1. u. 2. Hft. gr. 8. Basel 883—86. Schwabe. n. 21. 40; pro Bd. v. 12 Hftn. n. 8. —

VII. 1. Der Reichthum u. das Himmelreich. Von J. H. Holz-Osterwald. (61 S.) n. 1. 20
2. Das Thierleben in grossen Meerestiefen. Academischer Vortrag, geh. im Rathhaussaale v. Zürich am 24. Novbr. 1881 v. Conr. Keller. (33 S.) n. — 80
3. Ueber das Bewegungsvermögen der Pflanzen. Vorgetragen im Rathhaussaale zu Zürich am 26. Jan. 1882 v. C. Cramer. (33 S.) n. — 80
4. Lord Byron. Vortrag v. Steph. Born. (39 S.) n. — 80
5. Martin Disteli. Vortrag, geh. in Olten v. G. Zehnder. (42 S.) n. — 80
6. Das Feuer. Vortrag, geh. im Rathhaussaale wu Zürich v. K. Heumann. (27 S.) n. — 80
7. Aus der Geschichte der Gifte. Vortrag v. E. Schär. (48 S.) n. — 80
8. Leben u. Streben vergangener Zeiten in germanischen Landen. Vortrag v. Wilh. Goetz. (52 S.) n. — 80
9. Der Parzival Wolframs v. Eschenbach. Vortrag v. Carl Meyer. (30 S.) n. — 80
10. Der Indienfahrer Anquetil Duperron. Vortrag v. Herm. Brunnhofer. (39 S.) n. — 80
11. Die Alpenflora. Vortrag v. C. Schröter. (31 S.) n. — 80
12. Die Entwickelung der Landwirthschaft in den letzten 100 Jahren. Vortrag v. A. Kraemer. (50 S.) n. 1. —

VIII. 1. Die Mode im alten Rom. Vortrag v. Frz. Fröhlich. (35 S.) n. 1. —
2. Carl Maria v. Weber. Vortrag v. S. Bagge. (33 S.) n. — 80
3. Leonhard Euler. Vortrag v. F. Rudio. (24 S.) n. — 60
4. Die Arzneimittel. Vortrag v. A. Kottmann. (43 S.) n. — 80

5. Ueber den Ursitz der Indogermanen. Vortrag v. Herm. Brunnhofer. (28 S.) n. — 80
6. Fluth u. Ebbe. Vortrag v. W. Ritter. (27 S.) n. — 80
7. Goethe u. Lavater. Vortrag v. R. Steck. (39 S.) n. — 80
8. Die naturwissenschaftliche Bedeutung der zwecklosen Organe im Thierreich. Vortrag v. Rob. Keller. (34 S.) n. — 80
9. Die Quellen. Vortrag v. Alb. Heim. (31 S.) n. — 80
10. Der Wald in der Culturgeschichte. Vortrag v. A. Bühler. (29 S.) n. — 80
11. Rousseau u. Pestalozzi. Vortrag v. O. Hunziker. (36 S.) n. — 80
12. Heinrich Zschokke. Vortrag v. Steph. Born. (38 S.) n. — 80

IX. 1. Die Entwicklung der Fernsprechkunst. Vortrag v. C. Baur. (37 S.) n. — 80
2. Der Kreislauf der Stoffe auf der Erde. Vortrag v. Fr. Mühlberg. (36 S.) n. — 80

Vorträge, die, auf dem Ornithologen-Congresse, Wien 1884. Hrsg v. Siegfr. Freund. 8. (60 S.) Wien 884. Künast. n. 1. 20

— philosophische, hrsg. v. der philosoph. Gesellschaft zu Berlin. Neue Folge. 3—11. Hft. gr. 8. Halle 883—86. Pfeffer. Einzelpr. à n. 1. 20
3. Die Entwickelung d. religiösen Bewusstseins der Menschheit nach E. v. Hartmann. Von A. Lasson, nebst der dabei stattgehabten Diskussion. (79 S.)
4. Ueber die Anwendbarkeit der mathematischen Methode auf die Philosophie. Ein Vortrag von v. Kirchmann, nebst der dabei stattgehabten Diskussion. (70 S.)
5. A. Lasson's System der Rechtsphilosophie, in seinen Grundzügen beurtheilt v. Kahle. Ein Vortrag, nebst der dabei stattgehabten Diskussion. (64 S.)
6. Ueber das Wesen der Seele. Von Rud. Focke, nebst der dabei stattgehabten Diskussion. (51 S.)
7. Ueber den Zusammenhang der Naturkräfte. Von Eug. Dreher, nebst der dabei stattgehabten Diskussion. (46 S.)
8. Ueber die Bedeutung d. Neuplatonismus f. die Entwickelung der christlichen Speculation. Von Frdr. Michelis. Ueber den Begriff der unbewussten Vorstellung. Von A. v. Heydebreck. Nebst den dabei stattgehabten Diskussionen. (S. 49—140)
9. I. H. v. Kirchmann als Philosoph. Vorträge v. Lasson u. Meineke. (S. 141—185.)
10. Der Satz vom Widerspruch. Von Adf. Lasson, nebst der dabei stattgehabten Diskussion. (S. 197—253.)
11. Die Bedeutung der Sprache f. das wissenschaftliche Erkennen. Von Geo. Runze. (S. 255—310.)

— für Thierärzte. 5. Serie. 4—12. Hft. 6. u. 7. Serie à 12 Hfte. u. 8. Serie 1—4. Hft. gr. 8. Leipzig 882—86. Dürselen. Subscr.-Pr. à n. 1. —; Einzelpr. à 1. 50
V. 4. 5. Die Krankheiten d. Herzens unserer Hausthiere, speciell d. Pferdes. Von Fr. Blažekovik. (71 S.)
6. 7. Die neueren Erfahrungen üb. die Aetiologie d. Milzbrandes. Von P. Toepper. (57 S.)
8. Das organisirte Contagium der Schafpocken u. die Mitigation desselben nach Toussaint's Manier v. Hugo Carl Plaut. [Dissertation.] Mit 3 Holzschn. u. 5 Autotypien. (35 S.)
9. 10. Experimenteller Beitrag zur Lehre über einige Contagien v. M. Gust. Grünwald. (61 S.)
11. 12. Die Dauer, Erkennung u. Regelwidrigkeiten der Trächtigkeit, sowie die Behandlung der trächtigen Hausthiere. Von J. Brümmer. 1. Thl.: Die Dauer u. Erkenng. der Trächtigkeit. (58 S.)
VI. 1. Der Lungenbrand der Pferde, vom aetiolog. u. pathologisch-anatom. Standpunkte besprochen v. Wilh. Tappe. (40 S.)
2. 3. Ein Beitrag zur Sicherstellung der Diagnose d. occulten Rotzes. Von Rud. Molkentin. Mit 1 lith. Taf. (69 S.)
4. Die Lupinen-Krankheit der Schafe. Von Geo. Schneidemühl. (30 S.)
5. 6. Ueber die Wirkungen der gebräuchlichsten Antiseptica auf einige Contagien. Von Alfr. Krajewski. Mit 1 lith. Taf. (58 S.)
7. 8. Ueber die Wirkung einzelner Antiseptica auf das Milzbrandcontagium. Von Hugo Warrikoff. (51 S.)
9. 10. Die Zähmung unserer Hausthiere. Von A. Baranski. (67 S.)
11. Ueber den feineren Bau der Geflügelpocke [Epithelioma contagiosum B.]. Von J. Csokor. Mit 2 Holzschn. (26 S.)
12. Kurze Uebersicht üb. Bau, Zweck u. Krankheiten der Haare. Von Fr. Rom. Tobolewski 1. Thl.: Anatomie d. Haares. (36 S)
VII. 1. Ueber die Milzbrandimpfungen Pasteur's. Von H. Pütz. (27 S)
2 3. Zähmung u. Abstammung d. Pferdes. Von A. Baranski. (75 S.)
4. Untersuchungen üb. den Magen der Wiederkäuer. Von Geo. Pauntscheff. Mit 1 lith. Taf. (43 S.)
5. Kurze Uebersicht üb. Bau, Zweck u. Krankheiten der Haare. Von Fr. Rom. Tobolewski. 2. Tl.: Anatomie d. Haares. (22 S.)
6—10. Ueber die Perlsucht. Vortrag, geh. auf dem internationalen thierärztl. Congress zu Brüssel v. A. Lydtin. [Nach französ. Uebersetzg. v. Wehenkel u. Siegen.] (112 u. 62 S)
11. 12. Die Lungenseuche d. Rindviehes. Von A. Degive. (70 S.)
VIII. 1. Die Vererbung v. pathologischen Zuständen, psychischen Mängeln u. Fehlern der Form beim Pferde v. E. Herrmann. (40 S.)
2—4. Der Unterricht in der Veterinärmedizin, wie er ist u. wie er sein müsste, v. Hugues. (86 S.)

Vorträge, 2, üb. die kirchliche Tonkunst nach dem Geiste d. Cäcilien-Vereins. gr. 8. (24 S.) Köln 885. Theissing. n. — 20

— für die gebildete Welt. Nr. 1—4. gr. 8. Berlin 885. 86. Hettler. à n. 1. —
1. Schiller's Braut v. Messina. Von Aug. Hagemann. Hrsg. v. Paul Hagemann. 2. unveränd. Aufl. (VIII, 51 S.)
2. Goethe's Iphigenia auf Tauris. Von Aug. Hagemann. Hrsg. v. Paul Hagemann. 2. unveränd. Aufl. (VIII, 69 S.)
3. Lessing's Emilia Galotti. Von Aug. Hagemann. Hrsg. v. Paul Hagemann. (VIII, 82 S.)
4. Wie ist Ernst Moritz Arndt in Wort u. Schrift f. seines Volkes Erhebung thätig gewesen? Von Aug. Hagemann. (VI, 40 S.)

— u. **Abhandlungen**, technische. 1—8. Hft. gr. 8. Wien 884. 86. Spielhagen & Schurich. n. 11. 10
1. Ueber die Ausführung d. Arlberg-Tunnels. 4 Vorträge, geh. v. Gust. Plate. Mit 2 Abbildgn. u. 2 Taf. (IV, 120 S.) n. 3. —
2. West-Ungarn zwischen Donau u. Trau u. die Mittel zu dessen wirtschaftlicher Hebung. Eine technisch-wirtschaftl. Studie von Ludw. v. Bernuth. (37 S.) n. 1. —
3. Der Neubau d. eingestürzten X. Ringes im Tunnel zu Csortanovce, Linie Budapest-Semlin der königl. ung. Staatsbahnen. Fundirung im Schwimmsande 3.5 M. tief unter Schwellenhöhe unter e. Einsturzschuttkegel v. 40 M. Höhe. Von Mich. v. Könyves-Tóth. [Aus:

„Zeitschr. d. österr. Ingen.- u. Archit.-Vereins".] Mit 4 (lith.) Taf. (32 S.) n. 1, 60

4. Die Erprobung der inländischen hydraulischen Bindemittel bezüglich ihres Verhaltens im Seewasser. Bericht erstattet v. Frdr. Bömches. [Aus: „Zeitschr. d. österr. Ingen.- u. Archit.-Vereins.] (18 S.) n. — 80

5. Der Mikromembran-Filter. Ein neues techn. Hilfsmittel zur Gewinng. v. pilzfreiem Wasser im kleinen u. grössten Massstabe. Vortrag, geh. v. Frdr. Breyer. Mit 19 Abbildgn. 3. Aufl. (43 S.) n. 1. 20

6. Die Concurrenzfähigkeit d. galizischen Petroleums m. Rücksicht auf die neuen Oelgruben in Sloboda-Rungurska nächst Kolomea. Vortrag v. Heinr. E. Gintl. (27 S.) n. — 80

7. Ueber Schmalspurbahnen. Vortrag, v. Affr. Birk. (48 S.) n. 1. 20

8. Allgemeine Berechnung der Wasser-, Profils- u. Gefälls-Verhältnisse f. Flüsse u. Canäle. Von P. Kresnik. Mit 2 Holzschn. (IV, 39 S.) n. 1. 50

Vorwärts. Zeitschrift f. prakt. Christenthum, hrsg. v. Heinr. Rhold. Ghilf. Ebel. Nr. 27—29. gr. 8. Königsberg 883. 84. (Akadem. Buchh. v. Schubert & Seibel.) à n. — 50

27. Wachet! denn ihr wisset weder Tag noch Stunde, in welcher d. Menschen Sohn kommen wird. Ev. Matth. 25, 13. Ein Mahnruf d. HErrn an alle Kinder Gottes, die zerstreuet sind in dieser Welt. Von H R. G. Ebel. (S. 421—435.)

28. Eine Hinweisung auf die hohe Wichtigkeit der Verkündigung d. prophetischen Wortes f. die gegenwärtige Entwickelung der Gemeine m. Rücksicht auf e. würdige Feier d. Luther-Jubiläums. Von Heinr. Rhold. Ghilf. Ebel. (S. 437—452.)

29. Wer sich rühmet, der rühme sich d. HErrn. 1 Cor. 1, 26—31. Jubiläums-Predigt, zum Andenken Dr. Mart. Luthers am 11. Novbr. 1883 geh. v. Heinr. Rhold. Ghilf. Ebel. (S. 453—472.)

Vosen, C. H., kurze Anleitung zum Erlernen der hebräischen Sprache f. Gymnasien u. f. das Privatstudium. Neu bearb. u. hrsg. v. Fr. Kaulen. 15. Aufl. gr. 8. (III, 130 S.) Freiburg i/Br. 884. Herder. n. 1. 30; Einbd. n.n. — 25

— der Katholicismus u. die Einsprüche seiner Gegner, dargestellt f. jeden Gebildeten. 3. Aufl., besorgt durch Heinr. Brüll. gr. 8. (XVI, 743 S.) Ebend. 885. n. 7. —

— rudimenta linguae hebraicae scholis publicis et domesticae disciplinae brevissime accommodata. Retractavit, auxit, sextum emendatissima ed. Fr. Kaulen. gr. 8. (IV, 181 S.) Ebend. 884. n. 1. 80; Einbd. n.n. — 25

— venite, adoremus! Kommt, laßt uns anbeten! Vollständiges Gebetbuch f. kathol. Christen. 13. Aufl. Ausg. Nr. I. 24. (471 S. m. chromolith. Titel u. 1 Stahlst. Köln 886. Bachem. 1. 50

Vosmaer, Karl, Amazone. Roman. In deutscher, autoris. Uebersetzg. v. Lina Schneider. Mit e. Vorwort v. Geo. Ebers. 8. (XV, 358 S.) Stuttgart 884. Deutsche Verlags-Anstalt. n. 5. —

Vošnjak, J., Bericht üb. die am 17. u. 18. Apr. 1884 in Laibach abgeh. Agrar-Enquete. Aus dem Sloven. übers. gr. 8. (88 S.) Laibach 884. (v. Kleinmayr & Bamberg.) n. 1. 20

Voss, Alb., u. Gust. **Stimming,** vorgeschichtliche Alterthümer aus der Mark Brandenburg. Mit e. Vorwort v. Rud. Virchow. (In 24 Lfgn.) 1—18. Lfg. gr. 4. (à 3 Steintaf. m. 55 Bl. Text.) Brandenburg 886. Lunitz. à n. 2. 50

Voß, C., leichtfaßlicher Wegweiser f. den bürgerlichen Hausgarten. Praktische Anleitg. zur Anlage u. Pflege desselben, m. besond. Rücksicht auf Gemüse-, Obst- u. Blumenzucht. 2. Aufl. Mit 10 Abbildgn. 8. (IV, 63 S.) Detmold 885. Meyer. n. — 75

Voss, F., die Verletzungen der Arteria mammaria interna. Ein Beitrag zu den Gefässverletzgn. gr. 8. (94 S.) Dorpat 884. Krüger. n. 2. —

Voss, G., das jüngste Gericht in der bildenden Kunst d. frühen Mittelalters, s.: Beiträge zur Kunstgeschichte.

Voß, J. H., der 70. Geburtstag, s.: Volksbibliothek d. Lahrer Hinkenden Boten.

— Luise. Ein ländl. Gedicht in 3 Idyllen. Mit Zeichngn. v. Paul Thumann, in Holz geschn. v. R. Brend'amour. 2. Aufl. 8. (XX, 106 S.) Berlin 884. Grote. geb. n. 2. —; in Renaissance-Einbd. n. 3. —

— dasselbe, s.: Bibliothek der Gesamt-Litteratur d. In- u. Auslandes.

— dasselbe, s.: Universal-Bibliothek der Gabelsbergerschen Stenographie.

Voß, M., Maria Botti, s.: Universal-Bibliothek.

Voß, Rich., Alexandra, s.: Universal-Bibliothek.

— die Auferstandenen. Antinihilistischer Roman. 2 Bde. 8. (424 u. 312 S.) Dresden 887. Minden. n. 8. —; geb. n.n. 10. —

— Regula Brandt. Schauspiel in 5 Aufzügen. 8. (III, 69 S.) Leipzig 883. Friedrich. n. 1. —

— Brigitta. Trauerspiel in 4 Akten. 8. (VII, 157 S.) Dresden 887. Minden. n 2. —

— die neue Circe Eine italien. Dorfgeschichte. 2. Aufl. 8. (262 S.) Ebend. 886. n. 3. 50; geb. n.n. 4. 50

— römische Dorfgeschichten. 8. (377 S) Frankfurt a/M. 884. Koenitzer. n. 3. 50; geb. n. 4. 50

— Mutter Gertrud, s.: Universal-Bibliothek.

— Rafael. Eine Festgabe zur Feier seiner 400jähr. Geburt den 6. April 1883. gr. 8. (45 S.) Frankfurt a/M. 883. Koenitzer. n. — 80

— Rolla. Die Lebenstragödie e. Schauspielerin. 2 Bde. 8. (VIII, 269 u. 303 S.) Leipzig 883. Friedrich. n. 8. —; geb. n. 10. —

— die neuen Römer. Roman aus der röm. Wildniß. 2 Bde. 2. Aufl. 8. (VI, 247 u. 255 S.) Dresden 885. Minden. n. 6. —; geb. in 1 Bd. n.n. 7. 20

— San Sebastian, s.: Collection Spemann.

— der Sohn der Volskerin. Roman. 8. (252 S.) Stuttgart 886. Bonz & Co. n. 4. —; geb. n. 5. —

— treu dem Herrn, s.: Universal-Bibliothek.

— unehrlich Volk. Trauerspiel in 5 Aufzügen. 8. (VII, 106 S.) Dresden 884. Minden. n. 2. —

Voß, Rud., ausgewählte Gedichte. 8. (95 S) Leipzig 886. M. Hesse. n. 1. —

Voss, Wilh., Republik u. Königthum im alten Germanien. Eine histor. Abhandlg. gr. 8 (V, 80 S.) Leipzig 885. Duncker & Humblot. n. 1. 80

Voss, Wilh., Versuch e. Geschichte der Botanik in Krain [1754 bis 1883]. gr. 8. (110 S. m. Holzschn.) Laibach 885. v. Kleinmayr & Bamberg. n.n. 3. —

Vossius, A., die entzündlichen Affektionen der Orbita, s.: Sonderabdrücke der Deutschen Medizinal-Zeitung.

— Leitfaden zum Gebrauch d. Augenspiegels f. Studirende u. Aerzte. Mit 22 Holzschn. gr. 8. (X, 78 S.) Berlin 886. Hirschwald. n. 2. —

— die Verletzungen d. Sehorgans, s.: Sonderabdrücke der Deutschen-Medizinal-Zeitung.

Vorste, Carl, Religionsbuch f. die Vorschulen höherer Lehranstalten, im Anschluß an Bodemanns od. anderer „m. den Worten der Bibel erzählte" bibl. Geschichten bearb. 8. (IV, 92 S.) Göttingen 883. Vandenhoeck & Ruprecht's Verl. n. — 60

Vosz, Frdr., die Verletzungen der Arteria mammaria interna. gr. 8. (94 S.) Dorpart 884. (Karow.) n. 1. —

Votsch, die geographischen Schulbücher Michael Neanders. Ein Beitrag zur Geschichte d. geograph. Unterrichts. Vortrag, geh. auf dem 3. deutschen Geographentage zu Frankfurt a/M. gr. 8. (14 S.) Berlin 883. (Gera, Burow.) n. — 50

Vötsch, W., Cajus Marius als Reformator d. römischen Heerwesens,
— die Vertheilung der Menschen üb. die Erde u. die Ursachen der verschiedenartigen Volksverdichtung in den einzelnen Erdtheilen, [s.: Sammlung gemeinverständlicher wissenschaftlicher Vorträge.]

Vötsch, Fußleiden u. rationelle Fußbekleidung. Mit 7 (lith.) Fig.-Taf. gr. 8. (XIV, 77 S.) Stuttgart 883. Metzler's Verl. n. 2. —

Botteler, C., unserer Kleinen bester Zeitvertreib, s.: Heß, J.

Voyages and travels, the, of Sir John Maundeville Kt. gr. 16. (192 S.) Leipzig 886. Gressner & Schramm. n. — 80

Vrba, Karl Frz., meletemata Porphyrionea. gr. 8. (70 S.) Wien 885. (Gerold's Sohn.) n. 2. —

Vrchlický, Jaroslav, Gedichte. Autoris. Uebersetzg. v. Edm. Grün. 8. (166 S.) Leipzig 886. Wartig's Verl. n. 2. 40; geb. n. 3. 60

Vues intéressantes, 28, Righi, des IV Cantons, St. Gothard. 16. (Chromolith.) Luzern 885. Prell. In Carton. 1. 20

Vulpinus, Thdr., Bismarckverse. Zum 1. Apr. 1885. 8. (8 S.) Straßburg 885. Heitz. — 15

— französisch-deutsches Liederbuch. 12. (176 S.) Ebend. 886. n. 1. 60

Vulpius, Walter, üb. den psychischen Mechanismus der Sinnestäuschungen. gr. 8. (32 S.) Jena 885. (Pohle.) — 75

Vuy, Th., Geschichte d. Trechirgaues u. v. Oberwesel. Mit e. Karte, 16 Holzschn. u. e. Urkunden-Anh. gr. 8. (VI, 365 S.) Leipzig 885. E. Günther. n. 6. —

Vyhnánek, Rud., Lehrbuch der Telegraphie. Zum Selbstunterricht u. f. Telegraphen-Lehrcurse. gr. 8. (VI, 264 S. m. eingedr. Fig. u. 1 lith. Karte.) Wien 884. Perles. n. 5. —

Vymazal, Fr., Grammatik der polnischen Sprache zunächst znm Selbstunterricht. gr. 8. (290 S.) Brünn 884. Winkler. geb. n. 3. 20

— böhmisches Übungsbuch. gr. 8. (III, 160 S.) Ebend. 886. geb. n. 2. 10

W.

Waag, Karl, der innere Zusammenhang u. das äußere unterscheidende Merkmal d. Civil- u. d. Strafrechts. gr. 8. (IV, 76 S.) Mannheim 883. Bensheimer's Verl. n. 2. —

Waagen, Clara, e. seltener Mann. J. Garfield's Leben. 8. (39 S.) Berlin 885. Buchh. der Goßner'schen Mission. — 30

Waal, A. de, e. Fleck deutscher Erde beim Grabe d. hl. Franziscus. Geschichte d. Capuzinerinnen-Klosters zu Assisi. (Große Ausg.) Neue Ausg. gr. 8. (68 S.) München 884. Stahl sen. n. — 80; kleine Ausg Neue Ausg. 8. (68 S.) n. — 40

— die Katakomben d. hl. Callistus. Nebst e. Anh.: Marienbilder aus der Kirche der Katakomben. Lex.-8. (26 S. m. Illustr.) Salzburg 886. Pustet. n. — 20

— Rom's Katakomben u. Pastor Rönnecke, beleuchtet. (Aus: „Germania".) 8. (60 S.) Berlin 886. Germania. n. — 60

— Valeria od. der Triumphzug aus den Katakomben. Historische Erzählg. 4. (VI, 312 S. m. eingedr. Holzschn.) Regensburg 884. Pustet. n. 10. —; geb. m. Goldschn. n. 15. —; Handausg. 8. (X, 339 S.) 886. 3. —; geb. n. 4. 60

Waarenkunde u. **Rohstofflehre**, allgemeine, bearb. v. Rud. Benedikt, Herm. Braun, C. Councler etc. 2—6. Bdchn. 8. (Mit eingedr. Holzschn.) Kassel 883. 84. Fischer. geb. n. 25. — (1—6.: n. 27. 40)

2. Die künstlichen Farbstoffe [Theerfarben]. Ihre Darstellg., Eigenschaften, Prüfg., Erkenng. u. Anwendg. Von Rud. Benedikt. (VIII, 262 S.) n. 5. —
3. Die Rohstoffe d. Tischler- u. Drechslergewerbes. 1. Thl.: Das Holz. Von Jos. Moeller. (X, 222 S.) n. 4. —
4. Die Rohstoffe d. Tischler- u. Drechslergewerbes. 2. Thl.: Rinde [Kork, Stöcke], Früchte u. Samen [Cocos, Steinnüsse], Bernstein, Hauptgebilde [Schildpatt, Horn, Perlmutter, Geweihe, Hufe u. Klauen, Elfenbein], Knochen, Meerschaum. Von Jos. Moeller. (VII, 156 S.) n. 4. —
5. Die Nahrungs- u. Genussmittel aus dem Pflanzenreiche. Nach den Grundsätzen der wissenschaftl. Waarenkunde f. die Praxis u. zum Studium bearb. v. T. F. Hanausek. Mit 100 in den Text eingedr. meist anatom. Holzschn. (XIV, 485 S.) n. 8. —
6. Die Klebe- u. Verdickungsmittel. Ihre Eigenschaften, Kennzeichen, Verfälschgn., techn. Prüfg. u. Worthbestimmg. Von Ed. Valenta. (XIX, 167 S.) n. 4. —

Waarenverzeichniß, amtliches alphabetisches, vom J. 1882. Nachtrag. gr. 8. (37 S.) Wien 884. Hof- u. Staatsdruckerei. n. — 60

— statistisches, vom 1. Jan. 1885, sowie Verzeichniß der Massengüter, auf welche die Bestimmg. im § 11, Absatz 2, Ziffer 3 d. Gesetzes vom 20. Juli 1879, betr. die Statistik d. Waarenverkehrs, Anwendg. findet, nach dem Stande am 1. Jan. 1885. gr. 4. (III, 246 S.) Berlin 884. C. Heymann's Verl. n. 6. —

Waaser, Max, die Colonia partiaria d. römischen Rechts. Eine v. der Juristenfakultät der Universität Berlin gekrönte Preisschrift. gr. 8. (VI, 100 S.) Berlin 885. Puttkammer & Mühlbrecht. n. 3. —

Waeber, R., Leitfaden f. den Unterricht in der Chemie. Mit vielen Abbildgn. 5. [Doppel-]Aufl. gr. 8. (71 S.) Leipzig 885. Hirt & Sohn. n. — 80; Einbd. n.n. — 20

— Leitfaden f. den Unterricht in der Physik m. besond. Berücksicht. der Meteorologie. Nach method. Grundsätzen bearb. Mit 150 Abbildgn. 4. [Doppel-] Aufl. gr. 8. (114 S.) Ebend. 885. n. 1. 25; Einbd. n.n. — 25

Wach, Adf., die Civilprozessordnung u. die Praxis. gr. 8. (VI, 65 S.) Leipzig 886. Duncker & Humblot. n. 1. 20

— Handbuch d. deutschen Civilprozessrechts, s.: Handbuch, systematisches, der deutschen Rechtswissenschaft.

Wachenfeld, Gust., die politischen Beziehungen zwischen den Fürsten v. Brandenburg u. Hessen-Kassel bis zum Anfange d. 30jährigen Krieges, nach archival. Quellen dargestellt. gr. 4. (III, 40 S.) Hersfeld 884. Hoehl. n. 1. —

Wachenhusen's illustrirter Haus- u. Familien-Kalender 1887. Mit 1 Chromobild in Rahmen u. 1 Wandkalender. 4. (66 S.) Leipzig, Bergmann. — 50

Wachenhusen, Hans, unter dem weißen Adler. Roman. 2. Aufl. 8. (336 S.) Berlin 885. Janke. n. 2. —

— Ball-Elfe. Roman. 2 Bde. 8. (202 u. 161 S.) Teschen 884. Prochaska. n. 6. —; 2 Einbde. à n.n. — 50

— Bauer u. Kavalier. Erzählung. (2. Aufl.) 8. (119 S.) Berlin 884. Janke. n. 1. —

— Graf Betsany. Roman. 8. (248 S.) Ebend. 886. n. 2. —

— bis zum Bettelstab. Roman. 2. Aufl. 8. (332 S.) Ebend. 886. n. 2. —

— die tolle Betty. Roman. 3 Bde. 8. (247, 252 u. 272 S) Ebend. 885. n. 12. —

— die Diamanten d. Grafen d'Artois. Roman. 2. Aufl. 8. (263 S.) Ebend 885. n. 2. —

— die junge Frau. Roman. 2. Aufl. 8. (304 S.) Ebend. 885. n. 2. —

— um schnödes Geld. Roman. 3. Aufl. 8. (298 S.) Ebend. 884. n. 2. —

— der Herzenfresser. Roman nach der Erzählg. der Prinzeß Dora. 3 Bde. 8. (215, 219 u. 224 S.) Ebend. 885. n. 12. —

— dasselbe. 2. Aufl. 8. (364 S.) Ebend. 885. n. 2. —

— des Herzens Golgatha. Roman. 3. Aufl. 8. (259 S.) Ebend. 884. 1. 50

— die Hochstapler. Roman. 3 Bde. gr. 8. (237, 251 u. 245 S.) Ebend. 887. n. 12. —

— die Hofdamen Ihrer Hoheit. Roman. 3. Aufl. 8. (VI, 276 S.) Ebend. 884. n. 2. —

— die Jüngste. Eine Erzählg. 8. (188 S.) Ebend. 883. 1. 50

— des Königs Ballet. Roman. 3. Aufl. 8. (316 S.) Ebend. 886. n. 2. —

— Liebe heilt Alles. Erzählung. 8. (72 S.) Ebend. 886. n. — 50

Wachenhusen, Hans, der Mann in Eisen. Roman. 2. Aufl. 8. (178 S.) Berlin 885. Janke. 1. 50
— Monaco. Skizzen vom grünen Tisch u. vom blauen Meer. 8. (164 S.) Ebend. 883. n. 2. —
— Remi. Eine Erzählg. 8. (134 S.) Ebend. 883. n. 1. —
— Dame Orange. Roman. 2. Aufl. 8. (272 S.) Ebend. 886. n. 2. —
— Rouge et Noir. Roman. 5. Aufl. 8. (292 S.) Ebend. 884. n. 2. —
— Salon u. Werkstatt. Roman. 2. Aufl. 8. (248 S.) Ebend. 883. n. 2. —
— die Selige. Roman. 2. Aufl. 8. (204 S.) Ebend. 886. 1. 50
— was die Straße verschlingt. Socialer Roman. 2. Aufl. 8. (300 S.) Ebend. 884. n. 2. —
— Sünders Kind. Roman. 3 Bde. 8. (216, 200 u. 224 S.) Ebend. 884. n. 13. 50
— die Verstoßene. Erzählung. 2. Aufl. 8. (266 S.) Ebend. 884. n. 2. —
— nur e. Weib. Roman. 6. Aufl. 8. (IV, 260 S.) Ebend. 886. n. 2. —
— Zigeunerblut. Roman. 3. Aufl. 8. (272 S.) Ebend. 886. n. 2. —

Wachenhusen, Otto, Grundsätze der Nationalökonomie, sowie d. Staatssocialismus u. der Socialdemokratie. gr. 8. (V, 152 S.) Leipzig 886. O. Wigand. n. 2. —

„**Wachet u. betet!**" od. „Durch Ihn zu Ihm!" Eine wahre Geschichte, f. das Volk erzählt v. Wilh. Immanuel. 24. Aufl. 8. (56 S.) Herborn 886. Buchh. d. Nassauischen Colportagevereins. n. — 25

Wachler, Auguste, Goldelschen. Mit freier Benutzg. v. E. Marlitt's Erzählg. „Goldelse" f. die weibl. Jugend von 12—15 Jahren bearb. Mit 4 Farbendr.-Bildern. 4. Aufl. 8. (206 S.) Berlin 884. Zieger Nachf. geb. 3. 50

Wachler, Herm., die königl. sächsische Gerichtsordnung. Verordnung, das Verfahren in nichtstreit. Rechtssachen betr., vom 9. Jan. 1865, unter Berücksicht. der neueren Gesetzgebg. u. Entscheidgn. hrsg. gr. 8. (VI, 194 S.) Leipzig 885. Roßberg. n. 4. 20; Einbd. n.n. — 80

Wachlowski, A., zur Klimatologie v. Czernowitz. gr. 8. (36 S.) Czernowitz 886. (Pardini.) n. 1. —

Wachowski, Joh., was erwartet die evangel. Schule in Oesterreich zuversichtlich v. der demnächst zusammentretenden IV. General-Synode der evangel. Kirche in Oesterreich? Freimüthig beantwortet. 16. (52 S.) Klagenfurt 882. Heyn. n. — 24

Wachs, O., das Mittelmeer vom militärischen Gesichtspunkt, insbesondere die Stellung der Engländer in demselben, s.: Beiheft zum Militär-Wochenblatt.
— vor der Schlacht. Entgegnung aus dem deutschen Lager. gr. 8. (23 S.) Hannover 886. Helwing's Verl. n. — 80
— die Weltstellung Englands, militärisch-politisch beleuchtet namentlich in Bezug auf Russland. Mit 7 Karten. gr. 8. (III, 139 S.) Kassel 886. Fischer. n. 4. —

Wachsmuth, F., Ratgeber f. Stellesuchende aller Berufsklassen. gr. 8. (32 S.) Leipzig 885. Gloeckner. n. 1. —

Wachsmuth, G. F., Diphtheritis. Erfahrungen aus der Praxis üb. Wesen, Entstehg. u. Behandlg. 4. Aufl. gr. 8. (26 S.) Leipzig 883. Urban. n. — 80
— die Diphtheritis-Heilmethode. Illustrirt durch die Statistik der Diphtherie f. Berlin nach amtl. Quellen. 2. Aufl. gr. 8. (94 S.) Berlin 886. Zimmer. n. 3. —

Wachtel, Aug. Ritter v., Hilfsbuch f. chemisch-technische Untersuchungen auf dem Gesammtgebiete der Zuckerfabrication. gr. 8. (VI, 216 S. m. 2 Taf.) Prag 884. Řivnáč. n. 6. —

Wächter, der, an der Spree. Eine belehr. Monatschrift. Den Finsterlingen zum Trutz, der Wahrheit zum Nutz, der Freiheit zum Schutz! Hrsg. v. F. P. Huber. 1. Jahrg. 1884. 12 Hfte. (2 B.) gr. 8. Berlin, (E. Mecklenburg). n. 6. —

Wächter, F., die Anwendung der Elektricität f. militärische Zwecke, s.: Bibliothek, elektro-technische.

Wächter, Frdr., der nationale Gedanke u. die deutsche Schule. gr. 8. (57 S.) Forbach 886. Hupfer. n. — 60

Wächter, Guido, üb. öffentliche Kinderbescheerungen. Ein freimüth. Wort an die Wohlthäter unserer Armen, durch e. Nachwort erweitert. 2. Aufl. 8. (16 S.) Chemnitz 885. Richter. — 20

Wächter, Herm., das Vorzugsrecht d. Vermiethers nach römischem u. modernem Recht. gr. 8. (40 S.) Zürich 885. Meyer & Zeller. n. — 80

Wächter, O., altes Gold in deutschen Sprüchwörtern, s.: Collection Spemann.

Wächter, Osk., Johann Jakob Moser. Dargestellt v. O. W. gr. 8. (IX, 277 S. m. 1 Lichtdr.-Bild.) Stuttgart 885. Cotta. n. 4. —
— das Wechselrecht d. deutschen Reichs m. eingehender Berücksicht. der neuen Gesetzgebungen v. Oesterreich-Ungarn, Belgien, Dänemark, Schweden u. Norwegen, Italien, der Schweiz, England u. Russland. gr. 8. (VIII, 556 S.) Ebend. 883. n. 8. —

Wächter, Osk., Bengel u. Oetinger. Leben u. Aussprüche zweier altwürttemberg. Theologen. gr. 8. (XII, 236 S.) Gütersloh 886. Bertelsmann. n. 4. —

Wächterruf an das Christenvolk. Eine Zeitbetrachtg. nach Psalm 2. 8. (16 S.) Basel 885. Spittler. n. — 8

Wächterstimmen. Eine Vierteljahrsschrift zur Stärkg. u. Aufmunterg. im Werke d. Herrn. Hrsg. v. E. Gebhardt u. E. Weiß. 13—16. Jahrg. Oktbr. 1882—Septbr. 1886. à 4 Hfte. ($1\frac{1}{2}$ B.) gr. 8. Bremen, Verl. d. Tractath. à Jahrg. n.n. 2. 50

Waechtl, Fritz A., kritische Bemerkungen zu Prof. Dr. Frdr. Brauer's Artikel in dem Febr.-Hefte [S. 25—26] d. 2. Jahrg. [1883] der Wiener Entomologischen Zeitung üb. Hirmoneura obscura Meigen. gr. 8. (8 S.) Wien 883. (Hölder.) n. — 20
— die doppelzähnigen europäischen Borkenkäfer, s.: Mittheilungen aus dem forstlichen Versuchwesen Oesterreichs.

Wächtler, A., die Evangelischen auf dem Reichstage in Augsburg, s.: Glaube, der evangelische, nach dem Zeugnis der Geschichte.

Wächtler, W., der Garten Italiens. Eine Pilgerreise nach dem Süden. Ein prakt. Handbuch f. jeden Reisenden nach Italien m. besond. Rücksicht auf Wien, Graz, Triest, Venedig, Padua, Loreto, Assisi, Rom, Neapel, Pompeji, Pisa, Florenz, Verona, Innsbruck, Salzburg, Linz. gr. 8. (III, 223 S.) Pobersam 886. (Wien, Mayer & Co.) n. 2. 40

Wackenroder, s.: National-Litteratur, deutsche.

Wacker, Emil, Samariterliebe. Skizzen u. Betrachtgn. zum Evangelium vom barmherz. Samariter. 8. (VIII, 160 S. m. 1 Holzschntaf.) Gütersloh 883. Bertelsmann. n. 1. 80; geb. n. 2. 75

Wacker, Ferd., Geschichten f. Neukommunikanten f. die Zeit vor u. nach der ersten heil. Kommunion. 3. Aufl. 12. (304 S.) Paderborn 886. Junfermann. 1. 50
— westfälischer Liederkranz. Eine Sammlg. volkstüml. Lieder f. Schule u. Leben. Nebst e. Anh.: Lieder f. die Unterklasse. 3. Aufl. 16. (166 S.) Ebend. 885. r. — 40

Wackerhagen, E., s.: Albret-Miossens, S. Baronin v., Tagebuch aus den J. 1548 bis 1572.

Wackernagel, Phpp., Trösteinsamkeit in Liedern. Gesammelt v. Ph. W. 5. verm. Aufl. Mit e. Aquarell v. Herm. Schaper. 12. (472 S.) Hannover 884. Meyer. geb. m. Goldschn. n. 5. —

Wackernagel, Rud., Wilhelm Wackernagel. Jugendjahre 1806—1833. Mit 2 Bildnissen in Lichtdr. gr. 8. (VIII, 217 S.) Basel 885. Detloff. n. 4. —

Wackernagel, Wilh., Geschichte der deutschen Litteratur. Ein Handbuch. 2. verm. u. verb. Aufl., besorgt v. Ernst Martin. 2. Bd. 1. Lfg. gr. 8. (156 S.) Basel 885. Schwabe. n. 3. —
— s.: Hartmann v. Aue, der arme Heinrich.

Waddy, Samuel D., the English echo. A practical guide to the conversation and customs of every day-life in Great-Britain. Praktische Anleitung zum Englisch-Sprechen. Mit e. vollständ. Wörterbuche. 14. Aufl. 8. (VI, 121 u. 84 S.) Leipzig 886. Violet. 1. 50
— dasselbe. (Ausg. f. Schweden.) 8. (IV, 121 u. Wörterbuch 71 S.) Ebend. 885. geb. n. 2. —

Waffenschmied, der. Erste illustr. Zeitschrift f. die gesammte Waffenfabrikation u. alle damit verwandten Geschäftszweige, insbesondere f. die Fabrikanten u. Händler v. Waffen, Munitionen, Jagd- etc. Requisiten, Büchsenmacher, Militärs, Forstbeamte, Jagd- u. Waffenfreunde. Hrsg. u. red. v. Frdr. Brandeis. 3—5. Jahrg. Oktbr. 1883—Septbr. 1886. à 24 Nrn. (à 1/2—1 B. m. Illustr.) gr. 4. München, (Killinger). à Jahrg. n. 4. —

— der, v. Suhl. Illustrirte Zeitg. f. Fabrikation u. Handel v. Gewehren, Waffen u. Munition. Red.: Rich. Bornmüller. 3—6. Jahrg. 1883—1886. à 24 Nrn. (à 1—1 1/2 B. m. Illustr.) gr. 4. Suhl. (Leipzig, Mertens.) à Jahrg. n. 8. —

Wagemann, Wilh., e. Fall v. Adeno-Carcinoma ovarii cysticum. gr. 8. (26 S.) Göttingen 882. (Vandenhoeck & Ruprecht.) n. — 80

Wagenaar-Hummelinck, H., Bürgermeisters Rika. 12. (96 S.) Königsberg 886. Akadem. Buchh. v. Schubert & Seidel. n. 1. 50

Wagenbau-Journal, deutsches, hrsg. v. Gebr. Wienicke. Neue Folge. 4—7. Jahrg. à 6 Lfgn. (à 5 color. Steintaf.) gr. 8. Leipzig 883—86. Th. Grieben. à Jahrg. n. 25. —; einzelne Lfgn. à n. 4. 20

Wagener, Bernh., Strandgut. [Peter Jürgens. Drei Briefe. Heimliches Gewerbe Zwischen zwei Herzen.] 4 Novellen. 8. (325 S.) Berlin 886. Wilhelmi. n. 4. —

Wagener, F. W. Herm., Erlebtes. Meine Memoiren aus der Zeit von 1848 bis 1866 u. von 1873 bis jetzt. 2. Aufl. gr. 8. (90 u. 87 S.) Berlin 884. R. Pohl n. 6. —

— die Mängel d. christlich-sozialen Bewegung, s.: Zeitfragen, soziale.

— die kleine aber mächtige Partei. Nachtrag zu „Erlebtes". Meine Memoiren aus der Zeit von 1848 bis 1866 u. von 1873 bis jetzt. gr. 8. (68 S.) Berlin 885. R. Pohl. n. 2. 40

— die Politik Friedrich Wilhelm IV. gr. 8. (112 S.) Ebend. 883. n. 4. 50

Wagener, Gust., der Waldbau u. seine Fortbildung. gr. 8. (VIII, 579 S.) Stuttgart 884. Cotta. n. 10. —

Wagener, Mathilde, die Klostergräfin. Orig.-Roman. 8. (338 S.) Leipzig 886. Leopold & Bär. n. 4. —

Wagenfeld's Vieharzneibuch u. Gesundheitspflege der landwirthschaftlichen Hausthiere. Gründlicher u. leicht faßl. Unterricht, die Krankheiten der Hausthiere zu verhüten, zu erkennen u. zu heilen. 17. Aufl. Von R. Kühnert. Mit 178 Abbildgn. gr. 8. (XII, 508 S.) Berlin 885. Bornträger. 5. —; geb. 6. —

Wagenfeld's, Frdr., Bremer Volkssagen. Hrsg. v. Karl Eichwald. 3. Ausg. 8. (VI, 387 S.) Bremen 886. Haake. n 4. —; geb. n. 5. —

Wagler, A., e. Glaubensbekenntnis. gr. 8. (46 S.) Landsberg a/W. 886. (Kiel, Lipsius & Tischer.) n. 1. —

Wagler, Adb., Hilfsbüchlein zu Cäsars Bellum gallicum f. Gymnasien u. Realschulen. 7. Aufl. 8. (IV, 43 S.) Berlin 885. Herbig. n. — 50

Wagler, Paul Rhold., de Aetna poemate quaestiones criticae. gr. 8. (107 S.) Berlin 884. Calvary & Co. n. 4. —

Wagner, üb. Verstaatlichung der Eisenbahnen u. üb. sociale Steuerreform. 2 Landtagsreden, geh. im preuß. Abgeordnetenhause am 19. u. 22. Febr. 1883. Nach dem amtl. stenograph. Bericht hrsg. vom conservativen Central-Comité in Berlin. gr. 8. (43 S.) Berlin 883. F. Luckhardt. n. — 60

Wagner, Baden in der Schweiz als Terrain-Kurort. Mit e. Karte der Umgebg. Badens u. 4 graph. Taf. zur Illustration der Steigungsverhältnisse der Kurwege. gr. 8. (III, 40 S.) Baden 886. (Doppler.) 1. 70

— Wildbad, s.: Woerl's Reisehandbücher.

Wagner, A., Fragen üb. Geographie f. unsere Primärschulen, nebst e. Verzeichniß der Ortschaften unseres Landes u. der wichtigsten Städte der übrigen Länder. 16. (64 S.) Luxemburg 883. Breisdorff. n. — 40

— Geographie f. die luxemburger Schulen, nebst e. Verzeichnis der Ortschaften unseres Landes u. der wichtigsten Städte der übrigen Länder. 2. Aufl. 8. (149 S.) Luxemburg 885. Breisdorff. cart. n. 1. —

Wagner, A., deutsche Grammatik, nebst e. kurzgefaßten Fremdwörterbuch, nach der neuen Rechtschreibg., zunächst f. die luxemburger Schuljugend. 3. neu bearb. Aufl. 8. (VI, 175 S.) Luxemburg 885. Brück. cart. n. 2. —

— orthographisches Wörterbuch der deutschen Sprache zunächst f. die luxemburger Schulen. 16. (80 S.) Luxemburg 883. Breisdorff. n. — 50

Wagner, A., die Waldungen d. ehemaligen Kurfürstenth. Hessen, jetzigen königl. preußischen Reg.-Bez. Cassel. 2 Bde. gr. 8. (282 u. 219 S.) Hannover 886. Klindworth. geb. 14. —

Wagner, A. F., das Wasser nach Vorkommen, Beschaffenheit u. Bedeutung, hauptsächlich in hygiein. u. techn. Beziehg. 8. (IX, 284 S.) Dresden 886. Tittel Nachf. n. 3. —

Wagner, Adph., üb. die Hernia properitonealis. gr. 8. (118 S. m. 1 Tab.) Dorpat 883. (Schnakenburg.) 2. 25

Wagner, Adph., u. Erwin **Nasse**, Lehrbuch der politischen Oekonomie. In einzelnen selbständ. Abtheilgn. bearb. 5. Bd. gr. 8. Leipzig 883. C. F. Winter. n. 13. —

Finanzwissenschaft. Von Adph. Wagner. 3. vielfach veränd. u. verm. Aufl. 1. Thl. Einleitung. Ordnung der Finanzwirthschaft. Finanzbedarf. Privaterwerb. (XX, 792 S.)

— dasselbe. 7. Bd. 1. Hft. gr. 8. Ebend. 886. n. 4. 50

Finanzwissenschaft. Von Adph. Wagner. 3. Thl. Specielle Steuerlehre. 1. Hft. Steuergeschichte. (208 S.)

Wagner, Aug., die unteritalischen Normannen u. das Papsttum in ihren beiderseitigen Beziehungen. Von Victor III. bis Hadrian IV. 1086—1156. gr. 8. (54 S. m. 2 genealog. Tab.) Breslau 885. (Köhler.) n. 1. —

Wagner, Aug., Ordnung d. evangelischen Hauptgottesdienstes an den Sonn- u. Festtagen. gr. 4. (III, 13 u. Ausg. f. die Gemeinde 8 S. in 8.) Greifswald 883. Abel. geb. u. durchsch. n. 3. —

Wagner, Aug., die lateinischen Genusregeln der Zumpt'schen Grammatik in sangbaren Weisen. Musikalischer Scherz. Für eine Singstimme m. Begleitg. d. Pianoforte eingerichtet. 12. Aufl. Lex.-8. (16 S.) Leipzig 884. C. A. Koch. n. — 50

Wagner, Aug., Lehrbuch der organischen Chemie f. Mittelschulen. gr. 8. (XII, 189 S.) München 886. Th. Ackermann's Verl. n. 2. 40

— Lehrbuch der unorganischen Chemie f. Mittelschulen sowie zum Selbststudium. gr. 8. (IV, 319 S. m. 1 Chromolith.) Ebend. 886. n. 3. 60

Wagner, B. A., zu Lessings spanischen Studien. gr. 4. (16 S.) Berlin 883. Gaertner. n. 1. —

Wagner, C., Heimatskunde v. Hessen-Nassau u. dem Fürstent. Waldeck. [Nebst 1 (chromolith.) Spezialkarte.] 6. Aufl. gr. 8. (55 S.) Halle 886. Buchh. d. Waisenhauses. n. — 40

Wagner-Groben, C., Jakobs Pilgerleben od. menschliche Sünde u. Gottes Erbarmen. 3. Aufl. 8. (XII, 166 S.) Basel 883. Missionsbuchh. n. 1. 60

— das Jünglingsleben im Lichte d. Evangeliums. 3. Aufl. 8. (32 S.) Ebend. 884. n. — 20

— himmlisches Licht ins irdische Dunkel. Zeugnisse v. Gottes Gnadenführgn. m. seinen Kindern. 8. (VIII, 156 S.) Ebend. 887. n. 1. 60; geb. n. 2. 40; m. Goldschn. n. 2. 60

— die Macht d. Gebets. Zum Verständniß v. Jesu Gebetsverheißgn. 4. Aufl. 8. (IV, 174 S.) Ebend. 887. n. 1. 60; geb. n. 2. 40; m. Goldschn. n. 2. 60

— vom Tabor bis Golgatha. Zum Verständniß der Leidensgeschichte Jesu Christi. 2. Aufl. 8. (VIII, 386 S.) Ebend. 884. n. 3. 20; geb. n.n. 4. 20; m. Goldschn. n.n. 4. 50

Wagner, C., der Reg.-Bez. [Hessen-]Cassel in geschichtlichen u. geographischen Bildern. 5. Aufl. gr. 8. (IV, 66 S.) Halle 884. Buchh. d. Waisenhauses. n. — 40; als Anh. zum Norddeutschen vaterländ. Lesebuch n.n. — 25

Wagner, C. J., die Beziehungen der Geologie zu den Ingenieur-Wissenschaften. Mit 24 Taf. u. 65 in den

Text gedr. Fig. Imp.-4. (VII, 88 S.) Wien 884. Spielhagen & Schurich. n. 10. —

Wagner, Carl, Lehrbuch der Handels-Korrespondenz französisch-deutsch u. deutsch-französisch. Eine Sammlg. v. kaufmänn. Musterbriefen u. Formularen, m. grammatikal. u. sachl. Erläutergn. 2. Aufl. gr. 8. (IX, 336 S.) Leipzig 885. Brockhaus. n. 4. —; geb. n. 5. —

Wagner, Charlotte, die Bibliothek der Hausfrau. 16. Bd. 8. Leipzig 883. Mode's Verl. n. 1. 50; geb. n. 2. —
Die Wildpret-Küche. Anleitung zur Bereitung der in Deutschland vorkomm. Wildarten in jeder Gestalt, vom Tode d. Wildes, der Verwendg. in der Küche bis zum Auftragen auf die Tafel. Nach eigener langjähr. Erfahrg. gesammelt u. erprobt. 2. Aufl. (XXVI, 236 S.)

Wagner, E, Hügelgräber u. Urnen-Friedhöfe in Baden m. besond. Berücksicht. ihrer Thongefässe. Zur Begrüssg. d. XVI. Congresses der Deutschen Anthropolog. Gesellschaft in Karlsruhe. gr. 4. (III, 55 S. m. 6 Lichtdr. u. 1 Chromolith.) Karlsruhe 885. Braun. n. 5. —

Wagner, Ed., Gullivers Reisen in fremde Weltteile. Nach Jonathan Swift f. die reifere Jugend bearb Mit 6 Bildern in Farbendr. nach Orig.-Aquarellen v. Heinr. Leutemann. 5. Aufl. 8. (VII, 256 S.) Leipzig 884. Oehmigke. geb. n. 3. —

— Märchen aus 1001 Nacht. Für die Jugend bearb. Mit 6 Textbildern u. 1 Umschlagbild in Farbendr., nebst zahlreichen Holzschn. nach Orig.-Zeichngn. 8. Aufl. gr. 8. (IV, 300 S.) Ebend. 886. geb. n. 3. —

Wagner, Ernst, die Trichinen-Epidemie in Emersleben, Nienhagen u. Deesdorf. Herbst 1883. Nach eigenen Beobachtgn dargestellt. Mit 5 Holzschn. u. lith. Taf. gr. 8. (79 S.) Halberstadt 884. (Frantz.) n. 1. 50

Wagner, Ernst, das positive Wissen d. Lehrers in der deutschen Sprache. Die Grammatik, Stillehre, Metrik, Poetik u. deutsche Litteraturgeschichte in übersichtl. Darstellg. Ein prakt. Hilfsbuch f. Lehrer u. Schulamtskandidaten zur Vorbereitg. auf die verschiedenen Examina, sowie e. Leitfaden f. höhere Lehranstalten. 8. (VIII, 118 S.) Langensalza 886. Schulbuchh. cart. n. 1. —

Wagner, F., Geschichtschreiber Schlesiens d. 15. Jahrh., s.: Scriptores rerum Silesiacarum.

Wagner, Ferd., Ceremonien der katholischen Kirche. Für den Religionsunterricht in den Bürgerschulen bearb. 4. Aufl. gr. 8. (48 S.) Prag 885. Tempsky. — Leipzig, Freytag. n. — 48

— Erzählungen aus der Kirchengeschichte. Für den Religionsunterricht in den Bürgerschulen bearb. 5. verb. Aufl. gr. 8. (VI, 68 S.) Ebend. 886. n. — 60; Einbd. n.n. — 20

Wagner, Fr., geographischer Inhalt d. Lesebuchs f. die evangelischen Volksschulen Württembergs. 8. (IV, 79 S.) Stuttgart 883. Kohlhammer. n. — 50; Schüler-Ausg. (17 S.) n. — 10

Wagner, Frz., 100 Wiener Klapphorn-Verse. 8. (16 S.) Wien 885. O. Frank. n. — 50

— „mein Wien". Heitere Vorträge, Couplets u. Solo-Scenen. 1. u. 2. Hft. 8. (64 S.) Ebend. 885. à n. — 60

Wagner, Frz. v., das Nervensystem v. Myzostoma [F. S. Leuckart]. Mit 1 lith. Taf. gr. 8. (52 S.) Graz 886. Leuschner & Lubensky. n. 4. —

Wagner, Fridolin, die Lehre vom deutschen Stil od. prakt. Anleitg. zum richt. deutschen Gedankenausdrucke f. die oberen Klassen der Volksschulen, höhere Mädchenschulen, Schullehrerseminarien u. einzelne Klassen der Realanstalten u. Gymnasien, wie auch zum Privatgebrauche. 11. Aufl. der Ritsert-Wagner'schen Stillehre. gr. 8. (VIII, 470 S.) Darmstadt 880. Bergsträßer. n. 3. —

Wagner, G., die Berg- u. Badestadt Friedrichroda in Thür. u. ihre Umgebung. Ein Führer u. Ratgeber f. Kurgäste u. Touristen, ein Zeichen freundl. Entgegenkommens. 7. Aufl. Mit 1 kolor. Stadtplan, 1 grossen kolor. Spezialkarte in weiterem Umfang, 1 Kärtchen vom Uebelberg, 1 Ansicht v. Friedrichroda aus dem 17. Jahrh.., 1 Ansicht vom jetz. Friedrichroda u. e. Anzahl Textbilder. 8. (VII, 103 u. VI, 178 S.) Friedrichroda 886 (Gotha, Thienemann.) cart. n.n. 1. 20

Wagner, G. F., drei Volkskomödien im schwäbischen Dialekte. Illustrirt v. K. Schmauk. 3 Thle. 8. Stuttgart, Lutz. cart. n. 3. 50; in 1 Bd. geb. n. 3. —
1. Der Handstreich bis auf Spitz u. Knopf od. der Bauernstolz. Schauspiel in 4 Akten. Neudr. nach der 1. Aufl. v. 1827. (116 S.) n. 1. 50
2. Es giebt doch noch e. Hochzeit. Schauspiel in 3 Akten. Eine Fortsetzg. d. Handstreichs bis auf Spitz u. Knopf. Neudr. nach der 1. Aufl. v. 1827. (80 S.) n. 1. 20
3. Madame Justitia im Gucktasten od. der Gans-Prozeß zu Gänsfeld. Neudr. nach der 1. Aufl. v. 1826. (52 S.) n. — 80

Wagner, Gust., Handbuch der gewerblichen Geschäftskunde. Enth.: Die einfache u. doppelte Buchhaltg. f. Gewerbetreibende, sowie Kalkulationen u. Anschläge verschiedener Gewerbe, nebst e. Anh Zum Gebrauche in Gewerbe- u. Fortbildungsschulen, sowie zur Belehrg. f. jeden Gewerbetreibenden. In kurzer u. leichtfaßl. Weise bearb. gr. 8. (VIII, 120 S.) Leipzig 885. Gloeckner. n. 1. 20

— vergleichende Münz-, Mass- u. Gewichtstabelle sämmtlicher Länder der Erde. 12 (31 S.) Ebend. 884. cart. n. — 60

— das deutsche Wechselrecht, s.: Handbibliothek der gesamten Handelswissenschaften.

Wagner, H., die Anlage d. Gebäudes,
— allgemeine Grundzüge der architektonischen Composition,
— Vorräume, Treppen-, Hof- u. Saal-Anlagen.
} s.: Handbuch der Architektur.

Wagner, H. F., Beiträge zur Geschichte der physischen Erziehung in Österreich. gr. 8. (30 S.) Leipzig 883. (Salzburg, Dieter.) n. — 80

— zur Geschichte d. deutschen Wanderns. gr. 8. (14 S.) Ebend. 885. n. — 40

— zur Jubelfeier e. geistlichen Schulmannes (Heinr. Schwarz). gr. 8. (4 S.) Ebend. 885. n. — 20

— Robinson in Oesterreich. Ein Beitrag zur Geschichte der deutschen Robinson-Litteratur. 8. (27 S.) Ebend. 886. n. — 80

— die Volksdichtung in Salzburg. 8. (29 S.) Salzburg 882. Mayr. n. — 40

— das Volksschauspiel in Salzburg. 8. (55 S) Ebend. 882. n. — 60

Wagner, H. L., die Kindermörderin, s.: Litteraturdenkmale, deutsche, d. 18. u. 19. Jahrh.

Wagner, Heinr., die Kreuzigungsgruppen am Dom zu Frankfurt am Main, an der Pfarrkirche zu Wimpfen am Berg u. an der St. Ignaz-Kirche zu Mainz. Mit 3 Lichtdr.-Taf. gr. 4. (26 S.) Darmstadt 886. (Bergsträsser.) n. 2. —

Wagner, Herm., in die Natur! Biographieen aus dem Naturleben f. die Jugend u. ihre Freunde. 1. u. 2. Bd. 6. Aufl. 12. (VIII, 119 u. 141 S.) Bielefeld 886. Helmich. cart. à n. 1. 20

— dasselbe. Neubearb. v. H. Huth. 3. Sammlg. Mit dem Portr. d. Verf. u. 1 Holzschn. v. H. Süs. 6. Aufl. 12. (X, 140 S.) Ebend. 884. cart. n. 1. 50

— Pflanzenkunde f. Schulen. 1. Kurs.: Das Leben, die Entwicklg. u. der Bau der Pflanze, an 18 Arten als Vertretern der 18 wichtigsten natürl. Pflanzen-Familien Deutschlands, dargelegt u. nach Unterrichtsstunden bearb. 8. Aufl. Mit zahlreichen (eingedr. Holzschn.-)Abbildgn. nach Orig.-Zeichngn. d. Verf. gr. 8. (VII, 128 S.) Bielefeld 883. Velhagen & Klasing. n. 1. 20

— Phanerogamen-Herbarium. 8. Lfg. 2. Aufl. Fol. (25 getrocknete Pflanzen auf 16 Bl.) Bielefeld 884. Helmich. n.n. 2. —; Mappe n.n. — 15 (1—8. cplt. in Leinw.-Mappe: n.n. 13. —)

— illustriertes Spielbuch f. Knaben. 1200 unterhalt. u. anreg. Belustiggn., Spiele u. Beschäftiggn. f. Körper u. Geist, im Freien sowie im Zimmer. Neu bearb. u. erweitert v. Jan. Dan. Georgens. 8. Aufl. Mit 554 Text-Abbildgn., sowie 8 Taf. in Buntdr., nebst e. Titelbild. gr. 8. (X, 428 S.) Leipzig 885. Spamer. n. 4. —; cart. n. 4. 50

Wagners, Herm., Lebensbild, s.: Huth.

Wagner, J., kgl. bayerisches Gesetz zur Ausführung der Reichs-Strafprozeßordnung erläutert, s.: Gesetzgebung, die, d. Königr. Bayern m. Erläuterungen.

Wagner, J., Deutsch-Ostafrika. Geschichte der Gesellschaft f. deutsche Kolonisation u. der Deutsch-Ostafrikan. Gesellschaft nach den amtl. Quellen. Lex.-8. (111 S.) Berlin 886. Engelhardt. 2. 50

— unsere Kolonien in West-Afrika Kurze Darlegg. d. Erwerbes, der Beschaffenheit u. der Aussichten sämtl. Besitzgn. in Westafrika: Lüderitzland, Küste d. Groß-Nama- u. Hererolandes, Kamerun- u. Tognogebiet. Mit (autogr.) Kartenbeigaben v. P. Engelhardt. gr. 8. (18 S.) Ebend. 884. — 50

Wagner, J., Musterbeispiele zu deutschen Aufsätzen f. Elementar-, Volks-, Fortbildungs- u. Präparandenschulen. 1. u. 2. Bdchn. 8. (VIII, 116 u. VI, 105 S.) Langensalza 883. 84. Schulbuchh. à — 90

— dasselbe. 1. Bdchn. 2. Aufl. 8. (VIII, 148 S.) Ebend. 886. 1. 20

Wagner, J. F., Orientirungs-Plan d. Wiener k. k. allgemeinen Krankenhauses (lith. u. color. qu. Fol.) nebst Daten üb. dasselbe, üb. das Gebärhaus u. die pathologisch-anatom. Anstalt in Wien. Mit Grundriss der pathologisch-anatom. Anstalt. gr. 16. (24 S.) Wien 886. Šafář. geb. n. 1. 50

Wagner, I. M., das Eleusische Fest. Schillers Dichtg., bildlich dargestellt. Gestochen v. F. Ruscheweyh. (Neue Aufl.) qu. Fol. (20 Taf. m. 10 S. Text.) Stuttgart 884. Cotta. geb. 10. —

Wagner, Jos., zur Athetese d. Dialogs Eutyphron. gr. 8. (46 S.) Brünn 882. (Winkler.) n. 1. —

— Junggrammatisches f die Schule. Lex.-8. (16 S.) Brünn 886. (Wien, Hölder.) n. — 60

— zur Präparation v. Platons ausgewählten Dialogen. Für den Schulgebrauch hrsg. I. u. II. gr. 8. Ebend. 886. n. 1. 90

I. Einleitung. Apologie. Kriton. (II, 80 S.) n. 1. —
II. Laches Charmides. Lysis. (62 S.) n. — 90

Wagner, Jul., Tabellen der im J. 1882 bestimmten physikalischen Constanten chemischer Körper. gr. 8. (V, 58 S.) Leipzig 884. Barth. n. 1. 60

Wagner, Karl Frdr., die brandenburgisch-preußische Geschichte, f. die Jugend d. preuß. Vaterlandes erzählt. 18. Aufl. 8. (84 S.) Schwiebus 885. Wagner. n. — 30

Wagner, L., Aufgaben zum schriftlichen Rechnen f. Fortbildungsschüler in Orten m. vorherrschend ackerbautreibender Bevölkerung. 4. Aufl. gr. 8. (37 S.) Meißen 884. Schlimpert. n. — 25

— Rechenheft f. Fortbildungsschüler in Orten m. gewerbetreibender u. ackerbautreibender Bevölkerung. gr. 8. (48 S.) Ebend. 887. n. — 25

— Rechenheft f. Fortbildnngsschüler in Städten u. Orten m. gewerbetreibender Bevölkerung. 16. Aufl. gr. 8. (40 S.) Ebend. 884. n. — 25

Wagner, L., Miklosich u. die magyarische Sprachwissenschaft. Festschrift zum Jubiläum d. Hrn. Univ.-Prof. Dr. Frz. Xav. Ritter v. Miklosich in Wien. gr. 8. (32 S.) Pressburg 883. (Stampfel.) n. 1. —

Wágner, Ladisl. Ritter v., Handbuch der Bierbrauerei. Auf Grund eigener Studien u. prakt. Erfahrgn., u. unter Mitwirkg, hervorrag. Theoretiker u. Praktiker verf. 6. Aufl. 2 Bde. Mit 135 Holzschn. u. e. Atlas, enth. 27 (lith. Fol.-)Taf. m. 236 Abbildgn. gr. 8. (XVI, XIX, 1156 S) Weimar 884. B. F. Voigt. 12. —

— Handbuch der Stärkefabrikation. Mit besond. Berücksicht. der m. der Stärkefabrikation verwandten Industriezweige namentlich der Dextrin-, Stärkesyrup- u. Stärkezuckerfabrikation. Auf Grund eigener Erfahrgn., sowie m. Benutzg. der neuesten deutschen, französ. u. engl. Literatur. Mit e. Atlas v. 11 (lith.) Taf., enth. 128 Abbildgn. 2. Aufl. gr. 8. (XVII, 373 S.) Ebend. 884. 7. 50

— die Stärkefabrikation in Verbindung m. der Dextrin- u. Traubenzuckerfabrikation. Nach dem heut. Standpunkte der Theorie u. Praxis, auf Grund eigener Studien u. prakt. Erfahrgn, sowie m. Benutzg. d. vorhandenen literar. Materials u. unter Mitwirkg. hervorrag. Theoretiker u. Praktiker verf. zugleich als 5. Thl. zu Otto-Birnbaum's Lehrbuch der landwirthschaftl. Gewerbe. 7. Aufl. 2. durch Nachträge verm. Ausg. Mit Taf. u. Holzst. gr. 8. (XXXVI, 719 S.) Braunschweig 886. Vieweg & Sohn. n. 14. —

Wágner, Ladisl., Tabakkultur, Tabak- u. Zigarrenfabrikation, sowie Statistik d. Tabakbaues, Tabakhandels u. der Tabakindustrie, m. besond. Berücksicht. der im Handel vorkomm. Tabaksorten, Zubereitg. u. chem. Analyse, Verfälschgn. u. Toxikologie d. Tabaks, nebst e. Anh., enth. das deutsche Tabaksteuergesetz vom 16. Juli 1879. 4. Aufl. Mit 106 in den Text gedr. Abbildgn. u. 2 lith. Taf. gr. 8. (XIX, 482 S.) Weimar 884. B. F. Voigt. 9. —

Wagner, M., Untersuchungen üb. die Resorption der Calcium-Salze, u. üb. die Abstammung der freien Salzsäure im Magensaft, nebst einigen Erörtergn. üb. die Pathogenese der Rachitis. gr. 8. (38 S.) Zürich 883. (Orell Füssli & Co. Verl.) n. 1. —

Wagner, Nicolas, die Wirbellosen d. Weissen Meeres. Zoologische Forschgn. an der Küste d. Solowetzkischen Meerbusens in den Sommermonaten d. J. 1877, 1878, 1879 u. 1882. 1. Bd. Mit 21 zum Thl. farb. Taf. u. mehreren Holzschn. Fol. (III, 171 S.) Leipzig 885. Engelmann. cart. n. 100. —

Wagner, O., Bericht üb. die Verwaltung d. Medicinal- u. Sanitätswesens d. Reg.-Bez. Wiesbaden im J. 1881. gr. 8. (IV, 144 S.) Wiesbaden 885. (Bechtold & Co.) 1. 50

Wagner, Osc., die Rache d. Eunuchen. Eine kniffl. Haremsgeschichte in 30 Bildern. gr. 8. (32 lith. S.) Berlin 884. Sauernheimer. n. 2. —

Wagner, Paul, cuestiónes prácticas de abono según los últimos experimentos científicos. Traducción de la cuarta edición, hecha directamente del alemán. 8. (VI, 81 S.) Darmstadt 886. (Winter'sche Buchdr.) n. 1. 60

— einige praktisch wichtige Düngungsfragen, unter Berücksicht. neuer Forschungsergebnisse beantwortet. 6. Aufl. 8. (VII, 131 S.) Berlin 886. Parey. n. 1. 20

— la question des engrais d'apres des expériences récentes. Éd. française publiée d'après la 3e éd. allemande. 8. (IV, 72 S.) Paris 886. Darmstadt, Winter'sche Buchdr. n. 1. 60

Wagner, Paul Emil, das Wichtigste aus der allgemeinen Musiklehre u. musikalischen Vortragslehre, f. Musikschüler, Präparanden, Seminaristen, Gesangvereins-Mitglieder leichtfaßlich hrsg. 8. (56 S.) Paderborn 886. Junfermann. cart. n. — 80

Wagner, Pet., Anleitung zum Ausrechnen der Zähnezahl, welche die Zahnräder haben müssen, um Gewinde nach allen vorkomm. Maaßen u. Drehbank-Constructionen schneiden zu können, nebst mehreren Tabellen. Ein prakt. Handbuch f. Metalldreher. 12. (32 S.) Köln 886. (Theissing.) n. — 80

Wagner, Ph., die Sprachlaute d. Englischen, e. Hilfsbuch f. den Schul- u. Privatunterricht. gr. 8. (VI, 107 S.) Tübingen 887. Fues. n. 1. 60; cart. n. 1. 80

Wagner, R., die preußische Jagdgesetzgebung. Unter Berücksicht. der einschläg. Ministerialrescripte u. Entscheidgn. der höchsten Gerichtshöfe, der Motive zu den Entwürfen der Jagdpolizeigesetzes vom 7. März 1850 u. d. Wildschongesetzes vom 26. Febr. 1870, sowie der Verhandlgn. d. Landtags bei Berathg. dieser beiden Gesetze bearb. gr. 8. (VIII, 188 S.) Berlin 883. Springer. n. 3. —; geb. n. 3. 80

Wagner, R., Handbuch d. Seerechts, s.: Handbuch, systematisches, der deutschen Rechtswissenschaft.

Wagner, Rich., de priore quae Demosthenis fertur adversus Aristogitonem oratione. gr. 8. (49 S.) Cervimontii 883. (Leipzig, Fock.) n. 1. —

Wagner, Rich., quaestiones de epigrammatis graecis ex lapidibus collectis grammaticae. gr. 8. (VI, 127 S.) Leipzig 883. Hirzel. n. 2. —

Wagner, Rich., bisher ungedruckte Briefe an Ernst v. Weber. gr. 8. (16 S.) Dresden 886. Buchh. d. Internationalen Vereins zur Bekämpfg. der wissenschaftl. Thierfolter. — 40

Wagner, Rich., gesammelte Schriften u. Dichtungen. 10. Bd. gr. 8. (VI, 497 S.) Leipzig 883. E. W. Fritsch. n. 6. —; geb. n. 7. 50 (1—10.: n. 49. 20; geb. n. 61. 50)

— Tristan et Yseult. Poëme et musique de R. W.

Version française de Vict. Wilder. 8. (79 S.) Leipzig 886. Breitkopf & Härtel. n. 1. 20
Wagner's, Rich., Biographie, s.: Pohl, R.
— Entwürfe, Gedanken, Fragmente. Aus nachgelassenen Papieren zusammengestellt. gr. 8. (V, 170 S.) Leipzig 885. Breitkopf & Härtel. n. 6. —; geb. n. 7. 50
— Erinnerungen, s.: Lesimple, A.
— Frauengestalten, erläutert v. Rich. Gosche. Mit 12 (photogr.) Illustr. nach Cartons, unter Benutzg. photogr. Aufnahmen gemalt v. J. Bauer u. E. Limmer. gr. 4. (82 S. m. 1 Fcsm.) Leipzig 883. Unflad. geb. m. Goldschn. n. 20. —
— sein Leben u. seine Werke, s.: Tappert, W. — Vogel, B.
— Sein Leben, sein Wirken u. sein Tod. Mit (eingedr. Holzschn.-)Illustr. gr. 8. (29 S.) Leipzig 883. Wilde. — 40
— Lebens-Bericht. Deutsche Orig.-Ausg. v. „The work and mission of my life" by Rich. Wagner. gr. 8. (103 S.) Leipzig 884. Schlömp. n. 2. 50
— Lehr- u. Wanderjahre. Autobiographisches. gr. 8. (30 S.) Leipzig 871. (Berlin, Bahn.) — 75
— Parsifal. Scenische Bilder nach den f. die Bayreuther Aufführg. gefertigten Decorations- u. Costümskizzen. 9 Lichtdr. v. Naumann & Schröder. 8. Leipzig 886. Unflad. In Leinw.-Mappe. 6. —
— ist todt. — Was nun? Eine ernste Frage v. Semper Cunctator. 12. (16 S.) Berlin 883. Parrisius. n. — 50
Wagner, Rud. v., Handbuch der chemischen Technologie. 12. Aufl. Bearb. v. Ferd. Fischer. Mit 470 Abbildgn. gr. 8. (XVII, 1069 S.) Leipzig 886. O. Wigand. n. 12. —
— Jahres-Bericht über die Leistungen der chemischen Technologie m. besond. Berücksicht. der Gewerbestatistik f. d. J. 1882. Hrsg. v. Ferd. Fischer. 28. od. neue Folge 13. Jahrg. Mit 312 (eingedr.) Abbildgn. gr. 8. (XXIV, 1200 S.) Ebend. 883. n. 22. —
Wagner, Rud., Flora d. Löbauer Berges, nebst Vorarbeiten zu e. Flora der Umgegend v. Löbau. 4. (87 S.) Löbau 886. (Oliva.) n. 2. —
Wagner, Traugott, das deutsche Centrum. Eine patriot. Mahng. an das deutsche Volk. gr. 8. (8 S.) Magdeburg 886. (Heinrichshofen's Verl.) — 30
Wagner, W., die Behandlung der complicirten Schädelfracturen, s.: Sammlung klinischer Vorträge.
Wagner, W., alphabetisch geordnetes Verzeichnis der giltigen bis zum 1. Oktbr. 1885 publizierten Reichs- u. Landes-Gesetze bezw. Verordnungen u. Ministerial-Erlasse. gr. 8. (IV, 144 S.) Oppeln 886. Franck. n. 3. —
Wagner, W., der Futterbau im Gebirge. gr. 8. (29 S.) Lüdenscheid 883. (Iserlohn, Bädeker.) n.n. 1. 50
Wagner, Wilh., die Brautfahrt. Stenographisches Lustspiel in 2 Akten. Ohne Berücksicht. d. Systems. gr. 16. (25 S.) Elberfeld 885. Faßbender. n. — 40
— hinterm Vorhang. Stenographisches Lustspiel in 1 Akt. Ohne Berücksicht. d. Systems. 8. (24 S.) Ebend. 886. n. — 50
Wägner, Wilh., deutsche Heldensagen f. Schule u. Volk. Neu bearb. Auszug d. 2. Bds. seines größeren Werkes „Nordisch-germ. Vorzeit". Sagenkreis der Amelungen. Sagenkreis der Nibelungen. Gudrun. Beowulf. Karolingischer Sagenkreis. König Artus u. der hl. Gral. 2. Aufl. Mit 22 Text-Illustr. u. 1 Titelbild. 8. (VI, 268 S.) Leipzig 886. Spamer. n. 1. 60; geb. n. 2. —
— Hellas. Das Land u. Volk der alten Griechen. Für Freunde d. klass. Alterthums, besonders f. die deutsche Jugend bearb. Neu bearb. unter Mitwirkg. v. H. Dittmar. 6. Aufl. 2 Bde. Mit üb. 340 Text-Abbildgn., 6 Tonbildern, e. Frontispiz u. e. Karte v. Hellas. gr. 8. (XIV, 398 u. VIII, 375 S.) Ebend. 886. n. 9. —; geb. n. 12. —
— Rom. Anfang, Fortgang, Ausbreitg. u. Verfall des Weltreiches der Römer. Für Freunde d. klass. Alterthums, insbesondere f. die deutsche Jugend. Neu bearb. in Verbindg. m. B. Volz. 5. Aufl. 3 Bde. Mit 564 Textabbildgn., 1 Titelbild, 1 Frontispiz u. 3 Tonbildern v. H. Leutemann, G. Rehlander, H. Vogel u. a., samt 1 Plane v. Rom u. 2 Karten (d. alten Italiens u. d. röm. Weltreiches). gr. 8. (XVI, 576 u. XVI, 606 S.) Leipzig 887. Spamer. n. 12. —; geb. n. 15. —
Wägner, Wilh., unsre Vorzeit. 2. Bd. Deutsche Heldensagen. Erzählt f. Jugend u. Volk. 3. durchgeseh. Aufl. Mit e. Titelbild u. 100 Text-Abbildgn. nach Zeichngn. v. Herm. Vogel. gr. 8. (X, 550 S.) Leipzig 884. Spamer. n. 7. 50; geb. n. 8. 50
— u. J. **Wägner,** Feldherr u. Volksheld. Prinz Eugen, der edle Ritter, u. sein allzeit bereiter Wachtmeister. Historische Erzählg. f. Jugend u. Volk vornehmlich aus der Zeit der französ. u. der Türkenkriege, sowie d. span. Erbfolgekrieges. Mit 110 Text-Abbildgn. u. 1 Titelbilde. gr. 8. (X, 506 S.) Ebend. 886. n. 6. —; geb. n. 7. 50
Richard **Wagner-Jahrbuch.** Hrsg. v. Jos. Kürschner. 1. Bd. gr. 8. (XII, 501 S. m. 1 Lichtdr.-Bild.) Stuttgart 886. Kürschner's Selbstverl. geb. n.n. 10. — Prachtausg. auf Büttenpap., geb. in Kalblbr. n.n. 20. —
Wagneriana. Beiträge zur Richard-Wagner-Bibliographie. Hrsg. v. Emerich Kastner. 1. Thl. Briefe Richard Wagner's [1830—1883] an: Berlioz, Boito, Cornelius etc. Chronologisch geordnet u. m. Angabe der Quellen zusammengestellt. gr. 8. (VIII, 53 S.) Wien 885. Künast. n. 2. —
Richard **Wagner-Kalender.** Historische Daten aus d. Meisters Leben u. Wirken f. die gesammte musikalische Welt. 2. gänzlich umgearb., m. Jahres- u. Sach-Register verm. Aufl. Mit Portr. u. Fcsm. 16. (IX, 92 S.) Wien 882. Fromme. 1. 50
Wagner-Lexikon. Hauptbegriffe der Kunst- u. Weltanschauung Richard Wagner's, in wörtl. Anführgn. aus seinen Schriften zusammengestellt v. Carl Fr. Glasenapp u. Heinr. v. Stein. Lex.-8. (X, 984 S.) Stuttgart 883. Cotta. n. 15. —; geb. n. 18. —
Wahl, E. v., die Diagnose der Arterienverletzung, — üb. Fracturen der Schädelbasis, } s.: Sammlung klinischer Vorträge.
Wahl, Jos., Andreas v. Regensburg, e. Geschichtsschreiber d. XV. Jahrh. Ein Beitrag zur Quellenkunde der husit. Reformation. gr. 8. (36 S.) Altvillae 883. (Göttingen, Vandenhoeck & Ruprecht.) n. — 80
Wahl, Rich., königl. sächsische Gesetze üb. die Erbschaftssteuer u. den Urkundenstempel vom 13. Novbr. 1876, nebst den dazu gehör. Ausführungs-Verordngn. u. den Gesetzen vom 3. Juni 1879 u. vom 9. März 1880. Unter Berücksicht. der Landtagsverhandlgn. m. Erläuterungen hrsg. Mit e. ausführl. Berechnungstabelle u. 2 Sachregistern. 3., unter Benutzg. präjudicieller Entscheidgn. d. königl. Finanz-Ministeriums verm. u. verb. Aufl. 8. (XII. 218 S.) Leipzig 885. Roßberg. n. 2. 70; Einbd. n.n. — 30
Wahl, Will. H., die amerikanische Vernickelung. Deutsch m. Anmerkgn. u. e. Nachtrag v. H. Steinach. gr. 8. (IV, 31 S.) Leipzig 884. Quandt & Händel. n. 1. —
Wahlberg, C. F., Uebung der Feldsanitätstruppen. [Aus dem Schwed. übers.] gr. 8. (19 S. m. 2 Taf.) Helsingfors 886. (Leipzig, Voss' Sort.) n. — 50
Wahlburg, Vict., die Schleif-, Polir- u. Putzmittel für Metalle aller Art, Glas, Holz, Edelsteine, Horn, Schildpatt, Perlmutter, Steine rc., ihr Vorkommen, ihre Eigenschaften, Herstellg. u. Verwendg., nebst Darstellg. der gebräuchl. Schleifvorrichtgn. Ein Handbuch f. techn. u. gewerbl. Schulen, Eisenwerke, Maschinenfabriken, Glas-, Metall- u. Holzindustrielle, Gewerbetreibende u. Kaufleute. Mit 66 Abbildgn. 8. (X, 343 S.) Wien 886. Hartleben. n. 4. 50
Wahle, Egon, militär-geographisch-statistisches Lexikon d. Deutschen Reichs. Unter genauester Berücksicht. der f. den Verkehr erforderl. Behörden, insbesondere der Post-, Telegraphen- u. Eisenbahn-Stationen. 1. Bd. 17 Lfgn. 2. Bd. 1—13. Lfg. gr. 4. (1. Bd. IV, 1062 S. u. 2. Bd. S. 1—832.) Berlin 884—86. Eisenschmidt. à Lfg. n. 1. 50
Wahle, Rich., Gehirn u. Bewusstsein. Physiologisch-

psycholog. Studie. gr. 8. (IV, 100 S.) Wien 884. Hölder. n. 2. 40

Wahlheim, E., die närrische Müllerin. Eine Alpendorfgeschichte aus Oesterreich. Hrsg. vom Grillparzer-Verein. 12. (91 S.) Klagenfurt 883. v. Kleinmayr. n. 1. 20

Waehner, C., Beitrag zur pathologischen Anatomie der Basedow'schen Krankheit. Mit Abbildgn. (1 Steintaf.). gr. 8. (26 S.) Neuwied 886. Heuser's Verl. n. 1. 20

Wähner, Frz., das Erdbeben v. Agram am 9. Novbr. 1880. [Mit 2 Karten, 2 Taf. u. 17 Holzschn.] Lex.-8. (332 S.) Wien 883. Gerold's Sohn.). n. 7. —

Wahnschaffe, F., die Quartärbildungen der Umgegend v. Magdeburg, s.: Abhandlungen zur geologischen Specialkarte v. Preussen u. den Thüringischen Staaten.

— die geologischen Verhältnisse der Umgegend v. Rathenow. Mit einigen allgemein-geolog. Vorbemerkungen. Vortrag, geh. im Bildungsverein zu Rathenow am 29. Octbr. 1885. Mit 1 Karte in Steindr. u. 2 Zinkogr. gr. 8. (28 S.) Rathenow 886. Babenzien. n. 1. —

Wahnschaffe, Max, Verzeichniss der im Gebiete d. Aller-Vereins zwischen Helmstedt u. Magdeburg aufgefundenen Käfer. gr. 8. (V, 455 S.) Neuhaldensleben 883. Eyraud. n. 6. —

Wahrheit, die. Red.: A. de Grousilliers. 4—6. Jahrg. 1883—1885. à 52 Nrn. (B. m. Illustr.) gr. 4. Berlin, M. Schulze. à Jahrg. n. 8. —

— die, in der Bremsfrage. Ein Beitrag zur Sicherheit im Eisenbahnbetrieb. gr. 8. (37 S.) Hannover 885. Schmorl & v. Seefeld. n. — 50

— gegen Irrthum. Aufklärung f. Wißbegierde über Magnetismus, Spiritualismus u. Spiritismus. Beweis-Auszüge, gesammelt vom Verf. A. M. 8. (58 S.) Preßburg 882. (Heckenast's Nachf.) n. — 80

— u. Irrthum bei Epimenides. Einige Worte üb. Oesterreich u. sein Heer. gr. 8. (32 S.) Hannover 884. Helwing's Verl. n. 1. —

Wahrheitsfreund, der. Ein Wochenblatt f. das kathol. Volk. 9—12. Jahrg. 1883—1886. à 52 Nrn. (à $^1/_2$—$^3/_4$ B.) gr. 8. Augsburg, Kranzfelder. à Jahrg. n. 2. —

Wahrmund, Adf., die Geschichtschreibung der Griechen. 3. Aufl. 8. (IV, 126 S.) Berlin 886. Langenscheidt. n. 1. 5

— das Gesetz d. Nomadenthums u. die heutige Judenherrschaft. 8. (XI, 251 S.) Karlsruhe 887. Reuther. n. 3. —

— praktisches Handbuch der osmanisch-türkischen Sprache. 2. Aufl. 3 Thle. in 2 Bdn. [Praktische Grammatik. Türkische Gespräche u. Sammlung der zum Sprechen nöthigsten Wörter. Schlüssel zur Grammatik.] gr. 8. (XX, 435, 32; VI, 90 u. V, 120 S.) Giessen 884. Ricker. n. 18. —

— dasselbe. 2 Thle. in 1 Bde., nebst Schlüssel. 3., theilweise umgearb. u. verm. Aufl. gr. 8. (XIX, 471; XXI, 16; VI, 136 u. Schlüssel V, 72 S.) Ebend. 886. n. 20. —

Wahrmund, Ad., die christliche Schule u. das Judenthum. gr. 8. (IV, 84 S.) Wien 885. Kubasta & Voigt. n. 1. —

Wahrmund, Rich., 2 + 5 = 8 od. Luther-Götzendienst u. Reformation. Eine Warng. gr. 8. (60 S.) Zürich 884. Verlags-Magazin. n. — 80

Wahrsage-Kalender, 1887. Mit 3000 Orakelspruch-Fragmenten der Sibilla Cumä. gr. 8. (XXXVI, 100 S.) Wien, Teufen. 1. 50

Wahrspruch, der. Ein Beweis d. Glaubens u. e. Beitrag zur „Philosophie d. Christentums". gr. 8. (111 S.) Hamburg 886. Persiehl. n. 1. 50

Waibl, Oswald, Gedichte aus dem Wald- u. Jägerleben. 16. (XI, 74 S. m. 1 Illustr.) Klagenfurt 884. Leon sen. cart. n. 1. 50

Waidmann, der. Blätter f. Jäger u. Jagdfreunde. Erste illustr. deutsche Jagdzeitung. Officielles Organ d. „Allgemeinen deutschen Jagdschutz-Vereins" etc. Von Freunden d. edlen Waidwerks hrsg. unter Mitwirkg. hervorrag. Fachmänner u. Jagdschriftsteller. 15. Bd. Octbr. 1883—Septbr. 1884. 52 Nrn. (à 1—2 B. m. Holzschn.) Fol. Blasewitz b. Dresden 884. Wolff. 12. —

cf.: Weidmann.

Waidmanns Struwwelpeter. Jäger, Schießer u. Schützen, harmlose Waidmanns-Skizzen v. Dachs. 8. (39 S.) Blasewitz b. Dresden 884. Wolff. n. 1. —

Waidmannsheil! Liederbuch. Allen Jägern u. Waidmännern zugeeignet v. e. Jagdfreunde. 8. (IV, 108 S.) Strehlen 884. Gemeinhardt. n. — 80; geb. n. 1. 20; m. Goldschn.-Preßfg. 1. 25

— Illustrirte Zeitschrift f. Jagd-, Fischerei- u. Schützenwesen in den österr. Alpenländern. Unter Mitwirkg. v. Jagdfreunden hrsg. 3—6. Jahrg. 1883—1886. à 24 Nrn. (à 1—$1^1/_2$ B. m. Holzschn.) gr. 4. Klagenfurt, Leon sen. à Jahrg 8. —

Waidmannsheil-Album. I—VI. Serie. Fol. (à 10 Holzschntaf.) Klagenfurt 886. Leon sen. In Mappen. à 2. —

Waidmanns-Küche od. Zubereitung der verschiedensten Wildarten, in eigener langjähr. Erfahrg. erprobt u. allen braven Waidmännern u. ihren lieben Hausfrauen gewidmet von L. v. P. 3. Aufl. 8. (IV, 462 S.) Düsseldorf 884. Schwann. 3. —

Waisenrat u. **Vormund** in der Stadt u. auf dem Lande. Ihre Thätigkeit, gemeinverständlich dargestellt v. e. preuß. Vormundschaftsrichter. Nebst e. Anh., enth. Muster zur Inventur u. Rechnungslegg. 8. (36 S.) Hannover 885. Norddeutsche Verlagsanstalt. n. — 60

Waitz, E., üb. e. Fall v. Geschwulst der Wirbelsäule m. Compression d. Rückenmarks. gr. 8. (43 S.) Göttingen 884. (Vandenhoeck & Ruprecht.) n. 1. 20

Waitz, Geo., Friedrich Christoph Dahlmann. Gedächtnissrede, geh. in der Aula der Universität Kiel am 13. Mai 1885. gr. 8. (23 S.) Kiel 885. Universitäts-Buchh. n. 1. —

— Jahrbücher d. Deutschen Reichs unter König Heinrich I. 3. Aufl. Auf Veranlassg. Sr. Maj. d. Königs v. Bayern hrsg. durch die histor. Commission bei der königl. Akademie der Wissenschaften. gr. 8. (XVI, 294 S.) Leipzig 885. Duncker & Humblot. n. 7. 20

— Quellen u. Bearbeitungen der deutschen Geschichte, s.: Dahlmann's, F. C., Quellenkunde der deutschen Geschichte.

— Urkunden zur deutschen Verfassungsgeschichte im 10., 11. u. 12. Jahrh. 2. Aufl. gr. 8. (VI, 68 S.) Berlin 886. Weidmann. n. 1. 80

— deutsche Verfassungsgeschichte. 3. u. 4. Bd. gr. 8. Ebend. 883—85. n. 16. — (I—IV.: n. 64. —)

Die Verfassung d. fränkischen Reichs. 2. u. 3. Bd. 2. Aufl. (XIV, 648 u. XIV, 744 S.)

Waitz, Geo., bibliographische Uebersicht üb. dessen Werke, Abhandlungen, Ausgaben etc., s.: Steindorff, E.

Waitz, K., üb. den Einfluss der galvanischen Polarisation auf die Aenderung der Reibung. gr. 8. (39 S.) Tübingen 883. (Fues.) n. 1. —

— über atmosphärische Elektricität. Vortrag. gr. 8. (17 S.) Ebend. 883. n. — 50

Waitz', Thdr., allgemeine Pädagogik u. kleinere pädagogische Schriften. 3. verm. Aufl., m. e. Einleitg. üb. Waitz' prakt. Philosophie hrsg. v. Otto Willmann. gr. 8. (LXXXIX, 552 S.) Braunschweig 883. Vieweg & Sohn. n. 10. —

Waizer, Rud., das Mineralbad Einöd an der Kronprinz Rudolfbahn in Steiermark. Für Besucher d. Bades geschildert. 8. (14 S.) Klagenfurt 883. v. Kleinmayr. n. — 40

Walbaum, Th., das Verfahren in Theilungs- u. Verkoppelungssachen u. die Gesetze üb. die Verkoppelung, die Aufhebung v. Weiderechten, die Abstellung der auf Forsten haftenden Berechtigungen u. die Forsttheilungen in der Prov. Hannover. gr. 8. (XII, 183 S.) Hannover 883. Helwing's Verl. n. 3. —

Wal Beleno, Sonette aus der Alpenwelt. 2. Aufl. 16. (XVI, 196 S.) Jena 883. Mauke. n. 2 50; geb. n. 3. 50

Walberer, Joh. Chr., Anfangsgründe der Mechanik fester Körper m. vielen Uebungsaufgaben zum Schulgebrauche an Gymnasien u. verwandten Lehranstalten. 5. Aufl. gr 8. (VI, 166 S. m. eingedr. Fig.) München 885. Th. Ackermann's Verl. n. 2. 40

— Leitfaden zum Unterrichte in der Arithmetik u. Algebra an Gymnasien u. verwandten Anstalten 2. Aufl. gr. 8. (VII, 152 S.) Ebend. 884. n. 1. 60

Walcheren, M. v., seine Schwester. Aus dem Holl. übers. 8. (561 S.) Gotha 883. F. A. Perthes. n. 7. —

Walcker, Karl, Richard Cobden's volkswirtschaftliche u. politische Ansichten. Auf Grund älterer u. neuerer Quellen systematisch dargestellt. gr. 8. (VII, 91 S.) Hamburg 885. Nestler & Melle's Verl. n. 2. —

— Handbuch der Nationalökonomie f. Studirende, Landwirthe, Industrielle, Kaufleute u. andere Gebildete. 2—5. Bd. gr. 8. Leipzig, Roßberg. n. 26. — (cplt.: n. 35. —)

2. Specielle Volkswirthschaftslehre. 1. Abth. A. u. d. T.: Landwirthschaftspolitik m. besond. Berücksicht. der landwirthschaftl. Krisis. (XVI, 336 S.) 883. n. 7. —
3. Dasselbe. 2. Abth. Gewerbe- u. Handelspolitik, einschließlich der Bergbaupolitik. (X, 308 S.) 883. n. 7. —
4. Finanzwissenschaft m. besond. Berücksicht. der deutschen Reichs-, Staats- u. Gemeindesteuerfragen. (X, 176 S.) 884. n. 4. —
5. Geschichte der Nationalökonomie, insbesondere der neueren u. neuesten. (XVIII, 324 S.) 884. n. 8. —

— gegen Kornzölle. gr. 8. (V, 23 S.) Ebend. 886. n. — 60

— Kritik der deutschen Parteien. Ein volkswirthschaftl. u. polit. Essay. gr. 8. (XXI, 277 S.) Ebend. 886. n. 6. —

— die Strikes u die inneren Interessengegensätze der Handarbeiterclasse. gr. 8. (VIII, 19 S.) Ebend. 886. n. — 80

Wald-Zedtwitz, E. v., Amor in Frack u. Uniform. 2. Folge. Humoresken. 8. (139 S.) Berlin 885. Eckstein Nachf. n. 1. —

— Chic. Humoresken nach leb. Mustern. 8. (IV, 140 S.) Ebend. 884. n. 1. —

— moralische Geschichten, s.: Eckstein's Reisebibliothek.

— der Letzte Derer v. Dresedow. Familien-Roman. 8. (V, 192 S.) Potsdam 886. Döring. n. 3. 50

— in Liebesbanden, s.: Eckstein's humoristische Bibliothek.

— o. goldene Lieutenantszeit! Humoresken aus dem Soldatenleben längst vergangener Zeiten. 12. (127 S.) Berlin 883. Eisenschmidt. n. 1. —

— das Mädchen v. Santi Quaranta. Roman. 8. (282 S.) Berlin 886. Eckstein Nachf. n. 3. —; geb. n. 4. —

— Potz! Blitz! Humoresken aus dem Soldatenleben. 8. (168 S.) Ebend. 884. n. 1. —

— die Schloßfrau v. Scharfenstein. Roman. gr. 8. (344 S.) Breslau 883. Schottländer. n. 3. —; geb. n. 4. —

— die Tochter d. Majors. Familien-Roman. 8. (306 S.) Berlin 885. Eckstein Nachf. n. 3. —; geb. n. 4. —

— Zündspiegel. Militärische Humoresken. 8. (VII, 133 S.) Leipzig 883. Reißner. 1. —

Waldau, Marie v., zwei Novellen in Versen. Clemence. — Auf der Alm. 8. (56 S.) Berlin 884. F. Luckhardt. n. 1. 60

Waldbauer, Werner, Untersuchungen betr. die untere Reizschwelle Farbenblinder. gr. 8. (64 S. m. 1 Tab. u. 4 lith. Curventaf.) Dorpat 883. (Karow.) n. 2. —

Waldberg, M. v., die galante Lyrik, s.: Quellen u. Forschungen zur Sprach- u. Culturgeschichte der germanischen Völker.

Waldburg, H., der Kubikpreisrechner od. Tafeln zur Berechnung des Preises v. runden u. beschlagenen Hölzern, sowie d. Kubikinhaltes runder Hölzer f. Forstbeamte, Holzhändler, Sägemüller rc. 3. Aufl. 8. (250 S.) Berlin 885. Mode's Verl. cart. 2. 25

Walde, Egon, alphabetisches Verzeichniss sämmtlicher in der Kreishauptmannsch. Leipzig gelegenen Städte, Ortschaften etc. m. Angabe der Amtsgerichte, Amtshauptmannschaften u. Poststationen, sowie der Einwohnerzahl. gr. 8. (66 S.) Leipzig 885. Serig. n. — 60

Walde, Ludw. vom, die Katastrophe im Hause Wittelsbach. 8. (74 S.) Budapest 886. Grimm. n. 1. —

Walde, Ph. vom, s.: Aus der Heemte!

Walde, Th., Uebungsstoff f. den Turnunterricht, s.: Schürmann, F.

Waldeck, Benedict, Briefe u. Gedichte. Hrsg. v. Chr. Schlüter. 12. (206 S.) Paderborn 883. F. Schöningh. n. 2. 50

Waldeck, Osk., deutsches Gebetbuch f. die israelitische Jugend. Hrsg. unter Mitwirkg. v. Adf. Brüll, Nehem. Brüll, L. A. Frankl rc. 12. (174 S.) Wien 886. (Leipzig, Mutze.) geb. n. 3. —; m. Goldschn. n. 4. —; Prachtausg. m. Goldschn. n. 8. —

— biblisches Lesebuch f. die israelitische Jugend. 3 Thle. gr. 8. Leipzig 883. Klinkhardt. n. 4. —

1. (V, 80 S.) n. — 80. — 2. (107 S.) n. 1. 20. — 3. (276 S.) n. 2. —

Waldemar, H., Förster's Trude. Novelle. 8. (V, 152 S.) Stuttgart 886. Glaser & Co. n. 1. 75; geb. n. 2. 50

Walden, A. v., e. alte Geschichte. Am Haidesee. Zwei Erzählgn. 8. (87 S.) Berlin 885. (Parrisius.) n. 2. —

Walden, Gertrud, d. Pfarrers Mündel. Orig.-Roman. 2 Thle. in 1 Bd. 8. (III, 152 u. 120 S.) Leipzig 883. Leopold & Bär. n. 4. 50

Walden, Marie, aus der Heimat. Erzählungen. 2. Bd. 8. (IV, 283 S.) Bern 884. Nydegger & Baumgart. n. 3. 20; geb. n. 4. 50 (1. u. 2: n. 6. 20; geb. n. 9. —)

Waldenburg. H., Jagd u. Hege v. Reh, Hase u. Rebhuhn, nebst den einschläg. Gesetzen, Reichsgerichtsentscheidgn. rc., f. angeh. Jäger. gr. 8. (164 S.) Leipzig 886. Expedition der Illustr. Jagdzeitung. n. 3. —

Walder-Appenzeller, H., die Erziehung zur Wahrhaftigkeit. Referat, geh. an der Jahresversammlg. der ostschweizer. Sektion d. Vereins schweizer. Armenerzieher zu Stäfa den 23. Mai 1882. gr. 8. (44 S.) Aarau 883. (Zürich, Höhr.) n. — 60

Waldersee, F. G. Graf v., der Dienst d. Infanterie-Unteroffiziers. 17. Aufl. Unter Berücksicht. der neuesten Bestimmgn. umgearb. von A. Graf v. Waldersee. Mit e. Anh. u. 3 lith. Taf. gr. 8. (VIII, 290 S.) Berlin 886. Gaertner. n. 2. 20; geb. n. 2. 50

— Leitfaden bei der Instruction d. Infanteristen. 110. Aufl., durchweg neu rev. u. m. den neuesten Allerhöchsten Bestimmgn., namentlich üb. das Infanterie-Gewehr Modell 1871, die Schieß-Instruction f. die Infanterie v. 1877, die Wehr-Verfassg., die Heeres-Formation, die Militär-Gerichtsbarkeit, den Garnison-Wachtdienst, das zerstreute Gefecht u. den Felddienst, vervollständigt von A. Graf v. Waldersee. Mit 2 Taf. zur Schieß-Instruction u. je 1 Taf. f. Schützengräben, Biwaksordng., Feldwacht- u. Marschsicherungsdienst. 8. (214 S.) Berlin 884. Barthol & Co. n. — 60

— dasselbe. Nachtrag. Speziellere Kenntniß d. Gewehrs, auf Grund der Allerhöchsten Bestimmgn. der neuen Schieß-Instruktion vom 11. Septbr. 1884 bearb. 8. (24 S. m. eingedr. Fig.) Ebend. 884. — 10

Waldersee, P. Graf, G. P. da Palestrina u. die Gesammt-Ausgabe seiner Werke, s.: Sammlung musikalischer Vorträge.

Waldeyer, W., wie soll man Anatomie lehren u. lernen. Rede. gr. 8. (41 S.) Berlin 886. Hirschwald. n. — 80

— Archiblast u. Parablast. gr. 8. (77 S.) Bonn 883. Cohen & Sohn. n. 2. —

— Atlas der menschlichen u. tierischen Haare, sowie der ähnlichen Fasergebilde. Für die Bedürfnisse der Staatsarzneikunde, d. Handels, der Technik u. der Landwirthschaft hrsg. v. J. Grimm. Mit erklär. Text v. W. W. qu. gr. 4. (III, 204 Sp. m. 12 Lichtdr.-Taf.) Lahr 884. Schauenburg. cart. n. 12. —

— Medianschnitt e. Hochschwangeren bei Steisslage d. Fötus, nebst Bemerkgn. üb. die Lage- u. Formverhältnisse d. Uterus gravidus nach Längs- u. Querschnitten. Mit 3 Holzschn. u. e. Atlas v. 5 Taf. (in gr. Fol. u. Mappe). Lex.-8. (36 S.) Bonn 886. Cohen & Sohn. n. 40. —

Waldhauser, Ant., junge Enten. Lustspiel in 5 Aufzügen. gr. 8. (100 S.) Berlin 884. Ißleib. n. 1. 50

Waldheim's illustrirter Führer auf den österreichischen Alpen-Bahnen m. Fremdenführer v. Wien u. [illegible]

Eisenbahn-Karte Oesterreich-Ungarns. Unter Mitwirkg. prakt. Touristen red. v. Heinr. Jacobsen. 2. Aufl. Mit 138 Illustr. 8. (XVI, 194 S.) Wien 884. v. Waldheim. n. 1. —

Waldheim, A., die Rache d. roten Mannes, s.: Volks- u. Jugend-Erzählungen.

Waldheim, L. J., der ächte kleine Schwede, die Kunst, die schwed. Sprache in 8 Tagen ohne Lehrer richtig lesen, sprechen u. schreiben zu lernen. Mit beigefügter Aussprache. 5. Aufl. 16. (IV, 124 S.) Hamburg 881. Berendsohn. — 60

Waldheim, R., die Ansiedelung am Rio Pardo, s.: Volks-Erzählungen, kleine.

— unter amerikanischen Banditen, s.: Volksbücher, Reutlinger.

— das Blockhaus im Urwalde od. Ned Grenwood, der Trapper. Eine Erzählg. aus dem Westen. Ster.-Ausg. 8. (64 S.) Reutlingen 884. Enßlin & Laiblin. — 20

— Edward Morton, der dankbare Texaner, s.: Volks-Erzählungen, kleine.

— Otattsa, die Tochter d. Häuptlings, s.: Volksbücher, Reutlinger.

— ein blinder Passagier, s.: Volkserzählungen, kleine.

— das Schloß im Argonner Walde, s.: Volksbibliothek, neue.

— der Squatter v. Red Maple, s.: Volks- u. Jugend-Erzählungen.

— bis in die Wildnis. Eine Erzählg. aus dem fernen Westen. 8. (64 S.) Hamburg 883. Kramer. — 25

— ein stummer Zeuge, s.: Erzählungen aus Heimat u. Ferne.

Waldis, B., Streitgedichte gegen Herzog Heinrich den Jüngern v, Braunschweig, s.: Neudrucke deutscher Litteraturwerke d. XVI. u. XVII. Jahrh.

Waldkirch, Osc. v., Erwerb u. Schutz d. Eigenthums an Mobilien nach Titel VI, Abschnitt I d. Bundesgesetzes üb. das Obligationenrecht. gr. 8. (87 S.) Zürich 885. Meyer & Zeller. n. 1. 50

Waldmann, C., s. die Feierstunde. Fünf Märchen, der Jugend erzählt. Mit 4 Farbendr.-Bildern. 8. (148 S.) Berlin 884. Zieger Nachf. geb. 2. 50

— am Kaminfeuer. Vier Märchen, der Jugend erzählt. Mit 4 Farbendr.-Bildern. 8. (135 S.) Ebend. 884. geb. 2. 50

— auf gefahrvollen Pfaden. Drei Erzählgn. aus dem Gebirgs- u. Waldleben f. die reifere Jugend. Mit 3 Vollbildern u. 10 Text-Illustr. in Holzschn. nach Originalen v. Fritz Bergen. gr. 8. (409 S.) Leipzig 886. Gebhardt. geb. 7. 50

Waldmann, F., der Bernstein im Altertum. Eine historisch-philolog. Skizze. 4. (87 S.) Fellin 883. (Berlin, Friedländer & Sohn.) n. 2. —

Waldmann, H., Michael Servet, Trauerspiel in 5 Acten. 8. (185 S.) Bremen 885. Haake. n. 1. —

Waldmann's, Ludolf, Lieder. gr. 16. (VIII, 60 S.) Breslau 885. Waldmann. geb. 1. —

Waldmann, W., Arthritis deformans u. chronischer Gelenkrheumatismus, s.: Sammlung klinischer Vorträge.

Waldmeister, e. Radikalkur. Dialekt-Lustspiel in 2 Akten. 12. (50 S.) Bern 884. Jenni. n. — 75

Waldmüller, Rob. [Ed. Duboc], Don Adone. Dem berühmten Fabulanten v. der „Spiaggia della Marinella" in Neapel, Gian Francesco Sabattini nacherzählt. 2 Bde. 8. (XV, 274 u. 258 S.) Leipzig 883. Grunow. n. 9. —

— Daria. Roman. 2 Bde. 8. (307 u. 306 S.) Ebend. 884. geb. n. 8. —; in Leinw. n.n. 10. 50; in Halbfrz. n.n. 13. —

— das Geheimniß. Doppel-Novelle. 8. (268 S.) Rostock 887. Verlag d. Albumstiftg. (C. Hinstorff's Verl.) n. 4. 50

— auf der Leiter d. Glücks. Blond od. Braun? Zwei Novellen. 8. (286 S.) Leipzig 884. Grunow. n. 4. —; geb. in Leinw. n.n. 5. 25; in Halbfrz. n.n. 6. 50

— Maddalena. Novelle. 8. (119 S.) Augsburg 883. Reichel. n. 2. —; geb. m. Goldschn. n. 3. —

— um e. Perle. Roman. 2 Bde. 8. (218 u. 257 S.) Leipzig 885. Grunow. n. 7. —; geb. in Leinw. n.n. 9. 50; in Halbfrz. n.n. 12. —

Waldner, A., officieller Führer durch die schweizerische Landesausstellung m. Notizen üb. die Schweiz, Zürich u. Umgebung. Mit e. (lith.) Plan der Ausstellg. u. e. (lith.) Karte v. Zürich. 2. Aufl. 8. (94 S.) Zürich 883. (Meyer & Zeller.) geb. n. 1. —

Waldner, Heinr., Deutschlands Farne m. Berücksicht. der angrenzenden Gebiete Oesterreichs, Frankreichs u. der Schweiz. 10—13. (Schluss-)Hft. Fol. (à 4 Lichtdr.-Taf. m. 4 Bl. deutschem, französ., engl. u. latein. Text.) Stuttgart 883. Metzler's Verl. à n.n. 2 50 (cplt.: n. 35. —; geb. n. 40. —)

— über europäische Rosentypen. Hrsg. vom botan. Verein v. Elsass-Lothringen. Mit 1 (Lichtdr.-) Taf. gr. 4. (56 S.) Worms 885. (Zabern, Mallinckrodt.) n. 3. 20

Waldner, Minna, Edelsteine. Gedanken zur Ermunterg. im Kampf um den Schmuck d. innern Menschen. Gesammelt v. M. W. Bevorwortet v. E. Stähelin. 4. Aufl. 8. (148 S.) Basel 885. Spittler. n. — 80

Waldner, Vict., die correale Solidarität. gr. 8. (VI, 187 S.) Wien 885. Manz. n. 4. 80

Waldow, Alex., Anleitung zum Farbendruck auf der Buchdruckpresse u. Maschine. Mit Berücksicht. d. Iris-, Bronze- u. Blattgolddrucks. gr. 8. (V, 112 S. m. 2 Farbentaf.) Leipzig 883. Waldow. n. 3. 50

— Hilfsbuch f. Maschinenmeister an Buchdruck-Cylinderschnellpressen. Bearb. unter Benutzg. seiner älteren Werke u. Beifügg. aller neueren Erfindgn. 1. u. 2. Tl. gr. 8. Ebend. 887. n. 6. —; geb. n. 8. 25

1. Leitfaden f. das Studium der Schnellpressen-Konstruktionen, wie f. das spezielle Studium aller einzelnen Teile der Cylinder-Schnellpresse u. deren Behandlg. Belehrung üb. Cylinderaufzug, Mischg., Guss u. Behandlg. der Walzen etc. (VIII, 134 S.) n. 4. —; geb. n. 5. 25
2. Leitfaden f. das Formatmachen, Schliessen, Einheben, Zurichten, Drucken etc. v. Formen aller Art. (VII, 65 S.) n. 2. —; geb. n. 3. —

— Lehrmittel f. den Anschauungs-Unterricht in Buchdrucker-Fachschulen. Skizzenmaterial f. Accidenzarbeiten, nebst Anleitg. zur Verwendg. desselben. 1. Hft. gr. 8. (8 S. m. 4 Taf. u. 2 Bl. Skizzenpap.) Ebend. 885. n. — 60

— kurzer Ratgeber f. die Behandlung der Farben bei Ausführung v. Bunt-, Ton-, Bronce-, Blattgold- u. Prägedrucken auf der Buchdruckpresse u. Maschine. 3. Aufl. gr. 8. (34 S.) Ebend. 884. n. 1. 50

— über den Satz d. Griechischen u. Hebräischen. [Aus: „Die Buchdruckerkunst".] gr. 8. (33 S.) Ebend. 883. n. 2. —

— Winke üb. die Preisberechnung v. Druckarbeiten. gr. 8. (23 S.) Ebend. 884. n. 1. 75

Waldow, Ernst v., der Doppelgänger. Kriminal-Novelle. 12. (124 S.) Berlin 886. Goldschmidt. n. — 50

— ohne Fehl. Roman. 12. (212 S.) Ebend. 885. n. 1. —

Waldow, Herm., die Festtage d. Lebens. Eine Sammlg. v. Orig.-Gelegenheitsgedichten aller Art, als: Toaste, Polterabendscherze, Gedichte u. Tafellieder zu Verlobgn., Hochzeiten u. Jubelhochzeiten, Glückwünsche u. Gratulationen f. Jung u. Alt, Tafellieder, Prologe, Epiloge, Gesellschaftsscherze f. größere u. kleinere Cirkel ꝛc. 1. u. 2. Hft. 8. Erfurt 883. Bartholomäus. à n. 1. —

1. Ernste u. heitere Toaste u. Trinksprüche bei allen vorkomm. festl. Gelegenheiten. 5. Aufl. (VIII, 152 S.)
2. Ernste u. heitere Gedichte u. Tafellieder zu Polterabenden, Hochzeiten u. Jubelhochzeiten. 5. Aufl. (IX, 162 S.)

Waldstätten, Joh. Frhr. v., Anleitung zur Einübung d. Feld-Dienstes bei der Infanterie. 2. Abdr. 8. (78 S.) Wien 884. Seidel & Sohn. n. — 60

— die Taktik. 8. Aufl. 1. u. 2. Thl. Mit Holzschn. gr. 8. Ebend. n. 7. —

1. Elementar-Taktik der drei Waffen. (196 S.) 887. n. 3. —
2. (IV, 370 S.) 886. n. 4. —

— Technik d. angriffsweisen Gefechtes der Infanterie. 2. Aufl. Mit 1 (lith.) Taf. gr. 8. (86 S.) Ebend. 885. n. 2. —

Waldstein, Max, aus Wiens lustiger Theaterzeit. Erinnerungen an Josefine Gallmeyer. Mit dem Portr. u. Facsm. der Künstlerin. 6. Tausend. 8. (IV, 227 S.) Berlin 885. Jacobsthal. n. 2. —

Waldvogel, Karl, e. Fibrom d. Herzens. gr. 8. (21 S.) Göttingen 885. (Vandenhoeck & Ruprecht.) n. — 80

Walfeld, Kurt v, auf Irrwegen. Novelle. 8. (238 S.) Stuttgart 887. Deutsche Verlags-Anstalt. n. 4. —

Walker, Mathilde, aus d. Lenzes Füllhorn. Gedichte. 16. (XVI, 205 S. m. 1 Holzschntaf.) Stuttgart 884. Greiner & Pfeiffer. geb. m. Goldschn. n. 3. —

Wallach, O., s.: Tableaux servant à l'analyse chimique.

Wallaschek, Rich., Ästhetik der Tonkunst. gr. 8. (III, 378 S.) Stuttgart 886. Kohlhammer. n. 6. —

— Ideen zur praktischen Philosophie. gr. 8. (IV, 156 S.) Tübingen 886. Laupp. n. 3. —

Wallé, die Morphiumsucht u. die Physiologie der Heilungsvorgänge, s.: Sonderabdrücke der Deutschen Medizinal-Zeitung.

Wallé, P., Schlüter's Aufenthalt in Petersburg 1713—1714. Ein Beitrag. gr. 8. (28 S.) Berlin 883. (Bohne.) n. 1. —

Walleiser, Carl, Heureka. 150 Rätsel. 12. (63 S.) Berlin 886. Horrwitz. n. 1. 20

Walleneg, Jos., die Laubsägerei, sowie die Einlege- u. Schnitzarbeit. Rationelle u. leichtfaßl. Anleitg. f. Dilettanten. Nebst Anweisg. zur Verschönerg. fert Holzarbeiten. Mit e. Verzeichnisse verschiedener Bezugsquellen. 2. umgearb. u. sehr verm. Aufl. Mit 117 Abbildgn. gr. 8. (VIII, 231 S.) Weimar 885. B. F. Voigt. 5. —

Wallentin, Frz., Maturitätsfragen aus der Mathematik. Zum Gebrauche f. die obersten Classen der Gymnasien u. Realschulen zusammengestellt. 2. Aufl. gr. 8. (VIII, 200 S.) Wien 885. Gerold's Sohn. n. 3. 60; Auflösungen (VI, 192 S.) 886. n. 3. 60; in 1 Bd. geb. n. 8. —

Wallentin, Gust., menstruatio praecox. gr. 8. (29 S.) Breslau 886. (Köhler.) n. 1. —

Wallentin, J. G, die Generatoren hochgespannter Elektricität m. vorwiegender Berücksicht. der Elektrisirmaschinen im engeren Sinne, s.: Bibliothek, elektro-technische.

— Lehrbuch der Physik f. die oberen Classen der Mittelschulen u. verwandter Lehranstalten. 4. Aufl. Mit 243 in den Text gedr. Holzschn. u. 1 Spectraltaf. in Farbendr. Ausg. f. Gymnasien. gr. 8. (XV, 358 S.) Wien 885. Pichler's Wwe. & Sohn. n. 3. 60

— dasselbe. Ausg. f. Realschulen. gr. 8. (XV, 330 S.) Ebend. 885. n. 3. 30

Waller, G., s.: Raccolta di leggi ed ordinanze della Monarchia austriaca.

Waller, Ign., die Offenbarung d. hl. Johannes im Lichte der hl. Geschichtstypik, der alttestamentlichen Prophetie u. ihres eigenen Zusammenhanges, nebst e. Anh. üb. die Theologie d. hl. Buches. gr. 8. (XVIII, 584 S.) Freiburg i/B. 884. Herder. n. 5. —

Waller, Jos. R., german-english medical dictionary. 16. (III, 150 S.) Wien 884. Toeplitz & Deuticke. geb. n. 3. 60

Waller, Wilh., excursus criticus in P. Papinii Statii Silvas. gr. 8. (58 S.) Breslau 885. (Köhler.) n. 1. —

Wallfahrtsorte in Oesterreich-Ungarn. Maria-Taferl, Wallfahrtsort zur schmerzhaften Mutter Gottes in Niederösterreich. Beschreibung d. Ortes u. seiner Heiligthümer. Nebst Gnadenbild u. e. Karte. gr. 16. (32 S.) Würzburg 885. Woerl. n. — 25

Wallfisch, J. H., Elsa aus Israel, die den Herrn Jesum lieb hatte! Der Wahrheit nach erzählt. 16. (15 S.) Emden 885. Gerhard. — 15

— Israeliten! Auf zum Kampf gegen die Judenfrage! gr. 4. (4 S.) Ebend. 885. n. — 8; 100 Explre. n. 2. —

Wallhouse, Gillon v., die beste Weise, Jagd-, Wagen- u. Ackerpferde zu beschlagen, erprobt durch neunjähr. Anwendg. d. Bessemer Charlier-Hufeisens, nebst prakt. Bemerkgn. v. Cleland. Aus dem Engl. übers. gr. 8. (31 S. m. Illustr.) Bremen 885. Heinsius. n. 1. —

Wallies, G., Lehrbuch der einfachen u. doppelten Buchführung. 2 Tle. gr. 8. Berlin 883. Simion. geb. n. 3. —

1. Die einfache Buchführung in 12 Lektionen theoretisch u. praktisch dargestellt. 2. Aufl. (62 S.) n. 1. —
2. Die doppelte Buchführung in 16 Lektionen theoretisch u. praktisch dargestellt. (VIII, 110 S.) n. 2. —

Wallin, J. O., der Engel d. Todes. Im Versmaß d. Originals übers. u. m. e. biograph. Skizze versehen v. Emil Jonas. Illustriert v. Carl Larsson. hoch 4. (VIII, 36 S.) Berlin 886. A. Hofmann & Co. n. 5. —

Walling, Günther (Carl Ulrici), Guitarrenklänge. Volks- u. volksthüml. Lieder Spaniens. Uebersetzungen, nebst Anhang eigener Gedichte. 12. (XIV, 241 S. u. 8 S. Musikbeilage.) Leipzig 886. Friedrich. geb. m. Goldschn. n. 5. —

— vom Land d. Weins u. der Gesänge. Wanderungen durch Spanien an der Hand der Dichtkunst. Fremdes u. Eigenes. 8. (XV, 576 S.) Dresden 886. Pierson. n. 5. —; Einbd. in Leinw. m. Goldschn. n.n. 1. —; in Ldr. m. Goldschn. n.n. 2. —

— von Lenz zu Herbst. Dichtungen. 2. Aufl. 8. (IX, 363 S.) Leipzig 887. Friedrich. geb. m. Goldschn. n. 5. —

Wallis, A. S. C., Fürstengunst. Mit Genehmigg. d. Autors aus dem Holl. übers. von E. v. d. H. 3 Bde. 8. (338, 370 u. 422 S.) Heerenveen 884. Leipzig, Breitkopf & Härtel. n. 18. —; geb. n. 21. 75

Wallis, G., der Kanarienvogel, s.: Meyer, O.

Wallmann, Fr., deutscher Versicherungs-Kalender f. d. J. 1885. gr. 16. (XV, 122 u. 436 S.) Lankwitz-Berlin 885. Wallmann. geb. n.n. 10. —

Wallner, Edm., das große Buch der Toaste u. Tischreden. Die vollständigste Sammlg. v. Toasten, Trinksprüchen, Fest- u. Tischreden in Poesie u. Prosa f. alle Fälle im Leben, nebst e. prakt. Anweisg. d. Vortrages im öffentl. u. gesellschaftl. Leben, u. e. Anhg, enth. Zech- u. Trinksprüche. 5. Aufl. gr. 8 (VIII, LII, 380 S.) Erfurt 884. Bartholomäus. n. 5. —

— Cypressen u. Palmenzweige. Worte des Friedens in Poesie u. Prosa, zu Ehren Entschlafener, zum Troste Hinterbliebener. Gesammelt u. hrsg. 8. (V, 142 S.) Ebend. 883. 1. 50

— der Declamator. Sammlung ausgewählter Vorträge in Poesie u. Prosa. Nebst e. Anleitg. zum Declamiren. 1. u. 2. Abth. 8. Ebend. à 1. 50

1. Sammlung ernster Vorträge. (IV, 206 S.) 883.
2. Sammlung komischer Vorträge. (III, 231 S.) 884.

— deutsche Festspiel-Halle. Sammlung v. Prologen, Festspielen u. Festzügen. Zur Aufführg. in Künstler-, Juristen-, Feuerwehr-, Turner-, Krieger-, Karnevals- u. anderen Vereinen, sowie bei festl. Gelegenheiten in Privatkreisen. 1., 13—17. Lfg. gr. 8. Ebend. 5. 70

1. Aschenbrödel. Festspiel v. Gust. Leutritz. 2. Aufl. (15 S.) 885. — 75
13. Die Rheinsagen. Romantisches Festspiel v. Felix Meyer. Prolog v. Wilh. König. (77 S.) 883. n. 1. —
14. Die Feste der vier Jahreszeiten. Festspiel m. Tänzen, Gesängen u. Aufzügen v. Otto Ewald. (32 S.) 884. n. 1. —
15. Ahnen u. Epigonen. Festspiel f. Ingenieur-Kreise, Chemiker-Vereine etc. in 2 Abtheilgn. u. e. Vorspiel v. Wilh. Frerking. (44 S.) 884. n. 1. 20
16. Die Bauleute v. Marienwerder. Festspiel f. Architekten-Vereine etc. in 2 Aufzügen v. Wilh. Frerking. (31 S. m. 1 Musikbeilage.) 886. n. 1. —
17. Begleitende Worte zu lebenden Bildern. Dichtungen v. Arno Spies. (32 S.) 886. n. — 75

— das Haus-Theater. Sammlung v. Lustspielen, Soloscherzen u. Dramolets m. einfacher Scenerie u. wenig Besetzg. f. Dilettanten-Bühnen. 1., 4—6. Bd. (Neue Aufl.), 11. u. 12. Bd. 8. (230, 170, 128, 110, 106 u. 108 S.) Ebend. 885. à 1. 50

— Hochzeits-Kladderadatsche u. Ehestands-Zeitungen. Muster zur Anfertigung derselben. 3. Aufl. gr. 4. (32 S m. 1 Steintaf.) Ebend. 885. 1. 50

— Karneval u. Maskenball. 2. Bd. 2. bedeutend verm. Aufl. gr. 8. (VIII, 257 S.) Ebend. 886. n. 4. —

— Sang u. Klang bei Tische, in Wald u. Flur. Sammlung bisher ungedruckter Tafellieder. 2. bedeutend verm. Aufl. gr. 8. (XII, 508 S.) Ebend. 884. 6. —

— Schattentheater, Silhouetten u. Handschatten. Belustigende Unterhaltgn. f. Winterabende. 3. verm. Aufl. gr. 8. (79 S. m. Illustr.) Erfurt 884. Bartholomäus. 1. 50

Wallner, Edm., allgemeine Schaubühne. 1. 5. 6. 12—15. 17. 24. 28. 31. 35. 37. 56. 69. 71—89. Lfg. gr. 8. Erfurt, Bartholomäus. à — 75

1. Ein reizender Abend. Soloszene f. 1 Dame v. Geo. Horn. (12 S.) 2. Aufl. 886.
5. Kunigunde v. Wolfenbüttel od. die Liebe ist die Wurzel alles Uebels od. das Turnier zu Pferde. Ein niedlich-romant. Ritterschauspiel in 1 Aufzuge u. in 2 Verwandlgn. m. Musik u. Gesang v. K. A. Lauer. 2. Aufl. (16 S.) 886.
6. Im Regen. Lustspiel in 1 Akt v. Rob. Jonas. 2. Aufl. (29 S.) 886.
12. Acht Tage nach der Hochzeit od. die Komödie der Liebe. Lustspiel in 1 Akte. Frei nach dem Franz. v. Emil Hildebrand. 2. Aufl. (37 S.) 886.
13. Ein Don Juan wider Willen. Schwank in 1 Akte v. Chr. Ney. 2. Aufl. (45 S.) 886.
14. Salz-Häringe od. die Macht d. Kümmels. Schauerposse in 3 Hälften v. S. Wenzl. 2. Aufl. (26 S.) 886.
15. Alter schützt vor Thorheit nicht. Lustspiel in 1 Akt, frei nach dem Franz. v. W. Drost. 2. Aufl. (36 S.) 886.
17. Nur nicht empfindlich! Schwank in 1 Akt, frei nach dem Franz. v. Emil Hildebrand. 2. Aufl. (42 S.) 886.
24. Drei Dinge nenn' ich euch! Lustspiel in 2 Akten v. Mor. Horn. 2. Aufl. (50 S.) 886.
28. Die Herren Gelehrten. Lustspiel in 1 Akt v. Emil Hildebrand. 2. Aufl. (29 S.) 886.
31. In sicherer Hut. Orig.-Lustspiel in 1 Akt v. Max Bauermeister. 2. Aufl. (28 S.) 886.
35. Wer die Wahl hat. Lustspiel in 1 Akt v. Adf. Bolger. 2. Aufl. (31 S.) 886.
37. Eine komische Alte. Orig.-Lustspiel in 1 Akt v. Max Baumeister. 3. Aufl. (23 S.) 886.
56. Schwerer Diebstahl. Lustspiel in 1 Akt v. Konr. Telmann. 2. Aufl. (70 S.) 886.
69. Ein reizender Ehemann. Schwank in 1 Akt v. Wilh. Frerking. 2. Aufl. (21 S.) 886.
71. Die erste Falte od. das beste Mittel. Bluette in 1 Akt v. B.....g. (16 S.) 883.
72. Hut ab! Dramatischer Scherz in 1 Akt [2 Bildern] v. A. Kistner. (31 S.) 883.
73. Der erste Maskenball. Dramatischer Scherz in 1 Akte v. C. A. Paul. (18 S.) 883.
74. Die Dichterin d. Wochenblattes. Schwank in 1 Aufzuge v. A. Gehrke. (30 S.) 884.
75. Wahlverwandt. Schwank in 1 Akt v. Hans Rosen. (44 S.) 884.
76. Im Pensionat. Lustspiel in 1 Akt v. C. Falk. (34 S.) 884.
77. Aber, Herr Rechnungsrath! od. e. herrlicher Sonntag. Schwank in 1 Aufzug v. Carl Walter. (26 S.) 884.
78. Vor Paris 1871. Lebensbild in 1 Aufzug aus der Zeit der Occupation in Frankreich v. Carl Walter. (28 S.) 884.
79. Das Feuer der Vesta. Lustspiel in 1 Akt v. Aug. Kellner. (20 S.) 885.
80. Die Piket-Partie. Lustspiel in 1 Aufzug. Nach Fournier u. Mayer frei bearb. v. Carl Frdr. Wittmann. (45 S.) 885.
81. Keine Hochzeitsreise. Lustspiel in 1 Akt. v. A. Kistner. (39 S.) 885.
82. Das erste Glas dem Kaiser! Genrebild in 1 Aufzuge v. Carl Walter. (19 S.) 885.
83. Jung-Deutschland in Afrika. Dramatischer Scherz m. Gesang in 2 Aufzügen v. S. Wenzl. (30 S.) 885.
84. Friedrichs erster Waffengang. Szene [1 Akt] aus dem Leben v. Herrm. Starcke. (22 S.) 884.
85. Die Memoiren d. Teufels. Lustspiel in 3 Aufzügen v. Arago u. Vermont, frei bearb. v. Carl Frdr. Wittmann. (63 S.) 886.
86. Eine wie die Andere. Polterabendschwank in 1 Aufzuge f. 3 Damen v. A. Kistner. (16 S.) 886.
87. Tenor u. Liebe. Schwank in 1 Akt v. Jos. Schweitzer. (12 S.) 886.
88. Der Heiratsvermittler. Orig.-Posse in 1 Akt v. Jos. Schweitzer. (16 S.) 886.
89. Jung-Afrika in Deutschland. Dramatischer Scherz m. Gesang in 2 Aufzügen v. S. Wenzl. (26 S.) 886.

Wallner, Edm., deutsche Sprüche u. Reime z. Ausschmücken v. Haus u. Geräth, sowie als Begleiter v. Geschenken gesammelt u. hrsg. 8. (XI, 118 S.) Erfurt 883. Bartholomäus. 1. 50

— deutsches Taschenliederbuch. 121. Aufl. 16. (XVI, 412 S.) Augsburg 885. Lampart & Co. cart. n. 1. —; geb. m. Goldschn. n. 2. —

— Thespiskarren. 10. u. 15. Lfg. gr. 8. Erfurt, Bartholomäus. à — 75

10. Der blutige Pantoffel an der Kirchhofsmauer od. das vergiftete Dreierbrödchen. Große historisch-romant. Tragödie in 5 Aufwickelgn. von M. L. v. Chemnitz. 2. Aufl. (16 S.) 885.
15. Die blamirte Ahnfrau, od. der verhängnißvolle Kinderschuh. Eine Ritter- u. Geister-Komödie m. Gesang in 2 sehr interessanten Aufzügen v. S. Wenzel. (31 S.) 884.

— Universum des Witzes u. der ungeheuren Heiterkeit. Ein Taschen-Rezeptbuch d. Humors f. fröhl. Leute und solche, die es werden wollen. 2., 5., 6., 9., 15., 17., 20., 24., 31., 32., 40 u. 41. Bd. 8. Ebend. à 1. 50

2. Komische Vorträge in Poesie u. Prosa, nebst e. Anleitg. zum Deklamieren. 4. Aufl. (XII, 234 S.) 885.
5. Polterabendscherze. Eine reiche Auswahl v. scherzhaften Aufzügen, dramat. Szenen f. e. u. mehr Personen für Polterabend u. Hochzeit. Mit Beiträgen v. Julien Raymund de Bau, P. A. Lerke, Fel. Meyer u. A. 4. verm. Aufl. (VIII, 234 S.) 885.
6. Der Festredner bei Polterabend u. Hochzeit. Eine reichhalt. Sammlg. v. Tischreden, Toasten u. Tafelliedern f. Hochzeit, Polterabend u. Jubelhochzeit. 2. verm. Aufl. (VIII, 144 S.) 885.
9. Die Bilder-Gallerie. Der Zirkus im Salon. Das anatomische Museum. Das anthropologische Kabinett. 4 drast. Szenen, zur Ausführg. in heiterem Kreise bestimmt u. m. vielen humorist. Illustr. versehen. 3. Aufl. (VII, 153 S.) 886.
15. Gesellschafts-Spiele im Zimmer wie im Freien. Scherzhaft. Vexier- u. Rätsel-Spiele u. andere Belustiggn. 4. Aufl. (XIV, 187 S. m. Abbildgn.) 886.
17. Thespiskarren. Eine Sammlg. haarsträub. Original-Dramen, ausgeführt v. Räubern, Rittern, Schäfern, Einsiedlern, Geistern u. Consorten. Zur Aufführg. in fidelen Kreisen hrsg. 2. Bd. 2. Aufl. (IV, 170 S.) 886.
20. Das kleine Buch der Tischreden, Toaste u. Trinksprüche. 3. Aufl. (VIII, 222 S.) 884.
24. Das Portefeuille d. Komikers. Humoristische Scenen, Soloscherze u. Dialoge. Hrsg. v. Rob. Linderer. 1. Bd. (VI, 178 S.) 884.
31. Der Koupletsänger. Sammlung laun. Kouplets u. Soloscherze. Gesammelt u. hrsg. v. Carl Lindau. 2. Aufl. (VII, 146 S.) 885.
32. Das Portefeuille d. Komikers. Humoristische Szenen, Soloscherze u. Dialoge. Hrsg. v. Carl Lindau. 2. Bd. 2. Aufl. (VI, 180 S.) 885.
40. Pantomimen u. Tanz-Divertissements. Rath f. Ballete, Tänze u. Festlichkeiten aller Art, nebst e. kurzen Geschichte d. Tanzes u. der Pantomimik bei den Alten v. W. Jerwitz. (LXIV, 93 S.) 884.
41. Für Sylvester u. Neujahr. Eine Auswahl v. Toasten, Liedern, scherzhaften u. ernsten Sylvesterreden, Kouplets, leb. Bildern, Unterhaltungsspielen u. Rätseln, sowie e. Anleitg. zur Anfertigg. verschiedener Sylvester-Getränke. (VI, 208 S.) 884.

Walloth, Wilh., Gedichte. 8. (140 S.) Leipzig 885. Friedrich. n. 2. —; geb. n. 3. —

— Oktavia. Historischer Roman aus der Zeit Neros. 8. (317 S.) Ebend. 885. n. 6. —; geb. n. 7. —

— Paris der Mime. Realistisch-histor. Roman aus der Zeit Domitian's. 8. (332 S.) Ebend. 886. n. 6. —; geb. n. 7. 20

— Gräfin Pusterla. Trauerspiel in 5 Akten. 8. (VI, 114 S.) Ebend. 886. n. 2. —

— das Schatzhaus d. Königs. Ein Roman aus dem alten Aegypten. 3 Bde. 8. (154, 147 u. 142 S.) Ebend. 883. n. 10. —

— Seelenräthsel. Roman aus der Gegenwart. 8. (384 S.) Ebend. 886. n. 6. —

Wallroth's Klassiker-Bibliothek. Hrsg. v. W. Lange u.

R. Oeser. 23. Bd. 12. Berlin 883. Wallroth. (?) geb. à n. 1. —
Poetische u. dramatische Werke v. G. E. Lessing. 1. Bd. (VI, 334 S.)

Walos, D., Tscharraomini, der Chipewayhäuptling, f.: Volks- u. Jugend-Erzählungen.

Walpole, Horace, the castle of Otranto. gr. 16. (191 S.) Leipzig 886. Gressner & Schramm. n. — 80

Walras, Léon, théorie mathématique de la richesse sociale. Lex.-8. (256 S. m. 6 Steintaf.) Lausanne 883. Leipzig, Duncker & Humblot. n. 6. —

Walsch, Rud., der geographische Unterricht auf Grund v. hypsometrischen Karten. [Heimatskunde v. Niederösterreich.] Mit 8 (eingedr.) Orig.-Abbildgn. gr. 8. (39 S.) Wien 886. Hölder. n. — 80

Waelsch, Emil, üb. die Bestimmung v. Punktgruppen aus ihren Polaren. Lex.-8. (8 S.) Wien 883. (Gerold's Sohn.) n. — 20

— geometrische Darstellung der Theorie der Polargruppen. Lex.-8. (6 S.) Ebend. 883. n. — 20

— über e. Schliessungsproblem. Lex.-8. (8 S.) Ebend. 884. n. — 20

Walsemann, A., das Interesse. Sein Wesen u. seine Bedeutg. f. den Unterricht. Eine Ziller-Studie. gr. 8. (84 S.) Hannover 884. Meyer. n. 1. 20

— die Pädagogik d. J. J. Rousseau u. J. B. Basedow, vom Herbart-Zillerschen Standpunkte verglichen u. beurteilt. gr. 8. (104 S.) Ebend. 885. n. 1. 60

Waltemath, Wilh., die fränkischen Elemente in der französischen Sprache. gr. 8. (106 S.) Paderborn 885. F. Schöningh. n. 1. 20

Waltenberger, A., Algäu, Vorarlberg u. Westtirol, nebst den angrenzenden Gebieten der Schweiz. Mit besond. Berücksicht. d. Bodenseegebietes, Bregenzerwaldes u. der Arlbergbahn. 5. umgearb. Aufl. Mit 1 Uebersichtskarte u. 4 Specialkarten. 12. (XII, 171 S.) Augsburg 885. Lampart's alpiner Verl. geb. n. 3. —

— Gebirgspanoramen vom Hafen in Lindau u. vom Pfänder aus gesehen. Lith. qu. schmal Fol. Lindau 884. Stettner. n. — 50

Waltenhofen, A. v., die internationalen absoluten Maasse, insbesondere die electrischen Maasse, f. Studirende der Electrotechnik in Theorie u. Anwendg. dargestellt u. durch Beispiele erläutert. gr. 8. (XI, 48 S.) Braunschweig 885. Vieweg & Sohn. n. 2. —

— über die Thermen v. Gastein. [Mit 1 Taf. u. 1 Holzschn.] Lex.-8. (25 S.) Wien 885. (Gerold's Sohn.) n. — 60

Walter, A., die Kunst im katholischen Gotteshause, f.: Broschüren, Frankfurter zeitgemäße.

Walter, Alfr., Beiträge zur Morphologie der Schmetterlinge. 1. Thl. Zur Morphologie der Schmetterlingsmundtheile. Abhandlung. gr. 8. (57 S. m. 2 Taf.) Dorpat 885. (Karow.) n. 2. 50

Walter, B., f.: Abrie, W.

Walter, C., das erste Glas dem Kaiser,
— vor Paris 1871,
— aber, Herr Rechnungsrath!
} f.: Wallner's allgemeine Schaubühne.

Walter, Emil, die sprachliche Behandlung d. Textes in der Probebibel. Ein Beitrag zur Kritik der revidirten Lutherbibel. gr. 8. (16 S.) Bernburg 885. Schmelzer. n. — 35

— die Sprache der revidirten Lutherbibel. Auf der Grundlage seiner Schrift „Die sprachl. Behandlg. d. Textes in der Probebibel" nach ihrem Verhältniß zur Luther'schen u. Luther-Canstein'schen Bibelsprache beschrieben u. kritisch untersucht. gr. 8. (58 S.) Ebend. 885. n. 1. 20

Walter-Dittrich, F., Franz Anton, der Rentier vom Lande,
— ein schlechtes Geschäft,
— bei Kerzenschein u. Glockenlaut,
— die Macht d. Geldes,
— man soll den Schein vermeiden,
— Todt u. Lebendig,
} f.: Theater, kleines.

Walter, Frz., Sammlung v. komischen Vorträgen, kleinen Possen, Soloscherzen, Travestien u. heiteren Vorlesungen rc. Mit 2 Taf. „Concert-Zeichnen v. K. Klič. 8. (VII, 200 S.) Wien 883. (Wiener-Neustadt, Lentner.) n. 3. 20; geb. n. 3. 60 u. n. 4. —

Walter, Gerh., in freier Luft. Drei Novellen. 8. (196 S.) Erlangen 886. Deichert. n. 2. —

Walter, Ghold. Ephr., Kandidat Müller. 8. (292 S.) Berlin 886. Gebr. Paetel. n. 5. —; geb. n.n. 6. 50

Walter-Walthoffen, H. v., die Cavallerie im Lichte der Neuzeit. Zeitgemäße Studie. 2. wesentlich verm. Aufl. v. „Die Kriegführung der neuesten Zeit u. deren Einfluß auf die Verwendung der Cavallerie". gr. 8. (IV, 187 S.) Berlin 883. F. Luckhardt. n. 3. —

— die Quelle der Siege. Kriegsgeschichtlich-pragmat. Studie. gr. 8. (48 S.) Ebend. 883. n. 1. 60

Walter, Heinr., Formularbuch f. preußische Gerichtsvollzieher. Eine Sammlg. v. Mustern f. alle im Gerichtsvollzieherdienste gebräuchl. Urkunden. Unter Berücksicht. der neuesten Bestimmgn. entworfen u. m. Erläutergn. hrsg. gr. 8. (XVI, 327 S.) Berlin 886. Siemenroth. n. 6. —; geb. n. 7. —

— die Gebührenordnung f. Rechtsanwälte vom 7. Juli 1879, nebst den einschläg. Bestimmgn. anderer Reichsgesetze u. den landesgesetzl. Ausführungsverordngn. Mit Kommentar. gr. 8. (XI, 331 S.) Ebend. 885. n. 6. —; geb. n. 7. —

— der preußische Gerichtsvollzieher. Systematisch geordnete Zusammenstellg. aller das Gerichtsvollzieheramt in Preußen betr. reichs- u. landesrechtl. Gesetzesvorschriften u. ministeriellen Ausführungsbestimmgn. Mit Erläutergn. gr. 8. (XXIV, 424 S.) Ebend. 885. n. 7. 50; geb. n. 8. 50

— die Rechtsanwaltsgebühren in Preußen im Gebiete d. allgemeinen Landrechts. Zusammenstellung aller in Preußen neben der deutschen Gebührenordng. f. Rechtsanwälte gilt. landesgesetzl. Vorschriften üb. Rechtsanwaltsgebühren. [Ausführungsgesetz vom 2. Febr. 1880, Gesetz vom 30. Juli 1883, Gesetz u. Tarif vom 12. Mai 1851, Gesetz vom 1. Mai 1875.] Mit Kommentar. gr. 8. (XVI, 168 S.) Ebend. 885. n. 3. 60; geb. n. 4. 50

Walter, Hein, u. Emil Ritter **v. Dunikowski,** das Petroleumgebiet der galizischen Westkarpathen. Mit 2 (chromolith.) Taf. u. e. geolog. (chromolith.) Karte. Hrsg. m. Unterstützg. d. k. k. Ackerbauministeriums. gr. 8. (IV, 100 S.) Wien 883. Manz. n. 3. —

Walter, Joh, praktischer Leitfaden f. den Wechsel-Verkehr, enth.: die allgemeine deutsche Wechsel-Ordng. m. erläut. Zusätzen, Formularen f. alle Gattgn. v. Wechseln, Wechselklagen u. Protesturkunden, sowie den im Wechselverkehr vorkomm. Briefen etc., ferner die Bestimmgn. üb. den Wechselstempel u. als Anh.: Verzeichniss der Zweiganstalten der Reichsbank, Bestimmgn. bezüglich der Postauftragsbriefe u. Einholg. v. Wechselaccepten im Wege d. Postauftrags. Für Beamte, Kaufleute u. Gewerbetreibende, sowie zum Gebrauche in Handels- u. Fortbildungsschulen bearb. 5. Aufl. gr. 8. (IV, 50 S.) Bernburg 883. Bacmeister. n. — 75

Walter, Jos., die heilige Messe der größte Schatz der Welt u. die Weise ihn zu benützen. Ein Belehrungs- u. Erbauungsbuch f. das christl. Volk. 3. Aufl. 8. (VIII, 594 S. m. 1 Stahlst.) Brixen 884. Weger. n. 1. 60

— der heilige Rosenkranz. Ein Belehrungs- u. Erbauungsbüchlein f. das christl. Volk, m. e. kleinen Gebetbüchlein im Anh. 4., verm. u. verb. Aufl. 16. (XXVIII, 292 S m. 1 Holzschn.) Ebend. 886. n. — 80

Walter, Jul, erstes Lesebuch nach der Jacotot-Seltzsamschen Methode f. Vorschulen höherer Lehranstalten, m. e. Anh. f. den Unterricht in der Orthographie. 2. Aufl. 8. (60 S., wovon 4 lith.) Breslau 886. Maruschke & Berendt. n. — 50; geb. n.n. — 60

Walter, O., das Hebammenwesen im Grossherzogth. Mecklenburg-Schwerin, seine Geschichte u. sein gegenwärt. Stand, nebst kurzen Vorschlägen zu e. Reform desselben. gr. 8. (III, 120 S.) Güstrow 883. Opitz & Co. n. 2. —

Walter, O. E., das königl. Sächsische Einkommensteuergesetz vom 2. Juli 1878, nebst der Ausführungs-Verordng. vom 11. Oktbr. 1878 u. der Instruktion f. die Einschätzungs- u. Reklamationskommissionen vom

1878. Durch die dazu ergangenen Verordngn. u. Entscheidgn. d. Finanz-Ministeriums u. d. Oberlandesgerichts zu Dresden erläutert. 8. (326 S.) Dresden 886. Warnatz & Lehmann. n. 2. 20; geb. n. 2. 80

Walter, O. E., der Verwaltungs- u. polizeistrafrechtliche Inhalt der Entscheidungen d. Reichsgerichts. Eine Zusammenstellg. d. in den Entscheidgn. d. Reichsgerichts enthaltenen, das Verwaltungs- u. Polizeistrafrecht d. Deutschen Reiches u. der Bundesstaaten berühr. Rechtsgrundsätze u. Entscheidgn. In chronolog. Reihenfolge der einschläg. Gesetze u. Verordngn. hrsg. 8. (XII, 234 S.) Leipzig 883. Veit & Co. n. 3. —

Walter, Otto, Tabellen zur Berechnung der Zinsen von 1 Tage bis zu 1 Jahre bei 1, 2, 2½, 3, 3½, 4, 4½, 5, 5½, u. 6 %, nebst e. Zeitberechnungstafel. gr. 8. (17 S.) Liegnitz 884. Zippel. — 75

Walter, Waldemar, a kleenes Bichla vuhl drulliger Schnaaka u. neck'scher Reimla ei inser Redensart. 8. (V, 74 S.) Görlitz 883. Vierling's Verl. n. 1. 20

Walther v. der Vogelweide. Schul-Ausg. m. e. Wörterbuche v. Karl Bartsch. 2. Aufl. 8. (VIII, 156 S.) Leipzig 885. Brockhaus. n. 2. —; geb. n.n. 2. 50

— s.: Handbibliothek, germanische. — Sammlung germanistischer Hilfsmittel.

— Gedichte übers. v. Karl Simrock. 7. Aufl. 16. (XL, 360 S) Leipzig 883. Hirzel. n. 5. —; geb. n. 6. —

Walther, Carl Ferd. Wilh., amerikanisch-lutherische Evangelien-Postille. Predigten üb. die evangel. Pericopen d. Kirchenjahres. 9. Aufl. gr. 4. (VI, 404 S. m. Portr. in Stahlst.) St. Louis, Mo. 885. (Dresden, H. J. Naumann.) n. 6. —

— die rechte Gestalt e. vom Staate unabhängigen evangelisch-lutherischen Ortsgemeinde. Eine Sammlg. v. Zeugnissen aus den Bekenntnißschriften der evang.-luth. Kirche u. aus den Privatschriften rechtgläub. Lehrer derselben. Dargestellt u. auf Beschluß der evangel.-luth. Pastoralconferenz zu St. Louis, Mo., der Oeffentlichkeit übergeben. 5. unveränd. Aufl. gr. 8. (X, 228 S.) Ebend. 885. n. 1. 75

— americanisch-lutherische Pastoraltheologie. 3. Aufl. gr. 8. (IV, 441 S.) Ebend. 885. n. 7. —

— Tanz u. Theaterbesuch. Je zwei freie Vorträge hierüber, in vier dazu veranstalteten Erbauungsstunden geh. u. auf Grund stenograph. Aufzeichngn. auf Wunsch seiner Gemeinde veröffentlicht. 12. (118 S.) Ebend. 886. n. — 60

— warum sollen wir uns Luthers, dessen Namen wir tragen, nicht schämen? Predigt üb. 2. Tim. 1, 8 zur Nachfeier d. Reformationsfestes. 8. (15 S.) Ebend. 883. n. — 20

Walther, C. H. F., mittelniederdeutsches Handwörterbuch, s.: Lübben, A.

Walther, Chr. Fr. v, Denkmal der Verehrung. Auf das Jubilaeum der 25jähr. glückl. u. glorreichen Regierg. u. auf den hohen u. feierl. 90. Geburtstag Sr. Maj d. Kaisers v. Deutschland u. Königs v. Preussen Wilhelm I. am 22. [10.] März 1886. Alcaeisches Gedicht, lateinisch u. deutsch. Lex.-8. (15 S.) St. Petersburg 886. (Leipzig, Brockhaus' Sort.) n. 2. —

— die 4. Saecularfeier der Geburt Doctor Martin Luthers am 10. Novbr. [29. Oct.] 1883. Gedicht. Aus dem Lat. vom Verf. ins Deutsche übers. Lex.-8. (8 S.) Ebend. 883. n. 1. —; lateinisch u. deutsch (16 S.) n. 2. —

Walther, Conradin, die Kunstschlosserei d. XVI., XVII. u. XVIII. Jahrh. Eine Sammlg. vorzügl. schmiedeeiserner Gegenstände aller Art, nach den Originalen auf Stein gezeichnet. (In 10 Lfgn.) 1—6. Lfg. Fol. (à 5 Taf.) Stuttgart 884. 85. Wittwer's Verl. à n. 3. —

Walther, E., Lesebuch f. Landschulen. Mit Bildern. gr. 8. (X, 365 S.) Bielefeld 886. Velhagen & Klasing. n. 1. 60; geb. n.n. 1. 90

Walther, E., landwirthschaftliche Thierheilkunde. Für landwirthschaftl. Schulen u. zum Selbststudium f. Landwirthe. Mit 169 in den Text gedr. Holzschn. 2. verm Aufl. gr. 8. (VIII, 275 S.) Bautzen 883. Rühl. n. 3. —

Walther, Emil, aus Deutschlands Ehrentagen. Den deutschen Schulen u. Vereinen zur Aufführg. an nationalen Festtagen gewidmet. 12. (32 S.) Chemnitz 886. Leipzig, Siegismund & Volkening. n. — 50

Walther, Erwin, englisch-deutscher Sprachführer u. Ratgeber f. Auswanderer nach Amerika, nach den neuesten u. zuverlässigsten Quellen bearb. 3. Aufl. Mit e. Spezial-Karte der Vereinigten Staaten. 12. (205 S.) Ansbach 886. Eichinger. cart. n. 1. 20

— französische Studien f. die oberen Kurse höherer weiblicher Bildungsanstalten. 8. (IV, 3, XVI, 19 S.) Erlangen 885. Deichert. n. — 40

— dasselbe, f. die Lehrerinnenprüfung u. die oberen Kurse höherer weiblicher Bildungsanstalten. 8. (VII, 26 S.) Ebend. 885. n. — 40

— englische Uebungsstücke f. höhere Unterrichtsanstalten. gr. 8. (VI, 89 S.) Ebend. 886. n. 1. 60

Walther, Eug., zur Behandlung der lateinischen Konjugation in der Sexta. Mit 3 Taf. gr. 4. (29 S.) Leipzig 886. Fock. n. 1. —

Walther, F. A., Critic üb. den studentischen Zweikampf. gr. 8. (7 S.) Berlin 885. W. Stute. n.n. — 25

Walther, Fr, der echte Wahrheitsbegriff. Ueber die Nothwendigkeit e. Erneuerg. der Grundlage d. wissenschaftl. Erkennens. 8 (V, 62 S.) Stuttgart 886. Kohlhammer. n. 1. —

Walther, J. v., Sammlung v. civilrechtlichen Entscheidungen d. k. k. obersten Gerichtshofes, s.: Glaser, J.

Walther, L., Erinnerungen aus Wilhelm Appuhns Leben. Aus seinen Aufzeichngn. zusammengestellt Mit (Licht-dr.-)Portr. gr. 8. (V, 342 S.) Gotha 885. F. A. Perthes. n. 5. —

Walther, Lina, Mädchenherzen. Zwei Erzählgn. f. junge Mädchen. 8. (197 S.) Gotha 883. F. A. Perthes. n. 2. 40; geb. n. 3. 20

— das Weihnachtslied. Eine Erzählg. f. junge Mädchen. 8. (VII, 303 S.) Ebend. 887. n. 3. —

Walther, O., das Schloß am Meer, } s.: Bibliothek, neue,
— mit dem Strome, } f. das deutsche Theater.

Walther, Otto, Leitfaden f die Friedensrichter im Fürstent. Reuß j. L., enth.: Anleitung, Formulare zu Protokollen, Bescheinigqn. 2c, sowie Antragsformulare f den Rechtsuchenden u. Abdruck der wichtigsten Paragraphen d. Gesetzes, die Friedensrichter betr., v. 12. Sept. 1879. Als Anh.: Friedensrichter-Bezirke u. Namen der fungier. Friedensrichter im Fürstent. Reuß j. L. 2. Aufl. 8. (40 S.) Schleiz 883. Lämmel. n. — 60

Walther, Rich., biblische Geschichten. Für die Mittelstufe erzählt. Mit 16 Illustr. in Holzschn. gr. 8. (IV, 124 S.) Leipzig 884. M. Heffe. n. — 50; cart. n. — 65

Walther, Rud., e. Pilgerfahrt in das gelobte Land. Vorgetragen im deutsch-österreich. Alpenverein zu Konstanz. 2 Aufl. 8. (81 S.) Thalweil 885. Brennwald. n. — 80

Walther, Rud. Bernh. v., Hans Landtschadt v. Steynach. Ein Culturbild aus der Reformationszeit. 2. Ausg. 8. (VIII, 335 S.) Heidelberg 886. C. Winter. n. 2. —; geb. n. 3. —

Walther, Wilh., zur Erinnerung an den Bau d. Kirchturmes zu Ritzebüttel. Den Gliedern u. Freunden der Gemeinde dargeboten. gr. 8. (16 S.) Hamburg 885. (Gräfe.) — 30

— Luther im neuesten römischen Gericht, s.: Schriften d. Vereins f. Reformationsgeschichte.

— Luther vor dem Richterstuhl der „Germania". Offenes Sendschreiben an den Verf. der in der „Germania" erschein. „Briefe aus Hamburg". gr. 8. (40 S.) Hamburg 883. Oemler. n. — 50

Walton, Mrs., e. Blick hinter die Coulissen. Eine Erzählg. f. Jung u. Alt. Frei nach dem Engl. v. M. K.-G. 2. Aufl. 12. (314 S. m. Illustr.) Basel 884. Spittler. n. 1. 60

— heim, ach nur heim! Eine Erzählg., frei nach dem Engl. v. M. K.-G. 12. (41 S. m. 1 Holzschn.) Ebend. 883. n. — 20

Walton, Isaac, the complete angler: or the contemplative man's recreation. gr. 16. (192 S.) Leipzig 886. Gressner & Schramm. n. — 80

Walton, O. F., Niemand hat mich lieb! Eine Erzählg.

Deutsch von Käthe v. Mielecka. Mit 2 Bildern. 12. (92 S.) Basel 885. Spittler. n. — 40

Waltrami ut videtur liber de unitate ecclesiae conservanda, s.: Scriptores rerum germanicarum.

Walz, K., die Lehre der Kirche v. der h. Schrift, nach der Schrift selbst geprüft. Eine v. der Haager Gesellschaft zur Vertheidigg. der christl. Religion gekrönte Preisschrift. gr. 8 (IV, 220 S.) Leiden 884. Brill. n.n. 3. 50

Wanda, Kaiserin, v. ***. Autoris. Uebersetzg. aus dem Franz. Von Hans v. Norden. 8. (III, 364 S.) Hamburg 885. Günther. n. 4. —

Wand-Alphabete f. den Schreibunterricht in der Volksschule. [Elberfelder System.] Deutsch. 2 Bl. u. 1 Streifen Zahlen. Lith. qu. gr. Fol. Elberfeld 885. Loewenstein's Verl. n 1. – ; auf Leinw. m. Stäben n. 2. 40

— dasselbe. Lateinisch. 2 Bl. Lith. qu. gr. Fol. Ebend. 885. n. 1. —; auf Leinw. m. Stäben. n. 2. 40

Wandbilder, naturgeschichtliche, f. den Anschauungs-Unterricht in Elementar- u. Volksschulen. 2. Abtlg. 18 (lith. u. color.) Taf. qu. Fol. Eßlingen 886. Schreiber. n. 8. – ; aufgezogen auf 9 Papptaf. n. 6. 50

— kolorierte, zum Unterricht in der Weltgeschichte. 12 Bilder m. je 3 großen Fig. qu. Fol. Mit erklär. Texte v. Th. Eckardt. gr. 4. (8 S.) Ebend. 886. n. 3. —

Wandel, Geo., geistliche Reden, an vaterländischen Festen geh. 8. (VII, 99 S.) Berlin 886. G. Nauck. n. 1. 50

Wander, Jul., kurzgefasste u. übersichtliche Geographie v. Deutschland. gr. 8. (4 S.) Dresden 883. Jaenicke. n. – 10; als Wandtafel auf Carton n. — 50

Wander, K. F. W., die poetische Kinderwelt. Eine Sammlg. lehrreicher, sorgfältig ausgewählter u. geordneter Gedichte. 1. Bd.: Für das Alter von 5—10 Jahren. 4. Aufl. in neuer Rechtschreibg. 8. (XXIV, 176 S.) Leipzig 884. Wöller. — 75

Wander, Otto, Fremdwörterbuch. Ein Handbuch der in unserer Sprache gebräuchl. fremden Ausdrücke, m. Erklärg. u. Verdeutschg derselben. Nebst e. Anh., enth.: die Namen der Städte, Flüsse u. Länder in deutscher, latein., französ. u. engl. Sprache. 32. Aufl. 8. (IV, 379 S.) Leipzig 886. O. Wigand. geb. 1. 50

Wanderbilder, europäische. Nr. 3. 18. 20. 21. 36. 38—113. 8. Zürich, Orell Füssli & Co. Verl. à n. — 50

3. Montreux. Von Alfr. Ceresole. Mit Illustr. u. 2 Karten. (42 S.) 886.
18. Schaffhausen u. der Rheinfall. Mit Illustr. u. 2 Karten. (39 S.) 881.
20. 21. Mailand v. J. Hardmeyer. Mit Illustr. u. Plan. (64 S.) 881.
36. Die Vitznau-Rigi-Bahn. Von Aug. Feierabend. Mit 7 Illustr. v. J. Weber. (32 S.) 883.
38. 39. Bad Krankenheil-Tölz im bayerischen Hochlande. Von Gust. Schäfer. Mit 13 Illustr. v. J. Weber u. e. Karte. (62 S.) 883.
40. 41. Chaux-de-Fonds, Locle, Brennets u. ihre Umgebungen. [Le Clods et la Franchise.] Mit 17 Illustr. v J. Weber u. e. Karte. (48 S.) 883.
42. 43. Das vorchristliche Rom. Von O. Henne-Am-Rhyn. Mit 23 Illustr. u. e. Vogelschaukarte. (72 S.) 883.
44—46. Ajaccio als Winterkurort u. die Insel Corsica. Von Rud. Gerber. Mit 11 Illustr. v. E. Davinet u. e. Karte. (64 S.) 883.
47. 48. Augsburg. Von Adf. Buff. Mit 27 Illustr. v. J. Weber, e. Vogelschauplan u. e. Theatersitzplan. (64 S) 883.
49. 50. Bonn u. seine Umgebung. Von Ludw. Lorbach. Mit 6 Illustr. u. 1 Karte. (39 S.) 883.
51. 52. Der Bürgenstock. Von W. Cubasch. Mit 10 Illustr. v. J. Weber u. e. Karte. (48 S.) 883.
53. 54. Neuenburg u. Umgebung. Von A. Bachelin. Mit 20 Illustr. v. J. Weber u. F. Huguenin u. e. Karte. (42 S.) 883.
55. 56. Battaglia bei Padua. Von Ed. Mautner. Mit 38 Illustr. v. L. E. Petrovits u. J. Weber u. 1 Karte. (41 S.) 883.
57. 58. Chur u. seine Umgebungen. Von E. Killias. Mit 19 Illustr. v. J. Weber. (55 S.) 883.
59—61. Oesterreichische Südbahn. Die Kärntner-Pusterthaler Bahn. Seen der Südalpen, Gletscher der Hohen Tauern, das Reich der Dolomite. Von Heinr. Noë. Mit 51 Illustr. v. J. Weber u. 1 Karte. (120 S.) 883.
62—64. Oesterreichische Südbahn. Von Deutschland nach Italien. Die Brennerbahn vom Innstrom zum Gardasee. Von Heinr. Noë. Mit 52 Illustr. v. J. Weber u. 1 Karte. (121 S.) 883.
65—67. Oesterreichische Südbahn. Von der Donau zur Adria. Wien. Semmering. Triest. Abbazia. Von Heinr. Noë. Mit 61 Illustr. v. J. Weber u. 1 Karte. (120 S.) 884.
68. 69. Graz. Mit 28 Illustr. v. J. Weber. (49 S.) 884.
70. Die Bergstrasse von Jugenheim bis Auerbach. Von Ernst Pasqué. Mit 15 Illustr. v. J. Weber. (33 S.) 884.
71. 72. Durch den Arlberg. Von Ludw. v. Hörmann. Mit 26 Illustr. u. 1 Karte. (51 S.) 884.
73. 74. Von Paris nach Bern üb. Dijon u. Pontarlier. Mit 33 Illustr. v. F. Huguenin-L. (60 S.) 884.
75. 76. Der Vierwaldstättersee. Von J. Hardmeyer. Mit 40 Illustr. v. J. Weber. (64 S.) 884.
77—80. Konstantinopel u. Umgebung. Von P. Leonhardi. Mit 35 Illustr. u. 1 Plan. (160 S.) 885.
81. 82. Wallis u. Chamonix. Von der Furka bis Brig. Von F. O. Wolf. Mit 16 Illustr. v. J. Weber u. 2 Karten. (60 S.) 885.
83. Das National-Denkmal am Niederwald. Von Jos. Schrattenholz. Mit 11 Illustr. v. F. Lindner u. a. nebst 1 Karte. (89 S.) 885.
84—86. Budapest. Mit 44 Illustr. u. 1 Plane der Stadt. Nebst e. Anh. üb. die Budapester allgemeine Landesausstellung d. J. 1885, m. e. Situationsplan der Ausstellg. u. 5 Illustr. (108 S.) 885.
87. 88. Heidelberg. Von Karl Pfaff. Mit 35 Illustr. v. J. Weber u. 1 Plan. (73 S.) 885.
89—91. Locarno u. seine Thäler. Von J. Hardmeyer. Mit 58 Illustr. v. J. Weber, nebst 2 Karten. (104 S.) 885.
92. 93. Bad Driburg. Aus dem Tagebuche e. Hypochonders v. Thdr. Riefenstahl. Mit 10 Illustr. v. Osw. Achenbach u. Fel. Schmidt u. 1 Karte. (102 S.) 885.
94. 95. Wallis u. Chamonix. 2. Hft. Brig u. der Simplon. Von F. O. Wolf. Mit 16 Illustr. v. J. Weber, nebst 1 Karte. (S. 61—120.) 885.
96—98. Glarnerland u. Walensee. Von Ernst Buss. Mit 57 Illustr. v. J. Weber u. 2 Karten. (119 S.) 885.
99—102. Wallis u. Chamonix. 3. Hft. Die Visperthäler. Von F. O. Wolf. Mit 26 Illustr. v. J. Weber u. X. Imfeld, nebst 1 Karte. (S. 123—268.) 886.
103. 104. Murten. Von F. Stock. Mit 26 Illustr. v. G. Roux u. 1 Karte. (72 S.) 886.
105—107. Wallis u. Chamonix. 4. Hft. Lötschen u. Leukerbad. Von F. O. Wolf. Mit 21 Illustr. v. J. Weber u. R. Ritz, nebst 1 Karte. (S. 296—372.) 886.
108—110. Dasselbe. 5. Hft. Die Thäler v. Turtman u. Eifisch. Mit 24 Illustr. v. J. Weber u. 2 Karten. (S. 373—468.) (1. Bd. cplt.: n. 7. —)
111—113. Die badische Schwarzwaldbahn. Von J. Hardmeyer. Mit 53 Illustr. v. J. Weber u. 1 Karte. (95 S.) 886.

Wanderbuch, neuestes, f. das Riesengebirge. Handbuch f. Sommergäste u. Touristen im Riesen-, Iser- u. Waldenburger Gebirge. Mit Abbildgn. u. grosser Karte. 7. Aufl., bedeutend verm. u. vom Riesengebirgs-Verein berichtigt. 8. (VI, 138 S.) Warmbrunn 885. (Schmiedeberg, Sommer.) n. 1. —

Wanderbücher, steirische. Hrsg. vom Fremdenverkehrs-Comité d. steir. Gebirgsvereines. II—IV. 8. Graz, Pechel. à n. 1. 80

II. Semmering-Graz, Mürzzuschlag-Mariazell u. Oststeiermark. 2 Aufl. (IV, 145 S.) 886.
III. Ennsthaler Alpen u. steirisches Salzkammergut. Hrsg. vom Fremdenverkehrs-Comité d. steir. Gebirgsvereines. (IV, 102 S.) 883.
IV. Oberes Murthal einschliesslich Lungau. (IV, 84 S.) 884.

Wanderer, der kleine. Volks-Kalender f. d. J. 1886. 16. Jahrg. Mit 6 Bildern v. Th. Blätterbauer, Hugo Kauffmann, J. Scholz u. A. 12. (219 S) Glogau 885. Flemming. n. — 50

Wanderlehrer, der. Gemeinfaßliche Vorträge u. Stoff für's Vereinsleben. Zeitschrift f. Volksbildg. u. Aufklärg. Hrsg. v. Jul. Keller, unter Mitwirkg v. H. Arnold, Rud. Benfey, Ludw. Büchner 2c. 5. Jahrg. 1883. 12 Hfte. (2 B.) gr. 8. Hamburg, J. F. Richter. n. 10. —
cfr.: Für's deutsche Volk.

Wanderley, Fel., aus mancherlei Fernen. 40 Postkarten. qu. 8. (60 S. m. 1 Lichtdr.) München 885. A. Ackermann's Nachf. geb. n. 2. —

Wanderley, Germano, Handbuch der Bau-Konstruktionslehre. 3. bedeutend verm. Aufl. 1. Bd. A. u. d. T.: Die Konstruktionen in Holz, insbesondere die Arbeiten d. Zimmermanns. Mit 710 Abbildgn. gr. 8. (XVI, 358 S.) Karlsruhe 887. Bielefeld's Verl. n. 8. —; geb. n. 9. 50

— die Konstruktionen in Holz. Mit üb. 500 Holzschn. 3. Aufl. 1. Tl. gr. 8. (107 S.) Ebend. 883. n. 2. 50

— die ländlichen Wirthschaftsgebäude m. Einschluß der Heger-, Unter- u. Oberförsterwohnungen, der Pächter- u. Gutsherrenhäuser in ihrer Construktion, ihrer Anlage u. Einrichtg. Unter Mitwirkg. v. K. Jähn. Mit ca. 1500 (eingedr.) Holzschn. 27—30. (Schluß-)Hft. gr. 8. (4. Bd. IV u. S. 433—724.) Leipzig 883—86. Morgenstern. n. 7. 20 (cplt.: n. 52. —)

Wander-Liederbuch. Zusammengestellt f. die Wandereine Aachen, Cöln, Crefeld, Elberfeld, Düsseldorf u. f. 12. (VI, 111 S.) Düsseldorf 886. Voß & Co. In Leinw. cart. 1. 50

Wandersleb, A., die Entwürfe zur Ordnung d. Hauptgottesdienstes in der evangelischen Landeskirche d. Großherzogt. Sachsen-Weimar-Eisenach. Zu deren Einführg. beurteilt. gr. 8. (19 S.) Eisenach 886. Rasch & Coch n.n. — 50

Wandersleben, A., das Aufgebotsverfahren in Theorie u. Praxis. 2. Aufl. 8. (IV, 164 S.) Berlin 883. Vahlen. cart. n. 2. 80

Wanderung, e., im Jenseits. Aus dem Engl. übers. v. Emma Hartmann. 8. (VI, 111 S.) Stuttgart 885. Hänselmann. geb. n. 2. —

Wanderungen auf religiösem Gebiet v. e. Ungenannten. gr. 8 (99 S.) Gießen 885. (St. Petersburg, Ricker.) n. 1. 60

Wanderversammlung, 3., der Anthropologischen Gesellschaft in Wien zu Klagenfurt am 19—21. Aug. 1885. 8. (138 S. m. Illustr.) Wien 886. (Hölder.) n. 2. 40

Wandfibel zur Fibel f. Stadt- u. Landschulen. 19 Wandtafeln zur Veranschaulichg., Einübg. u. Wiederholg. der Elemente d. Lesens u. Schreibens. Mit 36 Illustr. 3. Aufl. Imp.-Fol. Harburg 884. Elkan. 7. 50

Wandgemälde der Abtheilung der ägyptischen Alterthümer in den königl. Museen zu Berlin. 37 (lith.) Taf., nebst Erklärg. v. R. Lepsius. 3. Aufl. qu. Fol. (VI, 21 S.) Berlin 882 Weidmann. n. 6. —

Wandkalender, römischer, deutscher Nation f. d. J. 1884. Eine Weihnachts- u. Neujahrsgabe deutscher Dichter der Gegenwart. Hrsg. u. zunächst deutschen Romfahrern gewidmet v. Herm. Allmers. schmal Fol. (16 Bl.) Rom, Libreria centrale (E. Müller). Mit Holzrolle u. Goldfranzen. Auf holländ. Pap. n. 3. 50; auf Pergament n. 6. —

Wand-Lesetafeln zur Berliner Fibel. 8 Blatt. Imp.-Fol. Berlin 885. Nevc. Auf Leinw. gedr., m. Holzstäben u. Ringen. n. 18. —

Wandsprüche, neue. Eine Serie v. 6 Bibelsprüchen auf starkem Papier (in Farbendr.). 2. Serie. 4. Aufl. qu. Fol. Basel 886. Spittler. n. 2. 80

— dasselbe. 3. Serie. qu. Fol. (6 Bl.) Ebend. 888. n. 4. —

— 4, f. Schlafzimmer: Luther's Morgengebet, Luther's Abendgebet, unser Taufbund u. Psalm 4 v. 9. 4 Bl. 4. u. qu. Fol. Kiel 884. Biernatzki. — 50

Wandtafel der periodischen Gesetzmässigkeit der Elemente nach Mendelejeff. Lith. Imp.-Fol. Wien 885. (Helf's Sort.) n. 2. —

Wandtafeln, anatomisch-chirurgische. 8 Blatt in natürl. Grösse, auf Pappe in Oel gemalt. Fol. u. gr. Fol. Kiel 885. Lipsius & Tischer. In Carton. n. 40. —

— der Atomgewichte der chemischen Elemente H = 1. 2 Blatt. Lith. gr. Fol. Wien 885. (Helf's Sort.) n. 3. —

— 4, zur Erklärung der elektro-dynamischen Maschinen. Lith. Imp.-Fol. Mit Text. 8. (10 S.) München 883. (Buchholz & Werner.) n.n. 5. —

— zur Kunstgeschichte. Darstellungen der bedeutendsten Denkmäler der Baukunst f den Unterricht in der Kunstgeschichte, ausgewählt u. eingeleitet v. Wilh. Lübke, gezeichnet v. Gunzenhauser. 1. Lfg. Imp.-Fol. (6 Steintaf.) Stuttgart 883. Wittwer. n. 12. —

— naturgeschichtliche. Unter Mitwirkg. v. M. Wilckens, C. Rothe, Laurenz Mayer, sowie anderer namhafter Fachmänner hrsg. von Thdr. Eckardt. 1. Abth. Imp.-Fol. (4 Chromolith.) Mit Text. gr. 4. (16 S.) Wien 886. Hölzel. n. 9. 60; m. Leinen-Einfassg. u. Oesen n. 11. 20; auf Leinw. m. Stäben n. 16. —; einzelne Taf. à n. 2. 40; m. Leinen-Einfassg. u. Oesen à n. 2. 80; auf Leinw. m. Stäben à n. 4. —

Pferd, Hausrind, Seidenspinner, Honigbiene.

— für den naturgeschichtlichen Anschauungs-Unterricht an Volks- u. Bürgerschulen auf Grundlage der Lesebücher, unter gefäll. Mitwirkg. v. Raim. Hofbauer, Frz. Steindachner, A. Pokorny etc. bearb. v. Aug. Hartinger. 1. Abth. Zoologie. Ausgeführt nach Originalen v. Aug. Gerasch, Th. F. Zimmermann, Th. Breitwiser etc. 5. u. 6. Lfg. gr. Fol. (à 5 Chromolith. m. 1 Bl. Text.) Wien 883. 85. Gerold's Sohn. à n. 8. —; aufgezogen auf Pappe, gefirnisst u. m. Oesen à n.n. 12. —

Wandtafeln f. den naturgeschichtlichen Anschauungs-Unterricht an Volks- u. Bürgerschulen auf Grundlage der Lesebücher, unter gefäll. Mitwirkg. v. Raim. Hofbauer, Frz. Steindachner, A. Pokorny etc. bearb. v. Aug. Hartinger. 2. Abth. Botanik. Ausgeführt nach Originalen v. Aug. Hartinger. 2. Lfg. gr. Fol. (5 Chromolith. m. 1 Bl. Text.) Wien 883. Gerold's Sohn. n. 8. —; aufgezogen auf Pappe, gefirnisst u. m. Oesen n.n. 12. —

— dasselbe. 3. Abth. Bäume. Ausgeführt nach Originalien v. Jul. Marak, Hugo Darnaut, Aug. Gerasch u. Joh. Weixlgärtner. 2. Lfg. (5 Chromolith.) gr. Fol. Ebend. 884. n. 8. —; aufgezogen auf Pappe, gefirnisst u. m. Oesen n.n. 12. —

— für den naturwissenschaftlichen Unterricht mit specieller Berücksichtigung der Landwirthschaft. Unter Mitwirkg. v. Fachgenossen hrsg. von Herm. v. Nathusius [Hundisburg]. 3. Serie. 3 – 7. Abth. Chromolith. Imp.-Fol. Mit erläut. Text. gr. 8. Berlin, Parey. In Mappen. n.n. 190. — (I—III, 7. IV. V.: n.n. 403. —)

3—5. Pflanzenkunde. Von L. Kny. 3—5. Abth. (à 10 Taf. m. Text S. 59—190.) 879. 80. 83. à n.n. 30. —
6. 7. Dasselbe. 6. u. 7. Abth. (à 15 Taf. m. Text S. 191—353 m. eingedr. Holzschn.) 884. 86. à n.n. 50. —

Waneck, Adf., üb. die Schäden d. heutigen Gewerbebetriebes u. die Mittel zu deren Heilung. gr. 8. (22 S.) Wien 885. Pichler's Wwe. & Sohn. n. — 50

Wanĕk, Frz., Vaterlandskunde v. Mähren u. Schlesien. 6. rev. Aufl. Ausg. m. (chromolith.) Karte. 8. (73 S.) Wien 883. Hölzel. cart. n. — 72; ohne Karte n. — 60

Wangemann, die kirchliche Cabinets-Politik d. Königs Friedrich Wilhelm III., insonderheit in Beziehung auf Kirchenverfassung, Agende, Union, Separatismus, nach den geheimen königl. Cabinetsakten u. den Altenstein'schen handschriftl. Nachlaß-Akten d. königl. geheimen Staatsarchivs gezeichnet. Grundlage f. das abschließ. Heft der Una Sancta. gr. 8. (VIII, 452 S.) Berlin 884. (W. Schultze.) n.n. 7. —

— drei preußische Dragonaden wider die lutherische Kirche, beleuchtet. Ergänzungsheft zum 3. Buch der Una Sancta. gr. 8. (120 S.) Ebend. 884. n.n. 1. 90

— die lutherische Kirche der Gegenwart in ihrem Verhältniß zur Una Sancta. Eine Jubiläumsgabe in 7 Büchern. 3 Bde. u. Schlußhft. gr. 8. Ebend. n.n. 18. 60

I. 1. Grundlegung. A. u. d. T.: Der 7. Artikel der Augsburgischen Konfession als Fundament zu e. bibl. Lehre v. der Una Sancta. Von 7 Büchern üb. die Una Sancta das 1. Buch. (70 S.) 883. n.n. 1. 35
I. 2. Geschichtliche Darstellung d. Ringens u. Kämpfens um Wiedergewinnung der verlorenen Einheit der Una Sancta. Von 7 Büchern üb. die Una Sancta das 2. Buch. (S. 73—198.) 883. n.n. 2. —
II. 1. Abwehr. Die neulutherische Freikirche u. ihre Abirrungen a. der kirchlich-symbolischen Lehre der Una Sancta. [Eine dogmengeschichtliche Studie.] Von 7 Büchern üb. die Una Sancta das 3. Buch. (197 S.) 883. n.n. 3. —
II. 2. Die neulutherische Begriffsverwirrung in den Kirchenideen hervorragender Stimmführer in den deutschen lutherischen Landeskirchen als e. vornehmliches Hinderniß f. die Ausgestaltung der Una Sancta. Von 7 Büchern üb. die Una Sancta das 4. Buch. (S. 201—352.) 883. n.n. 2. 50
III. Bauplan u. Bausteine f. die leibliche Ausgestaltung der Una Sancta. Von 7 Büchern üb. die Una Sancta das 5. Buch. (279 S.) 883. n.n. 4. 35
Schlußhft. 6. Buch: Die preußische Union in ihrem Verhältniß zur Una Sancta. — 7. Buch: Die Una Sancta nach der Lehre der heiligen Schrift. (VIII, u. S. 281—639.) 883. n.n. 5. 50

— das Lutherbüchlein. Hrsg. v. der Wupperthaler Traktat-Gesellschaft. 8. (124 S.) Barmen 883. Wiemann. n. — 35

— dasselbe. Eine kurze Geschichte der Reformation u. ihrer Segngn. Zu Nutz u. Frommen f. Jung u. Alt. 33. [unveränd.] Aufl. Jubiläumsausg. 12. (112 S. m. 8 Steintaf.) Berlin 883. (Wohlgemuth.) geb. n. 1. —; bill. Ausg. ohne Bilder n.n. — 25; cart. n. — 44

— das neue Otto-Büchlein, in welchem getreuer Bericht gegeben wird, wie unsere Vorfahren in Pommern zuerst Heiden gewesen sind, u. darnach durch Bischof

Otto v. Bamberg zum christl. Glauben bekehret sind u. wie darnach die christl. Kirche Pommers durch Dr. Johs. Bugenhagen u. seine Genossen aus der Finsterniß römisch-kathol. Irrgn. zu dem reinen Lichte d. Evangelii zurückgeführt worden ist. 3. Aufl. gr. 8. (56 S. m. eingedr. Holzschn.) Berlin 878. (Leipzig, Buchh. d. Vereinshauses.) n. — 15

Wangemann, ein zweites Reisejahr in Süd-Afrika. Mit 1 (chromolith.) Karte v. Süd-Afrika. gr. 8. (VIII, 432 S.) Berlin 886. (Wohlgemuth.) n.n. 5. —; geb. n.n. 6. —

— Johan Sigismundt u. Paulus Gerhardt od. der erste Kampf der lutherischen Kirche in Churbrandeuburg um ihre Existenz. Ein kirchengeschichtl. Lebensbild aus dem XVII. Jahrh. Ergänzungsheft zum 5. Buch der Una Sancta. gr. 8. (256 S.) Berlin 884. W. Schultze. n. 4. 20

Wangemann, Ludw., der erste biblische Anschauungs-unterricht. Anweisung zum Gebrauche der nach den unterrichtl. Angaben d. Verf. von Rentsch u. R. Helmert entworfenen u. ausgeführten 20 Anschauungsbilder f. Lehrer, Lehrerinnen, sowie f. Mütter beim ersten Unterrichte in der Gotteserkenntnis u. bei der Anleitg. zur Anbetg. gr. 8. (VII, 112 S.) Leipzig 884. Reichardt. n. 1. —

— dasselbe. 2. Aufl. gr. 8. (VII, 144 S.) Ebend. 887. n. 1. 60

— biblische Biographieen u. Monographieen, geordnet u. bearb. auf Grund d. Bibellesens u. m. Berücksicht. der Vorbereitg. f. das Verständniß d. D. M. Lutherschen Katechismus. Eine Handreichg. f. Lehrer, besonders beim Gebrauch d. II. Teils der bibl. Geschichten desselben Verf. I. Tl.: Aus dem alten Testamente. gr. 8. (XX, 191 S.) Ebend. 886. n. 2. 40

— Einführung in das Verständnis d. D. M. Lutherschen Katechismus auf Grund der biblischen Geschichte. 2. Tl.: Der 1. u. 2. Artikel. gr. 8. (X, 358 S.) Ebend. 883. n. 3. 20 (1—3. cplt.: n. 9. 20; in 1 Bd. geb. n. 10. —)

— biblische Geschichten. 1. Tl. Für die Elementarstufen m. 30 (eingedr.) bildl. Darstellgn. 20. Aufl. gr. 8. (VIII, 108 S.) Ebend. 886. n. — 60; geb. — 90

— dasselbe. 2. Tl. Geordnet u. bearb. zu biograph. Geschichtsbildern. 8. verb. Aufl. Mit 3 (chromolith.) Karten u. Illustr. gr. 8. (XII, 211 S.) Ebend. 885. n. 1. —; geb. 1. 40

— Grundlagen zu dem vereinigten sprachlichen u. sachlichen Anschauungsunterricht. Für die Hand der Kinder. 2. Hft. 2. Aufl. u. 3. u. 4. Hft. 8. (46; IV, 40 u. VIII, 40 S.) Ebend 883—85. à n. — 40 (cplt.: n. 1. 80)

— Handreichung beim Unterrichte der Kleinen in der Gotteserkenntnis. Anweisung zum Gebrauche der „biblischen Geschichten f. die Elementarstufen m. bildl. Darstellgn.“, nebst e. Plan f. den Religions-Unterricht in mehrklass. Schulen. 1[1]. Aufl. gr. 8. (XVI, 336 S.) Ebend. 885. 3. —; geb. n. 3. 50

— Hilfsbuch f. den ersten Sprech-, Schreib- u. Lese-Unterricht in den Elementarklassen der Bürger- u. Volksschulen. 1. Tl. d. Lese- u. Sprachbuches. 18. Aufl. gr. 8. (VI, 74 S.) Leipzig 884. Brandstetter. n. — 40

— deutsches Lese- u. Sprachbuch f. Volks- u. Bürgerschulen. 2—4. Tl. 15. Aufl. gr. 8. (XII, 252 S.) Ebend. n. 3. 35

2. 15. Aufl. (XII, 262 S.) 884. n. 1. —. — 3. 13. Aufl. (VIII, 264 S.) 885. n. 1. —. — 4. Für die Oberstufen. 3. verb. Aufl. (XVI, 359 S.) 885. n. 1. 35.

— Unterrichts-Ergebnisse bei der Einführung in das Verständnis d. D. M. Lutherschen Katechismus. Für die Hand der Schüler u. Schülerinnen zur Wiederholg. u. Befestigg. 2. Aufl. gr. 8. (80 S.) Leipzig 885. Reichardt. n.n. — 50

Wangemann, Otto, weltliche, geistliche u. liturgische Chorgesänge f. höhere Lehranstalten. 13. Ster.-Aufl. gr. 8. (91 S.) Leipzig 885. Verlags-Institut. n. — 80; cart. n. 1. —

Wangenheim, Wilh. Frhr. v., landwirthschaftliches Fragebuch. Ein Leitfaden f. den landwirthschaftl. Unterricht in Lehrerseminarien, ländl. Fortbildungsschulen 2c. 2. Aufl. Mit 45 Holzschn. gr. 8. (VIII, 214 S.) Stuttgart 885. Ulmer. n. 2. 40

Wania, Frz., das Praesens historicum in Caesars Bellum gallicum. gr. 8. (114 S.) Wien 885. Pichler's Wwe. & Sohn. n. 1. 50

Wankel, Heinr., Bilder aus der mährischen Schweiz u. ihrer Vergangenheit. Mit Illustr. nach Originalen v. Jos. Manes, Frdr. Havránek, Frdr. Wachsmann etc. 8. (IX, 422 S.) Wien 882. (Brünn, Winkler.) Herabges. Pr. n. 3. 60

Wannack, O. L. E., Gesetz betr. die Untersuchung v. Seeunfällen vom 27. Juli 1877 m. Commentar f. Rheder u. Schiffsoffiziere. 2. Aufl. gr. 8. (20 S.) Hamburg 884. Friederichsen & Co. n. 1. —

— deutsche Seemannsordnung vom 27. Decbr. 1872, erläutert auf Grundlage der Motive der Konsulargesetze, der Entscheidgn. d. Reichs-Ober-Handelsgerichts 2c. gr. 8. (III, 79 S.) Hamburg 883. Eckardt & Meßtorff. n. 2. —

Wanner, H., deutsche Götter u. Helden, nebst der Sage v. Parzival. gr. 8. (VI, 138 S.) Hannover 885. Helwing's Verl. n. 1. 20

Wanner, Mart., Geschichte d. Baues der Gotthardbahn. Nach den Quellen dargestellt. Mit e. Längenprofil der Gotthardbahn in 3 Thln. gr. 8. (VIII, 648 S.) Luzern 885. (Zürich, Rudolphi & Klemm.) n. 10. —

Wapler, Rich., Wallensteins letzte Tage. Ein historisch-krit. Gedenkblatt zum 25. Febr. 1884. Nach den besten neueren u. neuesten Quellen bearb. u. hrsg. Nebst e. Ansicht u. e. Grundriß d. Sterbehauses Wallensteins, sowie e. Blatt Facsm. gr. 8. (VIII, 146 u. Anh. 55 S.) Leipzig 884. Höfler. n. 4. —

Wappen, die, der wichtigsten Städte Europa's in chromolith. Abbildungen. 4. (12 Taf. m. 7 S. Text.) Leipzig 887. Ruhl. In Mappe. 4. —

Wappentafeln. Enthaltend die Wappen aller souverainen Länder der Erde, sowie diejenigen der preuss. Provinzen, der österreichisch-ungar. Kronländer u. der schweizer Cantone. 12 Taf. m. 130 Abbildgn. in Farbendr. 2. Aufl. gr. 8. Leipzig 885. Ruhl. n. 2. 50

Wappler, Ant., Geschichte der theologischen Facultät d. k. k. Universität zu Wien. Festschrift zur Jubelfeier ihres 500jähr. Bestehens. gr. 8. (XI, 494 S.) Wien 884. Braumüller. n. 6. —

— Lehrbuch der katholischen Religion f. die oberen Classen der Gymnasien. 1. u. 2. Thl. gr. 8. Ebend. 884. geb. n. 5. 80

1. Einleitung u. der Beweis der Wahrheit der kathol. Kirche. 6. Aufl. (X, 188 S.) n. 2. 40
2. Die kathol. Glaubenslehre. 5. Aufl. (X, 243 S.) n. 3. 40

Warden, Florence, das Haus im Moor. Roman. Aus dem Engl. 2 Bde. 8. (183 u. 180 S.) Basel 886. Bernheim. à n. 1. 50

Wardenburg, F. v., die Delegation der freiwilligen Krankenpflege in Corbeil während d. deutsch-französischen Kriegs. gr. 8. (94 S.) Jena 886. Fischer. n. 2. —

Warmbrunn, Bad. Ein Führer durch den Ort u. seine nächste Umgebung. Für Fremde u. Einheimische. Mit e. lith. Plane v. Warmbrunn u. Ober-Herischdorf. 2. verm Aufl. 8. (III, 48 S. m. 1 Ansicht in Holzschn.) Warmbrunn 883. (Hirschberg, Kuh.) n.n. — 50

Warmholz, Fr., u. W. **Kurths**, Lesetafeln zur Unterstützung d. ersten Lese- u. Schreib-Unterrichtes. 12 Blatt. Imp.-Fol. Magdeburg 885. Creutz. n. 8. —

Warmholz, Hugo, Führer an der Kaiser Ferdinands-Nordbahn u. mähr.-schles. Nordbahn. Mit Schildergn. v. Land u. Leuten, Städtebildern u. histor. Erinnergn. Mit 24 Holzschn. Nebst e. Orientirungs-Kärtchen. 8. (VII, 277 S.) Wien, 885. v. Waldheim. geb. n. 1. —

— Führer an der österr. Nordwest-Bahn u. süd-norddeutschen Verbindungsbahn. Mit Schildergn. v. Land u. Leuten, Städtebildern u. histor. Erinnergn. Mit 25 Holzschn. nach Zeichngn. v. J. J. Kirchner u. Jul. Mařak, ausgeführt von R. v. Waldheim. Nebst e. Orientirungs-Kärtchen. 8. (VII, 262 S.) Ebend. 883. n. 2. —

Warminski, Thdr., urkundliche Geschichte d. ehemaligen Cistercienser-Klosters Paradies. Mit 4 Lichtdr.-Bildern. gr. 8. (323 S.) Meseritz 886. Wild. n. 3. 50

— Stoffverteilungsplan f. den katholischen Religionsunterricht in der ein- u. dreiklassigen Uebungsschule d. königl. Schullehrer-Seminars zu Paradies. 8. (25 S.) Schwiebus 885. (Wagner.) n. — 40

Warnatsch, O., der Mantel, Bruchstück e. Lanzeletromans d. Heinrich v. dem Türlin, s.: Abhandlungen, germanistische.

Warncke, Elis., im Himmel. Lose Fragmente aus den hinterlassenen Papieren d. Grafen Oursel v. Chateauroux. 8. (VIII, 93 S.) Leipzig 884. Mutze. n. 1. 50

— Graf Oursel v. Chateauroux. Eine wahre Geschichte in 5 Thln. 8. (336 S.) Berlin 883. Steinitz. n. 5. —

Warneck, Gust., Abriß e. Geschichte der protestantischen Missionen v. der Reformation bis auf die Gegenwart. Ein Beitrag zur neueren Kirchengeschichte. Aus der Real-Encyklopädie f. protestant. Theologie u. Kirche abgedr. u. m. Nachträgen versehen. 2. Aufl. gr. 8. (VIII, 160 S.) Leipzig 883. Hinrichs' Verl. n. 1. 50

— protestantische Beleuchtung der römischen Angriffe auf die evangelische Heidenmission. Ein Beitrag zur Charakteristik ultramontaner Geschichtschreibg. gr. 8. (XIX, 509 S.) Gütersloh 884. 85. Bertelsmann. n. 6. 60

— die Heidenmission e. Großmacht in Knechtsgestalt. gr. 8. (32 S.) Halle 883. Fricke's Verl. n.n. — 25

— die Mission in der Volksschule. 3. Abdr. gr. 8. (19 S.) Gütersloh 883. Bertelsmann. n. — 10

— Missionsstunden. 1. u. 2. Bd. 2. Aufl. gr. 8. Ebend. n. 9. 20

1. Die Mission im Lichte der Bibel. (XV, 310 S.) 883. n. 4. 20
2. Die Mission in Bildern aus ihrer Geschichte. 1. Abtlg.: Afrika u. die Südsee. (XII, 334 S.) 886. n. 5. —; geb. n. 6. —

— welche Pflichten legen uns unsere Kolonien auf? s.: Zeitfragen d. christlichen Volkslebens.

Warnecke, F., heraldisches Handbuch, f. Freunde der Wappenkunst, sowie f. Künstler u. Gewerbetreibende bearb. u. m. Beihülfe d. kgl. preuß. Cultus-Ministeriums hrsg. Mit 313 Handzeichngn. v. E. Doepler d. J. 3. Aufl. 2. Abdr. gr. 4. (VI, 52 S. m. 34 Taf.) Frankfurt a/M. 884. Rommel. n. 18. —; cart. n. 20. —

— Augsburger Hochzeitsbuch, enth. die in den J. 1484 bis 1591 stattgefundenen Heirathen. Nach 2 Handschriften hrsg. Mit Zeichngn. v. Ad. M. Hildebrand. (3 chromolith. Taf.) Lex.-8. (91 S.) Berlin 886. (R. Kühn.) n. 2. 50

— die mittelalterlichen heraldischen Kampfschilde in der St. Elisabeth-Kirche zu Marburg. Unter Benutzg. der v. L. Bickell angefertigten Aufnahmen u. Beschreibgn. bearb. u. hrsg. Mit 21 Taf. in Lichtdr., sowie 1 Titelbl. u. Abbildgn. im Text, gezeichnet v. E. Doepler d. J. gr. 4. (35 S.) Berlin 884. H. S. Hermann. geb. n. 15. —

— Musterblätter f. Künstler u. Kunstgewerbtreibende, insbesondere f. Glasmaler, nach Orig.-Entwürfen v. Hans Holbein, Manuel Deutsch, Dan. Lindtmair, Chrph. Maurer u. A. 4. u. 5. (Schluß-)Lfg. Fol. (à 20 Bl. in Lichtdr. m. 2 S. Text.) Ebend. 888. In Mappe. à n. 20. —

Warnecke, W., Choral-Melodieen, s.: Lange, W.

Warneken, H. B., Behandlung der Weinrebe im Traubenhause u. ihre sonstige Verwendung in Norddeutschland. gr. 8. (46 S.) Berlin 884. Parey. n. 1. —

Warner, E., s.: Briefe moderner Dunkelmänner.

Warnow, Frz., Jus. 8. (298 S.) Dresden 886. Minden. n. 3. 50; geb. n. 4. 50

— Phöbus. 8. (289 S.) Ebend. 885. n. 3. 50; geb. n. 4. 50

Warren, Leo, Chavrillac. Roman. 3 Bde. 8. (232, 282 u. 258 S.) Stuttgart 884. Deutsche Verlags-Anstalt. n. 12. —

— im Hörselberg. Roman. 2 Bde. 8. (226 u. 198 S.) Ebend. 886. n. 8. —

Warrikoff, H., üb. die Wirkung einzelner Antiseptica auf das Milzbrandcontagium, s.: Vorträge f. Thierärzte.

Warring, Hans, zwei Vettern. Roman. 8. (228 S.) Leipzig 884. Reißner. n. 1. —

Warsberg, Alex. Frhr. v., homerische Landschaften. 1. Bd. A. u. d. T.: Eine Reise durch das Reich d. Sarpedon. Mit zahlreichen (Holzschn.- u. Lichtdr.-) Abbildgn. 8. (XIII, 271 S.) Wien 884. Graeser. n. 8. —

Warschauer's, Herm., Übungsbuch zum Übersetzen aus dem Deutschen in das Lateinische im Anschluß an die gebräuchlichsten Grammatiken, besonders an die v. Ellendt-Seyffert, hrsg. v. Conr. G. Dietrich. 1. u. 2. Tl. Mit Vokabularium. gr. 8. Leipzig, Reichardt. n. 3. 80

1. Aufgaben zur Einübg. der Kasuslehre. 3. Doppelaufl. (XII, 127 S.) 883. n. 1. 20; Vokabularium dazu. 3. Aufl. (48 S.) n. — 40; beides in 1 Bd. geb. n. 2. —
2. Aufgaben zur Wiederholg. der Kasuslehre u. zur Einübg. der übrigen Syntax. 4. Doppel-Aufl. (XVI, 207 S.) 886. n. 1. 60; m. Vocabularium (IV, 100 S.) in 1 Bd. geb. n. 2. —; geb. n. 2. 50; Vocabularium ap. n. — 60

Warschauer, Otto, Geschichte der preussischen Staatslotterien. Ein Beitrag zur Finanzgeschichte Preussens. I. A. u. d. T.: Die Zahlenlotterie in Preussen. Mit Benutzg. amtl. Quellen dargestellt. gr. 8. (X, 124 S.) Leipzig 885. Fock. n. 3. —

— der König v. Zion. Ein Beitrag zur Geschichte der Gütergemeinschaft. Vortrag. gr. 8. (22 S.) Ebend. 884. n. — 60

Wartburg, die. Organ d. Münchener Alterthumsverein. Zeitschrift f. Kunst u. Kunstgewerbe m. Berücksicht. der Neuzeit. Red.: Carl Förster. 12. Jahrg. 1885. 12 Nrn. (ca. 1 B.) gr. 8. München 885. Behrens. n. 8. —

Wartburg-Album. 12 Photogr.-Imitationen. qu. 16. Leipzig 883. Bauer. geb. n. 1. —

Wartburg-Bibel. Das ist die ganze heil. Schrift. Deutsch durch Mart Luther. Aufs Neue verglichen m. der Ausg. letzter Hand vom J. 1545. 10. Ster.-Aufl. Ausg. m. 1 Stahlst. Lex.-8. (902 u. 247 S.) Dresden 885. Dieckmann. n. 8. —; m. 6 Stahlst. n. 10. —; m. 15 Stahlst. n. 12. —; m. 27 Stichen geb n. 24. —

Warte, deutsche. Kalender f. alle Deutschen im In- u. Auslande auf d. J. 1886, hrsg. v. Ottomar Schuchardt. gr. 8. (88 S.) Großenhain, (Hentze). n. — 50

— katholische. Illustrirte Monatsschrift zur Unterhaltg. u. Belehrg. 1. u. 2. Jahrg. April 1886 bis März 1887. à 12 Hfte. gr. 8. (à Hft. ca. 48 S. m. eingedr. Holzschn.) Salzburg, Pustet. à Hft. — 25

Wartenburg, Charles, les acteurs de l'empereur. Comédie-drame en 3 actes. Traduit de l'allemand par Guillaume Heims. gr. 8. (46 S.) Gera 885. Kanitz' Sort. n. — 80

— wann Frauen alt werden? Novelle. 8. (164 S.) Gera 886. Th. Hofmann. n. 3. —

Wartenfels, Kuno v., zum 500jährigen Jubiläum der Schlacht bei Sempach am 9. Juli 1886. 2. Aufl. 16. (III, 80 S.) Speyer 886. (Kleeberger.) cart. — 45

Wartensleben, A. Graf, Jerusalem. Gegenwärtiges u. Vergangenes. 4. Ausg. Mit 12 Ansichten, 3 Karten u. 1 grossen Ansicht v. Jerusalem aus der Vogelschau. gr. 8. (XI, 228 S.) Berlin 886. Mittler & Sohn. n. 3. —

Wartenstein, Gust., Briefsteller f. Liebende beiderlei Geschlechts. Enth. mehr als 100 Musterbriefe im blühendsten Styl u. elegantesten Wendgn., nebst vielen Polterabendscherzen u. Hochzeitsgedichten, wie auch e. Blumen-, Farben- u. Zeichensprache. 14. Aufl. 8. (III, 144 S.) Quedlinburg 885. Ernst. 1. 50

Warth, Otto, das Kollegien-Gebäude der Kaiser Wilhelms-Universität zu Strassburg entworfen u. ausgeführt v. O. W. 18 Taf. in Lichtdr. Fol. Karlsruhe 885. (A. Bielefeld's Sort.) In Mappe. n. 24. —

Wartmann, B., u. Th. Schlatter, kritische Uebersicht üb. die Gefässpflanzen der Kantone St. Gallen u. Appenzell. 2. Hft. Sympetalae. [Gamopetalae, Monopetalae.] gr. 8. (S. 183—352) St. Gallen 884. (Köppel.) n. 1. 80 (1. u. 2.: n. 3. 60)

Wartmann, Heinr., Lenhilde. Ein Drama in 3 Akten. gr. 8. (35 S.) Berlin 884. Issleib. n. 1. —

Wartmann, Herm., Industrie u. Handel d. Kantons St. Gallen 1867—1880. Hrsg. vom kaufm. Directorium in St. Gallen. I. gr. 4. (III, 84 S.) St. Gallen 884. (Huber & Co.) n. 2. —

Warum treten wir nicht in das Christentum ein? Von e. Juden. 2., m. Bezug auf das Luther-Jubiläum erweit. Ausg. gr. 8. (40 S.) Leipzig 883. Rößling. n. — 60

— ich in die Kirche gehe. Von Physikus. 8. (46 S.) Leipzig 886. O. Wigand. n. — 50

Warum ich die römische Kirche lieb hatte. Vermächtniß e. Protestanten an seine Kinder. Von e. Freunde d. Verf. zum Druck befördert. 8. (38 S.) Freiburg i/Br. 884. Herder. n. — 40
— ist der Zuckerrübenbau f. die großen Höfe d. östlichen Holstein nicht zu empfehlen? Von e. holstein Gutsbesitzer. gr. 8. (18 S.) Ploen 884. (Hahn.) n. — 35
Was betrübst du dich, meine Seele, u. bist so unruhig in mir? Harre auf Gott. 4 große Blumen m. Kreuz auf Anhöhe. Chromolith 8. Leipzig 883. (Baldamus Sep.-Cto.) n. 1. 30
— ist vom Chiliasmus od. der Lehre vom sogenannten tausendjährigen Reiche zu halten? Eine wicht. Frage, in 7 Thesen, nebst Erläutergn., allen bibelgläub. Christen vorgelegt. [Aus: „Verhandlgn. d. 9. Jahresversammlg. d. Synode d. ev.-luth. Freikirche v. Sachsen u. a. St. 1885".] gr. 8. (IV, 85 S.) Zwickau 886. (Dresden, H. J. Naumann) n. — 80
— die Erde beut u. das Kind erfreut. Ein lehrreiches Bilderbuch f. die lieben Kleinen. Mit 6 Farbdr.-Bildern u. Text in Versen. gr. 4. (6 S. Text.) Stuttgart 885. Loewe. cart. n. — 60; als Sachbilderbuch 1 50
— die Evangelischen in Bezug auf die Jungfrau Maria lehren. 16. (24 S.) Gernsbach 883. Christl. Colportage-Verein. n. — 10
— haben wir v. der russischen Kavallerie zu erwarten? gr. 8. (IV, 76 S.) Hannover 884. Helwing's Verl. n. 1. 20
— das Kind erfreut. qu. 4. (10 lackirte Chromolith. m. Text in Versen.) Stuttgart 886. Loewe. geb. 1. 50
— das Kind freut. 4. (8 color. Steintaf. m. eingedr. Text.) Reutlingen 883. Enßlin & Laiblin. cart. — 90; unzerreißbar geb. 1. 35
— das Kind liebt. Unzerreißbares Bilderbuch. 8. (8 Chromolith. m. eingedr. Text.) Ebend. 886. geb. — 60
— das ewige Licht erzählt. Gedichte üb. das allerheiligste Altarssakrament. Von Cordula Peregrina [C. Wöhler]. 2. Aufl. 8. (VII, 238 S.) Innsbruck 883. F. Rauch. n. 2. —; geb. m. Goldschn. n. 3. —
— unsere Mutter auf Erden erlebt hat. 2. Aufl. Mit (Lichtdr.-)Portr. 8. (V, 357 S.) Gotha 884. F. A. Perthes. n. 5. —
— thut Noth? Von e. Geistlichen. gr. 8. (9 S.) Stuttgart 883. (Ullrich.) n.n. — 50
— nun? Zur Eröffng. d. österreich. Reichsraths. 8. (42 S.) Leipzig 885. O. Wigand. n. — 50
— mir mein alter Onkel erzählt hat Von J. H. 8. (16 S.) Basel 885. Missionsbuchh. n. — 10
— rettet die Deutschen Oesterreichs? Erläuterung d. Programmes d. deutschen Vereines zu Villach. 8. (24 S.) Villach 883. (Klagenfurt, Heyn.) — 30
— wollt Ihr m. Euren Sonntagen anfangen? Eine Frage an junge Eheleute. 7. Aufl. 12. (24 S.) Berlin 886. Deutsche evangel. Buch- u. Tractat-Gesellschaft. — 9
— ihr wollt! Ein unzerreißbares Bilderbuch. 2 Sorten. 8. (à 8 Chromolith. auf Carton.) Wesel 884. Düms. geb. à — 50
— Ihr wollt. Ein Bilderbuch zu Lust u. Lehr. 16 Bl. in Farbendr. m. Text v. Klara Reichner. 4. (32 S.) Stuttgart 886. G. Weise. geb. 2. —
— Ihr wollt! Ein Blatt f. das deutsche Haus. Hrsg. v. Ernst Otto Hopp. 1. u. 2. Jahrg. 1885 u. 1886. à 52 Nrn. (B.) gr. 8. Leipzig, Werther. à Jahrg. 4. —; in 13 Hftn. à n. — 35
— Ihr wollt! Sociale Blätter f. das deutsche Volk Hrsg. v. Frdr. Nonnemann. 1. Bd. 6 Hfte. gr. 8. (1. Hft. 60 S.) Ebend. à Hft. n. — 50
— zieht uns nach Rom? Beantwortet aus den Excerpten e. Convertiten. 2. Aufl. gr. 8. (127 S.) Leipzig 884. H Lorenz. n. 1. 50
Wäsche, große. Ein unterhalt. Bilderbuch m. ziehbaren Bildern f. artige Mädchen. 4. (5 Chromolith. m. 5 Bl. Text.) Fürth 885. Schaller & Kirn. geb. 1. 30
Wäsche-Zeitung. Muster-Zeitung f. Herren- u. Damen-Wäsche-Fabrikation. Technisches Fachorgan f. die Leinenwaaren-Industrie, f. Wäschefabrikanten u. Wäsche-Handlgn. 9—12. Jahrg. 1883—1886. à 6 Hfte. (B. m. Mustertaf., geschnittenen Modellen u. e. lith. u. color. Modekpfr.) gr. 4. Dresden, Exped. der europ. Moden-zeitg. à Jahrg. n. 9. —; einzelne Hfte. à n. 2. —
Wäsche-Zeitung, deutsche, Fachblatt f. die gesamte Wäsche- u. Weißwaren-Fabrikation, den Wäsche- u. Weißwaren-Handel u. die Nebenzweige desselben. Red.: Hugo Elm. 1. Jahrg. 1886. 24 Nrn. (B. m. Illustr.) gr. 4. Dresden, Expedition (C. Loche & Co). 5. —
Wäschke, H., Studien zu den Ceremonien d. Konstantinos Porphyrogennetos, s.: Zur Begrüssung der XXXVII. Versammlung deutscher Philologen u. Schulmänner in Dessau.
Waschzettelbuch f. Herren. 7. Aufl. 8. (48 Bl.) Leipzig-Reudnitz 886. O. Schmidt. n. — 50
Waesemann, H. F., das neue Rathhaus zu Berlin, erbaut v. H. F. W. Text v. L. A. Meyer. gr. Fol. (29 Kpfrtaf. m. 18 S. Text.) Berlin 886. Ernst & Korn. In Mappe. n. 60. —
Waser, C., géographie illustrée de la Suisse à l'usage des écoles et des familles. Traduction française par Schneuwly. 2. éd. 8. (184 S. m. Holzschn. u. Farbentitel.) Einsiedeln 884. Benziger & Co. cart. n.n. — 80; geb. n.n. 1. 20
— kleine schweizer Geographie in Wort u. Bild f. Primarschulen. Auszug aus der Illustrirten schweizer Geographie. 8. (64 S. m. eingedr. Holzschn. u. farb. Titel.) Ebend. 884. cart. n.n. — 35
— der Monat Mariä od. fromme Uebungen auf alle Tage des Monats Mai. Nebst den gewöhnl. Andachtsübgn. 10., verb. Aufl. Bearb. v. e. Priester derselben Gesellschaft. 16. (384 S. mit eingedr. Vignetten u. 2 Stahlst.) Ebend. 884. — 70
Washietl, Jos. Andr., de similitudinibus imaginibusque Ovidianis. gr. 8. (VI, 193 S.) Wien 883. Gerold's Sohn. n. 6. —
Wasielewski, Wilh. Jos. v., Schumanniana. 8. (VII, 108 S.) Bonn 883. Strauß. n. 2. —
— die Violine u. ihre Meister. 2., wesentl. verm. u. verb. Aufl. m. (eingedr.) Abbildgn. gr. 8. (X, 567 S.) Leipzig 883. Breitkopf & Härtel. n. 9. —; geb. n. 10. 50
Was Ihr wollt-Bibliothek. Nr. 1—8. 12. Leipzig 885. Werther. à n. — 25
1. 2. See- u. Strandgeschichten v. F. Meister. (118 S.)
3. Militär-Humoresken. Von A. Osk. Klaußmann. (64 S.)
4. Das ewige Gesetz. Novelle v. E. Marriot. (71 S.)
5. Aus der Mappe e. amerikanischen Offiziers. Von Max Lortzing. (63 S.)
6. Die Riether d. Herrn Thaddeus od. die braunschweigische Frage. Eine mecklenburg. Geschichte von Ernst v. Wolzogen. (68 S.)
7. Bunte Bilder aus dem socialen Leben. Aus den socialen Plaudereien d. „Was Ihr wollt!" zusammengestellt v. Frdr. Nonnemann. (64 S.)
8. Naturwissenschaftliche Plaudereien. (61 S.)

Wasmann, Erich, der Trichterwickler. Eine naturwissenschaftl. Studie üb. den Thierinstinkt. Mit e. Anh. üb. die neueste Biologie u. Systematik der Rhynchitesarten u. ihrer Verwandten [Attelabiden, Rhynchitiden u. Rhynchitiden u. Nemonygiben]. [Mit Holzschn. u. (3 lith.) Taf.] gr. 8. (VII, 266 S.) Münster 884. Aschendorff. n. 3. 60
Wasmannsdorff, E., die religiösen Motive der Totenbestattung bei den verschiedenen Völkern. gr. 4. (22 S.) Berlin 884. Gaertner. n. 1. —
— die Trauer um die Todten bei den verschiedenen Völkern, s.: Sammlung gemeinverständlicher wissenschaftlicher Vorträge.
Wasmer, E. v., Käthe, s.: Sammlung v. Kinderschriften.
Wasner, Jul., oberschlesisches Firmenbuch. 8. (146 S.) Oppeln 885. Franck. n. 3. —
Wasserabgabe, die, aus der städtischen Wasserleitung in der königl. Haupt- u. Residenzstadt München. [Wasserleitungsordnung, Gebührentarif u. ortspolizeil. Vorschriften f. die Benützg. der städt. Wasserleitg.] Mit Einleitg. u. Anmerkgn., auf Grund der Verhandlgn. in

beiden Gemeinde-Collegien zusammengestellt. 8. (81 S.) München 883. Lindauer. n. — 40

Wasserbau, der, an den öffentlichen Flüssen im Königr. Bayern, e. hydrograph. Beschreibg. der Hauptflussgebiete, sowie e. systemat. Darstellg. der Leistgn. im Wasserbauwesen Bayerns nach den verschiedenen Stufen der Entwickelg. bis zum gegenwärt. Stande. Hrsg. v. der K. Obersten Baubehörde im Staatsministerium d. Innern. [In 3 Lfgn.] 1. u. 2. Lfg.: A. Donaugebiet. Imp.-4. München 886. Kellerer. n. 24. —
   1. Lfg. Donaugebiet. 1. Abth.: Donau. Mit 18 (lith.) Taf. nebst Anh. 1. u. 2. (81 S.) n. 10. —. — 2. Lfg. Donaugebiet. 2. Abth.: Iller u. Lech m. Wertach. — 3. Abth.: Isar m. der Amper u. der Loisach. Mit 30 (lith.) Taf. nebst e. Anh. zur Iller. (S. 83—187.) n. 14. —

Wasserburg, F., Feldlilien, s.: Familien-Bibliothek.

Wasserfahren. Wie fahre ich auf dem Wasser? Rathschläge f. den Verkehr auf den Wasserstraßen, nebst Anweisg. üb. das Verhalten in allen Lagen zur Verhütg. v. Unglücksfällen. Mit spezieller Berücksicht. der Benutzer v. Miethsbooten. 12. (50 S.) Berlin 886. Wassersport (C. Otto). — 50

Wasserfuhr, der Gesundheitszustand in Elsass-Lothringen während d. J. 1882. Im amtl. Auftrage nach den Berichten der Medicinalbeamten. gr. 8. (III, 163 S.) Strassburg 883. Schmidt. n. 3. —
   cf.: Krieger.

Wassermann, L., wer soll unsere Kranken pflegen, s.: Broschüren, Frankfurter zeitgemäße.

— der Künstler im Waffenrock. Eine kulturhistor. Skizze. 8. (82 S.) Amberg 885. Habbel. — 80

Wassermann, M., drei Erzählungen f. die reifere Jugend. [Paule, der Sackzeichner. Der wackere Vetter. Hilfe zur rechten Zeit.] (Titel-Ausg. von: „Wahre Liebe".) 8. (168 S.) Erfurt 883. Bartholomäus. cart. 1. 50

Wasserschleben, F. B. v., anti Nordau. Eine Kritik d. Buches „Die konventionellen Lügen der Kulturmenschheit". gr. 8. (71 S.) Berlin 885. C. Duncker. n. 1. —

— die Religion d. dreieinigen Gottes. Ein Glaubensbekenntniß. gr. 8. (45 S.) Ebend. 884. n. — 80

— zur Theorie der Befestigungskunst. Eine militärisch-analyt. Abhandlg. gr. 8. (51 S.) Berlin 884. Mittler & Sohn. n. 1. —

Wasserschleben, Herrm., die irische Kanonensammlung. 2. Aufl. gr. 8. (LXXVI, 243 S.) Leipzig 885. B. Tauchnitz. n. 10. —

Wassersport. Fach-Zeitschrift f. Rudern, Segeln u. verwandte Sportzweige. 1. u. 2. Jahrg. 1883 u. 1884. à 52 Nrn. (1½ B. m. Illustr.) gr. 4. Berlin, Verl. d. Wassersport (C. Otto). à Jahrg. n. 16. —

Wasserversorgung, die, v. Zürich, ihr Zusammenhang m. der Typhusepidemie d. J. 1884 u. Vorschläge zur Verbesserung der bestehenden Verhältnisse. Bericht der „Erweiterten Wasserkommission" an den Stadtrath v. Zürich. gr. 4. (171 S. m. 8 Taf.) Zürich 885. (Schweizerisches Antiquariat.) 7. 50

— die, v. Zürich u. Ausgemeinden. Entgegnung der erweiterten Wasser-Kommission auf die Angriffe v. Hrn. Klebs zu Handen d. Tit. Stadtraths v. Zürich. gr. 8. (86 S.) Ebend. 885. 1. 50

Wasserzieher, Ernst, die tragischen Züge bei Molière. gr. 8. (41 S.) Leipzig 882. Fock. n. 1. —

Wassmann, C., Entdeckungen zur Erleichterung u. Erweiterung der Violintechnik durch selbstständige Ausbildung d. Tastgefühls der Finger. gr. 8. (68 S.) Berlin 885. Raabe & Plothow. n. 3. —

Waßmannsdorff, Karl, die Erziehung Friedrich's d. Siegreichen, Kurfürsten v. d. Pfalz. Aus Michel Beheim's Reimchronik mitgeteilt. 8. (43 S.) Heidelberg 886. K. Groos. n. — 80

— Johann Christoph Friedrich Gutsmuths. gr. 4. (28 S. m. 1 Lichtdr.) Ebend. 884. n. 1. 20

— die Sprache u. die Turngerätbezeichnung „Hantel". Eine Auseinandersetzg. gr. 8. (VII, 38 S.) Ebend. 883. n. — 60

Waßmuth, A., die Elektrizität u. ihre Anwendungen, s.: Wissen, das, der Gegenwart.

— über die beim Magnetisiren erzeugte Wärme. 1. Mittheilg. Lex.-8. (22 S.) Wien 884. (Gerold's Sohn.) n. — 40

Wassmuth, A., über den inneren, aus der mechanischen Wärmetheorie sich ergebenden Zusammenhang e. Anzahl v. elektromagnetischen Erscheinungen. [Mit 1 (eingedr.) Holzschn.] Lex.-8. (16 S.) Wien 883. (Gerold's Sohn.) n.n. — 30

Wassner, Jul., de horum apud Graecos cultu. gr. 8. (53 S.) Kiel 883. Lipsius & Tischer. n. 1. 60

Wastler, Jos., steirisches Künstler-Lexicon. gr. 8. (IX, 197 S.) Graz 883. Leykam. n. 4. —

Wathner's praktischer Eisen- u. Eisenwaaren-Kenner od. gründl. Anleitg. zur Kenntniss der Eisenwaaren u. deren Gattgn. nach den Formen u. Zeichen. Enthält alle im Eisenhandel vorkomm. Waaren nach ihrer richt. Benenng. u. geschäftsübl. Berechng. Mit e. Atlas v. 50 Doppeltaf. (in Holzschn.), enth. üb. 8000 naturgetreue Abbildgn. v. Waaren geschmackvollster Façon. Ferner Abbildgn. v. Stahl-, Eisen-, Sensen-, Sicheln- u. Strohmesser-Marken. 1200 Adressen der renommirtesten Fabriken u. Eisenwaaren-Erzeuger. 5. Aufl. Hrsg. v. Jos. Tosch. hoch 4. (VIII, 240 S.) Graz 883—85. Cieslar. n. 30. —

Watteau, Antoine, Gemälde u. Zeichnungen nach dem v. Boucher u. unter dessen Leitg. gestochenen Werke. In Lichtdr. hergestellt v. Alb. Frisch nach dem im k. Kupferstichkabinet zu Berlin befindl. Originale. (In 13 Lfgn.) 1—4. Lfg. Fol. (à 10 Bl.) Berlin 884. 85. Mitscher & Röstell. à n. 10. —

— 4 Panneaux, s.: Meister, alte.

Wattenbach, W., Anleitung zur lateinischen Palaeographie. 4. Aufl. 4. (VI, 106 S., wovon 64 autogr.) Leipzig 886. Hirzel. n. 3. 60

— Gedächtnissrede auf Georg Waitz. gr. 4. (12 S.) Berlin 886. (G. Reimer.) n. — 60

— Deutschlands Geschichtsquellen im Mittelalter bis zur Mitte d. 13. Jahrh. 2 Bde. 5. Aufl. gr. 8. (XIV, 451 u. IV, 530 S.) Berlin 885. 86. Hertz. n. 17. —

— über die Inquisition gegen die Waldenser in Pommern u. der Mark Brandenburg. gr. 4. (102 S.) Berlin 886. G. Reimer. n. 4. —

— der Allgemeine Deutsche Schulverein zum Schutz bedrängter Deutschen im Ausland. Seine Ziele u. Bestrebgn. 8. (35 S.) Berlin 884. Hertz. n. — 60

— scripturae graecae specimina in usum scholarum collegit et explicavit W. W. Libri cui inscriptum erat: Schrifttafeln zur Geschichte der griechischen Schrift ed. II. Fol. (17 S. m. 20 photolith. Taf.) Berlin 883. Grote. In Mappe. n. 16. —

Wattendorff, J., Papst Stephan IX., s.: Beiträge, Münsterische, zur Geschichtsforschung.

Wattenwyl, Mor. v., Blätter vom Brienzer See. 8. (VI, 64 S.) Bern 884. (Nydegger & Baumgart.) n. 1. —

Watteville, A., Grundriss der Elektrotherapie. Autoris. deutsche Ausg. v. Max Weiss. Mit 102 Abbildgn. gr. 8. (VII, 252 S.) Wien 886. Toeplitz & Deuticke. n. 6. —

Watwitz, M. v., Stürme d. Lebens u. Schicksals. Novellen. 8. (286 S.) Leipzig 884. Friedrich. n. 4. —

Watzger, M., v. den Turnspielen. Lex.-8. (38 S.) Wien 885. Pichler's Wwe. & Sohn. n. — 80

Watzka, Karl, Uebersicht der denkwürdigen Ergebnisse aus der Geschichte d. k. Stadt Mies vom J. 1131 bis in die neueste Zeit. Nach gesammelten Urkunden verf. (In ca. 6 Hftn.) 1. Hft. gr. 8. (26 S.) Mies 883. (Dworzak.) n. 1. —

Watzl, Rud., der letzte Agilolfing. Gedicht. Hrsg. vom „Düringbund". gr. 8. (15 S.) Wien 886. Kubasta & Voigt. n. — 30

— Josuahs Ring. Eine Erzählg. 8. (V, 60 S.) Ebend. 885. n. 1. 20

Waetzoldt, Steph., Emanuel Geibel. 8. (40 S.) Hamburg 885. O. Meißner's Verl. n. 1. —

Wawra v. Fernsee, Heinr. Ritter, itinera principum S. Coburgi. Die botanische Ausbeute v. den Reisen Ihrer Hoheiten der Prinzen v. Sachsen-Coburg-Gotha. I. Reise der Prinzen Philipp u. August um die Welt

[1872—1873]. II. Reise der Prinzen August u. Ferdinand nach Brasilien [1879]. 1. Thl. Imp.-4. (XVIII, 182 S. m. 39 Steintaf. u. Chromolith.) Wien 883. (Gerold's Sohn.) cart. n. 60. —

Weber's Adressbuch f. das gesammte deutsche Baugewerbe u. verwandte Geschäftszweige. Nach amtl. Quellen bearb. v. Theophil Weber. 1885. 3. Jahrg. 25 Lfgn. gr. 8. (1—4. Lfg. 196 S.) Frankfurt a/M 885. (Detloff.) n. 20. —; einzelne Lfgn. à n. 1. 20

Weber, A., Verzeichniss der Sanskrit- u. Prâkrit-Handschriften, s.: Handschriften-Verzeichnisse, die, der königl. Bibliothek zu Berlin.

Weber, A. C., das Unfallversicherungsgesetz f. das Deutsche Reich vom 6. Juli 1884, nebst den v. den Einzelstaaten erlassenen Kompetenzbestimmgn. In kurzgefaßter systematischer Darstellg. 8. (90 S.) Berlin 884. Guttentag. n. 1. 50

Weber v. Ebenhof, Alfr. Ritter, die Aufgaben der Gewässer-Regulirung, Wildbach-Verbauung u. Wasserverwaltung in Oesterreich m. besond. Berücksicht. der Alpenländer. gr. 8. (64 S.) Wien 886. Spielhagen & Schurich. n 1. —

Weber, Ant., Leben u. Werke d. Bildhauers Dill Riemenschneider. Mit 5 Abbildgn. gr. 8. (VIII, 39 S.) Würzburg 884. Woerl. n. 1. —

Weber, C. v., vier tragische Novellen. 8. (224 S.) Leipzig 886. Greßner & Schramm. n. 2. —

Weber, Carl, die Lustfeuerwerkerei od. vollständ. Anweisg. zur Anfertigg. aller Feuerwerkkörper. 9. Aufl. 8. (176 S. m. 7 Abbildgn.) Berlin 884. Mode's Verl. 1. 50

Weber, Carl Maria v., Reise-Briefe an seine Gattin Carolina. Hrsg. v. seinem Enkel. gr. 8. (VII, 224 S.) Leipzig 886. A. Dürr. n. 4. 50; geb. n. 6. —

Weber, D., Leitfaden f. den Unterricht in der Orthographie u. Interpunktionslehre m. zahlreichen Übungsbeispielen. Nach den ministeriellen Bestimmgn. vom 1. Apr. 1880 sowie dem 2. Neudruck derselben v. 1888 bearb. 8. (IV, 65 S.) Frankfurt a/M. 885. Neumann. n. — 80

Weber, E., die deutsche Schule in ihren verschiedenen Formen u. Abstufungen u. ihre Stellung zur christlichen Kirche, } s.: Zeitfragen d. christl. Volkslebens.
— der moderne Spiritismus, }

Weber, Elise Agnes Laura, das wahre deutsche Bürger-Kochbuch f. den täglichen Tisch, der Jetztzeit angepaßt. Nebst Küchenzettel u. Eßregeln. 25. Aufl. Jubel-Ausg. Mit 25 Illustr. 8. (XVI, 256 S.) Leipzig, Matthes. cart. 1. 50; geb. 2. 40

Weber, Ernst Louis, Liederbuch f. Volksschulen. Enth. 1-, 2- u. 3 stimm. Lieder, einige Kanons u. die gebräuchlichsten Choräle der evangel. Kirche. 6. Aufl. gr. 8. (IV, 86 S.) Hildburghausen 886. Kesselring. n. — 40

Weber, F., die Lehren d. Talmud, s.: Schriften d. Institutum judaicum in Leipzig.

Weber's, F. A., Handwörterbuch der deutschen Sprache, nebst den gebräuchlichsten Fremdwörtern, Angabe der Betong. u. Aussprache u. e. Verzeichnisse der unregelmäß. Zeitwörter. Auf's neue durchgesehen u. m. e. Nachtrage verm. v. Max Moltke. 17. Ster.-Aufl. Mit Regeln u. Wörterverzeichnissen f. die neue Rechtschreibg. v. Geo. Berlit. Lex.-8. (LXVI, 790 S.) Leipzig 887 B. Tauchnitz. 6. —

— neues vollständiges italienisch-deutsches u. deutsch-italienisches Wörterbuch. Nach den neuesten u. besten Quellen bearb. Neu verb. u. verm. Ster.-Ausg. 2. Aufl. 2 Tle. in 1 Bd. Lex.-8. (VIII, 492 u. 590 S.) Leipzig 885. Holtze. 9. —

Weber, F. W., Dreizehnlieder. 30. Aufl. 12. (III, 382 S.) Paderborn 886. F. Schöningh. n. 5. —; geb. n. 6. 80

— dasselbe. 25. u. 28. Aufl. 1. u. 2. Abdr. Jubel-Ausg. 8. (381 S. m. Stahlst.-Portr.) Ebend. 885. n. 6. 20; Einbd. m. Goldschn. n.n. 1. 80

— dasselbe. Illustrationen dazu. 9 Lichtdr. nach Zeichnungen von v. Wörndle, nebst Portr. d. Dichters. gr. 8. Ebend. 885. In Leinw.-Mappe. n. 5. 50

— Gedichte. 9. verm. Aufl. 12. (VIII, 385 S.) Ebend. 886. n. 4. 50; geb n. 6. —

Weber, F. W., Marienblumen. Mit 6 (chromolith.) Madonnenbildern nach Ittenbach, gemalt v. seiner Tochter Wilhelmine Ittenbach. Imp.-4. (27 Bl. Text m. chromolith. Titelbl.) Köln 885. A. Ahn. geb. m. Goldschn. 36. —

Weber, F. W., kurzgefaßte Einleitung in die heiligen Schriften Alten u. Neuen Testamentes. Zugleich e. Hilfsmittel f. kursor. Schriftlektüre. Für höhere Schulen u. gebildete Schriftleser bearb. 7. Aufl., hrsg. v. Füller. gr. 8. (VII, 348 S.) Nördlingen 884. Beck. n. 3. 60

Weber, Frdr. Percy, im Pfalzgrafenschloß. Eine Studenten- u. Soldatengeschichte aus dem alten Heidelberg. 12. (103 S.) Lahr 886. Schauenburg. n 1. —

Weber, G., Liedersammlung f. höhere Mädchenschulen, Mittelschulen u. andere Lehranstalten. 3 Hfte. 2. Aufl. 12. Freiburg i/Br. 886. Herder. cart. n. 1. 45
1. Unterstufe: Einstimmiger Gesang. (IV, 68 S.) n. — 35
2. Mittelstufe: Zweistimmiger Gesang. (IV, 75 S.) n. — 40
3. Oberstufe: Zwei- u. dreistimmiger Gesang. (IV, 136 S.) n. — 70

Weber, G. H., Reigen f. Mädchen u. Knaben in Volks- u. Mittelschulen. gr. 8. (VIII, 124 S.) München 886. Oldenbourg. n.n. 1. 80

Weber, G. V., üb. Sprachgesang. Zurückweisung der in der Musica sacra gegen mich gerichteten Angriffe des Hrn. Dr. Witt. gr. 8. (38 S.) Mainz 883. Kirchheim. — 50

Weber, Geo., Geschichtsbilder aus verschiedenen Ländern u. Zeitaltern. gr. 8. (VIII, 514 S.) Leipzig 886. Engelmann. n. 8. —; Einbd. n.n. 2. —

— Heidelberger Erinnerungen. Am Vorabend der 5. Säkularfeier der Universität. gr. 8. (VIII, 311 S. m. Stahlst.-Portr. d. Verf.) Stuttgart 886. Cotta. n. 4. —

— mein Leben u. Bildungsgang. gr. 8. (39 S.) Leipzig 883. Engelmann. n. — 40

— allgemeine Weltgeschichte. 2. Aufl., unter Mitwirkg. v. Fachgelehrten rev. u. überarb. 18—82. Lfg. gr. 8. (3. Bd. XVI u. S. 321—965, 4. Bd. 864, 5. Bd. IX, 765; 6. Bd. X, 825; 7. Bd. X, 914; 8. Bd. X, 919, 9. Bd. X, 926; 10. Bd. X, 920; 11. Bd. X, 1024 S. u. 12. Bd. S. 1—80. Ebend. 883—86.) à 1. —
1. Bd. 7. —. — 2. Bd. 7. 50. — 3. Bd. 7. 50. — 4. Bd. 7. —. 5. Bd. 6. —. — 6. Bd. 7. —. — 7. Bd. 7. 50. — 8. Bd. 7. 50. — 9. Bd. 7. 50. — 10. Bd. 8. —. 11. Bd. 9. —; Einbd. à Bd. n.n. 1. 35; elegant à n.n. 2. —

— dasselbe. Register [I.] zum 1—4. Bd.: Geschichte der alten Zeit. gr. 8. (189 S.) Ebend. 884. 1. 50; einf. Einbd. n.n. 1. —; eleg. Einbd. n.n. 1. 50

— dasselbe. Register [II.] zum 5—8. Bd.: Geschichte d. Mittelalters. gr. 8. (173 S.) Ebend. 885. 1. —; einf. Einbd. n.n. 1. —; eleg. Einbd. n n. 1. 50

Weber, Ghelf., Dr. Martin Luthers kleiner Katechismus, erklärt in fortlauf. Entwicklg. f. die unteren Klassen od. Kurse der Mittelschulen u. f. geförbertere Bürgerschulen. 8. (VIII, 130 S.) Nördlingen 884. Beck. cart. n. 1. —

Weber, Gust., H. Zwingli. Seine Stellg. zur Musik u. seine Lieder. Die Entwicklg. d. deutsches Kirchengesanges. Eine kunsthistor. Studie. gr. 8. (68 S.) Zürich 884. Hug. n. 1. —

Weber, H., Charakterbilder aus der christlichen Kirchengeschichte. Für Kirche, Schule u. Haus. 8. (96 S.) Zürich 883. Schmidt. n. — 60

— Ulrich Zwingli. Ein Schauspiel in 5 Acten. 12. (III, 210 S.) Frauenfeld 883. Huber. n. 2. —

Weber, H., Griechische Elementar-Grammatik. gr. 8. (X, 202 S.) Gotha 885. F. A. Perthes. n. 2. 40

— lateinische Elementar-Grammatik. I. u. II. gr. 8. Ebend. n. 2. 40
1. Elemente der lateinischen Darstellung. (VIII, 46 S.) 885. n. — 80
2. Elemente der latein. Syntax. (XX, 139 S.) 886. n. 1. 60

Weber, H. F., s.: Bericht üb. physikalische Industrie.

Weber, H. J., im Lande der Mitternachtssonne od. Nordpolfahrten. Der deutsch-amerikan. Jugend gewidmet. Mit Illustr. 8. (VIII, 180 S.) Philadelphia 884. (Schäfer & Koradi.) geb. n. 2. 50

Weber, Heinr., die Bamberger Beichtbücher aus der 1. Hälfte d. XV. Jahrh., m. e. Anh. üb. die Bamberger Pönitentialbücher. 12. (100 S.) Kempten 885. Kösel. n. — 75

— P. Marquard v. Rotenhan S. J. Das Lebensbild e. eifrigen Priesters aus dem XVIII. Jahrh. Mit dem Portr. Rotenhan's. 8. (XII, 128 S.) Regensburg 885. Verlags-Anstalt. 1. 50

Weber, Heinr., die Sct. Georgenbrüder am alten Domstift zu Bamberg. gr. 8. (48 S.) Bamberg 883. (Schmidt.) n. 1. —

— die Verehrung der heiligen 14 Nothhelfer, ihre Entstehung u. Verbreitung. gr. 8. (IV, 132 S. m. Illustr. im Text, 1 Lichtdr. u. 8 photolith. Kunstbeilagen.) Kempten 886. Kösel. 2. —

— Vierzehnheiligen in Frankenthal. 8. (79 S.) Bamberg 884. (Schmidt.) n.n. — 50

— Bamberger Weinbuch. Ein Beitrag zur Culturgeschichte. gr. 8. (293 S.) Ebend. 884. 3. —

Weber, Heinr., üb. das Verhältniss Englands zu Rom während der Zeit der Legation d. Cardinals Otho in den J. 1237—1241. gr. 8. (IV, 126 S.) Berlin 883. Weidmann. n. 3. —

Weber, Heinr., orthographisches Übungsbuch. Methodisch geordnete Beispiele, Regeln u. Aufgaben f. den Unterricht in der deutschen Rechtschreibg. Für Volks- u. Bürgerschulen, sowie f. die Unterklassen höherer Lehranstalten bearb. 3. Aufl. gr. 8. (48 S.) Leipzig 886. Siegismund & Volkening. n. — 25

Weber, Heinr. Leo, neuestes vollständiges Gratulationsbuch f. alle Gelegenheiten u. Altersstufen in Versen u. Prosa, nebst e. Anh. v. Stammbuchblättern, Condolenzschreiben, Visitkarten u. Telegrammen. 8. (124 S.) Prag 883. Brandeis. n. — 70; cart. n. — 80

— bunte Steine vom Felde der Erziehung u. d. Unterrichts. 12. (124 S.) Ebend. 883. n. — 40

— Stilaufgaben. Für die Hand d. Lehrers. gr. 8. (VI, 162 S.) Troppau 883. Buchholz & Diebel. n. 2. —

— der deutsche Unterricht in allen seinen Theilen. Ein didakt. Behelf. gr. 8. (VII, 248 S.) Ebend. 885. n. 3. —

Weber, Henri, die Vorschläge der bundesräthlichen Kommission betr. militärische Fussbekleidung, vom fachmänn. Standpunkt aus unter Beigabe v. 12 lith. Taf. kurz beleuchtet. gr. 8. (34 S.) Zürich 883. Schmidt. n. 1. 50

Weber, Henry, neues vollständiges Ortslexikon der Schweiz. Nach den zuverlässigsten Quellen bearb. Ein unentbehrl. Handbuch f. Jedermann. 2. Aufl., m. Beiträgen kompetenter Mitarbeiter aller Kantone, hrsg. v. Otto Henne am Rhyn. (In 10 Hftn.) 1. u. 2. Hft. gr. 8. (S. 1—144.) St. Gallen 886. Kreutzmann. à n. — 80

Weber, Herm., üb. Schul-Hygiene in England. gr. 8. (21 S.) Wiesbaden 884. Bergmann. n. 1. —

— Vorträge üb. die hygienische u. klimatische Behandlung der chronischen Lungenphthise. Deutsche Ausg. v. Hugo Dippe. 8. (VIII, 109 S.) Leipzig 885. F. C. W. Vogel. n. 2. —

Weber, Hugo, die Heimat, s.: Jütting, W.

— Heimatkunde vom Königr. Sachsen. Als Anhang zu den Lesebüchern v. Jütting u. Weber, sowie auch zu anderen hrsg. I. u. II. Kurs. 3. Aufl. gr. 8. Leipzig 886. Klinkhardt. n. — 55

I. Land u. Leute. (32 S. m. 1 Karte) n. — 30; ohne Karte n. — 20

II. Das Volk u. seine Geschichte. (48 S.) n. — 25

— Lehr- u. Lesebuch, s.: Jütting, W.

— dasselbe, f. ländl. Fortbildungsschulen. Zugleich als Volksbuch hrsg. 3. Aufl. gr. 8. (304 S.) Leipzig 885. Klinkhardt. n. 1. —; geb. n.n. 1. 35

— dasselbe, für österreich. Verhältnisse bearb. u. zugleich als Volksbuch hrsg. v. Frz. Frisch. gr. 8. (VII, 332 S.) Wien 885 Manz. n. 1. 20

— deutsche Sprache u. Dichtung od. das Wichtigste üb. die Entwickelg. der Muttersprache, das Wesen der Poesie u. die Nationallitteratur. Zugleich e. Ratgeber zur Fortbildg. durch Lectüre. Für Bürgerschulen, Mittelschulen, Töchterschulen, Präparandenanstalten ꝛc. hrsg. u. m. Beziehg. auf die Jütting-Weber'schen Lesebücher dargestellt. 5. Aufl. gr. 8. (68 S.) Leipzig 885. Klinkhardt. n. — 40

— das Vaterland, } s.: Jütting,
— Volksschullesebuch, }

— die Welt im Spiegel der Nationallitteratur. 1. Tl. 5. Lesebuch zur Pflege nationaler Bildg. A. Ausg. f. 8klass. Schulen. 6. Schulj. 4. Aufl. gr. 8. (224 S.) Leipzig 886. Klinkhardt. n. — 80; geb. n. 1. 10

Weber, Hugo, die Welt im Spiegel der Nationallitteratur. 1. Tl 5. Lesebuch zur Pflege nationaler Bildung. A. bez. B. Ausg. f. 5—8 klass. Schulen. 7. u. 8. Schulj. 3., m. e. litteraturkundl. Anh. vers. Aufl. gr. 8. (424 S.) Leipzig 886. Klinkhardt. n. 1. 25; geb. n.n. 1. 60

— die weite Welt, } s.: Jütting, W.
— der Wohnort, }

Weber-Rumpe, Hugo, französische Genusregeln, zur Erlerng. in wenigen Stunden mnemonisch bearb. 8. (40 S.) Breslau 885. (Leipzig, Gracklauer.) n. 1. 50

— mnemonische Unterrichts-Briefe f. das Selbststudium der Gedächtnißkunst [Schnell-Lern-Methode]. 11. Tausend. gr. 8. (160 S.) Ebend. 884. n. 6. —

— mnemonisches Zahl-Wörterbuch. Mit Berücksicht. der neuen deutschen Rechtschreibg. 12. (236 S.) Ebend. 885. n. 4. 50; geb. n. 5. —

Weber, J., das Alter d. Menschen u. die Wissenschaft, s.: Broschüren, Frankfurter zeitgemäße.

Weber, J., Ernst u. Scherz. Gedichte. 8. (190 S.) München 887. Callwey. n. 3. —; geb. n. 4. —

Weber, J., die musikalische Lage u. der Volksunterricht in Frankreich, s.: Sammlung musikalischer Vorträge.

Weber, J., neuestes vollständiges Fremdwörterbuch m. Angabe der richtigen Aussprache. Enth. üb. 14000 fremde Wörter u. Redensarten, welche in Zeitgn., Büchern, in der Umgangssprache, im amtl. u. Geschäftsstyl vorkommen. Ein Hand- u. Nachschlagebuch f. Jedermann, vorzüglich aber f. Zeitungsleser. 15. Aufl. 16. (308 S.) Quedlinburg 886. Ernst. n. 1. —; cart. n. 1. 25

Weber, J., die kanonischen Ehehindernisse nach dem geltenden gemeinen Kirchenrechte. Für den Kuratklerus in Deutschland, Oesterreich u. der Schweiz praktisch dargestellt. 3. Aufl. gr. 8. (VIII, 527 S.) Freiburg i/B. 883. Herder. n. 6. —

— dasselbe. 4. Aufl. (XX, 733 S.) gr. 8. Ebend 886. n. 8. —

— Katechismus d. katholischen Kirchenrechts, m. steter Berücksicht. d. Staatskirchenrechts in Deutschland, Oesterreich u. der Schweiz. 2., verb. u. verm. Aufl. 12. (VIII, 627 S.) Augsburg 886. Schmid's Verl. n. 4. —

Weber, J., panorama du Mont-Blanc. Dessiné d'après nature. Chromolith. qu. Fol. Zürich 885. Orell Füssli & Co. Verl n. — 80

Weber, J. L., mein Naserl, s.: Theater-Repertoir, Wiener.

Weber, Johannès, la situation musical et l'instruction populaire en France. 8. (IV, 128 S.) Leipzig 884. Breitkopf & Härtel. n. 2. —

Weber, Karl, kranke Herzen. Comödie in 2 Akten. 16. (64 S.) Korneuburg 882. Kühlkopf. n. — 30

Weber, Karl, neue Gesetz- u. Verordnungen-Sammlung f. das Königr. Bayern m. Einschluß der Reichsgesetzgeb. Enth. die auf dem Gebiete der Verfassg. u. Verwaltg. gelt. od. die Interessen d. Staatsbürgers betr. Gesetze, Verordngn. u. sonst. Bestimmgn., zusammengestellt u. m. Anmerkgn. versehen. Mit systemat., alphabet. u. chronolog. Register. 25—62. Lfg. gr. 8. (3. Bd. XXII, u. S. 321—782; 4. Bd. XII, 792; 5. Bd. IX, 782; 6. Bd. X, 794 S. u. 7. Bd. S. 1—560.) Nördlingen 883—86. Beck. à n. 1. 25

Weber, Karl, die Malz-Fabrikation. Eine Darstellg. der Bereitg. v. Grün-, Luft- u. Darrmalz nach dem gewöhnl. u. den verschiedenen mechan. Verfahren. Mit 77 Abbildgn. 8. (VIII, 317 S.) Wien 887. Hartleben. n. 4. 50

Weber's, Karl Jul., „Demokritos" od. „Hinterlassene Papiere e. lachenden Philosophen" [vollständ. Orig.-Ausg. in 12 Bdn.]. Autoren-, Namen- u. Sach-Register. 8. (XVI, 208 S.) Stuttgart 884. Rieger. n. 2. 40; geb. in Leinw. n. 3. —; in Hlbfr. n. 3. 40

— dasselbe, s.: Collection Spemann.

Weber, L., A. Ebrard: Ein Totentanz u. M. Rowel: Briefe aus der Hölle. Zwei bedeutsame neuere Dichtgn. üb. Zustände d. Jenseits. Vortrag geh. in M.-Gladbach u. Elberfeld. 2. Abdr. 8. (31 S.) Leipzig 884. Fr. Richter. gratis.

Weber, L., der lebendige Gott in seiner Schöpfung. Vortrag, im Auftrage des Vereins f. innere Mission in der Grafsch. Mark geh. 8. (32 S.) Schwerte 886. (Bonn, Schergens.) — 25

Weber, L., keine kinderlose Ehe u. keine Uebervölkerung mehr. Zu Nutz u. Frommen f. Jedermann hrsg. 8. Aufl. 8. (30 S.) Hamburg 885. Kramer. — 75

Weber, Leonh., Kurven zur Berechnung der v. künstlichen Lichtquellen indizirten Helligkeit. Mit 1 lith. Taf. gr. 8. (16 S.) Berlin 885. Springer. n. 1. 40

Weber, M., üb. die socialen Pflichten der Familie. Gesammelte populäre Aufsätze aus den J. 1875—1885. 2. Aufl. 8. (166 S.) Gera 886. Th. Hofmann. n. 1. 20; geb. n.n. 2. 20

Weber's, M. M. v., Schule d. Eisenbahnwesens. 4. verm. Aufl. Unter Mitwirk. hervorrag. Fachgenossen bearb. v. Rich. Koch. Mit 170 in den Text gedr. Abbildgn. 8. (XVI, 772 S.) Leipzig 885. Weber. geb. n. 10. —

Weber, Mart., die Kunst d. Bildformers u. Gipsgießers, od. gründl. Unterricht, wie Büsten, Statuen, Vasen, Urnen, Ampeln, Konsolen od. Kragsteine, Rosetten, Laub- u. Simswerk, Reliefbilder u. andere dergleichen plast. Gegenstände auf dem Wege d. Abformens u. Abgießens nachzubilden, wie sie zu schleifen, zu polieren, zu firnissen, zu bronzieren u. zu restaurieren sind. 5. Aufl. 8. (VIII, 124 S.) Weimar 886. B. F. Voigt. n. 1. —

— das Schleifen, Polieren, Färben u. künstlerische Verzieren d. Marmors, wie auch aller anderen Steinarten, welche zu Monumenten, Säulen, Statuen etc. verarbeitet werden. Nebst Mitteilg. vorzügl. Vorschriften zur Darstellg. d. Stucco lustro, d. Gips- u. anderen künstl. Marmors etc. Für Künstler u. Techniker, namentlich Architekten, Bild- u. Steinhauer, Stuckateure etc. 3. Aufl. 8. (X, 133 S.) Ebend. 884. 1. 20

Weber, Mathilde, die Mission der Hausfrau. 8. (III, 120 S.) Herzberg a/H. 884. Simon. n. 1. 50

Weber, Max, Studien üb. Säugethiere. Ein Beitrag zur Frage nach dem Ursprung der Cetaceen. Mit 4 Taf. u. 13 Holzschn. gr. 8. (VIII, 252 S.) Jena 886. Fischer. n. 12. —

Weber, O. H., Perlen. Ein Führer durch's Leben, bestehend in e. Anthologie lehrreicher Sprüche. Nach dem Alphabet geordnet u. hrsg. Der reiferen Jugend gewidmet. 8. (V, 133 S.) Bern 883. (R. F. Haller-Goldschach.) n. 1. 50

Weber, Ph., Entwickelungsgeschichte der Absichtssätze, s.: Beiträge zur historischen Syntax der griechischen Sprache.

Weber, R., Hypochondrie u. eingebildete Krankheiten. Für Aerzte u. Laien geschildert. gr. 8. (52 S.) Berlin 887. Steinitz. n. 1. 50

Weber, R., Recum, der Ulmen v. Arauca, s.: Volks-Erzählungen, kleine.

Weber, R. O., General-Register, s.: Selbstverwaltung, die.

Weber, Rich., zur Pathologie u. Therapie der Lebercirrhose. gr. 8. (48 S.) Breslau 884. (Köhler.) n. 1. —

Weber, Thdr., Emil Du Bois-Reymond. Eine Kritik seiner Weltansicht. gr. 8. (XII, 266 S.) Gotha 885. F. A. Perthes. n. 5. —

— Stöckls Geschichte der neueren Philosophie. Ein Beitrag zur Beurteilg. d. Ultramontanismus. gr. 8. (VI, 51 S.) Ebend. 886. n. 1. 20

Weber, W., Sternkarte m. drehbarem Horizont. Kreisrund. Durchm.: 42 cm. Rosslau a/E. 886. (Leipzig, Hinrichs' Sort.) Auf Pappe gezogen. n n 5. —

Weehmar, Ernst Frhr. v., Flugtechnik. 1. u. 2. Buch. gr. 8. Wien 886. Spielhagen & Schurich. n. 5. —

1. Fundamentalsätze der Flugtechnik. Leitfaden zur Orientirg. auf diesem Gebiete, besonders f. den gebildeten Laien. 3 Abthlgn.: A. Fundamentalsätze. B. Erläuterungen. C. Ausführungen. (IV, 68 S.) n. 2. —
2. Der Wechmar'sche Flugapparat. Anleitung zu Flugübgn. m. demselben. Nebst e. Anh.: Disputation üb. die Möglichkeit d. persönl. Kunstfluges. 5 Fig.-Taf., 1 Titelbild u. mehrere in den Text gedr. Abbildgn. (71 S.) n. 3. —

Wechselgesetz f. Bosnien u. die Hercegovina gr. 8. (29 S.) Wien 883. Hof- u. Staatsdruckerei. n. — 40

Wechselgesetz, XXVII. Gesetz-Artikel v. J. 1876. Justizministerial-Verordngn. üb. das Verfahren in Wechselangelegenheiten u. üb. die Regelg. d. Handelsverfahrens in u. außer Streitsachen. gr. 8. (40, 36 u. 45 S.) Budapest 882. Ráth. n. 2. —

Wechsler, Ernst, der unsterbliche Mensch. Eine materialist. Dichtg in 5 Gesängen. [Frei nach e. Sage üb. Moses Maimonides.] 8. (IV, 120 S.) Wien 884. Konegen. n 2. —

— Orgien u. Andachten. Dichtungen. 12. (XI, 141 S.) Leipzig 886. Friedrich. n. 2. —; geb. n. 3. —

Wechsler, Ed., humoristische Vegetarierkost. Guckkastenbilder aus der Gegenwart. 8. (53 S.) Leipzig 885. Th. Grieben. n. — 60

Wechsung, Fr., der deutsche Zolltarif vom 15. Juli 1879, nebst den vom Bundesrath festgestellten Tarasätzen. [Aus: „Cl. Merck's Warenlexikon".] Auf Grund amtl. Quellen m. Erläutergn. versehen. 4. Ausg. [Stand vom 1. Juli 1885.] gr. 8. (50 S.) Leipzig 885. Gloeckner. cart. n. 1. —

Weck, Gust., Rudolf Künstler. Aus dem Leben u. Wirken e. deutschen Schulmanns. Mit (lith.) Portr. gr. 8. (132 S.) Berlin 884. Weidmann. n. 3. —

— Königin Luise. Vaterländische Romanzen. gr. 8. (144 S.) Paderborn 884. F. Schöningh. n. 2. —; geb. n. 3. —; m. Goldschn. n. 3. 50

Weckesser, A., zur Lehre vom Wesen d. Gewissens. gr. 8. (VI, 98 S.) Bonn 886. Strauss. n. 2. —

— der empirische Pessimismus in seinem metaphysischen Zusammenhang im System von Eduard v. Hartmann. gr. 8. (74 S.) Bonn 885. (Leipzig, Fock.) n. 2. —

Weckherlin, lateinische Schulgrammatik, s.: Hermann.

Weckstimmen, neue. Red.: Frz. Doll. Jahrg. 1883—1886. à 12 Hfte. (2 B.) 8. Wien 883. (Würzburg, Woerl.) à Jahrg. n. 1. 60

Wedde, Johs., Grüsse d. Werdenden. Gedichte e. demokratischen Redakteurs im neuen deutschen Reiche. 2. m. Erläutergn. versehene Ausg. 12. (XV, 344 u. 144 S.) Stuttgart 886. Dietz. n. 3. —

Weddigen, F. H. Otto, Lord Byron's Einfluss auf die europäischen Litteraturen der Neuzeit. Ein Beitrag zur allgemeinen Litteraturgeschichte. gr. 8. (XV, 132 S) Hannover 884. Weichelt. n. 2. —

— gesammelte Dichtungen. Mit e. biograph. Vorwort v. Karl Fulda. 2 Bde. 8. Minden 884. Bruns. n. 5. —; geb. n. 7. —

1. Gedichte. Dramen. (XXIV, 282 S.)
2. Novellen. (VII, 279 S.)

— Gedichte aus der Heimat u. aus Italien. 8. (XII, 195 S.) Norden 886. Fischer Nachf. n. 3. —

— neue Gedichte. 8. (XII, 244 S.) Kassel 885. Kleinenhagen. n. 3. —

— Geschichte der deutschen Volkspoesie seit dem Ausgange d. Mittelalters bis auf die Gegenwart. In ihren Grundzügen dargestellt. 8. (XV, 360 S) München 884. Callwey. n. 6. —

— neue Märchen u. Fabeln. Mit 17 Holzschn.-Illustr. v. Carl Gehrts u. e. Titelzeichng. v. Herm. Ulffers. 2. Aufl. 8. (VIII, 148 S.) Ebend. 885. cart. 3. 50

— aus der litterarischen Welt u. f. dieselbe; wie auch zu Nutz u. Frommen f. das große Publikum. Zeitgemäße Erörtergn. gr. 8. (47 S.) Hannover 883. Schüßler. n. 1. —

— u. Herm. Hartmann, der Sagenschatz Westfalens. Mit e. (lith.) Titelbild: „Die Sage" nach Wilh. v. Kaulbach. gr. 8. (XXIV, 387 S.) Minden 884. Bruns. n. 4. 50; geb. n. 6. —

Weddigen, O., das Buch vom Sachsenherzog Wittekind, s.: Hartmann, H.

Wedding, Herm., die Darstellung d. schmiedbaren Eisens in praktischer u. theoretischer Beziehung. 1. Ergänzungsbd. Der basische Bessemer- od. Thomas-Process. Mit zahlreichen in den Text eingedr. Holzst. u. 3 lith. Taf. gr. 8. (VIII, 200 S.) Braunschweig 884. Vieweg & Sohn. n. 9. — (Hauptwerk u. 1. Ergänzungsbd.: n. 34. 80)

Wedekind's Leipziger Stadt-Buch. Jahrg. 1884—85. Mit 1 (chromolith.) Plan der Stadt Leipzig. 16. (III, 115 S.) Leipzig 885. (C. A. Koch.) geb. n. — 60

— Reise- u. Geschäfts-Kalender. Hôtel-Adressbuch, Fremdenführer u. Geschäfts-Anzeiger. Praktischer Führer durch die Sehenswürdigkeiten m. Aufführg. der empfehlenswerthesten Hôtels, Restaurants, Cafés u. Weinstuben, sowie genaue Angaben sämmtl. Verkehrsnotizen als Eisenbahn-, Post-, Dampfschiff-, Telegraphen-, Führer- u. Fuhrwesen. Mit e. Wegweiser durch die empfehlenswerthesten Geschäftsmagazine u. industriellen Etablissements. Abth.: Brandenburg m. den beiden Mecklenburg, Schleswig-Holstein, Lauenburg m. Hamburg u. Lübeck. Ausg. 1883 u. 1884. Lex.-8. (132, 66 u. 152 S.) Ebend. geb. n. 5. —

— dasselbe. Abth.: Böhmen u. Schlesien m. den angrenz. Theilen Mährens. II. Ausg. 1883 u. 1884. Lex.-8. (208, 26 u. 148 S.) Ebend. 883. geb. n. 5. —

— dasselbe. Abth.: Provinzen Brandenburg u. Sachsen m. Braunschweig, Anhalt u. dem Harz. Ausg. 1883 u. 1884. Lex.-8. (152 u. 220 S.) Ebend. 885. geb. n. 5. —

— dasselbe. Abth.: Hannover, Braunschweig, Oldenburg, Westfalen u. anliegende Gebiete. Lex.-8. (216, 76 u. 84 S.) Ebend. 883. geb. n. 5. —

— dasselbe. Abth.: Harz-Gebiet [Prov. Sachsen, Braunschweig, Anhalt etc.] Ausg. 1882 u. 1883. Lex.-8. (216 u. 176 S.) Ebend. 883. geb. n. 5. —

— dasselbe. Abth.: Rheinlande sowie angrenz. Gebiete. Ausg. 1883 u. 1884. Lex.-8. (172, 90 u. 124 S.) Ebend. 883. geb. n. 5. —

— dasselbe. Abth.: Rheinprovinz u. Westfalen sowie angrenz. Gebiete. Ausg. 1882 u. 1883. Lex.-8. (90, 124 u. 136 S.) Ebend. 883. geb. n. 5. —

— dasselbe. Abth.: Thüringen sowie anlieg Gebiete. Ausg. 1883 u. 1884. Lex.-8. (XXIV, 72 u. 212 S.) Ebend. 883. geb. n. 5. —

Wedekind, Otto, die Réfugiés. Blätter zur Erinnerg. an den 200jähr. Jahrestag der Aufhebg. d. Edicts v. Nantes. gr. 8. (VII, 93 S.) Hamburg 886. J. F. Richter. n. 2. —

Wedekind, Wilh., die Sozialisten. Schauspiel in 4 Akten. 12. (84 S.) Berlin 887. Selbstverlag d. Verf., Schiffbauerdamm 2. n. 1. —

Wedel, F., die Ernährung d. Menschen u. die Magenkrankheiten, s.: Hausbibliothek, medicinische.

Wedel, Heinr. Frdr. Paul v., Beiträge zur älteren Geschichte der neumärkischen Ritterschaft. I. Die Herren v. der Elbe im Lande Schivelbein. 1313—1391. Lex.-8. (24 S.) Leipzig 886. (W. Hermann.) 1. 80

— s.: Urkundenbuch zur Geschichte d. schloßgesessenen Geschlechtes der Grafen u. Herren v. Wedel.

Wedell, Max v., Gesammtartikel d. schlossgesessenen Geschlechtes der Grafen u. Herren v. Wedel, f. die Familie bearb. gr. 4. (104 S) Berlin 886. Eisenschmidt. n. 5. —

— Handbuch f. d. wissenschaftliche Beschäftigung d. deutschen Offiziers. Mit 1 lith. Plan u. vielen in den Text gedr. Holzschn. 3. Aufl. gr. 8. (X, 389 S.) Ebend. 887. n. 7. —

— Instruktion f. den übungspflichtigen Ersatz-Reservisten der Infanterie. 6., unter Berücksicht. der neuen Schieß-Instruktion durchgeseh. Aufl. Mit vielen in den Text gedr. Abbildgn. gr. 16. (96 S.) Ebend. 886. n. — 25

— Leitfaden f. den Unterricht in der Kapitulanten-Schule. Auf dienstl. Veranlassg. bearb. Mit in den Text gedr. Skizzen, Signatur- u. Kroquirtafeln. 6. gänzlich veränd. u. verb. Aufl. 8. (IV, 156 S. m. 1 Tab.) Ebend. 885. cart. n.n. 1. 25

— Offizier-Taschenbuch f. Manöver, Generalstabsreisen, Kriegsspiel, taktische Arbeiten. Mit Tabellen, Signaturtafeln, 1 Zirkel m. Maaßstäben u. Kalendarium. 4., verm. u. umgearb. Jahrg. 16. (XXXI, 127 S.) Ebend. 886. geb. n. 2. 50; ohne Zirkel n. 2. —

Wedell, Max v., Vorbereitung f. das Examen zur Kriegsakademie. Ein Rathgeber zum Selbststudium. 5. durchgeseh. u. verm. Aufl. Mit 7 Planskizzen u. 3 Anlagen. gr. 8. (VIII, 140 S.) Berlin 886. Eisenschmidt. n. 6. —

— dasselbe, Schlüssel zu den mathemat u. französ. Aufgaben, hrsg. v. Havemann u. G. van Muyden. 2. verm. Aufl. gr. 8. (56 S. m. eingedr. Fig.) Ebend. 885. n. 2. —

Wedewer, Herm., Lehrbuch f. den katholischen Religionsunterricht in den oberen Klassen höherer Lehranstalten. 1—3. Abth. Freiburg i/B. Herder. n. 5. —

1. Grundriß der Kirchengeschichte. 3. Aufl. Mit 8 Abbildgn. (XV, 148 S.) 885. n. 1. 50
2. Grundriß der Apologetik. (VIII, 156 S.) 880. n. 1. 50
3. Grundriß der Glaubenslehre. (XVI, 192 u. Anh. 45 S.) 885. n. 2. —

Weditz, A., Bilder aus dem Kinderleben, s.: Jugend-Bibliothek, christliche.

— Treue im Kleinen, s.: Volks-Bibliothek, christliche.

Wedl, C., der Aberglaube u. die Naturwissenschaften. gr. 8. (20 S.) Wien 883. Gerold's Sohn. n. — 50

— u. Emil **Bock,** pathologische Anatomie d. Auges. Systematisch bearb. Mit e. Atlas v. 33 (Lichtdr.-) Taf. (gr. 4., cart.) gr. 8. (V, 462 S.) Ebend. 885. n. 50. —

Weeber, Heinr. C., Leitfaden f. Unterricht u. Prüfg. d. Forstschutz- u. technischen Hilfspersonals in den k. k. österreichischen Staaten. Mit statist. Taf., dem Forstgesetze, der Prüfungs-Verordng., 200 Prüfungsfragen u. Erläutergn. üb. das metr. Maß u. Gewicht. 7. Aufl. gr. 8. (VI, 322 S) Berlin 886. Parey. n. 1. —

Weeber, J. Ch., kirchliche Chorgesänge, s.: Krauß, F.

Weech, F. v., s.: Codex diplomaticus Salemitanus.

— Siegel v. Urkunden aus dem grossherzogl. badischen General-Landesarchiv zu Karlsruhe. Aufgenommen u. in Lichtdr. hergestellt v. J. Baeckmann in Karlsruhe. 1. Serie. Fol. (V, 9 S. m. 30 Taf.) Frankfurt a/M. 883. Keller. In Mappe. n. 30. —

— dasselbe. 2. Serie. 3 Lfgn. Fol. (15 Taf. m. III, 8 S. Text.) Ebend. 886. n. 15. — (I. u. II.: n. 45. —)

Week's amusement, her; Ugly Barrington, s.: Collection of British authors.

Weerth, O., die Fauna d. Neocomsandsteins im Teutoburger Walde, s.: Abhandlungen, paläontologische.

— u. E. **Anemüller,** Bibliotheca Lippiaca. Uebersicht üb. die landeskundl. u. geschichtl. Litteratur d. Fürstenth. Lippe. gr. 8. (VI, 88 S.) Detmold 886. Hinrichs. n. 1. 60

Weese, A., die Zeit- u. Festrechnung der katholischen Kirche. gr. 8. (58 S.) Wien 885. (Pichler's Wwe. & Sohn.) n. 1. 20

Wesing, Carl, bremische Heimathskunde. Für Schule u. Haus. 1. u. 2. Hft. 2. Ausg. 8. Bremen 886. Haake. à n. 1. —

1. Die Stadt Bremen. (120 S.)
2. Das Bremer Gebiet. — Vegesack u. Bremerhaven. Das Land an der Unterweser. (152 S.)

— einsame Herzen. Novelle. 8. (179 S.) Bremen 884. Kühtmann & Co. n. 3. 50

— u. L. Kl. de **Boer,** deutsches Lesebuch f. die Unterstufen höherer Lehranstalten, in Verbindg. m. e. Sprachschule. 1. u. 2. Tl. gr. 8. Bremen 885. Mühle & Schenker. geb. n.n. 4. 40

1. II. Schulj. (VIII, 210 S.) 884. n.n. 2. —
2. III. Schulj. (VIII, 264 u. Anh. 30 S.) n.n. 2. 40

— — Sprachschule f. den deutschen Unterricht auf den Unterstufen höherer Lehranstalten. 1. u. 2. Hft. gr. 8. Ebend. 885. geb. à n.n. — 60

1. II. Schulj. (87 S.) 884. — 2. III. Schulj. (120 S.)

— u. C. A. **Wesche,** der Schul- u. Spielkamerad. Taschenbuch f. Schule, Spiel- u. Jugendsport. 16. (96 S.) Bremen 886. Rocco. cart. n. — 50; geb. n. — 80

Weg, der, zum Glück. Freundliche Rathschläge f. junge Leute. 2. Aufl. 16. (16 S.) Bremen 884. Verl. d. Tractathauses. — 3

— der, zu Gott. Vollständiges Gebetbüchlein f. kathol. Christen. 48. (288 S. m. 1 Chromolith.) Einsiedeln 883. Benziger. — 25

— der, zum himmlischen Jerusalem. Ein vollständiges Gebet- u. Betrachtungsbuch f. Seelen, die ein inneres Leben führen. Bearb. v. mehreren Priestern d. Franziskanerordens. 12. (IV, 539 S. m. 1 Stahlst.) Dülmen 883. Laumann. n. 1. 50; geb. von n. 2. — bis n. 6. —

Weg, Max, das deutsche wissenschaftliche Antiquariat. 2. Aufl. 8. (22 S.) Leipzig-Reudnitz 884. Rühle. n. — 80

Wege, die, d. Herrn sind eitel Güte u. Wahrheit. 4 Blumen auf Felsen m. Lichtkreuz. Chromolith. 16. Leipzig 883. (Baldamus Sep.-Cto.) n. — 80

— zweierlei, s.: Immergrün.

Wegele, F. X. v., Geschichte der deutschen Historiographie seit dem Auftreten d. Humanismus, s.: Geschichte der Wissenschaften.

Wegener, H., deutsche Musterstücke in Poesie, nebst kurzen Nachrichten üb. die bedeutendsten Dichter u. das Notwendigste üb. Metrik u. Poetik. 8. (IV, 199 S.) Hannover 885. Meyer. cart. n. 1. 20

Wegener, L., Lehrbuch der Pädagogik, s.: Ostermann, W.

Wegener, Ph., Untersuchungen üb. die Grundfragen d. Sprachlebens. gr. 8. (VIII, 208 S.) Halle 885. Niemeyer. n. 5. —

Wegener, Rhingulph, die Sprache d. Herzens. Lieder-Album f. Damen. Aus den neusten deutschen Dichtern gesammelt. 5. Aufl. gr. 16. (256 S. m. 1 Chromolith.) Jena 887. Leipzig, Fr. Legel. geb. m. Goldschn. n. 2. 50

Wegener, Rich., Aufsätze zur Litteratur. 2. Aufl. 8. (VII, 258 S) Berlin 884. P. Lentz. n. 2. 50

— Repetitionsbuch der poetischen Nationallitteratur. 2. verb. Aufl. gr. 8. (V, 64 S.) Ebend. 885. n.n. — 75; cart. u. durchsch. n.n. 1. 50

Wegener, Thdr., Annabüchlein od. Andacht zur heil. Anna. 3. Aufl. 16. (175 S.) Dülmen 884. Laumann. n. — 40; geb. n. — 65

Wegener, Wilh., was können wir thun, um diejenigen, welche bei religiös-sittlichem Ernst doch den kirchlichen Aufgaben der Gegenwart fern bleiben, f. dieselben zu gewinnen? Vortrag. gr. 8. (25 S.) Halle 883. Strien. n. — 50

Wegner, A., der buchführende Landwirth. Tabellen zur einfachen Geld- u. Natural-Buchung f. Wirthschaften geringeren Umfangs. 2. Aufl. gr. 4. (136 S.) Norden 884. Soltau. geb. n. 1. 50

— die Rindviehschläge Ostfrieslands, auf Veranlassg. der königl. Landwirtschafts-Gesellschaft zu Hannover beschrieben. Nebst 1 (chromolith.) Karte v. Ostfriesland, sowie 4 Abbildgn. in Lichtdr. gr. 8. (IV, 248 S.) Emden 885. Haynel. n. 5. —

Wegner, E. W., aus Deutsch-Afrika, s.: Colonialgebiete, die deutschen.

Wegner, Geo., Generalregister zu den Schriften der königl. böhm. Gesellschaft der Wissenschaften 1784—1884. gr. 8. (XVI, 159 S.) Prag 884. (Calve.) n. 3. —

Wegner, Rud., Beiträge zur Gesundheitspflege d. Geistes. I. Das Christenthum vom Standpunkte der Psychohygiene. II. Die Ueberbürdungsfrage auf den höheren Schulen vom Standpunkt der Psychohygiene. gr. 8. (64 S.) Stralsund 884. Bremer. — 75

Wegweiser bei der Berufswahl. Zusammenstellung der Berufszweige rücksichtlich der Berechtiggn. der Zeugnisse sämmtl. höherer Lehranstalten. 2. Ausg. 16. (III, 36 S.) Leipzig 886. Violet. cart. n. — 60

— biblischer, f. d. J. 1886. 36. Jahrg. Bearb. v. K. A. Richter. 8. (40 S.) Dresden 885. (Leipzig, Buchh. d. Vereinshauses.) n. — 12

— auf dem Gebiete d. Geld- u. Verkehrswesens. Notizblatt f. Papiergeld, Münzen, Coupons, Post- u. sonst. Verkehrswesen. Red.: A. Hohmann. 22—24. Jahrg. 1884—1886. à 6 Nrn. (B.) schmal Fol. Plauen Hohmann. à Jahrg. — 75

— zur Gesundheit v. E. Schlegel. 1. Jahrg. 1. Apr. 1886—März 1887. 24 Nrn. ($^1/_4$ B.) gr. 8. Tübingen, (Fues' Verl.) n. 2. 40

— auf der Gisela- u. Salzkammergutbahn m. den Anschlüssen an Kronprinz Rudolf- u. Südbahn unter besond. Berücksicht. der im Bereiche dieser Bahnstrecken lieg. Gebirgstouren in Salzburg, Salzkammergut, Tirol, Bayern. Mit e. (chromolith.) Karte, gezeichnet von E. Hettwer. 5. Aufl. 12. (VIII, 88 S.) Salzburg 888. Dieter. n. 1. 20

Wegweiser durch Greiz u. Umgebung. Zusammengestellt vom Zweigverein Greiz d. Thür. Waldvereins. 12. (8 S.) Greiz 888. Schlemm. n. — 10

— zum Himmel. Vollständiges Gebet- u. Andachtsbuch f. kathol. Christen. Bearb. nach Wilh. Nakatenus u. a. Mit Gedichten v. Gall Morel. Ausg. I. 16. (639 S. m. farb. Titel u. 3 Stahlst.) Einsiedeln 886. Benziger & Co. 1. 30

— durch die deutsche Jugendlitteratur. Für Erzieher, Jugendfreunde u. Vorsteher v. Jugendbibliotheken. Im Auftrage d. Pädagog. Vereins zu Dresden hrsg. v. der Kommission zur Beurteilg. v. Jugendschriften. 1. u. 2. Hft. 2. Aufl. u. 3. Hft. 8. (90, 115 u. 102 S.) Leipzig 886. 87. Klinkhardt. à n. — 80

— litterarischer, fürs evangelische Pfarrhaus. Hrsg. v. W. Stöckicht. 1. u. 2. Jahrg. 1883 u. 1884. à 4 Nrn. (à $1^1/_2$—2 B.) gr. 8. Wiesbaden, Niedner. à Jahrg. Subscr.-Pr. n. 1. 20; Ladenpr. n. 2. —

— dasselbe. 3. Jahrg. 1885. 4 Nrn. gr. 8. (109 S) Ebend. n. 2. —

— neuester, durch Nürnberg. Mit e. Plane der Stadt. 14. vollständig umgearb. u. verb. Aufl. 8. (III, 72 S.) Nürnberg 885. J. L. Schrag. n. 1. —

— durch die pädagogische Literatur. Hrsg. unter Mitwirkg. v. Jos. Ambros, A. Bechtel, Mor. Gauster etc. Red.: F. Pichler jun. 9—12. Jahrg. 1883—1886. à 12 Nrn. (à $^1/_2$—1 B.) gr. 8. Wien, Pichler's Wwe. & Sohn. à Jahrg. n. 2. —

— in den Sudeten m. besond. Berücksicht. d. Tess-, Merta- u. oberen Marchthales. Hrsg. v. der Section „Brünn" d. mähr.-schles. Sudeten-Gebirgs-Vereines. 12. (VI, 22 S. m. 1 chromolith. Karte.) Brünn 885. Knauthe. n. — 60

— kleiner, zu den Sehenswürdigkeiten v. Wien. Rathgeber f. den Fremden. Mit 4 Plänen: Plan v. Wien, v. Schönbrunn, v. Laxenburg, die Semmeringfahrt bis Mürzzuschlag u. e. Ansicht v. Wien in der Vogelperspective. 12. (42 S.) Wien 885. Hartleben. geb. n. — 75

Wehde, Alb., Ratgeber f. bedrängte Geschäftsleute, Handwerker etc. Ein Wegweiser in allerlei geschäftl. Notlagen. 12. (VII, 166 S.) Oberhausen 885. Spaarmann. 1. 80

Wehl, Feod., gesammelte dramatische Werke. 3. Bd. 2. Aufl. u. 6. Bd. 8. (205 u. 249 S.) Leipzig 884. 85. Ph. Reclam jun. à 1. 50

— das junge Deutschland. Ein kleiner Beitrag zur Literaturgeschichte unserer Zeit. Mit e. Anh. seither noch unveröffentlichter Briefe v. Th. Mundt, H. Laube u. K. Gutzkow. 8. (VII, 269 S.) Hamburg 886. J. F. Richter. n. 3. —

— fünfzehn Jahre Stuttgarter Hoftheater-Leitung. Ein Abschnitt aus meinem Leben. Mit dem Portr. d Verf. u. e. Abbildg. d. Stuttgarter Hoftheaters. gr. 8. (VII, 554 S.) Ebend. 886. n. 6. —

— der Ruhm im Sterben. Ein Beitrag zur Legende d. Todes. gr. 8. (XVI, 416 S.) Ebend. 886. n. 5. —

— zum Vortrage, s.: Universal-Bibliothek.

Wehle, J. H., Krethi u. Plethi, s.: Bibliothek f. Ost u. West.

— die Zeitung. Ihre Organisation u. Technik. Journalistisches Handbuch. 2. Aufl. 8. (VIII, 309 S.) Wien 883. Hartleben. 3. —

Wehmeyer, B., üb. die Behandlung d. Kirchenliedes in der Mittelschule, s.: Lehrer-Prüfungs-Arbeiten.

Wehnen, Leitfaden der Chemie m. besond. Berücksicht. der landwirtschaftlichen Gewerbe. Zum Gebrauche an Real- u. Landwirtschaftsschulen bearb. Mit 57 Holzschn. u. 1 Spectraltaf. gr. 8. (VI, 270 S.) Berlin 883. Parey. n. 5. —

Wehner, A., Bad Brückenau u. seine Kurmittel. Zum Gebrauche f. Kurgäste. Mit 6 Holzschn. u. 1 Karte. 2. Aufl. 12. (127 S.) Würzburg 886. Stahel. cart. n. 1. 60

Wehr, Hans, die Subjectivität d. Raumes u. das XI. euklid'sche Axiom. gr. 8. (45 S. m. Fig.) Wien 885. (Pichler's Wwe. & Sohn.) n. 1. —

Wehrgesetze u. Instruction zur Ausführung derselben. gr. 8. (XLVIII, 584 S.) Wien 886. Hof- u. Staatsdruckerei. n. 2. 40

Wehrhahn, A., Festschrift zu der am 28. Juni 1883 in Oldendorf stattfindenden 250jährigen Gedächtnisfeier der Schlacht bei Hessisch-Oldendorf am 28. Juni 1633. Auf Wunsch d. Festkomitees verf. gr. 8. (16 S. m. 1 lith. Plan.) Hannover 883. Brandes. n. — 50

Wehr-Kalender, sächsischer, der Militär-, Krieger- u. Veteranen-Vereine verabschiedeter u. activer Soldaten u. Soldatenfreunde auf d. Jahr 1886. 4. (82 S. m. Illustr., 1 Lichtdr. u. 1 Wandkalender.) Pirna, Scholtz. — 45

Wehrkraft, die, Oesterreich-Ungarns in der zwölften Stunde. gr. 8. (94 S.) Leipzig 886. O. Wigand. 1. 50

— die, Oesterreich-Ungarns in der zwölften Stunde, wie sie ist! Eine sachgemäße Abwehr v. *** gr. 8. (VII, 63 S.) Berlin 887. F. Luckhardt. n. 1. —

Wehrle, Joh., Marienlieder d. Mittelalters, aus dem Lat. übers. 12. (77 S.) Eichstätt 884. (Stillkrauth.) n.n. 1. —

Wehrlin, Ed., Einführung in Goethe's Torquato Tasso. 8. (VII, 94 S.) Riga 884, (Deubner.) n. 2. —

Wehrmann, der. Illustrirte Zeitschrift f. die schweiz. Armee. Red. v. schweizer. Offizieren u. Unteroffizieren. 3. Jahrg. 1883. 26 Nrn. (B.) gr. 4. St. Gallen, Wirth. n. 7. 20

Wehse sen., die Bäder Schlesiens in ihrem therapeutischen Werth u. in ihren Indicationen. Speciell die Bäder: Salzbrunn, Reinerz, Cudowa, Flinsberg, Königsdorf-Jastrzemb, Warmbrunn u. Landeck. gr. 8. (V, 91 S.) Breslau 885. Maruschke & Berendt. n. 1. 50

— Bad Landeck [Preussisch-Schlesien], sommerlicher Haupt-Terrainkurort im Osten v. Deutschland bei Kreislaufsstörungen, Kraftabnahme d. Herzmuskels, ungenüg. Compensation bei Herzfehlern, Fettherz, Fettsucht, Verändergn. im Lungenkreislauf, Emphysem, chron. Lungenphthise, Chlorose etc. [Mit 1 Terrainkarte.] gr. 8. (V, 56 S.) Ebend. 886. n. 2. 50

Weihe, Karl, Herrschaft, Burg u. Ruine Karpenstein. Auf Grund echter Urkunden u. sonstigen zuverläss. Quellenmaterials f. Kurgäste u. andere Besucher d. Bades Landeck dargestellt. Mit e. Plane der Ruine. 12. (IX, 148 S.) Landeck i/Schl. 883. (Bernhard.) n. 1. 20

Weib, das tugendsame, im Lichte d. göttlichen Wortes. Spr. Salomonis 31, 10—31. Mit e. Vorwort v. C. Büchsel. 2. Aufl. 12. (VII, 106 S.) Berlin 883. Hugo Rother. n. 1. —; geb. m. Goldschn. n. 2. —

Weibel, J. L., Sammlung der Luzerner Civil- u. Civilprozeßgesetze, s.: Bossard, G. J.

Weichardt, Carl, das Stadthaus u. die Villa. Entwürfe, enth. Typen v. Miethhäusern verschiedener Städte u. Länder, städt. Wohngebäude f. einzelne u. mehrere Familien, Häuser m. Ladeneinrichtgn., sowie v. vorstädt. Wohngebäuden, Landhäusern, Villen, Schweizer- u. Weinbergshäusern. 50 (lith.) Taf. m. erläut. Texte. 2. Aufl. gr. 4. (6 S.) Weimar 884. B. F. Voigt. 6. —

Weichmann, Wilh., üb. Myotonia intermittens congenita. gr. 8. (45 S.) Breslau 883. (Köhler.) n. 1. —

Weichsel, Ant., Anweisung zur Erteilung d. Turn-Unterrichtes an den Volksschulen. Mit e. Anh., enth. Turnlehrproben. gr. 8. (64 S.) Würzburg 884. Stuber's Verl. n. — 80

Weicker, Geo., die Natur heilt od. das Wasser u. die Pflanzenkost in ihrer Beziehg. zur Lebens- u. Heilkraft in gesunden u. kranken Tagen. gr. 8. (37 S.) Leipzig 884. (Th. Grieben.) n. — 25

— dasselbe. 2. Aufl. gr. 8. (78 S.) Ebend. 885. n. — 50

Weickum, Karl, dramatische Bilder. Schauspiele f. gesell. Vereine zur Unterhaltg. u. sittl. Charakterbildg. 2. Aufl. Mit 3 Musik-Beilagen. 8. (XI, 324 S.) Augsburg 884. Rieger. geb. n. 2. 80

Weidenmüller, Anna, Schildheiss. Eine deutsche Sage in 7 Gesängen. gr. 8. (VI, 70 S.) St. Gallen 884. (Kassel, Freyschmidt.) n. 1. —; geb. n. 2. —

Weidlich, üb. die Behandlung lyrischer Metra der Alten im Obergymnasium. gr. 8. (8 S.) Tübingen 885. Fues. n. — 40

Weidling, Konr., das buchhändlerische Konditionsgeschäft. Ein Beitrag zum Rechte d. deutschen Buchhandels. gr. 8. (III, 144 S.) Berlin 885. Haude & Spener. 3. —

Weidmann, der. Blätter f. Jäger u. Jagdfreunde. Erste illustr. deutsche Jagdzeitg. Officielles Organ d. „Allgemeinen deutschen Jagdschutz-Vereins" etc. Von Freunden des edlen Weidwerks hrsg. unter Mitwirkg. hervorrag. Fachmänner u. Jagdschriftsteller. 16—18. Bd. Octbr. 1884—Septbr. 1887. à 52 Nrn. (à 2—3 B. m. eingedr. Holzschn.) Fol. Blasewitz-Dresden, Wolff. à Jahrg. 12. —

cf.: Waidmann, der.

Weidner, A., Schulwörterbuch zu A. Weidners Cornelius Nepos. Mit vielen Abbildgn. 8. (IV, 265 S.) Prag 887. Tempsky. — Leipzig, Freytag. n. 1. 40

Weidner, G., wohin? Vortrag, am 15. Vereinstags-Congress der deutschen Vegetarianer geh. gr. 8. (8 S.) Nordhausen 884. (Rudolstadt, Hartung & Sohn.) n. — 20

Weierstrass, Karl, Abhandlungen aus der Functionenlehre. Lex.-8. (VII, 262 S.) Berlin 886. Springer. n. 12. —

— Formeln u. Lehrsätze zum Gebrauche der elliptischen Functionen. Nach Vorlesgn. u. Aufzeichngn. bearb. u. hrsg. v. H. A. Schwarz. 1. u. 2. Hft. gr. 4. (90 S.) Göttingen 883—84. (Berlin, Friedländer & Sohn.) n.n. 7. 20

Weiffenbach, Wilh., zur Auslegung der Stelle Philipper II, 5—11. Zugleich e. Beitrag zur paulin. Christologie. gr. 8. (78 S.) Karlsruhe 884. Reuther. n. 1. 80

Weigand, B., der erfahrene Gartenfreund. Eine gemeinfaßl. Anweisg. zur Cultur der Gemüse, der Zierpflanzen im freien Lande u. in Töpfen, im Zimmer, auf Balkons u. Fensterbrettern, ferner der Blumenzwiebeln u. d. Beerenobstes. Nebst nützl. Rathschlägen üb. die Auswahl u. Behandlg. d. Samens, üb. die Wartg. u. Pflege der Zimmer- u. Fensterpflanzen 2c. 2. Aufl. 8 (188 S.) Ilmenau 883. Schröter. n. 1. 50

Weigand, Ch, Wohlstandsquellen u. Wohlstandsgefahren, s.: Landmanns, d., Winterabende.

Weigand, Ernst, Anschauungs-System f. Klanghöhe u. Klangdauer. Autogr. Tabelle. gr. Fol. Oppenheim 886. Kern. 1. —

— Vergleich der alten Notation mit der Neu-Notation [Ernst Weigand's Anschauungssystem f. Klanghöhe]. Autogr. Tabelle. qu. gr. Fol. Ebend. 886. — 50

— die Wurzeln d. musikalischen Ausdrucks. Eine reine Klangtheorie, auf Grund seiner neuen Notation. Mit 9 lith. Taf. 3 Taf. m. Proben aus d. Verf. Clavier-Anfangs-Schule, Anschauungs-System f. Klanghöhe u. Klangdauer. gr. 8. (IV, 30 S.) Ebend. 886. n.n. 3. —

Weigand, Lothar, Exercierreglement f. die sächsischen Feuerwehren. Hrsg. vom Landesausschuß sächs. Feuerwehren. Im Auftrage bearb. 2. Aufl. 8. (IV, 99 S.) Chemnitz 886. (Bülz.) n.n. — 60

— s.: Handbuch f. die sächsischen Feuerwehren.

Weigel's, T. O., systematische Verzeichnisse der Hauptwerke der deutschen Literatur aus den J. 1820—1882. Bearb. v. Fachgelehrten unter Mitwirkg. von Osc. Wetzel. Rechts- u. Staatswissenschaften. Bearb. v. G. Mollat. gr. 4. (VI, 106 S.) Leipzig 886. T. O. Weigel. n. 4. —; cart. n. 4. 80; durchschossene Ausg. (f. Bibliotheken) n. 5. —

Weigeldt, Paul, Deutschland. Ein geograph. Handbuch zum Gebrauche f. Lehrer u. Seminaristen. gr. 8. (IV, 171 S.) Leipzig 884. Brandstetter. n. 1. 60

Weigelsperg, Bela Frhr. v., Compendium der auf das Gewerbewesen bezugnehmenden Gesetze, Verordnungen u. sonstigen Vorschriften. Im Auftrage d. k. k. Handels-Ministeriums hrsg. 8. (XIV, 622 S.) Wien 884. Hof- u. Staatsdruckerei. n. 3. —

— dasselbe. 2., erweit. Aufl. gr. 8. (X, 486 S.) Wien 885. Manz. n. 5. 60; cart. n. 6. —; geb. n. 7. 20

— dasselbe. I—III. Suppl.-Hft. gr. 8. Ebend. 885. 86. n. 2. —

1. (47 S.) n. — 80. — 2. (40 S.) n. — 60. — 3. (48 S.) n. — 60

Weigelt, Carl, aus dem Leben der Kirche in der Geschichte ihrer Lieder. Ein Beitrag zur schles. Kirchen-Geschichte. gr. 8. (VII, 160 S.) Breslau 885. Korn. n. 3. —

Weigert, L., üb. den Einfluss der schwefligen Säure auf Most u. Wein etc., s.: Mittheilungen der k. k. chemisch-physiologischen Versuchsstation f. Wein- u. Obstbau in Klosterneuburg.

Weigert, M., die Krisis d. Zwischenhandels, s: Zeitfragen, volkswirthschaftliche.

Weihnachtsbildchen, 100, nach J. Klein, m. Liedertext v. J. M. Holzschn. m. Text auf der Rückseite. 16. Augsburg 884. Literar. Institut v. Dr. M. Huttler. n. 1. —

— dasselbe, nach Ludw. Richter. 16. Ebend. 884. n. 1. —

— dasselbe, nach Martin Schongauer. 16. Ebend. 884. n. 1. —

Weihnachtsbilder, 20, auf farbigem Kartonpapier. 16. Hamburg 886. Agentur d. Rauhen Hauses. n. — 60

Weihnachts- u. Festbilder, 24, m. Liederversen u. Sprüchen. Für Vereine u. Sonntagsschulen. (Neue verm. Ausg.) gr. 8. Hamburg 885. Agentur d. Rauhen Hauses. 1. 20

Weihnachts-Bilderbuch. hoch 4. (8 Chromolith. m. Text.) Wesel 885. Düms. cart. n. — 50

Weihnachts-Catalog 1886. Eine Auswahl deutscher Werke, welche sich besonders zu Geschenken eignen. 2 Abthlgn. 31. Aufl. Lex.-8. (80 S. m. Holzschn.) Leipzig, Hinrichs' Verl. n. — 50

— illustrierter, f. das kath. Volk. 1886. gr. 8. (98 S.) Breslau, Goerlich. n. — 20

— illustrirter, 1886. Auswahl vorzügl. Bücher, Atlanten, Musikalien, welche in den neuesten Auflagen solid u. elegant gebunden in allen Buch- u. Musikalienhandlungen vorräthig oder durch solche ohne Aufenthalt zu beziehen sind. 10. Jahrg. Lex.-8. (217 S. m. Holzschn.) Leipzig, Volckmar. — 75

— illustrirter, englischer u. französischer Werke. 1884. gr. 8. (100 S. m. Holzschn.) Leipzig, A. Twietmeyer. n.n. — 50; auf dünnem Pap. n.n. — 25

— literarischer, 1884. 4. Jahrg. Mit den Portraits v. Eman. Geibel, Rud. Baumbach, Osk. v. Redwitz u. Björnstjerne Björnson nach Zeichngn. v. A. Schubert, u. dem Weihnachtsliede „O du fröhliche ꝛc.“, f. 4 Singstimmen u. Pianoforte bearb. v. Alb. Becker. Lex.-8. (78 S.) Berlin 884. Lipperheide. — 25

— neuer, f. d. J. 1886. 10. Jahrg. Ein Verzeichniß der in kathol. Kreisen beliebtesten deutschen Geschenk-Literatur. 8. (48 S.) Aachen, Barth. — 15

Weihnachts- u. Lager-Catalog 1886—1887. Verzeichniss v. Büchern u. Atlanten. Ausg. A. m. Inseraten-Anhang. gr. 8. (60 S.) Leipzig, Heitmann. n. — 20; Ausg. B. ohne Inseraten-Anhang (36 S.) n. — 10

Weihnachtslieder, hundert, m. (eingedr. Holzschn.-)Bildern. Zum Vertheilen bei Christbeschergn. u. in Kindergottesdiensten. gr. 8. (100 Bl.) Dresden 883. H. J. Naumann. n. 4. —

Weihnachts-Wünsche. Eine Sammlg. v. Festgedichten f. Schule u. Haus zum Declamiren u. zu schriftl. Gratulationen, hrsg. v. e. prakt. Schulmanne. 2. Aufl. 12. (32 S.) Potsdam 885. Rentel's Verl. n. — 30

Weihrauch, K., anemometrische Scalen f. Dorpat. Ein Beitrag zur Klimatologie Dorpats. gr. 8. (57 S.) Dorpat 885. (Leipzig, K. F. Köhler.) n. 1. —

Weihrich, F., das Speculum d. h. Augustinus u. seine handschriftliche Ueberlieferung. Lex.-8. (34 S.) Wien 883. (Gerold's Sohn.) n. — 60

Weihwasser, das. Eine Hülfsquelle f. die armen Seelen. 12. (4 S.) Steyl 883. Missionsdruckerei. pro 50 Explre. — 30

Weikert, G., geistliche, liebliche Lieder, nebst Volks- u. Vaterlandsliedern m. ein- u. mehrstimm. Singweisen. 12. [ster.] Aufl. 8. (IV, 192 S.) Berlin 885. Buchh. der Berliner Stadtmission. geb. n.n. — 80

— Predigt zur Eröffnung der 4. ordentlichen Schles. Provinzialsynode, geh. am 12. Novbr. 1884 in der Haupt- u. Pfarrkirche zu St. Elisabeth in Breslau. 8. (16 S.) Liegnitz 885. (Breslau, Dülfer.) n. — 20

Weil, A., schwierige Übungsstücke zum Übersetzen aus dem Deutschen ins Französische. Neueren französ. Autoren entnommen, übers. u. m. Präparationen f. die Rückübersetzg. versehen. 3. Aufl. 8. (XII, 131 S.) Berlin 887. Langenscheidt. n. 1. 50; geb. n. 1. 70

Weil, Adf., zur Pathologie u. Therapie d. Typhus abdominalis m. besond. Berücksicht. der Recidive, sowie der „renalen“ u. abortiven Formen. Mit 4 Taf. gr. 8. (VII, 122 S.) Leipzig 885. F. C. W. Vogel. n. 4. —

Weil, C., üb. den Descensus testiculorum, nebst Bemerkgn. über die Entwickelg. der Scheidenhäute u. d. Scrotums. [Mit 4 lith. Taf.] gr. 8. (64 S.) Prag 885. Tempsky. — Leipzig, Freytag. n. 4. —

Weil, L. A., die Zahnheilkunde u. der Werth der Zähne f. die Volksgesundheitspflege, s.: Zeit- u. Streitfragen, deutsche.

Weil, Rud., die Künstlerinschriften der sicilischen Münzen. Mit 3 (Lichtdr.-)Taf. 44. Programm zum Winckelmannsfeste der archaeolog. Gesellschaft zu Berlin. gr. 4. (31 S. m. eingedr. Fig. u. 3 Bl. Erklärgn.) Berlin 884. G. Reimer. n. 2. 40

Weiland, B. praktisches Handbuch der Fechtkunst f. Truppen-Schulen, Militär-Bildungs-Anstalten, Turn-Schulen u. Fecht-Vereine, sowie Freunde u. Liebhaber der Fechtkunst. gr 8. (XV, 211 S.) Wiesbaden 885. Bechtold & Co. n. 3. 50

Weilburg in Geschichte, Sage u. Lied. Mit e. Fremdenführer. 8. (III, 105 S.) Weilburg 883. Appel. cart. n. 1. —

Weilen, Alex. v., Shakespeares Vorspiel zu „Der Widerspenstigen Zähmung“. Ein Beitrag zur vergleich. Litteraturgeschichte. gr. 8. (VII, 93 S.) Frankfurt a. M. 884. Literar. Anstalt. n. 2. —

Weilen, J., Daniela, s.: Bibliothek f. Ost u. West.

Weiler, J. Jos., die Stenographie Duployé, f. die deutsche Sprache bearb. 3. Aufl. gr. 8. (VI, 18 autogr. S.) Luxemburg 883. (Brück.) n. — 80

Weilinger, A., warme Worte üb. u. f. die Bienenzucht. Vier Vereinsvorträge. 8. (VIII, 53 S.) Leipzig 885. Thomas. n. — 50

Weill, Alex., Skizzenreime meiner Jugendliebe. Alte Jugendgedichte m. e. erlebten Roman: „Meine letzte deutsche Liebe“. 8. (122 S.) Zürich 887. Verlags-Magazin. n. 1. 20

Weill, Carl, theoretisch-praktisches Lehr- u. Uebungsbuch zur Erlernung der hebräischen Sprache f. den Schul- u. Privat-Unterricht bearb. 2. Aufl. gr. 8. (VI, 128 S.) Leipzig 884. Baumgärtner. cart. n. 1. 20

Weill, S., der Transportdienst der Eisenbahnen, s.: Bibliothek d. Eisenbahnwesens.

Weilshäuser, E., vegetarianisches Kochbuch. Ein Hülfsbuch f. Alle, welche sich der blutlosen Diät zugewendet haben od. zu derselben übergehen wollen. 2. Aufl. Durchgesehen u. um 205 Rezepte verm. v. Carl E. O. Neumann. gr. 8. (XVI, 116 S.) Leipzig 883. Th. Grieben. n. 1. 50

Weimar, G., üb. Kirchengesang u. Kirchengesangvereine. Synodalvortrag. gr. 8. (19 S.) Darmstadt 884. Würtz. n. — 60

Wein, Joh., die Wasserversorgung der Hauptstadt Budapest. Mit 26 photo-lith. Taf. u. 10 in den Text gedr. Abbildgn. Fol. (58 S.) Budapest 883. (Grill.) In Mappe. n. 12. —

Weinbau, der. Organ d. deutschen Weinbau-Vereins. Populäre Zeitschrift f. Weinbau, Weinbehandlg. u. Weinverwerthg. Red.: H. W. Dahlen. 79. Jahrg. 1883. 52 Nrn. (à $1/2$— 1 B.) gr. 4. München 883. Killinger. n. 10. —

— u. **Weinhandel.** Organ d. deutschen Weinbau-Vereines. Red.: Hch. Wilh. Dahlen. 1—3. Jahrg. 1884—1886. à 52 Nrn. (B.) gr. 4. Mainz, (v. Zabern). à Jahrg. n. 9. 50

Weinbau-Kalender, illustrirter, f. d. J. 1885. Hrsg. u. red. von A. W. Frhrn. v. Babo. 14. Jahrg. gr. 8. (80 S. m. Illustr.) Klosterneuburg 884. (Wien, Frick.) n.n. — 80

Weinberg, A., das Pflanzengrün, s.: Sar[illegible]'s meinnütziger Vorträge.

Weinberg, Gust, das französische Schäferspiel in der ersten Hälfte d. 17. Jahrh. gr. 8. (V, 143 S.) Frankfurt a/M. 884. Gebr. Knauer. n. 3. 60

Weinberger, S., der Curort Pistyán in Ungarn u. seine Heilquellen m. Rücksicht auf Elektricität u. Massage. 2. Aufl. 8. (V, 52 S.) Wien 885. Braumüller. n. 1. —

Wein-Blatt, Rheingauer. Fachzeitschrift f. den gesammten Weinhandel. Red.: George Dael. 8. Jahrg. 1884. 52 Nrn. (à $1/2$—$3/4$ B.) gr. 4. Oestrich. (Mainz, Faber.) n.n. 9. 56

Weinbote, der. Wochenschrift f. Weinbau u. Weinhandel der preuß. Rheinprovinz. Hrsg. v. Fr. Wilh. Koch. 4—7. Jahrg. Oktbr. 1882—Septr. 1886 à 52 Nrn. (B.) Fol. Trier, Lintz. à Jahrg. n. 6. —

Wein-Büchlein, goldenes, f. Alle, die Wein im Keller haben. Nach vieljähr. Erfahrgn. bearb. v. e. Weinbauern. Neue Aufl. 12. (48 S.) Würzburg 885. Bucher. n. — 40

Weinek, L., astronomische Beobachtungen an der k. k. Sternwarte zu Prag im J. 1884, enth. Orig.-Zeichngn. d. Mondes. Appendix zum 45. Jahrg. [Mit 4 Taf. in Heliograv. u. 7 Holzschn.] gr. 4. (IV, 74 S.) Prag 886. (Calve) cart. n.n. 12. —

Weiner, B., deutsche Sprachschule, s.: Stein, M.

Weiner, Frz., quibus rebus Lutherus commotus sit, ut ecclesiae christianae reformator existeret. Oratio. gr. 8. (41 S.) Jena 885. (Neuenhahn.) n. 1. 20

Weinfach-Notiz-Kalender f. 1887. 6. Jahrg. gr. 16. (183 S.) Mainz, Diemer geb. n. 2. 25

Weingarten, J., üb. die Theorie der aufeinander abwickelbaren Oberflächen. Fol. (43 S.) Berlin 884. (Calvary & Co.) n. 2. 40

Weinhagen, R., das Recht der Aktiengesellschaften in seiner heutigen Gestalt. gr. 8. (35 S.) Köln 885. Weinhagen. cart. 2. —

Weinheimer, C., die Strafgesetze in Zoll- u. Steuersachen u. das Verfahren der Verwaltungsbehörden bei Zuwiderhandlungen gegen die Zoll- u. Steuergesetze. Wohlfeile Ausg. gr. 8. (VII, 468 S.) Ulm 883. Wagner. n. 3. —

Weinhold, Adf. F., Vorschule der Experimentalphysik. Naturlehre in elementarer Darstellg., nebst Anleitg. zum Experimentiren u. zur Anfertigg. der Apparate. 3. Aufl. Mit 427 Holzschn. im Text u. 2 Farbentaf. gr. 8. (VIII, 554 S.) Leipzig 883. Quandt & Händel. n. 10. —

Weinhold, Ed., neue u. erprobte komische Vorträge, humoristische Szenen u. lustige Deklamationen. 8. (96 S.) Oberhausen 886. Spaarmann. n. — 50

Weinhold, Karl, mittelhochdeutsche Grammatik. 2. Ausg. gr. 8. (XII, 604 S.) Paderborn 883. F. Schöningh. n. 8. —

Weininger's, Hans, Führer durch Regensburg u. dessen nächster Umgebung. Neu bearb. v. Aug. Karl. 7. verb. Aufl. Mit 2 Plänen. 16. (XIV, 64 S.) Regensburg 884. Coppenrath. n. 1. —

Weinkauff, Frz., Almania. 'Ωιδεῖον. Versus cantabiles et memoriales. Dreisprachiges Studentenliederbuch. Auswahl der beliebtesten Studenten- u. Volkslieder f. Kommers u. Hospiz, Turnplatz u. Wanderfahrt, Kränzchen u. einsame Rekreation. 8. (VI, 106 u. IV, 196 S.) Heilbronn 885. Henninger. n. 2. 80; in 1 Bd. geb. n. 3. 50

Weinlaube, die. Zeitschrift f. Weinbau u. Kellerwirthschaft. Hrsg. von A. W. Frhr. v. Babo. Red. v. Leop. Weigert. 15. Jahrg. 1883. 52 Nrn. (à 1—$1 1/2$ B. m. eingedr. Holzschn.) gr. 4. Klosterneuburg. (Frankfurt a/M., Winter.) n. 12. —

— dasselbe. 16—18. Jahrg. 1884 - 1886. à 52 Nrn. ($1 1/2$ B.) Nebst Gratisbeilage: Auf dem Lande. Zeitschrift f. Land- u. Hauswirthschaft, Obst- u. Gartenbau. Red. v. C. R. Werner. à 24 Nrn. (B.) gr. 8. Wien, (Edm. Schmid). à Jahrg. n. 12. —; Beiblatt apart n. 3. —

Weinmeister, Paul, Marborger Geschichtercher. 2. Aufl. 16. (IV, 88 S. m. 1 Illustr.) Marburg 885. Elwert's Verl. n. — 60

Weinnoldt, Ernst, üb. Funktionen, welche gewissen Differenzengleichungen n. Ordnung Genüge leisten. gr. 4. (41 S.) Kiel 885. Lipsius & Tischer. n. 2. 40

Wein-Revue, allgemeine. Wochenschrift f. Weinhandel, Weinbau u. Kellertechnik. Hrsg v. H. Wilh. Dahlen. 1.—4. Jahrg. 1883—1886. à 52 Nrn. (B.) gr. 4. Mainz, v. Zabern. à Jahrg. n. 10. —

Weinrich, Alfr. v., die Frage der Einführung der Berufung gegen die Urtheile der Strafkammern. Vortrag. 8. (32 S.) Straßburg 884. Trübner. n. — 80

— die Haftpflicht wegen Körperverletzung u. Tödtung e Menschen, nach den im deutschen Reiche gelt. Rechten systematisch daraestellt. gr. 8. (XI, 226 S.) Ebend. 883. n. 5. —

Weinschwelg, der. Ein altdeutsches Gedicht aus der 2. Hälfte d. 13. Jahrh. Mit e. Übersetzg. v. Karl Lucae. 8. (59 S.) Halle 886. Niemeyer. n. 1. 60

Weinsheimer, üb. Dinotherium giganteum Kaup., s.: Abhandlungen, palaeontologische.

Weinstein, B., Handbuch der physikalischen Maassbestimmungen. 1. Bd. Die Beobachtungsfehler, ihre rechnerische Ausgleichg. u. Untersuchg. gr. 8. (XX, 524 S.) Berlin 886. Springer. n. 14. —

Weinstock, A., Sprachübungen. 2 Hfte. 8. (32 u. 36 S.) Düsseldorf 886. Schwann. à n.n. — 30

— der grammatische Unterricht in der Volksschule. Ein Lehr- u. Übungsbüchlein. 8. (59 S.) Ebend. 886. n. — 70

Weinwurm, Rud., methodische Anleitung zum elementaren Gesangunterricht u. Elementar-Gesangbuch, m. Rücksicht auf die Bedürfnisse der öffentlichen Schulen, sowie der Lehrer- u. Lehrerinnen-Bildungsanstalten verf. 2. Aufl. gr. 8. (VIII, 120 S) Wien 886. Pichler's Wwe. & Sohn. n. 2. 60

— Elementar-Gesangbuch f. öffentliche Schulen 5. unveränd. Aufl. gr. 8. (64 S.) Ebend. 884. n. — 50

— kleines Gesangbuch f. Bürgerschulen, verwandte Anstalten u. die unteren Classen der Mittelschulen. 1—4. Hft. 8. Wien, Hölder. n. — 92

1. 3. Aufl. (IV, 36 S.) 885. n. — 20
2. 3. Aufl. (56 S.) 886. n. — 24
3. 2. Aufl. (56 S.) 882. n. — 24
4. 2. Aufl. (46 S.) 885. n. — 24

— allgemeine Musiklehre od. musikalische Elementarlehre, insbesondere m. Rücksicht auf die Bedürfnisse an höheren Schulen verf. 3., unveränd. Aufl. gr. 8. (IV, 164 S.) Ebend. 884. n. 1. 92

Wein-Zeitung, allgemeine. Illustrirte Zeitg. f. Weinbau u. Weinbereitg. Internationales Weinhandelsblatt. Hrsg.: Hugo H. Hitschmann. Red.: J. Bersch. 1—3. Jahrg. 1884—1886. à 52 Nrn. (2 B.) Fol. Wien, (Gerold's Sohn). à Jahrg. n. 16. —

— deutsche. Rheinische Wein-Berichte. Central-Organ f. den Weinbau u. den Weinhandel. Hrsg. unter Mitwirkg. e. Reihe wissenschaftl. u. prakt. Fachmänner. 20. Jahrg. 1883. 48 Nrn. ($1/2$ B.) gr. 4. Mainz, Diemer. n. 9. 50

— dasselbe. 21. Jahrg. 1884. 52 Nrn. (à $1/2$—1 B.) gr. 4. Ebend. n. 9. 60

— dasselbe. 22. u. 23. Jahrg. 1885 u. 1886. à 96 Nrn. (à $1/2$—1 B.) gr. 4. Ebend. à Jahrg. n. 12. —

— pfälzische. Red.: G. Ridthaler. 1. Jahrg. 1884. 48 Nrn. ($3/4$ B.) gr. 4. Kaiserslautern 884. A. Gotthold. n. 4. —

Weippert, J., die Orgel. Eine kurze Darstellg. ihres Baues u. ihrer Behandlg. f. Orgelschüler u. angeh. Organisten. gr. 8. (III, 119 S. m. 4 Tab.) Regensburg 884. Verlags-Anstalt. n. 2. 60

Weisbach, A., die Serbokroaten der adriatischen Küstenländer, s.: Zeitschrift f. Ethnologie.

Weisbach, Albin, synopsis mineralogica. Systematische Uebersicht d. Mineralreiches. 2. Aufl. gr. 8. (III, 87 S.) Freiberg 884. Engelhardt. n. 2. —

— Tabellen zur Bestimmung der Mineralien mittels äusserer Kennzeichen. 3. Aufl. gr. 8. (VI, 108 S.) Leipzig 886. Felix. n. 2. 50

Weisbach, Jul., Lehrbuch der Ingenieur- u. Maschinen-Mechanik. Mit den nöth. Hülfslehren aus der Analysis f. den Unterricht an techn. Lehranstalten, sowie zum Gebrauche f. Techniker bearb. 2. Thl.: Die Statik der Bauwerke u. Mechanik der Umtriebsmaschinen. 5. Aufl., bearb. v. Gust. Herrmann. Mit Holzst. 1. Abth.: Die Statik der Bauwerke. 5. u. 6. Lfg. gr. 8. (V—

VII u. S. 385—618.) Braunschweig 883. Vieweg u. Sohn. n. 5. 20 (1. Abth. cplt.: n. 14. —)

Weisbach, Jul., Lehrbuch der Ingenieur- u. Maschinen-Mechanik. Mit den nöth. Hülfslehren aus der Analysis f. den Unterricht an techn Lehranstalten, sowie zum Gebrauche f. Techniker bearb. 2. Thl.: Die Statik der Bauwerke u. Mechanik der Umtriebsmaschinen. 5. Aufl., bearb. v. Gust. Herrmann. Mit Holzst. 2. Abth.: Die Mechanik der Umtriebsmaschinen. 1—12. Lfg. gr. 8. (S. 1—1152.) Braunschweig 883—86. Vieweg & Sohn. n. 26. 40

Weisbrodt, 25 Jahre 1857—1882 d. Schlesischen Ulanen-Regiments Nr. 2, als Fortsetzg. der Regiments-Geschichte bearb. Mit 2 Marschkarten in Steindr. gr. 8. (IV, 322 S.) Berlin 884. Mittler & Sohn. n 9. —

— das Litthauische Ulanen-Regiment Nr 12 von der Formation bis zur Gegenwart. Mit Illustr. u. 2 Marschkarten. gr. 8. (VI, 325 S.) Ebend. 886. n. 8. 50

Weischer, Thdr., analyses of classic English plays, s: Laing, F. A.

— Schulgrammatik der englischen Sprache. 2. Aufl. gr. 8. (X, 416 S.) Berlin 883. Herbig. n. 2. 75

Weise, Albin, bibliotheca germanica. Verzeichniss aller auf Deutschland u. Deutsch-Oesterreich bezügl. Orig.-Werke, sowie der bemerkenswerthen Artikel, welche in den hervorrag. period. Schriften in den J. 1880—1885 im gesammten Auslande erschienen sind 8. (142 S.) Paris 886. Le Soudier. n. 3. —

Weise, Carl, Friedrich Wilhelm v. Braunschweig-Oels. Vaterländische Dichtg. in 30 Gesängen. Bevorwortet von Frdr. v. Bodenstedt. 8. (XVIII, 138 S.) Wittenberg 883. Herrosé Verl. n. 2. 40; geb. n.n. 3. 20

Weise, Carol. Herm., lexicon Plautinum. Ed. II. locupletata. gr. 8. (VI, 164 S.) Quedlinburg 886. Basse. n. 4. —

Weise's, Ch, Schulkomödie v. Tobias u. der Schwalbe, s.: Universal-Bibliothek.

Weise's, Gust., Kinder-Bibliothek. 15 Nrn. 8. (à 12 S. m. 6 Chromolith.) Stuttgart 885. G. Weise. à n. — 10

— Leinwandbilderbücher. Nr. 218—221. 4. Ebend. 885. geb. n. 6. —

218. Guten Tag. Ein Bilderbuch f. jeden der's mag. 8 Bilder in Farbendr. m. (eingedr.) Versen.
219. Allerlei Getier, groß u. klein, plump u. fein, auf zwei Beinen u. auf vier. 8 Bilder in Farbendr. m. (eingedr.) Versen.
220. Bilderfreude. 6 Bilder in Farbendr. m. (eingedr.) Versen.
221. Lust u. Scherz. 6 Bilder in Farbendr. m. (eingedr.) Versen.

Weise, J., catalogus coleopterorum Europae et Caucasi, s.: Heyden, L. v.

Weise's, J. C. G., Melonen-, Gurken- u. Champignongärtner f. Treib- wie f. Freiland-Kultur. 5. Aufl. v. J. Hartwig. Mit 31 in den Text gedr. Abbildgn. gr 8. (IV, 86 S.) Weimar 884. B. F. Voigt. 1. 50

Weise, Karl, der Gelegenheitsdichter. Erzählung. 8. (159 S.) Wismar 884. Hinstorff's Verl. cart. n. 1. 50

— die deutsche Handwerker-Braut. 12. (III, 80 S) Ebend. 886. cart. n. 1. 20; eleg. Ausg. auf chamois Velin in zweifarb. Druck, geb. m. Goldschn. n. 3. —

— die Läuter aus dem Ruhlathale. Sonettenkranz. 3. Aufl. 12. (61 S.) Landsberg a/W. 884. Schaeffer & Co. — 60

— deutscher Volks-Kalender auf d. J. 1886. Neu hrsg. v. Karl Weise u. Heinr. Sohnrey. 10. Jahrg. 12. (129 S. m. eingedr. Holzschn. u. 1 Holzschn.-Bild.) Wolfenbüttel 885. Zwißler. n. — 50

— aus verklungenem Wanderleben. Der Besuch aus Pommern. Erzählungen. 8. (134 S.) Wismar 885. Hinstorff's Verl. cart. n. 1. 50

Weise, Louis, neues, praktisches Zeichnen- u. Zuschneide-System der Herren-Bekleidungskunst ohne Reductions-Schema, nach richt., am Körper abgenommenen, Centimetern, ausgearb. u. mathematisch aufgestellt. 3. Aufl., m. 65 Zeichngn. u. 1 Schnittmuster. qu. 4. (75 S.) Berlin 884. Mattheus. n. 3. —

Weise, Paul, de Bacchidum Plautinae retractatione quae fertur. gr. 8. (62 S.) Berlin 883. (Mayer & Müller.) n. 1. 20

Weise, Rich., vindiciae Juvenalianae. gr. 8. (69 S.) Halis Sax. 884. (Leipzig, Fock.) n. 1. —

Weise, W., s.: Chronik d. deutschen Forstwesens.

— die Taxation der Privat- u. Gemeinde-Forsten nach dem Flächen-Fachwerk. gr. 8. (VIII, 219 S.) Berlin 883. Springer. n. 4. —

Weiser, Carl, die Behandlung der asiatischen Cholera vom heutigen Standpunkte der Medicin u. der Hydrotherapie. Kritisch beleuchtet. gr. 8. (IV, 20 S.) Wien 885. Braumüller. n. 1. —

— Vortrag üb. einige Fortschritte in der Hydrotherapie u. der Therapie überhaupt m. Demonstrationen neuerer hydrotherapeutischer Hilfsapparate. 8. (16 S.) Freiwaldau 884. Blažek. n. — 60

„Weisheit, Schönheit, Stärke!" Weltanschauung e. Freimaurers. gr. 8. (154 S.) Zürich 887. Schröter & Meyer. n. 2. —; geb. n. 3. —

Weiskönig, Paul, Fibel. Bearb. nach der Normalwörter-Methode m. systemat. Anschauungsunterrichte. Mit 50 Holzschn. 2. Aufl. gr. 8. (72 S.) Leipzig 884. Peter. n. — 30; geb. n. — 45

Weiskopf, H., die zehn Gebote des Pferdebesitzers. Die Ursachen der frühzeit. Gliedmaßen-Abnützg. der Pferde u. die Mittel, diesem Uebelstande erfolgreich entgegenzuwirken. Gekrönte Preisschrift. 3. Aufl. 8. (VI, 104 S.) Augsburg 886. Rieger. cart. n. 1. 50

Weisl, Ernst, Glossatorium zur Strafproceß-Ordnung vom 23. Mai 1873, nebst darauf Bezug hab. Gesetzen u. Verordngn. 8. (323 S.) Wien 886. Toeplitz & Deuticke. n. 4. 80; geb. n. 5. 60

Weismann, Aug., zur Annahme e. Continuität d. Keimplasma's, s.: Kehrer, G., Beiträge zur Kenntniss d. Carpus u. Tarsus etc.

— die Bedeutung der sexuellen Fortpflanzung f. die Selektions-Theorie. gr. 8. (VIII, 128 S.) Jena 886. Fischer. n. 2. 50

— die Continuität d. Keimplasma's als Grundlage e. Theorie der Vererbung. gr. 8. (VI, 122 S.) Ebend. 885. n. 2. 50

— die Entstehung der Sexualzellen bei den Hydromedusen. Zugleich e. Beitrag zur Kenntniss d. Baues u. der Lebenserscheingn. dieser Gruppe. Text m. Atlas. 2 Bde. Imp.-4. (XIII, 295 S. m. Atlas v. 24 z. Thl. farb. Steintaf. u. 24 Bl. Erklärgn.) Ebend. 883. n.n 66. —

— über Leben u. Tod. Eine biolog. Untersuchg. Mit 2 Holzschn. gr. 8. (IV, 85 S.) Ebend. 884. n. 2. —

— über den Rückschritt in der Natur. gr. 8. (30 S.) Freiburg i/Br. 886. Mohr. n. 1. —

— über die Vererbung. Ein Vortrag. gr. 8. (IV, 59 S.) Jena 883. Fischer. n. 1. 50

Weismann, Jak., Hauptintervention u. Streitgenossenschaft. Ein Beitrag zu den Grundlehren d. Actionen- u. Processrechtes. gr. 8. (VIII, 176 S.) Leipzig 884. Duncker & Humblot. n. 4. —

Weiss, Adf., üb. spontane Bewegungen u. Formänderungen v. pflanzlichen Farbstoffkörpern. [Arbeiten d. k. k. pflanzen-physiolog. Institutes in Prag. XIII.] [Mit 3 (lith. u. color.) Taf.] Lex.-8. (17 S.) Wien 884. (Gerold's Sohn.) n. 1. 80

— über gegliederte Milchsaftgefässe im Fruchtkörper v. Lactarius deliciosus. [Mit 4 (chromolith.) Taf.] [Arbeiten d. k. k. pflanzenphysiolog. Iustitutes der deutschen Universität in Prag. XV.] Lex.-8. (37 S.) Ebend. 885. n. 2. 50

— über e. eigenthümliches Vorkommen v. Kalkoxalatmassen in der Oberhaut der Organe einiger Acanthaceen. [Mit 1 (lith. u. color.) Taf.] [Arbeiten d. k. k. pflanzen-physiol. Institutes in Prag. XII.] Lex.-8. (12 S.) Ebend. 884. n. — 60

Weiß, Alb., Zeitlosen aus Heimat u. Fremde. Dichtungen u. Nachdichtgn. 8. (232 S.) Billerbeck i. W. 885. Leipzig, F. Schneider. geb. n. 2. 75

Weiß, Alb., das öffentliche Gesundheitswesen d. Reg.-Bez. Stettin im J. 1881 u. 1882. 3. u. 4. Verwaltungs-Bericht. gr. 8. (IV, 168 u. IV, 196 S.) Rudolstadt 883. 84. Hofbuchdruckerei. à n. 5. —

Weiß, Alb. Maria, Apologie d. Christenthums vom Standpunkte der Sittenlehre. 3. u. 4. Bd. A. u. d. T.: Natur u. Uebernatur. Grundzüge e. Kulturgeschichte. 2.

u. 3. Thl. gr. 8. (XIII, 926 u. X, 1038 S.) Freiburg i/Br. 884. Herder. n. 14. — (1—4.: n. 24. —)

Weiß, Alex., Jesus, Dir lebe ich. Vollständiges Gebetbuch f. Katholiken. 16. (IV, 395 S. m. 1 Stahlst.) Graz 886. Moser. geb. in Calico. n. 1. 80; in Ldr. n. 2. —

Weiss, Alois, Handbuch zum Gebrauche beim Unterrichte in Volkswirthschafts- u. Handelslehre an Handels- u. Gewerbeschulen. gr. 8. (VII, 208 S.) Wien 884. Gerold's Sohn. n. 4. —

Weiss, B., kritisch-exegetisches Handbuch üb. die Briefe Pauli an Timotheus u. Titus, s.: Meyer, H. A. W., kritisch exegetischer Kommentar üb. das Neue Testament.

— das Leben Jesu. In 2 Bdn. 2. Aufl. gr. 8. (VIII, 556 u. IV, 630 S.) Berlin 884. Hertz. n. 18. —

— Lehrbuch der Einleitung in das Neue Testament. Lex.-8. (XIV, 643 S.) Ebend. 886. n. 11. —; geb. n.n. 12. 50

— Lehrbuch der biblischen Theologie d. Neuen Testaments. 4. Aufl. gr. 8. (XVI, 704 S.) Ebend. 884. n. 11. —; geb. n.n. 12. 50

Weiß, Bruno, der Humanismus u. Ulrich v. Hutten. Vortrag, geh. im Protestantenverein zu Bremen u. Hamburg. gr. 8. (32 S.) Bremen 883. Roussell. n. — 50

Weiß, C., Beleuchtung der Innungsfrage durch e. praktischen Handwerker. Lex.-8. (10 S.) Breslau 883. Dülfer. — 15

Weiss, Carl, Fabrikanten-Adressbuch f. Kleidermacher, Verzeichniss leistungsfäh. Firmen der Wollwaaren-, Baumwollwaaren-, Seidenwaaren-, Leinenwaaren-, sowie der Posamentirwaaren-Branche. gr. 16. (76 S.) Dresden 886. Exped. der Europ. Modenzeitg. n. — 50

Weiss, Ch. E., Beiträge zur fossilen Flora, III.: Steinkohlen-Calamarien, II., s.: Abhandlungen zur geologischen Specialkarte v. Preussen u. den Thüringischen Staaten.

Weiss, E., üb. die Berechnung der Præcession m. besond. Rücksicht auf die Reduction e. Sternkataloges auf e. andere Epoche. [Mit 1 Holzschn.] Imp.-4. (28 S.) Wien 886. (Gerold's Sohn.) n. 1. 50

— über die Bestimmung v. *M* bei Olbers' Methode der Berechnung e. Kometenbahn, m. besond. Rücksicht auf den Ausnahmefall. Lex.-8. (22 S.) Ebend. 886. n.n. — 45

— Entwickelungen zum Lagrange'schen Reversionstheorem, u. Anwendung derselben auf die Lösung der Keppler'schen Gleichung. Imp.-4. (88 S.) Ebend. 885. n. 2. —

— dasselbe. [Auszug aus e. f. die Denkschriften bestimmten Abhandlg.] Lex.-8. (28 S.) Ebend. 885. n. — 60

— die Frage der Weltzeit. [Aus: „Astronom. Kalender f. 1886."] gr. 8. (37 S.) Ebend. 886. n. — 80

— Notiz üb. zwei der Binomialreihe verwandte Reihengruppen. Lex.-8. (10 S.) Ebend. 885. n. — 20

Weiß, F. G. Ad., Chronik der Stadt Breslau v. der ältesten bis zur neuesten Zeit, nach den besten Quellen bearb. (In 20 Lfgn.) 1—4. Lfg. gr. 8. (192 S.) Breslau 886. Woywod. à n. — 50

— Gedenkblätter der evangelischen Kirchengemeinde Hillersdorf in Österreichisch-Schlesien aus den J. 1878 bis 1882. Als Beitrag zur Geschichte d. österr. Protestantismus im Auftrage d. Presbyteriums hrsg. gr. 8. (VII, 155 S.) Leipzig 883. (Webel.) n. 2. —

— protestantische Hornsignale. Poetische Flugblätter zur Lutherfeier. gr. 8. (48 S.) Berlin 883. A. Genff. n. 1. —

Weiß, Fr. Alb. Maria, die Gesetze f. Berechnung v. Kapitalzins u. Arbeitslohn. Erste Beilage zur Apologie d. Christenthums. gr. 8. (XII, 77 S.) Freiburg i/Br. 883. Herder. n. 1. —

Weiß, Frz., Erdkunde f. österreichische Bürgerschulen. 2. verb. Aufl. Mit 45 erläut. Skizzen. gr. 8. (XI, 195 S.) Graz 885. Cieslar. n. 1. 60

— Lesebuch f. Bürger- u. Fortbildungsschulen. 3., unveränd. Aufl. 1. Thl. gr. 8. (X, 224 S.) Ebend. 884. n.n. 1. 66

Weiss, G. A., neueste u. ausführlichste Methode zur Erlernung der Schönschrift. 2 Hfte. Zum Selbstunterricht f. Unterrichts-Anstalten jeden Grades, f. Techniker, Geometer u. ähnl. Berufsklassen hrsg. qu. 4. Köln 885. Mayer. n. 6. —

I. Theoretische Abtheilung. (II, 72 S.)
II. Uebungsheft. (90 S.)

Weiß, H., Predigt, beim Abschieds-Gottesdienste in der evangel. Predigtanstalt geh. in der Spitalkirche zu Tübingen 15. Aug. 1886 [8. Sonntag nach Trin.]. gr. 8. (13 S.) Tübingen 886. Fues. n. — 20

— u. Günther, 2 Reden, geh. bei dem Eröffnungs-Gottesdienst in der restaurierten Schloßkirche zu Tübingen am Sonntag, 31. Oktbr. 1886. gr. 8. (30 S.) Tübingen 886. Osiander. n.n. — 50

— u. E. Kautzsch, Predigten üb. den 2. Jahrgang der württembergischen Evangelien. gr. 8. (VIII, 679 S.) Ebend. 887. n. 5. 60; geb. n. 6. 75

— Kautzsch, Kirn, drei Vorträge, am Lutherfeste 10 u 11. Novbr. 1883 zu Tübingen geh. gr. 8. (61 S.) Tübingen 883. Heckenhauer. n. — 60

Weiss, Herm., Börsen- u. Geschäfts-Handbuch. [I. Allgemeiner Thl. II. Die Anlehensloose, nebst deren genauen Ziehungsplänen.] gr. 8. (229 S.) Basel 883. Meyri. n. 2. —

Weiss, Herm., Kostümkunde. Geschichte der Tracht u. d. Geräths. 2., gänzlich umgearb. Aufl. 2. Bd. Mittelalter vom 4. bis zum 14. Jahrh. Mit 367 Fig. in (eingedr.) Holzschn. u. 8 farb. (lith.) Taf. gr. 8. (XXVIII, 625 S.) Stuttgart 883. Ebner & Seubert. n. 16. — (I. u. II.: n. 32. —)

Weiss, Hugo, Moses u. sein Volk. Eine historisch-exeget. Studie. gr. 8. (IV, 162 S.) Freiburg i/Br. 885. Herder. n. 2. 40

Weiss, J., üb. Epilepsie u. deren Behandlung, s.: Klinik, Wiener.

Weiß, J. B., Lehrbuch der Weltgeschichte. 7. Bd. Einleitung: Das Zeitalter der aufgeklärten Selbstherrschaft. 2 Hälften. gr. 8. (10, MCC S.) Wien 884. Braumüller. n. 20. —; Einbd. pro Hälfte n.n. 2. —

— dasselbe. 8. Bd. 1. Hälfte. gr. 8. (640 S.) Ebend. 886. n. 10. — (1—7., Einleitg. zum 7. Bd., u. 8. Bd. 1. Hälfte: n. 165. —)

Weiß, J. E, die deutschen Pflanzen im deutschen Garten. Eine kurze Anleitg. üb. Kultur u. Verwendg. der schönsten deutschen Pflanzen im Zimmer, Garten u. Parke. 8. (VIII, 248 S.) Stuttgart 884. Ulmer. n. 3. —; Einbd. n.n. — 55

Weiß, J. G., die Wirkungen der Gleichheitsidee u. der Lehre vom Vertragsstaat auf das moderne Staatsleben, s.: Zeit- u. Streitfragen, deutsche.

Weiss, J. H., zur Geschichte der jüdischen Tradition. II. u. III. Thl. Subventionirt v. der israelit. Allianz u. Bet ha-Midrasch in Wien. (In hebr. Sprache.) gr. 8. Wien 883. (D. Löwy.) n. 11. — (1—3.: n. 16. —)

II. Von der Zerstörung d. 2. Tempels bis zum Abschluss der Mischna. (VIII, 264 S.) n. 5. —
III. Vom Abschluss der Mischna bis zur Vollendg. d. babilon. Talmuds. (VIII, 327 S.) n. 6. —

Weiss, Joh., Goethe's Tancredübersetzung. Eine litterar. Studie. gr. 8. (III, 78 S.) Troppau 886. Zenker. n. 1. —

Weiß, Karl, „zum täglichen Brot!" Lebensworte f. denk. Frauen u. Jungfrauen. gr. 8. (IV, 158 S.) Stuttgart 884. Schröter & Meyer. n. — 80

— die ritterliche Dichtung deutscher Litteratur im 12. bis 14. Jahrh. [1. Culturbild. 2. Nibelungen. 3. Gudrun. 4. Parcival. 5. Minnesänger.] Für Fortbildungs-Schulen. 8. (95 S.) Berlin 886. Oehmigke's Verl. n. — 60

— aus dem Jugendleben unserer Frau Kronprinzeß. 8. (55 S.) Ebend. 884. n. — 50

— unsere Töchter u. ihre Zukunft. Mädchen-Erziehungs-Buch. 4. Aufl. gr. 8. (130 S.) Ebend. 886. n. 2. —

Weiß, Karl, Realien-Handbuch f. Frauen- u. Töchter-Fortbildungsschulen. 2. Aufl. gr. 8. (VI, 249 S.) Langensalza 885. Beyer & Söhne. n. 2. —

Weiß, Kurt, meine Reise nach dem Kilima-Ndjarogebiet im Auftrage der Deutsch-Ostafrikanischen Gesellschaft. Mit e. lith. Karte u. e. Zusammenstellg. der meteorolog. Beobachtgn. u. Höhenangaben. 8. (46 S.) Berlin 886. F. Luckhardt. n. 1. —

Weiss, M., livre de lecture. Tome I et II. gr. 8. Breslau 883. Morgenstern. n. 3. 40
I. Recueil d'historiettes et de poésies pour l'enfance. 2. éd. (XII, 233 S.) n. 1. 60; geb. n. 2. —
II. Recueil de morceaux choisis de prose et de vers. Extraits des meilleurs écrivains français pour la jeunesse. (XII, 276 S.) n. 1. 80

— Vorschule f. den Unterricht in der französischen Sprache, begründet auf die Anschauungsmethode. Mit 36 Holzschn. gr. 8. (VIII, 176 S.) Ebend. 885. n. 1. 50

Weiss, M., Prozess d. Neustolzeaners Max Bäckler gegen den Gabelsbergerianer Dr. Max Weiss, s.: Sammlung v. Vorträgen aus dem Gebiete der Stenographie.

Weiss, Otto, Soolbad Nauheim. Führer f. Kurgäste. Mit e. medicin. Abhandlg. v. Groedel. 3. Aufl. 8. (V, 97 S.) Friedberg 885. Bindernagel. n. 1. 50

Weiss, W., die Sonntagsschule. Text- u. Spruchbüchlein m. Stoffverteilg. auf 3 Jahreskurse. 12. (72 S.) Zürich 886. Höhr. cart. n. — 50

Weiß, Wilh., Aufgaben f. deutsche Sprache, Rechtschreiben, Beschreibungen u. Briefe f. das 2., 3. u. 4. Schuljahr. 23. Aufl. 8. (127 S.) Kempten 885. Dannheimer. geb. n.n. — 50; in besserem Schulbd. n.n. — 60

Weissagungs-Freund. Hrsg. v. verbundenen Freunden d. prophet. Wortes. Jahrg. 1883—1886. à 6 Nrn. (à 1—1½ B.) gr. 4. Basel, Spittler. à Jahrg. n. 1. —

Weissbecker, H., Wappenzeichnungen nach den Siegeln in dem Archive der ehemals freien Reichsstadt Dinkelsbühl. Mit 21 (autogr.) Taf. gr. 8. (51 S.) Berlin 886. (Nürnberg, Bauer & Raspe.) n. 2. —

Weißbrodt, J., officium divinum. Vollständiges Gebet- u. Andachtsbuch, lateinisch u. deutsch, nach der Sprache der heil. Kirche. Ausg. Nr. 2. 5. Aufl. 16. (748 S. m. 2 Stahlst. u. farb. Titel.) Saarlouis 883. Stein. 1. 50

Weißbuch. Vorgelegt dem Deutschen Reichstage in der 1. Session der 6. Legislatur-Periode. 1—3. Thl. hoch 4. (XII, 191, X, 196 u. X, 116 S.) Berlin 885. C. Heymann's Verl. à n. 4. —

Weiße, Chrn. Felix, Vortrag üb. ihn, s.: Wildenhahn, J.

Weißenbach, Elis., Arbeitsschulkunde. Systematisch geordneter Leitfaden f. e. method. Schulunterricht in den weibl. Handarbeiten. 1. Tl.: Schul-, Unterrichts- u. Erziehungskunde f. Arbeitsschulen. Mit in den Text gedr. Abbildgn. 4. Aufl. gr. 8. (VI, 100 S.) Zürich 885. Schultheß. n. 1. 40

Weißenborn, Edm., Aufgabensammlung zum Uebersetzen ins Griechische im Anschluß an die Lektüre der Obertertia behufs Einübung der unregelmäßigen Verba u. Wiederholung der gesamten Formenlehre. gr. 8. (VIII, 108 S.) Leipzig 885. Teubner. 1. 20

— dasselbe. 2., verb. Aufl. gr. 8. (X, 232 S.) Ebend. 886. 1. 80

Weissenborn, H., die irrationalen Quadratwurzeln bei Archimedes u. Heron. gr. 8. (52 S.) Berlin 883. Calvary & Co. n. 3. 60

Weissenborn, J. C. H., Acten der Erfurter Universität, s.: Geschichtsquellen der Prov. Sachsen u. angrenzender Gebiete.

Weißenfeld, E. G. L., der „geweihte Degen Daun's". Eine historigraph. Darlegg. gr. 8. (16 S.) Berlin 883. (R. L. Prager.) n. — 50

Weissenfels, O., Horaz. Seine Bedeutg. f. das Unterrichtsziel d. Gymnasiums u. die Principien seiner Schulerklärg. gr. 8. (XVI, 247 S.) Berlin 885. Weidmann. n. 3. —

— loci disputationis Horatianae ad discipulorum usus collecti brevibusque commentariis illustrati. gr. 8. (XVI, 184 S.) Ebend. 885. n. 2. 40

— syntaxe latine suivie d'un résumé de la versification latine, y compris le mètres d'Horace. gr. 8. (VIII, 204 S.) Ebend. 885. n. 3. 50

Weissenfels, Rich., der daktylische Rhythmus bei den Minnesängern. gr. 8. (VIII, 272 S.) Halle 886. Niemeyer. n. 6. —

Weißenhofer, Rob., das Passionsspiel v. Vorderthiersee. Nach den alten Motiven neu bearb. 8. (X, 153 S.) Wien 885. Hölder. n. 1. 80

— Schauspiele f. jugendliche Kreise. [1. Die heil. Elisabeth v. Thüringen. 2. Rosa v. Tannenburg.] 2. Aufl. 8. (147 S.) Linz 883. Ebenhöch. n. 1. 60

Weißenthurn, J. F. v., e. Mann hilft dem andern, s.: Bloch's, E., Theater-Correspodenz.

Weißenthurn, Max v., lose Blätter f. Haus u. Herz 8. (VIII, 206 S.) Wiesbaden 886. Bechtold & Co. n. 3. —; geb. n.n. 4. —

— Lebensbilder, s.: National-Bibliothek, deutsch-österreichische.

— „sie schreibt" u. andere Novellen. 8. (352 S.) Leipzig 887. Peterson. n. 4. —

Weisser, Ludw., Bilder-Atlas zur Weltgeschichte nach Kunstwerken alter u. neuer Zeit. 146 Taf. m. üb. 5000 Darstellgn. Mit erläut. Text v. Heinr. Merz. 4. Aufl. 25 Lfgn. gr. Fol. (150 Bl. Text.) Stuttgart 885. Neff. à 1. —; cplt. geb. n. 30. —

Weißhun, Dienst-Unterricht d. Infanterie-Gemeinen. Ein Leitfaden f. den Offizier u. Unteroffizier zum Ertheilen d. Unterrichts, sowie e. Hülfsbuch f. den Gemeinen zur Belehrg. üb. seine Dienstobliegenheiten. 102 Ausg. 8. (116 S. m. eingedr. Holzschn.) Potsdam. 886. Döring. n. — 40

Weissmann, Arth. S., Kanonisirung u. Feststellung d. Textes der heiligen Schriften d. alten Testamentes nach primären Quellen. (In hebr. Sprache.) gr. 8. (20 S.) Wien 887. Lippe. n. — 80

Weissmann, Rud., Beitrag zur Lehre v. der anatomischen Localisation der Sprachstörungen. gr. 8. (47 S.) Jena 885. (Neuenhahn.) n. 1. —

Weißweiler, R., der Artikulations-Unterricht in der Taubstummenschule. 8. (III, 58 S.) Köln 883. Du Mont-Schauberg. n. 1. 20

— biblische Geschichten d. alten u. neuen Testamentes f. Kinder. 2. Aufl. 8. (X, 89 S.) Ebend. 885. cart. n. — 70

— Sprach- u. Leseübungen f. das 1. u. 3. Schuljahr der Taubstummen. 2. Aufl. 8. Ebend. 886. geb. n.n. 1. 30
1. (IV, 36 S.) n.n. — 60. — 3. (VIII, 92 S.) n.n. — 70

Weisthümer, österreichische. Gesammelt v. der kaiserl. Akademie der Wissenschaften. 7. Bd. gr. 8. Wien 886. Braumüller. n. 30. — (1—4. 6. 7.: n. 93. —)
Niederösterreichische Weisthümer. Hrsg. v. Gust. Winter. 1. Thl. Das Viertel unter dem Wiener Walde. Mit e. Anh. westungar. Weisthümer. (XXXIV, 1102 S.)

Weisungen zur Führung d. Schulamtes an den Gymnasien in Oesterreich als Anh. zu den „Instructionen f. den Unterricht". Einzige, vom k. k. Ministerium f. Cultus u. Unterricht autoris. Ausgabe. gr. 8. (95 S.) Wien 885. (Manz.) n. — 80

— dasselbe. gr. 8. (107 S.) Wien 885. Pichler's Wwe. & Sohn. n. 1. —

Weitbrecht, Carl, Geschichtenbuch. 8. (V, 392 S.) Stuttgart 884. Kohlhammer. n. 2. 40; geb. n.n. 3. —

— der Hackelbernd, s.: Volksbibliothek d. Lahrer Hinkenden Boten.

— Heimkehr. Zwei Novellen u. e. Reiseerinnerung. 8. (142 S.) Stuttgart 886. Bonz & Co. n. 2. —; geb. n. 3. —

— der Kalenderstreit in Sindringen. Eine Geschichte aus dem vorigen Jahrhundert. 8. (218 S.) Ebend. 885. n. 2. —; geb. n. 3. —

— was ist's m. der Sozialdemokratie? 6. Aufl. 8. (94 S.) Stuttgart 886. Levy & Müller. n. 1. —

Weitbrecht, G., Antrittspredigt, geh. am Reformationsfest den 27. Juni 1886 [1. Sonntag nach Trinitatis] in der Hospitalkirche in Stuttgart. gr. 8. (14 S.) Stuttgart 886. J. F. Steinkopf. n. — 20

— ein Blick hinüber übers Grab. 8. (24 S.) Ebend. 884. n. — 20

— von der Blockhütte zum Präsidentenpalast, s.: Jugend- u. Volksbibliothek, deutsche.

— Freund u. Feind, s.: Immergrün.

— heilig ist die Jugendzeit. Ein Buch f. Jünglinge. 6. Aufl. 8. (431 S.) Stuttgart 886. J. F. Steinkopf. n. 4. —; geb. n. 5. —

— der sichtbare u. der unsichtbare Himmel. Vortrag. 8. (22 S.) Ebend. 885. n. — 20

— das Leben Jesu, nach den vier Evangelien f. die christl.

Gemeinde dargestellt. 2. Aufl. 8. (445 S.) Stuttgart 884. J. F. Steinkopf. n. 4. —; geb. n. 5. —
Weitbrecht, G., Luther als Erzieher der Jugend. Ein Vortrag. 8. (30 S.) Stuttgart 883. Buchh. der Evangel. Gesellschaft. n. — 20
— der Religionsunterricht an den Oberklassen d. Gymnasiums. Mitteilungen aus der Praxis. 8. (30 S.) Stuttgart 886. J. F. Steinkopf. n. — 40
— was haben wir an unsrer Bibel? 2. Abdr. 8. (22 S.) Ebend. 885 n. — 20
— ein Wort d. Herrn v. der Missions-Arbeit. Predigt üb. Evang. Joh. 12, 32, geh. am Missionsfeste zu Nürnberg den 22. Juni 1886 in der Kirche zu St. Lorenzen. gr. 8. (11 S.) Nürnberg 886. Raw. n. — 20
Weitbrecht, Rich, der Bauernpfeifer. Eine Wallfahrergeschichte aus dem 15. Jahrh. 8. (V, 165 S.) Barmen 887. Klein. n. 2. 50; geb. n.n. 3. 50
— das Blutgericht in Calabrien, s.: Glaube, der evangelische, nach dem Zeugnis der Geschichte.
— das Gudrunlied. In neuhochdeutschen Versen nachgedichtet. 8. (XVI, 120 S.) Stuttgart 884. Metzler's Verl. geb. n. 2. —
— deutsches Heldenbuch. Der deutschen Jugend erzählt. Mit 6 Farbdr.-Bildern u zahlreichen Textillustr. v. R. E. Kepler. gr. 8. (VII, 511 S.) Stuttgart 886. Kröner. geb. n. 7. —
— ein Kampf um Rom, \ s.: Familien-Bibliothek
— der Kopf d. Apostels, / für's deutsche Volk.
— unterm Krummstab: Die Vertreibung der Salzburger Protestanten 1732, s.: Bruderliebe, evangelische.
— das religiöse Leben d. deutschen Volkes am Ausgange d. Mittelalters, s.: Sammlung v. Vorträgen.
— die deutsche Litteratur in römischer Beleuchtung. 12. (46 S.) Barmen 886. Klein. n. — 40
— des Meisters Tochter, s.: Familien-Bibliothek für's deutsche Volk.
— die evangelischen Salzburger, s.: Für die Feste u. Freunde d. Gustav-Adolf-Vereins.
— Simplizius Simplizissimus, der Jäger v. Soest. Ein Soldatenleben aus dem 30jähr. Kriege. Dem Roman d. Hans Jak. Chrf. v. Grimmelshausen f. die Jugend u. Familie nacherzählt. Mit 51 Abbildgn. gr. 8. (IV, 818 S.) Kreuznach 885. Voigtländer's Verl. geb. n. 4. —
— auf der Wanderschaft; Wodans Rache, s.: Familien-Bibliothek für's deutsche Volk.
— u. Gust. Seuffer, 's Schwobaland in Lied u. Wort. Eine Sammlg. schwäb. Dialektdichtgn. v. den Anfängen bis zur Gegenwart. 8. (XXXI, 674 S.) Ulm 886. Ebner. n. 5. —; geb. n. 6. —
Weitemeyer, H., die Grundstückszusammenlegung in der Feldmark Apelern im Kreise Rinteln. Hierzu 2, den alten u. neuen Zustand der Feldmark Apelern nachweis. (lith.) Karten. gr. 8. (52 S.) Rinteln 883. Bösendahl. n. 1. 20
— dasselbe. 2. Aufl. gr. 8. (VIII, 52 S.) Berlin 884. v. Decker. n. 1. 50
Weitz, E., kurze Anleitung zum Rechenunterrichte in der Volksschule. gr. 8. (91 S.) Breslau 885. F. Hirt. n. 1. 25
Weitzel, Carl Geo., Unterrichtshefte f. den gesammten Maschinenbau u. die ihm verwandten Zweige d. technischen Wissens. Unter Mitwirkg. e. Anzahl Professoren u. Lehrer deutscher techn. Lehranstalten hrsg. Mit zahlreichen Abbildgn. u. Constructions-Zeichngn. 3. Aufl. 72 Hfte. Lex.-8. (à 1½—2 B.) Leipzig 884—86. M. Schäfer. à n. — 50 (cplt.: n. 38. 50)
— wie wird man Maschinentechniker? Winke u. Rathschläge bei der Wahl d. maschinentechn. Berufes. 3 Aufl. gr. 8. (30 S.) Mittweida 884. Ebend. n. 1. —
Weitzmann's, C., sämmtliche Gedichte in schwäbischer Mundart. Vollständigste Ausg. 8. Aufl. 16. (IV, 200 S.) Cannstatt 886. Bosheuyer. cart. n. 1. —
Weizsäcker, Carl, das apostolische Zeitalter der christlichen Kirche. gr. 8. (VIII, 698 S.) Freiburg i/Br. 886. Mohr. n. 14. —; geb. n. 16. 50

Weizsäcker, Jul., der Pfalzgraf als Richter üb. den König. gr. 4. (84 S.) Göttingen 886. Dieterich's Verl. n. 3. 50
— s.: Reichstagsakten, deutsche.
Welches sind die Ziele der modernen Hydrotechnik? Eine zeitgemässe Frage an die Herren Hydrotechniker u. Nationalökonomen v. e. Wissbegierigen aus dem Volke. gr. 8. (24 S.) Wien 884. F Beck. n. — 80
Welck, Marie v., Novellen. 8. (334 S.) Leipzig 886. Fr. Richter. n. 4. —; geb. n. 5. —
Welcker, Herm., Schiller's Schädel u. Todtenmaske, nebst Mittheilgn. üb. Schädel u. Todtenmaske Kant's. Mit e. (heliotyp.) Titelbilde, 6 lith. Taf. u. 29 Holzst. gr. 8. (IX, 160 S.) Braunschweig 883. Vieweg & Sohn. n. 10. —
Welder, J., Uebungsbuch zum mündlichen u. schriftlichen Rechnen. Vollständige Umarbeitg. d. Uebungsbuches v. K. Frickhöffer. 1. Hft. 2 Abth. 2. u. 3. Hft. 8. Wiesbaden 885. 86. Limbarth. à n. — 40
I. 4. Aufl. (IV, 76 S.) — II. 10. Aufl. (64 S.) — III. 12. Aufl. (80 S.)
Welhaven, Johan, ausgewählte Gedichte. Im ursprüngl. Versmaße aus dem Norweg. übertr. v. Herm. Neumann. 8. (VIII, 104 S.) Kottbus 884. Kaatz. n. 2. 40
Well, A., die Kirche Santa Maria Maggiore u. das Konzil v. Trient. 8. (86 S.) Trient 883. Seiser. n. 1. —
Wellauer, F., die Zähne d. Rindes u. deren Substanzen. Ein Beitrag zur Kenntniss derselben, nebst Anweisg. zur Anfertigg. mikroskop. Zahnschliffe. Mit 4 lith. Taf. gr. 8. (50 S. m. 1 lith. Tab. u. 1 Lichtdr.) Frauenfeld 883. (Huber.) n. 4. —
Wellberg, Joh., klinische Beiträge zur Kenntniss der Lepra in den Ostseeprovinzen Russlands. [Mit 3 Lichtdr.-Taf.] gr. 4. (44 S.) Dorpat 884. (Karow.) n. 3. —
Wellenkamp, Dorette, Biller ut'n Leben. Geschichten u. Gedichten in uns leew ol Moderspraak. Schleswig-Holsteinsche Dialect-Dichtg. 8. (241 S.) Großenhain 886. Baumert & Ronge. n. 2. 50; geb. n. 3. 50
— s.: Sammlung v. plattdeutschen Dichtungen f. Polterabend u. Hochzeit.
Weller, Emil, lexicon pseudonymorum. Wörterbuch der Pseudonymen aller Zeiten u. Völker u. Verzeichniss jener Autoren, die sich falscher Namen bedienten. 2. Aufl. Lex.-8. (X, 627 S.) Regensburg 886. Coppenrath. n. 24. —
— Repertorium typographicum. Die deutsche Literatur im 1. Viertel d. 16. Jahrh. Im Anschluß an Hains Repertorium u. Panzers deutsche Annalen. II. Suppl. gr. 8. (30 S.) Nördlingen 885. Beck. n. 1. 20
(Hauptwerk m. I. u. II. Suppl.: n. 12. 30)
Weller, G., lateinisches Lesebuch f. Anfänger, enth. zusammenhäng. Erzählgn. aus Herodot. 16. Aufl. 8. (VII, 126 S.) Hildburghausen 883. Kesselring. n. 1. —; Wörterverzeichniss dazu, 13. Aufl. (32 S.) n. — 20
— lateinisches Lesebuch aus Livius f. die Quarta der Gymnasien u. die entsprechenden Klassen der Realschulen. 11. Aufl. 8. (VII, 231 S.) Ebend. 885. n. 1. 50; Wörterverzeichniss dazu 5. Aufl. (77 S.) 879. n. — 50
Wellhausen, J., Prolegomena zur Geschichte Israels. 3. Ausg. gr. 8. (VIII, 468 S) Berlin 886. G Reimer. n. 8. —
— Skizzen u. Vorarbeiten. 1. u. 2. Hft. gr. 8. Ebend. 884. n. 15. —
I. 1. Abriss der Geschichte Israels u. Judas. (102 S.) — 2. Lieder der Hudhailiten, arabisch u. deutsch. (S. 103—175 u. 129 S. arab. Text.) 884. n. 9. —
II. Die Compositionen d. Hexateuchs. 885. n. 6. —
Wellington, Charles, üb. die Einwirkung d. Formaldehyds auf verschiedene organische Amine, sowie die Darstellung einiger sauren aromatischen Sulfate. gr. 8. (36 S.) Göttingen 885. Deuerlich. n. — 60
Wellisch, Sam, wie man Privatsecretär wird. Lustspiel in 2 Acten. Nach e. Novelle f. die Bühne bearb. gr. 8. (32 S.) Ung.-Weisskirchen 885. Hepke. n. — 40
Wellmann, v., die Reiter-Regimenter der königl. preussischen Armee. Graphisch dargestellt. 2. nachgetra-

gene u. vervollständ. Ausg. 5 Tabellen. gr. Fol. (1 Bl. Text.) Hannover 885. Helwing's Verl. n. 3. —

Wellmann, Max., de Istro Callimachio. gr. 8. (124 S.) Gryphiswaldiae 886. (Berlin, Mayer & Müller.) n. 2. —

Wellmer, Aug., Karl Loewe. Ein deutscher Tonmeister. Mit e. Bilde, e. Biographie u. e. Verzeichnis sämtl. Werke Loewes. 8. (74 S.) Leipzig 886. M. Hesse. n. 1. 20

— die geistliche, insonderheit die geistliche Oratorien-Musik unseres Jahrhunderts. Ein Beitrag zur Würdigg. der geistl. Musik in ihrer Bedeutg. f. das christl. Gemeinde- u. Volksleben. Vortrag. 8. (V, 63 S.) Hildburghausen 885. Gadow & Sohn. n. — 70

— musikalische Skizzen u. Studien. Ein Beitrag zur Kultur- u. Musikgeschichte. 8. (III, 176 S.) Ebend. 885. n. 2. 20

Wellmer, Ernst, zur Luther-Feier 1883. 18 Festgedichte zu Deklamationen f. Schüler. gr. 8. (32 S.) Königsberg 883. Gräfe & Unzer. n.n. — 50

Wellmer, Meta, Geistergeschichten aus neuerer Zeit. 3. Aufl. 8. (III, 110 S.) Leipzig 884. Scholtze. n. 1. —

— die vegetarische Lebensweise u. die Vegetarier. 2. Aufl. gr. 8. (50 S.) Köthen 883. Schettler's Verl. n. — 80

Wellnau, Rud, unsere Kinderwelt. Humoristika aus Kinder- u. Schulstube. 8. (V, 145 S.) Berlin 886. Eckstein Nachf. n. 1. 50; Einbd. n.n. 1. —

Wellner, Geo., üb. die Möglichkeit der Luftschiffahrt. Mit 18 in den Text gedr. Fig. 2 Aufl. gr. 4. (III, 36 S.) Brünn 883. (Winiker.) n. 3. —

Wellwood, Will., der perfecte Engländer. Anweisung, die engl. Sprache in 14 Tagen richtig lesen, schreiben u. sprechen zu lernen. Mit beigefügter vollständ. Aussprache-Bezeichng., e. Konversationsstücke „Die Reise nach London", e. Handels- u. Familien-Korrespondenz, e. alphabet. Vocabularium, engl. Münz-, Maaß- u. Gewichtskunde. 16. (124 S.) Berlin 885. Berliner Verlagsanstalt. — 60

Welsch, C., das Sool- u. Thermal-Bad Münster a. Stein. 8. (V, 36 S. m. 1 Holzschn.) Kreuznach 886. Schmithals. n. — 80

Welsch jun., Karl Heinr., Anwendung u. Wirkung der Heilquellen u. Kurmittel v. Bad Kissingen. Mit besond. Rücksichtnahme auf das Verständniss d. Laien dargestellt. 8. (VIII, 96 S.) Kissingen 886. (Hailmann.) n. 1. —

Welt, alte u. neue. Illustrirtes kathol. Familienblatt zur Unterhaltg. u. Belehrg. 18—20. Jahrg. 1884—1886. à 24 Hfte. (4 B. m. Holzschn.) hoch 4. Einsiedeln, Benziger & Co. à Hft. — 25

— dasselbe. 21. Jahrg. 1887. 12 Hfte. (9 B. m. Holzschn.) hoch 4. Ebend. à Hft. — 50

— bunte. Red.: Ludw. Lenz. 1. Jahrg. 1886. 52 Nrn. (3 B. m. farb. Illustr.) Fol. Berlin, Expedition. n. 5. 60; in 24 Hftn. à n. — 30

— Fromme's elegante. 27. Jahrg. 1887. Mit Portr. Ihrer kaiserl. königl. Hoh. Kronprinzessin Erzherzogin Stephanie. 16. (268 S.) Wien, Fromme. geb. in Leinw. m. Goldschn. 2. 40; in Ldr. od. Pergament 4. —

— die feine. Elegantes Tage- u. Notizbuch pro 1887. 11. Jahrg. Mit Photogr. v. J. kais. Hoh. Kronprinzessin Stefanie m. Erzherzogin Elisabeth. 16. (III, 249 S.) Wien, Perles. geb. in Leinw. m. Goldschn. n. 2. 50; in Ldr. n. 4. —

— die gefiederte. Zeitschrift f. Vogelliebhaber, -Züchter u. -Händler Hrsg. v. Karl Ruß. 12—15. Jahrg. 1883—1886. à 52 Nrn. (à 1—2 B. m. eingedr. Holzschn.) gr. 4. Magdeburg, Creutz. à Jahrg. n. 12. —

— illustrirte. Deutsches Familienbuch. Red.: Hugo Rosenthal-Bonin. 32—34. Jahrg. 1884—1886. à 52 Nrn. (3 B. m. eingedr. Holzschn.) Fol. Stuttgart, Deutsche Verlags-Anstalt. à Jahrg. 7. 80

— dasselbe. 35. Jahrg. 1887. 28 Hfte. (7 B. m. eingedr. Holzschn.) Fol. Ebend. à Hft. — 30

— die illustrierte alte u. neue. Der Unterhaltg. u. dem Amüsement gewidmet. 1. u. 2. Jahrg. 1883/84. à 52 Nrn. (3 B. m. Illustr.) Fol. Dresden, Dietrich. à Jahrg. 8. —; in Hftn. à — 30

Erscheint nicht mehr.

Welt, kleine. 3 Sorten. 8. (8 Chromolith. m. Text.) Wesel. 885 Düms. à — 10

— meine kleine. Eine Erzählg. f. das Volk. Aus dem Engl. v. J. D. M. 12. (129 S) Bremen 885. Verl. d. Tractathauses. cart. n. — 70

— die, im Kleinen f. die kleine Welt. Ein Bilderbuch zu Lust u. Lehr' f. Mutter u. Kind. In Friesen nach Orig.-Aquarellen v. Wold. Friedrich, Carl u. Johs. Gehrts, Adf. v. Grundherr, Jul. Kleinmichel, Carl Röhling, Frz. Simm, Herm. Vogel u. m. begleit. Strophen v. Jul. Lohmeyer, Frida Schanz u. Johs. Trojan. gr. 4. (16 Chromolith. m. 14 Bl. Text.) Stuttgart 885. G. Weise. geb. n. 6. —

— Fromme's musikalische. Notiz-Kalender f. d. J. 1887. 12. Jahrg. Red. v. Thdr. Helm. 16. (264 u. 112 S.) Wien, Fromme. geb. in Leinw. 2. 80; Brieftaschen-Ausg. n. 4. —

— die neue. Illustrirtes Unterhaltungsblatt f. das Volk. Red.: Bruno Geiser. 9—11. Jahrg. 1884—1886. à 26 Hfte. gr. 4. (à Hft. ca. 28 S. m. Holzschn.) Stuttgart, Dietz. à Hft. — 25

— dasselbe. 12. Jahrg. 1887. 12 Hfte. (2 B.) Nebst illustr. Sonntags-Beilage. 52 Nrn. (B.) gr. 4. Breslau, Geiser. à Hft. — 50; ohne Sonntags-Beilage à — 35

Weltanschauung, religiöse. Gedanken e. hochbetagten Laien üb. Glauben, Religion u. Kirche. 2. Aufl. 8. (X, 104 S) Berlin 885. Reuther. n. 2. —; geb. m. Goldschn. n. 3. —

Welte's Kirchenlexikon, s.: Wetzer.

Welten, Osk., Buch der Unschuld. Neue Novellen. 8. (XV, 237 S.) Berlin 885. Issleib. n. 3. —

— Früchte der Erkenntniß. Ein neues Novellenbuch. 8. (XV, 238 S.) Ebend. 886. n. 3. —

— nicht f. Kinder! Ein Novellenbuch. 4. Aufl. 8. (303 S.) Ebend. 886. n. 3. —

— Zola-Abende bei Frau v. S. Eine krit. Studie in Gesprächen. Mit Zola's (Holzschn.-)Portr. 8. (VI, 303 S.) Leipzig 883. Unflad. n. 3. —

Welter, A. C., theoretisch-praktisches Handbuch üb. das eheliche Güterrecht in Westfalen u. den rheinischen Kreisen Essen [Stadt], Essen [Land], Duisburg, Recs u. Mülheim a. d. Ruhr nach den alten Provinzialgesetzen, Statuten u. Gewohnheiten u. nach dem Gesetz vom 16. Apr. 1860, nebst der Lehre v. der Einkindschaft in Verbindg. m. der Provinzialgütergemeinschaft. 2. Ausg., nach d. Verf. Tode im Anschluß an die Judikatur bearb. u. m. e. (lith. u. color.) Karte der alten westfäl. Territorien versehen v. Ferd. Schultz. gr. 8. (XIX, 485 S.) Paderborn 883. F. Schöningh. n. 7. 20

Welter, Tommaso B., compendio della storia universale per gl'istituti superiori d'istruzione. Versione italiana dall' originale tedesco del Francesco Rappagliosi. 3 Parti. gr. 8. Innsbruck. Wagner. n. 6. 80

1. Storia antica. (XII, 287 S.) 886. n. 2. —
2. Storia del medioevo. ((VII, 278 S.) 885. n. 2. —
3. Storia moderna. (VII, 349 S.) 886. n. 2. 80

— Lehrbuch der Weltgeschichte für höhere Lehranstalten. 2. u. 3. Tl., bearb. v. A. Hechelmann. gr. 8. Münster, Coppenrath. n. 4. 20

2. Die Geschichte d. Mittelalters. 30. Aufl. (VIII, 312 S.) 883. n. 1. 80
3. Die Geschichte der neueren Zeit. 28. Aufl. (VII, 384 S.) 884. n. 2. 40

— dasselbe. Auszug. 39. Aufl., bearb. v. A. Hechelmann. gr. 8. (XV, 455 S.) Ebend. 884. n. 2. 50

Weltgeschichte, allgemeine. Von Thdr. Flathe, Gust. Hertzberg, Ferd. Justi, v. Pflugk-Harttung, Mart. Philippson. Mit kulturhistor. Abbildgn., Porträts, Beilagen u. Karten. (10 Bde. in ca. 140 Lfgn.) 1—59. Lfg. gr. 8. Berlin 884—86. Grote. Subscr.-Pr. à 1. —; Einzelpr. à 2. —

1. Bd. Das Altertum. 1. Tl. Geschichte der orientalischen Völker im Altertum. Von Ferd. Justi. (VI, 547 S.) Dasselbe. 2. Tl. Geschichte der Griechen im Altertum. Von G. F. Hertzberg. (S. 1—716.) Dasselbe. 3. Tl. Geschichte der Römer im Altertum. Von G. F. Hertzberg. (S. 1—720.)
2. Bd. Das Mittelalter. 1. Tl. Von J. v. Pflugk-Harttung. (S. 1—192.)
3. Bd. Die neuere Zeit. 1. Tl. Von Mart. Philippson. (S. 1—328.)
4. Bd. Die neueste Zeit. 1. Tl. Von Thdr. Flathe. (

— illustrirte, f. das Volk. Begründet v. O

Wedekind's Leipziger Stadt-Buch. Jahrg. 1884—85. Mit 1 (chromolith.) Plan der Stadt Leipzig. 16. (III, 115 S.) Leipzig 885. (C. A. Koch.) geb. n. — 60

— Reise- u. Geschäfts-Kalender. Hôtel-Adressbuch, Fremdenführer u. Geschäfts-Anzeiger. Praktischer Führer durch die Sehenswürdigkeiten m. Aufführg. der empfehlenswerthesten Hôtels, Restaurants, Cafés u. Weinstuben, sowie genaue Angaben sämmtl. Verkehrsnotizen als Eisenbahn-, Post-, Dampfschiff-, Telegraphen-, Führer- u. Fuhrwesen. Mit e. Wegweiser durch die empfehlenswerthesten Geschäftsmagazine u. industriellen Etablissements. Abth.: Brandenburg m. den beiden Mecklenburg, Schleswig-Holstein, Lauenburg m. Hamburg u. Lübeck. Ausg. 1883 u. 1884. Lex.-8. (132, 66 u. 152 S.) Ebend. geb. n. 5. —

— dasselbe. Abth.: Böhmen u. Schlesien m. den angrenz. Theilen Mährens. II. Ausg. 1883 u. 1884. Lex-8. (208, 26 u. 148 S.) Ebend. 883. geb. n. 5. —

— dasselbe. Abth.: Provinzen Brandenburg u. Sachsen m. Braunschweig, Anhalt u. dem Harz. Ausg. 1883 u. 1884. Lex.-8. (152 u. 220 S.) Ebend. 885. geb. n. 5. —

— dasselbe. Abth.: Hannover, Braunschweig, Oldenburg, Westfalen u. anliegende Gebiete. Lex.-8. (216, 76 u. 84 S.) Ebend. 883. geb. n. 5. —

— dasselbe. Abth.: Harz-Gebiet [Prov. Sachsen, Braunschweig, Anhalt etc.] Ausg. 1882 u. 1883. Lex.-8. (216 u. 176 S.) Ebend. 883. geb. n. 5. —

— dasselbe. Abth.: Rheinlande sowie angrenz. Gebiete. Ausg. 1883 u. 1884. Lex.-8. (172, 90 u. 124 S.) Ebend. 883. geb. n. 5. —

— dasselbe. Abth.: Rheinprovinz u. Westfalen sowie angrenz. Gebiete. Ausg. 1882 u. 1883. Lex.-8. (90, 124 u. 136 S.) Ebend. 883. geb. n. 5. —

— dasselbe. Abth.: Thüringen sowie anlieg Gebiete. Ausg. 1883 u. 1884. Lex.-8. (XXIV, 72 u. 212 S.) Ebend. 883. geb. n. 5. —

Wedekind, Otto, die Réfugiés. Blätter zur Erinnerg. an den 200jähr. Jahrestag der Aufhebg. d. Edicts v. Nantes. gr. 8. (VII, 93 S.) Hamburg 886. J. F. Richter. n. 2. —

Wedekind, Wilh., die Sozialisten. Schauspiel in 4 Akten. 12. (84 S.) Berlin 887. Selbstverlag d. Verf., Schiffbauerdamm 2. n. 1. —

Wedel, F., die Ernährung d. Menschen u. die Magenkrankheiten, s.: Hausbibliothek, medicinische.

Wedel, Heinr. Frdr. Paul v., Beiträge zur älteren Geschichte der neumärkischen Ritterschaft. I. Die Herren v. der Elbe im Lande Schivelbein. 1313—1391. Lex.-8. (24 S.) Leipzig 886. (W. Hermann.) 1. 80

— s.: Urkundenbuch zur Geschichte d. schloßgesessenen Geschlechtes der Grafen u. Herren v. Wedel.

Wedell, Max v., Gesammtartikel d. schlossgesessenen Geschlechtes der Grafen u. Herren v. Wedel, f. die Familie bearb. gr. 4. (104 S) Berlin 886. Eisenschmidt. n. 5. —

— Handbuch f. d. wissenschaftliche Beschäftigung d. deutschen Offiziers. Mit 1 lith. Plan u. vielen in den Text gedr. Holzschn. 3. Aufl. gr. 8. (X, 389 S.) Ebend. 887. n. 7. —

— Instruktion f. den übungspflichtigen Ersatz-Reservisten der Infanterie. 6., unter Berücksicht. der neuen Schieß-Instruktion durchgeseh. Aufl. Mit vielen in den Text gedr. Abbildgn. gr. 16. (96 S.) Ebend. 886. n. — 25

— Leitfaden f. den Unterricht in der Kapitulanten-Schule. Auf dienstl. Veranlassg. bearb. Mit in den Text gedr. Skizzen, Signatur- u. Kroquirtafeln. 6. gänzlich veränd. u. verb. Aufl. 8. (IV, 156 S. m. 1 Tab.) Ebend. 885. cart. n.n. 1. 25

— Offizier-Taschenbuch f. Manöver, Generalstabsreisen, Kriegsspiel, taktische Arbeiten. Mit Tabellen, Signaturtafeln, 1 Zirkel m. Maaßstäben u. Kalendarium. 4., verm. u. umgearb. Jahrg. 16. (XXXI, 127 S.) Ebend. 886. geb. n. 2. 50; ohne Zirkel n. 2. —

Wedell, Max v., Vorbereitung f. das Examen zur Kriegsakademie. Ein Rathgeber zum Selbststudium. 5. durchgeseh. u. verm. Aufl. Mit 7 Planskizzen u. 3 Anlagen. gr. 8. (VIII, 140 S.) Berlin 886. Eisenschmidt. n. 6. —

— dasselbe, Schlüssel zu den mathemat u. französ. Aufgaben, hrsg. v. Havemann u. G. van Muyden. 2. verm. Aufl. gr. 8. (56 S. m. eingedr. Fig.) Ebend. 885. n. 2. —

Wedewer, Herm., Lehrbuch f. den katholischen Religionsunterricht in den oberen Klassen höherer Lehranstalten. 1—3. Abth. Freiburg i/B. Herder. n. 5. —

1. Grundriß der Kirchengeschichte. 3. Aufl. Mit 8 Abbildgn. (XV, 148 S.) 885. n. 1. 50
2. Grundriß der Apologetik. (VIII, 156 S.) 880. n. 1. 50
3. Grundriß der Glaubenslehre. (XVI, 192 u. Anh. 45 S.) 885. n. 2. —

Wedig, A., Bilder aus dem Kinderleben, s.: Jugend-Bibliothek, christliche.

— Treue im Kleinen, s.: Volks-Bibliothek, christliche.

Wedl, C., der Aberglaube u. die Naturwissenschaften. gr. 8. (20 S.) Wien 883. Gerold's Sohn. n. — 50

— u. Emil **Bock,** pathologische Anatomie d. Auges. Systematisch bearb. Mit e. Atlas v. 33 (Lichtdr.-) Taf. (gr. 4., cart.) gr. 8. (V, 462 S.) Ebend. 885. n. 50. —

Weeber, Heinr. C., Leitfaden f. Unterricht u. Prüfg. d. Forstschutz- u. technischen Hilfspersonals in den k. k. österreichischen Staaten. Mit statist. Taf., dem Forstgesetze, der Prüfungs-Verordng., 200 Prüfungsfragen u. Erläutergn. üb. das metr. Maß u. Gewicht. 7. Aufl. gr. 8. (VI, 322 S) Berlin 886. Parey. n. 1. —

Weeber, J. Th., kirchliche Chorgesänge, s.: Krauß, F.

Weech, F. v., s.: Codex diplomaticus Salemitanus.

— Siegel v. Urkunden aus dem grossherzogl. badischen General-Landesarchiv zu Karlsruhe. Aufgenommen u. in Lichtdr. hergestellt v. J. Baeckmann in Karlsruhe. 1. Serie. Fol. (V, 9 S. m. 30 Taf.) Frankfurt a/M. 883. Keller. In Mappe. n. 30. —

— dasselbe. 2. Serie. 3 Lfgn. Fol. (15 Taf. m. III, 8 S. Text.) Ebend. 886. n. 15. — (I. u. II.: n. 45. —)

Week's amusement, her; Ugly Barrington, s.: Collection of British authors.

Weerth, O., die Fauna d. Neocomsandsteins im Teutoburger Walde, s.: Abhandlungen, paläontologische.

— u. E. **Anemüller,** Bibliotheca Lippiaca. Uebersicht üb. die landeskundl. u. geschichtl. Litteratur d. Fürstenth. Lippe. gr. 8. (VI, 88 S.) Detmold 886. Hinrichs. n. 1. 60

Weese, A, die Zeit- u. Festrechnung der katholischen Kirche. gr. 8. (58 S.) Wien 885. (Pichler's Wwe. & Sohn.) n. 1. 20

Wefing, Carl, bremische Heimathskunde. Für Schule u. Haus. 1. u. 2. Hft. 2. Ausg. 8. Bremen 886. Haake. à n. 1. —

1. Die Stadt Bremen. (120 S.)
2. Das Bremer Gebiet. — Vegesack u. Bremerhaven. Das Land an der Unterweser. (152 S.)

— einsame Herzen. Novelle. 8 (179 S.) Bremen 884. Kühtmann & Co. n. 3. 50

— u. L. Kl. de **Boer,** deutsches Lesebuch f. die Unterstufen höherer Lehranstalten, in Verbindg. m. e. Sprachschule. 1. u. 2. Tl. gr. 8. Bremen 885. Rühle & Schenker. geb. n.n. 4. 40

1. II. Schulj. (VIII, 210 S.) 884. n.n. 2. —
2. III. Schulj. (VIII, 264 u. Anh. 30 S.) n.n. 2. 40

— — Sprachschule f. den deutschen Unterricht auf den Unterstufen höherer Lehranstalten. 1. u. 2. Hft. gr. 8. Ebend. 885. geb. à n.n. — 60

1. II. Schulj. (87 S.) 884. — 2. III. Schulj. (120 S.)

— u. C. A. **Weihe,** der Schul- u. Spielkamerad. Taschenbuch f. Schule, Spiel- u. Jugendsport. 16. (96 S.) Bremen 886. Rocco. cart. n. — 50; geb. n. — 80

Weg, der, zum Glück. Freundliche Rathschläge f. junge Leute. 2. Aufl. 16. (16 S.) Bremen 884. Verl. d. Tractathauses. — 3

— der, zu Gott. Vollständiges Gebetbüchlein f. kathol. Christen. 48. (288 S. m. 1 Chromolith.) Einsiedeln 883. Benziger. — 25

— der, zum himmlischen Jerusalem. Ein vollständiges Gebet- u. Betrachtungsbuch f. Seelen, die ein inneres Leben führen. Bearb. v. mehreren Priestern d. Franzislanerordens. 12. (IV, 539 S. m. 1 Stahlst.) Dülmen 883. Laumann. n. 1. 50; geb. von n. 2. — bis n. 6. —

Weg, Max, das deutsche wissenschaftliche Antiquariat. 2. Aufl. 8. (22 S.) Leipzig-Reudnitz 884. Rühle. n. — 80

Wege, die, d. Herrn sind eitel Güte u. Wahrheit. 4 Blumen auf Felsen m. Lichtkreuz. Chromolith. 16. Leipzig 883. (Baldamus Sep.-Cto.) n. — 80

— zweierlei, s.: Immergrün.

Wegele, F. X. v., Geschichte der deutschen Historiographie seit dem Auftreten d. Humanismus, s.: Geschichte der Wissenschaften.

Wegener, H., deutsche Musterstücke in Poesie, nebst kurzen Nachrichten üb. die bedeutendsten Dichter u. das Notwendigste üb. Metrik u. Poetik. 8. (IV, 199 S.) Hannover 885. Meyer. cart. n. 1. 20

Wegener, L., Lehrbuch der Pädagogik, s.: Ostermann, W.

Wegener, Ph., Untersuchungen üb. die Grundfragen d. Sprachlebens. gr. 8. (VIII, 208 S.) Halle 885. Niemeyer. n. 5. —

Wegener, Rhingulph, die Sprache d. Herzens. Lieder-Album f. Damen. Aus den neusten deutschen Dichtern gesammelt. 5. Aufl. gr. 16. (256 S. m. 1 Chromolith.) Jena 887. Leipzig, Fr. Legel. geb. m. Goldschn. n. 2. 50

Wegener, Rich., Aufsätze zur Litteratur. 2. Aufl. 8. (VII, 258 S) Berlin 884. P. Lentz. n. 2. 50

— Repetitionsbuch der poetischen Nationallitteratur. 2. verb. Aufl. gr. 8. (V, 64 S.) Ebend. 885. n.n. — 75; cart. u. durchsch. n.n. 1. 50

Wegener, Thdr., Annabüchlein od. Andacht zur heil. Anna. 3. Aufl. 16. (175 S.) Dülmen 884. Laumann. n. — 40; geb. n. — 65

Wegener, Wilh., was können wir thun, um diejenigen, welche bei religiös-sittlichem Ernst doch den kirchlichen Aufgaben der Gegenwart fern bleiben, f. dieselben zu gewinnen? Vortrag. gr. 8. (25 S.) Halle 883. Strien. n. — 50

Wegner, A., der buchführende Landwirth. Tabellen zur einfachen Geld- u. Natural-Buchung f. Wirthschaften geringeren Umfangs. 2. Aufl. gr. 4. (136 S.) Norden 884. Soltau. geb. n. 1. 50

— die Rindviehschläge Ostfrieslands, auf Veranlassg. der königl. Landwirtschafts-Gesellschaft zu Hannover beschrieben. Nebst 1 (chromolith.) Karte v. Ostfriesland, sowie 4 Abbildgn. in Lichtdr. gr. 8. (IV, 248 S.) Emden 885. Haynel. n. 5. —

Wegner, E. W., aus Deutsch-Afrika, s.: Colonialgebiete, die deutschen.

Wegner, Geo., Generalregister zu den Schriften der königl. böhm. Gesellschaft der Wissenschaften 1784—1884. gr. 8. (XVI, 159 S.) Prag 884. (Calve.) n. 3. —

Wegner, Rud., Beiträge zur Gesundheitspflege d. Geistes. I. Das Christenthum vom Standpunkte der Psychohygiene. II. Die Ueberbürdungsfrage auf den höheren Schulen vom Standpunkt der Psychohygiene. gr. 8. (64 S.) Stralsund 884. Bremer. — 75

Wegweiser bei der Berufswahl. Zusammenstellung der Berufszweige rücksichtlich der Berechtiggn. der Zeugnisse sämmtl. höherer Lehranstalten. 2. Ausg. 16. (III, 36 S.) Leipzig 886. Violet. cart. n. — 60

— biblischer, f. d. J. 1886. 36. Jahrg. Bearb. v. K. A. Richter. 8. (40 S.) Dresden 885. (Leipzig, Buchh. d. Vereinshauses.) n. — 12

— auf dem Gebiete d. Geld- u. Verkehrswesens. Notizblatt f. Papiergeld, Münzen, Coupons, Post- u. sonst. Verkehrswesen. Red.: A. Hohmann. 22—24. Jahrg. 1884—1886. à 6 Nrn. (B.) schmal Fol. Plauen Hohmann. à Jahrg. — 75

— zur Gesundheit v. E. Schlegel. 1. Jahrg. 1. Apr. 1886—März 1887. 24 Nrn. ($\frac{1}{4}$ B.) gr. 8. Tübingen, (Fues' Verl.) n. 2. 40

— auf der Gisela- u. Salzkammergutbahn m. den Anschlüssen an Kronprinz Rudolf- u. Südbahn unter besond. Berücksicht. der im Bereiche dieser Bahnstrecken lieg. Gebirgstouren in Salzburg, Salzkammergut, Tirol, Bayern. Mit e. (chromolith.) Karte, gezeichnet von E. Hettwer. 5. Aufl. 12. (VIII, 88 S.) Salzburg 883. Dieter. n. 1. 20

Wegweiser durch Greiz u. Umgebung. Zusammengestellt vom Zweigverein Greiz d. Thür. Waldvereins. 12. (8 S.) Greiz 883. Schlemm. n. — 10

— zum Himmel. Vollständiges Gebet- u. Andachtsbuch f. kathol. Christen. Bearb. nach Wilh. Nakatenus u. a. Mit Gedichten v. Gall Morel. Ausg. I. 16. (639 S. m. farb. Titel u. 3 Stahlst.) Einsiedeln 886. Benziger & Co. 1. 30

— durch die deutsche Jugendlitteratur. Für Erzieher, Jugendfreunde u. Vorsteher v. Jugendbibliotheken. Im Auftrage d. Pädagog. Vereins zu Dresden hrsg. v. der Kommission zur Beurteilg. v. Jugendschriften. 1. u. 2. Hft. 2. Aufl. u. 3. Hft. 8. (90, 115 u. 102 S.) Leipzig 886. 87. Klinkhardt. à n. — 80

— litterarischer, fürs evangelische Pfarrhaus. Hrsg. v. W. Stöckicht. 1. u. 2. Jahrg. 1883 u. 1884. à 4 Nrn. (à $1\frac{1}{2}$—2 B.) gr. 8. Wiesbaden, Niedner. à Jahrg. Subscr.-Pr. n. 1. 20; Ladenpr. n. 2. —

— dasselbe. 3. Jahrg. 1885. 4 Nrn. gr. 8. (109 S.) Ebend. n. 2. —

— neuester, durch Nürnberg. Mit e. Plane der Stadt. 14. vollständig umgearb. u. verb. Aufl. 8. (III, 72 S.) Nürnberg 885. J. L. Schrag. n. 1. —

— durch die pädagogische Literatur. Hrsg. unter Mitwirkg. v. Jos. Ambros, A. Bechtel, Mor. Gauster rc. Red.: F. Pichler jun. 9—12. Jahrg. 1883—1886. à 12 Nrn. (à $\frac{1}{2}$—1 B.) gr. 8. Wien, Pichler's Wwe. & Sohn. à Jahrg. n. 2. —

— in den Sudeten m. besond. Berücksicht. d. Tess-, Merta- u. oberen Marchthales. Hrsg. v. der Section „Brünn“ d. mähr.-schles. Sudeten-Gebirgs-Vereines. 12. (VI, 22 S. m. 1 chromolith. Karte.) Brünn 885. Knauthe. n. — 60

— kleiner, zu den Sehenswürdigkeiten v. Wien. Rathgeber f. den Fremden. Mit 4 Plänen: Plan v. Wien, v. Schönbrunn, v. Laxenburg, die Semmeringfahrt bis Mürzzuschlag u. e. Ansicht v. Wien in der Vogelperspective. 12. (42 S.) Wien 885. Hartleben. geb. n. — 75

Wehde, Alb., Ratgeber f. bedrängte Geschäftsleute, Handwerker rc. Ein Wegweiser in allerlei geschäftl. Notlagen. 12. (VII, 166 S.) Oberhausen 885. Spaarmann. 1. 80

Wehl, Feod., gesammelte dramatische Werke. 3. Bd. 2. Aufl. u. 6. Bd. 8. (205 u. 249 S.) Leipzig 884. 85. Ph. Reclam jun. à 1. 50

— das junge Deutschland. Ein kleiner Beitrag zur Literaturgeschichte unserer Zeit. Mit e. Anh. seither noch unveröffentlichter Briefe v. Th. Mundt, H. Laube u. K. Gutzkow. 8. (VII, 269 S.) Hamburg 886. J. F. Richter. n. 3. —

— fünfzehn Jahre Stuttgarter Hoftheater-Leitung. Ein Abschnitt aus meinem Leben. Mit dem Portr. d Verf. u. e. Abbildg. d. Stuttgarter Hoftheaters. gr. 8. (VII, 554 S.) Ebend. 886. n. 6. —

— der Ruhm im Sterben. Ein Beitrag zur Legende d. Todes. gr. 8. (XVI, 416 S.) Ebend. 886. n. 5. —

— zum Vortrage, s.: Universal-Bibliothek.

Wehle, J. H., Krethi u. Plethi, s.: Bibliothek f. Ost u. West.

— die Zeitung. Ihre Organisation u. Technik. Journalistisches Handbuch. 2. Aufl. 8. (VIII, 309 S.) Wien 883. Hartleben. 3. —

Wehmeyer, B., üb. die Behandlung d. Kirchenliedes in der Mittelschule, s.: Lehrer-Prüfungs-Arbeiten.

Wehnen, Leitfaden der Chemie m. besond. Berücksicht. der landwirtschaftlichen Gewerbe. Zum Gebrauche an Real- u. Landwirtschaftsschulen bearb. Mit 57 Holzschn. u. 1 Spectraltaf. gr. 8. (VI, 270 S.) Berlin 883. Parey. n. 5. —

Wehner, A., Bad Brückenau u. seine Kurmittel. Zum Gebrauche f. Kurgäste. Mit 6 Holzschn. u. 1 Karte. 2. Aufl. 12. (127 S.) Würzburg 886. Stahel. cart. n. 1. 60

Wehr, Hans, die Subjectivität d. Raumes u. das XI. euklid'sche Axiom. gr. 8. (45 S. m. Fig.) Wien 885. (Pichler's Wwe. & Sohn.) n. 1. —

Werner, Hugo, Ausmessungen v. Thieren verschiedener Rinderracen. Tabelle in Imp.-Fol. Bonn 883. Strauss. n. 1. —

— der rationelle Getreidebau. 8. (V, 188 S.) Ebend. 885. geb. n. 2. 80

— Handbuch d. Getreidebaues, s.: Körnicke, F.

— der Kartoffelbau nach seinem jetzigen rationellen Standpunkte. 2. Aufl. 8. (IV, 168 S.) Berlin 886. Parey. geb. n. 2. 50

Werner, J., e. falscher Freund od. durch Nacht zum Licht. Eine lehrreiche Erzählg. 8. (64 S.) Hamburg 884. Kramer. — 25

— der verlorene Sohn. Eine Erzählg. 8. (63 S.) Ebend. 884. — 25

Werner, Jos., das Recht d. Arrestes im Civilprozesse [unter besond. Berücksicht. d. bayr. Immobiliararrestes], systematisch dargestellt. gr. 8. (VI, 40 S.) Erlangen 884. Deichert. n. 1. —

Werner, Julie, einsame Blumen. Eine Erzählg. f. heranwachs. Mädchen. 8. (253 S.) Stuttgart 885. Krabbe. geb. n. 3. —

— Erinnerungen e. jungen Frau. 2. Aufl. 8. (174 S.) Stuttgart 883. Cotta. 3. — ; geb. 4. —

— Freund Goethe. 8. (237 S.) Ebend. 884. n. 3. —; geb. n. 4. —

Werner, K., praktische Anleitung zur unterrichtlichen Behandlung poetischer u. prosaischer Lesestücke. Meist in vollständig ausgeführten Lektionen bearb. Mittelstufe. 1. u. 2. Bdchn. gr. 8. (IV, 124 u. II, 122 S.) Berlin 884. 86. W. Schultze. à n. 1. 20

— dasselbe. Oberstufe. 4 Bdchn. gr. 8. (à IV, 124 S.) Ebend. 883—86. à n. 1. 20; cart. à n. 1. 40

Werner, K., Luther u. das christliche Haus, s.: Vorträge, öffentliche, zur Feier d. 400jähr. Geburtstages D. Martin Luthers geh.

Werner, K., das moderne Tarokspiel. Eine Anleitg. zur gründl. Erlerng. desselben, nebst zahlreichen erläut. Beispielen. 8. (IV, 126 S.) Wien 883. Hartleben. 1. 20

Werner, Karl, die Cartesisch-Malebranche'sche Philosophie in Italien. I. u. II. Lex.-8. (69 S.) Wien 883. (Gerold's Sohn.) n. 2 20
- I. M. A. Tradella. (69 S.) n. 1. —
- II. Giac. S. Gerdil. (78 S.) n. 1. 20

— die italienische Philosophie d. 19. Jahrh. 1—5. Bd. gr. 8. Wien, Faesy. n. 40. —
1. Antonio Rosmini u. seine Schule. (XV, 472 S.) 884. n. 9. 60
2. Der Ontologismus als Philosophie d. nationalen Gedankens. (XV, 426 S.) 885. n. 8. 40
3. Die kritische Zersetzung u. speculative Umbildung d. Ontologismus. (XIV, 424 S.) 885. n. 8. 40
4. Die italienische Philosophie der Gegenwart. (IX, 281 S.) 886. n. 5. 20
5. Die Selbstvermittelung d. nationalen Culturgedankens in der neuzeitlichen italienischen Philosophie. (XI, 427 S.) 886. n. 8. 40

— A. Rosmini's Stellung in der Geschichte der neueren Philosophie, der italienischen insbesondere. gr. 4. (82 S.) Wien 884. (Gerold's Sohn.) n. 4. —

— die Scholastik d. späteren Mittelalters. 2. u. 3. Bd. gr. 8. Wien 883. Braumüller. n. 18. — (1—3.: n. 28. —)
2. Die nachscotistische Scholastik. (XIX, 577 S.) n. 11. 60
3. Der Augustinismus in der Scholastik d. späteren Mittelalters. (XIII, 309 S.) n. 6. 40

— idealistische Theorien d. Schönen in der italienischen Philosophie d. 19. Jahrh. Lex.-8. (69 S.) Wien 884. (Gerold's Sohn) n. 1. —

— zwei philosophische Zeitgenossen u. Freunde G. B. Vico's. I u. II. Lex.-8. Ebend. 886. n. 2. 20
- I. Paolo Mattia Doria. (76 S.) n. 1. 20
- II. Tommaso Rossi. (65 S.) n. 1. —

Werner, L., die Gemeindepflege u. die Gewinnung v. Kräften f. dieselbe. Referat, am Jahresfeste d. Vereins f. innere Mission in Oberhessen am 11. Juni 1884 zu Gießen erstattet. 8. (32 S.) Darmstadt 884. (Waitz.) n. — 40

Werner, M., Ragenhart u. Swanhild. Ein Harzepos aus dem 8. Jahrh. in 12 Gesängen. 8. (152 S.) Königsberg 883. (Hartung.) n. 2. 50

Werner, M., Sammlung kleinerer Reichsgesetze. Ergänzungsbd. zu den im J. Guttentag'schen Verlage erschienenen Einzel-Ausgaben deutscher Reichsgesetze. Text-Ausg. m. Sachregister. Ursprünglich zusammengestellt v. F. Litthauer. 4. verm. Aufl., bearb. v. M. W. 16. (XII, 527 S.) Berlin 885. Guttentag. cart. n. 2. 40

Werner, O., Rechenbuch f. Volksschulen, s.: Möbius, H.

Werner, O., atlas des missions catholiques. 20 cartes teintées, avec texte explicatif. Traduit de l'allemand, revue et augmenté par Valérien Groffier. gr. 4. (43 S. m. 3 Tab.) Freiburg i/Br. 886. Herder. n. 4. —; geb. n. 5. 60

— katholischer Missions-Atlas. 19 Karten in Farbendr. m. begleit. Text. 2. Aufl. gr. 4. (36 S. m. 3 Tab.) Ebend. 885. n. 4. —; geb. n. 5. —

Werner, Rhold., das Buch v. der deutschen Flotte. 4. verm. u. fortgeführte Aufl. d. Buches v. der Norddeutschen Flotte. Illustrirt v. Wilh. Diez, Johs. Gehrts u. a. Mit techn. Abbildgn. u. Schiffsporträts. gr. 8. (509 S.) Bielefeld 884. Velhagen & Klasing. geb. n. 7. —

— Erinnerungen u. Bilder aus dem Seeleben. 4. Aufl. 8. (III, 412 S.) Berlin 885. Allgemeiner Verein f. deutsche Litteratur. geb. n. 6. —

— dasselbe. Mit 12 Illustr. v. M. Schroeder-Greifswald. 5. Aufl. gr. 8. (III, 412 S.) Ebend. 886. n. 9. —; geb. n. 10. —

— unsere Marine, s.: Aus dem Reiche f. das Reich.

— drei Monate an der Sklavenküste. Erzählung f. die reifere Jugend. Illustriert v. Marinemaler F. Lindner. 8. (239 S.) München 885. Richter & Kappler. n. 4. —; geb. n. 5. —

— der Peter v. Danzig. Historische Erzählg. aus der Hansa. 8. (344 S.) Berlin 883. Janke. n. 2. —

— berühmte Seeleute. 2. (Schluß-) Abth. XVIII. u. XIX. Jahrh. Paul Jones. Nelson. Farragut. Tegethoff. Mit 4 (Stahlst.-)Portraits. gr. 8. (VII, 570 S.) Ebend. 884. n. 6. — (cplt.: n. 12. —)

Werner, Rich. Maria, Goethe u. Gräfin O'Donell. Ungedruckte Briefe nebst dichterischen Beilagen, hrsg. v. R. M. W. Mit 2 Portraits. 8. (VII, 220 S.) Berlin 884. Hertz. n. 6. —; geb. in Leinw. n. 7. 20; in Halbkalbldr. n. 9. —

Werner, Rud., Hohenzollern-Novellen. Bilder u. Skizzen aus der Vergangenheit d. neuen deutschen Kaisergeschlechtes. 20. Aufl. (In 28 Hftn.) 1. Hft. gr. 8. (1. Bd. S. 1—48.) Berlin 883. L. J. Heymann. — 30

Werner, Th., die heilige Engelwacht, die der HErr um seine Kinder auf Erden lagert. Predigt am Michaelisfeste 1885 üb. Hebr. 1, 14 in der Kirche zu Johanngeorgenstadt geh. gr. 8. (11 S.) Johanngeorgenstadt 885. (Leipzig, Buchh. d. Vereinshauses.) n. — 20

Werner, W., kleine moralische Erzählungen, s.: Universal-Bibliothek f. die Jugend.

Werner, W., das Kaiserreich Ostindien u. die angrenzenden Gebirgsländer. Nach den Reisen der Brüder Schlagintweit u. anderer neuerer Forscher dargestellt Mit 12 Landschaften in Tondr. u. zahlreichen in den Text gedr. Holzschn. gr. 8. (XII, 639 S.) Jena 884. Costenoble. n. 11. —

Werner, W., Album f. Alpenpflanzen. qu. gr. 4. (22 Steintaf. auf starkem Carton m. 8 S. Text). Leipzig 884. Fritzsche. geb. n. 14. —

Werner, Wilh., Beiträge zur Theorie der Bewegung e. materiellen Punktes auf Rotationsflächen m. spezieller Anwendung auf das Rotationsparaboloid. gr. 4. (40 S. m. 1 Taf.) Marburg 886. (Leipzig, A. Lorentz.) n 1. 50

Werners, Math., die Mineralogie in der Volksschule. Ein Wort üb. den steinkundl. Unterricht. 8. (III, 53 S.) Trier 886. Lintz. n. — 60

Wernher der Gärtner, Meier Helmbrecht. [Nach C. Schröders Text-Uebersetzg.] Die älteste deutsche Dorfgeschichte. Für Schule u. Haus hrsg. v. Wohlrabe. 12. (IV, 79 S.) Gotha 884. Thienemann. n. 1. —

Wernher, A., zur Impffrage. Resultate der Vaccination u. Revaccination vom Beginn der Impfung bis heute, nach den Quellen bearb. gr. 8. (VII, 312 S.) Mainz 883. v. Zabern. n. 6. —

Wernich, A., Generalbericht üb. das Medicinal- u. Sanitätswesen der Stadt Berlin im J. 1881. gr. 8.

(VIII, 314 S.) Berlin 883. Hahn's Erben. n. 6. —; cart. n. 7. —
cf.: Strzeczka, E., Generalbericht.

Wernich, A., Lehrbuch f. Heildiener. Mit Berücksicht. der Wundenpflege, Krankenaufsicht u. Desinfection. Mit 30 Holzschn. gr. 8. (VIII, 152 S.) Berlin 884. Hirschwald. n. 2. 40

Wernicke, Luther u. die Schwarmgeister, s.: Vorträge, 5, geh. zur Vorbereitung der Lutherfeier in Görlitz.

Wernicke, Alex., Grundzüge der Elementar-Mechanik. Gemäss den Anfordergn. der philosoph. Propädeutik als Einführg. in die physikal u. die techn. Wissenschaften f. den Unterricht bearb. Mit 85 Holzschn.-Illustr. gr. 8. (XVI, 445 S.) Braunschweig 883. Schwetschke & Sohn. n. 4. —

Wernicke, C., Lehrbuch der Gehirnkrankheiten f. Aerzte u. Studirende. 3. Bd. gr. 8. (IV u. S. 253—572.) Leipzig 883. G. Thieme. n. 10. —; geb. n. 12. — (cplt. n. 31. —; geb. n. 37 —)

Wernicke, E., Lehrbuch der Weltgeschichte f. höhere Töchterschulen. 27. Aufl. Mit der 26. v. Bornhak bearb. Aufl. gleichlautend. Mit e. Anh.: Lehrbuch der brandenburgisch-preuß. Geschichte bearb. v. G. Bornhak. gr. 8. (IV, 312 u. Anh. 106 S.) Berlin 886. (Nauck & Co.) n. 3. —; ohne Anh. n. 2. 40

— Leitfaden f. die biographische Vorstufe d. Geschichtsunterrichts. 9. Aufl. Besorgt v. Konr. Wernicke. gr. 8. (VIII, 116 S.) Altenburg 885. Pierer. n. 1. —

Wernicke, Conr., de Pausaniae periegetae studiis Herodoteis. gr. 8. (116 S.) Berlin 884. Weidmann. n. 2. —

Wernicke, E., Chronik der Stadt Bunzlau von den ältesten Zeiten bis zur Gegenwart. 6—10. (Schluß-) Lfg. gr. 8. (S. 219—700 m. Facsms.) Bunzlau 883. 84. Kreuschmer. n. 6. 30 (cplt.: n. 10. —; geb. n. 12. 50)

— Gröditzberg. Geschichte u. Beschreibg. der Burg, Ortsnachrichten aus der Umgegend. Mit 5 Illustr. v. der Burg, nebst 1 Skizze d. gesammten Burgterrains u. 1 Uebersichtskarte der nächsten Umgebg. 2. Aufl. 8. (IV, 82 S.) Ebend. 884. n. 1. —

Wernicke, F., Predigten. gr. 8. (III, 154 S.) Görlitz 884. Remer. n. 2. —; geb. n. n. 2. 50

Werra, Jos. v., der Kurort Leukerbad [Bad Leuk, Loëche-les-Bains] im Canton Wallis [Schweiz]. 8. (60 S. m. 1 Karte.) Wien 886. Braumüller. n. 1. 20; französ. Ausg. (51 S. m. 1 Karte.) n. 1. —

Wershoven, F. J., französische Gedichte. Ausgewählt, geordnet u. m. erklär. Anmerkgn. u. e. Verslehre versehen. gr. 8. (52 S.) Cöthen 884. Schulze. n. — 60

— Hilfsbuch f. den englischen Unterricht an höheren Lehranstalten. [Materialien zu Sprechübgn. u. schriftl. Arbeiten. Lesebuch. Musteraufsätze. Geographie u. Geschichte Englands. Englische Volksbräuche u. Staatseinrichtgn. Geschichte der engl. Sprache u. Litteratur. Reden.] gr. 8. (VIII, 260 S. m. 2 Plänen.) Ebend. 886. n. 2. 25

— Hilfsbuch f. den französischen Unterricht an höheren Lehranstalten. [Materialien zu Sprechübgn. u. schriftl. Arbeiten. Musteraufsätze. Litterarhistorische Proben. Reden. Geographie, Geschichte u. Volkskunde v. Frankreich. Französische Staatseinrichtgn., Geschichte der französ. Sprache u. Litteratur. Synonyma.] gr. 8. (VIII, 226 S.) Ebend. 886. n. 2. 10

— englisches Lehr- u. Lesebuch auf phonetischer Grundlage. gr. 8. (VIII, 228 S.) Bielefeld 886. Velhagen & Klasing. n. 2. —

— französisches Lesebuch f. höhere Lehranstalten. Mit erklär. Anmerkgn., Präparation u. Wörterbuch. 2. Aufl. gr. 8. (VIII, 333 S.) Cöthen 884. Schulze. n. 2. 25

— Repetitorium der englischen Sprache f. höhere Mädchenschulen u. Lehrerinnenseminare. [Grammatik. Geographie u. Geschichte Englands. Englische Volksgebräuche u. Staatseinrichtgn. Geschichte der engl. Sprache u. Litteratur. Verslehre. Synonyma.] gr. 8. (III, 124 S. m. 1 Plan.) Ebend. 886. cart. n. 1. 60

— Repetitorium der französischen Sprache f. höhere Mädchenschulen u. Lehrerinnenseminare. [Geschichte u. Geographie Frankreichs. Staatseinrichtungen. Geschichte der französ. Sprache u. Litteratur. Grammatik. Phonetik. Verslehre. Synonyma.] gr. 8. (VI, 104 S.) Cöthen 886. Schulze. cart. n. 1. 40

Wershoven, F. J., Smollett et Lesage. 8. (33 S.) Berlin 883. Weidmann. n. — 60

— zusammenhängende Stücke zum Übersetzen ins Englische. 8. (VII, 156 S.) Trier 885. Lintz. cart. n. 1. 20; Schlüssel (IV, 90 S.) 886. n 1. 60

— technical vocabulary english and german. Technisches Vokabular f. techn. Lehranstalten u. zum Selbststudium f. Studierende, Lehrer, Techniker, Industrielle. Mit e. Vorwort v. A. v. Kaven. 2. Aufl. gr. 16. (X, 280 S.) Leipzig 885. Brockhaus. n. 3. —; cart. n. 3. 20

— naturwissenschaftlich-technisches Wörterbuch. Die Ausdrücke der Physik, Meteorologie, Mechanik, Chemie, Hüttenkunde, chem. Technologie, Elektrotechnik. 2 Tle. 12. (223 u. 288 S.) Berlin 884. 85. Simion. à n. 1. 50; geb. à n. n. 1. 80 (cplt. in 1 Bd. geb. n. n. 3. 50)

— u. A. L. **Becker,** englisches Lesebuch f. höhere Lehranstalten. Mit erklär. Anmerkgn., Präparation, Wörterbuch, Aussprachebezeichng. 3. Aufl. gr. 8. (VIII, 258 S.) Köthen 883. Schulze. n. 2. 10; Einbd. n. n. — 40

— — dasselbe. 4. Doppel-Aufl. Mit 6 Abbildgn. u. 1 Plan. gr. 8. (VIII, 324 S.) Ebend. 886. n. 2. 25

Werth, K. Fr., Lehr- u. Lesebuch f. Handwerker-Fortbildungsschulen. 5. Aufl. Mit e. einleit. Vorwort v. J. Hülsmann. gr. 8. (XII, 399 S.) Duisburg 883. Ewich. geb. n n. 2. —

Wertheimber, Adf., zur Behandlung der Eklampsia infantum. [Aus: „Festschrift d. ärztl. Vereins München zur Feier seines 50jähr. Jubiläums".] Lex.-8. (17 S.) München 883. Rieger. n. 1. —

Wertheimer, Ed., Erzherzog Carl als Präsident d. Hofkriegsrathes 1801—1805. Nach ungedruckten Quellen. Lex.-8. (38 S.) Wien 884. (Gerold's Sohn.) n. — 60

— Erzherzog Carl u. die zweite Coalition bis zum Frieden von Lunéville. 1798—1801. Nach ungedruckten Quellen. Lex.-8. (62 S.) Ebend. 885. n. 1. —

— Geschichte Oesterreichs u. Ungarns im ersten Jahrzehnt d. 19. Jahrh. Nach ungedruckten Quellen. 1. Bd. gr. 8. (XXIII, 375 S.) Leipzig 884. Duncker & Humblot. n. 8. —

— die Heirat der Erzherzogin Marie Louise m. Napoleon I. Nach ungedruckten Quellen. Lex.-8. (38 S.) Wien 882. (Gerold's Sohn.) n. — 60

Wertheimer, Jos. Ritter v., Gesinnungstüchtigkeit d. jüdischen Stammes in humaner u. staatlicher Beziehung u. dessen Leistungsfähigkeit auf allen Gebieten d. menschlichen Wissens u. Könnens. Zur Wahrg. der Menschen- u. staatsbürgerl. Rechte der Juden durch Thatsachen erhärtet. gr. 8. (57 S.) Wien 886. Hölder. n. 1. —

— jüdische Lehre u. jüdisches Leben m. besond. Beziehung auf die Juden in Oesterreich und auf die Pflichten gegen Vaterland u. Mitmenschen. 2. Aufl. gr. 8. (53 S.) Ebend. 883. n. — 60

Wertheimer, Wilh., das Lagerhaus u. die Vortheile der Lagerhausbenützung. gr. 8. (64 S.) Wien 886. Spielhagen & Schurich. n. 1. —

— Theorie u. Praxis der Buchhaltung nach einfachem, doppeltem, italienischem u. amerikanischem System, der Conto-Corrente u. Handelscorrespondenz m. Beispielen u. Formularien. Für Lehrer, Schüler sowie selbstlern. Kaufleute u. Gewerbetreibende auf Grund prakt. Erfahrgn. bearb. 4. verb. u. verm. Aufl. gr. 8. (VIII, 192 S.) Prag 887. Mercy. n. 3. 20; cart. n. 3. 60

Werther, Jul., Leitfaden zur 1. Aufführung d. 2. Theiles v. Goethe's Faust in der Bühneneinrichtung v. J. W. 2. Aufl. 8. (29 S.) Stuttgart 883. Werther. n. — 40

Werther, Jul. v., Cornelia. Schauspiel in 3 Acten. Mscr. f. Bühnen. 8. (126 S.) Essen 886. A. Werther. n. 3. —

Werther, W., der Jugend Rätselschatz, s.: Universal-Bibliothek f. die Jugend.

Werther, Wilh., Fibel nach der Leseschreibmethode u. erstes Lesebuch f. Schulen der Ostseeprovinzen. 8. (104 S. m. eingedr Holzschn.) Reval 885. Kluge. cart. n. — 50

Werthmann's illustr. Volks-Kalender 1887. 4. (60 S. m. eingedr. Illustr., 1 Chromolith. u. 1 Wandkalender.) Berlin, Werthmann. — 50

Werunsky, Emil. excerpta ex registris Clementis VI. et Innocentii VI. summorum pontificum historiam s. r. imperii sub regimine Karoli IV. illustrantia. — Auszüge aus den Registern der Päpste Clemens VI. u. Innocenz VI. zur Geschichte d. Kaiserreichs unter Karl IV. gr. 8. (VI, 170 S.) Innsbruck 885. Wagner. n. 4. —

— Geschichte Kaiser Karls IV. u. seiner Zeit. 2. Bd. 2. Abth. gr. 8. (XII u. S. 325—616.) Ebend. 886. n. 7. — (I u. II.: n. 24. —)

Werveke, L. van, Repertorium, s.: Jahrbuch, neues, f. Mineralogie, Geologie u. Paläontologie.

Werveke, N. van, archives de Clervaux, s.: Würth-Paquet, M. F. X.

— Beiträge zur Geschichte d. luxemburger Landes. 1. u. 2. Hft. gr. 8. (S. 1—150.) Luxemburg 886. Brück. à n. 1. 25

— cartulaire du prieuré de Marienthal, s.: Publications de la section historique de l'Institut r. g. d. de Luxembourg.

— definitive Erwerbung d. Luxemburger Landes durch Philipp, Herzog v. Burgund. Beitrag zur Geschichte d. luxemburger Landes während der J. 1458—1462. gr. 8. (46 S.) Luxemburg 886. Brück. n. 1. 25

Wery, C., Repertorium üb. die in den Kreisamtsblättern v. Oberbayern in den J. 1857 bis 1883 incl. enthaltenen Erlasse der k. Staatsministerien u. der k. Regierung v. Oberbayern, soweit solche v. Belang u. noch Geltung haben. Fortsetzung v. A. Weckerle's Repertorium f. die J. 1814 bis mit 1856. gr. 8. (99 S.) München 884. Huber's Verl. n. 1. 50

Wesche, die Ueberbürdung auf den höheren Schulen u. die Beseitigung d. Nachmittags-Unterrichts. gr. 8. (19 S.) Gotha 884. Behrend. n. — 40

Wesche, C. A., der Schul- u. Spielkamerad, s.: Wesing, C.

Weselsky, P., u. R. **Benedikt,** 30 Uebungs-Aufgaben als erste Anleitung zur quantitativen Analyse. gr. 8 (41 S. m. 9 eingedr. Fig.) Wien 883. Toeplitz & Deuticke. cart. n. 1. —

Wesendonck-Saarbrücken, H., die Schule Herbart-Ziller u. ihre Jünger vor dem Forum der Kritik. Beiträge zur Geschichte, Entwickelg. u. Kampfweise der neuesten Richtg. in der Pädagogik u. zum Streite zwischen Dittes u. den Zillerianern. gr. 8. (178 S.) Wien 885. Pichler's Wwe. & Sohn. n. 2. 50

Wesener, F., kritische u. experimentelle Beiträge zur Lehre v. der Fütterungstuberculose. gr. 8. (V, 98 S.) Freiburg i/Br. 885. Mohr. n. 2. —

Wesener, P., griechisches Elementarbuch, zunächst nach den Grammatiken v. Curtius, Koch u. Franke-Bamberg bearb. 1. u. 2. Tl. gr. 8. Leipzig, Teubner. 2. 10

1. Das Nomen u. das regelmäßige Verbum auf ω, nebst e. systematisch geordneten Vokabular. 12. Aufl. (IV, 116 S.) 886. — 90
2. Verba auf μι u. unregelmäß. Verba, nebst e. etymologisch geordneten Vokabular. 8. Aufl. (169 S.) 884. 1. 20

— lateinisches Elementarbuch. 1. u. 2. Tl. gr. 8. Ebend. 2. 75

1. [Sexta.] Nebst e. systematisch geordnetem Vocabularium. 8. Aufl. (IV, 114 S.) 886. — 75
2. [Quinta u. Quarta.] 2. Aufl. (IV, 301 S.) 884. n. 2. —

— lateinisches Vokabularium, etymologisch geordnet u. m. besond. Berücksicht. der Phraseologie bei Nepos u. Cäsar zunächst f. Quinta u. Quarta bearb. 2. Aufl. gr. 8. (III, 50 S.) Ebend. 886. cart. — 60

Weskamp, Alb., Herzog Christian v. Braunschweig u. die Stifter Münster u. Paderborn im Beginne d. 30-jährigen Krieges [1618—1622], s.: Beiträge, Münster'sche, zur Geschichtsforschung.

Wesley, Johs., Sammlung auserlesener Predigten. 11 Lfgn. 8. (1. Thl. 352 u. 2. Thl. VIII, 334 S.) Bremen 884. 85. Verlag d. Tractathauses. à n. — 30

Wesmöller, F., das Wichtigste aus der deutschen Sprachlehre f. die unteren u. mittleren Klassen der Gymnasien u. verwandter Lehranstalten. 8. (IV, 76 S.) Münster 883. Aschendorff. n. — 50

Wespen, Berliner. Illustrirtes humorist. Wochenblatt. Red.: Jul. Stettenheim. Illustrirt v. G. Heil. 16—19. Jahrg. 1883—1886. à 52 Nrn. (à $^{3}/_{4}$—1 B.) gr. 4. Berlin 883. S. Fischer. à Jahrg. n. 8. —

Wespy, Léon, die historische Entwickelung der Inversion d. Subjektes im Französischen u. der Gebrauch derselben bei Lafontaine. gr. 8. (65 S) Oppeln 884. Franck. 2. —

Wesselhöft, E., Herschel-Augusti, s.: Schriften d. Institutum Judaicum in Leipzig.

Wesselhöft, Johs., der Garten d. Bürgers u. Landmannes, insonderheit d. Geistlichen u. Lehrers auf dem Lande. Praktische Anleitg., wie man sich seine nächste Umgebg. durch Gemüse-, Obst- u. Blumenzucht angenehm machen u den größtmöglichsten Nutzen daraus erzielen kann? 2. Aufl. Mit 119 Abbildgn. gr. 8. (XIV, 354 S.) Langensalza 886. Beyer & Söhne. n. 4. —; geb. n. 5. —

— der Rosenfreund. Vollständige Anleitg. zur Kultur der Rosen im freien Lande u. im Topfe, zum Treiben der Rosen im Winter, sowie Beschreibg. u. Verwendg. der schönsten neuen u. alten Arten der systematisch geordneten Gattgn. Nebst e. Kalendarium der gesamten Rosenzucht. 6. Aufl. Mit 40 Abbildgn. gr. 8. (XVI, 286 S.) Weimar 886. B. F. Voigt. 4. —

— vollständiger Unterricht, den Hausgarten als Blumen-, Gemüse- u. Obstgarten in einfacher u. gemischter Form nach Regeln anzulegen u. zu bewirthschaften. Mit 54 Abbildgn. 12. Aufl., neu bearb. 8. (VIII, 350 S.) Halle 885. Hendel. cart. 3. —; geb. n. 4. —

Wessely, J. E., s.: Andresen-Wessely's Handbuch f. Kupferstichsammler.

— Anleitung zur Kenntniss u. zum Sammeln der Werke d. Kunstdruckes. 2. Aufl. Mit 11 Fcsm.-Taf. gr. 8. (XII, 348 S.) Leipzig 886. T. O. Weigel. n. 8. —; Einbd. n. 1. —

— Deutschlands Lehrjahre, s.: Collection Spemann.

— kunstübende Frauen. gr. 4. (VIII, 78 S. m. 28 Lichtdr.-Taf.) Leipzig 884 Lemme. geb. m. Goldschn. n. 30. —; auf Büttenpap. geb. n. 40. —

— kurzgefaßte Geschichte der Stadt Leipzig m. Erläuterungen zu den Photographien „Das alte Leipzig". gr. 8. (IV, 89 S.) Leipzig 884. O. Roth. 1. 80; geb. 3. —

— Klassiker der Malerei, s.: Klassiker-Bibliothek der bildenden Künste.

— das weibliche Modell in seiner geschichtlichen Entwickelung. gr. 8. (IV, 119 S. m. 30 Lichtdr. u. Titel in Lichtdr.) Leipzig 884. Lemme. geb. n. 40. —

— Nacht u. Morgen. Nach Lytton Bulwers gleichnam. Roman f. die reifere Jugend bearb. Mit 4 Farbendr.-Bildern. gr. 8. (224 S.) Berlin 885. Zieger Nachf. geb. n. 3. —

— a new pocket dictionary of the English and French languages. 13. ster. ed. 12. (VI, 226 u. 232 S.) Leipzig 886. B. Tauchnitz. 1. 50; geb. 2. 25

— a new pocket dictionary of the english and german languages. 12. ed. 12. (VI, 210 S.) Ebend. 884. 1. 50; geb. 2. 50

— a new pocket dictionary of the english and italian languages. 2 parts in 1 vol. 10. ster. ed. 12. (X, 226 u. 217 S) Ebend. 885. 1. 50; geb. 2. 25

— Adrian Ludwig Richter zum 80. Geburtstage. Ein Lebensbild. Fol. (16 S. m. eingedr. Holzschn. u. Heliogr. u. 11 Taf. in Radirgn. u. Heliogr.) Wien 883. Gesellschaft f. vervielfältigende Kunst. n. 12. —

— neues englisch-deutsches u. deutsch-englisches Taschenwörterbuch. 13. Ster.-Ausg. 2 Tle. in 1 Bd. 12. (VI, 226 u. 217 S.) Leipzig 886. B. Tauchnitz. 1. 50; geb. 2. 25

— grammatisch-stilistisches Wörterbuch der deutschen Sprache. gr. 8. (X, 198 S.) Leipzig 883. Fues. geb. n. 2. —

— and A. **Girone's,** a new pocket dictionary of the english and spanish languages. 10. ster. ed. 12. (VI,

214 u. 260 S.) Leipzig 886. B. Tauchnitz. 1. 50; geb. 2. 25

Wessinger, A., Kaspar Aindorffer, Abt in Tegernsee 1426—1461. Ein Lebens- u. Zeitbild, nach den Quellen dargestellt. Lex.-8. (67 S.) München 885. (Kaiser.) n.n. 1. 25

— bayerische Orts- u. Flussnamen. Erklärungsversuche. 2. verb. u. ergänzte Aufl. 8. (140 S.) München 886. (Kellerer.) n. 2. —

Westarp, Adf. Graf v., e. Winter in den Alpen. [1881—1882.] Naturbilder vom Fuße d. Wettersteins. 8. (IV, 93 S.) Berlin 885. F. Luckhardt. n. 2. —

Westberg, Heinr., die Elemente der Geometrie. 6. verb. Aufl. gr. 8. (VI, 114 S. m. Fig.) Reval 886. Kluge. cart. n. 2. —

— Grundzüge der deutschen Schulgrammatik zum Gebrauche in Elementarschulen u. beim häuslichen Unterrichte. 12. Aufl. gr. 8. (VI, 74 S.) Mitau 886. Behre's Verl. cart. n. — 75

— der kleine Rechner od. Leitfaden zum theoretisch-prakt. Rechnen, nebst zahlreichen Uebungsaufgaben. 1. Lehrstufe, enth. die Grundrechngn. in unbenannten u. benannten ganzen u. gebrochenen Zahlen, u. die Regel de tri. 7. Aufl. gr. 8. (III, 63 u. Auflösgn. 16 S.) Reval 885. Kluge. cart. n. 1. —

— kurze deutsche Sprachlehre. Ein Leitfaden zum Gebrauche in Kreisschulen u. den untern Klassen höherer Lehranstalten. Nach den Ansichten der neuern Grammatiker bearb. u. m. vielen Beispielen u. Uebungsaufgaben versehen. 5. Aufl. gr. 8. (162 S.) Ebend. 886. cart. n. 1. 60

Westen, Willy, vier Wochen in Rußland. Skizzen aus Reval, Petersburg, Moskau, Nischni-Nowgorod. 8. (64 S.) München 884. Biereck. n. 1. —

Westenhoeffer, Jean, le fablier de nos enfants. Recueil de fables à l'usage des écoles supérieures. 8. (XIV, 208 S.) Jena 876. (Bufleb.) n. 1. 60

— französische Fibel. In 2 Abschnitten f. reichsländ. Schulen. Mit 4 (eingedr.) Holzschn. 8. (100 S.) Ebend. 883. cart. n. — 65

Westergaard, Harald, vom Aergernis zum Glauben. Ein Laien-Zeugnis. Aus dem Dän. v. O. Gleiss. gr. 8. (40 S.) Leipzig 885. Fr. Richter. n. — 80

Westerlund, Carl Agardh, Fauna der in der paläarctischen Region [Europa, Kaukasien, Sibirien, Turan, Persien, Kurdistan, Armenien, Mesopotamien, Kleinasien, Syrien, Arabien, Egypten, Tripolis, Tunesien, Algerien u. Marocco] lebenden Binnenconchylien. I. IV—VI. gr. 8. Lund. (Berlin, Friedländer & Sohn.) n. 22. —

I. Fam. Testacellidae, Glandinidae, Vitrinidae et Leucochroidae. (95 S.) 886. n. 3. 50
IV. Gen. Balea Prid. u. Clausilia Dr. (241 S.) 884. n. 7. 50
V. Fam. Succinidae, Auriculidae, Limnaeidae, Cyclostomidae et Hydrocenidae. (149 S.) 885. n. 5. 50
VI. Fam. Ampullaridae, Paludinidae, Hydrobiidae, Melanidae, Valvatidae u. Neritidae. (169 S.) 886. n. 5. 50

Westermann's Holzschnitt-Illustrations-Katalog. Zum Gebrauch f. Buchhändler u. Buchdrucker. 6. u. 7. Nachtrag. gr. 4. Braunschweig 886. Westermann. n. 11. 40 (Hauptwerk u. 1—7. Nachtrag: n. 36. 20)
6. Nr. 4583—5063. (10 S. u. S. 729—824.) 883. n. 3. 80
7. Nr. 5064—6076. (12 S. u. S. 825—1016.) 885. n. 7. 60

— illustrirte deutsche Monatshefte f. das gesamte geistige Leben der Gegenwart. Hrsg. v. Frdr. Spielhagen u. Adf. Glaser. 27—31. Jahrg. Octbr. 1882—Septbr. 1887. à 12 Hfte. (à 8—9 B.) [53—62. Bd.] Lex.-8. Ebend. à Jahrg. n. 16. —

— dasselbe. Vollständiges Inhaltsverzeichniß. Enth.: Autorenregister, Sachregister u. Illustrationsverzeichniß d. 1—50. Bds. Lex.-8. (154 S.) Ebend. 883. n. 2. 40

Westermann, Geo., illustrirter Führer durch den zoologischen Garten zu Leipzig. Mit 1 Plan u. 14 Text-Illustr. 11. Aufl. 8. (46 S.) Leipzig 885. Schloemp. n. — 30

Westermann, H., Schul-Stereometrie. gr. 8. (VII, 99 S. m. eingedr. Fig.) Riga 883. Kymmel. cart. n. 2. —

Westermann, Heinr., deutsche Aufsatzschule. Hrsg. vom Vorstande der Lehrer-Witwen- u. Waisen-Kasse f. den Reg.-Bez. Lüneburg. Ausg. A: in 3 Hftn. 1. Hft. 8. (55 S.) Hannover 886. Schmorl & v. Seefeld. n. — 40

Westermayer, Ant., Luthers Werk im J. 1883 od. der heutige Protestantismus in seinem Verhältniß zu Katholicismus u. Christenthum. Ein Wort zur Selbstprüfung bei der Feier d. 400jähr. Geburtstages Martin Luthers. gr. 8. (160 S.) Mainz 883. Kirchheim. 1. 50

— populäre Predigten auf sämmtliche Feste d. Kirchenjahres. 3—7. [Schluß-]Lfg. gr. 8. (1. Bd. S. 321—559 u. 2. Bd. 572 S.) Ebend. 883. à 1. 50

Westermeier, G., systematische forstliche Bestimmungstabellen der wichtigen deutschen Waldbäume u. Waldsträucher im Winter- u. Sommerkleide. Ein Handbuch f. Forstleute u. Waldbesitzer sowie e. Repetitorium f. die Examina. qu. 8. (XVI, 64 S.) Berlin 886. Springer. geb. n. 2. —

— des deutschen Forstmanns Liederbuch. gr. 16. (VIII, 122 S.) Ebend. 886. cart. n. — 50

— Leitfaden f. das preußische Jäger- u. Förster-Examen. Ein Lehrbuch f. den Unterricht der Forstlehrlinge auf den Revieren, der gelernten Jäger bei den Bataillonen u. zum Selbstunterricht der Forstaufseher. Mit 140 Holzschn., 1 Spurentaf., 3 Bestimmungstabellen u. 7 Beilagen. 5. Aufl. gr. 8. (XV, 457 S.) Ebend. 885. n. 5. —; geb. n. 6. —

Western, Aug., kurze Darstellung der englischen Aussprache f. Schulen u. zum Selbstunterricht. 8. (43 S.) Heilbronn 885. Henninger. n. — 80

— englische Lautlehre f. Studierende u. Lehrer. Vom Verf. selbst besorgte deutsche Ausg. gr. 8. (VIII, 98 S.) Ebend. 885. n. 2. —

Westhaus, Thdr., Palästina od. das heilige Land nach seinen geographischen, religiösen, staatlichen, bürgerlichen u. häuslichen Verhältnissen. Ein Handbuch f. Lehrer beim Unterrichte in der bibl. Geschichte u. zugleich zum nützl. Gebrauche f. das Haus. 3. Aufl. v. W. Erdmann. Mit 17 Abbildgn. denkwürd. Stätten u. e. (chromolith.) Karte d. h. Landes. gr. 8. (V, 214 S.) Paderborn 885. F. Schöningh. n. 2. 40

Westhoff, E., s.: Anjel, Ella.

Westhusen, Fritz, Volkslaier füär väier Männerstimmen. 1. Hft. gr. 8. (16 S.) Arnsberg 884. Stahl. n. — 40

Westkirch, L., e. Familienzwist. Roman. 2 Bde. 8. (190 u. 196 S.) Freiburg i/Br. 885. Kiepert. n. 8. —

Westlake, John, Lehrbuch d. internationalen Privatrechts, m. besond. Berücksicht. der engl. Gerichtspraxis. Deutsche Ausg., nach der 2. engl. Aufl. besorgt von Frz. v. Holtzendorff. gr. 8. (XVI, 374 S.) Hamburg 884. J. F. Richter. n. 8. —; Einbd. n.n. 1. 50

Westley, Rob. H., erster Unterricht im Englischen. Ein prakt. Lehrgang nach der Ahn'schen Methode. Zum Schul-, Privat- u. Selbst-Unterricht. 4. verm. Aufl. Hrsg. v. Karl Albrecht. 8. (XII, 157 S.) Leipzig 884. Roßberg. n. 1. 20

Westphal, F., das Wort vom Kreuz. Passionspredigten in Orig.-Beiträgen v. F. Ahlfeld †, W. Baur, H. A. Bayer etc. 8. (VI, 256 S.) Bremen 885. Müller. n. 2. 80; geb. m. Goldschn. n.n. 4. —

Westphal, G., Sansibar u. das deutsche Ost-Afrika, s.: Universal-Bibliothek, geographische.

Westphal-Conn, Phpp., die Steuersysteme u. Staatseinnahmen sämmtlicher Staaten Europa's u. die Steuerreformgesetze in Oesterreich. gr. 8. (108 S. m. 1 Tab.) Wien 884. Gerold's Sohn. n. 3. 60

Westphal, Rud., die Musik d. griechischen Alterthumes. Nach den alten Quellen neu bearb. gr. 8. (VI, 354 S.) Leipzig 883. Veit & Co. n. 9. —

— Theorie der musischen Künste der Hellenen, s.: Rossbach, A.

Westphalen, Herm., histologische Untersuchungen üb. den Bau einiger Arterien. gr. 8. (110 S.) Dorpat 886. (Karow.) n. 2. —

Westrum, A., die Longobarden u. ihre Herzöge. Vortrag, geh. im Verein f. Kunst u. Wissenschaft zu Celle. gr. 8. (54 S.) Celle 886. Capaun-Karlowa. n. 1. —

Weszkalnies, Jul., die einfache u. doppelte Buchführung neuer zweckmäßiger Methode u. Zusammenhang der einfachen Buchführung im Ladengeschäft m. den nach doppelter Methode geführten Büchern d. Chefs. Der Bücher-abschluß u. die verschiedenen Arten d. Contocorrents. gr. 8. (IV, 211 S.) Königsberg 886. Strübig. n. 3. 60

Wetherell, Elis., die weite, weite Welt. Aus dem Engl. Billige Ausg. ohne Bilder. 12. verb. Aufl. 8. (VI, 299 S.) Dresden 885. Kaufmann's Verl. n. 2. 50; illustr. Ausg. geb. n. 4. —

Wetli, K., die Bewegung d. Wasserstandes d. Zürichsee's während 70 Jahren u. Mittel zur Senkung seiner Hochwasser. Bericht an die Tit. Direktion der öffentl. Arbeiten d. Kantons Zürich. Mit 11 Tab. u. 16 Taf. 4. (79 S.) Zürich 885. Hofer & Burger. cart. n. 7. —

Wette, Herm., was der Wind erzählt. Poesien in niederdeutscher Mundart. 8. (VIII, 120 S.) Köln 884. A. Ahn. 1. 50; geb. 2. 25

Wetter, das. Meteorologische Monatsschrift f. Gebildete aller Stände. Hrsg. v. R. Aßmann. Zugleich Organ d. Vereines f. Wetterkunde zu Magdeburg, Zweigverein der deutschen meteorolog. Gesellschaft. 1. Jahrg. April —Decbr. 1884. 9 Hfte. gr. 8. (1. u. 2. Hft. 40 S. m. eingedr. Fig.) Braunschweig, Salle. 4. 50

— dasselbe. 2. u. 3. Jahrg. 1885 u. 1886. à 12 Hfte. gr. 8. (à Hft. ca. 20 S. m. eingedr. Fig.) Ebend. à Jahrg. 6. —

Wetter, J., das Examen zum Stationsvorsteher u. Güterexpedienten im preußischen Staats-Eisenbahndienste. Ein Leitfaden f. die Vorbereitg. auf dasselbe, sowie e. Hülfsmittel f. alle im Eisenbahn-Stations- u. Expeditionsdienst Tätigen. Nach Maßgabe d. v. Sr. Exc. dem Herrn Minister der öffentl. Arbeiten erlassenen Reglements f. die Ausbildg. u. Prüfg. der Stations- u. Expeditionsbeamten bearb. 8. (316 S.) Elberfeld 885. (Bädeker.) n. 3. —

— die Haftpflicht der Eisenbahnen im Güterverkehr nach dem deutschen Frachtrecht. Zum vorzugsweisen Gebrauche in bezügl. Reclamationsfällen f. Güterexpeditions- u. Centralverwaltungsbeamte, sowie das verkehrtreib. Publikum. Gemeinfaßlich bearb. 8. (IV, 42 S.) Wiesbaden 883. Bergmann. n. 1. —

Wetterleuchten, das, der socialen Revolution u. was geschehen muß, um e. Arbeiter-Krieg abzuwenden. Ein Mahnruf an die gebildeten u. besitz. Klassen, besonders an die Hirten der kirchl. Gemeinden. 8. (30 S.) Breklum 885. Christl. Buchh. n. — 15

Wettig, Herm., Führer durch die Klavier-Unterrichts-Litteratur. Ein Wegweiser u. Ratgeber bei der Wahl geeigneter Musikalien. 8. (VIII, 309 S.) Gotha 884. Behrend. n. 1. —; geb. n. 1. 40

— kleine Heimatskunde d. Herzogt. Gotha. Zugleich Anhang zu jedem Lehrbuche der Geographie. Mit e. Kritik v. Fr. Polack. 8. (VI, 50 S. m. 1 Stadtplan.) Gotha 885. Glässer. cart. n. — 35

— die schönsten Sagen u. historischen Erzählungen d. Herzogt. Gotha. Zugleich Anhang u. Ergänzg. zu Wettigs „Kleine Heimatkunde d. Herzogt. Gotha". Für Schule u. Haus bearb. gr. 8. (VIII, 64 S.) Ebend. 887. cart. n. 1. 50

Wettstein, Alex., Geologie v. Zürich u. Umgebung. Mit 1 geolog. Karte u. 1 Taf. gr. 4. (84 S.) Zürich 885. Wurster & Co. n. 4. —

Wettstein, H., H. **Ernst**, C. **Grob**, J. **Hardmeyer-Jenny**, Aug. **Koller**, Ed. **Schönenberger**, Seline **Strickler**, Hch. **Utzinger**, Bericht üb. Gruppe 30 der schweizerischen Landesausstellung Zürich 1883: Unterrichtswesen. gr. 8. (IV, 630 S. m. 61 Taf.) Zürich 884. Orell Füssli & Co. Verl. n. 5. —

Wettstein, Rich. v., Untersuchungen üb. e. neuen pflanzlichen Parasiten d. menschlichen Körpers. [Mit 1 (lith.) Taf.] Lex.-8. (26 S.) Wien 885. (Gerold's Sohn.) n.n. — 90

— Untersuchungen üb. die Wachsthumsgesetze der Pflanzenorgane. II. Reihe. Wurzeln. [Arbeiten d. Pflanzenphysiolog. Institutes d. k. k. Wiener Univ. XXVI.] Lex.-8. (55 S.) Ebend. 884. n. — 80

— dasselbe, s.: Wiesner, J.

— die rhizopodoiden Verdauungsorgane thierfangender Pflanzen, s.: Kerner v. Marilaun, A.

Wettwer, Ed., die Typhusepidemie in den Monaten Juli u. August d. J. 1881 zu Göttingen. gr. 8. (42 S.) Göttingen 882. (Vandenhoeck & Ruprecht.) n. 1. —

Wetz, W., die Anfänge der ernsten bürgerlichen Dichtung d. 18. Jahrh. Das rühr. Drama u. bürgerl. Trauerspiel bis zu Diderot, der Familienroman d. Marivaux u Richardson u. die dramat. Theorie Diderots. 1. Bd. Allgemeiner Theil. Das rühr. Drama der Franzosen. 1. Abth. gr. 8. (V, 206 S.) Worms 885. Reiss. n. 4. —

Wetzel, das Leben Dr. Martin Luthers. Für Schule u. Haus zum Gedächtnis d. 400jähr. Geburtstags Luthers. 8. (24 S.) Kirchheim u/T. 883. Riethmüller. — 30

— Dr. Martin Luther, der Reformator. Für das evangel. Volk. 8. (32 S. m. Holzschn.-Portr.) Ebend. 883. n. — 30

Wetzel, Aug., die Lübecker Briefe d. Kieler Stadtarchivs 1422—1534. gr. 8. (VII, 79 S.) Kiel 883. (Universitäts-Bchh.) n. 2. —

— die Klosterbibliothek zu Bordesholm u. die Gottorfer Bibliothek, s.: Steffenhagen, E.

Wetzel, Ed., kleines Lehrbuch der astronomischen Geographie. Nach method. Grundsätzen bearb. Mit 84 Holzschn. u. 4 Taf. 3., verb. Aufl. gr. 8. (VI, 168 S.) Berlin 884. Stubenrauch. n. 2. —

— u. Fr. **Wetzel**, Grundriß der deutschen Grammatik. Nach method. Grundsätzen bearb. f. mehrklass. Schulen. Nebst e. Plane, enth. die Verteilg. d. Lehrstoffes f. Schulen v. verschiedener Klassenzahl. 53. Aufl. gr. 8. (XI, 101 S) Ebend. 884. n. — 70; geb. n. 1. —

— — Handbuch der Orthographie zum Gebrauch f. Schüler. 29. Aufl. gr. 8. (VIII, 61 S.) Ebend. 883. n. — 60

— — Leitfaden f. den Unterricht in der deutschen Sprache. Eine nach method. Grundsätzen bearb. Schulgrammatik f. höhere Schulanstalten. Mit Anh.: Handbuch der Orthographie zum Gebrauch f. Schüler. 29. Aufl. gr. 8. (X, 212 u. Anh. VIII, 61 S.) Ebend. 883. n. 2. —; ohne Handbuch der Orthographie n. 1. 50; Handbuch der Orthographie apart n. — 60

— — dasselbe. 32. Aufl. gr. 8. (X, 212 u. Handbuch der Orthogr. VIII, 61 S.) Ebend. 883. geb. n. 2. 40

— — die deutsche Sprache. Eine nach method. Grundsätzen bearb. Grammatik f. höhere Lehranstalten u. zum Selbstunterricht. 8. Aufl. gr. 8. (XVI, 382 u. Handbuch der Orthographie X, 122 S.) Ebend. 884. n. 4. —

Wetzel, Emil, die englische Orthographie. Eine kurze Darstellg. ihrer Entwickelg. seit Erfindg. der Buchdruckerkunst. gr. 4. (23 S.) Berlin 886. Gaertner. n. 1. —

Wetzel, Fr., Heimatskunde in 2 Tln. enth.: 1. Allgemeine Heimatskunde. 2. Heimatskunde v. Berlin. 5. Aufl. Nebst e. (chromolith.) Plan v. Berlin. gr. 8. (VIII, 73 S. m. Holzschn.) Berlin 883. Stubenrauch. n. — 70

— H. **Menges**, J. **Menzel**, C. **Richter**, Schul-Lesebuch. Ausg. A. Für die Oberklassen mehrklass. Schulen. 46. Aufl. gr. 8. (XVI, 536 S.) Ebend. 885. n. 1. 25

— J. **Menzel**, C. **Richter**, Schul-Lesebuch. Vorstufe. Für die Mittelklassen mehrklass. Schulen. 67. Aufl. gr. 8. (VIII, 247 S.) Ebend. 885. n. — 60

— — — dasselbe. Ausg. B. 46. Aufl. gr. 8. (XIV, 436 S.) Ebend. 885. n. 1. 5

— — — dasselbe, f. die Prov. Pommern. 79. Aufl. gr. 8. (XVI, 504 S.) Ebend. 885. n. 1. 15

Wetzel, Fr. Xav., die Trunksucht e. Ruin d. Volkswohles. 8. (20 S.) Solothurn 885. Burkhard & Fröhlicher. — 16

Wetzel, G., die synoptischen Evangelien. Eine Darstellg. u. Prüfg. der wichtigsten üb. die Entstehg. derselben aufgestellten Hypothesen m. selbständ. Versuch zur Lösg der synopt. Evangelienfrage. gr. 8. (VIII, 229 S.) Heilbronn 883. Henninger. n. 5. —

— dasselbe. 2., um e. Nachtrag verm. Ausg. gr. 8. (VIII, 247 S.) Ebend. 886. n. 2. 80

Wetzel, Louis, der Wegweiser in Gerichtssachen. Praktische Anleitg. zur Selbstanfertigg. v. Klagen, Anträgen u. Gesuchen aller Art nach der Zivil-Prozeß-, Straf-Prozeß-, Vormundschafts- u. Grundbuch-Ordng., sowie in Zwangsversteigerungs-Sachen, Nachlaß- u. Testaments-Sachen ꝛc., nebst Auszügen aus den betr. Gesetzen u. Verordngn. 8. (VIII, 100 S.) Schweinitz a/E. 886. (Wittenberg, Wunschmann.) cart. n. 1. —

Wetzel, M., Beiträge zur Lehre v. der Consecutio temporum im Lateinischen. gr. 8. (IV, 72 S.) Paderborn 885. F. Schöningh. n. 1. —

— die wichtigsten lateinischen Synonyma. 8. (18 S.) Ebend. 886. n. — 30

Wetzer u. **Welte's** Kirchenlexikon od. Encyklopädie der kathol. Theologie u. ihrer Hülfswissenschaften. 2. Aufl., in neuer Bearbeitg. unter Mitwirkg. vieler kathol. Gelehrten begonnen v. Jos. Hergenröther, fortgesetzt v. Frz. Kaulen. 16—45. Hft. Lex.-8. (2. Bd. Sp. 577—2110, 3. Bd. 2110, 4. Bd. 2148 Sp. u. 5. Bd. Sp. 1—192.) Freiburg i/Br. 883—86. Herder. à n. 1. —

Wetzer, L. H., Waldstein u. die Pilsener Reverse 1634. Vortrag. gr. 8. (44 S.) Wien 884. (Seidel & Sohn.) n. — 80

Wetzlich, die den Thierschutz betr. Gesetze u. Verordnungen m. besond. Berücksicht. der königl. sächsischen Landesgesetzgebung. Nebst Einleitg. u. Kommentar. Im Auftrage d. Verbandes der sächs. Thierschutz-Vereine hrsg. 8. (VIII, 213 S.) Pirna 883. Eberlein. n. 2. —

Wetzstein, Alb., Blütenlese. In Lust u. Leid. Gedichte e. Realisten. 8. (256 S.) Berlin 884. Parrisius. n. 3. —; geb. n. 4. —

Wetzstein, Carl, Tölz-Krankenheil in Oberbayern, nebst seinen Umgebungen. Für Kurgäste u. Freunde schöner Alpengegenden. Mit e. Panorama (in Lichtdr.), e. (chromolith.) Karte u. mehreren Abbildgn. 12. (IV, 74 S.) München 884. Stahl sen. cart. n. 1. 50

Wetzstein, Joh. Gfr., das batanäische Giebelgebirge. Excurs üb. Ps. 68, 16 zu Delitzsch' Psalmencommentar [Aufl. 4. 1883]. gr. 8. (27 S.) Leipzig 884. Dörffling & Franke. n. — 75

Wevelmeyer, E., Gesangbuch f. evangelische Gymnasien, s.: Henke, O.

Wevers, der theoretische Unterricht bei der Truppe vom Standpunkte d. Lehrers. Ein Vortrag, geh. vor dem Offizier-Corps d. Reserve-Landwehr-Regiments [Berlin] Nr. 35, Febr. 1885. 8. (27 S.) Berlin 885. Eisenschmidt. n. — 50

Wevers, F., Gedenkblätter an die Luther-Feier zu Drevenack am 10. u. 11. Novbr. 1883. Der Gemeinde auf ihren Wunsch überreicht. 8. (39 S.) Wesel 884. Kühler. n. — 40

— über christliche Volksbildung. Vortrag, geh. bei der Versammlg. der Kreis-Synode Wesel zu Rees am 11. Oktbr. 1882. gr. 8. (18 S.) Ebend. 882. n. — 40

Wewer, ärztliche Briefe üb. Diabetes mellitus, s.: Sonder-Abdrücke der Deutschen Medizinal-Zeitung.

Wex, Jos., die Metra der alten Griechen u. Römer, im Umriss erklärt u. übersichtlich dargestellt. 2. Bearbeitg. gr. 8. (IV, 94 S.) Leipzig 883. Teubner. 1. 50

Wexel, C., die Salzsäule, } s.: Kühlings, A., Album
— die Schlacht bei Waterloo, } f. Liebhaber-Bühnen.

Weyer, G. D. E., Heinrich Ferdinand Scherk. Gedächtnissschrift. gr. 8. (19 S.) Kiel 886. Universitäts-Buchh. n. 1. —

Weyer, Dr. **Joh.,** der erste Bekämpfer d. Hexenwahns, s.: Binz, C.

Weyermann, M., Charles Dickens [Boz.] Eine biograph. Skizze, s.: Boz, fünf Weihnachtsgeschichten.

Weygoldt, G. P., die platonische Philosophie, nach ihrem Wesen u. ihren Schicksalen f. Höhergebildete aller Stände dargestellt. 8. (V, 256 S.) Leipzig 885. O. Schulze n. 3. —

— die Philosophie der Stoa nach ihrem Wesen u. ihren Schicksalen. Für weitere Kreise dargestellt. 8. (V, 218 S.) Ebend. 883. n. 3. —; geb. n 4. —

Weyh, G., Repertorium zu den Gesetzen, Verordnungen u. Vollzugs-Vorschriften f. das Gerichtsschreiber- u. Gerichtsvollzieher-Amt in Bayern. Bearb. u. zur Ergänzg. eingerichtet. gr. 8. (95 S.) München 886. Franz' Verl. geb. n. 3. —

Weyh, J. B. F., Stoff- u. Muster-Sammlung zu Beschreibungen, Abhandlungen u. Reden. Für die Schule u. den Privatgebrauch. 2. Aufl., m. Berücksicht. der neuen Orthogr. verb. u. verm. v. e. prakt. Schulmanne. 2 Bde. gr. 8. (VI, 548 S.) Regensburg 883. Coppenrath. 4. — (1. u. 2.: 7. 50)

Weyhe, E. E. F., Musterstücke zum Übersetzen ins Französische f. die oberen Klassen höherer Lehranstalten. 1. Tl. gr. 8. (96 S.) Bonn 883. Weber. n. 1. —

Weyhern, Hans v., cavalleristische Versuche. Mit 19 (eingedr.) Zeichngn. gr. 8. (36 S.) Berlin 886. Wilhelmi. n. 1. 20

Weyl, J., gesammelte heitere Vorträge. 2. Hft. 2. Aufl. u. 17—19. Hft. 8. (1. Bd. S. 33—63 u. 2. Bd. S. 197—288.) Wien 886. Künast. à n. — 60

Weyler, Thdr., was sich schickt. Handbüchleiu d. guten Tons f. die heranwachs. Jugend. 12. (III, 92 S.) Leipzig 886. Oehmigke. cart. — 75; geb. n. 1. —

Weyman, Carl, Studien üb. die Figur der Litotes. gr. 8. (106 S.) Leipzig 886. Teubner. n. 2. —

Weyr, Emil, e. Beitrag zur Gruppentheorie auf den Curven vom Geschlechte Eins. Lex.-8. (47 S.) Wien 883. (Gerold's Sohn.) n. — 80

— über eindeutige Beziehungen auf e. allgemeinen ebenen Curve 3. Ordnung. Lex.-8. (36 S.) Ebend. 883. n. — 60

— über e. Correspondenzsatz. Lex.-8. (7 S.) Ebend. 883. n. — 20

— die Elemente der projectivischen Geometrie. 1. u. 2. Hft. gr. 8. Wien, Braumüller. à n. 6. —
1. Theorie der projectivischen Grundgebilde 1. Stufe u. der quadratischen Involutionen. (IX, 231 S. m. Fig.) 883.
2. Theorien der Curven 2. Ordng. u. 2. Classe. Mit 19 Holzschn. (XII, 228 S.) 887.

— über die Geometrie der alten Aegypter. Vortrag. 8. (35 S.) Wien 884. (Gerold's Sohn.) n.n. — 50

— über Raumcurven 5. Ordnung vom Geschlechte Eins. [1. Mittheilg.] Lex.-8. (20 S.) Ebend. 884. n. — 40

— dasselbe. 2. Mittheilg. Lex.-8. (26 S.) Ebend. 885. n.n. — 50

Weyrauch, Jac. J., Aufgaben zur Theorie elastischer Körper. Mit 110 Fig. im Text. gr. 8. (X, 350 S.) Leipzig 885. Teubner. n. 8. —

— das Princip v. der Erhaltung der Energie seit Robert Mayer. Zur Orientirg. gr. 8. (48 S.) Ebend. 885. n. 1. —

— Theorie elastischer Körper. Eine Einleitg. zur mathemat. Physik u. techn. Mechanik. Mit 42 Fig. im Text. gr. 8. (VIII, 279 S.) Ebend. 884. n. 7. 20

Weyringer, H., Arbeits-Kalender f. den Gemüse- u. Blumengarten u. f. den kleinen Park. 16. (24 S.) Wien 883. (Frick.) n. — 20

Wezel, Ernst, Cäsars gallischer Krieg. Ein Übungsbuch zum Übersetzen aus dem Deutschen in das Lateinische f. Tertia. 1. u. 2. Tl. gr. 8. Berlin 886. Weidmann. n. 2. 80
1. Buch 1—3. (VIII, 111 S.) n. 1. 20
2. Buch 4—6. (IV, 153 S.) n. 1. 60

Whately's Grundlagen der Rhetorik. Von G. Hildebrand. gr. 8. (VI, 191 S.) Gotha 884. F. A. Perthes. n. 4. —

Wheeler, Benj. J., der griechische Nominalaccent. Mit Wörterverzeichniss. gr. 8. (VIII, 146 S.) Strassburg 885. Trübner. n. 3. 50

Whistling, Karl W., Statistik d. königl. Conservatoriums der Musik zu Leipzig 1843—1883. Aus Anlass d. 40jähr. Jubiläums dieser Anstalt hrsg. Mit den (Holzschn.-) Bildnissen v. Mendelssohn Bartholdy, M. Hauptmann, E. F. Richter, Ignaz Moscheles u. Ferd. David. hoch 4. (VIII, 83 S.) Leipzig 883. Breitkopf & Härtel. n. 2. —

White, Andrew D., Neu-Deutschland. Aus dem Engl. übers. v. Wilh. Ruprecht. gr. 8. (IV, 46 S.) Göttingen 883. Vandenhoeck & Ruprecht's Verl n. 1. —

Whitney, W. D., die Wurzeln, Verbalformen u. primären Stämme der Sanskrit-Sprache, s.: Bibliothek indogermanischer Grammatiken.

Whyte Melville, G. J., Sarchedon. Ein Roman aus der Zeit der Semiramis. Deutsch v. Jul. Voit. 3 Bde. 8. (VII, 248; VII, 239 u. VII, 221 S.) München 886. Franz' Verl. n. 12. —

Wichard's, A., Schwarzwaldführer f. Touristen. 1—3. Bd. 8. Pforzheim 886. Riecker. geh n. 6. 40

1. Baden-Baden u. das Gebiet zwischen Acher u. Murg. Mit 30 Wegekarten, 1 : 25 000, sowie 1 Übersichts- u. 1 Eisenbahnkarte. (64 S.) n. 2. 20
2. Der Kniebis u. die Kniebisbäder. Mit 20 Wegekarten, 1 : 25 000, 1 Übersichts- u. 1 Eisenbahnkarte. (47 S.) n. 1. 80
3. Pforzheim-Wildbad u. das Gebiet zwischen Murg u. Nagold. Mit 30 Wegekarten 1 : 25 000, 1 Übersichts- u. 1 Eisenbahnkarte. (80 S.) n. 2. 40

Wiche, die Ziele der handelsgeographischen Vereine in Deutschland u. der Erfolg ihrer bisherigen Thätigkeit. Eine Studie. Vortrag. gr. 8. (32 S.) Oberhausen 883. (Bauer & Witzler.) n. — 50

Wichelhaus, Johs., academische Vorlesungen üb. biblische Dogmatik. Nebst Mittheilgn. aus seinem Leben. Hrsg. v. A. Zahn. 2. Aufl. gr. 8. (XCIII, 201 S.) Halle 884. Fricke's Verl. n. 3. —

— akademische Vorlesungen üb. das neue Testament. 2. u. 3 Bd. Hrsg. u. ergänzt v. A. Zahn. gr. 8. Halle, Fricke's Verl. n. 7. — (1—3.: n. 10. —)
2. Das Evangelium Matthäi. 2. Aufl. besorgt v. W. Becker. (VIII, 459 S.) 885. n. 4. —
3. Das Evangelium d. Johannes. (XVII, 264 S.) 884. n. 3. —

Wicherkiewicz, B., 6. Jahres-Bericht üb. die Wirksamkeit der „Augen-Heil-Anstalt f. Arme" in Posen St. Martin No. 6. f. d J 1883. gr. 8. (39 S.) Posen 884. (Wiesbaden, Bergmann.) n.n. 1. —

— dasselbe, 7. Jahres-Bericht f. d. J. 1884, nebst klin. Casuistik u. e. kurzen Abhandlg. üb. Cocain. gr. 8. (III, 48 S.) Ebend. 885. n.n. 1. 50

— dasselbe, 8. Jahres-Bericht f. d. J. 1885, nebst hygien. u. prakt. Anmerkgn., Mittheilgn. üb. die Operation unreifer Staare u. Notizen üb. Cocain. gr. 8. (III, 46 S.) Ebend. 886. n.n. 1. 50

Wichern, Caroline, alte u. neue Weihnachtslieder f. Schule u. Haus. Gesammelt u. zum Theil neu bearb. 4. Aufl. 8. (48 S.) Hamburg 886. Agentur d. Rauhen Hauses. n. — 40; wohlf. Ausg. 5 Expl. n. 1. —

Wichern, J., das Rauhe Haus u. die Arbeitsfelder der Brüder d. Rauhen Hauses 1833—1883. Eine Jubelgabe m. Festgruß v. Karl Gerok. Den Freunden d. Rauhen Hauses dargeboten. gr. 8. (X, 319 S. m. Holzschn.) Hamburg 883. Agentur d Rauhen Hauses. n. 2. —

Wichert, Ernst, die Bekenntnisse e. armen Seele, s.: Universal-Bibliothek.

— ein kleines Bild. Novelle. 2. Aufl. 8. (243 S.) Jena 883. Costenoble. n. 1. —

— die Braut in Trauer. Erzählung. 8. (184 S.) Leipzig 884. Reißner. n. 3. —; geb. n. 4. —

— unter e. Decke. Novellen. 8. (283 S.) Ebend. 884. n. 5. —

— Dido, }
— 25 Dienstjahre, } s.: Universal-Bibliothek.

— Heinrich v. Plauen. Historischer Roman in 3 Bdn. 3 Aufl. 8. (284, 404 u. 337 S.) Leipzig 886. Reißner. n. 9. —; geb. n. 12. —

— der große Kurfürst in Preußen. Vaterländischer Roman. 1. u. 2. Abth. 3 Bde. 8. Ebend. 886. n. 13. —; in 2 Bde. geb. n. 15. —
1. Konrad Born. (503 S.) n. 6. —; geb. n. 7. —
2. Der Schöppenmeister. 2 Bde. (278 u. 309 S.) n. 7. —; in 1 Bd. geb. n. 8. —

— Schuster Lange. Störungen. 2 Novellen. 2. Aufl. 8. (216 S.) Jena 883. Costenoble. n. 1. —

— Peter Munk, s.: Universal-Bibliothek.

— Mutter u. Tochter. Eine littauische Geschichte. 8. (115 S.) Leipzig 886. Reissner. n. 2. —; geb. n. 3. —

— von der deutschen Nordost-Mark. Vier preuß. Historien. 8. (406 S) Ebend 885. n. 6. —; geb. n. 7. —

— aus verstreuter Saat. Roman. 8. (235 S.) Ebend. 886. n. 3. —; geb. n. 4. —

— eine vornehme Schwester. Roman. 8. (288 S.) Breslau 883. Schottländer. n. 3. —; geb. n. 4. —

— der Sohn seines Vaters. Novelle. 8. (213 S.) Berlin 885. Goldschmidt. n. 3. —; geb. n. 4. 50

— Sommergäste. Zwei Humoresken. 8. (125 S.) Leipzig 883. Reißner. n. 1. —

Wichert, W. v., die Polizei-Verordnungen d. Reg.-Bez. Potsdam. 6. Ausg. gr. 8. (IV, 651 S.) Berlin 885. Hayn's Erben. n.n. 6. —; geb. n.n. 7. 50

Wichlein's Telegraph-Code for the international-trade. Cipherwords selected according to the rules of the international telegraph-conference at London. 2. corrected ed. gr. 4. (III, 136 S.) Bremen 885. Dierocksen & Wichlein. geb. n. 20. —

Wichmann, A., Fibel, nach prakt. Grundsätzen bearb. 3. Aufl. gr. 8. (IV, 132 S.) Berlin 885. Stubenrauch. n. — 40

— u. G. Zipler, deutsche Aufsätze. Methodisch bearb. u. zusammengestellt. Vorbereitender Tl.: Die schriftl. Übgn. d. 1., 2. u. 3. Schuljahres. gr. 8. (61 S.) Ebend. 884. n. — 60

— dasselbe. 2. Tl. gr. 8. (VII, 126 S.) Ebend. 885. n. 1. 20

Wichmann, F., verlobt u. verliebt, s.: Bibliothek, rothe.

Wichmann, Herm., gesammelte Aufsätze. 1. Bd. gr. 8. (VII, 254 S.) Berlin 884. Ries & Erler. 4. 50

Wichmann, Ralf, Geschwulst- u. Höhlenbildung im Rückenmark, m. neuem Beitrag zur Lehre v. der Syringomyelie, monographisch bearb. Mit Tabellen u. 1 Taf. gr. 8. (VII, 58 S.) Stuttgart 887. Metzler's Verl. n. 1. 50

Wichser, J., Cosmus Heer, Landamman d. Kantons Glarus [geb. 1790, gest. 1837]. Vortrag. gr. 8. (365 S.) Glarus 885. (Baeschlin.) n. 4. —

Wichtigkeit, die, der christlichen Presse. Ein Wort der Mahng. an wahre Volksfreunde. 4. Aufl. 8. (8 S.) Basel 886. Spittler. n. — 4

Wick, A., Entscheidungen deutscher Civil- u. Strafgerichte in Fischerei-Sachen. gr. 8. (VIII, 37 S.) Ulm 885. Ebner. n. 1. —

Wick, Ludw., die Bäder zu Hofgastein. Mit e. (phototyp.) Ansicht v. Hofgastein. gr. 8. (VI, 127 S.) Wien 883. Braumüller. n. 1. 60

Wick, W., der Fischereischutz in Württemberg. 2. Aufl. 8. (IV, 72 S. m. 2 Tab.) Ulm 883. Wagner. n. 1. —

Wickede, F. C. v., Indianer-Geschichten, s.: Schmidt's, F., deutsche Jugendbibliothek.

Wickede, Jul. v., die Streber. Socialer Roman aus der Gegenwart. 3 Bde. 8. (IV, 203, 207 u. 223 S.) Breslau 884. Schottländer. n. 13. 50; geb. n. 16. 50

Wickel, Ed., krystallographische Untersuchung einiger organischen Verbindungen. Mit 1 (lith.) Taf. gr. 8. (37 S.) Göttingen 884. (Vandenhoeck & Ruprecht.) n. 1. 20

Wickenburg, A. Graf, Meister Pathelin, s.: Theater, neues Wiener.

Wickenhauser, Frz. Adf., Molda od. Beiträge zur Geschichte der Moldau u. Bukowina. 2. Bd. A. u. d. T.: Die deutschen Siedelgn. in der Bukowina. 1. Bdchn. 8. (138 S.) Czernowitz 885. (Pardini.) n. 2. 65 (1. u. 2.: n. 8. 15)

Wickersheimer, C., kleine Erdkunde f. die Elementarschulen in Elsaß-Lothringen. 5. verb. Aufl. 8. (93 S.) Straßburg 885. Heitz. geb. n.n. — 50

Wiclif's, Joh., lateinische Streitschriften, aus den Handschriften zum erstenmal hrsg., kritisch bearb. u. sachlich erläutert v. Rud. Buddensieg. Mit 1 Schriftentaf. gr. 8. (XV, C, 840 S.) Leipzig 883. Barth. n. 24. —

Wiclif, Johann, u. seine Zeit, s.: Buddensieg, R.

Widdern, M., Altjüngferchens Geburtstag. Novelle. 8. (197 S.) Berlin 883. Goldschmidt. 3. —

— dasselbe. 2. Aufl. 12. (198 S.) Ebend. 884. n. 1. —

— im Doktorhause. Orig.-Erzählg. 2. Aufl. 12. (107 S) Ebend. 883. n. — 50

Widemann, Geo. Otto, Schlüssel zur Erkenntniss d. höchsten Gesetzes, unter welchem Natur u. Geschichte stehen. gr. 8. (21 S.) Planen i/V. 883. (Leipzig, Fock.) n. 1. 50

Widemann, Paul Heinr., Erkennen u. Sein. Lösung d. Problems d. Idealen u. Realen, zugleich e. Erörterg. d. richt. Ausgangspunktes u. der Principien der Philosophie. gr. 8. (XII, 238 S.) Berlin 885. Reuther. n. 5. —

Widenmeyer, Adf., das Etat- u. Kassenwesen d. Königr. Württemberg, m. besond. Berücksicht. der Verkehrsanstalten u. m. Bezugnahme auf die Einrichtungen anderer deutscher Staaten dargestellt. gr. 8. (XI, 442 S.) Stuttgart

885. Kohlhammer. n. 6. —; Suppl. (III, 83 S.) 886. n 1. 40

Wider Johannes Janssen u. seine Geschichte d. deutschen Volkes seit dem Ausgang d. Mittelalters v. e. practischen Theologen. gr. 8. (VIII, 158 S.) Frankfurt a/M. 883. Drescher's Verl. n. 2. —

— dasselbe 2. Ausg., verm. durch e. krit. Bericht d. 4. Bds. v. Janssens deutscher Geschichte. gr. 8. (XIV, 239 S.) Ebend. 886. n. 3. —

— den Trunk. Hrsg. auf Veranlassg. d. Deutschen Vereins gegen den Mißbrauch geistiger Getränke. gr. 8. (IV, 92 S.) Dresden 885. (Minden.) n n. — 50

Widersberg, E., wehe dem Meineidigen od. du sollst kein falsches Zeugnis geben. Eine Familiengeschichte. 8. (64 S.) Hamburg 884. Kramer. — 25

Widhalm, R., die Schiffbrüchigen, s.: Volksbibliothek, neue.

Widman, G. R., Fausts Leben, s.: Collection Spemann.

Widmann, Benedikt, Auswahl geistlicher u. weltlicher Volkslieder u. anderer Gesänge f. katholische Volksschulen. 2 Hfte. 8. Fulda 888. Maier. n. — 75
1. Unter- u. Mittelstufe. (VI, 42 S.) n. — 35
2. Oberstufe. (IV, 60 S.) n. — 40

— die kunsthistorische Entwickelung d. Männerchors, in drei Vorlesgn. dargestellt. gr. 8. (100 S.) Leipzig 884. Merseburger. 1. 80

— kleine Gesanglehre f. die Hand der Schüler. Regeln, Übgn., Lieder u. Choräle f. 3 Singstufen e. Knaben- od. Mädchenschule. 18. Ster.-Aufl. 12. (88 S.) Ebend. 886. n. — 40

— Geschichtsbild d. deutschen Volksliedes, in Wort u. Weise dargestellt u. erläutert. 8. (XII, 122 S.) Ebend. 885. 1. 50

— praktischer Lehrgang f. e. rationellen Gesang-Unterricht in mehrklassigen Volks- u. Bürgerschulen. Auf Grundlage der allgem. Bestimmgn. vom 15. Oktbr. 1872 methodisch bearb. 1. u. 5. Stufe. 4. Aufl. 8. Ebend. 886. n. — 60
1. (32 S.) n. — 20. — 5. (52 S.) n. — 40

— Lieder f. Schule u. Leben. 3. Stufe, f. die oberen Klassen höherer Bürger- u. Töchterschulen. Methodisch geordnet u. hrsg. 7. Ster.-Aufl. 12. (II, 102 S.) Ebend. 887. — 45

Widmann, Hans, Fremdenführer f. Steyr u. Umgebung Nebst e. naturhistor. Skizze v. A. Zimmeter. Mit 1 (lith.) Karte Hrsg. vom Central-Comité der elektr., Landes-Industrie-, Forst- u. cultur-histor. Ausstellg. in Stadt Steyr unter dem Protectorate Sr. kaiserl. Hoh. Erzherzog Carl Ludwig. 12. (110 S.) Steyr 884. Kutschera. n. — 80

— zur Geschichte u. Literatur d. Meistergesanges in Oberösterreich. Mit Benützg. bisher unedirter Handschriften. gr. 8. (44 S.) Wien 885. (Pichler's Wwe. & Sohn.) n. 1. —

Widmann, Jos. Vict., aus dem Fasse der Danaiden. Zwölf Erzählgn. [I. Gemütliche Geschichten. II Amoretten. III. Nach wirkl. Begebenheiten.] 8. (III, 543 S.) Zürich 884. Schmidt. n. 5. —

— der Redacteur; als Mädchen, s.: Universal-Bibliothek.

— Spaziergänge in den Alpen. Wanderstudien u. Plaudereien. 8. (VII, 270 S.) Frauenfeld 885. Huber. n. 3. 20

Widmann, S., Materialien zu Extemporalien nach Cäsars bellum gallicum I—VII f. Tertia u. Sekunda der Gymnasiem, Realgymnasien, Progymnasien u. Realprogymnasien. 1. Hft. gr. 8. (VII, 51 S.) Paderborn 886. F. Schöningh. n. — 75

Widra, J. F., e. verlorenes Leben. Novelle. 12. (52 S.) Wien 885. Better. n. 1. —

Wie ich meine Bücher führe. Kurze Anleitg. zur Einrichtg. u. Fortführg. der doppelten Buchhaltg. f. Sortiments-Buchhandlgn. Mit e. Beilage. 8. (39 S.) Erfurt 886. Villaret. n.n. 1 —

— sich die Demokratie das Volk in Waffen dachte. Ein zeitgemäßer Rückblick. gr. 8. (67 S.) Berlin 886. Mittler & Sohn. n. 1. —

Wie ich zum Frieden kam. Eine Autobiographie v. der Verf. v. „Wir Beide, Graham u. ich". Deutsche autoris. Ausg. v. Marie Morgenstern. 4. unveränd. Aufl. 8. (248 S.) Leipzig 887. Böhme. n. 2. 20; geb. n. 2. 90

— kann die schweizerische Landwirthschaft im Allgemeinen intensiver betrieben werden, um namentlich der wachsenden Konkurrenz d. Auslandes Stand zu halten? Welches sind, unter besond. Berücksicht. der kleinbäuerlichen Verhältnisse, die hierfür geeignetsten Kulturen, Betriebsweisen u. Hülfsmittel? Preisfrage d. Schweiz. landwirthschaftl. Vereins pro 1883. gr. 8. Aarau 885. Christen. n. 1. 80
Einleitung. (VI S.) I. Die schweizerische Landwirthschaft. Wie sie ist u. wie sie sein sollte. Von H. Ergenzinger. (S. 1—80.) — II. Die schweizerische Landwirthschaft in ihrem intensiver'n Betriebe. II. preißgekrönte Arbeit v. Alfr. Bucher. (S. 81—120.) — Die schweizerische Landwirthschaft in ihrem intensiver'n Betriebe. III. preisgekrönte Arbeit v. F. Anderegg. (S. 121—168.)

— lebt man glücklich, s.: Wothe, A.

— führe ich meine Prozesse beim Amtsgericht? Anleitung üb. den Gang d. Prozeß-Verfahrens m. Hinweis auf die bezügl. Paragraphen der Reichs-Justizgesetze. 23. Aufl. gr. 8. (50 S.) Löbau Wpr. 885. Skrzeczek. n. 1. —

— man schön wird. Eine Toilettengabe f. die Damenwelt. Nebst Anweisg. zur bill. Herstellg. aller Schönheitsmittel. 12. (48 S.) Chemnitz 884. Hager. — 50

— Dr. Schwarz ganz anders als Dr. Weiss v. der Desinfection geredet hat u. was ein gewisser Doctor Faust dazu meinte. Eine hygien. Humoreske. 2. Aufl. 8. (32 S.) Stuttgart 884. Waag. n. — 50

— mache ich Steuer-Reclamationen? Anleitung, wie man Reclamations-Gesuche betr. Gewerbe-, Grund-, Gebäude- u. Einkommensteuer abzufassen hat. gr. 8. (34 S.) Löbau Wpr. 885. Skrzeczek. n. — 60

— studirt man Jurisprudenz? Von e. prakt. Juristen. 8. (26 S.) Leipzig 883. Roßberg. n. — 60

— dasselbe. 2. Aufl., verm. durch e. tabellar. Uebersicht der Bestimmgn zur Erlangg. der jurist. Doctorwürde an den Universitäten Deutschlands. Von e. prakt. Juristen. 8. (43 S.) Ebend. 885. n. — 80

— studirt man Mathematik u. Physik? Von e. Lehrer der Mathematik. 8. (32 S.) Ebend. 885. n. — 60

— studirt man Medicin? Von e. prakt. Arzte. Nebst e. genauen Studienplan u. den neuesten Bekanntmachgn., betr. die Prüfg. f. Aerzte u. Zahnärzte. 8. (48 S.) Ebend. 884. n. — 80

— studirt man classische Philologie u. Geschichte? Von e. erfahrenen Fachgenossen. 8. (32 S.) Ebend. 884. n. — 60

— studirt man neuere Philologie u. Germanistik? Von e. älteren Fachgenossen. 8. (31 S.) Ebend. 884. n. — 60

— studirt man Theologie? Von e. erfahrenen Theologen. 8. (26 S.) Ebend. 884. n. — 60

— es war u. wurde. Erzählungen vom Verf. der Erinnergn. e. deutschen Offiziers. [Aus althannoverscher Zeit. An der Grenze.] 8. (VII, 256 S.) Wiesbaden 885. Bergmann. n. 4. 50; geb. n. 5. 40

— man zufrieden u. glücklich wird. Von e. Glücklichen. gr. 8. (57 S.) Lippstadt 884. Boerner. n. 1. 20

Wiebe, H. F., das Heberbarometer *N*, s.: Beiträge, metronomische.

Wiebecke, geschichtliche Entwickelung unserer Kenntniss der Ptomaïne u. verwandter Körper, s.: Sammlung naturwissenschaftlicher Vorträge.

Wiechmann, C. M., Meklenburgs altniedersächsische Literatur. Ein bibliograph. Repertorium der seit der Erfindg. der Buchdruckerkunst bis zum 30jähr. Kriege in Meklenburg gedruckten niedersächs. od. plattdeutschen Bücher, Verordngn. u. Flugschriften. 2 u. 3. Thl. gr. 8. Schwerin, (Stiller). n. 8. — (cplt.: n. 12. —)
2. Zweite Hälfte d. 16. Jahrh. (VII, 152. S.) 870. n. 2. —
3. 1600—1625. Mit Nachträgen u. Registern zu allen 3 Thln. Nach C. M. Wiechmanns Tode bearb. u. hrsg. v. Adph. Hofmeister. (XIII, 244 u. Reg. 28 S.) 885. n. 6. —

Wieck, B., die Terraingesellschaften u. ihr Verhältniß zur Berliner Bauthätigkeit unter besond. Berücksicht. der Baugesellschaft am kleinen Thiergarten. Hrsg. vom Vorstand der Baugesellschaft am kleinen Thiergarten. gr. 8. (41 S.) Berlin 886. Bohne. n. — 50

— über die Wirkungen der Bestimmungen d. Entwurfs e. neuen Baupolizeiordnung f. Berlin auf die wirthschaftlichen, socialen u. baulichen Interessen der Stadt. Mit 9 Holzschn. u. e. Anh. enth. den Wortlaut d. Entwurfs. gr. 8. (51 S.) Ebend. 885. n. 1. 50

Wieck's, Frdr. Geo., deutsche illustrirte Gewerbezeitung. Hrsg. unter Mitwirkg. tücht. volkswirthschaftl. u. technolog. Kräfte. 48—51. Jahrg. 1883—1886. à 52 Nrn. (à 1—2 1/2 B.) Fol. Stuttgart, Grüninger. à Jahrg. n. 12. —

Wierzoreck, Rud., das lenkbare Luftschiff gr. 8. (8 S.) Breslau 884. (Preuß & Jünger.) — 30

Wied, Carl, türkischer Dolmetscher. Anleitung, die türk. Sprache in kurzer Zeit sprechen zu lernen. Enth.: Einen kurzen Abriß der Grammatik, Gespräche m. interlinearer wörtl. Uebersetzg., systemat. Wörtersammlg., sowie e. kurzes alphabetisch geordnetes Wörterbuch. 8. (VII, 123 S.) Leipzig 884. O. Wigand. geb. n. 2. —

— ὁμιλεῖτε 'Ελληνικά; [Sprechen Sie Neugriechisch?] Neugriechischer Sprachführer, enth. e. kurze Grammatik, Gespräche u. Lesestücke f. Reisende u. Studirende. 2. Aufl. 8. (VII, 109 S) Leipzig 886. C. A. Koch. 2. 50

— praktischer Lehrgang zur Erlernung der deutschen Sprache nach Dr. F. Ahn's Methode, f. Griechen bearb. 1. u. 2. Curs. 8. (V, 116 u. 120 S.) Leipzig 884. Brockhaus. à n. 1. 50

Wiede, F., üb. das Recht auf Arbeit u. unsere gesellschaftlichen Verhältnisse im Allgemeinen. Ein Mahnwort zum inneren Frieden. gr. 8. (43 S.) Berlin 885. R. Pohl. n. 1. —

Wiedemann, A., Gesetz betr. die Unterbringung verwahrloster Kinder. Vom 13. März 1878. [Ges. S. S. 132.] Nebst den abänd. Gesetzen vom 27. März 1881 [G. S S. 275] u. 23. Juni 1884 [G. S. S. 306]. Erläutert. Anh: I. Uebersicht üb. die Entstehg. d. Gesetzes. II. Ausführungserlasse u. Formulare. III. Ausführungs-Reglements. gr. 8. (220 S.) Berlin 887. Puttkammer & Mühlbrecht. n. 3. —

Wiedemann, Alfr., die ältesten Beziehungen zwischen Aegypten u. Griechenland. Vortrag. gr. 8. (22 S.) Leipzig 883. Barth. — 60

— ägyptische Geschichte, s.: Handbücher der alten Geschichte.

— Sammlung altägyptischer Wörter, welche v. klassischen Autoren umschrieben od. übersetzt worden sind. gr. 8. (46 S.) Leipzig 883. Barth. n. 5. —

Wiedemann, F., unter deutschen Eichen zur Zeit Karls d. Großen, s.: Spiegelbilder aus dem Leben u. der Geschichte der Völker.

Wiedemann, F. J., Grammatik der syrjänischen Sprache m. Berücksicht. ihrer Dialekte u. d. Wotjakischen. Lex.-8. (XII, 252 S.) St Petersburg 884. Leipzig, Voss' Sort. n. 3. 80

Wiedemann, Frz., tausend Figuren. Zeichenschule f. die Kleinen. Auf Netzlinien entworfen u. stufenweise geordnet. Für Schule, Kindergarten u. Haus. 3. Aufl. gr. 4. (4 S. m. 80 Steintaf.) Leipzig 885. Oehmigke. n. 2. —

— hundert Geschichten f. e. Mutter u. ihre Kinder. Mit 8 Farbendr.-Bildern nach Orig.-Zeichngn. v. Wilh. Claudius u. C. W. Müller. 8. Aufl. gr. 8. (IV, 174 S.) Dresden 885. Meinhold & Söhne. geb. 3. —

— Goldsternchen. 45 kleine moral. Erzählgn. Für Kinder von 6 bis 12 Jahren. Mit (5) Bildern in Buntdr. nach Zeichngn. v. M. Block. 3. Aufl. gr. 8. (IV, 148 S.) Leipzig 884. Oehmigke. geb. n. 3. —

— wie ich meinen Kleinen die biblischen Geschichten erzähle. Für Lehrer, Lehrerinnen, Gouvernanten, Väter u. Mütter u. überhaupt alle, welche es m. Erziehg. der Kleinen zu thun haben. Zugleich ist es e. Buch f. die Kleinen selbst. 10. Aufl. Mit 100 (eingedr.) Holzschn. 8. (XV, 299 S.) Dresden 883. Meinhold & Söhne. 1. 50; in Schulbd. n. 1. 80; in Leinw.-Bd. n. 2. —

Wiedemann, Frz., Kleinkindergeschichten. Kleine moral. Erzählgn. f. das Alter von 5 bis 7 Jahren. Mit 6 Farbendr.-Bildern nach Orig.-Aquarellen v. Wilh. Claudius u. Titel nach der Orig.-Aquarelle v. Osc. Pletsch. 2. Aufl. gr. 8. (IV, 153 S.) Dresden 884. Meinhold & Söhne. geb. 3. —

— für Kopf u. Herz! 50 Lebensbilder f. Kinder im Alter von 8 bis 12 Jahren. Mit 8 Bildern in Farbendr. nach Originalen v. Thdr. Hosemann u. Gust. Bartsch. 3. Aufl. Lex.-8. (VIII, 168 S.) Leipzig 883. Oehmigke. geb. n. 4. —

— der Lehrer der Kleinen. Ein prakt. Ratgeber f. junge Elementarlehrer. Ueberhaupt e. Buch f. alle, welche sich f. die Erziehg. der Kleinen interessieren. 6. Aufl. gr. 8. (XX, 391 S.) Ebend. 885. n. 4. —; geb. n. 5. —

— Lieblingsgeschichten. Erzählungen f. brave Kinder von 8 bis 12 Jahren. Der „25 Lieblingskapitel" 4. Aufl. Mit 8 Bildern in Farbendr. nach Zeichngn. v. Gust. Süs. gr. 8. (VI, 166 S.) Ebend. 884. geb. n. 4. —

— Samenkörner f. Kinderherzen. Als Grundlage f. den ersten Religionsunterricht, nach den zehn Geboten u. den christl. Festtagen geordnet. Nebst e. Anh. kleiner Lieder nach bekannten leichten Melodien. Für Kinder von 6 bis 8 Jahren. 11. Aufl. 12. (159 S.) Dresden 883. G. Dietze. cart. n. — 75

Wiedemann, Frz., die Reichspolitik d. Grafen Haug v. Werdenberg in den J. 1466—1486. gr. 8. (114 S.) Stettin 883. (Berlin, Mayer & Müller.) n. 1. 50

Wiedemann, Gust., üb. die Bestimmung d. Ohm. Mit 2 (lith.) Taf. gr. 4. (75 S.) Berlin 885. (G. Reimer.) cart. n. 4. 50

— die Lehre v. der Electricität. Zugleich als 3. völlig umgearb. Aufl. der Lehre vom Galvanismus u. Elektromagnetismus. 2—4. Bd. Mit Holzst. gr. 8. Braunschweig, Vieweg & Sohn. n. 88. —; geb. n. 92. — (cplt.: n. 108. —; in 5 Bde. geb. n. 113. —)

2. (VII, 1002 S.) 883. n. 25. —; geb. n. 26. —. — 3. (VIII, 968 S.) 883. n. 24. —; geb. n. 25. —. — 4. (XIV, 1491 S.) 885. n. 39. —; in 2 Bde. geb. n. 41. —

Wiedemann, Max, Gregor VII. u. Erzbischof Manasses I. v. Reims. Ein Beitrag zur Geschichte der französ. Kirchenpolitik d. Papstes Gregor VII. gr. 8. (88 S.) Leipzig 884. (Fock.) n. 2. —

Wiedemann, P. J., Liturgik f. katholische Gymnasien. I. gr. 8. (130 S.) Augsburg 883. Rieger. n. 1. —

Wiedemann, Thdr., Geschichte der Frauenklöster St. Lorenz u. Maria Magdalena in Wien. gr. 8. (V, 117 S.) Salzburg 883. Mittermüller. n. 2. 40

— Geschichte der Reformation u. Gegenreformation im Lande unter der Enns. 4. u. 5. Bd. gr. 8. Prag, Tempsky. — Leipzig, Freytag. n. 21. — (1—5.: n. 57. —)

4. Die reformator. Bewegg. im Bisth. Passau, im Bisth. Neustadt, im niederösterreich. Diöcesanantheil v. Salzburg u. v. Raab. (VI, 446 S.) 884. n. 9. —

5. Die Gegenreformation von dem westphälischen Friedensschlusse bis zu dem Josephinischen Toleranzedict. (608 S.) 886. n. 12. —

Wiedenhofer, Franc., Antiphontis esse orationem quam editiones exhibent primam. gr. 8. (29 S.) Wien 884. (Konegen.) n. 1. —

Wieder, E., agendarisches Hilfsbüchlein f. evangelische Geistliche. 8. (37 S.) Leipzig 883. F. E. Fischer's Verl. n. — 50

Wiederhold, E. A., Fibel f. den Schreib-Leseunterricht. 10. Aufl. gr. 8. (X, 148 S. m. Illustr.) Frankfurt a/M. 881. Auffahrt. geb. n.n. 1. 30

— die Welt d. Kindes. Lesebuch f. das 2. Schuljahr. 8., unveränd. Aufl. gr. 8. (IX, 145 S) Ebend. 882. geb. n.n. 1. 80

Wiederhold, Frhr. K. v., zur Einigungsfrage der deutschen Krieger-Verbände. [3 Anlagen.] 8. (52 S.) Stuttgart 884. Kohlhammer. — 20

Wiederholungen aus der deutschen Litteraturgeschichte in katechetischer Form f. die Oberklasse höherer Unterrichts-anstalten, sowie besonders auch f. Candidaten u. Candidatinnen d. Mittel- u. d. Volksschulamtes u. zum Privatstudium. Von e. Schulmanne. 3. Aufl. 8. (X, 220 S.) Leipzig 883. Lesimple. n. 1. 80; cart. n. 2. —

Wiederholungsbuch f. den geographischen, geschichtlichen, naturkundlichen u. deutschen Unterricht in Volks- u

Mittelschulen. Hrsg. v. K. Schumacher, L. Wrede, A. Grohmann, K. Neumann. 70. Ster.-Aufl. 8. (163 S.) Berlin 885. Oehmigke's Verl. geb. n.n. — 60

Wiederholungs- u. Uebungsbuch f. den Unterricht in Erdkunde, Geschichte, Naturgeschichte, Naturlehre, Raumlehre, Sprachlehre, nebst litteraturgeschichtl. Anh. Nach dem Normal-Lehrplan f. die Elementar-Schulen in Elsaß-Lothringen bearb. v. elsäss. Lehrern. 4. Aufl. 8. (IV, 181 S.) Straßburg 885. Schmidt. cart. n.n. — 80

Wiederkunft u. **Herrschaft** unseres Herrn Jesu Christi. Von E. H. C. Autoris. Uebersetzg. aus dem Engl. vom Uebersetzer d. Büchleins „Jesus Alles u. in Allen". Und Strahlen v. der himmlischen Stadt aus der „ewigen Ruhe der Heiligen" v. Rich. Baxter. 8. (IV, 140 S.) Breklum 883. Christl. Buchh. cart. n. 1. —; geb. n.n. 1. 50; m. Goldschn. n. 2. —

Wiedersheim, E., die Fischzucht, s.: Landmanns, d., Winterabende.

Wiedersheim, R., s: Ecker, A., die Anatomie d. Frosches.

— Grundriss der vergleichenden Anatomie der Wirbelthiere, f. Studierende bearb. Mit 225 Holzschn. gr. 8. (XII, 272 S.) Jena 884. Fischer. n. 8. —; geb. n. 9. —

— Lehrbuch der vergleichenden Anatomie der Wirbelthiere auf Grundlage der Entwicklungsgeschichte. 2. Thl. Mit 261 Holzschn. gr. 8. (XVI u. S. 477—905) Ebend. 883. n. 12. — (cplt.: n. 24. —)

— dasselbe. 2. verm. u. verb. Aufl. Mit 614 Holzschn. Lex.-8. (XIV, 890 S.) Ebend. 886. n. 24. —

— das Respirations-System der Chamaeleoniden. Mit 2 lith. Taf. gr. 8. (18 S.) Freiburg i/Br. 886. Mohr. n. 3. —

Wiedmayer, W., französische Stilübungen f. obere Klassen. gr. 8. (IV, 128 S.) Stuttgart 883. Metzler's Verl. n. 1 80

Wiegand, Abb., Schmerz u. Trost beim Tode v. vier Kindern. Grabrede, geh. am 8. Dezbr. 1883 in Mittelhausen. gr. 8. (7 S.) Erfurt 884. Neumann. n.n. — 15

Wiegand, Aug., 1. Kursus der Planimetrie. Für Gymnasien, Real- u. Bürgerschulen u. zum Gebrauche f. Hauslehrer bearb. 13. Aufl. Mit 102 Holzschn. gr. 8. (VI, 99 S.) Halle 886. Schmidt. n. 1. —

— Lehrbuch der Planimetrie. 3. Curs., zugleich als Vorbereitg. auf die neuere Geometrie. Für den Schulgebrauch bearb. v. F. Meyer. 3. Aufl. Mit Holzschn. gr. 8. (VII, 95 S.) Ebend. 885. n 1. 50

— Lehrbuch der Stereometrie u. sphärischen Trigonometrie, nebst zahlreichen Uebungsaufgaben. Für die oberen Klassen höherer Lehranstalten bearb. 10. Aufl. Mit 61 Holzschn. gr. 8. (VIII, 142 S.) Ebend. 885. n. 1. 50

— Lehrbuch der ebenen Trigonometrie, nebst vielen Uebungsaufgaben. Für die oberen Klassen höherer Lehranstalten, sowie f. den Selbstunterricht bearb. Mit Holzschn. 8 Aufl. gr. 8. (VIII, 97 S.) Ebend. 883. n. 1. —

Wiegand, Frdr., der Erzengel Michael in der bildenden Kunst. Ikonographische Studie. Lex.-8. (V, 83 S.) Stuttgart 886. J. E. Steinkopf. n. 1. 60

Wiegand, W., s.: Urkunden u. Akten der Stadt Strassburg.

Wieger, Frdr., Geschichte der Medicin u. ihrer Lehranstalten in Strassburg vom J. 1497 bis zum J. 1872. Der 58. Versammlg. deutscher Naturforscher u. Aerzte in Strassburg 18—22. Septbr. 1885 gewidmet. hoch 4. (XIX, 173 S) Strassburg 885. Trübner. n. 6. —

Wiel, Jos., diätetische Behandlung der Krankheiten d. Menschen. 4. Bd. gr. 8. Karlsbad 883. Feller. n. 4. —; geb. n. 5. — (1—4.: n. 16. —; geb. n. 20. —)
Tisch f. Nervenkranke [diätetische Behandlung der Nervenkrankheiten] v. Osc. Eyselein. (XII, 267 S.)

— diätetisches Koch-Buch f. Gesunde u. Kranke, m. besond Rücksicht auf den Tisch f Magenkranke. 6. Aufl. Mit 5 Holzschn. gr. 8. (XXII, 280 S.) Freiburg i/Br. 886. Wagner. n. 4. 80; geb. n. 5. 50

— Tisch f. Magenkranke. [Diätetische Behandlg. der Krankheiten d. Magens.] 6. Aufl. gr. 8. (XVI, 210 S.) Karlsbad 884. Feller. n. 4. —; geb. n. 5. —

Wieland, C. G., praktische Anleitung zur kaufmännischen Zinsenberechnung in den Konto-Korrenten. gr. 8. (30 S.) Berlin 886. Mode's Verl. n. 1. —

Wieland's, Ch. M., Werke, s.: National-Litteratur, deutsche.

— s.: Keil, R.

— Oberon, s.: Meyer's Volksbücher. — Schulausgaben classischer Werke.

— philosophische Aufsätze, s.: Volksbibliothek f. Kunst u. Wissenschaft.

Wieland, Karl, kleiner Elementarkursus der deutschen u. italienischen Handels-Korrespondenz f. Handelsschulen höhere Bürgerschulen u. f. junge Kaufleute. 16. (51 S.) Stuttgart 883. Metzler's Verl. n. — 60

Wieland, Paul, 4 Fälle v. Echinococcus in der Abdominalhöhle. gr. 8. (32 S.) Breslau 886. (Köhler.) n. 1. —

Wielandt, Frdr., neues badisches Bürgerbuch. Eine Sammlg. der wichtigsten Gesetze u. Verordngn. aus dem Verfassungs- u. Verwaltungsrecht d. Großherzogth. Baden. Nebst den einschläg. Gesetzen d. Deutschen Reiches. 4. Aufl. 8. (XI, 998 S.) Heidelberg 883. Emmerling & Sohn. n. 5. —

— Handbuch d. badischen Gemeinderechtes. 1. Bd. Die Gemeindegesetzgebg. im engeren Sinne. Mit Erläutergn. 2. neubearb. Aufl. 1. Abth. Die Gesetzgebg. f. die der Städteordng. nicht unterstell. Gemeinden. gr. 8. (XXXVIII, 586 S.) Ebend. 883. n. 8. —; Einbd. n.n. 1. —

Wiemann, A., Materialien zum Übersetzen ins Englische. 2. Bdchn. Bilder aus der deutschen Geschichte. 16. (100 S.) Gotha 883. Schloeßmann. n. — 60 (1. u. 2.: n. 1. —)

— s.: Materialien zum Uebersetzen ins Französische.

— s.: Schülerbibliothek, englische.

— Uebungsbuch zur Erlernung der französischen Sprache nach neuer Methode. 2 Hfte. 8. Iserlohn 886. Bädeker. n. 1. 50
1. Uebungsbuch. (109 S.) cart. n. 1. —
2. Verzeichnis der Wörter u. Redensarten. (59 S.) n. — 50

— Wörterverzeichnis zu Bd. X u. XIII der englischen Schülerbibliothek. 16. (37 u. 32 S.) Gotha 883. Schloeßmann. à n. — 20

— Wörterverzeichnis nebst Redensarten zu Charles XII. [Buch I—VI.] 3 Hfte. 16. (III, 62, 51 u. 40 S.) Ebend. 883—86. cart. à n. — 40

Wien. Illustrirter Wegweiser durch Wien u. Umgebgn. 5. Aufl. Mit 64 Illustr. u. 2 Plänen. 12. (152 S.) Wien 885. Hartleben. geb. n. 1. 10

— im J. 1883. Illustrirter Führer durch Wien u. Umgebungen. Mit 50 (Holzschn.-)Abbildgn. u. e. (lith.) Plane v. Wien. 4. Aufl. 8. (128 S.) Ebend. 883. geb. — 90

— das bedrängte. Eine politisch-finanzielle Studie. 2. Aufl. gr. 8. (76 S.) Wien 885. Konegen. n. 1. 50

— im Lichte verschiedener Jahrhunderte, s.: Volksbibliothek f. Kunst u. Wissenschaft.

— das neue. 20 Photogr.-Imitationen. qu. 16. Wien 883. Perles. In Carton. n. 1. 20

Wiencke, Otto, üb. Walter Scotts the Lady of the Lake. Ein krit. Versuch. gr. 4. (32 S.) Ploen 886. (Leipzig, Fock.) n. 1. 20

Wiener, Vortrag üb. die Revision der Luther'schen Bibelübersetzung, s.: Bericht üb. die XV. allgemeine Pastoral-Konferenz evangel.-luther. Geistlicher Bayerns.

Wiener, der Aktiengesetz-Entwurf. Betrachtungen u. Vorschläge. gr. 8. (132 S.) Leipzig 884. Veit & Co. n 2. 40

Wiener, Handbuch der Medizinal-Gesetzgebung d. Deutschen Reichs u. seiner Einzelstaaten. Mit Kommentar. Für Medizinal-Beamte, Aerzte u. Apotheker. [2 Bde.] 1. Bd. u. 2. Bd. 1. u. 2. Thl. gr. 8. Stuttgart, Enke. n. 27. 60
I. Die Medizinal-Gesetzgebung des deutschen Reichs. (IV, 184 S.) 883. n. 3. 60
II. 1. Die Medizinalgesetzgebg. d. Königr. Preußens. (VI, 495 u. Suppl.-Bogen zum 1. Bd. 52 S.) 885. n. 12. —
2. Die Medizinal-Gesetzgebung der Königreiche Bayern u. Sachsen. (VIII, 580 S.) 886. n. 12. —

Wiener, Chrn., Lehrbuch der darstellenden Geometrie. [In 2 Bdn.] 1. Bd. Geschichte der darstell. Geometrie, ebenfläch. Gebilde, krumme Linien [1. Tl.], projective Geometrie. Mit Fig. im Text. gr. 8. (XX, 477 S.) Leipzig 884. Teubner. n. 12 —

Wiener, G. A., Predigt zur Doppelfeier der evangelischen Gemeinde in Passau am 20. Juli 1884 nach 50jährigem Bestehen u. 25jährigem Kirchenbesitz. gr. 8. (15 S.) Nürnberg 884. Raw. n. — 20

Wiener, Herm., rein geometrische Theorie der Darstellung binärer Formen durch Punktgruppen auf der Geraden. gr. 8 (IV, 83 S.) Darmstadt 885. Brill. n. 2. 50

Wiener, L., Kaiser Joseph II. als Staatsmann u. Feldherr, s.: Nosinich, J.

Wiener, M., die Ernährung d. Fötus, s.: Sammlung klinischer Vorträge.

Wiener, W., u. G. **Leonhardi**, am heiligen Herde. Schriftauslegungen u. Gebete, nebst Losg. u. Lied. Ein Andachtsbuch f. christlich gebildete Familien, insbesondere f. das evangel Pfarrhaus. Zugleich e. homilet. Repertorium üb. alt- u. neukirchl. Pericopen. 2. Ster.-Ausg. gr. 8. (IV, 1004 S.) Leipzig 884. 85. Teubner. n. 6. —

Wiener, Wilh, das Gebet. Historisch, dogmatisch, ethisch, liturgisch u. pastoral-theologisch betrachtet. 8. (XII, 188 S.) Gotha 885. F. A. Perthes. n. 3. —

Wienskowitz, Osc., Beitrag zur Lehre v. der Paralysis agitans. Aus der Krankenabtheilg. d. Breslauer städt. Armenhauses. gr. 8 (30 S.) Breslau 883. (Köhler.) n. 1. —

Wieprecht, Wilh., die Militair-Musik u. die militair-musikalische Organisation e. Kriegsheeres. Hinterlassene Denkschrift. Nebst Anh.: Bericht Wieprecht's üb. den Sieg der Musik der preuß. Garde bei dem internationalen Wettkampf der europ. Militair-Musik auf der Pariser Weltausstellg. 1867. gr. 8. (37 S.) Berlin 885. Habel. n. — 80

Wiermann, H., Prinz Albrecht v. Preußen, Regent v. Braunschweig Biographische Skizze. Mit (Holzschn.-) Portr. gr. 8. (20 S.) Berlin 885. F. Luckhardt. n. — 50

— Fürst Bismarck. Siebzig Jahre, 1815—1885. Ein Lebensbild f. das deutsche Volk. Mit (Holzschn.-)Portr. Bismarcks. 8. (V, 250 S.) Leipzig 885. Renger. n. 3. — Einbd. n.n. 1. —

— Geschichte d. Kulturkampfes. Ursprung, Verlauf u. heut. Stand. 2., bis auf die Gegenwart fortgeführte Aufl. Mit Personen- u. Sachregister. gr. 8. (IV, 336 S.) Ebend. 886. n. 5. —; geb. n. 6. —

— Generalfeldmarschall Graf v. Moltke. Ein Lebensbild f. das deutsche Volk. Mit (Holzschn.-)Portr. 8. (VII, 216 S.) Ebend. 885. n. 2. —; geb. n n. 3. —

— der deutsche Reichstag. Seine Parteien u. Größen. 1. u. 2. Tl.: gr. 8. Ebend. 884. à n 5. —
  1. Die Deutsch-Freisinnigen. (V, 334 S.)
  2. (V, 345 S.)

— Kaiser Wilhelm u. seine Paladine. Ein Lebensbild f. das deutsche Volk. Mit (chemigr.) Portr. 8. (VII, 156 S.) Ebend. 885. n. 2. —; geb. n.n. 3. —

— dasselbe. Mit 4 Porträts: Kaiser, Kronprinz, Bismarck u. Moltke. Volks-Ausg. zum 25jähr. Königs-Jubiläum unsers Kaisers. 1—10. Tausend. 8. (IV, 156 S.) Ebend. 886. n. — 80

Wiesberg, Wilh., mein' Vaterstadt in Lied u. Wort. Eine Sammlg. v. kom. Scenen, Intermezzis, Couplets ꝛc. 1—5. Lfg. 8. (47, 39, 40, 48 u. 48 S.) Wien 885. 86. Rosner. à n. — 60

Wieschhoelter, Heinr., de M. Caelio Rufo oratore. gr. 8. (50 S.) Leipzig 886. Fock n. 1. —

Wiese, B., u. A. K. v. d. **Laan**, Raumlehre f. Volksschulen Mit 49 in den Text gedr. Holzschn. 8. (44 S.) Hannover 886. Meyer. n. — 40

— u. W. **Lichtblau**, Sammlung geometrischer Konstruktions-Aufgaben zum Gebrauch an Seminarien, sowie zum Selbstunterricht. Mit 115 Holzschn. gr. 8 (VIII, 220 S.) Ebend. 885. n. 2. 80; cart. n. 3. —

Wiese, Clem., Beiträge zur Lehre vom Pneumothorax. gr. 8. (80 S.) Helmstedt 884. (Göttingen, Vandenhoeck & Ruprecht.) n. 2. —

Wiese, D., das Rechnen auf den unteren Stufen, s.: Bücking, M.

— deutsches Sprachbuch, s.: Drees, H.

Wiese, Erwin v., die englische parlamentarische Opposition u. ihre Stellung zur auswärtigen Politik d. brittischen Cabinets während d. österreichischen Erbfolgekrieges [bezw. d. J. 1740—1744]. Ein Beitrag zur Geschichte jener Zeit. gr. 8. (86 S.) Waldenburg i/Schl. 883. (Göttingen, Vandenhoeck & Ruprecht.) n. 2. 40

Wiese, H., s.: Adreßbuch, kaufmännisches, f. die Rheinprovinz.

Wiese, J. D., biblische Geschichte. Für die Hand der Schüler in Mittel- u. Oberklassen bearb. 2 Aufl. 8. (VIII, 224 S.) Oldenburg 885 (Schmidt's Sort.) n. — 60

Wiese, L., pädagogische Ideale u. Proteste. Ein Votum. gr. 8. (V, 139 S.) Berlin 884. Wiegandt & Grieben. n. 2. —

— Lebenserinnerungen u. Amtserfahrungen. 2 Bde. gr. 8. (VI, 346 u. IV, 224 S.) Ebend. 886. n. 9. —

— über den Mißbrauch der Sprache. 2. Aufl. 8. (IV, 91 S.) Ebend. 884. n. 1. 25

— Sammlung der Verordnungen u. Gesetze f. die höheren Schulen in Preussen. 3. Ausg., bearb. u. bis zum Anfang d. J. 1886 fortgeführt v. Otto Kübler. 1. Abtlg. Die Schule. gr. 8. (XVI, 488 S.) Ebend. 886. n. 8. 50

Wieseler, Frdr., üb. einige beachtenswerthe geschnittene Steine d. 4. Jahrh. n. Chr. 1. u. 2. Abth. Nebst je 1 Lichtdr.-Taf. gr. 4. Göttingen, Dieterich's Verl. n. 7. 40
  1. Drei Cameen m. Triumphdarstellungen. (50 S.) 883. n. 2. 40
  2. I. Zwei Cameen u. zwei Intaglien m. der Darstellung römischer Herrscher. 1. Die Cameen. (62 S.) 884. n. 2. 60. — 2. Die Intaglien (58 S.) 886. n. 2 40

Wieselgren, S., die Entwicklung der schwedischen Branntwein-Gesetzgebung von 1835—1885, s: Beiträge, wissenschaftliche, zum Kampf gegen den Alkoholismus.

— das Gothenburger Ausschanksystem, dessen Entstehung, Zweck u. Wirkungen. gr. 8. (49 S.) Gothenburg 882 Pehrsson. n. 1. —

— dasselbe. Beilagen. Übers. aus dem Schwed. gr. 8. (53 S.) Ebend. 883. n. 1. —

Wiesendanger, U., deutsches Sprachbuch f. die 2. Klasse der Sekundär- u. Bezirksschulen, auf Grundlage d. zürcher. Lehrplans u. m. Berücksicht. der obligat. Orthographie bearb. 3. Aufl. gr. 8 (VII, 294 S.) Zürich 883. Schulthess. n. 2. —

Wieser, Frdr. v., üb. den Ursprung u. die Hauptgesetze d. wirthschaftlichen Werthes. gr. 8. (XIV, 214 S.) Wien 884. Hölder. n. 5. —

Wieser, J. C. v., tiefe Ebbe, hohe Flut. Ein Schauspiel in 5 Aufzügen nach ind. Sagen. gr. 8. (III, 107 S) Brünn 883. (Winiker.) n. 2. —

Wiesing, Hans, die Soldaten d. Jesukindes. Eine Sammlg. der f. das Werk der heil. Kindheit in Steiermark vom J. 1870 bis 1884 veröffentlichten Kindergeschichten. Im Auftrage d. Diözesanrathes hrsg. 8. (III, 244 S.) Graz 884. Moser. cart. n.n. — 90

Wiesinger, Frdr., üb. die Einwirkung v. Eisenchlorid auf Orthophenylendiamin. gr. 8. (31 S.) Göttingen 882. (Vandenhoeck & Ruprecht.) n. — 80

Wiesinger, Johs., vom rechten Fröhlichsein. Predigt üb. Psalm 5, 12. geh. in Kissingen am 27. Juli 1884. gr. 8. (16 S.) Kissingen 884. (Würzburg, Hertz) n. — 30

Wiesner, A. C., aus Serbien u. Bulgarien. Schilderungen v. Land u. Leuten. Mit e. illustr. Anh.: Der serbisch-bulgar. Krieg. Mit vielen Abbildgn. 8. (III, 120 S.) Leipzig 886. Greßner & Schramm. n. 2. —; geb. n. 3. —

Wiesner, Jul., üb das Eindringen der Winterknospen kriechender Brombeersprosse in den Boden. Lex.-8. (11 S.) Wien 883. (Gerold's Sohn.) n.n. — 25

— Elemente der wissenschaftlichen Botanik. 1. u. 2. Bd. gr. 8. Wien, Hölder. n 17. —
  1. Elemente der Anatomie u. Physiologie der Pflanzen. 2. Aufl. Mit 126 Holzschn. (X, 315 S) 885. n. 7. —
  2. Elemente der Organographie, Systematik u. Biologie der Pflanzen. Mit e. Anh.: Die histor. Entwicklg. der Botanik. Mit 269 (eingedr.) Holzschn (XII, 449 S.) 884. n. 10. —

Wiesner, Jul., über das Gummiferment. Ein neues diastat. Enzym, welches die Gummi- u. Schleimmetamorphose in der Pflanze bedingt. Lex.-8. (28 S.) Wien 885. (Gerold's Sohn.) n.n. — 50

— Studien üb. das Welken v. Blüthen u. Laubsprossen. Ein Beitrag zur Lehre v. der Wasseraufnahme, Saftleitg. u. Transspiration der Pflanzen. Lex.-8. (57 S.) Ebend. 882. n. — 80

— Untersuchungen üb. die Organisation der vegetabilischen Zellhaut. [Mit 5 Holzschn.] Lex.-8 (64 S.) Ebend. 886. n. 1. —

— Untersuchungen üb. die Wachsthumsgesetze der Pflanzenorgane. 1. Reihe: Nutirende Internodien. Unter Mitwirkg. von Rich. v. Wettstein ausgeführt. [Arbeiten d. pflanzenphysiolog. Institutes der k. k. Wiener Universität. XXIII.] Lex.-8. (84 S.) Ebend. 883. n.n. 1. 30

— Untersuchungen üb. die Wachsthumsbewegungen der Wurzeln. [Darwin'sche u. geotropische Wurzelkrümmung.] Lex.-8. (80 S.) Ebend. 884. n. 1. 20

Wiesner, Karl, französisches Vokabularium im Anschluß an das Lateinische f. die oberen u. mittleren Klassen v. höheren Schulen. 2. Aufl. 12. (IV, 96 S.) Berlin 885. Simion. cart. n. — 80

Wiesner, Osc., Heinr. v. Zütphen e. Märtyrer der Reformation. Historischer Essay. gr. 8. (59 S.) Berlin 884. Internationale Buchh. 1. 50

Wiesner, Otto, neue Methodik d. Gesang-Unterrichtes f. Volksschulen. Mit e. Anh. v. Liedern. 8. (82 S.) Zürich 884. Orell Füssli & Co. Verl. n. 1. —

— Uebungs- u. Liederbuch f. den Gesangunterricht an Volksschulen. 1. u. 2. Hft. 8. Ebend. 884. n. 1. 40

1. (47 S.) n. — 60. — 2. (86 S.) n. — 80.

Wießner, Ed., Fest- u. Freizeit-Spielbüchlein. Lieder- u. Spielbuch f. Bewegungsspiele zu Schulfesten, Ausflügen, Turn- u. Freistunden u. f. den Familienkreis. Nach den Altersstufen der Kinder zusammengestellt. 12. (74 S.) Gotha 883. Behrend. n. — 30

— die Heimatskunde als erste Stufe d. erdkundlichen Unterrichtes. Mit besond. Berücksicht. der Stadt Halle a/S., ihrer Umgebg., der Petersberger Landschaft u. d. Saalegebietes. Für die Hand der Schüler bearb. gr. 8. (40 S.) Halle 884. Anton. n.n. — 25

— Herbarts Pädagogik. Dargestellt in ihrer Entwicklg. u. Anwendg. gr. 8. (IV, 195 S.) Gotha 885. Behrend. n. 2. 40

— Johann Heinrich Pestalozzi. Ein pädagog. Volksbuch. gr. 8. (IV, 130 S.) Ebend. 885. n. 1. —

Wießner, H., verlaufen. Eine Geschichte, nach dem Leben erzählt. gr. 16. (54 S.) Berlin 886. Buchh. der Berliner Stadtmission. n. — 20

Wiethake, Henry, der Reformationskampf im Lande Braunschweig. Ein culturhistor. Rückblick zur 400jähr. Geburtstagsfeier D. Martin Luthers. gr. 8. (31 S.) Braunschweig 883. Sattler. — 60

Wiethase, Heinr., der Dom zu Cöln. Hrsg. m. historisch-beschreib. Text. Nach den photograph. Aufnahmen v. Anselm Schmitz in Köln, k. Hofphotogr., in unveränderl. Lichtdr. hergestellt v. Römmler & Jonas in Dresden. (In 8 Lfgn.) 1—5. Lfg. gr. Fol. (à 5 Taf. m. 2 Bl. Text.) Frankfurt a/M. 884—86. Keller. à n. 5. —

Wietlisbach, V., die Technik d. Fernsprechwesens, s.: Bibliothek, elektro-technische.

Wigand, Alb., Entstehung u. Fermentwirkung der Bakterien. Vorläufige Mittheilg. 2. Aufl. gr. 8. (IV, 40 S.) Marburg 884. Elwert's Verl. n. — 80

— Grundzüge aller Naturwissenschaft. 8. (III, 35 S.) Ebend. 886. n. — 60

Wigand, Aug., formation et flexion du verbe français basées sur le latin d'après les résultats de la science moderne. gr. 8. (79 S.) Hermannstadt 882. Michaelis. n. 2. 40

Wigand, C., zur Frage der freien Concurrenz im Gasmotorenbaue. gr. 8. (18 S. m. 4 Chromolith.) Berlin 883. (Polytechn. Buchh.) n. 1. 60

Wigard, s.: Briefwechsel zwischen Gabelsberger u. W.

Wiget, Gust., zum Andenken an Prof. Dr. Tuiskon Ziller. Vortrag, geh. am 8. Dezbr. 1882 in der Versammlg. der Freunde f. wissenschaftl. Pädagogik. Mit dem (Holzschn.-)Bildnisse Zillers. gr. 8. (12 S.) Chur 883. (Rich.) n. — 40

Wiget, Hch., einfache Buchhaltung u. Einführung in die kaufmänn. Correspondenz. Für die Sekundarschule bearb. 3. Aufl. Fol. (II, 16 S. m. Formularen.) St. Gallen 884. Huber & Co. n. 1. 80

Wiget, Th., die formalen Stufen d. Unterrichts. gr. 8. (58 S.) Chur 884. Rich. n. 1. —

— dasselbe. 2. Aufl. gr. 8. (73 S.) Ebend. 885. n. 1. 20

Wiggers, Jul., Grammatik der spanischen Sprache. 2. Aufl. 8. (VIII, 289 S.) Leipzig 884. Brockhaus. n. 4. 50

Wiggers, Mor., die Rostock-Warnemünder Hafenbaufrage. Ein Erachten, im Auftrage der Schiffergesellschaft zu Rostock verf. gr. 8. (31 S.) Rostock. 884. Werther. n. — 60

Wihlidal, Karl, englisches Lesebuch f. höhere Lehranstalten m. sprachlichen u. sachlichen Erläuterungen, litterarischen u. biographischen Einleitungen, kurz gefaßter englischer Prosodie, sowie phonet. Transkription der Aussprache. gr. 8. (XVI, 418 S.) Leipzig 887. Freytag. n. 3. —; Einbd. n.n. - 40

— Theorie der Interferenz-Erscheinungen an dicken Platten. gr. 8. (22 S. M. 1 Taf.) Wien 881. (Pichler's Wwe. & Sohn.) — 70

Wijkander, O., Bertha Malm, s.: Universal-Bibliothek.

Wikelas, D., Lukis Laras, s.: Universal-Bibliothek.

Wilamowitz-Moellendorff, Ulr. v., conjectanea. gr. 4. (18 S.) Göttingen 884. (Dieterich's Verl.) n. — 80

— curae Thucydideae. gr. 4. (20 S.) Ebend. 885. n. — 80

— lectiones epigraphicae. 4. (17 S.) Ebend. 885. n. — 80

— homerische Untersuchungen, s.: Untersuchungen, philologische.

Wilbrand, F., Grundzüge der Chemie nach induktiver Methode. Zum Gebrauch an Gymnasien, Lehrerseminaren u. höheren Bürgerschulen. Mit 34 Orig.-Holzschn. gr. 8. (IV, 80 S.) Hildesheim 885. Lax. n. 1. 20; geb. n. 1. 50

— Leitfaden f. den methodischen Unterricht in der anorganischen Chemie. 5. Aufl. Mit 59 Orig.-Abbildgn. gr. 8. (IV, 231 S.) Ebend. 886. n. 3. 60; Einbd. n.n. — 35

Wilbrand, Herm., ophthalmiatrische Beiträge zur Diagnostik der Gehirn-Krankheiten. Mit e. Doppel-Taf. in Farbendr. gr. 8. (VIII, 100 S.) Wiesbaden 884. Bergmann, n. 3. 60

— über den Nystagmus, s.: Sonderabdrücke der Deutschen Medicinal-Zeitung.

— die Seelenblindheit als Herderscheinung u. ihre Beziehungen zur homonymen Hemianopsie, zur Alexie u. Agraphie. Mit 3 Holzschn. u. 1 lith. Taf. gr. 8. (V, 192 S.) Wiesbaden 887. Bergmann. n 4. 60

Wilbrand, L., die Kriegs-Lazarethe von 1792—1815 u. der Kriegstyphus zu Frankfurt a/M., s.: Archiv f. Frankfurts Geschichte u. Kunst.

Wilbrandt, Adf., Jugendliebe. Lustspiel in 1 Aufzuge. 3. Aufl. 8. (44 S.) Wien 886. Künast. n. 2. —

— Assunta Leoni. Schauspiel in 5 Aufzügen. 8. (116 S.) Ebend. 883. n. 3. —

— die Tochter d. Herrn Fabricius. Schauspiel in 3 Aufzügen. 8. (100 S.) Ebend. 883. n. 3. —

— der Verwalter. Die Verschollenen. Novellen. 8. (327 S.) Breslau 884. Schottländer. n. 4. 50; geb. n. 5. 50

— der Wille zum Leben; untrennbar, s.: Engelhorn's allgemeine Roman-Bibliothek.

Wilbrandt, C., die Regelung der Zuckerbesteuerung auf statistischen Grundlagen. Ein Versuch zur Klarstellg. gr. 8. (23 S.) Wismar 883. Hinstorff's Verl. n. — 50

Wilcke, L., unser Lieblingssänger. Eine gründl. Abhandlg. üb. Bezug, Pflege, Zucht u. Versandt der Kanarien, nebst vollständ. Vogelapotheke u. prakt. Winken beim Ankauf v. Vogelbauern. 2. Aufl. 8. (III, 71 S.) Ilmenau 885. Schröter. n. 1. —

Wilcke, R., Anleitung zum französischen Aufsatz. 8. (VI, 106 S.) Hamm 883. (Grote.) n. 1. 40

Wilcken, U., Actenstücke aus der königl. Bank zu Theben in den Museen v. Berlin, London, Paris. gr. 4. (68 S.) Berlin 886. (G. Reimer.) n. 4. —

— observationes ad historiam Aegypti provinciae romanae depromptae e papyris graecis Berolinensibus ineditis. gr. 8. (59 S., wovon 27 autogr.) Berlin 885. (Mayer & Müller.) n. 2. 40

Wilckens, Mart., die Alpenwirthschaft der Schweiz, d. Algäus u. der westösterreichischen Alpenländer. Mit 65 in den Text gedr. Holzschn. Neue Ausg. gr. 8. (VIII, 387 S.) Berlin 885. Parey. n. 6. —

— Form u. Leben der landwirthschaftlichen Hausthiere. Mit 172 Textabbildgn. u. 42 Taf. Neue Ausg. gr. 8. (XXVIII, 952 S.) Ebend. 885. n. 12. —

— die Rinderrassen Mittel-Europa's. Grundzüge e. Naturgeschichte d. Hausrindes. Mit 12 Textabbildgn. u. 70 Taf. in Farbenholzschn. Neue Ausg. gr. 8. (X, 200 S.) Ebend. 885. n. 10. —

— Untersuchungen üb. das Geschlechtsverhältniss u. die Ursachen der Geschlechtsbildung bei Hausthieren. Lex.-8. (46 S.) Ebend. 886. n. 1. 50

Wild, Alb., am Zürcher Rheine. Taschenbuch f. Eglisau u. Umgebg. Unter Mitwirkg. v. Gelehrten u. Freunden der Heimatskunde hrsg. Mit 6 Illustr. u. 1 Karte. 1. Thl.: Eglisau in der Gegenwart u. Vergangenheit. 8. (390 S.) Zürich 883. Höhr. n. 2. 50

Wild, Chrph., aus der großen Zeit. 1870/71. Patriotische Klänge u. Erzählgn. gr. 8. (83 S.) Berlin 885. Grüger. n. 1. —; geb. n. 1. 25

Wild, H., die Beobachtung der elektrischen Ströme der Erde in kürzern Linien,
— Bestimmung der Inductionscoefficienten v. Stahlmagneten,
— Bestimmung d. Werthes der Siemens'schen Widerstands-Einheit in absolutem electromagnetisch. Maasse,
— Termins-Beobachtungen der erdmagnetischen Elemente u. Erdströme im Observatorium zu Pawlowsk vom Septbr. 1882 bis Aug. 1883,
} s.: Mémoires de l'académie impériale des sciences de St.-Pétersbourg.

Wild, Heinr., theoretisch-praktischer Lehrgang zur Erlernung der italienischen Sprache f. deutsche Schulen u. zum Selbstunterricht. 5. Aufl. 8. (VI, 202 S.) Leipzig 883. Brockhaus. n. 1. 60

— nouvelle méthode pratique et facile pour apprendre la langue italienne. 7. éd. 8. (VI, 219 S.) Ebend. 887. n. 1. 60

— nuovo metodo pratico e facile per imparare la lingua tedesca, s.: Ahn, F.

Wild, Joh. Frdr., biblische Geschichte d. Alten u. Neuen Testaments. Für die Hand der Schüler bearb. 4 Hfte. 8. Dresden, Huhle. — 90
1. Unterstufe. 4. Aufl. (60 S.) 885. n. — 20
2. Mittelstufe. 3. Aufl. (80 S.) 884. n. — 25
3. Altes Testament. (64 S.) 882. n. — 20
4. Neues Testament. (80 S.) 883. n. — 25

— Lehrbuch zu e. Geschichte d. Reiches Gottes. 1. Hft. Die Geschichte d. Reiches Gottes im alten Bunde. gr. 8. (IV, 95 S.) Ebend. 886. n. 1. 60

Wild, Rob., d. Einjährigen Freud u. Leid. Humoristische Erzählg. aus dem Soldatenleben. 8. (152 S.) Berlin 885. F. Luckhardt. n. 2. —

— Fähnrichs Liebe u. Leben, s.: Eckstein's humoristische Bibliothek.

— zweierlei Tuch. Heitere Geschichten aus dem Soldatenleben. 2. Bdchn. 2. Aufl. 8. (119 u. 92 S.) Leipzig 885. Huth. à n. 1. —

Wilda, Ed., die Curvenlehre. Mathematische Vorschule f. den Unterricht in der techn. Mechanik an höheren Maschinen-Fachschulen. Mit 4 Fig.-Taf. gr. 8. (V, 58 S.) Brünn 884. (Winiker.) n. 1. 60

— die Kinematik d. ebenen Systems in elementarmathematischer Ableitung. Mit 1 (lith.) Fig.-Taf. gr. 8. (12 S.) Brünn 883. (Winkler.) n. — 80

— Mechanik: II. Curs. Kinematik u. Dynamik fester Körper. Mit 72 Fig. (4 Steintaf.) gr. 8. (82 S.) Brünn 883. (Winiker.) n 1. 60

— Statik fester Körper. Ein Leitfaden f. den Unterricht in der techn. Mechanik an höheren Maschinen-Fachschulen. Mit 4 (lith.) Fig.-Taf. gr. 8. (IV, 86 S.) Brünn 884. Winiker. n. 2. 40

Wildberg, Bodo, die Maid v. Mirogh. Sita. Zwei Dichtgn. 8. (104 u. 65 S.) Dresden 884. Pierson. n. 2. 40

Wildegger, M., geschichtliche Notizen üb. die aus der früheren Herrgottskirche zu Nördlingen stammenden consekrirten Hostien. 16. (32 S.) Nördlingen 883. Reischle. — 15

— zur Verehrung d. allerheiligsten Sakramentes d. Altars. Bruderschafts-Büchlein, wie es f die Mitglieder der in der kathol. Pfarrkirche zu Nördlingen besteh. Bruderschaft vom allerheiligsten Altarssakramente im Gebrauche ist. gr 16. (XV, 96 S. m. 1 Chromoxylogr.) Ebend. 884. geb. — 65

Wildeis, Gust., Wiederholungsheft der Geographie v. Deutschland f. die Hand der Kinder. gr. 8. (19 S.) Leipzig 885. O. Klemm. n.n. — 25

Wildenbruch, Ernst v., Dichtungen u. Balladen. 8. (112 S.) Berlin 884. Freund & Jeckel. n. 2. —; geb. n. 3. —

— das neue Gebot. Schauspiel in 4 Akten. 8. (III, 176 S.) Ebend. 886. n. 2. —

— Harold. Trauerspiel in 5 Akten. 4. Aufl. 8. (V, 150 S.) Ebend 884. n. 2. —; geb. n. 3. —

— Harold. Tragedy in 5 acts. Translated by Marie v. Zglinitzka. 8. (III, 174 S.) Hannover 884. Schüssler. geb. n. 2. 50

— die Herrin ihrer Hand. Schauspiel in 5 Akten. 8. (III, 123 S.) Berlin 885. Freund & Jeckel. n. 2. —

— Humoresken u. Anderes. 3. Aufl. gr. 8. (191 S.) Ebend. 886. n. 3. —

— Kinderthränen. Zwei Erzählgn. 3. Aufl. 8. (111 S.) Ebend. 884. n. 2. —; geb. n. 3. —

— Christoph Marlow. Trauerspiel in 4 Akten. 8. (III, 118 S.) Ebend. 884. n. 2. —; geb. n. 3. —

— der Meister v. Tanagra. Eine Künstlergeschichte aus Alt-Hellas. 6. Aufl. 8. (112 S.) Ebend. 886. n. 2. —; geb. n. 3. —

— der Menonit. Trauerspiel in 4 Akten. 3. Aufl. 8. (III, 111 S.) Ebend. 886. n. 2. —

— Novellen. [Francesca v. Rimini. Vor den Schranken. Brunhilde.] 4. Aufl. 8. (288 S.) Ebend. 885. n. 4. — geb. n. 5. —

— neue Novellen. [Das Riechbüchsen. Die Danaide. Die heilige Frau.] 3. Aufl. 8. (176 S.) Ebend. 885. n. 3. —; geb. n. 4. —

— Opfer um Opfer. Schauspiel in 5 Akten. 8. (V, 150 S.) Ebend. 883. n. 2. —; geb. n. 3. —

Wildenfels, Curt v., aus russischen Kreisen. Roman. 2. Aufl 8. (369 S.) Leipzig 887. Peterson. n. 5. —

Wildenhahn, J., Vortrag üb. Christian Felix Weise aus Annaberg. gr. 8. (39 S.) Annaberg 884. Graser. n. — 60

Wildenradt, Joh. v., zwölf Balladen. 8. (III, 148 S.) Leipzig 883. Liebeskind. n. 2. 40

— Geschichte u. Dichtung, s.: Schmidt's, F., deutsche Jugendbibliothek.

— der letzte Römer. Historischer Roman. 3 Bde. 8. (287, 315 u. 300 S.) Berlin 886. Janke. n. 12. —

— Schön-Düweke. Eine Geschichte aus dem XVI. Jahrh. 8. (232 S.) Leipzig 886. Elischer. n. 4. —; geb. n. 5. 50

— der Zöllner v. Klausen. Historischer Roman. 2 Bde. 8. (340 u. 347 S.) Ebend. 884. n. 12. —; geb. n. 15. —

Wildermann, Max, die Grundlehren der Elektricität u. ihre wichtigsten Anwendungen. Für Gebildete aller Stände dargestellt. Mit e Titelbilde u. 268 Abbildgn. gr. 8. (XX, 502 S.) Freiburg i/Br. 885. Herder. n. 7. —

Wildermuth, morceaux choisis de litterature allemande, s.: Eisenmann.

— deutsche Musterstücke,
— select specimens of german literature.
} s.: Gruner.

Wildermuth, Adelheid, Schule u. Leben. Erzählungen f. junge Mädchen. 2. Aufl. 8. (268 S.) Stuttgart 883. Krabbe. geb. n. 3. —

Wildermuth, Adelheid, wollt ihr's hören? Erzählungen f. junge Mädchen. 2. Aufl. 8. (245 S.) Stuttgart 884. Krabbe. geb. n. 3. —

Wildermuth, Ottilie, Auguste. Ein Lebensbild 6. Aufl. 8. (VI, 215 S.) Stuttgart 883. Kröner. 2. —; geb. n. 2. 80

— Bilder u. Geschichten aus Schwaben. 2 Bde. 6. durchgeseh. Aufl. Mit dem (Stahlst.-)Portr. der Verf. 8. (VIII, 412 u. IV, 412 S.) Ebend. 883. 6. —; geb. n. 8. —

— die alte Freundin. Erzählungen. Mit 6 Bildern in Farbendr. v. Thdr. Schüz. gr. 8. (IV, 352 S.) Ebend. 885. geb. 4. 50

— aus der Kinderwelt. Ein Buch f. jüngere Kinder, m. Bildern v. E. Kepler, E. Klimsch u. O. Pletsch. 4. Aufl. gr. 4. (IV, 82 S. m. eingedr. Holzschn. u. 6 Chromolith.) Ebend. 883. cart. 4. 50

— die Nachbarskinder, s.: Erzählungen f. Taubstumme.

— Perlen aus dem Sande. Erzählungen. 4. Aufl. 8. (VII, 349 S.) Stuttgart 884. Kröner. n 4. —; geb. n. 5. —

Wildner, Frdr. Otto, Handbuch der Feilenkunde, f. den Gebrauch in der Praxis u. zum Unterricht bearb. Mit 83 Holzschn. u. 15 lith. Taf. 4. (X, 86 S.) Düsseldorf 885. Schwann. n. 10. —; geb. n.n. 12. —

Wildner, J., Ansichten aus der Mährischen Schweiz. 24 Blatt (in Lichtdr.) nach Orig.-Aufnahmen. 16. Brünn 884. Polivka & Co. In Leinw.-Decke. n 2. 50

Wildt, E., Katechismus der Agrikulturchemie. 6. Aufl., neu bearb. unter Benutzg. der 5. Aufl. v. Hamm's „Katechismus der Ackerbauchemie, der Bodenkunde u. Düngerlehre". Mit 41 Abbildgn. 8. (X, 236 S.) Leipzig 884. Weber. geb. n. 3. —

Wilfert, Adf., die Kartoffel- u. Getreidebrennerei. Handbuch f. Spiritusfabrikanten, Brennereileiter, Landwirthe u. Techniker. Enth.: Die prakt. Anleitg. zur Darstellg. v. Spiritus aus Kartoffeln, Getreide, Mais u. Reis nach den älteren Methoden u. nach dem Hochdruckverfahren. Dem neuesten Standpunkte der Wissenschaft u. Praxis gemäß populär geschildert. Mit 88 Abbildgn. 8. (IV, 434 S.) Wien 885. Hartleben. n. 5. 40

Wilhelm, Kaiser. Ein patriot. Bilderbuch f. Kinder. Mit 18 Farbendr.-Bilder. gr. 8. (18 S.) Wesel 883. Düms. cart. — 50

— deutscher Kaiser u. König v. Preußen. Ein Lebensbild. Der deutschen Jugend gewidmet von J. v. W. Mit dem Portr. d. Kaisers. 16. Aufl. 8. (32 S.) Potsdam 885. Rentel's Verl. n. — 15

Wilhelm v. Braunschweig, Herzog. Ein Lebensbild d. entschlafenen Fürsten, nebst Hinblick auf die Zukunft Braunschweigs. Mit (Holzschn.-) Portr. 8. (48 S.) Braunschweig 885. Sattler. n. — 80

Wilhelm v. Oranje, s.: Stecher, Ch., deutsche Dichtung f. die christliche Familie u. Schule.

Wilhelm der Tell. Schweizerischer Volkskalender. 1885. 7. Jahrg. 4. (40 S. m. Illustr.) Altdorf 884. (Bern, Jenni.) n. — 40

Wilhelm, der Wetterprophet. Anleitung, um zu jeder Zeit u. an jedem Orte die Witterung m. größter Wahrscheinlichkeit voraus zu bestimmen. 8. (16 S.) Wien 885. Reidl. n. — 20

Wilhelm's, Andr. Ritter v., Biographie, s.: Rotter, R.

Wilhelm's, F., Taschen-Fahrplan f. Nord- u. Mitteldeutschland. Winter 1886/7. Ausg. vom 1. Oct. 1886. Mit 1 Karte. 64. (218 S.) Bremen, Valett & Co. n. — 50

Wilhelm, Gust., Anleitung zur Vertilgung der Kleeseide, sowie der Ackerdistel, d. Sauerdornes u. d. Kreuzdornes. Unter Bezugnahme auf die Landesgesetze f. Böhmen, Steiermark, Oesterreich unter der Enns, Krain u. Mähren verf. Mit 1 Farbendr.-Taf. gr. 8. (36 S.) Wien 884. (Frick.) n. — 80

— Landwirtschaftslehre. Im Auftrage d. k. k. österreich. Ackerbau-Ministeriums verf. 1. Tl. Die natürl. Grundlagen der Landwirtschaft: Atmosphäre, Klima, Boden. gr. 8. (VIII, 282 S.) Berlin 886. Parey. cart. n. 4. —

Wilhelm, H., Pflanzenbezeichnungen f. Herbarien, s.: Staudacher, F.

Wilhelm, M., der Frühschoppen, s.: Bloch's, E., Dilettanten-Bühne.

Wilhelmi's Nachschlagebuch. Kurzgefaßtes Wörterbuch d. Wissenswertesten aus allen Gebieten zum Handgebrauch f. Jedermann. gr. 8. (VI, 1346 S.) Dresden 885. 86. Höckner. 6. 30

Wilhelmi, Kirchengeschichte in Lebensbildern f. Schule u. Haus. 4. Aufl. 8. (152 S.) Herborn 883. Buchh. d. Nassauischen Colportage-Vereins. geb. in Halbleinw. n. — 60; in Callico n. — 85

Wilhelmi, Alex., Einer muß heirathen! Orig.-Lustspiel in 1 Akt. (33 S.) Leipzig 884. Arnold. n. 1. —

— dasselbe, s.: Bloch's, E., Theater-Correspondenz.

Wilhelmi, Ferd., Kirchenrecht im Amtsbezirke d. Konsistoriums zu Wiesbaden. 1. Bd. gr. 8. (XI, 244 S.) Wiesbaden 885. Feller & Gecks. n. 6. —

Wilhelmi, G. H., der Geschäfts-Sekretär. Ein Handbuch f. Gewerbtreibende aller Stände. gr. 8. (VIII, 452 S.) Berlin 886. Liebau. geb. 4. 50

Wilhelmi, H., Negertreue u. Negerrache, s.: Volkserzählungen, kleine.

Wilhelmi, Heinr., Augusta, Prinzessin v. Mecklenburg-Güstrow, u. die Dargunschen Pietisten. gr. 8. (198 S. m. 1 phototyp. Portr.) Schwerin 883. Schmale. n. 2. 50

Wilhelmi, J., ich habe dich je u. je geliebt, s.: Familien-Bibliothek für's deutsche Volk.

Wilhelmi, Karl, Gottes Lob aus Kindermund. Gebete, Lieder u. Denksprüche f. die lieben Kleinen vom 5. bis 9. Jahre. 16. (48 S.) Karlsruhe 884. Reiff. n. — 20; feine Ausg. cart. n. — 30

— der Katechismus f. die ev.-prot. Kirche im Großherzogt. Baden, f. den Konfirmanden-Unterricht u. f. die Christenlehre schriftgemäß ausgelegt. 8. (VI, 146 S.) Ebend. 885. n. 1. 50

Wilhelmi, Luise, u. Will. **Löbe,** illustrirtes Haushaltungs-Lexicon. Eine Quelle d. Wohlstandes f. jede Familie. 5—31. (Schluß-)Lfg. gr. 8. (S. 129—1155 m. Holzschn.) Straßburg 883. Schultz & Co. à — 40 (cplt.: 12. 40; geb. 15. —)

Wilisch, Feodor, Schmalkalden u. seine Umgebungen. Unter güt. Mitwirkg. mehrerer Sachverständiger bearb. u. hrsg. 8. (45 S. m. 1 Chromolith. u. 1 lith. Karte.) Schmalkalden 884. Wilisch. geb. n. 1. —

Wilk, M., Liederstrauß, s.: Buchholzer, A.

Wilke, A., geognostisch-geologische Exkursionen in der Umgebung Gandersheims. 12. (61 S.) Gandersheim 885. (Braunschweig, Goeritz.) n — 60

Wilke, Arth., die volkswirthschaftliche Bedeutung der Elektricität u. das Elektromonopol. 8. (114 S.) Wien 883. Hartleben. n. 1. 50

— die elektrischen Mess- u. Präcisions-Instrumente, s.: Bibliothek, elektro-technische.

Wilke, W., üb. die „Pistis" in den Briefen d. Neuen Testaments. Untersuchungen. 4. (17 S.) Lauban 884. Leipzig, Fock. n. — 90

Wilke, Wilh., metrische Untersuchungen zu Ben Jonson. gr. 8. (70 S.) Halle 884. (Niemeyer.) n. 1. 50

Wilken, E., die prosaische Edda im Auszuge, nebst Volsunga-saga u. Nornagests-tháttr., s.: Bibliothek der ältesten deutschen Litteratur-Denkmäler.

Wilken, G. A., das Matriarchat [das Mutterrecht] bei den alten Arabern. Autoris. Uebersetzg. aus dem Holl. gr. 8. (72 S.) Leipzig 884. O. Schulze. n. 2. —

Wilken, H., Elzevir, s.: Bloch's, E., Theater-Correspondenz.

— Kläffer, s.: Kühling's, A., Volks-Schaubühne.

— u. O. **Justinus,** Kyritz-Pyritz, s.: Universal-Bibliothek.

Wilko, Bill Mac, verrechnet. Bürgerliches Trauerspiel in 5 Akten. gr. 8. (III, 84 S.) St. Petersburg 884. Schmitzdorff. n. 1. 20

Will, Frdr., das zoologische Institut in Erlangen 1743—1885. Ein Stück aus der Geschichte der Universität. Bei Gelegenheit der Einweihg. d. neuen zoolog. Instituts zusammengestellt, unter der Mitwirkg. von

C. Fisch u. R. Kraushaar. gr. 4. (48 S.) Wiesbaden 885. Kreidel. n. 4. —

Will, Heinr., Anleitung zur chemischen Analyse. 12. Aufl. Mit e. Spectraltaf. 8. (XVI, 443 S.) Leipzig 883. C. F. Winter. n. 4. 60

— Tafeln zur qualitativen chemischen Analyse. 12. Aufl. 8. (13 Bl. in qu. 4.) Ebend. 883. cart. n. 1. 60

Willborn, Johanna, warum dürfen Gedichte von Adolf Friedrich v. Schack in den Lesebüchern f. die Oberstufe der höheren Mädchenschule nicht fehlen? Vortrag. gr. 8. (25 S.) Schwerin 886. Stiller. n. — 50

Wille, Andr., der heil. Martyrer Oswald, König von Northumbrien, e. Heiligenbild aus der Zeit der Bekehrg der Angelsachsen, f. das Volk dargestellt. gr. 16. (32 S.) Passau 886. Deiters. n. — 50

Wille, Gust., zweimal 50 biblische Geschichten aus dem alten u. neuen Testamente f. die Kinder d. 1. bis 4. Schuljahres, nebst Bibelsprüchen, Liederstrophen u. Gedenkreimen, Katechismusstücken u. Gebeten. Mit 12 Holzschn. 2. Aufl. gr. 8. (64 S.) Leipzig 886. Peter. n. — 30

Wille, L., fortschreitende Paralyse der Irren, s.: Sonderabdrücke der Deutschen Medicinal-Zeitung.

Wille, N., üb. die Entwickelungsgeschichte der Pollenkörner der Angiospermen u. das Wachsthum der Membranen durch Intussusception. Mit 3 Taf. Aus dem Norweg. in's Deutsche übertragen v. C. Müller. gr. 8. (71 S.) Christiania 886. Dybwad. n. 2. 70

Wille, R., die letzten Grafen v. Hanau-Lichtenberg. gr. 8. (VIII, 82 S.) Hanau 886. Alberti. n. 1. 50

— Hanau im dreißigjährigen Kriege. Mit 5 Taf. in Stein- u. Lichtdr. gr. 8. (XXX, 740 S.) Ebend 886. n. 12. —

Willemsen, P., chinesische Küstenpunkte, nach Aufnahmen v. P. W., im Anschluss an Kapt. Ruete's Briefe üb. Routen in der China-See. gr. 4. (4 S. m. eingedr. Holzschn.) Bremen 883. Silomon. n. 2. —

Willenbücher, das Kostenfestsetzungsverfahren u. die deutsche Gebührenordnung f. Rechtsanwälte m. Erläuterungen u. Beispielen. gr. 8. (VIII, 169 S.) Berlin 883. H. W. Müller. cart. n. 3. 50

— die Reichs-Konkursordnung u. ihre Ergänzungsgesetze. Mit Erläutergn. gr. 8. (XVI, 330 S.) Ebend. 885. cart. n. 6. —

Willfort, Mor., f. die Commune Wien u. f. die Wiener Vororte. Ein Beitrag zur Lösg. der schweb. gemeinsamen Angelegenheiten in Wien u. den Vororten. gr. 8. (48 S.) Wien 884. Spielhagen & Schurich. n. 1. —

Willgrod, Heinr., üb. Flächen, welche sich durch ihre Krümmungslinien in unendliche kleine Quadrate theilen lassen. gr. 8. (60 S.) Göttingen 883. (Vandenhoeck & Ruprecht.) n. 1. 20

Willheim, Adf., die Verstaatlichung d. Asseouranzwesens. Ein Beitrag zur Lösg. der volkswirthschaftl. Krise. gr. 8. (79 S. m. 4 Tab.) Essek 886. (Budapest, L. Révai.) n. 3. —

Willheim, Bertha, harte Prüfungen. Eine Lebensgeschichte. 8. (232 S.) Brünn 885. (G. & R. Karafiat.) n. 2. 50

Willibald, C., die Nester u. Eier der in Deutschland u. den angrenzenden Ländern brütenden Vögel. Vollständig umgearb. v. Bruno Dürigen. 3. Aufl. Mit 229 nach der Natur gefertigten Abbildgn. (auf 8 chromolith. Taf.). 8. (IV, 179 S.) Leipzig 886. C. A. Koch. n. 3. —

Willigerod, Lilly, aus meinem Tagebuche. Erzählung f. die reifere Jugend. Mit 5 Illustr. 8. (168 S.) Gotha 885. F. A. Perthes. cart. n. 3. —

— dasselbe. 2. Tl. Ein Seemannsleben. Mit 4 Illustr. 8. (219 S.) Ebend. cart. n. 3. —

Willim, Jos., Gebetbuch f. die christliche Familie. Neue Aufl. Mit 1 Stahlst. 16. (VIII, 479 S.) Regensburg 885. Verlags-Anstalt. 2. —

Willisen, v., üb. cavalleristisches Reiten. 3. Aufl. gr. 8. (VIII, 111 S.) Dessau 886. Baumann. geb. n. 2. 50

Willitzer, C., lose Blätter. Fest-Gabe. 1. Hft. qu. gr. 4. (8 Bl. Silhouetten.) Wien 883. Konegen. In Leinw.-Mappe. n. 6. —

Willkomm, Mor., Bilder-Atlas d. Pflanzenreichs, nach dem natürl. System bearb. 68 fein kolor. (lith.) Taf. m. üb. 600 Abbildgn. Fol. (VIII, 88 S.) Eßlingen 885. Schreiber. geb. n. 16. —

— forstliche Flora v. Deutschland u. Oesterreich od. forstbotan. u. pflanzengeograph. Beschreibg. aller im Deutschen Reich u. Oesterreich. Kaiserstaat heim. u. im Freien angebauten od. anbauungswürd. Holzgewächse. Nebst e. Uebersicht der forstl. Unkräuter u. Standortsgewächse nach deren Vorkommen. Für Forstmänner, Parkgärtner u. Botaniker, sowie f. Studierende an höheren Forstlehranstalten bearb. 2. Aufl. (In ca. 11 Lfgn.) 1—9. Lfg. gr. 8. (S. 1—710 m. Holzschn.) Leipzig 886. C. F. Winter. à n. 2. —

— die pyrenäische Halbinsel, s.: Wissen, das, der Gegenwart.

— illustrationes florae Hispaniae insularumque Balearium. Figures de plantes nouvelles ou rares décrites dans le Prodromus Florae Hispanicae ou récemment découvertes en Espagne et aux îles Baléares, accompagnées d'observations critiques et historiques. 5—12. livr. Fol. (1. Bd. S. 73—157 u. 2. Bd. S. 1—32 m. 63 color. Steintaf.) Stuttgart 883—86. Schweizerbart. à n. 12. —

Willkomm, O. H. Th., vom täglichen Hausgottesdienste. Predigt, geh. am Sonntage Kantate 1884. 8. (16 S.) Zwickau 884. (Dresden, H. J. Naumann.) n. — 10

— das gute Recht der evangelisch-lutherischen Freikirche, ihrer Lehrstellg. u. kirchl. Praxis, gegen die ungerechten Beschuldiggn. Buchwald's vertèidigt. gr. 8. (36 S.) Ebend. 886. n. — 30

— was ist v. der beabsichtigten Revision der Lutherschen Bibelübersetzung zu halten? 8. (24 S.) Ebend. 884. — 15

— offenes Sendschreiben an die 41 Geistlichen der Ephorie Zwickau, die Unterzeichner d. Flugblattes „Ein Wort an unsere Gemeinden". 8. (20 S.) Ebend. 886. n. — 10

— dasselbe. 2. Aufl. 8. (20 S.) Ebend. 886. — 15

Willkommen! Ein neues Malbuch f. das kleine Volk. Zum Coloriren m. Buntstift od. Pinsel. Enth. 104 Holzschn. nach Zeichngn. v. Lizzie Lawson, Kate Greenaway u. A. Mit Erzählgn. u. Versen v. Helene Binder. 4. (100 S.) München 884. Stroefer. cart. n. 1. 50; geb. n. 2. 50

Willm, J., premières lectures françaises pour les écoles primaires, avec un vocabulaire français-allemand. 61. éd. 8. (VI, 204 S.) Strassburg 885. Schultz & Co Verl. geb. n. — 80; sans vocabulaire, 42. éd. (VIII, 148 S.) geb. n. — 65

Willmann, Carl, Enthüllungen üb. das Treiben der Spiritisten. Mit 3 Abbildgn. 8. (III, 136 S.) Hamburg 885. O. Meißner. 1. 80

— Taschenspieler contra Gelehrte. Eine Entgegng. auf die Brochüre „Ein Problem f. Taschenspieler" [v. Frhrn. Dr. Carl du Prel]. Mit 3 Abbildgn. gr. 8. (64 S.) Rostock 886. Ahrens jr. n. 1. —

— das Telephon. Ein Rückblick auf die Geschichte der Telephonie u. e. Anweisg. zur Anwendg. der Telephone f. private u. industrielle Zwecke, nebst e. Besprechg. der Frage: Besteht e. Telephon-Monopol d. deutschen Reiches? Mit 36 Abbildgn. gr. 8. (VIII, 88 S.) Ebend. 886. n. 1. 50

— moderne Wunder. Natürliche Erklärg. der älteren wie neueren Geheimnisse der Spiritisten u. Antispiritisten, Geisterciterer, Hellseher, Gedankenleser, Heilmedien, Mnemotechniker u. Rechenkünstler, sowie der neueren sensationellen Wunder u. Darstellgn. aus dem Gebiete der Optik, Physik u. Mechanik. Mit 50 Text-Illustr. u. 8 Tonbildern. gr. 8. (VIII, 240 S.) Leipzig 886. Spamer. n. 5. —; geb. n. 6. 50

Willmann, L v., Aufgaben aus dem Gebiete der Bauconstructions-Elemente. Zum Gebrauch beim Unterricht an techn. Lehranstalten verf. u. zusammengestellt. 2. Hft. Fenster u. Thüren, Holzconstructionen. Fol. (4 S. m. 37 autogr. Taf) Darmstadt 884. Bergsträsser. In Mappe. n 10. — (1. u. 2.: n. 16. —)

Willmann, Otto, Lesebuch aus Herodot. Ein histor. Elementarbuch. Im Sinne d. erzieh. Unterrichts bearb. 4. Aufl. Mit 5 (lith.) Karten. 8. (VII, 228 S.) Leipzig 885. Gräbner. n. 2 40; geb. n. 2. 70

— Lesebuch aus Homer. Eine Vorschule zur griech. Geschichte u. Mythologie. 5. Aufl. Nebst e. chromolith. u. m. Randzeichngn. versehenen Karte. 8. (IV, 144 S.) Ebend. 884. n. 1. 60; geb. n. 1. 85

— pädagogische Vorträge üb. die Hebung der geistigen Thätigkeit durch den Unterricht. 2. Aufl. gr. 8. (XV, 132 S.) Ebend. 886. n. 2. —

Willms, Agnes, Rose u. Reseda. Beisammen. Zwei Novellen, der weibl. Jugend gewidmet. 8. (VIII, 223 S.) Stuttgart 883. Kröner. n. 3. —; geb. n. 4. —

Willms, Emil, zur Neugestaltung der Schule. Praktische Vorschläge zur Entlastg. u. Körperpflege unserer Jugend. gr. 8. (46 S.) Berlin 883. Ebhn. n. — 75

Willomitzer, F., deutsche Grammatik f. österreichische Mittelschulen. Nebst e. Anh., enth. die Grundzüge der deutschen Prosodik u. Metrik u. e. Einführg. in ein tieferes Verständniss der Lautlehre u. Formenbildg. 4. verb. Aufl. gr. 8. (XII, 256 S.) Wien 885. Manz. n. 2. 40; geb. n 2. 80

Willomitzer, J., e. deutsch-österreichischer Eskimo, s.: Jugendbibliothek.

Willy, Rud., Schopenhauer in seinem Verhältnisse zu J. G. Fichte u. Schelling. Eine Abhandlg. gr. 8. (98 S.) Zürich 883. Höhr. n 1. 80

Wilmanns, C., Formularbuch zu dem Gesetz, betr. die Zwangsvollstreckung in das unbewegliche Vermögen vom 13. Juli 1883. Auf amtl. Veranlassg. hrsg. gr. 8. (32 S.) Berlin 883. R. Kühn. n. 1. —

Wilmanns, W., Beiträge zur Geschichte der älteren deutschen Litteratur. 1. u. 2. Hft. 8. Bonn, Weber. n 4. 50

1. Der sogenannte Heinrich v. Melk. (62 S.) 885. n. 1. 50
2. Ueber das Annolied. [Quellen. Kaiserchronik. Vita Annonis. De origine Francorum.] (136 S.) 886. n. 3. —

— deutsche Grammatik f. die Unter- u. Mittelklassen höherer Lehranstalten. Nebst Regeln u. Wörterverzeichnis f. die deutsche Orthographie nach der amtl. Festsetzg. 5. Aufl. gr. 8. (VIII, 240 S.) Berlin 883. Parey. n. 2. —

— deutsche Schulgrammatik, nebst Regeln u. Wörterverzeichniß f. die deutsche Rechtschreibg. nach der amtl. Festsetzg. 6., umgearb. Aufl. 2 Tle. 8. Ebend. 885. cart. n.n. 2. —

1. Für die untersten Klassen bis Sexta, hrsg. v. H. Poppelreuter u. W. Wilmanns. (IV, 98 S.) n.n. — 75
2. Für die Klassen von Quinta bis Tertia. (VI, 146 S.) n.n. 1. 25

Wilmers, W., Lehrbuch der Religion. Ein Handbuch zu Deharbe's katholischem Katechismus u. e. Lesebuch zum Selbstunterrichte. 1—3. Bd 4. Aufl. gr. 8. Münster 885. 86. Aschendorff. n. 11. 40

1. Lehre vom Glauben überhaupt u. vom Glauben an Gott den Dreieinigen u. Erschaffer [1. Glaubensartikel] insbesondere. (XII, 500 S.) n. 4. 80
2. Von Jesus Christus, dem verheißenen Erlöser, vom h. Geiste, v. der Kirche, v. der Vollendg. [2—12. Glaubensartikel.] (XVI, 684 S.) n. 6. 60
3. Von den Geboten. (XVI, 564 S.) n. 5. 40

Wilmowski, G. v., Handausgabe der Konkursordnung f. das Deutsche Reich auf der Grundlage seines Kommentars, nebst e. Anh.: enth. das Anfechtungsgesetz rc. 8. (III, 136 S.) Berlin 886. Vahlen. n. 2. 50; geb. n. 3. 25

— deutsche Reichs-Konkursordnung, erläutert. 3. verb. Aufl. gr. 8. (VIII, 571 S.) Ebend. 885. n. 10. —; geb. n. 12. —

— u. M. Levy, Civilprozeßordnung u. Gerichtsverfassungsgesetz f. das Deutsche Reich, nebst den Einführungsgesetzen. Mit Kommentar in Anmerkgn. 3. Aufl. gr. 8. (XXVI, 1246 S.) Ebend. 883. n. 24. —; geb. n. 27. —

— — dasselbe. 4. verb. Aufl. 2 Bde. gr. 8. (XIV, 1328 S.) Ebend. 885. n. 25. —; in 1 Bd. geb. n. 28. —; in 2 Bde. geb. n. 30 —

— — Handausgabe der Civilprozeßordnung u. des Gerichtsverfassungsgesetzes f. das Deutsche Reich, auf der Grundlage ihres Kommentars, nebst e. Anh., enth. die Kostengesetze, bearb. 8. (X, 498 S.) Ebend. 884. n. 5. —; geb. n. 6. —

Wilms, Lieder zum Gebrauche bei der Morgen-Andacht f. Gymnasien u. Realgymnasien 6. Aufl. 8. (72 S.) Minden 884. Bruns. geb. n. — 60

Wilpert, J., der Einfluss der Cultur auf die Zahnverderbniss. [Caries.] gr. 8. (IV, 30 S.) Riga 883. Fluthwedel & Co. n. 1. —

Wilsdorf, Osk., kleine Naturgeschichte der Pflanzen f. die Hand der Schüler in Volksschulen. Mit 25 Abbildgn. im Text. gr. 8. (31 S.) Leipzig 883. Peter. cart. n. — 20

— kleine Weltgeschichte f. die Hand der Schüler in Volksschulen. 3. Aufl. gr. 8. (32 S.) Ebend. 886. n. — 20

Wilser, Ludw., die Herkunft der Deutschen. Neue Forschgn. üb. Urgeschichte, Abstammung u. Verwandtschaftsverhältnisse unseres Volkes. gr. 8. (92 S.) Karlsruhe 885. (Braun) n. 1. 80

Wilski, F., Einführung in die trigonometrischen bezw. Ausgleichungsrechnungen der Anweisung IX vom 25. Oktbr. 1881 f. die trigonometrischen u. polygonometrischen Arbeiten bei Erneuerung der Karten u. Bücher d. Grundsteuerkatasters m. elementarer Entwickelung der dabei in Betracht kommenden Differenzialformeln. gr. 8. (VIII, 100 S. m. 1 Steintaf.) Liegnitz 883. (Reisner.) n. 2. 50

Wilson, C. T., u. R. W. **Felkin,** Uganda u. der ägyptische Sudan. 2 Bde. Mit 35 Holzschn. gr. 8. (VII, 177 u. 162 S.) Stuttgart 883. Cotta. n. 7. —

Wilson, John Mackay, selections from tales of the borders and of Scotland. 8. (322 S.) Leipzig 886. Grossner & Schramm. geb. n. 3. —

Wiltberger, Aug., der Gesangunterricht in der ein- u. zweiklassigen Volksschule. Begleitwort zu dem Liederbuch f. ein- u. zweiklass. Volksschulen. 8. (31 S.) Köln 886. Du Mont-Schauberg. n.n. — 55

— Liederbuch f. ein- u. zweiklassige Volksschulen. 8. (IV, 82 S.) Ebend. 886. n.n. — 45

Wiltner, Frdr., die Fabrikation der Toilette-Seifen. Mit Rücksicht auf die hierbei in Verwendg. komm. Materialien, Maschinen u. Apparate geschildert. Mit 38 Abbildgn. 8. (IV, 320 S.) Wien 884. Hartleben. 4. —; geb. 4. 80

— die Seifen-Fabrikation. 3. Aufl. Mit 26 erläut. Abbildgn. 8. (VIII, 224 S.) Ebend. 885. 3. —; geb. n. 3. 80

Wimmenauer, Th., planimetrische Lehrsätze, Örter u. Grundaufgaben. gr. 8. (32 S. m. 3 Steintaf.) Moers 885. Spaarmann. geb. n. — 70

Wimmer, A., Personen-, Orts- u. Sach-Register, s.: Verhandlungen d. k. k. zoologisch-botanischen Gesellschaft in Wien.

Wimmer, Ed., Sammelblätter zur Geschichte der Stadt Straubing. 1—4. Hft. [1881—1885]. gr. 8. (IV, 800 S.) Straubing 882—86. Attenkofer. à n. 3. —

Wimmer, J., historische Landschaftskunde. gr. 8. (IV, 330 S.) Innsbruck 885. Wagner. n. 6. —

Wimmers, P., die deutsche Lectüre in Lehrerbildungsanstalten, s: Bürgel, F. W.

Wimpfeling, Jac., Germania, übers. u. erläutert v. Ernst Martin. Mit eingedruckten Briefen v. Geiler u. Wimpfeling. Ein Beitrag zur Frage nach der Nationalität d. Elsasses u. zur Vorgeschichte der Strassburger Universität. gr. 8. (118 S.) Strassburg 885. Trübner. n. 2. 50

Winckel, E., Geschäfts-Anweisung f. Rendanten u. Gegenbuchführer v. kommunalen Spar-, Leih u. Vorschuß-Kassen u. Anleitung zur Abhaltung regelmäßiger u. außerordentlicher Revisionen dieser Kassen, nebst 12 Zinsberechnungs-Tabellen. gr. 8. (125 S.) Hannover 885. Klindworth. geb. n. 7. —

Winckel, F., üb. die Bedeutung praecipitirter Geburten f. die Aetiologie d. Puerperalfiebers. Festschrift zur Feier seines 50jähr. Doctorjubiläums Hrn. Frz. Seitz dargebracht v. der medicin. Facultät der Universität München am 1. Aug. 1884. hoch 4. (104 S.) München 884. (Rieger.) n. 6. —

— die Krankheiten der weiblichen Harnröhre u. Blase, s.: Chirurgie, deutsche.

Winckel, F., die Krankheiten der weiblichen Harnröhre u. Blase, s.: Handbuch der Frauenkrankheiten.
— Lehrbuch der Frauenkrankheiten. Mit 132 Holzschn. u. 8. lith. Taf. gr. 8. (XXIV, 795 S.) Leipzig 886 Hirzel. n. 16. —; Einbd. n.n. 2. —

Winckelmann, J. J., Gedanken üb. die Nachahmung der griechischen Werke in der Malerei u. Bildhauerkunst, s.: Litteraturdenkmale, deutsche, d. 18. u. 19. Jahrh.

Winckler, A., üb. die linearen Differentialgleichungen 2 Ordnung, zwischen deren particulären Integralen e. Relation besteht. Lex.-8. (26 S.) Wien 885. (Gerold's Sohn.) n.n. — 50
— Ermittelung v. Grenzen f. die Werthe bestimmter Integrale. Lex.-8. (6 S.) Ebend. 884. n. — 20
— über e neue Methode zur Integration der linearen partiellen Differentialgleichung 2. Ordnung m. 2 unabhängigen Veränderlichen. Lex.-8. (67 S.) Ebend. 883. n. 1. —
— Reduction der Bedingungen d. Euler'schen Criteriums der Integrabilität auf e. einzige Gleichung. Lex.-8. (15 S) Ebend. 883. n. — 40

Winckler, Arth., die deutsche Hansa in Rußland. Hrsg. m. Unterstützg. d. Vereins f. Hansische Geschichte. gr. 8. (V, 153 S.) Berlin 886. R. L. Prager. n. 4. —
— Leopold v. Ranke. Lichtstrahlen aus seinen Werken. Gesammelt u. m. e. Lebensabriß hrsg. 8. (XXXII, 175 S.) Ebend. 885. n. 3. —; geb. n 4. —; auf Büttenpap. n. 10. —

Winckler, Axel, therapeutisches Lexicon. 8. (III, 332 S.) Leipzig 884. F. C. W. Vogel. n. 5. —

Winckler, Otto, der Papierkenner. Ein Handbuch u. Rathgeber f. Papier-Käufer u. Verkäufer, techn. Lehranstalten etc. Zum prakt. Gebrauche bearb. Mit 127 Illustr. gr. 8. (VIII, 280 S.) Leipzig 887. Th. Grieben. n. 8. —; geb. n. 10. —
— die Schule u. das Schulmaterial. Ein Wort an die Schulbehörden, sowie an die deutschen Schulmänner, Buch-, Lehrmittel- u. Schulwaaren-Händler. 12. (31 S.) Dresden-Blasewitz 885. Loewenstein. — 30

Windeck, E., das Leben König Sigmunds, s.: Geschichtschreiber, die, der deutschen Vorzeit.

Windeklilde, J., neues Handwörterbuch der deutschen Sprache. 5—9. (Schluß-)Lfg. gr. 8. (V u. S. 321—675.) Neuwied 883. Heuser's Verl. à n. — 80 (cplt.: 7. —)

Windel, C., Beiträge aus der Seelsorge f. die Seelsorge. 6. Hft. Die Gefahren der Äußerlichkeit im christl. Seelenleben. 8. (50 S.) Wiesbaden 886. Niedner. n. 1. — (1—6.: n. 7. 20)

Windelband, W., Beiträge zur Lehre vom negativen Urtheil, s.: Abhandlungen, Strassburger, zur Philosophie.
— Präludien. Aufsätze u. Reden zur Einleitg. in die Philosophie. gr. 8. (VII, 325 S.) Freiburg i/Br. 884. Mohr. n. 6. —

Winderlich, Carl, die Tilgung d. romanischen Hiatus durch Contraction im Französischen. gr. 8. (35 S.) Breslau 885. (Köhler.) n. 1. —

Windhaus, Geo., Führer durch den Odenwald u. die Bergstrasse, nebst den angrenzenden Teilen d. Main- u. Neckar-Thals. Im Auftrag d. Odenwaldklubs hrsg. 2., vielfach verm. u. verb. Aufl., m. e. geschichtl. Einleitg. v. Ernst Wörner, e. das Gesamtgebiet d. Odenwaldes umfass. neu bearb. Karte, 6 Routenplänen u. 1 Stadtplan. 8. (VIII, 179 S.) Darmstadt 886. Bergsträsser. geb. n. 2. —

Windisch, Ernst, Zwölf Hymnen d. Rigveda m. Sâyana's Commentar. Text. Wörterbuch zu Sâyana Appendices. gr. 8. (IV, 172 S.) Leipzig 883. Hirzel. n. 5. —

Windisch, K., das deutsche Bürgertum in seinen Beziehungen zur bildenden Kunst im Mittelalter. 4. (27 S.) Döbeln 884. (Schmidt.) n. 1. 85

Windisch-Grätz, der k. k. österreichische Feldmarschall Fürst. Eine Lebens-Skizze. Aus den Papieren e. Zeitgenossen der Sturm-Jahre 1848 u. 1849. gr. 8. (V, 268 S.) Berlin 886. Wilhelmi. n. 5. —

Windmöller, F., Lehr- u. Lesebuch f. Fortbildungsschulen, s.: Schürmann, F.

Windolf, Herm., Thautropfen auf den Pilgerweg. Lieder u. Gedichte. 16. (XI, 269 S.) Bonn 886. Schergens. n. 1. 20; geb. n. 1. 80; m. Goldschn. n. 2. —

Winds, Herm., elektrisch. Dramatische Solo-Scene. 8. (12 S.) Wien 883. Engel. — 40

Windscheid, B., u. B. Träudlin, Bismarck als Staatsmann u. Parlamentarier. Zwei Festreden, geh. bei der Bismarck-Feier zu Leipzig. gr. 8. (16 S.) Leipzig 885. Schloemp. n. — 50

Windstoffer, Ed., Sprachen-Nothelfer f. den deutschen Soldaten. qu. 8. (32 S.) München 885. (Franz' Verl.) n.n. — 50

Windstoßer, J., das Gesetz die Flurbereinigung betr., s.: Kulturgesetze, die bayerischen, nebst Vollzugsvorschriften.
— Gesetz, die Hagelversicherungsanstalt betr. vom 13. Febr. 1884. Mit Erläutergn. u. Bemerkgn. nach dem vorhandenen Quellenmaterial hrsg. 8. (66 S.) Ansbach 884. Brügel & Sohn. cart. n. — 70
— Gesetz die Landeskulturrentenanstalt betr. vom 21. Apr. 1884. Mit Anmerkgn. nach den Gesetzesmotiven, den Kammer-Ausschuß- u. Plenar-Verhandlgn. hrsg. 8. (34 S.) Ebend. 884. cart. n. — 40
— Gesetz üb. den Malzaufschlag vom 16. Mai 1868 in seiner gegenwärtig gültigen Fassung. Mit Bemerkgn. nach dem vorhandenen Quellenmaterial versehen. 2. Aufl. 8. (244 S.) Ebend. 886. cart. n. 1. 80

Winfriede. Erzählung v. der Verf. von: „Heinrichs Kämpfe". Mit e Vorwort von G. v. Gezschwitz. Autoris. Uebersetzg. 2. Ausg. 12. (VII, 184 S.) Barmen 884. Klein. cart. n. 1. 50

Wing, John F., üb. Butyrylanhydrometabromisodiamidotoluol. Inaugural-Dissertation. gr. 8. (35 S.) Göttingen 884. (Vandenhoeck & Ruprecht.) n. — 80

Winge, Axel, revised general statutes for norwegian marine insurance. Novbr. 1881. Published by the committee of representatives of the norwegian Veritas; and edited in english, as authorized by the said committee. 4. (III, 64 S.) Hamburg 883. O. Meissner. n.n. 2. 25

Wingelmüller, Karl, der Käfer- u. Schmetterlingssammler. Anleitung zur Herstellg. u. Handhabg. der beim Fange, der Zucht u. dem Präparieren v. Käfern, Schmetterlingen u. Raupen als geeignet bewährten Geräte, sowie zur Anlage u. Erhaltg. v. Insektensammlgn. Mit 32 Abbildgn. 8. (112 S.) Magdeburg 885. Creutz. 1. 50; geb. n. 2. 25

Wingerath, Hub. H., choix de lectures françaises à l'usage des écoles secondaires. 1. et 2. partie. gr. 8. Köln 886. Du Mont-Schauberg. n. 5. —
1. Classes inférieures. Accompagnée d'un vocabulaire. 4. éd. (XIII, 249 S.) n. 2. —
2. Classes moyennes. Accompagnée de notes. 3. éd. (XIV, 407 S.) n. 3. —
— lectures enfantines d'après la méthode intuitive. 2. éd. revue et corrigée. 8. (VIII, 109 S.) Ebend. 886. cart. n. — 80
— petit vocabulaire français pour servir à la méthode intuitive suivie d'une introduction au choix de lectures françaises [1. partie]. 16. (III, 51 S.) Ebend. 884. cart. n. — 40

Winiwarter, A. v., die allgemeine chirurgische Pathologie u. Therapie, s.: Billroth, Th.

Winiwarter, Geo. R. v., 2. Serie gesammelter Aufsätze technischen Inhalts. Beiträge zu e. rationellen Haushaltungskunde f. Mädchenschulen. Mit 7 lith. Taf. u. 15 in den Text eingedr. Holzschn. Hrsg. bei Gelegenheit der Eröffng. der hygien. Ausstellg. in Berlin am 10. Mai 1883. gr. 8. (V, 100 S.) Graz 883. Leykam. n. 4. — (1. u. 2: n. 9. —)

Winke f. Badegäste d. königl. Seebades Norderney. 8. Jahrg. Saison 1886. 32 (VIII, 179 S. m. 1 chromolith. Karte.) Norden 886. Soltau. n. — 50
— für's Leben, an unsere heranwachsenden Söhne u. Töchter. Herzensworte e. Vaters an seine Kinder. 8. (39 S.) Zürich 885. Schröter & Meyer. n. — 40
— über Mädchen-Erziehung in Anstalten m. besond. Berücksicht. der Erziehung armer Mädchen. gr. 8. (52

S.) Augsburg 885. Literar. Institut v. Dr. M. Huttler. n. — 70

Winkelmann, der Gendarmerie-Probist. Anleitung zum prakt. Dienstbetrieb u. Vorbereitg. zum Examen, durch Ausarbeitg. der in demselben zu lös. Aufgaben. 2. Aufl. 8. (V, 50 S.) Berlin 883. Mittler & Sohn. n. 1. 20

Winkelmann, A., Lehrbuch der physikalischen u. theoretischen Chemie, s.: Horstmann, A.

Winkelmann, Ed., acta imperii inedita seculi XIII. et XIV. Urkunden u. Briefe zur Geschichte d. Kaiserreichs u. d. Königr. Sicilien in den J. 1198—1400. 2. Bd. Mit Unterstützg. der Gesellschaft f. ältere deutsche Geschichtskunde. Lex.-8. (VIII, 983 S.) Innsbruck 885. Wagner. n. 40. — (1. u. 2.: n. 70. —)

— Geschichte der Angelsachsen bis zum Tode König Aelfreds, s.: Geschichte, allgemeine, in Einzeldarstellungen.

— s.: Urkundenbuch der Universität Heidelberg.

Winkelmann, J. C. A., Schulgrammatik der englischen Sprache. 3 Aufl. gr. 8. (VIII, 277 S.) Leipzig 883. Hirt & Sohn. n. 3. —

Winkler, Clem., Lehrbuch der technischen Gasanalyse. Kurzgefasste Anleitg. zur Handhabg. gasanalyt. Methoden v. bewährter Brauchbarkeit. Auf Grund eigener Erfahrg. bearb. Mit vielen in den Text eingedr. Holzschn. gr. 8. (VI, 126 S.) Freiberg 884. Engelhardt. n. 6. —

Winkler, E., Vorträge üb. Brückenbau, geh. an den techn. Hochschulen in Prag, Wien u. Berlin Eiserne Brücken. 4. Hft. gr. 8. Wien 884. Gerold's Sohn. n. 24. —

Die Querkonstruktionen der eisernen Brücken. Nach den Vorträgen üb. Brückenbau, geh. an der kön. techn. Hochschule zu Berlin. 2. Aufl. Mit 565 Holzschn. (VII, 535 S.)

— dasselbe. Theorie der Brücken. 1 Hft. Aeussere Kräfte der Balkenträger. 3. Aufl. Mit 256 Holzschn. u. 6 lith. Taf. gr. 8. (VII, 356 S.) Ebend. 886. n. 16. —

Winkler, F., e. guter Freund d. Lehrers od. das Wesentliche im Unterrichte. Ansprache u. Vortrag, geh. in der diesjähr. Hauptkonferenz der Lehrer d. Schulinspektionsbezirkes Oschatz. gr. 8. (15 S.) Leipzig 885. Klinkhardt. n. — 30

Winkler, Heinr., das Uralaltaische u. seine Gruppen. 1. u. 2. Lfg. gr. 8. (VIII, 184 S.) Berlin 885. Dümmler's Verl. n. 3. 60

— uralaltaische Völker u. Sprachen. gr. 8. (IV, 480 S.) Ebend. 884. n. 8. —

Winkler, Johs., Dummheit! 40 kom. Verse üb. die Dummheit v. Zwickel. 6. Aufl. 8. (15 S.) Wien 886. Johs. Winkler. n. — 50

— der Radfahr-Sport in Bild u. Wort, in allen Farben, hell u. dünkler, geschildert v. J. W. gr. 8. (56 S.) Ebend. 885. 2. —

Winkler, Johs., e. Besuch in Kairo, Jerusalem u. Konstantinopel. gr. 8. (116 S.) Linz 886. Ebenhöch. n. 1. 20

Winkler, Jos., deutsche Sprach- u. Aufsatzlehre f. Bürgerschulen, m. besond. Berücksicht. der gewerbl. Aufgabe dieser Anstalten. In 3 Stufen. Hrsg. vom Vereine „Bürgerschule" in Wien gr. 8. (IV, 90; 88 u. III, 100 S.) Prag 885. Tempsky. à n. — 60; Einbd. à n.n. — 20

Winkler, Leonh., die Geldheirath. Lustspiel in 5 Akten. Frei nach Scribe's „le mariage d'argent": gr. 8 (71 S.) München 883. (Franz' Verl.) n. — 60

Winkler, Olof, vier landschaftliche Scenerien. Studien. 4 Chromolith. gr. 4. Leipzig 886. (Baldamus.) n. 4. —

Winkler, Rob., Lehrbuch der Buchhaltung. 2. Aufl. gr. 8. (X, 452 S.) Wien 883. Hölder. n. 7. 20

Winkler, Thdr., bunte Gesellschaft. Allerlei aus meiner Mappe. gr. 8. (V, 254 S.) Mainz 884. v. Zabern. n. 2. 75; Einbd. n.n. — 75

Winkler, W., Flora d. Riesen- u. Isergebirges. Mit Berücksicht. der Vorgebirgsflora. Nach natürl. Familien. Nebst Schlüssel nach dem natürl. u. Linné'schen System. Mit umfass. Ergänzungsbeilage bis 1883. 8. (VIII, 234 u. Nachtrag 11 S.) Warmbrunn 883. (Hirschberg, Kuh.) n.n. 2. 25; geb. n.n. 2. 50

Winkler, Willib., das Herz der Acarinen, nebst vergleich. Bemerkgn. üb. das Herz der Phalangiiden u. Chernetiden. Mit 1 Taf. u. 1 Holzschn. gr. 8. (8 S.) Wien 886. Hölder. n. 2. 80

Winter, A., Mythologie der Griechen u. Römer f. die reifere Jugend. Mit kolor. Titelbild u. 16 Taf. in Tondr. 13 Aufl. 8. (76 S.) Langensalza 883. Schulbuchh. geb. 1. 20

— Sagen u. Geschichten der Stadt Wien, s.: Holczabek, J. W.

Winter, Alb., deutsches Uebungsbuch. Im Anschluß an Englmanns deutsche Grammatik f. die 1., 2. u 3. Klasse der Latein- u. Realschule bearb. 2 Bdchn. gr. 8. Bamberg 887. Buchner. n. 1. 80

1. Formenlehre. (VIII, 77 S.) n. 1. —
2. Satzlehre. (II, 69 S.) n. — 80

Winter, Aug., vollständiges Gartenbuch. Nach eigenen Erfahrgn. u. den besten Hilfsmitteln bearb. Mit zahlreichen in den Text gedr. Abbildgn. 6. Aufl. gr. 8. (IV, 196 S.) Langensalza 886. Schulbuchh. 1. 80

Winter, C., auf daß dir's wohlgehe! Eine Erzählg. aus dem Leben f. das Leben. 8. (208 S.) Stuttgart 885. J. F. Steinkopf. n. 2. 20; geb. n. 3. —

Winter, E., zur Wasser-Versorgung der Stadt Wiesbaden in Vergangenheit, Gegenwart u. Zukunft. Vorträge. gr. 8. (24 S.) Wiesbaden 886. (Moritz & Münzel.) n. — 50

Winter, F., die Freude an Gottes Wort! Predigt üb. Jeremia 15, 16. gr. 8. (11 S.) Nürnberg 884. Raw. n. — 20

Winter, Frz., die jüngeren attischen Vasen u. ihr Verhältnis zur grossen Kunst. 4. (VI, 72 S. m. Fig.) Berlin 885. Spemann. n. 4. —

Winter, Frdr. Jul., die Theologie d. Dr. Luthardt. Ein Konferenzvortrag. gr. 8. (32 S.) Leipzig 883. Hinrichs' Verl. — 60

Winter, G., Pilze, s.: Rabenhorst's, L., Kryptogamen-Flora v. Deutschland, Oesterreich u. der Schweiz.

Winter, G., die Katastrophe Wallensteins, s.: Bücherei, deutsche.

Winter, G., s.: Weisthümer, österreichische.

Winter, G. A., Lebensbilder aus der Heimat u. Fremde, s.: Horn, W. O. v.

Winter, Geo., Hans Joachim v. Zieten. Eine Biographie. Auf Veranlassg. u. m. Unterstützg. d. Grafen v. Zieten-Schwerin. 2 Bde. Mit 1 Radirg. v. Hans Meyer u. 10 facsm. Briefen Friedrichs d. Großen u. Zietens. gr. 8. (XXVII, 461 u. IX, 528 S.) Leipzig 886. Duncker & Humblot. n. 15. —; geb. n. 18. —

— Zieten bei Kolin, s.: Beiheft zum Militär-Wochenblatt.

Winter, H., Sachregister, s.: Gesetz- u. Verordnungs-Sammlung f. die Herzogl. Braunschweigischen Lande.

Winter, Herm., Darlegung u. Kritik der Lockeschen Lehre vom empirischen Ursprung der sittlichen Grundsätze. gr. 8. (61 S.) Bonn 883. Nolte. n. 1. —

Winter, J., die Stellung der Sklaven bei den Juden in rechtlicher u. gesellschaftlicher Beziehung nach talmudischen Quellen. gr. 8. (V, 66 S.) Breslau 886. (Preuss & Jünger.) n. 1. 20

Winter, J. S., regimental legends, s.: Collection of British authors.

Winter, Jos., Gedichte. 8. (VI, 153 S.) Stuttgart 885. Bonz & Co. geb. n. 4. —

Winter, Jos., zur Judenfrage. Ein neuer Literatur-Schädling: Herr Isidor Singer. Lex.-8. (24 S.) Wien 886. (Pichler's Wwe. & Sohn.) n. — 40

Winter, L., die Burg Dankwarderode zu Braunschweig. Ergebnisse der im Auftrage d. Stadtmagistrats angestellten baugeschichtl. Untersuchgn. Mit 85 in den Text eingedr. Abbildgn. u. 20 Lichtdr.-Taf. Fol. (IV, 80 S.) Braunschweig 883. Meyer. geb. n. 40. —

Winter, M., Kleidung u. Putz der Frau nach den altfranzösischen Chansons de geste, s.: Ausgaben u. Abhandlungen aus dem Gebiete der romanischen Philologie.

Winter, P., das Etats-, Kassen- u. Rechnungswesen der württembergischen Finanzverwaltung m. besond. Berücksicht. d. Kassen- u. Rechnungswesens der Staatseisenbahn-Verwaltung u. der Post- u. Telegraphen-Verwaltung. gr. 8. (112 S.) Stuttgart 886. Metzler's Verl. n. 1. 75

Winter, Wilh., Lehrbuch der Physik zum Schulgebrauche. gr. 8. (VIII, 495 S. m. Fig.) München 886. Th. Ackermann's Verl. n. 4. 80

Winterberg, E. v., und das bekommt mich denn so schön, s.: Couplet-Sammlung, Leipziger.

Winterer, L., die sociale Gefahr u. der Socialismus während der letzten zwei Jahre in Europa u. in Amerika. Autoris. Uebersetzg. aus dem Franz. 8. (VIII, 187 S.) Mainz 885. Kirchheim. 1. 50

Winterfeld, A. v., der heilige Ehestand. Humoristischer Roman. 3 Bde. 8. (VIII, 280; 284 u. 279 S.) Jena 883. Costenoble. n. 12. —

— Fanatiker der Ruhe. Komischer Roman. 2. Aufl. Wohlf. Ausg. 8. (518 S.) Ebend. 886. n. 3. —

— Herr v. Filz. Humoristischer Roman. 2. Aufl. 8. (207 S.) Ebend. 883. n. 2. —

— Humoresken. 1—3. Bd. 12. Ebend. n. 3. 80

1. (132 S.) 885. n. 1. 30. — 2. (163 S.) 886. n. 1. —. — 3. (164 S.) 886. n. 1. —

— der Kamrad v. der Garde. Komischer Soldaten-Roman. 3 Bde. 8. (310, 276 u. 303 S.) Ebend. 886. n. 13. 50

— der Kegelclub. Komischer Roman. 3 Bde. 8. (327, 327 u. 309 S.) Ebend. 886. 15. —

— Kunterbunt. 1. u. 2. Bdchn. 8. (168 u 158 S.) Berlin 883. Behr's Verl. à — 75

— Lebenskämpfe. Erzählungen. 3 Bde. 8. (218, 236 u. 358 S.) Jena 886. Costenoble. n. 10. —

— Modelle. Humoristisch-socialer Roman. 2., wohlf. Aufl. 8. (459 S.) Ebend. 884. n. 3. —

— eine ausgegrabene Reitinstruction. In 14 Gesängen. Dem Andenken der alt-griech. u. modern-deutschen Reiterei gewidmet. 4. Aufl. gr. 8. (99 S.) Berlin 886. Liebel. n. 1. 50

— Schnurren. 1. u. 5. Bdchn. 2. Aufl. 9. u. 10. Bdchn. 12. (158, 159, 158 u. 169 S.) Ebend. 883—84. à n 1. 50

— seltsame Seeabenteuer Arthur Gordon Pym's, s: Unterhaltungs-Bibliothek f. Reise u. Haus.

— neue humoristische Soldatengeschichten. 5—12. Bd. 12. (159, 151, 167, 170, 160, 162, 151 u. 162 S.) Jena 883—86. Costenoble. à n 1. —

— die Todtenköpfe. Komischer Roman. 3 Bde. 8. (320, 344 u. 332 S.) Ebend. 885. n. 15. —

— der Waldkater. Humoristischer Roman. 3 Bde. 8. (348, 311 u. 340 S.) Ebend. 883. n. 15. —

— alte Zeit od. die vier Töchter d. Rittmeister Schimmelmann. Komischer Soldaten-Roman. 2. Aufl. Wohlf. Ausg. 2 Thle. in 1 Bde. 8. (472 S.) Ebend. 885. n. 3. —

Winterfeld, C. v., der wissenschaftliche Unterricht d. Soldaten. Ein Handbuch zum Gebrauch f. den Schulunterricht der Kapitulanten bei den Truppen, auf Grund der Allerhöchsten Verordngn. vom 2. Novb. 1876, sowie e. Lehrbuch f. Unteroffiziere u. Soldaten zur eigenen Ausbildg. u. zur Vorbereitg. f. alle Examina bei späteren Civilanstellgn. 9. Aufl. gr. 8. (VIII, 192 S.) Potsdam 882. Döring. n. 1. 50

Winternitz, Karl, Lesespiel f. kleine Kinder von 4 bis 6 Jahren, wodurch dieselben ohne eigentl. Unterricht in entsprechend kurzer Zeit nicht nur lesen lernen u. zu e. Geläufigkeit in orthograf. Diktando-Uebgn. gelangen, sondern ihren Geist u. ihre Gesittg. zu e. Grade der Entwicklg. bringen, der bisher in diesem Alter zu den Seltenheiten gehörte. 36. verb. Aufl. od. 37. Tausend. gr. 8. (24 S. m. 8 Lesetaf. u. Buchstaben in Kapsel.) Wien 883. Lechner's Verl. cart. n. 2. 20

Wintersperger, Ant., das neue Gewerbe-Gesetz sammt den noch giltigen Normen d. alten Gewerbe-Gesetzes, dann das neue Gesetz üb. die Einführg. v. Gewerbe-Inspectoren, populär erklärt u. m. Fomularien erläutert. gr. 8. (30 S.) Wien 883. (Edm. Schmid.) n. — 70

— Handbuch f. Gemeindevorsteher. Eine Sammlg. aller den selbstständ. Wirkungskreis der Gemeinden bild. Gesetze u. Verordngn. u. der wichtigsten Entscheidgn. d. Verwaltungsgerichtshofes, sowie m. den Entscheidgn. desselben u. d. Reichsgerichtes üb. Schulerrichtgn. u. deren Kostenbestreitg., u. insbesondere der Errichtg. v. Schulen m. der landesübl. Unterrichtssprache bis Ende Jänner 1885 ergänzt. Zusammmengestellt, populär erklärt u. m. vielen Formularien erläutert. 6. Aufl. gr. 8. (IV, 297 S) Wien 885. (Edm. Schmid.) cart. n. 6. —

Wintersperger, Ant., der Staatsdienst in Oesterreich. Systematisch geordnete Sammlg. aller in Bezug auf den Staatsdienst in Oesterreich besteh. Gesetze u. Verordngn., sammt allen bisher geschöpften Erkenntnissen d. Reichsgerichtes. 3. bedeutend erweit. Aufl. gr. 8. (196 S.) Wien 883. (Edm. Schmid.) n. 4. —

Winterstein, Rich., der Episkopat in den drei ersten christlichen Jahrhunderten. gr. 8. (97 S) Wien 886. Töplitz & Deutike. n. 2. 50

Winther, Chrn., die Flucht d. Hirsches. Ein Gedicht. Nach dem Dän. v. Wilh. Honoré. 8. (VII, 245 S.) Leipzig 883. (C. F. Fleischer.) geb. m. Goldschn. n. 4. —

Winther, Herm., de fastis Verrii Flacci ab Ovidio adhibitis. gr. 8. (57 S.) Berlin 885. Gaertner. n. 1. 20

Wintzingeroda-Knorr, Levin Frhr. v., die deutschen Arbeitshäuser, e. Beitrag zur Lösg. der Vagabonden-Frage. Bericht, erstattet im Auftrage d. Deutschen Vereins f. Armenpflege u. Wohlthätigkeit. Lex.-8. (VIII, 118 S.) Halle 885. Hendel. n. 2. 50

Winzer, Ant., die Bereitung u. Benutzung d. Papiermaché u. ähnlicher Kompositionen. 3., zum Teil ganz neu bearb. u. m. den neuesten Fortschritten bereicherte Aufl. Mit 1 (lith.) Taf. Abbildgn. 8. (VIII, 83 S.) Weimar 884. B. F. Voigt. 1. 20

Wipfli, Jos., Allerseelen. Ein poet. Immortellenkranz, niedergelegt auf die Gräber der lieben Verstorbenen. 16. (48 S. m. 1 Bild.) Solothurn 886. Burkardt & Fröhlicher. — 40

— der Gang ins Kloster. Gedicht. 16. (31 S.) Ebend. 885. — 40

Wippermann, Alb., Kirchengeschichte f. Haus u. Schule. Zugleich Commentar zu d. Verf. „Grundriß d. Kirchengeschichte". 4. Aufl. gr. 8. (VIII, 344 S.) Grimma 886. Gensel. n. 3. 40; geb. n. 4. —

Wipplinger, Adb., unsere Meeresfahrt durch das Leben. Ein Lebensbild in 3 Gesängen. 12. (VII, 104 S.) Berlin 885. Neuenhahn. geb. m. Goldschn. n. 3. —

Wir Beide, Graham u. ich. Aus dem Amerikan. Deutsche autoris. Ausg. v. Marie Morgenstern. 6. Aufl. 8. (194 S.) Leipzig 885. Böhme. n. 2. 20

— werden bei dem Herrn sein allezeit. 4 Kreuze in Blumen. Chromolith. 12. Leipzig 883. (Baldamus Sep.-Cto.) n. 1. 20

— deutsche Soldaten. Ein aufricht. Wort an seine Kameraden v. e. Dreijährigen. 13. Tausend. gr. 16. (53 S.) Berlin 886. v. Decker. cart. — 50

Wird Fürst Bismarck Wort halten? Aus den Plenarverhandlgn. d. Herrenhauses vom 12. u. 13. Apr. 1886. 2. Folge von: Die Gefahren der neuen kirchenpolit. Vorlage v. Janus redivivus. 8. (S. 65—103.) Hagen 886. Risel & Co. n. — 50

Wirker-Zeitung. Fachblatt f. die Interessen der Wirkerei u. der zur Vollendg. v. Maschen-Waaren nöthigen weiteren Gewerbe. Organ d. Vereins ehemal. Wirkschüler. Unter Mitwirkg. namhafter Fachcapacitäten hrsg. v. Gust. Evers. 4—6. Jahrg. Octbr. 1883 — Septbr. 1886. à 24 Nrn. (à 1/2—1 1/2 B.) gr. 4. Apolda, Birkner. à Jahrg. n. 4. —

Wirksamkeit, die, d. Gerichts-Vollzieher-Instituts nach den Reichs- u. preußischen Landesgesetzen. Ein Beitrag zur Justiz-Reform. Für die gerichtl. Behörden u. das intelligente Laienpublikum geschrieben v. e. Justizbeamten. gr. 8. (74 S.) Hanau 885. (König.) n. 1. —

Wirminghaus, A., zwei spanische Merkantilisten. — der Unternehmergewinn u. die Betheiligung der Arbeiter am Unternehmergewinn, s.: Sammlung nationalökonomischer u. statistischer Abhandlungen d. staatswissenschaftlichen Seminars zu Halle a/S.

Wirth, Bettina, hohe Loose. Roman. 3 Bde. 8. (202,

237 u. 166 S.) Leipzig 883. Wartig's Verl. n. 8. —; geb. n. 11. —

Wirth, D. F. C., die neuen Verwaltungsgesetze f. die Prov. Hessen-Nassau, m. besond. Rücksicht auf den Reg.-Bez. Wiesbaden betrachtet. gr. 8. (III, 102 S.) Wiesbaden 884. Limbarth. n. 1. 50; cart. n. 1. 70

Wirth, Frz., die Reform d. Patent-Gesetzgebung in der Neuzeit. gr. 8. (IV, 272 S.) Frankfurt a/M. 883. Sauerländer. n. 3. —

Wirth, G., Einübung der deutschen Rechtschreibung nach Maßgabe v. Regeln u. Wörterverzeichnis f. die deutsche Rechtschreibg. zum Gebrauch in den preuß. Schulen. Hrsg. im Auftrage d. königl. Ministeriums der geistl., Unterrichts- u. Medizinal-Angelegenheiten. Für Volks- u. Bürgerschulen bearb. 5. Aufl. 8. (80 S.) Langensalza 886. Schulbuchh. cart. — 60

— Lehr- u. Uebungsstoff f. den Unterricht in der Muttersprache, s.: Grillenberger, G.

— Leitfaden f. den Unterricht in der Geschichte der deutschen Nationallitteratur, f. höhere Lehranstalten bearb. 2. Aufl. gr. 8. (208 S.) Berlin 884. Wohlgemuth n. 2. —; geb. n. 2. 30

— deutsches Lesebuch f. höhere Töchterschulen. 1—3., 4. u. 6. Tl. gr. 8. Leipzig, Teubner. n. 8. 40
1. Unterstufe. 1. Kurs. 8. Aufl. (VIII, 131 S.) 886. n. — 80
2. Unterstufe. 2. Kurs. 8. Aufl. (VIII, 180 S.) 880. n. 1. —
3. 7. Aufl. (X, 282 S.) 885. n. 1. 60
4. 7. Aufl. (VIII, 340 S.) 885. n. 1. 80
6. Oberstufe. 2. Kurs. 5. Aufl. (XI, 657 S.) 887. n. 3. 20

— dasselbe, Gedichte daraus, s.: Gedichte.

— Wiederholungs- u. Hülfsbuch f. den Unterricht in der Chemie. Für die Hand der Schüler in mehrklass. Volksschulen, Mittelschulen u. höheren Töchterschulen bearb. 4., durchgehends nach den neuesten Ansichten der Chemie bearb. Aufl. 8. (164 S.) Berlin 885. Wohlgemuth. n. 1. —

Wirth, George, die Armington-Dampfmaschine. Mit 8 (eingedr.) Holzschn. u. 2 Taf. gr. 8. (23 S.) Wien 883. Spielhagen & Schurich. n. 1. 60

Wirth, J., beschreibende Landwirtschaft. Kurze Zusammenstellg. d. Wichtigsten aus allen Zweigen der Landwirtschaft, bearb. f. Landwirte u. landw. Fortbildungsschulen. 2. Aufl. 8. (VIII, 142 S.) Ansbach 886. Brügel & Sohn. cart. n. 1. —

Wirth, M., die Kolonisten auf Neu-Guinea, s.: Volks- u. Jugend-Erzählungen.

Wirth, Max, das Geld, s: Wissen, das, der Gegenwart.

— Grundzüge der National-Ökonomie. 3. Bd. A. u. d. T.: Handbuch d. Bankwesens. 3. Aufl. gr. 8. (IX, 733 S.) Köln 883. Du Mont-Schauberg. n. 12. —

— die Quellen d. Reichtums m. Rücksicht auf Geschäftsstockungen u. Krisen im internationalen Geld-, Kapital- u. Warenmarkt, sowie auf die Agrar-, Kolonial- u. Arbeiterfrage. gr. 8. (III, 294 S.) Ebend. 886. n. 6. —

— ernste u. frohe Tage aus meinen Erlebnissen u. Streifzügen. Mit e. Portr. in Holzschn. gr. 8. (III, 382 S.) Ebend. 884. n. 6. —

— Ungarn u. seine Bodenschätze. Statistisches Handbuch ungar. Landeskunde nach amtl. Quellen. gr. 8. (VIII, 489 S.) Frankfurt a/M. 885. Sauerländer. n. 8. —

Wirth, Mor., Bismarck, Wagner, Rodbertus, drei deutsche Meister. Betrachtungen üb. ihr Wirken u. die Zukunft ihrer Werke. Mit e. Beitrage. Das moderne Elend u. die moderne Uebervölkerung. Ein Wort gegen Kolonien. Von Max Schippel. gr. 8. (VI, 395 S.) Leipzig 883. Mutze. n. 8. —

— dasselbe. 2. Aufl. gr. 8. (VI, 399 S.) Ebend. 885. n. 4. —; geb. n. 5. —

— die mediumistische Frage, ihre Lage u. Lösung. Ein Aufruf. gr. 8. (VIII, 18 S.) Ebend. 885. n. — 30

— die König-Marke-Frage. Eine Abwehr f. das Kunstwerk, wider den Meister. 8. (IV, 47 S.) Leipzig 886. Reinboth. n. 1. —

— der drohende Untergang d. Nachlasses v. Rodbertus-Jagetzow. Zur Beleuchtg. der Herausgeberthätigkeit der Herren A. Wagner u. Th. Kozak. gr. 8. (IV, 66 S.) Leipzig 884. Fock. n. 1. —

Wirth, R., zur Genesung! Ein wenig Kranken- u. Gesundheitspflege. 2. Aufl. 8. (82 S.) Aarau 884. Sauerländer. n. 1. 20

Wirth, Thdr., Predigten im Geist d freien Christenthums. 3. unveränd. Aufl. gr. 8. (VII, 413 S.) Mülheim 886 Ziegenhirt & Co. n. 3. —; geb. n. 4. —

Wirth, Z., christliche Heilslehre. Leitfaden f. den Konfirmandenunterricht. 11. Aufl. gr. 8. (48 S.) St. Gallen 885. Scheitlin u. Zollikofer. n. — 40

— alte Wahrheit f. die neue Zeit. Religiöse Reden u. Betrachtgn. 3. Aufl. gr. 8. (VIII, 373 S. m. 1 Holzschntaf.) Mülheim 886. Ziegenhirt & Co. n. 2. 50; geb. n. 3. 50

Wirthschaftsbuch f. deutsche Beamte auf d J. 1884. Mit e. Vorworte: Ueber die Ordng. der Privatwirthschaft m. besond. Rücksicht auf den Haushalt der Beamten, v. R. Bosse. gr. 8. (135 S.) Hannover 883. Klindworth. cart. n. 1. 50

— für deutsche Beamtenfrauen f. d. J. 1884. gr. 8. (36 S.) Ebend 883. cart. n. — 60

Wirtschafts- u. Schankgesetze, die neuesten, enth.: Die Verwaltungs- u polizeil. Vorschriften üb. das Gewerbe der Gast- u. Schankwirte, sowie der Händler m. Branntwein u. Spiritus. Unter Berücksicht. d. Gesetzes, betr. die Abänderg. der Gewerbe-Ordng. vom 1. Juli 1883, zum Handgebrauche praktisch bearb, systematisch geordnet u m. erklär. Erläutergn. versehen. 12. (IV, 51 S.) Neuwied 884. Heuser's Verl. cart. — 40

Wirthschaftsjahr, das deutsche, 1881. Nach den Jahresberichten der Handelskammern dargestellt v. dem General-Secretariat d. deutschen Handelstages gr. 8. (XI, 568 S.) Berlin 882. (Puttkammer & Mühlbrecht.) n.n. 8. —

— dasselbe. 1882. gr. 8. (XI, 801 S.) Ebend. 884. n. 10. —; geb. n.n 11. 50

— dasselbe. 1883. gr. 8. (XI, 839 S.) Ebend. 885. n. 10. —; geb. n.n. 11. 50

Wirthschafts- u. Hauskalender, kleiner, auf d. J. 1886. 4. (84 S. m. Illustr.) Winterberg 885. Steinbrener. n. — 40

Wirthschafts- u. Historien-Kalender, Sorauer, auf d. J. 1885. 67. Jahrg. 4. (77 S. m. eingedr. Illustr., 1 Chromolith. u. 1 Wandkalender.) Sorau, (Zeidler). — 50

Wirthschafts- u. Verwaltungsstudien, bayerische. 1. Hft. gr. 8. Erlangen 884. Deichert. n. 12. —; ohne Urkunden n. 6. —
Zur Geschichte der Colonisation u. Industrie in Franken. Von Geo. Schanz. (XVIII, 428 u. Urkunden X, 356 S.)

— dasselbe. 2. Bd. 1. Hft. gr. 8. Ebend. 885. n. 2. —
Oekonomische Geschichte Bayerns unter Montgelas. 1799 — 1817. Von Lud. Hoffmann. 1. Thl. Einleitung. (146 S.)

Wirtinger, W., üb. rationale Raumcurven 4. Ordnung. Lex -8 (18 S.) Wien 886. (Gerold's Sohn) n. — 40

Wirtz, E., lautliche Untersuchung der Miracles de St. Eloi, s.: Ausgaben u. Abhandlungen aus dem Gebiete der romanischen Philologie.

Wisbaum, Wilh., die wichtigsten Richtungen u. Ziele der Thätigkeit d. Papstes Gregors d. Grossen. gr. 8. (50 S.) Köln 884. (Leipzig, Fock.) n. 1. —

Wischmann, Fr., Jagdrecht u. Wildschäden in Mecklenburg-Schwerin. Aktenstücke m. Zusätzen u. Erläutergn. nebst e. (chromolith.) Situationsplan. gr. 8. (275 S.) Rostock 886. (Hinstorff's Verl.) n. 3. —

Wiseman, Nik., Fabiola od. die Kirche der Katakomben. Aus dem Engl. übers. v. Karl B. Reiching. Neue illustr., verb. Ausg. Mit feinen Holzschn.-Bildern. Gezeichnet v. Ed. Ritter v. Steinle. (In 12 Lfgn.) 1. Lfg. 4. (40 S.) Regensburg 887. Verlags-Anstalt. n. — 50

— dasselbe. Autoris. Uebersetzg. v. F. H. Reusch. 14. Aufl. Mit den engl. Orig.-Holzschn. 8. (XVI, 432 S.) Köln 884. Bachem. 2. 75; geb. n. 4. —

Wiskemann, A., die Katastrophe in Lessings „Emilia Galotti". Ein Beitrag zur Erklärg. d. Dramas. gr. 4. (22 S.) Marburg 883. Elwert's Verl. — 60

Wiskowatow, Paul v., Geschichte der russischen Literatur in gedrängter Uebersicht. Ein Leitfaden nebst bibliograph. Notizen m. besond. Berücksicht' der neueren Literatur. 2. Aufl. gr. 8. (48 S.) Dorpat 886. Karow. n. 1. 60

Wislicenus, Walter, Beitrag zur Bestimmung der Rotationszeit d. Planeten Mars. gr. 4. (71 S. m. 1 Steintaf.) Leipzig 886. Engelmann. n. 4. —

Wislicenus, H., Wasser ist das beste Heilmittel! 8. (17 S.) Magdeburg 883. Heinrichshofen's Verl. — 30

— dasselbe. 2. Aufl. 8. (32 S.) Ebend. 885. — 60

Wislocki, Wladislaus, liber diligentiarum facultatis artisticae universitatis Cracoviensis. Pars I [1487—1563]. Ex codice manuscripto, in bibliotheca Jagellonica asservato, editionem curavit W. W. Sumptibus academiae litterarum. Lex.-8. (XV, 548 S.) Krakau 886. (Friedlein.) n. 16. —

Wisniewski, C., der Lehrer im amtlichen Verkehr m. den Schulbehörden. Eine Anleitg. zur Abfassg. amtl. Schriftstücke. Enth. alle Arten v. Geschäftsaufsätzen, als Bittschriften, Vorstellgn, Berichte, Protokolle, Meldgn. etc., durch Regeln u. Beispiele dargestellt. 2. Aufl. 8. (XVI, 128 S.) Braunsberg 882. Huye. cart. n. 1. —

— dasselbe. 4. Aufl. 8. (XVI, 160 S.) Braunsberg 885. (Leipzig, Siegismund & Volkening.) cart. n. 1. 20

Wiss, Ed., das Landgesetz f. Irland vom J. 1881 in deutscher Uebersetzung u. im Original. Eingeleitet u. hrsg. gr. 8. (VI, 241 S) Leipzig 883. Duncker & Humblot. n. 4. 80

Wissen, unser, v. der Erde. Allgemeine Erdkunde u. Länderkunde, hrsg. unter fachmänn. Mitwirkg. v. Alfr. Kirchhoff. Mit vielen Abbildgn. u. Karten in Holzst. u. Farbendr. 1—67. Lfg. Lex.-8. Prag 884—86. Tempsky. — Leipzig, Freytag. à n. — 90

1—50. 1. Bd.: Allgemeine Erdkunde v. J. Hann, F. v. Hochstetter u. A. Pokorny. (XXI, 985 S.) (1. Bd. cplt.: n. 45. — ; Einbd. n. n. 7. —)

51—67. 2. Bd. Länderkunde v. Europa, bearb. v. A. Kirchhoff, A. Penck, J. Egli, A. Heim, R. Billwiller, A. Supan, J. Rein, E. Petri, P. Lehmann, Th. Fischer. [In 2 Tln.] (1. Tl. S. 1—464.)

— das, der Gegenwart. Deutsche Universal-Bibliothek f. Gebildete. 10—59. Bd. 8. Ebend. geb. à n. 1. —

10. Die Sonne u. die Planeten. Populärwissenschaftlich dargestellt v. E. Becker. Mit 68 (eingedr. Holzschn.-)Abbildgn. (XI, 296 S.) 883.

11. 13. Der Weltteil Australien v. Karl Emil Jung. 3. Abtlg.: I. Melanesien. [II. Tl.] II. Polynesien. [I. Tl.] Mit 27 Vollbildern u. 81 in den Text gedr. Abbildgn. (VI, 296 S.) 883. 4. Abtlg.: I. Polynesien. [2. Tl.] II. Neuseeland. III. Mikronesien. Mit 18 Vollbildern u. 35 in den Text gedr. Abbildgn. (VI, 268 S.) 883.

12. Licht u. Wärme v. E. Gerland. Mit 4 Portr. u. 126 (eingedr.) Fig. in Holzst. (VI, 312 S.) 883.

14. Der Weltteil Afrika in Einzeldarstellungen I. Abyssinien u die übrigen Gebiete der Ostküste Afrikas v. R. Hartmann. Mit 18 Vollbildern u. 63 in den Text gedr. Abbildgn. (III, 304 S.) 883.

15. Leben u. Sitten der Römer in der Kaiserzeit v. Jul. Jung. 1. Abtlg.: Die socialen Verhältnisse. Das Familienleben. Rom als Reichshauptstadt. Theater u. Spiele. Mit 9 Vollbildern u. 70 in den Text gedr. Abbildgn. (VIII, 198 S.) 883.

16. Die Fixsterne v. C. F. W. Peters. Mit 69 Fig. in Holzst. (III, 169 S.) 883.

17. Leben u. Sitten der Römer in der Kaiserzeit v. Jul. Jung. 2. Abtlg.: Verschüttete Römerstädte. Die Römer in den Provinzen. Lager- u. Soldatenleben. Religion u. Philosophie. Der Ausgang d. röm. Weltreichs. Mit 10 Vollbildern u. 63 in den Text gedr. Abbildgn. (VI, 200 S.) 883. (1. u. 2. Abth. geb. in Hfzbd. n. 4. 50)

18. Kunst u. Kunstgeschichte. Eine Einführg. in das Studium der neueren Kunstgeschichte v. Alwin Schultz. 1. Abtg. Architektur u Plastik. Mit 38 Vollbildern u. 120 in den Text gedr. Abbildgn. (III, 276 S.) 883.

19. Die pyrenäische Halbinsel v. Mor. Willkomm. [In 3 Abtlgn.] 1. Abtlg.: Physisches Gemälde der Halbinsel u. Schilderg. v. Portugal. Mit 26 Vollbildern u. 14 in den Text gedr. Abbildgn. (VI, 250 S) 883.

20. Die Erde u. der Mond. Vom astronom. Standpunkte aus betrachtet u. f. das Verständnis weiterer Kreise dargestellt v. Paul Lehmann. Mit 6 Vollbildern u. 59 in den Text gedr. Abbildgn. (VI, 271 S.) 883.

21. Kunst u. Kunstgeschichte. Eine Einführung in das Studium der neueren Kunstgeschichte v. Alwin Schultz. 2. Abtlg. Malerei u. vervielfältig. Künste. Mit 44 Vollbildern u. 42 in den Text gedr. Abbildgn. (244 S.) 883. (cplt. in 1 Bd. geb. m. Goldschn. n. 5. —)

22. Chile. Land u. Leute. Nach 20jähr. eigenen Beobachtgn. u. denen Anderer kurz geschildert v. Carl Ochsenius. Mit 29 Vollbildern, 58 in den Text gedr. Abbildgn. u. 2 Karten in Holzst. (VIII, 254 S.) 884.

23. Rußland. Einrichtungen, Sitten u. Gebräuche, geschildert von Frdr. Meyer v. Waldeck. 1. Abtlg. Das Reich u. seine Bewohner. Mit 27 Vollbildern u. 51 in den Text gedr. Abbildgn. (XI, 270 S.) 884.

24. Der Weltteil Afrika in Einzeldarstellungen. II. Die Nilländer v. R. Hartmann. Mit 10 Vollbildern u. 65 in den Text gedr. Abbildgn. (216 S.) 884.

25. Das Geld. Geschichte der Umlaufsmittel von der ältesten Zeit bis in die Gegenwart v. Max Wirth. Mit 52 in den Text gedr. Abbildgn. (213 S.) 884.

26. Geschichte der Vereinigten Staaten v. Nordamerika v. Ernst Otto Hopp. (In 3 Abtlgn) 1. Abtlg.: Von der ältesten Zeit bis zum Ende d. Unabhängigkeitskampfes. Mit 50 in den Text gedr. Abbildgn. u. Karten. (VIII, 224 S.) 884.

27. Die Kometen u. Meteore, in allgemein faßl. Form dargestellt v. W. Valentiner. Mit 62 in den Text gedr. Abbildgn. (VIII, 240 S.) 884.

28. Die Elektrizität u. ihre Anwendungen. In ihren Prinzipien f. weitere Kreise dargestellt v. Ant. Waßmuth. Mit 119 in den Text gedr. Abbildgn. (196 S.) 884.

29. Der Weltteil Afrika in Einzeldarstellungen. III. Afrikas Westküste. Vom Ogowe bis zum Damara-Land v. J. Falkenstein. 1. Abtlg. Mit 17 Vollbildern u. 64 in den Text gedr. Abbildgn. (VIII, 241 S.) 884.

30. Geschichte d. Kunstgewerbes in Einzeldarstellungen v. H. Blümner u. O. v. Schorn. I. Das Kunstgewerbe im Altertum v. H. Blümner. 1. Abtlg. Das antike Kunstgewerbe nach seinen verschiedenen Zweigen. Mit 133 in den Text gedr. Abbildgn. (VIII, 267 S.) 885.

31. Die pyrenäische Halbinsel v. Mor. Willkomm. 2. Abtlg.: Spanien. Politische Geographie u. Statistik. Schilderung v. Central- u. Nordspanien. Mit 11 Vollbildern u. 27 in den Text gedr. Abbildgn. (VI, 243 S.) 885.

32. Geschichte d. Kunstgewerbes in Einzeldarstellungen v H. Blümner u. O. v. Schorn. II. Das Kunstgewerbe im Altertum von H. Blümner. 2. Abtlg. Die Erzeugnisse d. griech.-ital. Kunstgewerbes. Mit 148 in den Text gedr. Abbildgn. (VIII, 234 S.) 885.

33. Der Weltteil Afrika in Einzeldarstellungen. IV. Südafrika bis zum Zambesi v. Gust. Fritsch. 1. Abtlg. Das Land m. seinen pflanzl. u. tier. Bewohnern. Mit 50 in den Text gedr. Abbildgn. u. 1 (eingedr.) Karte. (X, 133 S.) 885.

34. Geschichte d. Kunstgewerbes in Einzeldarstellungen v. H. Blümner u. O. v. Schorn. III. Die Textilkunst. Eine Übersicht ihres Entwickelungsganges vom frühen Mittelalter bis zur Gegenwart von Otto v. Schorn. Mit 132 in den Text gedr. Abbildgn. (VIII, 260 S.) 885.

35. Die Kulturgeschichte in einzelnen Hauptstücken v. Jul. Lippert. 1. Abtlg. Des Menschen Nahrungssorge; Wohnung u. Kleidung. Mit 57 in den Text gedr. Abbildgn. (VI, 246 S.) 885.
36. 37. Der Weltteil Amerika in Einzeldarstellungen. II. III. Das Kaiserreich Brasilien v. A. W. Sellin. 2 Abtlgn. in 1 Bde. Mit 23 Vollbildern, 66 in den Text gedr. Abbildgn. u. 5 Karten. (IX, 240 u. VI, 229 S.) 885.
38. Die Ernährung der Pflanzen v. Adph. Hansen. Mit 74 in den Text gedr. Abbildgn. (IV, 268 S) 885.
39. Geschichte der Vereinigten Staaten v. Nordamerika v. Ernst Otto Hopp. 2. Abtlg. Von der Konstitution d. Bundesstaates 1783 bis zum Ausbruch d. großen Bürgerkrieges 1861. Mit 32 in den Text gedr. Abbildgn. (217 S.) 885.
40. Geschichte der Malerei in Einzeldarstellungen. I. Geschichte der holländ. Malerei von Alfr. v. Wurzbach. Mit 71 in den Text gedr. Abbildgn (VIII, 228 S.) 885.
41. Bilder aus dem Tierleben v. Otto Taschenberg. Mit 86 in den Text gedr. Abbildgn. (III, 232 S.) 885.
42. Karl der Große v. Herm. Brosien. Mit 23 in den Text gedr. Abbildgn. (VIII, 184 S.) 885.
43. Der Weltteil Europa in Einzeldarstellungen. III. Die pyrenäische Halbinsel v. Mor. Willkomm. 3. Abtlg. Ost- u. Südspanien. Die Balearen u. Pithyusen. Mit 45 in den Text gedr. Abbildgn. (259 S.) 885.
44. 45. Die äußeren mechanischen Werkzeuge der Tiere v. Vitus Graber. 2 Bde. [1. Wirbeltiere. Mit 144 eingedr. Abbildgn. — 2. Wirbellose Tiere. Mit 171 eingedr. Abbildgn.] (à VIII, 224 S.) 885.
46. Geschichte der Vereinigten Staaten v. Nordamerika v. Ernst Otto Hopp. 3. Abtlg.: Vom Ausbruch d. Bürgerkrieges bis auf die Gegenwart. Mit 40 in den Text gedr. Abbildgn. u. Karten. (VIII, 268 S.) 886.
47. Die Kulturgeschichte in einzelnen Hauptstücken v. Jul. Lippert. 2. Abtlg. Die Gesellschaft: Familie, Eigentum, Regierg. u. Gericht. Mit 5 in den Text gedr. Abbildgn. (VI, 206 S.) 886.
48. Dasselbe. 3. Abtlg. Geistige Kultur: Sprache, Kult u. Mythologie. Mit 21 in den Text gedr. Abbildgn. (VI, 228 S.) 886.
49. Rußland. Einrichtungen, Sitten u. Gebräuche, geschildert von Fedr. Meyer v. Waldeck. 2. Abtlg. Staatsverwaltung u. Landesverteidigg. Kirche u. Geistlichkeit. Die Nation u. ihre Stände. Mit 18 Vollbildern u. 31 in den Text gedr. Abbildgn. (VIII, 235 S.) 886.
50. Napoleon I. Eine Biographie v Aug. Fournier. 1. Bd.: Von Napoleons Geburt bis zur Begründg. seiner Alleinherrschaft üb. Frankreich. (XII, 241 S. m chemigr. Portr.) 886.
51. Der Schall. Eine populäre Darstellg. der physikal. Akustik m. besond. Berücksicht. der Musik. Von Adf. Elsas. Mit 80 in den Text gedr. Abbildgn. u. 1 Portr. (VIII, 216 S.) 886.
52. Der Ozean. Eine Einführg. in die allgemeine Meereskunde v. Otto Krümmel. Mit 77 in den Text gedr. Abbildgn. (VIII, 242 S.) 886.
53. Die Schweiz. Von J. J. Egli. Mit 48 landschaftl. Abbildgn. (VIII, 219 S.) 886.
54. Die deutsche Sprache v. Otto Behaghel. (IV, 231 S.) 886.
55. Ästhetik. Grundzüge der Wissenschaft d. Schönen u. der Kunst v. Max Schasler. 1. Tl.: Die Welt d. Schönen. (IV, 248 S) 886.
56. Dasselbe. 2. Tl.: Das Reich der Kunst. (IV, 266 S.) 886.
57. Madagaskar u. die Inseln Seychellen, Aldabra, Komoren u. Maskarenen v. R. Hartmann. Mit 23 Vollbildern u. 28 in den Text gedr. Abbildgn. (VI, 152 S.) 886.
58. Die Entdeckungs- u. Forschungsreisen in den beiden Polarzonen v. J. Löwenberg. Mit 8 in den Text gedr Karten. (V, 152 S.) 886.
59. Wie bildet die Pflanze Wurzel, Blatt u. Blüte? Von Emil Detlefsen. Mit 95 in den Text gedr. Abbildgn., die meisten nach Orig.-Zeichngn. d. Verf. (III, 262 S) 886.

Wissen, das, der Gegenwart. Deutsche Universal-Bibliothek f Gebildete. 2' Bd. 8. Prag 884. Tempsky. — Leipzig, Freitag. geb. n. 1. —
Allgemeine Witterungskunde nach dem gegenwärtigen Standpunkte der meteorologischen Wissenschaft. Für das Verständnis weiterer Kreise bearb v. Herm. J. Klein. Mit 6 Karten, 2 Vollbildern u. 31 Abbildgn. in Holzst. 22. Tausend. (V, 20 S.)

Wisto, C., Wunderkuren. Lustspiel in 3 Acten. gr. 8. (56 S.) Berlin 883. Baensch. 1. —

Wit, Paul de, internationales Adressbuch der gesammten Musikinstrumenten-Branche. (Deutsch, französisch u. englisch.) gr. 8. (479 S. m. Holzschn. u. Porträts.) Leipzig 885. de Wit. geb. n. 20. —

— internationales Hand- u. Adressbuch f. die gesammte Musikinstrumentenbranche, s.: Laffert, O.

Witcomb, s.: Guide, new, to modern conversation.

— s.: Guide, nouveau, de conversations modernes.

Witte, Sam., Johann Heermann, der große Kreuz- u. Trostsänger der evang. Kirche. Vortrag. gr. 8. (IV, 20 S.) Breslau 886. (Dülfer.) n. — 30

— das Reich Gottes in seiner Vollendung. Vortrag. 8. (40 S.) Ebend. 880. n. — 60

Witlaczil, Eman., der Polymorphismus v. Chaetophorus populi L. Mit 2 (lith.) Taf. gr. 4. (8 S.) Wien 884. (Gerold's Sohn.) n. 1. 20

Witowsky, Alois, systematisch-chronologische Sammlung der österreichischen Sanitäts-Gesetze u. Verordnungen, m. besond. Rücksicht auf das Königr. Böhmen u. m. Benutzg. der in der böhm. Statthalterei-Registratur vorfindl. Orig.-Erlässe zusammengestellt. Zum Gebrauche f. Aerzte, Thierärzte, Apotheker, polit. Beamte, Gemeindevorsteher. gr. 8. (146 S.) Prag 885. Dominicus. n. 24. —

Witschel, Joh. Heinr. Wilh., Morgen- u. Abendopfer, nebst anderen Gesängen u. e. Anh. 2. Aufl. 12. (V, 227 S. m. 1 Lichtdr.) Leipzig 883. Verlags-Institut. geb. m. Goldschn. n. 2. 50

— dasselbe. Neue Aufl. 12. (240 S.) Reutlingen 883. Enßlin & Laiblin. — 90; geb. 1. 20

— dasselbe. (Neue Ausg.) 12. (VI, 224 S. m. Stahlst.-Titel u. 1 Stahlst.) Sulzbach 884. v. Seidel. geb. m. Goldschn. 2. 40

Witt, née Guizot, Mm. de, quatre récits et deux légendes, s.: Bibliothèque française.

Witt, Etelka, die Damen- u. Kinderwäsche. Ein Leitfaden der Zuschneidekunst zum Selbstunterricht u. Gebrauch f. Gewerbeschulen. hoch 4. (28 S. m. 29 Taf.) Dresden 885. Exped. d. Europ. Modenzeitg. n. 2. —

Witt, Frz., das kgl. bayerische Cultus-Ministerium, die bayerische Abgeordneten-Kammer u. d. Cäcilien-Verein. Ein Streitschrift u. zugleich e. Handbuch f. Musiklaien bei Beurtheilg. kathol. Kirchenmusik. Lex.-8. (154 S.) Regensburg 886. Pustet. n. 1. 50

— gestatten die liturgischen Gesetze beim Hochamte deutsch zu singen? Ein Vortrag. Mit e. Prolog u. Epilog. 2. Aufl. gr. 8. (40 S.) Ebend. 886. n. — 50

Witt, H., die biblischen Geschichten Alten u. Neuen Testaments, m. Bibelwort u. freier Zwischenrede anschaulich dargestellt. Ein Hülfsbuch zum erbaul. Betrachten u. lebend. Erzählen derselben. 2. Aufl. 3 Bde. gr. 8. (VII, 466, IV, 422 u. VII, 526 S.) Gütersloh 883. 84. Bertelsmann. à n. 4. —

— praktische Sprachübungen zur festen Einübung der regierenden Wörter. 1. u. 2. Hft. 8. (à 72 S.) Glückstadt 886. (Leipzig, Streller.) à n. — 50
1. Die Verhältnißwörter. 5. Aufl.
2. Die regierenden Zeitwörter u. Eigenschaftswörter. 3. Aufl. 882.

Witt, J., geometrisches Darstellen v. Körpern. Leitfaden f. den Unterricht an Handwerker-, Fortbildungs-

u. Baugewerksschulen. Mit 6 lith. Taf. qu. 4. (22 S.) Berlin 885. Winckelmann & Söhne. cart. n. — 80

Witt, J., Zirkelzeichnen. Leitfaden f. die Schüler d. Handwerker, Fortbildungs- u. Baugewerkschulen. Mit 5 lith. Taf. qu. 8. (20 S.) Berlin 884. Winckelmann & Söhne. n. — 60

Witt, N. M., die englischen Fleischschafrassen u. ihre Verwendung in Deutschland. Mit 10 Holzschn. u. 4 lith. Taf. gr. 8. (V, 232 S.) Leipzig 886. H. Voigt. n. 5. —

— die bäuerlichen Zustände in Deutschland, s.: Zeitfragen, volkswirthschaftliche.

Witte-Rostock, die Reform der Zucker-Steuer. Ein Beitrag zur Lösg. dieser Frage. gr. 4. (43 S. m. 1 Tab.) Rostock 883. (Werther.) n. 1. 20

Witte, die armen Gecken od. Schinder u. ihr Einfall ins Elsass im J. 1439. gr. 4. (38 S.) Strassburg 883. Schultz & Co. Verl. n.n. 2. 40

Witte, E., unser Geldwesen, s.: Zeitfragen, soziale.

— die soziale Krankheit u. ihre naturgemäße Behandlung durch wirthschaftliche Maßregeln. 8. (IX, 210 S.) Leipzig 883. Grunow. n. 3. 50

— das Recht auf Arbeit u. seine Verwirklichung, s.: Zeitfragen, soziale.

Witte, Heinr., zur Geschichte der Entstehung der Burgunderkriege. Herzog Sigmunds v. Oesterreich Beziehgn. zu den Eidgenossen u. zu Karl dem Kühnen v. Burgund, 1469—1474. 4. (53 S.) Hagenau 885. (Ruckstuhl.) n. 1. 50

Witte, J. H., Kantischer Kriticismus gegenüber unkritischem Dilettantismus. gr. 8. (V, 66 S.) Bonn 885. Cohen & Sohn. n. 1. 20

Witte, L., Pietro Carnesecchi, s.: Glaube, der evangelische, nach dem Zeugnis der Geschichte.

— das Leben D. Friedrich August Gottreu Tholuck's. 2 Bde. 1799—1877. gr. 8. Bielefeld, Velhagen & Klasing. n. 15. —; geb. n 19. —

1. 1799—1826. Mit dem (Holzschn.-)Bilde Tholuck's aus dem J. 1825 u. e. Facsm. aus seinem Tagebuche v. 1815. (VII, 478 S.) 884. n. 7. —; geb. n. 9. —
2. 1826—1877. [Mit dem Bilde Tholuck's aus dem J. 1872 u. e. Brief-Facsm. v. 1870.] (IV, 563 S.) 886. n. 8. —; geb. n. 10. —

Witte, S., die russischen Häfen u. die Eisenbahntarife. 8. (48 S.) Wien 886. Spielhagen & Schurich. n. 1. —

Witte, Wolf, deutsch-französischer Dolmetscher. Leichtfaßliche Anleitg. zur schnellen u. sicheren Erlerng. der französ. Sprache. 7. Aufl. 8. (80 S.) Metz 885. Lang. — 75

Wittek, Hans, Lehr- u. Uebungsbuch f. den geometrischen Unterricht in den unteren Gymnasialclassen. 1—3. Abth. gr. 8. (Mit eingedr. Fig.) Wien, Pichler's Wwe. & Sohn. n. 2. 70

1. Unterrichtsstoff f. die 1. u. 2. Gymnasialclasse. 3. Aufl. (VI, 105 S.) 885. n. 1. 10
2. Unterrichtsstoff f. die 3. Gymnasialclasse. 3. Aufl. (78 S.) 885. n. — 70
3. Die räuml. Geometrie. [Für die 4. Gymnasialclasse.] 2. Aufl. (IV, 87 S. m. eingedr. Fig.) 883. n. — 90

Wittelshöfer, Mor., Beiträge zur Revision der Reichs-Justiz-Gesetze. gr. 8. (V, 120 S.) Fürth 887. Eßmann. n. 1. 60

Wittemann, Emma, Traum in e. Sommernacht. 8. (71 S.) Frankfurt a/M. 885. Jügel's Verl. geb. n. 1. 80

Wittenbauer, Ferd., Kinematik d. Strahles. Eine Darstellg. der Bewegung d. Strahles in der Ebene nach mechan. Principien. Mit 74 (eingedr.) Holzschn. gr. 8. (V, 105 S.) Graz 883. Leuschner & Lubensky. n. 4. —

Wittenow, Ed. v., Harun al Raschid. Lustspiel in 1 Aufzuge. 8. (50 S.) Pilsen 884. (Steinhauser.) n. 1. —

Wittichen, das öffentliche Gesundheitswesen in dem Landdrosteibezirk Hildesheim während d. J. 1882. 1. General-Bericht. gr. 8. (98 S.) Hildesheim 884. Lax. n. 3. —

Wittig, Alb., üb. einige tabische Erscheinungen bei der multiplen Sklerose. Aus der Kranken-Abtheilg. d. städt. Armenhauses. [Hr. Prof. Dr. Berger.] Inaugural-Dissertation. gr. 8. (34 S.) Breslau 885. (Köhler.) n. 1. —

Wittlinger, Helene, dynastische Gelüste. Schwank in 1 Aufzug. gr. 8. (25 S.) Frankfurt a/M. 885. Mahlau & Waldschmidt. n. 1. —

Wittmack, L., Anleitung zur Erkennung organischer u. unorganischer Beimengungen im Roggen- u. Weizenmehl. Preisschrift d. Verbandes deutscher Müller. Mit 60 Abbildgn. auf 2 Taf. gr. 8. (64 S.) Leipzig 884. M. Schäfer. n. 2 —

— Führer durch die vegetabilische Abtheilung d. Museums der kgl. landwirthschaftlichen Hochschule in Berlin. Mit 25 Textabbildgn. u. 1 Plan. gr. 8. (IV, 85 S.) Berlin 886. Parey. n. 1. 20

— die Gärten Oberitaliens. Vortrag, geh. im Gartenbau-Verein f. Hamburg, Altona u. Umgegend am 8. Jan. 1883. gr. 8. (36 S. m. Illustr.) Ebend. 883. n. 1. —

— die Krankheiten der Nährpflanzen u. ihre Beziehungen zur Hygiene, s.: Vorträge üb. Gesundheitspflege u. Rettungswesen.

Wittmann, C. F., die Piket-Partie, s.: Wallner's allgemeine Schaubühne.

— Valerie, s.: Universal-Bibliothek.

Wittmann, E., Mittel u. Wege zur Hebung der bäuerlichen Verhältnisse in Thüringen. gr. 8 (73 S.) Hildburghausen 886. Gadow & Sohn. cart. n. 1. —

Wittmann, Frdr., Pflichten der Gemeindevorsteher in Sanitätsangelegenheiten. gr. 8. (32 S.) Klagenfurt 884. (Heyn.) n. — 60

Wittmann, H., Bilder aus der Schillerzeit, s.: Speidel, L.

— Heini v. Steier. Oper in 1 Acte. Musik v. S. Bach-rich. Für die k. k. Hofoper in Wien eingerichtet. (Textbuch.) 8. (26 S.) Wien 884. Künast. n. — 50

Wittmann, Pius, Sophia, Markgräfin v. Brandenburg-Onolzbach, Herzogin in Preußen u. s. w. aus dem uradeligen Geschlechte der Grafen v. Solms 1612—1651. gr. 8. (44 S. m. 1 Portr.) München 884. Th. Ackermann's Verl. n. 1. 50

Wittmann, W., Statik der Hochbauconstructionen. 3. Thl.: Eisenconstructionen. gr. 8. (IV, 135 S. m. 142 eingedr. Fig.) München 884. Rieger. n. 5. — (1—3.: n. 16. —)

Wittram, Thdr., zur Berechnung der speciellen Störungen der kleinen Planeten. gr. 8. (55 S.) St. Petersburg 885. (Dorpat, Karow.) n. 1. —

— allgemeine Jupiterstörungen d. Encke'schen Cometen f. den Bahntheil zwischen 152° 21′ 7″, 62 u. 170° wahrer Anomalie, s.: Mémoires de l'académie impériale des sciences de St.-Pétersbourg.

Wittstein, G. C., Handwörterbuch der Pharmakognosie d. Pflanzenreichs. 2 Hälften. gr. 8. (994 S.) Breslau 883. Trewendt. n. 21. —; geb. in Halbfrz. n. 23. 40

Wittstein, Thdr., das mathematische Gesetz der Sterblichkeit. 2. Aufl. gr. 8. (65 S. m. 1 eingedr. Fig.) Hannover 883. Hahn. n. 2. —

— Lehrbuch der Elementar-Mathematik. 1. Bd. 2. Abtlg. Planimetrie. 13. Aufl. gr. 8. (IV, 212 S. m. Fig.) Ebend. 883. 2. —

— dasselbe. 3. Bd. 2. Abth. Analytische Geometrie. 2. Aufl. gr. 8. (VI, 206 S. m. Fig.) Ebend. 886. 2. 10

— das mathematische Risiko der Versicherungs-Gesellschaften, sowie aller auf dem Spiele d. Zufalls beruhenden Institute. Lex.-8. (VI, 106 S.) Ebend. 885. n. 4. —

— der Streit zwischen Glauben u. Wissenschaft auf Grundlage der Lehre David Hume's u. der Wahrscheinlichkeitsrechnung. gr. 8. (16 S.) Ebend. 884. — 60

Wittstock, Heinr., aus Heltau. Vergangenes u. Gegenwärtiges. Gedenkblatt zum 400. Gedächtnistage der Geburt Dr. Martin Luthers, im Namen d. evang. Presbyteriums A. B. veröffentlicht. gr. 8. (77 S.) Hermannstadt 883. (Michaelis.) n. 1. —

Wittwer, W. C., Grundzüge der Molecular-Physik u. der mathematischen Chemie. gr. 8. (VII, 198 S. m. 3 Steintaf.) Stuttgart 885. Wittwer's Verl. n. 5. —

Witwenstübchen, zwei, od. der Adel der Arbeit. Eine lehrreiche Erzählg. 8. (16 S.) Reutlingen 885. Enßlin & Laiblin. — 10

Witz, Ch. Alphonse, zur 25jährigen Jubel-Feier der Erlassung d. A. h. Protestanten-Patentes vom 8. Apr. 1861. gr. 8. (44 S.) Klagenfurt 886. Heyn. n. — 70

— zur 100jährigen Jubelfeier der evangelischen Kirchengemeinde H. C. in Wien. Festrede, geh. am 25. Decbr. 1884. gr. 8. (40 S.) Wien 885. (Frick.) n. — 80

Witz, Ch. Alphonse, Ulrich Zwingli. Vorträge. gr. 8. (VIII, 144 S.) Gotha 884. F. A. Perthes. n. 2. 40

Witzel, Adph., üb. Cocain-Anästhesie bei Operationen in der Mundhöhle, s.: Zahnheilkunde, deutsche in Vorträgen.

— Compendium der Pathologie u. Therapie der Pulpakrankheiten d. Zahnes. Mit 14 xylogr. Taf. u. 128 Holzschn. im Texte. gr. 8. (XLI, 199 S.) Hagen 886. Risel & Co. n. 8. —

— zahnärztlicher Notizkalender. 1886. 4 Quartale. 4. (VII, 191; 189, 191 u. 191 S.) Ebend. geb. à n. 2. —

Witzel, C., praktischer Lehrgang der französischen Sprache nach dem Oral-System. 8. (295 S.) Grossenhain 886. Baumert & Ronge. cart. n. 1. 60

— u. Karl **Deutschbein,** 844 Übungsstücke aus der kaufmännischen Korrespondenz zu Deutschbein's Lehrgang der englischen Sprache. Auf Wunsch der Konferenz der sächs. Handelsschuldirektoren hrsg. gr. 8. (40 S.) Cöthen 884. Schulze cart. n. — 50

— — dasselbe. 2., verm. Aufl. gr. 8. (55 S.) Ebend. 885. n. — 70

— u. H. **Messien,** Übungssätze zur Einführung in die französische Handelskorrespondenz. Auf Wunsch d. Vereins sächs. Handelsschuldirektoren hrsg. gr. 8. (42 S) Ebend. 885. n. — 60

Witzleben, Kurt Frhr. v., Leid um Lieb'. Zwei Novellen. 2. Ausg. 8. (239 S.) Leipzig 883. Reißner. 1. —

Wlassak, Mor., kritische Studien zur Theorie der Rechtsquellen im Zeitalter der klassischen Juristen. gr. 8. (IX, 201 S.) Graz 884. Leuschner & Lubensky. n. 4 —

Wlastoff, Georges, Prométhée, Pandore et la légende des siècles. Essai d'analyse de quelques légendes d'Hésiode. Édition de l'auteur. Lex.-8. (IV, 242 S.) St.-Pétersbourg 883. (Leipzig, Teubner.) n. 6. —

Wlha, Jos., das Belvedere in Prag. 40 Lichtdr. nach photograph. Aufnahmen v. J. W., m. e. kunsthistor. Einleitg. v. Alb Ilg. qu. gr. 4. (2 S.) Wien 885. (Gerold & Co.) In Mappe. n. 40. —

Wlislocki, Heinr. v., Märchen u. Sagen der transsilvanischen Zigeuner. Gesammelt u. aus unedirten Orig.-Texten übers. gr. 8. (XVIII, 139 S.) Berlin 886. Nicolai's Verl. n. 2. 40

— die Sprache der transsilvanischen Zigeuner. Grammatik, Wörterbuch. 8. (VI, 128 S.) Leipzig 883. Friedrich. n. 3. —

Wo ist er? Die Geschichte v. e. verborgenen Schatz — Wer hat am besten gewählt? 12. (24 S.) Gernsbach 883. Christl. Colportage-Verein. n. — 10

Wobbe, J. G., die Verwendung d. Gases zum Kochen, Heizen, u. in der Industrie, m. 56 Abbildgn. bewährter Apparate, nebst Anleitg. zu deren Benutzg. u. Angabe d. Gasverbrauches. gr. 8. (VIII, 48 S.) München 885. (Troppau, Zenker.) n.n. 3. —

Wöbcken, Karl, Luther und die Einführung seiner Lehre in die Grafschaften Oldenburg u. Delmenhorst u. die Herrschaft Jever. Eine Festgabe zur 400jähr. Gedenkfeier d. Geburtstages unseres Reformators. 8. (48 S.) Oldenburg 883. Schulze. n. — 60; cart n. 1. —; geb. n. 1. 60

— eine Luther-Feier in deutschen Reimen. 8. (20 S) Ebend. 884. — 30

— am Wege. Sprüche christl. Weisheit. 8. (IV, 64 S.) Ebend. 884. n. — 80

Wöber, F. X., die Reichersberger Fehde u. das Nibelungenlied. Eine genealog. Studie. 8. (164 S. m. 1 Stammtaf.) Meran 885. Plant. n. 2. —

Wobeser, Blanka v., kleine Reit-Instruktion f. Damen, befürwortet v. E. J. Seidler. 2., durch e. Instruktion üb. Ringstechen u. Quadrillereiten stark verm. Aufl. Mit 130 Illustr. 8. (VIII, 111 S.) Berlin 884. Mittler & Sohn. cart. n. 2. 50

Wobeser, H. v., Henry M. Stanley u. Dr. Pechuël-Loesche. gr. 8. (53 S.) Leipzig 886. Brockhaus. n. — 80

Wochen-Bericht, allgemeiner literarischer, üb. alle empfehlenswerthen Neuigkeiten d. In- u. Auslandes, nebst literar. Notizen u. Mitteilgn. Red.: Th. Lissner. 11. Jahrg. 1883. 52 Nrn. (à $\frac{1}{2}$—1 B.) gr. 8. Leipzig, Kufss. n. 4. —

— dasselbe. 12. u. 13. Jahrg. 1884 u. 1885. à 52 Nrn. (à $\frac{1}{2}$—1 B.) gr. 8. Ebend. à Jahrg. 3. —

— dasselbe. Hrsg. v. Max Vogler. 14. Jahrg. 1886. 52 Nrn. (à $\frac{1}{2}$—1 B.) hoch 4. Ebend. n. 4. —

Wochenblatt f. Architekten u. Ingenieure. Unter Mitwirkg. v. Mitgliedern d. Architekten-Vereins zu Berlin. Red.: Frdr. Scheck. 5. u. 6. Jahrg. 1883 u. 1884. 104 Nrn. (à 1—$1\frac{1}{2}$ B.) Fol. Berlin, (Springer). à Jahrg. n. 12. —

Fortsetzung davon.

— für Baukunde. Organ der Architekten- u. Ingenieur-Vereine v. Bayern, Elsass-Lothringen, Frankfurt a/M. etc. Verkündigungsblatt d. Verbandes deutscher Architekten- u. Ingenieur-Vereine. Hrsg. v. Frdr. Schock. 7. Jahrg. 1885. 104 Nrn. ($1\frac{1}{2}$ B.) Fol. Ebend. n. 12. —

— für das christliche Volk. 21—24. Jahrg. 1883—1886. à 52 Nrn. (2 B. m. eingedr. Holzschn.) hoch 4. Augsburg 883. Schmid's Verl. à Jahrg. n. 2. —

— süddeutsches evangelisch-protestantisches. Organ d bad. u. hess. Protestantenvereins. Red.: Schneider. 24—27. Jahrg. 1883—1886. à 52 Nrn. (à $\frac{1}{2}$—1 B) gr. 4. Heidelberg, Emmerling & Sohn. à Jahrg. n. 3. 60

— deutsches, f. Gesundheitspflege u. Rettungswesen, hrsg. v. Paul Börner. Jahrg. 1883. 15. Novbr.—Dezbr. 3 Nrn. ($1\frac{1}{2}$ B.) gr. 4. Berlin, Pasch. n. 1. —

— dasselbe. 1 Jahrg. 1884. 24 Nrn. ($1\frac{1}{2}$ B.) gr. 4. Ebend. n. 8. —

— dasselbe. Organ f. das Gesammtgebiet der Hygiene, m. Berücksicht. der Sanitäts-Polizei. In Verbindg. m. bewährten Fachgenossen hrsg. v. Paul Börner. 2. Jahrg. 1885. 52 Nrn. (à 1—$1\frac{1}{2}$ B.) gr. 4. Berlin, C. Rudolph. n. 12. —

— humoristisches. 1. Jahrg. 1887. 52 Nrn. (B.) gr. 4. Demmin, Frantz. n. 3. 20; Monats-Ausg. u. d. T.: Humoristische Rundschau. 13 Hfte. à — 30

— der Johanniter-Ordens-Balley Brandenburg. Im Auftrage der Balley Brandenburg rev. v C. Herrlich. 24—27. Jahrg. 1883—1886. à 52 Nrn. (à $\frac{1}{2}$—1 B.) gr. 4. Berlin, C. Heymann's Verl. à Jahrg. n. 8 —

— kirchliches, f. Schlesien u. die Oberlausitz. Red: Weikert. Jahrg. 1883—1886. à 52 Nrn. (B) gr. 4. Liegnitz. (Breslau, Dülfer.) à Jahrg. n. 3. —

— des landwirthschaftlichen Vereins im Großherzogth. Baden. Hrsg. v der Centralstelle. Red.: Märklin. Jahrg. 1883—1886. à 52 Nrn. (B.) hoch 4. Karlsruhe, (Braun). à Jahrg. n. 2. 80

— österreichisches landwirthschaftliches. Red. v. Guido Krafft. 9-12. Jahrg. 1883—1886. à 52 Nrn. (à 2—3 B.) Fol. Wien, Frick. à Jahrg. n. 16. —

— Prager landwirthschaftliches. Red.: Rich. Jahn. 14—17. Jahrg. 1883—1886. à 52 Nrn. (ca. 2 B. m. eingedr. Holzschn.) Fol. Prag, (Calve). à Jahrg. n. 16. —

— landwirthschaftliches, f. Schleswig-Holstein. Organ d. Schleswig-Holsteinischen landwirthschaftl. Generalvereins. Hrsg. v. der Direktion. Red. v. Boysen. 35. u. 36. Jahrg. 1885 u. 1886. à 52 Nrn. ($2\frac{1}{2}$ B.) hoch 4. Kiel, (Biernatzki). à Jahrg. n. 2. 40

— musikalisches. Organ f. Musiker u. Musikfreunde. 14—17. Jahrg. 1883—1886. à 52 Nrn. (à $1\frac{1}{2}$—2 B.) gr. 4. Leipzig, E. W. Fritzsch. à Jahrg. n. 8. —

— für Papierfabrikation. [Organ d. Vereins deutscher Papierfabrikanten u. d. Vereins deutscher Holzstoff-Fabrikanten. Hrsg. v. Güntter-Staib. 14—17. Jahrg. 1883—1886. à 52 Nrn. ($\frac{1}{2}$ B. m. Beilagen.) gr. 8. Biberach, (Dorn). à Jahrg. n.n. 8. —

— photographisches. Zeitschrift u. Repertorium f. Photographie u. vervielfältig. Künste. Red. v. F. Stolze. Officielles Organ d. Photograph. Vereins zu Berlin. 9—12. Jahrg. 1883—1886. à 52 Nrn. (à 1—

1½ B.) Lex.-8. Berlin. (Halle, Knapp.) à Jahrg. n. 8. —

Wochenblatt, illustrirtes, f. Stolze'sche Stenographie. Organ d. Vereins f. Stenographie [Neustolze] Hamburg. Red.: Ph. Ch. Martens. Jahrg. 1885. 52 Nrn. (¼ B.) gr. 8. Hamburg, Martens. n. 6. —

Wochenschrift f. Astronomie, Meteorologie u. Geographie. Red. v. Herm. J. Klein. Neue Folge. 26. u. 27. Jahrg. [Der „Astronom. Unterhaltgn." 37. u. 38. Jahrg.] 1883 u. 1884. à 52 Nrn. (à ½—1 B.) gr. 8. Halle, Schmidt. à Jahrg. n. 9. —

— dasselbe. Neue Folge. 28. u. 29. Jahrg. [Der „Astronom. Unterhaltgn." 39. u. 40. Jahrg.] 1885 u. 1886. à 52 Nrn. (à ½—1 B.) gr. 8. Ebend. à Jahrg. n. 10. —

— für Brauerei. Eigenthum d. Vereins.: Versuchs- u. Lehranstalt f. Brauerei in Berlin. Hrsg. v. M. Delbrück u. M. Hayduck. Red.: C. Lange. 1—3. Jahrg. 1884—1886. à 52 Nrn. (2 B.) gr. 4. Berlin, Parey. à Jahrg. n. 20. —

— für den Drogen-, Kolonialwaaren- u. Farbenhandel. Hrsg. u. Red.: Carl Habermalz. 1. Jahrg. 1883. 52 Nrn. (à 1—1½ B.) gr. 4. Leipzig, Mindé. n. 6. —

— dasselbe. 2. Jahrg. 1884. 52 Nrn. (à 1—1½ B.) gr. 4. Leipzig, Klöppsch. n. 6. —

— gemeinnützige. Organ d. polytechn. Zentral-Vereins f. Unterfranken u. Aschaffenburg. Red.: R. Endres. 33—36. Jahrg. 1883—1886. à 26 Nrn. (à 1—1¼ B.) gr. 8. Würzburg, (Stuber's Verl.) à Jahrg. n. 4. —

— des Vereines deutscher Ingenieure, Inhaltsverzeichnis 1877 bis 1883, s.: Zeitschrift desselben Vereines.

— des österreichischen Ingenieur- u. Architekten-Vereines, s.: Zeitschrift desselben Vereins.

— israelitische, f. die religiösen u. socialen Interessen des Judenthums. Red. u. Hrsg.: Mor. Rahmer. 14—17. Jahrg. 1883—1886. à 104 Nrn. (B.) Mit Beilage: Das jüd. Litteraturblatt. 12—15. Jahrg. à 52 Nrn. (½ B.) gr. 4. Magdeburg. (Leipzig, Friese.) à Jahrg. n. 12. — Litteraturblatt ap. n. 8. —

— juristische. Organ d. deutschen Anwalts-Vereins. Hrsg. v. S. Haenle u. M. Kempner. Jahrg. 1883—1885. à 26 Nrn. (B.) gr. 4. Berlin, Moeser. à Jahrg. n. 12. —

— dasselbe. Jahrg. 1886. 26 Nrn. (B.) gr. 4. Ebend. n. 20. —

— Berliner klinische. Organ f. pract. Aerzte. Mit Berücksicht. der preuss. Medicinalverwaltg. u. Medicinalgesetzgebg. nach amtl. Mittheilgn. Red.: C. A. Ewald. 20—23. Jahrg. 1883—1886. à 52 Nrn. (1½ B.) gr. 4. Berlin, Hirschwald. à Jahrg. n. 24. —

— deutsche medicinische. Mit Berücksicht. der öffentl. Gesundheitspflege u. der Interessen d. ärztl. Standes. Red.: P. Börner u. S. Guttmann. 9—12. Jahrg. 1883—1886. à 52 Nrn. (1½ B.) gr. 4. Berlin, G. Reimer. à Jahrg. n. 24. —

— Münchener medicinische. [Früher Aerztl. Intelligenz-Blatt.] Organ f. amtl. u. prakt. Aerzte. Hrsg. v. Bollinger, H. Ranke, v. Rothmund, v. Schleiss, Seitz, Winckel. Red: R. Spatz. 33. Jahrg. 1886. 52 Nrn. (1½ B.) gr. 4. München, J. A. Finsterlin. n. 20. —

— Prager medicinische. Red.: Frdr Ganghofner u. Otto Kahler. 8—11. Jahrg. 1883—1886. à 52 Nrn. (à 2-2½ B.) Fol. Prag, Tempsky. — Leipzig, Freytag. à Jahrg. n. 16. —

— St. Petersburger medicinische, unter der Red. v. E. Moritz u. L. v. Holst. 8. Jahrg. 1883. 52 Nrn. (à 1—1½ B.) gr. 4. St. Petersburg, Röttger. n.n. 22. 50

— dasselbe. Neue Folge. 1—3. Jahrg. 1884—1886. à 52 Nrn. (à 1—1½ B.) gr. 4. St. Petersburg, Ricker. à Jahrg. n. 16. —

— Wiener medizinische. Hrsg. u. Red.: L. Wittelshöfer. 33—36. Jahrg. 1883—1886. à 52 Nrn. (1½ B.) gr. 4. Wien, (Seidel & Sohn). à Jahrg. n.n. 20. —

Wochenschrift, schweizerische, f. Pharmacie. Im Auftrage d. schweizer. Apotheker-Vereins hrsg. v. A. Klunge. 21. Jahrg. 1883. 52 Nrn. (½ B.) gr. 8. Schaffhausen, Brodtmann. n. 8. —

— dasselbe, hrsg. v. Otto Kaspar. 22. Jahrg. 1884. 52 Nrn. (½ B.) gr. 8. Ebend. n. 6. —

— dasselbe. 23. Jahrg. 1885. 52 Nrn. (½ B.) gr. 8. Schaffhausen, Stötzner. n. 6. —

— dasselbe. 24. Jahrg. 1886. 52 Nrn. (½ B.) gr. 8. Schaffhausen, Kober. n. 6. —

— für klassische Philologie, unter Mitwirkg v. Geo. Andresen u. Herm. Heller hrsg. v. Wilh. Hirschfelder. 1—3. Jahrg. 1884—1886. à 52 Nrn. (2 B.) hoch 4. Prag, Tempsky. — Leipzig, Freytag. à Jahrg. n. 24. —

— philologische. Unter Mitwirkg. v. Geo. Andresen u. Herm. Heller hrsg. v. Wilh. Hirschfelder. 3. Jahrg. 1883. 52 Nrn. (2 B.) gr. 4. Berlin, Calvary & Co. n. 24. —

Fortsetzung davon:

— Berliner philologische. Hrsg. v. Chr. Belger, O. Seyffert u. K. Thiemann. 4. Jahrg. 1884. 52 Nrn. (2 B.) hoch 4. Ebend. n. 18. —

— dasselbe. 5. Jahrg. 1885. 52 Nrn. (2 B.) hoch 4. Ebend. n. 20. —

— dasselbe. 6. Jahrg. 1886. 52 Nrn. (2 B.) hoch 4. Ebend. n. 24. —

— politische. Red.: Hans Delbrück. 2. Jahrg. Jan. bis Juni 1883. 26 Nrn. (B.) gr. 4. Berlin, Walther & Apolant. 5. —

Erscheint nicht mehr.

— für Spinnerei u. Weberei. Illustrirtes Fachblatt f. die gesammte Textil-Industrie, umfassend: Spinnerei, Weberei, Wirkerei, Bleicherei, Färberei, Druckerei u. Appretur. Red.: Th. Martin. 1—3. Jahrg. 1884—1886. à 52 Nrn. (à 1-2 B.) gr. 4. Leipzig, E. Krause. à Jahrg. n. 8. —

— spiritistische. Hrsg. u. red. v. Jac. Kupsch. 1. Jahrg. April 1885—März 1886. 52 Nrn. (½ B.) gr. 4. Rostock. (Leipzig, Uhlig) n. 8. —

Erscheint nicht mehr.

— für Thierheilkunde u. Viehzucht. Unter Mitwirkg. bewährter Fachmänner hrsg. v. Th. Adam. 27—30. Jahrg. 1883—1886. à 52 Nrn. (à ½—¾ B.) gr. 8. Augsburg, Lüderitz. à Jahrg. n. 6. —

Wochenzeitung, rheinische. Das billigste Blatt f. Stadt u. Land. Red.: Nic. Hauth. 2. u. 3. Jahrg. Octbr. 1882—Septbr. 1884. à 52 Nrn. (B.) gr. 4. Trier, Lintz. à Jahrg. n. 2. 40

Wöckel's, Lor., Geometrie der Alten in e. Sammlung v. 856 Aufgaben. Zum Gebrauch in Gymnasien u. Realschulen, so wie beim Selbststudium der Geometrie, neu bearb. u. verb. v. Th. E. Schröder. 13. Aufl. 8. (VIII, 165 S.) Nürnberg 886. Korn. geb. n. 1. 80

Wodaege, L., Katechismus f. evangelische Taubstumme. 8. (175 S.) Friedberg 887. Scriba. n. 1. 60

Wodieska, Frz., die Sicherheits-Wetterführung od. das System der Doppel-Wetterlosung f. Bergbaue m. entzündlichen Grubengasen zur Verhütg. der Schlagwetter-Explosionen, erfunden v. F. W. Mit 5 lith. Taf. u. 5 Holzschn. gr. 8. (VIII, 89 S.) Leipzig 885. Felix. n. 4. —

Wodicka, B., der schwarze Junker, s.: Bibliothek f. Ost u. West.

— aus Herrn Walther's jungen Tagen. Eine Geschichte aus Oesterreichs Vorzeit. 8. (384 S.) Leipzig 886. Haessel. n. 6. —; geb. n. 7. —

Woedtke, A. v., Geschichte d. 4. Rheinischen Infanterie-Regiments Nr. 30 1815—1884, s.: Paulitzky, O.

Woedtke, E. v., Krankenversicherungsgesetz. Vom 15. Juni 1883. Hrsg. m. Einleitg. u. Erläutergn. 2. Aufl. gr. 8. (XXVI, 297 S.) Berlin 885. Guttentag. n. 6. —; geb. n. 6. 50

— dasselbe. 3. Aufl. gr. 8. (XXXII, 393 S.) Ebend. 886. n. 9. —; geb. n. 10. —

— dasselbe. Text-Ausg. m. Anmerkgn. 3. Aufl. 16. (VIII, 224 S.) Ebend. 885. cart. n. 1. 20

Woedtke, E. v., das Reichsgesetz, betr. die Krankenversicherung der Arbeiter. Vom 15. Juni 1883. Text-Ausg. m. Anmerkgn. 16. (V, 150 S.) Berlin 883. Guttentag. cart. n. 1. —
— dasselbe. Mit e. Anh., enth. die f. Preußen erlassene Ausführungsanweisg. vom 26. Nov. 1883. Text-Ausg. m. Anmerkgn. 2. Aufl. 16. (IV, 222 S.) Ebend. 884. cart. n. 1. 20
— dasselbe. 2. Aufl. Mit e. Anh., enth. das kgl. bayr. Ausführungsgesetz vom 28. Febr. 1884, nebst Einleitg. u. Erläutergn., bearb. v. e. bayr. Juristen. 16. (V, 184 S.) Ebend. 884. cart. n. 1. 50
— dasselbe. Text-Ausg. m. Anmerkgn. 2. Aufl. Mit e. Anh., enth. die Ausführungsbestimmgn. f. die Königreiche Sachsen u. Württemberg, f. das Großherzogth. Baden u. f. das Reichsland Elsaß-Lothringen. 16. (VI, 279 S.) Ebend. 884. n. 2. —
— dasselbe. Hrsg. m. Einleitg. u. Erläutergn. gr. 8. (XXVI, 233 S.) Ebend. 883. n. 5. —; geb. n. 5. 50
— Unfallversicherung der in land- u. forstwirthschaftlichen Betrieben beschäftigten Personen. Nach dem Reichsgesetz vom 5. Mai 1886. Als Kommentar bearb. gr. 8. (XLII, 435 S.) Berlin 886. G. Reimer. n. 10. —; geb. n. 11. —
— Unfallversicherungsgesetz. Vom 6. Juli 1884. Hrsg. m. Einleitg. u. Erläutergn. gr. 8. (XXVIII, 347 S.) Ebend. 884. 7. —; geb. n. 8. —
— dasselbe. Mit Einleitg., Erläutergn. u. dem Gesetz üb. die Ausdehng. der Unfall- u. Krankenversicherg. Vom 28. Mai 1885. 2. Aufl. gr. 8. (XXXII, 405 S.) Ebend. 885. n. 9. —; geb. n. 10. —
— dasselbe. Textausg. m. Anmerkgn. u. Sachregister. 16. (XXXV, 163 S.) Berlin 884. Guttentag. cart. n. 1. —
— dasselbe. 2. verm. Aufl. 16. (XXXVII, 255 S.) Ebend. 886. cart. n. 1. 60
Woeikoff, A., die Klimate der Erde. Nach dem Russ. vom Verf. besorgte, bedeutend veränd. deutsche Bearbeitung. Mit 10 Karten u. 13 Diagrammen, nebst Tabellen. 2 Tle. gr. 8. (396 u. XXIII, 422 S.) Jena 887. Costenoble. n. 22. —
Wohin gehen wir? Eine verständ. Antwort auf die nothdürft. Beleuchtg. verschiedener kirchl. u. sonst. Zustände u. Verhältnisse u. deren Repräsentanten v. e. unbeliebten Wohlbekannten. gr. 8. (27 S.) Melsungen 884. (Hannover & Celle, Schulbuchh.) n. — 50
Wöhlau, B. v. d., Herz od. Seele? Eine Erzählg. 8. (297 S.) Leipzig 887. Böhme. n. 3. 75; geb. n. 4. 75
Wöhler's Grundriss der organischen Chemie v. Rud. Fittig. 11., umgearb. Aufl. 1. Hälfte. gr. 8. (454 S.) Leipzig 886. Duncker & Humblot. n. 6. 80
Wöhler, mecklenburgisches Choralbuch od. die Melodien zum mecklenburg. Kirchen-Gesangbuch, in vierstimm. Satze f. Orgel, Clavier u. Chorgesang, unter Mitwirkg. v. Pitschner bearb. 2. Aufl. gr. 4. (IV, 180 S.) Wismar 885. Hinstorff's Verl. geb. n. 7. 50
Wöhler, F., Bruchstücke aus Briefen von J. J. Berzelius, s.: Hjelt, E.
Wöhler, Frdr., zur Erinnerung an denselben, s.: Hofmann, A. W.
Wohlers, Entscheidungen d. Bundesamtes f. das Heimathwesen. 14—18. Hft., enth. die seit dem 1. Decbr. 1881 bis 1. Septbr. 1886 ergangenen wichtigeren Entscheidgn. [Mit alphabet. Sachregister.] 8. (à ca. VIII, 206 S.) Berlin 883—86. Vahlen. à n. 2. — (1—18: n. 35. 60)
— das Reichsgesetz üb. die Beurkundung d. Personenstandes u. die Eheschließung vom 6. Febr. 1885, nebst den dazu ergangenen Ausführungsverordngn., Instruktionen u. Entscheidgn. d. Bundesrathes u. der preuß. Ministerien, nach den Ministerialakten bearb. u. hrsg. 3. Aufl. 8. (VII, 186 S.) Ebend. 885. cart. n. 3. —
— das Reichsgesetz üb. den Unterstützungswohnsitz vom 6. Juni 1870, erläutert nach den Entscheidgn. d. Bundesamtes f. das Heimathwesen. 3. verm. Aufl. 8. (IV, 176 S.) Ebend. 884. cart. n. 3. —
Wohlers, auf Ruapuke in Neuseeland J. Fr. H., Erinnerungen aus meinem Leben. gr. 8. (IV, 142 S.) Bremen 883. (Valett & Co.) n. 1. 25

Wohlfahrt, Heinr., Katechismus der Harmonielehre. Leichtfaßliche Anleitung zum Selbstunterricht. 2. Aufl. 8. (IV, 56 S.) Leipzig 884. Merseburger. — 90
— Vorschule der Harmonielehre. Eine leicht fassl. Anleitg. zu schriftl. Bearbeitg. der Tonstufen, Tonleitern, Intervalle, Accorde etc. Zum Gebrauch für Clavierschüler hrsg. 7. Aufl. 8. (VI, 74 S.) Leipzig 884. Breitkopf & Härtel. n. 1. —
Wohlgemuth, Emil Edler v., Vorbericht zur wissenschaftlichen Publication der österreichischen Polarexpedition nach Jan Mayen. Hrsg. v. der kaiserl. Akademie der Wissenschaften. Mit 3 Taf. u. 2 Karten. [Aus: „Die internationale Polarforschg. 1882—1883. Die österreich. Polarstation Jan Mayen. I. Bd."] Imp.-4. (III, 119 S.) Wien 886. Gerold's Sohn in Comm. n. 5. 50
Wohlgemuth, Jak., Doctor Martin Luther. Ein Charakterbild. Zum Lutherjubiläum dem deutschen Volk gewidmet. 2. Aufl. 8. (III, 134 S.) Trier 883. Paulinus-Druckerei. n. 1. —
Wohlgemuth, W., Fürst Bismarck 1815—1885. Eine Festschrift f. das deutsche Volk. 2. Aufl. gr. 16. (96 S. m. eingedr. Illustr.) Berlin 885. M. Schulze. n. — 50
— s.: Sammlung illustrirter Biographien deutscher Fürsten u. großer deutscher Männer.
Wohlien, Heinr., 40 Wandtafeln f. die zweite Unterrichtsstufe im freien Zeichnen. Eine Sammlg. ornamentaler Flächenfiguren. Zum Gebrauche an Volksschulen 5. Aufl. Lith. gr. Fol. Hamburg 883. Nestler & Melle. n. 8. 25
Wohlmuth, A., Lessing in Kamenz, s.: Bibliothek, neue, f. das deutsche Theater.
Wohlmuth, Alois, Newyorker Kunst- u. Strassenbilder. Neue Folge der „Streifzüge e. deutschen Comödianten". gr. 8. (87 S.) Wien 883. Künast. n. 2. —
— Reise-Momente u. Erinnerungen. Neue Folge der Streifzüge e. deutschen Comödianten. 8. (111 S.) Weimar 884. Böhlau. n. 1. 20
Wohlmuth, Eugenie, la Cristana. Eine Volksidylle aus dem Grödnerthale. 8. (45 S.) Wien 884. Perles. n. 1. 60; geb. n. 2. 40
Wohlmuth, Leonhart, Gedichte. 5. Aufl. 8. (VII, 136 S.) München 887. Callwey. n. 2. 25; geb n. 3. —
Wohlrab, Mart., Melusine. Trauerspiel in 5 Aufzügen. 8. (156 S.) Leipzig 885. Breitkopf & Härtel. n. 3. —; geb. n. 4. —
Wohlrabe, Wilh., üb. Gewissen u. Gewissensbildung. gr. 8. (V, 74 S.) Gotha 883. Thienemann. n. 1. 20
Wohltmann, F., die Grundsteuer u. das Programm der directen Besteuerung. gr. 8. (IV, 50 S.) Leipzig 885. H. Voigt. n. 1. —
Wohltmann, Ferd., e. Beitrag zur Prüfung u. Vervollkommnung der exacten Versuchsmethode zur Lösung schwebender Pflanzen- u. Bodenkulturfragen. gr. 4. (30 S.) Halle 886. (Dresden, G. Schönfeld's Verl.) n. 2. —
Wohlwill, Adf., Georg Kerner. Ein deutsches Lebensbild aus dem Zeitalter der französ. Revolution. Mit Kerners Bildnis in Stahlst. gr. 8. (X, 192 S.) Hamburg 886. Voß. n. 3. —
Wohnsitze, die ländlichen, Schlösser u. Residenzen der ritterschaftlichen Grundbesitzer in der preuss. Monarchie, nebst den königl. Familien-, Haus-, Fideicommiss- u. Schatull-Gütern in naturgetreuen künstlerisch ausgeführten farb. Darstellgn. m. begleit. Text. Hrsg. v. Alex. Duncker. 313—320. (Schluss-)Lfg. qu. Fol. (à 3 Chromolith. m. 3 Bl. Text.) Berlin 883. 84. A. Duncker. à n.n. 3. 75
Wohnungs-Adreßbuch f. Luckenwalde 1883/84. Hrsg. v. Ernst Gutdeutsch 8. (119 S.) Luckenwalde, (Markentien). cart. n. 2. 50
Wohnungs-Anzeiger nebst Adreß- u. Geschäfts-Handbuch f. Bromberg u. Umgebung f. d. J. 1886. Nach amtl. Quellen bearb. v. P. Anders. 8. (291 S.) Bromberg, Dittmann. cart. n. 3. 50
— nebst Adreß- u. Geschäfts-Handbuch f. Eberswalde

auf d. J. 1886. Zusammengestellt v. J. Schwan u. A. Stößer. gr. 8. (133 S.) Eberswalde, Wolfram. n. 2. —

Wohnungs-Anzeiger, Elbinger, f. 1884. gr. 8. (104 S.) Elbing, Meißner. n.n. 4. —

— u. Adreß-Buch der Stadt Görlitz. Nach amtl. Mittheilgn. zusammengestellt. 12. Aufl. gr. 8. (III, 351 S.) Görlitz 886. Remer. cart. n.n. 4. —

— allgemeiner, nebst Adreß- u. Geschäfts-Handbuch f. Neu-Ruppin auf d. J. 1885, sowie e. Ortschafts-Verzeichniß d. Kreises Ruppin, m. Angabe der Poststationen, Gemeinde- u Gutsvorsteher, Amtsvorsteher u. deren Stellvertreter, Pastoren u Lehrer. gr. 8. (II, 148 S.) Neu-Ruppin, Howe. n. 4. —

— der Offiziere, Sanitäts-Offiziere u. Militär-Beamten ꝛc. der Garnison Stuttgart. 16. (38 S.) Stuttgart 886. (Metzler's Verl.) n. — 40

— allgemeiner, f. die königl. Residenzstadt Potsdam u. Umgebung auf d. J. 1885. Unter Mitbenutzg. amtl. Register hrsg. v. F. W. Schulz. 22. Jahrg. gr. 8. (176 u. 220 S.) Potsdam, Pusch. geb. n.n. 4. —

— für die Städte Saarbrücken u. St. Johann, nebst Nachweis der Civil- u. Militär-Behörden, der öffentl. Institute, der Geschäfts- u. Gewerbetreibenden. Mit 1 (chromolith.) Plane beider Städte. gr. 8. (137 S.) Saarbrücken 886. Klingebeil. n.n. 3. —

— allgemeiner, nebst Adreß- u. Geschäfts-Handbuch f. Stargard in Pomm. auf d. J. 1884. Verf. v. A. Duffe. 16. Jahrg. gr. 8. (III, 196 S.) Stargard, (Just). cart. n n. 2. 75

— für die Stadt Stolp, nebst den wichtigsten Adressen d. Stolper u der umlieg. Kreise [Bütow, Lauenburg, Rummelsburg, Schlawe] u. e. Anh., enth. Stolper Droschken- u. Dienstmanns-Tarif, Porto-, Depeschen- u. Wechselstempel-Tarif. Nach amtl. Quellen bearb. v. Geo. Holder. gr. 8. (293 S.) Stolp 884. (Schrader.) cart. n. 4. —

— u. **Adreß-Kalender** f. Frankfurt a/O. auf d. J. 1885. Zusammengestellt auf Grund amtl. Materials. gr. 8. (VI, 427 u. IV, 55 S.) Frankfurt a/O., (Harnecker & Co.). geb. n. 8. —

Wohnungs- u. Geschäftsanzeiger, Dortmunder, f. d. J. 1886. Hrsg. v. Otto Faehre. Mit 1 (autogr.) Plane der Stadt Dortmund. gr. 8. (XXXIX, 498 S.) Dortmund, (Köppen). n.n. 5. —

— — für Posen. 1884. gr. 8. (306 S.) Posen, Merzbach. geb. n.n. 6. 50

Wohnungs- u. Adreß-Buch v. Staßfurt u. Leopoldshall. 1883. Zusammengestellt v. Otto Berger. gr. 8. (197 S.) Staßfurt, (Foerster). n. 4. —

Wohnungs-Einrichtungen aus der Elektrischen Ausstellung zu Wien im J. 1883. Mit e. Vorwort von R. v. Eitelberger u. erklär. Texte v. A. Décsey. 6 Hfte. qu. Fol. (27 Photogr. m. 11 S. Text.) Wien 884. 85. Lechner's Sort. In Mappe. n. 56. —

Wohnungswesen, das. Hrsg. vom Kärntner-Vereine. 12. (98 S.) Klagenfurt 886. (v. Kleinmayr.) n. 1. 20

Wolke, C. L, zweimal 48 biblische Historien f. evangelische Elementarschulen, m. Zugrundelegg. der bibl. Geschichten v. Preuß zusammengestellt. 53. Aufl. Neue erheblich veränd. u. verm. Bearbeitg. Hrsg. v. R. Triebel. 6. Aufl. 8. (IV, 176 S.) Königsberg 884. Bon's Verl. n. — 50; Einbd. n.n. — 18

— dasselbe. 54. Aufl. Alte unveränd. Ausg. 8. (IV, 124 S.) Ebend. 885. n. — 35; Einbd. n.n — 10

Woitke, Fr., die wahre Ursache der Tuberkulose [Lungenschwindsucht]. gr. 8. (66 S.) Berlin 885. (Leipzig, Fock.) n. 1. 50

Woitko, Basil, Grammatik der romänischen Sprache f. öffentlichen, Privat- u. Selbst-Unterricht. gr. 8. (IV, 242 S.) Wien 883. Perles. n. 4. —

Woker, Frz. Wilh., aus norddeutschen Missionen d. 17. u. 18. Jahrh. Franciscaner, Dominicaner u. andere Missionare. Ein Beitrag zur Kirchengeschichte Norddeutschlands nach der Reformation. (1. Vereinsschrift f. 1884 der Görres-Gesellschaft.) gr. 8. (VIII, 113 S.) Köln 884. (Bachem.) n. 1. 80

— aus den Papieren d. kurpfälzischen Ministers Agostino Steffani, Bischofs v. Spiga, spätern apostol. Vicars v. Norddeutschland. Deutsche Angelegenheiten, Friedensverhandlgn. zwischen Papst u. Kaiser. 1703—1709. [2. Vereinsschrift der Görres-Gesellschaft f. 1885.] gr. 8. (VII, 124 S.) Köln 885. (Bachem.) n. 1. 80

Woker, Frz. Wilh., Agostino Steffani, Bischof v. Spiga i. p. i. apostolischer Vicar v. Norddeutschland 1709—1728. [3. Vereinsschrift der Görres-Gesellschaft f. 1886.] gr. 8. (VII, 134 S.) Köln 886. (Bachem.) n. 1. 80

Woldemar, R., im Tode entsühnt. Roman. 8. (513 S.) Berlin 884. Jßleib. 5. —

Woldermann, G., Berge der Erde in ihren Formen u. Höhen-Verhältnissen. (Schüler-Ausg.) Chromolith. qu. Fol. Dresden 885. Jaenicke — 30; Schul-Ausg. in Imp.-Fol. n. 4. —

Woldřich, Joh. N., diluviale Arvicolen aus den Stramberger Höhlen in Mähren. [Mit 1 (lith.) Taf.] Lex.-8. (19 S.) Wien 885 (Gerold's Sohn.) n. — 60

— Beiträge zur Fauna der Breccien u. anderer Diluvialgebilde Oesterreichs m. besond. Berücksicht. d. Pferdes. Mit 2 (lith.) Taf. Lex.-8. (36 S. m. 2 Bl. Taf.-Erklärgn.) Wien 883. (Hölder.) n. 2 —

— Beiträge zur Urgeschichte Böhmens. Mit 8 Taf. gr. 4. (39 S. m. eingedr. Fig.) Ebend. 883 n. 3. 60

— diluviale Fauna v. Zuzlawitz bei Winterberg im Böhmerwalde. 3. Thl. [Schlussbericht.] [Mit 3 (lith.) Taf. u. 2 (eingedr.) Holzschn.] Lex.-8. (80 S.) Wien 883. (Gerold's Sohn.) n. 2. — (cplt.: n. 6. 50)

— Leitfaden der Somatologie d. Menschen f Lehrer-Bildungsanstalten u. höhere Schulen. 5. Aufl. Mit 142 in den Text gedr., darunter 10 farb. Abbildgn. gr. 8. (VIII, 116 S.) Wien 884. Hölder. n. 1. 28

— Leitfaden der Zoologie f. den höheren Schul-Unterricht. Mit 590 in den Text gedr., darunter 10 farb. Abbildgn. 5. Aufl. gr. 8. (VIII, 284 S.) Ebend. 884. geb. n. 3. 20

— die ältesten Spuren der Cultur in Mitteleuropa, m. besond. Berücksicht. Oesterreichs. Mit 35 in den Text gedr. Fig. Ein Vortrag. gr. 8. (25 S.) Ebend. 886. n. — 75

Woldt, A., die deutsche Gewerbeausstellung zu Berlin 1888. Nebst Plan d. Treptower Parks u. Umgegend. gr. 8. (74 S.) Breslau 886. Schottländer. n. 1. —

— Capitain Jacobsen's Reise an der Nordwestküste Amerikas 1881—1883 zum Zwecke ethnologischer Sammlungen u. Erkundigungen, nebst Beschreibung persönlicher Erlebnisse f. den deutschen Leserkreis bearb. Mit Karten u. zahlreichen Holzschn. nach Photogr. u. den im kgl. Museum zu Berlin befindl. ethnograph. Gegenständen. gr. 8. (VIII, 431 S.) Leipzig 884. Spohr. n. 15. —

Wolf's literarischer Anzeiger f. die Justizbeamten d. Deutschen Reichs. Unter Mitwirkg. v. jurist. Fachmännern hrsg. v. Gust. Wolf. 3. Jahrg. 1883. 10 Nrn. (B.) gr. 8. Leipzig, G. Wolf. n. 1. —

— juristisches Monatsblatt. Zeitschrift f. die jurist. Beamten im Deutschen Reiche. Unter Mitwirkg. geeigneter Kräfte hrsg. 3. Jahrg. 1883. 12 Nrn. (B.) gr. 8. Ebend. 3. —

— juristisches Vademeoum, d. i.: Eine alphabetisch u. systematisch geordnete Handbibliothek v. allen brauchbaren Werken etc. älterer bis neuester Zeit auf dem Gesammtgebiete der Rechts- u. Staatswissenschaften. 2. Aufl. Mit Materienregister. gr. 8. (207 S.) Ebend. 883. 1. —

— Vademecum f. Medicin, Natur- u. exacte Wissenschaften. Monats-Ausg. 1. Jahrg. 1886. 12 Nrn. gr. 8. (Nr. 1. 12 S.) Ebend. n. 4. —

— medicinisches Vademecum. Alphabetisch-systemat. Zusammenstellg. v. neuen u. renommirten Erscheingn. der Literatur d. In- u. Auslandes auf dem Gebiete der Heilwissenschaft u. Thierheilkunde. Mit Register der Systeme u. Schlagwörter. 3. Aufl. gr. 8. (168 S.) Ebend. 883. 1. 50

— dasselbe. Jahrg. 1882—1883. Mit Register der Systeme u. Schlagwörter. 8. (32 S.) Ebend. 883. — 50

— dasselbe. 2. Bd. Jahrg. 1882—1885. Mit Register

der Systeme u. Schlagwörter. gr. 8. (88 S.) Leipzig 885. G. Wolf. n. — 75 (1. u. 2. in 1 Bd.: n. 2. —)

Wolf's naturwissenschaftl.-mathematisch. Vademecum. Alphabetische u. systemat. Zusammenstellg. der neueren u. besseren Literatur-Erscheingn. d. In- u. Auslandes auf dem Gebiete der Naturwissenschaften, Mathematik u. Astronomie. Suppl. zur 3. verb. Aufl., die Erscheingn. der J. 1882—84 umfassend. 8. (215 S.) Leipzig 884. G. Wolf. n. — 80; Schlüssel n.n. — 50

— philologisches Vademecum. Alphabetisches Verzeichniss der bis Ende 1882 in Deutschland erschienenen vorzüglichsten u. wichtigsten Ausgaben, Uebersetzungen u. Erläuterungs-Schriften der griech. u. latein. Classiker. I. Scriptores graeci. 8. (189 S.) Ebend. 883. 1. —; Schlüssel dazu (87 S.) n.n. 1. —

— theologisches Vademecum d. i.: Eine alphabetisch u. systematisch geordnete Handbibliothek v. älteren u. neueren Litteratur-Erscheingn. auf dem Gebiete der Theologie. Nach „Hagenbach's Encyclopädie" bearb 12. Tausend. 8. (130 S.) Ebend. 885. — 75

Wolf-Delitz a. B., die christliche Volksschule, e. vorbereit. u. helf. Schwesteranstalt der christl. Kirche. Vortrag, geh. auf der Lehrer-Versammlg. der Prov. Sachsen am 6. Oktbr. 1886. gr. 8. (19 S.) Halle 886. Hendel. — 15

Wolf, A., Oesterreich unter Maria Theresia, Josef II. u. Leopold II., s.: Geschichte, allgemeine, in Einzeldarstellungen.

Wolf, A., u. H. **Stöber**, deutsche u. brandenburgisch-preußische Geschichte, f. die Kinder der Volksschule in einfacher u. kurzer Darstellg. erzählt. 2., verb. Aufl. 8. (79 S.) Breslau 884. F. Hirt. n. — 40

Wolf, Carl, Atlas antiquus. 19. Aufl. v. Heinr. Kiepert's Atlas der alten Welt, neu bearb. 16 (lith. u. color.) Hauptkarten u. 20 Nebenkarten. qu. gr. 4. (VIII, 48 S.) Weimar 884. Geograph. Institut. n. 3. —; geb. n. 4. —

— Lehrbuch der mittleren Geschichte. 4. Aufl. gr. 8. (VII, 220 S.) Berlin 883. Habel. n. 2. 60

— Tabellen zur allgemeinen Geschichte zum Gebrauch f. höhere Lehranstalten u. zum Selbststudium. 2. Aufl. gr. 8. (IV, 159 S.) Ebend. 884. n. 1. 60

— Uebersicht zur vaterländischen Geschichte. Mit 1 Karte: Der brandenburg-preuß. Staat nach seiner geschichtl. Entwickelg. unter den Hohenzollern. 2. Aufl. gr. 8. (72 S.) Ebend. 884. n. 1. 60; ohne Karte n. — 80; Karte ap. n. 1. —

Wolf, E., s.: Volks- u. Mittelschulen, die Oesterreich-Ungarns.

Wolf, Ed., 3. Hundert Verse à la Klapphorn. 8. (80 S.) Wien 885. Neidl. n. — 60

Wolf, F. O., Wallis u. Chamounix, s.: Wanderbilder, europäische.

Wolf, Frdr. Aug., prolegomena ad Homerum sive de operum homericorum prisca et genuina forma variisque mutationibus et probabili ratione emendandi. Vol. I. Ed. III., quam curavit Rud. Peppmüller. Adiectae sunt epistolae Wolfii ad Heynium scriptae. gr. 8. (VIII, 307 S.) Halle 884. Buchh. d. Waisenhauses. n. 2. 40

Wolf, G., das Tridentinische Concil u. der Talmud gr. 8. (14 S.) Wien 885. (Hölder.) n. — 50

— die Geschichte Israels f. die israelitische Jugend. 1—4. Hft. gr. 8. Ebend. n. 2. 60

1. 10. Aufl. (76 S.) 886. n. — 64
2. 9. Aufl. (84 S. m. 1 Karte.) 886. n. — 72
3. 8. Aufl. (III, 56 S.) 886. n. — 40
4. 8. Aufl. (III, 105 S.) 885. n. — 84

— zur Geschichte der Wiener Universität. gr. 8. (V, 242 S.) Ebend. 883. n. 5. —

— die Juden, s.: Völker, die, Oesterreich-Ungarns.

— kurzgefaßte Religions- u. Sittenlehre f. die israelitische Jugend. 5. Aufl. 8. (35 S.) Wien 886. Hölder. n. — 40

— aus der Revolutionszeit in Österreich-Ungarn [1848—49]. gr. 8. (V, 122 S.) Ebend. 885. n. 2. 40

— historische Skizzen aus Oesterreich-Ungarn. gr. 8. (IV, 299 S.) Ebend. 883. n. 7. —

Wolf, G., der schweizerische Rechtsgeschäftsfreund. Leichtfaßliche Anleitg. zur Besorgg. v. Rechtsgeschäften jeder Art. (In 4 Lfgn.) 1. Lfg. 8. (192 S.) Zürich 880. (Meyer & Zeller.) n. 1. 54

Wolf, Gust., Beschreibung d. Bergreviers Hamm an der Sieg. Bearb. im Auftrage d. königl. Oberbergamts zu Bonn. Mit 1 Lagerstättenkarte, 4 Blättern der interessantesten Erzlagerstätten d. Reviers u. 1 Bergordnungskarte. gr. 8. (III, 138 S.) Bonn 885. Marcus. n. 4. —

Wolf, Henry J., e. Beitrag zur Casuistik der Spina bifida. gr. 8. (48 S.) Heidelberg 884. C. Winter. n. 1. 60

Wolf, Ign., Gelegenheits-Gedichte. Stenographische Ausg., autogr. v. Adf. Schmidt. gr. 8. (48 S.) Graz 887. (Leuschner & Lubensky.) n.n. 1. —

— Vademecum f. Gabelsberger-Stenographen. Ausführlichste Darstellg. der in der Gabelsberger'schen Korrespondenzschrift gebräuchl. Wortkürzgn. [Sigel u. Abbreviaturen], m. Einschluss vieler Kammersigel, nebst der Biographie Gabelsbergers: Autogr. v. Wilh. Pajk. 8. (30 S.) Ebend. 886. n. — 40

Wolf, Jul., üb. die Action der Brennerei in Deutschland zur Verbesserung ihrer Lage. gr. 8. (15 S.) Tübingen 885. Laupp. n. — 60

— die Branntweinsteuer. Ihre Stellg. im Steuersystem u. in der Volkswirthschaft, ihre geschichtl. Entwicklg. u. gegenwärt. Gestalt in den einzelnen Ländern, u. ihre Erhebungsformen, m. e. die Branntweinsteuerreform in Oesterreich-Ungarn behandelnden Abschnitt. gr. 8. (XVI, 568 S.) Ebend. 884. n. 14. —

— Tatsachen u. Aussichten der ostindischen Konkurrenz im Weizenhandel. gr. 8. (VIII, 168 S.) Ebend. 886. n. 3. —

Wolf-Südhausen, Jul., hinter der Leinwand. [Maler's Modell.] Aesthetische Skizze. 8. (87 S.) Zürich 886. Verlags-Magazin. n. 1. 20

Wolf, K. Aug., Ehespiegel. Eine geistl. Mitgabe in den heil. Stand der Ehe. 3. verb. Ausg. 16. (80 S.) Leipzig 885. G. Wolf. n. — 60

Wolf, L., s.: Haus-Kapelle zur Feyer d. Kirchenjahres.

Wolf, Leonh. Heinr., Volkslieder f. Schule u. Haus. Auswahl nach Bestimmg. der königl. Regierg. zu Koblenz. 8. verb. Aufl. 8. (VI, 42 S.) Kreuznach 886. Schmithals. n.n. — 20

Wolf, Rebekka, geb. Heinemann, Kochbuch f. israelitische Frauen, enth. die verschiedensten Koch- u. Backarten m. e. vollständ. Speisekarte u. e. Hausapotheke, sowie e. genauen Anweisg. zur Einrichtg. u. Führg. e. religiös-jüd. Haushaltg. 8. Aufl. gr. 8. (XXIV, 280 S.) Berlin 884. Adf. Cohn. n. 3. —; geb. n. 3. 80

Wolf, Sigm., Anleitung zu e. praktischen doppelten Buchung f. Sortiments-Geschäfte u. deren Nebenzweige. 6. Aufl. gr. 8. (IV, 34 S.) Klagenfurt 884. Wolf, (bei Leon sen.). n.n. 1. —

— die Bestimmung d. Werthes buchhändlerischer Unternehmungen f. Käufer u. Verkäufer. 8. (8 S.) Ebend. 884. n.n. — 30

Wolf, W., wo läßt sich im landwirtschaftlichen Betriebe viel ersparen u. auf welche Weise lassen sich diese Ersparnisse zur Steigerung der Erträge verwenden? Eine einfache wirtschaftl. Änderg., durch welche in Zukunft der Ertrag der Feldfrüchte gesteigert werden kann. Vorträge. 3. Aufl. gr. 8. (20 S.) Döbeln 884. (Schmidt.) n. — 35

Wolfbauer, J. F., die chemische Zusammensetzung d. Wassers der Donau vor Wien im J. 1878. [Mit 1 (lith.) Taf.] Lex.-8. (19 S.) Wien 883. (Gerold's Sohn.) n.n. — 90

Wolfermann, Osc., die Flexionslehre in Notkers althochdeutscher Übersetzung v. Boëthius: De consolatione philosophiae. Ein Beitrag zur althochdeutschen Grammatik. gr. 8. (74 S.) Altenburg 886. (Bonde's Verl.) n. 1. 20

Wolfes, Buchführung f. kleinere ländliche Wirthschaften. 4. (168 S.) Forbach 882. R. Hupfer. cart. n. 1. 50

Wolff, Martin Luther als Held u. Christ. Predigt üb. Hebräer 13, 7–9, geh. zur 4. Säcularfeier d. Geburtstages Martin Luthers in der Heiligen Geist-Kirche. gr. 8. (10 S.) Magdeburg 883. Faber. n.n. — 25

— kurze Nachricht üb. die geschichtlichen u. rechtlichen

Verhältnisse der evangelisch-reformierten Stadt- u. Universitäts-Kirche zu Marburg. gr. 4. (12 S.) Marburg 883. (Ehrhardt.) n.n. — 25

Wolff's poetischer Hausschatz d. deutschen Volkes. Ein Buch f. Schule u. Haus. Erneuert v. Carl Oltrogge. 28 Aufl. Lex.-8. (XXXII, 1024 S.) Leipzig 884. O. Wigand. n. 6. —; geb. n. 7. 50

Wolff, A., üb. die subcutane Anwendung d. Glycocoll-, Asparagin- u. Alanin-Quecksilbers u. deren Wirkung auf den syphilitischen Process. gr. 8. (60 S.) Strassburg 883. Noiriel. n. 1. 60

— Leprastudien, s.: Baelz, E.

— über Syphilis hereditaria tarda, s.: Sammlung klinischer Vorträge.

Wolff, Arth., zur Erinnerung an Eduard Lasker. 2 Aufl. 8. (61 S.) Berlin 884. R. Pohl. n. 1. —

— die braunschweigische Frage. Ein Mahnwort. 3. Aufl. gr. 8. (62 S.) Leipzig 885. Renger. n. 1. —

— der hinkende Teufel in Berlin. Schilderungen aus dem Berliner Leben. 8. (III, 259 S.) Ebend. 886. n. 3. —

Wolff-Beck, Bruno, Zitherklänge. Gedichte. 12. (68 S.) Hagen 886. Risel & Co. n. 1. —

Wolff, C. F., Futur u. Conditional II im Altprovenzalischen, s: Ausgaben u. Abhandlungen aus dem Gebiete der romanischen Philologie.

Wolff, Carl, die directen Staatssteuern in sächsischen Städten m. besond. Rücksicht auf Hermannstadt. gr. 8. (XLII, 40 S.) Hermannstadt 881. (Michaelis.) n. — 60

— sächsische Städte u. ihr Haushalt. [Vortrag, geh. im Hermannstädter Bürger- u. Gewerbeverein.] gr. 8. (32 S.) Ebend. 881. n. — 60

Wolff, E., s.: Denkschrift betr. die bessere Ausnützung d. Wassers u. die Verhütung v. Wasserschäden.

Wolff, E., Bericht üb. das Medizinal- u. Sanitätswesen d. Reg.-Bez. Merseburg f. d. J. 1881 u. 1882. gr. 4. (à ca. 56 S.) Merseburg 882. 83. Stollberg. à n. 2. —

— General-Bericht üb. die Verwaltung der Medicinal-Angelegenheiten im Reg.-Bez. Breslau, im Auftrage d. königl. Regierungs-Präsidiums erstattet. gr. 8. (142 S. m. 6 Taf.) Breslau 884. Maruschke & Berendt. n. 3. —

Wolff, E, David Copperfield, s.: Universal-Bibliothek f. die Jugend.

Wolff, Ed., Schulwörterbuch zur Germania d. Tacitus. Mit 33 Abbildgn. u. 1 Karte. 8. (V, 103 S.) Prag 886. Tempsky. — Leipzig, Freytag. n. — 80

Wolff, Emil, unsers Heilands Erdenwallen in Rhapsodien u. Liedern. Eine Festgabe an die deutsche Familie. 8. (V, 303 S.) Apolda 885. Mitteldeutsche Verlagsanstalt. geb. n. 6. —

Wolff, Emil, praktische Düngerlehre, m. e. Einleitg. üb. die allgemeinen Nährstoffe der Pflanzen u. die Eigenschaften d. Kulturbodens. Gemeinverständlicher Leitfaden der Agrikultur-Chemie. 10. Aufl. 8. (VIII, 229 S.) Berlin 886. Parey. geb. n. 2. 50

— die rationelle Fütterung der landwirtschaftlichen Nutztiere. Auf Grundlage der neueren tierphysiolog. Forschgn gemeinverständlicher Leitfaden der Fütterungslehre. 4., neu bearb. Aufl. 8. (VIII, 239 S.) Ebend. 885. geb. n. 2. 50

— Grundlagen f. die rationelle Fütterung d. Pferdes. Resultate zehnjähr. in Hohenheim ausgeführter Versuche, zusammengestellt u. erörtert. gr. 8. (IV, 155 S.) Ebend. 886. n. 5. —

Wolff, Emil, Herzog Ernst. Trauerspiel in 5 Aufzügen. 8. (III, 148 S.) Kiel 883. Lipsius & Tischer. n. 2. —

Wolff, Ernst, lustige Schnurren u. Schwänke f. Soldaten u. solche, die es gewesen sind. 8. (48 S) Oberhausen 884. Spaarmann. n. — 20

— neue humoristische Toaste u. Tischreden. 8. (96 S.) Ebend. 884. n. — 50

Wolff, Eug., die neue Burschenschaft. Mit e. Vorwort v. Conr. Küster u. e. Anh., enth. e. Adresse alter Burschenschaften an Küster. 3. Aufl. gr. 8. (37 S.) Berlin 885. S. Schwartz. n. — 50

Wolff, Eug., Karl Gotthelf Lessing. gr. 8. (127 S.) Berlin 886. Weidmann. n. 1. 60

Wolff, Ewald, die Untersuchung d. Fleisches auf Trichinen. Kurzgefaßte Belehrg. u. Anleitg. zur mikroskop. Prüfg. d. Fleisches f. bestallte u. angeh. Fleischschauer, sowie zur Vorbereitg. f. das Fleischbeschauer-Examen. Mit 1 Taf. 7., umgearb. u. durch Aufnahme der neueren amtl. Verordngn. vervollständ. Aufl. gr. 8. (74 S) Breslau 886. Maruschke & Berendt n. 1. 20

Wolff, Geo., u. Otto Dahm, der römische Grenzwall bei Hanau m. den Kastellen zu Rückingen u. Marköbel. Mit 4 lith. Taf. gr. 8. (86 S.) Hanau 885. Alberti. n. 4. —

Wolff, H., die Auswanderer, s.: Immergrün.

Wolff, H., die Beizen, ihre Darstellung, Prüfung u. Anwendung. Für den prakt. Färber u. Zeugdrucker bearb. 8. (III, 192 S.) Wien 885. Hartleben. n. 3. —

Wolff, H., u. J. Baumann, Tabellen zur Berechnung der organischen Elementaranalyse. 8. (4 S. auf Cartonpap.) Berlin 886. Springer. n.n. — 30

Wolff, H. L., Auswahl deutscher Gedichte u. Deklamationsübungen. Für Volks- u. Bürgerschulen. 7. Aufl. 8. (VIII, 160 S.) Halle 883. Schmidt. cart. n. — 75

— Mustersammlung deutscher Gedichte, f. Gymnasien, Real- u. höhere Bürgerschulen, sowie f. Privat-Institute hrsg. 19. Aufl. 8. (X, 368 S.) Ebend. 886. geb. n. 1. 70

Wolff, Herm., Handbuch der Logik, zum Gebrauche auf Universitäten, Gymnasien, Realgymnasien, Seminarien u. zum Selbststudium neu dargestellt. 8. (VI, 166 S.) Leipzig 884. Denicke. n. 1. 50

— Logik u. Sprachphilosophie. Eine Kritik d. Verstandes. 2. Ausg. gr. 8. (XII, 414 S.) Ebend. 883. n. 6. —

— Spekulation u. Philosophie. 1. u. 2. Bd. 2. Ausg. gr. 8. Ebend. 883. à n. 5. —
1. Der spekulative Rationalismus. (XXXVIII, 320 S.)
2. Der empirische Realismus. (VIII, 315 S.)

— Wegweiser in das Studium der kantischen Philosophie. Eine Darstellung d. geist. Entwicklungsganges Kant's, d. krit. Grundproblemes u. der Lösg. desselben in den drei Kritiken. gr. 8. (V, 106 S.) Ebend. 884. n. 2. 50

Wolff, J., die deutschen Dorfnamen in Siebenbürgen. Eine sprachl. u. geschichtl. Untersuchg. 4. (106 S.) Hermannstadt 881. (Michaelis.) n. 3. —

Wolff, J., die Geheimsprache der Handelsleute od. Dolmetscher u. Wörterbuch zur Entzifferg. aller beim Handel u. Wandel vorkomm. jüd. u. jargon. Wörter u. Redensarten f. Metzger, Viehhändler, Oekonomen u. Gewerbetreibende aller Art. 2. Aufl. 8. (32 S.) Leipzig 884. Th. Grieben. n. — 75

Wolff, J., unser Haus u. Hof. Kulturgeschichtliche Schildergn. aus Siebenbürgen. gr. 8. (74 S.) Kronstadt 882. (Hermannstadt, Michaelis.) n. — 80

— deutsches Lesebuch f. die Elementar-, Bürger- u. Haupt-Volksschulen der ev. Landeskirche A. B. in Siebenbürgen. 1. Tl. 2. Schuljahr. gr. 8. (VI, 128 S.) Ebend. 885. geb. n. 1. —

Wolff, Jak., morphologische Beschreibung e. Idioten- u. e. Mikrocephalen-Gehirns. gr. 4. (II, 16 S. m. 3 Steintaf.) Frankfurt a/M. 885. (Diesterweg.) n. 3. —

Wolff, Jul., Heilung d. Schreibkrampfes u. verwandter Muskelaffectionen: Klavier-, Telegraphier-, Violinkrampf etc. nach eigener, neuer Methode. Mit Abbildgn. gr. 8. (35 S.) Frankfurt a/M. 884. Diesterweg. n. 1. —

Wolff, Jul., der wilde Jäger. Eine Waidmannsmär. 20. unveränd. Aufl. 8. (VIII, 245 S.) Berlin 883. Grote. cart. n. 4. —

— Lurlei. Eine Romanze. 8. (V, 330 S.) Ebend. 886. cart. n. 5. 50; geb. n. 6. —

— der Rattenfänger v. Hameln. Eine Aventiure. Illustr. v. Paul Thumann. 2—7. (Schluß-)Lfg. gr. 4. (S. 41—280 m. eingedr. Holzschn. u. Holzschntaf.) Ebend. 883. à n. 3. — (cplt. geb.: n. 25. —)

— dasselbe. Mit Illustr. v. P. Grot Johann, in Holz geschnitten v. H. Käseberg u. H. Thiele. 20. Aufl. 8. (XI, 223 S.) Ebend. 883. cart. n. 4. —

Wolff, Jul, der Raubgraf. Eine Geschichte aus dem Harzgau. 8. (444 S.) Berlin 884. Grote. cart. n. 6. 20; geb. n. 7. —
— Singuf. Rattenfängerlieder. 3. verm. Aufl. 8. (XI, 233 S.) Ebend. 883. cart. n. 4. —
— der Sülfmeister. Eine alte Stadtgeschichte. 2 Bde. 4. Aufl. 8. (340 u. 311 S.) Ebend. 884. cart. n. 8. —; geb. n. 9. 60

Wolff, Jul. Thdr., photometrische Beobachtungen an Fixsternen aus den J. 1876 bis 1883. Hrsg. m. Unterstützg. der königl. preuss. Akademie der Wissenschaften. hoch 4. (VIII, 168 S.) G. Reimer. cart. n 10. —

Wolff, Lion, israelitische Haus- u. Familien-Chronik. 2. Aufl. gr. 4. (IX, 113 S.) Berlin 886. Cronbach. geb. in Leinw. m. Goldschn. n. 12. —; in Kalbldr. m. Schloß n. 15. —
— Hochzeits-Agende. Nebst Anh.: Trauungs-Agende. gr. 8. (109 u. 4 S.) Ebend. 886. geb. n. 3. 50

Wolff, Louis, die Schlacht v. Bionville—Mars la tour. Ein Gedenkblatt an den 16. Aug. 1870. 8. (XVI, 104 S. m. 1 lith. Karte.) Guben 884. Koenig. n. 2. —; geb. n. 3. —

Wolff-Kassel, Ludw., Pietro Aretino. Charakterlustspiel in 3 Akten. 8. (IV, 104 S.) Kassel 886. Klaunig. n. 2. —
— Rachegeister od. Dämon uns'rer Zeit. Orig.-Drama in 3 Akten. 8. (52 S.) Berlin 884. Kruse. n. 1. —
— Ruth. Biblisches Schauspiel in 1 Act. 8. (30 S.) Ebend. 884. n. 1. —

Wolff, M. F., der Hauseigenthümer u. Miether nach dem zu Frankfurt a/M. geltenden Rechte. Ein prakt. Handbuch f. jeden Miether u. Vermiether, auch f. den Juristen u. Geschäftsmann. 4. Aufl. Neu durchgesehen u. m. Rücksicht auf die neuere Gesetzgebg. u. Rechtsprechg. vervollständigt v. Körner. 8. (VIII, 115 S.) Frankfurt a/M. 885. Rommel. n. 1. 50

Wolff, M. P., die Ernährung der arbeitenden Klassen. Ein Plan f. Gründg. öffentl. Küchen. Deutsche, vom Verf. bearb. Ausg. Mit e. Vorrede v. J. König. Mit 1 (lith.) Plan. gr. 8. (XI, 144 S.) Berlin 885. Springer. n. 2. —

Wolff, Max, kleine Abenteuer. 12. (VII, 171 S.) Baden-Baden 882. Wild. n 2. —

Wolff, Osc., de enuntiatis interrogativis apud Catullum, Tibullum, Propertium. gr. 8. (62 S) Leipzig 886. Fock. n. 1. 20

Wolff, Oswald, de Iophonte poeta tragico. gr. 8. (28 S.) Misniae 884. (Leipzig, Fock.) n. 1. 20

Wolff, P. A., Preciosa, s.: Repertoir d. herzogl. Meiningen'schen Hof-Theaters.

Wolff, Paul, Beitrag zur Kenntniss der Ausscheidung d. Kalkes durch den Harn. gr. 8. (41 S.) Jena 886. (Neuenhahn.) n. 1. 35

Wolff, Paul, Verfügungen in Grundbuchsachen. 5. verm. u. verb. Aufl., bearb. v. dem Verf. u. Carl Wolff. 8. (XXII, 367 S.) Berlin 883. v. Decker. n. 6. —

Wolff, Paul, üb. die Konfirmation u. ihre liturgische Ausgestaltung m. besond. Berücksicht. der preuß. Agende, nebst liturg. Formularen. gr. 8. (III, 71 S.) Kropp 886. Buchh. „Eben-Ezer". n. 1. —

Wolff, Phpp., arabischer Dragoman. Grammatik, Wörterbuch, Redestücke der neu-arab. Sprache. Ein Handbuch f. Reisende in Ägypten, Palästina u. Syrien, sowie f. Studierende der arab. Sprache. 3. Aufl. 8. (VII, 369 S.) Leipzig 883. Brockhaus. n. 5. 50; geb. n. 6. 50

Wolff, Th., die Eintragung in das Grundbuch zur Vollstreckung e. Forderung sowie zur Vollziehung e. Arrestes u. e. einstweiligen Verfügung, systematisch dargestellt. gr. 8. (VII, 191 S.) Berlin 886. Vahlen. n. 3. 60

Wolff, Wilh., Stoffberechnungs-Tabelle f. alle Zweige der Confection. Nach langjähr., prakt. Erfahrgn. zusammengestellt u. hrsg. gr. 16. (17 S.) Hannover 886. Selbstverlag, Lützowstr. 4, III geb. n. — 50

Wolff, Wilh., Gedichte. 16. (VII, 146 S.) Kassel 885. (Baier & Co.) n. 1. —; geb. n. 1. 80

Wolffarth, H., die bayerische kathol. Presse — die braunschweigische Angelegenheit — Preußen. gr. 8. (21 S.) Freising 885. Kreichauf. n. — 75

Wolffberg, Louis, zur Symptomatologie d. chronischen Glaucoms. gr. 8. (41 S.) Königsberg 882. (Gräfe & Unzer.) n. 1. —

Wolffberg, S., üb. die Impfung, s.: Sammlung gemeinverständlicher wissenschaftlicher Vorträge.
— über den Nährwerth d. Alkohols. gr. 8. (15 S.) Bonn 883. Strauss. n. — 60

Wolffenstein, der innere Ausbau, s.: Cremer.

Wolffhügel, G., Wasserversorgung, s.: Handbuch der speciellen Pathologie u. Therapie.

Wölfflin, Ed., Gedächtnissrede auf Karl v. Halm, geh. in der öffentl. Sitzg. d. k. b. Akademie der Wissenschaften zu München zur Feier ihres 124. Stiftungstages am 28. März 1883. gr. 4. (36 S.) München 883. (Franz' Verl.) n.n. 1. —

Wolffson, J., das Staatsrecht der freien u. Hansestadt Hamburg, s.: Handbuch d. öffentlichen Rechts der Gegenwart.

Wolfgarten, G., die Bisquit, s.: Theater, kleines.

Wolfgarten, G., Deklamationsbuch f. christliche Vereine, besonders Gesellenvereine. 2. Aufl. 12. (XVI, 640 S.) Freiburg i/Br. 886. Herder. n. 2. 40; Einbd. n.n. — 60
— dreifacher Jahrgang ganz kurzer Homilien auf alle gebotenen, sowie die sonstigen wichtigsten Festtage d. Kirchenjahres. 8. (VIII, 217 S.) Ebend. 885. 1. 50

Wölfler, Ant., die Chirurgie in ihrer Vergangenheit u. Zukunft m. besond. Berücksicht. steiermärkischer Verhältnisse. Antrittsrede, geh. am 20. Octbr. 1886. gr. 8. (34 S.) Graz 886. Leuschner & Lubensky. n. 1. —
— über die Entwickelung u. den Bau des Kropfes. Mit 19 lith. Taf. gr. 8. (210 S.) Berlin 883. Hirschwald. n. 22. —

Wolfram v. Eschenbach, Parzival, in neuer Uebertragung, f. alle Freunde deutscher Dichtg. erläutert u. zum Gebrauche an höheren Lehranstalten eingerichtet. v. Ghold. Bötticher. 8. (LXXI, 352 S.) Berlin 885. Friedberg & Mode. n. 3. —
— dasselbe. Aus dem Mittelhochdeutscheen zum ersten male übers. v. San-Marte. 3. Aufl. 2 Bde. 8. (XCII, 328 u. XXVI, 482 S. m. 1 Tab.) Halle 886. Niemeyer. n. 10. —
— dasselbe. Auszug zum Schulgebrauche. Hrsg. v. Frdr. Polack. gr. 8. (72 S.) Gera 886. Th. Hofmann. n. — 60; Einbd. n.n. — 15
— Parzival u. Titurel. Rittergedichte, übers. u. erläutert v. Karl Simrock. 6. durchgeseh. Aufl. gr. 8. (376 S.) Stuttgart 883. Cotta. n. 10. —

Wolfram, Ernst H., geistliches Liederbuch f. Kirchengesangvereine Schulchöre u. Familien. Enth. 100 Melodien m. 123 Texten, 18 liturg. Chöre u. 3 Festandachten. Ausgewählt u. bearb. gr. 8. (XVI, 135 S.) Wiesbaden 885. Limbarth. n. 1. 20

Wolfram, Geo., Friedrich I. u. das Wormser Concordat. gr. 8. (VIII, 176 S.) Marburg 883. Elwert's Verl. n. 3. —

Wolfram, Rob., Chronik der Stadt Borna m. Berücksicht. der umliegenden Ortschaften. Neu bearb. gr. 8. (IV, 564 S.) Borna 886. (Schumann.) n. 9. —
— dasselbe. Ergänzungsbd. f. die Besitzer der Ausgabe v. 1859. gr. 8. (140 u. Nachträge 66 S.) Ebend. 886. n. 3. 50

Wolfsgruber, Cölestin, Geschichte der Loretokapelle bei St. Augustin in Wien. Mit 4 Abbildgn. gr. 8. (VI, 122 S.) Wien 886. Hölder. n. 2. 80
— hortulus animae. Praecationes in usum omnium eruditorum praesertim studiosae iuventutis. 16. (XXVIII, 605 S. m. Holzschn.) Augsburg 884. Literar. Institut v. Dr. M. Huttler. n.n. 2. 50; geb. n. 4. —
— die vorpäpstliche Lebensperiode Gregors d. Grossen, nach seinen Briefen dargestellt. gr. 8. (50 S.) Ebend. 886. 1. 50
— Lehrbuch der Kirchengeschichte f. Gymnasien. Mit 20 (eingedr.) Holzschn. gr. 8. (VI, 156 S.) Wien 883. Hölder. n. 2. —
— dasselbe. Mit 25 Holzschn. 2. verb. Aufl. gr. 8. (VI, 212 S.) Ebend. 884. n. 2. 72

Wolfsgruber, Hanns, die Curmittel von Gmunden. Aerztlicher Rathgeber beim Curgebrauche. 8. (32 S.) Gmunden 885. (Mänhardt.) n. — 40

Wolfsgruber, Hanns, illustrirter Führer im Curorte Gmunden am Traunsee u. dessen Umgebung. Hrsg. anlässlich d. 25jähr. Jubiläums d. Curortes. Mit 17 Illustr., 1 Panorama u. 3 Karten in Farbendr. 8. (VII, 48 S.) Gmunden 886. (Mänhardt.) n. — 60

Wolfsteiner, üb. Typhus u. Cholera in ihrer Beziehung zu Grundwasser u. Trinkwasser. gr. 8. (XXIII, 67 S.) München 886. J. A. Finsterlin. n. 2. —

Wolfstieg, A., Verfassungsgeschichte v. Goslar bis zur Abfassung der Statuten u. d. Bergrechtes. gr. 8. (IV, 96 S.) Berlin 885. Hertz. n. 2. 40

Wolkan, R., Nordböhmen u. die Reformation, s.: Für die Feste u. Freunde d. Gustav-Adolf-Vereins.

— Studien zur Reformationsgeschichte Nordböhmens. 5 Hfte. gr. 8. (13, 15, 31, 23 u. 60 S. m. 1 Stammtaf.) Wien 882—84. (Prag, Calve.) n. 4. —

Wolkenstein, A. v., Schloß Stuifen. Romantische Erzählg. aus der schwäb. Vorzeit. 8. (II, 80 S.) Stuttgart 886. Schott. — 80

Wolkenstein, Oswald Graf, Gedanken üb. das Pferd u. seine Behandlungsweise. 8. (V, 98 S.) Wien 886. F. Beck. n.n. 1. 70

Wölkerling, Wilh., kleine Mineralogie f. Bürger- u. Volksschulen. 8. (34 S.) Potsdam 887. Stein. cart. n. — 40

Woelky, C. P., s.: Urkundenbuch, neues preussisches.

Wollenberg, wie Güstrow e. lutherische Stadt geworden u. geblieben ist. Ansprache bei Gelegenheit d. 350jähr. Gedenktages der ersten in der hies. Pfarrkirche geh. luther. Predigt. gr. 8. (15 S.) Güstrow 883. Opitz & Co. n. — 30

Wollengarnfärberei, die praktische. Handbuch u. Anleitg. zur Wollengarnfärberei unter Berücksicht der neuesten Verfahren u. der Verwendg. v. Anilinfarbstoffen m. e. dazu gehör. grossen Musterkarte v. 160 Farben [auch der neuesten Modefarben] in eleganter Ausstattg. (in schmal-Fol.). gr. 8. (16 S.) Dresden 885. Bloem. n. 10. —

Wollen-Gewerbe, das deutsche. Zeitschrift f. die gesammte Wollen-Industrie u. die bezügl. Geschäftsbranchen, m. der Wochenbeilage: Zeitung f. Schafzucht u. Woll-Production. Organ d. Central-Vereins der deutschen Wollenwaaren-Fabrikanten. Unter Mitwirkg. namhaftester Fachkapazitäten hrsg. u. red. v. Hugo Söderström. 15—18. Jahrg. 1883—1886. 104 Nrn. (à 2—3 B.) gr. 4. Grünberg, Weiß' Nachf. à Jahrg. n. 12. —

Wollen-Gewerbe-Adressbuch, europäisches. Verzeichniss aller namhaften Firmen v. Tuch- u. Wollenwaarenfabriken, Wollwäschereien, Streichgarn- u. Kammgarn-Spinnereien, Webereien u. Appretur-Anstalten, Filz- u. Filzhutfabriken, Kunstwollfabriken etc. v. ganz Europa. Hrsg. v. der Fachzeitschrift „Das deutsche Wollen-Gewerbe". gr. 8. (XXI, 495 S.) Grünberg 885. Weiss Nachf. Verl. n. 10. —

Wollenzien, J., das Gerichtskassenwesen in Preußen. Systematische Zusammenstellg. aller das Kassenwesen bei den preuß. Justizbehörden betr. gesetzl. u. administrativen Vorschriften. Mit Erläutergn. gr. 8. (XXIV, 474 S.) Berlin 885. 86. Siemenroth. n. 9. —; geb. n. 10. 25

— Gesetz betr. die Pensionirung der Lehrer u. Lehrerinnen an den öffentlichen Volksschulen. Vom 6. Juli 1885. Mit Erläutergn. u. e. Pensions-Tabelle. 12. (55 S.) Ebend. 886. n. — 75

— die Standesämter in Preußen. Systematisches Verzeichniß der sämmtl. Standesämter in Preußen m. Angabe ihrer polit. Lage u. Sitze, sowie der f. die letzteren maßgeb. Postorte. Auf Grund amtl. Materialien zusammengestellt u. m. e. alphabet. Namenregister versehen. gr. 8. (XIV, 220 S.) Pleschen 886. (Breslau, Kern's Verl.) n. 6. —

Wollheim da Fonseca, Ant. Edm., Handwörterbuch der deutschen u. portugiesischen Sprache. 2 Thle. 3. Aufl. 12. (436 u. 366 S.) Leipzig 883. F. Fleischer. n. 9. —; in Leinw. in 1 Bd. cart. n. 10. —

— neue Indiskretionen. Mittheilungen aus der geheimen Diplomatie der letzten 30 Jahre. 2 Bde. gr. 8. (652 u. VII, 494 S.) Berlin 883. 84. Dümmler's Verl. n. 17. —

Wollinger, Jos., Lehrbuch f. den gesamten deutschen Sprachunterricht an Realschulen u. verwandten Lehranstalten m. Uebungsaufgaben. Nach den Bestimmgn. der Schulordng. f. die Realschulen bearb. 5. verm. u. verb., m. e. orthograph. Wörterverzeichnis versehene Aufl. gr. 8. (VIII, 478 S.) Regensburg 884. Pustet. n. 3. —

Wollner, L., der Mosesstab. Sabbat- u. Festreden. Betrachtungen üb. die 5 Bücher Moses nach Ordng. der Wochenabschnitte f. die Schuljugend beiderlei Geschlechts. Ein Buch zur Erbaug., Belehrg. u. Unterhaltg. f. Gottes-, Schul- u. Familienhaus. (2. Abth.) Betrachtungen zum 4. Buche Moses. 8. (IV, 104 S.) Wien 882. D. Löwy. n. 1. 20 (1. u. 2.: n. 2. 40)

Wollny, Ewald, üb. die Anwendung der Elektricität bei der Pflanzenkultur. Für die Bedürfnisse der Landwirthschaft u. d. Gartenbaues dargestellt. Mit 2 Abbildgn. gr. 8. (37 S.) München 883. Th. Ackermann's Verl. n. 1. —

— Saat u. Pflege der landwirthschaftlichen Kulturpflanzen. Handbuch f. die Praxis. Mit 38 in den Text gedr. Holzschn. gr. 8. (XVI, 833 S.) Berlin 885. Parey. geb. n. 20. —

— über die Thätigkeit niederer Organismen im Boden. Vortrag, geh. am 30. Juni 1886 auf der hygien. Ausstellg. in Berlin. gr. 8. (26 S.) Braunschweig 883. Vieweg & Sohn. n.n. — 50

Wollny, F., der Materialismus im Verhältniß zu Religion u. Moral. gr. 8. (VII, 66 S.) Leipzig 886. Thomas. n. 1. 50

Woll-Regime System Prof. Dr. G. Jäger, Stuttgart. Fol. (4 S.) Stuttgart 883. (Metzler's Sort.) — 15

Wollschläger, W., s.: Festzug, der historische, in Torgau zur Feier d. 400jähr. Geburtstages Luthers.

Wollweber, J. G., Globuskunde zum Schulgebrauche u. Selbststudium. Gekrönte Preisschrift. 2. Aufl., m. 40 Abbildgn. gr. 8. (VI, 158 S.) Freiburg i/Br. 885. Herder. n. 1. 50

Wolozkoi, das Gewehrfeuer im Gefecht. Beitrag zur Psycho-Physik. Uebers. aus dem Russ. v. Eug. Reversky. gr. 8. (VII, 159 S.) Darmstadt 883. Zernin. n. 2. 50

Wolpert, A., Prüfung u. Verbesserung der Schulluft. Abhandlung. gr. 8. (20 S. m 2 Illustr.) Kaiserslautern 883. (Tascher.) n. — 40

Wolrad, E., Bertrada. Trauerspiel in 5 Aufzügen. 8. (III, 149 S.) Berlin 883. Freund & Jeckel. n. 2. —

Wolter, A., Aussprüche bewährter Pädagogen üb. die Behandlung der verschiedenen Unterrichtsdisciplinen. gr. 8. (XIV, 418 S.) Gütersloh 883. Bertelsmann. n. 5. —

— Führer in die Feldmeß- u. Nivellierkunst. Zum Gebrauch in landwirtschaftl. u. ähnlichen Lehranstalten, sowie zum Selbstunterricht. Mit 47 Fig. u. e. Situationsplan in Farbendr. 8. (64 S.) Oranienburg 883. Freyhoff. cart. n. 1. 60

— Hülfsbuch f. die Präparation zur zweiten Prüfung der Volksschullehrer. Nach den besten Lehrbüchern übersichtlich zusammengestellt. 3. Aufl. 8. (312 S.) Gütersloh 885. Bertelsmann. n. 4. —

— Dr. Martin Luther. Eine Festgabe zum 400jähr. Geburtstage d. großen Reformators. Dem deutschen evangel. Volke gewidmet. 12. (64 S.) Oranienburg 883. Freyhoff. n. — 20

— das Spiel im Freien, s.: Hesse's, M., Lehrer-Bibliothek.

— die Taktschreibmethode. Ein Beitrag zur Beförderg. d. Schreibunterrichts. 8. (IV, 43 S.) Langensalza 885. Schulbuchh. cart. — 75

— Wegweiser f. den schriftl. Verkehr d. Lehrers m. seinen vorgesetzten Behörden, s.: Hesse's, M., Lehrer-Bibliothek.

— E. Lemcke u. W. Lahn, Volksschul-Lesebuch. 1. Tl. der Ausgaben A u. B. gr. 8. (VI, 138 S.) Hannover 885. Helwing's Verl. n. — 60

— — — dasselbe. Ausg. A. In 3 Tln. 2. u. 3. Tl. gr. 8. Ebend. 885. n.n. 2. 30
2. (VII, 284 S.) n.n. 1. —. — 3. (VIII, 496 S.) n.n. 1. 30

— — — dasselbe. Ausg. B. In 3 Tln. 2. Tl. gr. 8. (VIII, 436 S.) Ebend. 885. n.n. 1. 25

Wolter, L., 80 Bibelabschnitte, s.: Resemann, L.

Wolter, Maurus, psallite sapienter. „Psalliret weise!" Erklärung der Psalmen im Geiste d. betracht. Gebets u. der Liturgie. 4. Bd. Psalm CI—CXX. [Des ganzen Werkes 7. u. 8. Lfg.] gr. 8. (624 S.) Freiburg i/Br. 883. Herder. n. 6. — (1—4.: n. 26. —)

— dasselbe. Kurze Betrachtgn. zur Morgen-Andacht f. Psalmenfreunde u vorzüglich f. Mitglieder d. „Psalmenbundes", in Auszügen aus den Psalmen-Erklärgn. hrsg. v. J. M. 16. (VIII, 342 S.) Augsburg 883. Literar. Institut v. Dr. M. Huttler. 1. 50

Woltersdorf, Ernst Gtlieb., fliegender Brief evangelischer Worte an die Jugend v. der Glückseligkeit solcher Kinder u. jungen Leute, die sich frühzeitig bekehren. 12. Aufl. 8. (180 S.) Leipzig 886. J. Naumann. n. 1. —; geb. n. 1. 75

Woltersdorff, Greg. v., offener Brief an Hrn. A. Rollmann, geistl. Inspektor der protestant. Gemeinde zu Fulda. Aus Anlaß der Predigt üb. Römer 3, 28, geh. am Lutherfest, den 11. Novbr. 1883. gr. 8. (22 S.) Frankfurt a/M. 884. Foesser Nachf. n. — 40

Woltmann, Alfr., biographische Notizen, s.: Deutschlands Kunstschätze.

— u. Karl **Woermann**, Geschichte der Malerei. Mit vielen Illustr. in Holzschn. 13—17. Lfg. gr. 8. (3. Bd. S. 1—544.) Leipzig 885. 86. Seemann. à n. 3. —

Wolynoewicz, Stef., Bahnbestimmung d. Planeten (210) „Isabella". Imp.-4. (17 S.) Wien 883. (Gerold's Sohn.) n. 1. —

Wolzendorff, Gust., Handbuch der kleinen Chirurgie f. praktische Aerzte. Mit 375 Holzschn. gr. 8. (VI, 467 S.) Wien 883. Urban & Schwarzenberg. n. 12. —

Wolzogen, A. Frhr. v., zwei Humoresken, s.: Universal-Bibliothek.

Wolzogen, Ernst v., Wilkie Collins. Ein biographisch-krit. Versuch. 8. (184 S.) Leipzig 885. Unflad. n. 2. 80

— George Eliot. Eine biographisch-krit. Studie. 8. (VI, 228 S.) Ebend. 885. n. 3. 40

— Heiteres u. Weiteres. Kleine Geschichten. 8. (VII, 234 S.) Stuttgart 886. Spemann. n. 4. —

— die Miether d. Herrn Thaddäus, s.: Was Ihr wollt-Bibliothek.

— dasselbe. Das ewige Gesetz. Novelle v. Emil Marriot. 12. (68 u. 71 S.) Leipzig 886' Werther. n. — 75

Wolzogen, Hans v., zur Einführung in die Bayreuther Festspieldramen 1886 „Tristan" u. „Parsifal", ihre Entstehg. u ihre Bedeutg. Mit 2 Notenbeilagen. 8. (51 u. Notenbeilage 11 S.) Leipzig 886. Schloemp. n. — 75; cart. n. 1. —

— Erinnerungen an Richard Wagner. Ein Vortrag, geh. am 13. Apr. 1883 im Wissenschaftl. Club zu Wien. Hrsg. vom Wiener akadem. Wagner-Verein. gr. 8. (50 S.) Wien 883. Konegen. n. 1. —

— guide to the legend poem and music of Richard Wagner's Tristan and Isolde. Translated and illustrated with extracts from Swinburne's Tristram of Lyonesse etc. by B. L. Mosely. 8. (52 S.) Leipzig 884. Breitkopf & Härtel. n. 1. —

— die Idealisirung d. Theaters. Geschichte e. Kunstentwickelg. aus Moden zum Styl. gr. 8. (IV, 113 S.) München 886. (Leipzig, Leede.) 1. —

— thematischer Leitfaden durch die Musik d. Parsifal, nebst e. Vorworte üb. den Sagenstoff d. Wagner'schen Dramas. 5. Aufl. 8. (82 S.) Leipzig 884. Reinboth. n. 2. —

— thematischer Leitfaden durch die Musik zu Rich. Wagner's Tristan u. Isolde, nebst e. Vorworte üb. den Sagenstoff d. Wagner'schen Dramas. 3. unveränd. Aufl. 8. (47 S.) Ebend. 886. n.n. — 75

— die Religion d. Mitleidens u. die Ungleichheit der menschlichen Racen. Lex.-8. (155 S.) Bayreuth 882. (Leipzig, Th. Fritsch.) n. 2 40

— kleine Schriften. 1. Bd. Ueber Sprache u. Schrift. [Ethnologie, Sprachwissenschaft, Stilistik u. Orthographie.] gr. 8. (VII, 248 S.) Leipzig 886. Schloemp. n. 3. —

— Richard Wagner u. die deutsche Kultur. Ein Vortrag. gr. 8. (32 S.) Ebend. 882. n. 1. —

Wolzogen, Hans v., Richard Wagner's Heldengestalten. Erläutert. Mit 18 Portraitbildern nach Orig.-Photographien in Autotypie v. Angerer & Göschl in Wien. 2. Aufl. gr. 4. (X, 94 S.) Leipzig 886. Schloemp. geb. m. Goldschn. n. 15. —

Wolzogen, Hans Paul Frhr. v., Karl August Alfred Freiherr v. Wolzogen. Ein biograph Erinnerungsbild. Mit e. (Lichtdr.-)Portr. 8. (75 S.) Rostock 883. Hinstorff's Verl. n. 1. 50

Wolzogen, K. v., Agnes v. Lilien, s.: Collection Spemann.

— Schillers Leben, s.: Bibliothek, Cotta'sche, der Weltlitteratur.

Wondráček, Em., Tabelle I. zur Umrechnung der österreichischen Joche u Quadrat-Klafter in Hektar, Ar u. Quadrat-Meter von 1 □Klafter bis 2000 Joch. II. Zur Berechnung der Grundsteuer nach dem neuen Kataſtral-Reinertrage von 1 kr. bis 5000 fl. gr. 8. (10 S.) Prag 886. (Kytka.) n. — 80

— 11 Tabellen zur Berechnung der Zinsen von 1 bis 10,000 fl. Kapital, zu 1, 2, 3, $3^1/_2$, 4, $4^1/_2$, 5, $5^1/_2$, 6, 7 u. 8 Percent von 1 bis zu 12 Monaten. schmal Fol. (23 S.) Melnik 885. (Prag, Calve.) n.n. 1. 40

Woenig, Frz., die Pflanzen im alten Aegypten. Ihre Heimat, Geschichte, Kultur u. ihre mannigfache Verwendung im sozialen Leben in Kultus, Sitten, Gebräuchen, Medizin, Kunst. Nach den eigenen bildl. Darstellgn. der alten Aegypter, Pflanzenresten aus Gräberfunden, Zeugnissen alter Schriftsteller u. den Ergebnissen der neueren Forschgn. Mit zahlreichen Orig.-Abbildgn. gr. 8. (245 S.) Leipzig 886. Friedrich. n. 12. —

Wood, Mrs. H., s.: Ludlow, J.

— Schloß Netherleigh. Roman. Frei nach dem Engl. 3 Bde. 8. (232, 307 u. 308 S.) Berlin 884. Janke. n. 12. —

Woollett, Cresswell, vier Bleistiftstudien weiblicher Schönheiten. 4 Lith. gr. Fol. Leipzig 886. (Baldamus' Sep.-Cto.) n. 5. —

Wopfner, Jos., Perlen aus den deutschen Alpen. 1. Serie. qu. Fol. (12 Chromolith.) Leipzig 885. (Baldamus.) Ausg. A. à Blatt n. 1. 80; Ausg. B. qu. gr. Fol. à Blatt n. 1. 60; Ausg C. à Blatt n 2. 10

München, Oberammergau, Partenkirchen, Hohenschwangau, Tegernsee, Kochelsee, Walchensee, Eibsee, Tölz-Krankenheil, Kreuth, Reichenhall, Gastein.

Worbs, deutsches Lesebuch f. die oberen Klassen höherer Lehranstalten. 2. Aufl. gr. 8. (XVII, 764 S.) Köln 885. Du Mont-Schauberg. n. 5. 50

Wördemann, Jan Hinnerk, Queken u. Ranken. Allerhand Snaken u. Snurren, Gedichte un Vertellsel in plattdütscher Mundart. 8. (VII, 149 S.) Großenhain 886. Baumert & Ronge. n. 1. —

Wörishöffer, S., Lionel Forster, der Quarteron. Eine Geschichte aus dem amerikan. Bürgerkriege. gr. 8. (IV, 610 S.) Bielefeld 887. Velhagen & Klasing. geb. n. 9. —

— gerettet aus Sibirien. Erlebnisse u. Abenteuer e. verbannten deutschen Familie. Auf Grund e. Erzählg. v. Améro u. Tissot f. die reifere deutsche Jugend bearb. Mit vielen Illustr. gr. 8. (239 S.) Leipzig 885. Hirt & Sohn. 4. 50; geb. 6. —

— kreuz u. quer durch Indien. Irrfahrten zweier junger deutscher Leichtmatrosen in der ind. Wunderwelt. 2. Aufl. Mit 17 Abbildgn. gr. 8. (VI, 629 S.) Bielefeld 886. Velhagen & Klasing. geb n. 9. —

— auf dem Kriegspfade. Eine Indianergeschichte aus dem fernen Westen. 2. Aufl. Mit 16 Tonbildern v. H. Merté. gr 8. (624 S.) Ebend. 885. geb. n. 9. —

— das Naturforscherschiff od. Fahrt der jungen Hamburger m. der „Hammonia" nach den Besitzgn. ihres Vaters in der Südsee. 3. Aufl. Mit 25 Tonbildern. gr. 8. (IV, 464 S.) Ebend. 885. geb. n. 7. —

— Robert d. Schiffsjungen Fahrten u Abenteuer auf der deutschen Handels- u. Kriegsflotte. Mit üb. 100 Illustr. v. B. Woltze. 4. Aufl. gr. 8. (V, 664 S.) Ebend. 884. geb. n. 9. —

— durch Urwald u. Wüstensand. Mit 16 Tonbildern. gr. 8. (VI, 618 S.) Ebend. 886. geb. n. 9. —

Wörishöffer, S., Onen Visser, der Schmugglersohn v. Norderney. Mit 16 Tonbildern v. Johs. Gehrts. gr. 8. (VI, 611 S.) Bielefeld 885. Velhagen & Klasing. geb. n. 9. —

Woerl's hand-books for travellers. Guide to the baths of Kissingen and the environs. With a plan of the town and a map of the surrounding district. gr. 16. (48 S.) Würzburg 885. Woerl. n. — 50

— hand-books manual. Guide to Donaueschingen and its environs. With a plan of the town, a map of Württemberg and a railway-map. 2. ed. gr. 16. (16 S.) Ebend. 885. n. — 50

— manuels des voyageurs. Guide pour Aix-la-Chapelle. Avec le plan de la ville et des cartes. 2. éd. gr. 16 (16 S.) Ebend. 885. n. — 50

— Reisebibliothek. Der Gotthard einst u. jetzt. Vom Verf. der „Schweizer Alpen". Mit Illustr. (Holzschntaf.). 12. (X, 292 S.) Ebend 883. n. 4. 50; geb. n. 5. —

— dasselbe. Jenseits d. Brenners. Ein Ferienausflug von Franziska v. Hoffnaaß [Rheinberger]. Mit 8 Illustr. (Holzschntaf.) 12. (III, 256 S.) Ebend. 888. n. 2. 50; geb. n. 3. —

— dasselbe. Konstantinopel. Eine Fahrt nach dem goldenen Horn beschrieben v. Herm. Zschokke. Mit 1 Karte u 31 Bildern. 12. (VII, 370 S.) Ebend. 884. n. 4. 50; geb. n. 5. —

— dasselbe. Wanderungen durch Palästina. Ernstes u. heiteres, zwanglos erzählt v. J. Fahrngruber. Mit vielen Bildern (Holzschntaf.) 12. (XV, 420 S.) Ebend. 883. n. 5. —; geb. n. 6. —

— dasselbe. Um die Welt ohne zu wollen. [Tagebuch Sr. k. u. k. Hoh. d. Erzherzogs Ludwig Salvator.] Mit 100 Illustr. (Orig.-Zeichngn. d. hoh. Verf., an Ort u. Stelle aufgenommen.] 3. Aufl. 12. (XII, 343 S.) Ebend. 884. 8. —; geb. n. 9. —; in Prachtbd. n. 10. —

— Reisehandbücher. Führer durch die Regierungshauptstadt Aachen. Mit 1 Plane der Stadt u. 1 Eisenbahnkarte. 2. Aufl. gr. 16. (16 S.) Ebend. 884. n. — 50

— dasselbe. Führer durch Agram u. Umgebung. Mit Plan der Stadt- u. Eisenbahnkarte. 2. Aufl. gr. 16. (16 S.) Ebend. 885. n. — 50

— dasselbe. Führer durch Amberg in der Oberpfalz. Mit 1 Plane der Stadt u. 1 Eisenbahnkarte. gr. 16. (16 S.) Ebend. 884. n. — 50

— dasselbe. Führer durch Annaberg u. Umgebung. Mit Plan der Stadt, Karte v. Sachsen u. Eisenbahnbarte. 2. Aufl. gr. 16. (16 S.) Ebend. 85. n. — 50

— dasselbe. Führer f. die Arlbergbahn u. ihre Seitenthäler. Mit Plan v. Innsbruck, Karte v. Vorarlberg u. Tirol, 2 Routenkarten, mehreren Panoramen u. Illustr. gr. 16. (40 S.) Ebend. 886. n. 1. —

— dasselbe. Führer durch die Stadt Aschaffenburg. Mit 1 Plane der Stadt, Ansicht der Stiftskirche u. e. Eisenbahnkarte. 2. Aufl. gr. 16. (15 S.) Ebend. 884. n. — 50

— dasselbe. Führer durch Augsburg. Mit Plan der Stadt u. Eisenbahnkarte. 4. Aufl. gr. 16. (16 S.) Ebend. 886. n. — 50

— dasselbe. Führer durch Baden-Baden. Mit Plan der Stadt u. Eisenbahnkarte. 4. Aufl. gr. 16. (16 S.) Ebend. 886. n. — 50

— dasselbe. Führer durch Bamberg u. Umgebung. Mit Plan der Stadt. Illustr. u. Karte v. Bayern. gr. 16. (32 S.) Ebend. 886. n. — 50

— dasselbe. Führer durch Barmen u. Umgebung. Mit Plan der Stadt, Umgebungskarte u. Eisenbahnkarte. gr. 16. (17 S.) Ebend. 885. n. — 50

— dasselbe. Führer durch Basel. Mit Plan der Stadt, Illustr., Karte der Schweiz, Rheinkarte u. Eisenbahnkarte. gr. 16. (16 S.) Ebend. 885. n. — 50

— dasselbe. Führer durch Bayreuth. Mit e. Karte v. Bayern u. e. Eisenbahnkarte. gr. 16. (15 S.) Ebend. 886. n. — 50

— dasselbe. Führer durch Berlin. Mit Plan der Stadt, Karte der Mark Brandenburg, Eisenbahnkarte u. mehreren Illustr. 2. umgearb. u. verm. Aufl. gr. 16. (48 S.) Ebend. 886. n. — 50

Woerl's Reisehandbücher. Führer durch Bern u. Umgebung. Mit Plan der Stadt, Karte der Schweiz u. Eisenbahnkarte. gr. 16. (16 S.) Würzburg 886. Woerl. n. — 50

— dasselbe. Bad Booklet. Führer f. Kurgäste. Bearb. v. L. Scherpf. Mit Karte der Umgebg., Karte v. Bayern u. Eisenbahnkarte. gr. 16. (16 S.) Ebend. 886. n. — 50

— dasselbe. Führer durch die Universitäts- u. Kreishauptstadt Bonn. Mit 1 Plane der Stadt u. 1 Karte von Coblenz-Köln. gr. 16. (16 S.) Ebend. 884. n. — 50

— dasselbe. Führer durch Breslau u. Umgebung. Mit Plan der Stadt, Karte v. Schlesien u. Eisenbahnkarte. gr. 16. (15 S.) Ebend. 885. n. — 50

— dasselbe. Führer durch Brixen an der Eisack. Mit 1 Plane der Stadt u. 1 Umgebungskarte gr. 16. (32 S.) Ebend. 884. n. — 50

— dasselbe. Führer durch Brünn. Mit Stadtplan, Karte v. Mähren u. Eisenbahnkarte. 3. Aufl. gr. 16. (18 S.) Ebend. 886. n. — 50

— dasselbe. Führer durch die Reichshauptstadt Budapest. Mit Plan der Stadt. Führer durch die Ausstellg. nebst Plan, sowie 12 Illustr. 2. Aufl. 12. (45 S.) Ebend. 885. n. — 50

— dasselbe. Führer durch Chemnitz. Mit 1 Plane der Stadt u. 1 Eisenbahnkarte. 2. Aufl. gr. 16. (15 S.) Ebend. 884. n. — 50

— dasselbe. Führer durch Chur u. Umgebung. Mit Plan der Stadt, Umgebungskarte u. Karte der Schweiz. gr. 16. (16 S.) Ebend. 886. n. — 50

— dasselbe. Führer durch die Provinzialhauptstadt Coblenz. Mit 1 Plane der Stadt, 1 Eisenbahnkarte u. verschiedenen Ansichten. gr. 16. (16 S.) Ebend. 884. n. — 50

— dasselbe. Führer durch Coburg. Mit Plan der Stadt, Karte v. Thüringen u. Eisenbahnkarte. gr. 16. (32 S.) Ebend 886. n. — 50

— dasselbe. Führer durch Colmar u. Umgebung. Mit Plan der Stadt, Umgebungskarte u. Eisenbahnkarte. 2. Aufl. gr. 16. (16 S.) Ebend. 885. n. — 50

— dasselbe. Corsica u. Sardinien. Ein Führer f. Touristen. Mit Karten u. Illustr. gr. 16. (VI, 78 S.) Ebend. 884. cart. n. 2. —

— dasselbe. Führer durch Darmstadt. Mit Plan der Stadt, Karte v. Hessen u. Eisenbahnkarte gr. 16. (16 S.) Ebend. 886. n. — 50

— dasselbe. Führer durch Donaueschingen u. Umgebung. Mit Plan der Stadt, Karte v. Württemberg u. Baden u. Eisenbahnkarte. 2. Aufl. gr. 16. (14 S.) Ebend. 885. n. — 50

— dasselbe. Führer durch Donauwörth. Mit Plan der Stadt, Karte v. Bayern u. Eisenbahnkarte. gr. 16. (15 S.) Ebend. 886. n. — 50

— dasselbe. Führer durch Dortmund. Nebst e. Plane der Stadt. gr. 16. (16 S.) Ebend. 884. n. — 50

— dasselbe. Führer durch Dresden. Mit Plan der Stadt, Karte v. Sachsen u. Eisenbahnkarte. 4. Aufl. gr. 16. (16 S.) Ebend. 886. n. — 50

— dasselbe. Führer durch Duisburg u. Umgebung, Mit Plan der Stadt, Karte der Rheinlande u. Eisenbahnkarte. 2. Aufl. gr. 16. (16 S.) Ebend. 885. n. — 50

— dasselbe. Führer durch Düsseldorf. Mit Plan der Stadt, Eisenbahnkarte u. Umgebungskarte. Neue verb. Aufl. gr. 16. (16 S.) Ebend. 886. n. — 50

— dasselbe. Führer durch Eger u. Umgebung. Mit Plan der Stadt, Karte v. Böhmen u. Eisenbahnkarte. 2. Aufl. gr. 16. (16 S.) Ebend. 885. n. — 50

— dasselbe. Führer durch Eichstätt. Mit Plan der Stadt, Karte v. Bayern u. Eisenbahnkarte gr. 16. (24 S.) Ebend. 886. n. — 50

— dasselbe. Führer durch Einsiedeln u. Umgebung. Mit Illustr., Karte der Schweiz u. Eisenbahnkarte. gr. 16. (23 S.) Ebend. 886. n. — 50

— dasselbe. Führer durch Eisenach, die Wartburg u. Umgebung. Mit Plan der Stadt, Karte v. Thüringen u. Eisenbahnkarte. gr. 16. (15 S.) Ebend. 886. n. — 50

Woerl's Reisehandbücher. Führer durch Elberfeld. Mit 1 Plane der Stadt u. 1 Eisenbahnkarte. 2. Aufl. gr. 16. (16 S.) Würzburg 884. Woerl. n. — 50
— dasselbe. Führer durch die Kreishauptstadt Emden u. Umgebung. Mit 1 Plane der Stadt u. 1 Eisenbahnkarte. gr. 16. (16 S.) Ebend. 885. n. — 50
— dasselbe. Führer durch Erfurt u. Umgebung. Mit Plan der Stadt, Karte v. Thüringen u. Eisenbahnkarte. 2. Aufl. gr. 16. (16 S.) Ebend. 885. n. — 50
— dasselbe. Führer durch die Universitätsstadt Erlangen u. Umgebung. Mit Plan der Stadt, Karte v. Bayern u. Eisenbahnkarte. 2. Aufl. gr. 16. (15 S.) Ebend. 885. n. — 50
— dasselbe. Führer durch Essen. Mit Plan der Stadt, Karte v. Rheinland u. Westfalen u. Eisenbahnkarte. gr. 16. (16 S.) Ebend. 886. n. — 50
— dasselbe. Führer durch Frankfurt a/M. Mit Plan der Stadt, Umgebungskarte, Eisenbahnkarte u. 3 Illustr. 7. Aufl. gr. 16. (18 S.) Ebend. 886. n. — 50
— dasselbe. Führer durch Frankfurt an der Oder. Mit 1 Plane der Stadt u. 1 Eisenbahnkarte. 2. Aufl. gr. 16. (22 S.) Ebend. 884. n. — 50
— dasselbe. Führer durch Freiburg im Breisgau u. seine Umgebung. Mit Plan der Stadt, Eisenbahnkarte, Karte der bad. Bahnen. gr. 16. (16 S) Ebend. 886. n. — 50
— dasselbe. Führer durch Freiburg in der Schweiz. Mit Plan der Stadt, Karte der Schweiz u. Eisenbahnkarte. gr. 16. (14 S.) Ebend. 886. n. — 50
— dasselbe. Führer durch Freising u. Umgebung. Mit Plan der Stadt, Karte v. Bayern u. Eisenbahnkarte. gr. 16. (16 S.) Ebend. 886. n. — 50
— dasselbe. Führer durch Freudenstadt u. Umgebung. Nebst Plan der Stadt, Illustr., Karte v. Württemberg u. Baden u. Eisenbahnkarte. gr. 16. (24 S.) Ebend. 886. n. — 50
— dasselbe. Führer durch Fulda u. Umgebung. Mit Plan der Stadt, Karte v. Hessen u. Eisenbahnkarte 2. Aufl. gr. 16. (16 S.) Ebend. 886. n. — 50
— dasselbe. Führer durch Gastein u. das Gasteiner Thal. Mit 1 Illustr. u. Karten. gr. 16. (15 S.) Ebend. 886. n. — 50
— dasselbe. Führer durch Gelsenkirchen u. Umgebung. Mit Plan der Stadt, Karte v. Rheinland u. Westfalen u. Eisenbahnkarte. gr. 16. (13 S) Ebend. 886. n. — 50
— dasselbe. Führer durch Genf. Mit Plan der Stadt, Karte der Schweiz u. Eisenbahnkarte. gr. 16. (16 S.) Ebend. 886. n. — 50
— dasselbe. Führer durch Gera u. Umgebung. Mit Plan der Stadt, Karte v. Thüringen u. Eisenbahnkarte. gr. 16. (16 S.) Ebend. 886. n. — 50
— dasselbe. Führer durch Goerz u. Umgebung. Mit Plan der Stadt, Karte vom Küstenland u Kärnten, sowie Eisenbahnkarte. gr. 16. (16 S.) Ebend. 886. n. — 50
— dasselbe. Führer durch Gotha. Mit Plan der Stadt, Karte v. Thüringen u. Eisenbahnkarte. gr. 16. (16 S.) Ebend. 885. n. — 50
— dasselbe. Die Gotthardbahn. Ein Führer f. Reisende auf der Route Basel [Zürich] — Luzern — Rothkreuz — Brunnen — Flüelen — Göschenen — Airolo — Biasca — Bellinzona — Locarno — Lugano — Chiasso — Mailand. Mit mehreren Karten. 12. (16 S.) Ebend. 883. n. — 50
— dasselbe. Führer durch Graz. Mit Plan der Stadt, Karte v. Steyermark u. Eisenbahnkarte. 3. Aufl. gr. 16. (16 S.) Ebend. 886. n. — 50
— dasselbe. Führer durch Greifswald u. Umgebung. Mit Plan der Stadt, Karte v. Pommern u. Eisenbahnkarte. gr. 16. (16 S.) Ebend. 886. n. — 50
— dasselbe. Führer durch Hagenau im Elsass u. Umgebung. Mit Stadtplan, Karte v. Elsass-Lothringen u. Eisenbahnkarte. 2. Aufl. gr. 16. (14 S.) Ebend. 885. n. — 50
— dasselbe. Führer durch Heidelberg. Mit Illustr., Plänen der Stadt u. der Schlossruine, Karte v. Baden u. Eisenbahnkarte. 6. Aufl. gr. 16. (24 S.) Ebend. 886. n. — 50

Woerl's Reisehandbücher. Führer durch Heilbronn. Mit Plan der Stadt, Illustr., Karte v. Württemberg u. Baden u. Eisenbahnkarte. 3. Aufl. gr. 16. (16 S.) Würzburg 886. Woerl. n. — 50
— dasselbe. Führer durch Hermannstadt u. Umgebung. Mit Plan der Stadt u. Eisenbahnkarte. 2. Aufl. gr. 16. (16 S.) Ebend. 885. n. — 50
— dasselbe. Führer durch Hildesheim. Mit Plan der Stadt, Karte v. Hannover u. Eisenbahnkarte. 3. Aufl. gr. 16. (16 S.) Ebend. 886. n. — 50
— dasselbe. Führer durch die Residenz- u. Universitätsstadt Jena und Umgebung. Mit 1 Plane der Stadt u. 1 Eisenbahnkarte. gr. 16. (15 S.) Ebend. 884. n. — 50
— dasselbe. Führer durch Iglau. Mit Plan der Stadt, Karte v. Mähren u. Eisenbahnkarte. gr. 16. (12 S.) Ebend. 886. n. — 50
— dasselbe. Führer durch die Landeshauptstadt Innsbruck. Mit 1 Plane u. 1 Ansicht der Stadt, Umgebungskarte u. Karte vom Oberinnthal. 2. Aufl. gr. 16. (15 S.) Ebend. 884. n. — 50
— dasselbe. Führer durch Ischl u. Umgebung. Mit Ortsplan, Illustr., Karte d. Salzkammergutes u. Eisenbahnkarte. gr. 16. (16 S.) Ebend. 885. n. — 50
— dasselbe. Führer durch Iserlohn u Umgebung. Mit Plan der Stadt, Karte v. Westfalen u. Eisenbahnkarte. gr. 16. (16 S.) Ebend. 886. n. — 50
— dasselbe. Führer durch Karlsruhe. Nebst Plan der Stadt, Illustr., Karte v. Baden u Württemberg u. Eisenbahnkarte. 3. Aufl. gr. 16. (16 S.) Ebend. 885. n. — 50
— dasselbe. Führer durch Kempten u. Umgebung. Mit Plan der Stadt, Karte v. Bayern u. Eisenbahnkarte. 2. Aufl. gr. 16. (16 S.) Ebend. 885. n - 50
— dasselbe. Führer durch Bad Kissingen. Mit Plan der Stadt, Karte der Umgebg. u. Eisenbahnkarte. 4. Aufl. gr. 16. (52 S.) Ebend. 886. n. — 50
— dasselbe. Führer durch Klagenfurt. Mit Plan der Stadt, Karte v. Kärnten u. Eisenbahnkarte. gr. 16. (15 S.) Ebend. 886. n. — 50
— dasselbe. Führer durch Koblenz Mit Plan der Stadt, Illustr., Karte der Rheinlande u. Eisenbahnkarte. 2. Aufl. gr. 16. (32 S.) Ebend. 886. n. — 50
— dasselbe. Führer durch die Stadt Köln. Mit Plan der Stadt, Ansicht u. Grundriss d. Domes, Karte der Rheinlande u. v. Westfalen u. Eisenbahnkarte. 5. Aufl. gr. 16. (28 S.) Ebend. 885. n. — 50
— dasselbe. Führer durch Königstein, Falkenstein u. Cronberg im Taunus, nebst den Ausflügen in der Umgebg. Anh.: Homburg v. d. Höhe. Mit 1 Karte vom Taunus u. Eisenbahnkarte. gr. 16. (16 S.) Ebend. 886. n. — 50
— dasselbe. Führer durch die Kreishauptstadt Konstanz. Mit 1 Plane der Stadt u. 1 Eisenbahnkarte v. Baden. gr. 16. (15 S.) Ebend. 884. n. — 50
— dasselbe. Führer durch Krakau u. Umgebung. Mit Plan der Stadt u. Eisenbahnkarte. 2. Aufl. gr. 16. (16 S.) Ebend. 885. n. — 50
— dasselbe. Führer durch Bad Kronthal im Taunus u. seine Umgebungen. Nebst Taunuskarte u. Eisenbahnkarte. gr. 16. (16 S.) Ebend. 886. n. — 50
— dasselbe. Führer durch Landshut an der Isar. Mit 1 Plane der Stadt u. 1 Eisenbahnkarte. 2. Aufl. gr. 16. (16 S.) Ebend. 884. n. — 50
— dasselbe. Führer durch Lausanne. Mit Plan der Stadt, Karte der Schweiz u. Eisenbahnkarte. gr. 16. (16 S.) Ebend. 886. n. — 50
— dasselbe. Führer durch die Stadt Linz an der Donau. Mit 1 Plane der Stadt, 3 Ansichten u. der Karte v. Passau-Wien. 2. Aufl. gr. 16. (16 S.) Ebend. 884. n. — 50
— dasselbe. Führer durch Lourdes in Südfrankreich. Mit Karten u. 1 Illustr. gr. 16. (26 S.) Ebend. 886. n. — 50
— dasselbe. Führer durch Lüneburg u. Umgebung. Mit Stadtplan, Karte v. Hannover u. Eisenbahnkarte. 2. Aufl. gr. 16. (16 S.) Ebend. 885. n. — 50

Woerl's Reisehandbücher. Führer durch Luzern. Mit Plan der Stadt, Karte der Schweiz u. Eisenbahnkarte. gr. 16. (16 S.) Würzburg 886. Woerl. n. — 50
— dasselbe. Führer durch Mainz u. Umgebung. Mit Plan der Stadt, Grundriss d. Domes, Ansicht d. Niederwalddenkmals, Rhein-Karte Worms-Bingen u. Eisenbahnkarte. 4. Aufl. gr. 16. (16 S.) Ebend. 885. n. — 50
— dasselbe. Führer durch Mannheim. Mit Plan der Stadt, Rheinkarte von Karlsruhe – Worms u. Eisenbahnkarte. 2. Aufl. gr. 16. (16 S.) Ebend. 886. n. — 50
— dasselbe. Führer f. Maria Taferl u. Umgebung in Nieder-Oesterreich. Mit Illustr. u. Umgebungskarte. 2. Aufl. gr. 16. (32 S.) Ebend. 886. n. — 50
— dasselbe. Führer durch Memmingen u. Umgebung. Mit Plan der Stadt, Karte v. Bayern u. Eisenbahnkarte. gr 16. (14 S.) Ebend. 886. n. — 50
— dasselbe. Führer durch Metz. Mit Plan der Stadt, Karte v. Elsass-Lothringen u. Eisenbahnkarte. gr. 16. (16 S.) Ebend. 886. n. — 50
— dasselbe. Führer durch Mülheim a. d. Ruhr u. Umgebung. Mit Plan der Stadt, Umgebungskarte u. Eisenbahnkarte. gr. 16. (16 S.) Ebend. 885. n. — 50
— dasselbe. Führer durch München. Mit Plan der Stadt, Karte v. Bayern u. Illustr. Neueste verb. Aufl. gr. 16. (48 S.) Ebend. 886. n. — 50
— dasselbe. Führer durch München-Gladbach u. Umgebung. Mit Plan der Stadt, Karte der Rheinlande u. Eisenbahnkarte. 2. Aufl. gr. 16. (16 S.) Ebend. 885. n. — 50
— dasselbe. Führer durch die Provinzialhauptstadt Münster in Westfalen. Mit Plan der Stadt, Karte der Rheinlande u. v. Westfalen u. Eisenbahnkarte. 3. Aufl. gr. 16. (16 S.) Ebend. 885. n. — 50
— dasselbe. Führer durch das Neckarthal von Heidelberg bis Heilbronn, nebst einigen Seitenthälern. Mit Stadtplänen v. Heidelberg u. Heilbronn, Grundriss d. Schlosses v. Heidelberg, d. Gartens v. Schwetzingen, vielen Illustr., mehreren Karten u. Neckarthal-Panorama. 2. Aufl. gr. 16. (88 S.) Ebend. 886. n. 1. —
— dasselbe. Führer durch Nürnberg Mit Illustr., Plan der Stadt, Karte v. Bayern u. Eisenbahnkarte. 3. Aufl. gr. 16. (19 S.) Ebend. 885. n. — 50
— dasselbe. Führer durch Offenburg u. das Kinzigthal, nebst dessen Seitenthälern [Schwarzwaldbahn]. Mit Schwarzwaldkarte, Karte v. Württemberg u. Baden, sowie Eisenbahnkarte. gr. 16. (16 S.) Ebend. 885. n. — 50
— dasselbe. Führer durch Olmütz u. Umgebung. Mit Plan der Stadt, Karte v. Mähren u. Eisenbahnkarte. 2. Aufl. gr. 16. (16 S.) Ebend. 885. n. — 50
— dasselbe. Führer durch Osnabrück. Mit Plan der Stadt, Karte v. Hannover u. Eisenbahnkarte. gr. 16. (15 S.) Ebend. 886. n. — 50
— dasselbe. Führer durch die Stadt Paderborn. Mit e. Plane d. Stadt u. 1 Eisenbahnkarte. 2. Aufl. gr. 16. (15 S.) Ebend. 884. n. — 50
— dasselbe. Führer durch Pforzheim. Mit Plan der Stadt, Karte v. Württemberg, Baden u. Eisenbahnkarte. gr. 16. (16 S.) Ebend. 886. n. — 50
— dasselbe. Führer durch Plauen u. Umgebung. Mit Plan der Stadt, Karte v. Sachsen u. Eisenbahnkarte. 2. Aufl. gr. 16. (16 S.) Ebend. 885. n. — 50
— dasselbe. Führer durch Pörtschach am See in Kärnten u. Umgebung. Mit Plan u. Illustr. 2. Aufl. gr. 16. (22 S.) Ebend. 885. n. — 50
— dasselbe. Führer durch Prag u. Umgebung. Mit Plan der Stadt, 3 Ansichten, Karte v. Böhmen u. Eisenbahnkarte. 3. Aufl. gr. 16. (17 S.) Ebend. 885. n. — 50
— dasselbe. Führer durch Pressburg. Mit 1 Plane der Stadt u. 1 Eisenbahnkarte. 2. Aufl. gr. 16. (16 S.) Ebend. 884. n. — 50
— dasselbe. Führer durch Regensburg u. Umgebung. Mit Plan der Stadt. Ansicht der Walhalla, Karte v. Bayern u. Eisenbahnkarte. 3. Aufl. gr. 16. (16 S.) Ebend. 885. n. — 50

Woerl's Reisehandbücher. Führer durch Reutlingen u. Umgebung. Mit Stadtplan, Karte v. Württemberg u. Eisenbahnkarte. 2. Aufl. gr. 16. (16 S.) Würzburg 885. Woerl. n. — 50
— dasselbe Rheinführer. Von Constanz bis zur holländ. Grenze Mit 4 Karten u. 15 Stadtplänen. 12. (VIII, 254 S.) Ebend. 883. cart. n. 3. —
— dasselbe. Die Rheinlande u. die anstossenden Gebiete vom Bodensee bis zur holländischen Grenze. Mit 1 Rhein-Panorama, 7 Karten d. Rheines v. Konstanz bis Kleve, 3 Uebersichtskarten, 1 Eisenbahnkarte, 19 Routenkarten, 18 Stadtplänen u. 4 Grundrissen v. Kirchen. 2., vollständig umgearb. Aufl. 12. (XV, 448 S.) Ebend. 885. geb. n. 6. —
— dasselbe. Rom. Ein Führer durch die ewige Stadt. 2., vollständ. umgearb. Aufl. Mit Karten, Plänen, Grundriss u. Illustr. 12. (VII, 208 S.) Ebend. 886. geb. n. 6. —
— dasselbe. Führer durch Rothenburg ob der Tauber u. Umgebung. Mit Illustr., Plan der Stadt, Karte v. Bayern u. Eisenbahnkarte. 2. Aufl. gr. 16. (16 S.) Ebend. 885. n. — 50
— dasselbe. Führer durch Salzburg u. Umgebung. gr. 16. (16 S. m. Illustr., Karten u. Plänen.) Ebend. 886. n. — 50
— dasselbe. Führer durch St. Gallen u. Umgebung. Mit Plan der Stadt, Karte der Schweiz u. Eisenbahnkarte. gr. 16. (15 S.) Ebend. 886. n. — 50
— dasselbe. Führer durch Schaffhausen. Mit Plan der Stadt, Ansicht d. Rheinfalls, Karte der Schweiz u. Eisenbahnkarte gr. 16. (15 S) Ebend. 886. n. — 50
— dasselbe. Führer durch Schleswig u. Umgebung. Mit Plan der Stadt, Karte v. Schleswig-Holstein u. Eisenbahnkarte. gr. 16. (24 S.) Ebend. 886. n. — 50
— dasselbe. Führer f. die Schwarzwaldbahn u. ihre Seitenthäler. Mit Plänen, Karten, Illustr. u. Panorama. gr. 16. (40 S.) Ebend. 886. n. 1. —
— dasselbe. Führer durch Schweinfurt u. Umgebung. Mit Plan der Stadt, Karte v. Bayern u. Eisenbahnkarte. 2. Aufl. gr. 16. (16 S.) Ebend. 885. n. — 50
— dasselbe. Führer durch Schwetzingen. Mit Plan d. Schlossgartens, mehreren Illustr., Karte v. Baden u. Eisenbahnkarte. 3. Aufl. gr. 16. (20 S.) Ebend. 886. n. — 50
— dasselbe. Führer durch Solothurn u. Umgebung. Nebst Plan der Stadt, Karte der Schweiz u. Eisenbahnkarte. gr. 16. (10 S.) Ebend. n. — 50
— dasselbe. Führer durch Speyer. Mit Plan der Stadt, Grundriss d. Domes, Umgebungskarte u. Eisenbahnkarte. 3. Aufl. gr. 16. (16 S.) Ebend. 886. n. — 50
— dasselbe. Führer durch Stettin. Mit Plan der Stadt, Karte v Pommern u Eisenbahnkarte. 2. Aufl. gr. 16. (16 S.) Ebend. 886. n. — 50
— dasselbe. Führer durch Steyr u. Umgebung. Mit Plan der Stadt, Karte d. Salzkammergutes u. Eisenbahnkarte. 2. Aufl. gr. 16. (16 S.) Ebend. 885. n. — 50
— dasselbe. Führer durch Stralsund u. Umgebung. Mit Stadtplan, Illustration, Karte von Pommern u. Eisenbahnkarte. gr. 16. (23 S.) Ebend. 885. n. — 50
— dasselbe. Führer durch Strassburg im Elsass. Mit 1 Plane der Stadt, Grundriss vom Dom u. der Rheinkarte v. Kolmar-Karlsruhe. gr. 16. (16 S.) Ebend. 884. n. — 50
— dasselbe. Führer durch Stuttgart Mit Plan der Stadt, Illustr., Karte von Württemberg u. Eisenbahnkarte. 2. Aufl. gr. 16. (36 S.) Ebend. 885. n. — 50
— dasselbe. Führer durch Todtnau u. Umgebung. Mit Illustr., Plan der Stadt, Karte v. Württemberg u. Baden, Eisenbahnkarte u. Umgebungskarte. 2. Aufl. gr. 16. (16 S.) Ebend. 885. n. — 50
— dasselbe. Führer durch Traunstein u. Umgebung. Mit Umgebungskarte, Karte v. Bayern, Eisenbahnkarte u. Illustr. gr. 16. (15 S) Ebend. 886. n — 50
— dasselbe. Führer durch Triberg. Mit Plan d. Stadt, 1 Illustr., Karte v Württemberg u. Baden u. Eisenbahnkarte. Neue verb. Aufl. gr. 16. (16 S.) Ebend. 886. n. — 50

Woerl's Reisehandbücher. Führer durch die Stadt Trier. Mit 1 Plane der Stadt u. 1 Eisenbahnkarte. 2 Aufl. gr. 16. (16 S.) Würzburg 884. Woerl. n. — 50
Englische u. französ. Ausg. zu gleichem Preise.

— dasselbe. Führer durch Triest u. Umgebung. Mit Plan der Stadt, Karte u. Eisenbahnkarte. gr. 16. (16 S.) Ebend. 886. n. — 50

— dasselbe. Führer durch Tübingen u. Umgebung. Mit Sadtplan, Karte v. Württemberg u. Eisenbahnkarte 2. Aufl. gr. 16. (16 S.) Ebend. 885. n. — 50

— dasselbe. Führer durch Ulm u. Umgebung. Mit Plan der Stadt, Karte von Württemberg u. Eisenbahnkarte. gr. 16. (16 S.) Ebend. 885. n. — 50

— dasselbe. Führer durch Venedig. Mit Stadtplan, Karte v. Oberitalien u. Eisenbahnkarte. gr. 16. (18 S.) Ebend. 886. n. — 50

— dasselbe. Führer durch Weimar u. Umgebung. Mit Plan der Stadt, Karte v. Thüringen u. Eisenbahnkarte. gr. 16. (16 S.) Ebend. 885. n. — 50

— dasselbe. Führer durch Wien. Mit vielen Illustr., e. Grundriss d. Stefansdomes, Plan d. Stadt, Karte v. Oesterreich u. Eisenbahnkarte. 4. Aufl. gr. 16. (52 S.) Ebend. 885. n. — 50

— dasselbe. Führer durch die Regierungshauptstadt Wiesbaden. Mit Stadtplan, Ansicht d. Niederwalddenkmals, Karte der hess. Länder u. Rheinkarte. 3. Aufl. gr. 16. (16 S.) Ebend. 885. n. — 50

— dasselbe. Wildbad im Schwarzwald. Ein Führer f. Kurgäste v. Wagner. gr. 16. (80 S.) Ebend. 886. n. 1. —

— dasselbe. Führer durch Witten a. d. Ruhr. Mit Plan der Stadt, Karte der Rheinlande, v. Westfalen u. Eisenbahnkarte. 2. Aufl. gr. 16. (16 S.) Ebend. 885. n. — 50

— dasselbe. Führer durch Worms u. Umgebung. Mit Plan der Stadt, Umgebungskarte u. Eisenbahnkarte. 2. Aufl. gr. 16. (16 S.) Ebend. 885. n. — 50

— dasselbe. Führer durch Würzburg u. Umgebung. Nebst Plan der Stadt, Eisenbahnkarte u. Karte v. Bayern. 4. umgearb. Aufl. gr. 16. (32 S.) Ebend. 885. n. — 50

— dasselbe. Führer durch Zittau u. Umgebung. Mit Illustr., Plan der Stadt, Gebirgskarte, Karte v. Sachsen u. Eisenbahnkarte. 2. Aufl. gr. 16. (16 S.) Ebend. 885. n. — 50

— dasselbe. Führer durch Znaim u. Umgebung. Mit Plan der Stadt, Karte v. Mähren u. Eisenbahnkarte. gr. 8. (16 S.) Ebend. 886. n. — 50

— dasselbe. Führer durch Zürich. Mit Plan der Stadt, Karte der Schweiz u. Eisenbahnkarte. gr. 16. (16 S.) Ebend. 886. n. — 50

— dasselbe. Führer durch Zwickau u. Umgebung. Mit Plan der Stadt, Karte v. Sachsen u. Eisenbahnkarte. 2. Aufl. gr. 16. (16 S.) Ebend. 885. n. — 50

Woermann, Adf., Mission u. Branntwein-Handel. Offene Antwort an Hrn. Missions-Insp. auf seinen Offenen Brief in der Weser-Zeitg. vom 3./4. Febr. gr. 8. (26 S.) Hamburg 886. O. Meißner's Verl. n. — 50

Woermann, K., Geschichte der Malerei, s.: Woltmann, A.

Woermann, Karl, neue Gedichte. 12. (XI, 247 S.) Düsseldorf 884. Voß & Co. n. 3. —; geb. m. Goldschn. n. 4. —

Wörndle, Heinr. v., Ritter Jürg v. Frundsberg, Herr v. Mindelheim, der Landsknechtvater. Ein Lebensbild aus der letzten Ritterzeit. 16. (65 S.) Meran 886. Jandl. n. — 60

Wörner, E., die Sage v. den Wanderungen d. Aeneas bei Dionysios v. Halikarnasos u. Vergilius. gr. 4 (28 S.) Leipzig 882. (Hinrichs' Sort.) n. 1. 20

Wörner, Ernst, u. **Max Heckmann,** Orts- u. Landesbefestigungen d. Mittelalters m. Rücksicht auf Hessen u. die benachbarten Gebiete. Mit Abbildgn. gr. 8. (IV, 87 S.) Mainz 884. Faber. n. 2. 50

Woerner, Roman, Novalis' Hymnen an die Nacht u. geistliche Lieder. gr. 8. (58 S.) München 885. (Buchholz & Werner.) n. 1. —

Wörnhart, Leonard Maria, 57 Predigten über den 3. Orden d. heil. Vaters Franziskus bei Tertiaren-Versammlungen. gr. 8. (IV, 322 S.) Salzburg 885. Pustet. 2. 40

Worpitzky, J., Elemente der Mathematik f. gelehrte Schulen u. zum Selbststudium. 2. Aufl. 2. Hft. gr. 8. Berlin 883. Weidmann. n. 2. 60
Algebra, Kettenbrüche, Kombinationsoperationen, nebst Wahrscheinlichkeitsrechnung, Kreisfunktionen nebst Trigonometrie. (VI, 156 S. m. eingedr. Fig.)

Wörrlein, Joh., 13 Jahre in Indien. 8. (VI, 248 S.) Hermannsburg 884. Missionshausdruckerei. n. 1. —

Wort, offenes, an die Bauernschaft üb. die Thätigkeit ihrer Vertreter im Abgeordnetenhause d. österr. Reichsrathes von 1873 bis 1883. gr. 8. (122 S.) Wien 883. Woerl. n. — 60

— ein, f. das Bicycle u. seine Berechtigung als öffentliches Verkehrsmittel. 8. (19 S.) Wien 884. Verl. der Allg. Sportzeitg. — 60

— ein, zu der Eisenbahnfrage d. Kreises Soest unter gleichzeitiger Berücksicht. der Interessen der Kreise Arnsberg, Beckum, Iserlohn, Meschede u. Brilon. Projekt e. Lokalbahn Wickede-Werl-Welwer-Beckum. Mit 1 Eisenbahnkarte. Hrsg. v. dem Verf der „Studie üb e. Eisenbahn-Verbindg. der Ruhrthalbahn m. der Linie Werl-Soest", veröffentlicht in Nr. 82, 83 u. 85 v. Js. d. Central-Volksblattes. — ff. gr. 8. (122 S.) Werl 886. Stein. n.n. 1. —

— ein, ernstes, üb. den deutschen Schulverein v. e. katholischen Priester. 8 (16 S.) Wien 885. Pichler's Wwe. & Sohn. n. — 20

— Dein, ist unseres Herzens Freude. Eine Sammlg. v. Predigten aus der reformierten Kirche der Schweiz. gr. 8. (VIII, 216 S.) Basel 886. Detloff. n. 2. —

— ein, zum Frieden. Beitrag zum Verständniß d. neuesten theolog. Streites, gerichtet an die Laien v. J. L. gr. 8. (15 S.) Reval 885. (Kluge & Ströhm.) n. — 60

— ein, an Jünglinge. 8. (4 S.) Basel 883. Spittler. n. — 2

— Dein, ist meines Fußes Leuchte. Eine Erzählg. aus der Zeit u. f. die Zeit v. Th. M. Hrsg. u m. e. Vorworte versehen v. Frz. Splittgerber. 8. (VII, 267 S.) Halle 885. Fricke's Verl. n. 2. 40

— ein offenes. Schulpolitische Briefe, allen Parteien, den Vertretungskörpern u. den Regierenden zur Beleuchtg. der heut. Schulzustände in Oesterreich gewidmet. gr. 8. (IV, 37 S.) Znaim 887. Fournier & Haberler. n. — 80

— ein, zur Reform der Zuckersteuer in Oesterreich-Ungarn. gr. 8. (20 S.) Wien 886. Frick. n. — 80

— ein wahres, üb. das russische Volk. Von e. Russen. gr. 8. (64 S.) Leipzig 883. O. Wigand. n. 1. —

— das, sie sollen lassen stahn, Und keinen Dank dazu haben. gr. 4. (1 Bl. m. Luthers Holzschn.-Portr. m. umgeb. Text.) Halle 883. Petersen. n. — 4

— ein, üb. Stenographie, System Gabelsberger. 16. (7 S.) Leipzig 885. Zehl. f. 25 Explre. n. — 80

— ein, d. Zeugnisses. 8. (8 S.) Augsburg 883. Preyß. n. — 20

Worte der Anregung zur Erneuerung der Reformation. Nebst einigen dazu pass. Gedichten. 8. (40 S.) Tübingen 883. Lindenmaier. n. — 30

— ausfliegende, natürliche Kinder der geflügelten Worte, auf der Citatenhatz angetroffen v. e. alten Jäger. gr. 8. (80 S.) Neubrandenburg 883. Brünslow. n. 1. 20

— dasselbe 2., durch 400 Ausflügler vervollst. Aufl. gr. 8. (122 S.) Ebend. 885. n. 1. 50

— die 7, Christi am Kreuze. 7 Fastenpredigten, geh. v. e. apostol. Missionär. gr. 8. (70 S.) Salzburg 885. Mittermüller. n. — 60

— zwei, üb. Colonial-Weisheit v. Jemandem, dem dieselbe versagt ist. gr. 8. (III, 24 S.) Berlin 883. Dümmler's Verl. n. — 40

— deutsche. Monatshefte, hrsg. v. Engelbert Pernerstorfer. 4—6. Jahrg 1884—1886. à 12 Hfte. (2 B.) Lex.-8. Ober-Döbling. Wien, Pichler's Wwe. & Sohn. à Jahrg. n. 6. —

— einige, üb. Dienst u. Ausbildung der Kavallerie. gr. 8. (78 S.) Helwing's Verl. n. 1. 50

— der Erinnerung an den verstorbenen Oberstudienrath Rector Dr. v. Frisch. gr. 8. (6 S.) Tübingen 882. Fues. n. — 30

Worte der Erinnerung an Joh. Friedr. Guth, Oberlehrer am königl. Schullehrer-Seminar in Nürtingen. 8. (18 S.) Nürtingen 885. (Reutlingen, Kocher.) n. — 25

— liebender Erinnerung an Konfirmanden. 10. Aufl. 12. (71 S.) St. Gallen. 882. Huber & Co. n. — 35

— der Erinnerung an Jakob Heinrich Staudt, Pfarrer in Kornthal, † den 11. Novbr. 1884. Mit (Lichtdr.-) Bildnis u. Lebensabriß d. Entschlafenen. gr. 8. (46 S.) Stuttgart 884. (Buchh. der Evangel. Gesellschaft.) n. — 50; geb. n. 1. —

— des Lebens. 100 Bibelsprüche in Farbendr., 24 verschiedene Zeichngn. (Ziehkästchen.) 32. Berlin 884. (W. Schultze.) In Etui. n. 1. 50

— der Liebe bei Entlassung aus der Schule. 24. (16 S.) Dülmen 884. Laumann. n. — 6

— für deutsche Soldaten. Von e. Kameraden. gr. 8. (20 S.) Berlin 884. Schriften-Bureau der Berliner Stadtmission. — 15

— des Trostes u. der Aufmunterung in den verschiedenen Lebensverhältnissen. 8. (48 S.) Bremen 884. Verl. d. Tractathauses. n. — 15

— des Trostes u. Rat der Erfahrung, aus dem Tagebuch e. Bekümmerten. Nach der 9. Orig.-Aufl. ins Deutsche übertr. 3. Aufl. 16. (IV, 92 S.) Basel 883. Spittler. cart. n. — 60; geb. n. — 80; m. Goldschn. n. n. 1. —

— unverfälschte deutsche. Hrsg. v. Geo. Ritter v. Schönerer Jahrg. 1886. 24 Nrn. (3 B.) Imp.-4. Wien, (Kubasta & Voigt). n. 4. 80

Wörterbuch, biblisches, f. das christliche Volk. In Verbindg. m. den evangel. Geistlichen Württembergs: † Fronmüller, Hainlen, Klaiber rc. hrsg. v. H. Zeller. 3, durchgehends neu bearb. Aufl. 2 Bde. Mit 7 Kartenbeilagen. Lex.-8. (724 u. 689 S.) Berlin 884. 86. Reuther's Verl.-Buchh. à n. 5. —; Einbd. à n. n. 1. —

— bremisch-niedersächsisches, worin nicht nur die in und um Bremen, sondern auch fast in ganz Niedersachsen gebräuchl. eigenthüml. Mundart nebst den schon veralteten Wörtern u. Redensarten, in brem. Gesetzen, Urkunden u. Diplomen gesammelt, zugleich auch nach e. behutsamen Sprachforschg., u. aus Vergleichg. alter u. neuer Dialekte, erklärt sind. Hrsg. v. der brem. deutschen Gesellschaft. 2. Ausg. gr. 8. (424 S.) Bremen 886. Haake. n. 6. —

— deutsch-englisches u. englisch-deutsches, technischer Ausdrücke, vorzüglich zum Gebrauch f. Ingenieure, Schiffsmaschinisten, Maschinenbauer, Schiffbauer, Schiffs-Capitäne, Steuerleute u. Handwerker. Mit Bezeichng. der Aussprache. 8. (52 S.) Kiel 886. Lipsius & Tischer. n. 1. 20

— kleines orthographisches, f. Schule u. Haus. Nebst 70 Regeln üb. deutsche Rechtschreibg. u. Interpunktion. [Auf Grund d. amtl. Regel- u. Wörterverzeichnisses.] 3. Aufl. Norddeutsche Ausg. 8. (32 S.) Eßlingen 884. Langguth. — 15

— politisches, f. die Deutschen in Oesterreich. Hrsg. v. mehreren Mitgliedern d. Deutschen Vereins in Wien. gr. 8. (V, 160 S.) Wien 885. Pichler's Wwe. & Sohn. n. 1. 60

— technologisches, deutsch-englisch-französisch. Gewerbe, Civil- u. Militär-Baukunst, Artillerie, Maschinenbau, Eisenbahnwesen, Strassen-, Brücken- u. Wasserbau, Schiffbau u. Schifffahrt, Berg- u. Hüttenwesen, Mathematik, Physik, Elektrotechnik, Chemie, Mineralogie u. a. m. umfassend. Bearb. v. E. Althans, L Bach, C. Biedermann etc. Hrsg. v. Ernst Röhrig. M. e. Vorwort v. Karl Karmarsch. 1. Bd. 4. Aufl. Lex.-8. (XII, 879 S.) Wiesbaden 887. Bergmann. n. 10. —

Wörterbücher. Hrsg. vom Verein f. niederdeutsche Sprachforschg. II. 1. Hälfte. gr. 8. Norden 885. Soltau. n. 4. 50 (I—II 1.: 12. 50)

Mittelniederdeutsches Handwörterbuch v. Aug. Lübben u. C. H. F. Walther. 1. Hälfte. (240 S.)

Wörterverzeichnis f. die deutsche Rechtschreibung. 8. (20 S.) Stuttgart 884. Metzler's Verl. n. — 10

Wortitsch, Theobald, das evangelische Kirchengebäude in Bistritz. Eine kunstgeschichtl. Studie. Mit Orig-Zeichngn. v. dem Verf. (6 z. Thl. color. Steintaf.) gr. 4. (38 S.) Bistritz 885. Haupt. 3. —

Wortmann, H., das Keulenschwingen, in Wort u. Bild dargestellt f. Turnlehrer, Turner u. alle anderen Freunde e. kunstvollen u. gesunden Körperbewegg. Mit 73 Holzschn. 16. (XVI, 267 S.) Hof 885. Lion. cart. n. 2. —

— das jetzige Klassenturnen u. die Bewegungsspiele, s.: Sammlung v. Vorträgen.

Wossidlo, Paul, Lehrbuch der Naturgeschichte. 1. Bd. Lehrbuch der Zoologie f. höhere Lehranstalten, sowie zum Selbstunterricht. Mit 649 in den Text gedr. Abbildgn. gr. 8. (XVI, 425 S.) Berlin 886. Weidmann. n. 4. —; geb. n. 4. 60

— Leitfaden der Zoologie f. höhere Lehranstalten. Mit 487 in den Text gedr. Abbildgn. gr. 8. (VIII, 314 S.) Ebend. 886. geb. n. 3. —

Wossidlo, Rich., Volksthümliches aus Mecklenburg. 1. Hft. Beiträge zum Thier- u. Pflanzenbuch, Thiergespräche, Räthsel, Legenden u Redensarten, aus dem Volksmunde gesammelt. 8. (32 S.) Rostock 885. Werther. n. — 50

Woeftmann, H., e. Pilgerfahrt in das hl. Land, s.: Familienfreund.

Wothe, Anny, Frauenliebe u. Leben. Eine Mitgabe auf den Lebensweg f. Frauen u. Mädchen. 16. (V, 101 S.) Leipzig 884. Werther. geb. m. Goldschn. n. 2. 50

— das Gift unserer Zeit. [Lohnverhältnisse der Arbeiterinnen. Verbesserung der Sittenzustände. Lösung der Frauenfrage.] 8. (40 S.) Cannstatt 885. Stehn. n. — 70

— der Hausschatz. Ein Freund u. Ratgeber f. die Frauenwelt, unter Mitwirkg. hervorrag. Männer u. Frauen. Mit dem Portr. der Verf. 8. (VI, 425 S.) Oranienburg 886. Freyhoff. n. 5. —; geb. m. Goldschn. n. 6. —

— Frau v. Rolemine [Gräfin Czapska-Romrod.] Nach sicheren Quellen bearb. Mit Portr. u. facsm. Brief. 4. Aufl. 8. (72 S.) Leipzig 884. Unflad. n. 1. 60

— Lenzesblüten. Zum Strauß gewunden f. die Frauenwelt. 8. (VII, 243 S. m. Illustr. in Lichtdr.) Stuttgart 886. Greiner & Pfeiffer. geb. m. Goldschn. n. 4. 50

— ein Rosenstrauß. Allen deutschen Frauen u. Mädchen dargeboten. 2. Aufl. 8. (VIII, 160 S. m. eingedr. Holzschn. u. Portr. in Holzschn.) Stuttgart 886. Glaser & Co. geb. m. Goldschn. n. 4. 50

— Sommerträume. Novellen u. Skizzen. 8. (166 S.) Leipzig 884. Unflad. n. 2. 40; geb. n. 3. —

— versunkene Sterne. Novellen u. Skizzen f. die Frauenwelt. gr. 8. (VII, 192 S.) Wiesbaden 886. Bechtold & Co. n. 3. —; geb. n. n. 4. —

— wie lebt man glücklich? Ein Handbuch der mehr od. weniger richt. Wege zu innerem u. äußerem Wohlbefinden. 12. (93 S.) Frankfurt a/M. 887. Koenitzer's Verl. geb. n. 1. —

Wothe, J., der kleine Feuerwerker. Mit 1 Taf. Zeichngn. 2. Aufl. 16. (21 S.) Kattowitz 885. Siwinna. n. — 50

Wottt, Gust., das Skizzenbuch d. Zeichenlehrers, zum Gebrauche beim Unterrichte in der Schule u. zum Selbstunterrichte gezeichnet u. systematisch zusammengestellt. 1. Thl. [Stufe I—III.] Ausg. A. gr. 8. (95 Steintaf. m. 16 S. Text.) Essen 883. Bädeker. geb. n. 4. 50; Ausg. B: Einzelne Blätter in Mappe. n. 5. —

Wrampelmeyer, H., Mitteilungen u. Bekanntmachungen aus gedruckten u. ungedruckten Schriften Dr. Martin Luthers, Dr. Phpp. Melanchthons u. Dr. Conr. Corbatus, nebst e. Abhandlg. üb. die in der Calvör'schen Kirchenbibliothek in Zellerfeld aufgefundene Handschrift, sowie üb. das Leben u. die Schriften d. Dr. Conr. Corbatus. 4. (IV, 42 S.) Clausthal 883. (Halle, Niemeyer.) n. 1. 50

Wrangel's Biographie, s.: Köppen, F. v.

Wrangell, F. v., die russisch-baltische Frage. Aus dem Russ. übers. v. A. R. gr. 8. (61 S.) St. Petersburg 883. (Leipzig, Brockhaus.) n. 1. 50

Wrany, W., deutsche Sprachschule, s.: Stein, M.

Wrbaty, Jos., Leitfaden f. den k. k. österr. Staats-Rechnungs- u. Controls-Dienst, systematisch dargestellt auf Grund der kaiserl. Verordng. vom 21. Nov. 1866 [R.-

G.-Bl. LVII, Stück Nr. 140, S. 293] u. m. Berücksicht. der seither erflossenen Vorschriften. Mit vielen Formularien u. Tabellen. gr. 8. (IX, 106 S.) Brünn 885. Irrgang. n. 2. 60

Wrede, F., üb. die Sprache der Wandalen, s.: Quellen u. Forschungen zur Sprach- u. Culturgeschichte der germanischen Völker.

Wrede, Gabriele Fürstin, kleine Gedichte. 8. (144 S.) Wien 883. (Gerold's Sohn.) n. 2. 60

Wrede, L., s.: Wiederholungsbuch f. den geographischen, geschichtlichen, naturkundlichen u. deutschen Unterricht.

Wredow's Gartenfreund. Eine Anleitg. zur Erziehg. u. Behandlg. der Gewächse im Blumen-, Gemüse- u. Obstgarten, in Wohnzimmern, Gewächshäusern u. Mistbeeten, sowie der Bäume u. Ziersträucher im freien Lande. 17. Aufl., nach den neuesten Erfahrgn. bearb. v. Heinr. Gaerdt. gr. 8. (IV, 996 S.) Berlin 886. Gaertner. n. 9. —; geb. n. 10. —

— dasselbe. Illustr. Ausg. Ein Rathgeber f. die Anlage u. Pflege d. Küchen-, Obst- u. Blumengartens in Verbindg. m. dem Zimmer- u. Fenstergarten. Neu bearb. u. verm. m. e. Uebersicht der Geschichte d. Gartenbaus, sowie e. Gartenkalender, die Arbeiten f. jeden Monat d. Jahres enth., v. O. Hüttig. 2. Aufl. m. 1 (chromolith.) Titelbild u. 252 Abbildgn. gr. 8. (XV, 544 S.) Berlin 886. Cronbach. n. 6. —; geb. n. 7. —

Wrege, Rhold., der Besen. Eine Studenten-Liebesgeschichte in 8 Gesängen u. 123 Federzeichngn. 6. Aufl. gr. 8. (104 S.) Krefeld 886. Erdmann. n. 1. —

— vier Bücher vom Studiosus Faß in 487 Federzeichnungen. (In 4 Lfgn.) 1—3. Lfg. gr. 8. (84 S.) Ebend. 884. à n. 1. —

1. Der Kneipabend. (84 S.)
2. Die Hochquart. (80 S.)
3. Der Besen. Eine Studenten-Liebesgeschichte in 8 Gesängen. (103 S.)

— das alte Haus. Ein Philister-Idyll in 7 Szenen u. 108 Federzeichngn. 6. Aufl. gr. 8. (73 S.) Ebend. 886. n. 1. —

— die Hochquart. Eine Studenten-Epopöe in 6 Gesängen u. 121 Federzeichngn. 6. Aufl. gr. 8. (80 S.) Ebend. 886. n. 1. —

— der Kneipabend. Allerhand Studentenulk in 135 Federzeichngn. 6. Aufl. gr. 8. (84 S.) Ebend. 886. n. 1. —

Wretschko, A., Georg Frhr. v. Vega. gr. 8. (26 S.) Brünn 885. (Wien, Pichler's Wwe. & Sohn.) n. — 60

Wretschko, M., Naturgeschichte f. Lehrer- u. Lehrerinnen-Bildungsanstalten, s.: Bisching, A.

Wright, Thomas, anglo-saxon and old english vocabularies. 2. ed. Edited and collated by Rich. Paul Wülcker. 2 vols. (XIX, 814 Sp. m. Fig. u. 486 S.) London 884. (Strassburg, Trübner.) n. 28. —

Wrobel, E., Leitfaden der Stereometrie, nebst 134 Uebungsaufgaben Zum Gebrauche an höheren Lehranstalten bearb. gr. 8. (V, 102 S. m. Fig.) Rostock 886. Werther. n. 1. 35

— die Physik in elementar-mathematischer Behandlung. Ein Leitfaden zum Gebrauche an höheren Lehranstalten. I. Die Mechanik. 3. Abth. Statik u. Dynamik der Flüssigkeiten u. Gase. gr. 8. (IV, 148 S.) Ebend. 885. n. 2. 40; 1. Bd. cplt.: n. 4. 50

— die arithmetischen u. geometrischen Verhältnisse, Proportionen u. Progressionen, m. Anwendung auf die Zinseszins- u. Rentenrechnung [Kursus der Obersekunda d. Gymnasii] f. den Schulgebrauch bearb. gr. 8. (IV, 44 S.) Ebend. 885. n. — 80

Wroblewski, Sigm. v., üb. den Gebrauch d. siedenden Sauerstoffs, Stickstoffs, Kohlenoxyds, sowie der atmosphärischen Luft als Kältemittel. [Mit 1 (lith.) Taf.] Lex.-8. (45 S.) Wien 885. (Gerold's Sohn.) n. 1. 20

— über die Verflüssigung d. Stickstoffs u. d. Kohlenoxydes. Lex.-8. (2 S.) Ebend. 883. — 15

— u. K. Olszewski, üb. die Verflüssigung d. Sauerstoffs u. die Erstarrung d. Schwefelkohlenstoffes u. Alkohols. Lex.-8. (2 S.) Ebend. 883. — 15

Wucherer, Edm. Frhr. v., Beitrag zur Ausbildung der Feld-Artillerie. Zusammengestellt nach den m. Preisen betheilten Arbeiten. gr. 8. (38 S.) Wien 883. (Seidel & Sohn.) n. — 80

Wucherer, Johs., Etwas üb. Rosenkultur. Praktische Anweisg. f. Rosendilettanten. 8. (VI, 51 S. m. Illustr.) Nördlingen 886. Beck. cart. n. — 80

Wucher-Gesetze. 1883 XXV. G.-A. üb. den Wucher u. die schädl. Creditgeschäfte. Mit Anmerkgn., Parallelstellen u. Erläutergn. 1868 XXXI. G.-A. üb. die Abschaffg. der Wuchergesetze. 1877 VIII. G.-A. üb. die Beschränkg. d. Wuchers. gr. 8. (22 S.) Budapest 883. Ráth. n. — 80

Wudrian, Valentin, christliche Kreuz-Schule od. ausführl. Unterricht v. dem lieben Kreuz. Nebst e. Anh. andächt. Gebete, bibl. Herzens-Seufzer u. geistreicher Gesänge. Neu bearb. v. Emil Rausch. gr. 8. (315 S.) Kropp 883. Buchh. „Eben-Ezer“. n. 1. 50; geb. n. 2. —

Wüest, C., Abriss der Geschichte der Elektrizität. Mit 18 Abbildgn. gr. 8. (68 S.] Aarau 886. Wirz-Christen. n. — 80

Wuhrmann, H., s.: Bericht üb. Gruppe 22 der schweizerischen Landesausstellung Zürich 1883: Maschinen-Industrie.

Wuich, N., elementare Schießtheorie, s.: Lauffer, E.

Wülcker, E., hoch- u. niederdeutsches Wörterbuch der mittleren u. neueren Zeit, s.: Diefenbach, L.

Wülcker, Rich. P., Grundriss zur Geschichte der angelsächsischen Litteratur. Mit e. Übersicht der angelsächs. Sprachwissenschaft. Unter Rücksicht auf den Gebrauch bei Vorlesgn. gr. 8. (XII, 532 S.) Leipzig 885. Veit & Co. n. 10. —

— s.: Wright, Th., anglo-saxon and old english vocabularies.

Wulckow, Rich., Luther u. die Musik. Ein Beitrag zur Luther-Jubelfeier. gr. 8. (35 S.) Darmstadt 883. Brill. n. — 80

Wulf, J. E., Kreuzweg-Andacht f. öffentlichen u. Privat-Gebrauch, nebst Vorbemerkgn. 4. Aufl. gr. 16. (40 S.) Münster 886. Theissing. n. — 20

Wulf, Paul, Beiträge zur Kenntniss der fractionirten Destillation. gr. 8. (51 S.) Berlin 885. (Mayer & Müller.) n. 1. 20

Wulff, F. W., der Heidehof, | s.: Erzählungen aus
— mit dem Tode gesühnt, | Heimat u. Ferne.

Wulff, M., s.: Stein, A.

Wulffen, H. v., Betrachtungen e. „alten Soldaten“ üb. die Leistungen der norddeutschen Feldpost während d. Krieges m. Frankreich 1870—71. gr. 8. (IV, 48 S.) Berlin 886. Wilhelmi. n. 1. —; cart. n. 1. 20

Wulfstan, s.: Sammlung englischer Denkmäler in kritischen Ausgaben.

Wüllenweber, H., Lehrgang der französischen Sprache, s.: Steinbart, O.

Wüllner, Adph., Lehrbuch der Experimentalphysik. 2—4. Bd. 4. Aufl. gr. 8. Leipzig, Teubner. n. 38. 80 (cplt.: n. 48. 80)

2. Die Lehre vom Licht. (VII, 704 S. m. Holzschn. u. 3 farb. Steintaf.) 883. n. 10. —
3. Die Lehre v. der Wärme. (VII, 825 S.) 885. n. 12. —
4. Die Lehre vom Magnetismus u. v. der Elektricität, m. e. Einleitg. „Grundzüge der Lehre vom Potential“. (XII, 1231 S. m. eingedr. Holzschn.) 886. n. 16. 80

Wüllner, Frz., Chorübungen der Münchener Musikschule. 1—3. Stufe. hoch 4. München, Th. Ackermann. n. 9. 60

1. 8. Aufl. (90 S.) 885. n. 1. 80
2. 2. Aufl. (139 S.) 883. n. 3. —
3. Partitur. 2. Aufl. (VIII, 169 S.) n. 4. 80

Wüllner, J., Gesangbuch f. ein- u. zweiklassige katholische Volksschulen. Mit besond. Berücksicht. der Lieder in den Crüwell'schen Lesebüchern zusammengestellt u. in Chevé'scher Ziffernnotation bearb. 8. (II, 112 S.) Arnsberg 886. (Stahl.) n.n. — 45

Wunder, die, v. Maria-Zell. Facsimile-Reproduction der 25 Holzschnitte e. unbekannten deutschen Meisters um 1520, nach dem einzigen bekannten Exemplar in der Sammlg. d. Hrn. Alfr. Coppenrath in Regensburg. Fol. München 883. Hirth. In Mappe. n. 16. —

— die, der Welt. I. Europa. Eine maler. Wanderg. durch die Länder u. Städte Europas, m. bes sicht auf ihre geschichtl. Entwicklg., ihre kulturhistor. Bedeutg. u. die hauptsächlichsten Merkwürdigkeiten v. Land u. Leuten. Von Adf. Brennecke. Mit ca. 180 Holzschn nach Zeichngn hervorrag. Künstler. 15 Lfgn. gr. 4. (VIII, 360 S.) Straßburg 885. Schultz & Co. Verl. à 1. —; cplt. geb. n. 18. —

Wunder, Mor., üb. Preisberechnung v. Druckarbeiten. gr. 8. (56 S.) Leipzig 885. Waldow. n. 2. 50

Wunderlich, Ab., Chorgesangübungen f. Gymnasien u. Realschulen. 1. Tl. gr. 8. (47 S.) Nürnberg 886. Korn. geb. n.n. — 75

Wunderlich, Aemilius, Configuration organischer Molekule. gr. 8. (32 S.) Leipzig 886. (Leithold.) n. 1. —

Wunderlich, G., die schriftlichen Arbeiten in der Oberklasse der Volksschule im Anschlusse an das Lesebuch. 4 Aufl. 8. (XII, 228 S.) Langensalza 883. Schulbuchh. 1. 50

— der deutsche Aufsatz u. seine Behandlung in der Volksschule behufs Erreichung der ihm in den Allgemeinen Bestimmungen vom 15. Oktbr. 1872 vorgesteckten Ziele. 8. (III, 84 S.) Ebend. 885. — 75

— Aufsatzbuch f. einklassige Landschulen. In konzentr. Kreisen u. im Anschlusse an das Lesebuch bearb. 3. verb. Aufl. 8. (X, 137 S.) Ebend. 883. n. 1. —

— Biographien, Geschichten u. Sagen aus dem Tier- u. Pflanzenleben. Ein Beitrag zur Belebg. d. naturgeschichtl. Unterrichts in der Volksschule. Mit zahlreichen (eingedr.) Illustr. gr. 8. (III, 231 S.) Ebend. 884. 2. 10

— Charakterbilder f. den biblischen Geschichtsunterricht gr. 8. (IV, 144 S.) Ebend. 887. 1. 20

— das christliche Kirchenjahr. Geschichte der Sonn- u. Festtage desselben, der Festgebräuche u. ihre Bedeutg., der heil. Handlgn. u. Ceremonien, sowie vieles andere Kirchlich-Wissenswerte f. Lehrer u. Freunde der Kirchengeschichte. 3. verb. u. verm. Aufl. 8. (VI, 122 S.) Ebend. 884. n. — 80

— der Landschullehrer als Landwirt. Eine auf Wissenschaft u. Praxis basierte Darlegg., wie Landschullehrer die Dienstländerei der Schulstellen am zweckmäßigsten u. vorteilhaftesten bewirtschaften. 4. Aufl. gr. 8. (VII, 369 S.) Langensalza 885. Beyer & Söhne. n. 3. 60; geb. n. 4. 60

— der Leseunterricht u. seine Behandlung auf den einzelnen Lesestufen der Volksschule behufs Erreichung der ihm in den allgemeinen Bestimmungen vom 15. Oktbr. 1872 vorgesteckten Ziele. 8. (IV, 108 S.) Langensalza 884. Schulbuchh. — 90

— deutsche Musterstücke, erläutert u. erklärt. Zum Gebrauche in Volksschulen. 3. Bd. 3. Aufl. gr. 8. (VIII, 378 S.) Ebend. 885. 2. 60

— die Naturlehre in der Volksschule. Dargestellt in Fragen u. Antworten, sowie in Beschreibgn. der gebräuchlichsten Maschinen u. Instrumente. Nach den Hohen Ministerial-Bestimmgn. vom 15. Oktbr. 1872 bearb. Mit in den Text gedr. Holzschn. 7. Aufl. 8. (XVI, 152 S.) Ebend. 886. — 90

— deutsche Redensarten. Zur Pflege vaterländ Sprachkenntnis in der Volksschule. 2. Aufl. 8. (VIII, 176 S.) Ebend. 886. 1. 20

— deutsche Sprichwörter, volkstümlich erklärt u. gruppiert. Zur Pflege nationaler Bildg. in unseren Volksschulen. 1—3. Bdchn. 8. Ebend. 885. 86. à — 75

1. 5. Aufl (VIII, 84 S.) — 2. 4. Aufl. (VIII, 95 S.) — 3. 3. Aufl. (VIII, 99 S.)

Wunderlich, L., Beiträge zur vergleichenden Anatomie u. Entwickelungsgeschichte d. unteren Kehlkopfes der Vögel. Mit 4 (lith.) Taf. gr. 4. (80 S) Halle 884. (Leipzig, Engelmann.) n. 6. —

Wunderlich, M., Formensammlung f. das Freihandzeichnen an Volks- u. Bürgerschulen, s.: Bayr, E.

Wunderlich, Osc., üb. Wiedereinführung der Erbpacht. 8. (74 S.) Königsberg 884. (Beyer.) n. 1. 20

Wunderlich, Thdr., Geschichte der Methodik d. Freihandzeichenunterrichts an den allgemein wissenschaftlichen Lehranstalten. Leitfaden der histor. Entwickelg. d. allgemeinen Freihandzeichenunterrichts in Bezug auf Wesen, Wert, Zweck u. method. Behandlg. d. Zeichnens. gr. 8. (VIII, 182 S.) Bernburg 886. Bacmeister. n. 2. 40

Wunderlich, Thdr., Methodik d. Freihandzeichenunterrichts der Neuzeit. Belehrung u. Wesen, Zweck u. Ziel d. Freihandzeichenunterrichts, sowie üb. die method. Behandlg. der einzelnen Zweige desselben. gr. 8. (XII, 128 S.) Bernburg 886. Bacmeister. n. 2. —

— die stilisierten Pflanzenformen in ihrer Anwendung bei dem Zeichenunterrichte, den bildenden Künsten u. den weibl. Handarbeiten. Mit 126 in den Text gedr. Holzst. gr. 8. (VIII, 88 S) Langensalza 883. Schulbuchh. 1. 80

Wunderling, Th., Immanuel. Predigten üb. freigewählte Texte d. Neuen Testamentes auf alle Sonn- u. Festtage d. Kirchenjahres. 2. Aufl. gr. 8. (468 S.) Stuttgart 884. J. F. Steinkopf. n 4. —; geb. n. 5. 40

— Sonnenblicke der Ewigkeit f. die Pilgertage auf Erden. Betrachtungen auf alle Tage d. Jahres. gr. 8. (IV, 490 S.) Basel 886. Schneider. n. 3. 60; geb. n. 4. 60

— Uraltes u. doch Ewigneues. Predigten üb. alttestamentl. Texte, auf alle Sonn- u. Festtage d. Kirchenjahres eingeteilt. Geh. in den J. 1870 bis 1872. [3 Bde.] 1. u. 3. Bd. gr. 8. Stuttgart 884. J. F. Steinkopf. à n. 1. —

1. 20 Predigten üb. das 1. Buch Mose. 5. Aufl. (148 S.) 3. 24 Predigten üb. prophetische Texte. 3. Aufl. (S. 347—538.)

Wunderthaten, die, unserer lieben Frau v. Lourdes, ihr Erscheinen der Bernadotte Soubirous, sowie Beschreibg. der Errichtg. e. Statue unserer lieben Frau v. Lourdes in Breitensee. 12. (38 S) Regensburg 885. Verlagsbureau. n. — 20

Wundt, Wilh., Essays. gr. 8. (V, 386 S.) Leipzig 885. Engelmann. n. 7. —; geb. n. 9. —

— Ethik. Eine Untersuchg. der Thatsachen u. Gesetze d. sittlichen Lebens. Lex.-8. (XI, 577 S.) Stuttgart 886. Enke. n. 14. —

— Logik. Eine Untersuchg. der Principien der Erkenntniss u. der Methoden wissenschaftlicher Forschung. 2. Bd. A. u. d. T.: Methodenlehre. gr. 8. (XIII, 620 S.) Ebend. 883. n. 14. — (2 Bde. cplt.: n. 28. —)

Wunsch, Th., Jungfer Naseweis, s.: Kühling's, A., Volks-Schaubühne.

Wünsch, Jos., die Keil-Inschrift v. Aschrut-Darga. Entdeckt u. beschrieben. Publicirt u. erklärt v. Dav. Heinr. Müller. Mit e. Taf., e. Kartenskizze u. e. Plan. Imp.-4. (26 S.) Wien 886. (Gerold's Sohn.) n. 2. 80

Wünsche, fromme, f. das Deutsche Reich v. e. Reichsfreunde. gr. 8. (27 S.) Berlin 884. P. Schettler's Erben. — 60

Wünsche, A., Lesebuch f. höhere Mädchenschulen, s.: Hausmann, G.

Wünsche, Aug., die Räthselweisheit bei den Hebräern, m. Hinblick auf andere alte Völker dargestellt. gr. 8. (65 S.) Leipzig 883. O. Schulze. n. 1. 50

— der babylonische Talmud in seinen haggadischen Bestandtheilen. Wortgetreu übersetzt u. durch Noten erläutert. 1. Halbbd. u. 2. Halbbd. 1. Abtlg. gr. 8. (XVI, 552 u. VIII, 378 S.) Ebend 886. n. 18. —

Wünsche, Otto, Exkursionsflora f. das Königr. Sachsen u. die angrenzenden Gegenden. Nach der analyt. Methode bearb. Die Phanerogamen. 4. Aufl. 8. (LXIV, 422 S.) Leipzig 883. Teubner. n. 4. —; geb. n. 4. 40

— das Mineralreich, s.: Lenz, H. O., gemeinnützige Naturgeschichte.

— Schulflora v. Deutschland. Nach der analyt. Methode bearb. Die Phanerogamen. 4. Aufl. 8. (LXIII, 428 S.) Leipzig 884. Teubner. n. 4. —; geb. n. 4. 80

Wunschmann, G., eine feste Burg ist unser Gott! — der Kommandant v. Spandau, — Joachim Nettelbeck, } s.: Geschichts- u. Unterhaltungs-Bibliothek, vaterländische.

Wunster, K., die Gründung der Parochie Anhalt in Oberschlesien im J. 1770, s.: Für die Feste u. Freunde d. Gustav-Adolf-Vereins.

Wuppesahl, Octavio, e. Märchen aus der Opernwelt.

Humoreske. gr. 8. (7 S.) München 886. (L. Finsterlin.) — 30

Würdig, L., der alte Blücher u. sein Pathe Leberecht, — Erzählungen, — der Franzosenjunge, — Fürst u. Zigeuner, s.: Jugendbibliothek, neue.

— ein Gang üb. die beiden alten Dessauer Friedhöfe. gr. 8. (164 S.) Dessau 886. (Heine.) n. 2 —

— vor den Geschworenen, s.: Erzählungen aus Heimat u. Fremde.

— Handwerk hat goldenen Boden, — Kreuz u. Halbmond, s.: Jugendbibliothek, neue.

— Krieg u. Frieden; Bruderliebe; Fügungen, s.: Erzählungen aus Heimat u. Fremde.

— Schallmeiers Hubert, s.: Jugendbibliothek, neue.

— Schuld u. Sühne, s.: Erzählungen aus Heimat u. Ferne.

— Spiegelbilder aus dem Leben f. das Leben, — Stadt- u Dorfgeschichten aus alter u. neuer Zeit, s.: Kracht's, U., Jugend-Bibliothek.

— bis über's Weltmeer, s.: Jugendbibliothek, neue.

— willkommen in Dessau! Eine Erinnerungsschrift an den festl. Einzug der Durchlauchtigsten Erbprinzl. Herrschaften am 9. Juni 1884. 8. (III, 64 S.) Dessau 884. Baumann. n — 80

Würdinger, J., die Alterthums-Sammlung, s.: Sammlungen, die, d. historischen Vereines f. Oberbayern.

Wurm, Fr., Etiketten f. Schüler-Herbarien. 8., bedeutend verm. Aufl. v. Ant. Schmidt. 8. (52 Bl.) Böhm.-Leipa 886. Künstner. n. — 65

— die Teufelsmauer zwischen Oschitz u. Böhm.-Aicha. Mit e. Sagenanh. v. A. Paudler, 4 (lith.) Abbildgn. u. 1 (lith.) Kärtchen. gr. 8. (35 S.) Böhm.-Leipa 884. (Hamann.) — 60

Wurm, Louis, Wiener Westend-Bauten. Eine Darstellg. der Entwicklg der westl. Vororte Wiens. gr. 8. (23 S.) Wien 883. Spielhagen & Schurich. n. — 80

Wurm, P., Joh. Val. Andreä, s.: Familienbibliothek, Calwer.

Wurm, Vict, die Märchenglocke. Moralische Erzählgn. u. Märchen f. Kinder von 7–10 Jahren. Mit 4 Farbendr.-Bildern. 8. (124 S.) Berlin 883. C. Zieger's Nachf. geb. n. 2. —

Wurm, W., das Auerwild, dessen Naturgeschichte, Jagd u. Hege. Eine ornitholog. u. jagdl. Monographie. 2 Aufl. Mit 2 Taf in Steindr. Lex.-8. (XX, 340 S.) Wien 885. Gerold's Sohn. n. 12. —

Wurm, W., das königl. Bad Teinach [Mineralbad u. Wasserheilanstalt] im württembergischen Schwarzwalde. Aerzten u. Curgästen geschildert. 5. umgearb. u. verm. Aufl. Mit 4 Holzschn. u. 1 Farbendr.-Karte. 8. (IV, 158 S.) Stuttgart 884. Hoffmann'sche Buchdr. n. 1. —

Wurst's, R. J., kleine praktische Sprachdenklehre. Für Volksschulen nach dem gegenwärt Standpunkte der Sprachwissenschaft u. der Unterrichtslehre neubearb. v. Gust. Fröhlich. 23. Aufl. 8. (IV, 156 S.) Altenburg 883. Pierer. n. — 80

Wurstisen, Chrn., Baßler Chronick | darinn alles | was sich in Oberen Teutschen Landen | nicht nur in der Statt vnd Bistumbe Basel | von jhrem Vrsprung her | nach Ordnung der Zeiten | in Kirche vnd Welt händlen | biß in das gegenwärtige M. D. LXX Jar | gedenckwirdigs zugetragen: Sonder auch der Eydtgenosthafft | Burgund | Elsaß vnd Breißgow | als beyligender Landtschafften | mit eingemischte Historische sachen | warhafftig beschrieben: sampt vieler Herrschafften vnd Geschlechtern Wapen vnd Stammbäumen. Neuwlich auß vnzalbarlicher menge Scribenten | Briefen | Büchern | Schrifften vnd Verzeichnussen mit fleiß vnd mühseliger Arbeit | weit her zusamen getragen. Durch Chr. W. | Freyer Mathematischer Kunsten Lehrer | bey der Löblichen Hohen Schul zu Basel. Mit Kay. May. Gnad vnd Freyheit. 3. Aufl. nach der Ausg. d. Daniel Bruckner 1765. Fol. (103 S. m. eingedr. zinkogr. Wappen u. 1 Lichtdr.) Basel 884. Birkhäuser. n. 18. —; geb. n. 25. —

Würth, Eman., Beitrag zur Frage der Urzeugung, m. e. Anh.: Kritische Bemerkgn. zur Micellartheorie. gr. 8. (45 S.) Wien 884. Faesy. n. 1. 20

Würth-Paquet, M. F. X., et N. van Werveke, archives de Clervaux, s.: Publications de la section historique de l'institut r. g.-d. de Luxembourg.

Württemberg, das Königreich. Eine Beschreibg. v. Land, Volk u. Staat. Hrsg. v. dem königl. statistisch-topograph. Büreau. 5–14. (Schluß-)Lfg. gr. 8. (2. Bd. VIII, 912 u. 3. Bd. XVI, 935 S.) Stuttgart 883–86. Kohlhammer n. 20. 80 (cplt: n. 28. 80)

Wurzbach, A. v., Geschichte der holländischen Malerei, s.: Wissen, das, der Gegenwart.

Wurzbach, Const. v., biographisches Lexikon d. Kaiserth. Oesterreich enth. die Lebensskizzen der denkwürd. Personen, welche seit 1750 in den österreich. Kronländern geboren wurden od. darin gelebt u. gewirkt haben. Mit Unterstützg. d. Autors durch die kaiserl. Akad. der Wiss. 47–53. Thl. gr. 8. Wien 883–86. Hof- u. Staatsdruckerei. à n. 6. — (1–53.: n. 311. 50)

47. Traubenfeld — Trzäschtik. Mit 8 genealog. Taf. (291 S.)
48. Trzetrzewinski — Ullepitsch. Mit 10 genealog. Taf. (319 S.)
49. Ullik — Bassimon. Mit 9 genealog. Taf. (VI, 326 S.)
50. Bastag—Billani. Mit 6 genealog. Taf. (320 S.)
51. Billata — Brbna. Mit 4 genealog. Taf. (338 S.)
52. Brčevic — Wallner. Mit 8 genealog. Taf. (314 S.)
53. Wallnöfer — Weigelsberg. Mit 4 genealog. Taf. (319 S.)

— die Großherzoge v. Toscana. Secundo-Genitur d. Kaiserhauses Habsburg-Lothringen. Mit e. Stammtaf. gr. 8. (55 S) Wien 883. (Salzburg, Dieter.) n. 1 —

Wurzer, R., de Cicerone tragoediae romanae iudice. gr. 8. (36 S.) Wien 885. (Pichler's Wwe. & Sohn.) n. — 80

Würzner, A., englisches Lesebuch, s.: Nader, E.

Wussow, A. v., die Erhaltung der Denkmäler in den Kulturstaaten der Gegenwart. Im Auftrag d. Hrn Ministers der geistl., Unterrichts- u. Medicinal-Angelegenheiten nach amtl. Quellen dargestellt. 2 Bde. gr. 8. (VI, 254 u. V, 326 S.) Berlin 884. C. Heymann's Verl. geb. n. 15. —

Wüst, Alb., leichtfassliche Anleitung zum Feldmessen u. Nivellieren. Für prakt. Landwirte u. landwirtschaftl. Lehranstalten bearb. 2. Aufl. Mit 96 Textabbildgn. 8. (VIII, 138 S.) Berlin 886. Parey. geb. n. 2. 50

Wüst, Ferd., Cartouchen, entworfen u. gezeichnet. 4. (24 Steintaf.) Wien 884. Heim. In Mappe. n. 10. —

Wüstenfeld, F., die Cufiten in Süd-Arabien im XI. [XVII.] Jahrh. gr. 4. (148 S. m. 3 Tab.) Göttingen 883. Dieterich's Verl. n. 6. —

— Fachr ed-dîn der Drusenfürst u. seine Zeitgenossen. Die Aufstände in Syrien u. Anatolien gegen die Türken in der ersten Hälfte d. XI. (XVII.) Jahrhunderts. gr. 4. (178 S.) Ebend. 886. n. 7. —

— die Gelehrten-Familie Muhibbî in Damascus u. ihre Zeitgenossen im XI. [XVII.] Jahrh. gr. 4. (132 S.) Ebend. 884 n. 5. —

— Jemen im XI. [XVII.] Jahrh. Die Kriege der Türken, die arab. Imâme u. die Gelehrten. Mit e. geograph. Anh. gr. 4. (127 S.) Ebend. 884. n. 5. —

— die Scherife v. Mekka im XI. [XVII.] Jahrh. Fortsetzung der Geschichte der Stadt Mekka m. 1 Stammtaf. der Scherife. gr. 4. (94 S.) Ebend. 885. n. 4. —

— der Tod d. Husein ben 'Ali u. die Rache. Ein histor. Roman aus dem Arab. Nach den Handschriften zu Gotha, Leiden, Berlin u. St. Petersburg übers. gr. 4. (IX, 213 S) Ebend. 883. n. 9. —

Wustmann, Gust., aus Leipzigs Vergangenheit. Gesammelte Aufsätze. 8. (VII, 472 S.) Leipzig 885. Grunow. n. 6. —; geb. in Leinw. n.n. 7. 25; in Halbfrz. n.n. 8. 50

Wüstner, Jos., Entwurf e. Wochenbuches f. die ungetheilte einclassige Volksschule. Zusammengestellt u. m. Erläutergn. versehen. gr. 8. (80 S. m. 2 Tab.) Klagenfurt 886. Leon sen. n. 1. 20

Wutke, Rob., quaestiones Caesarianae. Ed. II. gr. 8. (16 S) Neisse 885. Graveur's Verl. n. 1. —

Wuttig, H., Wiederholungsbüchlein f. Volksschüler beim Rechenunterrichte. 12. (12 S.) Schweidnitz 883. (Weigmann.) n.n. — 15

Wuttig, Johs., Thomas Arnold, der Rektor v. Rugby. Ein Beitrag zur Geschichte d. engl. Erziehungswesens. gr. 8. (71 S.) Hannover 884. Meyer. n. 1. —

Wuttke, Adf., Handbuch der christlichen Sittenlehre. 3. verb. u. verm. Aufl. Durchgesehen u. durch Anmerkgn. ergänzt v. Ludw. Schulze. Neue wohlf. Ausg. Mit der ethischen Literatur d. letzten Jahrzehnts u. m. Berichtiggn. 2 Bde. gr. 8. (XXXVII, 516 u. XIV, 622 S.) Leipzig 886. Hinrichs' Verl. n. 10. —; in 1 Bd. geb. n.n. 12. —

Wuttke, Herm., das neue Crefelder Wasserwerk. 8. (16 S.) Crefeld 886. (Klein.) n. — 60

Wuttke, Otto, u. **Lenzner**, die Ventilations-Anlagen in dem Garnison-Lazareth zu Pasewalk. gr. 8. (44 S.) Danzig 884. Kafemann. n. 1. —

Wychgram, J., Lehrbuch der Geschichte. Für die mittleren u. oberen Klassen höherer Mädchenschulen, sowie f. Lehrerinnen-Seminare. 1. u. 2. Tl. gr. 8. (104 S.) Gera 886. Th. Hofmann. n. 2. —
1. Alte Geschichte. (104 S.) n. — 80
2. Mittlere u. neuere Geschichte. (184 S.) n. 1. 20

— das weibliche Unterrichtswesen in Frankreich. gr. 8. (X, 278 S.) Leipzig 886. Reichardt. n. 4. 40

— Juan Luiz Vives' Schriften üb. weibliche Bildung. Ein Beitrag zur Geschichte der Pädagogik. gr. 8. (127 S.) Wien 883. Pichler's Wwe. & Sohn. n. 1. 50

Wyrich, J., Turnbüchlein nebst e. Lieder-Anhang f. Lehrer u. Schüler an Gymnasien u. anderen Unterrichts-Anstalten. 16. (VIII, 41 u. Anh. 24 S.) Königshütte 883. Lowack. geb. n. — 60

Wydler, H., Aufgaben f. den Unterricht im Rechnen. 1—4. Schulj. Unter Mitwirkg. mehrerer Lehrer bearb. 8. (16, 31, 32 u. 32 S.) Aarau 885. 86. Sauerländer. à n.n. — 15

Wyllmann, J. H., die Lungenschwindsucht, ihr Wesen u. sichere Heilbarkeit, f. Hülfsbedürftige aller gebildeten Stände gemeinfaßlich dargestellt. 2. Aufl., besorgt v. weil. J. Hoffstätter. Mit e. Abbildg. Neue Ausg. gr. 8. (X, 254 S.) Bern 883. Jenni. n. 2. —

Wyss, A., Urkundenbuch der Deutschordens-Ballei Hessen, s.: Publicationen aus den k. preussischen Staatsarchiven.

Wyss, Fr., Leitfaden der Stilistik f. den Schul- u. Selbstunterricht. 5. Aufl. gr. 8. (VI, 102 S.) Bern 883. Schmid, Francke & Co. cart. n. 1. —

— elementarer Moral-Unterricht f. Schulen u. Familien. Nach dem Engl. bearb. gr. 8. (VII, 128 S.) Ebend. 883. n. 1. —

— Naturgeschichte f. Volksschulen. Für die Hand der Schüler bearb. 5. Aufl. Mit 80 in den Text gedr. Holzschn. gr. 8. (VII, 104 S.) Ebend. 883. cart. n. 1. —

— Schul-Erziehungslehre. 12. (V, 135 S.) Ebend. 886. n. 1. —

Wyß, Frdr. v., Leben der beiden Zürcherischen Bürgermeister David v. Wyß Vater u. Sohn, aus deren schriftl. Nachlaß als Beitrag zur neueren Geschichte der Schweiz geschildert. 2 Bde. gr. 8. (VIII, 564 u. VIII, 630 S. m. 1 lith. Portr.) Zürich 884. 86. Höhr. à n. 6. —

Wyß, J. R., Gedichte, s.: Nationalbibliothek, schweizerische.

Wyß, Rud., neue Pilgerharfe. Eine Sammlg. geistl. Lieder f. gemischten Chor. 8. (VIII, 344 S.) Basel 886. Spittler. n. 2. —; geb. 2. 80

X.

Xanthippus, s.: Berlin u. Lessing, Friedrich der Große u. die deutsche Litteratur. — Kalypso. — Ueber Paul Schönfeld's Satiren u. Epigramme.

Xenien, römische. Hrsg. v. Xanthippus. 8. (VI, 78 S.) München 885. Heinrichs. geb. n. 2. 75

Xenophon's Werke. 1. 5. 8. 10—15. 17. 19—21. 23. u. 24. Lfg. 8. Berlin 885. 86. Langenscheidt. à n. — 35
1. Memorabilien od. Erinnerungen an Sokrates. Übers. v. A. Zeising. 1. Lfg. 4. Aufl. (VIII, 32 S.)
5. Hellenische Geschichte, übers. v. J. Rieckher. 1. Lfg. 3. Aufl. (XIV, 32 S.)
8. Dasselbe. 4. Lfg. 4. Aufl. (S. 129—176.)
10. Dasselbe. 6 (Schluß-) Lfg. 3. Aufl. (S. 225—258.)
11—15. Anabasis od. Feldzug d. jüngeren Cyrus. Übers. u. durch Anmerkgn. erläutert v. A. Forbiger. 4. Aufl. 1—5. Lfg. (IV, 108 u. 96 S.)
17. Cyropädie, aufs neue übers. u. durch Anmerkgn. erläutert v. Chrn. Heinr. Dörner. 1. Lfg. 3. Aufl. (48 S.)
19—21. Dasselbe. 3—5. Lfg. (2. Bdchn. S. 1—123.)
23. 24. Dasselbe. 7. u. 8. Lfg. 2. Aufl. (3. Bd. S. 49—160.)

Xenophon's Werke, s.: Prosaiker, griechische, in neuen Übersetzungen.

— Anabasis. Für den Schulgebrauch erklärt von R. Hansen. 1. Bdchn. Buch I u. II. gr. 8. (IV, 101 S.) Gotha 883. F. A. Perthes. 1. 20

— dasselbe. 2. Bdchn. Buch III—V. Ausg. A m. untergesetzten Anmerkgn. gr. 8. (S. 103—231.) Ebend. 883. 1. 20

— dasselbe. 3. (Schluss-) Bdchn. Buch VI u. VII. gr. 8. (IV u. S. 233—318.) Ebend. 884. 1. 20

— dasselbe. Für den Schulgebrauch hrsg. v. Adf. Matthias. Mit 1 Karte u. 3 lith. Taf. gr. 8. (III, 172 S.) Berlin 884. Springer. n. 1. 20

— dasselbe, erklärt v. C. Rehdantz. 2. Bd. Buch IV—VII. 5. Aufl., besorgt v. Otto Carnuth. gr. 8. (239 S.) Berlin 884. Weidmann. 1. 80

— dasselbe. Für den Schulgebrauch erklärt v. Ferd. Vollbrecht. 1. Bdchn. Buch I—III. Mit e. durch Holzschn. u. 3 Fig.-Taf. erläuterten Exkurse üb. das Heerwesen der Söldner u. m. 1 Übersichtskarte. 8. Aufl., besorgt unter Mitwirkg. v. Wilh. Vollbrecht. gr. 8. (IV, 212 S.) Leipzig 886. Teubner. 1. 50

— dasselbe. V. Buch. 2. (Schluß-) Hft. Wortgetreu aus dem Griech. übers. v. H. R. Mecklenburg. (Neue Ausg.) 32. (S. 321—368.) Berlin 883. H. R. Mecklenburg. n. — 25

— dasselbe, Wörterbuch dazu, s.: Strack, H. L. — Vollbrecht, F.

— Cyropädie, erklärt v. F. K. Hertlein. 1. Bdchn. Buch I—IV. 4. Aufl., besorgt v. W. Nitsche. gr. 8. (XX, 200 S.) Berlin 886. Weidmann. 1. 80

— Erinnerungen an Sokrates, } s.: Universal-
— das Gastmahl d. Kallias. } Bibliothek.

— griechische Geschichte. Für den Schulgebrauch erklärt v. B. Büchsenschütz. 1. Hft. Buch I—IV. 5. Aufl. gr. 8. (211 S.) Leipzig 884. Teubner. 1. 50

— Hellenika. Erklärt v. Ludw. Breitenbach. 1. Bd. Buch I u. II. 2. Aufl. gr. 8. (244 S.) Berlin 884. Weidmann. 2. 25

— dasselbe. Für den Schulgebrauch erklärt v. Rich. Grosser. 2. Bdchn. Buch III u. IV. Ausg. A. Kommentar unterm Text. gr. 8. (VIII u. S. 87—186.) Gotha 885. F. A. Perthes. 1. 20; Ausg. B. Text u. Kommentar getrennt in 2 Hftn. (VIII, 60 u. 40 S.) 1. 20 (1. u. 2: n. 2. 20)

— dasselbe. 1. Buch. Wortgetreu nach H. R. Mecklenburg's Grundsätzen aus dem Griech. übers. v. G. R. 2 Hfte. 32. (83 S.) Berlin, H. R. Mecklenburg. à n. — 25

— dasselbe. 2. Buch. 2 Hfte. 32. (77 S.) Ebend. 885. à n. — 25

— dasselbe. 3. Buch. 2 Hfte. 32. (101 S.) Ebend. 886. à n. — 25

— dasselbe. 4. Buch. 1. Hft. 32. (32 S.) Ebend. 886. n. — 25

— dasselbe, Wörterbuch dazu, s.: Thiemann, C.

— institutio Cyri, rec. et praefatus est Arnoldus Hug. Ed. maior. 8. (C, 344 S.) Leipzig 883. Teubner. 1. 50

— dasselbe. Ed. minor. 8. (XII, 344 S.) Ebend. 883. — 90

— Memorabilien. Mit Einleitgn. u. Anmerkgn. hrsg. v. Mor. Seyffert. 4. Aufl. 8. (VIII, 202 S.) Leipzig 883. Holtze. n. 1. 80

— dasselbe. Für den Schulgebrauch erklärt v. Edm. Weissenborn. 1. Bdchn. Buch I u. II. Ausg. A. Kommentar unterm Text. gr. 8. (IV, 92 S.) Gotha 885. F. A. Perthes. 1. 20; Ausg. B. Text u Kommentar getrennt in 2 Hftn. (IV, 50 u. 42 S.) 1. 20

Y.

Yates, E., his recollections and experiences, s.: Collection of British authors.

Yonge, Ch. M., the armourer's prentices,
— Nuttie's father,
— the two sides of the shield,
— stray pearls,
} s.: Collection of British authors.

Yorck v. Wartenburg, Graf, Napoleon als Feldherr. 2 Thle. gr. 8. (V, 348 u. VII, 424 S.) Berlin 885. 86. Mittler & Sohn. n. 17. 50

Young, C. A., die Sonne, s.: Bibliothek, internationale wissenschaftliche.

Youssoupoff, Fürst, heiliges Geheimniss. Gedanken, erzeugt durch die Worte der heil. Schrift, üb. das Wesen der Seele u. das Verhältniss der unsichtbaren Welt zur irdischen. Deutsche Volksausg. [Aus dem Russ. übers.] gr. 8. (64 S.) Genf 884. (Wiesbaden, Moritz & Müntzel.) n. — 50

Ysengrimus. Hrsg. u. erklärt v. Ernst Voigt. gr. 8. (IV, CXLVI, 470 S. m. 1 Taf.) Halle 884. Buchh. d. Waisenhauses. n. 8. —

Yung, E., Lehrbuch der praktischen vergleichenden Anatomie, s.: Vogt, C.

Ywannow, T. G., der Sänger v. Ringgenberg. Eine Geschichte vom Brienzersee. 12. (IV, 276 S.) Bern 884. Nydegger & Baumgart. n. 3. 50

Z.

Zabel & Co., Verzeichniss der Rübenzucker-Fabriken, Raffinerien, Candis-Fabriken etc. d. Zollvereins, Oesterreichs u. Hollands m. Angabe der Fabrikations-Methoden, nebst nach Artikeln geordneten Adress-Verzeichniss u. Geschäfts-Anzeiger e. Anzahl Firmen, welche m. der Zucker-Fabrikation in Verbindg. stehen. 17. Jahrg. Campagne 1886/87. gr. 8. (148 S.) Quedlinburg 886. (Huch.) n. 4. —

Zabel, Eug., Graf Adolf Friedrich v. Schack. Ein literar. Portrait. 8. (82 S.) Wien 885. Gerold's Sohn. n. 1. —

— literarische Streifzüge durch Rußland. 2. Aufl. 8. (V, 306 S.) Sondershausen 887. Eupel. n. 3. 50; geb. n. 4. 50

— Iwan Turgenjew. Eine literarische Studie. (Mit dem (rad.) Bildniß Turgenjew's. gr. 8. (VII, 208 S.) Leipzig 884. O. Wigand. geb. n. 4. —

Zabludowsky, J., die Bedeutung der Massage f. die Chirurgie u. ihre physiologischen Grundlagen. gr. 8. (39 S.) Berlin 883. Hirschwald. n. 1. —

— zur Massage-Therapie. Vortrag, geh. in der Gesellschaft der Charité-Aerzte am 25. März 1886. gr. 8. (39 S.) Ebend. 886. n. — 80

Zachariae a Lingenthal, C. E., appendix ad editionem novellarum Justiniani ordine chronologico digestarum. 8. (36 S.) Leipzig 884. Teubner. — 60

— s.: Jus graeco-romanum.

Zachariä v. Lingenthal, E., üb. den Verfasser u. die Quellen d. [pseudo-Photianischen] Nomokanon, s.: Mémoires de l'académie impériale des sciences de St. Pétersbourg.

Zachariä v. Lingenthal, Karl Sal., Handbuch des französischen Civilrechts. 7., verm. u. bis auf die neueste Zeit fortgeführte Aufl. Hrsg. v. Heinr. Dreyer. (In 4 Bdn.) 1—7. Halbbd. gr. 8. (1. Bd. XXVI, 631; 2. Bd. XII, 570; 3. Bd. VIII, 570 S. u. 4. Bd. S. 1—336.) Heidelberg 886. E. Mohr's Verl. à n. 3. 50

Zachariae, Thdr., Beiträge zur indischen Lexicographie. gr. 8. (VIII, 100 S.) Berlin 883. Weidmann. n. 3. —

Zacharias, J., die elektrischen Leitungen u. ihre Anlage f. alle Zwecke der Praxis,
— die Unterhaltung u. Reparatur der elektrischen Leitungen für alle Zwecke der Praxis,
} s.: Bibliothek, elektro-technische.

Zacharias, Otto, die Bevölkerungs-Frage in ihrer Beziehung zu den socialen Nothständen der Gegenwart. 4. Aufl. gr. 8. (80 S.) Jena 883. Mauke. n. 1. 50

— Ergebnisse e. zoologischen Untersuchung der beiden Koppenteiche. Mit 3 (Holzschn.-)Taf. gr. 8. (15 S.) Hohenelbe 885. (Hirschberg, Kuh.) n.n. — 25

— über gelöste u. ungelöste Probleme der Naturforschung. Gemeinverständliche wissenschaftl. Abhandlgn. gr. 8. (165 S.) Leipzig 885. Denicke. n. 4. —

— ein Spaziergang nach den Seefeldern bei Reinerz. Kurze Beschreibg. der Thier- u. Pflanzenwelt dieses Hochmoors. [Mit Illustr.] gr. 8. (17 S.) Ebend. 886. n. — 30

Zache, Ed., üb. Anzahl u. Grösse der Markstrahlen bei einigen Laubhölzern. gr. 8. (31 S.) Halle 886. Tausch & Grosse. n. — 80

Zacher, die rothe Internationale. 3. Aufl. gr. 8. (V, 191 S.) Berlin 884. Hertz. n. 2. —

Zacher, K., zur griechischen Nominalcomposition, s.: Abhandlungen, Breslauer philologische.

Zachert's Chronik der Stadt Meseritz. Nach der Orig.-Hdschr. hrsg. v. Adf. Warschauer. gr. 8. (145 S.) Posen 883. (Breslau, Koebner.) n. 2. —

Zaddach, G., Beobachtungen üb. die Arten der Blatt- u. Holzwespen, s.: Brischke, C. G. A.

Zadow, E. v., „der Spiritus muß mehr bluten". Bemerkungen üb. die beabsichtigte Reform der Spiritusbesteuerg. in Deutschland [Branntweinmonopol]. gr. 8. (47 S.) Berlin 886. Parey. n. 1 —

Zaffauk Edler v. Orion, Jos., die Erdrinde u. ihre Formen. Ein geograph. Nachschlagebuch in lexikal. Anordng., nebst e. Thesaurus in 37 Sprachen. gr. 8. (VI, 130 S.) Wien 885. Hartleben. geb. n. 3. 25

Zahálka, Č., üb. Isoraphinia testa, Roem. sp. u. Scytalia pertusa, Reuss sp. aus der Umgebung v. Raudnitz a. E. in Böhmen. Mit 2 (lith.) Taf. Lex.-8. (6 S.) Wien 886. (Gerold's Sohn.) n. — 60

Zahlen, 72, der wichtigsten Begebenheiten aus der elsaß-lothringischen, deutschen u. allgemeinen Geschichte. 2 Wandtafeln zu 2 Blatt. qu. gr. Fol. Gebweiler 883. Boltze. n. 3. —

Zähler, Jul., Herr u. Frau Gerne-Groß od. Kinderstreiche. Heiteres aus dem Kinderleben in Wort u. Bild. Mit zahlreichen fein kolor. Bildern. 4. Aufl. gr. 4. (5 Chromolith. m. 12 S. Text) Dresden 886. Kaufmann's Verl. geb. n. 2. 50

Zahn, Adf., Abriss e. Geschichte der evangelischen Kirche auf dem europäischen Festlande im 19. Jahrh. gr. 8. (VIII, 204 S.) Stuttgart 886. Metzler's Verl. n. 3. —

— s.: Aus dem Leben e. reformierten Pastors.

— Calvin's Urtheile üb. Luther. Ein Beitrag zur Lutherfeier aus der reformirten Kirche Deutschlands. [Aus: „Theol. Studien aus Württ."] gr. 8. (31 S.) Ludwigsburg 883. Neubert. n. — 40

— Predigten, geh. im Dom zu Halle a. d. S. in den J. 1860—1876. 8. (VII, 270 S.) Barmen 886. Klein. n. 3. 60

— die ultramontane Presse in Schwaben. 8. (32 S.) Leipzig 885. Böhme. n. — 50

— das evangelische Schwaben, s.: Zeitfragen d. christl. Volkslebens.

— Zwingli's Verdienste um die biblische Abendmahlslehre. Zum 1. Jan. 1884. Ein Vortrag. gr. 8. (14 S.) Stuttgart 884. J. F. Steinkopf. n. — 40

Zahn, Alb. v., anatomisches Taschenbüchlein zur Nachhülfe beim Studium nach Natur u. Antike. Mit 29 nach der Natur gezeichneten Holzschn. 5. Aufl. gr. 8. (40 S.) Leipzig 885. Arnold. n. 1. 20

— Vorlagen f. Ornamentmalerei. Motive aller Stylarten von der Antike bis zur neuesten Zeit. Mit e. Vorwort v. Ludw. Gruner. Nach dem Tode d. Verf. hrsg. u. fortgesetzt v. Elis. Hübler. 3. Aufl. (In 8 Lfgn.) Hft. B. I. Fol. (6 Chromolith.) Leipzig 884. Zehl. n. 4. —

Zahn, Carl, Anleitung zum Gebrauche der sogen. Schweninger-Cur u. verwandter diätetischer Heilmethoden. gr. 8. (70 S.) Berlin 886. Parrisius. n. 1. —

— Unfug, Fehler u. Gefahren bei dem Gebrauche der modernen Entfettungskuren. Ein ernstes Mahnwort. gr. 8. (III. 46 S.) Ebend. 886. n. 1. —

Zahn, Detlev, das kleine Gesangbuch. 150 geistl. Lieder f. Kirche, Schule u. Haus, gesammelt 2. Aufl. 16. (IV, 96 S.) Gotha 884. Schloeßmann. n. — 36

— Glaubensgewißheit u. Theologie. Ein Beitrag zur christl. Lehre. gr. 8. (XII, 106 S.) Ebend. 883. n. 2. —

— wie habt ihr den Geist empfangen? Eine ernste Synodalfrage im Jubeljahr der Reformation. Synodalpredigt im Cösliner Convent. gr. 8. (15 S.) Ebend. 883. — 30

Zahn, F., s.: Statistik der deutschen Schulen im Reg.-Bez. Oberpfalz u. v. Regensburg.

Zahn, F. M., der überseeische Branntweinhandel. Seine verderbl. Wirkgn. u. Vorschläge zur Beschränkg. desselben. Referat auf der Konferenz deutscher evangel. Missions-Gesellschaften zu Bremen vom 27—29. Oktbr. 1885. gr. 8. (34 S.) Gütersloh 886. Bertelsmann. n. — 50

— der westafrikanische Branntweinhandel. Erwiderung auf die Offene Antwort d. Hrn. Reichstagsabgeordn. A. Woermann. gr. 8. (40 S.) Ebend. 886. n. — 60

— Juda's Wiederherstellung nach der Verbannung. Geringe Tage, die große vorbereiten. Vortrag. 8. (37 S.) Bremen 883. Valett & Co n. — 50

Zahn, G., zur Hebung d. naturkundlichen Unterrichts in einfachen Volksschulverhältnissen. gr. 8. (26 S.) Gotha 884. Thienemann. n. — 80

Zahn, J. v., die deutschen Burgen in Friaul. Skizzen in Wort u. Bild. 8. (IV, 68 S. m. eingedr. Zinkogr.) Graz 883. Leuschner & Lubensky. cart. n. 3. —

Zahn, Johs., Handbüchlein f. evangelische Kantoren u. Organisten. Mit 17 (eingedr. Holzschn.-)Abbildgn. u. e. Notenbeilage. 2. Aufl. 8. (163 S.) Gütersloh 883. Bertelsmann. n. 2. —

— Kirchengesänge f. den Männerchor, aus dem 16. u. 17. Jahrh., m. deutschem Text, nach dem Kirchenjahr geordnet, gesammelt u. bearb. 2. Hälfte: Gesänge f. die Zeit von Ostern bis zum Schluß d. Kirchenjahrs u. Gesänge verschiedenen Inhalts. 2. Aufl. 4. (IV, 88 S.) Ebend. 886. n. 1. 80

— evangelisches Kirchenliederbuch f. gemischten Chor, sowie f. Klavier u. Harmonium. Zum Gebrauch in Kirche, Schule u. Haus bearb. gr. 8. (V, 242 S.) Nördlingen 884. Beck. n. 1. —; geb. n.n. 1. 60

— Psalter u. Harfe f. das deutsche Haus. Ein evangel. Liederschatz v. 532 Kirchenliedern m. 560 Melodien in vierstimm. Tonsatz, f. Gesang, Harmonium od. Klavier. gr. 8. (VI, 388 S.) Gütersloh 886. Bertelsmann. n. 4. 50; geb. n. 5. —

Zahn, Th., die Anbetung Jesu im Zeitalter der Apostel. Vortrag, geh. im Saalbau der ev. Gesellschaft. 8. (32 S.) Stuttgart 885. Buchh. der Evang. Gesellschaft. n. — 20

— Forschungen zur Geschichte d. neutestamentlichen Kanons u. der altkirchlichen Literatur. 2. u. 3. Thl. gr. 8. Erlangen, Deichert. n. 15. — (1—3.: n. 24. —)

2. Der Evangeliencommentar d. Theophilus v. Antiochien. (IV, 302 S.) 883. n. 8. —
3. Supplementum Clementinum. (IV, 329 S.) 884. n. 7. —

— Missionsmethoden im Zeitalter der Apostel. Zwei Vorträge, im akadem. Missionsverein zu Erlangen geh. gr. 8. (48 S.) Ebend. 886. n. — 80

Zahnheilkunde, deutsche, in Vorträgen. Hrsg. v. Adph. Witzel. 1. Hft. gr. 8. Hagen, Risel & Co. n. 2. —

Ueber Cocain-Anästhesie bei Operationen in der Mundhöhle v. Adph. Witzel. Mit 6 Illustr. im Texte u. 1 chromolith. Taf. (36 S.)

Zähringer, H., Aufgaben zum prakt. Rechnen f. schweizerische Volksschulen. 1., 3., 4. u. 7. Hft. 8. Zürich, Mayer & Zeller. à n. — 15

1. 8 Aufl., umgearb. v. G. Gloor. (16 S.) 883.
3. 12. Aufl., durchgesehen u. verb. v. G. Gloor. (24 S.) 885.
4. 12. Aufl., durchgesehen u. verb. v. G. Gloor. (24 S.) 884.
7. 10. Aufl. Neu bearb. v. C. Enholtz. (40 S.) 886.

— dasselbe. Antworten zum 4. u. 7. Hft. 8. (18 u. 20 S.) Ebend. 884. 86. à n. — 30

Zalten, G., gänzlich curirt, s.: Dilettanten-Mappe.

Zander, C., die Fischerei-Gesetze f. den Preußischen Staat. Ein Handbuch. 8. (VIII, 155 S.) Hagen 883. Risel & Co. n. 2. —

— die Gewerbeordnung f. das Deutsche Reich in ihrer neuesten Fassung vom 1. Juli 1883 m. den neuesten Ausführungsbestimmungen, nebst den desfallsigen Entscheidgn. u. Erläutergn. der obersten Reichs- u. Staatsbehörden, den betr. Bestimmgn. aus dem neuesten Zuständigkeitsgesetz vom 1. Aug. 1883 u. e. Anh., enth. die sonst., auf den Gewerbebetrieb bezügl. Gesetze. Mit ausführl. Sachregister. Handbuch zum prakt. Gebrauch f. Verwaltungs- u. Justizbeamte, Gewerbetreibende, Fabrikbesitzer rc. 8. (IV, 251 S.) Breslau 884. Goerlich & Coch. cart. n. 2. 50

— Handbuch enth. die sämmtlichen Bestimmungen üb. die Verhältnisse der Juden im Preussischen Staate. 2. durch Nachtrag verm. Aufl. 8. (XXII, 124 u. Nachtrag 13 S.) Leipzig 885. Scholtze. n. 2. 40

— Handbuch üb. die Civilversorgung u. Civilanstellung der Militärpersonen d. Heeres u. der Marine. 2., m. e. Anh. verm. Aufl. gr. 8. (VIII, 128 u. Anh. 36 S.) Leipzig 884. O. Wigand. n. 2. —

— Handbuch enth. die sämmtlichen Gewerbesteuergesetze im preußischen Staate, nebst Ausführungs-Bestimmgn., Erläutergn. u. Entscheidgn. der höchsten Reichs- u. Staatsbehörden. Hrsg. zum prakt. Gebrauch f. Verwaltungs-, Justiz- u. Steuerbehörden, sowie f. Gewerbetreibende. gr. 8. (432 S.) Paderborn 886. Junfermann. n. 4. —

— die Verwaltung der Staatsschulden im Königr. Preußen. Eine Zusammenstellg. der bezüglichen Gesetze, nebst den Motiven u. Ausführungsbestimmgn., m. Erläutergn. versehen. gr. 8. (48 S.) Hannover 885. Meyer. n. 1. —

Zander, E., üb. die Bedeutung der Jugendspiele f. die Erziehung, s.: Sammlung pädagogischer Aufsätze.

Zander, H., Geschichtstabellen f. höhere Mädchenschulen u. Mittelschulen. In 2 Kursen bearb. gr. 8. (32 S.) Gera 885. Th. Hofmann. n. — 60

— Geschichtstabellen f. Volks- u. Bürgerschulen. In 2 Kursen bearb. gr. 8. (16 S.) Ebend. 886. n. — 15

— Hülfsbüchlein f. den evangelischen Religions-Unterricht. gr. 8. (32 S.) Crossen a/O. 885. Appun. n. — 25

Zander, Wilh., Skizzen zur Decoration innerer Räume. 5. Werk. Deckenskizzen. 1. Hft. Fol. (6 color. Steintaf.) Berlin 886. Claesen & Co. n. 4. 50

— farbige Skizzen zur Decoration innerer Räume. 1—3. Hft. Fol. (à 6 Chromolith.) Ebend. 884—86. In Mappe. à n. 10. —

— dasselbe. 2. Aufl. I. Serie. 1. Hft. gr. Fol. (6 Chromolith.) Ebend. 886. In Mappe. n. 12. —

Zangemeister, C., glandes plumbeae, s.: Ephemeris epigraphica.

Zangemeister, Karl, System d. Real-Katalogs der Universitäts-Bibliothek Heidelberg. gr. 8. (IX, 54 S.) Heidelberg 885. (C. Winter.) n.n. 2. —

Zaengerle, Max, Grundriss der anorganischen Chemie, nach den neuesten Ansichten der Wissenschaft f. den Unterricht an Mittelschulen, besonders Gewerbe-, Handels- u. Realschulen bearb. 3. Aufl. Mit Holzst. u. 1 farb. Taf. gr. 8. (X, 294 S.) Braunschweig 886. Vieweg & Sohn. n. 2. 80

— Grundriss der organischen Chemie, nach den neuesten Ansichten der Wissenschaft f. den Unterricht an Mittelschulen, besonders Gewerbe-, Handels- u. Realschulen bearb. 3. Aufl. Mit eingedr. Holzst. gr. 8. (VIII, 168 S.) Ebend. 886. n. 1. 40

Zaengerle, Max, Lehrbuch der Chemie, nach den neuesten Ansichten der Wissenschaft f. den Unterricht an techn. Lehranstalten bearb. 2 Bde. 3. Aufl. gr. 8. Braunschweig 885. Vieweg & Sohn. n. 9. —
1. Unorganische Chemie. Mit 152 eingedr. Holzst. u. 1 Taf. in Farbendr. (XIII, 569 S.) n. 6. —
2. Organische Chemie. Mit 31 Holzst. (XII, 259 S.) n. 3. —

— Lehrbuch der Mineralogie, unter Zugrundelegg. der neueren Ansichten in der Chemie f. den Unterricht an techn. Lehranstalten, Realschulen u. Gymnasien bearb. Mit 238 in den Text eingedr. Holzst. u. e. geognost. Taf. in Farbendr. 4. Aufl. gr. 8. (X, 182 S.) Ebend. 884. n. 2. —

Zanke, Osc., Industrie u. Gewerbe in der Neumark. Zur landwirthschaftl., Industrie- u. Gewerbe-Ausstellg. zu Landsberg a. W. vom 24. Mai bis 3. Juni 1883 im Verein m. Mehreren hrsg. gr. 8. (V, 75 S.) Landsberg a/W. 883. Volger & Klein. n. 2. —

Zänker, E., Antrittspredigt, s.: Zur Feier der Einführung ꝛc.

Zapf, Ludw., Waldsteinbuch. Natur, Geschichte u. Sagenschatz d. Großen Waldsteins im Fichtelgebirge. Mit 1 Karte d. Waldsteins. 8. (V, 88 S.) Hof 886. Lion. geb. n 1. 20

Zapfen, H. v., sonderbare Ballgäste, s.: Erzählungen aus Heimat u. Ferne.

Zapff, Karl Chrn, Predigt, zum 50jährigen Jubelfeste d. Dresdner Zweigvereins der evangelischen Gustav-Adolf-Stiftung am Sonntag Exaudi, den 6. Mai 1883, in der Kreuzkirche zu Dresden geh. 8. (16 S.) Leipzig 883. Böhme. n. — 30

Zaepffel, M., livre de lecture à l'usage des classes supérieures des écoles primaires de l'Alsace-Lorraine 4. éd. gr. 8. (XII, 399 S.) Metz 883. Gebr. Even. geb. n. 1. 40

Zapletal, Jos., die Domcapitel der Diöcese Seckau in Graz u. der Diöcese Leoben in Göß seit 1786. Eine Gedenkschrift anläßlich der Erinnerg. an die vor 100 Jahren erfolgte Uebertragg. d. Seckauer Domcapitels nach Graz. gr. 8. (107 S.) Graz 887. Styria. n. 1. 60

Zapp's Anweisung zur Prüfung u. Aufbewahrung der Arzneimittel. Zum Gebrauche bei Apotheker-Visitationen f. Apotheker, Aerzte u. Medizinalbeamte. 5. Aufl. auf Grund der Pharmacopoea germanica, ed. II., bearb. von W. v. Gartzen. gr. 8. (XV, 169 S.) Köln 883. Du Mont-Schauberg. n 2. 40

Zapp, Arth., nouveaux cours de langues modernes d'après la méthode naturelle [sans grammaire et sans traduire]. Tome I. Français. gr. 8. (XI, 117 S.) Berlin 886. Cronbach. n. 2. —

— aus Kleindeutschland. Bilder aus dem deutsch-amerikan. Leben. Nebst e. Anh.: Fingerzeige f. Auswanderer. 8. (118 S.) Ebend. 886. n. 1. —

Zarncke, Ed., symbolae ad Iulii Pollucis tractatum de partibus corporis humani. gr. 8. (76 S.) Leipzig 885. Teubner. n. 1. 60

Zarncke, Frdr., Christian Reuter, der Verfasser d. Schelmuffsky, sein Leben u. seine Werke. Lex.-8. (207 S.) Leipzig 884. (Hirzel.) n. 14. —

Zart, Gust., Bemerkungen zur Theorie der menschlichen Freiheit. gr. 4. (10 S.) Jena 883. (Neuenhahn.) n. 1. —

Zäslin, E., die erste Auferstehung der Kinder Gottes nach der heil. Schrift. 2. Aufl. 8. (46 S.) Basel 886. Spittler. n. — 30

Zastrow, C. v., wie es dem Oberstlieutenant Kreuzschnabel im großen Generalstabe erging. Militär-Humoreske. Illustrirt von L. v. Nagel. gr. 8. (40 S.) München 883. Braun & Schneider. n. 1. —

Zastrow, Carl, Tom Blackley, s.: Erzählungen aus Heimat u. Ferne.

— die Bureaukraten v. Flausenheim. Humoristischer Roman. 8. (268 S.) Berlin 884. F. Luckhardt. n. 4. —

— Conanchet, der Häuptling der Wampanowys. Erzählung f. die reifere Jugend, nach James Fenimore Cooper bearb. 2. Aufl. 8. (135 S. m. 1 Chromolith.) Mühlheim 884. Bagel. cart. 1. —

— Heiderösden, s.: Erzählungen aus Heimat u. Ferne.

Zastrow, Carl, der Mann m. der eisernen Maske, s.: Bibliothek interessanter Erzählungen.

— hübsches Märchenbuch. Mit 8 in Farbendr. ausgeführten Bildern nach Orig.-Zeichngn. v. W. Düms. 2. Aufl. gr. 8. (32 S.) Wesel 884. Düms. geb. 1. —

— Marfa, die Leibeigene der Czarin, s.: Erzählungen aus Heimat u. Ferne.

— Rolands Schildknappen, s.: Volkserzählungen, kleine.

— John Smith der Abenteurer, s.: Bibliothek interessanter Erzählungen.

— der Pandurenoberst Trenck, s.: Volks-Erzählungen, kleine.

— die Verschwörung im Kaukasus, s.: Erzählungen aus Heimat u. Ferne.

— Wenonda, das Mandanenmädchen, s.: Unterhaltungs-Bibliothek

— ein Wintermärchen f. Knaben u. Mädchen. Mit 6 Farbendr.-Bildern nach Orig.-Zeichngn. gr. 4. (5 S.) Wesel 884. Düms. cart. — 50

Zauberer, die, in Hessen. Eine phantastisch-reale Erzählg. v. Cardenio, Verf. der „Groteske". 8. (105 S.) Melsungen 883. (Kassel, Klaunig.) n. 4. —

Zauleck, P., das Buch der Weihnachtslieder, | s.: Ties-
— die Festgottesdienste der Kinder, | meyer, L.

— die Fürsorge der christlichen Gemeinde f. ihre Konfirmierten. Vortrag. gr. 8 (16 S.) Liegnitz 886. (Breslau, Dülfer.) n. — 10

— die Kinder u. das Evangelium. Fingerzeige zur religiösen Unterweisg. der Jugend. 2. Aufl. 16. (52 S.) Bielefeld 883. (Velhagen & Klasing.) n. — 50

— Leitfaden f. den Katechumenen- u. Konfirmanden-Unterricht, s.: Frädrich, D.

Zauritz, A, Uebersetzungsaufgaben aus dem Deutschen ins Französische in grammatischer Stufenfolge, nebst Synonymen u. e. stilist. Anleitg. f. die oberen Klassen höherer Lehranstalten. 8. (VIII, 187 S.) Berlin 885. Haude & Spener. n. 1. 60

Zbinden, Fritz, aus gedeihlicher Landwirthschaft erwächst blühende Industrie. Prämirte Lösg. der vom Centralcomité der schweiz. Landesausstellg. in Zürich 1883/84 gestellten Preisaufgabe. Uebers. v. Rob. Ringger. 8. (83 S.) Zürich 885. Orell Füßli & Co. Verl. n. 2. —

Zborzill, Ed., die Dressur d. Hundes m. Rücksicht auf die verschiedenen Racen, wie Pudel, Jagdhund, Pinsch, Bulldogge, Wachtel ꝛc. Nebst ausführl. Dressur d. Jagdhundes u. zuverläss. Angabe üb. Nahrg., Pflege, Fortpflanzg. der Hunde u. Heilg. ihrer Krankheiten. Mit Abbildgn. 10 Aufl. 8. (144 S.) Berlin 886. Mode's Verl. 1. 80; m. Anh.: Die mnemon. Dressur (58 S.) 3. —

Zech, elektrisches Formelbuch, s.: Bibliothek, elektro-technische

Zechner, Cornelius, der Zinsen- u. Cursberechner aller an der Wiener Börse gehandelten Werthpapiere. Ein unentbehrl. Handbuch f. Jedermann. 8. (VIII, 148 S.) Wien 885. Konegen. geb. n. 2 40

Zechner, F., Handbuch d. österreichischen Bergrechts, s.: Haberer, L.

Zeckendorf, Emil, üb. die Pathogenese der Bauchtympanie, nebst Beiträgen zur Lehre vom Stoffwechsel bei der Hysterie. gr. 8. (37 S.) Göttingen 883. (Vandenhoeck & Ruprecht.) n. — 80

Zedler, Gfr., de memoriae damnatione quae dicitur. gr. 8. (51 S.) Darmstadt 885. (Winter'sche Buchdr.) n. 1. —

Zedlitz, J. Ch. Frhr. v., Ingvelde | s.: National-
Schönwang, | Bibliothek,
— Todtenkränze, | deutsch-österreichische.

Zeeb, H., die Feldbereinigung [Flurbereinigung, Separation, Konsolidation, Kommassation ꝛc.], ihr Zweck u. ihre Ausführung. Mit e. Anleitg. zur Vornahme der Boniticrg., der Einschätzg. v. Obstbäumen, der Feststellg. d. Wege- u. Grabennetzes, der Zuteilg. der neuen Grundstücke ꝛc. Mit 3 in Farbendr. ausgeführten Plänen u. 15 Formularen zu Tabellen, welche bei Feldbereinigungsarbeiten in Anwendg. kommen. gr. 8. (VI, 116 u. Anh. 48 S.) Stuttgart 886. Ulmer. n. 2. 60

Zeeb, H., landwirthschaftliches Rechenbuch, s.: Löser, J.
— u. Wilh. **Martin**, Handbuch der Landwirtschaft. 2., unter Mitwirkg. mehrerer Fachmänner bearb. Aufl. Mit 458 in den Text gedr. Holzschn. gr. 8. (VIII, 862 S.) Stuttgart 884. Ulmer. n. 6. 70; Einbd. n.n. 1. 30

Zeglin, J. G., Arbeit u. Feier in ihrer Bedeutung f. die Kulturwelt u. f. die Welt d Gemüts. gr. 8. (55 S.) Schmiedeberg 885. Sommer. n. — 80
— Märchenbuch f. das deutsche Haus. Gesammelt u. hrsg. Mit 12 (Holzschn.=)Bildern v. Graf Pocci, Meyerheim u. Ad. Becker. gr. 8. (218 S.) Gütersloh 882. Bertelsmann. geb. n. 2. —
— Meditationen üb. Schillers Lied v. der Glocke. gr. 8. (24 S.) Schmiedeberg 885. Sommer. n. — 50

Zeh, Frdr., Dichtergrüße aus den schlesischen Bergen. Gedichte u. Erzählgn. in schles. u. hochdeutscher Mundart. 12. (XIV, 288 S.) Schweidnitz 886. Brieger & Gilbers. geb. m. Goldschn. n. 2. —; in Blumenbd. n. 2. 50
— Märchen. Mit (4 lith.) Illustr. 3. Aufl. 8. (III, 96 S) Langensalza 884. Schulbuchh. geb. 1. 20

Zehden, Carl, Handels-Geographie auf Grundlage der neuesten Forschungen u. Ergebnisse der Statistik. 5. Aufl. Mit 1 (chromolith.) Weltverkehrskarte. gr. 8. (X, 525 S.) Wien 886. Hölder. n. 6. —

Zehden, F., Methode der directen Rechnung e. wahren Monddistanz aus e. beobachteten. Lex.-8. (5 S.) Wien 884. (Gerold's Sohn.) n. — 20
— rationelle Verwerthung nicht steuerbarer Winkelunterschiede bei Kursbestimmungen zur See. Lex.-8. (10 S.) Ebend. 885. n. — 20

Zehden, K., Norwegen, s.: Hölder's geographische Jugend- u. Volks-Bibliothek.

Zehender, F., literarische Abende für den Familienkreis. Biographische Vorträge üb. Dichter u. Schriftsteller d. 19. Jahrh., begleitet v. Proben aus ihren Werken, geh. in der Großmünsterschule in Zürich 1884/85. 1. u. 2. Serie. gr. 8. Zürich 886. Schultheß. n. 2. 60
1. (101 S.) n. 1. 20. — 2. (127 S.) n. 1. 40
— Hauspoesie. Eine Sammlg. kleiner dramat. Gespräche zur Aufführung im Familienkreise. 2. Serie. 1. u. 2. Bdchn. 12. (V, 77 u. VII, 84 S.) Frauenfeld 883. 84. Huber. à n. 1. —

Zehetmayer, Sebast., die analog vergleichende Etymologie, in Beispielen erläutert. gr. 8. (37 S.) Freising 885. Datterer. n. 1. —; Wort-Register (15 S.) n. 1. —

Zehle, Heinr., Laut- u. Flexionslehre in Dante's Divina Commedia. gr. 8. (79 S.) Marburg 886. Elwert's Verl. n. 1. 80

Zehnder, G., Martin Disteli, s.: Vorträge, öffentliche, geh. in der Schweiz.

Zehrung auf den Weg f. Konfirmierte der ev.-luth. Kirche. 16. (105 S. m. eingedr. Holzschn.) St. Louis, Mo. 883. (Dresden, H. J. Naumann.) geb. n. 1. —

Zeichenhalle. Monatsblätter f. Zeichenkunst u. Zeichenunterricht m. besond. Berücksicht. d. Kunst-Industrie. Organ d. Vereins zur Förderg. d. Zeichenunterrichts. Begründet v. Hugo Troschel. Hrsg. v. Thdr. Wendler. 22. Jahrg. 1886. 12 Nrn. (B. m. 3 Taf.) gr. 4. Berlin, Wendler's Lehrmittel-Anstalt d. Vereins zur Förderg. d. Zeichenunterrichts. n. 9. —

Zeichenheft. Nr. 1. u. 2. [I. u. II. Klasse.] 4. (à 20 S.) München 885. Oldenbourg. à n.n. — 10
— für den Handarbeits-Unterricht in den Volksschulen. Beilage zu dem „allgemeinen Pensen-Verteilungsplan". Hrsg. vom Essen-Werden-Mühlheimer Lehrer-Verein. 4. (8 Steintaf. m. 1 Bl. Text.) Essen 883. (Bädeker.) n. — 30
— 1., zum Lehrgang f. den elementaren Zeichenunterricht. Hrsg. vom Verein zur Förderg. d. Zeichenunterrichts in Hannover. 2. Aufl. 4. (12 Bl.) Hannover 885. Norddeutsche Verlags-Anstalt. n.n. — 15

Zeichenunterricht, der, u. seine Hilfswissenschaften. Ein Lehrbuch f. Lehrer an Volks- u. Bürgerschulen u. verwandten Anstalten. Hrsg. v. Alois Fellner u. Frz. Steigl. 1. 4. u. 6. Thl. gr. 8. Wien, Hölder. n. 4. 60
1. Grundzüge der Projections-Lehre u. Perspective. Bearb. v. Jul. Kajetan. Mit 164 Textfig. (X, 85 S.) 884. n. 1. 80
4. Grundzüge der Farbenlehre. Bearb. v. Ant. Andel. Mit 10 Textfig. (VII, 54 S.) 885. n. 1. 20
6. Methodik d. Zeichenunterrichts an Volks- u. Bürgerschulen. Mit 43 Textfig. (IX, 108 S.) 883. n. 1. 60

Zeichnen-Vorlagen, neue, f. Fachschulen d. Schneidergewerbes, veranstaltet u hrsg. v. den Directoren der Deutschen Bekleidungsakademie in Dresden Klemm & Weiß, gezeichnet v. Aug. Strobel. 5 Hfte. od. 60 Blätter. Fol. (2 S. Text.) Dresden 885. Exped. der Europ. Modenzeitung. n. 6. —; einzelne Hfte. à n. 1. 50

Zeidler, Ernst, Morgen- u. Abendstern. Lieder, aus deutschen Dichtern gesammelt, nach den Tages-, Jahres- u. Festzeiten geordnet, m. e. Vorwort versehen u. hrsg. gr. 8. (XX, 343 S.) Gotha 885. F. A. Perthes. n. 6. —

Zeischke, Jos., der Rock. Verbessertes System der direkten Schnitt-Konstruktion f. Röcke, Paletots u. Westen. Ein Suppl. zur Fachwissenschaft d. Schneiders. 2. verb. Aufl. Lex.-8. (X, 63 S. m. 68 Taf.) Dresden 884. Expedition der Europ. Modenzeitung. n. 10. —

Zeise, Heinr., aus meiner Liedermappe. Gedichte. 2. Aufl. gr. 8. (XIV, 352 S.) Hannover 883. Weichelt. geb. n. 5. —

Zeising, Adph., der goldene Schnitt. Nach dem nachgelassenen Mscr. d. Verf. gedr. Mit 1 (lith.) Taf. gr. 4. (28 S.) Halle 884. (Leipzig, Engelmann.) n. 3. —

Zeissberg, Heinr. Ritter v., aus der Jugendzeit d. Erzherzogs Karl. Vortrag. 8. (54 S.) Wien 883. (Gerold's Sohn.) n. — 80

Zeissl's, Herm. v., Grundriss der Pathologie u. Therapie der Syphilis u. der m. dieser verwandten venerischen Krankheiten. 2. Aufl., bearb. von Max v. Zeissl. gr. 8. (XII, 351 S.) Stuttgart 884. Enke. n. 7. —

Zeissl, M. v., üb. den Diplococcus Neisser's u. seine Beziehung zum Tripperprozess, } s.: Klinik, Wiener.
— über die Lues hereditaria tarda, } s.: Klinik, Wiener.
— über die Steine in der Harnröhre d. Mannes. gr. 8. (64 S.) Stuttgart 883. Enke. n. 2. —

Zeit, neue. Wochenschrift f. deutsches Theater u. Urheberrecht. Offizielles Organ der deutschen Genossenschaft dramat. Autoren u. Componisten. Red.: Br. Winkler. 14. Jahrg. Oktbr. 1885—Septbr. 1886. 52 Nrn. (1½ B.) gr. 4. Leipzig, (Pfau). n. 6. —
— die neue. Revue d. geistigen u. öffentlichen Lebens. 1—4. Jahrg. 1883—1886. à 12 Hfte. gr. 8. (à Hft. ca. 56 S.) Stuttgart, Dietz. à Jahrg. n. 6. —; à Hft. n. — 50
— unsere. Deutsche Revue der Gegenwart. Hrsg. von Rud. v. Gottschall. Jahrg. 1883—1886. à 12 Hfte. (10 B.) Lex.-8. Leipzig, Brockhaus. à Jahrg. 18. —

Zeitblatt, neues, f. die Angelegenheiten der lutherischen Kirche. Red. u. Hrsg.: K. K. Münkel. Jahrg. 1883—1886. à 52 Nrn. (½ B.) gr. 8. Hannover, (Meyer). à Jahrg. n. 4. 50

Zeitfragen, militärische, besprochen in der Allgemeinen Militär-Zeitung. Nr. I—III. gr. 8. Darmstadt 885. Zernin. n. 4. —
I. Die Offiziere d. Beurlaubtenstandes u. die Bedeutung d. Studiums der Militär-Wissenschaften. Von E. W. (36 S.) n. 1. 50
II. Aphorismen üb. die kriegsmäßige Verwendung der Feld-Artillerie. Für Offiziere aller Waffen. (16 S.) n. — 80
III. Die Kriegführung der Zukunft. (44 S.) n. 1. 70
— pädagogische. 1—3. Hft. gr. 8. Wien, Pichler's Wwe. & Sohn. à n. — 80
1. Die österreichische Bezirks-Schulinspection. Vorschläge zur Reform. (47 S.)
2. Die Überbürdung der Jugend an Gymnasien u. Realschulen. (58 S.)
3. Die Lehrbefähigungsprüfung in Österreich. (53 S.)
— soziale. Eine Sammlung v. gemeinverständl. Aufsätzen. Hrsg. v. Ernst Henriet Lehnsmann. 1. Serie. 16 Hfte. gr. 8. Minden 885. Bruns. n. 16. 15
1. Die Mängel der christlich-sozialen Bewegung. Von F. W. H. Wagener. (39 S.) n. 1. —
2. Die Maschine in der Arbeiterfrage. Von F. Reuleaux. (24 S.) n. — 60
3. Soziale Reform u. Verfassungsstaat. Von Rich. Reuter. (76 S.) n. 1. 60

4. Das Geld in der gegenwärtigen Volkswirthschaft. Von Frz. Stöpel. (51 S.) n. 1. 40
5. Die sozial-politische Bedeutung der Bodenreform. Von A. Thdr. Stamm. (32 S.) n. — 60
6. Die Kranken-Versicherung. Eine gemeinfaßl. Darstellg. v. Edm. Friedemann. (48 S.) n. 1. 20
7. Das Staatsmonopol d. Grundpfandrechts als Weg zur Reform unserer wirthschaftlichen Verhältnisse. Von Mich. Flürscheim. (44 S.) n. — 80
8. Das Recht auf Arbeit u. seine Verwirklichung. Von Emil Witte. (54 S.) n. 1. 25
9. Die Börsensteuer. Eine gemeinfaßl. Darstellg. v. M. Heckscher. (18 S.) n. — 60
10. Staatliche Lohnregulirung u. die sozialreformatorischen Bestrebungen der Gegenwart. Von Max Schippel. (VI, 70 S.) n. 1. 50
11. Kunstgewerbe u. Handwerkerfrage. Von Thdr. Müller. (42 S.) n. 1. —
12. Der moderne Staat u. das Judenthum. Von Frdr. Wilh. Toussaint. (52 S.) n. 1. —
13. Die Simultanschule. Nach e. Vortrage, geh. auf der 1. Hauptversammlg. der 26. Allgemeinen deutschen Lehrerversammlg. zu Darmstadt v. E. Ries. (17 S.) n. — 50
14. Die Ursachen der Armuth u. die Krankenversicherung. Von Karl Flesch. (28 S.) n. — 80
15. Landwirthschaftliche Fragen der Gegenwart. Von Gust. Freudenstein. (84 S.) n. 1. 50
16. Die öffentlich-rechtliche Unfallversicherung im Zusammenhange der Sozialreform. Beleuchtet v. Jos. Schloßmacher. (28 S.) n. — 80

Zeitfragen, soziale. Eine Sammlung v. gemeinverständl. Aufsätzen. Hrsg. v. Ernst Henriet Lehnsmann. 2. Serie. 1—4. Hft. gr. 8. Berlin 886. George & Fiedler. n. 3. 90

1. Die Wohnungsverhältnisse unserer ärmeren Klassen. Von L. Diestelkamp. (VII, 59 S.) n. 1. —
2. Fürst Bismarck u. der Vatikan. Von e. deutschen Staatsmanne. (46 S.) n. 1. —
3. Unser Geldwesen. Seine Schäden u. seine Besserg. Von Emil Witte. (V, 52 S.) n. 1. —
4. Die Kunst u. der Sozialismus. Von Ernst Henriet Lehnsmann. (44 S.) n. — 90

— des christlichen Volkslebens. Begründet v. Mühlhäußer u. Geffcken. Fortgeführt von E. Frhrn. v. Ungern-Sternberg u. G. Schlosser. 52—82 Hft. [8. Bd. 4—8. Hft. 9—11. Bd. à 8 Hfte. u. 12. Bd. 1. u. 2. Hft.] gr. 8. Heilbronn, Henninger. n. 32. 80; pro Bd. v. 8 Hftn. n. 5. —

52. Russische Sectirer. Von C. Nic. v. Gerbel-Embach. (71 S.) 883. n. 1. 20
53. Die Reform der Geschworenengerichte nach Analogie der Schöffengerichte. Von Karl Fulda. (40 S.) 883. n. — 80
54. Die Ursachen der Unkirchlichkeit u. ihre Abhilfe. Eine Studie v. Rud. Todt. (79 S.) 883. n. 1. 40
55. Naturwissenschaft u. Philosophie. Zur Beleuchtg. der neuesten materialist. Kundgebgn. du Bois-Reymonds u. A. Von Mart v. Nathusius. (70 S.) 883. n. 1. 20
56. Der Alkoholismus u. seine Bekämpfung. Von Geo. Frdr. Fuchs. (69 S.) 883. n. 1. 20
57. Der moderne Spiritismus. Von Ed. Weber. (84 S.) 883. n. 1. 40
58. Das Creditsystem der modernen Mißwirthschaft u. die Mobilisirung d. Besitzes als Hauptquelle der socialen Gefahr. Von Emil Richter [Verf. der Germanicus-Broschuren]. (61 S.) 884. n. 1. 20
59. Das Gouvernantenwesen in England. Eine Warng. v. Jul. Einsiedel. (46 S.) 884. n. 1. —
60. Der Professorenroman v. Otto Kraus. (64 S.) 884. n. 1. 20
61. Instinkt, Verstand u. Geist bei Menschen u. Thieren. Von C. A. L. v. Binzer. (44 S.) 884. n. 1. —
62. Der Eid u. der moderne Staat. Eine theol. Studie v. K. Hartlieb. (72 S.) 884. n. 1. 20
63. Der Adel in der christlich-socialen Bewegung der Gegenwart. Von Oldwig v. Uechtritz. (48 S.) 884. n. 1. —
64. Ueber das Wesen der Sitte. Von Otto Frick. (45 S.) 884. n. 1. —
65. Das Fremdwörterunwesen in unserer Sprache. Von Herm. Dunger. (68 S.) 884. n. 1. 20
66. Glauben u. Wissen, Glaube u. Leben. Von E. G. Steude. (54 S.) 884. n. 1. —
67. Die deutsche Schule in ihren verschiedenen Formen u. Abstufungen u. ihre Stellung zur christlichen Kirche. Von E. Weber. (75 S.) 885. n. 1. 20
68. Die Armenpflege, deren Geschichte u. Reformbedürfnis. Von Heinr. Guth. (68 S.) 885. n. 1. 20
69. Das Weltgericht in der bildenden Kunst. Von Gust. Portig. (75 S.) 885. n. 1. 40
70. Die neue deutsche Rechtschreibung. Von G. A. Saalfeld. (56 S.) 885. n. 1. —
71. Ueber Shakespeares Entwicklungsgang. Mit Berücksicht. alter u. neuer, in- u. ausländ. Shakespeare-Litteratur. Von Jul. Schiller. (38 S.) 885. n. — 80
72. Das Wunder. Von G. Kühn. (37 S.) 885. n. — 80
73. Unsere Zeit, im Lichte d. Gemüthslebens betrachtet. Von Thdr. Schott. (34 S.) 885. n. — 80
74. Zur Beurteilung der Probebibel. Von W. Rathmann. (59 S.) 885. n. 1. 20
75. 76. Welche Pflichten legen uns unsere Kolonien auf? Ein Appell an das christl. deutsche Gewissen v. Gust. Warneck. (123 S.) 885. n. 2. —
77. Das evangelische Schwaben. Ein kirchl. Zeitbild v. A. Zahn. (31 S.) 886. n. — 60
78. Die zweite deutsche Mäßigkeitsbewegung od. der deutsche Verein gegen den Mißbrauch geistiger Getränke u. die Enthaltsamkeitsvereine, ihre besonderen Aufgaben u. ihr gegenseit. Verhältnis. Von Wilh. Martius. (72 S.) 886. n. 1. 20
79. Die Jünglingsvereine in Deutschland. Von D. v. Oertzen. (54 S.) 886. n. 1. —
80. Wissenschaft u. Kirche im Streit um die theologischen Fakultäten. Von Mart. v. Nathusius. (48 S.) 886. n. 1. —
81. Der Heidelberger Katechismus. Ein Gedenkblatt zur 500jähr. Jubelfeier der Heidelberger Universität v. Herm. Dalton. (32 S.) 886. n. — 60
82. Grab od. Urne. Eine Beleuchtg. der Zeitfrage: Wie wollen u. sollen wir unsere Todten bestatten? Von Geo. Frdr. Fuchs. (43 S.) 886. n. 1. —

Zeitfragen, volkswirthschaftliche. Vorträge u. Abhandlgn., hrsg. v. der volkswirthschaftl. Gesellschaft in Berlin u. der ständ. Deputation d. Congresses deutscher Volkswirthe. 30—62. Hft. [4. Jahrg. 6—8. Hft. 5—7. Jahrg. à 8 Hfte. u. 8. Jahrg. 1—6. Hft.] gr. 8. Berlin, Simion. à n. 1. —; pro Jahrg. v. 8 Hftn. n. 6. —

30. Branntwein- u. Kaffee-Schenken. Von A. Lammers. (32 S.) 883.
31. Die Buchdruckerkunst u. der Kulturfortschritt der Menschheit. Von Karl v. Scherzer. (35 S.) 883.
32. Die praktischen Versuche zur Lösung der socialen Probleme. Vortrag v. Vict. Böhmert. (36 S.) 883.
33. Der Colportagebuchhandel u. die Gewerbenovelle. Von K. Baumbach. (34 S.) 883.
34. 35. Der Währungsstreit 1879—1883. Von Wolfg. Eras. (59 S.) 883.
36. Die Vagabundenfrage. Vortrag. Von Karl Braun. (35 S.) 883.
37. 38. Der Werth d. Menschen. Von E. Engel. 1. Thl. Der Kostenwerth d. Menschen. (VII, 79 S.) 883.
39. Bemerkungen zu dem Entwurf e. Gesetzes betr. Commanditgesellschaften auf Actien u. Actiengesellschaften. Von Adb. Delbrück. (40 S.) 883.
40. Armen-Beschäftigung. Von A. Lammers. (31 S.) 883.

41. 42. Gegen den Staatssocialismus Drei Abhandlgn. v. Ludw. Bamberger, Thdr. Barth, Max Broemel. (80 S.) 884.
43. 44. Die bäuerlichen Zustände in Deutschland. Von N. M. Witt. (58 S.) 884.
45. Der Modeteufel. Vortrag v. Jul. Lessing. (42 S.) 884.
46. Die Capitalrentensteuer nach der Vorlage der Regierung u. nach den Berathungen im Abgeordnetenhause. Von M. Broemel. (46 S.) 884.
47. 48. Ueber Lebensmittelversorgung v. Grossstädten in Markthallen. Bemerkungen, nach e. in der Volkswirthschaftl. Gesellschaft zu Berlin am 18. Dezbr. 1883 geh. Vortrage auf Grund eigener Beobachtgn. u. neuerer Quellen zusammengestellt v. E. Eberty. (90 S.) 884.
49. Friedrich Kapp. Gedächtnissrede, geh. von Geo. v. Bunsen am 10. Jan. 1885. (23 S. m. Holzschn.-Portr.) 885.
50. 51. Was ist ein altes Kunstwerk werth? Vortrag. Von Jul. Lessing. [In erweit. Form.] (55 S.) 885.
52. Oeffentliche Kinder-Fürsorge. Von A. Lammers. (36 S.) 885.
53. Die Krisis d. Zwischenhandels. Vortrag v. Max Weigert. (26 S.) 885.
54. Der Normalarbeitstag. Von Karl Baumbach. (43 S) 885.
55. 56. Die Seehäfen Englands u. ihre Ausrüstung m. Rücksicht auf die Hafenbauten beim Zollanschluss Hamburgs u. Bremens. Von E. Fitger (76 S) 885.
57. Das Branntwein-Monopol. Gutachten abgegeben v. Wolfg. Eras. (32 S.) 886.
58. Die Kolonisations-Bestrebungen der modernen europäischen Völker u. Staaten. Vortrag v. Karl Braun. (39 S.) 886.
59. Die socialistische Gefahr. Ein Nachwort zu den Verhandlgn. d. Reichstags vom März u. April d. J. Von Ludw. Bamberger. (32 S.) 886.
60. Die Seehäfen im heutigen Weltverkehr. Von V. Marcus. (31 S.) 886.
61. 62. Der wirthschaftliche Werth d. Geschmacks. Von Alex. Dorn. (67 S.) 886.

Zeit- u. Streitfragen. 1—7. Hft. gr. 8. Thalweil, Brennwald. n. 3. 75
1. Die neueste Pocken-Epidemie u. das Züricher Pockenspital. Nach den zuverlässigsten Quellen bearb. v. Jx-Wunderle. (36 S. m. 1 Tab. u. 1 lith. Plan) 884. n. — 60
2. Die wissenschaftliche Thierfolter. Ein Beitrag zur Kulturgeschichte d. 19. Jahrh (48 S.) 884. n. — 50
3. Ueber Einführung d. Patent- u. Musterschutzes. Vortrag, geh. in der Delegirtenversammlg. d. Seeverbandes in Männedorf v. J. Schäppi. (26 S.) 884. n. — 40
4. Plan zur Bekämpfung d. Alkoholismus ab Seite der freien Thätigkeit der Gesellschaft. Im Auftrage d. schweizer. Departements d. Innern entworfen u. begründet v. Walth. Kempin. (54 S) 885. n. — 60
5. Die Freigebung der Heilkunde. Vortrag v. H. Kesselring. (30 S.) 885. n. — 40
6. Antwort auf „Die Schweiz im Kriegsfalle". (40 S.) 885. n. — 75
7. Pasteur, seine Methode u. seine Erfolge. Ein Vortrag v. A. Kingsford. Frei übers. v. Th. Bruckner. (32 S.) 886. n. — 50

— — deutsche. Flugschriften zur Kenntniß der Gegenwart. In Verbindg. m. Kluckhohn, A. Lammers, J. B. Meyer u. Paul Schmidt hrsg. von Frz. v. Holtzendorff. 174—224. Hft. [11. Jahrg. 14—16. Hft. u. 12—14. Jahrg. à 16 Hfte.] gr. 8. Hamburg 883—86. J. F. Richter. Subscr.-Pr. à n. — 75; Einzelpr. n. 50. —
174. Die Unternehmung im Sparkassen-Geschäft. Von A. Lammers. (31 S.) n. — 80
175. Das neue Italien. Von Frz. v. Löher. (44 S.) n. 1. —
176. Die Pflichten d. Besitzes. Rede, geh. im Rathhaus-Saale zu Zürich am 18. Jan. 1882 v. J. Platter. (31 S.) n. — 80
177. Die nationale Bedeutung d. Kunstgewerbes. Von Gust. Portig. (39 S.) n. 1. —
178. Das Heer der Seeligmacher od. die Heilsarmee in England. Von Schramm. (44 S.) n 1. —
179. 180. Ueber dramatische Musik u. das Kunstwerk der Zukunft. Einleitung zur Aesthetik der Musik v. Max Schasler. 1. Abth. Ist die Musik. e. dramat. Ausdrucks fähig? (80 S.) n. 1. 60
181. Die Arbeiterfrage im Kaufmannsstande. Von Carl Bücher. (39 S.) n. 1. —
182. Ueber Wesen u. Zweck d. wissenschaftlichen Studiums. Rede, geh. am Jahresfeste der Universität Basel v. H. Siebeck. (36 S.) n. 1. —
183. Die Schul-Ueberbürdungsfrage. Sachlich beleuchtet v. Heinr. Lacher. (55 S.) n. 1. 20
184. Zur Frauenfrage. Von Ernst Laas. (36 S.) n. — 80
185. Die religiösen Anschauungen Friedrich Fröbels. Von Johs. Schmeidler. (36 S) n. 1. —
186. 187. Der Spiritismus, die Narrheit unseres Zeitalters. Von Frdr. Kirchner. (100 S.) n. 2. —
188. Gewalt od Geist? Ein festl. Bedenken üb. die Zukunft v. Luther's Kirche. Von Paul Schmidt. (40 S.) n. — 80
189. Die Selbsthilfe d. Arbeiterstandes als Grundlage seiner Versicherung. Von Ernst Hirschberg. (47 S.) n. 1. 20
190. 191. Ueber dramatische Musik u. das Kunstwerk der Zukunft. Ein Beitrag zur Aesthetik der Musik v. Max Schasler. 2. Abth.: Die moderne Oper u. Richard Wagner's Musikdrama. (112 S.) n. 2. —
192. Egypten in handelspolitischer Hinsicht. Von Ewald Paul. (36 S.) n. 1. —
193. 194. Benedikt [Baruch] v. Spinoza's Stellung zum Judenthum u. Christenthum. Als Beitrag zur Lösg. der „Judenfrage" beleuchtet v. Alfr. Chr. Kalischer. (88 S.) n. 2. —
195. Umwandlung der Schenken. Erläuterung der Vorschläge der Schenken-Commission d. Deutschen Vereins gegen den Mißbrauch geist. Getränke. Von A. Lammers. (32 S.) n. — 80
196. Die Pflege d. Idealen auf unseren höheren Schulen. Brief an e. Arzt m voraufgeh. Debatte. Von K. W. Meyer [Hannover]. (40 S.) n. 1. —
197. Luther als Schulbefreier. Von Jürgen Bona Meyer. (32 S.) n. — 80
198. Die Donau. Von Thdr. v. Bunsen. (47 S.) n. 1. 20
199. Die Religion d. Pessimismus. Von Hugo Sommer. (40 S.) n. 1. —
200. Holländische Kolonialpolitik in Ost-Indien. Eine Skizze v. C. W. Janssen. (39 S.) n. 1. —
201. Die Propaganda fide in Rom. Ihre Geschichte u. Bedeutung v. Th. Trede. (32 S.) n. — 80
202. Zur Frage d. Prüfungswesens. Von H. Keferstein. (52 S.) n. 1. 20
203. Die Entwicklung e. neuen dramatischen Styls in Deutschland. Von Johs. Minckwitz. (47 S.) n. 1. 20
204. Die Entwicklung der Moralstatistik. Von Ludw. Fuld. (32 S.) n. — 80
205. 206. Deutsche Lehrerinnen im Auslande. Von M. Lammers. (72 S.) n. 1. 60
207. Die Nachfolge in Braunschweig als Frage d. Rechts. Von Wilh. Francke. Mit 4 Stammtaf. (48 S.) n. 1. 40
208. Der Sklavenhandel, das Völkerrecht u das deutsche Recht. Von Carl Gareis. (40 S.) n. 1. —
209. Deutschland u. sein Reichskanzler gegenüber dem Geist unserer Zeit. Von Hugo Preuß. (44 S.) n. 1. —

210. Die Revision der Lutherbibel. Von Emil Zittel. (47 S.) n. 1. 20
211. Bilder aus der russischen Revolution. [Fürst Krapotkin, Stephanowitsch, Scheljäbow.] Von Alph. Thun. (31 S.) n. — 80
212. Die Zukunft des Deutschthums in den Vereinigten Staaten v. Amerika. Vortrag, geh. in der Section Göttingen d. deutschen Colonial-Vereins am 1. Decbr. 1884. Von A. Sartorius Frhr. v. Waltershausen. (40 S.) n. 1. —
213. 214. Die evangelische Freiheit wider den Materialismus d. Bekenntnißglaubens. Von Frz. Staudinger. (88 S.) n. 2. —
215. Klaus Groth u. die plattdeutsche Dichtung. Von Karl Eggers. (36 S.) n. 1. —
216. Das höhere Unterrichtswesen in der Gegenwart. Von Thdr. Schönborn. (40 S.) n. 1. —
217. Das Referendum in der Schweiz. Von Joh. Adph Herzog. (36 S.) n. 1. —
218. Das deutsche Kleingewerbe in seinem Existenzkampfe gegen die Großindustrie. Von Max Haushofer. (52 S) n. 1. 20
219. Justus v Liebig u. die landwirthschaftliche Lehre. Von Joh. Pohl. (36 S.) n. 1. —
220. Das rückfällige Verbrecherthum. Von Ludw. Fuld. (32 S.) n. — 80
221. Das höhere Mädchenschulwesen Frankreichs seit der Republik. Von B. v. der Lage. (48 S.) n. 1. 20
222. Die Zahnheilkunde u. der Werth der Zähne f. die Volksgesundheitspflege. Von L. A. Weil. (32 S.) n. — 80
223. Schule u. Volkswirthschaft. Von P. Jende. (40 S) n. 1. —
224. Volkswirthschaftslehre u. Ethik. Von Fr. Jodl. (36 S.) n. 1. —

Zeit- u. Streitfragen, deutsche. Flugschriften zur Kenntniß der Gegenwart. In Verbindg. m. Kluckhohn, A. Lammers, J. B. Meyer u. Paul Schmidt hrsg. von Frz. v. Holtzendorff. Neue Folge. 1—10. Hft. [1. Jahrg. 1—10. Hft.] gr. 8. Hamburg 886. J. F. Richter. Subscr.-Pr. à n. — 75; Einzelpr. n. 9. 40

1. Die Hauswirthschaft u. der Markt. Von E. Eberty. (44 S.) n. 1. —
2. Die Zukunft unseres Handels. Von Ewald Paul. (44 S.) n. 1. —
3. Die Macht der Phrase in Religion u. Kirche. Von J. Krabolfer. (32 S.) n. — 80
4. Das Fremdwörterunwesen u. die Pflichten der höheren Schulen im Kampfe gegen dasselbe. Von E. Blasendorff. (36 S.) n. 1. —
5. Ueber den Einfluß d. Waldes auf das Klima. Von C. E. Ney. (40 S.) n. 1. —
6. 7. Errichtet lateinlose Schulen! Von Gust. Holzmüller. (96 S.) n. 2. —
8. Die Wirkungen der Gleichheitsidee u. der Lehre vom Vertragsstaat auf das moderne Staatsleben. Von J. G. Weiß. (40 S) n. 1. —
9. 10. Die Reform d. Kunstgewerbes in ihrem geschichtlichen Entwickelungsgange. Von J. F. Ahrens. (64 S) n. 1. 60

— — schweizerische militärische. Hrsg. v. Alfr. Brennwald. 1—4. Hft. gr. 8. Thalweil 885. 86. Brennwald. n. 2. 80

1. Der Landsturm. Eine Studie üb. die Organisation, Verwendg. u. Taktik d. Landsturmes in der Schweiz vom Verf. der „Antwort auf die Schweiz im Kriegsfalle“. In 3 Abschnitten. 1. Thl. (40 S.) n. — 75
2. Dasselbe. 2. Thl. (30 S.) n. — 50
3. Schluß-Antwort auf „Die Schweiz im Kriegsfalle“. 2. Thl. (44 S.) n. — 75
4. Praktische u. vereinfachende Verbesserungsvorschläge d. schweizerischen Infanterie-Reglements v Xenophon. (44 S.) n. — 80

— — socialpolitische. 2—35. Hft. 8. München 883—86. Viereck. 6. 20

2. Prozeß d. Kaufmanns Bruno Sparig in Leipzig gegen die „Fränkische Tagespost“ in Nürnberg. Ein Sittenbild aus der Denunziations-Aera. Verbot der „Süddeutschen Post“. (15 S.) — 10
3. Das Verbot der „Süddeutschen Post“ u. die dagegen erhobene Beschwerde an die Reichs-Kommission. (23 S.) — 20
4. Ein beleidigtes Infanterie-Regiment. Preßprozeß gegen die „Süddeutsche Post“. (24 S.) — 20
5. Der Bericht der Reichstags-Kommission üb. die Abgeordneten-Verhaftungen, erfolgt am 2., 3. u. 4. Apr. 1883 zu Kiel u. Neumünster. (31 S.) — 20
6. 7. Der Monstre-Prozeß gegen die Vorstände der Berliner Gewerkschaften. Nach dem Orig.-Berichte der „Süddeutschen Post“. (51 S.) — 40
8. Die Haus-Industrie im Kreise Sonneberg. Von Bruno Schoenlank. (32 S.) — 20
9. Die Debatte üb. das Sozialisten-Gesetz im deutschen Reichstag. 2. u. 3. Lesg. (30 S.) — 20
10. Das zweite Verbot der „Süddeutschen Post“ u. Stimmen der Presse zu demselben. (15 S.) n. — 10
11. Die österreichische Fabrikgesetzgebung. Eine Studie m. Randglossen v. Bruno Schoenlank. (35 S.) — 30
12. Das Steglitzer Eisenbahn-Unglück vor den Geschworenen in München. Prozeß Rohleder wegen Vergehens der Beleidigg. d. preuß. Eisenbahnministers ɾc. (27 S.) — 20
13. Zwei Preßprozesse gegen die „Süddeutsche Post“. Verhandlungen d. oberbayr. Schwurgerichts vom 4. Juli 1884 gegen Hrn. L. Viereck u. Hrn. Chr. Michael. (19 S.) — 20
14. Die Beschwerde an die Reichs-Kommission betr. das 2. Verbot der „Südd. Post“. (26 S.) n. — 20
15. Das Verbot d. Königsberger Volksblattes, nebst Beschwerde an die Reichs-Kommission. (21 S.) n. — 20
16. Arbeiterschutz-Gesetzentwurf. (14 S.) n. — 5
17. 1. Berathung d. v. der sozialdemokratischen Reichstags-Fraktion eingebrachten Arbeiterschutz-Gesetzentwurf. [Nach dem amtl. stenograph. Bericht.] (43 S.) n. — 20
18. Was der Reichstag that u. was er nicht that! Rechenschafts-Bericht f. die Wähler d. 13. sächs. Wahlkreises, geh. am 18. Mai 1885 v. L. Viereck. (15 S.) n. — 10
19. 200,000 Vagabunden. Eine Streitschrift zur Begründg. der Forderg. d. Normalarbeitstages v. A. Kiefer. 3. vergrößerte Aufl. (26 S.) n. — 20
20. 21. Der Chemnitzer Monstre-Sozialisten-Prozeß. Verhandlungen vor dem Landgericht zu Chemnitz vom 28. bis 30. Septbr. 1885. 1. u. 2. Hft. (à 32 S.) à n. — 20
22. Die ungarische Arbeitergesetzgebung. Eine Studie m. Randglossen v. E. R. J. Krejcsi. (34 S.) n. — 30
23. Das Arbeiterschutz-Gesetz vor dem deutschen Reichstage. 6. Legislaturperiode. II. Session 1885/6, 1. Berathg. (28 S.) n. — 20
24. Das allgemeine Stimmrecht. Reichstags-Rede d. Abg. Bebel in der Sitzg. vom 10. Dezbr. 1885. (16 S.) n. — 10
25. Der Chemnitzer Monstre-Sozialisten-Prozeß. Die Verhandlg. vor dem Reichsgericht zu Leipzig vom 23. Dez. 1885 u. das reichsgerichtl. Erkenntniß. 3. Hft. (20 S.) n. — 15
26. Die Sozialdemokratie vor dem deutschen Reichstage. Einmalige Berathg. der Druckschrift üb. den kleinen Belagerungszustand v. Berlin, Leipzig u. Hamburg u. 1. Lesg. d. Gesetzentwurfs üb. die Verlängerg. der Geltungsdauer d. Sozialistengesetzes. Nach dem amtl. Stenogramm. Reichstagssitzung am 18. u. 19. Febr. 1886. Kleine Ausg. (31 S.) n. — 20
27. Jesus Christus. Zur Würdigg. der Schrift Dr. Dulks: „Der Irrgang d. Lebens Jesu“. Von Justus Veracius. 2. Aufl. (16 S.) n. — 10
28. Das Dynamit-Gesetz vor dem deutschen Reichstage. Nach dem amtl. Stenogramm. Reichstagssitzung vom 24. März 1886. (27 S.) n. — 20
29. Der Streik-Erlaß d. Ministers v. Puttkammer vor dem deutschen Reichstag. Stenographischer Bericht üb. die Sitzg. am 21. Mai 1886. (43 S.) n. — 20
30. Geheimbundprozeß der Münchener Sozialdemokraten. [Prozeß Andrä u. Genossen.] Objektiver Bericht üb. die Verhandlgn. vor dem k. Landgerichte München I am 11. u. 18. Juni 1886. (31 S.) n. — 20
31. Das Problem d. ewigen Friedens. Von Justus Veracius. (9 S.) n. — 10
32. Der Freiberger Sozialistenprozeß. Fortsetzung d. in Folge der reichsgerichtl. Entscheidg. an das Landgericht Freiberg i. S. verwiesenen Chemnitzer Monstre-Sozialisten-Prozesses. Verhandlungen vor dem Landgericht zu Freiberg vom 26. bis 28. Juli 1886. (31 S.) n. — 20
33. Studien zur Arbeiterschutzgesetzgebung. [Aus: „Recht auf Arbeit“.] (32 S.) n. — 20
34. Der Leipziger Belagerungszustand vor dem Reichstage. Verhandelt am 14. Septbr. 1886. (29 S.) n. — 20
35. Der Chemnitz-Freiberger Sozialisten-Prozeß vor dem Reichsgericht. (35 S.) n. — 20

Zeitgenosse, der. Eine neue Wochenschrift. Red.: Jos. Kürschner. 1. Jahrg. Oktbr. 1883—Septbr. 1884. 52 Nrn. (à 2—3 B.) gr. 4. Stuttgart, Spemann. n. 20. —

Zeitlinger, Joh., die Schlafcigarette. Sanitäre Novität. 8. (15 S.) Wien 886. (Huber & Lahme.) n. 1. 60

Zeitrag, B., Sammlung kalligraphischer Musteralphabete, neuer u. älterer Zierschriften u. Initialen, bearb. f. Lithographen, Graveure, Schriftenmaler, Schreiblehrer, Kalligraphen etc. 3. Hft. 2. Aufl. qu. gr. 4. (10 lith. u. chromolith. Taf. m. chromolith. Titelbl.) Nördlingen 884. Beck. n. 3. —

Zeit- u. Charakterschilderungen, deutsche, f. Jung u. Alt. IV. 8. Halle 885. Buchh. d. Waisenhauses. 1. 80

Jakob Grimms Leben u. Werke. Von Mor. Berndt. (VIII, 149 S.)

Zeitschrift, deutsche academische. [Organ der „Deutschen academ. Vereinigg."] Hrsg.: Conr. Küster. Geleitet in V. v. Leo Berg. 3. Jahrg. 1886. 52 Nrn. (B.) gr. 4. Berlin, S. Schwartz. n. 6. —; m. der Beilage: „Deutsche Studentenzeitg." n. 9. —

— für ägyptische Sprache u. Alterthumskunde. Gegründet 1863 v. H. Brugsch. Hrsg. u. weitergeführt 1864—1884 v. K. R. Lepsius. Fortgesetzt v. H. Brugsch u. L. Stern. 21—24. Jahrg. 1883—1886. à 4 Hfte. hoch 4. (à Hft. ca. 40 S.) Leipzig, Hinrichs' Verl. à Jahrg. n. 15. —

— dasselbe. Inhaltsverzeichniss zum I—XXIII. Jahrg. 1863—1885. By H. H. Prince Ibrahim-Hilmy. [Aus: „The literature of Egypt and the Soudan".] hoch 4. (18 S.) London. Ebend. 886. gratis.

— des deutschen u. österreichischen Alpenvereins. In zwanglos erschein. Hftn. Red. v. Th. Trautwein. Jahrg. 1882. 2. u. 3. (Schluss-)Hft. gr. 8. (VI u. S. 161—508 m. eingedr. Fig. u. Taf.) Wien. (München, Lindauer.) à Hft. n. 4. —

— dasselbe. Jahrg. 1883 u. 1884. à 3 Hfte. gr. 8. (ca. 566 S. m. eingedr. Fig. u. Taf.) Salzburg. Ebend. à n. 12. —

— dasselbe. Jahrg. 1885. gr. 8. (VIII, 460 S. m. eingedr. Fig., 1 Planskizze u. 12 Taf.) Ebend n. 10. —

— dasselbe. Jahrg. 1886. 17. Bd. Mit 20 Taf. u. 20 Fig. im Text. gr. 8. (VIII, 480 S.) Ebend. n. 12. —

— für deutsches Alterthum u. deutsche Litteratur. Unter Mitwirkung v. Karl Müllenhoff u. Wilh. Scherer hrsg. v. Elias Steinmeyer. Neue Folge. 15—18. [27—30.] Bd. à 4 Hfte. gr. 8. (à Hft. ca. 216 S.) Berlin 883—86. Weidmann. à Bd. n. 15. —

— des Münchener Alterthums-Vereins. [Früher u. d. T.: „Die Wartburg".] Red. v. H. E. v. Berlepsch. Jahrg. 1886/87. 4 Hfte. gr. 4. (1. Hft. 18 S. m. eingedr. Illustr. u. 1 Lichtkpfrdr.) München, (Behrens). n. 8. —

— für die alttestamentliche Wissenschaft. Hrsg. v. Bernh. Stade. Mit Unterstützg. der Deutschen Morgenländ. Gesellschaft. Jahrg. 1883—1886. à 2 Hfte. gr. 8. (à Hft. ca. 192 S.) Giessen, Ricker. à Jahrg. n. 10. —

— des Anwaltsvereins f. Bayern. In dessen Auftrag hrsg. v. Phpp. Feust, unter Mitwirkg. v. Gunzenhäuser. 23. Bd. Jahrg. 1883. 24 Nrn. (B.) gr. 8. Nürnberg, Soldan. n. 6. —
Erscheint nicht mehr.

— des allgemeinen österreichischen Apotheker-Vereines. Red.: Fr. Klinger 21—24. Jahrg. 1883—1886. à 36 Nrn. (à 1—2 B.) gr. 8. Wien (Frick). à Jahrg. n. 16. —

— des Architekten- u. Ingenieur-Vereins zu Hannover. Hrsg. von dem Vorstande d. Vereins. Red v. Keck. 29—32. Bd. [Jahrg. 1883—1886.] à 8 Hfte. Imp.-4. (à Hft. 90 Sp. m. Taf.) Hannover, Schmorl & v. Seefeld. à Jahrg. n. 24. —

— dasselbe. 4. alphabet Inhaltsverzeichniss zu Bd. 17 bis 27. Jahrg. 1871 bis 1881. Imp.-4. (III, 132 S.) Ebend. 883. n. 6. —

— archivalische. Hrsg. von Frz. v. Löher. 7—10. Bd. Lex.-8. (à ca. IV, 328 S. m. 1 Taf.) München 882—85. Th. Ackermann's Verl. à Bd. n. 12. —

— schweizerische, f. Artillerie u. Genie. Hrsg. v. U. Wille. Jahrg. 1883—1885. à 12 Nrn. (à 2—2½ B. m. Steintaf.) gr. 8. Frauenfeld, Huber. à Jahrg. n. 6. —

— Breslauer ärztliche. Red.: Gscheidlen. 5—8. Jahrg. 1883—1886. à 24 Nrn. (à 1—1½ B) Imp.-4. Breslau. (Hamburg, Voss.) à Jahrg. n. 12. —

— für Assyriologie u. verwandte Gebiete, in Verbindg. m. J. Oppert, A. H. Sayce, Eb. Schrader u. Anderen hrsg. v. Carl Bezold. 1. Bd. Jahrg. 1886. 4 Hfte. gr. 8. (1. Hft. 86 S.) Leipzig, O. Schulze. n. 16. —; einzelne Hfte. n. 5. —

— für Baukunde. Organ der Architekten- u. Ingenieur-Vereine v. Bayern, Württemberg, Baden, Elsass-Lothringen, Frankfurt a/M., Mittelrhein, Niederrhein-Westphalen, Oldenburg. Red.: W. Wittmann. 6. u. 7. Bd. 1883 u. 1884. à 8 Hfte. gr. 4. (à Hft. 60 Sp. m. Stein- u. Kpfrtaf.) München, Th. Ackermann's Verl. à Jahrg. n. 24. —
Erscheint nicht mehr.

Zeitschrift für Bauwesen Hrsg. im Ministerium der öffentl. Arbeiten. Red.-Commission: H. Herrmann, J. W. Schwedler, O. Baensch, H. Oberbeck, F. Endell. Red.: L. v. Tiedemann. 33. u. 34. Jahrg. 1883 u. 1884. à 12 Hfte. Imp.-4. Mit Atlas in Fol. (à Hft. 132 Sp. u. 24 S. m. eingedr. Holzschn. u. Steintaf., nebst Atlas v. ca. 18 lith. u. Kpfrtaf.) Berlin, Ernst & Korn. à Jahrg. n. 30. —

— dasselbe. 35. u. 36. Jahrg. 1885 u. 1886. à 12 Hfte. Imp.-4. Mit Atlas in Fol. (à Hft. ca. 132 Sp. u. 24 S. m. eingedr. Holzschn., nebst Atlas v. ca. 17 lith. u. Kpfrtaf.) Ebend. à Jahrg. n. 36. —

— allgemeine, f. Berg-, Hütten- u. Maschinen-Industrie. Hrsg.: Adf. Peschl unter Mitwirkg. hervorrag. Fachautoritäten u. anerkannt bewährter Fachmänner. 1. Jahrg. 1886. 24 Nrn. (B.) Fol. Prag, (Calve). n. 16. —

— des oberschlesischen berg- u. hüttenmännischen Vereins. Red.: Joh. B. Meyer. 22. u. 23. Jahrg. 1883 u. 1884. à 12 Nrn. (2 B.) gr. 4. Königshütte, (Lowack). à Jahrg. n. 12. —

— für Bergrecht. Red. u. hrsg. v. H. Brassert. 24—27. Jahrg. 1883—1886. à 4 Hfte. gr. 8. (à Hft. 144 S.) Bonn, Marcus. à Jahrg. n. 8. —

— österreichische, f. Berg- u. Hüttenwesen. Red.: Hanns Höfer u. C. v. Ernst. 31—34. Jahrg. 1883—1886. à 52 Nrn. (à 1—2 B. m. Steintaf.) gr. 4. Wien, Manz. à Jahrg. n. 24. —

— für das Berg-, Hütten- u. Salinen-Wesen im preussischen Staate, hrsg. im Ministerium der öffentl. Arbeiten. 31—34. Bd. à 6 Hfte. gr. 4. (à Hft. 108 S. m. eingedr. Holzschn., Texttaf. u. e. Atlas m. Kpfr.- u. Steintaf. in Fol.) Berlin 883—86. Ernst & Korn. à Bd. n. 20. —

— für weibliche Bildung in Schule u. Haus. Zentralorgan f. das deutsche Mädchenschulwesen. Hrsg. von Rich. Schornstein, unterstützt durch Adb. Becker, vom Berg, Buchner &c. 11—14. Jahrg. 1883—1886. à 12 Hfte. gr. 8. (à Hft. 56 S.) Leipzig, Teubner. à Jahrg. n. 12. —

— für Biologie v. W. Kühne u. C. Voit. 19—23. Bd. à 4 Hfte. gr. 8. (à Hft. ca. 168 S. m. Steintaf.) München 883—86. Oldenbourg. à Bd. n. 20. —

— österreichische botanische. Organ f. Botanik u. Botaniker. Red. u. Hrsg.: Alex. Skofitz. 33—36. Jahrg. 1883—1886. à 12 Nrn. (à 2—2½ B. m. Taf.) gr. 8. Wien, (Gerold's Sohn). à Jahrg. n. 16. —

— für das gesammte Brauwesen. Organ der wissenschaftl. Station f. Brauerei in München. Hrsg. von Karl Lintner, L. Aury; red. v. Geo. Holzner. 6—9. Jahrg. 1883—1886. à 24 Nrn. (à 1—1½ B) Lex.-8. München, Oldenbourg. à Jahrg. n. 16. —

— für Bürsten-, Pinsel- u. Kammfabrikation u. der einschlagenden Geschäftszweige. Central-Organ d. Verbandes deutscher Arbeitgeber der Bürsten- u. Pinsel-Industrie. Hrsg. unter Mitwirkg. tücht. Fachmänner v. Paul Ludwig. 2—5. Jahrg. Oktbr. 1882—Septbr. 1886. à 24 Nrn. (B.) gr. 4. Leipzig, Ludwig. à Jahrg. n. 6. —

— für analytische Chemie. Hrsg. v. C. Remigius Fresenius unter Mitwirkg. v. Heinr. Fresenius. 22—25. Jahrg. 1883—1886. à 4 Hfte. gr. 8. (à Hft. ca. 154 S. m. eingedr. Holzschn.) Wiesbaden, Kreidel. à Jahrg. n. 12. —

— für physiologische Chemie, unter Mitwirkung v. E. Baumann, Gähtgens, O. Hammarsten etc. hrsg. v. F. Hoppe-Seyler. 8—11. Bd. à 6 Hfte. gr. 8. (1. u. 2. Hft. 148 S.) Strassburg 884. Trübner. à Bd. n. 12. —

— deutsche, f. Chirurgie, hrsg. v. Bardeleben, Baum, Beck etc., red. v. A. Lücke u. E. Rose. 18—25. Bd. à 6 Hfte. gr. 8. (à Hft. ca. 130 S. m. eingedr. Holzsohn. u. Steintaf.) Leipzig 883—86. F. C. W. Vogel. à Bd. n. 16. —

Zeitschrift für deutschen Civilprozess. Unter Mitwirkung deutscher Rechtslehrer u. Praktiker hrsg. v. H. Busch u. F. Vierhaus. 7—10. Bd. à 4 Hfte. gr. 8. (1. Hft. 154 S.) Berlin 883 - 86. C. Heymann's Verl. à Bd. n. 12. —

— für französisches Civilrecht. Sammlung v. civilrechtl. Entscheidgn. der deutschen, sowie der französ. u. belg. Gerichte m. krit. u. erläut. Bemerkgn., Abhandlungen u. Literaturberichten. Hrsg. v. Sigism. Puchelt u. Max Heinsheimer. 15—17. Bd. à 4 Hfte. gr. 8. (à Hft. 168 S.) Mannheim 883—86. Bensheimer's Verl. à Bd. n. 12. —

— dasselbe. 16. Bd. Beilageheft. gr. 8. (IV, 179 S.) Ebend. 886. n. 3. —

— für Drechsler, Elfenbeingraveure u. Holzbildhauer. Organ d. Bundes deutscher Drechslermeister u. Fachgenossen. Hrsg. v. E. A. Martin u. E. Spitzbarth. Unter Mitwirkg. bewährter Fachmänner. 6. Jahrg. 1883. 24 Nrn. (à 1—1½ B. m. eingedr. Holzschn.) gr. 4. Leipzig, (Wartig). n. 8. —

— internationale, f. die elektrische Ausstellung in Wien 1883. Wochenschrift f. die Gesammt-Interessen der Internationalen elektrotechn. Ausstellung. 1883. Red.: J. Krämer u. Ernst Lechner. 24 Nrn. (2 B. m. eingedr. Fig.) gr. 4. Wien 883. Hartleben. n. 10. —; geb. n. 12. —

— für Elektrotechnik. Hrsg. vom elektrotechn. Verein in Wien. Red.: Jos. Kareis. 2—4. Jahrg. 1884—1886. à 24 Hfte. (2 B.) gr. 8. Ebend. à Jahrg. n. 16. —

— elektrotechnische. Hrsg. vom elektrotechn. Verein. Red. v. K. E. Zetzsche u. A. Slaby. 4—7. Jahrg. 1883—1886. à 12 Hfte. hoch 4. (à Hft. ca. 48 S. m. eingedr. Holzschn.) Berlin, Springer. à Jahrg. n. 20. —

— für Entomologie. Hrsg. vom Verein f. schles. Insektenkunde zu Breslau. Neue Folge. 9—11. Hft. gr. 8. (XI, 68; XXII, 112 u. XXVIII, 148 S.) Breslau 884—86. Maruschke & Berendt. à n. 3. — (1—11.: n. 36. 50)

— Berliner entomologische, [1875—1880: Deutsche entomologische Zeitschrift]. Hrsg. v. dem entomolog. Verein in Berlin. Red.: H. Dewitz. 26. Bd. [1882]. 2. Hft. Mit 3 (2 lith. u. 1 Kpfr.-)Taf. u. 12 (eingedr.) Holzschn. gr. 8. (V u. S. 187—404.) Berlin 883. (Nicolai's Verl.) n. 9. — (cplt. n. 18. —)

— dasselbe. 27. Bd. [1883]. gr. 8. (V, 304 u. XLVI S. m. 2 Stein- u. 1 Kpfrtaf.) Ebend. 883. n. 18. —

— dasselbe. Red.: H. J. Kolbe. 28. Bd. [1884]. gr. 8. (IV, 408 S. m. eingedr. Holzschn. u. 10 Taf.) Ebend 884. 85. n. 29. —

— dasselbe. 29. Bd. [1885]. gr. 8. (XIV, 378 S. m. Textfig. u. 12 Taf.) Berlin 885. (Friedländer & Sohn.) n. 27. —

— dasselbe. 30. Bd. [1886]. 1. Hft. gr. 8. (XX, 140 S. m. 3 Textfig. u. 4 Steintaf.) Ebend. n. 10. —

— deutsche entomologische [vorher „Berliner entomologische Zeitschrift"], hrsg. v. der deutschen entomolog. Gesellschaft [bisher „Berliner entomolog. Verein"] in Verbindg. m. G. Kraatz u. verschiedenen gelehrten Gesellschaften. Red.: G. Kraatz. 27. Jahrg. [1883]. gr. 8. (III, 692 S. m. 1 Steintaf.) Berlin 883. Nicolai's Verl. n. 24. —

— dasselbe. 28. Jahrg. [1884.] 3 Hfte. gr. 8. (440 u. 266 S. m. 2 Steintaf.) Ebend. 884. n. 25. —

— dasselbe. 29. Jahrg. [1885] 3 Hfte. gr. 8. (448 u. 272 S. m. 4 Stein- u. 1 Kpfrtaf.) Ebend. n. 28. —

— dasselbe. 30. Jahrg. [1886] 1. Hft. gr. 8. (S. 33—256 m. 1 Lichtdr.-Taf.) Ebend. 886. n. 8. —

— der Gesellschaft f. Erdkunde zu Berlin. Als Fortsetzg. der Zeitschrift f. allgemeine Erdkunde im Auftrage der Gesellschaft hrsg. v. W. Koner. Red. der Karten v. Heinr. u. Rich. Kiepert. 18. u. 19. Bd. à 6 Hfte. gr. 8. (à Hft. ca. 80 S. m. 1 lith. Karte) Nebst: Verhandlungen der Gesellschaft f. Erdkunde zu Berlin. Red.: G. v. Boguslawski. 10. u. 11. Bd. à 10 Nrn. (à 1—4 B.) Berlin 883. 84. D. Reimer. à Bd. n. 13. —; Verhandlungen apart à Bd. n. 4. —

Zeitschrift der Gesellschaft f. Erdkunde zu Berlin. Als Fortsetzg. der Zeitschrift f. allgemeine Erdkunde im Auftrage der Gesellschaft hrsg. v. W. Koner. Red. der Karten v. Heinr. u. Rich. Kiepert. 20. u. 21. Bd. à 6 Hfte. gr. 8. (à Hft. 80 S. m. 1 lith. Karte.) Nebst: Verhandlungen der Gesellschaft f. Erdkunde zu Berlin. Red.: Paul Güssfeldt. 12. u. 13. Bd. à 10 Nrn. (à 1—5 B.) Berlin 885. 86. D. Reimer. à Bd. n. 15. —; Verhandlungen apart à Bd. n. 6. —

— katholische, f. Erziehung u. Unterricht. Unter Mitwirkg. vieler Schulmänner, insbesondere v. Seminarlehrern Rheinlands u. Westfalens, bis 1879 hrsg. v. Alleker, seit 1880 v. Belten. 32—34. Jahrg. 1883—1885. à 12 Hfte. (2 B.) gr. 8. Düsseldorf, Schwann. à Jahrg. n. 3. —

— dasselbe. 35. Jahrg. 1886. 12 Hfte. (2½ B.) gr. 8. Ebend. n. 4. —

— für Ethnologie. Organ der Berliner Gesellschaft f. Anthropologie, Ethnologie u. Urgeschichte. Red.-Commission: A. Bastian, R. Hartmann, R. Virchow, A. Voss. 15. Jahrg. 1883. 6 Hfte. gr. 8. (à Hft. 80 S. m. 2 Taf.) Berlin, Asher & Co. n. 20. —

— dasselbe. 15. Jahrg 1883. Suppl. gr. 8. Ebend. 884. n. 5. —

Anthropologische Ergebnisse e. Reise in der Südsee u. dem malayischen Archipel in den J. 1879—1882. Beschreibender Catalog der auf dieser Reise gesammelten Gesichtsmasken v. Völkertypen, hrsg. m. Unterstützg. der Berliner anthropolog. Gesellschaft v. O. Finsch. Mit e. Vorwort v. Rud. Virchow. Mit 26 physiognom. Aufnahmen auf 6 lith. Taf., 18 Umrissen v. Füssen u. Händen u. 60 Körpermessgn. (VIII, 78 S.)

— dasselbe 16. Jahrg. 1884. 6 Hfte. gr. 8. (1. Hft 108 S. m. 1 Taf.) Ebend. n. 20. —

— dasselbe 16. Jahrg. 1884. Suppl. gr. 8. Ebend. 884. n. 3 —

Die Serbokroaten der adriatischen Küstenländer. Anthropologische Studie v. A. Weisbach. Mit 1 (lith.) Taf. u. 6 Maasstab. (77 S.)

— dasselbe. 17. Jahrg. 1885. 6 Hfte. gr. 8. (1. Hft. 76 S. m. 3 Taf.) Ebend. n. 24. —

— dasselbe. 17. Jahrg. 1885. Suppl. gr. 8. Ebend. 885. n. 6. —

Friedrich Bayern's Untersuchungen üb. die ältesten Gräber — u. Schatzfunde in Kaukasien, hrsg. u. m. e. Vorwort versehen v. Rud. Virchow. Mit 16 (lith.) Taf. u. 17 Holzschn. (IX, 60 S.)

— dasselbe. 18. Jahrg. 1886. 6 Hfte. gr. 8. (1. Hft. 96 S. m. 3 Taf.) Ebend. n. 24 —

— des Ferdinandeums f. Tirol u. Vorarlberg. Hrsg. v. dem Verwaltungs-Ausschusse desselben. 3. Folge. 27. u. 28. Hft. gr. 8. (III, 239 u. III, 292 S.) Innsbruck 883. 84. Wagner. à n. 4. 80

— dasselbe. 3. Folge. 29. Hft. gr. 8. (III, 304 u. 63 S.) Ebend. 885. n. 6. —

— für Fleischbeschau u. Fleischproduction, sowie f. verwandte Wissensgebiete. Hrsg. v. Schmidt-Mühlheim. 1. Jahrg. Octbr. 1885—Septbr. 1886. 12 Nrn. (à 1—2 B.) gr. 8. Iserlohn, Expedition. n. 8. —

— der deutschen Forstbeamten. Hrsg. unter Mitwirkg. vieler Forstbeamten. 12—14. Jahrg. 1883—1885. à 24 Nrn. (à 1—1½ B.) Lex.-8. Trier, Lintz. à Jahrg. n. 6. —

cfr.: Forst- u. Jagd-Zeitung, deutsche.

— schweizerische, f. das Forstwesen. Organ d. schweizer. Forstvereins. Red. v. El. Landolt. Jahrg. 1883—1886. à 4 Hfte. gr. 8. (1. Hft. 60 S.) Zürich, Orell Füssli & Co. Verl. à Jahrg. n. 5. —

— für Forst- u. Jagdwesen. Zugleich Organ f. forstl. Versuchswesen. Hrsg. in Verbindg. m. den Lehrern der Forstakademie zu Eberswalde, sowie nach amtl. Mittheilgn. v. B. Danckelmann. 15—18. Jahrg. 1883—

gründet v. Osc. Laffert. Unter Mitwirkg. fachmänn. Redacteure u. competenter Theoretiker hrsg. v. Paul de Wit. 4—6. Bd. Octbr. 1883 - Septbr. 1886. à 36 Nn. (1½ B.) gr. 4. Leipzig, Exped. à Jahrg. n. 10. —; Arbeiter-Ausg. n. 6. —

Zeitschrift f. Instrumentenkunde. Organ f. Mittheilgn. aus dem gesammten Gebiete der wissenschaftl. Technik. Hrsg v. E. Abbe, Fr. Arzberger, C. Bamberg etc. Red.: Geo. Schwirkus u. Alfr. Westphal. 3—6. Jahrg. 1883—1886. à 12 Hfte. hoch 4. (à Hft. ca. 40 S. m. eingedr. Holzschn.) Berlin, Springer. à Jahrg. n. 18. —

— für die Geschichte der Juden in Deutschland. Hrsg. v. Ludw. Geiger. 1. Bd. 4 Hfte. gr. 8. (1. Hft. 108 S.) Braunschweig 886. Schwetschke & Sohn. n. 8. —

— des Bernischen Juristenvereins. Organ f. Rechtspflege u. Gesetzgebg. der Kantone Bern, Aargau, Solothurn u Luzern. Unter Mitwirkg. mehrerer schweizer. Juristen hrsg. v. A. Zeerleder. 19. u. 20. Bd. à 4 Hfte. gr. 8. (à Hft. ca. 186 S.) Bern 883. 84. Nydegger & Baumgart. à Jahrg. n. 8. —

— dasselbe. Generalregister zu Bd. 8—17, enth.: 1. Alphabetisches Register. 2. Systematisches Register. Verzeichniß der Abhandlgn. Identische Urtheile. 3. Gesetzesregister. gr. 8. (VII, 312 S.) Ebend. 884. n. 5. —

— juristische, f. das Reichsland Elsaß-Lothringen. Hrsg. v. Puchelt, Duy u. Sauter. 8—11. Jahrg. 1883—1886. à 12 Hfte. (3 B.) gr. 8. Mannheim, Bensheimer's Verl. à Jahrg. n. 8. —

— dasselbe. General-Register zum 1—10. Jahrg. Bearb. v. E. Grünewald. gr. 8. (316 S.) Ebend 886. n. 6. —

— für Keilschriftforschung u. verwandte Gebiete. Unter Mitwirkg. v. A. Amiaud, E. Babelon, G. Lyon u. Theo. G. Pinches hrsg. v. Carl Bezold u. Fritz Hommel. 1. u. 2. Bd. à 4 Hfte. gr. 8. (à Hft. ca. 88 S.) Leipzig 884. 85. O. Schulze. à Bd. n. 16. —; einzelne Hfte. à n. 5. —

— für das Kindergartenwesen. Unter Berücksicht. v. Krippe, Bewahranstalt u. Elementarclasse. Organ d. Vereins f. Kindergärten in Österreich. Hrsg. v. Ph. Brunner, Al. Fellner, A. S. Fischer u. Jos. Kraft. 2—5. Jahrg. 1883—1886. à 12 Nrn. (1¼ B.) gr. 8. Wien, Graeser. à Jahrg. n. 4. —

— für Kirchengeschichte. In Verbindg. m. W. Gass, H. Reuter u. A. Ritschl hrsg. v. Thdr. Brieger. 6-8. Bd. à 4 Hfte. gr. 8. (à Hft ca. 153 S.) Gotha 883—85. F. A. Perthes. à Hft. n. 4. —

— für Kirchenrecht. Organ der Gesellschaft f. Kirchenrechtswissenschaft in Göttingen. Unter Mitwirkg. v. E. R. Bierling, E. Herrmann, P. Hinschius etc. hrsg. v. Rich. Dove u. Emil Friedberg. 18—22. Bd. Neue Folge 3—7. Bd. à 4 Hfte. gr. 8. (à Hft. ca. 184 S.) Freiburg i/B. 882—86. Mohr. à Bd. n. 10. —

— für kirchliche Wissenschaft u. kirchliches Leben. Unter Mitwirkg. namhafter Vertreter der Wissenschaft u. Praxis hrsg. v. Chr. E. Luthardt. 4. u. 5. Jahrg. 1883 u. 1884. à 12 Hfte. (à 3—3½ B.) gr. 8. Leipzig, Dörffling & Franke. à Jahrg. n. 8. —

— dasselbe. 6. u. 7. Jahrg. 1885 u. 1886. à 12 Hfte. (à 3—3½ B.) gr. 8. Ebend. à Jahrg. n.n. 9. —

— für Krystallographie u. Mineralogie, unter Mitwirkg. zahlreicher Fachgenossen d. In- u. Auslandes hrsg. v. P. Groth. 7. Bd. 4—6. Hft. gr. 8. (VIII u. S. 321—652 m. 39 eingedr. Holzschn. u. 6 Steintaf.) Leipzig 882. Engelmann. n. 17. — (7. Bd. cplt.: n. 34. —)

— dasselbe. 8. Bd. gr. 8. (VIII, 668 S. m. 125 eingedr. Holzschn. u. 13 Steintaf.) Ebend. 883. 84. n. 33. —

— dasselbe. 9. Bd. gr. 8. (X, 649 S. m. eingedr. Holzschn. u. 19 Steintaf.) Ebend. 884. n. 35. —

— dasselbe. 10. Bd. gr. 8. (XI, 663 S. m. 70 eingedr. Holzschn. u. 16 Steintaf.) Ebend. 885. n. 33. —

— dasselbe. 11. Bd. gr. 8. (XII, 674 S. m. 101 Holzschn., 10 Steintaf. u. 1 Chromolith.) Ebend. 885. 86. n. 34. —

— dasselbe. 12. Bd. 1—3. Hft. gr. 8. (S. 1—320 m. Holzschn. u. 6 Steintaf.) Ebend. 886. à Hft. n. 6. —

— dasselbe. General-Register zu Bd. I—X. Hrsg. u. bearb. v. P. Groth. gr. 8. (146 S.) Leipzig 886. Engelmann n. 5. —; Einbd. n.n. 1. —

Zeitschrift f. bildende Kunst. Hrsg. von Carl v. Lützow. 19. Bd. Jahrg. 1883/84. 12 Hfte. (4 B.) Mit Text-illustr. u. Kunstbeilagen. Mit dem Beiblatt: Kunst-Chronik. 45 Nrn. (B.) hoch 4. Leipzig 883. Seemann. n. 25. —; die Kunst-Chronik allein n. 9. —

— dasselbe. 20—22. Jahrg. 1884/87. à 12 Hfte. (3 B. m. Text-Illustr. u. Kunstbeilagen.) Nebst Kunstgewerbeblatt. Hrsg. v. Arth. Pabst. 1—3. Jahrg. 1884/87. à 12 Hfte. (2½ B. m. Text-Illustr. u. Kunstbeilagen.) Mit dem Beiblatt: Kunstchronik. 45 Nrn. (B.) hoch 4. à Jahrg n. 28. —

— dasselbe. Register zum 17 - 19. Jahrg. 1882—1884. hoch 4. (44 S.) Ebend. 886. n. 2. 40

— des Kunst-Gewerbe-Vereins in München. Red.: J. v. Schmädel. 33—36. Jahrg. 1883—1886. à 12 Hfte. Fol. (à Hft. 18 S. m. 3 Taf.) München, Hirth. à Jahrg. n. 14. —

— für Kunst- u. Antiquitäten-Sammler. Unter Mitwirkg. v. Just. Brinckmann, R. Bergau, Alph. Dürr etc. Hrsg. v. Geo. J. Bruck. 1. Jahrg. Oktbr. 1883—Septbr. 1884. 24 Nrn. (2 B. m. Kunstbeilagen.) gr. 4. Leipzig, Hucke. n. 20. —

— für die Landeskultur-Gesetzgebung der Preußischen Staaten. Hrsg. v. dem königl. Ober-Landeskulturgericht. 29. Bd. 3 Hfte. gr. 8. (1. Hft 168 S.) Berlin 884. Parey. n. 6. —

— des landwirthschaftlichen Vereins f. Rheinpreußen, hrsg. v. Gust. Havenstein. Neue Folge. 1. Jahrg. Juli—Decbr. 1884. 26 Nrn. (B.) gr. 4. Bonn, Strauß. n. 1. —

— dasselbe. 2. Jahrg. 1885. 52 Nrn. (B.) gr. 4. Ebend. n. 1. 20

— des landwirthschaftlichen Central-Vereins der Provinz Sachsen x. Red.: A. Delius. 40—43. Jahrg. 1883—1886. à 12 Nrn. (à 1½—2 B.) gr. 8. Halle, Buchh. d. Waisenh. à Jahrg. n. 3. —

— sächsische landwirthschaftliche. Amtsblatt d. Landeskulturrats u. der landwirthschaftl. Vereine im Königr. Sachsen. Organ der sächs. landw. Versuchsstationen. Hrsg. von K. v. Langsdorff. 31—34. Jahrg. Der neuen Folge d. Amtsblatts f. die landw. Vereine 10—13. Jahrg. 1883—1886. à 52 Nrn. (à ¾—1 B.) gr. 8. Dresden, G. Schönfeld's Verl. à Jahrg. n. 3. 60

— schweizerische landwirthschaftliche. Zugleich Organ der eidgen. landw. Untersuchungs- [agricultur-chem. u. Samen-Control-]Station in Zürich. Hrsg. vom schweizer. landwirthschaftl. Verein. Red.: F. Anderegg. 11—14. Jahrg. 1883—1886. à 12 Hfte. (2½ B.) gr. 8. Aarau, Wirz-Christen. à Jahrg. n. 6. —

— thüringische landwirthschaftliche. Organ f. die landwirthschaftl. Vereine d. Großherzogth. Sachsen, der Herzogthümer Altenburg, Gotha u. Meiningen, der Fürstenthümer Reuß u. Schwarzburg beider Linien. Hrsg. von Herm. Franz. 21 - 24. Jahrg. 1883—1886. à 24 Nrn. (B.) gr. 8. Weimar, Böhlau. à Jahrg. n. 3. 60

— des Salzburger Lehrer-Vereines. Red.: Paul Simmerle. 13. Jahrg. 1883. 12 Nrn. (à ½—1 B.) Salzburg, (Dieter). n. 3. —

— für vergleichende Litteraturgeschichte. Hrsg. v. Max Koch. 1. Bd. 6 Hfte. gr. 8. (1. Hft. 90 S.) Berlin 886. Hettler. n. 14. —

— für das gesammte Local- u. Strassen-Bahnwesen. Unter Mitwirkg. in- u. ausländ. Fachgenossen hrsg. v. W. Hostmann, Jos. Fischer-Dick, Fr. Giesecke. 2—4. Jahrg. 1883—1885. à 3 Hfte. hoch 4. (à ca. IV, 63 S. m. mehreren Textfig. u Steintaf.) Wiesbaden, Bergmann. à Hft. n. 4. —

— dasselbe. 5. Jahrg. 1886. 1. u. 2. Hft. hoch 4. (à ca. 56 S. m. Textfig. u. Steintaf.) Ebend. n. 4. —

— für Lokomotivführer. Mit e. Zeitg. als Organ d. Vereins u. der Hülfskasse deutscher Lokomotivführer. Hrsg. v. C. D. Maaß. 7. Bd. 1885/86. 12 Hfte. (2 B.) gr. 8. Hannover 885. (Schmorl & v. Seefeld.) n.n. 5. —

— des deutschen Vereins zur Förderung der Luftschiffahrt. Red.: Wilh. Angerstein. 2—5. Jahrg. 1883—1886. à 12 Hfte. (2 B. m. eingedr. Holzschn.) gr. 8. Berlin, Kühl. à Jahrg. n. 12. —

Zeitschrift für Maschinenbau u. Schlosserei. Hrsg.: Gust. Hoffmann. Red.: A. Friedeberg. 2. Jahrg. 1885. 24 Nrn. (à 1—2. B. m. Illustr.) gr. 4. Berlin, Gust. Hoffmann. n. 6. —
— für Mathematik u. Physik, hrsg. unter der Red. v. O. Schlömilch, E. Kahl u. M. Cantor. 29—31. Jahrg. 1884—1886. à 6 Hfte. gr. 8. (à Hft. ca. 104 S. m. Steintat.) Leipzig, Teubner. à Jahrg. n. 18. —
— dasselbe. 29. Jahrg. Suppl. gr. 8. (III, 100 S. m. 1 Steintaf.) Ebend. 884. n. 2. 40
— für mathematischen u. naturwissenschaftlichen Unterricht. Ein Organ f. Methodik, Bildungsgehalt u. Organisation der exacten Unterrichtsfächer an Gymnasien, Realschulen, Lehrerseminarien u. gehobenen Bürgerschulen. [Zugleich Organ der Sektionen f. math. u. naturwiss. Unterricht in den Versammlgn. der Philologen, Naturforscher, Seminar- u. Volksschul-Lehrer.] Unter Mitwirkg. v. Bauer, Frischauf, Günther etc. hrsg. v. J. C. V. Hoffmann. 14—17. Jahrg. 1883—1886. à 8 Hfte. gr. 8. (à Hft. ca. 80 S.) Leipzig, Teubner. à Jahrg. n. 12. —
— für klinische Medicin. Hrsg. v. Fr. Th. Frerichs, E. Leyden, H. v. Bamberger u. H. Nothnagel. 6—11. Bd. à 3 Hfte. gr. 8. (à Hft. ca. 95 S. m. Chromolith.) Berlin 883—86. Hirschwald. à Bd. n. 16. —
— dasselbe. 7 Bd. Suppl.-Hft. gr. 8. Ebend. 884. n. 7. —
Festschrift, dem Hrn. Fr. Th. v. Frerichs, Wirkl. Geh. Ober-Med.-Rath, o. ö. Professor u. Director der I. med. Klinik in Berlin, zum Jubiläum seiner 25jähr. Thätigkeit in Berlin gewidmet am 20. Apr. 1884. (III, 170 S. m. Stahlst.-Portr., 1 Chromolith., 1 Photogr. u. 2 Kpfrtaf.)
— der österreichischen Gesellschaft f. Meteorologie. Red.: J. Hann. 18 · 20. Bd. Jahrg. 1883—1885. à 12 Hfte. (à 2—3 B.) Lex.-8. Wien, Braumüller. à Jahrg. n. 12. —
— meteorologische. Hrsg. v. der deutschen meteorolog. Gesellschaft, red. v. Köppen. 1—3. Jahrg. 1884—1886. à 12 Hfte. Lex.-8. (à Hft. ca. 48 S. m. eingedr. Holzschn. u. Steintaf.) Berlin, Asher & Co. à Jahrg. n. 16. —
— für wissenschaftliche Mikroskopie u. f. mikroskopische Technik. Unter besond. Mitwirkg. v. Leop. Dippel, Max Flesch, Arth. Wichmann hrsg. v. Wilh. Jul. Behrens. 1—3. Bd. à 4 Hfte. gr. 8. (à Hft. ca. 160 S. m. eingedr. Holzschn.) Braunschweig 884—86. Schwetschke & Sohn. à Jahrg. n. 20. —
— deutsche militärärztliche. Red: Leuthold u. M. Bruberger. 12—15. Jahrg. 1883—1886. à 12 Hfte. (à 3—4 B.) gr. 8. Berlin, Mittler & Sohn. à Jahrg. n. 15. —
— für Mineralwasser-Fabrikation. Organ d. Vereins deutscher Mineralwasser-Fabrikanten. Hrsg. v. Paul Lohmann. 3. Jahrg. April 1886—März 1887. 24 Nrn. gr. 8. Berlin, (Voss). n. 6. —
— für Missionskunde u. Religionswissenschaft. Organ d. allgemeinen evangelisch-protestant. Missionsvereins. Hrsg. v. Ernst Buß, Th. Arndt u. J. Happel. 1. Jahrg. 1886. 4 Hfte. gr. 8. (à Hft. ca. 64 S.) Berlin, Haack. n. 3. —
— der deutschen morgenländischen Gesellschaft. Hrsg. v. den Geschäftsführern Schlottmann, Wellhausen, Krehl, Windisch, unter der Red. v. E. Windisch. 37-40. Bd. à 4 Hfte. gr. 8. (à Hft. ca. VIII, 164 S.) Leipzig 883—86. (Brockhaus' Sort.) à Bd. n. 15. —
— dasselbe. Suppl. zum 33. Bde. 2 Hälften. gr. 8. Ebend. 881 u. 83. n. 6. —
Wissenschaftlicher Jahresbericht üb. die morgenländischen Studien im J. 1878. Unter Mitwirkg mehrerer Fachgelehrten hrsg. v. Ernst Kuhn. (V, 178 S.)
— dasselbe. Suppl. zum 34. Bd. gr. 8. Ebend. 883. n. 6. —
Wissenschaftlicher Jahresbericht üb. die morgenländischen Studien im J. 1880. Unter Mitwirkg. mehrerer Fachgelehrten hrsg. v. Ernst Kuhn u. Aug. Müller. (223 S.)

Zeitschrift für Museologie u. Antiquitätenkunde, sowie f. verwandte Wissenschaften. Red.: J. G. Th. Graesse. 6—8. Jahrg. 1883—1885. à 24 Nrn. (B.) gr. 4. Dresden, Baensch. à Jahrg. n. 20. —
Erscheint nicht mehr.
— neue, f. Musik. 79—82. Bd. 50—53. Jahrg. 1883—1886. à 52 Nrn. (à 1—1½ B.) gr. 4. Leipzig, Kahnt. à Jahrg. n. 14. —
— musikalische, zur Pflege, Hebung und Verbreitung d. Zitherspiels. 2. u. 3. Jahrg. 1885 u. 1886. à 12 Nrn. (B.) gr. 4. Luxemberg, Stomps. à Jahrg. n. 2. 60
— für Naturheilkunde u. persönliche Gesundheitspflege. Hrsg. v. Herm. Canitz. Jahrg. 1883. 12 Nrn. (½ B.) Lex.-8. Berlin 883. (Chemnitz, Friese.) n. 2. 20
— Jenaische, f. Naturwissenschaft, hrsg. v. der medicinisch-naturwissenschaftl. Gesellschaft zu Jena. 16—19. Bd. Neue Folge, 9—12. Bd. à 4 Hfte. gr. 8. (à ca. 328 S. m. z. Thl. farb. Steintaf.) Jena 883—86. Fischer à Bd. n. 24. —
— dasselbe. 19. Bd. Neue Folge, 12. Bd. Suppl. 3 Hfte. gr. 8. Ebend. 885. n. 4. —
Sitzungsberichte der Jenaischen Gesellschaft f. Medicin u. Naturwissenschaft f. d. J. 1885. (V, 190 S.)
— dasselbe. 20. Bd. Neue Folge, 13. Bd. Suppl. 1. u. 2. Hft. gr. 8. n. 1. 80
Sitzungsberichte der Jenaischen Gesellschaft f. Medicin u. Naturwissenschaft f. d. J. 1886. 1. u. 2. Hft. Ebend. 886. (S. 1—138.)
— für Naturwissenschaften. Orig.-Abhandlungen u. Berichte. Hrsg. im Auftrage d. naturwissenschaftl Vereins f. Sachsen u. Thüringen v. Brass, Duncker, Frhr. v. Fritsch etc. Der ganzen Reihe 56—59. Bd. 4. Folge. 2—5. Bd. à 6 Hfte. gr. 8. (à Hft. ca. 106 S. m. eingedr. Holzschn. u. Steintaf.) Halle 883—86. Tausch & Grosse. à Bd. n. 16. —
— für neufranzösische Sprache und Litteratur, m. besond. Berücksicht. d. Unterrichts im Französischen auf den deutschen Schulen, hrsg. v. G. Körting u. E. Koschwitz. 5—7. Bd. à 8 Hfte. gr. 8. (à Hft. ca. 80 S.) Oppeln 883—86. Franck. à Bd. n. 15. —; einzelne Hfte. à n. 2. 50
— dasselbe. Suppl.-Hft. III. gr. 8. (96 S.) Ebend. 885. n. 3. —
— für das Notariat. Hrsg. v. dem Verein f. das Notariat in Rheinpreußen. 28—32. Jahrg. 1883—1886. à 12 Hfte. gr. 8. (à Hft. ca. 24 S.) Köln, (Schmitz'sche Buchh.). à Jahrg. n. 6. —
— für Numismatik. Red. v. Alfr. v. Sallet. 11—14. Bd. à 4 Hfte. gr. 8. (à Hft. ca. 93 S. m. eingedr. Holzschn. u. Kpfrtaf.) Berlin 883—86. Weidmann. à Bd. n. 14. —; einzelne Hfte. à n. 4. —
— dasselbe. Register zu Bd. I—X. gr. 8. (63 S.) Ebend. 884. n. 2. 40
— numismatische, hrsg. v. der Numismat. Gesellschaft in Wien durch deren Redactions-Comité. 14. Jahrg. 2. Halbjahr. Juli—Decbr. 1882. gr. 8. (XXV u. S. 201—474 m. 3 eingedr. Holzschn. u. 3 Taf.) Wien, Manz. n. 6. — (14. Jahrg. cplt.: n. 12. —)
— dasselbe. 15—17. Jahrg. 1883 - 1885. gr. 8. (à XVI, 417 S. m. eingedr. Holzschn. u. Taf.) Ebend. à Jahrg. n. 12. —
— dasselbe. 18. Jahrg. 1. Halbj. Jänner—Juni 1886. gr. 8. (XXVI, 203 S. m. 5 Holzschn. u. 4 Taf.) Ebend. n. 6. —
— für Obst- u. Gartenbau. Organ d. Landes-Obstbauvereins f. das Königr. Sachsen. Hrsg. v. O. Lämmerhirt. 9—12. Jahrg. Neue Folge. 1883—1886. à 12 Nrn. (à 1½—2 B.) 4. Dresden. (Leipzig, H. Voigt.) à Jahrg. n. 3. —
— für Ohrenheilkunde, in deutscher u. engl. Sprache hrsg. v. H. Knapp u. S. Moos. 13—16. Bd. à 4 Hfte. gr. 8. (à Hft. ca. 92 S. m. eingedr. Holzschn.) Wiesbaden 883—85. Bergmann. à Bd. n. 16. —
— für die gesammte Ornithologie. Hrsg. von Jul. v. Madarász. 1—3. Jahrg. 1884—1886. à 4 Hfte. gr. 8. (à Hft. ca. 74 S. m. Chromolith.) Budapest. (Berlin, Friedländer & Sohn.) à Jahrg. n.n. 20. —

Zeitschrift für Ornithologie u. practische Geflügelzucht. Organ d. Verbandes der ornitholog. Vereine Pommerns u. Mecklenburgs. Hrsg. u. red. vom Vorstande d. Stettiner Zweig-Vereins. Red.: H. Röhl. 2. Jahrg. 1883. 12 Nrn. ($^1/_2$ B.) gr. 8. Stettin, Wittenhagen. n. 2. —

— dasselbe. 3—5. [8—10.] Jahrg. 1884—1886. à 12 Nrn. (B.) gr. 8. Ebend. à Jahrg. n. 2. 50

— für Orthographie, Orthoepie u. Sprachphysiologie. Organ d. deutschen Orthographie-Reform-Vereins. Unter Mitwirkg. namhafter Fachmänner hrsg. v. Wilh. Victor. 3—6. Jahrg. 1883—1886. à 6 Nrn. (B.) gr. 8. Rostock, Werther. à Jahrg. n. 3. —

— pädagogische. Organ aller seminarisch gebildeten Lehrer an höheren Unterrichtsanstalten u. deren Vorschulen m. Einschluss der Seminare, höheren Töchter- u. gehobenen Stadtschulen Deutschlands. Hrsg. v. G. Noack. 3. Jahrg. 1886. 24 Nrn. (B.) gr. 4. Leipzig, Urban. n. 8. —

— pädagogische. Organ d. steiermärk. Lehrerbundes. Hrsg.: der Grazer Lehrerverein. Red.: Ferd. Fellner. 16—19. Jahrg. 1883—1886. à 36 Nrn. (B.) gr. 8. Graz, Leykam. à Jahrg. n. 8 —

— des deutschen Palaestina-Vereins. Hrsg. v. dem geschäftsführ. Ausschuss unter der Red. v. Herm. Guthe. 6—9. Bd. à 4 Hfte. gr. 8. (à Hft. ca. 80 S.) Leipzig 883—86. (Bädeker.) à Bd. n n. 10. —

— für Pferdekunde u. Pferdezucht. [Organ d. Pferdezucht-Vereins der Pfalz.] Red.: Adam. 1—3. Jahrg. 1884—1886. à 52 Nrn. (B.) gr. 4. Stuttgart, Schickhardt & Ebner. à Jahrg. n. 3. —

— pharmaceutische f. Russland. Hrsg. v. der pharmaceut. Gesellschaft zu St. Petersburg. Red.: Edwin Johanson. 22. Jahrg. 1883. 52 Nrn. (à 1—2 B.) gr. 8. St Petersburg, Ricker. n 18. —

— dasselbe. 23—25. Jahrg. 1884—1886. à 52 Nrn. (à 1—2 B.) gr. 8. Ebend. à Jahrg. n. 14 —

— für deutsche Philologie. Hrsg. v. Ernst Höpfner u. Jul. Zacher. 14—19. Bd. à 4 Hfte. gr. 8. (à Bd. ca. IV, 506 S.) Halle 883—886. Buchh. d. Waisenhauses. à Bd. n. 12. —

— für romanische Philologie. Hrsg. v. Gust. Gröber. 7—10. Bd gr. 8. (à Hft. ca 176 S.) Halle 883—86. Niemeyer. à Bd. n. 20. —

— für exakte Philosophie im Sinne d. neuern philosophischen Realismus. In Verbindg. m. mehreren Gelehrten hrsg. v. Thdr. Allihn u. Otto Flügel. 12—14. Bd. à 4 Hfte. gr. 8. (à Hft ca. 128 S.) Langensalza 883—85. Beyer & Söhne. à Hft. n. 2. —

— für Philosophie u. philosophische Kritik, im Vereine m. mehreren Gelehrten gegründet v. J. H. Fichte, red. v. Herm. Ulrici u. Aug. Krohn. Neue Folge. 82—89. Bd. à 2 Hfte. gr. 8. (à Hft. ca. 160 S.) Halle 883—86. Pfeffer. à Bd. n. 6. —

— dasselbe. Neue Folge. Sonderheft d. 87. Bds. gr. 8. (III u. S. 161—348.) Ebend 885. n. 3. —

— dasselbe. Neue Folge. 89. Bd. Beigabeheft. gr. 8. (IV, 164 S.) Ebend. 886. n. 3. —

— zur Förderung d. physikalischen Unterrichts Hrsg. u. red. vom Physikalisch-techn. Institut Lisser & Benecke. 1. u. 2. Jahrg. Octbr. 1884—Septbr. 1886. à 12 Hfte. gr. 8. (à ca. 1—1$^1/_2$ B. m. eingedr. Fig.) Berlin, Lisser & Benecke. à Jahrg. n. 12. —

— für Pilzfreunde. Populäre Mitteilungen üb. essbare u. schädl. Pilze. Unter Mitwirkg. v. Botanikern. Forstmännern u. Fachgenossen hrsg. v. Gössel & Wendisch u. Osmar Thüme. Jahrg. 1882/85. à 12 Hfte. gr. 8. (à Hft. ca. 24 S. m. Chromolith.) Dresden, Köhler. à Jahrg. n. 6. —; einzelne Hfte. à n. — 75

— für Praxis u. Gesetzgebung der Verwaltung, zunächst f. das Königr. Sachsen. Hrsg. v. Otto Fischer. 4—7. Bd. à 8 Hfte. gr. 8. (à Hft. ca. 60 S.) Leipzig 883—86. B. Tauchnitz. à Hft. n. 1. —

— für das Privat- u. öffentliche Recht der Gegenwart. Unter ständ. Mitwirkg. der Mitglieder der Wiener jurist. Facultät hrsg. v. C. S. Grünhut 10—14. Bd. à 4 Hfte. gr. 8. (à Hft ca 262 S.) Wien 883—86. Hölder. à Bd. n. 20. —

Zeitschrift, allgemeine, f. Psychiatrie u. psychisch-gerichtliche Medicin, hrsg. v. Deutschlands Irrenärzten, unter der Mit-Red. von v. Krafft-Ebing, Nasse, Schüle durch H Laehr 40—43. Bd. à 6 Hfte. gr. 8. (à Hft ca. 160 S) Berlin 883—86. G. Reimer. à Bd. n. 14. —

— für das Realschulwesen. Hrsg. u red. v. Jos. Kolbe, Adf Bechtel, Mor. Kuhn. 8—11. Jahrg 1883—1886. à 12 Hfte. gr. 8. (à Hft. ca. 64 S.) Wien, Hölder. à Jahrg. n. 14. —

— für schweizerisches Recht. Unter Mitwirkg. v. E. Curti, H. Hafner, E. Huber etc. hrsg. v. Andr. Heusler. 24—28. Bd. Neue Folge. 2—6. Bd. à 4 Hfte. gr. 8. (à Hft. ca. 184 S.) Basel 883—86. Detloff. à Bd. n. 12. —

— der Savigny-Stiftung f. Rechtsgeschichte. Hrsg. v. P. v. Roth, E. I. Bekker, H. Böhlau, A. Pernice, R. Schröder. 4. Bd. [17. Bd. der Zeitschrift f. Rechtsgeschichte.] 3 Hfte. gr. 8. Weimar 883. Böhlau. n 12. 80

Romanistische Abth. (1. Hft. 176 S.) n. 6. —. — Germanistische Abth (III, 266 S.) n. 6. 80

— dasselbe. 5. Bd. [18. Bd. der Zeitschrift f. Rechtsgeschichte.] 2 Hfte. gr. 8. Ebend. 884. n. 13. 40

Romanistische Abth. (288 S.) n. 7. 40. — Germanistische Abth. (III, 242 S.) n. 6. —

— dasselbe. 6. Bd. [19. Bd. der Zeitschrift f. Rechtsgeschichte.] 2 Hfte. gr. 8. Ebend. 885. n. 13. 60

Romanistische Abth. (III, 300 S.) n. 7. 60. — Germanistische Abth. (III, 235 S.) n. 6. —

— dasselbe. 7. Bd. [20. Bd. der Zeitschr. f. Rechtsgeschichte.] 3 Hfte. gr 8. Ebend. 886. n. 11. 60

Romanistische Abth (148 u IV, 172 S) n. 8. 20. — Germanistische Abth. (136 S) n. 3. 40

— für Rechtspflege im Herzogth. Braunschweig. Red.: C Koch. 30—33. Jahrg. 1883—1886 à 12 Nrn. (B.) gr. 8. Braunschweig, Wreden. à Jahrg. n. 7. 20

— dasselbe. Zusammenstellung der in den Jahrgängen 1880—1884 abgedruckten amtl. Erlasse. gr. 8. (7 S.) Ebend. 884. n. — 40

— mecklenburgische f. Rechtspflege u. Rechtswissenschaft, hrsg. v. Joh. Frdr. Budde, Ulr. Bland u. Carl Birkmeyer. 3—5. Bd. à 4 Hfte. gr. 8. (à Hft. ca. 139 S.) Wismar 883—85. Hinstorff's Verl. à Bd. n. 6. —

— dasselbe. 6. Bd. 4 Hfte. gr. 8. (1. u. 2. Hft. 224 S.) Ebend. 886. n. 8. —

— für vergleichende Rechtswissenschaft. Hrsg. v. Frz. Bernhöft, Geo. Cohn u. J. Kohler. 4—6. Bd. à 3 Hfte. gr. 8. (à Hft. 160 S.) Stuttgart 883—85. Enke. à Bd n. 15. —

— neue, f. Rübenzucker-Industrie. Wochenschrift f. die Gesammtinteressen der Zuckerfabrikation. Hrsg. unter Mitwirkg. v. Fachmännern v. C. Scheibler. Jahrg. 1883—1886. [10—17. Bd.] à 52 Nrn. (2—2$^1/_2$ B.) hoch 4. Berlin, (Friedländer & Sohn). à Jahrg. n. n. 50. —

— für Schulgeographie. Unter Mitwirkg. v. Benoni, Berger, Breitung etc. hrsg. v. A. E. Seibert. 5—8. Jahrg. Octbr. 1883—Septbr. 1887. à 12 Hfte. (2 B.) gr. 8. Wien, Hölder. à Jahrg. n. 6. —

— für die Behandlung Schwachsinniger u. Epileptischer. Organ der Konferenz f. Idioten-Heil-Pflege. Unter Mitwirkg. v. Aerzten u. Pädagogen hrsg. v. W. Schröter, H. A. Wildermuth, E. Reichelt. 1. u. 2. [5. u. 6.] Jahrg. 1885 u. 1886. à 6 Nrn. (B.) Lex.-8. Dresden, (Warnatz & Lehmann). à Jahrg. n. 3. —

Fortsetzung der Zeitschrift f. das Idiotenwesen

— für Spiritusindustrie. Organ d. Vereins u. der Versuchsstation der Spiritusfabrikanten in Deutschland. Unter Mitwirkg. v. M. Maercker, hrsg. v. M. Delbrück. 6—9. Jahrg. 1883—1886. à 52 Nrn. (à 1—2 B. m. eingedr. Fig.) gr. 4. Berlin, Parey. à Jahrg. n 20. —

— für vergleichende Sprachforschung auf dem Gebiete der indogermanischen Sprachen. Begründet v. A. Kuhn. Hrsg. v. E Kuhn u. J. Schmidt. 28. Bd. Neue Folge. 8. Bd. 6 Hfte. gr. 8. (1. u. 2. Hft. 216 S.) Gütersloh 885. Bertelsmann. n. 16. —

— internationale, f. allgemeine Sprachwissenschaft,

unter Mitwirkg. v. L. Adam, G. I. Ascoli, F. A. Coetho etc. hrsg. v. F. Techmer. 1—3. Bd. Mit Holzschn.-Fig. u. lith. Taf. Lex.-8. (à ca XVI, 518 S.) Leipzig 884—86. Barth. à Bd. n. 12. —

Zeitschrift für österreichische Staats- u. Communal-Verwaltung. Organ zur Verbreitg. der Kenntniß der Gesetze u. der in den Aussprüchen der höchsten Instanzen niedergelegten Gesetzes-Interpretationen. Hrsg.: Ant. Wintersperger. 1. Jahrg. 1883. 26 Nrn. (B.) gr. 8. Wien, (Ed. Schmid). n. 8. —

Erscheint nicht mehr.

— für Staats- u. Gemeinde-Verwaltung im Großherzogth. Hessen. Unter Mitwirkg. v. L. Amend, Bockenheimer, v. Wedekind hrsg v. J. Diemer. 8. Jahrg April 1883—März 1884. 24 Nrn. (à 1—$1^1/_2$ B) gr. 4. Mainz, Diemer. n. 6. 40

— für die gesammte Staatswissenschaft. In Verbindg. m. G. Hanssen, v. Helferich, Roscher, F. v. Hack hrsg. v. Fricker, Schäffle u. A. Wagner. 39—42. Jahrg. 1883—1886. à 4 Hfte. gr. 8. (à Hft. ca 272 S) Tübingen, Laupp. à Jahrg. n. 16. —

— für schweizerische Statistik. Hrsg. v. der Centralkommission der schweizer. statist. Gesellschaft. 19—22. Jahrg. à 4 Hfte. gr. 4. (à Hft. ca 60 S.) Bern 883—86. (Schmid, Francke & Co.) à Jahrg. n. 5. —

— des königl. bayerischen statistischen Bureau. Red. von Ludw. v. Müller. 18. Jahrg. 1886. gr. 4. (1. u. 2. Hft. 184 S. m. 2 Beilageheften in gr. 8.: 21 u. 26 S. m. Taf.) München, (Th. Ackermann's Sort.). n. 6. —

— des königl. preussischen statistischen Bureaus. Hrsg. v. E. Blenck. 23—26. Jahrg. 1883—1886. à 4 Hfte. Imp.-4. (à Hft. ca. 282 S. m. Steintaf.) Berlin, Verl. d. k. statist. Bureaus. à Jahrg. n. 10. —

— des königl. preussischen statistischen Bureaus. Hrsg. v. E. Blenck. Ergänzungshft. XII—XVI. Imp.-4. Ebend. 883. 84. n. 39. 60

XII. Die historische Entwickelung d. deutschen u. deutsch-österreichischen Eisenbahn-Netzes vom J. 1838 bis 1881. Bearb. v. Ernst Kühn 2 Thle. 1. Thl.: Die tabellar. Darstellung der Entwickelg d. deutschen u deutsch-österreich Eisenbahn-Netzes m. besond. Berücksicht. der preuss. Eisenbahnen in den J. 1838 [bezw. 1835] bis 1881 [bezw. 1882]. (XXII, 177 S.) 2. Thl.: Die graph. Darstellg. der am Schlusse der J. 1838 bis 1881 innerhalb der jetz. territorialen Abgrenzg. d. Deutschen Reiches u. Deutsch-Oesterreichs eröffneten Eisenbahnen. qu Fol. (23 chromolith. Karten m. 1 Bl. Text.) n. 16. —

XIII. Die öffentlichen Volksschulen im preußischen Staate. Bearb. im Auftrage d. Hrn. Ministers der geistl., Unterrichts- u. Medicinal-Angelegenheiten. 1. Thl. Die Aufgabe der preuß. Volksschul-Verwaltg. Denkschrift zur Erläuterg. tabellar. Nachweisgn. üb. den Zustand der preuß. Volksschulen im J. 1882. — 2. Thl. Tabellarische Nachweisgn üb den Zustand der preuß. Volksschulen im J. 1882. (VI, 80 u. 224 S.) n. 8. —

XIV. Die Ergebnisse der Strafrechtspflege im Königr. Preussen, einschliesslich der zu den preuss. Oberlandesgerichts-Bezirken Naumburg, Kassel, Celle, Köln u. Hamm gehör. nicht preuss. Gebietstheilen u. im Bezirke d. gemeinschaftl thüring. Oberlandesgerichtes in Jena während d. J. 1881. Im Auftrage d. königl. preuss. Justizministeriums bearb. v. W. Starke. (XLVI, 99 S.) n. 4. —

XV. Der Schutz der jugendlichen Personen im preussischen Staate. Denkschrift f. den im Juni 1883 zu Paris abzuhalt. internationalen Congress aller m. dem Schutze der jugendl. Personen sich beschäftig. öffentl. u. Privatanstalten. Im Auftrage der königl. preuss Ministerien d. Innern u. der geistl., Unterrichts- u. Medicinal-Angelegenheiten bearb. vom königl. preuss. statist. Bureau. (III, 168 S.) n. 4. 40

XVI. Beiträge zur Finanzstatistik der Gemeinden in Preussen. Die Einnahmen u. Ausgaben der preuss. Städte u. Landgemeinden, sowie das Sollaufkommen an direkten Staatssteuern, Kreis-, Provinzial-, Schul- u. Kirchensteuern in denselben f. d. J. 1883/84. Unter Benutzg. amtl Quellen bearb. v. L. Herrfurth u. W. v. Tschoppe. (III, 278 S.) n. 7. 20

— des k. sächsischen statistischen Bureau's. Red. v. Vict. Böhmert. 28—31. Jahrg. 1882—1885. à 4 Hfte. gr. 4. (à Hft. ca. 90 S.) Dresden, (v. Zahn & Jaensch). à Jahrg. n.n. 3. —

— dasselbe. Suppl.-Hft. zum 30. Jahrg. 1884. gr. 4. Ebend. 885. n.n. 3. —

Die Ergebnisse der sächsischen Viehzählung vom 10. Jan. 1883. Von Vict. Böhmert. (268 S.)

— für Faulmannsche Stenographie [früher: Stenographische Reform-Zeitung]. Central-Organ der Stenographenvereine f. Faulmanns System. Hrsg. u. Red.: Carl Faulmann. 6. Jahrg. Oktbr. 1885—Septbr. 1886. 12 Nrn. ($^1/_2$ B.) gr. 8. Wien, (Bermann & Altmann). n. 3. —

cf.: Reform-Zeitung, stenographische.

Zeitschrift für die gesamte Strafrechtswissenschaft. Hrsg. von Frz. v. Liszt u. Karl v. Lilienthal. 4. Bd. 4 Hfte. gr. 8. (1. Hft. 168 u. 32 S.) Berlin 884. Guttentag. n. 12. —

— dasselbe. 5—7. Bd. à 6 Hfte. gr. 8 (à Hft. ca. 133 S.) Ebend. 885. 86. à Bd. n. 15. —

— allgemeine, f. Textil-Industrie. Populär-wissenschaftl. Fachblatt f. Spinnerei, Weberei, Färberei, Druckerei, Bleicherei, Appretur u. verwandte Industriezweige. Hrsg. unter Mitwirkg. hervorrag. Fachmänner u. Industrieller v. Ph. Zalud. 5—7. Jahrg. 1883—1885. à 24 Nrn. (à 2—3 B. m. eingedr. Holzschn. u. Steintaf.) gr. 4. Leipzig, (Expedition). à Jahrg. 12. —

— für katholische Theologie. Red. v. J. Wieser u. H. Griesar. 7—10. Jahrg. 1883—1886. à 4 Hfte. gr. 8. (à Hft. ca. 196 S.) Innsbruck, F. Rauch. à Jahrg. n. 6. —

— für praktische Theologie. Unter Mitwirkg. v. Hesse, Holtzmann, Kehr etc. hrsg. v. Bassermann u. Ehlers. 5—9. Jahrg. 1883—1887. à 4 Hfte. gr. 8. (à Hft. ca. 104 S.) Frankfurt a/M., Diesterweg. à Jahrg. n. 6. —

— für wissenschaftliche Theologie. In Verbindg. m. mehreren Gelehrten hrsg. v. Adf. Hilgenfeld. 26—29 Jahrg gr 8. (à Hft. ca. 128 S.) Leipzig 883—86. Fues. à Jahrg. n. 12. —

— theologische, aus der Schweiz, hrsg. v. Frdr. Meili. 1. u. 2. Jahrg. 1884 u. 1885. à 4 Hfte. gr. 8. (à Hft. ca. 100 S.) St. Gallen, Wirth & Co. à Jahrg. n. 4. —

— dasselbe. 3. Jahrg. 1886. 4 Hfte. gr. 8. (1. Hft. 64 S.) Zürich, Meyer & Zeller. n 5. —

— für Therapie m. Einbeziehung der Electro- u. Hydrotherapie. Central-Organ f. prakt. Aerzte, unter Mitwirkg v Auspitz, Bergmeister, Biach etc Hrsg. u. Red.: Jos. Weiss. 1—4. Jahrg. 1883—1886. à 24 Nrn. (à $^3/_4$—1 B.) Lex.-8. Wien, (Braumüller). à Jahrg. n.n. 6. —

— für homöopathische Thierheilkunde. Organ f. Thierärzte, Landwirthe, Viehbesitzer u. Freunde der Homöopathie. Red.: H. Fischer. 1. Jahrg. Juli—Decbr. 1886. 6 Nrn. ($^1/_2$ B.) gr. 4. Leipzig, Dr. W. Schwabe. n. 1. —

— deutsche, f. Thiermedicin u. vergleichende Pathologie. Hrsg. v. Adam, Albrecht, Bruckmüller etc Red. v. O. Bollinger u. L. Franck, Alb. Johne u. M. Sussdorf. 9—12. Bd. à 6 Hfte. gr. 8. (à Hft. ca. 60 S. m. eingedr. Holzschn.) Leipzig, F. C. W. Vogel. à Jahrg. n. 10. —

— dasselbe. 6. u. 7. Suppl.-Hft. gr. 8. Ebend. à n. 2. —

6. Jahresbericht der k Central-Thierarznei-Schule in München. 1881—1882. (IV, 136 S.) 883.
7. Dasselbe 1882—1883. (IV, 182 S.) 884.

— des Verbandes rheinisch-westfälischer Thierschutz-Vereine. Red.: Otto Hartmann. 8—10. Jahrg. 1884—1886. à 6 Nrn. (B.) gr. 4. Köln. (Elberfeld, Lucas.) à Jahrg. n.n. 1. —

cf.: Thierschutz-Verband, rheinisch-westfälischer.

— für Transportwesen u. Strassenbau. Unter Mitwirkg. hervorrag. Kräfte der Bau-, Maschinen- u. Eisenbahn-Technik u. Eisenbahn-Verwaltg., sowie der Volkswirthschaft hrsg. Red.: A. Seydel u. Arth. Baumann. 1—3. Jahrg. 1884—1886. á 52 Nrn. ($1^1/_2$ B. m. Illustr.) gr. 4. Berlin, Engelmann. à Jahrg. n. 16. —

— für das österreichische Turnwesen m. besond. Berücksicht. d. Schulturnens u. der Gesundheitspflege. Unter Mitwirkg. hervorrag. Schulmänner u. Aerzte hrsg. v. Jaro Pawel. 1. Jahrg. 1885. 12 Hfte. (à $1^1/_2$—$4^1/_2$ B.) gr. 8. Wien, Pichler's Wwe. & Sohn. n. 6. —

— für Vermessungswesen. Organ d. deutschen Geometervereins. Unter Mitwirkg. v. F. R. Helmert u. C. Steppes hrsg. v. W. Jordan. 12—15. Bd. Jahrg.

1883—1886. à 24 Hfte. gr. 8. (à Hft. ca. 32 S.) Stuttgart, (Wittwer). à Jahrg. n. 9. —

Zeitschrift für Versicherungswesen. Hrsg.: J. Neumann. Jahrg. 1883—1886. à 52 Nrn. (à 1—$2\frac{1}{2}$ B.) Fol. Berlin, Mittler & Sohn. à Jahrg. n.n. 20. —

— Saski'sche, f. das Versicherungswesen. Hrsg.: C. Saski. Red.: Max Karfunkel u. G. Saski. 19—22. Jahrg. 1883—1886. à 52 Nrn. (B.) Fol. Leipzig, H. Schultze. à Jahrg. n. 18. —

— für badische Verwaltung u. Verwaltungsrechtspflege. Unter Mitwirkg. der Mitglieder d. großh. Verwaltungsgerichtshofes, sowie v. A. Eisenlohr. Hrsg. v. Frdr. Wielandt. 15—18. Jahrg. 1883—1886. à 26 Nrn. (à 1—2 B.) gr. 4. Heidelberg, Emmerling & Sohn. à Jahrg. n. 8. —

— für Verwaltung u. Rechtspflege im Großherzogth. Oldenburg. 10—13. Bd. Jahrg. 1883—1886. à 3 Hfte. gr. 8. (à Hft. ca. 145 S.) Oldenburg, Stalling's Verl. à Jahrg. n. 4. 50

— österreichische, f. Verwaltung. Von Carl Ritter v. Jäger. 16—19. Jahrg. 1883—1886. à 52 Nrn. (à $\frac{1}{2}$—$\frac{3}{4}$ B.) gr. 4. Wien, (Manz). à Jahrg. n. 8. —; m. Beilage, „Erkenntnisse d. Verwaltungs-Gerichtshofes" n. 12. —

— österreichische, f. wissenschaftliche Veterinärkunde, hrsg. v. den Mitgliedern d. Wiener k. k. Thierarznei-Institutes unter der Red. v. J. Bayer u. St. Polansky. [Neue Folge der Vierteljahrsschrift f. wissenschaftl. Veterinärkunde, im J. 1851 begründet v. Müller u. Röll.] 1. Bd. gr. 8. (1. Hft. 94 S. m. 1 Taf.) Wien 887. Braumüller. n. 6. —

— für Völkerpsychologie u. Sprachwissenschaft. Hrsg. v. M. Lazarus u. H. Steinthal. 15. u. 16. Bd. à 4 Hfte. gr. 8. (à Hft. ca. 104 S.) Berlin 884. 85. Leipzig, Friedrich. à Hft. n. 2. 40

— für deutsche Volkswirthschaft. Organ d. Vereins f. deutsche Volkswirthschaft, begründet 1876. Red.: H. Grothe. 4. u. 5. Jahrg. 1883 u. 1884. à 6 Hfte. gr. 8. (à Hft ca. 176 S.) Berlin, Burmester & Stempell. à Jahrg. n. 9. —

— für deutsche Volkswirtschaft. Organ d. Vereins f. deutsche Volkswirtschaft. Begründet 1876. Hrsg. vom Vorsitzenden d. Vereins R. Schück. Red.: Frdr. Horn. Jahrg. 1886. gr. 8. (296 S.) Berlin, (Puttkammer & Mühlbrecht). n. 6. 50

— für die gebildete Welt üb. das gesammte Wissen unserer Zeit u. üb. alle wichtigen Berufszweige. Unter Mitwirkg. v. hervorrag. Gelehrten u. Fachmännern hrsg. v. Rich. Fleischer. 1. u. 2. Jahrg. 1883 u. 1884. à 24 Hfte. gr. 8. (à Hft. 58 S.) Braunschweig, Vieweg & Sohn. à Jahrg. n. 24. —

Erscheint nicht mehr.

— für Zeichenlehrer. Zugleich Organ f. Bekanntmachg. erledigter Lehrerstellen an den höheren Unterrichtsanstalten. Unter Mitwirkg. namhafter Fachgenossen hrsg. u. red. v. Joh. Matthäus Eisert. 1. Jahrg. 1884. 12 Nrn. ($\frac{1}{2}$ B.) gr. 4. Kaiserslautern, (A. Gotthold). n 3. 60

— des Vereines deutscher Zeichenlehrer. Red.: H. Hertzer. 10—13. Jahrg. 1883—1886. à 22 Nrn. (B.) gr. 8. Berlin. Stade, Pockwitz. à Jahrg. n. 8. —

— der Zimmerkunst. Organ f. Zimmerleute. Red.: G. H Rix. 1—3. Jahrg. 1883/86. à 12 Nrn. (B. m. Illustr.) gr. 4. Berlin. (Hamburg, Jensen & Co.) à Jahrg. n. 3. —

— für wissenschaftliche Zoologie, hrsg. von Carl Thdr. v. Siebold u. Alb. v. Kölliker unter der Red v. Ernst Ehlers. 37. Bd. 4. Hft. gr. 8. (IV u. S. 465—702 m. 1 eingedr. Holzschn. u. 11 z. Thl. farb Steintaf.) Leipzig 882. Engelmann. n. 14. — (37. Bd. cplt.: n. 47. —)

— dasselbe. 38. Bd. gr. 8. (IV, 685 S. m. 11 eingedr. Holzschn., 2 Lichtdr. u. 36 z. Thl. farb. Steintaf.) Ebend. 883. n. 48. —

— dasselbe. 39. Bd. gr. 8. (IV, 722 S. m. 4 eingedr. Holzschn. u. 41 z. Thl. farb. Steintaf.) Ebend. 883. n. 51. —

— dasselbe. 40. Bd. gr. 8. (IV, 724 S. m. 7 eingedr. Holzschn. u. 36 z. Thl. farb. Steintaf.) Leipzig 884. Engelmann. n. 47. —

Zeitschrift für wissenschaftliche Zoologie, hrsg. von Carl Thdr. v. Siebold u. Alb. v. Kölliker unter der Red. v. Ernst Ehlers. 41. Bd. gr. 8. (IV, 730 S. m. 10 eingedr. Holzschn. u. 35 Steintaf.) Leipzig 884. 85. Engelmann. n. 50. —

— dasselbe. 42. Bd. gr. 8. (XXXIV, 744 S. m. Holzschn., 23 Steintaf. u. 1 Lichtdr.-Portr.) Ebend. 885. n. 49. —

— dasselbe. 43. Bd. gr. 8. (IV, 720 S. m. 11 Holzschn. u 24 Taf.) Ebend. 886. n. 44. —

— dasselbe. 44. Bd. Mit 39 Taf. gr. 8. (IV, 698 S.) Ebend. 886. n. 52. —

— für Zuckerindustrie in Böhmen. Red. v. M. Nevole. 11. Jahrg. Oktbr. 1883—Septbr. 1887. à 10 Hfte. gr. 8. (à Hft. ca. 50 S. m. 11 eingedr. Holzschn. u. Steintaf.) Prag, Řivnáč. à Jahrg. n. 17. —

Zeitstimmen, protestantische. II u. III. gr. 8. Berlin, Springer. n. 1. 60 (I—III.: n. 3. —)

II. Ein Beitrag zur Geschichte der evangel. Landeskirche in Preußen während der J. 1881/82. Von e. Laien. (XIII, 50 S.) 883. n. 1. —

III. Dasselbe während der J. 1884/86. (VII, 24 S.) 886. n. — 60

— aus der reformirten Kirche der Schweiz. Red.: F. Meili. Neue Folge. 3. Jahrg. 1883. 26 Nrn. (B.) gr. 8. Zürich, Herzog. n. 5. —

Erscheint nicht mehr.

Zeittafeln f. den Unterrricht in der Geschichte in den oberen Klassen der Gelehrten- u. Realschulen Württembergs. 5. Aufl. gr. 8. (16 S.) Stuttgart 884. Metzler's Verl. n.n. — 18

Zeitung, archäologische. Hrsg. vom archäolog. Institut d. Deutschen Reichs. Red.: Max Fränkel. 41—43. Jahrg. 1883—1885. à 4 Hfte. gr. 4. (à Hft. ca 104 S. m. lith., Lichtdr.- u. heliogr. Taf.) Berlin, G. Reimer. à Jahrg. n. 12. —

cf.: Jahrbuch d. kaiserl. deut. archaeolog. Instituts.

— berg- u. hüttenmännische. Red.: Bruno Kerl u Frdr. Wimmer. 42—45. Jahrg. 1883—1886. à 52 Nrn. (à 1—$1\frac{1}{2}$ B. m. eingedr. Holzschn. u. Steintaf) gr. 4. Leipzig, Felix. à Jahrg. n. 26. —

— illustrirte, f. Blechindustrie. [Vormals: Deutsche Blätter f. Blecharbeiter.] Organ d. Vereins deutscher Blecharbeiter. Red.: F. Stoll jr. 14. u. 15. Jahrg. 1885 u. 1886. à 36 Nrn. (à 5—9 B.) Fol. Stuttgart. (Ludwigsburg, Neubert.) à Jahrg. n. 5. 50

cf: Blätter, deutsche, f. Blecharbeiter.

— botanische. Red.: A. de Bary, L. Just. 41—44. Jahrg. 1883—1886. à 52 Nrn. (à 1—$1\frac{1}{2}$ B. m. Steintaf.) 4. Leipzig, Felix. à Jahrg. n. 22. —

— illustrirte, f. Buchbinderei u. Cartonagenfabrikation, sowie f. sämmtl. verwandte Fächer, Portefeuille-Album u. Mappenfabrikation. Zugleich Organ f. den Papierhandel. 16—19. Jahrg. 1883—1886 od. 24—31. Bd. à 26 Nrn. (2 B.) gr. 4. Dresden-Blasewitz, Löwenstein. à Jahrg. n. 9. —

— des Vereins deutscher Eisenbahn-Verwaltungen. Organ d. Vereins. Red.: W. Koch. 23—26. Jahrg. 1883—1886. à 104 Nrn. (à 1—$2\frac{1}{2}$ B.) gr. 4. Berlin, Nauck & Co. à Jahrg. n. 16. —

— Stettiner entomologische. Hrsg. v. dem entomolog. Vereine zu Stettin. Red.: C. A. Dohrn. 44—47. Jahrg. 1883—1886. à 12 Nrn. gr. 8. (Nr. 1—3. 144 S.) Stettin. (Berlin, Friedländer & Sohn. — Leipzig, F. Fleischer.) à Jahrg. n. 12. —

— Wiener entomologische. Hrsg. u. red. v. Ludw. Ganglbauer, Frz. Löw, Jos. Mik, Edm. Reitter, Fritz A. Wachtl. 2—5. Jahrg. 1883—1886. à 10 Hfte. ($1\frac{1}{2}$ B. m. Steintaf.) gr. 8. Wien, Hölder. à Jahrg. n. 8. —

— für Feuerlöschwesen. Jahrg. 1883—1886. à 24 Nrn. (à $\frac{1}{2}$—$\frac{3}{4}$ B.) gr. 4. München, (Franz' Verl.). à Jahrg. n. 3. 60

— für Gemeinnützigkeit u. Armenerziehung. Red.: J. Ulr. Rutishauser. 4. Jahrg. 1885. 36 Nrn. (B.) Fol. Bischofszell. (Zürich, Höhr.) n. 3 20

— allgemeine homöopathische. Hrsg. v. A. Lorbacher. 106—113. Bd. Jahrg. 1883—1886. à 52 Nrn. (B.) gr. 4. Leipzig, Baumgärtner. à Bd. n. 10. 50

Zeitung, illustrirte. Red: Frz Metsch. (41 u. 42.) Jahrg. 1883 u. 1884 od. 80—83. Bd. à 52 Nrn. (à 4—5 B. m. eingedr. Holzschn.) Fol. Leipzig, Weber. à Jahrg. n. 24. —

— dasselbe. (43. u. 44.) Jahrg. 1885 u. 1886. od. 84—87. Bd. à 52 Nrn. (à 4—5 B. m. eingedr. Holzschn.) Ebend. à Jahrg. n. 28. —

— dasselbe. Extra-Nummer zur Jubiläums-Kunstausstellung in Berlin. Fol. (52 S. in Holzschn.) Ebend. 886. 2. —

— deutsche illustrirte. Red.: Emil Dominik. 1. u. 2. Jahrg. Aug. 1884 bis dahin 1886. à 52 Nrn. (3 B. m. Illustr.) Berlin, Berliner Verlagscomtoir. à Jahrg. 10. —; Künstlerausg. m chromolith. Kunstbeilage n. 20. —

— dasselbe. 3. Jahrg. Ausg. 1886 bis dahin 1887. 52 Nrn. (3 B. m. Illustr.) Fol. Ebend. 12. —; Künstler-Ausg. m. jährlich 8 Kunstbeilagen n. 24. —

— kleine illustrirte. Illustrirtes Familien-Blatt. Hrsg. v. C. Guerdan u. Frz. Scherer. 3. Jahrg. Oktbr. 1882—Septbr. 1883. 52 Nrn. (2 B. m. eingedr. Illustr.) hoch 4. Wien, Engel. 10. —
cf.: Ost u. West.

— neue illustrirte. Illustrirtes Familienblatt. 12-15. Jahrg. Oktbr. 1883—Septbr. 1887. à 52 Nrn. (4 B. m. eingedr. Holzschn.) Fol. Leipzig, Exped. à Jahrg. 12. —; in 26 Hftn. à — 50

— allgemeine, d. Judenthums. Ein unparteiisches Organ f. alles jüd. Interesse. Hrsg. v. Ludw. Philippson. 47—50. Jahrg. 1883—1886. à 52 Nrn. (à 2—2½ B.) gr 4. Leipzig, Baumgärtner. à Jahrg. n. 12. —

— allgemeine, f. deutsche Land- u. Forstwirthe. Central-Annoncenblatt f. die Interessen der Land- u. Forstwirthschaft. Red.: C. W. Th. Haurand. 13—15. [d. prakt. Wochenblatts 48—50.] Jahrg. 1883—1885. à 104 Nrn. (à 1½—2 B.) Fol. Berlin, (Wendt). à Jahrg n. 16. —

— dasselbe. 16. [d. prakt. Wochenblatts 51.] Jahrg. 1886. 1. Sem. 52 Nrn. (à 1½—2 B.) Fol. Ebend. 8. —

— dasselbe. Jahrg. 1886. 2. Sem. 52 Nrn. (à 1½—2 B.) Fol. Ebend. 6. —

— deutsche allgemeine, f. Landwirthschaft, Gartenbau u. Forstwesen, vereinigt m. der „Zeitschrift f. Viehhaltg. u. Milchwirthschaft". Red.: R. Faulmann-Scholl. 7—10. Jahrg. 1883—1886. à 52 Nrn. (à 1—1½ B.) Fol. Frankfurt a/M., Daube & Co. à Jahrg n 6. —

— landwirthschaftliche. [Vereinsschrift d. landwirthschaftl. Provinzial-Vereins f Westfalen u. Lippe] Red.: W. v. Laer. 40—42. Jahrg. 1883—1885. à 52 Nrn. (B.) gr. 4. Münster, (Theissing). à Jahrg. n. 2. 50

— dasselbe. 43. Jahrg. 1886. 52 Nrn. (B) gr. 4. Ebend. n. 1. 20

— landwirthschaftliche, f. das nordwestliche Deutschland. Amtliches Organ f. die beiden landwirthschaftl. Provinzial-Vereine d. Landdrosteibezirks Osnabrück. Hrsg. v. H. Fisse u. Jaspers. Jahrg. 1883—1885. à 26 Nrn. (B.) Fol. Osnabrück, (Rackhorst). à Jahrg. n. 2. —

— landwirthschaftliche, u. Anzeiger. Organ d. landwirthschaftl. Zentralvereins f. den Reg.-Bez. Kassel u. d. Vereins zur Beförderg. der Fischzucht. Red.: Thon. 5—8. Jahrg. 1883—1886. à 52 Nrn. (2 B) Fol. Kassel, (Freyschmidt). à Jahrg. n.n. 5. —

— deutsche landwirthschaftliche. Früher Norddeutsche landwirthschaftl. Zeitg. u. Landwirthschaftl. Intelligenzblatt [Neue Folge.] Red.: C. Sievert. 29. Jahrg. 1886. 156 Nrn. (1½ B.) Fol. Berlin, Expedition, N. W., Unter den Linden 58. 20. —

— illustrirte landwirthschaftliche. Hrsg. v. Will. Löbe. Jahrg. 1883—1886. à 52 Nrn. (à 1—1½ B. m. eingedr. Holzschn.) gr. 4. Leipzig, Reichenbach. à Jahrg. n. 10 —

— norddeutsche landwirthschaftliche. Red.: Wilh Biernatzki. Jahrg. 1883—1885. à 52 Nrn. (B. m. ½ B. Handelsbeilage in Fol.) gr. 8. Kiel, Biernatzki. à Jahrg. n. 8. —

Zeitung, Wiener landwirthschaftliche. Hrsg. u. Red.: Hugo H. Hitschmann. 33—36. Jahrg. 1883—1886. à 104 Nrn. (à 2—3 B. m. eingedr. Holzschn.) Fol. Wien, (Gerold's Sohn). à Jahrg. n. 20. —

— Königsberger land- u. forstwirthschaftliche, f. das nordöstliche Deutschland. Hrsg.: G. Kreiss. 19—22 Jahrg. 1883—1886. à 52 Nrn. (1½ B.) Fol. Königsberg, (Beyer). à Jahrg. n.n. 12. —

— allgemeine Wiener medizinische. Red. u. Hrsg.: B. Kraus. 28—31. Jahrg. 1883—1886. à 52 Nrn. (à 1—3 B.) Fol. Wien, (Sallmayer). à Jahrg. n.n. 20. —

— pharmaceutische. Central-Organ f. die gewerbl. wissenschaftl. Interessen der Pharmacie u. verwandter Berufs- u. Geschäftszweige. Mit e. Suppl.: Pharmaceutisches Handelsblatt [Handelsbeilage zur Pharmaceut. Zeitg.]. Hrsg.: H. Mueller. Red.: Boettger. 28—31. Jahrg. 1883-1886. à 104 Nrn. (à 2—3 B.) Fol. Bunzlau. (Berlin, Springer.) à Jahrg. n. 8. —

— neue pharmaceutische. Organ u. Anzeiger f. Apotheker, Drogisten, pharm. u. chem.-techn. Industrielle, sowie f. verwandte Berufs- u. Geschäftszweige. Hrsg.: Guido Wolf Red: Ludw. Krieger. 1. Jahrg. Apr.—Juni 1886. 13 Nrn. (B.) Fol. Bunzlau, (A. Appun's Buchh.). n.n. — 50

— deutsche allgemeine polytechnische. Organ f. die Theorie u. Praxis der Gewerbe, f. Handel u. Handelspolitik, der Textil-Industrie, der Motoren, Transmissionen, Pumpen etc. Hrsg. v. Herm. Grothe. 11. u. 12. Jahrg. 1883 u. 1884. à 52 Nrn. (à 2—3 B. m. eingedr. Fig.) Fol Berlin, Burmester & Stempell. à Jahrg. n. 16. —
Erscheint nicht mehr.

— für Strassen- u. Brückenbau, sowie f. Culturtechnik. Hrsg. unter Mitwirkg. hervorrag. Kräfte d. Ingenieurfaches durch R. Jeglinsky. 1. Jahrg. 1885. 24 Nrn. (B. m. Steintaf.) hoch 4. Bunzlau, (A Appun's Buchh.). n n. 8. —
Erscheint nicht mehr, dafür: Zeitung f. Landeskultur.

— unsere. Illustrirte Monatsschrift für's junge Volk. 1. u. 2. Jahrg. 1885 u. 1886. à 12 Hfte (2 B. m. eingedr. Holzschn., Holzschntaf. u. Chromolith.) Lex.-8. Einsiedeln, Benziger & Co. à Hft. n. 1. —

— für das höhere Unterrichtswesen Deutschlands. Unter Mitwirkg. e. grossen Anzahl v. Schulmännern hrsg. v. H. A. Weiske. 12—15. Jahrg. 1883—1886. à 52 Nrn. (B) hoch 4. Leipzig, Siegismund & Volkening. à Jahrg. n. 8. —

— für die elegante Welt. Illustrirtes Hauptorgan d. deutschen, franz. u. engl. Modegeschmacks in Frauen- u. Kindergarderobe. Red.: Heinr. Klemm. 12—14. Jahrg. 1883—1885. à 12 Nrn. (B. m. eingedr. Holzschn., Schnittmusterbeilagen u. 2 zum Thl. color. Modekpfrn) Fol. Dresden, Exped. der Europ. Modenzeitg. à Jahrg. n. 8. —

Zeitvertreib, allerhand. 4. (8 Chromolith. m. Text.) Stuttgart 886. G. Weise. n. — 50; unzerreißbar, geb. 1. 50

Zeitvertreibs-Kalender, Römhilder wohlausgerechneter, verbesserter neuer u. alter, auf d. J. 1887. 4. (40 S. m. Illustr.) Hildburghausen, Gadow & Sohn. — 15

Zelbr, Karl, üb. die Bahn der kometarischen Nebelmasse Schmidt 1882. Lex.-8. (8 S.) Wien 882. (Gerold's Sohn.) n. — 20

Zelechowski, Eug., ruthenisch-deutsches Wörterbuch. 2 Bde. gr. 8. (VIII, 1117 S.) Lemberg 886. (Leipzig, Harrassowitz.) n. 28. —

Zelinka, Th., Waidhofen a. d. Ybbs u. seine Umgebungen, s.: Touristen-Führer.

Zell, B. W., Kloster Friedlands letzte Aebtissin. Roman aus dem 16. Jahrh. 8 (250 S.) Breslau 886. Schottländer. n. 4. —; geb. n. 5. —

— das Märchen vom Glück. Erzählung. 12. (373 S) Jena 885. Costenoble. n. 4. —

— Schaumperlen. Novellen. 8. (272 S.) Berlin 884. Internationale Buchh. n. 3. —

Zell, **Katharina**, die Kirchenmutter, s.: Für die Feste u. Freunde d. Gustav-Adolf-Vereins.

Zelle, Jul., Bemerkungen u. Verbesserungen zur Schulgrammatik der französischen Sprache v. Plötz. gr. 4. (23 S.) Cöslin 886. (Leipzig, Fock) n. 1. —

Zeller, Mutter, in Beuggen. 2. Aufl. 8. (92 S.) Basel 882. Spittler. n.n. — 50

Zeller, Aug., der praktische Ornamentzeichner. Eine Fortsetzg. zum Kleinen Zeichenschüler. 4 Hfte. qu. 4. (à 11 Steintaf.) Straßburg 885. Schultz & Co. Verl. à n. — 15

— der kleine Zeichen-Schüler. Methodisch geordneter Zeichenunterricht. 8 Hfte. qu.-4. (à 12 Steintaf.) Ebend. à n. — 15

1. 23. Aufl. 883. — 2. 27. Aufl. 883. — 3. 29. Aufl. 884. — 4. 23. Aufl. 884. — 5. 11. Aufl. 882. — 6. 10. Aufl. 883. — 7. 4. Aufl. 882. — 8. 3. Aufl. 882.

— dasselbe. 8 Hfte Neue Ausg. qu.-4. (à 12 Steintaf.) Ebend. 886. In Carton. 3. —

Zeller, Carl, das große Einmaleins. 8. (16 S.) Wien 886. Szelinski. n. — 24

Zeller, Chrn. Heinr., göttliche Antworten auf menschliche Fragen. Ein bibl. Spruch- u. Lehrbüchlein, f. Christen und Christenkinder zum Gebrauche in Schulen, Erziehungsanstalten u Haushaltg. gesammelt. 5. Aufl. 8. (VIII, 135 S.) Basel 883. Spittler. n. — 65

— über Kleinkinder-Pflege. Eine kurze Anleitg. f. Eltern, Erzieher und Wärterinnen kleiner Kinder. Neue verb. Aufl. 8. (62 S.) Ebend. 884. n. — 20

— Lehren der Erfahrung f. christl. Land- und Armen-Schullehrer. Eine Anleitg. zunächst f. die Zöglinge u. Lehrschüler der freiwill. Armen-Schullehrer-Anstalt in Beuggen. 5. durchgesehene Aufl. gr. 8 (VI, 269 S.) Ebend. 883. n. 2. —

Zeller, Ed., üb. Begriff u. Begründung der sittlichen Gesetze. gr. 4. (35 S.) Berlin 883. (G. Reimer.) n. 1. 50

— Friedrich der Große als Philosoph gr 8. (VI, 298 S.) Berlin 886. Weidmann. n. 7. —

— Grundriss der Geschichte der griechischen Philosophie. gr. 8. (X, 317 S.) Leipzig 883. Fues. n. 4. 40

— dasselbe. 2. neu durchgesehene Aufl. gr. 8. (X, 317 S.) Ebend. 886. n. 4. 80

— Vorträge u. Abhandlungen. 3. Sammlg. gr. 8. (VII, 285 S.) Ebend. 884. n. 6. — (1—3.: n. 23. —)

Zeller, Gust., d. Erzstiftes Salzburg Münzrecht u. Münzwesen. nebst Verzeichniss der salzburg. u auf Salzburg Bezug hab. Münzen u. Medaillen. 2. Aufl. gr. 4. (III, 127 S. m. 1 Steintaf.) Salzburg 883. (Dieter.) n. 8. —

Zeller-Werdmüller, H., das Ritterhaus Bubikon,
— Denkmäler aus der Feudalzeit im Lande Uri. [Das Kästchen v. Attinghusen.],
} s.: Mittheilungen der antiquarischen Gesellschaft in Zürich.

Zeller, Heinr , grüaß Gott! Gedichte in altbayer. Mundart. 16. (VIII, 234 S.) Landsberg a/L. 884. Verza. n. 1. 60

Zeller, J., zur Erkenntniß unserer staatswissenschaftlichen Zustände. 2. erheblich erweiterte Aufl. [I. Abriß der v. Rodbertus-Jagetzow verfaßten Schrift gleichen Titels. II. Kritische Beleuchtung u. Erweiterg. derselben III. Handelskrisen. IV. Ueber die internationalen staatswirthschaftl. Beziehgn.] Anh.: Rodbertus-Jagetzow. 1. Die soziale Bedeutg der Staatswirthschaft. Erster sozialer Brief an v. Kirchmann. 2. Der Normal-Arbeitstag. [Beides im Orig.-Text.] gr. 8. (XI, 305 S.) Berlin 885. Bahr. n. 6. —

Zeller, Johs. Mich., Geschichte d. Kirchengesanges in der Diöcese Rottenburg, besonders im vormals würzb., jetzt württemberg. Frankenland. Historisch-rechtlich nach den besondern u. allgemeinen Anordngn. als Beitrag zu den cäcilianischen Bestrebgn. unserer Tage dargebracht. gr. 8. (IV, 68 S.) Regensburg 886. Pustet. n. — 80

Zeller, P., die täglichen Lebensgewohnheiten im altfranzösischen Karls-Epos, s.: Ausgaben u. Abhandlungen aus dem Gebiete der romanischen Philologie.

Zeller, S., 8 Betrachtungen üb. Bibel-Abschnitte. 4. Aufl. 8. (68 S.) Basel 886. Spittler. n. — 30

Zeller, S., Haus-Andachten, geh. in Männedorf. [Von Freunden nachgeschrieben.] 5 Aufl. 8. (82 S) Basel 886. Spittler. n. — 30

— Strafe u. Trost. 6 Betrachtgn. üb. Bibel-Abschnitte. 2. Aufl. 8. (79 S.) Ebend. 886. n. — 40; cart. n. — 65; geb. n. 1. 20

Zeller, Wilh., Handbuch der Verfassung u. Verwaltung im Großherzogth. Hessen. 1. u. 2. Bd gr. 8 (VIII, 410 u. VIII, 497 S.) Darmstadt 885 86. Bergsträßer. à n. 5. 40; geb. à n. 7. —

— das Reichsgesetz üb. die Ausdehnung der Unfall- u. Krankenversicherung. Vom 28. Mai 1885. Mit e. Einleitg., sowie e. Darstellg. der Prinzipien d. Gesetzes auf Grund der Motive, Kommissionsberichte u. Reichstagsverhandlgn., m. Noten u. alphabet. Sachregister. 16. (III, 44 S.) Nördlingen 885. Beck. cart. n. — 60

— das Reichs-Gesetz betr. die Fürsorge f. Beamte u. Personen d. Soldatenstandes infolge v. Betriebsunfällen. Vom 15. März 1886. Mit e. Einleitg., sowie e. Darstellg. der Prinzipien d. Gesetzes auf Grund der Motive. Kommissionsberichte u. Reichstagsverhandlgn., m. Noten. 16. (48 S) Ebend. 886. cart. n — 60

— das Reichsgesetz üb. die eingeschriebenen Hilfskassen in der Fassung der Novelle vom 1. Juni 1884. Mit e. geschichtl. Einleitg., e. Darstellg. der Prinzipien d. Gesetzes auf Grund der Motive, Kommissionsberichte u. Reichstagsverhandlgn., sowie kurzen Noten u. alphabet. Register. 16. (III, 74 S.) Ebend. 884. cart. n. 1. —

— das Reichsgesetz betr. die Krankenversicherung der Arbeiter. Vom 15. Juni 1883. Mit e. geschichtl. Einleitg., e Darstellg. der Prinzipien d. Gesetzes auf Grund der Motive, Kommissionsberichte u. Reichstagsverhandlgn., sowie kurzen Noten u. alphabet. Sachregister hrsg. 16. (118 S.) Ebend. 883. cart. n. 1. 20

— das Reichsgesetz, betr. die Unfall- u. Krankenversicherung der in land- u. forstwirtschaftlichen Betrieben beschäftigten Personen. Mit e. Einleitg. auf Grund der Motive, Kommissionsberichte u. Reichstagsverhandlgn., m Noten u. alphabet. Sachregister hrsg. 16. (III, 157 S.) Ebend. 886. cart. n. 1. 50

— Unfallversicherungsgesetz f. das Deutsche Reich. Vom 6. Juli 1884, nebst den Bekanntmachgn. d. Reichsversicherungsamtes vom 14. Juli 1884. Mit e. geschichtl. Einleitg., sowie kurzen Noten u. alphabet. Sachregister. 16. (III, 128 S.) Ebend. 884. cart. n 1. 50

Zellmer, W., zur polnischen Politik d. Kurfürsten Friedrich II. v. Brandenburg. I. Bis zur Königswahl 1446. gr. 4 (20 S) Berlin 883. Gaertner. n. 1. —

Zells, Louis, die Selbstkosten d. Eisenbahn-Transportes u. die Wasserstrassen-Frage. Eine Polemik gegen das gleichnam. Buch d. Hrn. Wilh. Ritter v. Nördling. gr. 8. (32 S.) Wien 886. Spielhagen & Schurich. n. 1. —

Zelter, J., Mustersätze nebst Uebungsaufgaben f den grammatischen Unterricht 2. Aufl. 8. (VIII, 109 S.) Langensalza 884. Schulbuchh. n. — 80

Zemanek, Adf., Werth u. Bedeutung der Militär-Sanitäts-Statistik. Vom k. k Militär-Sanitäts-Comité m. e goldenen Medaille gekrönte Preisschrift. gr. 8. (68 S.) Wien 884. Perles n. 2. —

Zenger, K. W., die Meteorologie der Sonne u. ihres Systems. Mit 5 Abbildgn. u. 4 Taf. gr. 8. (XXII, 231 S.) Wien 886. Hartleben. n. 5. —

— die Spannungs-Elektricität, ihre Gesetze, Wirkungen u. technischen Anwendungen, s.: Bibliothek, elektro-technische.

Zenker, Fr. Xav., die Musik in der Kirche muß heilig sein. Predigt. geh. bei der kirchl. Feier der Generalversammlg. d. Cäcilienvereines der Diözese Brixen in Hall am 12. Septr. 1882. 2. Aufl. gr. 8. (16 S.) Regensburg 884. Coppenrath. n — 30

Zenker, K , Rechenbuch f. Volksschulen, s.: Francke, H.

Zenker, W., der Culturkampf. Der Zweck u. das Wesen d. Spiritismus im Lichte der Vernunft. Authentisch dargestellt. gr. 8. (28 S.) Neuhaldensleben 885. (Eyraud.) n. — 40

Zenotty, Frz. de Paula, die Zeitgenossen: Der hl. Ordensstifter Ignatius v. Loyola u. der Professor Martin

Luther. Ihr Leben u. Wirken, im Lichte der Wahrheit dargestellt. 8. (IV, 271 S. m. 1 Stahlst.) Wien 885. Mayer & Co. n. 2. 40

Zens, M., Mens sana in corpore sano. In zeitgemässer Anwendg. auf Lehrerarbeit u. Lehrergehalte. Vortrag. gr. 8. (20 S.) Wien 885. Manz. n. — 40

Zentralblatt f. städtische Verwaltung Organ f. die städt. Behörden, Stadt- u. Gemeinderäte, Bauämter, Stadtverordnete, Ortsvorstände u. Hausbesitzer in Deutschland, Österreich-Ungarn u. der Schweiz Hrsg. v. Thdr. Schwartze. 1–4. Jahrg. 1884–1887. à 26 Nrn. (2 B. m. Illustr.) gr. 4. Leipzig, Verlag des Maschinenbauer. à Jahrg. n. 8. —; einzelne Nrn. à — 30

Zenz, Adf, Turn-Unterricht f. Blinde. 1. gr. 8. (20 S.) Wien 883. (Huber & Lahme.) n. — 60

Zenz, Wilh., Methodik d. naturgeschichtlichen Unterrichtes in der Volks- u. Bürgerschule. [Ergänzungsbdchn. zur gesammten Naturgeschichte f. Lehrer- u. Lehrerinnen-Bildungsanstalten v. A. Bisching, M. Wretschko u. W. Zenz.] Mit Abbildgn. gr. 8. (IV, 40 S.) Wien 886. Hölder. n. — 60

— Naturgeschichte f. Lehrer- u. Lehrerinnen-Bildungsanstalten, s: Bisching, A.

Zepharovich, V. Ritter v., die Krystallformen einiger Kampferderivate. III. [Mit 2 (lith) Taf. u. 7 (eingedr.) Holzschn.] Lex.-8. (22 S.) Wien 885. (Gerold's Sohn.) n. — 80 (I—III.: n.n. 2. 80)

Zepler, Bogumil, üb. den Einfluss der Verwandten-Ehe auf die Nachkommenschaft m. besond. Berücksicht. der congenitalen Blindheit. gr. 8. (44 S.) Breslau 886. (Köhler.) n. 1. —

Zeplichal, Cajetan Carl, Anleitung zum Gebrauche der Satzkürzungen in der Praxis. Ein unentbehrl. Handbuch zur Ausbildg. in der Gabelsberger'schen Stenografie. Für Schulen u. zum Selbstunterrichte. Gekrönte Preisschrift. gr. 8. (XXXI, 154 S.) Wien 871. (Edm. Schmid.) n. 5. —

Zeppelin, Eberh. Graf, Geschichte der Dampfschifffahrt auf dem Bodensee 1824–1884. Lex.-8. (43 S.) Lindau 885. (Stettner.) n. 1. —

Zerdik, Arth., quaestiones Appianeae. gr. 8. (82 S.) Kiel 886. (v. Maack.) n. 1. 60

Zernecke, Alfr., de choro Sophocleo et Aeschyleo quaestionum capita tria. gr. 8. (29 S.) Posnaniae 885. (Breslau, Köhler.) n. 1. —

Zernin, Gebh., Erinnerungen an Dr. Josef Victor v. Scheffel. Erlebtes u. Erfahrenes. gr. 8. (VII, 68 S.) Darmstadt 886. Zernin. n. 2. —

— Freiherr Ludwig v. u. zu der Tann-Rathsamhausen. Eine Lebensskizze. Vortrag, geh. am 18. Novbr. 1882 in der militär. Gesellschaft zu München. Mit (Holzschn.-)Portr. gr. 8. (V, 52 S.) Ebend. 884. n. 1. 80

Zeroni, Frz., der Liebe Prüfung. Ein Lustspiel in 3 Acten. 8. (184 S.) Mannheim 883. Remnich. n. 2. 80

Zerstörung, die, Jerusalems. 8. (24 S.) Barmen 882. (Wiemann.) — 12

Zesas, D. G., die Kachexia strumipriva, s.: Sonderabdrücke der Deutschen Medicinal-Zeitung.

Zessin, das Ostsee-Bad Stolpmünde, kurze naturhistor. u. geschichtl. Beschreibg., zugleich ein kleiner Ratgeber f. Badegäste. 16. (46 S) Stolp 885. (Schrader.) n — 50

Zett, Alfr. v., Schön-Anka. Eine Sage aus Oberkrain. 8. (99 S.) Laibach 883. v. Kleinmayr & Bamberg. n. 2. 40

Zettel, Karl, ich denke Dein. Lieder v. Lenz u. Liebe, Freud' u. Leid. Gesammelt v K. Z. Illustriert v. R. E. Kepler. u. a. 2. Aufl. 8. (VII, 168 S. m. eingedr. Holzschn. u. farb. Titelbl.) Stuttgart 884. Greiner & Pfeiffer. geb. m. Goldschn. n. 5. 50

— Edelweiß. Für Frauensinn u. Frauenherz. Eine Auswahl aus der neuesten deutschen Lyrik. Mit vielen (eingedr.) Illustr. 6. Aufl. (XVI, 416 S.) Stuttgart 883. A Koch. geb. m. Goldschn. n. 3. —

— in zarte Frauenhand. Ein Album in Wort u. Bild f. alle Jahreszeiten. Aus den Schätzen der Dichtkunst ausgewählt. Mit vielen Illustr. in Holzschn. u. Lichtdr. Lex.-8. (V, 239 S.) Stuttgart 887. Greiner & Pfeiffer. geb. m. Goldschn. n. 10. —

Zettel, Karl, Frühlingsgrüße. Lieder v. Lenz u. Liebe, Freud' u. Leid. Gesammelt v. K. Z. Illustriert v. R. E. Kepler u. a. 8. (VII, 208 S.) Stuttgart 886. Greiner & Pfeiffer. geb. m. Goldschn. n. 5. 50

— Heidenröslein. Lieder v. Liebeslust u. Frühlingsfreud'. Gesammelt v. K. Z. Illustr. v. R. E. Kepler u. A. (VIII, 88 S. m. 14 Holzschntaf.) Ebend. 886. geb. m. Goldschn. n. 3. —

— aus schöner Zeit, s.: Seidl, F. X.

Zettler, M., das Turnen u. sein Einfluss auf die Entwickelung der Menschheit. Ein Vortrag. gr. 8. (30 S.) Leipzig 883. Strauch. n. — 50

— das Turnen m. der Keule. Eine Anleitg. f. den Betrieb in Vereinen u. Schulen. Mit vielen Abbildgn. 8. (III, 58 S.) Ebend. 884. n. 1. —

— die Turnübungen bei dem 1. sächsischen Kreisturnen zu Chemnitz am 16. u. 17. Juli 1882. Mit e. (chromolith.) Karte d. XIV. Turnkreises. gr. 8. (X, 84 S. m. 1 Tab.) Ebend. 883. n. 1 20

Zetzsch, A., die Ozean-Dampfschifffahrt u. die Postdampferlinie nach überseeischen Ländern, s.: Universal-Bibliothek, geographische.

Zetzsche, K. E., Handbuch der elektrischen Telegraphie. Unter Mitwirkg. v. mehreren Fachmännern hrsg. 3. Bd.: Die elektr. Telegraphie im engeren Sinne. 3. u. 4. Lfg. gr. 8. Berlin, Springer. n. 9. 80 (I—III, 4 u. IV: n. 74. 60)

3. Die elektrischen Messungen bei dem Bau u. dem Betriebe der Telegraphenlinien. Bearb. v. O. Frölich Die Telegraphenapparate. Bearb. v. E. Zetzsche. Mit zahlreichen in den Text gedr. Holzschn. u. 1 Karte der Kabelverbindgn. der Welt. (S. 273–480.) 884. n. 6. —

4. Die Telegraphenapparate. Bearb. v. E. Zetzsche. Mit zahlreichen in den Text gedr. Holzschn. (S. 481–608.) 885. n. 3 80

— Katechismus der elektrischen Telegraphie. 6., völlig umgearb. Aufl Mit 315 Abbildgn. 8. (XII, 453 S.) Leipzig 883. Weber. geb. n. 4. —

Zeugen u. Zeugnisse f. die ewige Wahrheit u. herrliche Kraft d. Wortes Gottes. Eine Sammlg. v. größeren u. kleineren Erzählgn. aus alter u. neuer Zeit. Mit e. Vorwort v. D. W. 8. (VII, 288 S.) Zwickau 885. (Dresden, H. J. Naumann.) n 1. 20

Zeugniß der Aufnahme in den III. Orden d. hl. Franziskus. 16. (32 S.) Salzburg 886. Pustet. n — 12

Zeugnisse, christliche, gegen die Blutbeschuldigung der Juden. Lex.-8. (VI, 58 S.) Berlin 882. Walther & Apolant. n. — 60

— göttlicher Liebe. 4 Blumenkarten m. Bibelsprüchen. 16. Leipzig 883. Böhme. n. — 60

Zeuschner, O., internationaler Citatenschatz. Lesefrüchte aus heim. u. fremden Schriftstellern [Sprichwörter u. Sentenzen]. gr. 8. (IV, 470 S.) Leipzig 884. Schloemp. n. 4. —; geb. n. 5. —

— dasselbe. 3. verb. u. verm. Aufl. 8. (IV, 474 S) Ebend. 885. n. 5. —; geb. n. 6. —

Zeuthen, H. G., die Lehre v. den Kegelschnitten im Altertum. Deutsche Ausg., unter Mitwirkg. d. Verf. besorgt von R. v. Fischer-Benzon. gr. 8. (XIV, 50 S. m. eingedr. Fig.) Kopenhagen 886. Höst & Sohn. n. 15. —

Zeynek, Gust. Ritter v., Grundzüge der deutschen Literaturgeschichte. Ein Leitfaden f. Schulen m. besond. Berücksicht. der Lehrer-Bildungsanstalten. 5. Aufl. gr. 8. (VIII, 294 S.) Graz 882. Leuschner & Lubensky. n. 2. 20; geb. n. 2. 50

— Grundzüge der deutschen Stilistik u. Poetik. Ein Leitfaden f. Schulen m. besond. Berücksicht. der Lehrer-Bildungsanstalten. 5. Aufl. gr. 8. (VII, 317 S.) Ebend. 882. n. 2. 20; geb. n. 2. 50

— Jos. Mich u. Alois Steuer, Anleitung zum Gebrauche d. Lesebuches in der Volksschule. 2. Thl. 2. Aufl. gr. 8. (XII, 703 S) Troppau 883. Buchholz & Diebel. n. 6. 40

Bezschwitz, Gerhard v., die Christenlehre im Zusammenhang. Ein Hilfsbuch f. Religionslehrer u. die Gemeinde der Reifen. 2. u. 3. Abtlg. 2. Aufl. gr. 8. (IV, 420 S.) Leipzig, Hinrichs' Verl. n. 8. 60 (1—3.: n. 11. 60)
2. Der 2. u. 3. Glaubensartikel. (IV, 420 S.) 884. n. 5. 60
3. Die Gnadenmittellehre. (216 S.) 885. n. 3. —

— Luthers Stellung u. Bedeutung in der gesammten kirchlichen Entwicklung. Vortrag. gr. 8. (26 S.) Hamburg 883. Nolte. n. — 40

Ziebarth, R., Gewichtstabellen f. Walzeisen. Zum Gebrauch f. Eisen-Producenten u. Consumenten auf Grund der metr. Dimensions-Scala d. zollvereinsländ. Eisenhüttenvereines berechnet. 2. Aufl. 8. (V, 144 S.) Berlin 884. Gaertner. geb. n. 3. 60

Ziegeler, Ernst, Dispositionen zu deutschen Aufsätzen f. Tertia u. Untersekunda. I. gr 8. (XII, 79 S.) Paderborn 886. F. Schöningh. n. 1. 15

Ziegelhain, B. v., die Jahreszeiten. 8. (198 S) Stuttgart 884. Metzler's Verl. 2. 40

— Margarethe. 2 Thle. 8. (III, 195 u. 226 S.) Ebend. 883. 6. —

Ziegenspeck, Hugo, üb. das Gestein d. Vulcans Yate südlich v. der Boca de Reloncavi mittlere Andenkette Süd-Chile [West-Patagonien]. gr 8. (51 S) Jena 883. (Neuenhahn.) n. 1. 20

Ziegenspeck, R., Beitrag zur Behandlung der Gesichtslagen, s.: Sammlung klinischer Vorträge.

Zieglauer, Ferd. v., die politische Reformbewegung in Siebenbürgen zur Zeit Josef's II. u. Leopold's II. Neue Ausg. gr. 8. (XVIII, 599 S.) Wien 885. Graeser. n. 12. —

Ziegler, Adb., die Regierung d. Kaisers Claudius I. m. Kritik der Quellen u. Hilfsmittel. [6. Fortsetzg. vom J. 1884, 1882, 1881, 1880 u. 1879 u. Schluss.] gr. 8. (56 S.) Wien 885. (Pichler's Wwe. & Sohn.) n. 1. —

Ziegler, Alex., zur Geschichte d. Meerschaums m. besond. Berücksicht. der Meerschaumgruben bei Eski Schehr in Kleinasien u. der betreff. Industrie zu Ruhla in Thüringen. 2. Aufl. 8. (VI, 172 S.) Dresden 883. Höckner. n 3. —

Ziegler, C., der Geschichtsunterricht im Dienste der Erziehung, s.: Lehrer-Prüfungs- u. Informations-Arbeiten.

Ziegler, Ernst, mein Debut, m. e photolith. Vorrede-Brief v. Emile Zola. 8. (VII, 221 S.) Dresden 886. Minden. n. 3. —; geb. n. 4. —

Ziegler, Ernst, Lehrbuch der allgemeinen u. speciellen pathologischen Anatomie u. Pathogenese, m. e. Anh. üb. die Technik der pathologisch-anatom. Untersuchg. Für Aerzte u. Studirende. 2. Thl. 2—4. Abth. gr. 8. Jena 883. 85. Fischer. n. 15. 50 (cplt.: n. 27. 50)
Specielle pathologische Anatomie. 2. Abth. Mit (eingedr.) Holzschn. (XV—XIX, S. 712—1606 u. Anh. 36 S.)

— dasselbe. 2. Aufl. 2. Thl. Specielle pathologische Anatomie. 2—4. Abth. Mit (eingedr.) Holzschn. gr. 8. (VII—XI u. S. 391—1281 u. Anh. 36 S.) Ebend. 883. n. 15. 50 (cplt.: n. 27. 50)

— dasselbe. 3. Aufl. 2 Thle. u. Anh. gr. 8. (X, 382 u. XI, 1147 u. Anh. 36 S.) Ebend. 884. 85. n. 24. —

— dasselbe. 4. neu bearb. Aufl. 2 Bde. Mit Holzschn. u. farb. Abbildgn. gr. 8. Ebend. 885. n. 24. —
1. Allgemeine patholog. Anatomie u. Pathogenese. (X, 383 S.) n. 8. —
2. Specielle patholog. Anatomie. (XII, 1022 S. m. 339 Holzschn. u. farb. Abbildgn.) n. 16. —

— können erworbene pathologische Eigenschaften vererbt werden u. wie entstehen erbliche Krankheiten u. Missbildungen? gr. 8. (44 S.) Ebend. 886. n. 1. 20

— Technik der histologischen Untersuchung pathologisch-anatomischer Präparate. Für Aerzte u. Studirende. [Anhang zum Lehrbuch der allg. u spec. patholog. Anatomie u. Pathogenese.] gr. 8. (36 S.) Ebend. 885. n. — 60; f. Abnehmer des Lehrbuchs gratis.

Ziegler, G., Briefe v. der schweizerischen Landesausstellung in Zürich 1883. Auf Veranstaltg d. schweizer. Gewerbevereins aus dem „Landboten u. Tageblatt der Stadt Winterthur" abgedr. gr. 8. (III, 127 S.) Winterthur 883. Bleuler-Hausheer & Co. Verl. n. — 90

Ziegler, H. v., Erzählungen f. unsere Kleinsten, s.: Sammlung v. Kinderschriften.

Ziegler, Hans, alte Geschütz-Inschriften. Mit e. Anh.: Das Kgl. Zeughaus zu Berlin. 12. (III, 83 S.) Berlin 886. v. Decker. cart. n. 2. —

— deutsche Soldaten- u. Kriegs-Lieder aus fünf Jahrhunderten. [1386—1871.] Gesammelt u. hrsg. 12. (XVII, 424 S.) Leipzig 884. Breitkopf & Härtel. n. 3. —; geb. n. 4. —

Ziegler, Heinr., der poetische Sprachgebrauch in den sogen. Caedmonschen Dichtungen. gr. 8. (176 S.) Münster 883. (Coppenrath.) n. 1. 50

Ziegler, Heinr., Dr. Martin Luther, der deutsche Held im Kampfe f. christliche Wahrheit u. Freiheit. Vortrag, geh. am 31. Oktbr. 1883 im Vereins-Verband f. öffentl. Vorträge zu Landsberg a. W. gr. 8. (15 S.) Landsberg a/W. 883. Schaeffer & Co. — 25

— 95 neue Thesen üb. die Buße, welche den Christen zu allen Zeiten, insbesondere aber heutzutage nöthig ist. Zur 400jähr. Jubelfeier der Geburt Martin Luthers allen ernsten Christen in Deutschland zur herzl. Erwägg. u. freien Berathg. dargeboten. gr. 8. (14 S.) Rostock 883. Hinstorff's Verl. — 20

Ziegler, J., der Führer auf der Linie Leobersdorf-Gutenstein, s.: Touristen-Führer.

Ziegler, J., Prenzlau, die ehemalige Hauptstadt der Uckermark. gr. 8. (XV, 208 S. m. lith. Stadtplan.) Prenzlau 886. Biller. n. 3. 60; m. Photogr. n.n. 4. 60; Plan ap. n. — 30

Ziegler, J. M., e. geographischer Text zur geologischen Karte der Erde. Mit e. Atlas (16 chromolith. Taf. in qu. gr. 4.) gr. 8. (XVI, 313 S.) Basel 883. Schwabe. n. 16. —

Ziegler's, Jak. Melch., Leben, s.: Geilfus, G.

Ziegler, Leo, Bruchstücke e. vorhieronymianischen Uebersetzung d. Pentateuch, aus e. Palimpseste der k. Hof- u. Staatsbibliothek zu München zum ersten Male veröffentlicht. Mit e. photo-lith. Taf. gr. 4. (VI, XXX, 88 S.) München 883. Literar.-artist. Anstalt. n. 15. —

Ziegler's, M., select extracts from British and American authors in prose and verse, s.: Fison, E.

Ziegler, Oberst P. K. C., biographische Skizze, s.: Bürkli, A.

Ziegler, Th., Abälards Ethica, s.: Abhandlungen, Strassburger, zur Philosophie.

— Geschichte der Ethik. 2. Abtlg. A. u. d. T.: Geschichte der christlichen Ethik. gr. 8. (XVI, 598 S.) Strassburg 886. Trübner. n. 9. — (1. u 2.: n. 17. —)

Ziegler-Kalender, deutscher, f. d. J. 1885. Hrsg. v. der Red. der „Deutschen Töpfer- u. Ziegler-Zeitg." gr. 16. (IV, 224 u. 125 S.) Halle, Knapp. geb. in Leinw. n. 3. —; in Ldr. n. 3. 25

Ziehen, Ed., Gaston v. Ronac. Schauspiel in 5 Aufzügen. gr. 8. (131 S) Leipzig 883. Mutze. n. 1. 50

Ziehlberg, A. v., Ferdinande v. Schmettau. Eine Erinnerg. aus dem J. 1813. gr. 8. (21 S. m. 1 Lichtdr.-Portr.) Dessau 886. Baumann. n. 1. —

Ziehnert, Widar, Sachsens Volkssagen. Balladen, Romanzen u. Legenden. 5. Aufl. Nebst e. Anh., enth. 146 Sagen in Prosa. 10 Hfte. 8. (XVI, 537 S.) Annaberg 885. Rudolph & Dieterici. à n. — 30

Ziehungsliste sämmtlicher in- u. ausländischen Staatspapiere, Eisenbahn-Effekten, Rentenbriefe, Lotterie-Anleihen etc. Red. u. Hrsg.: Ulr. Levysohn. 29—32. Jahrg. 1883—1886. à 52 Nrn. (à 1/2—2 B.) gr. 4. Grünberg, Levysohn. à Jahrg. n. 6. —

Ziel, Ernst, litterarische Reliefs. Dichterportraits. 1. Reihe. 8. (X, 232 S.) Leipzig 885. Wartig's Verl. n. 3. 60

Ziel, Frdr., Luther im Umgang mit seinen Freunden u. im geselligen Verkehr überhaupt. Vortrag. 8. (23 S.) Leipzig 884. Teubner. n. — 40

Ziele, die, d. Antisemitismus. Ein Resumé in Gestalt d. stenograph. Berichtes üb. den II. antijüd. Congress zu Chemnitz. gr. 8. (68 S.) Chemnitz 883. Leipzig, Th. Fritsch. 1. —

Zielinski, Th., die Gliederung der altattischen Komoedie. gr. 8. (VIII, 398 S. m. 1 Chromolith.) Leipzig 885 Teubner. n. 10. —

— die Märchenkomödie in Athen. Lex.-8. (72 S.) St. Petersburg 885. (Kranz.) n.n. 2. 50

Zielke, Bernh., die Kunst des Melkens. Eine kurze Instruktion f. das Melk-Personal. 8. (31 S.) Bremen 883. Heinsius. n. — 50

Ziemacki, Jos. Casimir, Beiträge zur Kenntniss der Micrococcencolonien in den Blutgefäsen bei septischen Erkrankungen gr. 8. (III, 54 S. m. 3 Steintaf.) Prag 883. (Dorpat, Karow.) n. 2. —

Ziemann, Frz., de anathematis graecis. gr. 8. (60 S.) Königsberg 885. (Koch & Reimer.) n. 1. 20

Ziemann, Frz., am Meer. Dichtung in 5 Gesängen. 8. (89 S.) Dresden 887. Pierson. n. 1. 50

Ziemann, H. P., „Was soll ich thun, daß ich selig werde?" Nach stenograph. Bericht zusammengestellt. 8. (6 S.) Schwerte 886. (Cassel, Röttger.) n. — 10

— „Wenn du es wüßtest". Nach stenograph. Bericht zusammengestellt. 8. (8 S) Ebend. 886. n. — 10

Ziemann, **Wilhelm**, e. Goßnerischer Missionar, geboren in Groß-Wubicke den 27. Novbr. 1808, † in Ghazipur am 26. Decbr. 1881. 8. (42 S. m. Holzschn.-Portr.) Berlin 884. Buchh. d. Goßner'schen Mission. n. — 30

Ziemer, Herm., junggrammatische Streifzüge im Gebiete der Syntax. In 2 Abschnitten. 2. Aufl. gr. 8. (X, 158 S.) Kolberg 883. Post. n. 2. 70

— vergleichende Syntax der indogermanischen Comparation, insbesondere der Comparationscasus der indogerman. Sprachen u. sein Ersatz. gr. 8. (XII, 282 S.) Berlin 884. Dümmler's Verl. n. 5. —

Zieminski, Bronislaw, experimentelle u. klinische Beiträge zur Frage üb. die Anwendung d. Cocains in der Ophthalmologie. gr. 8. (35 S.) Dorpat 884. (Schnakenburg. 1. —

Ziemlich, Bernh., Goethe u. das alte Testament. Vortrag. gr. 8. (30 S.) Nürnberg 883. Korn. — 60

Ziemssen, Hugo v., die Elektricität in der Medicin. Studien 4. Aufl. 2. Hälfte. Diagnostisch-therapeut. Thl. gr. 8. (VII, 190 S.) Berlin 885. Hirschwald. n. 4. 50 (cplt.: n. 11. 50)

— Meningitis cerebro-spinalis epidemica, s.: Handbuch der speciellen Pathologie u. Therapie.

— über Volkskrankheiten m. besond. Berücksicht der sanitären Verhältnisse Münchens. Vortrag. Mit 1 Taf. gr. 8. (23 S.) München 886. Rieger. n. — 50

Ziemssen, Ludw., im Sonnenschein. Novellen 8. (343 S.) Leipzig 886. Wartig's Verl. n. 5. —; geb. n. 6. —

— Friedr. Spielhagen, s.: Bücherei, deutsche.

— Umwege zum Glück, s.: Collection Spemann.

— zum Tagesschluß. Neues Novellenbuch f. deutsche Familienkreise. 3 Bde. gr. 8. (403, 347 u. 405 S.) Berlin 884. Simion. n. 12. —

Ziemssen, Oswald, offene Erwiderung auf Hrn. Dr. Mordhorst's Wiesbaden gegen chron. Rheumatismus, Gicht etc. gr. 8. (15 S.) Leipzig 885. F. C. W. Vogel. n. — 60

— Wiesbadener Kurerfolge. Nach eigenen Beobachtgn. gr 8. (III, 46 S) Ebend. 885. n. 1. —

Zierstücke d. älteren deutschen, französischen u. italienischen Kunstgewerbes zumeist aus dem 16. Jahrh. Nach den Originalen in der Kunstsammlg. v. Eug. Felix in Leipzig. Trinkgeräthe in Metall, Thon u. Glas. Essgeräthe. Grosser u. kleiner Hausrath verschiedener Art. Kirchliche Geräthschaften. Reliefs u. Medaillons aus Stein. Gemaltes u. Gezeichnetes. Sonderausg. d. Atlas zum „Katalog der Kunstsammlg. v. Eug. Felix in Leipzig." 36 Lichtdr.-Taf. in Fol. m. beschreib. Texte. Fol. (6 S.) Leipzig 883. T. O. Weigel. In Leinw.-Mappe. n. 30. —

Ziefe, E., Geschichte Ahrensburgs, s.: Rahlf, H.

Ziefe, E. H., die f. Schleswig-Holsteinische Landgemeinden wichtigsten Gesetze u. Verordnungen theils im Wortlaut, theils im Auszuge; zu e. Hand- u. Nachschlagebuch f. Jedermann zusammengestellt. 8. (VII, 135 S.) Ahrensburg 883. Ziefe. cart. n. 1. 25

Ziese, R., üb. neuere Schiffs-Maschinen. 2. Aufl. gr. 8. (VIII, 208 S. m. 3 autogr. Taf.) Kiel 883. Universitäts-Buchh. n. 5. 40

Ziesemer, Johs., kleine mathematische Geographie, f. das Bedürfnis der Schule bearb. gr. 8. (61 S. m Illustr.) Breslau 886. F. Hirt. n. — 80

Ziesenitz, J., Hülfsbüchlein f. den Religionsunterricht. 2. Aufl. 8. (39 S.) Aschersleben 886. (Buch.) n. — 25

— evangelisches Schulgesangbuch f. die Prov. Sachsen. 70 Kirchenlieder nach dem auf Beschluß der Provinzialsynode ausgearb. u. m. Genehmigg. der kirchl. Behörden hrsg. evangel. Gesangbuche f. die Prov. Sachsen. 2. Aufl. der 65 Kirchenlieder. 8. (40 S.) Ebend. 883. n. — 15

Ziesing, Th., Gesundheitslehre in der Volksschule. Mit 26 Abbildgn. 8. (61 S.) Gießen 884 Roth. n. — 60

Zieten's, **Hans Joach. v.**, Biographie, s.: Winter, G.

— Lebensgeschichte, s.: Lippe, E. Graf zur.

Ziethe, W., Beicht- u. Abendmahls-Buch. 9. Aufl. 12. (VIII, 192 S.) Berlin 884. Hauptverein f. christl. Erbauungsschriften. geb. — 90

— Berliner Bilder aus alter u. neuer Zeit. 7 Vorträge. gr. 8. (VII, 208 S.) Ebend. 886. n. 1. 20

— das Lamm Gottes. Predigten üb. die Leidensgeschichte Jesu Christi. gr. 8. (IV, 752 S.) Ebend. 885. geb. n. 4. 50

— Palmzweige. Erzählungen f. Christenkinder. 16. u. 17. Bd. [181—204. Hft.] gr. 16. (à 192 S. m. 4 Chromolith.) Ebend. 882. 83. cart. à n. 1. 65; einzelne Hfte à n. — 8

Ziethe, W., Chronik der Stadt Beeskow bis zur Herrschaft der Hohenzollern. Nach den Acten d. Beeskower Communalarchivs entworfen. 1855. Hrsg. m. Genehmigg. d. Magistrats u. der Herren Stadtverordneten zu Beeskow v. E. O. Chr. Faulstich. Lex.-8. (VI, 190 S. m. 7 Taf.) Beeskow 884. (Fürstenwalde, Geelhaar.) n. 4. 40

Zietsch, A., üb. Quelle u. Sprache d. mittelenglischen Gedichts Seege od. Batayle of Troye. gr. 8. (87 S.) Göttingen 884. Akadem. Buchh. n. 1. 50

Ziffer, Alb., Beitrag zur Pathologie u. pathologischen Anatomie der Dementia paralytica. [Aus der Kranken-Abteilg. d. Breslauer städt. Armenhauses.] gr. 8. (44 S.) Breslau 884. (Köhler.) n. 1. —

Ziffer-Choralbüchlein. 125 Melodien d. neuen Meininger Gesangbuchs enth., wie sie in der Stadtkirche zu Salzungen gesungen werden. 8. (28 S.) Salzungen 885. (Hildburghausen, Gadow & Sohn.) n. — 20

Zikmund, V., neues Adressen- u. Nachschlagebuch f. Zucker-Interessenten [Zucker-Fabrikanten u. Händler]. Vollständiges Adressen-Verzeichniss der Zucker-Fabriken u. Raffinerien Oesterreich-Ungarns. Vereine. Zuckerbranche in Prag, Brünn u. Wien. Diverse Platz-Usancen u. Schlussbriefe. Auszug aus dem Zucker-Steuer-Gesetz u. dem Zolltarif. Telegramm-Gebühren etc. Nach authent. Daten zusammengestellt. 1. Jahrg. 1884/85. 8. (IV, 166 S.) Prag 884. Řivnáč. geb. n. 3. 60

Zilcken, Fritz, Novellen. [Donna Juana. Mit der Schwalbe. Die Nase. Zwischen Gräbern.] 8. (226 S.) Leipzig 885. Reißner. n. 3. —

Ziller, Tuiskon, allgemeine philosophische Ethik. 2. Aufl. Mit dem (Stahlst.-)Bildnisse d. Verf. Hrsg. v. Otto Ziller. gr. 8. (VIII, 462 S.) Langensalza 886. Beyer & Söhne. n. 10. —; geb. n. 12. —

— Grundlegung zur Lehre vom erziehenden Unterricht. 2., verb. Aufl., m. Benutzg. d. handschriftl. Nachlasses d. Verf. hrsg. v. Thdr. Vogt. gr. 8. (XII, 557 S.) Leipzig 884. Veit & Co. n. 8. —

— Herbartische Reliquien. Ein Supplement zu Herbart's sämmtl. Werken. 2., im Preise ermässigte, Ausg. gr. 8. (VI, 346 S.) Leipzig 884. Gräbner. n. 3. —

— Materialien zur speziellen Pädagogik. Des „Leipziger Seminarbuches" 3., aus dem handschriftl. Nachlasse d. Verf. sehr verm. Aufl. hrsg. v. Max Bergner. gr. 8. (XIV, 296 S.) Dresden 886. Bleyl & Kaemmerer. n. 5. —

Ziller, Tuiskon, allgemeine Pädagogik. 2., sehr verm. u. m. Anmerkgn. versch. Aufl. der Vorlesgn. üb. allgemeine Pädagogik. Hrsg. v. Karl Just. gr. 8. (XVIII, 428 S.) Leipzig 884. Matthes. n. 6. —

Ziller, Tuiskon, Blätter der Erinnerung an ihn, s.: Lange, K.

Zilles, R., s.: Schulwandtafeln, anatomische.

— Studien üb. Erkrankungen der Placenta u. der Nabelschnur, bedingt durch Syphilis, s: Mitteilungen aus der geburtshilflich-gynäkologischen Klinik zu Tübingen.

Zillessen, F., die Aufgabe der Volksschule wider das Reich der Finsternis. Vortrag. gr. 8. (16 S.) Breslau 883. Dülfer. n. — 10

— inwiefern erscheint das Eintreten f. die Konfessionalität der Volksschule in der Gegenwart als e. Pflicht christl. Glaubens? Vortrag. gr. 8. (16 S.) Barmen 884. Wiemann. n. — 40

— zur Schulaufsichtsfrage. Vortrag. gr. 8. (40 S.) Frankfurt a/M. 884. Calw, Vereinsbuchhandlung. — 60

— der Schulkampf in Hückeswagen. gr. 8. (34 S.) Langenberg 883. Joost. n.n. — 25

— warum u. wie vertritt Hr. Prof. J. B. Meyer v. Bonn die paritätische Volksschule? I. Rede, geh. in der Volksversammlung zu Hückeswagen am 29. März 1883. II. Zurückweisung der Bemerkungen d. Hrn. Prof. Meyer üb. die vorstehend bezeichnete Rede. gr. 8. (34 S.) Ebend. 883. n.n. — 25

Zillessen, O., der Kampf ums Dasein u. der Wettstreit christlicher Liebe. Vortrag. 8. (24 S.) Emden 883. (Haynel.) n.n. — 30

Zilligstein, Emil v., aus der Heemte. Heiteres u. Ernstes, Gereimtes u. Ungereimtes in Oberlausitzer Mundart. 8. (VI, 170 S.) Görlitz 885. Tzschaschel. n. 1. —

Zillner, F. V., Geschichte der Stadt Salzburg. I. Buch. Geschichtliche Stadtbeschreibg. Mit e. geschichtl. (chromolith.) Uebersichtskarte u. e. (photolith.) Ansicht der Stadt Salzburg aus dem J. 1553. gr. 8. (VIII, 456 S.) Salzburg 885. (Dieter.) n.n. 6. —

Zimmels, B., Leo Hebraeus, e. jüd. Philosoph der Renaissance; sein Leben, seine Werke u. seine Lehren. gr. 8. (120 S.) Breslau 886. Koebner. n. 2. 40

Zimmer, der schwarze u. der braune David. 12. (15 S.) Barmen 885. (Wiemann.) — 15

— Kornelius Ikat, e. Evangelist aus den Dajakken, sein Leben u. seliges Sterben. 12. (22 S.) Ebend. 886. — 15

— der weiße u. der braune Johannes. 16. (16 S.) Ebend. 885. — 8

— durch Knechtschaft zur Freiheit. 12. (16 S.) Ebend. 885. — 15

— Mego, der Negerknabe. 16. (16 S.) Ebend. 885. — 8

— ein Mörder u. ein Kopfabschneider, ihre Bekehrg. u. Taufe. 12. (15 S) Ebend. 885. — 15

Zimmer, A., alphabetisches Verzeichniss der Gemeinden u. Annexen in Elsass-Lothringen m. Angabe der der Steuer-Veranlagung zu Grunde liegenden Einwohnerzahl, der Kreise, der Steuer-, Control- u. Empfangs-Bezirke u. e. Anh., enth. die Namen sämmtl. Kassen- u. Steuer-Controlöre, Steuerempfänger u. Steuerboten u. der denselben zugetheilten Amtsbezirke. Unter Benutzg. amtl. Quellen bearb. gr. 8. (68 S. m. 3 Tab.) Strassburg 884. (Heinrich.) cart. n. 2. —

Zimmer, Fr., neues vollständiges Choralmelodienbuch zum Gesangbuche f. die Prov. Sachsen u. zum Altmärkisch-Priegnitzischen Gesangbuche, nach der v. der Provinzial-Synode gewählten Lesart hrsg. 1. u. 2. Hft. 8. (59 u. 68 S.) Quedlinburg 886. Vieweg. à n. — 30

— Chorgesangschule f. höhere Lehranstalten. 8. (III, 63 S.) Ebend. 885. n. — 60

— Elementar-Musiklehre. Enth. das Wissensnötige f. jeden Musiktreibenden. 1—3. Hft. gr. 8. Ebend. n. 3. 10

1. Tonlehre. Rhythmik. Allgemeine Accordlehre u. in e. Anh.: Vortrag v. Tonstücken, melismat. Manieren, Abkürzgn in der Notenschrift u. Winke f. d. anfang. Klavierspieler. 9. Aufl. (IX, 87 S) 884. n. — 60
2. Harmonielehre. 9. Aufl. (VIII, 108 S.) 884. n. 1. —
3. Organik, musikal. Formenlehre u. Abriss der geschichtl. Entwickelg. der abendländ. Musik, insonderheit d. evangel. Kirchengesanges. 5. Aufl. m. vielen in den Text gedr. Holzschn. (XVI, 111 S.) 884. n. 1. 50

Zimmer, Fr., der Kantor u. der Organist im evangelischen Gottesdienste. Ein Handbuch f. Prediger, Kantoren, Organisten, Gemeindekirchenräte, wie f. alle, welche sich f. den Kirchengesang interessieren, unter Benutzg. amtl. Quellen hrsg. gr. 8. (XI, 220 S.) Quedlinburg 886. Vieweg. n. 3. 50

— kleiner Liederschatz. Eine Sammlg. ein-, zwei- u. dreistimm. Lieder in volkstüml. Satze, f. deutsche Schulen nach Jahreskursen methodisch geordnet u. m. tonischen Uebgn. versehen. 4. Aufl. 8. (92 S.) Ebend. 886. n. — 30

— die Orgel. Das Wissensnötige üb. Struktur, Neubau u. Behandlg. e. Kirchenorgel, m. vielen in den Text gedr. Holzschn., f. Organisten, zugleich e. Supplement zu jeder Orgelschule. gr. 8. (VIII, 77 S.) Ebend. 884. cart. n. 1. 50

— Psalterion. Eine Sammlg. kirchl. Gesänge u. geistl. Lieder f. höhere Lehranstalten, insbesondere f. Schullehrer-Seminarien. Lex.-8. (IV, 150 S.) Ebend. 886. n. 1. 80

— u. C. **Zimmer,** Sammlung liturgischer Andachten. Lex.-8. (52 S.) Ebend 886. n. 1. —

— u. F. **Zimmer,** evangelisches Schul- u. Kirchenchoralbuch, enth. die gebräuchlichsten Choräle der evangel. Kirche, ein-, zwei- od. dreistimmig f. gleiche Stimmen od. f. Sopran, Alt u. Bariton gesetzt. 1. Hft. Ausg. A [f. die Provinzen Ost- u. Westpreußen], die Melodien in der v. der Kommission zur Herstellg. e. einheitl. Choralbuches f. die genannten Provinzen vorgeschlag. Fassg. darbietend. 8. (72 S.) Ebend. 885. n. — 50

— — dasselbe 1. Hft Ausg. B. [f. die Prov. Sachsen], die Melodien in der Fassg. d. officiellen „Choralmelodienbuchs f. die Prov. Sachsen" darbietend. 8. (72 S.) Ebend. 885. n. — 50

— — geistliche Volkslieder aus alter u. neuer Zeit, f. den Schulgebrauch gesammelt u. ein-, zwei- od. dreistimmig f. gleiche Stimmen od. f. Sopran, Alt u. Bariton gesetzt. 1. Hft., 50 Lieder enth. 8. (IV, 66 S.) Ebend. 886. n. — 50

Zimmer, Frdr., Auswahl v. Liedern in volksthümlichem ein- bis dreistimmigen Satze, zum Gebrauche in höheren Lehranstalten komponiert. 2. Hft. 8. (II u. S. 33—59.) Quedlinburg 883. Vieweg. n. — 30 (1. u. 2.: n — 60)

— Chöre f. die Schulfeier d. Lutherjubiläums, nach Jul. Disselhoff's Jubelbüchlein zusammengestellt u. f. Kinder- od. gemischten Chor komponiert. gr. 8. (8 S.) Kaiserswerth 883. Diakonissen-Anstalt. n. — 20

— Epistelsprüche f. den Kinder-Kirchenchor zu sonn- u. festtäglicher gottesdienstlicher Verwendung, ausgewählt, komponiert u. methodisch zu e. „Leitfaden f. die Einrichtg. v. Kinderchören" angeordnet. 8. (VIII, 146 S.) Hildburghausen 884. Gadow & Sohn. n. 1. —

— Königsberger Kirchenliederdichter u. Kirchenkomponisten. Vortrag. gr. 8. (40 S.) Königsberg 885. Beyer. n. — 80

— die Notenlesemaschine. gr. 8. (5 S.) Quedlinburg 886. Vieweg. n. — 20; m. Apparat n.n. 10. —

— der Verfall d. Kantoren- u. Organistenamtes in der evangelischen Landeskirche Preußens. Seine Ursachen u. Vorschläge zur Besserg. gr. 8. (VIII, 88 S.) Ebend. 885. n. 1. —

Zimmer, Heinr., keltische Studien. 2. Hft.: Ueber altirische Betonung u. Verskunst. gr. 8. (VIII, 208 S.) Berlin 884. Weidmann. n. 6. — (1. u. 2.: n. 9. —)

Zimmer, K., e. Beitrag zur Lehre vom Diabetes mellitus. gr. 8. (55 S.) Karlsbad 883. (Feller.) n. 1. 80

Zimmermann, A., aus dem militärischen Briefwechsel Friedrichs d. Großen, s.: Beiheft zum Militär-Wochenblatt.

Zimmermann, Alfr., Blüthe u. Verfall d. Leinengewerbes in Schlesien. Gewerbe- u. Handelspolitik dreier Jahrhunderte. gr. 8. (XVII, 474 S.) Breslau 885. Korn. n. 8. —

Zimmermann, Alfr., Juan de Segovia. gr. 8. (31 S.) Breslau 882. (Köhler.) n. 1. —

Zimmermann, C. F., das neue electrische gegenüber dem alten Ton, „Ziffer“ System f. alle Musik-Instrumente u. den Gesang. Eine gründl. bildl. Darstellg. d. uralten u. d. neuen Tonziffer-Systems nebst Erläutergn. f. alle vier verschiedene Accord-Harmonieen in Zifferkurzschrift durch mechanisch verschiebbare Tabelle in allen 12 Tonarten nach gleichem Modus, bearb. f. die Schulen sowohl, als auch zum Selbstunterricht zum leichtesten Verständniß f. die natürl. Gehörsanlagen e. jeden Menschen. 1. Hft. qu. Fol. (23 S. m. eingedr. Fig.) Philadelphia 886. Schäfer & Coradi. 6. —

Zimmermann, Emil, de epistulari temporum usu Ciceroniano quaestiones grammaticae. I. 4. (26 S.) Rastenburgae 886. (Leipzig, Fock.) n. — 80

Zimmermann, F., die Erzählungen d. Kundschafters; e. Mutter, s.: Volks-Erzählungen, kleine.

Zimmermann, Fr. Wilh., Schmuck-Kasten. Moderne Entwürfe f. Goldarbeiter u. Juweliere. 1. Jahrg. 3—12. Lfg. Fol. (23 Stein- u. 15 Lichtdr.-Taf.) Pforzheim 883. Riecker. à Lfg. n 3. —

— dasselbe. 2. u. 3. Jahrg. à 12 Lfgn. Fol. (à 5 Stein- u. Lichtdr.-Taf) Ebend. 883—85. à Lfg. n. 3. —

Zimmermann, G., Fest-Prolog m. lebenden Bildern zur Feier d. Sedantages, s.: Bibliothek, neue, f. das deutsche Theater.

Zimmermann, G. R., Predigten. 5. Sammlg. gr. 8 (IV, 212 S.) Zürich 883. Höhr. n. 2. 70

Zimmermann, H., üb. den Sicherheitsgrad der Bauconstructionen, insbesondere der auf Knicken beanspruchten Körper. Lex.-8. (23 S. m. Fig.) Berlin 886. Ernst & Korn. cart. n. 2. —

— genietete Träger. Tabellen der Trägheitsmomente, Widerstandsmomente u. Gewichte. Mit Berücksicht. der Nietverschwächg. berechnet u. übersichtlich zusammengestellt 2., verm. u. verb. Aufl. Mit Holzschn. u. 1 graph. Taf. gr. 8. (VI, 50 S.) Ebend. 885. cart. n. 4. —

Zimmermann, Herm., üb. Dienstunfähigkeits- u. Sterbensverhältnisse.- Im Auftrage d. Vereins deutscher Eisenbahnverwaltgn. zu der Dienstunfähigkeits- u. Sterbensstatistik desselben vom J. 1884 verf. [Hierzu e. lith. Kurventaf.] gr. 8. (109 S.) Berlin 886. Puttkammer & Mühlbrecht. n. 3. —

Bildet die Fortsetzg. von: Bohm, G., Statistik der Mortalitäts- u. Invaliditätsverhältnisse etc.

Zimmermann, J. C., die St. Matthaikirche zu Leisnig. Eine Kirchenbaustudie. Gedenkblatt ihrer Erneuerg. im J. 1882. Mit 4 Lichtdr.-Bildern. gr. 8. (56 S.) Leisnig 882. Ulrich. n. 1. 20

Zimmermann, J. G., üb. die Einsamkeit; vom Nationalstolze, s.: National-Bibliothek, Schweizerischer Dichter u. Redner.

Zimmermann, J. H., die Aufzucht der Tabaksetzlinge. Gekröntes Preisschreiben. Im Ferneren: Ein Aufsatz als Anh. 8. (22 S.) Aarau 883. Christen. — 30

Zimmermann, J. W., die englische Aussprache auf akustisch-physiologischer Grundlage in leichtfaßlicher Darstellung f. den Schul- u. Privatgebrauch. Eine Ergänzg. zu jedem Lehrbuch der engl. Sprache. 2., verb. u. z. t. neu bearb. Aufl. gr. 8. (VI, 41 S.) Naumburg 887. Schirmer. n. — 56

— Lehrbuch der englischen Sprache, enth. e. method. Elementarstufe auf der Grundlage der Aussprachen u. e. systemat. Kursus. 34. Aufl. gr. 8. (XIV, 248 S.) Halle 883. Schwetschke. n. 2. 20

— Schulgrammatik der englischen Sprache f. Realgymnasien u. andere höhere Schulen. Nach der zu den neuen preuß. Lehrplänen erlassenen Cirkularverfügg. vom 31. März 1882 bearb. 1. u. 2. Lehrgang. gr. 8. Naumburg, Schirmer. à n. 2. 25; geb. à n. 2. 50

1. Aussprache u. Formenlehre. (XI, 263 S.) 884.
2. Syntax. (XIII, 248 S.) 885.

— Uebungsstücke zur Grammatik der englischen Sprache. 1. Stufe. 7. Aufl. gr. 8. (VI, 104 S.) Halle 883. Schwetschke. n. 1. 20

Zimmermann, K. E, aus Annabergs Vergangenheit. gr. 8. (26 S.) Annaberg 885. Rudolph & Dieterici. n. — 60

Zimmermann's, Prälat D. Carl, Leben u. Verdienste um den Gustav-Adolf-Verein, s.: Strack, K.

Zimmermann, Mor. B., das Jahr 1882, seine bedeutsamsten Ereignisse u. ihre Vorgeschichte. Mit 13 (eingedr.) Illustr. 8. (96 S.) Wien 883. Hartleben. — 60

Zimmermann, O. E. R., Atlas der Pflanzenkrankheiten, welche durch Pilze hervorgerufen werden. Mikrophotographische Lichtdr.-Abbildgn. der phytopathogenen Pilze, nebst erläut. Texte. Für Land- u. Forstwirte, Gärtner, Gartenfreunde u. Botaniker hrsg. 1—4. Hft. Fol. (à 2 Taf.) Mit Text. gr. 8. (S. 1—40.) Halle 885. 86. Knapp. à n. 3. —

Zimmermann, Oswald, die Wonne d. Leids. Beiträge zur Erkenntniss d. menschl. Empfindens in Kunst u. Leben. 2. Aufl. gr. 8. (IX, 184 S.) Leipzig 885. Reissner. n. 4. —

Zimmermann, Paul, was bedeutet der Ausdruck Haus Braunschweig in unserem Erbhuldigungseide? Eine krit. Untersuchg. 1. u. 2. Aufl. gr. 8. (49 S.) Wolfenbüttel 886. Zwißler. n. — 60

— der jüngste Kampf um die Burg Dankwarderode zu Braunschweig. 8. (IV, 65 S.) Ebend. 885. n. 1. —

— Ernst Theodor Langer, Bibliothekar in Wolfenbüttel, e. Freund Goethes u. Lessings. gr. 8. (78 S.) Ebend. 883. n. 1. 50

Zimmermann, Paul v., das Evangelium in Frankreich von den 200jährigen Gedenktagen bis auf die Gegenwart 1685—1885. Vortrag. 8. (43 S.) Leipzig 885. Haessel. n. — 60

— das Evangelium in Oesterreich u. Frankreich. 2 Jubiläumsvorträge, geh. in Wien 1881 u. 1885 u. in erweit. Gestalt veröffentlicht. 8. (VIII, 120 u. 43 S.) Ebend. 885. n. 1. —

— Liebe u. Leid. Festworte. 8. (VI, 409 S.) Ebend. 885. n. 6. —; geb. n. 7. —

Zimmermann, R. S., Erinnerungen e. alten Malers. Seinen Söhnen Ernst u. Alfred erzählt. gr. 8. (VII, 272 S.) München 884. (Bassermann.) n. 4. —

Zimmermann, Rich., de nothorum Athenis condicione. gr. 8. (53 S.) Berlin 886. (Mayer & Müller.) n. 1. 20

Zimmermann, Rob., Jacob Bernoulli als Logiker. Lex.-8. (60 S.) Wien 885. (Gerold's Sohn.) n. 1. —

— über Hume's empirische Begründung der Moral. Lex.-8. (96 S.) Ebend. 884. n. 1. 50

— über Hume's Stellung zu Berkeley u. Kant. Lex.-8. (76 S.) Ebend. 883. n. 1. 20

— Kant u. Comte in ihrem Verhältniss zur Metaphysik. Lex.-8. (40 S.) Ebend. 885. n. — 60

Zimmermann's, W., illustrierte Weltgeschichte f. Frauen u. Töchter. 2. Ausg. Von Napoleon I. bis in die neueste Zeit fortgesetzt v. M. Zimmermann. Mit vielen Holzschn. 2 Thle. in 1 Bd. gr. 8. (508 u. 496 S.) Ulm 885. Ebner. geb. n. 10. —

Zimmermann, W., der Weg zum Paradies. Eine Beleuchtg. der Hauptursachen d. physisch-moral. Verfalls der Culturvölker, so wie naturgemäße Vorschläge, diesen Verfall zu sühnen. Ein zeitgemäßer Aufruf an Alle, denen eigenes Glück u. Menschenwohl am Herzen liegt. Neu bearb. u. hrsg. v. Rob. Springer. 3. Ausg. gr. 8. (VIII, 292 S.) Quedlinburg 884. Basse. n. 3. 50

Zimmermann, W. F. A., der Erdball u seine Naturwunder. 19. Aufl. Nach den neuesten Forschgn. verb. v. S. Kalischer. 51—101. Lfg. gr. 8. (Wunder der Urwelt VIII u. S. 289—588, Länder- u. Völkerkunde XVI, 895 u. der Mensch XIV, 896 S.) Berlin 883. 84. Dümmler's Verl. à n. — 50

— dasselbe. 3. Thl. A. u. d. T.: Die Wunder der Urwelt. Eine populäre Darstellg. der Geschichte der Schöpfg. u. d. Urzustandes unseres Weltkörpers, so wie der verschiedenen Entwickelungsperioden seiner Oberfläche, seiner Vegetation u. seiner Bewohner bis auf die Jetztzeit. 29. Aufl. Nach dem neuesten Standpunkt der Wissenschaft verb. v. S. Kalischer. Mit 322 in den Text gedr. Abbildgn. gr. 8. (XII, 588 S.) Ebend. 883. n. 7. —

— malerische Länder- u. Völkerkunde. 9. Aufl. Durchgesehen u. bis auf die neueste Zeit fortgeführt v. S. Kalischer. Mit mehr als 100 Abbildgn., Karten ꝛc. 6—22. Lfg. gr. 8. (XVI u. S. 217—895. Berlin 883. Dümmler's Verl. à n. — 50

Zimmermann, W. F. A., malerische Länder- u. Völkerkunde. 9. Aufl. Durchgesehen u. bis auf die neueste Zeit fortgeführt v. S. Kalischer. Mit mehr als 100 Abbildgn., Karten ꝛc. Suppl. 1—79. Lfg. gr. 8. (à 2½ B.) Berlin 883—86. Dümmler's Verl. à n. — 50

— dasselbe. 10. Aufl. Durchgesehen u. bis auf die neueste Zeit vervollständigt v. S. Kalischer. 22 Lfgn. gr. 8. (à 2½ B.) Ebend. 885. 86. à n. — 50

— dasselbe. Suppl. 1—7. Lfg. gr. 8. (à 2½ B.) Ebend. 886 à n. — 50

— der Mensch, die Räthsel u. Wunder seiner Natur, Ursprung u. Urgeschichte seines Geschlechts, sowie dessen Entwickelg. vom Naturzustande zur Civilisation. Nach den neuesten Forschgn. der Naturwissenschaft u. Geschichte populär dargestellt. 5. Aufl., bearb. v. H. Zwick. 1—71. Lfg. gr. 8. (à 2½ B.) Ebend. 883—85. à n. — 50

— Naturkräfte u. Naturgesetze. Ihre Erscheingn., Geheimnisse u. ihre Anwendg. Ein allgemein verständl. Handbuch der Physik, der Lehre v. den Eigenschaften fester, flüss. u. luftförm. Körper, den Erscheingn. u. Kräften der Elektrizität, d. Magnetismus u. Galvanismus, der Wärme, d. Lichtes u. Schalles u. ihrer Verwerthg. 4. Aufl. Nach den neuesten Fortschritten der Wissenschaft u. Technik bearb. u. hrsg. v. Br. Dürigen. (In ca. 40 Lfgn.) 1—3. Lfg. gr. 8. (1. Bd. S. 1—128 m. Holzschn.) Ebend. 886. à n. — 50

— Wunder der Urwelt. 26—28. Aufl. Nach den neuesten Forschgn. verb. v. S. Kalischer. Suppl. 49—87. Lfg. gr. 8. (à 2½ B.) Ebend. 883. 84. à n. — 50

— dasselbe. 30. Aufl. 1—14. Lfg. gr. 8. (à 2½ B.) Ebend. 884. 85. à n. — 50

— dasselbe. Supplement. 1—62. Lfg. gr. 8. (à 2½ B.) Ebend. 885. 86. à n. — 50

Zimmern, H., babylonische Busspsalmen, s.: Bibliothek, assyriologische.

Zimmern, H., Lessing's Leben u. Werke. Deutsche autoris. Ausg. v. M. Claudi. 2. Aufl. Mit Lessing's Bildniß. 2 Bde. gr. 8. (XII, 432 u. VIII, 524 S.) Leipzig 886. Barsdorf. 4. —; geb. 5. 50

Zimmeter, Alb., die europäischen Arten der Gattung Potentilla. Versuch e. systemat. Gruppierg. u. Aufzählg., nebst kurzen Notizen üb. Synonymik, Literatur u. Verbreitg. derselben. gr. 8. (81 S.) Steyr 884. (Kutschera.) n.n. 1. —

Zimpel, Chas. F., allerneuestes Heilsystem als Fortsetzung seiner Vegetabilischen Elektricität f. Heilzwecke u. dessen 7 innerlichen spagyrischen, meist vegetabilischen u. homöopathischen Heilmittel, sowie einige specielle Mittel. Nebst e. Anh.: Repertorium der Thierkrankheiten u. das Universal-Thierheilmittel. 6. Aufl. gr. 8. (VIII, 199 S.) Göppingen 884. (Stuttgart, Levi.) n. 2. 50

Zinck, A., Handreichung in der Geographie f. Volksschulen. 6. Aufl. 8. (58 S.) Langensalza 884. Schulbuchh. cart. — 30

Zinck, A., jede Pott findt sien'n Deckel; de Schoolinspecktschon, s.: Universal-Bibliothek.

Zinck, Thdr., Vorträge üb. das heil. Abendmahl, f. Wochengottesdienste u. zur häusl. Erbaug. dargeboten. 8. (VII, 101 S.) Nördlingen 885. Beck. n. 1. 20

Zincken, C. F., die geologischen Horizonte der fossilen Kohlen od. die Fundorte der geologisch bestimmten fossilen Kohlen, nach deren relativem Alter zusammengestellt. gr. 8. (VII, 90 S.) Leipzig 883. G. Senf. n.n. 3. —

— die Vorkommen der fossilen Kohlen u. Kohlenwasserstoffe. 3. Bd. gr. 8. Leipzig 883. Montanist. Verl. n.n. 12. —

Die geologischen Horizonte der fossilen Kohlen. Die Vorkommen der fossilen Kohlenwasserstoffe: Erdöl, Asphalt, bituminöser Schiefer, Schweelkohle, Bernstein, Kopal etc., nebst e. Anh.: Die kosmischen Vorkommen der Kohlenwasserstoffe. Mit 2 Zinkogr. (VI, 846 u. Berichtiggn. u. Zusätze 19 S.)

Der 1. u. 2. Bd. erscheinen später.

Zingel, Jos., krystallographische Untersuchung einiger organischen Verbindungen. Mit 1 (lith.) Taf. gr. 8. (45 S.) Göttingen 883. (Vandenhoeck & Ruprecht.) n. 1. 60

Zingeler, Karl Thdr., Karl Anton v. Hohenzollern u. die Beziehungen d. fürstlichen Hauses Hohenzollern zu dem Hause Zähringen-Baden. Festschrift zur goldenen Hochzeits-Feier Ihrer königl. Hoheiten d. Fürsten Karl Anton v. Hohenzollern u. der Fürstin Josefine, geb. Prinzessin v. Baden am 21. Oktbr. 1884. 2. Aufl. gr. 8. (III, 64 S. m. 2 Lichtdr.-Portr.) Sigmaringen 884. Tappen. n. 2. 50; geb. n. 3. 70

— die Hohenzollernsche goldene Hochzeit am 21. Oktbr. 1884. Eine Denkschrift. gr. 8. (60 S.) Sigmaringen 885. Liehner. n. 1. —

— im Saracenenthurm, s.: Familien-Bibliothek.

Zingerle, Ant., Studien zu Hilarius' v. Poitiers Psalmencommentar. Lex.-8. (106 S.) Wien 885. (Gerold's Sohn.) n. 1. 60

Zingerle, Ign., Erzählungen aus dem Burggrafenamte. 8. (VII, 259 S.) Innsbruck 884. Wagner. n. 2. 80

— diu Zitelôse. gr. 8. (21 S.) Ebend. 884. n. 1. 20

Zingerle, K. Th., Zigeuner-Rosel, s.: Bachem's Novellen-Sammlung.

Zingerle, Osw., üb. e. Handschrift d. Passionals u. Buches der Märtyrer. Lex.-8. (110 S.) Wien 883. (Gerold's Sohn.) n. 1. 80

— der Paradiesgarten der altdeutschen Genesis. Eine Untersuchg. Lex.-8. (23 S.) Ebend. 886. n.n. — 50

— die Quellen zum Alexander d. Rudolf v. Ems, s.: Abhandlungen, germanistische.

Zingg, E., de Frobourg à Waldenbourg, s.: Tanner, H.

— Geschichtliches üb. das Schulwesen der Stadt Olten. gr. 8. (138 S.) Olten 883. (Schweizerisches Vereins-Sortiment.) n. 2. —

— Ildefons v. Arx, der Geschichtsschreiber v. Olten. Neujahrsblatt der Vortragsgesellschaft Olten f. d. J. 1884. gr. 4. (19 S.) Ebend. 884. n.n. 1. —

Zink, E., Zeichnungen v. Aufnahmen u. Entwürfen v. Grabdenkmälern, s.: Schlosser, M.

Zink, Joh. J., das zerlegbare Patent-Tellurium zum synthetischen Lehrgebrauche u. seine Anwendung beim Unterrichte in der mathematischen Geographie. 3., verb. Aufl. Ausg. f. Mittelschulen u. höhere Lehranstalten. Handbuch zu den Apparaten I u. II. Mit in den Text gedr. Holzschn. u. 2 Taf. 8. (IV, 58 S.) Wien 886. Perles. n. 1. 80

— dasselbe. Kleinste Ausg. Nr. IV, f. Volksschulen, sowie zum Privat-Unterrichte f. Familien, Lehrer u. Schüler. 8. (15 S.) Ebend. 884. n. — 50

Zinn, A., Reichsgesetz, betr. den Verkehr m. Nahrungsmitteln, Genußmitteln u. Gebrauchsgegenständen. Vom 14. Mai 1879. Mit Einleitg., Erläutergn. u. Register. 2., durch die reichsgerichtl. Entscheidgn., amtl. Erlasse ꝛc. verm. Aufl., bearb. v. R. Haas. 16. (X, 275 S.) Nördlingen 885. Beck. cart. n. 2. —

Zinoffsky, O., üb. die Grösse d. Haemoglobinmolecüls. gr. 8. (28 S.) Dorpat 885. (Karow.) n. 1. —

Zint, Bruno, die preußische Geschichte in der Volksschule. Zum Gebrauch f. den Lehrer bei der Vorbereitg. auf den Geschichtsunterricht bearb. gr. 8. (IV, 81 S. m. 1 chromolith. Karte.) Danzig 886. Kafemann. cart. n. 1. 20

— Lesebuch-Kommentar. Handbuch f. den Lehrer beim Gebrauch d. deutschen Lesebuchs f. die Mittel- u. Oberstufe der Volksschulen. [Verlag v. A. W. Kafemann, Danzig.] 2. Tl. Für die Oberstufe. 8. (X, 141 S.) Ebend. 883. cart. n. 2. —

Der 1. Tl. erscheint später.

Zintgraf, H., Landsberg a/L. u. Umgebung. Historisch-topograph. Skizze. Mit Ansichten der Stadt (1 Stahlst.) u. (lith.) Karte der Umgebg. 2. Aufl. 12. (IV, 50 S.) Landsberg a/L. 884. Verza. n. 1. —

Zipf, E. F., der Säbel d. Herrn Majors, } s.: Dilettanten-Mappe.
— er hat Schulden, }

Zipler, G., deutsche Aufsätze, s.: Wichmann, A.

Zippel, F., mehr Popularität in der Predigt! 8. (88 S.) Gütersloh 886. Bertelsmann. n. — 50
— wohin sollen wir uns wenden in leiblichen Krankheiten? Oder: Welche Heilmethode ist die beste? Ein Wort zur Aufklärg. an unser in dieser Beziehg. noch wenig aufgeklärtes Zeitalter, zugleich e. guter Rath f. Kranke jeder Art. 8. (VIII, 71 S.) Frankfurt a/M. 886. Drescher. n. 1. —
Zippel, Herm., ausländische Handels- u. Nährpflanzen, zur Belehrg. f. das Haus und zum Selbstunterrichte hrsg. Mit üb. 300 Abbildgn. auf 60 Taf. in Farbendr. gr. 8. (X, 244 S. m. 57 Taf.) Braunschweig 885. Vieweg & Sohn. n. 8. —
Zipperlen, W., Bericht üb. das Veterinärwesen in Württemberg, s.: Roeckl, G.
— Beschreibung der vorzüglichsten Pferde-Rassen, f.: Schwarznecker, G.
— beschreibender Text, f.: Volkers, E., Abbildungen vorzüglicher Pferde-Rassen.
Zirndorf, Heinr., Isaak Markus Jost und seine Freunde. Ein Beitrag zur Kulturgeschichte der Gegenwart. Mit dem Bildnisse Jost's. 8. (VIII, 241 S.) Cincinnati 886. New-York, Westermann & Co. n. 4. —
Zirwik, M., Grundzüge e. wissenschaftlichen Grammatik der griechischen Sprache. gr. 8 (II, 118 S. m. 3 Tab.) Salzburg 878. (Wien, Pichler's Wwe. & Sohn.) n. 2. 50
— Studien üb. griechische Wortbildung. gr. 8. (VI, 233 S.) Ebend. 881. n. 4. —
— das Wichtigste üb. die Theile d. Satzes, s.: Dittel, C., Beitrag zur Ansicht vom Infinitiv als Locativ.
Zíška, Wenzel, methodischer Leitfaden der Mineralogie u. Geologie. Für die Unterklassen der Mittelschulen entworfen. gr. 8. (IV, 75 S) Wien 884. Pichler's Wwe. & Sohn. n. — 80
Zitelmann, E., das Recht v. Gortyn, s.: Bücheler, F.
Zither-Freund. Monatsschrift f. fachl. Interessen Central-Organ sämmtl. Zither-Vereine. Red. v. Josefine Jurik. 6. Jahrg. 1884. 12 Nrn (B. m. Musikbeilage.) gr. 4. Kaschau, Expedition. 6. —
Zither-Journal, erstes Wiener. Zeitschrift f. Freunde d. Zitherspieles. Hrsg.: Frz. Wagner. Red.: Frz. Heidrich. 1. Jahrg. 1882/83. 12 Nrn. (B. m. Musikbeilage.) gr. 4. Wien 883. (Leipzig, Eulenburg.) n 8. —
— dasselbe. 3—5. Jahrg. 1884—1886. à 12 Nrn. (B. m. Musikbeilage) gr. 4. Wien, Frank. à Jahrg. n. 8. —
Zither-Signale. 5—8. Jahrg. 1883—1886. à 12 Nrn. (B.) gr. 8. Trier, Hoenes. à Jahrg. n. 4. —
Zittel, Emil, Bibelkunde. 9. Aufl. 8. (IV, 48 S.) Karlsruhe 886. Braun. n. — 50
— f.: Familien-Bibel d. Neuen Testamentes.
— wie können die Freisinnigen dem kirchlichen Leben wiedergewonnen werden? Vortrag. gr. 8. (33 S.) Berlin 885. Haack. n. — 50
— Luther's Reformations-Vermächtniß an uns u. unsere Zeit. Vortrag. gr. 8. (16 S) Ebend 883. n. — 50
— die Revision der Lutherbibel, f.: Zeit- u. Streit-Fragen, deutsche.
Zittel, Karl A., Beiträge zur Geologie u. Paläontologie der lybischen Wüste u. der angrenzenden Gebiete v. Aegypten, s.: Rohlfs, G., Expedition zur Erforschung der lybischen Wüste.
— Handbuch der Palaeontologie, unter Mitwirkg. v. W. Ph. Schimper, A. Schenk u. H. Scudder hrsg. 1. Bd. Palaeozoologie 6—9. Lfg. gr. 8. (2. Abth. S. 149—892 m. eingedr. Holzschn.) München 882—85. Oldenbourg. n. 29. — (1—9. [I. u. II. Abth.]: n. 66. —)
— dasselbe. 2. Bd. Palaeophytologie. 3. u. 4. Lfg. gr. 8. (S. 233—396 m. 88 Fig.) Ebend. 884. 85. n. 7. — (1—4.: n. 17. —)
— die Sahara, ihre physische u. geologische Beschaffenheit. [Aus: „Beiträge zur Geologie u Paläontologie der lybischen Wüste u. Aegyptens".] gr. 4. (III, 42 S.) Kassel 883. Fischer. n. 12. —
— traité de paléontologie. Avec collaboration de W. Ph. Schimper et A. Schenk. Traduit par Charl. Parrois. Avec la collaboration de Duponchelle, Ch. Maurice, A. Six. Tome I. Paléozoologie. Partie I Protozoa, Coelenterata, Echinodermata et Molluscoidea. Avec 503 Fig. dans le texte. gr. 8. (VIII, 764 S) München 883. Oldenbourg. n. 30. —
Zittel, Karl A., das Wunderland am Yellowstone, f.: Sammlung gemeinverständl. wissenschaftlicher Vorträge.
— u. K Haushofer, paläontologische Wandtafeln u geologische Landschaften zum Gebrauch an Universitäten u. Mittelschulen. 3—7. Lfg. [Taf 10—31 à 4 Blatt] Chromolith. Imp.-Fol. Nebst Text. gr. 8. Kassel, Fischer. n. 55. —; f. Aufziehen jeder Tafel n n. 3. — (1—7.: n. 73. —)

3. [Taf. 10—12.]	(7 S.)	884.	n. 8. —
4. [Taf. 13—15.]	(6 S.)	884.	n. 8. —
5. [Taf. 16—20.]	(10 S.)	884.	n. 16. —
6. 7. [Taf. 21—31.]	(62 S.)	886.	n. 23. —

Zitzlaff, D. Johannes Bugenhagen, Pomeranus. Sein Leben u. Wirken, zum 400jähr. Gedächtnis seiner Geburt erzählt. gr. 8. (IV, 143 S.) Wittenberg 885. Herrosé Verl. n. 1. 20
— die Grabdenkmäler an der Pfarrkirche zu Wittenberg. Chronologisch zusammengestellt. 16. (64 S.) Wittenberg 886. (Wunschmann.) n.n. — 25
Zitzlsperger, Jos., bayerische Geschichte, im engen Zusammenhange m. der deutschen Geschichte, f. Mittelschulen bearb. 8. Aufl. Berichtigend durchgesehen u. durch e. Zeittafel [1816 bis zur Gegenwart] verm v. Kittel. gr. 8. (VIII, 232 S.) Amberg 886. E. Pohl's Verl. n. 2. 60; geb. n. 3. —
Zizlsperger, Geo., Marien-Sonette. 12. (63 S.) München 872. Zipperer. — 30
Zlatarski, Geo. N., geologische Untersuchungen im centralen Balkan u. in den angrenzenden Gebieten. (II.) Beiträge zur Geologie d. nördl. Balkanvorlandes zwischen den Flüssen Isker u. Jantra. [Mit 3 Taf. u. 1 Holzschn.] Lex.-8. (93 S.) Wien 886. (Gerold's Sohn.) n. 2. 40
Den I. Thl. s.: Toula, F.
Zmigrodzki, Mich. v., die Mutter bei den Völkern d. arischen Stammes. Eine anthropologisch-histor. Skizze als Beitrag zur Lösg der Frauenfrage m. 10 lith. Taf. u. 1 geograf. Karte. 8. (444 S.) München 886. (Th. Ackermann Verl.) n. 6. —
Zobel, E., der Felddienst. Ein Instruktionsbuch m. kriegsgeschichtl. Beispielen. Zum Gebrauch f. den Dienst- u. Selbst-Unterricht. 5., nach den neuesten Quellen umgearb, verm. u. verb. Aufl. gr. 8. (VIII, 132 S.) Leipzig 885. Bredow. n. — 75
Zobel, W. v., Brigitte. Eine Geschichte aus dem Meißner Elbthale. 12. (83 S.) Dresden 885. v. Grumbkow. cart. n. 1. 80; geb. n. 3. —
Zobeltitz, F. v., Karadi-nisa. Roman. 8. (III, 236 S.) Minden 887. Bruns. n. 3. —
— die Perrücke der Prinzessin Narischkin. Eine abenteuerl. Geschichte aus dem Rococo. Roman. 2 Bde. 8. (232 u. 227 S) Berlin 883. F. Luckhardt. n. 8. —
— dasselbe. Neue wohlf. Ausg. 2 Thle. in 1 Bde. 8. (232 u. 227 S) Ebend. 887. n. 3. —
— märkischer Sand. Brandenburgisch-preuß. Historietten. 8. (VIII, 236 S.) Leipzig 884. Reißner. 1. —
Zobl, Joh., Vinzenz Gasser, Fürstbischof v. Brixen, in seinem Leben u. Wirken dargestellt. Mit (Lichtdr.-)Portr. gr. 8. (IV, 611 S.) Brixen 883. Weger. n. 7. 20
Zöckler, O., die Apostelgeschichte, f.: Kommentar, kurzgefaßter, zu den heiligen Schriften Alten u. Neuen Testamentes, sowie zu den Apokryphen.
— Luther als Ausleger d. Alten Testaments, gewürdigt auf Grund seines größeren Genesis-Commentars. [Aus: „Evangel. Kirchenzeitg."] gr. 8. (77 S.) Greifswald 884. Abel. n. 1. —
Zöhrer, E., f.: Gfánga u. Gspil, allálai christligs, in der oberösterreichischen Volksmundart.
Zöhrer, Ferd., s.: Gerold's Rundreise-Führer.
— unter dem Kaiser-Adler. Kriegsgeschichten aus Oesterreichs Ruhmestagen. Mit 4 Farbendr.-Bildern u. e. Deckelbilde in Farben. gr. 8. (V, 256 S.) Teschen 886. Prochaska. geb. n. 5. —

Zöhrer, Ferd., der österreichische Robinson. Erzählung aus dem Leben d. Johann Georg Peyer aus Urfahr-Linz. Auf Grund vorhandener Memoiren vollständig neu f. die Jugend bearb. gr. 8. (VI, 261 S. m. 12 Holzschntaf.) Teschen 885. Prochaska. geb. n. 5. —
— dasselbe, f.: Für die Jugend.
— österreichisches Seebuch. Seekriegsgeschichten, Reiseschildergn. u. Lebensgeschichten österr. Seehelden. Mit 4 Farbendr.-Bildern. u. e. Deckelbilde in Farben gr. 8. (V, 237 S.) Teschen 886. Prochaska. geb. n. 5. —
Zola, Emile, e. Blättlein Liebe [Une page d'amour]. Roman. Deutsch v. Paul Heichen. 3. neu umgearb. Aufl. 8. (408 S.) Großenhain 886. Baumert & Ronge. n. 2. —; geb. n. 3. —
— die Geheimnisse v Marseille. Roman. Ins Deutsche übertr. v. Paul Heichen. 2 Bde. 8. (IV, 219 u. IV, 215 S.) Leipzig 886. Unflad. n. 4. 50
— Germinal. Socialer Roman. Einzig autoris. Uebersetzg. v. Ernst Ziegler. 2 Bde. 2. Aufl. 8. (257 u. 275 S.) Dresden 885. Minden. n. 7. 50; in 1 Bd. geb. n.n. 9. —
— „zum Glück der Damen". Roman. Aus dem Franz. übers. v. Armin Schwarz. 2 Bde. (210 u. 162 S.) Budapest 883. Grimm. n. 5. —
— leichtfüßige Histörchen, f.: Bibliothek französischer Humoristen u. Realisten.
— Magdalena. Roman. Deutsch v. Johs. Moritz. 8. (340 S.) Großenhain 884. Baumert & Ronge. n. 2. —
— moralische Novellen Ausgewählt u. ins Deutsche übertr. v. Paul Heichen. 2. Aufl. 8. (III, 264 S.) Leipzig 886. Unflad. n. 3. —
— realistische Novellen. Ausgewählt u. in's Deutsche übertr. v. Paul Heichen. 8. (282 S.) Ebend. 886. n. 3. —
— Excellenz Rougon. Roman. Ins Deutsche übertr. v. Roderich Rode. 8. (IV, 344 S.) Großenhain 883. Baumert & Ronge. n. 2. —
— die Schuld d. Pastor Mouret. Roman. 3. neubearb. Aufl. 8. (359 S.) Ebend. 886. n. 2. —; geb. n. 3. —
— was ich nicht leiden mag. Ins Deutsche übertr. v. Paul Heichen. 8. (III, 188 S.) Leipzig 886. Unflad. n. 2. 40
— aus der Werkstatt der Kunst [L'oeuvre]. Roman. Einzig autoris. Uebersetzg. v. Ernst Ziegler. 8. (458 S.) Dresden 886. Minden. n. 5. —; geb. n.n. 6. —
Zolaisten. Tag- u. Nachtgeschichten v. Mendès, Maupassant, Gyp, Céard u. anderen Zola-Jüngern. 8. (270 S.) Leipzig 886. Unflad. n. 3. —
Zoller, Otto, der Check im schweizerischen Obligationenrecht. gr. 8. (40 S.) Frauenfeld 885. (Huber.) n. — 80
Zoeller, Alb., Apologie d. Lutheraners gegen die romanisierenden Irrlehren der Breslauer. gr. 8. (68 S.) Wollin 883. (Halberstadt, Frantz.) n. — 50
Zöller, Egon, die Bedeutung der Technik u. d. technischen Standes in der Kultur. gr. 8. (26 S.) Düsseldorf 884. Schwann. n. — 50
Zöller, Egon, üb. den Grund u. das Ziel der menschlichen Entwickelung u. die Bedeutung unserer Vorstellung d. Unendlichen. gr. 8. (VIII, 79 S.) Lindau 883. Ludwig. n. 1. 50
Zöller, Hugo, die deutschen Besitzungen an der westafrikanischen Küste. I—IV. gr. 8. Stuttgart 885. Spemann. à n. 5. —

I. Das Togoland u. die Sklavenküste. Leben u. Sitten der Eingeborenen, Natur, Klima u. kulturelle Bedeutg. d. Landes, dessen Handel u. die deutschen Faktoreien, auf Grund eigener Anschaug. u. Studien geschildert. (VII, 247 S. m. Illustr. u. 2 Karten.)
II. Forschungsreisen in der deutschen Colonie Kamerun. 1. Tl. Das Kamerun-Gebirge, nebst den Nachbar-Ländern Dahome, engl. Goldküsten-Colonie, Niger-Mündgn., Fernando Po ꝛc. Leben u. Sitten der Eingeborenen, Klima u. culturelle Bedeutg. d. Landes, dessen Handel u. die deutschen Factoreien, auf Grund eigner Anschaug. u. Studien geschildert. (XII, 291 S. m. Abbildgn. u. 2 Karten.)
III. Dasselbe. 2. Tl. Das Flußgebiet v. Kamerun. Seine Bewohner u. seine Hinterländer. (VIII, 250 S. m. 16 Illustr. u. 3 Karten.)
IV. Dasselbe. 3. Tl. Das südl. Kamerun-Gebiet, die span. Besitzgn., das französ. Colonialreich u. der Congo. (VIII, 234 S. m. 18 Illustr. u. 4 Karten.)

Zöller, Hugo, Pampas u. Anden. Sitten- u. Kulturschildergn. aus dem spanischred. Süd-Amerika m. besond Berücksicht. d. Deutschtums. Uruguay. Argentinien. Paraguay. Chile. Peru. Ecuador. Kolumbien. 8. (409 S.) Stuttgart 884. Spemann. n. 10. —
Zoeller, M., die neuesten Schulreformbestrebungen u. das neue Regulativ f. die höheren Schulen in Elsass-Lothringen. gr. 8. (28 S.) Colmar 883. (Barth.) n. — 80
Zoeller, Max, griechische u. römische Privatalterthümer. gr. 8. (XXI, 427 S.) Breslau 887. Koebner. n. 6. —
— römische Staats- u. Rechtsalterthümer. Ein Kompendium f. Studierende u. Gymnasiallehrer. gr. 8. (XII, 438 S.) Ebend. 885. n. 6. —
Zollern, Hans v., nach Canossa. 1. u 2. Abth. Historischer Roman. 8. Dresden, Minden. à n. 8. —; geb. à n.n. 10. —

1. In der heiligen Stadt Rom. 2 Bde. (385 u. 434 S.) 884.
2. Im heiligen römischen Reich deutscher Nation. 2 Bde. (415 u. 371 S.) 885.

— vom Fels zum Meer. Historische Erzählg. aus dem Leben Friedrichs d. Großen. 3 Bde. 8. (III, 284; 267 u. 272 S.) Jena 886. Costenoble. n. 12. —
— Meister Norden. Historische Erzählg. aus der Blüthezeit der freien Reichsstadt Danzig 2 Bde. 2. Aufl. 8. (205 u. 197 S.) Dresden 884. Minden. n. 6. —; geb. n n. 8. —
— die Rebellen. Historischer Roman. 2 Bde. 2. Aufl. 8. (290 u. 260 S.) Ebend. 886. n. 6. —; in 1 Bd. geb. n.n. 7. 20
Zöllner, C. W., Geschichte der Fabrik- u. Handelsstadt Chemnitz von den ältesten Zeiten bis zur Gegenwart. (In ca. 15 Lfgn.) 1—3. Lfg. gr. 8. (96 S. m. color. Lichtdr.) Chemnitz 886. Troitzsch. à n. — 50
Zöllner, Frdr., Erklärung der universellen Gravitation aus den statischen Wirkungen der Elektricität u. die allgemeine Bedeutung d. Weber'schen Gesetzes. Mit Beiträgen v. Wilh. Weber, nebst e. vollständ. Abdr. der Orig.-Abhandlg.: Sur les forces qui régissent la constitution intérieure des corps aperçu pour servir à la détermination de la cause et des lois de l'action moléculaire par O. F. Mossotti. Mit dem Bildnisse Newton's in Stahlst. 2. Ausg. gr. 8. (XVI, 112 S.) Leipzig 886. Fock. 5. —
— über den wissenschaftlichen Missbrauch der Vivisection m. histor. Documenten üb. die Vivisection v. Menschen. 2. Ausg. gr. 8. (394 S.) Ebend. 885. 6. —
Zöllner, Max, zur Kenntniss u. Berechnung der Schwangerschaftsdauer. gr. 8. (40 S) Jena 885. (Neuenhahn.) n. 1. 35
Zöllner, Rhard., der schwarze Erdteil u. seine Erforscher. Reisen u. Entdeckgn., Jagden u. Abenteuer, Land u. Volk in Afrika. Mit 24 Tonbildern u. 3 Karten. 3., bis auf die Gegenwart fortgeführte, verm. u. verb. Aufl. gr. 8. (V, 487 S) Bielefeld 884. Velhagen & Klasing. geb. n. 6. —
Zoll- u. Staats-Monopol-Ordnung vom J. 1835. 8. (X, XXVI, 268 S.) Wien 885. Hof- u. Staatsdruckerei. n. 2. —
Zolltarif f. Algerien. gr. 4. (9 S.) Berlin 884. Mittler & Sohn. n. — 60
— für Belgien. gr. 4. (10 S.) Ebend. 884. n. — 60
— für Brasilien. gr. 4. (68 S.) Ebend. 884. n. 1. 50
— für Dänemark. gr. 4. (18 S.) Ebend. 884. n. 1. —
— der deutsche. Nach dem gegenwärt. Stande der Reichs-Gesetzgebg. u. der internationalen Handelsverträge. [Aus: „Suppl.-Bd. zum Deutschen Handels-Archiv: Die Zolltarife d. In- u. Auslandes".] gr. 4. (28 S.) Ebend. 884. n. 1. —
— deutscher. gr. 4. (16 S.) Ebend. 885. n. — 50
— der neue, f. das deutsche Reich m. dem Vertrags-Zolltarif, den Tarasätzen, dem Zolltarif-Gesetz vom 15. Juli 1879 u. den Ergänzungs-Gesetzen vom 6. Juni 1880, 19. u. 21. Juni 1881, 23. Juni 1882 u. 22. Mai 1885. Zur vergleich. Uebersicht sind beigefügt: 1. Die Zollsätze nach dem Tarif vom 15. Juli 1879 in besond. Rubrik. 2. Ein alphabetisch geordnetes Sachregister. 2. Aufl. 8. (VIII, 46 S.) Düsseldorf 886. F. Bagel. — 50

Zolltarif, der, f. das deutsche Reich nach den Gesetzen vom 15. Juli 1879, 6. Juni 1880, 19. Juni 1881, 21. Juni 1881, 23. Juni 1882 u. 22. Mai 1885, nebst den einschläg. Gesetzen. Mit alphabet. Sachregister. 16. (95 S.) Nördlingen 885. Beck. cart. n. — 80

— der französischen Republik f. die Einfuhr aus Vertragsstaaten [giltig f. die Einfuhr aus Oesterreich-Ungarn zufolge Handelsconvention vom 18. Febr. 1884]. [R. G. Bl. Nr. 27 ex 1884.] 2. Aufl. gr. 8. (57 S.) Wien 885. Hof- u. Staatsdruckerei. n. 1. —

— für Großbritannien u. Irland. gr. 4. (8 S.) Berlin 884. Mittler & Sohn. n. — 60

— für Japan. gr. 4. (8 S.) Ebend. 884. n. — 60

— für Italien. gr. 4. (34 S.) Ebend. 884. n. 1. 20

— italienischer. 2. Aufl. gr. 8. (44 S.) Wien 884. Hof- u. Staatsdruckerei. n. 1. 40

— für Mexiko. gr. 4. (24 S.) Berlin 884. Mittler & Sohn. n. 1. —

— für die Niederlande. gr. 4. (10 S.) Ebend. 884. n. — 60

— für Niederländisch-Ostindien. gr. 4. (6 S.) Ebend. 884. n. — 50

— allgemeiner, vom 25. Mai 1882 f. das österreichisch-ungarische Zollgebiet u. amtliches alphabetisches Waarenverzeichniß zu demselben. gr. 8. (LX, 379 S.) Wien 882. Hof- u. Staatsdruckerei. n. 5. —

— für Oesterreich-Ungarn. gr. 4. (38 S.) Berlin 884. Mittler & Sohn. n. 1. 20

— für Peru. gr. 4. (60 S.) Ebend. 884. n. 1. 50

— für Portugal. Vom 17. Septbr. 1885. gr. 4. (21 S.) Ebend. 886. n. — 80

— für Portugiesisch Ostindien. gr. 4. (4 S.) Ebend. 884. n. — 20

— von Rumänien. 2. Aufl. gr. 8. (60 S.) Wien 884. Hof- u. Staatsdruckerei. n. 1. —

— allgemeiner, v. Rumänien, vom 17. Mai 1886, nebst e. Zusammenstellg. d. dermals gilt. rumän. Conventionaltarifes. Lex.-8. (62 S.) Ebend. 886. n. 1. —

— dasselbe. gr. 4. (44 S.) Berlin 886. Mittler & Sohn. n. 1. 40

— dasselbe. Tarif f. die Einfuhr. [Aus: „Deutsches Handels-Archiv".] gr. 4. (48 S.) Ebend. 886. n. 1. 60

— allgemeiner, d. Russischen Kaiserreichs. Mit allen bis 1. Juli 1885 in Kraft getretenen Verändergn., nebst Tabelle f. die Tara-Berechng., alphabet. Verzeichniss d. Tarifs u. sämmtl., jetzt gült. Tarifanwendgn., Verzeichniss ausländ. Heilmittel, welche zur Einfuhr gestattet od. verboten sind etc. Hrsg. v. M. Miklaschewsky. Mit Bewilligg. d. Zoll-Departements. 8. (III, 250 S.) St. Petersburg 885. (Schmitzdorff.) n.n. 4. —

— für das Europäische Rußland u. die am Schwarzen Meere gelegenen Hafenplätze Transkaukasiens. gr. 4. (72 S.) Berlin 884. Mittler & Sohn. n. 1. 50

— für die Schweiz. gr. 4. (24 S.) Ebend. 884. n. 1. —

— schweizerischer, vom 26. Juni 1884, nebst alphabet. Register der im Tarif f. die Einfuhr namentlich aufgeführten Waaren. gr. 4. (78 S.) Bern 884. (Jenni.) n.n. 1. 50

— schweizerischer, vom 26. Juni 1884, gültig vom 1. Jan. 1885 an, alphabetisch geordnet. gr. 8. (62 S.) Zürich 885. Schmidt. n. — 80

— neuer, f. Spanien, vom 23. Juli 1882. gr. 8. (44 S.) Wien 883. Hof- u. Staatsdruckerei. n. 1. 60

— der spanische. Der General- u. Vertrags-Zolltarif, nebst Erläutergn. nach dem gegenwärt. Stande der span. Gesetzgebg. u. der internationalen Handelsverträge. gr. 4. (28 S.) Berlin 884. Mittler & Sohn. n. 1. —

— für die Türkei. gr. 4. (2 S.) Ebend. 884. n. — 15

— für die Vereinigten Staaten v. Amerika. gr. 4. (20 S.) Ebend. 884. n. 1. —

— neuer, der Vereinigten Staaten v. Amerika. In Kraft tretend am 1. Juli 1883. gr. 8. (15 S.) Leipzig 883. Weltpost-Verlag. 1. 25

Zolltarife, die, d. In- u. Auslandes. Nach dem gegenwärt. Stande der anatomen Gesetzgebg. u. d. internationalen Vertragsrechts übersichtlich zusammengestellt auf Grund der im Deutschen Handels-Archiv erschienenen amtl. Publikationen. Ein Suppl.-Bd. zum Deutschen Handels-Archiv. gr. 4. (IV, 862 S.) Berlin 884. Mittler & Sohn. n. 24. —

Zolltarif-Gesetz vom 15. Juli 1879 [nach der Redaktion vom 24. Mai 1885], nebst den vom Bundesrath festgestellten Tarasätzen. gr. 8. (71 S.) Berlin 885. (v. Decker.) n. — 60

— u. **Zolltarif** f das Deutsche Reich. Vom 24. Mai 1885. Hrsg. v. der Redaktion d. Reichs-Gesetzbuches. gr. 8. (III, 32 S.) Berlin 885. Bruer & Co. geb. — 75

— — des deutschen Reiches. [Kundgemacht m. Bekanntmachg. d. Reichskanzlers vom 24. Mai 1885 auf Grund d § 5 d. Gesetzes vom 22. Mai 1885, R.-G.-Bl. Nr. 15.) Mit den in Folge der Zollverträge Deutschlands m. Spanien vom 12. Juli 1883 [giltig bis 30. Juni 1887], m. Italien vom 4. Mai 1883 [giltig bis 1. Febr. 1892], m. Griechenland vom 9. Juni 1884 [giltig bis 2. Febr. 1895] u. m. der Schweiz vom 23. Mai 1881 [giltig bis 30. Juni 1886] f. die Einfuhr aus Conventionalstaaten [worunter Oesterreich-Ungarn] gelt. Zollermäßiggn. gr. 8. (40 S.) Wien 885. Hof- u. Staatsdruckerei. n. — 80

Zoozmann, Rich., neue Dichtungen. 8. (IV, 179 S.) Berlin 886. Parrisius. n. 2. —; geb. n. 3. —

— Lieder, Romanzen u. Balladen. 8. (VIII, 119 S.) Berlin 884. Neuenhahn. n. 2. —

Zopf, Herm., die Behandlung guter u. schlechter Stimmen im gesunden u. kranken Zustande, in Form e. populären Gesangschule dargestellt. Mit 8 Abbildgn. 2. Aufl. 8. (IV, 132 S.) Leipzig 885. Merseburger. 1. 80

Zopf, W., üb. die Gerbstoff- u. Anthocyan-Behälter der Fumariaceen u. einiger anderen Pflanzen, s.: Bibliotheca botanica.

— zur Kenntniss der anatomischen Anpassung der Pilzfrüchte an die Function der Sporenentleerg. bei Sordarieen. gr. 8. (36 S. m. 3 color. Steintaf.) Halle 884. Tausch & Grosse. n. 7. —

— zur Kenntniss der Phycomyceten. I. Zur Morphologie u. Biologie der Ancylisteen u. Chytridiaceen, zugleich e. Beitrag zur Phytopathologie. Mit 10 (lith., z. Thl. farb.) Taf. gr. 4. (96 S.) Halle 884. (Leipzig, Engelmann.) n. 14. —

— zur Morphologie u Biologie der niederen Pilzthiere [Monadinen], zugleich e. Beitrag zur Phytopathologie. Mit 5 lith. Taf. in Farbendr. gr. 4. (V, 45 S.] Leipzig 885. Veit & Co. n. 9. —

— die Pilzthiere od. Schleimpilze. Nach dem neuesten Standpunkte bearb. Mit 52 meistens vom Verf. selbst auf Holz gezeichneten Schnitten. gr. 8. (VIII, 174 S.) Breslau 885. Trewendt. n. 5. —

— die Spaltpilze. Nach dem neuesten Standpunkte bearb. Mit 41 vom Verf. meist selbst auf Holz gezeichneten Schnitten. 3. Aufl. gr. 8. (VI, 127 S.) Ebend. 885. n. 3. —

Zoepf, F., Rinder d. oberen Donauthales in Ober- u. Niederösterreich, s.: Rinder-Racen, die österreichischen.

Zoepfl, Heinr., die peinliche Gerichtsordnung Kaiser Karl's V., nebst der Bamberger u. der Brandenburger Halsgerichtsordnung, sämmtlich nach den ältesten Drucken u. m. den Projecten der peinl. Gerichtsordng. Kaiser Karl's V. v. den J. 1521 u. 1529, beide zum erstenmale vollständig nach Handschriften hrsg. 3. [synopt.] Ausg. gr. 8. (XVI, 200 S.) Leipzig 883. C. F. Winter. n. 3. —

Zoeppritz, Adf., Waldungen u. Holzgewinnung in Nordschweden. gr. 8. (38 S.) Davos 883. Richter. n. 1. 20

Zöppritz, Karl, Leitfaden der Kartenentwurfslehre. Für Studierende der Erdkunde u. deren Lehrer bearb. Mit Fig. im Text u. 1 lith. Taf. gr. 8. (VIII, 162 S.) Leipzig 884. Teubner. n. 4. 40

Zöppritz, Karl, Gedächtnißrede auf ihn, s.: Hirschfeld, G.

Zorn, Phpp., die Konsulargesetzgebung d. Deutschen Reiches. Text-Ausg. m. Anmerkgn. u. Sachregister. 16. (VIII, 634 S.) Berlin 884. Guttentag. cart. n. 4. —

— Luther u. die deutsche Nation. gr. 8. (34 S.) Königsberg 883. Beyer. n. 1. —

Zorn, Phpp., das alte und das neue Reich. Festrede, geh. am 18. Jan. 1886 in der königl. Deutschen Gesellschaft zu Königsberg in Pr. Lex.-8. (29 S.) Berlin 886. Guttentag. n. 1. —
— das Staatsrecht d. Deutschen Reiches. 2. Bd.: Das Verwaltungs- u. äußere Staatsrecht. 8. (IX, 677 S.) Ebend. 883. geb. n. 8. — (1 u. 2.: n. 14. —)
Zorzi, der Troubadour Bertolome. Hrsg. v. Emil Levy. gr. 8. (90 S.) Halle 883. Niemeyer. n. 2. 40
Zoth, O., üb. die Darstellung v. Haemoglobinkrystallen mittels Canadabalsams u. einige verwandte Gewinnungsweisen, s.: Smreker, E.
Zoubek, F., J. A. Comenius, nach seinem Leben u. seinen Schriften dargestellt, s.: Beeger, J.
Zschalig, Heinr., die Verslehren v. Fabri, Du Pont u. Sibilet. Ein Beitrag zur älteren Geschichte französ. Poetik. gr. 8. (80 S.) Leipzig 884. Frohberg. n. 1. 50
Zschech, Frz., die Brüder Jakob u. Wilhelm Grimm. Vortrag. gr. 8. (V, 37 S.) Hamburg 885. Voß. n. — 60
— Giacomo Leopardi, s.: Sammlung gemeinverständlicher wissenschaftlicher Vorträge.
— Luther als Schöpfer der neuhochdeutschen Sprache. Vortrag. gr. 8. (24 S.) Hamburg 883. Seelig & Ohmann. — 30
— Vincenzo Monti u. sein Gedicht auf den Tod Hugo Basseville's [gest. in Rom 1793]. Litterarhistorische Studie. gr. 4. (63 S.) Hamburg 884. (Nolte.) n.n. 2. —
— 1786 u. 1886. Rede zur Vorfeier d. Kaisers Geburtstag, geh. am 20. März 1886. gr. 8. (29 S.) Hamburg 886. Kriebel. n. — 75
Zschiesche, Alwin, illustriertes Briefmarken-Album. Mit 41 Porträts, 84 Wappen- u. üb. 1300 Marken- u. Wasserzeichen-Abbildgn. 10. Aufl. gr. 4. (VI, 280 Bl.) Leipzig 886. Exped. d. Briefmarken-Album. cart. 7. —; geb. 9. —; 15. — u. 36. —
— Katalog üb. alle seit 1840 bis 1883 ausgegebenen Briefmarken. 8. (II, 96 S.) Ebend. 883. — 75
Zschiesche, K. L., Halberstadt sonst u. jetzt m. Berücksicht. seiner Umgebung. Mit 5 (lith.- u. Lichtdr.-)Abbildgn. u. e. (lith.) Plane der Stadt. 8. (VII, 196 S.) Halberstadt 882. Helm. n. 3. —
Zschokke, E., Anleitung zur Kenntniss u. Gesundheitspflege d. Pferdes. Mit 1 lith. Taf. u. 100 in den Text gedr. Abbildgn. 12 (242 S.) Zürich 885. Orell, Füssli & Co. Verl. cart. n. 3. —
Zschokke, Emil, Gedichte. 8. (73 S.) Aarau 887. Sauerländer. geb. n. 1. 60
— s.: Nationalbibliothek, schweiz.
— die Waisen v. Stans. Festspiel, aufgeführt zu Ehren der schweizer. gemeinnütz. Gesellschaft bei ihrer Versammlg. in Aarau den 9. Septbr. 1884. 8. (48 S.) Aarau 884. (Sauerländer.) n. 1. —
— dasselbe, s.: Bibliothek vaterländischer Schauspiele.
Zschokke, H., Konstantinopel, s.: Woerl's Reisebibliothek.
Zschokke, H., das Abenteuer der Neujahrsnacht, s.: Bibliothek der Gesamt-Litteratur d. In- u. Auslandes. — Haus-Bibliothek f. Stolze'sche Stenographie. — Volksbibliothek d. Lahrer Hinkenden Boten.
— Blätter aus dem Tagebuch d. armen Pfarrvikars v. Wiltshire, s.: Volksbibliothek d. Lahrer Hinkenden Boten.
— ein Buckliger od. die Kavallerie ist nicht meine Sache. Eine Erzählg. 12. (29 S.) Chemnitz 885. Hager. — 15
— Florette od. die erste Liebe. Erzählung. 12. (30 S.) Ebend. 885. — 15
— Jonathan Frock, s.: Volksbibliothek d. Lahrer Hinkenden Boten.
— das Goldmacherdorf, s.: Universal-Bibliothek.
— dasselbe, s.: Volksschriften.
— eine Heirath auf Credit od. das blaue Wunder. Humoristische Novelle. 12. (32 S.) Chemnitz 885. Hager. — 15
— der zerbrochene Krug, s.: Volksbibliothek d. Lahrer Hinkenden Boten.
— Mariette od. der zerbrochene Krug. Humoristische Novelle. 12. (30 S.) Chemnitz 885. Hager. — 15

Zschokke, H., der Millionär u. die schöne Karoline. Eine launige Erzählg. 12. (48 S) Chemnitz 885. Hager. — 15
— humoristische Novellen. Illustrirt v. Alf. Petschnig. (In ca. 25 Lfgn.) 1. Lfg. gr. 8. (48 S.) Wien 886. Bondy. — 30
— dasselbe, s.: Sauerländer's, H. R., Unterhaltungs-Bibliothek.
— der Pascha v. Buda od. vom Hirtenstab zum Throne. Erzählung. 8. (64 S.) Reutlingen 883. Bardtenschlager. — 25
— Tantchen Rosmarin; das blaue Wunder, s.: Universal-Bibliothek.
— Stunden der Andacht zur Beförderung wahren Christenthums u. häuslicher Gottesverehrung Neu rev. Ausg. (In 40 Lfgn.) 1. Lfg. gr. 8. (1. Bd. S. 1—48.) Leipzig 885. Milde. — 40
— die Walpurgisnacht. Novelle. 8. (64 S.) Reutlingen 883. Bardtenschlager. — 25
— dasselbe, } s.: Volksbibliothek d. Lahrer Hinkenden Boten.
— das blaue Wunder, }
Zschokke, Herm., historia sacra antiqui testamenti. Ed. II. emendata et instructa V delineationibus et tabula geographica (lith. u. color.). gr. 8. (IV, 464 S.) Wien 884. Braumüller. n. 10. —
— das Weib im Alten Testamente. gr. 8. (VII, 142 S.) Wien 883. Kirsch n. 2. —
Zsigmondy, Emil, die Gefahren der Alpen. Praktische Winke f. Bergsteiger. 2., v. Otto Zsigmondy besorgte Aufl. Mit Holzschn. u. dem Portr. d. Verf. in Lichtdr. gr. 8. (XVII, 239 S.) Leipzig 887. Frohberg. n. 4. —
Zu Hause. Bilder aus dem tägl. Leben. Von Maria. Aus dem Norweg v. O. Gleiss. 8. (307 S.) Gütersloh 883. Bertelsmann. n. 3. 60; geb. n. 4. 50
— den Nordseebädern an der ostfriesischen Küste. Saison 1886. Fahrpläne der Dampf- u. Postfährschiffe nach Norderney, Borkum. Juist, Spiekeroog u. Langeroog, nebst Schnellzug-Verbindg u Eisenbahn-Anschlüssen, sowie e. (lith. u. color.) Karte der Reisewege zu den Nordseebädern. 32. (64 S.) Norden 886. Soltau. n. — 40
— Leopold v. Ranke's Heimgang. gr. 8. (36 S.) Leipzig 886. Duncker & Humblot. n. 1. —
— Skaters Freud u. Leid. Von e. fröhl. Skatspieler. 12. (24 S.) Altenburg 886. Bonde's Verl. n. — 50
— spät erkannt. Ein Zeitbild 1871—1873. Vom Verf. der Erinnergn. e. deutschen Offiziers. 8. (416 S.) Wiesbaden 886 Bergmann. n. 6. —; geb. n. 7. —
— der Wahl e. Regenten im Herzogth. Braunschweig. 8. (14 S.) Braunschweig 885. Bruhn's Verl. — 30
— Weihnachten u. Neujahr. Eine Sammlg. ausgewählter Festgedichtchen m. Originalbeiträgen v. Otilie Wildermuth. 11. Aufl. 16. (62 S.) Leipzig 885. Siegismund & Volkening. — 60
— edlem Zweck. [Für die Kinder-Klinik.] Einzige Nr. Dezbr. 1883. Unter der Leitg. v. Fr. Knapp, Abtheilg. f. Litteratur, u. Markus Schüßler, Abtheilg. f. Kunst. Fol. (16 S. m. eingedr. Zinkätzgn.) Nürnberg 884. (v. Ebner.) n. 1. 40
Zubaty, Jos., Anton Dvořák. Eine biograph. Skizze. 12. (12 S.) Leipzig 886. Gebr. Hug. n. — 50
Zuck, Otto, Andachten f. Schule u. Haus. Nach dem christl. Kirchenjahre geordnet u. allen evangel. Schulen u. Familien gewidmet. 2. Aufl. gr. 8. (XV, 447 S.) Bernburg 885. Bacmeister. n. 2. 40; geb. 3. 20
— die biblischen Geschichten d. alten u. neuen Testamentes. Für evangel. Schulen zusammengestellt. Ausg. A. Mit Anh.: Die Entfaltg. der christl. Kirche von den Aposteln bis zur Neuzeit. 2. Aufl. gr. 8. (III, 160 S.) Ebend. 886 n. — 60; cart. n. — 80
— dasselbe. Ausg. B. Ohne Anh. 2. Aufl. gr. 8. (III, 136 S.) Ebend. 886. n. — 50; cart. n. — 70
— Katechesen üb. die 5 Hauptstücke d. kleinen Katechismus Dr. Martin Luther's. 2. Aufl. gr. 8. (VIII, 206 S.) Ebend. 885. n. 2. 40
— der kleine Katechismus Dr. Martin Luthers. Für die Hand der Schüler bearb 2. Aufl. 8. (80 S.) Ebend. 885. n. — 30; cart. n. — 40

Zuck, Otto, das Kirchenlied, im Anschluß an biblische Lebensbilder behandelt. Mit e. Anh.: Kurze Geschichte d. Kirchenliedes. gr. 8. (VIII, 267 S.) Bernburg 886. Bacmeister. n. 2. 60

— das Leben u. Wirken der Apostel, nach der heil. Schrift u. altkirchl. Ueberliefergn. zusammengestellt. gr. 8. (VI, (106 S.) Ebend. 883. n. 1. 20

— Lehrbuch der biblischen Geschichte d. alten u. neuen Testamentes. Eine Anleitg. zum method. bibl. Geschichtsunterricht. 2 Bde. Mit Karten. gr. 8. (VIII, 356 u. VIII, 388 S.) Ebend. 885. n. 8. —

— dasselbe. 2 Bde. 2. Aufl. gr. 8. Ebend. 885. à n. 3. 60
1. Das alte Testament. Mit (eingedr.) Karten. (VIII, 356 S.)
2. Das neue Testament. (VIII, 388 S.)

— Dr. Martin Luther. Eine Denkschrift zum 400jähr. Geburtstage d. Reformators. Für Haus u. Schule bearb. gr. 8. (44 S. m. 2 Illustr.) Ebend. 883. n. — 20

Zucker, M., Dürers Stellung zur Reformation. gr. 8. (III, 80 S.) Erlangen 886. Deichert. n. 1. 50

Zuckerindustrie, die deutsche. Wochenblatt f. Landwirthschaft, Fabrikation u. Handel. Red.: Wilh. Herbertz. 8. Jahrg. 1883. 52 Nrn. (à 1—2 B.) gr. 4. Berlin, (Friedländer & Sohn). n.n. 20. —

— dasselbe. 9—11. Jahrg. 1884—1886. à 52 Nrn. (à 1—2 B.) gr. 4. Ebend. à Jahrg. n.n. 24. —

Zuckerkandl, E., Beitrag zur Lehre v. dem Baue d. hyalinen Knorpels. [Mit 2 (lith.) Taf.] Lex.-8. (7 S.) Wien 885. (Gerold's Sohn.) n. — 60

— über den Circulations-Apparat in der Nasenschleimhaut. [Mit 5 (chromolith.) Taf.] Imp.-4. (32 S.) Ebend. 884. n. 6. —

— über die Verbindungen zwischen den arteriellen Gefässen der menschlichen Lunge. [Mit 2 (chromolith.) Taf.] Lex.-8. (16 S.) Ebend. 883. n. 2. —

Zuckermandel, M. S., Supplement, enth. Uebersicht, Register u. Glossar zu Tosefta. 2. Lfg. gr. 8. (S. 49—94.) Trier 882. (Linz.) n. 1. 50; m. Fcsm. n. 2. — (Hauptwerk nebst Suppl. 1. u. 2. Lfg.: n. 27. —; m. Fcsm.: n. 27. 50)

Zug, der, der Freischärler unter Kinkel, Schurz u. Annecke, behufs Plünderung d. Zeughauses in Siegburg im Mai 1849. gr. 8. (20 S.) Bonn 886. Hanstein. — 30

— der, der Zeit. Roman vom Verf. v. Im Banne der dritten Abtheilung. 2 Bde. 8. (220 u. 234 S.) Jena 885. Costenoble. n. 8. —

Zujović, J. M., geologische Uebersicht d. Königr. Serbien. Mit e. geolog. Uebersichtskarte. Lex.-8. (56 S.) Wien 886. Hölder. n. 4. —

Zukal, Hugo, Flechtenstudien. Mit 7 (lith.) Taf. gr. 4. (44 S.) Wien 884. (Gerold's Sohn.) n. 7. —

— über einige neue Pilze, Myxomyceten u. Bakterien. [Aus: „Verhandlgn. d. k. k. zoolog.-botan. Gesellschaft in Wien".] Mit 1 (lith.) Taf. gr. 8. (12 S.) Wien 885. (Leipzig, Brockhaus' Sort.) n. 1. —

— mycologische Untersuchungen. [Mit 3 (lith.) Taf.] Imp.-4. (16 S.) Wien 885. (Gerold's Sohn.) n. 2. —

Zukertort, J. H., u J. **Dufresne**, neuester Leitfaden d. Schachspiels. Mit 120 verschiedenen Diagrammen u. 42 erläuterten Muster-Partieen folg. Schachmeister u. Schach-Clubs: A. Anderssen, Alexander, Barnes etc. 4. Aufl. gr. 8. (VII, 144 S.) Berlin 886. H. Steinitz. n. 2. —

Zukunft, die. Wochenschrift f. social-polit. Fragen. Red.: G. May. 1. Jahrg. April 1884—März 1885. 52 Nrn. (à 1—1½ B.) gr. 4. Berlin, Heinicke. n. 8. —
Erscheint nicht mehr.

— die, d. Officiers. Eine Studie üb. die Fürsorge d. Staates f. junge active u. verabschiedete Officiere. Von e. alten Officier. [C. v. R.] gr. 8. (27 S.) Berlin 886. v. Decker. n. — 50

Zukunftskrieg, der österreichisch-russische. Mit 1 Karte. Von B—C. 3. Aufl. gr. 8. (68 S.) Hannover 887. Helwing's Verl. n. 1. 60

Zülch, K., Sonntagsgedanken üb. die Episteln u. Evangelien d. Kirchenjahrs. 8. (VII, 463 S.) Cottbus 883. Gottholdexpedition. geb. 2. —

— vier Stimmen v. der wahren sichtbaren Kirche Christi. Ein Zeugnis gegen Missouri, Breslau, Immanuel, hannov. Separation, Union u. andere falsche Kirchen. Nebst e. Anh. v. kirchl. Aufsätzen. gr. 8. (XII, 477 S.) Marburg 886. (Elwert's Verl.) n. 6. —

Zuelzer, W., Influenza, Schweissfriesel, Dengue- od. Dandyfieber, Heufieber, Erysipelas, s.: Handbuch der speciellen Pathologie u. Therapie.

— Untersuchungen üb. die Semiologie d. Harns. Ein Beitrag zur klin. Diagnostik u. zur Lehre vom Stoffwechsel. Mit e. Farbentaf. gr. 8. (VII, 166 S.) Berlin 884. Dümmler's Verl. n. 5. —

Zum Andenken. 4 Lesezeichen m. Blumen u. Sprüchen. Chromolith. schmal 16. Berlin 883. Hübner. — 75

— Andenken an Franz Ph. Fr. v. Kübel. gr. 8. (15 S.) Tübingen 885. Fues. n. — 20

— Begriff d. öffentlich-rechtlichen Anspruchs. Die Voraussetzungen d. negativen Kompetenzkonflikts. gr. 8. (17 S.) Ebend. 884. n. — 30

— Ehrengedächtniß d. am 27. Octbr. 1885 im HErrn selig entschlafenen Dr. Wilhelm Sihler, treuverdienten Pastors der deutschen evangel.-luther. St. Pauls-Gemeinde zu Fort Wayne. 8. (40 S.) St. Louis, Mo. 886. (Dresden, H. J. Naumann.) n. — 40

— Geburtstage. Eine Sammlg. ausgewählter Festgedichtchen m. Orig.-Beiträgen v. Ottilie Wildermuth. 10. verm. Aufl. 12. (62 S.) Leipzig 885. Siegismund & Volkening. — 60

— Gedächtniß d. treuen Seelsorgers, Hrn. Joh. Wilh. Baer, III. Pfarrers bei St. Sebald zu Nürnberg. gr. 8. (16 S.) Nürnberg 886. Raw. n. — 25

— Gedächtniß d. im HErrn entschlafenen Kirchenrath Dr. W. F. Besser. gr. 8. (20 S.) Dresden 884. (J. Naumann.) n. — 50

— Gedächtniß d. treuen Seelsorgers Hrn. Joh. Karl Konr. Heller, II. Pfarrers bei St. Lorenz zu Nürnberg. gr. 8. (20 S.) Nürnberg 886. Raw. n. — 25

— Gedächtniß an D. Joh. Andreas Rehhoff. [Aus: „Monatsschr. f. d. ev. luth. Kirche im hamb. Staate".] gr. 8. (24 S.) Hamburg 883. Oemler. — 30

— Gedächtniß d. am 23. Jan. 1885 im Herrn entschlafenen königl. Superintendenten u. Kreisschulinspectors Friedrich Gustav Roth in Neunkirchen. 8. (36 S.) Siegen 885. Montanus. n. — 50

— Gedächtniß d. treuen Seelsorgers Hern. Konrad Rübel, III. Pfarrers bei St. Lorenz, Kapitelsseniors u. Kirchenrat's, Inhaber d. Ehrenkreuzes d. Ludwigsordens zu Nürnberg. gr. 8. (19 S.) Nürnberg 886. Raw. n. — 25

— Gedächtniß an David Friedrich Strauß. Bericht üb. die Feier der Enthüllg. e. Gedenktafel an seinem Geburtshause. Mit e. Ansicht d. Geburtshauses v. D. F. Strauß in Lichtdr. gr. 8. (25 S.) Bonn 885. Strauß. n. 1. 60

— deutschen Lesebuch f. die Volksschulen d. Reg.-Bez. Wiesbaden. 60 Lesestücke, sach- u. sprachlich erläutert v. e. nassauischen Lehrer. 1. u. 2. Hft. gr. 8. (VII, 54 u. 60 S.) Montabaur 881 u. 82. (Frankfurt, Jaeger's Verl.) à n. 1. —

— Unfall-Versicherungs-Gesetz vom 6. Juli 1884. Bekanntmachung betr. die Anmeldung der unfallversicherungspflichtigen Betriebe vom 14. Juli 1884. Nebst Anleitg. u. Formularen f. den prakt. Gebrauch. 8. (8 S.) Berlin 884. P. Schettler's Erben. — 15

— Projekt der Korrektion der Unterweser. Erwiderung der Bremer Handelskammer auf die Denkschrift der Kommission zur Wahrg. der Interessen der preußisch-brem. Unterweserhäfen in der Weserkorrektions-Angelegenheit. gr. 8. (40 S.) Bremen 883. (Rühle & Schlenker.) n. 1. —

Zund, J., Anleitung zur Führung e. Vogtei od. Beistandschaft im Kanton Luzern, überhaupt Wegweiser bei gewöhnl. Verwaltungs- u. Rechtsgeschäften. 3. Aufl. 8. (IV, 200 S.) Luzern 885. Räber. cart. n.n. 2. —

Zündel, Aug., der Gesundheitszustand der Hausthiere in Elsaß-Lothringen während der beiden Berichtsjahre vom 1. Apr. 1882 bis Ende März 1884 nach den amtl. Berichten der Kreisthierärzte u. anderer beamteten Thierärzte. gr. 8. (IV, 179 S.) Straßburg 885. (Noiriel.) n. 4. —

Zündel, Dav., italienische Reiseerinnerungen. 8. (VII, 143 S.) Frauenfeld 886. Huber. cart. n. 2. —
Zündel, Frdr., aus der Apostelzeit. gr. 8. (IV, 534 S.) Zürich 886. Höhr. n. 5. —; geb. n. 5. 90
— Pfarrer Johann Christoph Blumhardt, Ein Lebensbild. 4. Aufl. gr. 8. (VIII, 544 S. m. Lichtdr.-Portr.) Ebend. 883. n. 5. —; geb. n.n. 6. —
— Jesus, in Bildern aus seinem Leben beleuchtet. gr. 8. (VII, 338 S.) Ebend. 884. n. 4. —; geb. n. 4. 80
— dasselbe. 2., neu durchgearb. u. verm. Aufl. gr. 8. (VIII, 436 S.) Ebend. 885. n. 4. 50; geb. n. 5. 30
Zuns, Jul, Einiges üb. Rodbertus. I. Das Rodbertus'sche Grundrentenproblem. II. Zur Kritik der „Creditnoth". gr. 8. (III, 71 S.) Berlin 883. Puttkammer & Mühlbrecht. n. 1. 20
— zwei Fragen d. Unternehmereinkommens. Nebst e. Anh.: Einige methodolog. Bemerkgn., insbesondere üb. das ökonom. Princip. 2., durchaus. umgearb. Aufl. gr. 8. (VIII, 145 S.) Wien 886. Manz. n. 1. 20
Zupitza, Jul., Einführung in das Studium d. Mittelhochdeutschen. Zum Selbstunterricht f. jeden gebildeten. 3. Aufl. gr. 8. (VIII, 143 S.) Oppeln 884. Franck. n. 2. —
— alt- u. mittelenglisches Übungsbuch zum Gebrauche bei Universitäts-Vorlesungen. Mit e. Wörterbuche. 3. Aufl. gr. 8. (VI, 192 S.) Wien 884. Braumüller. n. 5. —
Zuppinger, Walter, üb. Wassermotoren. Vortrag, geh. in der Generalversammlg. d. bad. Zweigverbandes deutscher Müller u. Mühlen-Interessenten in Stockach am 22. Oktbr. 1876. gr. 8. (31 S.) Leipzig 877. (Stuttgart, Lindemann.) n.n. 1. —
Zur Alkoholfrage. Vergleichende Darstellg. der Gesetze u. Erfahrungen einiger ausländischer Staaten. Zusammengestellt vom eidg. statist. Bureau. gr. 8. (635 S.) Bern 884. (Dalp.) n.n. 5. —
— Arbeiterversicherung. Geschichte u. Wirken d. Unterstützungsvereins deutscher Buchdrucker. 1862—1886. Hrsg. vom Vorstande d. Vereins. 2. ergänzte Aufl. gr. 8. (52 S.) Leipzig u. Stuttgart 883. (Reudnitz, Mäser.) 1. —
— Aetiologie der Infectionskrankheiten m. besond. Berücksicht. der Pilztheorie. Vorträge. 2. Hälfte. gr. 8. München 881. J. A. Finsterlin. n. 6. — (oplt.: n. 10. —)
8. Ueber die Aetiologie der Diphtherie. Von Oertel. Mit 2 Curventaf. in Farbendr. (VII, u. S. 199—246.)
9. Zur Aetiologie der Diphtherie. Von H. Ranke. (S. 247—262.)
10. Zur Aetiologie der Diphtherie. (S. 263—292.)
11. Ueber die Bedingungen d. Uebergangs v. Pilzen in die Luft u. üb. die Einathmung derselben. Von Hans Bucher. Mit 4 Abbildgn. im Text. (S. 293—332.)
12. Ueber Cholera u. deren Beziehung zur parasitären Lehre. Von Max v. Pettenkofer. (S. 333—352.)
13. Ueber den gegenwärtigen Standpunkt der Lehre v. den infektiösen Erkrankungen d. Auges. Von Aug. v. Rothmund. (S. 353—366.)
14. Ueber Fleischvergiftung, intestinate Sepsis u. Abdominaltyphus. Von O. Bollinger. (S. 367—416.)
15. Ueber infektiöse Pneumonie. Von Jos. Kerschensteiner. Mit 3 Curventaf. (S. 417—434.)
— Begrüssung der XXXVII. Versammlung deutscher Philologen u. Schulmänner in Dessau. Festschrift d. herzogl. Franciseums in Zerbst. 4. Zerbst 884. (Zeidler.) — 75
Symbola ad aetatem libelli qui 'Αθηναίων πολιτεία inscribitur definiendam. Scripsit Arminius Zurborg. (S. 1—5.). Studien zu den Ceremonien d. Konstantinos Porphyrogennetos Von Herm. Wäschke. (S. 6—14.). Horatiana von Glob. Stier. (S. 15—25.). Albanesische Farbennamen. Von Glob. Stier. (S. 26—33.)
— weiteren Beleuchtung der Finanz-Verwaltung der Stadt Göttingen. Periode von 1876—1884/85. gr. 8. (14 S.) Göttingen 886. (Vandenhoeck & Ruprecht's Verl.) n. — 60
Zur Eisenbahn- u. Bevölkerungs-Statistik f. die Periode 1867 bis 1880. Bearb. vom kaiserl. statist. Amt. Imp.-4. (49 S.) Berlin 884. Puttkammer & Mühlbrecht. n. 1. —
— Erheiterung. Vademecum f. lust. u. traur. Juristen. 2. Thl. Unentbehrlich f. Jedermann. gr. 8. (192 S. m. eingedr. Holzschn.) München 884. Braun & Schneider. n. 2. —; geb. n. 3. 30; 1. u. 2. Thl. in 1 Bd. geb. n. 5. 80
— Erinnerung an den Brand d. Collegium Wilhelmitanum u. d. protestantischen Gymnasiums am 29. Juni 1860. Mit e. Rede v. Baum. 8. (12 S.) Straßburg 885. Heitz. n. — 20
— Erinnerung an meine Dienstzeit. 8. (5 S. m. 1 Karte.) Ludwigsburg 886. (Wieland.) n. — 30
— Erinnerung an den Tag der Einweihung der ev.-luth. Dreieinigkeitskirche zu Chemnitz den 24. Juni 1883. 2 Kirchweih-Predigten, nebst kurzem Festbericht. 8. (32 S.) Chemnitz 883. (Dresden, H. J. Naumann.) n. — 30
— Erinnerung an den Abschied d. Hrn. Pfarrer Lahusen v. der evangelischen Gemeinde zu Hamm. Abschiedspredigt nebst Festbericht. 8. (16 S.) Hamm 886. Grote. n. — 30
— Erinnerung an den hochwürdigsten Herrn Johannes Theodor Laurent, ehemal. apostol. Vicar v. Hamburg u. Luxemburg, Titular-Bischof v. Chersona, geistl. Director der Genossenschaft vom armen Kinde Jesu, gestorben am 20. Febr. 1884. Als Mscr. gedr. gr. 16. (74 S.) Aachen 884. Barth. n. — 50
— Erinnerung an den 10. u. 11. Novbr. 1883. Ansprache u. Predigten bei der kirchl. Feier d. 400. Geburtstages Dr. Mart. Luther's in der evang.-luth. Gemeinde Schweinfurt, geh. u. auf Verlangen der Gemeinde zum Andenken dargeboten v. ihren Geistlichen. gr. 8. (36 S.) Schweinfurt 883. Giegler. n. — 40
— Erinnerung an Karl Christian Planck, Doktor der Philosophie, Ephorus d. K. evangel. Seminars in Maulbronn, geboren den 17. Jan. 1819, gestorben den 7. Juni 1880. gr. 8. (54 S. m. Lichtdr.-Portr.) Tübingen 880. (Fues.) n. 1. —
— Erinnerung an Hermann Prätorius, 2. Inspektor der Basler Missionsgesellschaft, geb. den 25. Mai 1852 in Stuttgart, gest. den 7. April 1883 in Akra auf der Goldküste Westafrikas. gr. 8. (23 S.) Basel 883. Missionsbuchh. n. — 15
— Erinnerung an Pfarrer Joseph Scherrer, weil. an St. Leonhard in St. Gallen, Präsident d. St. Gall. protest.-kirchl. Hülfsvereins. Geb. den 18. März 1814. Gest. den 20. März 1886. 8. (28 S.) St. Gallen 886. Huber & Co. n. — 40
— Erinnerung an Edmund Bogt. gr. 8. (60 S. m. Lichtdr.-Bildniß.) Essen 885. Bädeker. n. 1. 25
— Erinnerung an Gerhard v. Zezschwitz. Eine anspruchslose Gabe aus dem Hause insbesondere f. seine jungen Freunde u. Schüler. 8. (67 S.) Leipzig 887. Hinrichs' Verl. n. — 75
— Feier der Einführung d. Herrn Past. Ewald Zänker zu Unterbarmen am 24. Aug. 1884. Antrittspredigt d. Hrn. Zänker üb. 1. Kor. 2, 1—5. Begrüßungsrede d. Hrn. Hermann üb. Matth 28, 20. gr. 8. (17 S.) Barmen 884. (Wiemann.) — 30
— Frage üb. die Anwendung d. Feuers in der Defensive der Infanterie. Von X. gr. 8. (18 S.) Darmstadt 884. Zernin. n. — 80
— Frage üb. die Anwendung d. Feuers in der Offensive der Infanterie. Von X. gr. 8. (19 S.) Ebend. 884. n. — 80
— Frage der Errichtung e. katholischen Universität in Salzburg. Von D. P. gr. 8. (15 S.) Linz 886. (Winter.) n. — 40
— Frage der Rang- u. Gehaltsverhältnisse der höheren Staatsbeamten in Preußen, insbesondere der Richter, Staatsanwälte u. Verwaltungsbeamten, unter Berücksicht. auch der academisch gebildeten Lehrer. Von e. preuß. Richter. gr. 8. (VI, 24 S.) Hannover 886. Helwing's Verl. n. — 50

Zur Frage parlamentarischer Regierung. Gedanken e. Patrioten. gr. 8. (15 S.) Berlin 883. Bohne. n. — 50

— dasselbe. Fortsetzung. gr. 8. (7 S.) Ebend. 883. — 30

— **Frage** der Regulierung der Lehrergehalte. Eine zeitgemässe Erörterg. v. A. Freimund. gr. 8. (16 S.) Wien 885. (Sallmayer.) n.n. — 40

— **Frage** der Verstaatlichung d. Versicherungswesens. gr. 8. (96 S) Ebend. 885. n. 2. —

— **Frage** e. Zukunfts-Exercier-Reglements f. die Infanterie. Von e. älteren Infanterie-Offizier. gr. 8. (84 S.) Berlin 884. Bath. n. 1. 25

— 80jährigen **Geschichte** der griechischen Elementarbücher v. Fr. Jacobs in Auszügen v. pädagog. Interesse aus seinen u. seiner Nachfolger Vorreden zu den verschiedenen Theilen u. Auflagen, sowie aus seiner Eröffnungsrede der Philologenversammlung in Gotha 1840. gr. 8. (48 S.) Stuttgart 885. F. Frommann. — 60

— **Geschichte** d. 1. u. 2. Leib-Husaren-Regiments. Das ungetheilte Regiment. 1741—1812. Eine archival. Studie. gr. 8. (V, 421 S.) Berlin 884. Wilhelmi. n. 8. —

— bäuerlichen **Glaubens- u. Sittenlehre**. Erweiterter Konferenzvortrag v. e. thüring. Landpfarrer. 8. (446 S.) Gotha 885. Schloeßmann. n. 4. 50

— goldenen **Hochzeit** d. Fürsten Karl Anton v. Hohenzollern. Von E. v. S. Lex.-8. (15 S.) München 884. Th. Ackermann's Verl. n. — 60

— **Lage** der bayrischen Kabinetskasse. Von e. deutschen Patrioten. gr. 8. (23 S.) Berlin 886. Allgemeiner Verlag, (H. Specht). n. — 60

— **Lösung** der Judenfrage durch die Juden. Ein jüd. Osterabend d. J. 1884 n Chr. Von Moses ben Hezekia. 8. (63 S.) Berlin 885. Ißleib. n. 1. —

— **Luther-Feier**. Ein Sonettenkranz. Den preuß. Consistorialräthen u. ihren Geistesgenossen gewidmet v. ***n. gr. 8. (40 S.) Tauberbischofsheim 883. (Lang.) n. 1. —

— 400jähr. **Lutherfeier**. I. u. II. 8. Breklum 883. Christl. Buchh. à n. — 10
 I. Luther's mächtiges Glaubensbekenntniß. (16 S.)
 II. Die Dreieinigkeit Gottes v. Clausen. (16 S.)

— **Luther-Schulfeier** 1883. Luther's Leben u. Werk in der deutschen Dichtung. 8. (32 S.) Nördlingen 883. Beck. n. — 20

— **Methodik** d. Sammelns v. Incunabeln. Von F. M. gr. 8. (15 S.) Wien 886. Verlag der „Oesterr. Buchhändler-Correspondenz. n. — 50

— **Naturgeschichte** d. Medicus. Kurzweilige Schattenrisse, nach der Natur gezeichnet v. Risorius Santorini. Illustr. v. Corrugator Supercilii. 8. (51 S. m. eingedr. Holzschn.) Leipzig 886. Garte. n. 1. —

— **Phraseologie** der Volksschulpädagogik. Von Quintus Fixlein II. 8. (244 S.) Augsburg 883. Lampart & Co. n. 2. —

— **Reform** unserer Gemeinde-Gesetzgebung. Von e. Praktiker. gr. 8. (48 S.) Wien 883. (Gerold's Sohn.) n. — 80

— **Reform** der preußischen Klassen- u. Einkommensteuer. gr. 8. (71 S.) Berlin 883. v. Decker. 1. 25

— **Reform** d. akademischen Lebens. Wider Duellzwang u. Verbindungstyrannei. Mit e. Nachwort. 8. (32 S.) Leipzig 885. A. Duncker. n. — 60

— bevorstehenden **Reorganisation** der österreichischen Feld-Artillerie, nebst e. Tabelle zur Vergleichg. der Kriegs- u. Friedenstände der Feld-Artillerien Oesterreichs, Deutschlands, Frankreichs u. Rußlands v. J. B. S. gr. 8. (29 S.) Budapest 883. Grill. n. — 80

— **Schulgesundheitspflege**. Veröffentlichungen der Hygiene-Sektion d. Berliner Lehrer-Vereins. Mit 19 Abbildgn. gr. 8. (126 S.) Berlin 886. Stubenrauch. n. 1. 60

— 50jährigen **Stiftungsfeier** der Hochschule Zürich. Cantate v. Gfr. **Keller** u. Festrede, geh. am Hauptfestakt im Grossmünster den 2. Aug. 1883 v. Heinr. **Steiner**. gr. 8. (22 S.) Frauenfeld 883. Huber. n. — 50

— **Ueberbürdungs-Frage** v. e. reichsländischen Schulmanne. gr. 8. (21 S.) Straßburg 883. Schmidt. n. — 60

— **Umgestaltung** d. preußischen Landtages. Von e. preuß. Beamten. gr. 8. (20 S.) Lindau 884. Ludwig. n. — 50

Zur Volksküche in der Familie. Ein Beitrag aus den 30jähr. Erfahrgn. der Suppen-Anstalt zu Darmstadt. 8. Aufl. 8. (13 S.) Darmstadt 883. Wittich'sche Hofbuchdr. n.n. — 12

— **Volksschullesebuchsfrage**. Bericht u. Verhandlg., Verfügungen u. Gutachten. [Zur V. Generalversammlg. in Elberfeld am 29. Apr. 1883.] [Schriften d. Liberalen Schulvereins Rheinlands und Westfalens, Nr. 6.] gr. 8. Bonn 883. Strauß. n. 1. 60
 I. Bericht d. Vorsitzenden Jürgen Bona Meyer. (52 S.) — II. Allgemeine Bestimmgn. u. Verfüggn. der Regierg. in Preußen seit 1872. (S. 53—76.) — III. Gutachten d. Lehr. J. Huffschmidt. (S. 77—89.) — IV. Gutachten d. Bartholomaeus. (S. 90—108.)

Zurbonsen, F., das „Chronicon Campi s. Mariae“ in seiner ältesten Gestalt, s.: Beiträge, Münsterische, f. Geschichtsforschung.

Zurborg, H., symbola ad aetatem libelli qui *Ἀθηναίων πολιτεία* inscribitur definiendam, s.: Zur Begrüssung der XXXVII. Versammlung deutscher Philologen u. Schulmänner in Dessau.

Zürcher, E., u. F. **Schreiber**, Kritische Darstellung der bundesrechtlichen Praxis betr. das Verbot der Doppelbesteurung u. Vorschläge zur Regelung dieser Frage in e. gemäss Artikel 46 der Bundesverfassung zu erlassenden Bundesgesetze. Zwei vom schweizer. Juristenvereine gekrönte Preisschriften. gr. 8. (VI, 68 S.) Basel 882. Detloff. n. 5. —

Zürich u. Umgebung. Heimatskunde, hrsg. vom Lehrer-Verein Zürich unter Mitwirkg. v. Mlr. Ernst, A. Heim, J. Jäggi etc. 1. u. 2. Lfg. gr. 8. (S. 1—176.) Zürich 883. Schulthess. n. 2. 80
 1. n. 1. 20. — 2. n. 1. 60.

— u. seine Umgebungen. Ein Führer f. Einheimische u. Fremde. Nach den neuesten Quellen bearb. Mit e. Plane der Stadt u. vielen Ansichten. 8. (59 S.) Zürich 884. Schmidt. n. 1. —

Zürichersee, der. 8. (20 S. m. Holzschn. u. 1 lith. Karte.) Zürich 885. Schmidt. n. — 40

Zuerl, J., Repertorium zu den Erkenntnissen d. Reichsgerichts in Strafsachen aus der Zeit vom 1. Jan. 1882 bis 31. Decbr. 1884, zugleich als Register zu Bd. 4 bis 6 der „Rechtsprechung“ u. zu Bd. 5 bis 11 der „Entscheidungen d. Reichsgerichts“. 2. Folge. gr. 8. (VI, 428 S.) München 885. Oldenbourg. n. 6. 50; geb. n. 7. — (1. u. 2.: n. 11. —; geb. n. 12. —)

Zürn, F. A., die **Gründe**, warum die Lust zum Geflügel-Züchten u. Halten erkaltet u. wie diesem Uebelstande vorzubeugen ist. gr. 8. (46 S.) Leipzig 885. H. Voigt. n. 1. —

— die **Lehre** vom Hufbeschlag u. v. den wichtigsten äußeren Krankheiten d. Pferdes, wie deren Heilung. 7. verm. u. verb. Aufl. Mit 193 in d. Text eingedr. Holzschn. gr. 8. (XII, 203 S.) Weimar 884. B. F. Voigt. 5. —

— u. G. A. **Müller**, die Untugenden der Haustiere, deren zweckentsprech. u. humane Behandlg. Für Tierbesitzer u. Tierschützer hrsg. Mit 70 Abbildgn. gr. 8. (VIII, 79 S.) Ebend. 885. 2. 25

Zürn, Gust., die Leidensgeschichte Jesu Christi, zusammengestellt nach dem Bedürfnis der Gemeinde. Ein Beitrag zur Revision der preuß. Agende, nebst Bemerkgn. zur Probebibel. gr. 8. (76 S.) Leipzig 886. Hinrichs' Verl. n. 1. —

Zurukzoglu, Nic. J., Prorogatio fori et contumacia. gr. 8. (VII, 66 S.) Leipzig 885. (Rossberg.) n. 1. 60

Zusammenstellung der **Akkordsätze**, welche in der königl. Eisenbahn-Haupt-Werkstatt zu Witten [Locomotiv-Abtheilung] gezahlt werden. gr. 8. (IV, 361 S. m. eingedr. Fig.) Witten a/Rh. 884. (Krüger.) n. 6. 50; Einbd. n.n. — 50

— verschiedener **Alphabete** zum Gebrauche bei Situations-, Bau- u. Maschinenzeichnungen f. höhere Bürger-, Real- u. Gewerbeschulen, technische Hochschulen, sowie f. Architekten, Ingenieure, Katasterbeamte etc. 3. Aufl. 8. (48 S.) Leipzig 883. Baumgärtner. — 90

— der f. den Bezirk d. königl. Oberbergamts zu Dortmund bis zum 1. Juli 1885 erlassenen allgemeinen **Berg-polizei-Verordnungen**. Amtliche Ausg. 5. Aufl. 8. (102 S.) Dortmund 885. Köppen. n. — 60

Zusammenstellung, übersichtliche, der wichtigsten Angaben der deutschen Eisenbahn-Statistik, nebst erläut. Bemerkgn. u. e. (chromolith.) Uebersichtskarte, bearb. im Reichs-Eisenbahn-Amt. 1—4. Bd. Fol. Berlin, (Mittler & Sohn). à n. 3. —
1. Betriebsjahre 1880/81 u. 1881/82. (110 S.) 883.
2. „ 1881/82 u. 1882/83. (131 S.) 884.
3. „ 1882/83 u. 1883/84. (111 S.) 885.
4. „ 1883/84 u. 1884/85 Anh. Hauptergebnisse der Betriebsjahre 1880/81 — 1884/85, nebst Erläuterungen. (194 S.) 886.

— der vergleichenden Versuche üb. die Heizkraft u. andere in technischer Beziehung wichtige Eigenschaften verschiedener Kohlensorten. Ausgeführt auf der kaiserl. Werft zu Wilhelmshaven. gr. 8. (26 S.) Berlin 883. Mittler & Sohn. n. — 50
— amtliche, der f. den Reg.-Bez. Posen bestehenden Landes-Polizei-Verordnungen v. allgemeiner Bedeutung in Verbindung m. den bezüglichen gesetzlichen Vorschriften. 3. Aufl. 8. (VI, 362 S.) Posen 885. Merzbach. n. 4. —
— alphabetische, der im Reg.-Bez. Erfurt vorhandenen Ortschaften u. selbstständigen Gutsbezirke, mit Hinzufügg. der bezügl. Kreise, Amtsbezirke, Post- u. Telegraphen-Bestellungsanstalten, nebst der nach der letzten Volkszählg. ermittelten Häuser- u. Einwohnerzahl u. e. besond. Verzeichnisse der Amts- sowie Standesamts-Bezirke, nach amtl. Quellen bearb. 8. (31 S.) Erfurt 886. Körner'sche Buchh. n. — 50
— der bis zum 1. Apr. 1885 v. der königl. Landdrostei zu Hildesheim erlassenen Polizei-Verordnungen. 4. (IV, 73 S.) Hildesheim 885. Lax. cart. n. 2. —
— der das Schlachthaus betreff. gesetzlichen Bestimmungen u. polizeilichen Verordnungen. 8. (31 S.) Crefeld 886. Klein. n. — 70
— der Bestimmungen üb. Ausbildung u. Prüfung f. den preußischen Staatsforstverwaltungsdienst. Mit e. Anh., enth. die Vorschriften üb. die Prüfg. der öffentlich anzustell. Landmesser. 2. Aufl. 4. (40 S.) Berlin 885. Springer. n.n. 1. 60
— der Vorlesungen, welche vom Sommerhalbjahr 1804 bis 1886 auf der grossherzogl. Badischen Ruprecht-Karls-Universität zu Heidelberg angekündigt worden sind. gr. 8. (33 S.) Heidelberg 886. K. Groos. n. — 60

Zusatz-Bestimmungen zum Betriebsreglement f. die Eisenbahnen Deutschlands u. Tarife f. die Beförderung v. Leichen, Fahrzeugen u. lebenden Thieren auf den K. Württembergischen Staatseisenbahnen. Giltig vom 1. Oktbr. 1882 ab, unter Aufhebung der Spezialbestimmgn. u. Tarife f. die Beförderg. v. Leichen, Fahrzeugen u. leb. Thieren vom 1. Juli 1875. Mit 1. u. 2. Nachtrag. Lex.-8. (52 u. Nachträge 5 S.) Stuttgart 882—85. (Metzler's Sort.) n.n. — 80
— dasselbe. Giltig vom 1. Septbr. 1881 ab, unter Aufhebg. der Spezialbestimmgn. u. Tarife f. die Beförderg. v. Personen, Reisegepäck u. Hunden vom 1. Juni 1874. Mit 1. Nachtrag. Lex.-8. (43 u. Nachtrag 4 S.) Ebend. 881 u. 84. n.n. — 80
— vom 10. Juni 1885 zu den Geschäftsanweisungen f. die Katasterverwaltung im Geltungsbereiche d. rheinischen Rechts. gr. 8. (33 S.) Berlin 885. (v. Decker.) n. 1. —

Zuschneid, Karl, Hilfsbuch f. den Chorgesang-Unterricht an höheren Schulen. gr. 8. (60 S.) Göttingen 885. Vandenhoeck & Ruprecht's Verl. cart. n. 1. 20
Zustand u. Fortschritte der deutschen Lebensversicherungs-Anstalten im J. 1882. gr. 8. (45 S. m. 1 Tab.) Bremen 883. Roussell. n. 1. —
— — dasselbe im J. 1884, s.: Jahrbücher f. Nationalökonomie u. Statistik, XI. Suppl.
Zutavern, Karl, üb. die altfranzösische epische Sprache. I. gr. 8. (80 S.) Heidelberg 885. (Weiss' Sort.) n. 1. 60
Zuwachs der grossherzogl. Bibliothek zu Weimar in den J. 1881 u. 1882. gr. 8. (59 S.) Weimar 883. (Böhlau.) n. — 25
— dasselbe in den J. 1883 u. 1884. gr. 8. (56 S.) Ebend. 885. n. — 25
Zuwachs-Verzeichniss der Stadt-Bibliothek zu Mainz in den J. 1881 u. 1882. gr. 8. (VIII, 83 S.) Mainz 883. (v. Zabern.) n. — 33
Zvetaieff, Johs., inscriptiones Italiae inferioris dialecticae, in usum praecipue academicum composuit J. Z. Lex.-8. (VIII, 186 S. m. 3 Taf.) Mosquae 886. (Leipzig, Brockhaus' Sort.) n. 8. —
— inscriptiones Italiae mediae dialecticae ad archetyporum et librorum fidem ed. J. Z. Accedit volumen tabularum (13 Lichtdr.-Taf. m. 2 Bl. Text in Fol. u. Mappe). gr. 8. (VIII, 179 S.) Ebend. 884. n.n. 30. —
Zwackh-Holzhausen, Wilh. Ritter v., die Lichenen Heidelbergs nach dem Systeme u. den Bestimmungen Dr. William Nylanders. gr. 8. (IV, 84 S.) Heidelberg 883. Weiss' Verl. n. 3. —
20 kr. Schreib-Kalender, billigster Agramer, m. unterhaltendem Theil auf J. 1887. Für Katholiken, Protestanten, Griechen, Juden u. Türken. 19. Jahrg. 4. (48 S.) Agram, Hartmann's Verl. n. — 40
Zwanzig-Pfennig-Kalender 1887 f. die Provinzen Ost- u. West-Preußen, Brandenburg, Pommern u. Posen, sowie Mecklenburg. 12. (XXVIII, 68 S.) Cöslin, Hendeß. — 20
Zwehl, Th. v., Handbuch f. den Einjährig-Freiwilligen ꝛc. der kgl. bayerischen Infanterie, s.: Müller, C. Th.
Zwei-Alter. Nr. 2. gr. 8. Berlin 885. Kühling & Güttner. n. 2. —
Dilettantenkomödie. Schwank v. Felix Geber. (26 S.)
Zweifel, P., die Krankheiten der äussern weiblichen Genitalien u. die Dammrisse, s.: Chirurgie, deutsche.
— dasselbe, s.: Handbuch der Frauenkrankheiten.
Zwerger, Max, die lebendige Kraft u. ihr Mass. Ein Beitrag zur Geschichte der Physik. gr. 8. (IV, 291 S.) München 885. Lindauer. n. 7. —
Zwerghexe, die. Bilderbuch m. 4 bewegl. (chromolith.) Taf. gr. 4. (4 Bl. Text.) Fürth 885. Schaller & Kirn. geb. 1. 75; m. Goldpressg. u. Titelbild 2. 25
Zwick, Herm., Induktionsströme u. dynamoelektrische Maschinen, in Versuchen f. die Schule dargelegt unter Benutzg. e. neuen Magnetringinduktors. Mit 35 Holzschn. gr. 8. (67 S) Gera 886. Th. Hofmann. n. 1. 60
— Körperpflege u. Jugenderziehung. Betrachtungen üb. die leibl. Erziehg. der deutschen Jugend in Haus u. Schule. gr. 8. (116 S.) Berlin 883. Oehmigke's Verl. n. 2. —
— dasselbe. 2. wohlf. Ausg. gr. 8. (116 S.) Ebend. 884. n. 1. —
— Lehrbuch f. den Unterricht in der Botanik. Nach method. Grundsätzen in 3 Kursen f. höhere Lehranstalten bearb. 2. Aufl. gr. 8. Berlin 886. Nicolai's Verl. n. 3. 20; geb. n. 4. 10
1. Mit 51 Illustr. (IV, 91 S.) n. 1. —; geb. n. 1. 30
2. Mit 104 Illustr. (VI, 135 S.) n. 1. 20; geb. n. 1. 50
3. Mit 40 Illustr. (X, 71 S.) n. 1. —; geb. n. 1. 30

— Lehrbuch f. den Unterricht in der Mineralogie. Nach method. Grundsätzen f. höhere Lehranstalten bearb. 2. Aufl. Mit 131 Illustr. gr. 8. (VII, 132 S. m. 1 Tab.) Ebend. 886. n. 1. 60; geb. n. 2. —
— Lehrbuch f. den Unterricht in der Zoologie. Nach method. Grundsätzen in 3 Kursen f. höhere Lehranstalten bearb. 3. Aufl. gr. 8. Ebend. 886. n. 3. 80; geb. n. 4. 80
1. Mit 57 Illustr. (VIII, 95 S.) n. 1. —; geb. n. 1. 30
2. Mit 164 Illustr. (VIII, 192 S.) n. 1. 80; geb. n. 2. 20
3. Mit 56 Illustr. (IV, 84 S.) n. 1. —; geb. n. 1. 30

— Leitfaden f. den Unterricht in der Mineralogie. Mit 27 Abbildgn. 2. Aufl. gr. 8. (96 S.) Ebend. 886. n. — 60
— Leitfaden f. den Unterricht in der Naturgeschichte. In 3 Kursen bearb. Pflanzenkunde. 3 Kurse. Mit Abbildgn. 2. Aufl. 8. (IV, 64 u. VIII, 127 S.) Ebend. 883. 84. n. 1. —
— Leitfaden f. den Unterricht in der Tierkunde. 3 Kurse. 8. Ebend. 886. n. 1. —
1. Mit 30 Abbildgn. 3. Aufl. (IV, 56 S.) n. — 40
2. 3. Mit 60 Abbildgn. 5. Aufl. (VI, 130 S.) n. — 60

— der naturgeschichtliche Unterricht an Elementarschulen u. höheren Lehranstalten. Sein Einfluß auf die Sinnes- u. Verstandes-Entwickelg. u. seine method. Behandlg. Nach Vorträgen im älteren Berliner Lehrervereine. 2. Aufl. gr. 8. (84 S.) Berlin 884. Oehmigke's Verl. n. 1. —
Zwick, W., Bilder aus der Chronik eines Reisepredigers f. Bibelverbreitung. Vortrag. gr. 8. (40 S.) Gütersloh 883. Bertelsmann. n. — 60

Zwickh, Nepomuk, Führer durch das Bayerische Hochland einschliesslich Salzkammergut, Kaisergebirge u. Bregenzerwald m. Salzburg, Kufstein u. Bregenz. Mit 7 Plänen, Karten u. Panoramen. 8. (VI, 186 S.) Augsburg 886. Amthor. geb. n. 4. —

— Führer durch die Oetzthaler-Alpen od. das Gebiet zwischen Oberinnthal, Vintschgau u. Brennerbahn m. Innsbruck, Meran u. Bozen, nebst den Eintrittsrouten dahin. Mit e. Anh., die Arlbergbahn enth. Mit 1 Karte der Oetzthaler-Stubaiergruppe, 1 Karte der Arlbergbahn, 1 Routenübersichtskarte u. 3 Panoramen. 8. (VIII, 227 S.) Ebend. 885. geb. n. 4. —

— Herrenchiemsee, Neuschwanstein u. Linderhof, die Lieblingsschlösser weiland Königs Ludwig II., nebst den Reiserouten dahin. Mit 3 Illustr., 3 Plänen u. 1 Routenkärtchen. 8. (VII, 63 S.) Ebend. 886. 1. 50

Zwiedineck-Südenhorst, H. v., Kriegsbilder aus der Zeit der Landsknechte. Mit 7 (Holzschn.-)Illustr. nach zeitgenöss. Originalen. 8. (V, 303 S.) Stuttgart 883. Cotta. cart. n. 6. —

— Oesterreich unter Maria Theresia, Josef II. u. Leopold II., s.: Wolf, A.

— die Politik der Republik Venedig während d. 30-jährigen Krieges. 2. (Schluss-)Bd. Die Befreig. d. Veltlin u. der Mantuaner Erbfolgekrieg. gr. 8. (VIII, 359 S.) Stuttgart 885. Cotta. n. 6. — (cplt.: n. 12 —)

— Graf Heinrich Matthias Thurn in Diensten der Republik Venedig. Eine Studie nach venetian. Acten. Lex.-8. (20 S.) Wien 884. (Gerold's Sohn.) n. — 40

Zwierlein, der Kurgast. Ueber die verschiedenen Bäder, Molken- [Schotten-] Kur, Hungerkur, Traubenkur, Schröpfen, Leibesübungen, Mineralwasser, Wasser u. Wasserkuren. 16. (IV, 175 S.) St. Gallen 874. Maeder. geb. n. 1. 60

Zwierzina, Vinc., Sigel u. Abbreviaturen [correspondenzschriftliche Kürzungen] der Gabelsberger'schen Stenographie. 8. Aufl. [Unveränd. Abdr. der 4. Aufl.] Mit Portr. u. Biographie Gabelsberger's. gr. 16. (31 S.) Wien 885. (Bermann u. Altmann.) — 40

— die Wortkürzung der Gabelsberger'schen Stenographie. In demonstrat. Behandlg. an Satzbeispielen. 8. (16 S.) Wien 884. (Bermann & Altmann.) n. — 40

Zwikel-Welti, Georges, die Eisenbahnen der verschiedenen Staaten u. ihr Einfluss in wirthschaftlicher Beziehung m. besond. Berücksicht. der Alpenbahnen. Eine Studie. gr. 8. (26 S.) Lichtensteig 885. (Zürich, Meyer & Zeller.) n. 1. 20

Zwingli's Leben. 7. Aufl. 8. (96 S. m. eingedr. Holzsch.) Barmen 884. (Wiemann.) n. — 35

— dasselbe. Hrsg. v. dem Deutschen Verlagshaus der Reformirten Kirche in den Ver. Staaten. 12. (147 S. m. lith. Portr.) Cleveland, O. 883. (Philadelphia, Schäfer & Koradi.) geb. n. 1. 50

Zwingli, H., der Hirt. Neu hrsg. v. Bernh. Riggenbach. 8. (33 S.) Basel 884. Detloff. n. — 50

— Lehrbüchlein. Lateinisch u. Deutsch m. e. Beigabe. gr. 8. (IV, 62 S. m. 3 Holzschn.) Zürich 884. Schultheß. n. 1. 20

Zwingli-Album Zur Erinnerg. an die 400jähr. Jubelfeier 1. Jan. 1884. qu. 16. (12 Lichtdr.) Frankenberg 884. Stange. n. — 25

Zwingmann, Vict., civilrechtliche Entscheidungen der Riga'schen Stadtgerichte, zusammengestellt u. hrsg. 6. Bd. gr. 8. (XVI, 466 S.) Riga 883. Kymmel. n. 12 —

— dasselbe. 7. Bd. gr. 8. (XVI, 648 S.) Ebend. 885. n. 14. —

Zwischen den Kriegskulissen. Aus den Erlebnissen e. ehemal. französ. Gelegenheitsoffiziers. 1870—71. Von Aper. gr. 8. (IV, 66 S.) Dresden 884. Höckner. n. 1. 50

— zwei Weihnachten. Von Roth-Weiß. gr. 8. (136 S.) Rathenow 886. Babenzien. n. 2. 50; geb. n. 3. 50

12 **Kreuzer-Kalender,** neuer, f. d. J. 1887. 12. (48 S.) Wien, Perles. n. — 24; cart. n. — 40

Zychlinski, Paul v., Missions-Bibel. Zusammengestellt u. hrsg. Mit e. Vorwort v. G. Warneck. 8. (IV, 48 S.) Gütersloh 884. Bertelsmann. n. — 60

— Suspiria. Eine Sammlg. v. Gebetsliederversen zum Gebrauch auf Kanzel u. Altar, am Taufstein u. am Grabe, in der Schule u. im Haus. gr. 8. (X, 152 S.) Ebend. 885. n. 2. 40

Berichtigungen und Veränderungen während des Druckes.

Bd. XXIII. Pag. 40. **Arnold**, Hans, Berlin-Ostende. Herabgesetzter Preis n. 2. —
" " 82. **Beiträge** zur historischen Syntax d. griech. Sprache, hrsg. v. M. Schanz, ändert sich der compl. Preis f. Bd. I. 1—3 u. II. 1, 2 in 13. 60 und zwar: 1. n. 2. 40. — 2. n. 1. 80. — 3. n. 2. 40. — 4. n. 3. —. — 5. n. 4. —
" " 147. **Boy-Ed**, Ida, Männer der Zeit. Jetzt Verlag von Freund in Leipzig.
" " 212. **Conway**, H., Julian Loraine's Testament. Herabgesetzter Preis n. 2. —
" " 222. **Dahn**, Fel., die Könige der Germanen. Nach den Quellen dargestellt. 6. Bd. Die Verfassung der Westgothen. Das Reich der Sueven in Spanien. 2. Aufl. gr. 8. (LI, 704 S.) Leipzig 885. Breitkopf & Härtel. n. 18. —
" " 227. **Daudet**, A., aus dem Leben. Herabgesetzter Preis n. 1. 50
" " 236. **Dichter**, deutsche, der Gegenwart. 1—3. Bd. Jetzt Verlag von Freund in Leipzig.
" " 245. **Dobelko**, D., der Cäsarewitsch Paul Petrowitsch muß heißen Kobeko, D.
" " 315. **Fleischer**, J. M., Taschenbuch f. Schmetterlingssammler. 2. Aufl. Preis jetzt n. 2. 80
" " 321. **Forster**, Jos., kathol. Pfarren zu Hüttenheim; jetzt Verlag von Bucher in Würzburg. Herabgesetzter Preis n. 1. —
" " 407. **Gréville**, H., die Niania. Herabgesetzter Preis 1. 50
" " 553. **Jokai**, M., Blumen d. Ostens. Herabgesetzter Preis n. 1. 50
" " 554. — der Mann mit den zwei Hörnern. Herabgesetzter Preis n. 1. 50
" " 563. **Junghans**, S., die Gäste der Madame Santines. Herabgesetzter Preis n. 3. —
" " 564. **Jüptner v. Jonstorff**, H. Frhr., praktisches Handbuch f. Eisenhütten u. Chemiker. Jetzt Verlag v. Felix in Leipzig.
" " 565. **Jütting**, W. U., die deutsche Sprache. Jetzt Verlag v. Meyer in Hannover.
" " 572. **Kalidasa**, Sakuntala, übers. v. Frdr. Rückert. Ist 2. Aufl. zu ergänzen.
" " 610. **Kobeko**, Dimitri, der Cäsarewitsch Paul Petrowitsch. [1754—1796.] Historische Studie. Autoris. deutsche Ausg. v. Jul. Laurenty. gr. 8. (X, 349 S.) Berlin 886. Deubner. n. 6. —

Bd. XXIV. Pag. 10. **Lange**, G., Uebersicht der verschiedenen Benennungen der deutschen Truppentheile. Herabgesetzter Preis n. 1. —
" " 44. **Lindau**, Paul, aus der Hauptstadt. Jetzt Verlag v. Dürselen in Leipzig.
" " 77. **Mappe**, die. Illustrirte Fachzeitschrift f. dekorative Gewerbe. Jetzt Verlag von Callwey in München.
" " 95. **Mell**, Carl, Vorlage-Blätter f. Decorations- u. Schriften-Maler. Jetzt Verlag von Hölder in Wien.
" " 244. **Puttkamer**, Alberta v., Dichtungen. Jetzt Verlag von Freund in Leipzig.
" " 288. **Ring**, Max, das Kind. Herabgesetzter Preis n. 1. 50
" " 288. — Unterm Tannenbaum. Herabgesetzter Preis n. 1. 50
" " 310. **Rundschau**, bautechnische. Erscheint seit 1. Octbr. 1886 nicht mehr.

Druck von A. Th. Engelhardt in Leipzig.

Lightning Source UK Ltd.
Milton Keynes UK
UKHW020351090119
334943UK00008B/1267/P